THE GREEK ELEMENT

IN

ENGLISH WORDS

THE MACMILLAN COMPANY
NEW YORK · BOSTON · CHICAGO · DALLAS
ATLANTA · SAN FRANCISCO

MACMILLAN & CO., LIMITED
LONDON · BOMBAY · CALCUTTA
MELBOURNE

THE MACMILLAN COMPANY
OF CANADA, LIMITED
TORONTO

THE GREEK ELEMENT
IN
ENGLISH WORDS

BY

JOHN C. SMOCK, Ph.D., LL.D.

EDITED BY

PERCY W. LONG, Ph.D.

New York
THE MACMILLAN COMPANY
1931

Set up and electrotyped.
Published January, 1931.

SET UP, ELECTROTYPED AND PRINTED BY LANCASTER PRESS, INC.,
LANCASTER, PA., U. S. A.

οὐ γάρ τοι πρὶν μοῖρα φίλους τ' ἰδέειν . . .

Odyssey IV 475

TABLE OF CONTENTS

PREFACE:

PAGES

Memorial Preface . . . . ix–x

Editor's Introduction . . . . xi–xiii

PART I:

Key to Part I xiv

English Words and Combining Forms as Derived and Formed from Greek 1–267

PART II:

Greek Authors with Illustrative Words . . . . . . i–v

Greek Terminal Elements Frequently Represented in English v

Key to Part II vi

Table of Abbreviations of Arts and Sciences vi

Greek Words and Combining Forms as they Appear in English 1–355

Addenda and Corrigenda 355

MEMORIAL PREFACE

"The Greek Element in English Words" is an original and informing contribution to the cause of knowledge; and is the result of patient research and generous provision by the late John Conover Smock, Ph.D.; LL.D. It is a worthy memorial to an earnest and ripe scholar. To its preparation the author gave years of happy labor. It furnished fruitful occupation to his active mind up to the end of a long and useful life. That he did not see the publication of his work is a matter of deep regret; but so intent was his desire for the completion to be made of what he had undertaken and largely developed, that he arranged for the accomplishment of this purpose, committing the task to the writer of this memorial sketch.

Although Dr. Smock's specialized training and pursuits were in the scientific fields of geology and metallurgy, he had enjoyed from early life a fondness for the Greek language. When the leisure of later years came to him, this fondness crystallized in his endeavor to demonstrate the much larger part the Greek element occupies in multitudes of English words than is commonly understood. Especially did he seek to call attention to the thousands of new words which are continuously being drawn from the Greek vocabulary into the nomenclature of the various branches of modern science. In addition to his own indefatigable investigations, he engaged the services of collaborators, specialists in the various scientific fields; and notably of Dr. Percy W. Long, a department editor of Webster's "New International Dictionary," who has edited this volume with sympathetic understanding and scholarly exactness.

An outline of the author's life is here presented. John Conover Smock, the son of Isaac C. Smock and Ellen Conover, was born near Holmdel, Monmouth County, New Jersey, on September 21, 1842. His ancestors came from Holland in the seventeenth century and settled on Long Island, New York. His boyhood was spent on his father's farm. Some have thought that the abundance of marl deposits in that locality may have had something to do with awakening his interest in the subject of geology. Entering Rutgers College, he graduated in the class of 1862. After pursuing advanced study in Germany, he became a member of the faculty of Rutgers College as tutor in chemistry, and later as Professor of Mining and Metallurgy. It was in this period that Dr. George H. Cook, eminent State Geologist of New Jersey, invited Professor Smock to become his assistant. This position he filled until called to be in charge of the State Museum at Albany, New York. Upon the death of Dr. Cook, he was again brought into the service of New Jersey as State Geologist. In 1901 he resigned this position. The result of his ten years' service "called for a special minute of remembrance and esteem" from the Board of Managers, "for his tactful, efficient and disinterested conduct of the Geological Survey of New Jersey."

Relieved of official duties, Dr. Smock was at liberty to devote himself to a greater degree of home life and to travel. In these pleasures he had a congenial comrade in his wife, Katharine E. Beekman, whom he married in 1874. For almost half a century, until the death of Mrs. Smock, this beautiful comradeship continued. In 1882, Lafayette College conferred on him the degree of Doctor of Philosophy; and in 1902, Rutgers College, the degree of Doctor of Laws. He was a Fellow of The American Association for the Advancement of Science and of The Royal Society of Arts (London), as well as a member of The American Philosophical Society, The Geological Society of America, The American Institute of Mining and Metallurgical Engineers, The National Geographical Society, The American Forestry Association, and The New Jersey Historical Association. His publications were in the form of pamphlets and reports relating to his official duties. Among these may be mentioned, "The Magnetic Ores of New Jersey," "The Fire Clays and Associated Plastic Clays of New Jersey," "The Surface Limit and Thickness of the Continental Glaciers of New Jersey," "Evidence of Local Glaciers in the Catskill Mountains," "Iron Mines and Iron Ore Districts in New York," "Notes on the Sea Dykes of the Netherlands," "Administrative Reports on Mineral Statistics," and "Genealogical Notes on the Smock Family."

Dr. Smock was of a retiring nature. He did his work quietly and accepted modestly the high honors which came to him. His tastes were simple and refined. He was a lover of nature and lover of men, as well as a student of science. It is a privilege to pay tribute to the charm of his genial personality. His benevolences were extensive in various religious and humanitarian enterprises. He greatly enjoyed his home of later years at Hudson, New York. This was beautified by a lovely garden, ornamented by rare trees and shrubbery of his own planting. There his reading kept him in touch with developments in the scientific world, and there he found delight in pursuing his etymological studies. The aged savant has been pictured as seated in his study every afternoon, surrounded by lexicons and stacks of blank cards, on which he would write out the results of his researches among words. He died April 21st, 1926.

"Old age hath yet his honor and his toil."

ARTHUR FREDERICK MABON.

NEW YORK CITY,
December, 1930.

INTRODUCTION

THE purposes of this register of English words derived and constructed from Greek are, in the main, two-fold: Dr. Smock desired, on the one hand, to present to authorities in education a volume of ponderable evidence that the Greek element in the English vocabulary has been underestimated; that mastery of a relatively small number of Greek words infuses with significance tens of thousands of English words; and that these circumstances justify continued emphasis of the importance of the study of Greek in institutions of general culture. His second purpose was to provide initiators of scientific and other specialist nomenclature with a reference list indicating what Greek terms have been used, and in what fields, and how, with the intent that use of it as a manual may assist in preventing duplication and in standardizing the form of future coinage.

The material is accordingly arranged in two parts: first, an alphabetical list of English words with the Greek words and elements from which they have been adapted or composed; second, an alphabetical list of Greek words and combining forms, under which are placed the English words to which they have given rise. In Part II italicized labels indicate the principal fields of thought in which these words ordinarily occur and beside the Greek words are placed explanations of this meaning, or (where the meaning is approximately the same as in English) names of authors and lexicons in which they are found. The register presents a selective list of about one hundred and thirty thousand English words.* It does not purport to present all the English words hitherto derived or constructed from Greek. Of more than 150,000 names of zoological genera, four fifths contain some Greek element and many have a number of derivatives. Some 400, 000 names of chemical substances contain at least one Greek element. Botany, medicine, archaeology, the church, philosophy, mineralogy, physics, music, and other special fields, although not so colossal in terminology, swell the total to upward of a million words. If all these were recorded here, the rate of new coinage must soon render any list incomplete.

This overwhelming influx of modern scientific and technical terms obscures the fact that popular words also are in considerable numbers derived from Greek. Familiar animals and plants—the *tiger, elephant, hyacinth, crocus, orchid;* the common words of church and school—*pope, deacon, charity, chorus, hymn, arithmetic, history, geography, grammar;* the language of politics and trade—*democracy, policy, anti, copper, iodine, butter, cutex;* many common diseases—*asthma, bronchitis, pneumonia, typhoid;* household articles—*chair, dish electric bulb;* popular amusements—*drama, cinema, auto, bicycle;* nursery words—*diaper, papa, stomach;*—these few of many instances attest the pervasion of Greek into ordinary life.

Perhaps fewer than ten thousand of the words herein listed, however, are simple adaptations of single Greek words. The great mass are compounded from Greek combining forms or are hybrids in which the base, prefix, suffix, or some other element is Greek. As in a chess game from a small number of available moves an almost infinite variety of situations may arise, so a few Greek words run through endless permutations. To list the same word throughout its combinations, as the thousands of zoological genera beginning with *Eu-* or the families ending in *-idae*, adds little information to compensate for the repetitions. Command of some two hundred combining forms affords a clue to the meaning of scores of thousands of English words.

The limitation of vocabulary has therefore been to a scale somewhat ampler than that of the Century Dictionary, sacrificing a few thousand of the obscurer outworn scientific classifications in favor of a larger representation of older general and professional terms. About fifty thousand of the newer formations here printed are not at present available in any general dictionary, nor in large part in any specialist dictionary. The selection of these additions has been for the most part entrusted to specialists with instructions to include from the point of view of philological as well as scientific interest, illustrating by preference those words and elements which hitherto have not been exhaustively employed.

To reveal the way in which the chief Greek sources of English words have been used is the primary purpose of Part II. For clearness to the eye, words are listed under the various forms of each important Greek word as it appears in combinations. Thus, the words taken from αἷμα "blood" (See Part II, Pages 7 - 9) are distributed under αἱμ-, αἷμα, αἱματ-, αἱματο-, -αιμία, and the Greek compounds based on αἷμα. Similarly, under a single Greek word (as βράγχια Page 42 or σαῦρος, Page 273) the larger groups of English words have been distinguished when they are associated by a common suffix or are employed in the same special field. In Part I, likewise, so far as alphabetical arrangement would permit, the chief words and combining forms have been given prominence by printing only the suffixes of derivatives and only the latter part of words in lists having the same initial element. (See the Key to Part I.)

*Exclusive of variations in spelling and of differentiation by parts of speech, but including combining forms.

The etymologies in this work are founded upon those presented by the Oxford English Dictionary, the Century Dictionary, the New International Dictionary, the various special dictionaries, and the specialists (all scholars versed in Greek) who collected lists in their respective fields. These have undergone critical review at first by the author and subsequently (in all fields) by the editor. The review has in most cases confirmed the etymology presented. No attempt has been made to decide questions which pertain to Indo-Germanic philology. Nevertheless, in some thousands of instances, greater precision of detail has been attempted than appears in the etymologies of general and specialist dictionaries, The modifications introduced have been chiefly of three kinds: (1) the use of Attic rather than Ionic forms, since the authors and early dictionaries from which most of the type-setting English words have been derived used Attic forms (as in ὀδών); (2) the use of Greek compound words, rather than their parts, where these words have essentially the same sense as in English and occur in authors and lexicons with which the first modern user was presumably familiar (as in διπτερά); (3) the use of Greek combining forms rather than Greek words, where the use of a combining form in English appears to have originated in a Greek compound containing the combining form (as in -τομον). These principles of procedure are in accord with dictionary usage; but the failure of modern Greek dictionaries to give separate entries for Attic forms and terminal word elements, prevents their being carried out to the extent which the usage in Greek authors warrants.

It was Dr. Smock's conviction that the relative contributions of Latin and Greek to the English vocabulary had come to be misunderstood greatly to the disadvantage of Greek. The circumstance that Greek words are commonly barbarized by Latin endings, and are represented in dictionaries as taken from Latin and New Latin, tends to obscure the fact that most learned Latin words were taken from Greek and in the chief Latin authors were commonly used as alien words, in the best old manuscripts usually without transliteration. They were Latin in about the same sense that *blase*, *contretemps*, and *nouveau riche* are English. Latin with respect to Greek and English may be regarded much as a schoolmaster who transmits to his pupil the matter of his text.

The Latinists have here been done a corresponding, though far less considerable injustice, by the omission of intermediary forms, but one which is not to be regretted if it induces them to prepare a companion volume in vindication of Latinity. Because of this omission, however, and because the number of English words from Greek must appear to the uninformed greatly in excess of their anticipations, care has been taken in questionable cases to omit a word as being of Latin origin rather than to assign it to Greek. Words which existed in Latin before the period of Cicero are almost universally accredited to Latin unless some morphological element postulates a Greek origin.

While the general relation of a family of English words to a family of Greek words is ordinarily unmistakable, the assignment of particular members in English to particular members in Greek must often be a matter of probability on grounds of morphology and analogy. Thus, the botanical adjectives ending in *-phyllous* may be regarded as formed by analogy from -φυλλος or from φύλλον with the addition of *-ous*. The words ending in *-genist* and *-genous* are clear instances of the addition of *-ist* and *-ous*, but whether to -γένεια or -γενής is not equally clear. In recognition of the impossibility of historical verification, and of the advantages of systematic treatment, a normalized method of assignment has been adopted, corresponding in the main to that of the Oxford English Dictionary.

In the important type-setting words there are broadly three classes: (1) those taken from Greek writers and Greek dictionaries; (2) those descending through an intermediate language, especially Latin or French; and (3) those coined by combining words or parts of words taken immediately or indirectly from Greek. The last method of formation has recently become so common as to obscure the others. Indeed, the tradition of acceptance of words upon authority has now so far been set aside in favor of freedom of coinage that words substantially identical in form and sense with Greek words may be readily composed, especially by analogy, without knowledge of their previous existence. Under these circumstances, it is natural that specialist as well as general dictionaries too frequently assign words to their component parts rather than to a historical antecedent. To present the other side of the case, this volume prefers, where a word occurs in essentially the same form or sense in a conspicuous Greek writer (or in a historically accessible Greek dictionary), to assume, except for recent formation, that the word has been adopted from well-known sources rather than recomposed in ignorance.

The necessary indebtedness of such a pioneer work to the chief general and specialist dictionaries is gratefully acknowledged. Dr. Smock's collectanea were checked over by himself with the *Century Dictionary* and in part with the *Oxford English Dictionary.* Subsequently, the *Oxford English Dictionary* was entirely rechecked, and the *Century* in part, by the editor, as well as the *New Standard Dictionary* and Webster's *New International Dictionary*. The *Century* and *Standard* have proved usable chiefly for the more obscure scientific terms, and the *Oxford* for its copious supply of early usages. To the series of

Webster dictionaries (published by G. & C. Merriam Co.) this work is especially indebted for their precision of definition and excellent selective judgment. The various specialists have used too wide a range of works for mention here. The editor has checked their results against the *Nomenclator Zoologicus* and its later *Index* and *Record*, Jackson's *Glossary of Botanical Terms*, Dorland's *American Illustrated Medical Dictionary* (and in part the medical dictionaries of Dunglison, Gould, and Stedman), Chester's *Dictionary of the Names of Minerals*, Holmes' *Nomenclature of Petrology*, and Hackh's *Chemical Dictionary*.

The Greek dictionaries basically used were the eighth edition of Liddell and Scott (with the new edition by H. S. Jones so far as available) and Sophocles' *Greek Lexicon of the Roman and Byzantine Periods*. Necessity constantly arose, however, for consulting other dictionaries, not only for proper names, but especially the dictionaries current at the time of the appearance of English words, chiefly those of Scapula and Schneider. Passow's introduction of the the historical order into Greek lexicography in 1819 tended to obscure the Attic and Doric forms on which early borrowings were chiefly based and from which in consequence analogous formations are derived. The interest of Schneider as a naturalist had previously given prominence to the words contained in such scientific sources as Aristotle's *History of the Animals* and Theophrastus' *History of Plants*. But in a historical arrangement their peculiar forms ceased to be the main entry, and it is the main entry to which general dictionaries refer rather than to the special form. Thus the precise manner of contact between Greek and English has become obscured. The chief etymological contribution of this work is to confirm philologically the historical dictum that our arts and sciences and habits of thought, as fixed by precise terms, descended lineally from Athenian culture and in large measure from the school of Socrates. (See the table of Authors cited with Illustrative words.)

Among Dr. Smock's assistants special mention should be made of Dr. Rudolph Ruedemann, of Albany, N. Y., who prepared extended lists in philosophy, psychology, and palaeontology; and of Dr. E. P. Felt, who prepared a partial list in zoology. His idea of listing genera by printing under *-saurus*, for instance, the forms *Ichthyo-*, *Plesio-*, etc., initiated the extensive use of lists arranged under terminal elements in various fields. No small part of the work in alphabetization, stamping, and esp. of transcription was faithfully performed respectively by Mrs. Imogene Long, Miss Christine Mayher, and Miss Mary McDonald. The painstaking precision and intelligent cooperation of the Lancaster Press in difficult problems of type setting deserve the highest commendation. With the editor, subsequently to Dr. Smock's decease, there have been associated the following specialists for the completion of the collectanea in certain respects:

Frank Cole Babbitt, Professor of Greek, Trinity College, Conn. (a list of Greek prefixes, suffixes and combining forms, amounting to some twelve hundred).

Sidney N. Deane, Professor of Greek, Smith College, Mass. (recent terms in archaeology).

Austin M. Patterson, Professor of Chemistry, Antioch College, Ohio. (recent terms in chemistry—about five thousand).

Howard M. Parshley, Professor of Zoology, Smith College, Mass. (recent terms in zoology—about five thousand).

Of the imperfections with which Dr. Smock's ideal has been realized, and of the deficiencies of the publication in the light of what it should be, the editor is keenly aware. Frequently the English-Greek and Greek-English parts will not check because the historical order of the one and the logical order of the other necessarily clash. Words are occasionally listed in two places, owing to their varying usage and origin. Thus, adjectives ending in *-oid* and *-ous* are sometimes derivatives from a generic name and sometimes general terms, themselves the origin of group names. Furthermore, the arrangement of words in separate lists as derived from a stem, a word, or a combining form, while it is helpful to the student of formations, will delay the seeker of a particular entry. These inconveniences were incurred in fulfilling one principal object; namely, to assist scientists and other specialists in devising a more systematic terminology.

While Latin as the transmitter of culture has hitherto contributed far more widely to the popular and general educated vocabulary than has Greek, the increasing resort to Greek elements and the rapid coinage of new words for the changing conditions of modern life create some doubt as to whether this predominance will be permanent. The storehouse of Greek lexicons contains great untouched resources, and the permutations of those already utilized appear innumerable. Moreover, the Greek vocabulary, having less fixed connotations and more delicacy of shading than Latin, offers a suitable plastic material for word makers. A present tendency to shift from Latinized to Greek spellings is symptomatic of a general decision in favor of Greek. But, regardless of the future, the ensuing list of established words can hardly fail to convince educators that Greek is of outstanding importance as an element in English.

Apart from the more immediate utilitarian values of the collectanea, this volume constitutes the first and only historical record of a major unit in the English vocabulary.

KEY TO PART I

THE English words in Part I are entered, with certain restrictions, in alphabetical order, and are accompanied by the Greek words or elements from which they have been adopted or composed. They have not necessarily been taken directly from Greek, but more often through such intermediaries as Latin, New Latin, and French, as the forms of the English words usually indicate. The function of such intermediaries, however, has rarely been such as to modify greatly either the form or the meaning of other than popular words.

In order to reveal to the eye the principles of formation, minor derivatives have been subordinated by printing only their suffixes; and in the lists of words having the same initial element, this element (appearing uniformly in them) has not been reprinted. Thus under *Abacola* read *abacolid*, *Abacolidae*, *abacoloid*; and under *abio-* read *abiochemistry*, *abiogenesia*, *abiogenesis*, *abiogenesist*, etc. A hyphen before suffixes usually indicates that the final vowel or vowels of the key word should be elided and the suffix be attached after the preceding consonant, as *abasia*, *abasic*. In other instances, sufficiently obvious, a suffix is to be elided. Thus, after *abolitionism* read *abolitionist, abolitionize*. A hyphen following a word indicates that it is used only as an element in composition, as in the entries of *abio-*, *acanth-*, *acro-*.

In the run-on lists and derivatives capitalization could not be indicated. With regard to spelling, no normalization has been attempted, the intention being to show actual usage as found by the compilers of the collectanea. The great need of normalization of such variants as *-in* and *-ine*, *-ia* and *-y*, *ae* and *e*, is revealed in Part II by their assemblage in separate lists, as under the forms of *αἷμα*.

Each word will be found listed in Part II under the Greek words or elements to which it is ascribed. Thus, *Abacocrinidae* will be found under *ἀβακο-* and under *κρίνον* in the list of *-crinidae*. Extended lists of suffixes, however, such as *-idae*, *-ine*, and *-oid*, would have taken a space so disproportionate to their importance that only a few of exceptional interest, such as *-ism*, *-ist*, *-ite*, *-itis*, *-ize*, *-oma*, and *-osis*, have been fully represented. In certain instances, also, where derivatives are grouped, as at *acanthoptere*, the derivative will be found under a corresponding Greek combining form. Thus, *acanthopterous* appears not under *πτερόν* but under *-πτερος*. (See also the key prefixed to Part II.)

PART I. ENGLISH—GREEK

a- ἀ-
abaciscus ἀβακίσκος
Abacocrinidae ἀβακο- κρίνον
Abacola -id(ae -oid ἄβαξ
abactinal(ly ἀκτιν-
abacus ἄβαξ
Abama ἀ- βᾶμα
abaptiston -um ἀβάπτιστον
abarthrosis ἄρθρωσις
Abasanistus ἀβασάνιστος
abasia -ic ἀ- βάσις
Abasside -ίδης
abastardize -ίζειν
abato- ἄβατος
bius leon βίος λέων
abaton ἄβατον
abbacy ἀββᾶς
Abbasites -ίτης
abbot (cy ric ship) ἀββᾶς
Abderite(s Ἀβδηρίτης
abdominoscopy -σκοπία
abdominothoracic θωρακικός
Abelite abelite -ίτης
abenteric ἐντερικός
abepithymia ἐπιθυμία
aberrometer μέτρον
abichite abietite -ίτης
abigail(ship Ἀβιγάιλ
abio- ἀ- βιο- (app. not. ἄβιος)
chemistry χημεία
genesia -γενεσία
genesis(t γένεσις
genetic(al(ly γενετικός
genous -γενής
geny -ist -γένεια -ιστής
logy -ic(al -λογία
narce νάρκη
physiology φυσιολογία
trophy -ic -τροφία
abion(ergy ἀ- βίον -εργία
abiosis ἀ- βίωσις
abiotic ἀ- βιωτικός
abiuret ἀ- βίος
ablastemic ἀ- βλάστημα
ablastous -ic ἀ- βλαστός
ablastozoa ἀ- βλαστο- ζῶον
ablepharous ἀβλέφαρος
-i -ia -on -us
ablepsia -y ἀβλεψία
ableptical(ly ἀβλεψία
abneural(ly νεῦρον
abnormalism -ist -ize -ισμός -ιστής -ίζειν
abolitionism -ist -ize -ισμός -ιστής -ίζειν
aboriginalism -ισμός
abortoprotein πρωτεῖον
Abothrophera ἀ- βοθρο- φε-
aboulia -ic ἀβουλεία ρεῖν
aboulomania ἄβουλος μανία
abrachia -ius ἀ- βραχίων
abrachio- -ἀ βραχίων
cephalia -us κεφαλή
crinus κρίνον
Abrachyglossum ἀ- βραχυ- γλῶσσα
Abramis -id(ina(e ine) ἀβραμίς
Abranchia ἀ- βράγχια
-ial(ism -ian -iata -iate -ious
abranchioceres ἀ- βράγχια
abrastol ἀ- βραστής
abraxas α-β-ρ-α-χ-α-ς
abrazite -ic ἀ- βράζειν -ίτης

abrin ἁβρός
abro- ἁβρο-
coma & come κόμη
Abroma ἀ- βρῶμα
Abronia ἁβρός
abrotanum -oid ἀβρότονον
abrotin(e ἀβρότονον
Abrus ἁβρός
absarokite -ίτης
absenteeism -ισμός
absinth(e ἀψίνθιον
ate ial ian iate(d ic iin in(e ism ol(e ium
absinthites ἀψινθίτης
absolutism -ist(ic -ισμός -ισ-
absorbite -ίτης τικός
absorptiometer -metric μέτρον
abstat -στάτης
abstentionist -ιστής
abstractionist -ιοτης
abulia = aboulia
abysm(al(ly ἄβυσσος
abyss(al ic ous) ἄβυσσος
-ac -ακός
acacanthrax ἄκακος ἄνθραξ
acacatechnin -ol ἀκακία
acacia -etin -iin -ine ἀκακί
Acacophidia ἄκακος ὀφιδ-
academic Ἀκαδημεικός
al (ism ly s) ian ism s
academy Ἀκαδήμια
-e -ial -ian -ism -ist -ize
acadialite λίθος
acaena ἄκαινα
Acaeroplastes ἄκαιρος πλάσ-
acalculia ἀ- της
acaleph ἀκαλήφη
a ae an e oid
Acallurothrips ἀκαλλής οὐρο-
acalyc- ἀ- καλυκ- θρίψ
al(is ine inous ulate
Acalypha ἀκαλυφής
Acalypterae ἀ- καλυπτήρ
-tratae -trate -tris
acampsia ἀκαμψία
acan- ἄκανος
aceous ellidae
acanonical ἀ- κανονικός
acantha ἄκανθα
-aceae -aceous -ad -ine
chryson χρυσός
acanth- ἄκανθα
arcus ἀρχός
aria -ian
aster(inae ἀστήρ
ellin
ephyra -id(ae -oid Ἐφύρα
erpestes ἑρπηστής
esthesia -αισθησία
ia -iidae
acanthias ἀκανθίας
acanthi- ἄκανθα
ichthyosis ἰχθυ--ωσις
acanthin(e ic ous ἀκάνθινος
acanthion ἀκάνθιον
acanthis ἀκανθίς
Acanthisittidae ἀκανθίς σίττα
acanthite ἄκανθα -ίτης
Acanthistius ἄκανθα ἱστίον
acantho- ἀκανθο-
batis βατίς
bdella -id(ae -oid βδέλλα
bole -us ἀκανθόβολος

acantho- Cont'd
branchiata βράγχια
camaria καμάριον
carpous καρπός
casis κάσις
cephal- κεφαλή
a(n i iasis ous us -ιασις
ceras -atidae κέρας
chaetodon χαίτη ὀδών
cheilonema χειλο- νῆμα
chiasmid(ae -oid χίασμα
clinus -id(ae -oid κλιν-
conops κώνωψ
cottus κόττος
cybium κύβιον
cyclus κύκλος
cyst κύστις
doris -idinae -idine δορίς
drillus -id(ae oid
ganoidei -ean γάνος-οειδής
glossus γλῶσσα
gorgia -iadae -iid(ae
keratodermia κερατο -δέρμα
labrus
limon
logy -ical -λογία
loncha λόγχη
-id(ae -ida -oid
lysis λύσις
lytoceras λυτός κέρας
meridae μῆρος -ίδης
metra μέτρον
-ae -an -ea(n -id(ae -ida(n -oid -ous
myites μυῖα -ίτης
mys μῦς
nema νῆμα
neura νεῦρον
pelvis
pelyx πέλυξ
pharynx φάρυγξ
pholidae φολίς
phore -a -ous ἀκανθοφόρος
phract φρακτός
a(n ae ida ous
pleurella πλευρά
pod(a ious ous) ποδ-
pomatous
pore πόρος
psylla ψύλλα
ptere -an -i -ous πτερόν
pterygii πτερύγιον
-ia(n -ious
pupa
rhina -i ῥίν
rhyncus -ia ῥύγχος
sauridae σαῦρος
sphenote σφήν ὠτ-
sphere σφαῖρα
stauridae σταυρός
stigma στίγμα
stracion στράκιον
telson -id(ae -oid τέλσον
teuthis τευθίς
theca -i θήκη
trypa -ella -ina τρῦπα
zooid ζῶον
Acanthodes ἀκανθώδης
-ea(n -ei -ian -id(ae -ini -oid(ea(n
acanth- Cont'd
oid oma on -οειδής -ωμα
ophis -id(ae -oid ὄφις

acanth- Cont'd
opous ὤψ
osis ous -ωσις
urus -id(ae -inae -oid οὐρά
acanthus ἄκανθος
acapnia -ial ἀ- καπνός
acardia -iac(us -ius ἀ- καρδία
acardio- ἀ- καρδιο- (or ἀκάρδιος)
hemia -αιμία
nervia
trophia -τροφία
Acari ἄκαρι
-ia(n -id(a(n -idea(n -oid(es -us
cide form
acariasis ἄκαρι -ίασις
acarine -a -osis ἄκαρι -ωσις
acaro- ἄκαρι
cecidium κηκίδιον
dermatitis δερματ- -ῖτις
domation δωμάτιον
logy -ist -λογία -ιστής
phenax φέναξ
philous -φιλος
phobia -φοβία
phyta -ic -ism φυτόν-ισμός
toxic τοξικόν
acarp(el)ous ἀ- καρπός
acarpotropic ἀ- καρπός τροπή
acatalectic ἀκατάληκτος
acatalepsy -ia ἀκαταληψία
acataleptic ἀκαταληπτικός
acatallactic ἀ- καταλλακτικός
acatamathesia ἀ- καταμάθησις
acataphasia -y ἀ- κατάφασις
acataposis ἀ- κατάποσις
acatastasia ἀκαταστασία
acatastasis ἀ- κατάστασις
acatastatic ἀκαταστατός
acategorical ἀ- κατηγορικός
acatharsia -y ἀκαθαρσία
acathectic ἀ- καθεκτικός
acathistus ἀκάθιστός
acatholic ἀ- καθολικός
Acatochaeta ἄκατος χαίτη
acaulous ἄκαυλος
-es -escence -escent -ine -ose -osia
Accadist -ιστής
acceleratoritis -ῖτις
accelero-
graph -γραφος
meter μέτρον
accentric κεντρικός
accentualist -ιστής
accidentalism -ist -ισμός -ιστής
accismus ἀκκισμός
acclimatize -ίζειν
-able -ation -er
accomateria κόμη -τηριον
accompan(y)ist -ιστής
accordionist -ιστής
acculturize -ίζειν
ace εἷς
aceacenaphthene νάφθα
aceanthra- ἄνθραξ
quinoxaline ὀξαλίς
aceanthr- ἄνθραξ
ene(quinone -ώνη
ylene ὕλη
aceconitic ἀκόνιτον

acedia -iast -y ἀκηδία -αστής
Aceldama Ἀκελδαμά
acenaphth- νάφθα
alic alide
azine ἀ- ζωή
ene(quinone -ώνη
enyl ὕλη
imidazole ἀμμωνιακόν ἀ- ζωή
indan -ene Ἰνδικός
oxdiazole ὀξύς δι- ἀ- ζωή
ylene ὕλη
acenaphtho- νάφθα
benzoquinoxaline ὀξαλίς
naphthazine νάφθα ἀ- ζωή
phenazonium φαιν- ἀ- ζωή
pyran -azine -idine πῦρ ἀ- ζωή
quinoxaline ὀξαλίς
thiophene θεῖον φαιν-
triazole τρι- ἀ- ζωή
acenesthesia ἀ- κοινός -αισθησία
acentric κεντρικός
Acentrinops ἄκεντρος
acentro- ἄκεντρος
gobius
pus πούς
acentronic ἀ- κέντρον
acentrous ἄκεντρος
aceo- ἄκεος
gnosia -γνωσία
logy -ic -λογία
aceperimidine περί ἀμμωνιακόν
acephal ἀκέφαλος
a aea an ate i ia ian ic ina ine ism ist ite ous us
acephalo- ἀκέφαλος
brachia -ius βραχίων
cardia -ius καρδία
chiria -us χείρ
cyst(ic κύστις
gaster γαστήρ
gastria γαστρ-
phora -an -ous -φορος
podia -ius ποδ-
r(rh)achia ῥάχις
stomia -us στόμα
thorax -acia -acus θώραξ
acer- ἄκερος
a(n ellatous ide ina(e ine ous
acerat- ἀ- κερατ-
a es osis -ωσις
Aceratherium ἄκερος θηρίον
acerato- ἀ- κερατο-
basis βάσις
branchia βράγχια
phorous -φορος
aceritol -ίτης
aces(t)odyne ἀκεστός ὀδύνη
acestoma ἀκεστός -ωμα
acet-
aldazine ἀ- ζωή
aldehyde ὕδωρ
aldoxime ὀξύς
alize -ation -ίζειν
alyl ὕλη
am- ἀμμωνιακόν
id(e idin(e inol
anion ἀνίον
aniside -ide ἄνισον
anthranil ἄνθραξ
azide ἀ- ζωή
enyl ὕλη
eugenol εὐγενής
hemine αἱμ-

acet- Cont'd
hydroxamic ὑδρ- ὀξύς ἀμμωνιακόν
imidic -yl ἀμμωνιακόν ὕλη
induline Ἰνδικός
ite ize -ίτης -ίζειν
acetimeter μέτρον
acetimetry -ic -μετρία
aceto-
bromal βρῶμος
chlorhydrose χλωρός ὑδρ-
galactal γαλακτ-
glucal γλυκύς
glyceral γλυκερός
hydroxamic ὑδρ- οξύς ἀμμωνιακόν
lysis lytic λύσις λυτικός
mesal μέθυ
morphine Μορφεύς
meter μέτρον
metry -ic -μετρία
naphthone νάφθα -ώνη
nitril(e νίτρον
aceton- -ώνη
(a)emia -αιμία
amin(e αμμανιακόν
asthma ἄσθμα
ate ation
azine ἀ- ζωή
glycosuria γλυκύς -ουρία
ization -ize(r -ίζειν
urometer οὐρο- μέτρον
yl(idene ὕλη
aceto- Cont'd
orthotoluid ὀρθο-
paratoluid παρά
pathy -πάθεια
peroxide ὀξύς
phen- φαιν-
etide αἰθήρ
in one onine -ώνη
ylene ὕλη
phorone καμφορά -ώνη
piperone πίπερι -ώνη
pyrin(e πῦρ
thienone θεῖον -ώνη
thio- θεῖον
phenide sulfate φαιν-
tolone vanillone veratrone -ώνη
xylide ξύλον
acet- Cont'd
ox- ὀξύς
an im(e ἀμμωνιακόν
yl ὕλη
ozone ὄζων
paraamidosalol παρά ἀμμωνιακόν
phenetidin(e φαιν- αἰθήρ
uric οὖρον
acetyl ὕλη
acetone -ate -ώνη
ate ation ator
bromid βρῶμος
cellulose γλεῦκος
chlorid χλωρός
glycin γλυκύς
hydrazin(e ὑδρ- ἀ- ζωή
ic ide in
ize (-able -ation) -ίζειν
salicylic ὕλη
thymol θύμος
tropein Ἄτροπος
acetylene ὕλη
-ate -ic -yl
carbamid ἀμμωνιακόν

acetylene Cont'd
diurein δι- οὖρον
urea οὖρον
Ach(a)ean Ἀχαιός
Achaemenian Ἀχαιμένης
Achaemenidae Ἀχαιμενίδαι
ach(a)enium ἀ- χαίνειν
ach(a)enocarp ἀ- χαίνειν καρπός
Achaenodon ἀ- χαίνειν ὀδών
Ach(a)eta -ous ἀ- χαίτη
Achaetops ἀ- χαίτη ὤψ
Achaetothorax ἀ- χαίτη θώραξ
achalasia ἀ- χάλασις
Achalinopsis ἀχάλινος ὄψις
Achascophytum ἀ- χάσκειν φυτόν
Achatin(ell)a ἀχάτης
-id(ae -oid
ach(e)il- ἀ- χεῖλος
ary ia ous
ach(e)ir- ἀ- χείρ (or ἄχειρος)
ia iac ous us (ἀχειρία)
achel- ἀ χήλη
ata ate ia (i)id(ae ioid
achene -ial -ial ἀ- χαίνειν
-(od)ium -ώδης
Acheron(ian Ἀχέρων
Acherontia Ἀχερόντειος
-ic(al
Acherontemys Ἀχεροντ- ἐμύς
Acheta -idae -ina ἄχετα
achetinous ἀ- χαίτη
Achilemys ἐμύς
Achillea Ἀχίλλειος
-ean -eic -ein(e -etin
achill- Ἀχιλλεύς
odynia -ωδυνία
achillo- Ἀχιλλεύς
rrhaphy -ῥαφία
(teno)tomy τένων -τομία
Achimenes ἀχαιμενίς
achirite -ίτης
achlamyd- ἀ- χλαμυδ-
ate eae eous
achlor- ἀ- χλωρός
hydria opsia -υδρία ὄψις
achloro- ἀ- χλωρο-
hydria -υδρία
phyll(ace)ous φύλλον
Achlyomyia ἀχλύς μυῖα
achlys -usite ἀχλύς -ίτης
achlytho- ἀ- κλεῖθρον
phytum φυτόν
acholia -ic ἀχολία
acholous ἄχολος
acholuria ἀ- χολή -ουρία
achondrite ἀ- χόνδρος -ίτης
achondro- ἀ- χονδρο-
plasia πλάσις
plastic πλαστικός
achor Achorion ἄχωρ
achord- ἀ- χορδή
al ata ate
achoresis ἀ- χωρεῖν
Achorutes ἀ- χορευτής
Achradocera ἀχράς κέρας
achrematite ἀ- χρῆμα -ίτης
achreo- ἄχροιος
cythemia κύτος -αιμία
achro- ἄχροος
anthes -ανθης
dextrin δεξιτερός
glucogen γλυκύς
ite -ίτης
achroa- ἀ- χρόα
cyte -osis κύτος -ωσις

achroin ἀ- χρόα
achroio- ἄχροιος
cyth(a)emia κύτος -αιμία
achroma -asia ἀ- χρῶμα
achromacyte ἄχρωμος κύτος
achromat ἀχρώματος
e ic(ally icity in ism ize(-able -ation) ous
istous ἀχρωμάτιστος
opsia -y ὄψις
osis uria -ωσις -ουρία
achromato- ἀχρώματος
cyte κύτος
lysis λύσις
phile -φιλος
achromia -ic -ous ἄχρωμος
achromo- ἄχρωμος
derma δέρμα
philous -φιλος
trichia τριχ-
achronic(al(ly ἀκρόνυχος
achronism ἀ- χρόνος -ισμός
achroo- ἄχροος
cyst κύστις
dextrin(e ase δεξιτερός διάστασις
glycogen γλυκύς -γενής
achroous Achrus ἄχροος
achylia -ous ἀ- χυλός
achymia -osis -ous ἄχυμος -ωσις
achyr- ἄχυρον
anthes odon -ανθης ὀδών
achyro- ἄχυρον
phyton -um φυτόν
stola στολή
Acichelys -id(ae -oid ἀκίς χέλυς
aciculite -ίτης
acid-
(a)emia -αιμία
aminuria ἀμμωνιακόν -ουρία
anthera ἀνθερός
aspis ἀκίς ἀσπίς
-idae -idid(ae -idoid
ite ize -ίτης -ίζειν
acidi-
meter μέτρον
metry -ic(al -μετρία
acido-
logy ἀκίς -λογία
lysis λύσις
meter μέτρον
metry -μετρία
phil(e ic ous -φιλος
theca θήκη
acid- Cont'd
osis yl -ωσις ὕλη
osteophyte ὀστεο- φυτόν
acidotus ἀκιδωτός
acinesia = akinesia
acinet- ἀκίνητος
a ae an aria(n ic id(ae iform ina(n oid
acinodendrus δένδρον
aciphyllous ἀκή -φυλλος
aciurgy ἀκίς -ουργία
aclad- ἀ- κλάδος
iosis iotic ium -ωσις -ωτικός
aclastic ἄκλαστος
acl(e)idian ἀ- κλειδ-
acl(e)istous ἄκλειστος
acleito- ἀ- κλείτειν
cardia καρδία
aclinal ἀ- κλίνειν
aclinic ἀκλινής

acmae- ἀκμαῖος
a id(ae oid
dera δέρος
odon ὀδών
acmaeo- ἀκμαῖος
laimus λαιμός
acme -(at)ic ἀκμή
acmite ἀκμή -ίτης
augite αἰγή
trachyte τραχύτης
Acmoniodus ἀκμόνιον ὀδούς
acmonoid ἄκμων -οειδής
acnemia ἄκνημος
acnestis ἄκνηστις
acnitis -ῖτις
acoasma ἀκούειν -ασμα
acoc(*or* k)- ἀκωκή
anthera -in ἀνθηρός
Acocephalus ἄκος κεφαλή
Acochlides ἀ- κοχλίς
Acoela -ous ἄκοιλος
acoelom- ἀ- κοίλωμα
ata ate (at)ous i
Ac(o)emetae -i -ic ἀκοίμηται
Acoetes -id(ae -oid ἀκοίτης
aco- ἄκος
gnosia -is -γνωσία γνῶσις
in(aesthetic αἰσθητικός
logy -ic -λογία
acolothist -us ἀκόλουθος
acoluth(ite ἀκόλουθος
acolyte(s ship ἀκόλουθος
acolyth(ate ical ist) ἀκόλυθος
acomia -ous ἄκομος
acompso- ἄκομψος
saurus σαῦρος
Acomys ἀκή μῦς
acon ἄκων
acon- ἀκόνιτον
ate ella ellin ic in(e
aconative ἀ-
acondylous -ose ἀ- κόνδυλος
acone ἀ- κῶνος
aconite ἀκόνιτον
-al -ate -ia -ic -um
Acontias ἀκοντίας
-iadae -iid(ae -ioid
acontium ἀκόντιον
aconuresis ἄκων οὔρησις
Acopa ἀ- κώπη
acopic ἄκοπος
acopon ἄκοπον
acoprous -osis ἄκοπρος -ωσις
acopyrin(e πῦρ
acorea ἀ- κόρη
acoria ἀκορία
acormus ἀ- κορμός
Acorus -in ἄκορος
acosmia -ic -y ἀκοσμία
acosm- ἀ- κόσμος
ism -ισμός
ist(ic -ιστής -ιστικός
acospore ἀκή σπορά
Acotylea ἀ- κοτύλη
acotyledon(ous α- κοτύληδων
acou- ἀκούειν
esthesia -αισθησία
lalion λαλία -ιον
lation
meter μέτρον
metry -μετρία
acouo- ἀκούειν
meter μέτρον
phone -ia φωνή -φωνία
acousma ἄκουσμα
-ata(gnosis γνῶσις
acousmat- ἄκουσμα

acousmat- Cont'd
amnesia ἀμνησία
acousmatic ἀκουσματικός
acous(i)meter ἄκουσις μέτρον
acousmetry ἄκουσις -μετρία
acoustic ἀκουστικός
al(ly ian on -ics
acoustico- ἀκουστικός
lateral meter μέτρον
acoustometer ἀκουστός μέτ-
ρον
acracy ἀ- κρατία
acraldehyde ὕδωρ
Acraea ἀκραῖος
-aeides -aeinae
acragnosis ἄκρον ἀ- γνῶσις
acral ἄκρον
acr- ἄκρος
amphibrya -yous ἀμφί
βρύειν
andry -ανδρία
anthi -ous ἄνθος
acran- ἀ- κρανίον
ia ial iate ius y
Acrasia ἀκρασία
-iaceae -iales
acrasia -ial -y ἀκρασία
Acraspeda ἀ- κράσπεδον
-ota -ote -ώτης
acratia ἀ- κρατία
acrato- ἄκρατος
enus pega πηγή
acraturesis ἀκρατής οὔρησις
Acrecboli -ic ἄκρος ἐκβολή
acrembolic ἄκροσ ἐμβολή
acreophagy ἀ- κρεω- -φαγία
-ist -ιστής
acrepid ἀ- κρηπίς
acrib(e)ia -y ἀκρίβεια
Acribologa ἀκριβολόγα
acribometer ἀκριβο- μέτρον
Acridium ἀκρίδιον
-ian -idae -ii -iid(ae -ioid(ea
acrido- ἀκριδο-
phagous -us ἀκριδοφάγος
thares θήρα
acridyl ὕλη
acrindoline Ἰνδικός
acrinyl ὕλη
acrisia -y ἀκρισία
Acrita -an -e -us ἄκριτος
acrite -ol -ίτης
acritical ἀ- κριτικός
acrito- ἄκριτος
chromacy χρῶμα
chromatic χρωματικός
acro- ἀκρο-
(a)esthesia -αισθησία
agnosis ἀ- γνῶσις
ama ἀκρόαμα
amatic ἀκροαματικός
al(ly -ics
an(a)esthesia ἀναισθησία
arthritis ἀρθρῖτις
asis ἀκρόασις
asphyxia ἀσφυξία
ataxia ἀταξία
atic(s ἀκροατικός
basis βάσις
acrobat- ἀκρόβατος
-acy ic(al(ly ics ism
acro- Cont'd
blast(ic βλαστός
blastesis βλάστησις
brya bryous βρύον
byst- ἀκροβυστία
iolith (itis λίθος -ῖτις

acro- Cont'd
carp(i ous καρπός
cecidium κηκίδιον
cephal- κεφαλή
ia ic ine ous us y
cera -id(ae -oid κέρας
ceraunia Ἀκροκεραυνία
ch(e)irismus ἀκροχειρισ-
chilus χεῖλος μός
chlamydeal χλαμυδ-
chord χορδή
aninae iuratidae
id(ae oid us
chordon ἀκροχορδών
choreutes χορεύτης
cinesis κίνησις
cinetic κινητικός
cinus κινεῖν
clinium κλίνη
comia κόμη
conidium κονιδ-
contracture
coracoid κορακοειδής
crinus -id(ae -oid κρίνον
cyanosis κυάνωσις
cyon κύων
cyst κύστις
dactylum δάκτυλος
dectes δήκτης
delphis δελφίς
dermatitis δερματ- -ῖτις
drome -ous δρόμος
acr- ἄκρος
odont(a ism ὀδοντ- -ισ-
odus ὀδούς μός
odynia -y -ωδυνία
acro- Cont'd
fugal
gamous -y γάμος -γαμία
ganglion γάγγλιον
gen(ic ous(ly -γενής
gnosis γνῶσις
gonel -idium γονή -ίδιον
graphy -γραφία
gynae -ous γυνή
gyratus γῦρος
kinesis -ia κίνησις -κινησία
lichas λιχάς
lith(ian ic λίθος
log(ue λόγος
logy -ic(al(ly -ism -λογία
lusia
mania μανία
mastitis μαστός -ῖτις
megal- μεγαλ-
ia ic ous y
melalgia μέλος -αλγία
merostich μερο- στίχος
meter μέτρον
micria μίκρος
acromion -ial ἀκρώμιον
acromio- ἀκρώμιον
clavicular
coracoid κορακοειδής
deltoideus δελτοειδής
humeral
hyoid ὑοειδής
scapular
sternal στέρνον
thoracic θώραξ
trapezius τραπέζιον
acromonogrammatic ἀκρο-
μονο- γραμματικός
acromphalus ἄκρος ὄμφαλος
acro- Cont'd
myodi -ian -ic -ous μυώδης
myotonia -us μυο- τόνος

acro- Cont'd
narcotic ναρκωτικός
neurosis νεῦρον -ωσις
notus -ine νῶτος
Acronurus -idae ἄκρον -ουρος
acronus ἄκρον
acronyc(h) al(ly ἀκόνυχος
Acronyches ἄκρος ὀνυχ-
Acronycta -ous ἀκρονύκτιος
acronyx ἄκρος ὄνυξ
acro- Cont'd
pachy παχύς
par(a)esthesia παρ- -αισ-
θησία
paralysis παράλυσις
pathology παθολογική
pathy -πάθεια
petal(ly
phalli φαλλός
philus -φιλος
phobia -φοβία
phonetic φωνητικός
phony -ic -φωνία
photodynia φωτ- -ωδυνία
phymus φῦμα
phyta -ia φυτόν
acr- Cont'd
ophthalma -ous οφθαλμός
opis ὠπ-
acro- Cont'd
podium ποδίον
rhabdus ῥάβδος
polis -itan ἀκρόπολις
pora πόρος
posthitis ἀκροποσθία -ῖτις
rrhagus ῥαγός
sarc(um σάρξ
saurus σαῦρος
Acrosaster ἄκρος ἀστήρ
acrosazone ἀ- ζωή -ώνη
acro- Cont'd
scleroderma σκληρο- δέρμα
scopic σκοπεῖν
some -a σῶμα
speira spire σπειρά
sperm(eae σπέρμα
sphacelus σφάκελος
sphalia σφαλός
sphenosyndactylia σφηνο-
σύν δάκτυλος
spore -ous σπορά
stalagmus σταλαγμός
sternum στέρνον
stic(h) ἀκρόστιχον
al(ly ic ism ισμός
stichum -oid στίχος
acrostealgia ἄκρον ὀστε- -αλ-
acrosyl ὕλη γία
acro- Cont'd
stolium ἀκροστόλιον
tarsium -ial ταρσός
teleutic ἀκροτελεύτιχον
ter(ion ἀκρωτήριον
-ia(l -(i)al -ium
teuthis τευθίς
thecal θήκη
thelinae θηλή
thialdin(e θεῖον
thrips θρίψ
thymion θύμος
acrotic ἀκρότης
acrotic -ism ἀ- κρότος -ισμός
acro- Cont'd
tomous -τομος
tonous τόνος
treta -id(ae τρητός
tropho- τροφο-

acro- Cont'd
neurosis νεῦρον -ωσις
tropism τροπή -ισμός
Acrotus -idae ἀ- κροτός
Acruroteuthis ἄκρος οὐρο-
acryl ὕλη τευθίς
aldehyde ὕδωρ
amide ἀμμωνιακόν
ate ic
yl ὕλη
acrylo- ὕλη
nitrile νίτρον
phenone φαιν- -ώνη
actad ἀκτή ἀδ-
Actaea ἀκτέα
acteno- ἀ- κτενο-
branchii βράγχια
Acteon id(ae oid Ἀκταίων
Acteonella Ἀκταίων
-id(ae -idan
Actiad Actian Ἀκτία Ἄκτιον
actin- ἀκτιν-
aria(n e elida(n
enchyma ἔγχυμα
iadae
ia(n iaria(n
ic(al(ly ism ity)
id(ae ine ism ium
istia -ian -ious ἱστία
actini- ἀκτιν-
ferous form
id(ae idea oid
zoa(n ζῷον
actinio- ἀκτιν-
chrome χρῶμα
h(a)ematin αἱματ-
morpha μορφή
actino- ἀκτινο-
bacillosis -ωσις
blast βλαστός
blatta
branch(ia βράγχια
carp(ic ous καρπός
cephalus -idae κεφαλή
ceras -atid(ae -atoid—κέρας
cheiri -ous χείρ
chemistry χημεία
cladothrix κλαδο θρίξ
congestion
crinus κρίνον
-id(ae -inae -ite -oid
cutilis κύτος -ῖτις
desminae δεσμός
diastase διάστασις
dictyon δίκτυον
Actinodon ἀκτιν- ὀδών
actino- Cont'd
drome -ous δρόμος
electric(ity ἤλεκτρον
gaster γαστήρ
gram γράμμα
graph -γραφος
graphema γράφειν -ημα
graphy -ic -γραφία
id(a ea ἀκτινοειδής
lite -ic λίθος
log(ue λόγος
logy -ist -ous -λογία
lyte -ic λυρός
mere -ic μέρος
meris μερίς
meter μέτρον
metry -ic(al -μετρία
Actinomma ακτιν- ὄμμα
actino- Cont'd
monas -adidae μονάς
morphy -ic -ous μορφή

actino- Cont'd
myces -elial -osis μύκης
-ωσις
mycetes -ic μυκήτες
mycotic -in -ωτικός
myxidia μύξα
actinon ἀκτιν-
actino- Cont'd
nema νῆμα
neuritis νεῦρον -ῖτις
phone -ic φωνή
phor(e ous -φορος
Actinophrys ἀκτιν- ὀφρύς
-yan -yd -yid(ae -yina -yoid
actino- Cont'd
phytosis φυτόν -ωσις
poda ποδ-
pora πόρος
praxis πρᾶξις
pteri -an -ia -ous πτερόν
pterygia πτερύγιον
-ian -ii -ious
scopic σκοπεῖν
scyphia σκυφίον
some -a σῶμα
sphaerium σφαῖρα
actinost ἀκτιν- ὀστέον
actino- Cont'd
stele στήλη πία
stereoscopy στερεο- -σκο-
stome -ial -ous στόμα
stroma -ella στρῶμα
actinote ἀκτινωτός
actino- Cont'd
therapeutic θεραπευτικός
therapy θεραπεία
trichium τριχ-
trocha τροχή
tropic τροπή
uranium Οὐρανός
zoa -oal -oan -oon ζῷον
actinula ἀκτιν-
actionist -ize -ιστής -ίζειν
activism -ist -ισμός -στής
acto- ἀκτή
philus phyta -φιλος φυτόν
actorine -ῖνος
actualism -ist(ic -ισμός -ισ-
τής -ιστικός
actualize -ation -ίζειν
acurology ἀκυρολογία
-acy -ατεία
acyan- ἀ- κύανος
opsia -οψία
acyano- ἀ- κυανο-
blepsia -y βλεψία
phoric -φορος
acyclic ἀ- κυκλικός
acyesis ἀ- κύησις
acyetic ἀ- κυητικός
acyl ὕλη
ate ation oin oxy- ὀξυ-
acylogen ὕλη -γενής
Acyon ἀ- κύων
acyprinoid ἀ- κυπρῖνος
acyrology -ical(ly ἀκυρολογία
acystia ἀ- κύστις
acysti- ἀ- κύστις
nervia neuria νεῦρον
acysto- ἀ- κύστις
sporea -idia σπόρος
acytotoxin ἀ- κυτο- τοξικόν
-ad(ae ἀδ-
Adacna ἀ- δάκνειν
-id(ae -ida -oid
adactyl ἀ- δάκτυλος
e ia ism ous

adaemonist ἀ- δαίμων -ιστής
adamant ἀδαμαντ-
ean in ive oid
adamantine -oma ἀδαμάν-
τινος -ωμα
adamanto- ἀδαμαντο-
blast(oma βλαστός -ωμα
Adamatornis ἀδάματος ὄρνις
adamite ἀδάμας -ίτης
Adamite -ic(al -ism -ίτης
Adamsiellops ἔλλοψ
adamsite -ίτης
Adapis -id(ae -oid ἀ- δάπις
Adapisorex ἀ- δάπις
-icid(ae -icoid
adarce -a adarsi ἀδάρκης
addephagia ἄδδην -φαγία
additionist -ιστής
addressograph -γραφος
-ade -ἀδ-
Adela -id(ae -oid ἄδηλος
adel- ἄδηλος
arthra ἄρθρον
arthro- ἀρθρο-
somata -ous σωματ-
aster ἀστήρ
idium ite -ίδιον -ίτης
adelo- ἀδηλο-
bolus βόλος
branchia βράγχια
cephalous κεφαλή
cer(at)ous κέρας
chorda χορδή
codonic κώδων
derm(at)ous δέρμα
gamicae γάμος
adelome ἄδηλος
adelo- Cont'd
morphic- ous μορφή
plectron πλῆκτρον
pneumon(a πνεύμων
pod(e ποδ-
saurus σαῦρος
siphonia -ic σίφων
tropis τρόπις
adelph- ἀδελφός
ia iae ian ic ous
-adelphia -αδελφία
adelphiarchal ἀδελφός -αρχος
adelpho- ἀδωλφο-
gamy -γαμία
lite λίθος
phagy -φαγία
taxy -ταξιά
aden- αδήν
algia -y -αλγία
anthera ἀνθηρός
ase διάστασις
asthenia ἀσθένεια
Adenapogon ἀδήν πώγων
adendr(it)ic ἀ- δένδρον δεν-
δρίτης
aden- Cont'd
ectomy -εκτομία
ectopy ἔκτοπος
emphraxis ἔμφραξις
ia in(e itis -ῖτις
ization -ίζειν
adeniform ἀδήν
adeno- ἀδενο-
blast βλαστός
calyx κάλυξ
cancroid -οειδής
carcinoma -atous καρκίνωμα
cele κήλη
cellulitis -ῖτις -λογία
ch(e)irapsology χειραψία

adeno- Cont'd
ch(e)irus χείρ
chondroma χόνδρος -ωμα
chondro- χονδρο-
sarcoma σάρκωμα
chrome χρῶμα
cyst(ic κύστις
oma(tous -ωμα
dactylus δάκτυλος
adenodynia ἀδήν -ωδυνία
adeno- Cont'd
fibroma fibrosis -ωμα -ωσις
grapher -y -ic(al -γραφος
-γραφία
hypersthenia ὑπέρ σθένος
id(al ἀδενοειδής
ectomy -ἐκτομία
itis -ῖτις
liomyofibroma λεῖος μυο-
-ωμα
lipoma λίπος -ωμα
-atosis -ωσις
logaditis λογάδες -ῖτις
logy -ical -λογία
lymph- νύμφη
itis oma -ῖτις -ωμα
lymphocele νύμφη κήλη
adenoma ἀδήν -ωμα
-atoid -atosis -atous -οει-
δής -ωσις
tome -τομον
adeno- Cont'd
malacia μαλακία
meningeal μηνιγγ-
mycosis μύκης -ωσις
myo- μυο-
fibroma -ωμα
metritis μήτρα -ῖτις
myoma μυ- -ωμα
myositis μυός -ῖτις
myxoma μύξα -ωμα
myxo- μυξο-
sarcoma σάρκωμα
adenoncus ἀδήν ὄγκος
adeno- Cont'd
neure νεῦρον
pathy -πάθεια
petaly πέταλον
pharyngitis φαρυγγ- -ῖτις
phlegmon φλεγμονή
phore -φορος
adenophthalmia ἀδήν ὀφθαλ-
μία
adeno- Cont'd
phyllous -φυλλος
phyma φῦμα
podous ποδ-
sarco- σαρκο-
rhabdomyoma ῥάβδο
μυ- -ωμα
sarcoma σάρκωμα
scirrhous σκίρρος
sclerosis σκλήρωσις
aden- Cont'd
ose osin osis ous -ωσις
adeno- Cont'd
stoma στόμα
tome -τομον
tomy -ic(al -τομία
typhus τῦφος
adenyl(ic ἀδήν ὕλη
Adephaga -an -ous ἀδηφάγος
adephagia ἀδηφαγία
adeptist -ιστής
adermia ἀ- δέρμα
adermo- ἀ- δερμο-
genesis γένεσις

Adesma -acea -y ἄδεσμος
adespotic ἀ- δεσποτικός
Adetococcyx ἄδετος κόκκυξ
adevism -ισμός
adiabat(ic(ally ἀδιάβατος
adiabolist ἀ- διάβολος -ιστής
adiactinic ἀ- διά ακτιν-
adiadocho- ἀ- διάδοχος
kinesia -κινησία
adiagnostic ἀ- διαγνωστικός
Adiantum -iform ἀδίαντον
adiaphanous ἀ- διαφανής
adiaphon(on ἀ- διάφωνος
adiaphoresis ἀδιαφόρησις
adiaphoretic ἀδιαφορητικός
adiaphoria -acy -y ἀδιαφορία
adiaphoron ἀδιάφορον
-a -al -ism -ist(ic -ite
adiaphorous ἀδιάφορος
adiapneustia -ic ἀδιαπνευστία
adiatherm- ἀ- διαθερμαίνειν
al ancy anic anous
adiathermic ἀ- διάθερμος
adiathesis ἀ- διάθεσις
adiathetic ἀ- διάθεσις -ετικός
Adiathlipsis ἀ- διαθλίβειν
adichogamy ἀ- διχο- -γαμία
adi(a)emorrhysis ἀ- διά αἱ-
μόρρυσις
Adimerus -idae ἀ- δι- μέρος
adin- ἀδινός
ida(n ole
ops ὤψ
adip-
amide ἀμμωνιακόν
ectomy -εκτομία
oma -atous -ωμα
osis -ωσις
adipo-
cele κήλη
cerite -ίτης
fibroma -ωμα
genic -ous -γενής
hepatic ἡπατικός
lysis lytic λύσις λυτικός
meter μέτρον
adiposuria γλεῦκος -ουρία
adipsia -ic -ous -y ἄδιψος
adipson ἄδιψον
adiscalis ἀ- δίσκος
Adiscota ἀ- δίσκος
adjectivism -itis -ισμός -ῖτις
Admete ἄδμητος
-acea -id(ae -oid
adneural νεῦρον
adnexo-
organogenic ὀργανο- -γε-
νής
pexy -πηξία
Adocimus ἀδόκιμος
Adocus -id(ae -oid ἀ- δοκός
adolode ἀ- δόλος ὁδός
Adonean -ian -ic Ἀδώνιος
Adonia Ἀδώνια
adonide Ἀδώνιδος
adon- Ἄδωνις
idin(e in ite ize -ίτης -ίζειν
Adonis Ἄδωνις
Adonist Ἀδωναί
adoptionism -ist -ισμός -ιστης
Adrianist -ite -ιστής -ίτης
adrenal
(a)emia -άιμια
ectomy -ἐκτομία
adrenalinemia -αἰμία
adrenalinoscope -σκόπιον
adrenalize -ίζειν

adrenamine ἀμμωνιακόν
adrenochrome χρῶμα
adrenodont(ia ἀδοντ-
adrenotrope -ic -ism προπή
adrenoxin -idase ὀξύς διά-
στασις
Adriatic Ἀδριατικός
adronal ἁδρός
Adoxa -aceae -aceous ἄδοξος
adoxography ἄδοξος -γραφία
adoxy ἀ- δόξα
Adullamite -ίτης
adulterism -ize -ισμός -ίζειν
adultism -ισμός
Adventism -ist -ισμός -ιστής
adverbialize -ίζειν
advertistics -ιστικός
advertize z from -ίζειν
adynamia ἀδυναμία
-ic(al -on -um -y
adynamogyny ἀδυναμία -γυ-
adyton -um ἄδυτον νία
Aechmorphorus αἰχμορφόρος
Aecia -ial -ioid -ium αἰκία
aecidial -ium αἰκία -ίδιον
aecidio- αἰκία -ίδιον
form mycetes μυκῆτες
aec(id)io- ἀικιά -ίδιον
spore stage σπορά
teliospore τελειο- σπορά
aecology οἰκο- -λογία
aeodoeo- αἰδοῖα
cephalus κεφαλή
graphy -γραφία
logy -λογία
ptosis -ia πτῶσις
scopy -σκοπία
tomy -τομία
Aega -id(ae -oid αἰγ-
Aegaeonichthys Αἰγαίων ἰχ-
-ine -yinae θύς
aegagropile -a -ae αἴγαγρος
πῖλος
Aegialites αἰγιαλός -ίτης
-id(ae -oid
Aegialophilus αἰγιαλός φίλος
aegiceras αἰγι- κέρας
aegicrania αἰγι- κρανία
aegilops -ic(al αἰγίλωψ
Aegina -id(ae -oid Αἴγινα
Aeginetan -ic Αἰγινήτης
Aegiothus αἰγίοθος
Aegipan Αἰγίπαν
aegirine αἴγειρος
augite οαὐγή -ίτης
diopside δι- ὄψις
Aegirus -ite αἴγειρος
aegis αἰγίς
Aegle -ea -eid(ae -eoid αἴγλη
Aeglina -id(ae -oid αἴγλη
aego- αἰγο-
bronchophony βρογχο-
-φωνία
ceras -atid(ae -atoid κέρας
lytoceras λυτός κέρας
phony -ia -ic -ous -φωνία
podium ποδίον
Aegophthalmus αἰγ- ὀφθαλμός
aegropile = aegagropile
Aegyptiacum Αἰγύπτιος
aegyrite -ίτης
aeipathy ἀει -πάθεια
aekist = oecist
aelipi(*or* y)le Αἴολος
aelophilus ἀελλο- -φιλος
aelur- ἄιλουρος
avus

aelur- Cont'd
odon ὀδών
us id(ae oid(ea(n
aeluro- αἴλουρος
cyon κύων
gnathus γνάθος
phobia -φοβία
poda -ous pus ποδ- πούς
-aemia -άιμία
aeneolithic λίθος
aenigma -atite αἴνιγμα -ίτης
Aenigmatodes -idae αἰνιγ-
ματώδης
Aenocyon αἰνός κύων
aeolian αἰόλος
Aeolic Αἰολικός
aeoline -a Αἰόλος
Aeolis αἰόλος
-(id)id(ae -idinae -idoid
aeolism Αἰολίς
aeolist(ic Αἰόλος -ιστής -ιστι-
aeolo- Αἰόλος κός
dicon dion
melodicon μελῳδικόν
pantalon Πανταλέων
phon φωνή
aeolotropy αἰολοτροπή
-ic -ism -ισμός
aeolsklavier Αἰόλος
aeon αἰών
ist ologue -ιστής -ο-λογιον
aeonial -ian αἰώνιος
Aepopsis αἰπύς ὄψις
Aeprumnus αἰπύς πρύμνα
Aepyceros αἰπύκερως
Aepyornis αἰπυ- ὄρνις
-ithid(ae -ithoid
Aepys αἰπύς
aequichromosomal χρῶμα
aer- ἀήρ σῶμα
asthenia ἀσθένεια
elaterometer ἐλατήρ μέτ-
ρον
enchym(a -atous ἔγχυμα
endocardia ἐνδο- καρδία
enter(o)ectasia ἔντερον
ἔκτασις
eous ial ious
h(a)emoctonia αἱμο- κτόνος
ides -ίδης
aero- ἀερο-
bate -ics ἀεροβατεῖν
be(s βίος
-ia(n -ic(ally -ious -ium
biont βιωντ-
bioscope βιο- -σκόπιον
biosis βίωσις
biotic(ally βιωτικός
boat
branchia -iata βράγχια
bus
carpy καρπός
cele κήλη
chir χείρ
clinoscope κλίνειν -σκόπιον
club
colia κόλον
colpos κόλπος
coniscope κόνις -σκόπιον
craft curve
cyst κύστις
cystoscope -σκόπιον
-scopy -σκοπία
densimeter μέτρον
dermectasia δέρμα ἔκτασις
diaphano- διαφανής
meter μέτρον

aero- Cont'd
diaphthoro- διαφθορά
scope -σκόπιον
donetics δονητός
drome -ics δρόμος
dromometer δρομο- μέτρον
ductor
dynamic(s δυναμικός
filter foil form
gam γάμος
gen(e ic -γενής
genesis γένεσις
gnosy -γνωσία
gram γράμμα
graph(er -γραφος
graphy -ic(al(ly -γραφία
gun
hydro- ὑδρο-
dynamic δυναμικός
pathy -πάθεια
plane πλανής
therapy θεραπειά
hydrous ὑδρ-
hypsometer ὑψο- μέτρον
ides ἀεροειδής
idotropism ἀεροειδής τροπή
ist -ιστής
lite -ic λίθος
lithology λιθο- -λογία
logy -ic(al -ist -λογία
mancy -er μαντεία
mantic μαντικός
maniac μανία
marine
mechanics μηχανικός
meter μέτρον
metry -ic -μετρία
microbe μικρο- βίος
morphosis μόρφωσις
motor
nat ναύτης
naut(ic(s ical ism) ναύτης
nef
pathy -πάθεια
permeable
peritonia περιτόναιον
phane -φανής
philae -ous -φιλος
phobia -ic -y -φοβία
phone -ics -y φωνή
phore -ous -φορος
photo- φωτο-
graphy -γραφία
physics -ical φυσικός
phyte φυτόν
plana πλαν-
plane -ist πλανής -ιστής
plethysmo- πληθυσμός
graph -γραφος
pleuria πλευρά
pleustic πλευστικός
porotomy πορο- -τομία
pyle πύλη
aerorthometer ἀήρ ὀρθο- μέτ-
aero- Cont'd ρον
scepsis -y σκέψις
scope -σκόπιον
scopy -ic(ally -σκοπία
sialophagy σιαλο- -φαγία
siderite σιδηρίτης
siderolite σιδηρο- λίθος
aerosis ἀήρ -ωσις
aerosol -ite ἀέρος -ίτης
aero- Cont'd
sphere σφαῖρα
spirantia
spiza σπίζα

aero- Cont'd
squad
stat στατός
static(s -al στατικός
station
steam(engine
tactic τακτικός
taxis τάξις
technic(al τεχνικός
therapeutics θεραπευτικός
therapy θεραπεία
thermal θέρμος
thermo- θερμο-
therapy θεραπεία
tono- τονο-
meter μέτρον
metric μετρικός
tropic -ism τρόπος -ισμός
tympanal τύμπανον
urethro- οὐρήθρα
scope -σκόπιον
scopy -σκοπία
xyl ξύλον
aer- Cont'd
ozol ὄζων
teri- τηρεῖν
version verter
tryckosis τρίχωσις
upsometer ὑψο- μέτρον
Aesalus αἰσάλων
-id(ae -oid -on
Aeschna -id(ae -oid αἰσχρός
-idiopsis ὄψις
aeschro- αἰσχρο-
cnemis κνημίς
lalia λαλία
Aeschylean Αἰσχύλος
aeschyn- αἰσχύνη
anthus ite ἄνθος -ίτης
aeschyno- αἰσχυνο-
mene -ous αἰσχυνόμενος
aescigenin -γενής
Aesculapian Ἀσκληπιός
Aesopian Αἰσώπιος
Aesopic Αἰσωπικός
aesthacyte αἰσθάνεσθαι κύτος
aesthematology αἴσθημα -λο-
aesthesia -αισθησία γία
aesthesin αἴσθησις
aesthesio- αἴσθησις
gen -ic -y -γενής -γενεία
graphy -γραφιά
logy -λογιά
mania μανία
meter μέτρον
metry -ic -μετρία
neurosis νεῦρον -ωσις
aesthesis αἴσθησις
aesthesodic αἴσθησις ὁδός
aesthete -al αἰσθητής
aesthetic(s αἰσθητικός
al(ly ian ism ist ize
aestheto- αἰσθητός
logy phore -λογία -φορος
aesthiology αἰσθάνεσθαι -λο-
aestho- αἰσθάνεσθαι γία
physiology φυσιολογία
aethal- αἴθαλος
ium ioid -οειδής
odes αἰθαλώδης
ops ὤψ
ura οὐρά
aetheogam(ic ous ἀήθης γάμος
aether(ion αἰθήρ αἰθέριον
aether- αἰθέριος
eal ia iid(ae ioid in
Aethina αἴθινος

Aethiop(ian aethiops Αἰθίοψ
Aethiopomyia Αἰθίοψ μυῖα
aetho- αἰθός
caine (or from αἰθήρ)
chroi χρόα
gen -γενής
kirrin κίρρος
lepis λεπίς
aethon αἰθός or αἰθήρ
aethrio- αἴθριο-
scope -σκόπιον
stoma στόμα
Aethusa -in(e αἴθουσα
Aetian Αἔτιος
aetiatic αἰτιατικός
aetio- αἰτιο-
genic -ous -γενής
logical(ly αἰτιολογικός
logue -ist αἰτιολόγος -ισ-
logy αἰτιολογία τής
phyllin φύλλον
porphyrin πορφύρα
aeto- αἐτο-
batus -id(ae -inae -oid βατίς
morph(ae ic ous) μορφή
saurus σαῦρος
-ia(n -id (ae -oid
aetos ἀετός
affectationist -ιστής
Africanderism -ισμός
Africanism -ισμός
-ist(ics -ιστής -ιστικός
Africanize -ation -ίζεν
Africanoid -οειδής
Afrogaea -aean -aeic γαῖα
agad ἀγή ἀδ-
agalactia agalaxy ἀγαλακτιά
agalactous ἀγάλακτος
Agalena -id(ae -oid ἀ- γαλήνη
agalite agalith ἀγή θίθος
agalloch(um ἀγάλλοχον
agalma -atolite ἄγαλμα λίθος
agalm- ἄγαλμα
idae opsis -ιδαι ὄψις
agalorrhea ἀ- γάλα ῥοια
agam- ἄγαμος
ae ic(ally ist ous
androecism ἀνδρ- οἶκος -ισ-
ont ὀντ- μός
agamete(s ἀγάμητος
-ospore σπορά
agamo- ἄγαμος
bium βίος
filaria
genesis γένεσις
genetic(al(ly γενετικός
gony -γονία
gynaecism γυναικεῖον
gynomonoecism γυνή μον-
hermaphroditism ἑρμαφρό-
διτος -ισμός
hypnospore ὕπνο- σπορά
id(ea(n -ο-ειδής
monoecia -ism μον- οἰκία
phyta φυτόν -ισμός
spore σπορά
tropic τροπή
agamy ἀγαμία
aganglionic ἀ- γάγγλιον
Agaon(idae ἀγάων
agap- ἀγάπη
anthus ἄνθος
asm -ασμα
asticum -αστικός
ornis ὄρνις
agape ἀγάπη

Agapemone ἀγάπη μονή
-ian -ist -ite
agapetae -i ἀγαπηταί
agapetidae ἀγαπητός
Agaphelus ἄγανάφελής
-inae -ine
agaphite -ίτης
agaric ἀγαρικόν
aceae aceous acive ales ia ic
idae in(e ini inic oid us
agarici- ἀγαρικόν
cola form
Agaricophilus ἀγαρικόν -φιλος
Agassizocrinus κρίνον
-idae -ites
Agastopsylla ἀγαστός ψύλλα
agastr- ἀ- γαστρ-
eae ia ic
agastro- ἀ- γαστρο-
nervia neuria νεῦρον
agate ἀχάτης
-ine -ize -oid -y
Agathaumas ἀγαθός θαῦμα
-id(ae -oid
Agathiceratea -inae ἀγαθός κερατ-
Agathidium ἀγαθίδιον
agath- ἀγαθός
in ism ist -ισμός -ιστής
Agathis ἀγαθίς
agatho- ἀγαθο-
d(a)emon(ic δαίμων
kako(or caco)logical κακο-
logy -ical -λογία
poietic ποιητικός
Agathosma ἀγαθός ὀσμή
agati- ἀχάτης
ferous form
Agchylostoma ἀγκυλο- στόμα
Agelacrinus ἀγέλη κρίνον
-id(ae -ites -oid
Agelaeus -inae -ine ἀγελαιος
agelast(ic ἀγέλαστος
Agelenidae ἀ- γαλήνη -ίδης
agenesia ἀ- -γενεσία
agenesis -ic ἀ- γένεσις
agenetic ἀ- -γενετικός
Agenia ἀ- γένειον
agennesis -ic ἀ- γέννησις
agennetic ἀ- γεννητικός
ageno- ἀ- γεννᾶν
somia -us σῶμα
agenus ἀ- γένος
ageometrical ἀ- γεωμετρικός
agerasia -y ἀγηρασία
ageotropic ἀ- γεω- τροπή
Ageratum ἀγήρατον
agerite -ίτης
ageusia ἀ- γεῦσις
ageustia ἀ- γευστ-
agglutinationist -ιστής
agglutinize -ίζειν
agglutinogen(ic ous -γενής
agglutinoid -ο-ειδής
agglutinophore -ic -φορος
agglutinoscope -σκόπιον
agglutinumoid -οειδής
agglutogenic -γενής
agglutometer μέτρον
aggrandize *etc.* z *from* -ίζειν
aggressionist -ιστής
Aghlabites -ίτης
agiasterium ἀγιαστήριον
agiosymandron *or* -ium ἁγιο-
σήμαντρον
agitographia -γραφία
agitophasia φάσις

Agkistrodon ἄγκιστρον ὀδών
Aglaia Ἀγλαία
Aglao- ἀγλαός
nema νῆμα
phemia -φημία
spora σπορά
Aglaspis ἀγλαός ἀσπίς
aglaukopsia ἀ- γλαυκός ὄψις
Aglaura -inae -ite Ἄγλαυρος
-ίτης
Aglenus ἀ- γλήνη
aglobulia *or* -ism ἀ- -ισμός
agloss- ἄγλωσσος
a al ate ia us
aglosso- ἄγλωσσος
stoma -ia στόμα -στομία
aglucon(e = aglycon(e
aglumaceous ἀ-
aglycone ἀ- γλυκύς ἰόν
Aglycyderes ἀ- γλυκυ- δέρη
-id(ae -oid
Aglypha ἄγλυφος
-odont -odont(i)a ὀδοντ-
agmatology ἄγμα -λογία
agnath- ἀ- γνάθος
a i ia ic ous us
agnize -ίζειν
agnoea ἄγνοια
Agnoetae -e -ism Ἀγνοηταί
Agnoitae -es Ἀγνοηταί
agnoiology ἄγνοια -λογία
agnolite ἀγνόεω λίθος
agnomical ἀ- γνώμη
agnosia -y ἀγνωσία
agnostic(s ἄγνωστος
al(ly ism
Agnostus ἄγνωστος
-id(ae -oid
Agnotherium ἄγνωτος θηρίον
agnoto- ἄγνωτος
benzaldehyde ὕδωρ
zoic ζωικός
agoge -ics ἀγωγή
-agogue ἀγωγός
agometer ἄγειν μέτρον
Agomphia ἀγόμφιος
-ian -ious
agomphiasis ἀ- γομφίασις
agomphosis ἀ- γόμφωσις
agon ἀγών
arch ἀγωνάρχης
e ic ἄγωνος
es ἀγῶνες
iadin ἀγωνία
ism ἀγωνισμός
ist(er ἀγωνιστής
arch -άρχης
istic(al(ly -ics ἀγωνιστικός
ize ἀγωνίζεσθαι
-ant -ed(ly -er -ing(ly
agono- ἀγωνο-
derus δέρη
stome -a -inae -us στόμα
thet(e -ic ἀγωνοθέτης
trechus τρέχειν
xena ξένος
agon- ἀ- γόνυ
id(ae inae oid us
omalus ὁμαλός
opsis ὄψις
agony -al -ious ἀγωνία
Agonyclitae -es Ἀγονυκλῖται
agora ἀγορά
nome -us ἀγορανόμος
phobe -ia -φοβος -φοβία
Agorophiidae ἀγορά ὄφις
agrad ἀγρός ἀδ-

agrammatic ἀ- γραμματικός
agrammatism -ist ἀγράμμα-
agranulo- ἀ- τος
cyte -osis κύτος -ωσις
plastic πλαστικός
agraph ἀ- -γραφος
Agrapha ἄγραφα
agraphia -y -ic -γραφία
agrarianism -ize -ισμός -ίζειν
Agraulos -eum ἄγραυλος
agremia ἄγρα -αιμία
agrenon ἀγρηνόν
agria ἄγριος
agricolite -ίτης
agricultur(al)ist -ιστής
agriculturism -ισμός
Agrilus ἀγρός
agrimone -ia ἀργεμώνη
agrio- ἀγριο-
blepis βλέπειν
cetus κητος
choerus χοῖρος
-idae -inae -ine
crinidae κρίνον
logy -λογία
-ical -ist
nympha νύμφη
pus -odid(ae -odoid πούς
thymia -θυμία
typus -idae τύπος
Agrion -id(ae -ina -oid ἄγριος
Agriotes ἀγριότης
Agrium ἀγρός
agro- ἀγρο-
geology -ical γεω- -λογία
logy -λογία
mania μανία
myza -id(ae μύζειν
nome ἀγρόνομος
-ial -ic(s -ical -ist -y
philus -φιλος
phyta φυτόν
pyretum πῦρός
pyron *or* -um πῦρός
stemma στέμμα
sterol στερεός
Agrostis ἄγρωστις
agrosto- ἄγρωστις
grapher -γραφος
graphy -ic(al -γραφία
logy -ic(al -ist -λογία
agrotechny ἀγρο- -τεχνία
Agrotis ἀγρωτής
agrypnia ἀγρυπνία
agrypnocoma ἄγρυπνος κῶμα
agrypnode ἀγρυπνώδης
agrypnotic ἄγρυπνος -ωτικός
agu(i)larite -ίτης
Agustylus στῦλος
agyn- ἀ- γυνή
ary (ari)ous ic
Agynian ἄγυνος
agyria -ate ἀ- γῦρος
Agyrtes ἀγύρτης
ahypnia ἀ- ὕπνος -ία
Aiantea Αἰάντεια
aianthus ἀεί ἄνθος
aichmophobia αἰχμο- -φοβία
aidoitis ἀιδοῖα -ῖτις
aigialium αἰγιαλός
aigialo- ἀιγιαλός
philus phyta -φιλος φυτόν
aikinite -ίτης
ailuro- αἴλουρος
phile -φιλος
phobia -φοβία
pus πούς

Ailurus -idae -oidea αἴλουρος
ainalite ἀινός λίθος
ainoi αἶνοι
aiodin ἰώδης
Aiolobranchiata αἴολος βράγ-
aion(ial αἰών αἰώνιος χια
aiophyllus αἰών φύλλον
Aiphyllium ἀείφυλλος
aiphyllo ἀείφυλλος
philus phyta -φιλος φυτόν
Aiphytia -ium ἀεί φυτόν
Aipotropus αἰπός τρόπος
air ἀήρ
able craft foil ish
man(ship minded(ness
drome δρόμος
airi- ἀήρ
ferous fied ly ness
airo- ἀερο-
form
graptus γραπτός
(hydro)gen ὑδρο- -γενής
meter μέτρον
air- Cont'd
ol pump raid sac ship sick-
(ness some tight(ly ward(s
way woman worthy y
phobia -φοβία
plane -ist πλανής -ιστής
aischro- αἰσχρο-
latreia λατρεία
aistopod(a ous ἄιστος ποδ-
aitesis αἴτησις
aithalium ἀειθαλής
aithalo- ἀειθαλής
philus phyta -φιλος φυτόν
aithousa αἴθουσα
aitio- αἰτιο-
genic -ous -γενής
logy ἀιτιολογία
morphosis μόρφωσις
morphous μορφή
nasty -ic ναστός
nomy -ic -νομία
tropic -ism τροπή -ισμός
Aitkinite -ίτης
Aizoon -aceae -aceous ἀείζωον
akalypha ἀκαλύφη
akanthion ἀκάνθιον
akanticone ἀκή ἀντί κῶνος
akaryote -a ἀ- κάρυον
akatamathesia ἀ- καταμάθη-
σις -ία
akatanoesis ἀ- κατανόησις
akathisia ἀ- κάθισις -ία
akathistos ἀκάθιστος
akeldama Ακελδαμά
akene -ium ἀ- χαίνειν
akerato- = acerato
aker(man)ite -ίτης
Akidnognathus ἀκιδνός γνά-
akido- ἀκίς θος
galvanocautery καυτήριον
peirastic πειραστικός
akinesia -ic ἀκινησία
akinesis ἀ- κίνησις
akinete -es -ic ἀκίνητος
akinetic ἀ- κινητικός
akineto- ἀκίνητος
genesis γένεσις
akinetone ἀκίνητος -ώνη
Akkadist -ιστής
Akoimetoi ἀκόιμητοι
akolouthia ἀκολουθία
akontite ἄκων -ίτης
akosmism ἀ- κόσμος -ισμός
akou- ἀκούειν

akou- Cont'd
lalion λαλία -ιον
phone φωνή
akousmata ἀκούσματα
akreophagy -ist ἀ- κρεοφαγία
akrite ἀκρός -ίτης
akro- ἀκρο-
cephalic κεφαλή
chordite ἀκροχορδών -ίτης
Alabamornis ὄρνις
alabandite -ίτης
alabarch(es ἀλαβάρχης
alabaster ἀλάβαστρος
alabastos ἀλάβαστος
alabastrian ἀλάβαστρος
-ine -us
alabastrites ἀλαβαστρίτης
alabastron -um ἀλάβαστρον
alacreat(in)in(e κρεατ-
Alad(d)inist -ize -ιστής -ίζειν
alalia -ic ἀ- λαλία
alalite λίθος
alalus ἄλαλος
Alamosaurus σαῦρος
Alamosemys ἐμύς
alamosite -ίτης
alanyl ὕλη
alargan ἄργυρος
alarmism -ist -ισμός -ιστής
Alarodian 'Αλαρόδιοι
alask(a)ite -ίτης
Alastor Ἄλαστωρ
albalith λίθος
albaspidin ἀσπίδιον
Albertist -ιστής
albertite -ίτης
alber(t)type τύπος
albiduria -ουρία
albinism -istic -ισμός -ιστικός
albinoism -otic -ισμός -ωτικός
albinuria -ουρία
albite -ic -ization -ίτης -ίζειν
albo-
cracy -κρατία
dactylous δάκτυλος
lite lith λίθος
albugin-
ectomy itis -τομία -ῖτις
albumen-
ization ize(r -ίζειν
oid(al -οειδής
albumenometer μέτρον
albumi-
meter μέτρον
metry -μετρία
albumin-
(at)uria -ic -ουρία
ization ize(r -ίζειν
oid(al -οειδής
one osis -ώνη -ωσις
uretic οὐρητικός
urophobia οὖρον -φοβία
albumino-
genous -γενής
meter μέτρον
ptysis πτύσις
rrhea -ροια
scope -σκόπιον
albumoid -οειδής
albumoscope -σκόπιον
albumosuria γλεῦκος -ουρία
Alcaic(s 'Αλκαικός
alcaliotropism τροπή -ισμός
alcapt- ἅπτειν
on(ic
onuria -ic -ουρία
alcaptochrome ἅπτειν χρῶμα

alcargen -γενής
Alce -es -id(ae -ine ἀλκή
Alcecoris ἀλκή κόρις
Alcelaphus ἀλκή ἔλαφος
-inae -ine
alchemist χημεία
er ic(al(ly ry
alchemy -ic(al(ly -ize χημεία
alchim- alchym- = alchem-
alchometer μέτρον
Alciope ἀλκι- ὤψ
-ea(n -id(ae -oid
Alcippe -id(ae -oid 'Αλκίππη
Alcmaeonid(ae 'Αλκμαιονίδαι
alcogene -γενής
alcohol-
ism ist -ισμός -ιστής
ize -able -ate -ation -ίζειν
alcohol(i)-
meter metric μέτρον
alcoholo-
logy λογία
mania μανιά
meter μέτρον
metry-ic -μετριά
philia -φιλία
alcoho-
lysis lytic λύσις λυτικός
meter μέτρον
metry -ical -μετρία
alcoo-
meter μέτρον
metry -ical -μετρία
th(e)ionic θεῖον
Alcoranist -ιστής
alcovinometer μέτρον
alcoxylate ὀξύς ὕλη
alcyon ἀλκυών
es ic iform ine
idium -iid(ae -ioid -ιδιον
alcyon- ἀλκυόνειον
acea(n aceae aria(n idae
iid(ae (i)oid ite
Alcyone 'Αλκυόνη
alcyonio- ἀλκυόνειον
morpha μορφή
ald-
amine ἀμμωνιακόν
azin(e ἀ- ζωή
im(e ide ine) ἀμμωνιακόν
olize -ation -ίζειν
oxime ὀξύς ἀμωωνιακόν
uret οὖρον
aldehexose ἕξ γλεῦκος
aldehyde ὕδωρ
-ase διάστασις
-ate -ene -ic -in(e -ο-
aldeh(ydr)ase ὑδρ- διάστασις
aldomedon μέθυ
aldose -ide γλεῦκος
-ale ἀλία
alecithal ἀ- λέκιθος
alecize -ίζειν
Alector ἀλέκτωρ
ia ian ioid
ides -idine ἀλεκτορίς
oenas οἰνάς
alectoro- ἀλεκτορο-
machy -μαχία
mancy ἀλεκτορομαντεία
morph(ae ous μαρφή
podes -ous ποδ-
Alectrurus ἀλεκτρυών
-inae -ine -ous
alectryo- ἀλεκτρυο-
machy -μαχία
mancy μαντεία

alectryon(ia ἀλεκτρυών
-ology -ο-λογία
Aleiodes ἀ- λειώδης
aleipterion ἀλειπτήριον
aleiptic ἀλειπτικός
aleiptron ἄλειπτρον
alembic(al ate ἄμβιξ
alembroth ἄμβροτος
Aleochara -ini ἀλεός χαίρειν
-opsis ὄψις
Alepas ἀ- λεπάς
alepido- ἀ- λεπιδο-
saurus σαῦρος
-id(ae -ina -oid
Alepidote ἀλεπίδωτος
Alepisaurus ἀ- λεπίς σαῦρος
-id(ae -oid
alepo- ἀ- λέπος
cephalus -id(ae - oid
κεφαλή
saurus -idae σαῦρος
somus σῶμα
alethiology ἀλήθεια -λογία
aletho- ἀληθο-
meter μέτρον
pteris πτερίς
scope -σκόπιον
alethorama ἀληθής ὅραμα
aletocyte ἀλητής κύτος
Aletodus ἀλετός ὀδούς
Aletomeryx ἀλετός μήρυξ
aletophyte(s ἀλητής φυτόν
Aletornis ἀλητής ὄρνις
Aletris ἀλετρίς
aleuc- ἀ- λευκός
aemia -αιμία
aleuco- ἀ- λευκο-
cyte -osis κύτος -ωσις
aleuk(a)emia = aleucaemia
Aleurites -ic ἀλευρίτης
Aleurodes ἀλευρώδης
-idae -iform -oid
aleuro- ἀλευρο-
mancy μαντεία
meter μέτρον
scope -σκόπιον
aleurone ἄλευρον
-at(e -ic
aleutite -ίτης
alexanders Ἀλέξανδρος
Alexandr- Ἀλέξανδρος
ian ine ism ist ite
Alexandria(n(ism Ἀλεξαν-
δρία
Alexandrine -ism Ἀλεξαν-
δρινός
alexeteric ἀλεξητήρ
alexia ἀ- λέξις -ία
alexic -in(ic ἀλέξειν
alexi- ἀλεξι-
cacon ἀλεξίκακον
pharmac ἀλεξιφάρμακον
al -ic(al on um
pyretic πυρέτος
terical ἀλεξητήριος
tery -ial -ium ἀλεξητήριον
alexo- ἀλέξειν
cyte κύτος
fixagen fix(ag)in
Aleyrodes -id(ae ἀλευρώδης
alfer(fem)phyric πορφύρεος
alg- ἄλγος
(a)esthesis αἴσθησις
anesthesia ἀναισθησία
algaeology -ist -λογία -ιστής
Algaosaurus σαῦρος
algazone ζώνη

algebra-
ism ist -ισμός -ιστής
ize -ίζειν
algedo ἀλγηδών
algedonic(s ἄλγος ἡδονικός
algeoscopy ἄλγεος -σκοπία
algesia -ic ἄλγησις
algesi- ἄλγησις
chronometer χρονο- μέτρον
meter metric μέτρον
algesiometer ἄλγησις μέτρον
algetic αλγεῖν -ετικός
-algia -αλγία
alginoid -οειδής
alginuresis ἄλγος οὔρησις
algio- ἄλγεος
glandular
metabol μεταβολή
motor muscular vascular
algist -ιστής
algodonite -ίτης
algoid -οειδής
algo- ἄλγος
chronometer χρονο- μέτρον
cyan κύανος
genesia -γενεσία
genic -in -γενής
lagnia λαγνεία
meter μέτρον
metry -ic(al(ly -μετρία
philia -y -ist -φιλία -ιστής
phobia -φοβία
psychalia ψυχή
algorist(ic -ιστής -ιστικός
algorithm(ic th from ἀριθμός
algoscopy -σκοπία
algosis -ωσις
algraphy -ic -γραφία
-algy -αλγία
alienism -ist -ize -ισμός -ισ-
τής -ίζειν
aliethmoid(al ἠθμοειδής
alima ἄλιμος
alimento-
logy -λογία
therapy θεραπεία
Alindria ἀλίνδειν
aliphatic ἀλείφατος
alipite ἀλιπής -ίτης
alipterion ἀλειπτήριον
aliptic ἀλειπτός
alisanders Ἀλέξανδρος
Alisma ἄλισμα
-aceae -aceous -ad -al(es -in
-oid -οειδής
Alismaphyllum ἄλισμα φύλ-
alisonite -ίτης λον
alisphenoid(al σφηνοειδής
alite -ίτης
aliturgic(al ἀ- λιτουργικός
a(be, ce, etc.)lith λίθος
alcachlorophyll χλωρο- φύλ-
alkal- λον
amid(e amin(e ἀμμωνιακόν
emia -αιμία
inize -ation -ίζειν
inophilous -φιλος
inuria -ουρία
alkali-
gen(ous -γενής
meter μέτρον
metry -ic(al(ly -μετρία
penia πένης
alkalize -ίζειν
-able -ate -ation -er
alkaloid(al -οειδής
alkalometry -μετρία

alkalysol λύσις
alkapton *etc.* = alcapton *etc.*
alkarsin(e ἀρσενικόν
alkaryl ἀρωματικός ὕλη
alkoxy- ὀξυ-
alkoxyd(e alkoxyl(e ὀξύς ὕλη
alkyl ὕλη
ate ation ene ic idine ize
amin(e ἀμμωνιακόν
alkylogen ὑλο- -γενής
allachaesthesia ἀλλαχῇ
all(a)esthesia ἄλλος -αισθησία
allactite ἀλλακτικός -ίτης
Allagecrinus -idae ἀλλαγή
κρίνον
allagite ἀλλαγή
allago- ἀλλαγή
philous -φιλος
phyllous -φυλλος
stemon(ous στήμων
allanite -ίτης
allantiasis ἀλλαντ- -ιασις
Allantion ἀλλάντιον
allanto- ἀλλαντο-
ate
chorion χόριον
cystis κύστις
ic in(ase διάστασις
id(al ea(n ian) -οειδής
idoangiopagus ἀγγειο -πα-
is εἶδος γός
spora σπορά
toxicum τοξικόν
allant- ἀλλαντ-
oxaidin oxanic ὀξύς
uric οὖρον
allassotonic ἀλλάσσειν τόνος
allautogamia ἄλλος αὐτο-
-γαμιά
Allecbola ἄλλος ἐκβολή
allegoric ἀλληγορικός
al(ly alness
allegor- ἀλληγορεῖν
ism istic -ισμός -ιστής
ization ize(r -ίζειν
allegorist(er ἀλληγοριστής
allegory ἀλληγορία
allelo- ἀλληλο-
morph(ic ism μορφή -ισμός
potency
sitism σῖτος -ισμός
taxis τάξις
tropic -ism -y τροπή
alleluia(h) ἀλληλούια
allemontite -ίτης
Allenite -ίτης
all- ἄλλος
epigamic ἐπί γάμος
ergen(ic ἔργον -γενής
ergia -y -ic -εργία
allicholy χολή
alliogenesis γένεσις
alliterationist -ιστής
alliturlc οὖρον
allivalite -ίτης
allo- ἀλλο-
autogamous αὐτο- γάμος
autogamy αὐτο- -γαμία
caffein(e
carpy καρπός
charopsis χαίρειν ὄψις
ch(e)iria χείρ
chetia chezia χέζειν
chiral(ly χείρ
chlorophyll χλωρο- φύλλον
chroic -ous ἀλλόχροος
chroite ἀλλόχροος -ίτης

allo- Cont'd
chroism χρόα -ισμός
chromasia χρῶμα
chromatic χρωματικός
chthonous -χθονος
cinesia κίνησις
cinnamic κιννάμων
clase -ite κλάσις -ίτης
colloid κολλώδης
cota ἀλλόκοτος
crotonic
cryptic κρυπτός
dapus ἀλλοδαπός
desma -idae δέσμα
desmus δεσμός
al(l)odialism -ισμός
Allodon ἄλλος ὀδών
alloeo- ἀλλοιο-
genesis γένεσις
gony -γονία
stropha ἀλλοιόστροφος
alloeorgan ἀλλοῖος ὄργανον
alloeosis ἀλλοίωσις
alloeotic ἀλλοιωτικός
allo- Cont'd
erotic -ism ἐρωτικός
gamete γαμέτης
-ic(al(ly -ism
gamous γάμας
gamy -γαμία
gene ἀλλογενής
-city -eous -ic
genetic -γενετικός
glossy -γλωσσία
gonite γωνία -ίτης
graph -γραφος
gromia
Alloidea(n ἀλλοειδής
alloio- ἀλλοιο-
coela -ous κοῖλος
raphium ῥαφίς
allo- Cont'd
isomerism ἰσμερής -ισμός
kinesis κίνησις
kinetic κινητικός
lalia -ic λαλία
maleic
merism -ous μέρος -ισμός
meryx μήρυξ
metron μέτρον
metropia μέτρον -ωπία
morph(ic ism ite) μορφή
morphura μορφή οὐρά
mucic μύκης
mycterus μυκτήρ
allonic ἄλλος
allonym(ous ἄλλος ὄνυμα
alloolylis ἀλλοιο- λύσις
allo- Cont'd
palladium παλλαδ-
path -παθής
pathy -πάθεια
-(et)ic(ally -ist -ιστής
pelagic πέλαγος
phane ἀλλοφανής
amid ἀμμωνιακόν
ate ic
oids yl -οειδής ὕλη
allophite ἄλλος ὀφίτης
allo- Cont'd
phyle ἀλλόφυλος
-ian -ic -ous -us
phytoid φυτόν -οειδής
plasia πλάσις
plasmatic πλάσμα
plast πλαστός
plastic πλαστικός

allo- Cont'd
plasty -πλαστία
posus -id(ae -oid πόσος
psochus ψῶχος
psychic ψυχικός
psychosis ψυχή -ωσις
pterites πτερίς
alloquialism -ισμός
allorisma ἄλλος ἔρεισμα
allose ἄλλος γλεῦκος
allo- Cont'd
rhina ῥιν-
rhynchus ῥύγχος
(r)rhythmia -ic ῥυθμός
saurus ἄλλεσθαι σαῦρος
sematic σῆμα
seps σήψ
some σῶμα
somus σῶμα
sperm σπέρμα
sphaerocera σφαιρο- κέρας
spore σπορά
telluric
theism θεός -ισμός
thele θηλή
theria(n θηρίον
therm θέρμη
allothi- ἄλλοθι
gene -ic -ous -γενής
genetic(ally γενετικός
morphic μορφή
allotoxin ἀλλο- τοξικόν
allotri- ἀλλοτρι-
odontia ὀδοντ- -ία
uria -ουρία
allotrio- ἀλλοτριο-
geustia γευστός
lith λίθος
morphic μορφή
phagy -φαγία
allotrious ἀλλότριος
allo- Cont'd
trope ἀλλότροπος
-ic(al(ly -icity -ous
trophy -ic τροφή
tropy -ism -ist -ize ἀλλοτροπία
trupes τρυπᾶν
typic τύπος
allotrylic ἀλλότριος ὕλη
allox- ἀλλᾶς ὀξύς
an(ate anic antin in
ur(a)emia ur(an)ic οὖρον -αιμια
uria -ic -ουρία
alloxy- ἀλλᾶς ὀξυ-
proteic πρωτεῖον
allozooid ἀλλο- ζωοειδής
allozygote ἀλλο- ζυγωτός
alluranic ἀλλᾶς οὖρον
Allurus ἄλλος οὐρά
allyl ὕλη
amin(e ἀμμωνιακόν
ate ation ene ic in
almagest μεγίστη
almandite -ίτης
almner ἐλεημοσύνη
almond(ine y ἀμυγδάλη
almoner(ship -ry ἐλεημοσύνη
alms ἐλεημοσύνη
deed folk ful giver house man
alno(e)ite -ίτης
Aloadae Ἀλωάδαι
Alocasia κολοκασία
Alochia ἀ- λόχια
alo- aloe(s ἀλόη

alo- Cont'd
ed etic(al etin in(e
emodin
aloedary -ium ἀλοηδάριον
Alogi -ian ἄλογος
alogic(al(ly ἀ- λογικός
alogism ἄλογος -ισμός
alogotrophia -y ἄλογος -τροφία
alogy -ia ἀλογία
Alokistocare ἄλοξ
alomancy ἀλο- μαντεία
alomeristic ἀλία μεριστικός
alopec- ἀλωπεκ-
ia ist ἀλωπεκία -ιστής
odon ὀδών
oid -οειδής
opsis ὄψις
urus ἀλωπέκουρος
Alop(ec)ias ἀλωπεκίας
-ian -iid(ae -ioid
alopeco- ἀλωπεκ-
gnathus γνάθος
rhinus ῥίν
alopeke ἀλωπεκῆ
alorc(in)ic ἀλόη
aloxanthin(e ἀλόη ὀξύς ἄνθος
aloxite ἀλόη ὀξύς -ίτης
alpha ἄλφα
alphabet ἀλφάβητος
arian ic(s ical(ly iform
ism ist -ισμός -ιστής
ization ize(r -ίζειν
alpha- ἀλφα-
eigon
eucain eunol εὖ
iodin ἰώδης
leucocyte λευκο- κύτος
sol
Alphestes ἀλφηστής
Alpheus Ἀλφειός
-ean -eid(ae -eoid
alphitit ἄλφιτον
alphito- ἀλφιτο-
bius βίος
mancy μαντειά
morphous μορφή
alphoid ἀλφώδης
alphol ἄλφα
Alphonism -ist -ισμός -ιστής
alphos -us ἀλφός
alphosis ἀλφός -ωσις
alphozone ἄλφα ὄζων
alphyl(ate φαίνειν ὕλη
alpigene -γενής
alpist -ιστής
alsad ἄλσος ἀδ-
alsbachite alshedite -ίτης
Alsine -aceae -aceous ἀλσίνη
alsium ἄλσος
also- ἀλσο-
cola
phila & -us -φιλος
phyta φυτόν
alstonite altaite -ίτης
alterego-
ism istic -ισμός -ιστικός
Alternanthera ἀνθηρός
alternarioid -οειδής
alternipetalous πέταλον
alternize -ίζειν
Althea ἀλθαία
alth(a)ein(e ἀλθαία
althionic θεῖον
Alt(h)ippus ἵππος
Alticus ἀλτικός
alti-
graph -γραφος

alti- Cont'd
meter μέτρον
metry -ic(al(ly -μετρία
scope -σκόπιον
altometer μέτρον
altropathy -πάθεια
altrose γλεῦκος
altruism -uist(ic(ally -uize -ισμός -ιστής -ιστικός -ίζειν
alumin-
ite ize oid osis -ίτης -ίζειν -οειδής -ωσις
aluminium -epidote ἐπίδοσις
alumino-
graphy -ic -γραφιά
krate κράτος
metallurgy μεταλλουργός
thermic(s -y θερμή
alumotrichite τριχ- -ίτης
alunite -ίτης
alunogen(ite -γενής
alurgite ἀλουργής -ίτης
alveo-
condylar -ean κόνδυλος
lite(s λίθος
alveolectomy -ἐκτομία
alveolitis -ῖτις
alveolization -ized -ίζειν
alveoloclasia κλάσις
alveolotomy -τομία
alvite -ίτης
alymphia ἀ- νύμφη
alypum -us ἄλυπον
Alysia ἄλυσις
alysm ἀλυσμός
alysseide ἄλυσις
alysson *or* -um ἄλυσσον
alytarch ἀλυτάρχης
Alytes -id -oid ἄλυτος
Alytopistes ἀλυτο- πίστις
ama ἅμα
cratic κράτος
delphous ἀδελφός
amacrine -al ἀ- μακρός ἴνος
Amaebula ἀμοιβή
amalgam μάλαγμα
a able ist ization ize
amalgamate μάλαγμα
-er -ion(ist -ist -ive -ize -or
amalic ἁμαλός
Amalthea Ἀμάλθεια
-eid(ae -eoid -eus
amandin(e ἀμυγδάλη
Amanist -ιστής
Amanita -in(e ἀμανῖται
Amanitopsis ἀμανῖται ὄψις
amanous ἀ-
Amara ἀμάρα
Amaracus ἀμάρακος
amarant(h ἀμάραντος
aceae aceous ad al in(e ite
oid us
amaroid(al -οειδής
amarthritis ἅμα ἀρθρῖτις
Amaryllis Ἀμαρυλλίς
-id(aceae aceous eae eous)
amasesis ἀ- μάσησις
Amasta -ia -y ἀμαστός
amasthenic ἅμα σθένος
amaterialistic ἀ- -ιστικός
amateurism -ισμός
amath- ἄμαθος
ad icolous ium
amatho- ἄμαθος
bius colus βίος
philus phyta -φιλος φυτόν

amatol ἀμμωνιακόν
amaurosis ἀμαυρώσις
-otic -ωτικός
amausite -ίτης
amaxophobia ἅμαξα -φοβία
amazia ἀ- μάζος -ία
Amazon Ἀμαζών
ian(ism ism ite
Amazonical Ἀμαζωνικός
amazon(i)omachia Ἀμαζών -μαχία
amberoid -ite -οειδής -ίτης
ambi-
logy -λογία
opia -ωπία
sporangiate σπορά ἀγγεῖον
ambitionist -ιστής
ambl- ἀμβλύς
odon ὀδών
onyx ὄνυξ
oplites ὁπλίτης
amblo- ἀμβλύς
carpous -us καρπός
ctonus -id(ae -oid -κτονος
therium -iid(ae -ioid θηρίον
amblosis ἄμβλωσις
amblotic ἀμβλωτικός
ambly- ἀμβλυ-
acusis -ia ἀκοῦσις
aphia ἀφή -ία
castor καστώρ
cephalus -id(ae -oid κεφαλή
ch(e)ila χεῖλος
chromasia χρῶμα -ασια
chromatic χρωματικός
corypha(e κορυφή
dactyla δάκτυλος
geustia γευστός -ία
gobius
gon (i)al ite ἀμβλυγώνιος
odon ὀδών
amblyo- ἀμβλυο-
carpous καρπός
scope -σκόπιον
ambly- Cont'd
opia -ic -y ἀμβλυωπία
op- ἀμβλυωπός
iatrics ἰατρικός
idae ina inae
oplites ὁπλίτης
opsis -id(ae -oid ὄψις
peza πέζα
pod(a ia ous ποδ-
pomacentrus κέντρον
pterus πτερόν
rhinae ῥίν
rhiza ῥίζα
rhyncus ῥύγχος
soma -us σῶμα
steg- στέγη
ietum ite -ίτης
stome -a -id(ae στόμα
therium -iid(ea -ioid θηρίον
ambo(n ἄμβων
amboceptoid -οειδής
Ambocoelia ἄμβων κοιλία
ambolic ἀμβολή
Ambonychia ἄμβων ὄνυξ
ambroid -ite -οειδής -ίτης
ambrology -λογία
ambrosia ἀμβροσία
-iac(us -iaceae -iaceous
-ial(ly -ian -iate
ambrosterol στερεός
ambrotype ἄμβροτος τύπος
ambulomancy μαντεία

Ambystoma ἀμβλυ- στόμα
-atidae -e -id(ae -oid
ameba ἀμοιβή
-ae -an -ean -ian -ic -id(ae
-ina -ous -ula
iasis -ιασις
ameb- ἀμοιβή
odont ὀδοντ-
oid(ea(n -οειδής
idity ism -ισμός
uria -ουρία
amebacide -al ἀμοιβή
amebi- ἀμοιβή
cide form
dont ὀδοντ-
osis -ωσις
amebo- ἀμοιβή
cyte κύτος
cyto- κυτο-
genesis γένεσις
genous -γενής
diastase διάστασις
geniae γένος
sporidia σπορά -ίδιον
Amecystis ἄμη κύστις
Ameiurus ἀ- μείουρος
amelectic ἀμελής ἐκτικός
amelia -us ἀ- μέλος
ameloblast(ic ἀ- μελο- βλασ-
amenia ἀ- μηνιαία τός
amenorrh(o)ea(l -ic ἀ- μηνο-
amentia ἀ- -ῥοία
amenyl ἄμυλον ὕλη
Americanism -ist(ic -itis -iza-
tion -ize -ισμός -ιστής -ισ-
τικός -ῖτις -ίζειν
Americomania μανία
Amerimnon ἀμερίμνον
amerisia ἀ- μερίζειν
amerism ἀ- μέρος -ισμός
ameristic ἀ- μεριστός
Amerosporae ἀ- μέρος σπορά
amesial ἀ- μέσος
amethenic ἄμυλον αἰθήρ
Ametabola ἀμετάβολος
-ia(n -ic -on -ous
ametabolism ἀ- μεταβολή
ametallous ἀ- μέταλλον
ametamorphosis ἀ- μεταμόρ-
φωσις -φιλος
ametaneutrophil(e ἀ- μετά
amethod- ἀ- μέθοσος
ical(ly ist -ιστής
amethyst(eus ἀμέθυστος
amethystine -us ἀμεθύστινος
Ametretus ἄμη τρητός
ametr-
ia ous ἀ- μήτρα
opia -e -ic ἄμετρος -ωπία
ametro-
hemia ἀ- μητρο- -αιμία
meter ἄμετρος μέτρον
Amia ἀμία
-iadae -idae -idan -iid(ae
-ioid(ae -oidea(n -oidini
amiant(h ἀμίαντος
iform ine (in)ite oid(al us
amianthinopsy ἀ- ἰάνθινος
amic ἀμμωνιακόν -οψία
amicr- ἀ- μικρ-
on(e ic ὤν
urae οὐρά
amicro- ἀ- μικρο-
bic βίος
nucleate
scopic -σκόπιον

amid(e ἀμμωνιακόν
ate(d ation ic id(e in(e ize
amidin(e ἄμυλον
amido- ἀμμωνιακόν
acetic
antipyrin ἀντί πῦρ
azo- ἀ- ζωή
benzene -benzol
cephalin κεφαλή
gen(e -γενής
amidol
amido- Cont'd
myelin μυελός
naphthol νάφθα
amid- ἀμμωνιακόν
oxalyl ὀξαλίς ὕλη
oxim(e oxyl ὀξύς ὕλη
Amiichthys ἀμία ἰχθύς
amikto- ἄμικτος
genesis γένεσις
amimetic ἀ- μιμητικός
amimia ἀ- μῖμος -ία
amin(e ἀμμωνιακόν
ate ation ic oid ol
amino- ἀμμωνιακόν
acetic
acid-
emia uria -αιμία -ουρία
azo- ἀ- ζωή
benzene toluol
form
gen(e -γενής
genesis γένεσις
glutarick τάρταρον
lipin λίπος
lysis lytic λύσις λυτικός
myelin μυελός
valeric
aminosuria ἀμμωνιακόν
-ουρία
amit- ἀ- μίτος
osis otic(ally -ωσις -ωτικός
Amitra ἄμιτρος
-ichthys ἰχθύς
Amiurus = Ameiurus
amixia -is ἀμιξία ἀ- μῖξις
amma ἅμμα
ammelid -ine ἀμμωνιακόν
ammeter μέτρον
Ammi -aceae -aceous ἄμμι
ammine ἀμμωνιακόν
ammiolite ἄμμιον λίθος
ammite(s ἀμμίτης
ammo- ἀμμο-
bium βίος
chares χάρις
-id(ae -idea -oid
chryse ἀμμόχρυσος
c(o)ete κοίτη
-id(ae -iform -oid
crypta κρυπτός
ammochth- ἄμμος ὄχθη
ad ium
ammochtho- ἄμμος ὀχθο-
philus phyta -φιλος φυτόν
ammo- Cont'd
dromus δρόμος
dyte(s ἀμμοδύτης
-id(ae -ina -ine -oid(ea
myia μυῖα
myrma μύρμηξ
philetum -φιλος
ammon Ἀμμών
al ea(n oid(ea(n
Ammonian Ἀμμώνιος
ammon- ἀμμωνιακόν
(a)emia -αιμία

ammon- Cont'd
ic(al id(e ite -ίτης
ion ἰόν
ammoni- ἀμμωνιακόν
ac(al o- um) ἀμμωνιακός
(a)emia -αιμία
ate(d ater fication fy
rrhea -ῥοία
uret(ed uria οὖρον -ουρία
ammonia ἀμμωνιακόν
meter phone μέτρον φωνή
ammonio- ἀμμωνιακόν
platinic
ammonite -ic Ἄμμων -ίτης
-icone κῶνος
Ammonite -ess -ish Ἄμμων
Ammonites Ἄμμων -ίτης
-id(ae -iferous -iform -oid-
(ea(n
ammonium ἀμμωνιακόν
ammono- ἀμμωνιακόν
acid base
bacteria βακτηία
lysis lyze λύσις
lytic λυτικός
ammophos ἀμμωνιακόν φωσ-
ammo- Cont'd φόρος
phila -ous -φιλος
thea -eid(ae -eoid θέα
therapy θεραπεία
trypane τρύπανον
amnemonic ἀ- μνημονικός
amnesia -iac -ic -in ἀμνησία
amnesty -ia -ic ἀμνηστία
amni- ἀμνίον
ac ata ate os ota ote otic
amnion(less -ic ἀμνίον
amn(iot)itis ἀμνίον -ῖτις
amnio- ἀμνίον
allantoic ἀλλαντ-
chorial χόριον
mancy μαντεία
rrh(o)ea ῥοία
tome -τομον
amoeba etc. = ameba etc.
Amoebaea ἀμοιβαῖος
-(a)ean -(a)eum
am(o)emania μανία
Amomum ἄμωμον
-al(es -e -eous
amoral(ia is ἀ-
amorist(ic -ιστής -ιστικός
Amorite -ίτης
amorph- ἄμορφος
a ia ism ose ous(ly ness) us
amorphia -y ἀμορφία
amorphia -ism ἀ- μορφή
amorphinism ἀ- Μορφεύς -ισ-
amorpho- ἄμορφος μός
phallus φάλλος
phyte φυτόν
zoa -oic -oous ζῷον
zoary ζωάριον
amorphotae ἀμόρφωτος
amortize etc. z from -ίζειν
amourist -ιστής
Amousos ἄμουσος
amoxy- ἄμυλον ὀξυ-
ampelid ἀμπελιδ-
(ac)eae (ac)eous
ampelio ἀμπελίων
Ampelis -id(ae -oid ἀμπελίς
-iscid(ae -iscoid -ισκός
ampelite -ic ἀμπελῖτις
ampelo- ἀμπελο-
glypter γλυπτήρ
graphy -ist -γραφία -ιστής

ampelo- Cont'd
sicyos σίκυος
therapy θεραπεία
ampelops- ἄμπελος ὄψις
(id)in is
amperometer μέτρον
amph- ἀμφ-
amphotero- ἀμφότερος
diplopia δίπλοος -ωπία
anthium ἄνθος
arete -ea -id(ae -oid ἀρετή
arkyochrome ἄρκυς χρῶμα
eclexis ἔκλεξις
amphi- ἀμφί
arkyochrome ἄρκυς χρῶμα
arthroidial ἄρθρον -οειδής
arthrosis ἄρθρωσις
aster ἀστήρ
ballus -um ἀμφίβολος
bdella βδέλλα
bia ἀμφίβιον
-e -ial -ian -ion -ium
amphib- ἀμφίβιον
ichnite ἴχνος -ίτης
ichthys -ydae ἰχθύς
amphibio- ἀμφίβιον
lite lith λίθος
logy -ical(ly -λογία
Amphibiotica ἀμφί βιωτικός
amphibious(ly ness ἀμφίβιος
Amphibitherion ἀμφίβιον θη-
amphi- ἀμφί ρίον
blastic -ula βλαστός
blestritis ἀμφίβληστρον
amphibole ἀμφίβολος
-ae -ic -id(ae -iferous -ine
-ite -itic -ization -oid(ae -ous
amphibolia ἀμφιβολία
-e -ic(al -ine -ism -ous -y
amphibolo- ἀμφίβολος
logy -ic(al(ly -ism -λογία
stylous στῦλος
Amphibolura ἀμφίβολος οὐρά
amphi- Cont'd
brach(ys ic ἀμφίβραχυς
brya -yous βρύον
carpa καρπός
-ea -ic -ium -ous
carpogenous καρπο- -γενής
centric κεντρικός
centrum κέντρον
cerus ἀμφίκερως
ch(e)iral χείρ
chelydia(n χέλυς
chiromys χείρ μῦς
chroic -oitic χρόα -ίτης
chromatic χρωματικός
chromatism χρωματ- -ισ-
chrome -y χρῶμα μός
clinous κλίνη
c(o)elia(n -ous ἀμφίκοιλος
coma -come ἀμφίκομος
condyla -ous κόνδυλος
cotyledon κοτυληδών
cotyly κοτύλη
crania κρανίον
creatin(in(e κρεατ-
cribral
crinus κρίνον
crossus κροσσοί
cryptophytes κρυπτός φυτόν
ctene -ia -id(ae -oid κτεν-
amphictyon(ian ἀμφικτύονες
amphictyonic ἀμφικτυονικός
amphictyony ἀμφικτυονία
amphi- Cont'd
cyllis κυλλός

amphi- Cont'd
cyon(idae κύων
cy(or u)rtous -ic ἀμφίκυρ-
cytula κύτος τος
amphid(e ἄμφω
amphi- Cont'd
depula δέπας
desma -id(ae -oid δεσμός
detic(ally ἀωφίδετος
diarthrosis & -odial διάρ-
θρωσις
disc(us disk δίσκος
discophora -an δισκόφορος
dolops δόλοψ
dozo- ἀμφίδοξος
therium θηρίον
dromia -ic(al ἀμφιδρομία
dura = amphithura
erotic -ism ἐρωτικός -ισμός
gaeus -aea -eal γαία
gan(al ous γάμος
gaster γαστήρ
gastr- γαστρ-
ia ium ula
gen(e ia ic ous) -γενής
genesis γένεσις
genetic γενετικός
genite ἀμφιγενής -ίτης
gnathodon γνάθος ὀδών
-ontid(ae -ontoid
gonel γονή
gonia -ic -ous -y -γονία
gonium γόνος
gory -ic gouri
gynous -γυνος
haplostele ἁπλόος στήλη
karyon κάρυον
lectella λεκτός
lepsis λῆψις
leptus λεπτός
leuc(or k)emic λευκός αἷμα
lichas λιχάς
lina -ic(ae -oid
lochus -id(ae -oid λόχος
logite ἀμφίλογος -ίτης
logy -ism ἀμφιλογία -ισ-
lonche λόγχη μός
macer ἀμφίμακρος
mesodichotriaene μεσο-
διχο- τρίαινα
mixis μῖξις
monas -adidae μονάς
monerula μονήρης
morula
nereid Νηρηιδ-
nucleus
odont ὀδοντ-
oecious οἰκία
Amphion Ἀμφιών
ic id(ae oid
amphi- Cont'd
ont ὤν(ὄντα)
ox ὀξύς
oxus -ides -(id)id(ae -inae
-oid
peptone πεπτός
peras -id(ae -oid πέρας
phloic φλοιός
phyllosiphony φυλλο- σίφων
phyte(s φυτόν
platyan πλατύς
pneust(a ea ic) πνευστικός
pnous -oid(ae -ooid πνόος
pod ποδ-
a al an e iform ous
porus -id(ae -oid πόρος
prion πρίων

amphi. Cont'd
prostyle -ar ἀμφιπρόστυλος
protostele πρωτο- στήλη
proviverra
pyrenin πυρήν
psammus ψάμμος
pyleae -ean πυλή
rhine -a ῥίν
sarca σαρκ-
saurus -id(ae -oid σαῦρος
amphisbaena ἀμφίσβαινα
-ia(n -ic -id(ae -oid(ea(n
-oid(ea -ous
amphiscii -ians ἀμφίσκιος
amphi- Cont'd
sile -id(ae -oid
smela σμήλη (or μήλη)
sorex
sorus σωρός
spermium -ous σπέρμα
sphaeria σφαῖρα
spira σπεῖρα
spor- σπορά
al e ic ous
angiate ἀγγει-
stegina στέγη
stichus στίχος
stom- στόμα
a atic atous id(ae oid ous
iasis -ιασις um
strongyle στρογγύλος
stylar -ic -y στύλος
syncotyly σύν κοτύλη
tactism τακτός -ισμός
tene ταινία
thalite -ίτης
theatre ἀμφιθέατρον
-al -ic(al(ly -er(ed
thecium -ial θήκη
thect ἀμφίθηκτος
there θηρίον
-ia -iid(ae -ioid -ium
thoe θοός
thu(or y)ra ἀμφίθυρος
toky -al -ous -τοκία
ton τόνος
triaene -ic τρίαινα
trichous -τριχος
tridera τρίδειρος
trisyncotyl τρι- σύν κοτύλη
trocha(l τροχός
tropal or -ous -τροπος
trophy -ic -τροφία
tropic τροπή
tropis τροπίς
Amphitrite Ἀμφιτρίτη
Amphitryon Ἀμφιτρύων
amphi- Cont'd
tyle τύλος
type -y τύπος -τυπία
uma -id(ae -oid πνεῦμα
ura -id(ae -oid οὐρά
vasal vorous
zoa -oid(ae ζῷον
amphodarch ἀμφοδάρχης
ampho- ἄμφω
chrom(at)ophil χρωμα(το-
delite ὀδελός -ίτης
diplopia διπλόος -ωπία
genic -ous -γενής
lyte λυτός
moea ὅμοιος
amphora ἀμφορεύς
-al -ic -iloquy -ous
amphoriskos ἀμφορίσκος
amphorophony -ia ἀμφορεύς
-φωνία

amphoteric ἀμφότερος
-ism -ite -ous
amphotero- ἀμφότερος
diplopia διπλόος -ωπία
genic -γενής
toky -τοκία
amphotis ἄμφωτις
amphotoky ἄμφω -τοκία
amphotropin ἄμφω τροπή
Amplexopora -idae πόρος
ampullitis -ῖτις
ampyx ἄμπυξ
amurca ἀμοργή
amusia ἀμουσία
amvis ἀμμωνιακόν
amy- ἀ- μῦς
aria -ian
asthenia -ic ἀσθένεια
amychophobia ἀμυχή -φοβία
Amyclean Ἀμυκλαῖος
Amycterus ἀ- μυκτήρ
-id(ae -oid
amyctic ἀμυκτικός
amydr- ἀμυδρός
aulax αὖλαξ
amyel- ἀμύελος
encephalia -ic -ous ἐγκέ-
ia ic inic ous us φαλος
amyelo- ἀμύελος
trophy -τροφία
amygdal- ἀμυγδάλη
a in(ate ic) oid uvular
ectomy -εκτομία
(in)ase διάστασις
ine ἀμυγδάλινος
itis -ίτις
oid(al ἀμυγδαλοειδής
amygdali- ἀμυγδάλη
ferous form
amygdalo- ἀμυγδαλο-
glossus γλῶσσα
lith λίθος
pathy -πάθεια
phyllum φύλλον
thripsis θρύψις
tome tomy -τομον -τομία
Amygdalus ἀμύγδαλος
-aceae -aceous -ineous
amygdo- ἀμυγδάλη
phenin φαίνειν
amygdule ἀμύγδαλον
amyl ἄμυλον
aceous an ate
(a)emia -αιμία
amin(e ἀμμωνιακόν
ase διάστασις
ene -ization -ol
ic idene in(e
ism ites -ισμός -ίτης
amyli- ἄμυλον
ferous
amylo- ἄμυλον
bacterium βακτήριον
cellulose ὑλο-
clastic κλαστός
coagulose ὑλο-
dextrin(e ὑλο- δεξίτερος
ase διαστασις
dyspepsia δυσπεψία
erythrin ὑλο- ἐρυθρός
form
gen(ic ὑλο- -γενής
genesis γένεσις
hydro- ὑλο- ὑδρο-
list lysis λύσις
id(al osis) -οειδής -ωσις
leucite(s ὑλο- λευκός -ίτης

amylo- Cont'd
lysis ὑλο- λύσις
lytic λυτικός
meter μέτρον
amylom(e ἄμυλον φύλλωμα
amylon ἄμυλον
amylo- Cont'd
pectin πηκτός
phagia -φαγιά
phylly φύλλον
plast(ic id(e) πλαστός
statolith στατός λίθος
synthesis σύνθεσις
type τύπος
amyl- Cont'd
ose um γλεῦκος
uria -ουρία
zyme ζύμη
Amynodon ἄμυνειν ὀδών
-ont(id(ae -ontoid
amynology -ic ἄμυνειν λογία
amyo- ἄμυος
cardia καρδία
stasia -στασία
sthenia -ic -σθένεια
taxia -ταξία
tonia -τονία
trophy or -ia -ic -τροφία
amyous ἄμυος
Amyraldism -ist -ισμός -ιστής
Amyris -in ἀ- μύρον
amytal ἄμυλον
amyxia ἀ- μύξα
amyxorrhea ἀ- μυξο- -ῥοία
ana ἀνά
ana- ἀνα-
b(a)ena bamus ἀναβαίνειν
baptism ἀναβαπτισμός
-ist(ic(al(ly -istry
baptize ἀναβαπτίζειν
bas ἀναβάς
-antid(ae -antoid
basis -etum ἀνάβασις
bata ἀνάβατός
-es -idae -inae
bather bathrum ἀνάβαθρον
bathmoi ἀναβαθμοί
batic ἀναβατικός
biont βιοντ-
biosis biotic ἀναβίωσις
-ωτικός
bleps -epina ἀναβλέπειν
bole ἀναβολή
-ergy -εργία
-ic -in
-ism -istic -ισμός -ιστικός
-ite -ίτης
brosis ἀνάβρωσις
brotic ἀναβρωτικός
Anabrus ἀν- ἀβρός
anacalypsis ἀνακάλυψις
anacampsis ἀνάκαμψις
anacamptic ἀνάκαμψις
al(ly -ics
anacampto- ἀνάκαμψις
meter μέτρον
anacanth ἀνάκανθος
i ine ini inous us
ana- Cont'd
card καρδία
ate iaceae iaceous ian ic
ine ium
carista ἀνάκαρ
catadidymus κατά δίδυμος
catesthesia = anakatesthesia
catharsis ἀνακάθαρσις
cathartic ἀνακαθαρτικός

ana- Cont'd
cenosis ἀνακαίνωσις
cephalaeosis ἀνακεφαλαί-
ωσις
cephalize ἀνακεφαλαιόω
charis χάρις
chlorhydria χλωρός -ὑδρία
cholia χολή
choresis ἀναχώρησις
choret(ist ite ἀναχωρητής
choretical ἀναχωρητικός
chorism χῶρος -ισμός
chromasis χρῶμα -ασις
chromatic χρωματικός
chromatism χρομοτ- -ισμός
chronic(al(ly χρόνος
chronism ἀναχρονισμός
atical -ατικός
-ist(ic(al(ly -ιστής -ιστι-
chronous(ly χρόνος κός
anacidity ἀν-
ana- Cont'd
cithara κιθαρά
clasimeter κλάσις μέτρον
clasis κλάσις
clastic(s ἀνάκλαστος
clete ἀνάκλητος
climatic κλίμα
clinal κλιν-
clino- κλινο-
tropism τροπή -ισμός
clisis ἀνάκλισις
clodont(a ἀνακλᾶν ὀδοντ-
coenosis ἀνακοίνωσις
colpodes κολπώδης
coluthia ἀνακολουθία
coluthon ἀνακόλουθον
-ic(ally
creontic Ἀνακρεόντειος
crisis ἀνάκρισις
anacro- ἀν- ἀκρο-
asia ἀκρόασις
gynae -ous γυνή -γυνος
myodian μυώδης
ana- Cont'd
crotic -ism κρότος -ισμός
crusis ἀνάκρουσις
crustic(ally ἀνακρουστικός
anacusia ʽαν- ἀκουσία
anacusis ἀν- ἄκουσις
Anacyclus ἀν- ἄ(νθος) κύκλος
anadem(e ἀνάδημα
anadenia ἀν- ἀδήν -ία
ana- Cont'd
diaene δι- -αινα
dicrotic -ism δίκροτος -ισ-
didymus δίδυμος μός
diplosis ἀναδίπλωσις
dipsia -ic δίψα
drom(ous ἀνάδρομος
an(a)emaria ἄναιμος
an(a)emat- ἀναίματος
osis -ωσις
an(a)emia ἀναιμιά
-iac -ial -ic
an(a)emo- ἀναιμο-
trophy -τροφιά
anaereta -es ἀναιρέτης
an(a)eretic(us ἀναιρετικός
anaerobe ἀν- αέρο- βίος
-es -ia(n -ic(al(ly -ious -ism
-ium
anaero- ἀν- ἀερο-
biont βιοντ-
biosis βιώσις
biotic(ally βιωτικός
myces μύκης

anaero- Cont'd
phyte φυτόν
plasty -ic -πλαστιά
anaer- ἀν- ἀήρ
osis -ωσις
oxidase ὀξύς διάστασις
an(a)esin ἄνεσις
an(a)esthesia ἀναισθησία
-iant -in(e
-ometer -ο- μέτρον
an(a)esthet- ἀναίσθητος
-ic(ally -ist -ization -ize(r
anetiological ἀν- αἰτιολογι-
ana- Cont'd κός
gallis ἀναγαλλίς
gaster γαστήρ
genesis γένεσις
genetic γενετικός
gennesis ἀναγέννησις
gerontic γεροντ-
glyph(oscope ἀνάγλυφος
-σκόπιον
glyphy -ic(al -ics ἀναγλυφή
glypt- ἀνάγλυπτος
ic(al ics on
glypto- ἀνάγλυπτος
gnoresis ἀναγνώρισις
gnosis ἀνάγνωσις
-asthenia ἀσθένεια
gnosma ἀνάγνωσμα
gnost(es ian ic) ἀναγνώσ-
graph -γραφος
graphy -ic -γραφία
anagoge -y ἀναγωγή της
-etical -ετικός
-ic(al(ly -ics ἀναγωγικός
anagram ἀνάγραμμα
matic(al(ly
matism ἀναγραμματισμός
matist -ιστής
matize ἀναγραμματίζειν
ana- Cont'd
graph(y ἀναγραφή
gyris -in(e ἀνάγυρος
katesthesia κατά -αισθησιά
kinesis κίνησις
kinetic κινητικός
kinetomere κινητός μέρος
komide ἀνακομιδή
anakusis ἀν- ἀκούσις
analc- ἄναλκις
adite ite itite -ίτης
analcime ἀν- ἄλκιμος
Analcipus ἄναλκις πούς
ana- Cont'd
lect(a ic ἀνάλεκτος
lemma ἀνάλημμα
lepsis -ia -y ἀνάληψις
lept- ἀναληπτικός
ic(al ol
analg- ἀναλγής
en(e es id(ae in oid
analgecist ἀναλγησία
analgesia ἀναλγησία
-ic -in -ol
analgetic ἀνάλγετος
analgia -ic ἀν- -αλγία
an- Cont'd
allagmmatic ἄλλαγμα
allantoic -oidea(n ἀλλαντ-
allergic ἄλλος ἔργον
ana- Cont'd
log ἀνάλογος
al(ly ate ous(ly ness) ue
logic ἀναλογικός
al(ly alness
logion -ium ἀναλόγ(ε)ιον

ana- Cont'd
logism ἀναλογισμός
logon ἀνάλογον
logy -ist(ic -ize ἀναλογιά
lophic λόφος
analphabet(e ἀναλφάβητος
analphabetic(al ἀν- ἀλφάβη-
analyse = analyze τος
analysis ἀνάλυσις
analysor analyst ἀνάλυσις
analytic(al(ly -ics ἀναλυτικός
analyze ἀνάλυσις -ίζειν
-ability -able(ness -ation -er
anames- ἀνάμεσος
ite itic oid -ίτης -οειδής
anamnesis -ia ἀνάμνησις
anamnestic ἀναμνηστικός
Anamonaene ανά μόνος -αινα
anamorphosis ἀναμόρφωσις
-ic -ism -ose -ote -ous -y
-oscope -σκόπιον
anamphiasis ἀναμφίασις
an- Cont'd
anabasia ἀνάβασις -ία
anaphylaxis ἀνά φύλαξις
anastasia ἀνάστασις
ancho- ἀναγκο-
thuria θούριος
anchytes ἀναγκή -ίτης
andr(ari)ous ἀνδρ-
andria ἀνανδρία
ana- Cont'd
neanic νεανίας
nepiastic nepionic νήπιος
anangi- ἀν- ἀγγεῖ-
an oid(a ous -οειδής
otic -ωτικός
angio- ἀν- ἀγγειο-
plasia -πλασία
plasma πλάσμα
plastic πλαστικός
anangular ἀν-
Ananism -ite -ισμός -ιστής
an- Cont'd
anther- ἀνθηρός
ate ous um
anthous ἄνθος
anthropism ἀνθρωπισμός
ana- Cont'd
nym ὄνυμα
paganize -ίζειν
peiratic ἀναπειρᾶσθαι
pepsia -πεψία
p(a)est ἀνάπαιστος
p(a)estic(al(ly ἀναπαιστι-
phase phasis φάσις κός
phalant(ias)is ἀναφαλαν-
τίασις
anaphia ἀν- ἀφή -ία
anaphora -al ἀναφορά
anaphor- ἀνά φόρος
esis ia
anaphorical ἀναφορικός
anaphrodisia ἀν- ἀφροδίσια
-iac ἀν- ἀφροδισιακός
anaphroditic -ous ἀναφρόδι-
ana- Cont'd τος
phylactic φυλακτικός
-ia -in -ize -ίζειν
phylacto- φυλακτικός
gen(ic -γενής
genesis γένεσις
toxin τοξικόν
phylatoxin -is φυλακτικός
phylembryonic φυλή ἔμ-
βρυον νωσις
phylodiagnosis φυλή διάγ-

ana- Cont'd
phylotoxin = anaphylatoxin
phyte -osis φυτόν -ωσις
planatic = aplanatic
plasis -ia ἀνάπλασις
plasma -osis πλάσμα -ωσις
plast(y ic ἀνάπλαστος
plastia -πλαστία
plerosis -otic ἀναπλήρωσις
pno- ἀναπνοή
ea ic
graph -γραφος
meter μέτρον
poretic πορευτός
pteris πτερίς
pterygota πτερυγωτός
-ism -ous -ισμός
anapod(e)ictical ἀναπόδεικ-
τος φυσις
anapophysis -ial ἀνά ἀπό-
anaptic ἀν- ἀπτός
Anaptichus ἀνάπτυχος
anapto- ἀν- ἅπτειν
morphus μορφή
-id(ae -oid
anaptotic ἀνά πτοτικός
Anaptychus ἀναπτυχος
-idea(n
anaptyctic(al ἀνάπτυκτος
anaptyxis ἀνάπτυξις
Anarcestes -ean -ian ἀν-
anarch(al ἄναρχος
anarcho- ἄναρχος
crinus κρίνον
anarchy ἀναρχία
-ial -ic(al(ly
-ism -ize -ισμός -ίζειν
-ist(ic -ιστής -ιστικός
anarcotin(e ἀ- ναρκωτικός
anareta -ic(al ἀναιρέτης
anargyroi ἀναργυροί
ana- ἀνά
rhizophyte ῥιζο- φυτον
rhynchus ῥύγχος
anarithmia ἀν- ἀριθμός -ία
-oscope -σκόπιον
anarrhexis ἀνάρρηξις
Anarrhichas ἀναρριχάομαι
-adid(ae -adini -adoid
Anarrh- ἀναρριχάομαι
ichthys -yinae ἰχθύς
Anarsia ἀνάρσιος
Anarthri ἄναρθρος
anarthria -ic ἀναρθρία
anarthro- ἀν- ἀρθρο-
dactylous δάκτυλος
pod(a ous ποδ-
pteri -ous πτερόν -πτερος
Anaryan ἀν-
ana- Cont'd
sarca -ous σάρκα
schisma σχίσμα
schistic σχιστός
scope -σκόπιον
seismic ἀνάσεισμα
sorium σωρός
spadia(s σπαδών
Anaspidea(n ἀν- ἀσπιδ-
Anastasian Ἀναστάσιος
ana- Cont'd
stalsis στάλσις
staltic ἀνασταλτικός
stasimon ἀναστάσιμον
stasis ἀνάστασις
state -ic(a ἀνάστατος
anasthenic ἀν- ἀσθενικός
anastigmat(ic ἀν- ἀ- στίγμα

ana- Cont'd
stole ἀναστολή
stomat ἀναστομόειν
stomosis ἀναστόμωσις
-ant -e -otic(a
stomus ἀνά στόμα
-atinae -e -inae -ine
strophe -y -ia ἀναστροφή
anastrous ἀναστρος
ana- Cont'd
tase ἀνάτασις
taxi- τάξις
morphosis μόρφωσις
texis ἀνάτηξις
thema -e ἀνάθημα
thema -atic(al(ly ἀνάθεμα
thematism ἀναθεματισμός
thematize(r -ation ἀναθεματίζειν
therapeusis θεραπεύειν -σις
thesis ἀνάθεσις
thyrosis ἀναθύρωσις
tocism ἀνατοκισμός
tolian ἀνατολή
tolic ἀνατολικός
tomic(al(ly ἀνατομικός
tomico- ἀνατομικός
biological βιο- λογία
pathological παθολογικός
physiological φυσιολογία
tomo- ἀνατομή
biological βιο- λογία
pathological παθολικός
tomy ἀνατομία
-ism -ist -ization -ize(r
topism τόπος -ισμός
toxic -in τοξικόν
trepsis ἀνάτρεψις
treptic ἀνατρεπτικός
triaene τρίαινα
tricrotic τρι- κρότος
-ism -ισμός
tripsis ἀνάτριψις
tripsology ἀνάτριψις λογία
triptic ἀνάτριπτος
tropal *or* -ous -τροπος
trophic τροφή -ικός
tropia τροπή
typic -ose τύπος
anaudia ἀναυδία
anautotomic ἀν- αὐτο- τομή
Anaxagorean -ize Ἀναξαγόρας -ίζειν
Anaximandrian -ism Ἀναξίμανδρος -ισμός
Anaxion(idae ἀνάξιος
anaxone -ia(n ἀν- ἄξων
anaxyrides ἀναξυρίδες
Anazoturia ἀν- ἀ- ζωή -ουρία
anazyme ἀναζυμόειν
Ancecerite ἀγκή κέρας -ίτης
Ancerata ἀν- κερατ-
anch- ἀγχ-
archa ἀρχή
ippus ἵππος
-odus ὀδούς
-ontid(ae -ontoid(ea)
omomys ὁμο- μῦς
anchi- ἀγχι-
ceratops κερατ- ὤψ
saurus -id(ae -oid σαῦρος
there -ium θηρίον
-iid(ae -ioid(ea
Anchilops ἀγχίλωψ
anchoic -oote ἄγχω
anchor ἄγχυρα
able age ate ed hold less

anchora- ἄγχυρα
stomacea στόμα
anchoret(ish ism ἀναχωρητής
anchoretic(al ἀναχωρητικός
anchorist ἀναχωρητής -ιστής
anchorite ἀναχωρητής
-ess -ic(al -ism
anchoro- ἄγχυρα
ceracea κέρας
Anchusa -ic -in(e ἄγχουσα
anchyl- See ankyl- agkyl-
ancientism -ισμός
ancistr- ἄγκιστρον
is oid us -οειδής
odon ὀδών
oid ἀγκιστροειδής
ancistro- ἄγκιστρον
cladus κλάδος
-(ac)eae -aceous
Ancium ἄγκος
anco- ἄγκος
cola
philus phyta -φιλος φυτόν
Ancodon -us ἄγκων ὀδών
ancon ἄγκων ὀδούς
a ad (e)al eous -(o)eus y
agra itis ἄγρα -ῖτις
oid ἀγκωνοειδής
ancora -al ἄγκυρα
Ancorella -id(ae -oid ἄγκυρα
ancred -ee -y ἄγκυρα
ancylo- ἀγκυλο-
ceras -atid(ae -atoid κέρας
cladus κλάδος
cnemis κνημίς
dactyla δάκτυλος
mele ἀγκυλομήλη
pod(a -ous ποδ-
stomiasis στόμα -ιασις
stomum -a -e στόμα
therium -iid(a θηριόν
Ancylus ἀγκύλος
-id(ae -inae -ite -oid
Ancyrene Ἀγκῦρα
ancyroid ἀγκυροειδής
andabatism -ισμός
andalusite -ic -ίτης
andesite -ic -ίτης
andorite andradite -ίτης
andr- ἀνδρ-
anatomy ἀνατομία
eclexis ἔκλεξις
Andrena -id(ae -oid ἀνθρήνη
andreion ἀνδρήιον
andreolite λίθος
andrewsite -ίτης
andrianto- ἀνδριαντ-
metry -μετρία
Andrias ἀνδριάς
Andrioporidae ἀνδρεῖος πόρος
Androite Ἄνδρος -ώτης
andro- ἀνδρο-
centric κεντρικός
cephalous -um κεφαλή
clinium κλινή
conia -idium κόνις -ιδιον
cracy -κρατία
cratic -κρατικός
ctonus -id(ae ἀνδροκτόνος
cyte κύτος
dioecium δι- οἰκίον
-ious -ism -ισμός
dynamic -ous δύναμις
androecium ἀνδρ- οἰκίον
-ial -y
andro- Cont'd
galactozemia γαλακτο- ζη-

andro- Cont'd
gamete γαμέτης μία
-angium ἀγγεῖον
-ophore -φορος
gamic γάμος
genesis γένεσις
genetic γενετικός
genous -γενής
gone -idium γονή -ιδιον
graph- γραφεῖν
olic (ol)ide
gyn ἀνδρόγυνος
al(ly ary e eity ia ic iflorus
ism oid -ισμός -οειδής
os ous us y
android(al es ἀνδροειδής
androl ἀνδρ-
andro- Cont'd
lepsia -y ἀνδροληψία
logy λογία
mania μανία
med(e a id Ἀνδρομέδη
-otoxin τοξικόν
metra μέτρον
monoecism -ious μόγος οἶκος -ισμός
morphosis μόρφωσις
morphous μορφή
andron ἀνδρών
andronitis ἀνδρωνῖτις
andro- Cont'd
petal(ar ous πέταλον
phagi -ous -us ἀνδροφάγος
phile -φιλος
phobia -φοβία
phono- ἀνδροφόνος
mania μανία
phore -ous -um -φορος
phyl(l φύλλον
phyte φυτόν
plasm(ic πλάσμα
pleogamy πλεῖον -γαμία
pogon πώγων
rhopy ῥοπή
androsace ἀνδρόσακες
androsin ἀνδρόσαιμον
andro- Cont'd
sphinx ἀνδρόσφιγξ
spore σπορά
-angium ἀγγεῖον
tauric ταῦρος
tomy -ous -τομία -τομος
androus ἀνδρός
androzoo- ἀνδρο- ζωο-
gonidia γονή -ιδιον
anecdote ἀνέκδοτος
-a -age -al -arian -ed -ic(al(ly
-ist -ive
Anectaria ἀ- νέκταρ
an- Cont'd
echinoplacid ἐχῖνο- πλακ-
ectasin ἔκτασις
ecto- ἐκτο-
branchiate βράγχια
electric -ode ἤλεκτρον ὁδός
electrotonus -ic(ally ἠλεκτρο- τόνος
elytrous ἔλυτρον
-ops(opid(ae opoid(ea(n) ὤψ
anem- ἄνεμος
ad ious ium
anemia etc. = anaemia etc.
Anemia ἀνείμων
anemo- ἀνεμο-
barometer βάρος μέτρον
biagraph βία -γραφος
chord χορδή

anemo- Cont'd
chore -ous -y χωρεῖν
cinemograph κίνημα
clinograph κλινο- -γραφος
cracy -κρατία
anemodium ἀνεμώδης
anemodo- ανεμώδης
philus phyta -φιλος φυτόν
anemo- Cont'd
entophily ἔντομος -φιλία
gamae -ous γάμος
gen -γενής
gram γράμμα
graph -γραφος
graphy -ic(ally -γραφία
logy -ic(al λογία
meter metric(al(ly μέτρον
metro- μετρο-
graph(ic(ally -γραφος
metry -ist -μετρία -ιστής
anemonal ἄνεμος
anemone ἀνεμώνη
-ella -eous -ic -in(e -inic
-ism -ol(ic -y
anemo- Cont'd
pathy -πάθεια
phile -ous -y -φιλος -φιλία
phobe -ae -ous -φοβος
phobia -φοβία
phyte φυτόν
scope -σκόπιον
anemosis ἄνεμος -ωσις
anemo- Cont'd
sporae σπόρα
taxis τάξις
tropy -ic -ism τροπή
an(a)emo- ἄναιμος
trophy -τροφία
anemousite Ἄνεμουσα -ίτης
an- Cont'd
empeiria ἐμπειρία
encephal- ἐγκέφαλος
(a)emia -αιμία
i ia ic oid ous us y
encephalo- ἐγκέφαλος
h(a)emia -αιμία
trophia -ic -τροφία
energia ἐνέργεια
entera -ous ἔντερον
eosinophila ἠώς -φιλία
ephebic ἔφηβος
epia ἔπος
epigraph- ἀνεπίγραφος
ic ous
epiploic ἐπίπλοον
epithymia ἐπιθυμία
epitedius ἐπιτήδειος
erethisia ἐρεθίζειν -ισια
ergasia ἐργασία
ergates ergetus ἐργάτης
ergia -y -ic -εργία
aneroid ἀ- νηρός -οειδής
ograph -γραφος
anerythr- ἀν- ἐρυθρός
opsia -y -οψία
anerythro- ἀν- ἐρυθρο-
cyte κύτος
plasia -πλασία
plastic πλαστικός
regenerative
anesis -ia -in ἄνεσις
anesthesin ἀν- ἄισθησις
anesthesio- ἀναισθησία
logy -λογία
phore -ic -φορος
anestheto- ἀναίσθητος

anestheto- Cont'd
meter μέτρον
spasm σπασμός
anesth- ἀν- ἀισθητός
ol one yl -ώνη ὕλη
anesthi- ἀν- ἀισθητός
kinesia κίνησις
anestil ἀν- ἀισθητός
anet ἄνηθον
aneth- ἄνηθον
ated ene ol(e um
anethical ἀν- ἐθικός
anetic ἀνετικός
anetodermia ἀνετός δέρμα
aneuploid(y ἄνευ -πλοος
aneuria -ic ἀ- νεῦρον
-ilemma λέμμα
aneurysm *or* -ism ἀνεύρυσμα
al(ly atic
ectomy -εκτομία
aneurysmo- ἀνεύρυσμα
plasty -πλαστία
rrhaphy -ῥαφία
tomy -τομία
angaria -iate -iation ἄγγαρος
ange- See angi-
angel ἄγγελος
age dom esque eyes hood
ification im in ist ize on(ia
ot ry ship us
angelic ἀγγελικός
a al(ly alness als ic ico ize ly
Angelinocrinus ἄγγελος κρί-
angelique ἀγγελικός νον
angelo- ἀγγελο-
cracy -κρατία
graphy -γραφία
latry λατρεία
logy -ic(al -λογία
phany -φανία
phone -y φωνή -φωνία
angeo- ἀγγειο-
sere
angi- ἀγγεῖον
antheous ἄνθος
asthenia ἀσθένεια
ectasis -ia ἔκτασις
ectatic ἐκτατός
ectopia ἔκτοπος
emphraxis ἔμφραξις
enchyma ἔγχυμα
angina ἀγχόνη
-al -oid -ose -ous
anginophobia ἀγχόνη -φοβία
angio- ἀγγειον-
ataxia ἀταξία
blast(ic βλαστός
cardio- καρδιο-
kinetic κινητικός
pathy -πάθεια
angio- Cont'd
carp(ian ic ous καρπός
cavernous
c(*or* k)eratoma κερατ- -ωμα
chol (ecyst)- χολή κύστις
itis -ῖτις
chondroma χόνδρωμα
clast κλαστός
crine -osis κρίνον -ωσις
cycad ?κύκας
cyst κύστις
Angioda ἀγγειώδης
angio- Cont'd
dermatitis δερματ- -ῖτις
dystrophia δυσ- -τροφία
elephantiasis ἐλεφαντίασις
fibroma -ωμα

angio- Cont'd
gamae γάμος
genesis γένεσις
genic geny -γενής -γενεία
gli- γλία
oma -ωμα
(omat)osis -ωσις
graph(y -γραφος -γραφία
angiohyalinosis ὕαλινος -ωσις
hypertonia ὑπέρ -τονία
hypotonia ὑπό -τονία
angioid ἀγγει- οειδής
angio- Cont'd
keratosis κερατ- -ωσις
kinesis κίνησις
kinetic κινητικός
leucitis λευκός -ῖτις
lipoma λίπος -ωμα
lith(ic λίθος
logy λογία
lymph- νύμφη
angiolum ἀγγεῖον
itis oma -ῖτις -ωμα
angioma ἀγγεῖον -ωμα
-atosis -atous -ωσις
angio- Cont'd
malacia μαλακία
meter μέτρον
mono- μονο-
spermous σπέρμα
myo- μυο-
cardiac καρδιακός
sarcoma σάρκωμα
myoma μυ- -ωμα
neoplasm νεο- πλάσμα
neur- νεῦρον
ectomy -εκτομία
osis otic -ωσις -ωτικός
neuro- νευρο-
(o)edema οἴδημα
tomy -τομία
noma νομή
pancreatitis πάγκρεας -ιτις
paralysis παράλυσις
paralytic παραλυτικός
paresis πάρεσις
pathy -πάθεια
plania -y -πλανία
plastia -πλαστία
poietic ποιητικός
pressure
rhigosis ῥῖγος -ωσις
rrhaphy -ῥαφία
rrhexis ῥῆξις
sarcoma σάρκωμα
sclerosis σκλήρωσις
-otic -ωτικός
scope -σκόπιον
sialitis σίαλον -ιτις
spasm σπασμός
spastic σπαστικός
sperm σπέρμα
ae al atous ia ic ous y
sporae -ea -ous σπορά
stenosis στένωσις
sthenia -σθένεια
stomata -(at)ous στόμα
strophy στροφή
telectasis -ia τέλος ἔκτασις
tenic τείνειν
angiotitis ἀγγεῖον ὠτ- -ιτις
angio- Cont'd
tome tomy -τομον -τομία
tonic τονικός
tribe τρίβειν
tripsis τρῖψις
trophic τροφή

Angistorhinus ῥίν
angle etc. See ἄγκυλος
meter μέτρον
anglesite -ίτης
anglesobarite βαρύς -ίτης
Anglicanism -ισμός
Anglicism -ισμός
-ist -ιστής
-ization -ize -ίζειν
anglimaniac μανία -ακος
Anglo-
Catholic(ism καθολικός -ισμός
gaea(n γαῖα
mania -iac -ist μανία
phil(e -φιλος
phobe -φοβος
-ia -iac -ic -ist -φοβία
phone φωνή
angloid -οειδής
angophrasia ἄγχειν φράσις
anguilliasis -ιασις
angul(o)- See ἀγκύλος
angularize -ation -ίζειν
angulo-
meter μέτρον
splenial σπλήν
anguria ἀγγούριον
anhalochromy ἀνά ἁλο-χρῶμα
an- Cont'd
h(a)ematosis αἱματωσις
hal- ἁλώνιον
amine ἀμμωνιακόν
idin(e (on)in(e -onium
haphia ἀφή
harmonic(al ἁρμονικος
hedonia ἡδονή
hedron -al ἕδρα
helcocephalon ἑλκο- κεφαλή
hemato- αἱματο-
lytic λυτικός
poiesis ποίησις
hepatogenic ἡπατο- -γενής
hiatic -ous ἀνίατος
hidrosis -ίδρωσις
hidrotic ἱδρωτικός
histic -ous ἵστος
homalo- ὁμαλο-
phlebia φλεβ-
hydr- ἄνυδρος
(a)emia -αιμία
ate ation ic id(e
(id)ization ize -ίζειν
ite -ίτης
hydro- ἄνυδρος
biotite βιοτος -ίτης
brasilic
chromic χρῶμα
colloid κολλώδης
gitaligenin -γενής
gitation
glucose γλεῦκρς
kainite -ίτης
muscovite -ίτης
hydromyelia ὑδρο- μυελός
hydr- ἄνυδρος
ose ous otic -ωτικός
hypnosis ὕπνος -ωσις
ianthinopsy ἰάνθινος ὄψις
iconic εἰκών
idens -ian εἶδος
idiomatic(al ἰδίωμα
idrosis = anhidrosis
anil-
(in)ism ite -ισμός -ίτης
anilo-
phil(e ous -φιλος

anilo- Cont'd
phyll φύλλον
pyrin πῦρ
animalculism -ισμός
-ist -ιστής
animalism -ist(ic -ization -ize
-ισμός -ιστής -ιστικός
-ίζειν
Animasaurus σαῦρος
animatism -ισμός
-istic -ιστικός
animatograph -γραφος
animikite -ίτης
animism -istic -ισμός -ιστικός
animotheism Θέος -ισμός
anion(ic ἀνιόν
aniridia ἀν- ἰριδ-
anischuria ἀν- ἰσχουρία
anis- ἄνισον
ado al ate atus ic idin(e il(ic
oic oin ol(e olin(e
aldehyde ὕδωρ
androus -ανδρος
anise ἄνισον
amide ἀμμωνιακόν
aniso- ἀνισο-
branchia βράγχια
-iata -iate
bryous βρύον
carpic *or* -ous καρπός
ceraea κεραία
ceratidae κερατ-
cercal κέρκος
chaetodon χαιτή ὀδών
chele -a χήλη
aniso- ἀν- ἰσο-
chromatic χρωματικός
chromia χρῶμα
cnemic κνήμη
coria κόρη
cotyledonous κοτυληδών
cotyly κοτύλη
cycle κύκλος
cytosis κύτος -ωσις
dactyl δάκτυλος
a e i ic ous
anisodont ἄνισος ὀδοντ-
aniso- Cont'd
dynamous δύναμις
gamete γαμέτης
-angous ἄγγος
gamous γάμος
gamy -γαμία
gnathism -ous γνάθος -ισμός
gonous γόνος
gynous γυνή
hologamy ὁλο- -γαμία
hypercytosis ὑπερ- κύτος
hypocytosis ὑπο κύτος
kont κοντός -ωσις
leukocytosis λευκο- κύτος
lobus λοβός
melia μέλος
merogamy μέρος -γαμία
metropia μέτρον -ωπία
-e -ic
morphy μορφή
myaria(n μυ-
nema -idae νῆμα -ίδης
normocytosis κύτος -ωσις
notus νῶτον
petalous πέταλον
phylly -ous φύλλον -φυλλος
phytes φυτόν
pleura(l -ous πλευρά
anis- ἄνισος
opia -ωπία

anis- Cont'd
oplia ὅπλον
ops ὤψ
aniso- Cont'd
pod(a(l ous ποδ-
pogonous πώγων
ptera -ous πτέρον
pteryx πτέρυξ
pyge πυγή
rhampus ῥάμφος
scapha σκάφη
anisoschist σχιστός
sepalous σκεπη
spore σπορά
stemonous στήμων
sthenic σθένος
stichous στίχος
stomous στόμα
styly στῦλος
tonic τονικός
tremus τρῆμα
Anisota ἄνισος ὠτ-
anisotrope ἀν- ἰσο- τροπή
-al -ic(al(ly -icity -ism -ous -y
anis- ἄνισον
oyl yl(idene ὕλη
um uria -ουρία
anitrogenous ἀ- νίτρον -γενης
Anjouite ankerite -ίτης
ankylite ἀγκύλος -ίτης
ankylo- ἀγκυλο-
blepharon βλέφαρον
ch(e)ilia χεῖλος
c(*or* k)olpos κόλπος
dactylia δάκτυλος
glossia & -us γλῶσσα
mele ἀγκυλομήλη
phobia -φοβία
poietic ποιητικός
proctia πρωκτός
stoma -um στόμα
stomiasis στόμα -ιασις
tome -us -y -τομον -τομία
ankyl- ἄγκυλος
osis ose(d -ωσις
otic -ωτικός
otia ὠτ-
urethria οὐρήθρα
ankyr- ἄγχυρα
ism oid -ισμός -οειδής
annabergite -ιτής
annalism -ist(ic -ισμός -ιστής
annelidize -ίζειν
annelism -ισμός
annerodite -ίτης
annex(at)ionist -ιστής
annexitis -ῖτις
annexopexy πῆξις
annihilationism -ισμός
-ist -ιστής
Annist -ιστής
annite -ίτης
annotationist -ιστής
annualist -ize -ιστής -ίζειν
annualog λογίον
annulism -ισμός
annulorrhaphy -ῥαφία
annulosiphonata σίφων
ano- ἄνω
bium βίος
carpous καρπός
cathartic καθαρτικός
chromasia χρῶμα -ασια
cladous κλάδος
anochlesia ἀν- ὄχλησις
anocithesia ἀ- -αισθησια
anode -al -ic(ally ἄνοδος

anoderm ἄνα δέρμα
anodmia ἀν- ὀδμή
anodon ἀνόδοντος
-ont(a -ontidae -ontia
anodyne -in -ous ἀνώδυνος
anodynia ἀνωδυνία
anoea ἄνοια
Anoema ἀνοήμων
anoesia ἀνοησία
anoesis ἀ- νόησις
anoestrum -ous ἀν- οἶστρος
anoetic ἀνόητος
anogen(e -ic ἄνω -γενής
anoia ἄνοια
anoixis ἄνοιξις
anolyte -ic ἄνω λυτός λυτικος
anomal ἀνώμαλος
a(e idae ism ist(ic(ally
anomali- ἀνώμαλος
florous
ped(e pod ποδ-
anomalo- Cont'd
filicites florous fusus
gonatae -ous γόνατος
anomalogy ἀνώμαλος -λογία
anomal- ἀνώμαλος
oecious οἶκος
on us
onyx ὄνυξ
opia ὠπία
ops opid(ae opoid ὤψ
urus -e -id(ae -oid οὐρά
anomalo- Cont'd
pteryx πτέρυξ
rhiza ῥίζα
scope -σκόπιον
sipho σίφων
trophy -τροφία
anomalous(ly ness ἀνώμαλος
anomaly ἀνωμαλία
Anomaspis ἄνωμος ἀσπίς
Anomatheca ἄνομος θήκη
Anomean = Anomoean
Anomia ἀνόμοιος
-iaceae -iid(ae -ioid
anomia -ic ἀ- ὄνομα
anomite ἄνομος -ίτης
Anommatoptera ἀν- ὀμματο-
anomo- ἀνομο- πτερόν
branchiata -iate βράγχια
carella καρίς
carpous καρπός
cephalous κεφαλή
cladina -ine κλάδος
Anomocystis ἄνωμος κύστις
Anomodont(a -ia ἄνομος
ὀδοντ-
anomo- Cont'd
dromy δρόμος
phyllous -φυλλος
poda -ous ποδ-
rrhomboid(al ῥομβοειδής
spermous σπέρμα
Anom(o)ean ἀνόμοιος
ism -ισμός
anom(o)eomery ἀνόμοιος -μερής
anomorphites ἄνω μορφή -ίτης
Anom(o)ura ἄνομας οὐρά
-al -an -e -ous
anomphalous ἀν- ὀμφαλός
anomy ἀνομία
anonad ἀδ-
anonychia ἀν- ὀνυχ-
anonym ἀνώνυμος
a al e ity osity ous(ly ousness
uncule

Anonyx ἀν- ὄνυξ
anoopsia -y ἄνω ὄψις
Anoos ἄνοος
Anopheles ἀνωφελής
-e -icide -ifuge -ine -ism
anophoria ἄνω φόρος
anophorite ἀνώφορος -ίτης
anophthalmia ἀνόφθαλμος
-ian -os -us
Anophthalmus ἀν- ὀφθαλμός
Anophyta -e ἄνω φυτόν
an- Cont'd
opia -ωπία
opisthographic ὄπισθεν
-γραφικός
opla -an -ea -ous ὅπλα
opl- ἄνοπλος
agonus ἀ- γόνυ
ia ian ous
ura -an -iform -ous οὐρά
oplo- ἄνοπλος
curius ἀν- ὁπλο- κύριος
gaster γαστήρ
gnathus -idae γνάθος
morpha μορφή
nemertean -ini
phora -φορος
poma -id(ae -oid πῶμα
rhynchus ῥύγχος
theca θήκη
therium θηρίον
-e -iid(ae -ioid(ea -oid
an- Cont'd
opsia -y -οψία
orchia ὄρχις
-(id)ism -ous -us
orectic -ous ἀνόρεκτος
orexia -y ἀνορεξία
organa -ic -ism ἀνόργανος
organo- ἀνόργανος
gnosy -γνωσία
graphy -γραφία
logy -λογία
ornithopora ὀρνιθο- πόρος
orogenetic ὀρο- γενετικός
orth- ὀρθός
aster(inae ἀστήρ
ic ite itic -ίτης
opia -ωπία
ose -ite -ίτης
ura οὐρα
ortho- ὀρθο-
clase κλάσις
graphy -ic(al(ly -γραφία
photic φωτ-
scope -ic -σκόπισν
anoscope -σκόπιον
anosmia -(at)ic ἄνοσμος
anoso- ἀ- νοσο-
diagnosis διάγνωσις
diaphoria διαφορία
stoma -inae στόμα
tropia τροπή
an- Cont'd
osphrasia ὀσφρασία
osphresia -y ὄσφρησις
ostosis ὀστέον -ωσις
ostraca -an ὄστρακον
ota -ia -us ὠτ-
ourous -ουρος
ovarism -ισμός
ox- ὀξύς
(a)emia emic -αιμία
olu(*or* y)in
oxy- ὀξυ-
biotic βιωτικός
h(a)emia -αιμία

ant- ἀντ-
abrin acid acrid
adiform
aean Ἀνταιος
agoge ἀναγογή
agonism ἀνταγωίσμα
agonist ἀνταγωνιστής
ic(al(ly
agonize -er ἀνταγωνίζεσθαι
-ation
agony -al ἀνταγωνία
algic ἄλγος
alkali -ine
ambulacral
anaclasis ἀντανάκλασις
anagoge ἀναγογή
aphrodisiac ἀφροδυσιακός
aphroditic Ἀφροδιτή
apocha ἀνταποχή
apodosis ἀνταπόδοσις
apology ἀπολογία
apoplectic ἀποπληκτικός
arch archy ἀρχή -αρχία
ism ist(ic(al -ισμός -ισ-
τής -ιστικός
arctalia -ian ἄρκτος ἁλία
arctic(a(l(ly ἀνταρκτικός
alia ogaea(n ἁλία γαῖα
ares -ian Ἄρης
arthritic ἀρθριτικός
asthenic ἀσθενικός
asthmatic ἀσθματικός
atrophic ἀτροφία
ante-
Babylonish Βάβυλων
baptismal βάπτισμα
cardium καρδία
choir χορός
Christian Χριστιανός
church κυριακόν
ecclesiastical ἐκκλησιαστι-
historic ἱστορικός κός
hypophysis ὑπόφυσις
antelope ἀνθόλοψ
-ian -idae -inae -ine
ant- Cont'd
echinomus ἐχινο- μῦς
elios ἀντήλιος
emesin ἔμεσις
emetic ἐμετικός
antemetallic μέταλλον
antenna ἀν(α)τείνειν
-al -ary -ate
antenn- ἀν(α)τείνειν
aria -iid(ae -ioid -ius
ata
ule -a -ar(y
antenni- ἀν(α)τείνειν
ferous form
antephialtic ἀντ- ἐφίαλτης
ante- Cont'd
paschal πάσχα
phenomenal(ism φαινόμενα
phyllome φύλλωμα
pretonic τόνος
prostate προστατικός
-ic -itis -ῖτις
pygal πυγή
pyretic πυρετικός
sternon -um -al στέρνον
stomach στόμαχος
them(e θέμα
trophosporophyll τροφο-
σπορο- φύλλον
type τύπος
anthecology -ical -ist ἄνθος
οἰκο- -λογία

anth- ἀνθ-
ela ἀνθήλη
elia -ion ἀνθήλιος
elix -icine ἀνθέλις
elminac ἕλμινς
elminthic elmin(i)tic ἑλ-
elotic ἧλος μινθ-
emorrhagic αἱμορραγικός
anthem(wise ἀντίφωνα
anthem- ἀνθεμίς
ene ia ic idene ideous is ol y
anthemion ἀνθέμιον
anthen- ἄνθος ἐνός
ea eid(ae eoid
ocrinidae κρίνον
anther ἀνθηρός
al ed ine less oid
angium ἀγγεῖον
icum ἀνθερικός
idium -ial -ian -ic -ιδιον
-angia ἀγγεῖον
-iophore -φορος
anthero- ἀνθηρο-
blast βλαστός
cyst κύστις
genous -γενής
mania μανία
phore -φορος
phylly -φυλλία
sporangium σπορά ἀγγεῖον
zoa z(o)oid(al ζῷον -οειδής
antherpetic ἀντ- ἕρπης
anthesis ἄνθεσις
Anthesteria -iac Ἀνθεστήρια
Anthesterion Ἀνθεστηριών
anthester- ἀνθεμίς στερεός
in ol
anthias ἀνθίας
Anthicus -id(ae -oid ἀνθικός
anthion(e θεῖον
antho- ἀνθο-
bia(n βίος
blastus βλαστός
branchia -iate βράγχια
carp(ium ic ous καρπός
carpologic καρπο- -λογία
caulus καυλός
cephalous κεφαλή
ceros -κερας
ceros -κερως
-ote (-aceae -ales -oid)
chaera χαίρειν
chlorin χλωρός
clinium κλίνη
codium κώδεια
coris -id(ae -oid κόρις
cyan(e idin ine κύανος
cyathus κύαθος
anthocology ἄνθος οἰκο- -λο-
anthodium ἀνθώδης γία
Anthodon ἀνθ- ὀδών
anthoecium ἄνθος οἶκος
anthoecologist ἄνθος οἰκο-
antho- Cont'd -λογία
gamae γάμος
genesis γένεσις
genetic γενετικός
gonel γονή
graphy -γραφία
kirrin κιρρός
kyan κύανος
leucin(e λευκός
lite λίθος
logy -ical -ist Ἀνθολογίαι
logic(al λόγος
lysis λύσις
lyza λύσσα

antho- Cont'd
mania -iac μανία -ακός
medusa Μέδουσα
-ae -an -id(ae
morphidae μορφή
myia μυῖα
-iid(ae -ioid
myza -idae -ides μύζα
nomus ἀνθόνομος
phaein φαιός
phagous -φαγος
phila -ian -ous -φιλος
phobia -φοβία
phora(bia -φορος βιός
phore -φορος
-idae -um -ous
phyllite -ic φύλλον -ίτης
physa φῦσα
phyta -ae φυτόν
plankton πλαγκτόν
poma πῶμα
ptila -id(ae πτίλον
ptosis πτῶσις
anthorism(us ἀνθορισμός
antho- Cont'd
siderite σιδηρίτης
soma -id(ae -oid σῶμα
sperm(um ae σπέρμα
stele στήλη
stoma -ella στόμα
strobilus -oid στρόβιλος
taxis -y τάξις -ταξία
tropism τροπή -ισμός
type τύπος
xanthum -in(e ξανθός
zoa(n -oic -ooid -oon ζῷον
zymase ζύμη διάστασις
anthra- ἄνθραξ
carid(ae caroid καρίς
chrysone(s χρυσ- -ώνη
anthrac- ἀνθρακ-
(a)emia -αιμία
ene -iferous ia ic in
nose -is νόσος
anthraci- ἀνθρακ-
ferous form
anthracite ἀνθρακίτης
-ic -iferous -ism -ization -ous
anthraco- ἀνθρακο-
hyus ὗς
keryx κῆρυξ
kali
lite lithic λίθος
mancy μαντεία
martus μάρτυς
meter metric μέτρον
necrosis νέκρωσις
nectes νήκτης
neilo Νεῖλος
phausia φαῦσις
porella πόρος
saurus -id(ae -oid σαῦρος
there -ium θηρίον
-ida -iid(ae -ioid(ea(n -oi-
typy -τυπία dea
xene -ite ξένος -ίτης
anthrac- Cont'd
onene onite -ίτης
osia osis -ωσις
otic -ωτικός
anthracr- ἄνθραξ
idone yl -ώνη ὕλη
anthra- Cont'd
criny κρίνειν
flavone fuchsone -ώνη
flavic gallol
genesis γένεσις

anthra- Cont'd
genetic γενετικός
geny -γένεια
hydroquinone ὑδρο- -ώνη
anthr- ἄνθραξ
amine ἀμμωνιακόν
anil(ate ic o-)
anol -one -(o)yl -ώνη ὕλη
anthra- Cont'd
palaemon Παλαίμων
phenol -one φαιν- -ώνη
purpur- πορφύρα
ate in(e
pyr- πῦρ
-(im)idine -(im)idone ἀμ-
μωνιακόν -ώνη
pyrrole πυρρός
quinone -ώνη
-azine ἀ- ζωή
-yl ὕλη
robin rufin sol
thiazole θεῖον ἀ- ζωή
xylon ξύλον
anthrax ἄνθραξ
-olite λίθος
Anthrenus ἀνθρήνη
Anthribus -id(ae -oid ἄνθος
anthr- Cont'd
azene ἀ- ζωή
ene
imide -azole ἀμμωνιακόν
ἀ- φωή
indan -ole Ἰνδικός
iscus ἀνθρίσκος
isothiazole ἰσο- θεῖον ἀ-
ζωή
oic ole one -ώνη
anthro- ἄνθρωπος
geographer γεωγράφος
photoscope φωτο- -σκό-
πιον
anthrop- ἄνθρωπος
ic(al ἀνθρωπικός
id(ae
(in)ism -ισμός
(in)istic -ιστικός
odus ὀδούς
ops ὤψ
urgic ἀνθρωπουργός
anthropo- ἀνθρωπο-
biology -ical βιο- λογία
centric(ism κεντρον -ισμός
choloidanic χολοειδής
chore -ous χωρίς χῶρος
climatology κλιματ- -λογία
-ist ιστὴς
cosmic κόσμος
desoxycholic ὀξυ- χολή
doxic δόξα
genesis γένεσις
genetic γενετικός
geny -ic -ist -ous -γενεία
geographer γεωγράφος
geography γεωγραφία
-ic(al
glot ἀνθρωπόγλωττος
gony -γονίᾶ
graphy -γραφία
anthropoid ἀνθρωποειδής
al ea(n es
-ometry -μετρία
anthropo- Cont'd
latry -ic λατηεία
lite lith(ic λίθος
logy -ic(al(ly -λογία
-ist -ιστής
mancy μαντεία

anthropo- Cont'd
mantic -ist -μαντης
meter -ry μέτρον -μετρία
-ic(al(ly -ics -ist -ιστής
morph ἀνθρωπόμορφος
a ic(al(ly ism ist ization ize
ite -ic(al -ism -ize -ίτης
morpho- ἀνθρωπόμορφος
logy -ical(ly -λογία
theist θέος -ιστής
morphosis μόρφωσις
nomy -ical -ics -νομία
pathy -ia -πάθεια
-ic(al(ly -ism -ite
phagi -us ἀνθρωποφάγος
-ian -ic(al -inian -ous(ly
phagy ἀνθρωποφαγία
-ism -ist(ic -ite -ize(r
phile -ous -φιλος
phobia -φοβία
phu- ἀνθρωποφυής
ism istic -ισμός -ιστικός
phyte φυτόν
physio- φυσιο-
graphy -γραφία
physite φύσις -ίτης
pithecus πίθηκος
psychic -ism ψυχή -ισμός
scopy -σκοπία
sociology -ist λογία -ιστής
somatology σωματο -λογία
sophy -ist -σοφία -ιστής
teleology -ical τελειο- -λο-
theism θέος -ισμός γία
tomy -ical -ist -τομία
toxin τοξικόν
zoic ζωικός
zoomorphic ζωο- μορφή
anthr- Cont'd
ox- ὀξύς
anic azine azole ἀ- ζωή
yl ὕλη
anthur- ἄνθος οὐρά
a id(ae ium oid us
Anthus -idae -inae -ine ἄνθος
Anthyllis ἀνθυλλίς
ant- Cont'd
hydropic ὑδρωπικός
hypnotic ὑπνωτικός
hypochondriac ὑποχονδρι-
ακός
hypophora ὑποφορά
hysteric ὑστερικός
anti ἀντί
anti- ἀντι-
abrasion
abric ἁβρός
adiaphorist ἀδιάφορον
aditis ἀντιάς -ῖτις
aircraft ἀήρ
album- ate id ose γλεῦκος
alcoholic -ism -ist -ισμός
amboceptor -ιστής
American amusement
amylase ἄμυλον διάστασις
anaphylactin ἀνά φυλακτόν
anaphylaxis ἀνά φύλαξις
anarchic -ist ἀναρχία -ισ-
Anglican τής
annexationist -ιστής
anthropo- ἀνθρωπο-
centric κεντρικός
morphism μορφή -ισμός
anti- ἀντι-
body
enzyme ἔνζυμος
toxin τοξικόν

anti- Cont'd
apex
aphrodisiac ἀφρωδισιακός
apoplectic ἀποπληκτικός
apostle ἀπόστολος
aquatic
arachnolysin ἀραχνο- λύσις
archa -i ἀρχός
Arian Ἄριος
arin
aristocrat(ic ἀριστοκρατ-
Arminian(ism -ισμός -ικός
arsenin ἀρσενικόν
arthrin ἄρθρον
arthritic ἀρθρῖτις
ascetic ἀσκητικός
asthmatic ἀσθματικός
astronomical ἀστρονομία
atheism ἄθεος -ισμός
-eist -ιστής
Athenian Ἀθηναῖος
attrition
autolysin αὐτο- λύσις
Babylonianism Βαβυλώνιος
-ισμός
bacchic -ius βακχεῖος
bacterial βακτήριον
bacteriolytic βακτήριον λυ-
ballooner τικός
balm βάλσαμον
bank
Bartholomew Βαρθολομαῖος
basilicon βασιλικόν
becchic βηχικός
benzenepyrine πῦρ
biblic(al βίβλιον
bibliolatry βιβλιο- λατρεία
bigot bill
biont βιον
biosis βίωσις
biotic βιωτικός
Birmingham
bishop ἐπίσκοπος
blenno- βλέννος
rrhagic -ραγία
blue body Bohemian
Bonapartist -ιστής
bothropic βοθρίον ὠπ-
breakage British
bromic βρῶμος
bubonic βουβών
Burgess Burgher
cachectic καχεκτικός
calligraphic καλλιγραφικός
Calvinism -ισμός
-ist(ic -ιστής -ιστικός
capital
cardium -iac ἀντικάρδιον
carnivorous
catal- κατάλυσις
ase ist yst yzer
catalytic καταλυτικός
cataphylactic κατα- φυλακ-
τικός
catarrhal κατάρροος
cathode κάθοδος
Catholic καθολικός
causodic καυσώδης
causotic καῦσος -ωτικός
caustic καυστικός
cephalalgic κεφαλαλγικός
ceremonial(ist -ιστής
ceremonian
cheir ἀντίχειρ
-otonus τόνος
chemism χημεία -ισμός

anti- Cont'd
chlor- χλωρός
en in(e istic one otic
cholagogue χολαγωγός
cholerin χολέρα
choromaniac χορο- μανία
chorus χορός -ακός
chresis chretic ἀντίχρησις
christ ἀντίχριστος
christian χριστιανός
ism ity ize ly -ισμός -ίζειν
chrome χρῶμα
chronism ἀντιχρονισμός
chthon ἀντίχθων -ical(ly
church(ian κυριακόν
chymosin χυμός
civic -ism -ισμός
classicist -ιστής
clastic κλαστός
clergy clerical κληρικός
climax κλίμαξ
clin- κλιν-
al e ic(al orium
anthous ἄνθος
clogging
cnemion ἀντικνήμιον
coagulant -ating
cogitative coherer
colic κωλικός
combination
comet κομήτης
comment commercial con-
stitution
contagion -ious
convulsive
cor Corn Law
corrosion -ive
corset cosine
cosmetic κοσμητικός
council court(ier covenanter
creatinin κρεατ-
creation -or
creep(er ing
crisis κρίσις
critic(al critique κριτικός
crochet
crotin κροτών
cryptic κρυπτικός
cryptogamic κρυπτός γάμος
cyathus κύαθος
cyclic κυκλικός
cyclone -ic(al(ly κυκλῶν
Cyrillian Κύριλλος
cyto- κυτο-
lysin toxin λύσις τοξικόν
cytost κύτος τοξικόν
dactyl ἀντιδάκτυλος
dancing
Darwinian(ism -ισμός
decalogue δεκάλογος
deity
democratic(al δημοκρατικος
demoniac δαίμων -ακός
denominational
detonant -ating
diabetic -in διαβήτης
dicomarian(ite Ἀντιδικο-
μαριανῖται
dimorphism δι- μορφή -ισ-
dinic(al δῖνος μός
diphtherin διφθέρα
-itic(on -ῖτις
disestablishmentarian
ism -ισμός
diuretic διουρητικός
divine division domestic
dorcas δορκάς

anti- Cont'd
doron ἀντίδωρον
dote ἀντίδοτον
-al(ly -arium -ary -ical(ly
-ism ισμός
Dreyfusard
drome δρόμος
-al -ic -ous -y
duke dumping
dynamic δυναμικός
dyscratic δυσκρατός
dysenteric(um δυσεντερία
dysury -ic δυσουρία
ecclesiastical ἐκκλησιαστι-
education κός
emetic ἐμετικός
emperor
endotoxic -in ἐνδο- τοξικόν
enthusiastic ἐνθουσιαστικός
enzyme ἔνζυμος
ephialtic Ἐφιάλτης
episcopal ἐπίσκοπος
-ist -ιστής
ethnic ἐθνικος
evangelical εὐαγγελικός
expansionist -ιστής
extreme -ist -ιστής
face faction fanatic fat
febrile febrin(e
federal(ism ist -ισμός -ιστής
felon(y ferment(ative feudal
fire flatulent friction foreign
fouler -ing frat freethinker
freeze -ing frost
fungoid -οειδής
galactic γαλακτικός
Gallic(an(ism -ισμός
gaster γαστήρ
gen(e ic y) -γενής -γενεία
gen(t)ophil -γενής -φιλος
German
glycoxalase γλυκύς ὀξαλίς
διάστασις
gnastraea Ἀστράια
god
gonia -idae Ἀντίγονος
gonon γόνυ
gonorrheic γονόρροια
gorite -ίτης
grammatical γραμματικός
graph(y ἀντιγραφή
gropelos ἀντ- ὑγρο- πηλός
guggler gurgler
h(a)emo- αἱμο-
lysin lytic λύσις λυτικός
hectic ἑκτικός
helix -icine ἕλιξ
hemagglutinin αἱμ-
hemicranin ἡμικρανία
hemorrhagic αἱμορραγικός
hero ἥρως
hetero- ἑτερο-
lysin λύσις
phylly -φυλλία
hormone ὁρμῶν
hydrophobic ὑδροφοβικός
hydropic -in ὑδρωπικός
hydrotic ἱδρωτικός
hygienic ὑγεινός
hyloist ὑλο- -ιστής
hypnotic ὑπνωτικός
hypo(chondriac ὑποχονδρι-
ακός
hypophora ὑποφορά
hysteric ὑστερικός
icteric ἴκτερος
imperialism -ισμός

anti- Cont'd
-ist(ic -ιστής -ιστικός
incrustator
isolin ἰσο- λύσις
itis -ῖτις
Jacobin(ism -ισμός
Jesuit Ἰησοῦς -ιστής
Judaic Ἰουδαικός
kamnia κάμνειν
kata- κατα-
phylactic φυλακτικός
phylaxis κατα- φύλαξις
kathode κάθοδος
kenotoxin κενο- τοξικόν
keto-
gen(ic -γενής
genesis γένεσις
genetic γενετικός
plastic πλαστικός
kinase κινεῖν διάστασις
kinesis κίνησις
king knock(ing
laborist -ιστής
lactase γαλακτ- διάστασις
lactoserum γαλακτο-
lapsarian league Lecompton
legomena ἀντιλεγόμενος
lepsis ἀντίληψις
leptic ἀντιληπτικός
lethargic ληθαργικός
leuco- λευκο-
cidin toxin τοξικόν
leveling libration
lipase λίπος διάστασις
lipoid λίπος -οειδής
liquor
lithic λίθος
liturgical λειτουργικός
Antillaster(inae ἀστήρ
antilobium ἀντιλόβιον
Antilocapra ἀνθόλοψ
-id(ae -inae -ine -oid
antilope ἀνθόλοψ
-idae -inae -ine -oid
anti- Cont'd
l(o)emic λοιμικός
logarithm(ic λόγος ἀριθμός
logia -ic(al -y ἀντιλογία
logous -ue ἀντιλόγος
loquy -uist -ιστής
lottery luetic lynching
lypyrin πῦρ
lysis -in λύσις
lyssic λύσσα
lytic λυτικός
macassar μηκανή
magistratical malarial
Malthusian
maniacal μανία -ακός
marian Μαρία
martyr μάρτυρ
mason(ic ry)
mask(er masque(r(ade
melancholic μελαγχολικός
mephitic
mensium -ion
mere μέρος
-ia -ic -ism -on -ous
meristem μεριστός
Messiah Μεσσίας
metabole μεταβολή
metathesis ἀντιμετάθεσις
-thetic -ετικός
method μέθοδος
meter metrically μέτρον
metropia -ic μέτρον -ωπία
miasmatic μίασμα

anti- Cont'd
microbic -in μικρο- βίος
migraine ἡμικρανία
militarism -ισμός
ministerial mision
mission(ary
mnemonic μνημονικός
model
monarch- μόναρχος
ic(al(ly μοναρχικός
ist -ιστής
y -ial μοναρχία
Mongolian monsoon
monopoly μονοπωλία
-ist -ιστής
antimonyl ὕλη
anti- Cont'd
moral(ism ist -ισμός -ιστής
moros ἀντίμορος
mycotic μύκης -ωτικός
mythic(al μυθικός
narcotic ναρκοτικός
national natural Nebraska
negro(ism -ισμός
nephritic νεφρῖτις
nepotic nervine
neuralgic νεῦρον -αλγία
neuronist νεῦρον -ιστής
neurotoxin νευρο- τοξικόν
neutral
Mic(a)ean Nicene
antinion ἀντίνίον
-iad -ial -inal
anti- Cont'd
node
nomian νόμος
-(ian)ism -ic(al
nomy -e -ic(al ἀντινομία
nonnin
nosine νόσος
nous Ἀντίνοος
och Ἀντίοχος
ian(ism ene
odont(algic ὀδονταλγία
ontological ὀντο- -λογία
antiopelmous ἀντίος πέλμα
anti- Cont'd
ophidic ὀφίδιον
ophthalmic ὀφθαλμικός
opium(ist ὄπιον -ιστής
opsonin ὀψώνιον
optimist -ιστής
organ ὄργανον
orgastic ὀργασμός
orthodox ὀρθόδοξος
antiotomy ἀντιάς -τομία
anti- Cont'd
oxid ὀξύς
ant ase ation διάστασις
izer izing -ίζειν
p(a)edo- παιδο-
baptism βάπτισμα
baptist βαπτιστής
papal -acy -ist(ical πάπας
parabema παράβημα
paragraphe ἀντιπαραγραφή
parallel παράλληλος
-ogram γράμμα
paralytic(al παραλυτικός
parasitic -in παράσιτος
parastata -itis παραστάτης
-ῖτις
parliamental part
Parnellite -ίτης
pasch ἀντίπασχα
path- πάθος
acea(n aria(n idea(n

anti- Cont'd
pathes ἀντιπαθής
ia(n -ian -idae
pathy ἀντιπάθεια
-etic(al(ly ness) -ic -ous
-ist -ize -ιστής -ίζειν
patriarch πατριάρχης
patriotic πατριωτικός
Paul(ine Παῦλος
pedal peduncular
Pelagian
pepsin πέψις
pepton(e πεπτόν
pericoelous περι- κοῖλος
periodic περίοδος
periostin περιόστεος
peristalsis περι- στάλσις
peristaltic περισταλτικός
peristasis ἀντιπερίστασις
-static(al(ly -ατικός
peronosporin περόνη σπορά
perthite -ίτης
pestilential
petalous πέταλον
phagin φαγ-
phagocytic φαγο- κύτος
pharmic φάρμακον
phase φάσις
philippizing Φίλιππος -ίζειν
phlogist- φλογιστόν
ian ic in on
phon ἀντίφονα
al(ly ar(y e(r etic ic(al(ly y
phonetic φωνητικός
phonon ἀντίφωνον
photogenic φωτο- -γενής
phrasis ἀντίφρασις
phrastic(al(ly ἀντιφραστικός
phrynolysin φρυνο- λύσις
phthic(al φθισικός
phthisin φθίσις
phymin φῦμα
physic(al φυσικός φῦσα
physis φύσις
phytic -ous φυτόν
phytosin φυτός
planet πλανήτης
plastic πλαστικός
platelet πλάτη
pleion πλείων
plethoric πληθωρικός
pleuritic πλευριτικός
pnein πνειά
pneumin πνεύμων
pneumo- πνεύμων
coccic κοκκός
toxin τοξικόν
podagric(al ποδαγρικός
podagron ποδάγρα
podes ἀντίποδες
-al -ean -ic(al -ism -ist
poison
pole πόλος
polemist πολεμιστής
political πολιτικός
polo pool
polyneuritic πολυ- νεῦρον
pope -ery πάπας -ῖτις
popular position potential
poverty prelatic
prestidigitation
priest primer -ing
prism πρίσμα
psoric ψωρικός
prostatic προστατικός
-ate -itis -ῖτις
prote- πρωτεῖον

anti- Cont'd
ase διάστασις
prothrombin πρό θρόμβος
prudential pruritic
psoric ψωρικός
ptosis ἀντίπτωσις
puritan putrefaction -ive
putrescent
pyic pyonin πύον
pyogenic πυο- -γενής
pyralgos πῦρ
pyresis πυρέσσειν
pyretic πυρετικός
pyrin(e omania πῦρ μανία
pyrotic πυρωτικός
antiqu-
ar(ian)ism -ισμός
arianize -ίζειν
ist -ιστής
anti- Cont'd
quartan rabic racer
rachitic = antirhachitic
radial -iating radical rattler
realism -ισμός
reformer -ing religion -ious
remonstrant
rent(er ism -ισμός
revolutionist -ιστής
rhachitic(ally ῥαχῖτις
rheumatic -in -ol ῥευματικός
ricin
rrheoscope ῥεο- -σκόπιον
rrhinum ἀντίρρινον
ritual romance
royal(ist -ιστής
Sabbatarian Σάββατον
sacerdotal salon scarp
school σχολή
scientific
scii -ians ἀντίσκιοι
scion ἀντίσκιον
sclerosin σκληρός
scol(et)ic σκώληξ
scorbutic(al scriptural
scrofulous
Semite Σήμ -ίτης
-ic(ally -ism -ισμός
sepalous σκέπη
sepsis -in σῆψις
septic σηπτικός
al(ly iform in(e ism ist ize
seption -in -ol σηπτικός
serum
Shemite -ic -ism Σήμ -ίτης
sial- σιαλ- -ισμός
a(*or* o)gogue ic ἀγωγός
sideric σίδηρος
siccative silverite -ίτης
simoniacal Σίμων -ακός
sine
siphonal σίφων
skid slavery(ism -ισμός
social-
ist(ic ity -ιστής -ιστικός
solar
soma σῶμα
sophist σοφιστής
soporific space
spadix σπάδιξ
spasis ἀντίσπασις
spasmin σπασμός
spasmodic σπασμώδης
spast(us ἀντίσπαστος
spastic ἀντισπαστικός
spectroscopic -σκόπιον
spermo- σπερμο-
toxin τοξικόν

anti- Cont'd
spermy σπέρμα
spirochetic σπειρο- χαίτη
splenetic σπλήν
sporangism σπορά ἀγγεῖον
squama(ic -ισμός
stalsis στάλσις
staphylo- σταφυλο-
coccic lysin κόκκος λύσις
stasis ἀντίστασις
stimulant
strephon στρέφειν
streptococc- στρεπτο- κόκκος
al ic in
strophe ἀντιστροφή
-al -ic(ally -ize
strophon ἀντιστροφός
strumous -atic
submarine sudoral -ific sun
synod σύνοδος
symmetry συμμετρία
syphilitic -ῖτις
tactes ἀντιτακτής
tangent
tartaric τάρταρον
tegula temperance
teleology τελεο- -λογία
tetanic -in τέτανος
tetanolysin τετανο- λύσις
tetraizin τετρα-
thalian θάλεια
the- θέος
ism ist(ic(al(ly -ισμός
-ιστής -ιστικός
thenar θέναρ
theological θεολογία
therm- θερμός
ic(s in(e olin
thesis ἀντίθεσις
-ism -istic -ize(r -ισμός
-ιστικός -ίζειν
thet(on ἀντίθετον
thetic(al(ly ἀντιθετικός
thrombic -in θρόμβος
thyroidin θυροειδής
tobacco
tonic τόνος
toxic -in(e τοξικόν
-igen -γενής
trade
trag- ἀντίτραγος
al ic(us us
Trinitarian(ism -ισμός
tripsin τρῖψις
triptic τριπτός
trismus τρισμός
trochanter(ic τροχαντήρ
trope τροπή
-al -ic(al -in -ous -y
trust
tuberculous -otic -ωτικός
twilight
type ἀντίτυπον
-al -ic(al(ly -ous
typhoid τυφώδης
typy ἀντιτυπία
tyrosinase τυρός διάστασις
unionist -ιστής
uratic urease οὖρον διάστασις
utilitarian
vaccin-
ation(ist ator ist -ιστής
variolous venerial
venene venin(e venomous
vermicular vibrational
vivisection(ist -ιστής
warlike wit

anti- Cont'd
xerophthalmic ξηροφθαλμία
zymic ζυμή
zymotic ζυμωτικός
antlia -iata -iate ἀντλία
ant- Cont'd
odontalgic ὀδονταλγία
odyne ὀδύνη
oeci -ian(s ἄντοικοι
onomasia -y ἀντονομασία
-astic(al(ly -αστικός
onym ὄνυμα
ophthalmic ὀφθαλμός
orbital
orchis ὄρχις
orgastic ὀργασμός
osiandrian
ozone -ite ὄζων -ίτης
antr- ἄντρον
al ectomy itis -εκτομία -ῖτις
antro- ἀντρο-
cele κήλη
nasal
phore -φορος
phose φῶς
phyum φύειν
scope -y -σκοπιον -σκοπία
stomus στόμα
tome -y -τομον -τόμία
tympanic -itis τύμπανον
zoous ζῷον -ῖτις
antrum ἄντρον
antyx ἄντυξ
anucleate ἀ-
an- Cont'd
ura -an -(id)ida οὐρά
uresis uretic οὔρησις οὐρητικός
uria -ic -y -ουρία
ydremia = anhydremia
ypnia ὕπνος
aorist ἀόριστος
aoristic(ally ἀοριστικός
aorta ἀορτή
aort- ἀορτή
al arctia ic
ectasis -ia ἔκτασις
ism(us itis -ισμός -ῖτις
aortico- ἀορτή
renal
aorto- ἀορτή
lith λίθος
malacia μαλακία
ptosis *or* -ia πτῶσις
rrhaphy -ραφία
stenosis στένωσις
tomy -τομία
aosmic ἄοσμος
Aostipora πόρος
ap- ἀπ-
aconitin ἀκόνιτον
aerotaxis ἀερο- τάξις
agoge -ic(al(ly ἀπαγωγή
agynous ἄπαξ -γυνος
allagin ἀλλαγή
andria -y -ανδρία
androus ἀνδρός
Apanteles ἀ- παντελής
apanthropy -ia ἀπανθρωπία
aparaphysate ἀ- παράφυσις
Aparasphenodon ἀ- παρασφηνοδούς
aparathyr(e)osis ἀ- παραθυρεοειδής -ωσις
ap- Cont'd
arithmesis ἀπαρίθμησις
arthrosis -odial ἀπάρθρωσις
astron ἄστρον

Apatela(e -ite ἀπατηλός -ίτης
apate- ἀπάτη
mys -yidae μῦς
odus ὀδούς
apatetic(us ἀπατητικός
apathic ἀπαθής
apathism ἀ- πάθος -ισμός
apathy ἀπάθεια
-etic(al(ly -ist(al -istical -ize -στής -ιστικός -ίζειν
apatite ἀπάτη -ίτης
apato- ἀπάτη
bolbina βολβός
chilina χεῖλος
saurus σαῦρος
Apatornis ἀπάτη ὄρνις
apatropin ἀπ- Ἄτροπος
Apaturia Ἀπατούρια
apaulo- ἀ- παῦλα
gamy -ic -γαμία
apedioscope ἀ- πεδίον σκοπός
apeiron ἄπειρον
apeiry ἀπειρία
Apeltes -inae -ine ἀ- πελτή
apena ἀπήνη
apenteric ἀπ- ἔντερον
apepsia -y ἀπεψία
apepsinia ἀ- πέψις
apeptic ἀ- πεπτικός
aperiodic(al(ly ἀ- περιοδικός
aperi- ἀ- περι-
spermic -ous σπέρμα
stalsis στάλσις
apertometer μέτρον
-metry μετρία
Apetala(e ἀ- πέταλον
-oid -ose -ous(ness -y
aph- ἀφ-
Aphaenogaster γαστήρ
aphacia -ic -ous = aphakia
aph(a)eresis ἀφαίρεσις
-etic(ally -ετικός
aphaereton ἀφαιρετόν
aphagia ἀ- -φαγία
aphakia -ial -ic -ous ἀ- φακός
Aphalara -inae ἀ- φάλαρα
aphan- ἀφανής
apteryx ἀ- πτέρυξ
asia -ασια
eura νεῦρον
istic -ιστικός
ite(-ic -ism) -ίτης -ισμός
Aphaneri ἀ- φανερός
-amma ἄμμος
aphanesite ἀφανής -ίτης
Aphaniptera = Aphanoptera
aphanimere ἀ- φαιν- μέρος
Aphanizomenon ἀφανίζειν
aphano- ἀφανής
cyclae κύκλος
lemur
martus μάρτυς
phyre πορφύρα
ptera πτερόν
stoma -id(ae -oid στόμα
zygous ζυγόν
aphanto- ἄφαντος
tropis τροπίς
Aphapteryx = Aphanapteryx
aphapto- ἀφ- ἅπτειν
tropism τροπή -ισμός
apharyngea -eal ἀ- φαρυγγ-
aphel- ἀφελής
aster ἀστήρ
exia ἕξις
iscus ops -ισκος ὤψ

aphelion -ian ἀφ- ἥλιος
-iotropism -ic(ally ἡλιοτροπή -ισμός
Apheloscyta ἀφελής σκύτη
aphemia -ic ἀ- φήμη
-esthesia -αισθησία
aphenge(*or* o)- ἀφεγγής
scope -σκόπιον
aphenoscope ἀ- φαινο-
aphephobia ἀφή -φοβία
apherco- ἀφ- ἑρκο-
tropism τροπή -ισμός
aphesis ἄφεσις
aphestic ἀφέστιος
Apheta ἀφετής
aphetic(al(ly ἀφετικός
aphetism ἄφετος -ισμός
-ize -ίζειν
aphidi- ἀφειδής
phagi -ous -φαγος
vorous
aphido- ἀφειδής
logist -λογία -ιστής
phagous -φαγος
aphilanthropy ἀφιλάνθρωπος
Aphis ἀφειδής
-id(ae es ian id(ae ides)
-iinae -ious
aphlaston ἄφλαστον
aphlebia(e -ioids ἄφλεβος
aphlogistic ἄφλογιστος
aphnology ἄφνος -λογία
Aphodiocopris ἄφοδος κοπρίς
Aphododeridae ἄφοδος δερή
aphodus ἄφοδος
-al -ian -iidae -ius
aphonia -ic -ous -y ἀφωνία
aphoria ἀφορία
aphorism ἀφορισμός
atic er ic(al ing ist ize(r
aphoristic(al(ly ἀφοριστικός
Aphoruridae ἄφορος οὐρά
aphose ἀ- φῶς
aphotic ἀ- φωτ- -ικός
Aphotistes ἀ- φωτιστής
aphoto- ἀ- φωτο-
metric μετρικός
tactic τακτικός
taxis τάξις
tropic -ism τροπή -ισμός
aphract(a ἄφρακτος
Aphralysia ἀφρός λύσις
aphrasia ἀ- φράσις
Aphredoderus ἀφρώδης
-id(ae -oid (*or* ἀφρη- ὀδός)
aphrenia ἀ- φρήν
aphrite ἄφρος -ίτης
Aphriza ἀφρίζειν
-id(ae -ite -oid
aphrodascin ἀφρώδης
aphrodisia ἀφροδίσια
-ian -istic -ιστικός
aphrodisiac(al ἀφροδισιακός
aphrodisin Ἀφροδισιός
Aphrodision Ἀφροδίσιον
aphrodite ἄφρος -ίτης
Aphrodite Ἀφροδίτη
-eum -ic -ous
-(ac)ea(n -id(ae -oid
Aphrododerus = Aphredoderus
aphronesia ἀ- φρονήσις
aphro- ἀφρο-
meter μέτρον
metric μετρικός
nitre νίτρον
phila -φιλος φόρος
phora -ida -idinae ἀφρο-

aphro- Cont'd
phyllum φύλλον
siderite σιδηρίτης
thoraca(n -ida θωρακ-
aphtha -oid -ous ἄφθα
-monas μονάς
-phytes φυτόν
aphthalose ἄφθιτος ἅλς
aphthartal ἄφθαρτος
Aphthartodocetae Ἀφθαρτοδοκηταί
-ic -ism -ικός -ισμός
aphthenxia ἀ- φθέγξις
aphthite -alite ἄφθιτος λίθος
aphthong(al ia ἄφθογγος
aphthonite ἄφθονος -ίτης
Aphthoroblattina ἀ- φθορά
Aphuelepis ἀφύη λεπίς
aphydro- ἀφ- ὑδρο-
taxis τάξις
tropic -ism τροπή -ισμός
aphylactic ἀ- φυλακτικός
aphylaxis ἀ- φυλαξίς
aphyllo- ἄφυλλος
podous pteris -ποδος πτερίς
aphyllous ἄφυλλος
-ae -on -ose -y
aphyric ἀ- πορφύρα
apiarist -ιστής
apiaster ἀστήρ
apicasm ἀπείκασμα
apicasy ἀπεκασία
apico-
ectomy -εκτομία
lysis λύσις
tomy -τομία
apigenin -γενής
Apikoros Ἐπικούρειος
apilary ἀ- πῖλος
apinoid ἀπινής
Apiocera -id(ae ἄπιος κέρας
Apiocrinus ἄπιον κρίνον
-id(ae -ite -oid
apioid(al ἀπιοειδής
apiology -ist -λογία -ιστής
Apiomerus -inae ἄπιον μηρός
Apion(inae ἄπιον
Apionichthys ἀπίων ἰχθύς
Apios ἄπιος
apiosoma ἄπιος σῶμα
apiosporium ἄπιος σπορά
apiphobia -φοβία
Apis Ἆπις
apism -ισμός
apistes ἄπιστος
Apithanus ἀπίθανος
aplaco- ἀ- πλακο-
phora -an -ous -φορος
apjohnite -ίτης
aplanat(ic(ally ism ἀ- πλανατικός
aplanetic ἀπλάνητος
aplano- ἀπλανής
gamete -angium γαμέτης ἀγγεῖον
plastid πλαστός
spore σπορά
-angia ἀγγεῖον
aplasia ἀ- πλάσις
aplasmic ἀ- πλάσμα
odiophorus εἶδος -φορος
aplastic ἄπλαστος
Apleuri ἀ- πλευρά
apl- ἀπλόος
ite -ic -ίτης
odon(tia tiidae) ὀδών
ome

apl- ἀπλο-
cheilus χεῖλος
coela κοῖλος
dinotus -inae δι- νῶτος
lepideous λεπίς
pappus πάππος
peristomi -atous περιστό-
rhinus ῥίν μος
taxene τάξις
tomy -τομία
aplustre ἄφλαστον
-id(ae -oid -um
Aplysia ἀπλυσίας
-iacea -iadae -iid(ae -ioid(ea
-iopurpurin πορφύρα
apneumatic -osis ἀπνεύματος
apneumia ἀ- πνευμών
Apneumona ἀπνεύμων
-es -ous
Apneusta -ic ἄπνευστος
apn(o)ea -oeal -oeic ἀ- -πνοία
apo- ἀπο-
aconitin ἀκόνιτον
atropin Ἄτροπος
bates ἀποβάτης
batic ἀποβατικος
biosis βίωσις
biotic βιωτικός
blast(ic βλαστός
bletes βλητός
apobsidian ἀπ-
apo- Cont'd
caffeine
calyps(e ἀποκάλυψις
-ypt(ist
calyptic ἀποκαλυπτικός
al(ly ism -ισμός
campane
carp(ous y καρπός
catastasis ἀποκατάστασις
-atic ἀποκαταστατικός
catharsis ἀποκάθαρσις
cathartic ἀποκαθαρτικός
center κέντρον
centr- κέντρον
ic(ally ity on um
ceras κέρας
apocha ἀποχή
apo- Cont'd
cheilichthys χεῖλος ἰχθύς
chemotaxis χήμεια ταξις
chromatic -ism χρωματικός
codein(e κώδεια
colocyntosis ἀποκολοκύνθη
cope ἀποκοπή -ωσις
-ate(d -ation -ic
coptic κόπτειν
crenic κρήνη
creos ἀπόκρεος
crisiary -ius ἀπόκρισις
crita ἀπόκριτος
crustic ἀποκρουστικός
crypha ἀπόκρυφα
-al(ist ly ness) -ate -ical
-on -ous
cyanine κύανος
cyn- ἀπόκυνον
aceae (ac)eous
amarin (e)in um
cyte -ial -y κύτος
apod- ἀποδ-
a al an e(s ia ial ina on ous
apodia ἀποδία
Apodichthys ἀποδ- ἰχθύς
apodogynous ἀποδ- -γυνος
apo- Cont'd
d(e)ictic(al(ly ἀποδεικτικός

apo- Cont'd
deipnon ἀπόδειπνον
d(e)ixis ἀπόδειξις
deme δέμας
-a -al -ata -atal -atous
demialgia ἀποδημία -αλγία
derm ἀπόδερμα
deroceras ἀποδέρειν κέρας
dete δετή
diabolosis διάβολος -ωσις
dioxis ἀποδίωξις
dosis ἀπόδοσις
dyterium ἀποδυτήριον
embryony ἔμβρουν
galacteum -ic γάλακτος
galvanotaxis τάξις
gamy -ic -ous(ly γαμία
gee ἀπόγαιον
-a(e)ic -eal -ean -eic
geny -ous -γενεια
geo- γεω-
aesthetic αἰσθητικός
tropism τροπή -ισμός
-ic(ally
gestation
glucic γλυκύς
Apogon(id(ae ina) ἀ- πώγων
apo- Cont'd
gyny -γυνία
harmine
hyal ὕαλος
hydrotropic ὑδρο- τροπή
apoichia ἀποικία
apoid(ea -οειδής
apoikogenous ἄποικος -γενής
apoious ἄποιος
apo-Jove ἀπο-
apokatastasis = apocatastasis
apokreos ἀπόκρεως
apolar(ity ἀ- πόλος
apolaust(ic(ism ἀπολαυστικός
apolegamic ἀπολέγειν -γāμία
Apolites ἀ- πολίτης
Apollinarian Ἀπολλιναριανοί
ism ist -ισμός -ιστής
Apollo Ἀπόλλω
-inarian -ine -inic ship
Apollonia Ἀπολλώνια
Apollonian -ic Ἀπολλώνιος
Apollon- Ἀπόλλων
ic(on istic -ιστικός
-ize -ίζειν
Apollyon(ist Ἀπολλύων
apo- Cont'd -ιστής
log(ue ἀπόλογος
logetic(al(ly -ics ἀπολογη-
logy ἀπολογία τικός
-er -ete -ia -ic(al -ist -ize(r
lysis -in ἀπολύσις
lytikon ἀπολυτικόν
Apomatostoma ἀ- πῶμα στό-
apo- Cont'd μα
meco- μηκο-
meter μέτρον
metry -μετρία
metabolism μεταβολή -ισ-
mictial -ic(al μικτός μός
mixis μίξις
morph- μορφή
ia in(e ina
myelin μυελός
apon- ἀ- πόνος
al e ea ia ic oea oia
aponogeton ἄπονος γείτων
aceae aceous
apo- Cont'd
neur- ἀπονεύρωσις

apo- Cont'd
itis -ῖτις
osis osy otic -ωσις
ωτικός
neuro- ἀπονεύρωσις
graphy -γραφία
logy -λογία
tome -y -τομον -τομία
pemptic ἀποπεμπτικός
petalous πέταλον
phantic ἀποφαντικός
phasis ἀπόφασις
phatic ἀποφατικός
phlegmat-
ic(al ἀποφλεγματικός
ism ἀποφλεγματισμός
izant ἀποφλεγματίζειν
phony -φωνία
phorometer -φορος μέτρον
photo- φωτο-
tactic taxis τακτικός τάξις
phthegm ἀπόφθεγμα
a atist atize
atic ἀποφθεγματικός
phyge ἀποφυγή
phylactic φυλακτικός
phylaxis φύλαξις
phyllite φυλλάζειν -ίτης
phyllous -φυλλος
physis ἀπόφυσις
-al -ary -ate -e -eal -ial
-itis -ῖτις
phytes -ial φυτόν
plasmia -odial πλάσμα
plastidy πλαστός
plasto- πλαστο-
gamous γάμος
plectic(al(ly ἀποπληκτικός
plect- ἀποπληκτός
iform oid -σειδής
plexy -ia ἀποπληξία
ptygma ἀπόπτυγμα
pyle πυλή
quinamin(e ἀμμωνιακόν
rachial ῥάχις
rem(e ἀπόρημα
rectic(al ἀπορητικός
retin ῥητίνη
r(h)ein(e ῥοιάς
rhyolite ῥυ to λίθος
aporia ἀπορία
aporio- ἀπορία
neurosis νεῦρον -ωσις
aporo- ἄπορος
branchia βράγχια
-ian -iata -iate
gamy -ous -γαμία
poda ποδ-
aporose -a ἄπορος
Aporrhais ἀπόρραις
-aid(ae -aoid
aporrhegma ἀπόρρηγμα
aporrhoea ἀπό -ῥοία
aporrhysa ἀπόρρυσις
apory ἀπορία
apo- Cont'd
saturn(ium
schist σχιστός
sematic(ally σῆμα
sepalous σκέπη
sepidin ἀποσήπειν
aposia ἀ- πόσις -ία
apo- Cont'd
siopesis -e(s)tic ἀποσιώπη-
σις
sphaeria -iose σφαῖρα
sporogony σπορο- -γονία

apo- Cont'd
sporous -y σπορά
stacy stasy ἀποστασία
stasis ἀπόστασις
state -ism -ize ἀποστάτης
static(al ἀποστατικός
staxis ἀποσταξις
stem (ate atous e) ἀπόστημα
stematic ἀποστηματικός
aposterioristic -ιστικός
aposthia ἀ- πόσθη
apostichon ἀπόστιχον
apostle(hood ship) ἀπόστο-
λος
apostol- ἀπόστολος
ate ess i ine ize
apostolic ἀποστολικός
al(ly alness i ism ity
apo- Cont'd
strophe ἀποστροφή
-al -ic -ied -ism -ize -y
strophe ἀπόστροφος
strophion -ization στροφή
tactici -ic(al Ἀποτακτικοί
tactile Ἀποτακτῖται
taxi- ταξι-
morphosis μόρφωσις
telesm ἀποτέλεσμα
atic(al ἀποτελεσματικός
thanasia -θανασια
thec ἀποθήκη
al ary(ship e ecial ecium
the(g)m = apophthegm
them(a e) θέμα
theosis -e -ize ἀποθέωσις
thermotaxis θερμο- τάξις
thesis -ine ἀπόθεσις
theter θετήρ
thigmotaxis θίγμα τάξις
tome -y ἀποτομή
toxin τοξικόν
trepsis ἀποτρέψις
tripsis τρίψις
tropae(or ai)on -aic ἀποτρό-
παιος
tropism -ic -iac τροπή -ισ-
tropous ἀπότροπος μός
typic typose τυπικός τύπος
apox- ἀποξεῖν
emena esis
yomenos ἀποξυόμενος
apozem(a e ical) ἀπόζεμα
apozym- ἀπο- ζύμη
ase διάστασις
appanagist -ιστής
apparatotherapy θεραπεία
append-
algia -αλγία
ectomy -εκτομία
appendic-
algia -αλγία
ectasis ἔκτασις
ectomy -εκτομία
itis -ῖτις
appendico-
cecostomy στόμα
(entero)stomy ἐντερο- στο-
tomy -τομία μία
apperceptionism -ist -ισμός
appetize -ίζειν -ιστής
-er -ing(ly ment
appo- Erron. for apo-
appropriationist -ιστής
apractic ἄπρακτος
-ocleidus κλειδ-
apraxia -ic ἀπραξία
apricot(ine πραικόκιον

apriorism -ισμός
-ist(ic -ιστής -ιστικός
Aprocta -ia -ous ἀ- πρωκτός
aprophoria ἀ- προφέρειν
aprosexia ἀπροσεξία
aprosmictus ἀπρόσμικτος
aprosopia -ous ἀπρόσωπος
Aprosphyma ἀ- πρός φῦμα
aproter- ἀ- πρότερος
odont ὀδοντ-
Aprutinopora πόρος
Apsectus ἄψεκτος
apse ἀψίς
apselaphesis -ia ἀ- ψηλάφη-
Apseudes ἀ- ψεῦδος σις
-id(ae -oid
Apsidocrinus ἀψιδο- κρίνον
Apsilus ἀ- ψιλός
apsis ἀψίς
-idal(ly -idiole
apsithyria ἀ- ψίθυρος
apsychia -y ἀ- -ψυχία
apsychical ἀ- ψυχικός
Aptenodytes ἀπτήν δύτης
-id(ae -oid
apter- ἄπτερος
a al an ial ion ium oid os ous
ura οὐρά
Apternodus ἀ- πτέρνα ὀδούς
Apteryges ἀπτέρυγος
-ia(n -id(ae -inae -oid
apterygo- ἀπτέρυγος
genea γένος
Apterygota ἀ- πτερυγωτός
-ism -ous
Apteryx ἀ- πτέρυξ
aptha = aphtha
Aptornis ἄπτερος ὄρνις
aptoso- ἀ- πτῶσις
chromatism χρωματ- -ισμός
aptote -ic ἄπτωτος
aptyalia ἀπτύαλος
-ism(us -ισμός
Aptychus ἀ- πτυχή
apulmonic ἀ-
apus(idae ἄπους
apy(et)ous ἀ- πύον
Apygia ἀ- πυγή
apykno- ἀ- πυκνο-
μορφή morphous
apyogenous ἀ- πυο- -γενής
apyonin ἀ- πύον
apyrenus ἀ- πυρήν
-aemata -aematous αἱματ-
apyretic ἀπύρετος
apyrexia -ial -y ἀπυρεξία
apyrine ἀ- πυρήν
apyrite ἄπυρος -ίτης
apyro- ἄπυρος
genetic γενετικός
genic -γενής
type τύπος
apyrol ἀ- πῦρ
apyrous ἄπυρος
aqua-
bibist fortist -ιστής
meter metry μέτρον -μετρία
phone φωνή
aquar(i)ist -ιστής
aquiloid -οειδής
aquo-
capsulitis -ῖτις
hydroigneous ὑδρο-
meter μέτρον
Arab Ἄραψ
esque is ism -ισμός
ist ize -ιστής -ίζειν

arab- Ἀράβιος
an in(e inose inosic
ite itol onic -ίτης
Arabia -ian(ize -y Ἀραβία
Arabic Ἀραβικός
al(ly i ism ize
arabino- Ἄραψ
chloralose χλωρός
arabinosuria Ἄραψ -ουρία
Arabo- Ἄραψ
Byzantine Βυζάντιον
Tedesco
Araceae -eous ἄρον
arach- ἀρακίς
ic in(ic is
arachid(on)ic ἀρακίδος
Arachne ἀράχνη
-actis ἀκτίς
-ida(e -id(an
-idium -ia -ial -ous -ιδιον
Arachne Cont'd
-ites -itis -ίτης -ῖτις
-opia -ωπία
arachnean ἀράχνειος
arachno- ἀραχνο-
campa κάμπη
dactylia δάκτυλος
lasma ἔλασμα
leter λητήρ
logy -ical -ist λογία -ιστής
lysin λύσις
phagous -φαγος
poda ποδ-
rhinitis ῥίν -ῖτις
thera -inae -ine θηρίον
arachnoid ἀραχνοειδής
al ea ean eus
ism itis -ισμός -ῖτις
Aradus -id(ae -oid ἄραδος
araeo- ἀραιο-
(picno)meter πυκνο- μέτρον
scelis -ida σκελίς
style ἀραιόστυλος
systyle σύστυλος
aragonite -ίτης
araiocardia ἀραιο- καρδία
Arainae ἀραιός
aral ἄρον
es ia iaceae iaceous iad
Araliaecarpum ἄρον καρπός
Araliopsoides ἄρον ὄψις -οει-
aralkyl(idene ἄρωμα ὕλη δής
Aram- Ἀραμαῖος
(a)ean(ism (a)ism -ισμός
aic(ize aize -ίζειν
araneology -ist -λογία -ιστής
araph(or)ostic ἄρραφος
araucario-
pitys -yoidea πίτυς -οειδής
xylon ξύλον
araucarite(s -ίτης
arazym ζύμη
Arbaces Ἀρβάκης
-ia -iadae -iid(ae -ioid
arbelon ἄρβηλος
arbor-
ist oid -ιστής -οειδής
ization ize -ίζειν
arboro-
later latry -λατρης λατρεία
arbutase διάστασις
Arcadia Ἀρκαδία
-ian(ly -ianism -y -ισμός
Arcadic Ἀρκαδικός
arcanite -ίτης
Arceuthobium ἄρκευθος βίος
-arch ἀρχός

arch- ἀρχ-
abbot ἀββᾶς
aegopis αἰγωπός
archae- ἀρχαῖος
an id
craniate κρανίον
lurus αἴλουρος
macroceza μακρο-
Arch(a)eic ἀρχαικός
archaeo- ἀρχαιο-
ceti κῆτος
chelys χέλυς
chronology χρονολογία
cidaris κίδαρις
-id(ae -oid(ea
cryptolaria κρυπτός
ctonus κτόνος
cyathus -idae -inae κύαθος
cyclic κυκλικός
cyte κύτος
delphis δελφίς
geology γεω- λογία
graphy -ic(al ἀρχαιογρά-
hippus ἵππος φος
hyracidae ὕραξ
archaeoid ἀρχαιοειδής
archaeo- Cont'd
lafoea
lagus λαγῶς
lemuridae
lithic λίθος
log- ἀρχαιολόγος
er ian ue
logic(al(ly ἀρχαιολογικός
logy -ist ἀρχαιολογία
mene μήνη
meta μετά
morphic μόρφη
myrmex μύρμηξ
archae- Cont'd
oniscidae ὀνίσκος
ontology -ical ὀντο- -λογία
ornithes ὄρνιθες
otolithus ὠτός λίθος
archaeo- Cont'd
nomous ἀρχαιόνομος
nycteris -idae νυκτερίς
phasma φάσμα
phytes φυτόν
pithecidae πίθηκος
pitys πίτυς
plax πλάξ
psychism ψυχή -ισμός
pteropus πτερόπους
pterys πτερίς
pteryx -ygid(ae -yoid πτέ-
ptilites πτίλον -ίτης ρυξ
siren Σειρήν
stoma -ata -atous -e στόμα
suchus σοῦχος
therium θηρίον
tiphe τίφη
zoic zoon ζωικός ζῷον
zonites ζώνη -ίτης
archaeus ἀρχαῖος
arch- Cont'd
aesthetic(ism αἰσθητικός
aesthetism αἰσθητός -ισμός
agics ἀρχαγός
agitator
archaic ἀρχαικός
al(ly ism -ισμός
archaism ἀρχαισμός
archaist(ic ἀρχαῖος -ιστής
-ιστικός
archaize -er ἀρχαΐζειν
archa(i)o- = archaeo-

arch- Cont'd
am(o)eba ἀμοιβή
amphiaster ἀμφί αστήρ
angel ἀρχάγγελος
ic(al ship
angelica ἀγγελικός
anodon -onta ἀρχή ἀνόδον-
apostate ἀποστάτης τος
apostle ἀπόστολος
architect ἀρχιτέκτων
arios ἀρχάριος
arthropterus ἀρθρο- πτερόν
artist -ιστής
aster(id(ae oid) ἀστήρ
beadle
bishop ἀρχιεπίσκοπος
ess ric ry
arch- ἀρχ-
Brahman buffoon butler
chamberlain chancellor
chanter chaplain charlatan
cheater chief consoler
conspirator corrupter corsair count cozener criminal
cupbearer
chemic χήμεια
chlamydeous χλαμυδ-
Christianity Χριστιανός
critic κριτικός
deacon ἀρχιδιάκονος
ate ess ry ship
dean(ery
deceiver
demon δαίμων
despot δεσπότης
devil διάβολος
diocese -an διοίκησις
dissembler disturber dolt
druid ducal duchess duchy
duke(dom earl
arche ἀρχή
arche- = archae-
arche- ἀρχή
biosis biotic βίωσις βιωτι-
genesis γένεσις κός
arche- ἀρχε-
centric(ity κεντρικός
gonium ἀρχέγονος
-ial -iata -iatae -iate
-iophore -φορος
Archegosaurus ἀρχηγός
σαῦρος
-ia(n -id(ae -oid
archeion ἀρχεῖον
arche- ἀρχή
logy mitra -λογία μίτρα
sphera σφαῖρα
arch- Cont'd
elminth(es ic ἕλμινθες
elon χελώνη
emperor enemy
encephala -ic ἐγκέφαλος
enteron -ic ἔντερον
Archenema ἀρχε- νῆμα
archeo- = archaeo-
kinetic κινητικός
lith(ic λίθος
stome -a -atous στόμα
arche- ἀρχε-
pyon πύον
sperm(ae ic σπέρμα
spore -ial -ium σπορά
arch- Cont'd
essence
esthetic αἰσθητικός
eunuch ἀρχιευνοῦχος
exorcist ἐξορκιστής

archetype ἀρχέτυπον
-al(ly -ic(al -ist
archeus ἀρχαῖος
arch- ἀρχ-
father felon fiend flamen foe
fool friend
genethliac γενεθλιακός
governor
helenis Ἑλένη
heresy αἵρεσις
heretic αἱρετικός
humbug
hypocrite ὑποκριτής
archical ἀρχικός
archi- ἀρχι-
amphiaster ἀμφί ἀστήρ
angiosperms ἀγγειο- σπέρ-
annelid(a(n μα
anthemon ἄνθεμον
ater ἀρχίατρος
benthos -al βένθος
blast(ic oma ula) βλαστός
boreis Βορέας -ωμα
buteo
carp(ic καρπός
center κέντρον
-ric(ity κεντρικός
cercy -al κέρκος
cerebrum
chaetopoda χαίτη ποδ-
chlamydeae -eous χλαμυδ-
clistogamous κλειστός γά-
coele κοῖλος μος
cyte -ula κύτος
depula
desmus -id(ae -oid δέσμα
diaconal -ate ἀρχιδιάκονος
didascalos -us ἀρχιδιδά-
σκαλος
discodon δίσκος ὀδών
archidium -iaceae ἀρχίδιον
archieracy -eus ἀρχιερεύς
archi- Cont'd
episcop- ἀρχιεπίσκοπος
acy al(ity ate y
galenis γαληνός
gastrula γαστρ-
genesis γένεσις
goniophore γόνος -φορος
gonous -ic -y ἀρχέγονος
-ocyte κύτος
gymno- γυμνο-
sperms σπέρμα
sporae σπορά
inocellina
lichens λειχήν
lithic λίθος
lute
Archilochian Ἀρχιλλόχειος
archimage -us ἀρχίμαγος
archi- Cont'd
mandrite -ate ἀρχιμανδρί-
martyr μάρτυρ της
medes -ean Ἀρχιμήδης
mime ἀρχίμιμος
monerula μονήρης
morphic μορφή
morula
mycetes μυκῆτες
mylacris -idae μυλακρίς
myza μύζειν
nephros -ic -on νεφρός
neuron νεῦρον
archinformer ἀρχ-
archi- Cont'd
notic νότος
pallium panospa

archi- Cont'd
pelago -ian -ic πέλαγος
pithecus πίθηκος
plasm πλάσμα
plast πλαστός
polypoda πολύπους
-an -ous
archippus Ἄρχιππος
archi- Cont'd
proctum πρωκτός
ptera πτερόν
pterygium -ial πτερύγιον
sauria -ian σαῦρος
some σῶμα
sperm(ae σπέρμα
sphere σφαῖρα
spore σπορά
Archistes ἀρχός
archi- Cont'd
stome -a στόμα
strept στρεπτός
synagogue ἀρχισυνάγωγος
tect ἀρχιτέκτων
ive ress
oma -idae
onic ἀρχιτεκτονικός
al(ly -ics
ure -al(ly -alist -ization
teuthis τευθίς -ize
tonerre
troch τροχός
type τύπος
-ographer -γραφος
ulus -id(ae -oid
zoic ζωικός
architis ἀρχός -ῖτις
archive -ist ἀρχεῖον -ιστής
arch- Cont'd
knave leader liar lute
magician μαγικός
magirist μάγειρος -ιστής
minister
monarch μόναρχος
archo- ἀρχός
cele κοῖλος
cleistogamy -ous κλειστο-
-γαμία
cysto(colpo)syrinx κύστις
κολπο- σύριγξ
helia ἥλιος
lithic λίθος
logy λογία
archon(ship ἄρχων
archont(al ate ia) ἄρχων
archontic ἀρχοντικός
Archoplites ἀρχ- ὁπλίτης
archo- ἀρχός
plasm(a ic πλάσμα
ptoma πτῶμα
ptosis πτῶσις
rrhagia rrhea -ῥαγία -ῥοία
sargus σαργός
some σῶμα
stegnosis στεγνός -ωσις
stenosis στένωσις
zoic ζωικός
arch- Cont'd
papist πάπας -ιστής
pastor
patriarch πατριάρχης
philosopher φιλόσοφος
arch- Cont'd
piece pillar
pirate πειρατής
player
poet ποητής
politician πολιτικός

arch- Cont'd
pontiff prelate -ic(al
presbyter(y πρεσβύτερος
priest(hood ship) πρεσβύ-
primate τερος
arch- Cont'd
sacrificator saint scoundrel
see shepherd sin spy
steward
satrap σατράπης
synagogue συνάγωγος
tempter thief traitor treas-
type τύπος urer
tyrant τύραννος
vagabond vestryman villain(y
-archy -αρχία wife
archyl ὕλη
arco-
centrum graph κέντρον
arct- ἄρκτος -γραφος
alia -ian ἀλία
alpine american
atlantis Ἀτλαντίς
ia(n iid(ae iinae ioid
ictis -idinae -idine ἴκτις
irenia εἰρήνη
isca -on(id(ae oid) -ισκός
ium ἄρκτιον
oid(ea(n -οειδής
arctic
a ian ize ward ἀρκτικός
oceras κέρας
treta τρητός
arcto- ἀρκτο-
cebus κῆβος
cephalus κεφαλή
ceratinae κέρας
cyon(id(ae oid) κύων
dendron δένδρον
gaea -aeal -aean -aeic γαῖα
gnathus γνάθος
mys -yinae -yine μῦς
pithecus -ini πίθηκος
staphylos -us -etum στα-
suchus σοῦχος φυλή
therium θηρίον
arct- Cont'd
ops opsis ὤψ ὄψις
otis ὠτ-
Arctos ἄρκτος
Arcturus Ἀρκτοῦρος
-ian -id(ae -oid
arculite λίθος
Arcys -yid(ae -yoid ἄρκυς
ard- ἄρδειν
ella ion ium
ardan(a)esthesia ἀναισθησία
ardennite -ίτης
Adisia -iad ἄρδις
Arean Ἄρειος
areflexia aregenerative ἀ-
arendalite arenicolite -ίτης
Arenicoloides -οειδής
arenilitic λίθος
arenoid -οειδής
Arenophyllae -φιλος
areo- Ἀρεο-
centric κεντρικός
grapher -γραφος
graphy -ic(al(ly -γραφία
logy -ic(al(ly -ist -λογία
areolitis -ῖτις
areo = araeo-
meter μέτρον
metry -ic(al(ly -μετρία
picnometer πυκνο- μέτρον
systole σύστυλος

Areopagite Ἀρεοπαγίτης
Areopagitic(al Ἀρεοπαγιτικός
Areopagus Ἀρειόπαγος
areophane = aerophane
areo- Ἀρεο-
psammus ψάμμος
tectonics τεκτονικός
trachelus τράχηλος
ar(a)eotic ἀραιωτικός
aretaics ἀρητή
Areth(o)usa -ina Ἀρέθουσα
Aretinist -ιστής
aretology ἀρεταλογία
arfvedsonite -ίτης
argamblyopia ἀργός ἀμβλυω-
πία
Argas ἀργᾶς
-(ant)id(ae -(ant)oid
argatoxyl ὀξύς ὕλη
Argean Ἄργω
argema ἄργεμα
argemon ἄργεμον
Argemone -y ἀργεμώνη
argent-
amid(e amin(e ἀμμωνια-
cyanid(e κύανος κόν
ion ite ἰόν -ίτης
argento-
meter μέτρον
metry -ic -μετρία
pyrite πυρίτης
type τύπος
argenus ἀργός
Arges -id(ae -oid ἀργής
argil(lo ἄργιλλος
argill- ἄργιλλος
aceous iferous oid ose ous
ite itic -ίτης
argillo- ἄργιλλος
arenaceous calcareous
calcite ferruginous
magnesian Μαγνησία
phyre πορφύρα
argin- ἀργός
ase in(e διάστασις
Argiope Ἀργιοπή
Argo -oan -onian Ἄργω
argochrome χρῶμα
argol(s ἀργός
Argolic Ἀργολικός
Argolis -ian -id Ἀργολίς
argon -onin ἀργόν
argo- ἀργο-
taxis zoum τάξις ζῷον
Argulus Ἄργος
-id(ae -ina -ine -oid
argumentize -ίζειν
Argus Ἄργος
eyed ianus
Argynnis γύννις
argyr- ἄργυρος
aesin
anth(em)ous ἄνθεμον ἄνθος
aspid(es ἀργυράσπιδες
ia iasis -ίασις
ic ἀργυρικός
in ite ized -ίτης -ίζειν
ism ἀργυρισμός
odite ἀργυρώδης -ίτης
ol ose osis -ωσις
argyro- ἀργυρο-
cephalous κεφαλή
ceratite κερατ- -ίτης
chlamys χλαμύς
cnemis κνήμη
metra μέτρα
neta νεῖν

argyro- Cont'd
pelecus -inae πέλεκος
phyllous -φυλλος
pyrite πυρίτης
somus σῶμα
argyrythrose ἄργυρος ἐρυ-
arh- See arrh- θρός
arheol ἄρρην
arhinia ἀ- ῥίν
-encaphalia -us ἐγκέφαλος
Ar(r)hizae -al -ous ἄρριζος
-ophytes φυτόν
aria ἀήρ
Arian Ἄριος
ism istic(al ize(r
Arianites -ίτης
ariegite -ίτης
Ariel ἀριήλ
arietta -e ἀήρ
arillode -ium -ώδης
arilloid -οειδής
Arimasp(ian Ἀριμασποί
-arinus ἄρρην
Arion Ἀρίων
id(ae inae oid
ariose -a ἀήρ
Arisaema ἄρις αἷμα
Aristarch(ian Ἀρίσταρχος
aristarchy ἀρισταρχία
Aristippus Ἀρίστιππος
aristo- ἀριστο-
chin (chin)cona
cracy ἀριστοκρατία
crat ἀριστοκρατ-
ism ize -ισμός -ίζειν
cratic ἀριστοκρατικός
al(ly ism ness -ισμός
cyst- κύστις
idae ites -ιδαι -ίτης
democracy δημοκρατία
democratical δημοκρατικός
gen -γενής
aristol(ic ἄριστος
aristo- Cont'd
loch- ἀριστολοχία
ia iaceae iaceous iales ine
logy ἄριστον -λογία
-ical -ist -ιστής
saurus σαῦρος
stylous -στυλος
type τύπος
Aristophanic Ἀριστοφάνειος
Aristotel- Ἀριστοτέλειος
ean ian (ian)ism ize
ic(al Ἀριστοτελικός
arith- ἀριθμός
machine -ist μηχανή -ιστής
mancy mantical μαντεία
mechanical μηχανικός
arithmetic ἀριθμητική
al(ly ian ize o-
-ogeometrical γεωμετρικός
arithmetize(r -ation ἀριθμη-
arithmic ἀριθμός τική
arithmo- ἀριθμός
cracy cratic -κρατία
gram γράμμα
graph(y -γραφος -γραφία
logy -ical -λογία
mancy μαντεία
mania μανία
mechanics μηχανικά
(plani)meter μέτρον
type τύπος
Arius Ἄρειος
-iina(e -iine -ioid
arkansite arkite arksutite -ίτης

arktogene ἀρκτο- -γενής
arkyo- ἄρκυς
chroma χρῶμα
stichochrome στιχο- χρῶμα
armadillid(ae -oid -ίδης -οειδής
armagenesis ἅρμα γένεσις
armangite ἀρσενικόν Μαγνῆ-
Armeniac Ἀρμενιακός τις
-iaca -iaceous
Armenian(ize Ἀρμένιος
Armenic Ἀρμενικός
Armenioid Ἀρμένιος -οειδής
Arminian-
ism ize(r -ισμός -ίζειν
armorist -ιστής
Arnaudaster ἀστήρ
arnimite -ίτης
Arnioceratoides ἀρνίον κερατ-
arno- ἀρνο-
glossus γλῶσσα
gnathus γνάθος
Arnoldist -ιστής
aroid(eae eous es) ἄρον -οει-
eology -λογία δής
aroma ἄρωμα
chelys -ynina χέλυς
dendral -ene -in δένδρον
arom- ἄρωμα
(at)in atous ite -ίτης
aromatic ἀρωματικός
al(ly (al)ness
aromatite(s ἀρωματίτης
aromatize ἀρωματίζειν
-ate -ation -er
aromatophor(e ἀρωματοφόρος
aroph ἄρωμα φιλόσοφος
aroxyl ἀρωματικός ὀξύς ὕλη
arquerite -ίτης
arr(h)aphostic ἄρραφος
arrepsia ἀρρεψία
arretotherium ἄρρητος θηρίον
Arrhemon(inae ἀρρήμων
arrhen- ἄρρην
ite oid -ίτης -οειδής
arrheno- ἀρρενο-
karyon κάρυον
plasm πλάσμα
tokous -y ἀρρενοτόκος
arr(h)ephore -i Ἀρρηφόροι
arr(h)ephoria Ἀρρηφορία
Arrhina -ia -ine ἄρριν
-encephalia ἐγκέφαλος
arrhizous -al ἄρριζος
-oblastus βλαστός
arrhynchia ἀ- ῥύγχος
arrhythmia -y ἀρρυθμία
arrhythmous -ic(al(ly ἄρρυθ-
Arribasaurus σαῦρος μος
arrivism(e -ist(e -ισμός -ιστής
arsa- ἀρσενικόν
benzol lyt λυτός
ars- ἀρσενικόν
anilic
anthacene ἄνθρακος
anthrene -ic ἄνθραξ
edin(e
arsen- ἀρσενικόν
ate ation
dimethyl δι- μέθυ ὕλη
hemol αἱμ-
iasis -ιασις
iate -ed id(e idine illo
ionization ἰόν -ίζειν
ism ite ium -ισμός -ίτης
arseni- ἀρσενικόν
ferous ous
uret uret(t)ed οὖρον

arsenic ἀρσενικόν
al ate (al)ism (al)ize ite
arsenico- ἀρσενικόν
phagy -φαγία
arsenio- ἀρσενικόν
ardennite -ίτης
pleite πλείων -ίτης
siderite σιδηρίτης
arseno- ἀρσενο-
azo ἀ- ζωή
benzene benzoic
billon bismite
blast βλαστός
crocite κροκή -ίτης
ferrite -ίτης
furan
gen -γενής
h(a)emol αἱμ-
hygrol ὑγρός
arsen- Cont'd
oid ole olidine -οειδής
arseno- Cont'd
lamprite λαμπρός -ίτης
lite λίθος
melan μέλας -ίτης
miargyrite μείων ἄργυρος
molybdate μολυβδ-
phagy -φαγία
phene -ol φαιν-
phenyl- φαιν- ὕλη
ene glucin γλυκύς
pyrite πυρίτης
stilite tellurite -ίτης
therapy θεραπεία
arsen- Cont'd
ous oxid ὀξύς
polybasit πολυ- βάσις -ίτης
sulfurite -ίτης
uret(ed οὖρον
yl ὕλη
arsepedine ἀρσενικόν
arsin(e ic o- oso- ἀρσενικόν
osolvin(e
Arsinoitherium Ἀρσινόη
θηρίον
arsis ἄρσις
arson- ἀρσενικόν
ate ation ic ium o-
arsonist -ιστής
arsotropin ἀρσενικόν Ἄτρο-
ars- Cont'd πος
phen- φαιν-
amin(e ize ἀμμωνιακόν
yl(ene ὕλη
artaba ἀρτάβη
Artamus ἄρταμος
-ia -id(ae -oid
Artemia ἄρτημα
-iadae -iid(ae -ioid
Artemus Ἄρτεμις
Artemisia ἀρτεμισία
-ietum -ic -in
Artemision Ἀρτεμίσιον
arteria -in ἀρτηρία
arteri- ἀρτηρι-
ac(al ἀρτηριακός
agra ἄγρα
al(ization ize ly) -ίζειν
arctia
asis -ιασις
ectasia ἔκτασις
ola ole
arterio- ἀρτηριο-
capillary
coccygeal κόκκυξ
fibrosis -ωσις
genesis γένεσις

arterio- Cont'd
gram graphy γράμμα -γρα-
lith λίθος φία
logy λογία
malacia osis μαλακία -ωσις
meter μέτρον
myomatosis μυ- -ωμα -ωσις
necrosis νέκρωσις
pathy -πάθεια
phlebotomy φλεβοτομία
plania -πλανία
plasty -πλαστία
pressor
rrhaphy -ραφία
rhexis ῥῆξις
sclerosis -otic σκλήρωσις
spasm σπασμός -ωτικό
stenosis στένωσις
strepsis στρέψις
tome -τομον
tomy ἀρτηριοτομία
venous
arteri- Cont'd
ose ous
ostosis ὀστέον -ωσις
version verter
artery -itis ἀρτηρία
Arthemis Ἄρτεμις
Arthonia -ioid ἄρθω
-iomorphic μορφή
arthr- ἄρθρον
agra ἄγρα
al ium
algia -ic -αλγία
asteridae asterinae ἀστήρ
ectomy -εκτομία
embolus ἀρθρέμβολα
empyesis ἐμπύησις
esthesia -αισθησία
arthrifuge ἀρθρῖτις
arthritic(al in(e ἀρθριτικός
arthritis -ide -ism ἀρθρῖτις
arthro- ἀρθρο-
bacterium βακτήριον
branch(ia βράγχια
cace κακή
cacology κακολογία
cele κήλη
chondritis χόνδρος -ῖτις
clasia κλάσις
clema κλῆμα
clisis κλεῖσις
crina κρίνον
dactylous δάκτυλος
derm δέρμα
desis -ia δέσις
dira(n -ous δειρή
arthr- Cont'd
odia -ial -ic ἀρθρωδία
odynia -ωδυνία
arthro- Cont'd
empyema ἐμπύημα
empyesis ἐμπύησις
gastra(n -es γαστρ-
genous -γενής
gnatha γνάθος
gonin γόνος
graphy -γραφία
gryposis γρύπωσις
lite lith λίθος
lithiasis λιθίασις
logy -λογία
lycosa λύκος
meningitis μῆνιγξ -ῖτις
mere -ic μέρος
meter metry μέτρον -μετρία
mysis μύσις

arthron ἄρθρον
arthroncus ἄρθρον ὄγκος
arthro- Cont'd
  neuralgia νεῦρον -αλγία
  pathology παθολογική
  pathy -ic -πάθεια
  phallus φαλλός
  phragm φράγμα
  phyma φῦμα
  phyte φυτόν
  plasty -ic -πλαστία
  pleure -a πλευρά
  pod(a al an ous) ποδ-
  poma -ata -atous πῶμα
  pter- πτερόν
    opsis ὄψις
    us id(ae oid ous
  pyosis πύωσις
  rachinae ῥάχις
  rheumatism ῥευματισμός
arthr- Cont'd
  osis -ia ἄρθρωσις
  osteitis ὀστέον -ῖτις
  osteopedic ὀστεο-
  ostraca -an -ous ὄστρακον
arthro- Cont'd
  spore -ic -ous σπορά
  sterigma στήριγμα
  stome -y στόμα
  stylus -idae στῦλος
  synovitis σύν -ῖτις
  tome tomy -τομον -τομία
  tropic τροπή
  typhoid τυφώδης
  xesis ξέσις
  zoa -oic ζῷον
arthrous ἄρθρον
artiad ἄρτιος
Articephala ἄρτι κεφαλή
articulationist -ιστής
articulo-
  kinesthetic κινεῖν αἰσθητικός
artificialism -ize -ισμός -ίζειν
artillerist -ιστής
artilize -ίζειν
artio- ἀρτιο-
  dactyl(a an ata e) δάκτυλος
  ploid(y -πλοος
artiphyllous ἄρτιος -φυλλος
artisticism -ισμός
arto- ἀρτο-
  carp καρπός
    ad eae eous ous us
  klasia ἀρτοκλασία
  later latry -λατρης λατρεία
  phagous -φαγος
  poles πώλης
  type typy τύπος -τυπία
  tyrite ἀρτότυρος -ίτης
artolin ἄρτος
Arum ἄρον
aruncus -oid ἄρυγγος
aruteno- = aryteno-
Aryanize -ation -ίζειν
aryballos -us -oid ἀρύβαλλος
ary- ἀρυταινοειδής
  epiglottic ἐπιγλωττίς
aryl ἀρωματικός ὕλη
  ate ide ido-
aryten- ἀρυταινοειδής
  ectomy -εκτομία
aryteno- ἀρυταινοειδής
  epiglottic ἐπιγλωττίς
  -idean -ideus
arytenoid ἀρυταινοειδής
  al eus itis -ῖτις
arythmous = arrhythmous

arzrunite -ίτης
as εἷς
-as -άς as in Eriogonas
asaph- ἀσαφής
  arca ἀρκή
  es id(a(e inae us
  ia ἀσάφεια
  opsis ὄψις
Asapheneura ἀσαφής νεῦρον
asapho- ἀσαφο-
  ceras κέρας
  crinus κρίνον
  glossy -γλωσσία
asaparol ἀ- σαπρός
asar- ἄσαρον
  al(es in ite on(e onic um
  yl ὕλη
asaraba(c)ca ἄσαρον
Asarcopus ἄσαρκος πούς
asaresinotannol ἄσαρον
asarotum ἀσάρωτον
asbesto- ἄσβεστος
  lith λίθος
asbestos ἄσβεστος
  -ic -iform -ine(-ite -ize)
    -oid(al -ous -us
asbol- ἀσβόλη
  an(e in(e ite
Ascalabota -es ἀσκαλαβώτης
Ascalaphus ἀσκάλαφος
  -id(ae -oid
Ascalopax ἀσκαλώπαξ
ascan ἀσκός
ascar- ἀσκαρίς
  (id)iasis -ιασις
  idic -ol(e
  is id(ae oid
  on yl ὕλη
ascari- ἀσκαρίς
  cide osis -ωσις
Ascelichthys ἀσκελής ἰχθύς
ascellus ἀσκός
ascensionist -ιστής
ascesis ἄσκησις
ascetery ἀσκητήριον
ascetic(al(ly ism ἀσκητικός
  -ισμός
aschamin(e ἀμμωνιακόν
ascharite -ίτης
Aschemonia ἀσχήμων
aschistic ἄσχιστος
Aschiza ἀ- σχίζα
aschizopod(a ἀ- σχιζόπους
ascii -ians ἄσκιος
ascidi ἀσκίδιον
  a acea(e acean adae ae an
    arium ate atus id(ae oid(ea
    oida um
  cola -idae -ous
  ferous form
ascidio- ἀσκίδιον
  logy -λογία
  zoa -oan -ooid ζῷον
asciferous ascigerous ἀσκός
Ascitans Ἀσκιται
ascites -ic(al ἀσκίτης
Asclepeion -ium Ἀσκληπεῖον
Asclepiad(ae Ἀσκληπιάδης
  ean ic Ἀσκληπιάδειος
asclepiad ἀσκληπιάς
  (ac)eae (ac)eous in
  ology ἀσκληπιάς -λογία
Asclepian -(id)in Ἀσκληπιός
Asclepias ἀσκληπιάς
asco- ἀσκο-
  bacterium βακτήριον
  bolus -(ac)eae

asco- Cont'd
  carp(ic καρπός
  ceras -atid(ae -atoid κέρας
  chyta -ose χυτός
  coccus κόκκος
  corticium -iaceae
  crinus κρίνον
  cyst κύστις
  drugitans Τασκοδρυγῖται
  genous -ic -γενής
  glossa -an γλῶσσα
  gone -ial γόνος
    -(id)ium -ιδιον
  lichenes λειχήν
ascolia ἀσκώλια
ascoma ἄσκωμα
ascon(es idae ἀσκός
asco- Cont'd
  mycetes -al -ous μυκήτες
  myzon μύζων
    -ontid(ae -ontoid
  phore -a -ic -ous -φορος
  physes φύειν
  spore -a -ic -ous σπορά
  teuthis τευθίς
  thorac- θωρακ-
    id(ae ida(n
  zoa -oan -oic ζῷον
ascus -ula ἀσκός
ascyphous ἄσκυφος
-ase διάστασις
asebotoxin τοξικόν
asecretory ἀ-
aseism(at)ic ἀ- σεισμός
asem(ia ἄσημος
asemasia ἀ- σημασία
asepsis -in(e ἀ- σῆψις
asept- ἀ- σηπτός
  ate ify in(ol ol(in ule
Asepta ἄσηπτος
aseptic ἀ- σηπτικός
  al(ly ism ity ize -ισμός -ίζειν
Asharism -ite -ισμός -ίτης
asialia ἀ- σίαλον
Asian(ic ism Ἀσιανός -ισμός
asiarch Ἀσιάρχης
Asiatic Ἀσιατικός
  al(ly ism -ισμός
  ization ize -ίζειν
Asiatize Ἀσιατικός
asiderite ἀ- σιδηρίτης
asiderosis ἀ- σίδηρος -ωσις
asincronogonisms ἀ- σύγχρο-
  νος γόνος -ισμός
Asinea(n ἀσινής
asiphon- ἀ- σίφων
  acea ata ate ea ia iata iate ida
asiphono- ἀ- σιφωνο-
  gam γάμος
-asis -ασις
asitia ἀσιτία
askaron = ascaron
askeletal ἀ- σκελετόν
Asklepieion Ἀσκληπιεῖον
Asklepioceras Ἀσκληπιός
  κέρας
askos ἀσκός
-asm -ασμος
asmanite -ίτης
asmatography ἀσματογράφος
asomatic ἀ- σωματικός
asomatophyte ἀ- σωματοφυ-
asomatous ἀσώματος τόν
asonia ἀ- -ία
Asopia -idae -us Ἀσωπός
asp ἀσπίς
Aspalathus ἀσπάλαθος

Aspalax ἀσπάλαξ
  -acidae -acinae
  -osoma σῶμα
aspar- ἀσπάραγος
  acemic
  amic -ate -id ἀμμωνιακόν
  ol(in
asparagus ἀσπάραγος
  -ate -ic -in(e -inate -inic
    -inous -ose
aspartic -ate ἀσπάραγος
Aspasia -iolite ἀσπάσιος λίθος
aspasmos ἀσπασμός
aspergill(omyc)osis μύκης
  -ωσις σπέρμα
aspermatism -ic -ous ἀ-
aspermous -ia -ic ἄσπερμος
asperolite λίθος
asperuloside γλεῦκος
asph(a)erinia ἀ- σφαῖρα
asphalgesia ἄσφι ἄλγησις
asphaline ἀσφάλεια
asphalt ἄσφαλτος
  ene er ic ite os um us
asphalto- ἄσφαλτος
  genic type -γενής τύπος
aspheric ἀ- σφαῖρα
aspheter- ἀ- σφέτερος
  ism ize -ισμός -ίζειν
asphodel ἀσφόδελος
  ian ic us
asphyctic -ous ἄσφυκτος
asphyxia ἀσφυξία
  -ial -iant -iate -iation -iative
  -iater -ied -y
aspic ἀσπίς
aspiculous -ate ἀ-
aspid- ἀσπιδ-
  acyclina κύκλος
  aeglina
  elite ἀσπιδής λίθος
  estes ἐσθίειν
  isca ἀσπιδίσκος
  istra ἄστρον
Aspidium ἀσπίδιον
  -iaria -in(ol -iotus
aspido- ἀσπιδο-
  branchia βράγχια
    -iata -iate
  cephali κεφαλή
  ceras -atidae κέρας
  ch(e)irote -ae χείρ (*or*
    χειρωτός)
  cotylea κοτύλη
  diadema διάδημα
    -atid(ae -atoid
  ganoidei γάνος -οειδής
  gaster γαστήρ
  glossa γλῶσσα
  lite lith λίθος
  nectes νήκτης
  phora -oides -us -φορος
  rhynchus -id(ae -oid ῥύγχος
  saurus -idae -inae σαῦρος
aspid- Cont'd
  osamin ἀμμωνιακόν
  osine
  ostraca ὄστρακον
aspido- Cont'd
  soma σῶμα
  sperma -(at)ine σπέρμα
  spermotype σπερμο- τύπος
  thoracidae θωρακ-
  thrips θρίψ
Aspila ἄσπιλος
aspiro-
  lithin phen λίθος φαιν-

aspis -ine -ish ἀσπίς
Aspisoma ἀσπίς σῶμα
Asplanchna ἄσπλαγχνος
-ic -id(ae -oid
Asplenium -iae -oid ἀσπλήνιος
asporo- ἀ- σπόρος
cystea κύστις
genic -ous -γενής
mycetes μυκῆτες
asporous -ulate ἀ- σπόρος
Assamites -ίτης
assarion -y ἀσσάριον
assassinist -ιστής
assimilationist -ιστής
association(al)ism -ist -ισμός
Assyrian -(i)oid -ize Ἀσσύριος
Assyrio- Ασσύριος
logue -λογος
logy -ical -ist -λογία
-ast -αστης
astaco- ἀστακός
lite λίθος
morph(a ic μορφή
Astacus ἀστακός
-ian -id(ae -idea -ina -ine
-ini -ite -oid(ea(n
Astandes ἀστάνδης
Astarte Ἀστάρτη
-ian -id(ae -oid
Astasia -iid(ae ἀστασία
astat- ἄστατος
ic(al(ly icism -ισμός
ize(r -ίζειν
asteatodes ἀ- στεατώδης
asteatosis ἀ- στεατ- -ωσις
astegorrhine ἀ- στεγο- ῥίν
asteism ἀστεισμός
astely -ic ἀ- στήλη
asteno- ἀ- στενο-
gnathus γνάθος
sphere σφαῖρα
thura θύρα
aster ἀστήρ
acanthion -iidae ἀκάνθιον
acanthus ἄκανθα
aceae aceous ales
astereo- ἀ- στεοεο-
cognosy
gnosis γνῶσις
aster- Cont'd
icetum
idion -ιδιον
ile -oid -οειδής
in ium
asteria -ial ἀστέριος
Asterias ἀστερίας
-iadae -ialite -id(a(e -idea(n
-idian -iid(ae -ina -inid(ae
-inoid -ioid(ea
asteriated ἀστερίας
asterion(ella ἀστέριον
asterisk -iscus ἀστερίσκος
asterism(al ἀστερισμός
asterite(s ἀστερίτης
asterium ἀστήρ
asternal -ia ἀ- στέρνον
astero- ἀστερο-
cystida -ae κύστις
dactylus -idae δάκτυλος
lepis λέπις
-(id)id(ae -(id)oid
lithology λιθο- -λογία
phora -ous -φορος
spondyli -ic -ous σπόνδυλος
xylon ξύλον
zoa(n ζῶον

asteroid ἀστεροειδής
a al ea ean
aster- Cont'd
oite ol oma -ωμα
ophrys ὀφρύς
-ydid(ae -ydoid
osteus -eid(ae -eoid ὀστέον
asthen- ἀσθενής
ia y ἀσθένεια
ic(al ἀσθενικός
odonta ὀδοντ-
oid -οειδής
opia -ic -ωπία
oxia ὀξύς
urus οὐρά
astheno- ἀσθενο-
cormus κορμός
genic -γενής
logy -λογία
podes ποδ-
sphere σφαῖρα
asthma ἆσθμα
lysin λύσις
asthmatic(al(ly ἀσθματικός
asthmatos ἆσθμα
asthmo- ἄσθμα
genic lysin -γενής λύσις
san
Astichomyia ἀ- στιχο- μυῖα
astichous ἀ- στίχος
astigm- ἀ- στίγμα
ation ia ic ism -ισμός
astigmagraph ἀ- στίγμα
-γραφος
astigmat- ἀ- στιγματ-
(ic)ae ic(al(ly
ism izer -ισμός -ίζειν
astigmato- ἀ- στιγματο-
meter μέτρον
scope -y -σκόπιον -σκοπία
astigmo- ἀ- στίγμα
meter scope scopy
Astilbe ἀ- στίλβειν
astochite ἄστοχος -ίτης
astoichio- ἀ- στοιχεῖον
metric μετρικός
astoma -ea ἄστομος
astom- ἀ- στόμα
ata atal (at)ous ia
Astraea Ἀστραία
-acea(n -an -eid(ae -eiform
-eoid
astr(a)ean ἀστραῖος
astragal ἀστράγαλος
ectomy -εκτομία
izon ἀστραγαλίζων
izont(es ἀστραγαλίζοντες
oid us -οειδής
astragalo- ἀστράγαλος
calcaneum -eal -ean
central κέντρον
crural
mancy μαντεία
navicular plane
scaphoid σκαφοειδής
tibial
astragiromancy ἀστράγαλος
μαντεία
astrak(h)anite -ίτης
astral ἄστρον
in(e ite ly
astrapo- ἀστραπο-
phobia -φοβία
therium -iidae θηρίον
astreated ἄστρον
Astrepsineura ἀ- στρέψις
νεῦρον

astri- ἄστρον
ferous gerous
astrion ἄστριον
astro- ἀστρο-
alchemy -ist χημεία
blast βλαστός
blepus βλέπειν
caryum κάρυον
center κέντρον
chemist(ry χημεία
chronological χρονολογία
cinetic κινητικός
cladinae κλάδος
c(o)ele κοῖλος
crinidae κρίνον
cyte -oma κύτος -ωμα
fel -φιλος
geny -γένεια
gnosy -γνωσία
gony -ic -γονία
graphy -ic -γραφία
id(in ἀστροειδής
ite -ίτης
kinetic κινητικός
astrol(in ἄστρον
astro- Cont'd
labe -y -ical ἀστρολάβον
larva
later ἀστρολάτρης
latry λατρεία
lemma λέμμα
lite λίθος
lithology λιθο- -λογία
log(aster er ue) ἀστρολόγος
logic ἀστρολογικός
al(ly -ics
logy ἀστρολογία
-ian -ize -ous -ίζειν
loph(id)idae λόφος
lytes λυτή
astroma ἄστρον -ωμα
astro- Cont'd
magical μαγικός
mancy -er ἀστρομαντεία
mantic ἀστρομαντική
meteorology -ical -ist
μετεωρολογία -ιστής
meteoroscope μετεωρο-
-σκόπιον
meter μέτρον
metry -ical -μετρία
myelon μυελόν
Astronesthes ἄστρον ἐσθής
-id(ae -oid
astro- Cont'd
nomer ἀστρονόμος
nomic ἀστρονομικός
al(ly -ics
nomy ἀστρονομία
-ian -ist -ize -ιστής -ίζειν
pecten -inid(ae -inoid
phanometer φανός μέτρον
astrophe -y ἀ- στροφή
Astrophiura ἀστρ- ὀφίουρος
-id(ae -oid
astro- Cont'd
phil(e -φιλος
phobia -φοβία
phora -an ἀστροφόρος
photo- φωτο-
graphy -ic -γραφία
meter μέτρον
metry -ical -μετρία
phyllite φύλλον -ίτης
physics -ical -ist -ize φυσική
phyton φυτόν
-(on)id(ae -(on)oid

astro- Cont'd
rhiza -idae -idea(n ῥίζα
sclerid σκληρός
scope -σκόπιον
scopy -σκοπία
spectral
spectroscopic -σκόπιον
sphere σφαῖρα
static στατικός
theology θεολογία
zoon ζῶον
asty- ἄστυ
clinic κλινικός
coryphe κορυφή
astylar -ic ἄστυλος
astylo- ἄστυλος
spongia σπογγιά
asyllabia ἀ- συλλαβή
asyllabical ἀ- συλλαβικός
asylum ἄσυλον
asymblasty ἀ- συμ- βλαστός
asymbolia ἀ- σύμβολον
asymbolic(al ἀ- συμβολικός
asymmetr- ἀσύμμετρος
al on ous
anthous ἄνθος
ic(al(ly ἀσυμμετρικός
y ἀσυμμετρία
asymmetro- ἀσύμμετρος
carpous καρπός
asymphony ἀσυμφωνία
asymphylo- ἀσύμφυλος
myrmex μύρμηξ
asymphynote ἀ- συμφυής
νῶτος
asymptote ἀσύμπτωτος
-al -ic(al(ly
asynartete -ic ἀσυνάρτητος
asynchronous ἀ- σύγχρονος
-ism -ισμός
asynclitism ἀ- συγκλίνειν
asyncrital -us ἀσύγκριτος
asyndeton ἀσύνδετον
-etic(ally
asynergia -ic -y ἀ- συνεργία
asynesia ἀσυνεσία
asyngamia -y -ic ἀ- συγγαμία
asynodia ἀ- συνοδία
asynovia ἀ- σύν
asyntactic ἀσύντακτος
asynthetic ἀ- συνθετικός
asyntrophy ἀ- σύν -τροφία
asystematic ἀ- συστηματικός
asystole -ic -ism ἀ- συστολή
asyzygetic ἀ- συζυγία -ετικός
atacamite -ίτης
atactic -iform ἄτακτος
atacto- ἄτακτος
crinus κρίνον
desmic δεσμή
stele -ic -y στήλη
ataraxia -y ἀταραξία
Atarbodes ἀταρβής -ωδης
atatchite -ίτης
atavism -ist(ic(ally -ισμός
-ιστής -ιστικός
ataxaphasia ἀταξία ἀφασία
ataxia -ic -iform -y ἀταξία
gram graph γράμμα -γραφος
ataxi- ἀταξία
adynamia ἀδυναμία
amnesic ἀμνησία
aphasia ἀφασία
ataxinomic ἀ- ταξι- νόμος
ataxio- ἀταξία
ceratidae κερατ-
phemia -φημία

ataxio- Cont'd
phobia -φοβία
ataxite ἀ- τάξις -ίτης
ataxo- ἀταξία
adynamia ἀδυναμία
phemia -φημία
phobia -φοβία
ataxonomic = ataxinomic
atechnic(al ἀ- τεχνικός
atechny ἀ- -τεχνία
ategminy -ous ἀ-
ateknia ἀτεκνία
atel- ἀτελής
ectasis ἔκτασις
ectatic ἐκτατός
(e)iosis ἀτέλεια
eiosis eiotic -ωσις -ωτικός
es ine ite
atele- ἀτελής
ost(ei eous ὀστέον
ateleo- ἀτελής
cephalous κεφαλή
logical -λογία
pus podid(ae podoid πούς
atelestite ἀτέλεστος -ίτης
atelia ἀτέλεια
atelo- ἀτελής
cardia καρδία
cephalous κεφαλή
ch(e)ilia χεῖλος
ch(e)iria -ous χείρ
dinium δῖνος
encephalia ἐγκέφαλος
glossia -γλωσσία
gnathia γνάθος
mitic μίτος
myelia μυελός
podia ποδ-
prosopia πρόσωπον
(r)rachidia ῥάχις
stomia -ata στόμα
Atelornis ἀτελής ὄρνις
atemporal ἀ-
aten- ἀτενής
ophthalmus ὀφθαλγός
Ateuchus ἀτευχής
athalamous ἀ- θάλαμος
Athalia ἀθαλής
athalline ἀ- θαλλός
Athamanta -in Ἀθαμάντιος
athanasia -y ἀθανασία
Athanasian Ἀθανάσιος
ism ist -ισμός -ιστής
athanatism ἀθανατισμός
athaumasia ἀθαυμασία
athe- ἄθεος
ism ist istic(al(ly istic(al)-ness ize(r ous -ισμός -ιστής -ιστικός -ίζειν
Atheca ἀ- θήκη
-ata -ate -iferous -ous
athelia ἀ- θηλή
Athena Ἀθηνᾶ
athen(a)eum Ἀθήναιον
Athene Ἀθήνη
Athenian Ἀθηναίος
atheodicy ἀ- θεο- δίκη
atheology -ian ἀ- θεολογία
-ical(ly θεολογικός
Athera ἀθήρ
-esthes ἐσθής
-oid -osis -οειδής -ωσις
-ure(-a -us) οὐρά
Athericera -an -ous ἀθήρ
atherin- ἀθερίνη κέρας
a e ella id(ae idan oid ops
opsis ὤψ ὄψις

atherio- ἀ- θηριο-
g(a)ea(n γαῖα
athermal ἀ- θερμ-
atherman- ἀ- θερμαίνειν
cy ous
athermic -ous ἄθερμος
athermo- ἀ- θερμο-
systaltic συσταλτικός
atheroma ἀθήρωμα
-asia -atosis -atous -e -ασια -ωσις
athero- ἀθήρωμα & ἀθήρ
necrosis νέκρωσις
sclerosis σκλήρωσις
sperm- σπέρμα
a aceae in(e
Athestia ἄθεστος
athet- ἄθετος
esis ἀθέτησις
ize ἀθετεῖν -ίζειν
oid osis -ic -οειδής -ωσις
athiorhodaceous ἀ- θεῖον ῥόδον
Athlennes ἀβλεννής
athlete ἀθλητής
hood -ism -ισμός
athletic(al(ly -ics ἀθλητικός
athlo- ἀθλο-
stola στολή
thete ἀθλοθέτης
Athorybia -iidae ἀ- θόρυβος
athrepsia ἀ- θρέψις
athreptic ἀ- θρεπτικός
Athrodon ἀθρόος ὀδών
athymia -y -ic ἀθυμία
athymism(us ἀ- θύμος -ισμός
Athymodictya ἀ- θύμος δίκτυον
athyr- ἀ- θυρεοειδής
ea (e)osis ia
Athyrella ἄθυρος
Athyris ἀ- θυρίς
-id(ae -isma -oid
Athyrium ἀ- θυρεός
athyroid ἀ- θυρεοειδής
ation ea
emia ism -αιμία -ισμός
-atic -ατικός
aticonic ἀκόνιτον
atimy ἀτιμία
atlant- Ἀτλαντ-
a acea(n ad al id(ae oid
ean ian Ἀτλάντειος
es Ἄτλαντες
ic Ἀτλαντικός
ides Ἀτλαντίδες
atlanto- Ἄτλας(-αντος)
axial
didymus δίδυμος
atlanto- Cont'd
epistropheal ἐπί στροφή
mastoid μαστοειδής
Mediterranean occipital
odontoid ὀδοντ-
saur(id(ae oid us) σαῦρος
Atlas atlas(ite Ἄτλας -ίτης
atlo- Ἄτλας
axoid
odontoid ὀδοντ -οειδής
dymus δίδυμος
atloid(ean Ἄτλας -οειδής
atloido- Ἄτλας -οειδής
axoid occipital
atm- ἀτμός
etry -ic -μετρία
iatry -ics ἰατρεία ἰατρική
ic

atmid- ἀτμίς
albumin -ose γλεῦκος
iatry ἰατρεία
atmido- ἀτμίς
meter μέτρον
metry -ic -μετρία
scope -σκόπιον
atmo- ἀτμο-
causis καῦσις
cauterization καυτηριάζειν
cautery καυτήριον
genic -γενής
graph -γραφος
logy -ic(al -ist -λογία -ιστής
lysis lyze(-ation -er) λύσις
meter μέτρον
metro- μετρο-
hygrometer ὑγρο- μέτρον
metry -ic -μετρία
sphere σφαῖρα
-ic(al(ly -ics -ization
spherology σφαιρο- -λογία
atmos ἀτμός
atmosteon -eal ἀτμός ὀστέον
atocia ἀτοκία
atokous -al ἄτοκος
Atolmodytes ἄτολμος δύτης
atom ἄτομος
atic ism ist(ic(al(ly ize(-ation -er) y -ισμός -ιστής -ιστικός -ίζειν
atomechanics ἄτομος μηχανικά
Aomiasoma ἄτομος σῶμα
atomic ἄτομος
al(ly ian ism ity ule -ics
atomo- ἄτομος
gynia logy γυνή -λογία
atomy ἀνατομή
aton- ἄτονος
ia ic(ity ied y
atonality ἀ- τόνος
atonementist -ιστής
Atopacantha ἄτοπος ἄκανθα
atophan(yl φαιν- ὕλη
atopic ἀ- τόπος
atopite ἄτοπος -ίτης
atopo- ἄτοπος
cnema κνήμη
menorrhea μηνο- ῥοῖα
phrictis φρικτός
sauridae σαῦρος
atopo- ἀ- τόπος
gnosis -ia γνῶσις -γνωσία
atoxic ἀ- τοξικόν
-ogen -γενής
-yl(ic ate ὕλη
atrach- ἀ- τραχεῖα
eata eate ia
Atrachelia -iate ἀτράχηλος
atract- ἄτρακτος
aspis -idid(ae -idoid ἀσπίς
enchyma ἔγχυμα
atractyl- ἀτρακτυλίς
ene ic ol one -ηνη -ωνη
atractyli- ἀτρακτυλίς
genin retin -γενής ῥητίνη
Atragene ἀθραγένη
atranoric -in λεκάνη
Atremata ἀ- τρῆμα
atremia ἀτρεμία
atrepsy atreptic ἀ- θρέψις
atreptic ἀ- τρεπτικός
atresia -(et)ic -ial ἀτρησία
atret- ἄτρητος
opsia -οψία
urethria οὐρήθρα

atreto- ἄτρητος
blepharia βλέφαρον
cysia κύω
gastria γαστήρ
rrhina ῥίν
atrich- ἄτριχος
a ia iidae ous
ornis -ithid(ae -ithoid ὄρνις
osis -ωσις
Atrimitra ἀ- τρι- μίτρα
atrinal Ἄτροπος
atrio-
coelomic κοίλωμα
pore -al πόρος
tome zoa -τομον ζῷον
Atriplex ἀτράφαξυς
atro- Ἄτροπος
lactic γαλακτ-
atrop- Ἄτροπος
a aceous al as ic idae ous
amin(e ἀμμωνιακόν
atroph- ἄτροφος
edema οἴδημα
atropho- ἄτροφος
derma -atosis -ia δέρμα
atrophy ἀτροφία -ωσις
-ia -iated -ic -ous
Atrophytes ἀ- τροφή φυτόν
atropin(e Ἄτροπος
-ia -ina -(in)ism -(in)ization -(in)ize -one -yl -ισμός -ίζειν -ωνη ὕλη
atroscin(e atroscin Ἄτροπος
atrygia ἀτρύγετος
Atrypa -id(ae -oid ἀ- τρῦπα
Atta ἄττα
Attacus -olite ἄττακος λίθος
Attagas -ides ἀτταγᾶς
Attagen(inae us ἀτταγήν
attal- Ἄτταλος
ea ica id(ae
Attelabus ἀττέλαβος
-id(ae -inae -oid
Atthis Ἀτθίς
Attic(al an Ἀττικός
Atticism Ἀττικισμός
Atticist Ἀττικιστής
Atticize Ἀττικίζειν
attico-
(antro)tomy ἀντρο- -τομία
mastoid μαστοειδής
attitudinarianism -ισμός
attitudinize(r -ation -ίζειν
Atya -yid(ae -yoid Ἄτυς
Atylus -id(ae -oid ἀ- τύλος
atyp- ἄτυπος
ic(al(ly inae us y
auantic αὐαντικός
Auchen(ium αὐχήν
aucheno- αὐχήν-
rhyncha -an -i -ous ῥύγχος
auctorizate -ίζειν
aucubigenin -γενής
aucuboside γλεῦκος
Audianism -ισμός
audiometer μέτρον
audiometry -ic -μετρία
audiphone φωνή
auditize -ation -ίζειν
auditognosis γνῶσις
Audubonistic -ιστικός
auerlite λίθος
Augasmus αὐγασμός
auge αὐγή
Augean Αὐγείας
augelite αὐγή λίθος
augite -ic -ite αὐγίτης

augito- αὐγίτης
porphyric phyre -ic πορφύρα
augnathus αἶ γνάθος
Augolychna αὐγή λύχνο
augurism -ist -ize(r -ισμός
-ιστής -ίζειν
Augustanism -ισμός
Augustin(ian)ism -ισμός
aula αὐλή
-acantha -idae ous ἄκανθα
Aulacera κέρας
aulaco- αὐλακο-
carpous καρπός
centrum κέντρον
cephalus κεφαλή
ceras κέρας
porus πόρος
teuthis τευθίς
aulacode -us αὐλακώδης
Aulacostracopora ἄὔλαξ ὄσ-
τρακον πόρος
aularian aulatela αὐλή
aulete -es -ic αὐλητής
auletris αὐλητρίς
aulic(al ism αὐλικός -ισμός
auliplexus αὐλή
aulo- αὐλο-
cerium κηρίον
gamae γάμος
helia ἥλιος
lamoides λαιμός
phallus φαλλός
phyte φυτόν
pore -idae πόρος
rhynchus -id(ae -oid ῥύγχος
soma σῶμα
sphaera -idae σφαῖρα
steges στέγη
stoma -us στόμα
-(at)id(ae -idan -oid(ea(n
Aulodonta αὐλός ὀδοντ-
Aulonium αὐλών
aulos αὐλός
-uroidea οὐρά -οειδής
aura -al -ic αὐρά
aur-
amin(e ἀμμωνιακόν
eosin ἠώς
aurichalc ὀρείχαλκος
eous ite um -ίτης
auri-
bromide βρῶμος
chlorid -ate χλωρός
come -ous κόμη
cyanid(e κύανον
graphy -γραφία
phone φωνή
scope -y -σκόπιον -σκοπία
auriculo-
bregmatic βρέγμα
cranial κρανίον
parotidean παρωτίς
auro-
cantan κανθαρίς
cephalous κεφαλή
chlorid(e χλωρός
coccus κόκκος
cores -isa αὖρα κορίς
cyanide κύανον
halide ἅλς
nect(ae αὖρα νήκτης
phenin(e φαίνειν
phobia -φοβία
phore -αὖρα -φορος
phosphorous φωσφόρος
style στῦλος
thiosulphate θεῖον

auro- Cont'd
trisulfide τρι-
type αὖρα τύπος
auryl ὕλη
auscultoplectrum πλῆκτρον
auscultoscope -σκόπιον
austenite -ic -ίτης
austere -ity ly ness αὐστηρός
Australaster ἀστήρ
Austral(i)oid -οειδής
australize -ίζειν
austraterebinthine τερεβίνθος
austro-
gaea(n γαῖα
mancy μαντεία
nesian νῆσος
aut- αὐτ-
acanthid ἄκανθα
acoid ἄκος -οειδής
(a)esthesy -αισθησία
allogamy ἀλλο- -γαμία
-ia -ous
am(o)eba ἀμοιβή
amphinereid ἀμφί Νηρηίς
antitypy ἀντιτυπία
arachnae ἀράχνη
arch(y αὐτάρκης αὐτάρκεια
archy -ic αὐταρχία
arith ἀριθμός
atrygia ἀτρύγετος
echoscope ἦχος -σκόπιον
ecious = autoecious
ecology οἰκο- -λογία
embryo- ἐμβρυο-
sperm σπέρμα
emesia ἔμησις
endosperm ἐνδο- σπέρμα
ephaptomenon ἐφαπτόμενον
ergy -εργία
euform εἶ
authentic αὐθεντικός
(al)ly (al)ness ate ation ator
authigene αὐθιγενής ity
-(et)ic -ous
authorism -itarianism -ισμός
authorize -able -ation -er -ίζειν
authotype τύπος
autism -ist(ic -ισμός -ιστής
auto αὐτο- -ιστικός
boat bus car(ette carist car-
riage truck
auto- αὐτο-
abstract
active -ation
agglutination
alkylation ὕλη
allogamy -ous ἀλλο- -γα-
analysis ἀνάλυσις μία
anti- ἀντί
body coherer compliment
toxin τοξικόν
audible
basidium -ii βασίδιον
-iomycetes -ous μυκήτες
biography βιογραφία
-al -er -ic(al(ly -ist
biology βιο- -λογία
blast βλαστός
bolide bolites βολίς
carpotropic καρπο- τροπη
carpy -ian -ic -ous καρπός
catalepsy κατάληψις
catalysis κατάλυσις
catalytic(ally καταλυτικός
catheterism καθετήρ
cephali -ic -ous κεφαλή
chemical χημεία

auto- Cont'd
cholecystectomy χολή κύσ-
τις -ἐκτομία
chore -ic -y χωρεῖν
chrome -y χρῶμα
chronograph χρονο- -γραφος
chronology -ic χρονολογία
chthon αὐτόχθων
al es ic ism ist ous(ly
cinesis -ia κίνησις -κινησία
cinetic κινητικός
clasis clastic κλάσις κλασ-
clave -ed τός
coherer colony combustible
combustion condensation
conduction convection con-
verter cop(y)ist
cracy αὐτοκρατία
crat αὐτοκρατής
al(ly ic(al rice rix ship
cratic(al(ly αὐτοκρατικός
criticism κριτικός -ισμός
crotic -ism κρότος -ισμός
cycle κύκλος
cystoplasty κύστις -πλασ-
cyto- κυτο- τία
lysis -in lytic λύσις λυτι-
toxin τοξικόν κός
decomposition
dermalium dermic δέρμα
destruction
detector
detus δέω
diagnosis διάγνωσις
diagnostic διαγνωστικός
diagrammatic διάγραμμα
didact(ic αὐτοδίδακτος
differentiation diffusion
digention digestion -ive
dontalgic αὐτ- ὀδονταλγία
drainage
drome δρόμος
dynamic δυναμικός
dyne δύναμις
dyne αὐτ- ὀδύνη
echolalia ἠχώ λαλία
ec- αὐτ- οἰκίον
ic (i)ous ism
eco- αὐτ- οἰκο-
logy -ic -λογία
epigraph ἐπίγραφη
epilation
erotic -(ic)ism ἐρωτικός
-ισμός
erythro- ἐρυθρο-
phagocytosis φαγο-
κύτος -ωσις
excitation facture
fecundation fermentation
fundoscope -σκόπιον
gamy -ic -ous -γαμία
gastralium γαστήρ
gauge generator
gene -γενής
genesis γένεσις
genetic(ally -ics γενετικός
genotypic γένος τύπος
genous αὐτογενής
-eal -eous -ic ly
genus
geny -γενεια
glyph γλυφή
gnosis γνῶσις
gnostic γνωστικός
gony αὐτογόνος
graft(ing
gram γράμμα

auto- Cont'd
graph αὐτόγραφος
al ic(al(ly ism ist ize(r y
ometer μέτρον
gravure harp
hemic αἱμ-
hemo- αἱμο-
agglutinin
lysis -in lytic λύσις λυτι-
therapy θεραπεία κός
hemopsonin αἱμ- ὀψωνεῖν
heterolysis ἑτερο- λύσις
historadiography ἱστο-
-γραφία
hybridization -ίζειν
hydrolysis ὑδρο- λύσις
hypnosis ὕπνος -ωσις
hypnotic ὑπνωτικός
-ism -ization -ισμός -ίζειν
icous αὐτ- οἶκος
immunity immunization
inf ction infusion inhibited
inocul-
ability able ation
intoxicant -ation τοξικόν
irrigation
isolysin ἰσο- λύσις
ist -ιστής
kinesis κίνησις
kinesy αὐτοκινησία
kinetic(al κινητικός
laryngo- λαρυγγο-
scope -y -σκόπιον -σκοπία
latry λατρεία
lavage lesion
lichas λιχάς
limnitic λίμνη
logous λόγος
logy -ical -ist λογία
luminescence -ent
lysis -ate -in λύσις
lytic λυσικός
lytus λυτος
lyzate λύσις
lyzate lyze λύσις
macy ἀυτόματος
manual
mat αὐτόματος
al ary ate ic(al(ly icity ous
ism ist -ισμός -ιστής
math αὐτομαθής
matize αὐτοματίζειν
mato- αὐτοματο-
graph -γραφος
maton αὐτόματον
metamorphosis μεταμορφω-
meter μέτρον σις
metry -ic -μετρία
mixis μῖξις
mixte
mnesia μνῆσις
mobile -ism -ist -ity -ize
-ισμός -ιστής -ίζειν
molite αὐτόμολος -ίτης
morph αὐτόμορφος
ic(ally ism ous -ισμός
mors motive motor
mysophobia μύσος -φοβία
nephrectomy νεφρός
-ἐκτομία
nephrotoxin νεφρο- τοξικόν
nereid Νηρηίς
neurotoxin νευρο- τοξικόν
nitridation νίτρον
noetic νοητικός
nom- αὐτόνομος
ian ous(ly

auto- Cont'd
nomasy αὐτ- ὀνομασία
nomin νόμος
nomy αὐτονομία
-ic(al(ly -ism -ist(ic -ize
-ισμός -ιστής -ιστικός
-ίζειν
nyctitropic νυκτι- τροπή
nyctonastic νυκτο- ναστός
nym αὐτ- ὄνυμα
objective
ophthalmo- ὀφθαλμο-
scope -y -σκόπιον
-σκοπία
orthotropous ὀρθο- -τροπος
oxid- ὀξύς
ation izable ize -ίζειν
parasitism παράσιτος
-ισμός
pathic αὐτοπαθής
pathography παθο- -γραφία
pathy -πάθεια
pelagic πέλαγος
pepsia -πεψία
phagi -ae -ous -φαγος
phagy -φαγία
philous -φιλος
phoby -φοβία
phon(e φωνή
phonia -y -ic -ous -φωνία
phonomania αὐτοφόνος
μανία
phonometry φωνο- -μετρία
photograph φωτο- -γραφος
phthalmo- αὐτ- ὀφθαλμο-
scope -y -σκόπιον -σκο-
phya φύειν πία
phyllogeny φύλλον -γένεια
phys αὐτοφυής
phyte -ic φυτόν
phyto- φυτο-
graph graphy -γραφος
pisty πιστός -γραφία
plagiarism -ισμός
plasmotherapy πλάσμα
θεραπεία
plast πλαστός
plastic πλαστικός
plasty -ic -πλαστία
plate πλατύς
pneumatic πνευματικός
poisonous
polygraph πολυ- -γραφος
pore πόρος
potamic ποταμός
precipitin
print progressive
protection
proteolysis πρωτεῖον λύσις
psorin ψώρα
autopsy -ia -ic(al(ly αὐτοψία
autopic al(ly ity αὐτοπτικός
auto- Cont'd
psyche -osis ψυχή -ωσις
psychic(al ψυχικός
psycho- ψυχο-
rhythmia ῥυθμός
quadricycle κύκλος
racemization -ίζειν
radiograph -γραφος
reduction regulation
reinfusion retardation
rrhaphy -ῥαφία
sauri σαῦρος
schediasm αὐτοσχεδιασμός
schediastic(al(ly αὐτοσχε-
διαστικός

auto- Cont'd
schediaze αὐτοσχεδιάζειν
scoliotropous σκολιός
-τροπος
scope -σκόπιον
scopy -ic -σκοπία
sensitized -ation -ίζειν
septicemia σηπτός -αιμία
sero-
bacterin βακτήριον
diagnosis διάγνωσις
pathy -πάθεια
salvarsan
therapy θεραπεία
serous serum sight
site -arius -ic αὐτόσιτος
skeleton σκελετόν
some σῶμα
sorption
soteric σωτηρικός
spermotoxin σπέρμα τοξι-
spore σπορά κόν
spray stability stage starter
standardization -ίζειν
stethoscope στηθο-
-σκόπιον
stylic -ism -y αὐτοστυλος
suggestion(ist ibility ive
symbiontic συμβιῶν
telegraph τῆλε -γραφος
telic τέλος
temnon -ic -ous τέμνειν
theism -ist θεός -ισμός
-ιστής
therapy θεραπεία
tomy -ic -ize -ous -τομία
topnosia τόπος γνῶσις
tox- τοξικόν
(a)emia -αιμία
ic(ation ity osis) -ωσις
ide in is
transformer transfusion
transplant(ation
trepanation τρύπανον
trophy -ic -τροφία
tropic -ism τροπή -ισμός
tropis τρόπις
tuberculin -ization -ίζειν
type -ic -y τύπος -τυπία
typhization τῦφος -ίζειν
typography τυπο- -γραφία
urine οὖρον
vaccine -ation valve
xemia = autotoxemia
xenous xeny ξένος ξενία
zooid ζῷον -οειδής
autoxid- αὐτ- οξύς
ation ator izable ize(r -ίζειν
autoxy- αὐτ- ὀξυ-
catalysis κατάλυσις
autumnize -ίζειν
autunite -ίτης
auturgy αὐτουργία
auxano- αὐξάνειν
gram γράμμα
graphy -ic -γραφία
logy -λογία
meter μέτρον
auxesis αὔξησις
auxetic(al(ly αὐξητικός
auxetophone αὐξητός φωνή
auxilytic αὐξι- λυτικός
auximone(s αὔξιμος
auxiometer αὐξι- μέτρον
Auxis αὐξίς
auxite αὔξειν -ίτης
auxo- αὐξο-

auxo- Cont'd
amylase ἄμυλον διάστασις
blast βλαστός
body
cardia καρδία
chromatic χρωματικός
chrome -ic -ism -ous χρῶμα
cyte κύτος
flore
gluc γλυκύς
graph(ic -γραφος
hormone ὁρμῶν
logy -λογία
meter μέτρον
spireme σπείρημα
spore -ous σπορά
substance
tonic τόνος
urease οὖρον διάστασις
auxosis αὔξη -ωσις
avalite avasite -ίτης
avascularization -ίζειν
Avellanopsis ὄψις
avenolith λίθος
avenous ἀ-
Averr(h)oism -ist(ic -ισμός
-ιστής -ιστικός
aviarist -ιστής
Avicennism -ισμός
Aviculomyalina μυελός
aviculturist -ιστής
aviolite λίθος
aviphenology φαιν- -λογία
avolitional ἀ-
Avonothyris θυρίς
awaruite -ίτης
axanthopsia ἀ- ξάνθος ὄψις
Axestemys ἀξεστός
axilemma λέμμα
Axinella -id(ae -iform ἀξίνη
axinite ἀξίνη -ίτης
axino- ἀξινο-
mancy μαντεία
metry -μετρία
axio- ἀξιο-
lite -ic λίθος
logical ἀξιόλογος
meter μέτρον
pistical ἀξιόπιστος
pisty ἀξιοπιστία
podium ποδίον
scotic σκότος
axiom ἀξίωμα
atic(al(ly ἀξιωματικός
atization ἀξιώματος -ίζειν
axite -ίτης
ax- ἄξων
ode ὁδός
oid(ean ian -οειδής
on(al e ia ial
axo-
dendrite δένδρον -ίτης
gamy -ic -γαμία
lemma λέμμα
lysis λύσις
meter metric μέτρον μετρι-
neme νῆμα κός
neure -on νεῦρον
axono- ἄξων
lipa -ous λείπειν
meter metry -ic μέτρον
-μετρία
phora -ous -φορος
phyte φυτόν
axonost ἄξων ὀστέον
axo- Cont'd
petal πέταλον

axo- Cont'd
phyte φυτόν
plasm πλάσμα
podium ποδίον
spermous σπέρμα
spongium σπογγία
tomous τόμος
Axumite -ίτης
Axyra -ostola ἄξυρος στολή
Aydendron ἀεί δένδρον
Aythuia αἴθυια
azalea -ein(e ἀζαλέος
az- ἀ- ζωή
arin
elaic -(a)ate -aone ἔλαιον
ene -oid -ηνη -ωνη
ethnoid αἰθήρ
azeotrope -ic ἀ- ζέω τροπή
azi- ἀ- ζωή
methylene μέθυ ὕλη
az- Cont'd
id(e ic ine o-)
lactone γαλακτ- -ωνη
azo- ἀ- φωή
alizarin
amyly ἄμυλον
bacter βακτήριον
benzene -id -oid -ol
black blue
coccin(e cochineal κόκκος
compound
coralline κοράλλιον
corinth Κόρινθος
cyclic κυκλικός
dermin δέρμα
diphenyl δι- φαιν- ὕλη
dolen ἰώδης
dye
erythrin ἐρυθρός
flavin fuchsin
fy fication fier
gallein
gen(e -γενής
green grenadin humic
azoic azoid azole ἀ-
ζωή
Azolla ἄζειν ὀλλύμι
azo- Cont'd
imid(e ἀμμωνιακόν
inole litmin
lysin λύσις
mauve nig
methane methine μέθυ
azonal -ation -ic ἄζωνος
-azone ἀ- ζωή -ώνη
azonium ἀ- ζωή
azonoid ἀ- ζωή -ώνη -οειδής
azoo- ἄζωος
logy -λογία -ισμός
spermatism σπερματ-
spermia -al σπέρμα
sporia σπορά
azo- Cont'd
orange orchil orsellin
paraffine rubin
phen(ine ol) φαιν-
ylene ὕλη
azorite -ίτης
azot- ἀ- ζωτικός not ζωή
ate e ed ic ide in(e ite ization
ize ous -ίτης -ίζειν
emia -αιμία
uret οὖρον
uria -ic -ουρία
azotenesis ἀ- ζωή τείνειν
azoto- ἀ- ζωή -εσις
bacter(ia βακτήριον

azoto- Cont'd
meter μέτρον
rrhea -ῥοῖα
azox- ἀ- ζωή ὀξύς
azole in(e
im(e onium ἀμμωνιακόν
azoxy- ἀ- ζωή ὀξυ-
benzene
phenetole φαιν- αἰθήρ
azur-
chalcedony Χαλκηδών
ite lite -ίτης λίθος
malachite μαλάχη -ίτης
azuro-
phil(e ia ic) -φιλος -φιλία
azyg- ἄζυγος
ethus ἦθος
ous(ly
azygo- ἄζυγος
branch(ia iata iate) βράγ-
cera κέρας χια
sperm σπέρμα
spore(s σπορά
azygomatous ἀ- ζύγωμα
azym(e ἄζυμα
azymic -ous ἀ- ζυμή
azymite ἀζυμίτης

Babbittism -ισμός
Babelism -ize -ισμός -ίζειν
babingtonite -ίτης
Babism -ist -ισμός -ιστής
babooism Babouvism -ισμός
Babylon Βαβυλών
ic(al(ly ish ism ite ize -ισμός
-ίτης -ίζειν
Babylonian Βαβυλώνιος
Baccanarist -ιστής
Baccha(e Βάκχη Βάκχαι
bacchanal Βάκχος
ia ian(ly (ian)ism ization ize
-ισμός -ίζειν
bacchant(e ic Βάκχος
Baccharis -oid βάκκαρις
Bacchic(al Βακχικός
bacchius -iac Βάκχειος
Bacchus Βάκχος
bachelorize -ίζειν
bacill- osis uria -ωσις -ουρία
Bacon(ian)ism -ισμός
baconize -ίζειν
bacter- βακτήριον
aemia -αιμία
ic ides idium in(e ination ium
ize -ίδιον -ίζειν
itic -ῖτις
oid(al oides -οειδής
uria -ουρία
bacteri- βακτήριον
aceae aceous ad al an
aemia -αιμία
cholia -χολία
cide -al -in
form ous
oid -οειδής
opsonin -ic ὀψωνεῖν
osis uria -ωσις -ουρία
bacteria βακτηρία
fluorescin
bacterio- βακτήριον
agglutinin
blast βλαστός
cidin
diagnosis διάγνωσις
genic -ous -γενής

bacterio- Cont'd
hemagglutinin αἱμ-
hemolysin αἱμο- λύσις
logy -ic(al(ly -ist -λογία
lysis -ant -in lyze λύσις
lytic λυτικός
opsonin -ic ὀψωνεῖν
pathology παθολογική
phage -φαγος
phagia -ic -y -φαγία
phobia -φοβία
plasmin πλάσμα
precipitin
protein πρωτεῖον
purpurin πορφύρα
scopy -ic(al(ly -ist -σκοπία
solvent
stasis στάσις
stat(ic στατός στατικός
therapeutic θεραπευτικός
therapy θεραπεία
toxic -in τοξικόν
trypsin τρῖψις
bacto- βακτήριον
form peptone πεπτόν
Bactris βάκτρον
-ites -id(ae -oid -ίτης
bactriticone βάκτρον κῶνος
bactro- βακτρο-
crinidae κρίνον
baculiticone κῶνος
baculometry -μετρία
badeleyite -ίτης
Badogliopora -ina βάδος γλία
πόρος
baeno- βαίνειν
mere μέρος
pod ποδ-
some σῶμα
baeomycetoid βαιός μυκητ-
Baerocrinidae κρίνον
baetyl(us ic βαίτυλος
bagrationite -ίτης
Baianism ισμός-
baikalite -ίτης
bakelite -ίτης
-dilecto -micarta
bakelize -er -ίζειν
bakelometer μέτρον
bakerite -ίτης
Balaamite -ίτης
Balaena φάλαινα
-id(ae -inae -oid(ea(n
Balaeniceps φάλαινα
-cipitid(ae -cipitoid
balaeno- φάλαινα
ptera πτερόν
-id(ae -inae -ine -oid
balan- βάλανος
ic id(ae iferous inus ism ite
itis os us -ισμός -ίτης -ῖτις
balanagra βαλανάγρα
balaneion βαλανεῖον
Balanites βαλανίτης
-ocarpum καρπός
balano- βαλανο-
blennorrhea βλέννος ῥοία
cele κήλη
chlamyditis χλαμυδ- -ῖτις
glossus -id(ae -oid γλῶσσα
phora -(ac)eae -aceous -in
plasty -πλαστία φόρος
posthitis πόσθη -ῖτις
rrhagia -ῥαγία
taenia ταινία
balanoid(ea βαλανοειδής
Balanops Βάλανος ὄψ

balanopsid- βάλανος ὄψις
aceae ales
Balantidium βαλαντίδιον
-iopsis ὄψις
balausta -ine -ion βαλαύσ-
balbis βαλβίς τιον
Balkanize -ation -ίζειν
Baldwinism -ισμός
Balearic -ian Βαλιαρεῖς
barbitos βάρβιτος
bardolater -λάτρης
bardolatry λατρεία
bassoonist -ιστής
batonistic -ιστικός
balladism -ist -ize -ισμός
-ιστής -ίζειν
ballism(us βαλλισμός
ballista βάλλειν
ballistic(s ally ian βάλλειν
ballistophobia βάλλειν -φοβία
Ballota βαλλωτή
balneo- βαλανεῖον
graphy -γραφία
logy -ic(al -ist -λογία
technics τεχνική
therapeutics θεραπευτικός
therapy θεραπεία
baloptikon βάλλειν ὀπτικόν
balsam βάλσαμον
ation ea eacea eaceous ic-
(al(ly icness iferous itic ito
ize ous um y -ίζειν
balsamine βαλσαμίνη
-a -aceae -aceous
Balsamo- βάλσαμον
dendron rhiza δένδρον ῥίζα
Balticopora πόρος
baltimorite -ίτης
Baluchitherium θηρίον
baluster(ed βαλαύστιον
balustrade -ed -ing βαλαύσ-
banakite -ίτης τιον
banausic βαναυσικός
bandagist -ιστής
bandore πανδοῦρα
bantingism -ize -ισμός -ίζειν
Baphia βαφή
-ic -initin -initone
bapt- βαπτός
anodon ἀνόδοντος
baptin -igenin βάπτειν -γενής
Baptisia -in -ol βάπτισις
baptism(al(ly βάπτισμα
baptist(ic(al(ly βαπτιστής
baptistery βαπτιστήριον
baptitoxin(e βάπτισις τοξικόν
baptize βαπτίζειν
-able -ation -ee -er ment
bapto- βάπτειν
pora saurus πόρας σαῦρος
Baptobaris βαπτός βάρις
Baptornis βάπτειν ὄρνις
barad βάρος
-(a)esthesio- αἴσθησις
meter metric μέτρον
-agnosis ἀ- γνῶσις
-anilin(e
barathro- βάραθρον
demus δῆμος
barathron -um βάραθρον
barbar- βάρβαρος
ian(ism ianize (i)ous(ly
(i)ousness ity
Barbara -esque βάρβαρος
barbaric(al(ly βαρβαρικός
barbarism βαρβαρισμός
barbarize -ation βαρβαρίζειν

barbaro- βάρβαρος
cracy -κρατία
thea θέα
barbiton -uric βάρβιτον οὖρον
Bardesianism -ist -ite -ισμός
bardism -ισμός -ιστής
Bardistopus βάρδιστος πούς
baric βαρύς
Baridiaspis βᾶρις ἀσπίς
barie βαρεία
bariohitchcockite βαρύς -ίτης
baritenor βαρύς
barium -ite -itic βαρύς -ίτης
bark βᾶρις
barkevikite -ίτης
barkometer μέτρον
Barnabite Βαρνάβας -ίτης
barnhardtite -ίτης
baro- βάρος
cyclono- κυκλῶν
meter scope μέτρον
-σκόπιον
electro- ἤλεκτρον
esthesiometer αἴσθησις
μέτρον
gnosis γνῶσις
gram graph(ic γράμμα
-γραφος
gyroscope γυρο- -σκόπιον
lite λίθος
logy -λογία
(macro)meter μακρο- μέτ-
metro- μετρο- ρον
graph(y -γραφος -γρα-
metry -μετρία φία
motor
nomy -νομία
scope -ic(al(ly -σκόπιον
selenite σεληνίτης
taxis τάξις
thermo- θερμο-
(hygro)graph ὑγρο- -γρα-
meter μέτρον φος
tropism τροπή -ισμός
baronism -ize -ισμός -ίζειν
baros -us βαρύς
Barosma -in βαρύς ὀσμή
baroxyton βαρύς ὀξύτονος
Barrandeocrininae κρίνον
barrandite -ίτης
Bartholomite -ίτης
baruria βαρύς -ουρία
bary- βαρυ-
biotite -ίτης
brotes -id(ae -oid βρωτός
center centric κέντρον
crinus -idae κρίνον
(e)coia βαρυηκοΐα
encephalia ἐγκέφαλος
glossia -γλωσσία
lalia λαλία
lite λίθος
mactra μάκτρα
mochtha μόχθος
morphosis μόρφωσις
phonia -ic -ous -y -φωνία
rhynchus ῥύγχος
silite -ίτης
sphere σφαῖρα
thymia -θυμία
therium -iidae θηρίον
theulandit -ίτης
tone βαρύτονος
trope τρόπος
baryta βαρυτ-
-es -ic -iferous -ine
orthoclase ὀρθο- κλάσις

baryto- βαρυτ-
calcite celestite phyllite
basaltoid -olith -οειδής λιθος
basanite βάσανος -ίτης
basanomelan βάσις ἀνώμαλος
Bascology λογία
Basconize -ίζειν
base βάσις
ball board less(ly lessness
basecphysics βάσις ἔκφυσις
basedoid -οειδής
baseology βάσις -λογία
baseost βάσις ὀστέον
basi- βάσις
brachial βραχιών
bracteolate
branchial βράγχια
branchiostegal βραγχιο-στέγος
bregmatic βρέγμα
caryoplastin καρυο- πλασ-
cerite κέρας -ίτης τός
chromatin χρωματ-
chromiole χρῶμα
cranial κρανίον
cytoparaplastin κυτο- παρά-
digital(e dorsal(e πλαστος
emphytic ἔμφυτος
facial fixed fugal(ly
fy fication fier
gamous -y γάμος -γαμία
genous -γενής
glossus γλῶσσα
gnathite γνάθος -ίτης
gynium γυνή
hyal ὕαλος
hyoid(al ὑοειδής
lateral
lemma λέμμα
lysis lyst λύσις
nerved occipital
ophthalma -ous -ite ὀφθαλ-
otic ὠτ- -ικός μός
parachromatin παρά χρω-
petal ματ-
phobia -φοβία
phyll φύλλον
plast πλαστός
podite -ic ποδ- -ίτης
podium ποδίον
pterygium -ial -oid πτερύ-
radial rostral γιον
rhinal ῥιν-
scopic σκοπεῖν
solute
sphenoid(al σφηνοειδής
stoma στόμα
sylvian temporal
thecal θήκη
tonus τόνος
ventral(e
basic ity ly βάσις
basid (ial βάσις
basidio- βασίδιον
genetic γενετικός
gonidium γονή -ίδιον
lichenes λειχήν
mycete -ic -ous μυκήτες
phore -φορος
rhizae ῥίζα
spore -ous σπορά
basil βασιλικός
basilad -ar βάσις
basilarchia βασιλεύς ἀρχός
Basilemys βασιλὶς ἐμύς
basileolatry βασίλειος λατ-ρεία
basileuterous βασιλεύτερος
basilic βασιλικός
basilica -al -an(ism βασιλική
basilicon βασιλικόν
Basilidian ism βασιλειδιανοί
basilinna βασίλιννα
Basiliscus -an βασιλίσκος
basilisk(ian -iscine βασιλίσ-
basilissa βασίλισσα κος
Basilosaurus -idae βασιλεύς
basion βάσις σαῦρος
basio- βάσις
bregmatic βρέγμα
ceratochondroglossus
κερατο- χόνδρος γλῶσσα
tribe τρίβον
tripsis -y τρῖψις
basis βάσις
Basleocrinus κρίνον
baso- βάσις
bismutite -ίτης
genous -γενής
metachromophil μετά
χρῶμα -φιλος
phil(e ia ic ous -φιλος
phobia -φοβία
basoid βάσις -οειδής
Basommatophora βάσις
ὀμματο- -φορος
Bassalia -ian ἀλία
Bassaris βασσαρίς
-id(id(ae -idoid -iscus
Bassogigas γίγας
bassoonist -ιστής
bassorinogenous -γενής
Bassozetus ζετεῖν
bastard-
embryosperm ἐμβρυοσπέρμα
endosperm ἐνδο- σπέρμα
ism ization ize -ισμός -ίζειν
bastardocarpy καρπός
Basterotidae ὠτ-
bastite bastnasite bastonite
basyl(ous βάσις ὕλη -ίτης
bater βατήρ
Bathericrinus βαθύς ἠρικρί-
bathetic βάθος -ετικός νον
bathic -ism βάθος -ισμός
bathmic -ism βαθμός -ισμός
bathmo- βαθμο-
ceras -atid(ae -atoid κέρας
genesis γένεσις
tropic -ism τροπή -ισμός
bathmodont βαθμός ὀδοντ-
batho- βάθος
chrome -(at)ic -ism χρῶμα
flore -ic
lite -ic li(*or* y)th(ic λίθος
meter μέτρον
phobia -φοβία
bathos -otic βάθος
bathucolpian -ic See bathy-
bathvillite -ίτης
bathy- βαθυ-
(a)esthesia -αισθησία
anesthesia ἀναισθησία
batrachus βάτραχος
bius -ial -ian -ic βίος
cardia καρδία
chrome χρῶμα
clupea -eid(ae
coelia κοῖλος
colpian βαθύκολπος
current
ergue -idae -inae -us ἔργον
gadus γάδος
genys γένυς
bathy- Cont'd
glyptus γλυπτός
graphic(al γραφικός
hyperesthesia ὑπέρ
hypesthesia ὑπ- -αισθησία
laginus -inae λαγώς
limnetic λιμνήτης
lite -ic lith(ic λίθος
macrops μακρός ὤψ
master id(ae oid μαστήρ
meter μέτρον
metry -ic(al(ly -μετρία
myzon μύζων
pelagic πέλαγος
philus -φιλος
phon φωνή
phyta -ium φυτόν
pterois -oidae πτερόν
saurus σαῦρος
seism σεισμός
stoma στόμα
syphon σίφων
thrissa -id(ae -oid θρίσσα
trochus τροχός
bathysmal βάθυσμα
bathyssal βαθύς
Batis -idaceae -idaceous -ideae
-oid(ei -oidean βατίς
bato- βάτος
crinus -inae κρίνον
logy -ical -ist -λογία
phobia -φοβία
reometer ῥέος μέτρον
stomellina στόμα
batonoma βατός -ωμα
Batrachia βατράχειος
-ian -iate
batrachietum βάτραχος
batrachite βατραχίτης
batracho- βατραχο-
lite λίθος
myomachia -y βατραχο-
μυομαχία
phagous -φαγος
phobia -φοβία
plasty -πλαστία
pora πόρος
spermum -eae σπέρμα
stomus -ous στόμα
suchus σοῦχος
batrach- βάτραχος
ophidia -ian -ii ὀφιδ-
opsis -ida ὄψις
Batrachus βάτραχος
-id(ae -oid(eae es idae)
batracin βάτραχος
battarism(us βατταρισμός
battology βαττολογία
-ical -ist -ize -ιστής -ίζειν
batyl ὕλη
baulite -ίτης
baunscheidtism -ισμός
Bauriamorpha μορφή
bauxite bavarite bayldonite
Bdella βδέλλα -ίτης
-ia -id(ae -ides -inae
bdell- βδέλλα
epithecium ἐπιθήκη
ium βδέλλιον
oid(a ea ean ina)
ura -idae
bdello- βδελλο-
meter μέτρον
morpha μορφή
stoma -atidae -id(ae -oid
tomy -τομία στόμα
beauidealize -ίζειν
beaumontite -ίτης
Bebaiotes βεβαιωτής
bebization -ίζειν
bechic(al βηχικός
bechilite λίθος
bechol βηχ-
beckerite -ίτης
beerocracy -κρατία
Beethovenologist -λογία -ισ-
behavio(u)rism -ist(ic -ισμός
behenyl -oxylic ὕλη ὀξύς
Belaster βέλος ἀστήρ
belemnite βέλεμνον
-ella -es -ic -id(ae -oid
belemnoid(ea βέλεμνον
belemno- βέλεμνον
camox κάμαξ
crinus κρίνον
teuthis -idae τευθίς
belinur- βελόνη οὐρά
opsis ὄψις
us id(ae oid
Belis βέλος
belite β -ίτης
Bellerophon Βελλεροφῶν
-ontid(ae -ontoid
belletrist -ιστής
bellite -ίτης
bellology -λογία
belo- βέλος
ceratea κερατ-
mancy μαντεία
ptera -id(ae -oid πτερόν
pteron πτερόν
sepia -id(ae -oid σηπία
stoma -um στόμα
-(at)idae -ida -ides -oid
thyrum βηλόθυρον
Belodon βέλος ὀδών
-ont(id idae oid)
beloid(ea βέλος
Belone -id(ae βελόνη
belonephobia βελόνη -φοβία
belon(es)ite βελόνη -ίτης
Belonesox βελόνη
Belonisculus βελονίς
belonoid βελόνη -οειδής
belono- βελόνη
rhynchus -id(ae -oid ῥύγχος
belonspherite βελόνη σφαῖρα
bema βῆμα
bematist βηματιστής
Bembex βέμβιξ
-ecidae -ecides -eciles -eci-
nae -ecinus -ecites -idiade
-idiidae -idiides -idionidae
-idium -idula
Bembix -ine βέμβιξ
Bembradion βεμβράς μεμβρά-
Benedictinism -ισμός διον
benitoite -ίτης
bentho- βένθος
cometes κωμήτης
desmus δεσμός
phyte φυτόν
saurus -idae σαῦρος
benthos -al -(on)ic βένθος
bentonite -ίτης
benz-
aconine ἀκόνιτον
alazine ἀ- ζωή
amid(e am(id)ine ἀμμω-
νιακόν
aniside anisoin ἄνισον
anthr- ἄνθραξ
ene one yl -ηνη -ωνη ὕλη
arsin(e ic ous ἀρσενικόν

benz- Cont'd
azimidol(e ἀ- ζωή ἀμμωνιακόν
dioxol -in(e δι- ὀξύς
ene -oid -yl -ηνη -οειδής ὕλη
erythrene ἐρυθρός -ηνη
hydrol -yl ὑδρ- ὕλη
ilyl ὕλη
im- ἀμμωνιακόν
id(e idic idazo- inazole ἀ-
indacene Ἰνδικός ζωή
isoquinoline ἰσο-
isothi- ἰσο- θεῖον
azin(e azol(e ἀ- ζωή
ol(ize'd oid) -ίζειν -οειδής
ox- ὀξύς -ώνη
azin(e azonone ἀ- ζωή
diaz(in(e ol(e) δι- ἀ- ζωή
selenol(e σελήνη
thiol(e θεῖον
pinacone πινακ- -ώνη
ulic ὕλη
yl(ate ation ene enic ic
idin(e) ὕλη
ylamin(e ὕλη ἀμμωνιακόν
benzo-
bis . . . azol(e ἀ- ζωή
imid ἀμμωνιακόν
ox pyr ὀξύς πῦρ
bromide βρῶμος
carbazol(e ἀ- ζωή
chol(ic χολή
cyanine κύανος
cycloheptadiene κυκλο- ἑπτά
di- δι-
anthrene ἄνθραξ
indine Ἰνδικός
oxin(e oxol(e ὀξύς
pyrimidin(e πῦρ ἀμμωνιακόν
pyrrol(e πυρρός
thi- θεῖον
an ol olene ylium ὕλη
toluazine ἀ- ζωή
fluorenyl ὕλη
fluorindene Ἰνδικός
furazan ἀ- ζωή
heptatriazine ἑπτά τρι- ἀ- ζωή
hydr- ὑδρ-
ol yl ὕλη
oxamic ὀξύς ἀμμωνιακόν
iodhydrin ἰώδης ὑδρ-
lysis λύσις
naphthone νάφθα -ώνη
nitrile νίτρον
paracresol παρά κρέας
peroxide ὀξύς
phen- φαιν-
azine azonium ἀ- ζωή
etide αἰθήρ
oxazine ὀξύς ἀ- ζωή
phthalazine νάφθα ἀ- ζωή
pinac- πινακ-
ol(in(e one ώνη
pseudoxazole ψευδ- ὀξύς ἀ- ζωή
purpurin πορφύρα
pyr- πῦρ
acridine an in
one ylium -ώνη ὕλη
quinoxaline ὀξαλίς
selen(odi)azole σελήνη δι-
tetr- τέτρα ἀ- ζωή
azole onic ἀ- ζωή -ώνη
thiazine θεῖον ἀ- ζωή
thio- θεῖον
diazol(e δι- ἀ- ζωή
xanthone ξάνθος -ώνη

benzo- Cont'd
tri- τρι-
azin(e azol(e ἀ- ζωή
chlorid χλῶρος
xanthene ξάνθος -ηνη
yl(ate ation ene) ὕλη
beraunite -ίτης
berberylene ὕλη
Berecynthian βερεκύνθιος
berengelite -ίτης
Berenice βερενίκη
-ea -eae -etta -idae
beresite beresovite -ίτης
bergalith λίθος
berginize -ation -ίζειν
bergmannite -ίτης
Bergsonism -ισμός
Berkeleianism -ισμός
berlinite -ίτης
Beroe -id(ae -oid Βερόη
berthierite bertrandite -ίτης
Bertillonist -ιστής
Berycopsis ὄψις
beryl(ate βήρυλλος
beryll- βήρυλλος
ia ine ium oid onate onite
berzeli(an)ite berzilite -ίτης
besiclometer βήρυλλος μέτρον
bessamerize -ίζειν
bestialism -ist -ize -ισμός -ιστής
bestiarianism -ισμός
beta βῆτα
albumosease διάστασις
eigon
eucaine eunol εὖ
sulphopyrin
betainogen -γενής
Bethlehemite -ίτης
betuloret(in)ic ῥητίνη
beudantite -ίτης
Beyrichocrinus κρίνον
bezant(ed ee es y) Βυζάντιον
bi-
acetyl ὕλη
achenium ἀ- χαίνειν
antheriferous ἀνθηρός
anthr(aquin)one ἄνθραξ ώνη
archy -αρχία
asterial -ic ἀστήρ
astrionic ἀστήρ
atomic ἄτομος
basic βάσις
benzyl ὕλη
biaio- βίαιος
metamorphosis μεταμόρφωσις
biastrepsis βία στρέψις
Bible βίβλια
-ic(al(ly ality ism ist ize) -ισμός -ιστής -ίζειν
biblico- βίβλια -ικός
psychological ψυχο- -λογία
biblio- βιβλιο-
chresis χρῆσις
chrestic χρηστικός
clasm κλάσμα
clast -κλαστης
genesis γένεσις
gnost(ic(al γνώστης
gony -γονία
graph(er βιβλιογράφος
graphy βιβλιογραφία
-ic(al(ly -ist -ize
iconoclast εἰκονο- -κλαστής
klepsis κλέψις
klept κλέπτης
kleptomania(c κλεπτο- μανία

biblio- Cont'd
later -λατρης
latry -ist -ous λατρεία
lite λίθος
logy -ical -ist -λογία
mancy -ery μαντεία
mane -iac(al -ian(ism -ism
-ist -y μανία -ακός -ισμός
pegy -πηγία -στής
-ic -ist(al -ιστής
-istic(al -ιστικός
phagy -ic -ist -φαγία
phil(e ic ous -φιλος
phily -ism -ist -φιλία
phoby -φοβία
poesy ποίησις
pole βιβλιοπώλης
-ar -ery -ic(al(ly -ism -ist-
(ic -y -ισμός -ιστής
soph -σοφος -ιστικός
taph(ion τάφος τάφιον
thec βιβλιοθήκη
a al arian ary e
thetic θετικός
Biblism -ist βίβλια -ισμός
biblus βίβλος -ιστής
bi- Cont'd
cameral -ist κάμαρα
cardiogram καρδιο- γράμμα
cephalic κεφαλή
chirocrinus χειρο- κρίνον
chlorid χλῶρος
chord χορδή
chrome χρῶμα
-ate -(at)ic -ize -ίζειν
chrome -ic χρόνος
Bicidiopsis βικίδιον ὄψις
Bic(os)oeca -idae βίκος οἶκος
bicro- μικρο-
bi- Cont'd
colorimeter μέτρον
condylar κόνδυλος
conic κωνικός
cordal χορδή
cotyledonary κοτυληδών
cycle κύκλος
-er -ic(al -ing -ism -ist
-ισμός -ιστής
cyclo- κυκλο-
hexane hexene ἕξ
nonane
octane ὀκτ-
cycular κύκλος
cylindrical κύλινδρος
dacryc δάκρυον
dactyl δάκτυλος
desyl ὕλη
dermoma δέρμα -ωμα
eberite -ίτης
electrolysis ἠλεκτρο- λύσις
fluor(en)yl ὕλη
gamy -ist -ous(ly -γαμία
gaster γαστήρ
genous -γενής
glenoid γληνοειδής
glot γλῶττα
ind- Ἰνδικός
ene one yl -ηνη -ώνη ὕλη
iodate ἰώδης
bikhaconitin(e ἀκόνιτον
bikist κύκλος -ιστής
bikos βῖκος
bilharziasis -ίασις
bili-
cyanin κύανος
neurine νεῦρον
ph(a)ein φαιός

bili- Cont'd
prasin πράσον
purpurin πορφύρα
pyrrhin πυρρός
rubin-
emia uria -αιμία -ουρία
xanthin ξανθός
bil(is)oidanic ἴσος -οειδής
bi- Cont'd
lingualism linguist -ισμός
literalism -ισμός -ιστής
lith(on λίθος
lobe -ate(d -ite λόβος
lophodont λόφος ὀδοντ-
mastoid μαστοειδής
masty -ic -ism μαστός
meria -iidae μέρος λον
metallic -ism -ist(ic μέταλλον
-ισμσ -ιστής -ιστικός
metameric μετά μέρος
naphthyl νάφθα ὕλη
omes
bin-
arseniate ἀρσενικόν
iodid(e ἰώδης
otic ὠτ- -ικός
oxalate ὀξαλίς
oxid(e ὀξύς
bind- Ἰνδικός
ene one -ήνη -ώνη
bindhelmite binnite -ίτης
bino-
graph(y ic -γραφος -γραφία
tonous τόνος
bio- βιο-
aeration ἀήρ
assay
bibliographical βιβλιογραφία
biographical βιογραφία
blast(ic βλαστός
blastology βλαστο- -λογία
catalysis κατάλυσις
catalyst -lyzer κατάλυσις
cellate
centric κεντρικός
character χαρακτήρ
chemic(al -ics -y χημεία
chemist(ry χημεία -ιστής
chore χωρίς
chronic χρόνος
citin λέκιθος
climatology κλιματο- -λογία
coenology -ic κοινός -λογία
c(o)enosis -ium κοινός -ωσις
colloid(al κολλώδης
community culture
crystal κρύσταλλος
cyto- κυτο-
culture
neurology νευρο- -λογία
dendry δένδρον
diapasm διάπασμα
dynamics -ic(al δυναμικός
electric ἤλεκτρον
energesis energics ἐνέργεια
energetics ἐνεργητικός
gamia -γαμία
gen(ation ic ous) -γενής
genase -γενής διάστασις
genesis -ist γένεσις
genetic(al(ly γενετικός
geny -ist -γενέια -ιστής
geograph(er γεωγράφος
geography -ic(al(ly γεωγραφία
globin
gnosis -y γνῶσις
graph(ee er) -γραφος

bio- Cont'd
graphy βιογραφία
-ic(al(ly -ist -ize
kinetics κινητικός
lite lith λίθος
logos λόγος
logy -λογία
-ian -ic(al(ly -ism -ist -ize
-ισμός -ιστής -ίζειν
luminous -escence
lysis lytic λύσις λυτικός
magnetic -ism Μαγνῆτις
medicine -ισμός
metrics μετρικός
-ic(al(ly -ician -icist
metry -μετρία
molecule -ar
mone -ad μόνος μοναδ-
more μόριον
morph(ic μορφή
morphotic(a μορφωτικός
necrosis νέκρωσις
nomics -ic(al(ly νόμος
nomy -ist -νομία -ιστής
nosis νόσος
nuclein -ισμός
phagism -ous φαγ- -φαγος
phagy -ism -ous -φαγία
phene φαιν-
philous -ism -ist -φιλος
phoric -φορος
phor(e es ic id -φορος
photophone φωτο- φωνή
physico- φυσικός
chemical χημεία
physics φυσική
physio- φυσιο-
graphy -γραφία
logy -ical -ist φυσιολογία
phyte φυτόν -ιστής
pisolite πίσος λίθος
plasia πλάσις
plasm (at)ic in πλάσμα
plasmogen πλάσμα -γενής
plast(ic πλαστός
psychic(al ψυχικός
psychology ψυχο- -λογία
-ical -ist -ιστής
pyoculture πυο-
pyrobole πυρο- βολή
rontgenography -γραφία
san γλεῦκος
scope -ic -y -σκόπιον -σκο-
sociology -ic -λογία πία
sphere -ic σφαῖρα
statics -ic(al στατικός
statistics
sterin στερεός
sulphol
taxy -ταξία
tome tomy -τομον -τομία
tonic(s τονικός
toxin τοξικόν
tripsis τρῖψις
type -ic τύπος
varial
xylus ξύλον
bion(ic βίων
bionergy βίων -εργία
bionto- βιοντ-
gene logy -γενής -λογία
bi- βίος
opsy organ ὄψις ὄργανον
biorize -ation -ator -ίζειν
bios biosin -on βίος
biosis βίωσις
biota βιοτή

biotics -ic(al βιωτικός
biotite -ίτης
biotogeny βιωτός -γενεία
bi- Cont'd
palatinoid -οειδής
parasitic παράσιτος
paschal πάσχα -ιστής
pedologist -ically -λογία
pentaphyllous πεντάφυλλος
periodic περιοδικός
petalous πέταλον
pezia πέζα
phase φάσις
phenyl(ene φαιν- ὕλη
phore -a -φορος
porous -ose πόρος
prism πρίσμα
prophyllatus πρό φύλλον
proto- πρωτο-
ventral vertebral
pubiotomy -τομία
pyramidal πυραμίς
rhinia ῥίν
rhomboid ῥομβοειδής
birrus πυρρός
bis-
acromial ἀκρώμιον
azo- ἀ- ζωή
croma χρῶμα
diapason διαπασῶν
diazo- δι- ἀ- ζωή
imine -o- ἀμμωνιακόν
immonium ἀμμωνιακόν
bischofite -ίτης
bishop ἐπίσκοπος
dom ess hood ist ling ly ship
bismuto-
plagionite πλάγιος -ίτης
sphaerite σφαῖρα -ίτης
bi- Cont'd
sphenoid σφηνοειδής
spherical σφαῖρα
spirous σπεῖρα
sporangiate σπορά ἀγγεῖον
spore -ous σπορά
stephanic στέφανος
styryl στύραξ ὕλη
syllabic συλλαβικός
syllabism συλλαβή -ισμός
symmetric(al(ly συμμετρι-
symmetry συμμετρία κός
theism θεός -ισμός
tolyl ὕλη
trochanteric τροχαντήρ
Bittacomorpha βίττακος μορ-
bittacus βίττακος φή
bitterenderism -ισμός
bitu-
lithic mastic λίθος μαστίχη
bitumen-
ization ize oid -ίζειν -οειδής
bityite -ίτης
bi- Cont'd
type -ic τύπος
urate urea οὖρον
vinyl ὕλη
zygomatic ζύγωμα
Blabera -ides βλαβερός
blackguardism -ize -ισμός
blacklegism -ισμός -ίζειν
blaesitas βλαισός
blanchimeter μέτρον
Blapticoxenus βλαπτικός ξένος
blaspheme βλασφημεῖν
-ation -atory -er(ess -ous(ly ness)

blasphemy βλασφημία
blast βλαστός
blast- βλαστός
actinota ἀκτινωτός
ea(n ead(ae aeid(ae id(ae in
elasma ἔλασμα
ema -al -(at)ic βλάστημα
eniospore σπορά
eroidea -οειδής
esis βλάστησις
idia idium -ίδιον
blasto- βλαστο-
carpous καρπός
cele See coele
cerine
chore χωρεῖν
chyle χυλός
coele -ia -ic κοῖλος
coeloma κοίλωμα
colla κόλλα
cystis(is κύστις
cystinx κύστιγξ
derm(a al ata atic ic) δέρμα
disk δίσκος
gen(ic -γενής
genesis γένεσις
genetic γενετικός
genic geny -γενής -γενεία
graphy -ia -γραφία
kinesis κίνησις
kinetic κινητικός
lysis λύις
mania μανία
mere -ic μέρος
merotomy μέρος -τομία
myces μύκης
mycete(s μυκήτες
-ic -oid -ous
mycosis μύκης -ωσις
neuropore νευρο- πόρος
phaga -φαγος
phore -al -ic -φορος
phthoria φθορά
phyllum φύλλον
phyly φυλή
polypidae πολύπους
pore -al -ic πόρος
sphaera sphere -ic σφαῖρα
stroma στρῶμα
style -ar στῦλος
tomy -τομία
zoa -oid -ooid ζῷον
blast- Cont'd
ocheme ὄχημα
oid(ea(n ous -οειδής
oma -atoid -atosis -ωμα
ule -a -ar -ation -ωσις
Blavisaster ἀστήρ
bleacherite -ίτης
blechnoid βλῆχνον -οειδής
bleimalachit μαλάχη
bleizinkchrysolith χρυσόλιθος
blematogen βλῆμα -γενής
blemmatrope βλέμμα -τροπος
blenn- βλέννος
adenitis ἀδήν -ῖτις
aphrosin ἀφρός
elytria ἔλυτρον
emesis ἔμεσις
emetic ἐμετικός
enteria -y -itis ἔντερον -ῖτις
Blennicottus βλέννος κόττος
Blennius βλέννος
-iid(ae -iiform(es -iinae
-ioid(ea(n -ioidei -y
blenno- βλέννος
genous -ic -γενής

blenno- Cont'd
metritis μήτρα -ῖτις
(r)rhagia -ic -ραγία
rrh(o)ea -ῥοία
stasis -in(e στάσις
static στατικός
blenn- Cont'd
oid -οειδής
ophthalmia ὀφθαλμία
uria -ουρία
ymenitis ὑμήν -ῖτις
blenol -orrhol βλέννος
blephar- βλέφαρον
a al ic ism itic itis
adenitis ἀδήν -ῖτις
elosis εἴλειν -ωσις
Blepharis βλεφαρίς
blepharo- βλεφαρο-
adenitis adenoma ἀδήν
-ῖτις -ωμα
atheroma ἀθέρωμα
cera κέρας
chalazia χάλασις
chromidrosis χρωμ- -ιδρω-
cl(e)isis κλεῖσις σις
clonus κλόνος
diastasis διάστασις
pachynsis πάχυνσις
phimosis φίμωσις
plast(oid πλαστός -οειδής
plasty -ic -πλαστία
platypus πλατύπους
plegia -πληγία
ptosis πτῶσις
rrhaphy -ῥαφία
spasm σπασμός
sphincterotomy σφιγκτήρ
stat στατός -τομία
stenosis στένωσις
symphysis σύμφυσις
synechia συνέχεια
tomy -τομία
blephar- Cont'd
oncus ὄγκος τία
ophryplasty ὀφρύς -πλασ-
ophthalmia -ic ὀφθαλμία
blepsopathy -ia βλέψις
-πάθεια
bletonism -ist -ισμός -ιστής
Blitum βλίτον
blomstrandite -ίτης
bloomerism -ισμός
blottograph -γραφος
blurbist -ιστής
blurbosopher -σοφος
Boanerges -ism -y Βοανεργές
boanthropy βοάνθρωπος
bobadilism -ισμός
bobateria -τηριον
boblerite bodenite -ίτης
Boehmenism -ist -ite -ισμός
-ιστής -ίτης
Boeotarch βοιωτάρχης
Boeotian Βοιώτιος
Boeotic Βοιωτικός
boethema βοήθημα
boethetic βοηθητικός
bogeyphobia -φοβία
Bohemianism -ize -ισμός
Bohemura οὐρά -ίζειν
bolbo- βολβός
crinus nema κρίνον νῆμα
bole βῶλος
-bole βολή
boleite -ίτης
Boletus βωλίτης
-aceae -aceous -ic -oid

bolide βολίς
Bolitolaemus βόλιτον λαιμός
Bollandist -ιστής
bolo- βολο-
chore χωρεῖν
chrous -χροος
graph(y -ic(al(ly -γραφος
-γραφία
meter metric μέτρον
retin ῥητίνη
saurus -id(ae -oid σαῦρος
Bolshevism -ισμός
-ist(ic(ally -ization -ize
-ιστής -ιστικός -ίζειν
boltonite -ίτης
bombast(er ic(al(ly ry) βόμβυξ
Bombax -aceae -aceous βόμ-
bombici- βόμβυξ βυξ
sterin -ol στερεός
Bombinae βόμβος
bombus βόμβος
bombyc- βόμβυξ
idae ina ine inous oid
bombyform βόμβυξ
Bombylius βομβυλιός
-iid(ae -ioid(ea -ious
Bombyx βόμβυξ
bonas(s)us βόνασ(σ)ος
boneplasty -πλαστία
boobo-
cracy logy -κρατία -λογία
booid(ea βο- -οειδής
boopia βο- -ωπία
Booponus βοο- πόνος
Bootes βοώτης
boothite -ίτης
boragoid -οειδής
Borborite Βορβορῖται
borborygm(us βορβορυγμός
borderism -ισμός
Boread Βορεάδης
boreal(ize borean Βορέας
Boreaster Βορέας ἀστήρ
Boreiad βορηιάδης
boreo- Βορεῖος
gadus γάδος
melon μῆλον
somus σῶμα
Boreus Βορεῖος
Borhyaena βορός ὕαινα
borickite -ίτης
borimide ἀμμωνιακόν
Borissiakoceras κέρας
borize -ίζειν
bornesitol bornite -ίτης
bornyl(ene ὕλη
boro-
chloretone χλωρός
citrate κίτρον
cyon βορο- κύων
glycer- γλυκερός
ate ic ide in(e
hydrate ὑδρ-
mys βορο- μῦς
phaga βορο- φάγος
boronize -ation -ίζειν
boryl ὕλη
boscades βοσκάς
Boselaphus βοῦς ἔλαφος
bosjemanite -ίτης
Boskoi βοσκός
bossism -ισμός
bostonite -ίτης
bostrychite βοστρυχίτης
Bostrychus βόστρυχος
-id(ae -oid(al
bostryx βόστρυχος

Boswellism -ize -ισμός -ίζειν
botanic(al(ly βοτανικός
botanics βοτανική
botano- βοτάνη
logy -er -ical -λογία
mancy μαντεία
phaga -φαγος
botany -ism -ist -ize(r βοτάνη
-ισμός -ιστής -ίζειν
bothr- βόθρος
agonus ἄγονος
emys -ydid(ae -ydoid ἐμύς
enchyma ἔγχυμα
idium -ίδιον
bothri- βοθρίον
aster ἀστήρ
odon ὀδών
thorax θώραξ
bothrio- βοθρίον
cephalus -id(ae -in -oid κε-
cidaris κίθαρις φαλή
lepis λεπίς
spila σπίλη
Bothrion bothrium βοθρίον
bothro- βοθρο-
belum βῆλον
cara κάρα
craspedote κράσπεδον -ωτης
dendron δένδρον
gnathus γνάθος
phera φερεῖν
bothros -opic βόθρος ὤψ
bothryo- See bothrio-
Botrychium βότρυχος
Botrydium βότρυς
-iaceae -iaceous
Botryllus βότρυς
-aceae -id(ae -oid(ea(n
botryo- βοτρυο-
cymose
gen(ite -γενής -ίτης
lite λίθος
myces μύκης
-oma -osis -otic -ωμα
-ωσις -ωτικός
pterid(ae πτερίς
sporium σπόρος
therapy θεραπεία
botryoid(al(ly -ose βότρυς
Botrys -ytis βότρυς
botrytic βοτρυΐτης
botulism(otoxin -ισμός τοξικόν
bouchirism -ize -ισμός -ίζειν
Boulangerism -ist -ισμός -ισ-
boule βουλή τής
Bouleia βουλεία
bouleterion βουλευτήριον
bouleutai βουλευτής
bouleutic βουλευτικός
boulevardist -ize -ιστής -ίζειν
boulinikon βου- λίνον
bounderism -ισμός
Bouphonia βουφονία
Bourbonism -ist -ize -ισμός
-ιστής -ίζειν
Bourignian(*or* ion)ism -ist -ισ-
bournonite -ίτης μός
boursocrat -κρατης
boussingaultite -ίτης
boustrophedon βουστροφηδόν
boustrophic βουστρόφος
boutistes βουτιστής
Bovichthys βοῦς ἰχθύς
-yid(ae -yoid
bovid(ae bov(in)oid -ίδης -οει-
bowdlerism -ισμός δής
-ization -ize(r -ίζειν

bowenite -ίτης
boycottism boyism -ισμός
boyology -λογία
Brab(e)ium βραβεῖον
Bracanastrepha βράκανα
στρέφειν
brach- βραχύς
auchenius ἀυχήν
elytra ἔλυτρον
idium -ίδιον
inus -idae -in -inae
Bracheoporidae βραχύς πόρος
brachi- βραχίων
algia -αλγία
olaria
opidae ὤψ
brachio- βραχίων
cele κοῖλος
cephala -ic κεφαλή
cyllosis κύλλωσις
ganoid(ei ean γάνος
pod(a e ist ous) ποδ-
rachidian ῥαχιδ-
tomy -τομία
brachion- βραχίων
ichthys -inae -ine ἰχθύς
us id(ae oid
brachistode βράχιστος ὁδός
brachisto- βράχιστος
cephali -ic -ous -y κεφαλή
chrone -ic -ous χρόνος
brachy- βραχυ-
axis
bio- βραχύβιος
stemonous στήμων
stigmatic -ous στίγμα
bioty βραχύβιος βιοτή
campsa κάμψα
cardia καρδία
catalectic καταληκτικός
cephal(i ic ism y) κεφαλή
cephalus -idae -inae κεφαλή
cera κέρας
ceratops κερατ- ὤψ
cercic κέρκος
champsa χάμψαι
chimous χειμών
chronic χρόνος
cladous κλάδος
cnemic κνήμη
cranial κρανίον
dactylia -ism -ous -y δάκ-
deuterus δεύτερος τυλος
diagonal διαγώνιος
diastematherium διάστημα
θηρίον
dome -al -atic δῶμα
dont See brachyodont
ellipsoid ἔλλειψις -οειδής
elytra ἔλυτρον
facial form
genys γένυς
glossa γλῶσσα
gnat(h)a gnathus γνάθος
gnathia -ism -ous γνάθος
grapher -ic(al -y -γραφος
hieric ἱερόν -γραφία
homonoea ὁμόνοια
hypsicephalic ὕψι κεφαλή
lebias λεβίας
logy βραχυλογία
meiosis μείωσις
meiotic μειωτικός
merus -idae μηρός
metopus μέτωπον
metropia -ic -y μέτρον
nema νῆμα -ωπία

brachy- Cont'd
odont ism y ὀδοντ-
ome ὦμος
ophidium ὀφίδιον
opsis -inae ὄψις
ostracon ὄστρακον
oura -al οὐρά
brachyo- βραχυ-
blast βλαστός
xylon ξύλον
brachy- Cont'd -οειδής
pentagonoides πεντάγωνος
phalangia φαλαγγ-
phyllous -φυλλος
phyllum -oideae φύλλον
phymus φῦμα
pinacoid(al πινακοειδής
pleural πλευρόν
podes -ine -ium -ous ποδ-
prism πρίσμα
protoma προτομή
ptera -ae -es -i -ous πτερόν
pteryx -yginae -ygine πτέρυξ
pus πούς
pyramid πυραμίς
rhamphus ῥάμφος
rhinodon ῥίν ὀδών
rhomboides ῥομβοειδής
rhynchus -inae ῥύγχος
scelides σκελίς
sclerid σκληρός
somes σῶμα
staphyline σταφυλή
stegia στέγη
steles -iniae -inian στήλη
stola στολή
stoma -ata -(at)ous στόμα
stylous στῦλος
brachyscome βραχύς κόμη
brachysm βραχύς -ισμός
Brachystius βραχύς ἱστίον
brachy- Cont'd
tarsi ταρσός
teles τέλος
theroxerochimous θέρος
ξερός χειμών
therous θέρος
tmema τμῆμα
tremides τρῆμα
trycherus τρυχηρός
typous τύπος
ura -al -an -e -ous -us οὐρά
uranic οὐρανός
urothrips οὐρά θρίψ
xerochimous ξερός χειμών
brachytic βραχύτης
bradolyte βραδύς λυτός
brady- βραδυ-
acousia ἄκουσις
arthria ἄρθρον
brachium βραχίων
cardia καρδία
carpic βραδύκαρπος
c(*or* k)inesia βραδυκινησία
crote -ic κρότος
crotin κρότων
cypris Κυπρίς
diastalsis διάσταλσις
diastole -ia διαστολή
ecoia βραδυήκοος
esthesia -αισθησία
fibrin
glossia βραδύγλωσσος
kinetic βραδυκινητός
lalia λαλία
lecithal λέκιθος
lemur

brady- Cont'd
lexia λέξις
logia βραδυλογία
nosus νόσος
pepsia -y βραδυπεψία
peptic πεπτικός
phagia -φαγία
phasia -φασία
phemia -φημία
phrasia φράσις
pn(o)ea βραδύπνοος
pod βραδύπους
a e id(ae -inae -ine -oid -us
saurus σαῦρος
schist σχιστός
seism(al ic(al ism) σεισμός
spermatism σπέρμα -ισμός
spore -ous σπορά
stalsis στάλσις
tocia -τοκία
trophic τροφικός
ura οὐρά
braggadocianism -ισμός
braggartism -ist -ισμός -ιστής
Brahma(or i)nism -ist -ισμός
Brahmanization Brahminize
Brahmoism -ισμός -ίζειν
Braidism -ist -ισμός -ιστής
bramathere -ium θήρ θηρίον
Brancasaurus σαῦρος
Branchellion βράγχια βδέλλα
-iid(ae -ioid
branchia βράγχια
-iac -ial -iata -iated
branchi- βραγχι-
colous fera ferous form
hyal ὕαλος
oma -ωμα
branchio- βραγχιο-
anal
cardiac καρδιακός
gasteropod(a an ous) γαστερο- ποδ-
genous -γενής
mere -ic -ism μέρος -ισμός
palatal pallial parietal
plax πλάξ
pneusta πνευστός
pnoa -oan -oic πνοός
pode -a -an -ous ποδ-
pulmonate -a
saurus -ia(n -id(ae -oid σαῦρος
stege -al -an -i -ite -ous
stome στόμα στέγη
-a -(at)id(ae -atous -oid
toca -ous τόκος
treme τρῆμα
troch τρόχος
branchi- Cont'd
pus -od(id(ae -odoid πούς
reme
Brancoceras βράγχος κέρας
bravadoism -ισμός
braunite bravoite brazilite -ίτης
Brechites -id(ae -oid βρέχειν
brechma βρεχμός
bredbergite -ίτης
bregma -atic βρέγμα
Bregmaceros βρέγμα -κερως
-otid(ae -otoid
breislakite breithauptite -ίτης
Brenthus -ian -id(ae -oid βρένθος
brenzcatechinuria -ουρία
brephalos βρέφος
brephic βρεφικός

Brepholoxa βρεφο- λοξός
brephotrophia βρεφοτροφεῖον
breunnerite brewsterite -ίτης
breviconic κονικός
Briarean Βριάρεως
brevi-
conic κονικός
gram γράμμα
schistostyle σχιστός στῦλος
Briarean Βριάρεως
briaro- βριαρο-
crinidae κρίνον
stoma στόμα
brierium -(e)idae Βριάρεως
britholite βρῖθος λίθος
Briticism Britishism -ισμός
Briza βρίζειν
brochantite -ίτης
brochi(do)drome -ous βροχίς
brocho- βρόχος δρόμος
cystis κύστις
dora δορά
peltis πέλτη
pleurus πλευρόν
broggerite -ίτης
brom- βρῶμος
acetone -ώνη
al(id(e in oin
albacid albin albumin
amide ἀμμωνιακόν
anil
argyrite ἄργυρος -ίτης
ate -ol
broma- βρῶμα
tacamite -ίτης
therapy θεραπεία
toxin = bromatotoxin
bromato- βρῶμα
graphy -γραφία
logy -ist -λογία
therapy θεραπεία
toxin -ism τοξικόν -ισμός
brome βρῶμος
brom- Cont'd
aurate -ic αἶρον
benzene
eigon
ethylene αἰθήρ ὕλη
etone
glidin = bromoglidin
hemol αἱμ-
hydric -ate ὑδρ-
Bromian βρόμιος
brom- Cont'd
ic (id(e idia il ipin oil ol
idiom ἰδίωμα
idion -ίδιον
idrosis -ιδρωσις
-iphobia -φοβία
in(ate ation e ism ol)
ion ἰόν
ism ite -ισμός -ίτης
ize(r -ation -ίζειν
bromlite -ίτης
bromo- βρωμο-
acetic -ate -on
alburin benzoic -oate
aurate αὖρον
borate caffein chinal
carpine καρπός
chloralum χλωρός
coll κόλλα
cresol κρέας σώζειν
cyanide cyanogen κύανος
derma δέρμα -γενής
form(in ism) gallol -ισμός
gelatine glidin

bromo- Cont'd
graphy -γραφία
hemol -atin αἱμ- αἱματ-
hidrosis -ιδρωσις
hydrin ὑδρ-
iodism -ide -ized ἰώδης
ketone -ώνη -ίζειν
lecithin λέκιθος
lithia λίθος
mangan Μαγνησία
mania μανία
metry -ic(al -μετρία
menorrhea μῆνες ῥοία
phenol φαιν-
phor -φορος
picrin πικρός
platinic -ate
pn(o)ea -πνοία
pyrin πύρινος
seltzer soda
thymin -ol θύμον
bromosin βρῶμος
Bromus βρῶμος
bromyrite βρῶμος ἄργυρος
bronch- βρόγχια -ίτης
adenitis ἀδήν -ῖτις
ic ismus ium ol -ισμός
itic itis -ῖτις
bronchia -ial(ly βρόγχια
bronchi- βρόγχια
arctia
desmus δεσμός
ectasis -ia -ic ἔκτασις
ectatic ἐκτατός
san
septicin σηπτικός
bronchio- βρόγχια
cele κήλη
crisis κρίσις
genic -γενής
spasm σπασμός
stenosis στένωσις
bronchiol(itis us) βρόγχια
ectasis ἔκτασις -ῖτις
broncho- βρογχο-
adenitis ἀδήν -ῖτις
blennorrhea βλέννος ῥοία
carcinia καρκίνος
cavernous
cephalitis κεφαλή -ῖτις
cele βρογχοκήλη
constriction -or
dilator -ation ony
egophony = egobronchoph-
esophago- οἰσοφαγο-
scopy -σκοπία
hemorrhagia αἱμορραγία
lith λίθος
moniliasis -ιασις
motor
mycosis μύκης -ωσις
oidiosis ᾠόν -ωσις
pathy -πάθεια
phony -ic -ism -φωνία -ισμός
plasty -πλαστία
plegia -πληγία
(pleuro)pneumonia πλευρο-
pulmonary πνευμονία
rrhagia rrhea -ῥαγία ῥοία
scope -y -σκόπιον -σκοπία
spasm σπασμός
spirochetosis σπεῖρο- χαίτη
stenosis στένωσις -ωσις
tetany τέτανος
tome -y -ist -τομον -τομία
tracheal τραχεῖα
typhoid τυφώδης

broncho- Cont'd
typhus τῦφος
vesicular
bronchus βρόγχος
brongniardite -ίτης
Brontes -eus Βρόντης
-id(ae -oid
brontesis βροντή
bronteion -eum βροντεῖον
bronto- βροντο-
gram graph γράμμα
-γραφος
lith logy λίθος -λογία
meter μέτρον
phloeus φλοιός
saurus σαῦρος
there -ium -id(ae -oid θηρίον
zoum ζῷον
Brontops -ornis βροντή ὤψ ὄρνις
Broomisaurus σαῦρος
Brosimum βρώσιμος
Broter βρωτήρ
brotion -ium βροτός
broto- βροτός
chore mys χωρεῖν μῦς
bruinoid -οειδής
brotul- βρότος
a id(ae iform oid
ophis ὄφις
-id(ae ia id oid) -oid
broussaisism -ισμός
Brownism -ist(ic(al -ισμός
-ιστής -ιστικός
Bruchomyia βροῦχος μυῖα
Bruchus -ian -id(ae -oid
βροῦχος -ίτης
brucite brunnerite brushite
brutalize -ation -ίζειν
brutism -ισμός
bry- βρύον
aceae aceous ales um
anthus ἄνθος
Bryanite -ίτης
Brycon βρύκειν
brygmus βρυγμός
bryo- βρυο-
cyte -ic -ole κύτος
gam γάμος
genin βρυωνία -γενής
logy -ical -ist -λογία
philopsis φιλ- ὄψις
phyllum φύλλον
phyma φῦμα
phyte -a -ic φυτόν
phyto- φυτο-
geographic γεωγραφικός
resin βρυωνία
r(rh)etin βρυωνία ῥητίνη
zoa -oan -oid -oon -oum
bryoma βρύον ζῷον
bryony βρυωνία
-ia -idin -in(e -ol
bryssophilus βρύσσος -φιλος
buarrhemon βου- ἀρρήμων
bubal(ine is us) βούβαλις
bubal- βούβαλις
ichthys -yinae -yine ἰχθύς
ornis ὄρνις
bubo -onic βουβών
bubonalgia βουβών -αλγία
bubonocele βουβών κήλη
Bucania βυκάνη
bucardia βου- καρδία
Buccinopsis -id(ae -oid ὄψις
buccopharyngeal φαρυγγ-
Bucentaur βου- Κένταυρος

bucephalus βουκέφαλος
-optera πτερόν
Buceros βούκερως
-ot(id(ae inae ine oid)
Buchanite -ίτης
bucnemia βου- κνήμη
bucolan -ism βουκόλος -ισμός
bucoliast βουκολιαστής
bucolic(al(ly βουκολικός
Bucorvus -inae -ine βούκερως
bucrane -ium βουκράνιον
Buddeize -ίζειν
Buddhism -ist(ic(al -ισμός -ιστής -ιστικός
Budorcas -inae -ine βου- δορ-
budytes βουδύτης κάς
bufotoxin τοξικόν
bugloss βούγλωσσος
bugology -ist -λογία -ιστής
bulamize -ίζειν
bulb βόλβος
ed il(la ine ing itis let ose ous
bulbi- βόλβος us y
ferous form
bulbo- βόλβος
capnine cavern(o)us
codium κώδιον
nuclear
phyllum φύλλον
bulbodium βολβώδης
bulburethral οὐρέθρα
bulesis βούλησις
bulimia -iac -ic -ous -y βουλιμία
Bulim(ul)us βούλιμος
-id(ae -oid
Bullatimorphites μορφή -ίτης
bullionism -ist -ισμός -ιστής
Bumastinae βούμαστος
Bumelia βουμελία
Bumetopon βου- μέτωπον
bumpology -o- λογία
bumposopher -σοφος
Bunaia βουναία
Bunium βούνιον
Bunodes -id(ae -oid βουνώδης
bunodont(a βουνός
buno- βουνο-
chalis χάλις
domomorpha δόμος μορφή
hyrax ὕραξ
lophodont λόφος ὀδοντ-
phorus -φορος
selenodont σελήνη ὀδοντ-
theria -ian θηρίον
bunsenite bunsenize -ίτης -ίζ-
Buphagus βου- -φαγος ειν
-a -id(ae -inae -ine -oid
Buphane -(it)ine βου- φαν-
buphthalmia βου- ὀφθαλμία
-ic -ous -um -us
Bupleurum -al -ol βούπλευρος
Buplex βουπλήξ
Buprestis βούπρηστις
-id(ae -idan -oid
Buprorus -id(ae -oid βούπρωρος
buratite -ίτης
Burdigalocrinus κρίνον
bureaucracy -κρατία
bureaucrat -κρατής
ic(al(ly ism ist ize
burglarize burnetize -ίζειν
burialist -ιστής
Burmirhynchia ῥύγχος
Burrite -ίτης
bursopathy -πάθεια
burtonize -ίζειν

bustamite -ίτης
busybodyism -ισμός
but- βούτυρον
adiene alanin(e δι-
ane -al -ol(id
ene -ol -(o)yl -y -ήνη ὕλη
ic -ικός
Butomus βούτομος
-aceae -aceous -ad
butter βούτυρον
aceous cup fish in(e nut oil
butyl βούτυρον ὕλη wort y
amin(e ἀμμωνιακόν
ate ation ene enic ic ine
hypnal ὕπνος
mercaptan
butyn βούτυρον
butyr- βούτυρον
aceous acetate al ate
aldehyde ὑδώρ
amide -in(e ἀμμωνιακόν
anilide
ellite ic ite -ίτης
in(ase διάστασις
oin oid one -οειδής -ώνη
ous(ness
butyro- βουτυρο-
betane βῆτα
lactone γαλακτ- -ώνη
mel
meter μέτρον
nitrile νίτρον
phenone φαιν- -ώνη
scope -σκόπιον
thienone θεῖον -ώνη
tolone toluide -ώνη
buzylene ζωή ὕλη
buzzologue λόγος
byerite -ίτης
bynedestin βύνη ἐδεστός
bynin -ogen βύνη -γενής
Byronism -ist -ite -ize -ισμός -ιστής -ίτης -ίζειν
Byrsops -id(ae -oid βύρσα ὤψ
bysmalith βύσμα λίθος
byss- βύσσος
acanthoides ἄκανθα -οειδής
aceous al
ifera -ous
byssin(e βύσσινος
oid osis -οειδής -ωσις
bysso- βύσσος
causis καῦσις
genous -γενής
lite λίθος
phthisis φθίσις
byssus βύσσος
bythium βυθός
bytownite -ίτης
Byzantine -esque -ism -ize Βυζάντιον -ισμός -ίζειν

cab(b)alism -ισμός
cabalist -ic(al(ly ιστής ιστικός
cabalize(r -ίζειν
Cab(e)iri Κάβειροι
-ean -ian -ic -itic
Cabirops(idae Κάβειροι ὤψ
cablegram(mic γράμμα
cablegraphic γραφικός
cabrerite -ίτης
cac- κακ-
aemia -αιμία
(a)esthenic αἴσθησις
(a)esthesia -is -αισθησία

cac- Cont'd
alia κακαλία αἴσθησις
anthrax ἄνθραξ
emphaton κακέμφατος
Cac(c)abis κακκαβίς
Caccobius κάκκη βίος
cach- καχ-
(a)emia -ic -αιμία
elcoma ἕλκωμα
etic(al καχετικός
exia -y -ic καχεξία
cachrys κάχρυς
Cacia κακία
caciquism -ισμός
cacodorous κακ-
cacodyl κακώδης ὕλη
ate e iacol ic
caco- κακο-
cholia -y -χολία
chylous -ia -y κακόλυλος
chymia κακοχυμία
-ic(al -ious -y
dacnus δάκνειν
d(a)emon κακοδαίμων
d(a)emonia(c -ial κακοδαιμονία
d(a)emonic κακοδαιμονικός
demonize κακοδαιμονίζειν
demono- κακοδαίμων
mania μανία
doxia(n -ical -y κακοδοξία
economy κακοικονόμος
epy -istic κακοέπεια -ιστικός
ethes -ic κακοήθης
galactia -ic γαλακτ-
galia γάλα
gamia -γαμία
gastric γαστήρ
genesis γένεσις
genic(s -γενής
geusia γεῦσις
grapher -γραφος
graphy -ic(al -γραφία
logy -λογία
magician μαγική
melia μέλος
morphosis μόρφωσις
nema νῆμα
nym(ic y κακ- ὄνυμα -ωνυμία
phono- κακόφωνος
phily -ist -φιλία -ιστής
phonous(ly κακόφωνος
phony κακοφωνία
-ia -ic(al -ious -ize -ίζειν
plastic κακόπλαστος
pragia -y κακοπραγία
(r)rhythmic κακόρρυθμος
Cacops κακ- ὤψ
cacosmia κακοσμία
caco- Cont'd
somium σῶμα
sphyxia -y κακοσφυξία
stomia -στομία
syntheton κακοσύνθετος
techny κακοτεχία
thanasia κακοθανασία
thelin(e
thenic(s θῆνια
thesis θέσις
thymia -y κακοθυμία
topia κακ- οὐ τόπος
trophia -y κακοτροφία
type τύπος
xene -ite ξένος -ίτης
zeal -ous κακόζηλον
zyme ζύμη

cacto- κάκτος
graptus γραπτός
Cactus κάκτος
-aceae -aceous -ae -al -iform
-ina -in(e -oid
Cacurgus κακοῦργος
cadechol χολή
Cadm(a)ean -ian Καδμεῖος
cadmia καδμεία
-ic -ide -iferous -io- -ium
cadophore κάδος -φορος
Cadornipora κάδος ὄρνις πόρος
caduceus κηρύκειον
-a -ean -eator
caduci- κηρύκειον
branch(ia iata iate) βράγχια
caecitis -oid -ῖτις -οειδής
caecocolic κῶλον
caelometer μέτρον
caeno- (*or* ceno-) καινο-
cara κάρα
coelius κοιλία
dynamism δύναμις -ισμός
gaea(n γαῖα
genesis γένεσις
genetic γενετικός
lestes λῃστής
morphism μορφή -ισμός
neura νεῦρον
pithecus πίθηκος
pus -odid(ae -odoid πούς
caen- καινός
opsis ὄψις
oryctes ὀρύκτης
caeno- Cont'd
sphaera σφαῖρα
stylic -y στῦλος
therium -iid(ae -ioid θηρίον
zoic ζωικός
Caenotus καινότης
caeoma καίειν -ωμα
-ospore σπορά
Caeporis κηπωρός
Caesalpinoxylon ξύλον
Caesarism -ist -ize -ισμός -ιστής -ίζειν
Caesaro-
papism πάπας -ισμός
tomy -τομία
cafeteria -τηριον
caffe(in)ism -ισμός
caffuric οὖρον
Cahenslyism -ισμός
Caimanoidea -οείδής
Cainism -ite -itic -ισμός -ίτης
caino- καινο-
dactylus δάκτυλος
sternum στέρνον
cainotophobia καινότης -φοβία
Calais calaite κάλαις -ίτης
calam- κάλαμος
agrostis -(id)etum ἄγρωστις
aria -iaceae -iaceous -iae
-iales -ian -iid(ae -iferous
-iinae -iine -(i)oid -ious
-itean -itoid -y
eon
ist -ιστής
istrum -al -ate -ation
calami- κάλαμος
ferous form
calamint(ha καλαμίνθη
calamite -es -ean -oid καλαμίτης
calamo- καλαμο-
cladus κλάδος
dendron δένδρον

calamo- Cont'd
dyta -inae -ine καλαμοδύ-
grapher -γραφος της
herpe ἕρπειν
ichthys ἰχθύς
phloios φλοιός
pitys πίτυς
sperma σπέρμα
spiza σπίζα
stachys στάχυς
calam- Cont'd
ops ὤψ
ura ury us
calander κάλανδρος
Calandra κάλανδρος
-e -elle -id(ae -inae -oid
calandria κύλινδρος
cal- καλ-
anthe ἄνθη
anthemis ἀνθεμίς
apatite ἀπάτη -ίτης
aster ἀστήρ
calath- κάλαθος
ea ide idium is ium us
ephoros καλαθηφόρος
iskos καλαθίσκος
calathi- κάλαθος
florous form
phorum -φορος
calatho- κάλαθος
cladium κλάδος
Calatoides κάλαθος -οειδής
calaverite -ίτης
calcalith λίθος
calcaneo- -οειδής
astragalar -oid ἀστράγαλος
cuboid κυβοειδής
scaphoid σκαφοειδής
calcaphanite ἀφανής -ίτης
calcareoargillaceous ἄργιλλος
calc- clino- κλινο-
bronzite -ίτης
enstatite ἐνστάτης -ίτης
hypersthene ὑπέρ σθένος
calcemia -αιμία
Calchaenesthes καλχαίνειν ἐσθής
Calceocrinus -id(ae -oid κρί-
calcicosis -ωσις νον
calcimeter μέτρον
calcinize -ίζειν
calcio-
ancylite ἀγκύλος -ίτης
biotite βιωτ- -ίτης
celestite -ίτης
dialogite διαλογή -ίτης
ferrite -ίτης
palygorskite -ίτης
rhodochrosite ῥόδον χρώς -ίτης
tantalite Τάνταλος -ίτης
thorite volborthite -ίτης
calci-
pexy -πηξία
phile -ia -ous -φίλος -φιλία
phobe -ae -ous φόβος
phyre πορφύρα
rhynchia ῥύγχος
sponge -iae -ian σπογγιά
thyrid θυρά
calc-
ite itic oid -ίτης -οειδής
calco-
aphanite ἀφανής -ίτης
grapher -γραφος
graphy -ic(al -γραφία
malachite μαλάχη -ίτης

calco- Cont'd
phorous -φορος
sphaeritic σφαῖρα -ίτης
calculagraph -γραφος
calculist -ιστής
calcumeter μέτρον
caledon(ite Καληδονία -ίτης
cal- καλ-
electric(al ity ἤλεκτρον
endyma ἔνδυμα
calendographer -γραφος
calenturist -ιστής
caleometer μέτρον
calicoblast βλαστός
Calidris καλίδρις
californite -ίτης
calimanco καμελαύκιον
caliology -ical -ist καλία λογία
Calipeges καλός πηγός
caliphyony κάλυξ φύομαι
calippic κάλλιπος
Caloi(r)hoe Καλλιρρόη
calisphobia -φοβία
Calla κάλλαια
Callaeas κάλλαιον
-atinae -atine
call(a)esthetic(s -al κάλλος αἰσθητικός
callainite -ίτης
callais κάλαις
cal(l)amanco καμελαύκιον
Callechelys κάλλος ἔγχελυς
calli- καλλι-
anassa -id(ae -oid ἄνασσα
andra ἀνδρ-
anira -id(ae -oid ἀνήρ
asterella -idae -inae ἀστήρ
carpa καρπός
cebus κῆβος
chelidon χελιδών
chelys ἔγχελυς
chroma χρῶμα
demum δέμας
Callichthys κάλλιχθυς
-yid(ae -yoid(ei
callidium καλλός -ίδιον
calligraph(er καλλιγράφος
ic(al(ly καλλιλραφικός
calligraphy -ist καλλιγραφία
Callima -us κάλλιμος
Callimation καλλ- ἱμάτιον
calli- Cont'd
metopus μέτωπον
metric μετρικός
morpha καλλίμορφος
onymus καλλιώνυμος
-id(ae) -inae -oid
ope Καλλιόπη
opsis ὄψις
pepla πέπλος
prason πράσον
pyga -ian καλλίπυγος
rhytis ῥυτίς
rrhipis ῥιπίς
callisectionist -ιστής
callisteia καλλιστεῖα
Callistus κάλλιστος
calli- Cont'd
sphyris καλλίσφυρος
stemon στῆμων
stephin(ium στέφανος
stephus στέφος
sthenic σθένος
al eum ium -ics
thamnion θαμνίον
thryx καλλίθρυξ
thumpian

calli- Cont'd
triche καλλίτριχος
-aceae -aceous -idae
tris trol(ic
type -y τύπος -τυπία
urus οὐρά
xylon ξύλον
callo- καλλο-
cephalon κεφαλή
cysites κύστις -ίτης
dendron δένδρον
gobius
lytic λυτικός
mania μανία
menus μήν
phylla φύλλον
pistus καλλωπιστής
rhinus ῥίν
rhynchus ῥύγχος
spilopteron σπίλος πτερόν
technics τεχνικός
Calluella -id(ae -oid κάλλος
Calluna καλλύνειν
callus-
heteroplasy ἑτερο- πλάσις
homooplasy ὁμ- πλάσις
metaplasy μετά πλάσις
calm καῦμα
ant ative er ly ness y
calo- καλο-
batinus βάτινος
chironomus χειρονόμος
chortus χόρτος
cub
demonial δαίμων
dendron δένδρον
enas -adin(ae καλ- οἴνη
graphy -γραφία
limnophila λιμνο- -φιλος
mel(ol μέλος
nectria νέκταρ
nyction νύκτιος
pasta πάσσειν
phantic -φαντικός
phyllum φύλλον
pogon πώγων
psitta -inae -ine ψίττα
ptenobia πτηνο- βίος
ptenus πτηνός
calori-
genetic γενετικός
genic -γενής
meter metry μέτρον -μετ-
metric(al(ly μετρικός ρία
scope -σκόπιον
tropic -ism τροπή -ισμός
calorist -istic -ιστής -ιστικός
calorite -ίτης
calorize(r -ator -ίζειν
calo- Cont'd
soma σῶμα
sphaeria σφαῖρα
stega στέγη
stoma στόμα
termes
tingis Τίγγις
tropis τρόπις
type -ic -ist τύπος
caloyer καλόγερος
Calpha Calpe -idae κάλπη
calpar κάλπις
Calpazia καλπάζειν
calpicarpum κάλπις καρπός
Calpidoporidae κάλπις πόρος
Calpiocrinidae κάλπιον κρίνον
calsons καλλζούνιον
calumet κάλαμος

Calummatotheca κάλυμμα
calumnize -ίζειν θήκη
caluret οὖρον
Calurus καλός οὐρά
Calvinism -ize -ισμός -ίζειν
Calvinist(ic(al(ly -ιστής -ισ-
calybio καλύβιον τικός
calybite καλυβίτης
calyc- καλυκ-
alis als
anth ἄνθος
aceae aceous in(e us
anthemous -y καλυκάνθεμον
(e)ate ia
ceraceae -eous κέρας
in(al(is inar ine
calyci- καλυκ-
ferous form
florae -al -ate -ous
lepidotus λεπιδωτός
calycle -ed καλυκ-
calycoid(eous καλυκ- -οειδής
calyco- καλυκο-
crinus κρίνον
nect(ae ous νηκτός
phore -φορος
-a -ae -an -id(ae -ous
stamen στήμων
zoa -oan -oic -oon ζῷον
calycule καλυκ-
-a -ar -ate(d -us
calymmato- κάλυμμα
bacterium βακτήριον
phorus -φορος
theca θήκη
caly(m)mene κεκαλυμμένη
-id(ae -oid
Calymmophis κάλυμμα ὄφις
calyphyomy κάλυξ φύομαι
Calpyso Καλυψώ
Calypte καλυπτός
calypter καλυπτήρ
calypteria καλυπτήριον
calypto- καλυπτός
blastea(n -ic βλαστός
cephalus κεφαλή
crinid(ae -oid κρίνον
dera δέρη
ides -o -ειδής
lite λίθος μενος
mena -inae -ine καλυπτό-
mera -e -ous μηρός
phyllum φύλλον
rhynchus ῥύγχος
spora σπορά
Calyptopis καλυπτός -ῶπις
calyptra καλύπτρα
-aea -aeid(ae -aeoid
-atae -ate
thalamogens θαλαμο- γένος
calyptri- καλύπτρα
form morphous μορφή
calyptrogen καλύπτρα -γενής
Calyptulus καλυπτήρ
Calystegia κάλυξ στέγη
calyx κάλυξ
camaco- κάμαξ
pselaphus ψηλαφάειν
Camaldolite -ίτης
camara καμάρα
saurus stome σαῦρος στόμα
camar- καμάρα
ata ate ia ius
odonta ὀδοντ-
otus καμαρωτός
camaro- καμάρα
stoma στόμα

Cambarus -id(ae -oid κάμμα-
camber(keeled καμάρα ρος
cambiogenetic γενετικός
cambism -ist(ry -ισμός -ιστής
camel κάμηλος
cade eer ier in(e ish(ness y
camel- κάμηλος
odon ὀδών
oid καμηλώδης
opsis ὄψις
ornithes ὀρνίθες.
us id(ae oid(ea (n
camelaucium καμελαύκιον
camelephant ἔλεφας
Camelina -e χαμαί λίνον
camelo- καμηλο-
cerambyx κεράμβυξ
pard καμηλοπάρδαλις
al(is el idae us
cameo-
conch type κόγχη τύπος
camera καμάρα
phone φωνή
camer- καμάρα
al(ism ist(ic(s) -ισμός -ιστής
ata ate(d ation -ιστικός
in(e ist -ιστής
lengo lingo
ula
cameri- telous καμάρα
camero- stoma καμάρα στόμα
camis- καμίσιον
a cia e ia ole ter
cammaron -um κάμμαρος
camnium κάμνειν
camomile χαμαίμηλον
Camorrism -ist -ισμός -ιστής
campano-
logy -er -ical -ist -λογία
Campbellism -ite -ισμός -ίτης
campe- κάμπη
phaga -φαγος
-id(ae -inae -ine -oid
philus -φιλος
camph- καμφορά
acol ane (-ic -yl) ὕλη
ene -ic -ol -one -onic -ylic
enil- -ώνη ὕλη
ane anic anol ene ol(ic one
onic (ol)yl -ώνη ὕλη
idine idone iline ine ire
oce-
an(e ene enic
oid -οειδής
ol(ene enic ic id(e)
one -ώνη
-an(e -anic -ene -enic -olic
campho- καμφορά -onic
chol χολή
gen -γενής
lyptus καλυπτός
lytic λυτικός
phenique φαιν-
pyrazolon πύρ ἀ- ζωή
camphor καμφορά
a aceous al ate(d ene ic id
amic imide ἀμμωνιακόν
ism ize -ισμός -ίζειν
one -ic -ώνη
ous -y
oxol ὀξύς
yl(ene ic idene) ὕλη
camphoro- καμφορά
mania yl μανία ὕλη
campho- Cont'd
sal
thetic συνθετικός

camphossil καμφορά
camphretic καμφορά
camphyl καμφορά ὕλη
amine ἀμμωνιακόν
campi-
meter metry -ical μέτρον
camp- κάμπη -μετρία
odea -ώδης
-eae -ean -eid(ae -eiform
-eoid(ea -idae
oniscus ὀνίσκος
campo- κάμπη
notus νῶτος
pera πήρα
phaga -φαγος
-id(ae -inae -ine -oid
philus -φιλος
stoma -inae -ine στόμα
campsis κάμψις
Campsopyga καμψός πυγή
campterium καμπτήρ
campto- καμπτός
cormia -y κορμός
dactylia δάκτυλος
drome -ous δρόμος
laemus λαιμός
camptonite -ίτης
Camptoplites καμπτός ὁπλίτης
campto- Cont'd
phyllia φύλλον
saurus -idae σαῦρος
sorus σωρός
thlipsis θλῖψις
trich τριχ-
tritoma τρίτομος
tropal -τροπος
tropis τρόπις
tropism τροπή -ισμός
camptulicon καμπτός οὖλος
campuli- = campylo-
campyl- καμπύλος
aeopsis ὄψις
aspis -(id)id(ae -idoid ἀσπίς
idium ite -ίδιον -ίτης
campylo- καμπυλο-
drome -ous δρόμος
graph -γραφος
meter μέτρον
neuron νεῦρον
phyllum φύλλον
rhynchous ῥύγχος
rhynchus -inae -ine
spermous -ate σπέρμα
tropism -al -ous τροπή
-ισμός
Canaanite -ess -ic -ish -ίτης
Canachites καναχίζειν
canalize -ation -ίζειν
canaster κάναστρον
cancellationist -ιστής
cancerism -ite -ισμός -ίτης
canceroderm δέρμα
cancer(o)phobia -φοβία
Cancriamoeba ἀμοιβή
cancrology λογία
cancrophagous -φαγος
candite -ίτης
candys κάνδυς
cane κάννα
Canella κάννα
-aceae -aceous -in
caneology κάννα λογία
canephor(e a os us κανηφόρος
canfieldite -ίτης
can(n)ister κάναστρον
canna κάννα
-aceae -aceous -oid

cannab- κάνναβις
ene
in(e in ol one
indon Ἰνδικός
is ic ine ism -ισμός
cannabi- κάνναβις
tetanin τέτανος
cannon κάννα
ade eer ier ry
archy -αρχία
canno- κάννα
pylea -ean πύλη
raphis -ididae ῥαφίς
sphaera -id(ae -ida -oid
σφαῖρα
stomae -ous στόμα
cannula -ar -ate(d κάννα
canoeist -ιστής
cañon(cito κάννα
canon κανών
ess ial(ly -ιστικός
ism ist(ic(al -ισμός -ιστής
ize -ant -ation -er -ίζειν
ly ry ship wise
canonic κανονικός
al(ly alness als ate ity -ics
canophilist -φιλία -ιστής
Canopus -ic Κάνωπος
canopy κωνωπεῖον
cant(ed een el) κανθός
cantar κάνθαρος
canthal κανθός
canthar- κάνθαρος
ellus
iasis -ιασις
oid olic us
olethrus ὄλεθρος
cantharid κανθαρίς
ae al ate(d ean es ian ic in(e
ism ize -ισμός -ίζειν
Cantharis -ene -ic -ol κανθαρίς
cantharo- κάνθαρος
philae -ous -φιλος
canth- κανθός
ectomy -εκτομία
eliophorus κανθήλιος -φο-
canthi- κανθός ρος
gaster(id(ae γαστήρ
canthon κάνθων
cantho- κανθός
lysis λύσις
plasty -ic -πλαστία
rraphy -ραφία
tomy -τομία
canthus κανθός
Canthyloscelis κανθύλη σκελίς
cantilever cantinier(e κανθός
cantle cantlet κανθός
canton κανθός
al(ism ed ée er ist ite ize
ment -ισμός -ιστής -ίτης
-ίζειν
canula etc. = cannula etc.
canvas(ado back κάνναβις
canvass(er κάνναβις
cany canyon κάννα
capelocracy κάπηλος -κρατία
caper κάππαρις
Capernaism -ισμός
Capernaite -ic(al(ly -ish -ίτης
Caphora καφώρη
capillar-
ectasia -εκτασία
imeter μέτρον
itis -ῖτις
oscopy -σκοπία
Capillirhynchia ῥύγχος

Capitibranchia -iata -iate
βράγχια
Capitosaurus -idae σαῦρος
Capnia καπνία
capno- καπνο-
calymma κάλυμμα
mancy μαντεία
mor μόρα
tycha τύχη
Capnodis -ium καπνώδης
Capnoides καπνός -οειδής
capitalism -ist(ic(ally -ization
-ize -ισμός -ιστής -ιστικός
capon κάπων -ίζειν
ier(e et ize(r
Capparimyia κάππαρις μυῖα
Capparis κάππαρις
-id(aceae -idaceous
cappelenite -ίτης
caprantilopine ἀνθόλοψ
Capricornid -ίς(-ιδες)
caprigenous -γενής
capril(ic = capryl(ic
Capriote -ωτης
caprizant καπρίζειν
Caprodes κάπρος -ώδης
Caprodon κάπρος ὀδών
capro- καπρο-
amide ἀμμωνιακόν
ate ic in
lactone γαλακτ- -ώνη
meryx μήρυξ
mys myan μῦς
nitrile νίτρον
phenone φαιν- -ώνη
capr- κάπρος
one -ic -ylene -ώνη ὕλη
yl ὕλη
amide amin(e ἀμμωνιακόν
ate ene ic ine one yl -ώνη
ylonitrile ὕλη νίτρον
Capros -oid(ae κάπρος
capsitis -ῖτις
capso-
mania tomy μανία -τομία
capsuligenous -γενής
capsulitis -ῖτις
capsulo-
rrhaphy -ῥαφία
tome -y -τομον -τομία
Capsus κάπτειν
-id(ae -ina -ini -oid
Captorhinidae ῥίν
carabo- κάραβος
crinus -id(ae -inae -oid κρί-
Carabus κάραβος νον
-id(ae an eous oid) -oid(ea(n
caracolite -ίτης
caract χαρακτήρ
acaster ἀστήρ
caramel κάλαμος
ization ize -ίζειν
carane κάρον
Carangops ὤψ
Caranistes καρανιστής
carat κεράτιον
caravel κάραβος
caraway κάρον
carb-
acidometer μέτρον
am- ἀμμωνιακόν
ate ic id(e idin ido in(e inic
anilyl ὕλη ino yl
asus κάρπασος
az- ἀ- ζωή
ate ic id(e in(ate e ic) ol(e
ic ine) one otate otic

carb- Cont'd
enzyme ἔνζυμος
ethoxy αἰθήρ ὀξυ-
hydrate ὑδρ-
imid(e ἀμμωνιακόν
inamine ἀμμωνιακόν
indigo Ἰνδικός
inolization -ίζειν
inyl ὕλη
iso- = carboiso-
ithioic θεῖον
carbo-
azotin(e ἀ- ζωή
butoxy βούτυρον ὀξυ-
ceric κηρός
cinchomeronic μέρος
cyamine κύανος
cyclic κυκλικός
di- δι-
anil nicotinic tolil
imide ἀμμωνιακόν
phenyl- φαιν- ὕλη
amide ἀμμωνιακόν
dynamite δύναμις -ίτης
h(a)emia -αἱμία
h(a)emoglobin αἱμο-
hydr- ὑδρ-
ate -uria -ουρία
azid(e ἀ- ζωή
id(e ous
iso- ἰσο-
butoxy βούτυρον ὀξυ-
propoxy πρωτ- πίων ὀξυ-
lite λίθος
carbol-
igase διάστασις
ism ize -ισμός -ίζειν
lysoform λύσις
uria -ουρία
utite -ίτης
xylol -ene ξύλον
carbo- Cont'd
meter μέτρον
methene methoxy μέθυ ὀξυ-
nitrid νίτρον
carbon-
(a)emia -αιμία
anion ἀνιών
arism -ισμός
ate-
apatite ἀπάτη -ίτης
meionite μείων -ίτης
atization -ίζειν
atosodalite λίθος
igenous -γενής
imid(e ic ἀμμωνιακόν
ist ite -ιστής -ίτης
ize(r -ation -ίζειν
uria -ουρία
yl ὕλη
amine ἀμμωνιακόν
ene ic
carbono-
hydrous ὑδρο-
meter metry μέτρον -μετρία
phosphate φωσφόρος
carbo- Cont'd
philous -φιλος
phosphate φωσφόρος
propoxy πρωτ- πίων ὀξυ-
pyridic πῦρ
pyrotritaric πυρο- τρι- τάρταρον
pyrride -olic πυρρός
quindoline Ἰνδικός
rudite -ίτης
styril στύραξ

carbo- Cont'd
thi- θεῖον
aldine olonic -ώνη
thiocyanine θεῖον κύανος
carbox- ὀξύς
amide ἀμμωνιακόν
id(e
yl(ase ic) ὕλη διάστασις
carboxy- ὀξυ-
hemoglobin(emia αἱμο- -αιμία
carbro(mal βρῶμος
carbunculosis -ωσις
carbur(et)ization -ίζειν
carburize(r -ίζειν
carburometer μέτρον
carbyl(amine ὕλη ἀμμωνιακόν
Carcharias καρχαρίας
-iid(ae -ina -inus -ioid(ae -ioidean -ioidei
Carcharodon(t(inae καρχαρόδων
carchesium καρχήσιον
carcin- καρκίνος
elcosis ἕλκωσις
odes καρκινώδης
ops ὤψ
osis -ωσις
ous us
carcino- καρκινο-
baena βαίνειν
genesis γένεσις
id(a καρκινοειδής
logy -ical -ist -λογία -ιστής
lytic λυτικός
morpha -ic μορφή
phagous -φαγος
sarcoma σάρκωμα
scorpius σκορπίος
carcinoma καρκίνωμα
-atoid -atosis -atous -ωσις
-atophobia -φοβία
-elcosis ἕλκωσις
card χάρτης
cardamin(e(tum καρδαμίνη
cardamom -um καρδάμωμον
cardia καρδία
cirrhosis κιρρός -ωσις
gram γράμμα
graph(y -γραφος -γραφία
meter μέτρον
cardiac καρδιακός
al le pulmonic
cardi- καρδι-
acea aceae acean
agra ἄγρα
algia -y καρδιαλγία
algic καρδιαλγικός
amorphia ἀμορφία
anastrophe ἀναστροφή
aneuria ἄνευρος
ant
asthenia ἀσθένεια
ataxia ἀταξιά
atrophia -y ἀτροφία
azol(e ἀ- ζωή
centesis κέντησις
ectasis ἔκτασις
ectomy -ized -ἐκτομία
elcosis ἕλκωσις
Cardilia -iid(ae -ioid καρδία
cardin καρδία
cardinalism -ist -ize -ισμός -ιστής -ίζειν
Cardinirhynchia ῥύγχος
cardio- καρδιο-
arterial ἀρτηρία
blast βλαστός
cele κήλη

cardio- Cont'd
centesis κέντησις
cephalus κεφαλή
clasis clasia κλάσις
coelom(ic κοίλωμα
conch(ae κόγχη
dilator
diogmus δι- ὄγμος
dynamics δυναμικός
dynia καρδι- -ωδυνία
ecia καρδι- -οικία
genic -γενής
genius γένειον
gnostic γνωστικός
gram γράμμα
graph -γραφος
graphy -ic -γραφιά
hepatic ἡπατικός
id καρδιοειδής
inhibition inhibitory
kinetic κινητικός
Cardiola -id(ae -oid καρδία
cardio- Cont'd
lith λίθος
logy -λογία
lysis -in λύσις
malacia μαλακία
megaly μεγάλη
melanosis μελαν- -ωσις
meter metry -ic(al μέτρον -μετρία
motility
myoliposis μυο- λίπος -ωσις
nephric νεφρός
neural -osis νεῦρον -ωσις
palmus παλμός
paraplasis παράπλασις
path(y ic πάθος -πάθεια
pericarditis περικάρδιον -ῖτις
phobia -φοβία
phone φωνή
plasty -πλαστία
plegia -πληγία
pneumatic πνευματικός
pneumograph πνεῦμα -γραφος
ptosis πτῶσις
pulmonic -ary puncture
pyloric πυλωρός
renal respiratory
rrhaphy -ῥαφία
(r)rhexis ῥῆξις
schisis σχίσις
sclerosis σκλήρωσις
scope -σκόπιον
spasm σπασμός
spermum σπέρμα
sphygmo- σφυγμο-
gram graph γράμμα -γραφος
stenoma στένωμα
stenosis στένωσις
symphysis σύμφυσις
therapy θεραπεία
tomy -τομία
tonin τόνος
toxic τοξικόν
tromus τρόμος
valvulitis -ῖτις
vascular vasal visceral
cardiphonia καρδι- -φωνία
cardita καρδία
-acea(n -e -ian -id(ae -oid
carditis καρδία -ῖτις
Cardium καρδία
-iadae -idae -iid(ae -ioid
cardivalvulitis καρδι- -ῖτις
cardol καρδία
cardophagus κάρδος -φαγος
Carebara καρηβαρής

Careliparis κάρη λιπαρός
Caremitra κάρη μίτρα
Carenchelyi -ous κάρη ἔγχελυς
carene κάρον
Carenum κάρηνον
careotrypanosis τρύπανον
caricaturist -ιστής -ωσις
carico-
grapher -γραφος
graphy -γραφία
logy -ist -λογία -ιστής
Caricyphus -idae καρίς κυφός
Carida καριδ-
-ea(n -es -idae -oid
Caridomorpha -ic καριδ μορφή
cariopside -eous κάρυον
Carl(ysl)ism -ist -ισμός -ιστής
Carmelite -ess καρμηλίτης
carminite -ίτης
carmino-
phil quinone -φιλος -ώνη
carnalism -ist -ize -ισμός -ιστής -ίζειν
carnallite -ίτης
carnationist -ιστής
carnaubyl ὕλη
carnelionyx ὄνυξ
Carneospongiae -ian σπογγία
carnivoraphyte φυτόν
carno-
gen phobia -γενής -φοβία
carnotite -ίτης
carol carol(l)er χοραύλης
carollite -ίτης
carosiolite λίθος
carotic καρωτικός
-icotympanic τύμπανον
Caroticum καρωτίδες
carotid(al ean καρωτίδες
carotin καρωτόν
emia oid -αιμία -οειδής
Carotis καρωτίδες
caroubinose γλεῦκος
carp- καρπός (two words)
adelium -us ἄδηλος
al(e
amic ἀμμωνιακόν
ectomy -εκτομία
el(ized -ίζειν
ell-
ary ate ody um -ωδία
ellotaxis τάξις
Carphina κάρφος
carpho- καρφο-
borus βορός
ides καρφοειδής
lite λίθος
logia -y legy -λογία
siderite σιδηρίτης
spore σπορά
Carphophis κάρφος ὄφις
carp- Cont'd
id(ium ilic iline itis ium -ῖτις
carpo- καρπο-
asci- ous ἀσκός
balsamum καρποβάλσαμον
capsa κάψις
carpal καρπός
cephalum κεφαλή
cerite κέρας
clonium κλωνίον
crinidae κρίνον
dacus δάκος
daptes δάπτης
dectes δέκτης
dermis δέρμα
des καρπός -ώδης

carpo- Cont'd
detus δετός
gam γάμος
gamy -γαμία
genium -ic -ous -γενής
gnathite γνάθος -ίτης
gone -ial -ium γόνος
gonidium γόνος -ίδιον
graphy -γραφία
idea καρπός -οειδής
lite lith(us λίθος
logy -ical(ly -ist -λογία -ιστής
lonchaea λογχαῖος
mania -y μανία
mela πιον
metacarpal -us μετακάρ-
nycteris -iinae -iine νυκτε-
pedal ρίς
phaga -ous καρποφάγος
phalangeal φαλαγγ-
philus -φιλος
phore -φορος
phyl(l φύλλον
phyte -ic φυτόν
podite -ic ποδ- -ίτης
podium ποδίον
ptosis πτῶσις
Carpos καρπός
carpo- Cont'd
soma σῶμα
sperm σπέρμα
sphere σφαῖρα
spore σπορά
-angium -ial ἀγγεῖον
-eae -ic -iferous -ous
sporophyte σποροφυτόν
stome στόμα
strote στρωτός
carpous -καρπος
Carpus καρπός
Carranzista -ιστής
carrolite -ίτης
carrot(y -iness καρωτόν
Cartallum κάρταλλος
carte χάρτης
Cartecytis καρτός σκύτη
cartel χάρτης -ίζειν
cartelist -ization -ize -ιστής
carteneograph χάρτης νεο- -γραφον
Carterica καρτερικός
Carterus καρτερός
Cartesianism -ισμός
carthamic -in(e ἀμμωνιακόν
cartilaginoid -οειδής
cartilagotropic τροπικός
carto- χαρτο-
gram γράμμα
graph(er -γραφος
graphy -ic(al(ly -ist -γραφία
logy -λογία
mancy μαντεία
carton(nage χάρτης
cartoon(ery ist χάρτης -ιστής
cartouche χάρτης
cartridge χάρτης
cartulary χάρτης
Carum κάρον
carus κάρος
carusophone φωνή
carv- κάρον
acrol- yl(amine ὕλη ἀμμω-
elone -ώνη νιακόν
ene -one -yl -ώνη ὕλη
(e)ol estrene
one -ώνη

carv- Cont'd
oxime ὀξύς ἀμμωνιακόν
yl(amine ἀμμωνιακόν
carvel κάραβος
carvo- κάρον
menthol -ene -one μίνθα
pinone -ώνη -ώνη
Carya καρύα
caryate -ic Καρυάτιδες
caryatid(al ean ic) Καρυά-
cary- καρυ- τιδες
diopora δι- πόρος
ichthys ἰχθύς
in(e inite καρύινος -ίτης
caryl(amine ὕλη ἀμμωνιακόν
caryo- καρυο-
borus βορός
branchia βράγχια
car(aceae aceous κάρα
cerite κέρας -ίτης
chrome χρῶμα
cinesis κίνησις
cinetic κινητικός
crinus κρίνον
cystidae cystites κύστις
gamic γάμος -ίτης
logic λόγος
lymph νύμφη
lysis lytic λύσις λυτικός
merites μέρος -ίτης
microsoma μικρο- σῶμα
mitome μίτος
phil(lin -φιλος
phyll- καρυόφυλλον
aeus id(ae oid
ic ate ene in(ic ol
us (ac)eae (ac)eous oid
phyta φυτόν ous
pilite πῖλος -ίτης
plasm(ic πλάσμα
pteris πτερίς
(r)rhexis -y ῥῆξις
some σῶμα
theca θήκη
zoic ζωικός
zymogen ζύμη -γενής
Caryopsis -ide -ideus κάρυον
Caryota καρυωτός ὄψις
casease διάστασις
caseinhydrol ὑδρ-
caseinogen(ous -γενής
caseinokyrin(e κῦρος
caseiodin(e ἰώδης
caseoplastein πλαστός
casoid -οειδής
Cassandra Κασσάνδρος
cassia Κασσία
cassidony χαλκηδών
Cassiepe(i)a Κασσιέπεια
cassinite -oid -ίτης -ο -ειδής
Cassiope Κασσιόπη
Cassiopeia(n -eium Κασσιό-
cassiterite κασσίτερος πεια
Cassytha κασύτας
Castalia(n -y Κασταλία
castan- κάστανον
a ea(n ella eous et ian idae
opsis ὄψις in ite
castaneo- κάστανον
piccous
castano- κάστανον
pora spermum πόρος σπέρ-
castelagenin -γενής μα
Castor(ite Κάστωρ -ίτης
castor κάστωρ
ate ial ic id(ae in(e oid(es
id(ae oid)

castoreum -y καστόριον
castoro- κάστωρ
morph μορφή
castrography -γραφία
casuist -ιστής
ess ic(al(ly ics ry -ιστικός
caswellite -ίτης
cat- κατ-
cata- κατα-
ballitive βάλλειν
baptism καταβαπτισμός
baptist(ical ry καταβαπτισ-
basia καταβασία τής
basial βάσιον
basion καταβάσιον
basis κατάβασις
batic καταβατικός
bibazon καταβιβάζων
biosis biotic καταβίωσις
bol- καταβολή -ωτικός
-ergy -εργία
ic in ism -ισμός
ite(s ize -ίτης -ίζειν
brithorax καταβρίθειν θώ-
cathartic καθαρτικός ραξ
causis καῦσις
caustic καυστικός
chresis κατάχρησις κός
chrestic(al(ly καταχρηστι-
chthonian -ic καταχθόνιος
cladous κλάδος
clasm(ic κατάκλασμα
clastic κατακλαστός
cl(e)isis κατάκλεισις
clesium κλῆσις
clinal κατακλινής
clysm κατακλυσμός
al atic (at)ist ic(ally
comb(ish κύμβη
corolla
cat- κατ-
acoustics ἀκουστικός
acromyodian ἀκρο- μυώδης
cata- Cont'd
(di)crotic -ism κρότος
δίκροτος -ισμός
didymus δίδυμος
dioptric(al -ics διοπτρικός
drome -ous δρόμος
drome -us κατάδρομος
dupe Κατάδουποι
dysas -id(ae -oid κατάδυσις
genesis γένεσις
genetic γενετικός
catagmatic κατάγμα
cata- Cont'd
graph καταγραφή
grapha κατάγραφος
lalus κατάλαλος
lase καταλάσσειν
lectic καταληκτικός
lecticant καταλεκτέον
lects Κατάλεκτα
lepsis -y κατάληψις
leptic καταληπτικός
-iform -ize -oid -ίζειν
lexis κατάληξις -οειδής
catallact(a καταλλακτ-
ic(ally -ics καταλλακτικός
cata- Cont'd
log κατάλογος
ue (u)er ic(al istic (u)ish
(u)ist (u) ize -ιστής
-ιστικός -ίζειν
lysis -in lyst κατάλυσις
lysotype κατάλυσις τύπος
lytic(al(ly καταλυκτικός

cata- Cont'd
lyze(r -ation -ator κατάλυσις
catambly- κατ- ἀμβλυ-
rhynchus -idae ῥύγχος
cata- Cont'd
menia -ial καταμήνια
metadromous μετά δρόμος
metopa μετόπη
mite -ed -ing Γανυμήδης
mnesia κατ- ἀμνησία
monus κατάμονος
morphism μορφή -ισμός
cat- Cont'd
an(a)dromous ἀνά δρόμος
ananche κατανάγκη
catapan κατεπάνω
cata- Cont'd
pasm κατάπασμα
peltic καταπελτικός
petalous πέταλον
petasma καταπέτασμα
phasia -φασία
phatic καταφατικός
phonic(s φωνή
phora καταφορά
phoresis phoretic φόρησις
φορητός
phoric καταφορικός
phorite κατάφορος -ίτης
photography φωτο- -γραφία
phract καταφράκτης
a ed i ic
phrenia φρῆν
phronetis καταφρονητής
phrygian(ism Καταφρύγας
-ισμός
phyl(l(um ary φύλλον
phylaxis φύλαξις
physic(s φυσικός
piesis καταπίεσις
piestus καταπιέζειν
pionus πίων
plasis -ia -y πλάσις
plasm(a ic(al κατάπλασμα
plastic πλαστός
plectic καταπληκτικός
pleiite πλεῖον -ίτης
plexis -ia -y κατάπληξις
catapophysis -ial κατ- ἀπόφυ-
cata- Cont'd σις
potia -ion puce καταπότιον
pult(ier ic καταπέλτης
pycnus κατάπυκνος
pyges κατάπυγος
pyrgodesmus πυργο- δέσ-
ract καταρράκτης μος
ed ic(al ine ous
ocatapiesis καταπίεσις
catarinite -ίτης
catarrh κατάρροος
al (e)ous ish
Cata(r)rhina -e -i κατάρρις
cata- Cont'd
sarca sark κατάσαρκος
schisma σχίσμα
scopus κατάσκοπος
spilite κατάσπιλος -ίτης
sta κατάστασις
stagmus καταστάγμός
staltic κατασταλτικός
stasis κατάστασις
state -ic στατός
sterism καταστερισμός
stomi etc. = Catostomi etc.
strophe καταστροφή
-al -ic(al(ly -ism -ist
stygnus κατάστυγνος

cata- Cont'd
syllogism συλλογισμός
thermic θερμή
thermometer θερμο- μέτρον
tonia etc. = katonia etc.
tricrotic -ism τρίκροτος -ισ-
tropia τροπή μός
type -y τύπος -τυπία
typic κατατυπικός
vertebral
catcallist -ιστής
catechesis κατήχησις
-etic(al(ly -ics κατηχητικός
catechism κατηχισμός
catechist(ic(al(ly κατηχιστής
catechize κατηχίζειν
-able -ation -er
catecholase διάστασις
catechone -ώνη
catechumen κατηχούμενος
al ate ical(ly ism ist ize ship
categorem(a κατηγόρημα
-atic(al(ly
categoric κατηγορικός
al(ly alness
categoricoalternative
category κατηγορία
-ist -ization -ize(r -ιστής
cat- Cont'd -ίζειν
electrode ἤλεκτρον ὁδός
electro- ἠλεκτρο-
tonus -ic(ally -ous τόνος
ellagic
erictus κατερικτός
catenoid -οειδής
cath- καθ-
alochromy ἀλο- χρῶμα
cathamma -al κάθαμμα
Cathari Καθαροί
-(an)s -ian -ism -ist(ic
Cathariotrema καθάριος τρῆμα
catharism καθαρισμός
Catharista καθαρός
catharize(r -ation καθαρίζειν
catharma κάθαρμα
catharmos καθαρμός
catharsis κάθαρσις
Catharsius καθάρσιος
Cathartes καθαρτής
-ae -id(ae es) -inae -ine -oid
cathartic -ate καθαρτικός
al(ly alness
catharto καθαρτής
genic -in -γενής
mannite μάννα -ίτης
Cathartornis καθαρτής ὄρνις
Catharus καθαρός
cathectic καθεκτικός
cathedra καθέδρα
-ated -atic(al(ly -aticum
cathedral καθέδρα
ed esque ic ish ism ist ize
cathegumen καθηγούμενος
cathemoglobin κατ- αἱμο-
catheretic καθαιρετικός
Catherpes καθέρπειν
cathetal κάθετος -ίζειν
catheter(ize -ization καθετήρ
catheterism καθετηρισμός
catheterostat καθετήρ στατός
catheto- κάθετος
meter μέτρον μετικός
cathetus κάθετος
cathexis κάθεξις
cathion καθ- ἰόν
cathism(a κάθισμα
cathisophobia καθίζειν -φοβία

cathode -al -ic(al(ly κάθοδος
cathodo- κάθοδος
excitation luminescence
graph graphy -γραφος γρα-
phoresis φόρησις φία
catholic καθολικός
al(ly alness ate ism ist ity ize
ly ness on os us -ισμός
-ιστής -ίζειν
catholyte κάθοδος λυτός
Cathorama κατ- ὅραμα
Cathormioceras καθόρμιον
κέρας
Cathorops καθοράειν ὤψ
cathoscope κάθοδος -σκόπιον
Catilinism -ισμός
Catillocrinus -id(ae -oid κρί-
cation κατ- ἰόν νον
catlinite -ίτης
cato- κάτω
blepas κατῶβλεψ
cala καλός
cathartic καθαρτικός
cladous κλάδος
genic -γενής
catoche -us κατοχή κάτοχος
Catodon -ont(a idae) κατ- ὀδών
Catolethrus κατ- ὄλεθρος
Cato(n)ism -ισμός
catoose -ed χάρτης
cato- κάτω
phoria psilia φόρος ψίλος
catopter κατοπτήρ
Catoptes κατόπτης
catoptron κάτοπτρον
-ic(al(ly -ics κατοπτρικός
-ite -ίτης
catoptro- κατοπτρο-
mancy mantic μαντεία
phobia -φοβία
scope -σκόπιον
cato- Cont'd
stome στόμα
e i id(ae ina(e ine oid us
tretus τρητός
tropia = katotropia
Caturus -id(ae -oid κατ- οὐρά
Catypnes κάθυπνος
Caucasian -ic -oid καύκασος
caudocephalad κεφαλή
Caulerpa καυλός ἕρπειν
-aceae -aceous
cauli-
genous -γενής
theca θήκη
caulo- καυλο-
bulb βολβός
calyx κάλυξ
carpic -ous καρπός
cephalus κεφαλή
caulode καυλώδης
cauloid καυλός -οειδής
caulome -ic καυλός -ωμα
caulo- Cont'd
phryne φρύνη
phyllo- φυλλο-
sapogenin saponin -γενής
phyllum -in(e φύλλον
pteris πτερίς
rhizous ῥίζα
sapogenin -γενής
saponin
sarc σαρκ-
sterin -ol στερεός
taxis -y τάξις -ταξία
cauma -atic καῦμα
caum- καῦμα

caum- Cont'd
esthesia -αισθησία
ontisphinctes ὄντα
σφιγκτός
causalgia καυσός -αλγία
causia καυσία
caustic καυστικός
al(ly ate ator ity ize ly ness
caustify καυστικός um
causto- καυστός
biolith βιο- λίθος
Causus -id(ae -oid καυσός
cauter καυτήρ
ant ism odes -ισμός -ώδης
cauterize(r -ation καυτηριά-
cautery καυτήριον ζειν
caval- καβάλλης
cade ier(e ish(ness ism ly
ness o ship) la le li la(r)d
ly ry(man
cavascope -σκόπιον
cavern-
ist itis oma -ιστής -ῖτις
cavitis -ῖτις -ωμα
Cean Κεῖος
Canothus -ine κεάνωθος
ceasmic κέασμα
Cebichthys κῆβος ἰχθύς
yid(ae -yinae -yoid
Ceblepyris κεβλήπυρις
-inae -ine
cebocephalic -us κῆβος κεφαλή
Cebus -id(ae -inae -oid κῆβος
c(a)ecectomy -εκτομία
Cechensternum κεχην στέρνον
cecidium κηκίδιον
cecido- κηκιδο-
logy -ical -ist λογία
myia μυῖα
-ian -iid(ae -iidous -ioid
c(a)ecitis -ῖτις
ceco-
graph -γραφος
ileostomy στόμα
morph(ae ic μορφή
pexy -πηξία
ptosis πτῶσις
(sigmoido)stomy σιγμοειδής
tomy -τομία στόμα
Cecropia Κέκροψ
cedar -arn -ed κέδρος
cedilla ζῆτα
Cedius κήδειος
cedr- κέδρος
atine en(e enol(ic in(e inic
ella κεδρελάτη
-(ac)eae -aceous -ad
ine κέδρινος
iret ium κέδριον
ol on one us yl -ώνη ὕλη
cedro- κέδρος
strobus στρόβος
cedula -ule σχέδη
cefalo κεφαλή
celadon(ite Κελάδων -ίτης
Celaenephes κελαινεφής
celandine χελιδόνιον
Celastrus κήλαστρος
-aceae -aceous -ales -in(e
-cele κήλη
celectasia κοιλία ἔκτασις
celectome κήλη ἐκτομή
celeomorph(ae -ic κελεός
μόρφή
celery -iac σέλινον -ακος
celestialism -ite -ize -ισμός
-ίτης -ίζειν

celestite -ίτης
celestobarite βαρύς -ίτης
Celetodes κηλητής -ώδης
Celeus κελεός
Celeuthetes κελευθίτης
celiac etc. = coeliac etc.
celibatist -ιστής
celido- κηλίς(-ίδος)
grapher graphy -γραφος
-γραφία
celidony χελιδόνιος
Celidota κηλιδωτός
celiectomy κοιλία -εκτομία
celinene -ol σέλινον
celio- κοιλιο-
centesis κέντησις
-ectomy -εκτομία
-hyster(oothec)- ὑστερά
ᾠοθήκη
-salping(oothec) σαλπιγγ-
-myom- μυ- ωμα
myalgia μυ- -αλγία
myositis μυός -ῖτις
paracentesis παρά κέντησις
rrhaphy -ῥαφία
-tomy -τομία
-colpo- κολπο-
-elytro- ἔλυτρον
-entero- ἐντερο-
-gastro- γαστρο-
-hystero- ὑστέρα
-myomo- μυ- -ωμα
-salpingo- σαλπιγγο-
celite(s λίθος
cellarist -ιστής
cellase διάστασις
Cellepora -e -id(ae -ite -oid πό-
cellist -ιστής ρος
Cellite -ίτης
celloid(al -in -οειδής
cello-
biase βίος διάστασις
biose -ide βίος γλεῦκος
phan -φανής
tropin τροπή
cellosan γλεῦκος ἀν-
celloxine ὀξύς
cellulith λίθος
cellulitis -ῖτις
celluloid -οειδής
celluloneuritis νεῦρον -ῖτις
cellulotoxic τοξικόν
cellutyl ὕλη
celluxose γλεῦκος
celomic κοίλωμα
celonychia = koilonychia
celo- κοιλο-
phlebitis φλεβ- -ῖτις
schisis σχίσις
scope -y -σκόπιον -σκοπία
somus -ia κήλη σῶμα
tomia -y κηλοτομία
Celosia κήλεος
celsianite -ίτης
Celt κελταί
Iberian Ἴβηρες
ic(ally ism ize) -ισμός -ίζειν
Indic Ἰνδικός
ish ism ist ization ize ισμός
-ιστής -ίζειν
Celto- Κελταί
logist λογία -ιστής
logue λογος
maniac μανία -ακίς
phil -φιλος
Roman Slavic Teuton
celtrobiose βίος γλεῦκος

Celypomima κέλυφος μῖμος
cembalist -ιστής
cementite -itis -ίτης -ῖτις
cemento-
  blast βλαστός
  clasia κλάσις
  periostitis περιοστεον -ιτις
cementoma -ωμα
cemetery -ial κοιμητήριον
cen- κοινός
  adelphus ἀδελφός
  encephalocele ἐγκέφαλος
  eostrate κήλη
  esthesia -αιθησία
  esthopathia αἴσθησις -πά-
cen- κενός θεια
  angium -iaceae ἀγγεῖον
  anthous -y ἄνθος
cenchris -ine κεγχρίς
Cenchrus κέγχρος
ceno- καινο- κενο- κοινο-
cenobian κοινόβιος
cenobite -ic(al(ly -ism κοινό-
  βιος
cenobium -ian -iar -y κοινό-
ceno- κοινο- βιον
  cyte -ic κύτος
  gaea γαία
  gamy -γαμία
  genetic γενετικός
  gonous γόνος
ceno- κενο-
  phobia -φοβία
  sphaera σφαῖρα
  taph(ed ic y κενοτάφιον
ceno- καινο-
  genesis γένεσις
  genetic(ally γενετικός
  genic -γενής
  geny -γένεια
  phytic φυτόν
  psychic ψυχικός
  pythagorean Πυθαγόρειος
  sere
  zoic ζωικός
  zoology ζωο- -λογία
cenosis κένωσις
cenosite καινός -ίτης
centaur Κένταυρος
  dom ea eque ess ial ian
  e(id)in ion y κενταύριον
  ic κενταυρικός
  idium in ite ize us -ίδιον
  -ίτης -ίζειν
centauro- κενταυρο-
  machia -y Κενταυρομαχία
Centemerus κεντη- μηρός
centenarianism -ισμός
centenarize -ίζειν
centennialize -ίζειν
center -re κέντρον
  board bit most piece second
centesis κεντήσις etc.
Centeter κεντητήριον
Centetes κεντητής
  -id(ae -inae -ine -oid
centi-
  bar βάρος
  gram(me γράμμα
  graph -γραφος
  liter -re λίτρα
  meter -re μέτρον
  stere στερεός
Centistes κεντητής
centoist -ιστής
cento(n)ism -ize -ισμός -ίζειν
Centor κέντωρ

centr- κεντρ-
  actinate ἀκτιν-
  ad
  adenia ἀδήν
  adiaphanes διαφανής
central κέντρον
  e ism ist(ic ite ity ization
  ize(r ly ness -ισμός -ιστής
  -ιστικός -ίτης -ίζειν
centr- Cont'd
  allassite ἀλλάσσειν -ίτης
  anthus ἄνθος
  aphose ἀ- φῶς
  aporia ἄπορος
  arch ἀρχή
  archis ἀρχός
  -id(ae -in(ae -ine -ites -oid
  ation eity
  axonia -ial ἄξων
  echinus -idae -oida ἐχῖνος
centric κεντρικός -iffed
  al(ity ly ness) ipital iput
centri- κέντρον
  fuge -al(ization ize ly) -ate
  -ation -(i)ence -ίζειν
  ole
  petal (ence ency ism ly y)
Centrinus κεντρίνης
  -aspidia ἀσπίδιον
Centriscus κεντρίσκος
  -id(ae -iform(es -oid
Centrist κέντρον -ιστής
centro κέντρον
centro- κεντρο-
  acinar
  asymmetric ἀσυμμετρικός
  baric(al κεντροβαρικά
  cercus κέρκος
  chromus χρῶμα
  cinesia -κινησία
  cinetic κινητικός
  clinal κλιν-
  de κέντρον ὁδός
  desmus -ose δέσμος
  deutoplasm δεύτερος πλάσ-
  dorsal(ly μα
  gen(ic ous -γενής
  genesis γένεσις
  genetic γενετικός
  gonidae γόνος -ίδης
  lecithal λέκιθος
  lepis λεπίς
  -idaceae -idaceous -idice-
  lineal -ead ous -idicae
  lophus -odes λόφος -ώδης
  mere μέρος
  nea -iae κέντρον
  notus -e -id(ae -oid νῶτον
  nucleus
  oid(al κεντροειδής
  osteosclerosis ὀστεο- σκλή-
  phanes -φανής ρωσις
  phormium φορμίς
  phose φῶς
  pipedon(al ἐπίπεδος
  plana πλαν-
  plasm πλάσμα
  pomus -id(ae -oid πῶμα
  pristes πρίστις
  pus -odinae -odine πούς
  saurus σαῦρος
  sclerosis σκλήρωσις
  sema σῆμα
  some -a σῶμα
  spermae σπέρμα
  sphere σφαῖρα
  spore(s σπορά

centro- Cont'd
  staltic σταλτικός
  stigma -al -atic στίγμα
  stomatous στόμα
  symmetric(al συμμετρικός
  symmetry συμμετρία
  theca θήκη
  therapy θεραπεία
  triaene τρίαινα
  tylote τυλωτός
  xylic -y ξύλον
centrum κέντρον
Cephaelis κεφαλή εἴλειν
  -in(e -inium
cephal- κεφαλ-
  acanthus -id(ae -oid ἄκανθα
  ad -άδ-
  (a)ea κεφαλαία
  (a)ematoma αἱματ- -ωμα
  agra ἄγρα
  alges κεφαλαλγής
  algia -y κεφαλαλγία
  algic κεφαλαλγικός
  anthus ἄνθος
  -ein -in(e -ium -ous
  aspidea -ean ἀσπιδ-
  aspis -(id)id(ae -idoid ἀσπίς
  ata ate dol
  edema οἴδημα
  emia -αιμία
  erpeton ἑρπετόν
  etron ἦτρον
  (h)ematocele αἱματο- κήλη
  (h)(a)ematoma αἱματ- -ωμα
  hydrocele ὑδροκήλη
  ic(al(ly κεφαλικός
  in(ic ina
  is κεφαλίς
  ism istic -ισμός -ιστικός
  itis ization ize -ῖτις -ίζειν
  ium κεφάλιον
  leis εἵλειν
cephalo- κεφαλο-
  auricular
  barus κεφαλοβαρής
  branchia -iata -iate βράγχια
  cathartic καθαρτικός
  caudal
  cele κήλη
  centesis κέντησις
  cercal κέρκος
  cereus
  chord(a(l χορδή
  cone -ic -us κῶνος
  cyst κύστις
  discus -id(ae δίσκος
  dium -iferous -ine κεφαλώ-
  dymia -us δίδυμος δης
  dynia κεφαλ- -ωδυνία
  edema οἴδημα
  facial
  gaster γαστήρ
  genesis γένεσις
  genetic γενετικός
  gonia γωνία
  gram γράμμα
  graph(y -γραφος -γραφία
  gyric γῦρος
  hemometer αἱμο- μέτρον
  humeral(is
  id(ae eous) κεφαλοειδής
  kompsus κομψός
  lateral
  logy -λογία
  mancy μαντεία
  mant μάντις
  melus μέλος

cephalo- Cont'd
  menia μηνιαία
  meningitis μηνιγγ- -ῖτις
  mere μέρος
  meter metry -ic μέτρον
  motor -μετρία
cephal- Cont'd
  oma -ωμα
  on one onoid -οειδής
  onomancy ὀνο- μαντεία
  ont ὀντ-
  oon ᾠόν
cephalo- Cont'd
  oid -οειδής
  orbital
  pagus πάγος
  pathy -πάθεια
  peltis -ina πέλτη
  pharyngeal -eus φαρυγγ-
  phore -a -an -ous -um -φορος
  phragm(a atic φράγμα
  (lo)phus λόφος
  phyma φύμα
  pin
  plegia -πληγία
  pod (a al an e ic ous) ποδ-
  ptera πτερόν
  -ae -id(ae -oid -ous -us
  rachitic ῥαχῖτις
  r(h)achidian ῥαχιδ-
  some σῶμα
  spinal
  stegite στέγος -ίτης
  strongylus στρογγύλος
  style στῦλος
  taxospermum τάξις σπέρμα
  taxus τάξος
  theca -al θήκη
  thoracopagus θωρακο- πάγος
  thorax -acic θώραξ
  thrix -ichid(ae -ichoid θρίξ
  thryptor θρύπτειν
  tome -y -ist -τομον -τομία
  tractor -ιστής
  tribe τρίβειν
  tripsy τρῖψις
  troch(a al ic ous) τροχός
  trypesis τρύπησις
cephalot(e κεφαλωτός
  aceae aceous ic us
cephalous -us κεφφαλή
Cephennium κηφήνιον
Cepheus -ea -eid(ae Κηφεύς
cepotaph κηποτάφιον
Cepphus -i -ic κέπφος
Cepurus κηπουρός
Ceraegidion κέρας αἰγίδιον
ceragate κηράχάτης
Ceralces κεραλκής
Cerambyx κεράμβυξ
  -ycid(ae -ycinae -ycine
  -ycini -ιστής
ceramic(s -ist κεραμικός
Ceramidium κεραμίδιον
Ceramium κεράμιον
  -i(ac)eae -iaceous -ioid
Ceramius κεραμεύς
ceram- κέραμος
  odontia ὀδοντ-
  uria -ουρία
ceramo- κεραμο-
  graphy -ic -γραφία
  poroida πόρος -οειδής
cerane κηρός
  -aphalote κεφαλωτός
Ceraphron(inae κέρας ἄφρων
Cerapus κέρας πούς

cerargyrite κέρας ἀργυρίτης
ceras κέρας
Cerastes -ium κεράστης
Cerasus κερασός
-in(e -inous -ite
cerat- a κερατ-
anisus ἄνισος
arges ἀργής
ectasia ἔκτασις
ectomy -εκτομία
enchyma ἔγχυμα
erpeton -um ἑρπετόν
ceratheca κέρας θήκη
cerat- Cont'd
ia κεράτιον
ias iid(ae ioid κερατίας
iasis -ίασις
in(ize = keratin(ize
ine -ous κερατίνης
iomyxa -aceae κεράτιον
ite ?κερατῖτις μύξα
-es -ic -id(ae -oid
ium
cerato- κερατο-
angioma ἀγγεῖον -ωμα
batis βατίς
blast βλαστός
branchia(l -ate βράγχια
campa -id(ae κάμπη
cele κήλη
conus κῶνος
cricoid(eus κρικοειδής
cystidae κύστις
Ceratoda κερατώδης
ceratode -ous = keratode -ous
Ceratodon κερατ- ὀδών
-ont(id(ae -ontoid
Ceratodus -idae κερατ- ὀδούς
cerato- Cont'd
fibrous globus
gaulus γαυλός
genous -γενής
glossal -us γλῶσσα
hyal ὕαλος
hyalin(e ὑάλινος
hyoid(eus ὑοειδής
id(al ea itis) κερατοειδής
iridocyclitis ἰριδο- κύκλος
iritis ἶρις -ῖτις -ῖτις
lichas Λιχάς
lysis λύσις
ceratoma κερατ- -ωμα
ceratome κέρας -τομον
cerato- Cont'd
malacia μαλακιά
mandibular
mania μανία
meter metry μέτρον -μετρία
mycosis μύκης -ωσις
nosus νόσος
nota -al -ous νῶτος
nyssus νύσσος
nyxis νύξις
phore -φορος
Ceratonia κερατωνία
cerat- Cont'd
ophrys ὀφρύς
ophthalma ὀφθαλμός
cerato- Cont'd
phygadeuon φυγαδεύειν
phyllum φύλλον
-(ac)eae -(ac)eous -etum
phyte -a φυτόν -in -ous
plasty -ic -πλαστία
pogon πώγων
Ceratops κερατ- ὤψ
-opia(n -opid(ae

cerato- Cont'd
ptera -ina πτερόν
pteris πτερίς
-idaceae -idaceous
pycnidium πυκνίδιον
pygidae πυγή
rhina ῥίν
rhyncha ῥύγχος
Ceratosa -ose κερατ-
cerato- Cont'd
saurus -idae σαῦρος
scope -σκόπιον
scopy -σκοπία
siliceous -oid(ea -οειδής
spongiae -ian σπογγία
stizus στίζειν
stoma -e -ella στόμα
stylus στῦλος
theca(l θήκη
tome -y -τομον -τομία
trich τριχ-
xenus ξένος
ceraunian -ic(s κεραυνός
ceraunite κεραυνίτης
cerauno- κεραυνο-
gram γράμμα
graph -γραφος
phobia -y -φοβία
phone φωνή
scope κεραυνοσκοπεῖον
scopy κεραυνοσκοπία
Ceraurinus κέρας οὐρά
Cereberus Κέρβερος
-a -ean -ian -ic -in(e -ite
cerca -al κέρκος
cercaria κέρκος
-ial -ian -iform
Cerchneis κερχνήις
Cerchnus κέρχνος
Cercidiphyllum κερκίς φύλλον
cercidium κερκίδιον
cercido- κερκιδο-
ceras κέρας
pleura -ous πλευρά
Cercis κερκίς
cerco- κερκο-
carpus καρπός
cebus -idae -oid κῆβος
cystis κύστις
labes λαβεῖν
-idae -inae -ine
leptes λήπτης
-id(ae -inae -ine -oid
monas μονάς
-adid(ae -adina -adoid
moniasis μονάς -ίασις
mys -yd μῦς
Cercopis -id(ae -oid Κέρκωψ
Cercopithecus κερκοπίθηκος
-id(ae inae -ine -oid
Cercopius κερκώπειος
cerco- Cont'd
pod ποδ-
saurus -idae σαῦρος
sphaera σφαῖρα
spora -ella -ose σπορά
cercus κέρκος
Cerdale κερδαλέη
-id(ae -oid
Cerdonist -ite -ιστής -ίτης
cerealism -ist -ισμός -ιστής
cereanthid(ea κηρός ἄνθος
cerebellitis -ῖτις
cerebr-
algia -αλγία
alism -ist -ισμός -ιστής
(al)ize -ation -ίζειν

cerebr- Cont'd
asthenia -ic ἀσθένεια
ationist -ιστής
itis -ῖτις
oid -οειδής
onyl ὕλη
cerebro-
cardiac καρδιακός
galactose γαλακτ-
ganglion(ic γάγγλιον
hyphoid ὑφή
logy -λογία
malacia μαλακία
meningeal -itis μηνιγγ-
meter μέτρον -ιτις
pathy -πάθεια
physiology φυσιολογία
pleura πλευρά
pleurovisceral πλευρά
psychic ψυχικός
psychosis ψύχωσις
rachidia(n ῥαχιδ-
sclerosis σκλήρωσις
scopy -σκοπία
cerebrosis -ωσις
cerebrosuria -ουρία
cerectomy -ἐκτομία
ceremonialism -ist -ισμός -ισ-
ceremon(ial)ize -ίζειν τής
Cereopsis ὄψις
-id(ae -inae -ine -oid
cereotype = cerotype
cerepidote κηρός ἐπίδοσις
Ceresium κηρέσιος -ωτης
ceri- κέρας
anthus ἄνθος
-eae -ean -id(ae -oid
chrestus χρηστός
ornis ὄρνις
phasis -ia -iidae φάσις
cerinin κήρινος
cerio- κέρας
dictyon δίκτυον
pora -id(ae -oid πόρος
cerise κερασός
cerite -ίτης
cerith- κεράτιον
acea ia iacea(e iadae iid(ae
cerithi- κεράτιον ioid ium
opsis -id(ae -oid
Cermatia κέρμα
-ides -iid(ae -ioid
cero- κερο- κηρο-
bates κεροβάτης
camptus κερο- καμπτός
fer
graph(y κηρογραφία
-ic(al -ist -ιστής
lin κηρός
lipoid κηρο- λίπος -οειδής
lite κηρο- λίθος
lysin κηρο- λύσις
ma κήρωμα
mancy κηρο- μαντεία
mya Κήρ μῦς
-yid(ae -yoid
pher(ary κηρο- φερεῖν
plast κηρόπλαστος
plastic(s κηροπλαστικός
plasty κηροπλαστία
plesis κερο- πλῆσις
Ceropsis -inae κηρός ὄψις
cerosic -(il)in(e κηρός
cerot- κηρωτόν
ate e ene ic in(e (in)one yl
cerothi- θεῖον -ώνη ὕλη
ene ol onium ἀμμωνιακόν

cerotype κηρο- τύπος
cerox- ὀξύς
ene ol one -ώνη
onium ἀμμωνιακόν
ceroxyle -on κηρο- ξύλον
Certhia κέρθιος
-iadae -iiae -iid(ae -iidea
-iinae -iine -ioid -iola
-iomorphae -ic μορφή
Ceruchus κεροῦχος
ceruleite -ίτης
ceruleolactite γαλακτ- -ίτης
Cerura κέρας οὐρά
cerus(s)ite -ίτης
cervanthropy -ανθρωπία
Cervantist -ite -ιστής -ίτης
cervicectomy -εκτομία
cervicitis -ιτις
cervicodynia -ωδυνία
cervico-
branchia βράγχια
-ial -iata -iate
cardiac καρδιακός
thoracic θωρακ-
cervimeter μέτρον
ceryl(e ene ic ὕλη
cesarotomy -τομία
cestode κεστός
-a -aria -ariidae -oid(ea(n
Cestracion κέστρα
-iont(es id(ae oid(ae oidei)
Cestraphori -an κέστρα -φορος
Cestrum κέστρον
cestus κεστός
cet- κῆτος
a acea(n aceum aceous an
ate e ic in(e us
Cete κήτη
Cetesaur(ia us κήτειος σαῦρος
ceticide κῆτος
cetinelaic -in κῆτος ἔλαιον
cetio- κήτειος
sauria(n -idae -us σαῦρος
Cetodonta κῆτος ὀδοντ-
ceto- κητο-
chilus -id(ae -oid χιλός
logy -ical -ist -λογία -ιστής
mimus -id(ae -oid μῖμος
morpha -ic μορφή
rhinus -id(ae -oid ῥίνη
saur σαῦρος
cetotolite κῆτος ὠτο- λίθος
cetyl κῆτος ὕλη
ate ene ic id(e
ceutho- κεῦθος
bia βίος
rhynchus ῥύγχος
ceylanite ceylonite -ίτης
chabazite -asie -asite χαβά-
chaen- χαίνειν ζιος
actis ἀκτίς
ichthys ἰχθύς
-yid(ae -yoid(ae
on
opsis -id(ae -oid ὄψις
chaeno- χαίνειν
lobus λοβός
Chaerophyllum χαιρέφυλλον
chaeta χαίτη
Chaetectetorus χαίτη κτήτωρ
chaet- χαίτη -ίτης
etes idae ites -ητής -ίδης
(h)elmintha ἑλμινθ-
odon ὀδών
-ont(id(ae iform inae oid-
chaeti- χαίτη (ea(n oidei)
fera -i -ous gerous

chaeto- χαίτη
ceras κέρας
essus -ina -ine χαιτήεσσα
gnath(a an i ous) γνάθος
mallus
meristes μεριστής
mium -iaceae
mus ὦμος
notus -id(ae -oid νῶτος
phora -φορος
-aceae -aceous -ites -ous
phye φυή
pisthes ὄπισθεν
plankton πλαγκτόν
pod(a an es ous) ποδ-
pterus -id(ae -in -oid πτερόν
soma -(at)id(ae -oid σῶμα
spira σπεῖρα
stichia στίχος
stroma στρῶμα
taxy tactic -ταξία
Chaetops χαίτη ὤψ
Chaetura -ina(e -ine χαίτη οὐρά
Chaina χαίνειν
-aceae -aceous -an -id(ae
chainomatic αὐτόματος
chair καθέδρα
man(ship woman
chairam(id)in(e ἀμμωνιακόν
chaise καθέδρα
Chalarus χαλαρός
-aspis -(id)id(ae -idoid ἀσ-
-athoraca θωρακ- πίς
chalastic χαλαστικός
-odermia -δερμία
Chalastinus χαλαστόν
chalaza χάλαζα
-al -e -ian -iferous
chalazion -ium χαλάζιον
Chalazodes χαλαζώδης
chalazo- χαλαζο-
dermia -δερμία
gam(y ic ous γάμος -γαμία
chalcanth(ite um χάλκανθον
Chalcas -acine χαλκός
chalcedon χαλκηδών
ian ic Χαλκηδόνιος
ic ize ous y -ιζειν
-onyx ὄνυξ
Chalceu is χαλκευτής
chalchuite -ίτης
Chalcidian Χαλκίς
Chalcidic(um Χαλκιδικός
Chalcis χαλκίς
-id(ae ea ian id(ae idan iform oid(ae)
Chalcis χαλκός
-id(ae ea ian id(ae idan iform oid(ea)
chalkitis -es χαλκῖτις
chalco- χαλκο-
alumite -ίτης
arsenian ἀρσενικόν
chloris χλωρός
cite -ίτης
dite χαλκώδης -ίτης
drya δρυάς
graph(er -γραφος -ιστής
graphy -ic(al -ist -γραφία
lampra -ite λαμπρός -ίτης
lestes ληστής
lite lithic λίθος
mancy μαντεία
menite μήνη -ίτης
morphite μορφή -ίτης
chalcone χαλκός -ώνη

chalco- Cont'd
phana -ite φανή φαν- -ίτης
phyllite φύλλον -ίτης
phyma φῦμα
pissite πίσσα -ίτης
placis πλάξ
plethis χαλκοπληθής
pyrite πυρίτης
pyrrhotite πυρρότης -ίτης
siderite σιδηρίτης
stibite στίβι
thea θεῖος
theca θήκη
trichite τριχ- -ίτης
tript τρίπτης
chalcosine χαλκός
chalcosis χαλκός -ωσις
chalco- χαλκο-
trichite τριχ- -ίτης
tript τρίπτης
Chald(a)ean Χαλδαῖος
-ism -ize -ισμός -ίζειν
Chaldaic(al Χαλδαικός
Chaldaize Χαλδαΐζειν
Chaldee Χαλδαῖος
Chalepus χαλεπός
-opeplus πέπλος
chalicod- χαλικώδης
ad ium
ophilus ophyta -φιλος φυτόν
chalico- χαλικο-
mys μῦς
phyta φυτόν
spora σπορά
therium θηρίον
-iid(ae -ioid(ea(n
thyra θύρα
Chalicorus χαλι- κόρας
chalicosis χάλιξ -ωσις
chalin- χαλινός
a eae idae inae ine oid
opsis ura ὄψις οὐρά
chalino- χαλινο-
plasty -πλαστία
raphis -inae ῥαφίς
chalk- χαλκός
itis one -ῖτις -ώνη
chalkology -ist -λογία -ιστής
chalmersite -ίτης
chalone -ic χαλοῦν
chalyb- χαλυβ-
ean χαλυβηίς
eate eous ite -ίτης
Chama χήμη
-acea(n -aceae -id(ae -iform -oid
chamae- χαμαι-
a iid(ae -inae -ine
cephalous -ic -y κεφαλή
conchous -ic -y κόγχη
cranial κρανίον
cristoid -οειδής
cyparis χαμαικυπάρισσος
daphne χαμαιδάφνη
dorea
leon χαμαιλέων
ic idae -ontid(ae -ontoid
lirin -ium λείριον
pelia πέλεια
phytes -ic -ion φυτόν
prosope -ic -y πρόσωπον
saura σαύρα
siphoneous σίφων
Chamaelops χαμαιλέων ὤψ
Chamaerops χαμαίρωψ
chamazulene χαμαίμηλον
chambellan καμάρα
chamber καμάρα

chamber Cont'd
deacon er lain(ry ship) let(ed maid
chame- χαμαι-
cephalous κεφαλή
leon(ic ize χαμαιλέων
lerin lirin λείριον
chamelo- χαμηλός
gnathous γνάθος
Chamite -ic = Hamite -ic
chamite χήμη -ίτης
chamo(i)site -ίτης
chamomile = camomile
Chamostrea χήμη ὀστρέον
-eid(ae -eoid
champagnize championize
champso- χάμψαι -ίζειν
cephalus κεφαλή
saurus σαῦρος
Champsodon χάμψαι ὀδών
chancellorism -ισμός
chancroid(-al -o- ειδής
channelization -ίζειν
Chanos χάνος
-(e)id(ae -(e)oid(ae -i -oides
chao- χάος
genous -γενής
logy -λογία
mancy μαντεία
theistic θεός -ιστικός
chaos χάος
chaotic(al(ly ness χάος
chaptalize -ation -ίζειν
Chara χαρά
-aceae -aceous -(ac)etum -ad -aein -ales
charac- χαρακ-
id(ae in(e oid -οειδής
inus -id(ae -oid(ae -oidei
odon ὀδών
characi- χαρακ-
lepis λεπίς
charact χαρακτήρ
character χαρακτήρ
ed ial less(ness y
ical χαρακτηρικός
ism χαρακτηρισμός
ist -ιστής
istic χαρακτηριστικός
al(ly (al)ness
ize(r -able -ation χαρατηρί- ζειν
charactero- χαρακτήρ
logy -λογία
Charadrius χαραδριός
-iadae -ian -iid(ae -iiform(es
-iinae -iine -ine -ioid
-iomorphae -ic μορφή
Charadronota χαράδρα νῶτος
Charax χάραξ
Charegite -ίτης
Charidotis χαριδῶτις
Chariesthes χαρι- ἐσθής
Chariodactylus χαρίεις δάκτυλος
Chariphylla χαρίεις φύλλον
Charis χάρις
charism(a atic χάρισμα
charisticary χαριστικός
charlatanism -istic -ισμός -ισ- τικός
Charltonithyris θυρίς
charnockite -ίτης
Charon(ian ic Χάρων
Charopus χαροπός
charophytes χαρο- φυτόν
chart χάρτη
a aceous e ism ist less
er(able age er house less master)
chartion χαρτίον

charto- χαρτο-
grapher -γραφος
graphy -ic(al(ly -γραφία
-ist ιστής
logy -λογία
mancy μαντεία
meter μέτρον
phylacum φύλαξ
pteryx πτέρυξ
Chartreux -euse χάρτη
chartulary χάρτη
Charybdis Χάρυβδις
-(a)ea -eid(ae -eoid
Chasidism -ισμός
chasm χάσμα
a al atic ed y
antherous -y χάσμα ἀνθηρός
Chasmaporthetes χάσμα πορ- θητής
Chasme χάσμη
chasmo- χάσμα
chomophyte χῶμα φυτόν
cleistogamy κλειστός -γα- μία
des χασμώδης
gamy -ic -ous -γαμία
petaly πέταλον
philous -φιλος
phily -φιλία
phyte φυτόν
rhynchus ῥύγχος
saurus σαῦρος
chastise -ίζειν
-able -er ment
Chataquatized -ίζειν
chattelism -ize -ισμός -ίζειν
Chaucerism -ισμός
chaul- χαύλιος
elasmus ἔλασμα
chauli- χαυλι-
odes -ώδης
odon -ont(id(ae oid) χαυ- λιόδων
odus χαυλιόδους
chaulio- χαύλιος
gnathous γνάθος
chaulmoogryl ὕλη
Chauna χαῦνος
Chaunax χαύναξ
-acidae -acinae
chauno- χαυνο-
derus δέρη
proctus πρωκτός
chauvinism -ist(ic -ισμός -ισ- τής -ιστικός
cheer κάρα
er ful(ize ly ness) ily iness
ing(ly less(ly ness) ly y
cheil- χεῖλος
anthes -ανθης
ectropin ἐκτρόπιον
cheilo- χειλο-
angioscopy ἀγγειο- -σκοπία
cystidia κύστις -ίδιον
dipterus -idae δίπτερος
drome -ous δρόμος
glossa γλῶσσα
gnathopalatoschisis γνάθος
mania μανία σχίσις
(palato)gnathus γνάθος
phagia -φαγία
podiasis ποδ- -ίασις
stomata -ous στοματ-
stomatoplasty στοματο-
tomy -τομία -πλαστία
cheir χείρ
agra ἄγρα
anthus -ic ἄνθος
cheiro- χειρο-
ballista χειροβαλίστρα
belus βηλός

cheiro- Cont'd
galeus γαλή
glossa γλῶσσα
gno tic γνωστικός
kin- κίνησις
esthesia -αισθησία
esthetic αἰσθητικός
megaly μεγάλη
pompholyx πομφόλυξ
practic πρακτικός
praxis πρᾶξις
spasm σπασμός
stemonous στήμων
cheir- Cont'd
olein -in(e
urinae οὐρά
chel- χηλή
a ate ation ide
chel- χελιδόνιον
albin
erythrin(e ἐρυθρός
chelicer χηλή κέρας
a al ate e
chelichnite χέλυς ἴχνος
-ίτης
chelidamic = chelidonamic
chelidon χελιδών
-omorphae μορφή
chelidonium χελιδόνιον
-amic ἀμμωνιακόν
-ate -ia -ic -in(e -inic
Chelidonius χελιδόνιος
chelidonize χελιδονίζειν
chelido- χελιδών
perca πέρκη
ptera πτερόν
saurus σαῦρος
xanthin(e ξανθός
cheli- χηλή
fer(a id(ae idea oid ous
form(us ped
phlebia φλεβ-
Chelis χηλή
Cheloderus χηλόειν δέρη
Chelodina -e -es χέλυς δεινός
cheloid χηλή χέλυς
cheloma χηλή -ωμα
chelon- χελώνη
e ea ia iad (i)id(ae in ite
oid(ea(n us -ίτης -οειδής
Chelonerium χελωνάριον
chelono- χελωνο-
batracia βάτραχος
cephalus κεφαλή
graphy -γραφία
logy -ist -λογία ιστής
Chelophora χηλή -φορος
Chelopus χελύς πούς
Chelura χηλή οὐρά
-acea -id(ae -oid
Chelydra χελύδρος
-adae -id(ae -inae -oid(ae
chelydron χελύδρος
chely- χελυ-
etes -idae ἔτης
posaurus πούς σαῦρος
rhyncus ῥύγχος
soma σῶμα
zoon ζῷον
chelys χέλυς
-y(d) id (ae-ydoid(ae -yoid-
chemawinite -ίτης (ea(n
chem- χημεία
asthenia ἀσθένεια
esthesis αἴσθησις
iater iatric iatry ἰατρήρ
ἰατρικός ἰατρεία

chem- Cont'd
ic ical(ed ization ize ly) ics
ico- κός
astrological ἀστρολογι-
biology -ic βιο- -λογία
capillary
cautery καυτήριον
dynamic δυναμικός
electric ἤλεκτρον
galvanic
genesis γένεσις
graph -γραφος
histological ἱστο- -λογία
medical
mineralogical -λογία
physics -ical φυσικός
physiological φυσιολογι-
technical τεχνικός κός
vital
chemi- χημεία
glyphic γλυφικός
graph(er -γραφος
graphy -ic -γραφία
gravure γράφειν
hydrometry ὑδρο- -μετρία
luminescent -ence
nosis νόσος
photic φωτ-
type -y τύπος -τυπία
chemio- χημεία
tactic τακτικός
taxis -ic τάξις
chemism χημεία -ισμός
chemist(ry χημεία -ιστής
chemo- χημεία
centrum κέντρον
cephalus κεφαλή
ceptor coagulation
immunity
immunology λογία
kinesis κίνησις
kinetic κινητικός
lysis lyze λύσις
lytic λυτικός
morphosis μόρφωσις
nastic ναστός
receptor reflex
resistance
scopic -σκοπος
chemosis -ed χήμωσις
chemosm- χημεία ὀσμός
osis otic -ωσις -ωτικός
chemo- Cont'd
synthesis σύνθεσις
synthetic συνθετικός
tactic(ally τακτικός
tactism τακτός -ισμός
taxis -ic τάξις
therapeutics θεραπευτικός
therapy θεραπεία
trop- τροπή
ic(ally in ism y -ισμός
zoophobe -ous ζωο- φόβος
chemotic χήμωσις -ωτικός
chemy χημεία
Chenendoporinae χήν ἐνδο-
πόρος
Cheneosaurus χηνεῖος σαῦρος
Cheniothyris χηνεῖος θύρα
cheniskos χηνίσκος
chenevixite -ίτης
Chennium χέννιον
cheno- χηνο-
chol(al)ic χολή
derus δέρη
desoxybilianic ὀξυ-
cholic χολή

cheno- Cont'd
morph(ae -ic μορφή
pod ποδ-
al iaceae iaceous iales ium
prosopus πρόσωπον
pus(idae πούς
ramphus ῥάμφος
taurocholic ταυρο- χολή
Chenopsis χήν ὄψις
cheoplastic χέειν πλαστικός
cheradium -ad χέραδος
cherado- χέραδος
philus phytae -φιλος φυτόν
Chernes χερνής
-etid(ae -etoid
chernibeion χερνιβεῖον
chernites χερνίτης
chernogens χερνής -γενής
cherogril χοιρογρύλλος
chero- χαίρειν
mania phobia μανία -φοβία
Cherrus χέρρος
cherry κερασός
chers- χέρσος
ad ian id(ae ite ium oid us
cherso- χέρσος
batae βάτης
phytes φυτόν
Chersonese Χερσόνησος
Chersydrus -idae χέρσυδρος
chervil χαιρέφυλλον
chessylite -ίτης
chest κίστη
chesterlite λίθος
chestnut(ting καστανέα
cheto- etc. = chaeto- etc.
cheval καβάλλης
de-frise et ier ine
chevelerize -ίζειν
chiasm(a al ic χίασμα
chiasma- χίασμα
type -y πύπος -τυπία
Chiasmodon χίασμα ὀδών
-ontid(ae -ontoid
Chiasmodous χίασμα ὀδούς
chiasmotype χίασμα τύπος
chiasmus χιασμός
chiaso- χιάζειν
gnathus γνάθος
chi- χῖ
aster ἀστήρ
astic(ally χιαστός
re χίαστρον
chiasto- χιαστός
lite λίθος
meter μέτρον
neura -al -ous -y νεῦρον
chibinite -ίτης
chicane -er -ery τζυκάνιον
Chicolepis λεπίς
chicory κίχορα
Chihlioceras -atidae κέρας
chil- χεῖλος
algia -αλγία
arium -y χειλαρίον
childrenite -ίτης
chiliad(al ic χιλιάς
chiliagon χιλιάγωνος
chilia(h)edron χιλια- -έδρον
chiliarch χιλιάρχης
chiliarchy χιλιαρχία
chiliasm χιλιασμός
chiliast χιλιασταί
-ic -ical(ly
chilidium χεῖλος
Chiliferidae χεῖλος -ίδης
chiliomb χιλιόμβη

chiliostys χιλιοστύς
chilitis χεῖλος -ῖτις
chilo- χειλο-
angioscope ἀγγειο- -σκό-
bolbina βολβός πιον
branchus βράγκος
-id(ae -ina -oid
cace κάκη
corus κόρος
dipterus -id(ae -oid δίπτερος
don χεῖλος ὀδών
gnath γνάθος
a(n iform ous
omorphous μορφή
loba λοβός
malacia μαλακία
mastix(iasis μάστιξ -ιασις
menea μήνη
monas -adidae μονάς
mycterus μυκτήρ
chiloma χείλωμα
Chilonic -ian Χίλων
Chilopsis χεῖλος ὄψις
chilo- Cont'd
nycteris νυκτερίς
plasty -πλαστία
pod ποδ-
a an iform ous
podomorphous ποδο- μορφή
schisis σχίσις
stome στόμα
-ata -atous -ella -ellidae
Chimaera χίμαιρα
-id(ae -oid
Chimaphila -in χεῖμα -φιλος
chimation χεῖμα
chime -er κύμβαλον
chimera χίμαιρα
-al(ly -ic(al(ly -icalness
-ize -oid -ίζειν -οειδής
chimiosis χεῦμα μείωσις
chimney κάμινος
Chimonanthus χειμών ἄνθος
chimono- χειμών
chlorous philous χλωρός
chimo- χειμών -φιλος
pelagic πέλαγος
chin- etc. = quin- etc.
Chinaize -ίζειν
chinaphthol νάφθα
chinaseptol ἄσεπτος
chino-
pyrin πύρινος
toxin τοξικόν
tropin τροπή
chio- χιών
cocca κόκκος
decton(aceae δεκτός
genes -γενής
ite λίθος
Chion χιών
ablepsia ἀβλεψία
anthus ἄνθος
aspis ἀσπίς
is (id)id(ae (id)oid oidea
uphe ὑφή ium
chiono- χιονο-
doxa δόξα
graph -γραφος
meter μέτρον
morph(ae ic μορφή
philous -φιλος
phobe -ous φόβος
phyllous -φυλλος
phyta -ium φυτόν
chir- χειρ-
acanthus ἄκανθα

chir- Cont'd
agon ἄγων
agra -ic(al χειράγρα
al(ity alcol
algia χειραλγία
anthodendreae ἀνθο- δέν-
apsia -y χειραψία δρον
arthritis ἀρθρῖτις
atogenin -γενής
ella -idae
ization -ίζειν
ol
chiro- χειρο-
centrodon κέντρον ὀδών
centrus κέντρον
-id(ae -oid(ei
cephalus κεφαλή
colus κόλος
cosmetics κοσμητικός
crinidae κρίνον
dica χειροδίκης
dota
gale -eus γαλέα
gnomy -ic -ist -γνωμία -ισ-
gnostic γνωστικός τής
graph χειρόγραφον
al ary er ic(al ist y ιστής
gymnast γυμναστής
lepis λεπίς
logy -λογία
-ia -ical(ly -ist -ιστής
machy χειρομαχία
mancy χειρομαντεία
-er -(y)ist -ιστής
mant χειρόμαντις
ic(al ine ist -ιστής
megaly μεγάλη
meles μέλος
meter μέτρον
mys μῦς
-yid(ae -yiformes -yine
Chiron Χείρων -yoid(es
chiro- Cont'd
nectes -id(ae -oid νήκτης
nomer χειρονόμος
nomus χειρονόμος
-id(ae -oid
nomy -ic χειρονομία
nym χείρ ὄνυμα
plast(ic χειρόπλαστος
plasty -πλαστία
pod(a ous ποδ-
algia ποδαλγία
podology -ποδία -λογία
pody -ποδία -ιστής
-ical -ism -ist(ry -ισμός
pompholyx πομφόλυξ
practic -or πρακτικός
praxis πρᾶξις
pter(ous a(n πτερόν
pterophilae -ous πτερο- -φι-
pterygium πτερύγιον λος
-ian -ious
saurus σαῦρος
scopical χειροσκοπός
sophy -er -ical -ist -σοφία
soter σωτήρ
spasm σπασμός
tenon χειροτένων
tes -id(ae -oid χείρ -ώτης
teuthis -id(ae -oid τευθίς
theca θήκη
therium -ian θηρίον
thrix -ichid(ae -ichoid θρίξ
thyris -id θυρίς
tonia -y χειροτονία
type τύπος

chirurgeon(ly χειρουργός
chirurgy χειρουργία
-ery -ic(al
Chirus χείρ
-id(ae -inae -oid
chit- χιτών
amic ἀμμωνιακόν
aric enol
in(e ization ize oid ous)
ino- -ίζειν
arenaceous calcareous
genous -γενής
chiton χιτών
acea elloidea id(ae oid
ion χιτώνιον
iscus χιτωνίσκος
itis -ῖτις
chito- χιτών
pyrrol(e πυρρός
sarc σάρξ
chitose -an χιτών
-amin ἀμμωνιακόν
Chitradae ἀδ-
chiurm κέλευσμα
chivalry καβάλλης
-esque -ic -ous(ly ness)
chladnite -ίτης
chlaena χλαῖνα
-aceae -aceous -iadae -ida
-ides -iidea -iini -ites -ius
chlamyd- χλαμυδ-
ate eous ia
odon -ontidae ὀδών
ophrys ὀφρύς
chlamydo- χλαμυδο-
bacteria βακτηρία
-iaceae -iaceous -iales
concha -id(ae -oid κόγχη
dera δέρη
gonidium γονή -ίδιον
monas -adidae -adina μονάς
monetum -a μονάς
myxa μύξα
phora -an -φορος
saurus σαῦρος
selachus σέλαχος
-ian -id(ae -oid
spore -a -um σπορά
thrix θρίξ
zoa ζῷον
chlamy- χλαμύς
phore -id(ae -oid -us -φορος
chlamys χλαμύς
chlanis χλανίς
chledium -ad χλῆδος
chledo- χλῆδος
phila -us -φιλος
phyta φυτόν
Chleuastes χλευαστής
Chlidonia χλιδών
-iid(ae -ioid
chloanthite χλοανθής -ιτής
chloasma χλόασμα
chloe- χλόη
bius βίος
phaga χλοηφάγος
phila -φιλος
chlor- χλωρ-
acet-
ate ic ization ol one -ώνη
acetoxim τοξικόν
acid
aema -ea -id(ae -oid αἷμα
agogic ἀγωγός
al(ic id(e in oin)
amid(e ἀμμωνιακόν
caffeine

chlor- Cont'd
camphoroxim κάμφορα
ὀξύς
formamid ἀμμωνιακόν
imid(e ἀμμωνιακόν
ism ist -ισμός -ιστής
ize -ation -ίζειν
ose γλεῦκος
oxim(e ὀξύς
um(ite -ίτης
urethan οὖρον αἰθήρ
albin -acid -ino
amid(e in(e ἀμμωνιακόν
amyl(ite ἄμυλον -ίτης
anemia -ic ἀναιμία
anhydride ἄνυδρος
anil(ate e ic)
anion ἀνιόν
anodyne ἀνώδυνος
anol
anth ἄνθος
aceae aceous ous us y
antine
antipyrin ἀντί πῦρ
apatite ἀπάτη -ίτης
ascens
astrolite ἀστρο- λίθος
ate auric -ate
azol -ene -ide ἀ- ζωή
benzyl -ene ὕλη
brightism -ισμός
brom βρῶμος
butanol βούτυρον
camphor κάμφορα
cosane εἰκοσ-
e χλωρός
hematin αἱματ-
ella
enchym(a ἔγχυμα
ephidrosis ἐφίδρωσις
ene etic -one
haema etc. = Chloraema etc.
hydric -ate -in ὑδρ-
hydro- ὑδρο-
quinone sulphuric
ic
id(e
ate ation ic in(ic
emia -αιμία
imeter μέτρον
ion ἰόν
ize -able -ation -ίζειν
idolum εἴδωλον
idrometer ἱδρῶς μέτρον
imeter μέτρον
imid(e -ino- ἀμμωνιακόν
in(e
a ate ation ator iferous ize
ous ureted us -ίζειν
iod- ἰώδης οὖρον
ic id(e ine oform
is Χλωρίς
isatic -ine ἰσάτις
isol
ite χλωρῖτις
-es ic -ite -ization -oid
lyptus καλυπτός
mangano- Μαγνησία
kalite -ίτης
methyl -an(e μέθυ ὕλη
natrokalite νίτρον -ίτης
chloro- χλωρο-
acetone -ώνη
acetophenone φαιν- -ώνη
amine ἀμμωνιακόν
an(a)emia ἀναιμία
arsenian -ate ἀρσενικόν

chloro- Cont'd
assimilation
aurate αὖτον
benzene caffein
bromid(e βρῶμος
calcite -ίτης
carbon(ates ic ous)
chromic -ates χρῶμα
chrous -χροος
coccum κόκκος
-aceae -ine -oid
codide κώδεια
cosan(e εἰκοσ-
cruorin
cruoro-
chromogen χρῶμα -γενής
hematin αἱματ-
cyanic κύανος
cyperaceae κύπερος
cyst κύστις
chlorodize χλωρός -ίζειν
chlorodyne χλωρός ὀδύνη
chloro- Cont'd
form(ic in ism ization ize)
fucine galum globin
genic -ate -in(e -γενής
gonidium γονή -ίδιον
gonimus γόνιμος
hydric etc. = chlorhydric etc.
id χλωροειδής
iodide ἰώδης
iodolipol ἰώδης λίπος
iridic -ate -ite ἰριδ-
leucite λευκ- -ίτης
leukemia λευκ- -αιμία
lite λίθος
lympho- νύμφη
sarcoma σάρκωμα
chlorol(in χλωρός
chloroma χλωρός -ωμα
chloro- Cont'd
magnesite Μαγνησία
-ίτης
manganokalite Μαγνησία
melanite μελαν- -ίτης
mercuriate
meter μέτρον
methane μέθυ
metry -ic(al -μετρία
monadina μοναδ-
morphid(e -in Μορφεύς
myeloma μυελός -ωμα
nitrid(e νίτρον
chlor- Cont'd
onium ἀμμωνιακόν
opal ὀπάλλιος
chloro- Cont'd
palladic -ates Παλλάδιον
peltis -idea -ina πέλτη
peptic πεπτικός
percha
phaeus -aeite φαιός -ίτης
phane -ic φαν-
phanus φανός
phenol -in(e φαιν-
phoenicite φοῖνιξ -ίτης
pholus φολίς
phore -a -φορος
phyceae -eous φῦκος
phyll φύλλον
aceous an ar ian ic id(e in
ase διάστασις
ite -ίτης
oid ose ous -ειδής γλεῦκος
phylli- φύλλον
ferous genous gerous
-γε-νής

chloro- Cont'd
phyllo- φυλλο-
gen -γενής
plast πλαστός
phyr πορφύρα
phyta φυτόν
picrin pikrin πικρός
plast(id in πλαστός
platinic πλατύς
-ate -ite -ous
plumbate
protein- πρωτεῖον
chrome χρῶμα
quinone rufin
salol san
sarco- σαρκο-
lymphadeny νύμφη ἀδήν
sarcoma σάρκωμα
scombrus -inae -ine σκόμβρος
chlor- Cont'd
ops ὤψ
opsis -ia -ic ὄψις -οψία
osis -in -ωσις
osmic ὀσμή
chloro- Cont'd
sperm(atous eae ous σπέρμα
spinel
sporeae -ous σπορά
stannate
statoliths στατο- λίθος
sulphinic sulphonic -ώνη
Chlorota -il χλωρότης
-idermis δέρμις
chlorous -otic χλωρός -ωτικός
chloro- Cont'd
thionite θεῖον -ίτης
thrix θρίξ
triangulum
vaporization -ίζειν
vinyl- ὕλη
dichloroarsin δι- ἀρσενικόν
xiphite ξίφος -ίτης
xylon(in(e ξύλον
zincate
zoosporeae ζωο- σπορά
chlor- Cont'd
oxyl ὀξύς ὕλη
picrin πικρός
salol
spodiosite σποδιός -ίτης
sulphic -onic -ώνη
urated uret(t)ed οὖρον
uremia οὖρον -αιμία
uria -ουρία
utahlite λίθος
yl ὕλη
Choana χοάνη
-al -ate -ite -oid(eus
choano- χοανο-
cyte -al κύτος
flagellate -a -atida -atum
phorous -φορος
some -al σῶμα
choenix χοῖνιξ
choer- χοιρ-
idium χοιρίδιον
odes -ia(n χοιρώδης
odon ὀδών
ops opinae opine ὤψ
choero- χοιρο-
cephalus χοιροκέφαλος
gryl χοιρογρύλλιος
lophodon λόφος ὀδών
pus πούς
choir(ister χόρος
chola- χολή
diene -ic triene -ic δι- τρι-

chol- χολ-
(a)emia -ic -αιμία
agog(ue ic χοληγωγός
alic ane -ic
amin(e ἀμμωνιακόν
angeitis ἀγγεῖον -ῖτις
angio- αγγειο-
(gastro)stomy γαστρο-
itis -ῖτις στομία
tomy -τομία
auxanol αὐξάνειν
chole- χολή
camphoric καμφορά
chloin χλόη
chroin χρόα
chrome χρῶμα
chysis χύσις
cyanin(e κύανος
cyst κύστις
algia -αλγία
ectasia κτασις
ectomy -εκτομία
endysis ἔνδυσις
entero- ἐντερο-
rrhaphy stomy -ῥαφία
ic is itis -ιτις -στομία
cysto- κύστις
(colo)tomy κόλον -τομία
gram γράμμα
graphy -γραφία
lithiasis λιθίασις
lithotripsy λιθο- τρῖψις
pexy -πηξία
rraphy -ραφία
stomy στόμα (-στομία)
colo duodeno gastro ileo
doch χοληδόχος jejuno
al itis ous us -ῖτις
docho- χοληδόχος
lithiasis λιθίασις
lithotomy λιθοτομία
lithotripsy λιθο- τρῖψις
plasty -πλαστία
rrhaphy -ῥαφία
stomy στόμα (-στομία)
duodeno entero ἐντερο-
tomy -τομία
do- = choledocho-
graphy logy -γραφία -λογία
fulvin globin
hematin αἱματ-
hemia -αιμία
lith(ic urin λίθος οὖρον
lithiasis λιθίασις
litho- λιθο-
tomy λιθοτομία
tripsy τρῖψις
trity
cholemesis -ia χολ- ἔμεσις
choleocamphoric χολή καμφορά
chole- Cont'd
peritoneum περιτόναιον
po(i)etic ποιητικός
prasin πράσινος
pyrrhin(e πυρρός
choler χολέρα
cholera χωλεύειν
cholera -aic χολέρα
phobia -φοβία
choler- χολέρα
ase διάστασις
ic(al(ly ly ness) χολερικός
ine ization ol -ίζειν
choleri- χολέρα
form genous -γενής
cholero- χολέρα
mania μανία

cholero- Cont'd
phobia -φοβία
phone -ia φωνή -φωνία
chol- Cont'd
erythrin ἐρυθρός
erythrogen ἐρυθρο- -γενής
chole- Cont'd
rrhagia -ῥαγία
stan(e ol one στερεός -ώνη
steatoma -atous στεατ- -ωμα
stene -one στερεός -ώνη
ster- στερεός
(a)emia -αιμία
ase διάστασις
ate ic ide ilene ilin
in(e ic ize) -ίζειν
inuria -ουρία
ol
emia uria -αιμία -ουρία
stero- στερεός
genesis γένεσις
genic -γενής
hydrothorax ὑδρο- θώραξ
ster- Cont'd
one uria -ώνη -ουρία
yl(ene ὕλη
amine ἀμμωνιακόν
stol -yl στερεός ὕλη
strophane στρόφη
telin τέλος
therapy θεραπεία
uria -ουρία
verdin
chol- Cont'd
iamb(us ist χολίαμβος -ιστής
iambic χολιαμβικός
ic χολικός
in(e inic itic
lepidanic λεπιδ-
cholo- χολο-
chloin χλόη
chlorin χλωρός
chrome χρῶμα
crinus κρίνον
cyanine κύανος
Choloepus χωλόπους
cholo- Cont'd
gaster γαστήρ
gen -γενής
genetic γενετικός
gestin
h(a)ematin αἱματ-
hemothorax αἱμο- θώραξ
id(anic ic inic) χολοειδής
lith(ic λίθος
lithiasis λιθίασις
logy -λογία
ph(a)ein φαιός
plania -πλανία
pus -odinae -odine χωλόπους
rrhea -ῥοία
scopy -σκοπία
chol- Cont'd
onic osis uria -ωσις -ουρία
Cholus χωλός
chom- χῶμα
apophyte ἀπό φυτόν
atocephalus κεφαλή
chondr- χόνδρος
acanthus χονδράκανθος
al -id(ae -oid
algia -αλγία
alloplasia ἀλλο- πλάσις
arsenite ἀρσενικόν -ίτης
arthrocace ἀρθρο- κάκη
ectomy -εκτομία
enchyma -atous ἔγχυμα

chondr- Cont'd
estes ἐσθίειν
ic (id)in(e inogen -γενής
chondri- χόνδρος
fication fy
gen(ous -γενής
glucose γλυκύς
ome -a -ωμα
Chondrilla -idae χονδρίλλη
chondrio- χονδρίον
cont(e(s κοντός
lysis λύσις
mere μέρος
mite μίτος
phyllum φύλλον
some σῶμα
sphere σφαῖρα
chondr- Cont'd
ite -ic ites -ίτης
itis -ῖτις
ium
od- χονδρώδης
in(e ite -ίτης
odynia -ωδυνία
chondro- χονδρο-
adenoma ἀδήν -ωμα
albuminoid -οειδής
angioma ἀγγεῖον -ωμα
blast(oma βλαστός -ωμα
carcinoma καρκινωμα
conia κόνις
costal
cranium -ial κρανίον
cyte κύτος
dendron -in δένδρον
dys- δυσ-
plasia -πλασία
trophia -y -τροφία
endothelioma ἐνδο- θήλη
fibroma -ωμα -ωμα
form
ganoid(ea(n γάνος -οειδής
gen(ous -γενής
genesis -ia γένεσις -γενεσία
genetic γενετικός
geny -γενεία
glossal -us γλῶσσα
glucose γλυκύς
graphy -ic -γραφία
chondr- Cont'd
oid -οειδής
oitic -in -uria -ουρία
oline
oma -atous -ωμα
chondro- Cont'd
lipoma λίπος -ωμα
logy -ic -λογία
malacia μαλακία
meter μέτρον
metra μήτρα
mitome μίτος
mucin μύκης
myces -oid μύκης -οειδής
myoma μυ- -ωμα
myxoma μύξα
myxosarcoma μυξο- σάρκωμα
chondrosseous χόνδρος
chondro- Cont'd
pharyngeal -eus φαρυγγ-
phore -a -idae -ous -φορος
plast πλαστός
porosis πόρος -ωσις
proteid -ein πρωτεῖον
pterygii -ian -ious πτερύγιον
chondros χόνδρος
amin(e ic o ἀμμωνιακόν
ia iidae idin in(ic

chondr- Cont'd
ose osic osis -ωσις
chondro- Cont'd
sarcoma -atous σάρκωμα
septum
skeleton σκελετόν
some σῶμα
spongiae -ian σπόγγος
sternal
stibian στίβι
stoma -i -inae στόμα
chondroste- χόνδρος ὀστέ-
an i id(ae oma oid ous
chondrostosis χόνδρος ὀστέον
chondro- Cont'd -ωσις
thyra θύρα
tome -y -τομον -τομία
xiphoid ξίφος -οειδής
chone -etes -etiform χώνη
rinus -id(ae -oid ῥίν
chono- χωνο-
phyma φῦμα
thrips θρίψ
choplogic λογική
chor- χόρος
agic χοραγικός
agium χορήγιον
agus -os χοράγος
agy egy χορηγία
al(e eon ist ly) -ιστής
aula αὐλή
chord(al χορδή
chorda -al χορδή
centrum -ous κέντρον
chord- χορδ-
aria -iaceae -iaceous χορ-
ata ate el δάριον
aulodion αὐλός ᾠδή
eiles δεῖλη
euma -id(ae -oid χόρδευμα
itis oid oma -ῖτις -οειδής
onia -ium -ωμα
chordo- χορδο-
centra κέντρον
meter μέτρον
rrhizal ῥίζα
skeleton σκελετόν
tonal τόνος
-chore χωρεῖν
chorea χορεία
-eal -eatic -eiform -eoid
chore -ee -eic -eus χορεῖος
choregic χορηγικός
chore- χορεία
graph(er -γραφος
graphy -ic(al(ly -γραφία
mania μανία
choregus χορηγός
choreo- χορεία
athetosis ἄθετος -ωσις
graph(y etc. = choregraph(y
mania μανία etc.
chorepiscopus -al χωρεπίσκο-
choreutes χορευτής πος
chori- χωρίς
chorial χόριον
choriamb(us χορίαμβος
choriambic χοριαμβικός
choric(al χορικός
chorio- χόριον
adenoma ἀδήν -ωμα
blastosis βλαστός -ωσις
capillaris capillary
carcinoma καρκίνωμα
cele κήλη
epithelioma ἐπί θηλή -ωμα
choriography χορεία -γραφία

chorioiditis χόριον -οειδής -ῖτις
chorioma χόριον -ωμα
chorion χόριον
arius ic in
epithelioma = chorioepithe-
chorio- Cont'd lioma
retinal -itis ῥητίνη -ῖτις
Chorioptes -ic χόριον οπτικός
chori- χωρίς
petalae -ous πέταλον
phelloid φέλλος -οειδής
phyllous -φυλλος
sepalum -ous -y σκέπη
chorisis χώρισις
chorism χωρισμός
chorisma χώρισμα
chorist χόρος -ιστής
er(ship ic ry
chorist- χωριστός
a ate id(ae ida idean
istium ἱστίον
oid oma -οειδής -ωμα
choristo- χωριστός
blastoma βλαστός -ωμα
ceras κέρας
dera -an δέρη
phyllous -φυλλος
pod(a ous ποδ-
Chorites χωρίτης
choriz- χωρίζειν
ation ema -ημα
ont χωρίζοντες
al es ic ist
chorizo- χωρίζειν
gynopora γυνο- πόρος
choro- χορο- χωρο-
bates χωροβάτης
decta χορο- δήκτης
didascalus χοροδιδάσκαλος
graph(er χωρογράφος
graphy -ic(al(ly χωρογραφία
choroid χοροειδής
al ea itis -ῖτις
choroido- χοροειδής
cyclitis κύκλος ῖτις
eremia ἐρημία
iritis ἶρις ῖτις
retinitis ῥετίνη ῖτις
choro- Cont'd
isotherm χωρο- ἰσο- θερμ-
logy -ic(al -ist χωρο- -λογία
-ιστής
mania χορο- μανία
metry χωρομετρία
chortosterol χόρτος στερεός
chorus(er χόρος -ισμός
chrematheism χρῆμα θεός
chrematist χρηματιστής
chrematistic χρηματιστικός
chrematistics χρηματιστική
Chreolepis χρεο- λεπίς
Chreostes χρεώστης
chreotechnics χρεῖος τέχνη
chresard χρῆσις
chrestic χρηστικός
chrestomathic χρηστός μαθής
chrestomathy χρηστομάθεια
-ic(al
Chrestosema χρηστο- σῆμα
Chrionema χρεῖος νῆμα
chrism(a χρῖσμα
al(e arium ary ation atize
atory -ισμός
chrismatin(e *or* -ite [χρῖσμα
-ίτης
chrismon Χρίστος μονόγραμ-
chrisom χρῖσμα μον

Christ Χριστος
cross(row dom ed hood iad ic
id less like(ness liness ly
tide ward
Christadelphian(ism Χριστός
ἀδελφός -ισμός
christen(dom er ing Χριστός
Christi- Χριστός
cide colist form -ιστής
Christian Χριστιανός
dom(ed hood ism ite ity iza-
tion ize(r less liness ly
ness -ισμός -ίτης
-ίζειν
christiano- Χριστιανός
yraphy -γραφία
Christmas(s Χριστός
ing tide y
Christo- Χριστο-
centric κεντρικός
latry λατρεία
logy -λογία
-ical -ist -ize -ιστής -ίζειν
lyte λύτος
pathy -πάθεια
phany -φανία
pherite φερεῖν -ίτης
chroatol χρόα
-chroic χρωικός
chroico- χρωικός
cephalus κεφαλή
chrom- χρῶμα
a acea aci
(a)esthesia -αισθησία
affin(opathy -πάθεια
ammine ἀμμωνιακόν
an(il ol one -ώνη
atelopsia ἀτελής -οψία
chroma- χρῶμα
meter μέτρον
phil -φιλος
phore -φορος
sciameter σκιά μέτρον
sciopticon σκιά ὀπτικόν
scope -σκόπιον
chromat- χρωματ-
ic(al(ly ism ity) ics χρω-
ματικός
in(ic ino-
lysis rrhexis λύσις ῥῆξις
ism ize -ισμός -ίζειν
oid -ο- ειδής
chromato- χρωματο-
blast βλαστός
dysopia δυσ- -ωπία
genous -γενής
graph(y -γραφος -γραφία
kinopsia κινεῖν -οψία
logy -λογία
lysis lytic λύσις λυτικός
mere μέρος
meter μέτρον
pathy -ia -ic -πάθεια
phagus -φαγος
phil(e ia ic ous -φιλος -φι-
phobia -φοβία λία
phore -φορος
-oma(-ic -ous) -ωμα
plasm πλάσμα
pseudopsis ψευδ- ὄψις
chromat- Cont'd
opto- ὀπτός
meter metry μέτρον -μετ-
chromato- Cont'd ρία
scope -y -σκόπιον -σκοπία
sphere -ic -ite σφαῖρα -ίτης
taxis τάξις

chroma- Cont'd
trope -oscope τροπή -σκό-
type τύπος πιον
chromaturia χρωματ- -ουρία
chrome χρῶμα
-ene(-ol -yl) -ic(ize ὕλη
chrom- Cont'd -ίζειν
azurine
diagnosis διάγνωσις
eido- εἰδο-
crase scope κράσις -σκό-
epidote ἐπίδοσις πιον
esthesia -αισθησία
(h)idrosis ἵδρωσις
idio- -ίδιον
gamy -γαμία
some σῶμα
sphere σφαῖρα
idium -ίδιον
-ial -iation -ien -iosis -ωσις
ine
chromi- χρῶμα
acetate ferous ole
oxalic ὀξαλίς
phosphite φωσφόρος -ίτης
pyrophosphoric πυρο- φωσ-
salicylic ὕλη φόρος
chromio- χρῶμα
meter μέτρον
Chromis χρόμις
-id(ae -id(es ian id(ae inae
chrom- Cont'd ine oid)
ism -ισμός
ite -ite -ίτης
ium
chromo χρῶμα
chromo- χρῶμα
artotypy -τυπία
bacterium βακτήριον
blast βλαστός
chalcography -ic χαλκο-
-γραφία
choloscopy χολο- -σκοπία
chondrium χονδρίον
collo- κόλλα
graph(y ic -γραφος -γρα-
type τύπος φία
crater κρατήρ
crinia κρίνειν
cyanine κύανος
cyclite κύκλος -ίτης
cyclograph κυκλο- -γραφος
cystoscopy κύστις -σκοπία
cyte κύτος
cytometer κυτο- μέτρον
dermatosis δερματ- -ωσις
form
gen(e ic ous -γενής
genesis γένεσις
genetic γενετικός
gram γράμμα
graph -γραφος
hercynite -ίτης
isomerism ἰσομερής -ισμός
isotropy ἰσο- -τροπία
leucite λευκ- -ίτης
lipoid(s λίπος -οειδής
lith(ic λίθος
litho- λιθο-
graph(er ic y -γραφος
tint -γραφία
lume
lysis λύσις
mere -ic μέρος
meter μέτρον
monadina μονάς
nema νῆμα

chrom- Cont'd
ol one -ώνη
onium ἀμμωνιακόν
chromo- Cont'd
paric -ous
phan(e φαν-
phil(e ic ous -φιλος
phobe -ic -φοβος
phore -ic -ous -φορος
phose φῶς
photo- φωτο-
graphy -ic -γραφία
(litho)graph λιθο- γραφος
meter μέτρον
type τύπος
phyll φύλλον
phytosis φυτόν -ωσις
picotite -ίτης
plasm(ic πλάσμα
plast(id πλαστός
proteid -ein πρωτεῖον
pseudomerism ψευδο- μέρος
chrom- Cont'd -ισμός
opsia -οψία
opto- ὀπτός
meter metrical μέτρον
chromo- Cont'd
radiometer μέτρον
rhinorrhea ῥινο- ῥοία
scope -y -σκόπιον -σκοπία
silicate
some -al -(at)ic σῶμα
sphere -ic σφαῖρα
spire σπεῖρα
stroboscope στρόβος -σκό-
tellurate πιον
therapy θεραπεία
toxic τοξικόν
trope -ic -ium -y τροπή
type -ic -y τύπος -τυπία
typo- τυπο-
graph(y -γραφος -γραφία
ureteroscopy οὐρητήρ -σκο-
xylo- ξυλο- πία
graph(y -γραφος -γραφία
chrom- Cont'd
ous ule y yl(e ὕλη
oxyproteic ὀξυ- πρωτεῖον
chron- χρόνος
al(ist -ιστής
anagram ἀνάγραμμα
axia -imeter ἄξια μέτρον
driosome χονδρίον σῶμα
ic(al(ly icity χρονικός
icle -er -ist ique χρονικά
icon χρονικόν
chroni- χρόνιος
(zoo)spore ζωο- σπορά
chrono- χρονο-
barometer βαρο- μέτρον
crator χρονοκράτωρ
genesis γένεσις
gram γράμμα
matic(al(ly matist mic
-ιστής
graph(er χρονογράφος
graphy χρονογραφία
-ic(al(ly -ist -ιστής
isotherm(al ἰσο- θερμ-
loger χρονολόγος
logic(al(ly χρονολογικός
logy -ist -ize χρονολογία
meter(er μέτρον
metry -ic(al(ly -μετρία
nomy -νομία
pher φερεῖν
photo- φωτο-

chrono- Cont'd
gram γράμμα
graph(y ic -γραφος
-γραφία
scope -y -ic(al(ly -σκόπιον
semic σῆμα -σκοπία
sphygmograph σφυγμο-
stichon στίχος -γραφος
thermal θερμ-
thermometer θερμο- μετρον
tropic -ism τροπή -ισμός
chronosteon -eal χρόνος ὀσ-
chroo- χροά τέον
coccus κόκκός
-aceae -aceous -oid
lepid λεπίς
chroopsia χρώς -οψία
chro- χρῶς
opsia -οψία
somus σῶμα
sperma σπέρμα
chrosis χρῶσις
chrotic χρῶς
chrotoplast χρωτός πλαστός
Chrozophora χρῶς -φορος
chrysalis χρυσαλλίς
-id(al an ian ine ism oid)
-idocarpus καρπός
-oideus -οειδής
chrys- χρυσός (χρυσ-)
aline
am(m)in(e ἀμμωνιακόν
amm(in)ic ἄμμα
amphora ἀμφορεύς
anilic -in(e
anisic ἄνισον
anthemum χρυσάνθεμον
-ine -ous
anthous ἄνθος
aora χρυσάορος
arobin(um ol arone -ώνη
aspis χρύσασπις
atropic Ἄτροπος
aurin αὖρον
azin -ol ἀ- ζωή
ean einic ellus
elephantine χρυσελεφάντι-
emys ἐμύς νος
ene enic eolin eus idin(e in(ic
ina χρύσινος
Chrysis χρυσίς
-id(es id(ae oid)
chrysites χρυσίτης
chryso- χρυσο-
aristocracy ἀριστοκρατία
aspid ἀσπιδ-
balanus βάλανος
beryl χρυσοβήρυλλος
bothris βόθρις
bull χρυσόβουλλον
carpous καρπός
cetraric
chlamys χλαμύς
chloris χλωρός
-e id(id(ae -(id)oid -ous
chlorophyll χλωρο- φύλλον
chrome χρῶμα
chrous χροά
chus χρυσοχόος
colla χρυσόκολλα
cracy crat -κρατία -κρατής
creatinen(e κρεατ-
dina χρυσοδίνης
diphenic δι- φαιν-
eriol ἐριο-
fluorine -yl ὕλη
form

chryso- Cont'd
gen -γενής
gonidium γονή -ίδιον
gonimus γόνιμος
graph(y -γραφος -γραφία
hermidin Ἑρμῆς
id(in(e χρυσοειδής
in(e -ινος
ketone -ώνη
lepic λεπίς
lite -ic χρυσόλιθος
logy χρυσο- λογία
lophus χρυσόλοφος
magnet Μαγνῆτις
mel χρυσομηλολόνθιον
a id(ae ideous oid
metris χρυσομήτρις
mitra χρυσομίτρης
monas μονάς
myia μυῖα
myxa μύξα
chrysone χρυσός -ώνη
Chrysopa -id(ae χρυσώψ
chrysopal χρυσός ὀπάλλιος
chryso- Cont'd
pelea πελιός
petalidae πέταλον
phan(e χρυσοφανής
ate ic in ol us
phen- φαιν-
axin(e ἀ- ζωή
ic in ol
phil- χρυσόφιλος
ist ite -ιστής -ίτης
phlyctis φλυκτίς
phora χρυσοφόρος
phyll(um ous φύλλον
phyric πορφύρα
physcin φύσκη
phyta φυτόν
pistus πιστός
pontin Ποντικός
prase -us χρυσόπρασος
prasis πράσιος
chrys- Cont'd
opida χρυσῶπις
ops χρυσώψ
opsis ὄψις
rin
chryso- Cont'd
quinone
retin ῥητίνη
rhamnin ῥάμνος
silpha σίλφη
sperm σπέρμα
splene -ium σπληνίον
stomic χρυσοστομικός
tannin thannine
thamnus θάμνος
thrix θρίξ
tile τίλος
tis χρυσός ωτ-
tolu-
azin(e idin(e ἀ- ζωή
toxin(e τοξικόν
type τύπος
xanthophyll ξανθο- φύλ
λον
chrysure χρυσός οὐρά
chthon- χθών
ascidiae ἀσκίδιον
ian ic χθόνιος
chthono- χθονο-
graphy -γραφία
nosology νοσο- -λογία
phagia -y -φαγία
Chuoodes χυοώδης

church κυριακόν
dom ianity ified iness ish
ism ist ite -ισμός -ιστής
less liness ling ly -ίτης
man(ly ship) ship y yard
ology -ο- λογία
warden(ism ize ship) -ίζειν
churriguer-
ism ist(ic -ισμός -ιστής
-ιστικός
chusite χύσις -ίτης
chyaz(o)ic ὕδωρ ἀ- ζωή
chydae- χυδαι-
opsis ὄψις
Chydaeus χυδαῖος
chyden- χύδην
anthin ἄνθος
anthogenin ἀνθο- -γενής
chyl- χυλός
aceous aqueous e
angioma ἀγγει- -ωμα
ariose χυλάριον
emia -αιμία
idrosis ἵδρωσις
izosoma χυλίζειν σῶμα
chyli- χυλός
facient fact(ion ive ory)
ferous fic(ation atory) form
chylo- χυλο- fy
caula -ous -y καυλός
cele κήλη
cyst(ic κύστις
derma δέρμα
gaster gastric γαστήρ
id χυλοειδής
logy -λογία
micron μικρός -ῖτις
pericardium -itis περικάρδιον
peritoneum περιτόναιον
phoric -φορος
phylly -ae -ous φύλλον
pleura πλευρά
po(i)esis ποίησις
po(i)etic ποιητικός
rrh(o)ea -ῥοία
thorax θώραξ
chylosis χύλωσις
chylosuria χυλός -ουρία
chyme χυμός
-aqueous -iferous -ification
-ify -ous
chymase χυμός διάστασις
chymic etc. = chemic etc.
chymogen χυμός -γενής
chymosin(ogen -γενής
chyometer χέειν μέτρον
chypre Κύπρις
chytra χύτρα
Chytridium χυτρίδιον
-iaceae -iaceous -ial(es
Chytrocrinus χύτρα κρίνον
cibanone -ώνη
Cibdelis κίβδηλος
cibistome κίβισις -τομος
Cibolocrinus κρίνον
cibophobia -φοβία
ciborium -y κιβώριον
Cibotium κιβώτιον
cicatricotomy -τομία
cicatrize(r -ant -ate -ation
-ίζειν
cicely σέσελι
Cicerocrinidae κρίνον
Ciceron(ian)ism -ist -ισμός -ισ-
Ciceronianize -ίζειν τής
Cichla -id(ae -oid κίχλη
soma σῶμα

cichlomorph κίχλα μορφή
ae ic ous
Cichorium κιχώριον
-aceae -aceous
cicisbeism -ισμός
ciclatoun κυκλάς
cicutoxin τοξικόν
cidaris κίδαρις
-ia -id(ae -oid(a
cidarite -ίτης
cider σίκερα
ish ist kin y -ιστής
cienchyma κίω ἔγχυμα
cilariscope -σκόπιον
cilarotomy -τομία
cilice Κιλίκιον
-eous -ium -ius
Cilician -ism Κιλικία -ισμός
ciliectomy -εκτομία
cilio-
branchiate -a βράγχια
phagocyte φαγο- κύτος
retinal ῥητίνη
scleral σκληρός
spore σπορά
tomy -τομία
cillosis cillotic -ωσις -ωτικός
ciloidanic -οειδής
cima etc. = cyma etc.
cimelia κειμήλια
cimeliarch(y κειμηλιάρχης
cimelium κειμήλιον
ciminite -ίτης
Cimmerian(ism Κιμμέριοι -ισμός
Cimolia -ian κιμωλία
-estidae ?λῃστής
-i(a)saurus σαῦρος
-iornis ὄρνις
-ite -ίτης
Cimonian Κιμώνειος
cin- = kin- κινεῖν
aesthesia -αισθησία
anaesthesia ἀναισθησία
cinam- κίνναμον
yl ὕλη
cinchamidin(e ἀμμωνιακόν
cincho-
cerotin κηρωτόν
loipon(ic λοιπόν
meronic μέρος
cinchon-
amin(e ἀμμωνιακόν
hydrin ὑδρ-
inamide ἀμμωνιακόν
inone -ώνη
inyl ὕλη
iretin ῥητίνη
ism -ισμός
ize -ation -ίζειν
cinchono-
logy -λογία
metry -μετρία
phen φαιν-
cincho- Cont'd
toxol -in(e -yl τοξικόν ὕλη
cinclis κιγκλίς
cinclisis κίγκλισις
Cinclosoma κίγκλος σῶμα
Cinclus κίγκλος
-id(ae -inae -oid
cine κίνημα
cinema κίνημα
microscopy μικρο- -σκοπία
cinematic(al -ics κίνημα
cinematization κίνημα -ίζειν
cinemato- κίνημα
graph(er -γραφος

cinemato- Cont'd
graphy -ic(al(ly -γραφία
micrograph μικρο- -γραφος
cine- κίνημα
melodrama μελο- δράμα
cinemo- κίνημα
graph meter -γραφος μέτρον
cin- κινεῖν
enchyma -atous ἔγχυμα
cin- κίνναμον
ene eol(ic
cine- κινεῖν
negative
plasty -ics -πλαστία πλαστικός
cineo- κινεῖν
graph -γραφος
cines- κίνησις
algia -αλγία
cinesis etc. = kinesis etc.
cineto- κινητός
graphic γραφικός
Cinixys -yinae κινύσσομαι
cinnabar κιννάβαρι
ic ine sana
cinn- κίνναμον
aldehydum ὕδωρ
olin(e -ic yl ὕλη
cinnam- κίνναμον
al(azine ἀ- ζωή
aldehyde -in ὕδωρ
amid(e ἀμμωνιακόν
anilid(e
ate ein ene ic ol
enyl ite ὕλη -ίτης
yl(idene ὕλη
cinnamo- κίνναμον
dendron δένδρον
nitrile νίτρον
yl ὕλη
Cinnamomum κιννάμωμον
-eous -ic
cinnamon(ic κίνναμον
Cinnyris -id(ae -oid κιννυρίς
-imorph(ae ic μορφή
cino- κινεῖν
genic -γενής
logy -λογία
meter metry μέτρον -μετρία
plasm πλάσμα
sternum στέρνον
-id(ae -oid
cinquecentist -ιστής
cinter cintre κέντρον
Cinuria -an -ous κινεῖν οὐρά
Cinyra κινύρα
cion κίων
ectomy -εκτομία
itis -ῖτις
ciono- κιονο-
crania -ial -ian κρανίον
ptosis πτῶσις
raphia -ῥαφία
spermeae σπέρμα
tome -y -τομον -τομία
Cionus κίων
ciod(ae κίς
Circaea κιρκαία
Circaetus κίρκος ἀετός
Circe -ean -ize Κίρκη -ίζειν
circin- κίρκινος
al ate(ly ation us
circle κίρκος
-ed -er -et -ine -oid -wise -y
Circoporus -idae κίρκος πόρος
circovarian κίρκος
circul- κίρκος
able and ant

circul- Cont'd
ar (ism ity ization ize(r ly ness) -ισμός -ίζειν
ate -ion(al -ive -or(y -orious
e et ine us
circum-
basal βάσις
center central κέντρον
circle κίρκος
cone conic κῶνος κωνικός
cubic κυβικός
esophagal οἰσοφάγος
gyration -al -ate -atory γῦρος
horizontal ὁρίζων
lateralism -ισμός
parallelogram παραλληλόγραμμον
pentagon πεντάγωνον
polarize -ation πόλος -ίζειν
polygon πολύγωνον
siphonal σίφων
spheral σφαῖρα
tropical τροπικός
Circus -inae -ine κίρκος
circus cirque κίρκος
cirri-
branch(ia iata iate βράγχια
cirrho- κιρρο-
ids κιρροειδής
lite λίθος
lysin λύσις
nosus νόσος
pod(a es ous) ποδ-
Cirropsis κίρρος ὄψις
cirro- κιρρο-
lite λίθος
phanus φανός
rhinal -y ῥίν
stome -atous -i -idae στόμα
teuthis -id(ae -oid τευθίς
cirr- κίρρος
osis otic -ωσις -ωτικός
cirs- κιρσός
ectomy -εκτομία
ium κίρσιον
oid κιρσοειδής
omphalos -us ὀμφαλός
ophthalmia -y ὀφθαλμία
os
cirso- κιρσο-
tome tomy -τομον -τομία
Cis(idae κίς
Cisalpinism -ισμός
cisoceanic Ὠκεανός
Cissus κισσός
-ampelos ἄμπελος
-eis κισσήεις
-oid(al κισσοειδής
cist(ed ic κίστη
Cistella -id(ae -oid κίστη
cistern κίστη
Cisticola κίστος
Cistocarpum κιστο- καρπός
cistome κίστος
cistophore -ic -um -us κιστοφόρος
Cistothorus κιστο- θορεῖν
Cistudo κίστη
-ina -inid(ae
cistula κίστη
Cistus κίστός
-aceae -aceal -aceous -al(es
-ineae -ineous
cithara κιθάρα
cithar- κιθαρ-
edus κιθαρῳδός
exylum -on ξύλον
ichthys ἰχθύς

cithar- Cont'd
ist κιθαριστής
istic κιθαριστικός
oedic κιθαρῳδικός
cither cithern κιθάρα
Citheronia -iidae -ioid κιθάρα
citizenism -ize -ισμός -ίζειν
citobarium βαρύς
citole -er κιθάρα
citometer μέτρον
citr- κίτρον (κιτρ-)
acetic -ate
aconimide ἀκόνιτον ἀμμωνιακόν
al ate
amalic μᾶλον
amid(e ἀμμωνιακόν
ange(ade anilic -ide
az(in)ic ἀ- ζωή
ean ene eous ic il
iculture -ist -ιστής
in(e ation el ous κίτρινος
citro- κιτρο-
meter μέτρον
molybdic μόλυβδος
myces μύκης
phen φαιν-
phosphate φωσφόρος
phyllum φύλλον
citron κίτρον
ella -al -ic -ol -one -ώνη
ene in ize -ίζειν
citropsis κίτρον ὄψις
citrus -ous κίτρον
-ullus(-in -ol)
-urea -yl οὖρον ὕλη
cittern κιθάρα
citycism cityite -ισμός -ίτης
civet(one ζαπέτιον -ώνη
civ(ic)ism -ισμός
civilize -ίζειν
-able -ation(al -atory -edness -ee -er
clad- κλάδος (κλαδ-)
anthus -ous ἄνθος
autoicosis -osis αὐτ- οἶκος
enchyma ἔγχυμα -ωσις
estic -in ἐδεστός
euterus κλαδευτής
ietum ine -osus
iscus isk κλαδίσκος
istia -ian ἱστία
ium ius κλάδιον
clado- κλάδος
branchia -iate βράγχια
brostis βρωστήρ
carpi -ous καρπός
cere -a(n -ous κέρας
chytrium -iacea χυτρίον
clinus κλιν-
copa -ous κώπη
crinoidea κρίνον -οειδής
dactyla δάκτυλος
discus δίσκος
clad- Cont'd
ode -ial -ium κλαδώδης
odus -ont(id(ae -ontoid ὀδούς
clado- Cont'd
dystrophia δυσ- -τροφία
fied
genous -γενής
gonidium γονή -ίδιον
-andro- -gyno- ἀνδρογυνομανία
hepatic(a ἡπατικός
mania μανία
myrma μύρμηξ
cladome κλάδος -ωμα

Cladonia κλάδων
-iaceae -ic -iei -iine -in -ioid
clado- Cont'd
nema -idae νῆμα
pelma πέλμα
phora -φορος
-aceae -aceous -ales
phyl(l(um κλαδών φύλλον
ptosis πτῶσις
clad- Cont'd
ophiurae -an -ous ὀφίουρος
orchis ὄρχις
clado- Cont'd
rhabd ῥάβδος
ropy -ic ῥοπή
sclereids σκληρός εἶδος
selache σελάχη
-ea -ian -id(ae -oid
cladose κλάδος
-ictis ἴκτις
clado- Cont'd
siphonic σίφων
spor- σπορά -οειδής
iose iosis ium oid -ωσις
stemonous στήμων
stroma στρῶμα
strongyle στρογγύλος
style στῦλος
thrix -icosis θρίξ -ωσις
tyle τύλη
Cladrastus κλάδος θραυστός
cladus κλάδος
Clambus κλαμβός
clamo(u)rist -ιστής
clang κλαγγή
Claosaurus -os κλάειν σαῦρος
claricymbal κύμβαλον
Clarist clarite -ιστής -ίτης
Clarithemys ἐμύς
Clarkeaster ἀστήρ
clasi- κλάσις
leucite λευκ- -ίτης
clasmato- κλάσμα
blast βλαστός
cyte -osis κύτος -ωσις
clasm- κλάσμα
odontomyinae ὀδοντο- μῦς
classicalism -ist -ισμός -ιστής
classicism -ist(ic -ize -ισμός
-ιστής -ιστικός -ίζειν
clasterio- κλαστήριον
sporium σπορά
clastic κλαστός
clasto- κλαστός
gene -γενής
pteromyia πτερο- μυῖα
thrix θρίξ
type τύπος
clathr- κλήθρα
aceae aceous aria ate ina
inidae oid ulate ulina us
clathro- κλῆθρα
baculus
cystis κύστις
dictyon δίκτυον
phore -φορος
sphaerid(a σφαῖρα
stoma στόμα
claudetite clausthalite -ίτης
claustrophobia -ic -φοβία
Clavaeblastus βλαστός
clavecinist -ιστής
clavelization -ίζειν
clavi-
cembalo κύμβαλον
chord(ist χορδή -ιστής
cither(ium κιθάρα

clavi- Cont'd
cylinder κυλίνδρος
cymbal(um κύμβαλον
clavicotomy -τομία
clavism -ισμός
clavo-
deltoid(eus δελτοειδής
mastoid μαστοειδής
trapezius τραπέζιον
clearcole κόλλα
cledonism κληδών -ισμός
cleftophone φωνή
cleid- κλειδ-
agra ἄγρα
arthritis ἀρθρῖτις
cl(e)ido- κλειδο-
costal
cranial(iasis κρανίον -ιασις
hyoid ὑοειδής
mancy μαντεία
mastoid μαστοειδής
occipital
sternal στέρνον
toma tomy -τομος -τομία
Cleiocrinidae Κλειώ κρινον
cleisagra κλείς ἄγρα
cleisiophobia κλεῖσις -φοβία
cleist- κλειστός
anthery ἀνθηρός
enterata ἔντερον
cleisto- κλειστός
carp(ae eae i ic ous) καρπός
crinus κρίνον
gamy -ia -ic(ally -ous -γαμία
gen(e ous -γενής
petaly πέταλον
cleithr- κλεῖθρον
al idiate um
cleithro- κλεῖθρον
phobia -φοβία
clema κλῆμα
Clematis -in(e κληματίς
clematite κληματῖτις
Clemmys κλεμμύς
-myid(ae -myoid
Clenialites λίθος
Cleodora -idae Κλεοδώρα
cleoid -οειδής
clepsammia κλέπτειν ἄμμος
Clepsine κλεψία
-ae -ea -id(ae -oid
-οειδής
clepsydra -oid κλεψύδρα
-opid(ae -opoid -ops ὤψ
Cleptes κλέπτης
cleptic(us inae κλεπτικός
clepto- etc. = klepto- etc.
clerg- κληρικός
ess ical ion ise
clergi- κληρικός
able al(ly
clergy κληρικός
able man woman
cleric κληρικός
ate ature ism ity -ισμός
clerical κληρικός
ism ist ity ize ly ty -ισμός
-ιστής -ίζειν
clerico- κληρικός
political πολιτικός
clerisy κληρικός
clerk κληρικός
age dom ery hood ish less
liness ling ly ship
clero- κλῆρος
dendron δένδρον
mancy μαντεία

clero- Cont'd
nomus κληρονόμος
nomy κληρονομία
Clerota κληρωτός
cleruch(ial κληροῦχος
cleruchic κληρουχικός
cleruchy κληρουχία
Clerus -idae κλῆρος
clestine κληστός
Clethra -aceae -aceous κλῆθρα
-aecarpum καρπός
cleveite -ίτης
Clianthus κλέος ἄνθος
clido- = cleido-
mys μῦς
notus κλειδόειν νῶτος
phorus -φορος
plastra πλάστρα
rrhexis ῥῆξις
stern(a(l στέρνον
cliftonite -ίτης
climaco κλιμακο-
graptus γραπτός
neura -idae νεῦρον
rhizae -al ῥίζα
climacter(y ian κλιμακτήρ
ic(al(ly κλιμακτηρικός
climactic(al(ly κλίμαξ
climactichnite κλίμαξ ἴχνος
climat- κλίμα
archic ἀρχικός
ius
climate κλίμα
-al -ic(al(ly -icity -ion -ize
climato- κλίμα -ure
genetic γενετικός
graph(y ical -γραφος
-γραφία -ιστής
logy -ic(al(ly -ist -λογία
meter -ric μέτρον μετρικός
therapeutics θεραπευτικός
therapy θεραπεία
climax κλίμαξ
clime κλίμα
clin- κλιν-
andrium ἀνδρ-
ant ic
anthium ἄνθος
idium κλινίδιον
clinic κλινικός
al(ly ian ist -ique -ιστής
clinico- κλινικός
pathological παθολογικός
clino- κλινο-
amphibole ἀμφίβολος
anemometer ἀνεμο- μέτρον
augite αὐγίτης
axis
bronzite -ίτης
cephal- κεφαλή
ic ism ous us y -ισμός
chaeta χαίτη
chlore χλωρός
clasite κλάσις -ίτης
coris κόρις
crocite κρόκος -ίτης
dactyly δάκτυλος
diagonal διαγώνιος
dome -atic δῶμα
enstatic -ite ἐνστάτης -ίτης
enstenite -ίτης
graph(y ic -γραφος -γραφία
hedral -ite ἕδρα -ίτης
humite -ίτης
hypersthene ὑπέρ σθένος
id -o- ειδής
logy -ic -λογία

clino- Cont'd
meter metry -ic μέτρον -μετρία
morphy -ous μορφή
pathological κλινικός
phaeite φαιός -ίτης
pinacoid(al πινακοειδής
podium ποδίον
clin- Cont'd
opistha ὄπισθεν
ops ὤψ
clino- Cont'd
prism πρίσμα
ptilolite πτιλο- λίθος
pycnidium πυκνός -ίδιον
pyramid πυραμίς
pyroxene πῦρ ὀξύς
rhombic ῥόμβος
rhomboid(al ῥομβοειδής
scope -σκόπιον
sporangium σπορά ἀγγεῖον
stat(ic ism στατός -ισμός
tropic -ism τροπή -ισμός
zoisite -ίτης
clintonite -ίτης
Clinteria κλιντήριον
clinure κλιν-
Clinus -id(ae -oid κλιν-
Clio -iid(ae -ioidea Κλειώ
pteria πτερίς
clion- Κλειώ
a id(ae oid
e ea es id(ae oid
opsis -id(ae ὄψις
cliqu(e)ism -ισμός
cliseo- κλίσις
meter μέτρον
clisio- κλίσιον
campa κάμπη
phyllum -id φύλλον
spira σπεῖρα
clist- = cleist-
antherous ἀνθηρός
clistase κλίμαξ στάσις
clisto- = cleisto-
saccus σάκκος
thecium θηκίον
clistrate κλίμαξ
clit- κλίτος (or κλιτύς)
ambonites ἄμβων -ίτης
clithridium -iate κλειθρίδιον
clithro- κλεῖθρον
phobia -φοβία
clithrum -al κλεῖθρον
clition κλίτος
clito- κλίτος
bius βίος
chlore χλωρός
cybe κύβη
clitorid- κλειτοριδ-
auxe αὔξη
ean
ectomy -εκτομία
itis -ῖτις
otomy -τομία
clitoris κλειτορίς
-ia -ism -itis -ισμός -ῖτις
clitoro-
mania tomy μανία -τομία
cloanthite = chloanthite
chloe- κλοιός
choanite(s -ic χοάνη -ίτης
Chloetus κλοιώτης
clon(e al ic ome κλών
clonic(ity otonic κλόνος τόνος
clonio- κλόνιον
cerus κέρας
clonism κλόνος -ισμός

clono- κλόνος
graph spasm -γραφος σπασ-
clono- κλών μός
crinidae type κρίνον τύπος
Clonorchis κλών ὄρχις
-i -iasis -osis -ιασις -ωσις
clonus κλόνος
clostero- κλωστήρ
cera myia κέρας μυῖα
Clostridium -ial κλωστήρ
Clotho Κλωθώ -ίδιον
clownism -ισμός
clubbism -ist -ισμός -ιστής
Clubiona κλέος βιοῦν
-id(ae -oid(ae
Cluniac -ist -ακός -ιστής
cluytyl -iasterol ὕλη στερεός
clydo- κλυδών
nautilus ναυτίλος
Clydonites κλυδών -ίτης
-id(ae -oid
clymene κλυμένη
-ia -iidae -oid(ea
clype-
aster(idae idea ἀστήρ
astr- ἄστρον
id(ae ina oid(ea oida(n
clysis κλύσις
clysium clysmic κλύζειν
clysmian κλύσμα
clyster κλυστήρ
clysterium κλυστήριον
Clytiopsis ὄψις
clytodendrous κλυτόδενδρος
Cnecosa κνηκός
cnem- κνήμη
apophysis ἀπόφυσις
argus κνήμαργυς
ial idium itis -ίδιον -ῖτις
cnemid- κνημιδ-
actis -inidae ἀκτίς
otus κνημιδωτός
cnemido- κνημιδο-
lophus λόφος
phorus κνημιδοφόρος
spora σπορά
thrix θρίξ
cnemi- κνήμη
ornis -ithid(ae -ithoid ὄρνις
cnemis κνημίς
cnemo- κνημο-
pachus κνημοπαχής
scoliosis σκολίωσις
cneo- κναίειν
glossa γλῶσσα
Cneorum -aceae -aceous κνέω-
cnester- κνηστήρ ρον
odon -ontinae ὀδών
cnestro- κνῆστρον
stoma στόμα
Cnicus -in κνῆκος
cnida -aria(n κνίδη
Cnidian Κνίδιος
cnido- κνιδο-
blast βλαστός
cell cil(ium
cyst κύστις
genous -γενής
phore -ous -φορος
sac σάκκος
sphere σφαῖρα
cnidosis κνίδωσις
Cnodalon κνώδαλον
coadamite -ίτης
coagonize ἀγωνίζεσθαι
coagriculturalist -ιστής
coagulinoid -οειδής

coagulometer μέτρον
coalase διάστασις
coalite -ίτης
coalitionist -ιστής
coalize -ίζειν
coarctotomy -τομία
coaxation κοάξ
cobalt-
amin(e ἀμμωνιακόν
chalcanthite χάλκανθον
ion ite ἰόν -ίτης -ίτης
melanterite μελάντερος
(nickel)pyrite πυρίτης
ocher ὄχρα
cobalti-
cyanic -id(e κύανος
molybdate μόλυβδος
nitrite νίτρον
oxalate ὀξαλίς
phosphate φωσφόρος
cobalto-
cyanic -id(e κύανος
menite μήνη -ίτης
coberzontoid -οειδής
cobishop ἐπίσκοπος
Cobitis κωβίτης
-id(ae -inae -oid(ae oidei
cobraism -ισμός
cobralysin λύσις
cocainism -ist -ισμός -ιστής
cocainize -ation -ίζειν
cocainomania(c μανία -ακός
cocamin(e ἀμμωνιακόν
coca-
pyrin yl πῦρ ὕλη
cocarde κόκκος
cocc- κόκκος
aceae aceous elic
aster αστήρ
eric -in -yl ὕλη
Cocceianism -ισμός
cocci- κόκκος
ferous form gerous
genic -γενής
coccid- κοκκίς
ial iidea(n in(e ioid ioid(al ioid(es
iomorpha μορφή ium
iosis -ωσις
coccido- κοκκίς
logy -λογία
coccin(ic κόκκος
coccin- κόκκινος
ean eous ic in(e
ella -id(ea -oid
ite one -ίτης -ώνη
cocco- κοκκο-
bacillus
bacteria -ium βακτηρία
chromatic χρωματικός
crinidae κρίνον -ίδης
de(s κόκκος -ώδης
discus -idae δίσκος
genous -γενής
gn(id)ic Κνίδος
gnin
gone -ales -eae -ium γονή
id κόκκος -οειδής
lite lith λίθος
melasma μέλασμα
nema νῆμα
sphere σφαῖρα
thraustes -inae -ine θραυσ
cocc- Cont'd τό-
osteus ὀστέον
-ean -eid(ae -eoid
ous
ule -iferous -in -us

cocc- Cont'd
ulina -id(ae -oid
us(id(ae oid)
coccyg- κοκκυγ-
algia -αλγία
eal es eus ian inae ine us
ectomy -εκτομία
odynia -ωδυνία
coccygeopubic κοκκυγ-
coccygo- κοκκυξ
morph(ae ic μορφή
Coccystes κόκκυξ
Coccyzus = Coccygus
cochineal κοκκυξ
-illic -illin
cochle- κοχλίας
a an ate(d ous
ar(e ia iform iid(ae in(e ioid
arthrosis ἄρθρωσις ius y)
iform
itis -ῖτις
cochleo- κοχλιο-
id κοχλιοειδής
sauridae σαῦρος
Cochlides -ae -iidae κοχλίδες
cochlidio- κοχλίδιον
spermate σπέρμα
cochli- κοχλίας
odus -ont(id(ae oid(ae)
cochlio- κοχλιο- ὀδούς
myia podidae μυῖα ποδ-
cochlite κόχλος -ίτης
cochlitis = cochleitis
cochlo- κόχλος
ceras κέρας σπέρμα
spermum -aceae -aceous
cock etc. κοκκοβόας ὄρνις
cockle -ed -er κογχύλιον
coclaurin(e κόκκος
coco(a ?κοῦκι
cocosite -ol -ίτης
cocostearic -yl στέαρ ὕλη
coctoantigen ἀντί -γενής
Cocytus Κωκυτός
-inus(-id(ae -idea -oid)
cod- κώδεια
amin(e ἀμμωνιακόν
eonal ide
iaceae iaceous iales ium
codia- κώδεια
crinidae κρίνον
codein κώδεια
a e ium one -ώνη
codiniac Κυδώνιος
codio- κωδιο-
phyllus φύλλον
codist -ιστής
codon κώδων
aster ἀστήρ
ella -id(ae
ium id(ae iid(ae
oeca -id(ae οἶκος
codono- κώδων
siga σιγή
stome -a στόμα
coeducationalism -ist -ize
-ισμός -ιστής -ίζειν
coel- κοῖλος
acanth ἄκανθα
i id(ae ine ini oid(ae oidei
ous us
anaglyphic ἀναγλυφή
arium -αριον
elminth(a es ic ἑλμινθ-
enter- ἔντερον
a ata ate e ic on
-coele κοῖλον κοιλία

Coelebogyne γυνή
coelectron ἤλεκτρον
coeli- etc. = celi- etc.
coelia -ian κοιλία
coeli- κοιλι-
ac κοιλιακός
adelphus ἀδελφός
agra algia ἄγρα -αλγία
colist -ιστής
odynia -ωδυνία
coelio- κοιλιο-
myalgia μυ- -αλγία
rrh(o)ea -ῥοία
scope -y -σκόπιον -σκοπία
spasm σπασμός
tomy -τομία
coelitis κοιλία -ῖτις
coelo- κοιλο-
blast βλαστός
eae ic ula ule
coccus κόκκος
ceras κέρας
chilina χεῖλος
cormus -id(ae -oid κορμός
craera κραῖρα
cyrtean κυρτός
dendron δένδρον
Coelodes κοιλώδης
coelodont κοῖλος ὀδοντ-
coelo- Cont'd
gaster γαστήρ
gastrule -a γαστρ-
genys γένυς
gorgia -id(ae Γόργειος
gyne γυνή
lepis λεπίς
-(id)id(ae -(id)oid
coelom κοίλωμα
a ata ate atic (at)ous i
odaeum ὀδαῖος
coelomo- κοίλωμα
coela κοῖλος
pore stome πόρος στόμα
coelo- Cont'd
mesoblast μεσο- βλαστός
meter μέτρον
navigation
nema νῆμα
neura(l νεῦρον
pleurum πλευρόν
plana -ula πλαν-
platyan πλατύς
pneumata πνεύμων
pnoa πνόος
pora πόρος
Coelops κοῖλος ὤψ
coelosis κοίλωσις
coelo- Cont'd
ptychium πτύχιον
sperm(ae ous σπέρμα
sphaeroma σφαίρωμα
stat στατός
styl- ina idae στῦλος
suchus σοῦχος
teuthis τευθίς
thel θηλή
zoic κοιλία ζῶον
coelum Coelus κοῖλος
Coelurus κοῖλος οὐρά
-ia(n -id(ae -oid
-osauride σαῦρος
coen- κοινός
(a)esthesia -αισθησία
(a)esthesis αἴσθησις
anthium ἄνθος
enchym(a al atous e ἔγχυμα
esthopathia αἴσθησις -πά-

coenob- κοινόβιον θεια
ian iar ioid ium y
iarch κοινοβιάρχης
ite etc. = cenobite etc.
ita -id(ae -oid -ίτης
coeno- κοινο-
bius κοινόβιος
blast(ic βλαστός
carpium καρπός
centrum κέντρον
cladia κλάδος
cyte -ic κύτος
dioecism δι- οἶκος -ισμός
ecium -ial -ic οἰκίον
gamete γαμέτης
gamy -ous κοινογαμία
genesis -ic καινός γένεσις
gonium -γωνία
graptus γραπτός
morphae μορφή
mylodes μυλώδης
Coenonica κοινωνικός
coeno- Cont'd
pithecus πίθηκος
plase πλάσις
podus ποδ-
psyche ψυχή
pterid πτεριδ-
sarc(al ous σάρξ
site σῖτος
some σῶμα
species
sphaera sphere σφαῖρα
thecalia θήκη
thrips θρίψ
type -ic -τυπον
coen- Cont'd
osium
osteum -eal -eon ὀστέον
ure -us οὐρά
coenzyme ἔνζυμος
coepiscopacy ἐπίσκοπος
coequalize -ίζειν
coercionist -ιστής
coerox- ὀξύς
ene one -ηνη -ώνη
onium ἀμμωνιακόν
coerthi- θεῖον
ene one -ηνη -ώνη
onium ἀμμωνιακόν
coerulio-
molybdate μόλυβδος
coetonium κοιτών
coffamin(e ἀμμωνιακόν
coffer(dam er ship) κόφινος
coffiac -ακός
coffin κόφινος
cognize (by analogy) -ίζειν
-ability -able(-ly -ness) -ee
cohenite -ίτης -er -or
coil- = coel-
coisomerase ἰσομερής διάστα-
coitophobia -φοβία σις
colaco- κολακο-
biosis -ic βίωσις
col-
algia κόλον -αλγία
alin χολή
amin(e χολή ἀμμωνιακόν
aphize κολαφίζειν
aptes -inae κολάπτειν
astes κολαστής
auxe κόλον αὔξη
Colbertism -ισμός
colch- Κολχίς
id(e in(e ol
Colchian Κολχίς

colchic κολχικόν
ein(e ia in(e um
colchyte κολχυτής
colcothar χάλκανθον
colectomy κόλον -εκτομία
colein(e κολεός
colemanite -ίτης
colenchyma = collenchyma
Colenis κωλήν
coleo- κολεο-
cele κήλη
cystitis κύστις -ῖτις
gen -γενής
coleol χολή
Coleonyx κολεός ὄνυξ
coleo- Cont'd
phile -φιλος
phyl(l φύλλον
ous um y
pod(ium ποδ- ποδίον
pter(a κολεόπτερος
al an in
ist oid -ιστής -οειδής
ology -ical -λογία
ptile -um πτίλον
rhamphi -ous ῥάμφος
rhiza -al -atus ῥίζα
spastia σπαστία
sporium σπορά
stoma στόμα
tomy -τομία
coleosule κολεός
Coleps -epid(ae -epina κώληψ
colesule -a κολεός
Colias Κωλιάς
colic κωλικός
a(l ked ky
colico- κωλικός
plegia -πληγία
coli- κόλον
bacilluria -ουρία
colitis -ῖτις
cryptus κωλῆ κρυπτός
cyst- κύστις
(opyel)itis πύελος -ῖτις
colie = coly
Coliomorphae κολιός μορφή
coli- Cont'd
lysin λύσις
plication puncture
protease πρωτεῖον διάστα-
pyelitis πύελος -ῖτις σις
sepsis σῆψις
toxemia τοξικόν -αιμία
uria -ουρία
colitis κόλον -ῖτις
Collabismus κολλαβίζειν
collaborationism -ist -ισμός
coll- κόλλα (κολλ-) -ιστής
(a)emia -αιμία
argol ἄργυρος
collagen κόλλα -γενής
ase ic ous διάστασις
collain κόλλα
collectivism -ist -ισμός -ιστής
collegialism -ισμός
Collema κόλλημα
-(at)aceae -(at)aceous -ei
coll- Cont'd -eine -oid
embola ἔμβολον
-an -e -ic -ous
emplastrum ἔμπλαστρον
enchyma ἔγχυμα
-atic -atous -e
encyte -al ἐν κύτος
eter(ium ial κολλᾶν -τηρ(ιον
etes κολλητής

coll- Cont'd
etic κολλητικός
eto- κολλητός
cisto- cysto- κύστις
phore -φορος
ptera πτερόν
trichum -ose τριχ-
collicul-
ectomy itis -εκτομία -ῖτις
Collida κόλλα
-in(e -inium -one
colliform κόλλα
collin(ic κόλλα
collo- κολλο-
calia καλία
chemistry κολλώδης χημεία
chromate χρῶμα
collod- κολλώδης
aria(n -αριον
ion(ize ization -ίζειν
collodio- κολλώδης
chlorid(e χλωρός
gelatin(e
type τύπος
collo- Cont'd
gen(ic ous -γενής
gonidium γονή -ίδιον
graph(y ic -γραφος -γραφία
colloid κολλώδης
al(ity ation ea(n ize -ίζειν
colloido- κολλώδης
clasis -ia κλάσις
clastic κλαστός
gen -γενής
pexy -ia -πηξία
scope -σκόπιον
collo- Cont'd
nema νῆμα
phanite φαν- -ίτης
phore -φορος
Collops κόλλοψ
colloquialism -ισμός
colloqu(ial)ist -ize -ιστής
-ίζειν
collosin -ol κολλώδης
collo- Cont'd
sphaera -ia -idae σφαῖρα
thiol θεῖον
turine
type -ic -y τύπος -τυπία
xylin -one ξύλον
zoa(n -oidae -oum ζῷον
zoic ζωικός
Collucianist -ιστής
collyba -os -res κόλλυβα
Collybia κόλλυβος
collybist κολλυβιστής
Collyridian κολλυριδιανοί
Collyrio κολλυρίων
Collyris κολλυρίς
Collyrites κολλυρίτης
-id(ae -oid
collyrium -ite κολλύριον
colob- κολοβός
in us
ion ium κολόβιον
odes κολοβώδης
odont- idae inae ὀδοντ-
oma κολόβωμα
opsis ὄψις
colobo- κολλοβο-
crossa κρόσσαι
thea θέα
colo- κόλον (and κόλος)
brachia -iate κόλος
casia κολοκασία
centesis κέντησις

colo- Cont'd
cephal(i ous κόλος κεφαλή
chole- χολή -στομία
cystostomy κύστις
clysis clyster κλύσις κλυσ-
colic τήρ
colostomy -στομία
cynth κολοκυνθίς
ein idism in(e itin
dyspepsia δυσπεψία
enteritis ἔντερον -ῖτις
cologarithm λόγος ἀριθμός
colo- Cont'd
hepatopexy ἡπατο- -πηξία
labis λαβίς
lite λίθος
mesus κόλος μέσος
metry κωλομετρία
colon κῶλον
colon κόλον
algia -αλγία
anthes ἄνθη
ic itis -ῖτις
colonialism -ist -ize -ισμός
-ιστής -ίζειν
colonist -ιστής
colonize -able -ation(ist -er
colono- κόλον -ίζειν
meter μέτρον
pathy -πάθεια
scope -y -σκόπιον -σκοπία
colo- Cont'd
pathy -πάθεια
pexia -y -πηξία
pexo- -πηξία
stomy tomy -στομία -το-
coloph- Κολοφωνία μία
an(e ene enic iline
colophon(ian κολοφών
colophon- Κολοφωνία
ate ic in one y
colo- Cont'd
proctitis πρωκτός -ῖτις
procto- πρωκτο-
stomy -στομία
pterus -idae κόλος πτερόν
quintida κολοκυνθίς
rectitis -ῖτις
recto-
stomy tomy -στομία -το-
colorimeter μέτρον μία
colorimetry -ic(al(ly -μετρία
colorist(ic -ιστής -ιστικός
colorize -ation -ίζειν
color(i)type τύπος
coloro-
logy -ical -ist -λογία -ιστής
phobia -φοβία
coloss- κολοσσός ic
al(ly ality alize ean eum ian
us(wise
colosso- κολοσσός
chelys χέλυς
emys ἐμύς
lacis λακίς
pus πούς
Colosteus κόλος ὀστέον
-eid(ae -eoid
Colostethus κόλος στῆθος
-id(ae -oid
colostrorrhea ῥοῖα
Colotes κωλώτης
colo- Cont'd
stomy tomy -στομία -τομία
typhoid τυφώδης
colp- κόλπος
algia -αλγία

colp- Cont'd
atresia ἀτρησία
ectasis -ia ἔκτασις
enchyma ἔγχυμα
euryn- εὐρύνειν
sis ter -σις -τηρ
ismus itis -ισμός -ῖτις
colpo- κολπο-
cace κακή
cele κήλη
celiotomy κοιλιο- -τομία
clysis κλεῖσις
cystitis κύστις -ῖτις
cysto- κύστις
cele κήλη
plasty -πλαστία
syrinx σῦριγξ
tomy -τομία
desmo- δεσμο-
rraphia -ῥαφία
colp- Cont'd
oda κολπώδης
-ea -ella -es -ina
odynia -ωδυνία
colpo- Cont'd
hyperplasia ὑπέρ πλάσις
hystero- ὑστέρα
ectomy -εκτομία
pexy -πηξία
rrhaphy -ῥαφία
tomy -τομία
mycosis μύκης -ωσις
myom- μυ- -ωμα
ectomy otomy -εκτομία -τομία
myotomy μυο- -τομία
pathy -πάθεια
perineo- περίνεον
plasty rraphy -πλαστία -ῥαφία
pexy -πηξία
plasty -ic -πλαστία
polypus πολύπους
ptosis πτῶσις
rectopexy -πηξία
rrhagia -ῥαγία
rrhaphy -ῥαφία
rrhea -ῥοία
rrhexis ῥῆξις
colpos κόλπος
Colpotus κολπωτός
colpo- Cont'd
scope -σκόπιον
spasm(us σπασμός
stenosis στένωσις
(steno)tomy στένωσις -τομία
therm θερμ-
torna τόρνος
uretero- οὐρητήρ
(cysto)tomy κύστις -τομία
xerosis ξήρωσις
columb- κόλυμβος
a acei aceous ae
amin(e ium ἀμμωνιακόν
arium -y -αριον
eion κολυμβᾶν
ella -aria -id(ae -oid
ethra κολυμβήθρα
ian id(ae inae ine oid
ic ate ium
ier ine ite
columbi- κόλυμβος
ferous form(es gallines
columbo- κόλυμβος
tantalate Τάνταλος
titanate Τιτᾶνες
Coluocera κολούειν κέρας
colure κόλουρος

Colutea -eic κολουτία
coly κολίος
colymb- κύλυμβος
etes κολυμβητής
ethra κολυμβήθρα
coly- κολεύειν
one -ic
peptic πεπτικός
septic σηπτικός
colytic κωλυτικός
coma -al -ate κόμη
coma -al κῶμα
comagmatic μάγμα
comanic μηκωνικός
Comanthocrinus κόμη ἀνθο- κρίνον
Comarum κόμαρος
comatose κῶμα
-ity ly ness
Comatula κόμη
-id(ae -in -oid
Combe κόμβη
Combertanthites ἄνθος -ίτης
Comboceras κόμβη κέρας
comburi-
meter metry μέτρον -μετρία
comedic(al κωμῳδικός
comedio- κωμῳδία
grapher -γραφος
comedy κωμῳδία
-ian(t -ienne -ietta -ist
comendite -ίτης
comenic μηκωνικός
-amic ἀμμωνιακόν
Comephorus κόμη -φορος
-id(ae -oid
comet κομήτης
arium -y -αριον
es ic(al oid
ornis ὄρνις
cometo- κομήτης
graph(er -γραφος
graphy -ical -γραφία
logy -λογία
comic κωμικός
al(ity ly ness) ry -ique
comi- κωμικός
tragedy τραγῳδία
comiferous κόμη
comma κόμμα
commatic κομματικός
-ical -ism -ισμός
commation κομμάτιον
commensalism -ισμός
commentarialism -ισμός
commercialism -ist -ισμός -ιστής
commercialize -ation -ίζειν
Commiphora κόμμι -φορος
commonize -ίζειν
Commotrias κομμώτρια
communal-
ism ist(ic -ισμός -ιστής -ιστικός
ize(r -ation -ίζειν
communionist -ιστής
communism -ισμός
communist(ery -ιστής
communistic(al(ly -ιστικός
communize -ation -ίζειν
como- κόμη
cladia spore κλάδος σπορά
com(o)edia κωμῳδία
comoid -ose κόμη -οειδής
comparascope -σκόπιον
comparometer μέτρον
compatriotism -ισμός
complementoid -οειδής
complementophile -φιλος

complexionist -ιστής
compresbyter(ial πρεσβύτερος
Compsa -us κουψός
-asteridae ἀστήρ
compso- κομψο-
crita κριτός
gnath- γνάθος
a id(ae oid ous us
thlypis θλύπις
comptograph -γραφος
comptometer μέτρον
compulsionist computist -ιστής
Comtism -ist -ισμός -ιστής
Comus κῶμος
Conamblys κῶνος ἀμβλύς
conarachin ἄραχος
conarium -ial κωνάριον
concamer- καμάρα
ate(d ation
concenter -re κέντρον
concentralization κέντρον
concentrate κέντρον -ίζειν
-ed -ion(ist -ive(ness -or
concentric κεντρικός
al(ly ist -ιστής
conception(al)ist -ιστής
conceptism -ista -ισμός -ιστής
conceptualism -ist(ic -ισμός -ιστής -ιστικός
concertist(ic -ιστής -ιστικός
concertize -ίζειν
concessionist -ιστής
concettism -ist -ισμός -ιστής
conch κόγχη
a acea(n al ate
arium -iidae κογχάριον
ed id(ae
idium -ίδιον
ite -ic itis -ίτης -ῖτις
oecia οἶκος
-iadae -iid(ae -ioid
oid(al(ly κογχοειδής
-ograph -γραφος
ostraca -an ὄστρακον
ula
conchi- κόγχη
fer(a ous) form
fragous olin
concho- κογχο-
cera κέρας
chelys χέλυς
derma δέρμα
lepas λεπάς
logy -λογία -ίζειν
-ical(ly -ist -ize -ιστής
meter metry μέτρον -μετρία
phora -φορος
phylla -an -ous φύλλον
rhynchus ῥύγχος
scope -σκόπιον
spiral σπεῖρα
tome -τομον
Conchylidae κογχύλιον
conchyli- κογχύλιον
aceous ated ferous ous um
conchylio- κογχύλιον
logy -ist -λογία -ιστής
metry -μετρία
morphus -ite μορφή -ίτης
conciliationist -ιστής
concordist -ιστής
concretize -ίζειν
concyclic κυκλικός
condensite -ίτης
conditionalist -ize -ιστής -ίζειν
conducto-
meter metric μέτρον -μετρία

condurite -ol -ίτης
condyl κόνδυλος
ar e ian oid us
arthra ἄρθρον
arthrosis ἄρθρωσις
ectomy -εκτομία
ion κονδύλιον
oma κονδύλωμα
-atoid -atous -e -οειδής
opa ope ὤψ
condylo- κονδύλιον
pod(a ous ποδ-
pyginae πυγή
tomy -τομία
cone(let κῶνος
conein(e κώνειον
conenchyma ἔγχυμα
confederalist -ιστής
confederatism -ist -ize -ισμός -ιστής -ίζειν
confervoid -οειδής -ιστής
confession(al)ism -ist -ισμός
configurationism -ist -ισμός
conformist -ιστής -ιστής
confraternization -ίζειν
Confucianism -ist -ισμός -ιστής
congenialize -ίζειν
Congosaurus -idae σαῦρος
congreganist -ιστής -ίζειν
congregationalism -ize -ισμός
congregation(al)ist -ιστής
congression(al)ist -ιστής
Congrogadus γάδος
-id(ae -oid
congruism -ist(ic -ισμός -ιστής -ιστικός
conhydr- κώνειον ὑδρ-
in(e inium
coniasis κόνις -ίασις
Coniatus κονιατός
conic κωνικός
al(ly alness (al)ity oid -ics
coniceine κώνειον
conichalcite κονία χαλκός
conicle κῶνος
conico- κωνικός
acute elongate
cylindrical κυλινδρικός
graph -γραφον
hemispherical ἡμισφαίριον
ovate subulate
conidin(e ium κώνειον
conidio- κόνις -ίδιον
phore spore -φορος σπορά
conid(ium κόνις -ίδιον
ial ian iferous ioid
conifer κῶνος
ae ales in(e ous
ophyte φυτόν
yl ὕλη
coniform κῶνος
coniism κώνειον -ισμός
Conilurus κόνιλος οὐρά
conin(e ium κώνειον
Coninae coning κῶνος
Coniomma κῶνος ὄμμα
conio- κόνιος
cyst κύστις
logy -λογία
mycetes -ous μυκήτες
philous -φιλος
pteryx πτέρυξ
-ygid(ae -ygoid
spermous σπέρμα
sporium σπορά
theca θήκη
thyrium θυρεός

coniosis κονι- -ωσις
Conirostres κῶνος
-al -um -roster
coniscope κονι- -σκόπιον
conistra κονίστρα
Conivalvia κῶνος
conite κονία -ίτης
conjecturalist -ιστής
conjunctivitis -ῖτις
Connarus κόνναρος
-aceae -aceous -ite -ίτης
connect(*or* x)ionalism -ισμός
connectivase διάστασις
connellite λίθος
Connochaetes κόννος χαίτη
cono- κωνο-
belus βέλος
cardium καρδία
carp(ium ous us καρπός
cephalus κεφαλή
-ite(s -itid(ae -itoid
ceras κέρας
clinium κλιν-
coryphe κορυφή
cuneus
drymium δρυμός
con- κῶνος
odonictus ὀδών ἴκτις
odont ὀδοντ-
oid κωνοειδής
al(ly ic(al(ly
cono- Cont'd
lichas Λιχάς
lophus λόφος
medusae -an Μέδουσα
myoidin μυ- -οειδής
pholis φόλις
phoria -ium κωνοφόρος
phoro- κωνοφόρος
philus p hyta -φιλος
φυτόν
con- Cont'd
ophthalmus ὀφθαλμός
opophaga -idae κώνωψ
-φαλος
ops opid(ae opoid κώνωψ
opsaria(e κώνωψ -αριον
orbis
oryctidae ὀρυκτός
cono- Cont'd
podium ποδίον
rhinus ῥίν
rhynchus -idae ῥύγχος
scope -σκόπιον
siphon σίφων
theca -al θήκη
trachelus τράχηλος
conquinamin(e ἀμμωνιακόν
conservat(ion)ism -ist -ισμός
conservatize -ίζειν -ιστής
consistometer μέτρον
consociationism -ισμός
consonantism -ize -ισμός -ίζειν
consortism -ισμός
consortiumist -ιστής
constitutionalism -ist -ισμός
constitutionalize -ation -ίζειν
constructionist -itis -ιστής
-ῖτις -ιστής
consubstantialism -ist -ισμός
consubstantiationist -ιστής
consumptionism -ισμός
contacion -ium κοντάκιον
contactogenous -γενής
contagionist -ιστής
continentalism -ist -ize -ισμός
-ιστής -ίζειν

continuist(ic -ιστής -ιστικός
conto- κοντο-
derus pus δέρη πούς
contortionist(ic -ιστής -ιστι-
contractionist -ιστής κός
contrantiscian ἀντίσκιον
contra-
arithmetical ἀριθμητική
bandism -ist -ισμός -ιστής
bassist -ιστής
focalism -ισμός
geometrical γεωμετρικός
harmonic(al(ly ἁρμονικός
parallelogram παραλληλό-
γραμμον
polarize -ation πόλος -ίζειν
progressist -ιστής
puntist(o -ιστής
stimulism -ist -ισμός -ιστής
toxin τοξικόν
contro- -ιστής
versi(on)alism -ist -ισμός
versialize -ίζειν
vertist(ical -ιστής -ιστικός
con- κῶνος
ularia -iid(ae -ioid -αριον
ule -ar -us
ulopyrina πῦρ
ure -inae -ine -us οὐρά
us -ίζειν
conventionalism -ist(ic -ization
-ize -ισμός -ιστής -ιστικός
conventionism -ist -ize -ισμός
conversation(al)ist -ιστής
conversationism -ize -ισμός
-ίζειν
conversionism convertism
convictism -ισμός
convivialist -ize -ιστής -ίζειν
Convocationist -ιστής
convulsionism -ist -ισμός -ισ-
cony κουνίκουλος τής
catch(er garth gat ger nge(r
con- κώνειον
ylene yrin(e ὕλη
Conyza κόνυζα
coolgardite -ίτης
coometer μέτρον
cooperationist -ιστής
coorganize ὄργανον -ίζειν
coorongite -ίτης
coortho- ὀρθο-
gonal tomic γονία τομικός
copalite -ίτης
copano- κόπανον
gnathus γνάθος
cope -e(s)mate κόλαφος
cope- κώπη
ichthys ἰχθύς
late -a(e κωπηλάτης
latus κωπηλατός
pod(a an ous ποδ-
copellidin(e κόλλα
coperiodic περιοδικός
Copernicanism -ισμός
cophasal φάσις
cophosis -us κώφωσις
Cophyla -id(ae -oid κωφός
copiapite -ίτης
Copidoceras κοπίς κέρας
copi- κόπος
opia opsia -ωπία -οψία
copo- κόπος
dyskinesia δυσ- -κινησία
Coponautae κώπη ναύτης
copper Κύπριος
bell(y bill blende bloom drift

copper Cont'd
finch glance head(ism ish
ization ize nose(d nickel
ose plate rose skin slate
smith spot tail wall ware
wing works worm y
copperas -in(e Κύπριος
coppice -ing κόλαφος
copr- κόπρος
acrasia ἀκρασία
(a)emia -ic -αιμία
agog(ue ἀγωγός
atin αἱματ-
ato- αἱματο-
porphyrin πορφύρα
copresbyter πρεσβύτερος
copr- Cont'd
(i)emesis ἔμεσις
in(us -ινος
is id(ae ides inae
odaeum ὀδαῖος
copro- κοπρο-
h(a)emin αἱμ-
lagnia λαγνεία
lalia λαλία
lite -ic λίθος
logy -ist κοπρολόγειν -ιστής
phag- κοπροφάγος
(i)an i ist ous y
phanaeus φαναῖος
phil -φιλος
e ia id(a ina ini ist ous us
phyte -ic φυτόν
planesis πλάνησις
porphyrin πορφύρα
st- στερεός
ane anol in ol
stasis στάσις
zoa zoic ζῷον
Coprosma κόπρος ὀσμή
copse -ed -y κόλαφος
Copsicus κοψικός
Copt(ic Αἰγύπτιος
Coptis κόπτειν
copto- κοπτός
chirus cycla χείρ κύκλος
Copturus κοπτός οὐρά
Copurus οὐρά
copygraph -γραφον
copyism -ist -ισμός -ιστής
copyopia = copiopia
coquet(te ish(ly ry See cock.
corac- κορακ-
iae iform(es
ias κορακιάς ioidae
iad(id)ae iid(ae ioid(ea(n
in- κορακῖνος
a(e e ea es ina us
ite -ίτης
coraco- κορακο-
acromial ἀκρώμιον
brachial(is βραχίων
clavicular costal
humeral mandibular(is
id(al eum eus) κορακοειδής
morph(ae ic μορφή
osteon -eal ὀστέον
pectoral(is radialis
protoacoid πρωτο-
scapular ulnaris vertebral
coral κοράλλιον
an ed er ic ist
corall- κοράλλιον
aceous
ana -id(ae
ed er et ian ic
coralli- κοράλλιον

coralli- Cont'd
domous δόμος
ferous form gerous
gena -ous -γενής
morphus -idae μορφή
opsida ὄψις
corallin κοράλλιον -ινος
a (ac)eae aceous e oid
corallio- κοράλλιον
dendron δένδρον
phaga -φαγος
phila -id(ae -oid -us -φιλος
zetus ζητέειν
corall- Cont'd
ite -ic -ίτης
ium iid(ae iinae ioid
oid(al -οειδής
um
corallo- κοράλλιον
rhiza ῥίζα
coraly(di)n(ium κορυδαλλίς
coramin(e ἀμμωνιακόν
corasthma κόρη ἄσθμα
Corax κόραξ
Corcyraean Κόρκυρα
cord χορδή
age aille elier(e elle er y
cordai-
anthus carpus ἄνθος καρ-
Cordaites -ίτης πός
-aceae -aceous -(al)ean -ales
cordax κόρδαξ
cordialize -ίζειν
cordierite -ίτης
cord- χορδή
illa(s illera(n ing ite leaf ol
cordon χορδή
azo et(te nier
corduroy χορδή
Cordyceps κορδύλη
cordyl- κορδύλη
aspis ἀσπίς
e ine ite us
ura -id(ae -oid οὐρά
cordylo- κορδύλη
bia βίος
phora -φορος
soma σῶμα
cor- κόρη
ectasis ἔκτασις
ectome ἔκτομος
dialysis διάλυσις
ectomy -ia -εκτομία
ectopia ἔκτοπος
core- κόρη
cl(e)isis κλεῖσις
dialysis διάλυσις
ductase διάστασις
gonus γονία
-idae -inae -in(e -oid
lysis λύσις
core- κόρις
i id(ae oda odes oid(ea(n us
coreligionist -ιστής
corella κόρη
coremato- κόρημα
cladus κλάδος
Coremium -ia(l -oid κόρημα
corenclysis κόρη ἔγκλισις
coreo- κόρη
meter metry μέτρον -μετρία
plasty -ic -πλαστία
stenoma στένωμα
Coreopsis κόρις ὄψις
core- κόρη
plasty -ic -πλαστία
stenoma στένωμα

core- Cont'd
tomedialysis τομή διάλυσις
tomy -τομία
Coreses κόρίς
cor(iar)iamyrtin μύρτος
corian- κορίαννον
der drol drum
cori- κόρις
melaena μέλαινα
-id(ae -inae -oid
phagus philus -φαγος -φιλος
corinth(us Κόρινθος
iac κορινθιακός -ίζειν
ian(esque ism ize) -ισμός
Coris(a id(ae oid κόρις
Corixa -idae κόρις ἴξ
corkite -ίτης
corm κορμός
idium us -ίδιον
ode(s oid -ώδης -οειδής
cormo- κορμός
bates βάτης
gamae γάμος
gen(ae ous y -γενής -γενεία
phyllaceous φύλλον
phylogeny φυλο- -γενεία
phyly -φυλία
phyte -a -c φυτόν
-asters ἀστήρ
poda ποδ-
stomata στόμα
Cornacuspongiae -ian σπογγία
corneitis -ῖτις
corneo-
blepharon βλέφαρον
iritis Ἶρις -ῖτις
sclera σκληρός
cornet(t)ist cornist -ιστής
cornice κορωνίς
cornometer μέτρον
cornubianite -ίτης
cornu-
cardia καρδία
carpus καρπός
ite lites -ίτης λίθος
proctus πρωκτός
cornwallite -ίτης
coro- κορο-
cleisis κλεῖσις
diastasis διάστασις
diastole διαστολή
coron- κορώνη
a ad ade al(e amen ary ate
ation er et et(t)ed id iform
illa illin ion itis ium ize
oid(al -ῖτις -ίζειν -οειδής
coronadite -ίτης
coronagraph κορώνη -γραφος
coronguite -ίτης
coronis κορωνίς
corono- κορώνη
gram graph γράμμα -γρα-
pus κορωνόπους φος
-ic -ifoliod -οειδής
coro- Cont'd
parelcysis παρέλκυσις
plast(a κοροπλάστης
plasty -ic -πλαστία
scopy -σκοπία
tomy -τομία
corporalism -ισμός
corporationism -ισμός
corporealism -ist -ισμός -ιστής
corporealize -ation -ίζειν
correctionalist -ιστής
correlativism -ισμός
correligionist -ιστής

Corrhecerus κόρρη κέρας
corruptionist -ιστής
corsite -ίτης
Corthya κόρθυς
Corthylus κορθύλος
Corticoris κόρις
cortlandtite -ίτης
corundophil- -φιλος
ist ite -ιστής -ίτης
corvo-
logist -λολία -ιστής
phagist -φαγία -ιστής
corybant κορύβας
ian iate ine ish
iasm κορυβαντιασμός
ic κορυβαντικός
ism ite -ισμός -ίτης
cory- κορυδαλλίς
bulbin
cavamin(e ἀμμωνιακόν
cav(id)in(e
Corycaeus κωρύκαιος
-aeid(ae -aeoid
Corycia κώρυκος
corydaldin(e κορυδαλλίς
Corydalis κορυδαλλίς
-ic -in(e -ina
Corydalis -oides κορυδαλός
Corydomorphae κορυδός μορ-
Corydon κορυδών φή
Corydonyx κορυδός ὄνυξ
Corylocrinus κρίνον
Corylophus κόρυς λόφος
-id(ae -oid
corymb κόρυμβος
ate iate(d iferous ose(ly
ulose ulous us
corymbo- κόρυμβος
porella πόρος
Corymorpha κορύνη μορφή
-idae -oidea(n
coryn- κορύνη
a id(ae ida(n iform oid
anthin(e ἄνθος
etes κορυνήτης
eum idia ite -ίδιον -ίτης
odes κορυνώδης
coryne κορύνη
bacterium βακτήριον
phorus -φορος
coryno- κορύνη
carpus καρπός
-aceae -aceous -in(e
myrmex μύρμηξ
stylus στῦλος
trypa τρῦπα
coryo- κορυδαλλίς
cav(id)ine
corypalmin(e κορυδαλλίς πα-
λάμη
coryph- κορυφή
a ad ium
aena κορύφαινα
-id(ae -ina(e -ine -oid
agrion ἄγριος
antha ἄνθη
(a)eus ee κορυφαῖος
ene κορύφαινα
odon ὀδών
-ont(id(ae -ontoid
corypho- κορυφή
philus phyta -φιλος φυ-
τόν
coryphylly κορυφή -φυλλία
Coryptes κορυστής
corysso- κορύσσειν
merus μηρός

corystes κορυστής
-erium -erial -ηριον
-id(ae -oid(ea(n
Corythaix κορυθάιξ
Corythosaurus κόρυθος σαῦρος
Corythucha κόρυθος οὖχος
corytuberine κορυδαλλίς
coryza κόρυζα
cosalite -ίτης
coscino- κοσκινο-
discus δίσκος
mancy κοσκινομαντεία
pora -id(ae πόρος
ptera πτερόν
coseismal -ic σεισμός
cosinusoid -οειδής
cosm- κόσμος
aesthesia -αισθησία
esis -us κόσμησις
ete κοσμητής
-alepas λεπάς
etic(s κοσμητική
al(ly ian ier
etology -ical -ist κοσμητική
-λογία -ιστής
etology κοσμητός -λογία
etus -id(ae -oid κοσμητός
-ornis ὄρνις
ia iidae κόσμιος
ic(al(ly ics κοσμικός
ism ist -ισμός -ιστής
cosmo- κοσμο-
ceras κέρας
cerithium κεράτιον
chelys χέλυς
chlore χλωρός
clastic κλαστός
coma κόμη
cracy crat(ic -κρατία -κρα-
genetic γενετικός τής
genic geny -γενής -γενεία
gnosis γνῶσις
gony κοσμογονία
-al -er -ic(al -ist -ize
-ιστής -ίζειν
grapher κοσμογράφος
graphy κοσμογραφία
-ic(al(ly -ist -ιστής
labe -λαβον
latry λατρεῖα
logy -ic(al(ly -ist -λογία
metry -μετρία -ιστής
nomic νόμος
organic ὄργανον
pathic πάθος
philite -φιλος -ίτης
phonography φωνο- -γρα-
phyllum φύλλον φία
Cosmoplast(ic κοσμοπλάστης
cosmopoietic ποιητικός
policy πολιτεία
polis ism-(s πόλις -ισμός
polite κοσμοπολίτης
-an(ism -ic(al -ics -ism
-ization -ize -ισμός
cosm- Cont'd -ίζειν
orama -ic ὅραμα
organic ὀργανικός
cosmos κόσμος
cosmo- Cont'd
scaphula σκάφος
scope -σκόπιον
sphere σφαῖρα
tellurian
theism -ist(ic θέος -ισμός
thetic θετικός -ιστής
zoan -oic -oism ζῷον -ισμος

cosphered σφαῖρα
cossaite -ίτης
cossist -ιστής
Cossyphus κόσσυφος
cossyrite Κόσσουρα -ίτης
Costaclymenia κλυμένη
costalgia ἀλγία
Costalocrinus κρίνον
costectomy -ἐκτομία
Costirhynchia ῥύγχος
cost- κόστος
ene ol usic yl ὕλη
costo-
central κέντρον
chondral χόνδρος
colic κωλικός
coracoid κορακοειδής
diaphragmitis διάφραγμα
genic -γενής -ῖτις
pleural πλευρά
pneumopexy πνεύμων πῆξις
sternal στέρνον
tome -τομον
tomy -τομία
trachelian τράχηλος
transversectomy -εκτομία
ziphoid ξιφοειδής
cosymmedian συμ-
cotarn- ναρκωτικός
in(e one -ώνη
cotheorist θεωρία -ιστής
cothon κώθων
aspis ἀσπίς
cothurn κόθορνος
al ate(d ed ia ian ic
cothurno- κόθορνος
cystis -idae κύστις
Cotile κωτίλη
coto-
genin -γενής
porphyrin πορφύρα
Cotoneaster Κυδώνιος ἀστήρ
cottabus -ist κότταβος -ιστής
cotterite -ίτης
cottierism -ισμός
Cottogaster κόττος γαστήρ
cottonize -ation -ίζειν
cottonocracy -κρατία
cottonoid -οειδής
Cottopsis κόττος ὄψις
Cottreancorus κόρος
Cottus κόττος
-id(ae -iform -ina -ine -oid-
(ea(n -oidae -oidei
Cotulades κοτύλη ἀδ-
cotunnite -ίτης
Coturnicops ὤψ
cotyl- κοτύλη (κοτυλ-)
a(r e(a(n idea(n
edon κοτυληδών
al ar(is ary oid ous
iscus κοτυλίσκος
oid(al eus -οειδής
ops opidae ὤψ
variants
cotyli- κοτύλη
form gerous
cotylo- κοτυλο-
form
gonimus γόνιμος
phallus φαλλός
phore -a -ous κοτυλοφόρος
placenta πλακοῦς
pubic
saur(ia(n σαῦρος
cotype τύπος
coulometric -μετρία

coumar-
aldehyde ὕδωρ
amid(e amin(e ἀμμωνιακόν
anone azone -ώνη ἀ- ζωή
yl ὕλη
coup κόλαφος
é ee on stick ure
courtierism -ισμός
couseranite covellite -ίτης
covarioid -οειδής
cowperitis -ῖτις
cox-
agra ἄγρα
algia -y -ic -αλγία
ankylometer ἀγκυλο- μέτρον
arthritis ἀρθρῖτις
arthritis ἀρθρῖτις
arthro- ἀρθρο-
cace pathy κακή -πάθεια
ecphysis ἔκφυσις
itis -ῖτις
odynia -ωδυνία
coxo-
cerite -ic κέρας -ίτης
epimeral ἐπί μέρος
gnathite γνάθος -ίτης
podite -ic ποδ- -ίτης
sternal στέρνον
tuberculosis -ωσις
cozymase ζύμη διάστασις
cracid κράξειν
idae inae ine oid
Cracticus κρακτικός
-cracy -κρατία
cradin κράδη
cradina κράδος
craigiasis -ιασις
crambe κράμβη
crambo κράμβη
clink jingle
Crambus -id(ae -oid κράμβος
Crangon κραγγών
id(ae -idea -in(e -oid(ea(n
crani- κρανι
a acea adae id(ae
acromial ἀκρώμιον
al(ly ata ate
amphitomy ἀμφί -τομία
ectomy -εκτομία
cranidium κρανίον -ίδιον
cranio- κρανιο-
acromial ἀκρώμιον
aural cerebral
cele κήλη
clasis κλάσις κλαστός
clasm clast(y κλασμός
cleidodysostosis κλειδο- δυσ- ὀστεον -ωσις
didymus δίδυμος
facial
gnomy -ic γνώμη
gnosy -γνωσία
graph(er y -γραφος -γραφία
hematoncus αἱματ- ὄγκος
id -o -ειδής
lite λίθος
logy -ic(al(ly -ist -λογία
malacia μαλακία -ιστης
mancy μαντεία
metry -ic(al(ly -ist -λογία
craniome -ous κρανίον -ωμα
cranio- Cont'd
pagus
pathy -πάθεια
pharyngeal φάρυγγ-
phore -φορος
plasty -πλαστία

cranio- Cont'd
puncture sacral
(rachi)schisis ῥάχις σχίσις
sclerosis σκλήρωσις
scopy -ic -ist -σκοπία -ιστής
spinal
stenosis στένωσις
crani- Cont'd
ostosis ὀστέον -ωσις
ota ote -ώτης
cranio- Cont'd
tabes
tome tomy -τομον -τομία
tonoscopy τονο- -σκοπία
topography τοπογραφία
tractor
trypesis τρύπησις
tympanic τύμπανον
vertebral
cranium -itis κρανίον -ῖτις
crapul- κραιπάλη
a ate ence ency
ent(al ous(ness)
crasis -ial κρᾶσις
crasped- κράσπεδον
acusta ἀκουστής
arges ἀργῆς
ortha ὀρθός
ote -a(l -ώτης
um
craspedo- κράσπεδον
cephalus κεφαλή
crinus κρίνον
derus δέρη
drome -us δρόμος
lepta λεπτός
monadina μοναδ-
stoma στόμα
crassi-
donta therium ὀδοντ- θηρίον
crasso-
cephalum κεφαλή
Crataegus -in κράταιγος
Crataegus -in κράταιγος
Crataeva Κρατεύας
crater κρατήρ
a(l ed ia kin less oid ous
crateri- κρατήρ
form
theca κρατερός θήκη
cratero- κρατήρ
phorus -φορος
phyllum φύλλον
pus -odid(ae -odoid πούς
cratero- κρατηρο-
stomum στόμα
Cratinean Κρατίνειος
Crax κράξειν
crayonist -ιστής
Creadion κρεάδιον
crealbin κρέας
cream χρῖσμα
cake cups er(y iness sacs y
creamometer χρῖσμα μέτρον
creat- κρεατ-
ic
in(e ic in(e)
emia -αιμία
(in)ase διάστασις
uria -ουρία
creation(al)ism -istic -ισμός -ιστικός
creationist -ιστής
creato- κρεατ-
phagous -φαγος
rrhea -ῥοία
spore σπορά
creatosin(e κρεατ-

creatox- κρέας τοξικόν
icon in ism -ισμός
Creciscus κρέξ
Cregya κρήγυος
creirgist κίστη κρίνον
Cremacrinus κρεμάννυμι
cremaster(ial ic κρεμαστήρ
cremasto- κρεμαστός
chilus χεῖλος
xenus ξένος
cremationism -ist -ισμός -ιστής
crematography χρῆμα -γραφία
crembalum κρέμβαλον
creme κρίσμα
cremm- κρημνός
ad ion ium
odes κρημνώδης
ops ὤψ
cremno- κρημνο-
cele κήλη
philus φίλος
phobia -φοβία
phyta φυτόν
sterna στέρνον
cremometer κρίσμα μέτρον
cren- κρήνη
ic ite itic -ίτης
creni- κρήνη
colous
logy -λογία
philites -φιλος -ίτης
philus -φίλος
phyta φυτόν
thrix θρίξ
creodont(a κρέας ὀδοντ-
creoform κρεω-
creol- κρέας
albin in(ated -ίζειν
creolism -ization -ize -ισμός
Creonella κρεών
creophagous κρεοφάγος
-ism -ist -ισμός -ιστής
Creophilae -us κρεω- -φιλος
creos- κρεω- σωτήρ
al in(e ol(id
creoso- κρεω- σωτήρ
form
magnesol Μαγνησία
creosote -al -ic κρεω- σωτήρ
creotoxism κρεω- τοξικόν
crepid- κρηπιδ-
a ote ula
oma ome κρηπίδωμα
crepido- κρηπιδο-
chares chetus χάρις χαῖτη
Crepis κρηπίς
Crerithyris θυρίς
cres- κρῆς σώζειν
alol
amin(e ἀμμωνιακόν
aurin αὖρον
egol idin(e ilite in
crescentoid -οειδής
crescograph -γραφον
creso- κρῆς σώζειν
chin form sulphuric
cres- Cont'd
ol(ic ine)
orcin(ol
cresot- κρέας σωτήρ
(in)ate (in)ic
crestolatry -λατρεία
cres- Cont'd
oxy ὀξυ-
yl(ate ic ὕλη
yol
Cretan Κρήτη

Cretic(ism Κρητικός -ισμός
cretin Χριστιανός
ic ism ization ize oid ous
-ισμός -ίζειν -οειδής
cretino- Χριστιανός
genetic γενετικός
cretism κρητισμός
Crex κρέξ
crichtonite -ίτης
cric- κρίκος
altrop
amphityle ἀμφί τύλη
oid κρικοειδής
ectomy -εκτομία
otus κρικωτός
crico- κρικο-
arytenoid(eus ἀρυταινοειδής
derma δέρμα
hyoid ὑοειδής
pharyngeal φαρυγγ-
rhabd ῥάβδος
style στῦλος
tellus
thyroid(ean eus θυρεοειδής
tomy -τομία
tracheal τραχεία
-eotomy -τομία
triaene τρίαινα
thyreotomy θυρεο- -τομία
criminal-
ism ist oid -ισμός -ιστής
crimino- -οειδής
genesis γένεσις
graphy -γραφία
logy -ical -ist -λογία -ιστής
crin- κρίνειν
anthropy -ist -ανθρωπία -ιστής
crin- κρίνον
id(ea(n in ite um -ίτης
crino- κρινο-
genic -γενής
id(ea(n idal κρινοειδής
soma σῶμα
crio- κριο-
boly κριοβόλιον
cephalous -us κριοκέφαλος
ceras κέρας -idae -is
-atid(ae -atite -atitic -atoid
phore -os κριοφόρος
prosopus πρόρωπον
sphynx σφίγξ
crisis crise κρίσις
Crist etc. = Christ etc.
cristiometer μέτρον
cristobalite -ίτης
crit- κριτός
enchyma ἔγχυμα
criterion(al -ium κριτήριον
-(i)ology -λογία
crith(idia κριθή
omancy μαντεία
crit(h)mene κρίθμον
crithmetum κρίθμον
critic κριτικός
al(ity ly ness)
aster(ism y)
ism ist -ισμός -ιστής
ize(-able -er -ingly) -ίζειν
kin oid ule -ique
croc- κρόκος
ein eo- eous etin in(e
crocidismus κροκή -ισμός
crocidolite κροκιδ- λίθος
Crocidura κροκιδ- οὐρά
-inae -ine
crocodile κροκόδειλος
-ean -i(a -id(ae -ini -oid(es

crocodile Cont'd
-ene κροκοδείλινος -us
-ite -ity κροκοδειλίτης
-urus οὐρά
croc- Cont'd
o(is)ite -ίτης
onic -ate
ose us(ed
osmia ὀσμή
ota κροκωτός
uta κροκόττας
croco- κροκο-
nema νῆμα
cromfordite -ίτης
cromnio- κρόμμυον
mancy μαντεία κρίνον
Cromyocrinidae κρόμυον
Cronia -ian Κρόνια Κρόνιος
cronstedtite -ίτης
crony κρόνιος
Crossarchus κροσσοί ἀρχός
-inae -ine
crossfertilize -ίζειν
-able -ation
crossite -ίτης
crosso- κροσσοί
gnathidae γνάθος
podia ποδ-
pterine πτέρυξ
pterygium πτερύγιον
-ia(n -idae -ii -ious
pus -inae -ine πούς
rhinus -id(ae -oid ῥίν
soma -ataceae -ataceous
telus τέλος σῶμα
Crossotus κροσσωτός
Crossoura κροσσοί οὐρά
crotaconic κροτών ἀκόνιτον
crotal κρόταλον
aria ic id(ae iform ina(e in(e
ini ism oid(es um -αριον
-ίδης -ινος -ισμός -οειδής
urus -i οὐρά
crotalo-
crinus phorus κρίνον -φορος
crotaphe -ic κρόταφος
crotaphion κροτάφιον
crotaphite -ic κροταφίτης
Crotaphytus κροταφίτης
Croteoptera κτοτεῖν πτερόν
crot- κροτών
in yl ὕλη
croto- κροτών
lactonic γαλακτ- -ώνη
phaga -inae -ine -φαγος
croton κροτών
aldehyde ὕδωρ
allin anilid(e arin ate
amid(e ἀμμωνιακόν
e globulin ic in(e
ism -ισμός
ol ol(e)ic yl ὕλη
crotono- κροτών
lactone γαλακτ- -ώνη
nitrile νίτρον
phenone φαιν- -ώνη
toluide
crounotherapy κρουνός θερα-
crown κορώνη πεία
ed er et ing let
crusocreatinin χρυσο- κρεατ-
crustacite -ίτης
crustaceoid -οειδής
crusta(ceo)logy -λογία
-ical -ist
cry- κρύος
(a)esthesia -αισθησία

cry- Cont'd
algesia ἄλγησις
anesthesia ἀναισθησία
crym- κρυμός
ad ium odes ἀδ- -ώδης
odynia -ωδυνία
crymo- κρυμο-
philus -φιλος
phyte -ic φυτόν
therapeutics θεραπευτικός
therapy θεραπεῖα
cryo- κρυο-
bdella βδέλλα
cautery καυτήριον
conite κόνις -ίτης
fin
gen(y ic in -γενής -γενεία
hydric -ate ὑδρ-
lac γαλακτ-
lite λίθος
lithionite λιθίον -ίτης
luminescent -ence
magnetic Μαγνῆτις
meter μέτρον
phorus -ic -φορος
phyllite φύλλον -ίτης
phyte φυτόν
plankton πλαγκτόν
scope -y -ic -σκόπιον -σκο-
sel πία
stase διάστασις
stat στατός
tropism τροπ- -ισμός
Cryphaeus κρυφαῖος
Cryphalites κρύφα λίθος
cryphio- κρύφιος
lite mystis λίθος μύστις
crypsi- κρυψι-
rhina ῥίν
crypsis κρύψις
crypsorchis -id κρύψις ὄρχις
crypt(a al ed κρύπτη
crypt- κρυπτός
acanthodes ἀκανθώδης
-id(ae -oid
acanthus ἄκανθα
adius κρυπτάδιος
amnesia ἀμνησία
analyst ἀνάλυσις
anthery ἀνθηρός
anthous ἄνθος
antigenic ἀντί -γενής
arch(a y ἀρχός -αρχία
aulax αὖλαξ
hybrid
ic(al(ly icus κρυπτικός
idin(e itis -ῖτις
crypto- κρυπτός
agnostic ἄγνωστος
(an)amnesia ἀν- ἀμνησία
baris βᾶρις
biolite βιο- λίθος
biotic βιωτικός
blast βλαστός
branch βράγχια
iata iate id(ae oid us
brucinolone -ώνη
Calvinism -ist(ic -ισμός
-ιστής -ιστικός
carp(ae ic ous καρπός
cephal- κεφαλή
a ic ous us
cerate -a -ous κέρας
chelate -ae χήλη
chirus χείρ
chiton χιτών
Christian Χριστιανός

crypto- Cont'd
chroism χρόα -ισμός
clase clastic κλάσις κλαστός
cleidous κλειδ-
clite κλιτός
coccus -osis κόκκος -ωσις
cochlides κοχλίς
coelia κοῖλος
commercia
cotyledons κοτυληδών
crinus -idae κρίνον
crystalline κρυστάλλινος
crystallization κρυσταλλί-
cyst(es κύστις ζειν
deist -ιστής
dibranchia δι- βράγχια
-iata -iate
didymus δίδυμος
dire -a(e -an -ous δειρή
crypt- Cont'd
odont(a ὀδοντ-
crypto- Cont'd
double
drilus -idae δρῖλος
dynamic δυναμικός
gam(y γάμος -γαμία
ae ia(n ic(al ist ous
gear
genetic γενετικός
genic -ous -γενής
genius γένειον
glaux γλαύξ
glioma γλίωμα
gram γράμμα
matic(al matist mic
gramma γραμμή
graph(er -γραφος
graphy -al -ic(al -ist -γραφία
graptidae γραπτός
halite ἅλς -ίτης
heresy -ic αἵρεσις
hybrid
hypnus ὕπνος
Jesuit(ism Ἰησοῦς -ίτης
lin κρυπτ-
lite lith λίθος
lithiasis λιθίασις
logy -λογία
menorrhea μηνο- ῥοία
mere μέρος
-ene -ia -iol -ism -ous
mero- μερο-
rachischisis ῥάχις σχίσις
meryx μήρυξ
mnesia -μνησία
monadine -a μοναδ-
morphite μορφή -ίτης
nema -ata -ieae νῆμα
nervius
neura -ous νεῦρον
crypt- Cont'd
oniscus -idae ὀνίσκος
onym(ous ὄνυμα
onyx(ae -ychinae ὄνυξ
ophthalmos -us -ia ὀφθαλ-
op- ὄπιον μός
ia idene idenic idinic idiol
idol in(e irubin
crypto- Cont'd
papist πάππα -ιστής
paramera παρά μέρυς
pentamera -ous πενταμερής
perthite -ίτης
phagus -id(ae -oid -φαγος
phanic -φανής
phialus -id(ae -oid φιάλη
phone φωνή

crypto- Cont'd
phor -φορος
phragmus φράγμα
phyceae φῦκος
physophilus φυσο- -φιλος
phyte -ium φυτόν
pithecus πίθηκος
plasmic πλάσμα
plax πλάξ
poda -ia -id(ae -oid ποδ-
pore -ous πόρος
porticus
procta πρωκτός
-id(ae -inae -ine -oid
psarus ψαρός
ptyxis πτύξις
pyic πύον
pyrrol(e πυρρός
(r)rhea ῥοία
-eic -esis -etic
crypt- Cont'd
oplus ὁπλή
ops ὤψ
orch- ὄρχις
ectomy -εκτομία
id (id)ism is y
ornis ὄρνις
crypto- Cont'd
rhynchus -ia -idae ῥύγχος
scope -y -ic -σκόπιον -σκο-
stegia στέγος πία
stemma -id(ae -oid(ae στέμ-
stigma στίγμα μα
stoma -ata -atous στόμα
t(a)enene ταινία
tetramerous τετραμερής
thyrid θυρίς
toxin τοξικόν
trema τρῆμα
valency
venia -iidae
zoic ζωή
zonia -ate ζώνη
zygous -osity ζυγόν
crypt- Cont'd
ous us
urus -i -idae -ous οὐρά
crystal κρύσταλλος
albumin fibrin
crystall- κρύσταλλος
ic in ose
ine -ity κρυσταλλῖνος
ite -ic itis -ίτης -ῖτις
ize -ability -able -ation -er
-ίζειν
od ὁδός
crystalli- κρύσταλλος
ferous form gerous
crystallo- κρυσταλλο-
ceramic κεραμικός
chore χωρεῖν
drome δρόμος
genesis γένεσις
genetic γενετικός
geny -ic(al -γενεία -γενής
granular
grapher -γραφος
graphy -ic(al(ly -γραφία
id(al itis) κρυσταλλοειδής
logy -λογία -ῖτις
luminescence
magnetic Μαγνῆτις
mancy μαντεία
metry -ic -μετρία
phobia -φοβία
scopy -σκοπία
type -y τύπος -τυπία

crystall- Cont'd
urgy -ουργία
uridosis οὖρον -ωσις
cryst- κρύσταλλος
ic oleum olon
crysto- κρύσταλλος
graph sphene -γραφος σφὴν
Cteisa κτείς
cten- κτεν-
acanthus ἄκανθα
ate e iform
idium -ial κτενίδιον
-iobranch βράγχια
ia iata iate
ista κτενιστής
iza
cteno- κτενο-
cephalus κεφαλή
cyst κύστις
dactyl δάκτυλος
e inae ine us
dentex
dipterini δίπτερα
-idae -ine -ini
discus δίσκος
cten- Cont'd
odes κτενώδης
odus -ont(a ὀδούς
olium
cteno- Cont'd
id(ea(n ei ian) κτενοειδής
labrus -idae -oid
lates
myophila μυῖα -φιλος
mys μῦς
peuca πεύκη
phor -φορος
a al an e ic ous
phyllum φύλλον
phyte φυτόν
plana πλαν-
poridae πόρος
pterus πτερόν
ptychius πτυχή
saurus σαῦρος
stichus στίχος
stome -ata -atous στόμα
cten- Cont'd
opsis ὄψις
otis κτενωτός
ucha -ουχος
cteto- κτητός
logy some -λογία σῶμα
Chthalamus χθαλαμός
-id(ae -oid
Ctilocephala κτίλος κεφαλή
ctypeite κτυπέειν -ίτις
Cuba(n)ize -ίζειν
cubanite -ίτης
cubation -ive -ory -ure κύβος
cube κύβος
age angle ite -ίτης
cubic κυβικός
al(ly alness ity
cubico- κυβικός
rrhyncus ῥύγχος
cubi- κύβος
cephalic κεφαλή
cone κῶνος
contravariant covariant
cossic
criticoid κριτικός -οειδής
form
invariant -ιστής -ιστικός
cubism -ist(ic κύβος -ισμός
cubit κύβιτον
al(e ed iere us

cubiti- κύβιτον
digital
cubito- κύβιτον
carpal καρπός
plantar radial
cubo- κυβο-
biquadratic
calcaneal
(cubo)cube -ic κύβος κυβικός
cuneiform
dodecahedron -al δωδεκάεδρον
cuboid(al κυβοειδής
cubo- Cont'd
ite -ίτης
mancy μαντεία
medusae -an Μέδουσα
metatarsal μετά ταρσός
navicular
octahedron -al ὀκτάεδρον
silicite -ίτης
stomae -ous στομά
cuckoldize -ίζειν
cullion κόλεος
cullyism -ισμός
Culmicrinus κρίνον
culottism -ισμός
culteranismo -ισμός
cultigen(a -γενής
cultism -ist -ισμός -ιστής
culturist -ιστής
cum- κῦμα
a acea(n aceous id(ae oid
aphyte -ic -ism φυτόν -ισμός
ella -id(ae -oid
cum- κύμινον
al enol (en)yl ὕλη
aldehyde ὕδωρ
cumeng(e)ite -ίτης
cumin κύμινον
al ene ic
aldazin(e ἀ- ζωή
aldehyde ὕδωρ
anisoin ἄνισον
idic -in(e ino-
inic -ilic -oin -ol
uric οὖρον
cummingtonite -ίτης
cumoquinol -one κύμινον -ώνη
cumulatist -ιστής
cumulite -ic -ίτης
Cunantha -inae ἄνθος
cunei-
rhynchia ῥύγχος
cuneo-
cuboid κυβοειδής
hysterectomy ὑστέρα -εκτομία
scaphoid σκαφοειδής
cupferron Κύπριος
Cuphea κυφός
Cuphisia κουφίζειν
cupra- Κύπριος
cupram Κύπριος ἀμμωνιακόν
-ammonia -ammonium
cupre- Κύπριος
a an(e ene idan(e (id)in(e
onium ἀμμωνιακόν ous
cupress- κυπάρισσος
ineous κυπαρίσσινος
ino- κυπαρίσσινος
cladus xylon κλάδος ξύλον
ite oid us -ίτης -οειδής
cupresso- κυπάρισσος
crinus -id(ae -ite -oid κρίνον
cupric Κύπριος
cupri- Κύπριος
aseptol ἄσηπτος

cupri- Cont'd
ate carbonate
citrate κίτρον
ferous
glycolate γλυκύς
halide ἅλς
racemate
tartrate τάρταρον
cupr- Κύπριος
ide ion ite oid ἰόν -ίτης
cupro- Κυπρο- -οειδής
ammonium ἀμμωνιακόν
apatite ἀπάτη -ίτης
ate
bismutite -ίτης
cyanid(e κύανον
descloizite -ίτης
goslarite -ίτης
iodo- ἰώδης
argyrite ἀργυρίτης
magnesite Μαγνησία
manganese Μαγνησία
nickel potassic
plumbite -ίτης
pyrite πυρίτης
scheelite -ίτης
silicon
sulfite sulfurous -ίτης
tungstite -ίτης
thio- θεῖον
sulfate sulfuric
cupr- Κύπρος
ose ous um
curarize -ation -ίζειν
curialism -ist(ic -ισμός -ιστής -ιστικός
curietherapy θεραπεία
curimus κούριμος
-osphena σφήν
curiology -ic(al(ly -ics -λογία
curist -ιστής
currant Κόρινθος
curtainist -ιστής
Curtirhynchia ῥύγχος
curvembryonic ἔμβρυον
curvi-
meter μέτρον
petal(ity
curvo- μέτρον
graph meter -γραφον
cuscam(id)in(e ἀμμωνιακόν
Cuspiteuthis τευθίς
customized -ίζειν
cuticularize -ation -ίζειν
cutin κύτος
cutinize -ation -ίζειν
cyamel- κύαμος (?κύανος)
id(e one uric -ώνη οὖρον
Cyamobolus κυαμόβολος
Cyamus -id(ae -oid κύαμος
cyan- κυαν-
acetic alcohol
amid(e amin(e ἀμμωνιακόν
anilin(e ate
anthrol -ene ἄνθραξ
auric -ate αὖρον
ea κύανεος
ean eid(ae eoid eous idae
ellus escent formic
ephidrosis ἐφίδρωσις
ethin(e αἰθήρ
h(a)emitin(e αἱματ-
hemoglobin αἱμο-
ic icide ilic ilin
id(ation e in(ium)
imid(e ἀμμωνιακόν
in(e inium

cyan- Cont'd
ion ἰόν
ite itic -ίτης
methemoglobin μετά αἱμο-
ol(e
cyano- κυανο-
acetic -ate
benzene
cephalus κεφαλή
chlorous χλωρός
chro- χρόα
ia ic ite ous -ίτης
citta κίττα
corax κόραξ
crystalline κρυστάλλινος
cuprol Κύπριος
cyst κύστις
derma δέρμα
form(ic
gen -γενής
genesis γένεσις
genetic γενετικός
h(a)emoglobin αἱμο-
hermidin Ἑρμῆδ
hydrate hydrin ὑδρ-
lophia λοφία
maclurin mercuric
meter μέτρον
metry -ic -μετρία
mycosis μύκης -ωσις
pathy -ic -πάθεια
phil(ous ic -φιλος
phoric -φορος
phose φῶς
phyceae φύκος
-ean -eous -in
phyl(l φύλλον
phyllin φύλλινος
plastid πλαστός
platin- ate ite ous
porphyrin πορφύρα
cyan- Cont'd
opia opsia -ωπία -οψία
osin(e osite
osis osed otic -ωσις -ωτικός
otic ὠτ-
cyano- Cont'd
spiza σπίζα
type τύπος
cyanur- κυαν- οὖρον
ate enic et ic in yl ὕλη
(tri)amid(e ἀμμωνιακόν
cyaphenin(e κύανος φαιν-
cyar(dium κύαρ
cyarsal κύανος παρά
cyasma κύανος
cyath- κύαθος
aspis ἀσπίς
axon- ἄξων
ia idae iid(ae ioid
ea (ac)eae aceous
ium iform oid us
cyatho- κύαθος
crinus -id(ae -ite -oid κρίνον
dera δέρη
lith λίθος
meter μέτρον
pharynx φάρυγξ
phyll- φύλλον
id(ae inae ine oid(ea(n um
zooid ζῷον -οειδής
Cybebus κύβηβος
Cybele -oides Κυβέλη -οειδής
Cybister κυβιστήρ
Cybium κύβιον
cybo- κυβο-
cephalus κεφαλή

Cycaceae -eous κοίξ
cycad κύκας
(ac)eae (ac)eous ales ean eid eoidea iform ite
cycado- κύκας
filices -inian
phyte(s φυτόν
Cycas κύκας
Cychramus κύχραμος
Cyclad(es ic Κυκλάδες
cyclamen κυκλάμινος
-ic -inan(e -in(e on ose
cyclami- κυκλάμινος
retin(e ῥητίνη
cycl- κύκλος (κυκλ-)
ammone ἀμμωνιακόν -ώνη
ane anol
anth- ἄνθος
aceae aceous ales ous us
ar
arch ἀρχή
arthrodial ἀρθρωδία
arthrosis ἄρθρωσις
aster(ion ἀστήρ
azoic ἀ- ζωή
Cyclaris κύκλος ῥίς
Cyclas -ad(idae κυκλάς
cycle κύκλος
car(ist dom -er -ing -ism -ist(ic -ισμός -ιστής -ιστικός
cycl- Cont'd
encephalus ἐγκέφαλος
ene
(l)eptus -inae λεπτός
iae ian
ian κύκλιος
cyclic κυκλικός
al(ly ian ism ization ize -ισμός -ίζειν
a idae idinia
cyclico- κυκλικός
pora -id(ae -oid πόρος
tomy -τομία
cycli- κύκλος
fera ferous fying
cycl- Cont'd
id(ae ide idium inea iot
iscus κυκλίσκος
itis -ῖτις
cyclo- κυκλο-
acetal
bothra βόθρος
branch- βράγχια
ia ian iata iate
but- βούτυρον
adiene anol ene
anone enone -ώνη
ylamin(e ὕλη ἀμμωνιακόν
carcinus καρκίνος
celous κήλη
centric κεντρικός
cephalus -ian -ic κεφαλή
ceras κέρας
ceratitis κερατ- -ῖτις
chorisis χώρισις
choroiditis χοριοειδής -ῖτις
citral κίτρον
clinal κλιν-
clypeus -einae
coelic -ous κοιλία
colposa κόλπος
conium κόνις
dema δέμα
desmic δέσμος
dialysis διάλυσις
di- δι-
olefin sulfid(e

cyclo- Cont'd
discaria -ian δίσκος
cycl- Cont'd
ode ὁδός
odonta odus ὀδοντ- ὀδούς
cyclo- Cont'd
fenchene form
galliphari c
ganoid(ean ei γάνος -οειδής
gen(ous -γενής
geran- γεράνιον
ic iol(ene yl ὕλη
glyc- γλυκύς
ylglycin(e ὕλη
graph(er y -γραφος -γραφία
hendecane ἕνδεκα
hepta- ἑπτά
decane δέκα
diene dione δι- -ώνη
triene τρι-
hept- ἑπτ-
ane ene one -ώνη
indol(e Ἰνδικός
hex- ἕξ
ane -ol(e -one -ώνη
ene -ol -one -yl -ώνη ὕλη
yl ὕλη
hexadien- ἑξα- δι-
ol one yl -ώνη ὕλη
hydroplane ὑδρο- -πλανης
cycloid κυκλοειδής
al(ly ean ei ian
cycloido- κυκλοειδής
trope trypa τροπή τρῦπα
cyclo- Cont'd
imber
labridae
lith(es λίθος
lobinae λοβός
loculina
lytic λυτικός
cyclome -atic κύκλωμα
cyclo- Cont'd
meter μέτρον
metry -ic(al -εμτρία
methyl- μέθυ ὕλη
amin(e ἀμμωνιακόν
metopa -ita -ous μέτωπον
myaria -ian μυ-
nautilus ναυτίλος
Cyclomus κύκλος ὦμος
cyclone κυκλῶν
-al -ic(ally -ist -ιστής
cyclono- κυκλῶν
graph -γραφος
logy -ist -λογία -ιστής
scope -σκόπιον
cyclo- Cont'd
nema νῆμα
neur(a al ous νεῦρον
nonae
oct- ὀκτώ
ane ene (en)yl ὕλη
octa- ὀκτα-
diene tetrine triene δι- τετρ- τρι-
olefine paraffin
Cyclopean Κυκλώπειος
cyclop(a)edia ἐγκυκλοπαιδεία
-ic(al(ly -ist -ιστής
Cyclopes Κύκλωψ
cyclo- Cont'd
peltis πέλτη
penta- πεντα-
decane diene δέκα δι-
pent- πέντη
anol anone ene enone yl -ώνη ὕλη

cyclo- Cont'd
periella
pia pic pin(e πούς
cyclopia -y Κύκλωψ
cyclopic(ally Κυκλωπικός
cyclopite Κυκλώπειος -ίτης
cyclo- Cont'd
plegia -ic -πληγία
poiesis ποίησις
poietic ποιητικός
poridium πόρος -ίδιον
prop- πρωτ- πίων
ane anol ene enone -ώνη
psetta ψῆττα
psittacus -id(ae -oid ψιττακός
pter- πτερόν
id(ae ina in(e oid(ea ean
pteris πτερίς ae ei) ous
Cyclops Κύκλωψ
-opid(ae -opiform -opoid
cycl- Cont'd
orama -ic ὅραμα
orn ose
osis κύκλωσις
cyclo- Cont'd
rrhapha -ous ῥαφή
saur(a ia ian σαῦρος
scope -σκόπιον
spermous σπέρμα
spiridae σπεῖρα
spondyli -ic -ous σπόνδυλος
spora -ales σπορά
static στατικός
stom- στόμα
a al ata ate atous (at)id(ae (at)oid e es ia ian inae ous us
strema (?τρῆμα)
-atidae -id(ae -oid
strophic στροφικός
style -ar στῦλος
system σύστημα
teres κυκλοτερής
therapy θεραπεία
thym- θυμός
ia iac osis -ωσις
tome tomy -ic -τομον -τομία
trema τρῆμα
triolefin τρι-
vertebral
zoon ζῶον
cycl- Cont'd
othone ὀθόνη
othure κυκλωτός οὐρά
-inae -ine -ous
otosaurus κυκλωτός σαῦρος
ura οὐρά
cyclus κύκλος
cycn- κύκνος
idolon εἴδωλον
cydariform κύδαρυς
Cydianirus κυδιάνειρα
Cydippe Κυδίππη
-ean -ian -id(ae -id(e)a -oid
Cydnus -id(ae -oid κυδνός
Cydones Κύδωνες
Cydonia -in -ium Κυδώνιος
cydono- κυδωνία
crinus κρίνον
Cydros κυδρός
cyema -ology κύημα -λογία
cyesio- κύησις
gnomon gnosis γνώμων γνῶσις
logy -λογία
cyesis κύησις
cygn- κύκνος
eous et ian ic id inae in(e us

cygn- Cont'd
opsis ὄψις
ose γλεῦκος
Cylichna κυλίχνη
-id(ae -oid -us
cylico- κυλικο-
bathra βάθρα
brachytus βραχύτης
mastigei μάστιξ
toichus τοῖχος
tomy -τομία
zoa ζῶον
cylinder κύλινδρος
cylindr- κυλινδρ-
a aceous id(ae
antherae ἀνθηρός
arthrosis ἄρθρωσις
axile
ella -id(ae -oid
enchyma ἔγχυμα
epomus ἐπωμίς
ic κυλινδρικός
al(ly (al)ity
ite -ίτης
odon ὀδών
cylindri- κύλινδρος
cule form
cylindro- κυλινδρο-
adenoma ἀδήν -ωμα
basiostemon βάσις στήμων
cellular
conic(al κωνικός
conoidal κωνοειδής
cylindrical κυλινδρικός
dendrite δένδρον -ίτης
genic -γενής
graph -γραφος
helium ἥλιος
cylindroid(al κυλιν ροειδής
cylindr- κυλινδρ-
oma -atous -ωμα
ophis -id(ae -oid ὄφις
uria -ουρία
cylindro- Cont'd
metric μετρικός
ogival
sarcoma σάρκωμα
scope -σκόπιον
sporium σπορά
sybra σύβρα
teuthidae τευθίς
Cylistix κυλιστός ἴξ
cylix κύλιξ
Cyllene Κυλλήνη
Cyllenian Κυλλήνιος
Cyllorrhamphus κυλλο- ῥάμφος
cyllosis κύλλωσις
cyma κῦμα
clymenia Κλυμένη
graph -γραφος
phen φαιν-
cymarin ἀπόκυνον
-ic -igenin -ose -γενής γλεῦκος
cymatium κυματίον
cymato- κυματο-
baris βᾶρις
dera δέρη
gaster γαστήρ
lite λίθος
phoridae -φορος
pterus πτερόν
rhynchia ῥίγχος
Cymbachus κύμβαχος
cymb- κύμβη
a ate ium
ulia -iid(ae -ioid

cymbal κύμβαλον
(l)ed er (l)er in ist o on
cymbella κύμβαλον
Cymbidium κύμβος -ίδιον
cymbi- κύμβη
form
rhynchus ῥύγχος
cymbo- κύμβος
cephal- κεφαλή
ic ous us y
morphus μορφή
cyme(let κῦμα
cymene -ol κύμινον
Cymenophlebia φλεβ-
cymidin(e κύμινον
cymiferous κῦμα
Cymindis κύμινδις
cymo- κυμο-
botrys -yose βοτρύς
graph(ic -γραφος
meter μέτρον
phane -ous -φανής
phenol φαιν-
scope -σκόπιον
tho- θοός
a adae id(ae oid(ea(n
trichous τριχ-
cymo- κύμινον
gene -γενής
cymoid κῦμα
cymol κύμινον
cym- κῦμα
ose(ly ous(ly ula ule ulous
cymph κυμβίον
cyn- κυν-
aelurus -inae αἴλουρος
anche -in -ol κυνάγχη
ancho- κυνάγχη
cerin κηρός
toxin τοξικόν
anthropy κυνάνθρωπος
apin(e
ar- κυνάρα
a (ac)eae aceous
ase διάστασις
oid(eae -οειδής
rhodium -on κυνόρροδον
arctus ἄρκτος
-omachy -μαχία
egetic(s κυνηγετικός
egetis κυνηγέτις
iatria ἰατρεία
iatrics ἰατρική
ic κυνικός
al(ly alness ism -ισμός
ictis -idinae -idine ἴκτις
idio- κυνίδιον
gnathus γνάθος
ips ἴψ (or κνίψ) (ea
ipid(ae ean (e)ous) ipoid-
ism κυνισμός
odia κυνώδης
odon κυνόδων
ichthys ἰχθύς
odont(ia oidae ὀδοντ-
cyno- κυνο-
bex βήξ
cephalus κυνοκέφαλος
-ic -ous
crambe κυνοκράμβη
-aceae -aceous
ctonine κυνόκτονος
gale -inae -ine γαλῆ
glossum γλῶσσα
gnathus γνάθος
graphy -γραφία
id(ea(n κυνοειδής

cyno- Cont'd
latry -ist λατρεία -ιστής
logy -λογία
lyssa κυνόλυσσος
morion κυνομόριον
morph(a ae ic ous μορφή
myonax μῦς ἄναξ
mys μῦς
nycteris νυκτερίς
philist -φιλία -ιστής
phobia -φοβία
phrenology φρενο- -λογία
pithecus πίθηκος
-id(ae -inae -ine -oid
poda -ous ποδ-
pterus πτερόν
rrhodon -ium κυνόρροδον
scion σκίαινα
(thyro)toxin θυρεοειδής
cyn- Cont'd τοξικόν
opic ὠπ-
orexia ὄρεξις
ur- οὖρον
enic ic ine
cynosure κυνόσουρα
-a -al -ous
Cynthia Κυνθία
-iid(ae -ioid
Cyon κύων
cyophoria κυοφορία
cyper Κύπρις
cyper- κύπειρος
aceae aceous oid us
cypero- κύπειρος
caulon καυλός
grapher -γραφος
logist -λογία -ιστής
cyph- κυφός
aleus κυφαλέος
aspis ἀσπίς
ella κύφελλα
-aeform -ate
Cyphomandra κυφώμα ἀνδρ-
cyphon(idae κύφων
cyphonism κυφωνισμός
cyphono- κύφων
cephalus κεφαλή
cypho- κυφο-
metopis μετωπίς
nautes ναύτης
scoliosis σκολίωσις
scyla σκύλος
soma -(at)id(ae -oid σῶμα
trypa τρῦπα
cyph- Cont'd
ophthalmus ὀφθαλμός
-id(ae -ides -oid
osis otic κύφωσις -ωτικός
Cyphus κυφός
cyprae- Κυπρία
a acea adae id(ae iform inae
cypraeo- Κυπρία oid
gemmula
logist -λογία -ιστής
cypress(ene κυπάρισσος
cypresso- κυπάρισσος
crin- idae ite κρίνον
cypri- Κύπρος
an ot(e -ώτης
cypri- Κυπρίς
cardia καρδία
acea ella inia inoid ites
pedium -in πεδίον
phobia -φοβία
cypridophobia Κύπρις -φοβία
Cyprina Κύπρις
-acea -acean -id(ae

cyprine κυπάρισσος
cyprin- κυπρῖνος
id(ae iform in(e oid(ea(n
odon ὀδών oidae us
odont ὀδοντ-
es id(ae inae oid(ae oidei
Cypris Κύπρις
-(id)id(ae -(id)oid -idina-
(-id(ae -oid) -iferous
-oidea(n ὀνίσκος
Cyproniscus -idae Κύπρις
cyprus(ite Κύπρος -ίτης
cypsela -ous κυψέλη
cypsel- κύψελος
i id(ae iform(es inae ine
oid(es us
cypselo- κύψελος
morph(ae ic μορφή
cyren- Κυρήνη
a id(ae oid
aic(ism Κυρηναικός -ισμός
ella -id(ae -oid
ian Κυρηναῖος
Cyria κυρία
Cyrilla Κύριλλος
-aceae -aceous -eae
Cyrillian Κυριλλιανοί
Cyrillic Κύριλλος
cyriodochae κύριος δοχή
cyriologic(al κυριολογικός
cyroplane κῦρος
cyrt- κυρτός (κυρτ-)
ean ellaria(n ia ina iniform
odonta -id(ae ὀδοντ-
oid(ea(n κυρτοειδής
omian κύρτωμα
onyx ὄνυξ
opia -ωπία
osis -ωσις
cyrtio- κυρτός
lepis λεπίς
cyrto- κυρτο-
cephalus κεφαλή
ceracone κέρας κῶνος
ceras -an κέρας
cerat- κερατ-
id(ae ite itic oid
choanites χοάνη -ίτης
coelean κοῖλος
cone κῶνος
delphis δελφίς
gnathus γνάθος
graph -γραφος
lite(s λίθος
meter metry -ic μέτρον
notus νῶτος -μετρία
phyllum φύλλον
platyan πλατύς
spadix σπάδιξ
style στῦλος
symbole σύμβολον
trachelus τράχηλος
tylus τύλος
cyst- κύστις
adenoma ἀδήν -ωμα
adeno- ἀδενο-
sarcoma σάρκωμα
al ed ic is
algia -αλγία
amine ἀμμωνιακόν
ase διάστασις
atrophia -y ἀτροφία
auchen- αὐχήν
ectomy itis -εκτομία -ῖτις
ectasy -ia ἔκτασις
ectomy -εκτομία
ein(e einic

cyst- Cont'd
elcosis ἕλκωσις
elminth ἑλμινθ-
encephalus ἐγκέφαλος
enchym(e atous ἔγχυμα
encyte ἐν κύτος
endesis ἔνδεσις
erethism ἐρεθισμός
hypersarcosis ὑπέρ σάρκω-
ic ica ici icle σις
ico- -ικο-
lithectomy λίθος -εκτομία
tomy -τομία
id(e idium -ίδιον
idea ieae -ean -icolous
ido- μία
laparotomy λαπάρα -το-
trachelotomy τραχηλο-
-τομία
cysti- κύστις
carpium καρπός
cerc- κέρκος
oid(al osis us -ωσις
colous cule
fell(e)otomy -τομία
ferous form gerous
gnathus -id(ae -oid γνάθος
phragm φράλμα
phyllum -idae φύλλον
rrhagia -ῥαγία
rrh(o)ea -ῥοία
staxis στάξις
tome tomy -τομον -τομία
cyst- Cont'd
in(e
(a)emia -αιμία
uria -ουρία
iscus -id(ae -oid -ισκος
itis -ῖτις
odynia -ωδυνία
oma -atitis -atous -ωμα -ῖτις
ose -in γλεῦκος
cysto- κύστις
blast(idae βλαστός -ίδης
bubonocele βουβών κήλη
carcinoma καρκίνωμα
carp(ic καρπός
cele κήλη
cidaroida(n κίδαρις -οειδής
coccus -oid κόκκος
colostomy κόλον -στομία
crepis κρηπίς
cyte κύτος
dictya -yonidae δίκτυον
elytro- ἐλυτρο-
plasty -πλαστία
enterocele ἐντερο- κήλη
epiplocele ἐπιπλοκήλη
epithelioma ἐπί θηλή -ωμα
fibroma -ωμα
flagellata -ate
formin
gen(ous -γενής
genesis γένεσις
gram γράμμα
graphy γραφία
id(ea(n idei -ο -ειδής
lith(ic λίθος
ectomy -εκτομία
lithiasis λιθίασις
lutein
monas μονάς
morphous μορφή
myoma μυ- -ωμα
myxo- μυξο-
adenoma ἀδήν -ωμα
myxoma μύξα -ωμα

cysto- Cont'd
nect(ae ous νηκτής
nephrosis νεφρός -ωσις
neuralgia νεῦρον -αλγία
paralysis παράλυσις
pelta πέλτη
pexy -πηξία
phore -a -inae -ine -φορος
photography φωτο- γραφία
phthisis φθίσις
plast πλαστός
plasty -ic -πλαστία
plegia -ic -πληγία
plexia πλῆξις
proctostomy πρώκτος -στομία
pteris πτερίς
pus πούς
rectostomy -στομία
rrhagia -ῥαγία
rrhaphy -ῥαφία
rrhea -ῥοία
sarcoma σάρκωμα
schisis σχίσις
scirrhus σκίρρος
scope -ic(al(ly -σκόπιον
sore σωρός
spasm σπασμός
spastic σπαστός
spermitis σπέρμα -ῖτις
sphere σφαῖρα
spore σπορά
staxis στάξις
stomy -στομία
taenia ταινία
tome tomy -τομον -τομία
trachelo- τραχηλο-
tomy -τομία
tyle τύλη
urethritis οὐρήθρα -ῖτις
urethro- οὐρήθρα
scope -σκόπιον
zooid ζῷον -οειδής
cyst- Cont'd
ous ula
cyte κύτος
cyt- κύτος (κυτ-)
ameba ἀμοιβή
ase διάστασις
aster ἀστήρ
ax
ecdysis ἔκδυσις
enchyma ἔγχυμα
hemo- αἱμο-
lysis lytic λύσις λυτικός
cyther- Κυθέρεια
e id(ae oid
ea ean
ella -id(ae -oid
cythero- Κυθέρεια
cytidin(e κύτος
Cytinus κύτινος
-aceae -aceous
cytio- κύτος
blast βλαστός
derm δέρμα
plasm πλάσμα
cytis- κύτισος
in(e ol(id)in(e us
cytitis κύτος -ῖτις
cyto- κυτο-
architectonic ἀρχιτεκτονικός
aster ἀστήρ
biology βιο- -λογία
blast βλαστός
blastema βλάστημα
-al -(at)ous ic
cerastic κεραστός

cyto- Cont'd
chemism χημεία -ισμός
chemistry χημεία -ιστής
chorism χωρίς -ισμός
chromatic χρωματικός
chromatin χρμωατ-
chrome χρῶμα
chylema χυλός -ημα
chym(a χύμα
clasis κλάσις
clastic κλαστός
coagulase διάστασις
coccus κόκκος
cyst κύστις
cytode κύτος -ώδης
cyto- Cont'd
dendrite δένδρον -ίτης
derm δέρμα
desma δέσμα
diagnosis διάγνωσις
dieresis διαίρεσις
dieretic διαιρετικός
distal fin
dynamics δυναμικός
gamy -γαμία
genesis γένεσις
genetic γενετικός
genic -ous -γενής
globin
histogenesis ἱστο- γένεσις
hyaloplasm ὑαλο- πλάσμα
hydro- ὑδρο-
list lysis λύσις
lytic λυτικός
id -o- ειδής
kerastic κεραστός
kinesis κίνησις
lipoids λίπος -οειδής
list λύσις
lite λίθος
logy -ic(al(ly -ist -λογία
lymph νύμφη
lysis -in lyzer λύσις
lytic λυτικός
cytoma κύτος -ωμα
cyto- Cont'd
machia -μαχία
mechanics μηχανικός
mere μέρος
metaplasia μεταπλάσις
meter μέτρον
microsome μικρο- σῶμα
mitome μίτος
mixis μίξις
morphosis μόρφωσις
nomy -νομία
penia πένης
phagocytosis φαγο- -ωδσις
phagous phagy -φαγος -φαγία
phane -φανής
pharynx φάρυξ
phil -φιλος
phora -φορος
physics φυσικά
physiology φυσιολογία
plasm(ic πλάσμα
plast(ic in(e πλαστός
proct πρωκτός
proximal
psyche ψυχή
pyge πυγή
reticulum
r(rh)yctes ὀρύκτης
sarc σαρκ-
scopy -σκοπία
some -a σῶμα
spongium σπόγγος

cyto- Cont'd
spora σπορά
stasis στάσις
statics στατικός
stome -atic -ous στόμα
tactic τακτικός
taxis τάξις
theca θήκη
therapy θεραπεία
thesis θέσις
toxin -ic τοξικόν
trochin τροχία
tropic -ism τροπή -ισμός
zoa -oan -oon ζῷον
zoic ζωικός
zyme ζύμη
cytost κύτος τοξικόν
Cyttaria κύτταρος
-omyella μυ-
Cyttus κυττός
-idae -ina -oid -ula
cyt- Cont'd
ula
ulo-
coccus κόκκος
plasm πλάσμα
uria -ουρία
cyzicenus Κυζικός
czarism -ist -ισμός -ιστής

dacite -ic -ίτης
dacn- δάκνειν
e ididae idinae idine is
daco- δάκος
chelys χέλυς
derus δέρη
saurus σαῦρος
dacry- δακρυ-
aden- ἀδήν
algia itis -αλγία -ῖτις
adeno- ἀδενο-
scirrhus σκίρρος
agoge ἀγωγός
atresia ἀτρησία
cystalgia κύστις -αλγία
elcosis ἕλκωσις
gelosis γέλως
dacrydium -(yd)ene δακρύδιον
dacryo- δακρυο-
adenitis ἀδήν -ῖτις
blennorrhea βλέννος -ῥοία
cele κήλη
cyst(itis κύστις -ῖτις
cystitome κύστις -τομον
cysto-
blennorrhea βλέννος -ῥοία
cele κήλη
ptosis πτῶσις
rhinostomy ῥινο- -στομία
syringotomy συριγγο-
tome tomy -τομον -τομία
h(a)emorrh(o)ea αἱμοῤοία
helcosis ἕλκωσις
lite lith λίθος
lithiasis λιθίασις
dacry- Cont'd
oideus olin oma on -οειδής -ωμα
dacryo- Cont'd
myces μύκης
mycet- ales inae μυκητ-
pora πόρος
(pyo)rrhea πυο- -ῥοία
pyosis πύωσις
solenitis σωλήν -ῖτις

dacryo- Cont'd
stenosis στένωσις
syrinx σῦριγξ
dacry- Cont'd
ops uria ὤψ -ουρία
dactyl δάκτυλος
agnus ἄγνος
anthias ἀνθιάς
ate et ifera ine inus
ethra -idae δακτυλήθρα
i Δάκτυλοι
ic(ally δακτυλικός
dactylio- δακτυλιο-
branchia -iata -iate βράγχια
glyph δακτυλιογλύφος
glyphy -ic -ist δακτυλιογλυφία -ιστής
glyptic γλυπτός -ικός
grapher -γραφος
graphy -ic -γραφία
logy -λογία
mancy μαντεία
theca δακτυλιοθήκη
dactyl- Cont'd
ion ium δακτύλιος
is δακτυλίς
ist itis ius -ιστής -ῖτις
dactylo- δακτυλο-
barus βαρύς
νία
campsodynia καμψις -ωδυ-
dochme δακτυλοδόχμη
glossa -ate γλῶσσα
gnatha -ite γνάθος -ίτης
gram graphy γράμμα -γραφία
gryposis γρύπωσις
id(a idites δακτυλοειδής
logy -λογία
lysis λύσις
megaly μεγαλία
metra μέτρον
myia mys μυῖα μῦς
nomy -νομία
patagium παταγεῖον
pius δάκτυλος ὤψ
podite ποδ- -ίτης
pore -a -ic -idae πόρος
pterus πτερόν
-id(ae -oid(ea(n -ous
pus πούς
rhiza ῥίζα
saurus σαῦρος
scopus σκοπός
-id(ae -oid
scopy -σκοπία
simus σιμός
spasm σπασμός
sterna -al στέρνον
symphysis σύμφυσις
teuthis τευθίς
theca θήκη
zooid ζῷον -οειδής
dactyl-
ose ous us
otus δακτυλωτός
ozodes ὀζώδης
Dactyolepis δάκτυλος λεπίς
dacus δάκος
dadaism -aist -ισμός -ιστής
dado- δᾳδο-
ceras κέρας
phorus δᾳδοφόρος
xylon ξύλον
dadouchos -uchus δᾳδοῦχος
Daector δαίκτωρ
daedal δαίδαλος
ea(n ian oid ous

daedal Cont'd
enchyma ἔγχυμα
us ean ian ist Δαίδαλος
daemon etc. = demon etc.
daemony δαιμονία
Daeodon δαίειν ὀδών
daffa(down)dilly ἀσφόδελος
daffodil ἀσφόδελος
Dagnoceras Δαγών κέρας
daguerrotype(r τύπος
daguerrotypy -ic(al -ist -τυπία
dahllite λίθος
daides δαΐς
daimon(ian ic δαίμων
elix ἕλιξ
ion δαιμόνιον
daimono- δαιμονο-
logy -λογία
dais δίσκος
Dajus -idae δάιος
daktylios δακτύλιος
daleminzite -ίτης
dallastype τύπος
Dalmanites -ίτης
dalmasi- Δαλματική
ceras κέρας
dalmatic Δαλματική
Daltonism -ist -ισμός -ιστής
damal- δάμαλις
ic is
ichthys ἰχθύς
iscus -oid -ισκος
uric οὖρον
damareteion Δαμαρέτειος
damascus Δαμασκός
-ene -ener -enic -enin(e
damask(een in(e Δαμασκός
damasqueenery Δαμασκός
damassin Δαμασκός
Damaster δαμαστής
Damasus Δάμασος
dambonite dambosite -ίτης
damenization -ίζειν
Damianist -ite -ιστής -ίτης
dammaryl ὕλη
Damoclean Δαμοκλῆς
damourite -ίτης
damson Δαμασκός
Danaid(ean Δαναΐδες
danaide Δαναΐδες
Danais -aidin -ain(e Δαναΐς
dana(l)ite λίθος -ίτης
Danaus -id(ae Δαναός
danburite -ίτης
dandiacal -ακός
dandyism -ισμός
Dan(ic)ism -ισμός
Danielites -ίτης
Danization -ίζειν
Dant(ophil)ist -φίλος -ιστής
Dapedium -ius δάπεδον
Daphaenodon δαφοινός ὀδών
daphn- δάφνη
aceae al(es alan
andra -in(e ἀνδρ-
e etic etin
ia iacea(n iaceous
iad(ae (i)id(ae ioid(ea(n
in(e ism olin(e -ισμός
Daphne -ite Δάφνη -ίτης
Daphnean Δαφναῖος
Daphnephoria Δαφνηφορία
daphnoid δαφνοειδής
daphno- δαφνο-
mancy μαντεία
daption -ium δάπτης
Daptrius δάπτρια

Daptus δάπτειν
darapskite -ίτης -ίτης
Darb(y)ism Darbyite -ισμός
Dardan(ian Δαρδάνιος
dardanium Δαρδάνιος
daredevilism διάβολος -ισμός
daric δαρεικός
darsis δάρσις
darsonvalization -ίζειν
dartos -oic -oid δαρτός
Darwinism -ist(ic -ize -ισμός
-ιστής -ιστικός -ίζειν
darwinite -ίτης
Darwinomyia μυῖα
Dascyllus δάσκιλλος
-id(ae -oid
dasetherapy δάσος θεραπεία
dashism -ισμός
dasistoma δασύς στόμα
Dasmia -iidae δέσμιος
Dasornis δασύς ὄρνις
dastardize -ίζειν
Dasya -atidae δασύς
dasy- δασυ-
batis βατίς
-id(ae -inae -oid -us
caris καρίς
cladous κλάδος
cottus κόττος
dema δέμας
errus ἔρραος
gastrae γαστήρ
lyrion λείριον
mastix μάστιξ
meter μέτρον
nema νῆμα
opa ὤψ
ornis ὄρνις
paedes -al -ic παιδες
peltis πέλτη
-id(ae -inae -oid
phyllous φύλλον
procta δασύπρωκτος
-id(ae -inae -ine -oid
psaltria ψάλτρια
ptyx πτύξ
pus δασύπους
pode(-id(ae -inae -ine
pygal πυγή -oid)
rhamphomyia ῥάμφος μυῖα
rhamphus ῥάμφος
scopelus σκόπελος
scypa σκύφος
stoma στόμα
Dasytes δασύτης
-oxistropus ξυστρίς πούς
dasyur- δασυ- οὐρά
e id(ae inae ine oid us
dasyuro- δασυ- οὐρο-
morphia μορφή
Dasyus δασύς
date δάκτυλος
Datheosaurus σαῦρος
Datism Δατισμός
datolite -ic δατεῖσθαι λίθος
daturism -ισμός
daubrec(l)ite -ίτης λίθος
Daucus dauke δαῦκος
-in(e -ol
Daulias Δαυλιάς
Daulotypus δαυλός τύπος
dauphin(e -ess δελφίς
davallioid -οειδής
Davidist -ιστής
davidsonite daviesite -ίτης
dawsonite -ίτης
Dayiceras δαΐω κέρας

deacetylate -ation ὕλη
deacon διάκονος
al ate ess hood ry ship
deaerator ἀήρ
deafmutism -ισμός
deair ἀήρ
dealbuminize -ίζειν
dealcoholist -ize -ization -ιστής
dealkalize -ίζειν -ίζειν
dealkylation ὕλη
de-Americanize -ίζειν
deamidize ἀμμωνιακόν -ίζειν
deamin- ἀμμωνιακόν
ase ate διάστασις
ize (iz)ation -ίζειν ζειν
deanathematize ἀναθεματί-
deanesthesiant ἀναισθησία
de-Anglicize -ίζειν
deanimalize -ίζειν
Deanstonize -ίζειν
deanthropomorphic ἀνθρωπό-
Deanstonize -ίζειν μορφος
-ism -ization ize -ισμός -ιζειν
deappetize -ίζειν
dearomatize ἀρωματίζειν
dearsenicize ἀρσενικόν -ίζειν
deazoto- ἀ- ζωή
bacteria βακτήριον
fication
debacchate -ion Βακχός
debarbarize -ation βάρβαρος
debenz- -ίζειν
enize olize -ίζειν
oylate ylation ὕλη
debitumenize -ation -ίζειν
debrominate -ion βρῶμος
debrutalize -ίζειν
debunionizer -ίζειν
debuscope -σκόπιον
dec- δεκ-
acanthous ἄκανθος
deca- δεκα-
bromid(e βρῶμος
carbon
cera -ata -ate -e -ous κέρας
chord δεκάχορδος
crinidia κρηνίδιον
cyclene κύκλος
dactylous δάκτυλος
decad(e δεκαδ-
al(ly ary ation
arch δεκάδαρχος
archy δεκαδαρχία
decad- Cont'd
ic δεκαδικός
ist -ιστής
decado- δεκαδ-
crinus -id(ae -inae -oid κρί-
deca- Cont'd νον
di(ene δι-
dianome διανομή
don ὀδών
drachm(a δεκάδραχμος
de-Caesarize -ίζειν
deca- Cont'd
fid grade
gon(al(ly γωνία
gram(me γράμμα
gyn(ous ia(n γυνή
hedron -al -έδρον
hydrate -ed ὑδρ-
hydro- ὑδρο-
naphthalene νάφθα
decalcomania -iac μανία -ακός
decalene decalin δεκ-
deca- Cont'd
let

deca- Cont'd
litre λίτρα
litron δεκάλιτρον
lobate λοβός
log(ue ist δεκάλογος -ιστής
de-Calvinize -ίζειν
decalol δεκ-
deca- Cont'd
meral -ous μέρος
meron(ic ἡμέρα
meter μέτρον
methylene μέθυ ὕλη
naphthene -ic νάφθα
dec- δεκ-
ammine -o- ἀμμωνιακόν
an(us δεκανός
ander ἀνδρ-
andria -ian -ous ἀνδρ-
ane -al -ol
angular
antherous ἀνθηρός
decanonize κανών -ίζειν
decapitalize -ation -ίζειν
deca- Cont'd
partite -ίτης
petalous πέταλον
phyllous -φυλλος
ploid -πλοος
pod(a(l an iform ous) ποδ-
pterygii -ian -ious πτερύγιον
pterus πτερόν
decaquo δεκ-
decarb-
arize -ation -ίζειν
onize(r -ation -ίζειν
onylization ὕλη -ίζειν
oxy- ὀξυ-
oxyl(iz)ation ὀξύς ὕλη -ίζειν
urize -ation -ίζειν
decarch(y δεκάρχης δεκαρχία
decardinalize -ίζειν
dec- δεκ-
are
argyrus ἄργυρος
arinus ἄρρην
decarvonize κάρον -ίζειν
deca- Cont'd
semic σῆμα
sepalous σκέπη
spermal -ous σπέρμα
stere στερεός
stich στίχος
stis στικτός
syllabic συλλαβικός
syllable συλλαβή
Decataphanes δέκατος ἀφανής
decathedralize καθέδρα -ίζειν
decathlon δεκ- ἆθλον
decatholicize καθολικός -ίζειν
decation δεκ-
decatize -ίζειν
decatoic δέκατος
decatoma δεκα- -τομα
decatyl(ene δέκατος ὕλη
decavolt δεκα-
decelerometer μέτρον
de-Celticize Κελταί -ίζειν
Decembrist -ιστής
decemnovarianize -ίζειν
decenol -one δεκ- -ώνη
decenter -re κέντρον
decentr- κέντρον
alize -ation -ίζειν
ated ation atic
decenyl(ene δεκ- ὕλη
decephalize -ation κεφαλή
decerebrize -ίζειν -ίζειν

dechemicalize χημεία -ίζειν
dechenite -ίτης
dechlor- χλωρός
i(or o)meter μέτρον
idation
in(iz)ation -ίζειν
uration
dechloro χλωρο-
dechoralize -ίζειν
dechristianize -ation Χριστιανός
deciceronize -ίζειν
deciduitis -ῖτις
deciduoma -ωμα
deciduosarcoma σάρκωμα
decigram(me γράμμα
deciliter -re λίτρα
decimalism -ist -ισμός -ιστής
decimalize -ation -ίζειν
decimeter -re μέτρον
decimillivoltimeter μέτρον
decine -yl δεκ- ὕλη
decistere στερεός
decitizenize -ίζειν
decivilize -ation -ίζειν
declassicize -ίζειν
declericalize κληρικός -ίζειν
declimatize κλίμα -ίζειν
declinograph κλινο- -γραφος
declinometer κλινο- μέτρον
decoate δεκ-
decolorimeter μέτρον
decolorize(r -ation -ίζειν
deconcentrator κέντρον
deconventionalize -ίζειν
decopperize -ation -ίζειν
decorist -ιστής
decortization -ίζειν
decream χρίσμα
decremeter μέτρον
decret(al)ist -ιστής
decrystallize -ation κρυσταλλίζειν
Dectes δήκτης
decyl(ene enic ic yl) ὕλη
dedal etc. = daedal etc.
dedoggerelize -ίζειν
dedogmatize δογματίζειν
dedolomitize -ation -ίτης ίζειν
deesis δέησις
deelectrize ἤλεκτρον -ίζειν
deelectronation ἤλεκτρον
deethic(al)ize -ation ἐθικός -ίζειν
defeatism -ist -ισμός -ιστής
defecalalgesiophobia ἄλγησις
defectionist -ιστής -φοβία
defeminize -ίζειν
deferent-
ectomy itis -εκτομία -ῖτις
defertilization -ίζειν
defeudalize definitize -ίζειν
deflectionize -ation -ίζειν
deflectometer μέτρον
defunctionalize -ation -ίζειν
deganglionate -ize γάγγλιον
degelatinize -ίζειν -ίζειν
degeneralize -ίζειν
degentilize -ίζειν
degeomorphization γεωμορφή -ίζειν
de-Germanize -ίζειν
deglycerin(ize γλυκερός -ίζειν
deglycerolation γλυκερός
degragene -γενής
dehalogenize ἁλο- -γενής -ίζειν
deheathenize -ίζειν
de-Hellenize Ἑλληνίζειν
dehematize αἷμα -ίζειν

dehemoglobinize αἱμο- -ίζειν
dehistoricize ἱστορικός -ίζειν
dehumanize -ation -ίζειν
dehydr- ὑδρ-
acetic asy ate(r ation
(at)ase διάστασις
oxy- ὀξυ-
dehydro- ὑδρο-
cholalic choleic χολή
condensation
gen- -γενής
ase ate(d διάστασις
ize(r -ation -ίζειν
indigo Ἰνδικός
morphine Μόρφευς
mucic μύκης
sulfid(e
dehypnotize ὑπνωτικός -ίζειν
deictic(al(ly δεικτικός
deidealization ἰδέα -ίζειν
Deimos Δειμός
deindividualize -ation -ίζειν
deindustrialize -ίζειν
deink ἔγκαυστρον
deino- δεινο-
cephalia κεφαλή
suchus σοῦχος
Deinodontidae δεινός ὀδοντ-
deinos δεινός -ίζειν
deinsularize deintellectualize
Deiphoninae Δηίφονος
deipnosophist δειπνοσοφιστής
-ic -ism -ισμός
deinsularize -ίζειν
deintellectualize -ίζειν
deism -ist -ισμός -ιστής
deistic(al(ly -icalness -ιστικός
de-Italianize de-Jansenize
de-Junkerize -ίζειν
deka- etc. = deca- etc.
dekanikion δεκανικόν
delabelize delabialize
de-Latinize -ίζειν
Deleaster δελεάζειν -τηρ
deleterious(ly ness δηλητήριος
deletery -ial δηλητήριος
deliberalize delimitize -ίζειν
delineascope -σκόπιον
dellenite -ίτης
delocalize -ίζειν
delogarize λόγος ἀριθμος
delo- δηλο- -ίζειν
lepis λεπίς
morphic -ous μορφή
nurops οὐρά ὤψ
pterus πτερόν
yala ὕαλος
Delphax δέλφαξ
Delphian Δελφοί
Delphic Δελφικός
Delphin δελφίν
delphin- δελφίν
apterus -inae -ine ἄπτερος
ate ic ine ite -ίτης
avus
inia Δελφίνιος
ula -id(ae -oid
delphinium δελφίνιον
-ia -ic -idin(ium -in(e -ol
delphino- δελφινο-
ceti κῆτος
gnathus γνάθος
idin(e δελφινοειδής
saurus σαῦρος
Delphinus δελφίν
-idae -inae -ine -oid(ea(n
Delphis δελφίς

delphism(e δελφίς
Delsartism -ισμός
delta δέλτα
fication
myia μυῖα
purpurin(e πορφύρα
delt- δελτ-
aic al ation
arium δελτάριον
entosteus ἐντός ὀστέον
ic istes
idium -ial -ίδιον
Delthyris δέλτα θυρίς
delthyrium -ial δέλτα θύριον
delto- δελτο-
bathra βάθρον
hedron -έδρον
deltoid(al es eus) δελτοειδής
deltruxinic δέλτα
deluminize -ίζειν
delusionist -ιστής
delvauxite -ίτης τις -ίζειν
demagnetize(r -ation Μαγνῆ-
demagog(ue δημαγωγός
uery (u)ism uize -y -ισμός -ίζειν
demagogic(al δημαγωγικός
demanganize -ation Μαγνησία
demantoid -οειδής -ίζειν
demarch(y δήμαρχος δημαρχία
demargarinate μάργαρον
Dematium δεμάτιον
-eae -ei -iaceae -iaceous
demartialize -ίζειν -ioid
dematerialize -ation -ίζειν
Dematophora δέμα -φορος
deme δῆμος
demegoric δημηγορικός
dementholize μίθη -ίζειν
demephitize -ation -ίζειν
demesmerize -ίζειν
demetallize μέταλλον -ίζειν
Demeter Δημήτηρ
demethyl- μέθυ ὕλη
ate (iz)ation o- -ίζειν
demetricize μετρικός -ίζειν
demi-
branch βράγχια
civilized -ίζειν
ditone δίτονον
doffite dovite -ίτης
gorgon Γοργώ
mondainism -ισμός
parallel παράλληλος
tone τόνος
demilitarize -ation -ίζειν
demineralize -ation -ίζειν
demiurge -us δημιουργός
-eous -ic(al(ly -ism
demobilize -ation -ίζειν
demo- δημο-
centric κεντρικός
cracy δημοκρατιά
crat δημοκρατικός
ian ic(al(ly ifiable ism ist
cratize -ation δημοκρατίζειν
critean -ic(al Δημοκρίτειος
dectic δηκτικός
dema δέμας
dex -icid(ae -icoid δήξ
genic -γενής
grapher -γραφος
graphy -ic(ally -γραφία
later -λατρης
logy -ical -λογία
Demodes δημώδης

demoid δεμοειδής
demolitionist -ιστής
demonachize μοναχός -ίζειν
demonarchize μόναρχος -ίζειν
demonetize -ίζειν
demon δαίμων
agogue ἀγωγός
arch(y -αρχος -αρχία
ess -ισσα
iac δαιμονιακός
al(ly ism -ισμός
ial(ity ian(ism δαιμόνιος
iasm δαιμονιασμός
iast(ic δαιμόνιον -αστής
ic(al δαιμονικός
ish ism ist -ισμός -ιστής
demoni- δαίμων
culture fuge
demonize δαιμονίζεσθαι
-able -ation
demono- δαιμονο-
cracy -κρατία
grapher -y -γραφος -γραφία
later -λατρης ρεία
latry -iacal -(i)ous(ly λατ-
logy -ic(al(ly -ist -λογία
magy μαγεία -ιστής
mancy μαντεία
mania -iac μανία -ακός
nomy -ist -νομία -ιστής
pathy -πάθεια
phobia -φοβία
sopher -σοφος
demonopolize μονοπώλιον
demonship δαίμων -ίζειν
demonstrationize -ίζειν
demonurgy -ist δαίμων -ουργία -ιστής
demonymic δαίμων ὄνυμα
demophil(ism δαίμων φίλος -ισμός
demoralize(r -ation -ίζειν
demorphinization Μόρφευς
demorphism μορφή -ισμός
demos δῆμος θένειος
Demosthenean -ian Δημοσ-
Demosthenic Δημοσθενικός
demot(ina ist δημότης -ιστής
demotic δημοτικός
-ici -ics -ikon
Denaea δηναιός -ίζειν
denarcotize -ation ναρκωτικός
denationalize -ation -ίζειν
denaturalize -ation -ίζειν
denaturize(r -ίζειν
dendr- δένδρον (δενδρ-)
achate ἀχάτης
ad ἀδ-
agapus ἀγαπάειν
al
anthropology ἀνθρωπολογία
aspis ἀσπίς
-idid(ae -idoid
axon ἄξων
erpeton ἑρπετόν
ic δενδρικός
iform θαμνώδης
Dendriothamnodes δενδρίον
dendrite δενδρίτης
-ic(al(ly -iform
dendrium δένδρον
dendro- δενδρο-
bates -id(ae -oid δενδροβατεῖν
be bium βίος
blaptus βλάπτειν
blax βλάξ
branchiata -iate βράγχια

dendro- Cont'd
calamus κάλαμος
cellus κέλλειν
ceratina -ine κερατ-
ch(e)irote -ae -ous χειρωτός
chelidon χελιδών
chemical -istry χημεία
cinclopa κίγκλος ὤψ
citta κίττα
clastic κλαστός
coel κοιλία
a(n e ida ous um
coelomata -(at)ic κοίλωμα
cola
colapt- κολαπτήρ
ae es id(ae inae ine oid
cometes -idae κομήτης
copus κόπτειν
coris κόρις
crinites κρίνον -ίτης
ctonus κτόνος
cygna κύκνος
cystidae κύστις -ίδης
cystoides κύστις -οειδής
dentin(e
dendr- Cont'd
odic δενδρώδης
odont odus ὀδοντ- ὀδούς
oeca -idae οἶκος
olene
ophis ὄφις
-id(ae -inae -ine -oid
ortyx ὄρτυξ
dendro- Cont'd
gaea(n γαῖα
gastracea(n γαστήρ
graphy -γραφία
heliophallic ἡλιο- φάλλος
hyrax ὕραξ
id(al ea es) δενδροειδής
lagus λαλῶς
latry λατρεία
lite λίθος
logy -ical -ist -ous -λογία
meter μέτρον
mys -yinae -yine μῦς
dendron δένδρον
dendro- Cont'd
nereides νηρηίς -ίδης
notus -id(ae -oid νῶτον
pemon δενδροπήμων
perdix πέρδιξ
phaonia Φάων
phil(ous -φιλος
phryniscus φρύνη -ισκος
-id(ae -oid
phyta φυτόν
psychosis ψύχωσις
pupa
saura σαῦρος
scirtus σκιρτάειν
sinus σίνος
soma -idae σῶμα
soter σωτήρ
spiza σπίζα
style στῦλος
trogus τρώγειν
trophe τροφή
zoum ζῷον
denicotinize -ίζειν
denitr- νίτρον
ate ation ator
ify -ication -icator -ier
densi-
meter μέτρον
metry -ic(ally -μετρία

densi- Cont'd
pimaric πίτυς
volumeter μέτρον
densite -ίτης
densograph -γραφος
dent-
agra ἄγρα
algia -αλγία
dentalism -ist -ισμός -ιστής
dentalize -ation -ίζειν
dentaphone φωνή
dentarysplenial σπλήν
dentiaskiascope σκία -σκόπιον
denti-
ceti -ous κῆτος
loquist -ιστής
meter μέτρον
phone φωνή
dentin-
algia itis -αλγία -ῖτις
oid oma -οειδής -ωμα
osteoid ὀστεόν -οειδής
dentist(ry -ic(al -ιστής
dentize -oid(in -ίζειν -οειδής
dentology -ist λογία -ιστής
denudationist -ιστής
deodorize(r -ation -ίζειν
Deocrinus δέος κρίνον
deontology δέον(-οντος) λογία
-ical -ist -ιστής
deorganize -ation ὄργανον
de-Orientalize -ίζειν -ίζειν
deoxy- ὀξυ-
choleic χολή
gen- -γενής
ate ize (iz)ation -ίζειν
deoxyd- ὀξύς
ate ator ize(r (iz)ation -ίζειν
deozonize -ation ὄζων -ίζειν
depaganize -ίζειν -ίζειν
depancreatize -ation πάγκρεας
depantheonize Πάνθειον -ίζειν
deparoichialize -ation παροικία
departizanize -ιζειν -ίζειν
departmentalize -ation -ίζειν
depauperize -ation -ίζειν
depea δέπας
deperson(al)ize -ίζειν
depetalize πέταλον -ίζειν
dephenol- φαιν-
ate ization ize -ίζειν
dephase(d φάσις
dephilosophize φιλοσόφος
dephlegm φλεγμα -ίζειν
ate(edness ation ator(y τός
dephlogisticate -ation φλογισ-
dephophore δέφω -φορος
dephosphorize -ation φωσφόρος -ίζειν
dephysicalize φυσικός -ίζειν
de-Piedmontize -ίζειν
depigmentize -ίζειν
deplaster ἔμπλαστρον
deplethoric πληθωρικός
depoet(ic)ize ποιητής ποιητικός -ίζειν
depolarize(r -ation πόλος
depoliticalize πολιτικός -ίξειν
depolymerize -ate -ation πολυμερής -ίζειν
depopularize -ίζειν
depredationist -ιστής
depressometer μέτρον
depriorize -ίζειν
depropessionalize -ίζειν
deprotein -πρωτεῖον
-ate -ization -ize

Deproteobacteria πρωτεῖον βακτήριον
de-Protestantize -ίζειν
deprovincialize -ίζειν
deps- δέψω
an(e ene ide
depthometer μέτρον
depula δέπας
deputationist -ize -ιστής ίζειν
deputize -ίζειν
deracialize -ίζειν
der- δέρη
adelphus ἀδελφός
aden- ἀδήν
itis oncus -ῖτις ὄγκος
aeocapsus δεραιο- κάπτειν
aeum δέραιον
anencephalia ἀν- ἐγκέφαλος
Derasophilus δέρας -φιλος
Deratanchus δέρας ἄγχειν
derationalize -ίζειν
Derbe -idae -idian Δερβή
derbylite λίθος
Dercetis -id(ae -oid Δερκίτις
Dere δέρη
deregulationize **dereligionize**
dere- δέρη -ίζειν
lomus λῶμα
podichthys -yidae ποδ-
taphrus τάφρος ἰχθύς
der- Cont'd
encephal- ἐγκέφαλος
ia ocele us κήλη
ichthys -yidae ἰχθύς
deric δέρος
derivat(ion)ist -ιστής
derm δέρμα
ad al(ly ale alia
agra ἄγρα
algia -αλγία
anaplasty ἀναπλαστός
apostasis ἀπόστασις
articular(e
derma δέρμα
calyptrogen καλύπτρα
cellulitis -ῖτις -γενής
centor κέντωρ
centroxenus κεντρο- ξένος
h(a)emal h(a)emia αἱμ-
laxia μάλαξις -αιμία
lichus λείχειν
metropathism μετρο- πάθος
myiasis μυῖα -ίασις
neural νεῦρον
nyssus νύσσος
skeleton σκελετόν
synovitis σύν -ῖτις
tome -ic -τομον
dermat- δερματ-
agra algia ἄγρα -αλγία
aneuria ἄνευρος
atrophia ἀτροφία
auxe αὔξη
emys ἐμύς
-ydid(ae -ydinae -ydoid
hemia -αιμία
ic(ian δερματικός
ine δερμάτινος
ioid δερμάτιον -οειδής
itis -ῖτις
odes δερματώδης
odynia -ωδυνία
dermato- δερματο-
autoplasty αὐτο- -πλαστιά
bia biasis βίος -ίασις
branchia βράγχια
-iata -iate -id(ae -oid -us

dermato- Cont'd
calyptrogen καλύπτρα
cele κήλη -γενής
celidosis κηλιδοῦν
cellulitis -ῖτις
center κέντρον
coccus κόκκος
coniosis κονία -ωσις
cyst κύστις
gen -γενής -γραφία
graph(y ia ism -γραφος
heteroplasty ἑτερο- -πλασ-
laimus λαιμός τία
lepis λέπις
logy -ical -ist -λογία -ιστής
lysis λύσις
dermat- Cont'd
oid ol oma -οειδής -ωμα
dermato- Cont'd
mere μέρος
myces -osis μύκης -ωσις
myoma μυ- -ωμα -ῖτις
(muco)myositis μύκης μυός
neural -osis νεῦρον -ωσις
neurology νευρο- -λογία
nosis νόσος
pathology παθολογική
pathophobia παθο- -φοβία
pathy -ia -ic -πάθεια
phili -iasis -φιλος -ίασις
phobia φοβία
phone -y φωνή
physa φύσα
phyte -ic -osis φυτόν -ωσις
plasm πλάσμα
plasty -ic -πλαστία
pnoa πνοή -ῖτις
polyneuritis πολυ- νεῦρον
ptere -a(n -ous πτερόν
rrhagia (r)rhea -ῥαγία -ῥοία
sclerosis σκλήρωσις
scopic -σκόπιον
dermat- Cont'd
opsy optic -οψία ὀπτικός
osis -iophobia -ωσις -φοβία
dermato- Cont'd
skeleton -al σκελετόν
some(s σῶμα
stethus στῆθος
stroma στρῶμα
syphilis
therapy θεραπεία
thlasia θλάσις
tome -τομον
tyloma τύλωμα
tylosis τύλωσις
xerasia ξηρασία
zoa(n zoiasis ζῷον -ίασις
zoonosus ζωο- νόσος
dermatyloma δέρμα τύλωμα
derm- Cont'd
atrophia -y ἀτροφία
epenthesis ἐπένθεσις
estes ἐσθίειν
-id(ae -inae -ine -oid
ic is itis -ῖτις
dermo- δερμο-
blast χια
branchia -iata -iate βράγ-
calyptrogen καλύπτρα
-γενής
chelys -id(ae -oid χέλυς
chrome χρῶμα
coccus κόκκος
cornutals
cybin
cynia -us κῦμα

dermo- Cont'd
gastric γαστρικός
gen -γενής
graphism γραφ- -ισμός
graphy -γραφία
h(a)emia -al -αιμία αἱμ-
humeral(is
id(ectomy -o- ειδής -εκτομία
dermol(ia δέρμα
dermo- Cont'd
logy -λογία
lysis λύσις
muscular
mycosis μύκης -ωσις
neural -osis νεῦρον -ωσις
nosology νοσο- -λογία
osseous ossify -fication
parietals
pathy -ic -πάθεια
phlebitis φλεβ- -ῖτις
physa φῦσα
phyte φυτόν
plast(y πλαστός -πλαστία
ptere δερμόπτερος
-a(n -i -ous
pterygian -ii πτερυγγ-
rhynci -ous ῥύγχος
rrhytis ῥυτίς
sapol
sclerite σκληρός -ίτης
skeleton -al σκελετόν
squamosals
stenosis στένωσις
dermostosis δέρμα ὀστέον
dermo- Cont'd -ωσις
symplast συμ- πλαστός
synovitis σύν -ῖτις
syphilis -opathy -πάθεια
tensor
tomy -τομία
trich(ium τριχ-
tropic τροπή
dernbachite -ίτης
Derocephalus δηρο- κεφαλή
dero- δέρη
cephalus κεφαλή
(di)didymus δι- δίδυμος
dontus -id(ae -oid ὀδοντ-
lytoceras λυτός κέρας
mecus μῆκος
platus πλατύς
ptyus πτύον
stichus στίξ
stomum -id(ae -oid στόμα
trem- τρῆμα
a ata ate atous e
Derris -id δέρρις
dertron -um δέρτρον
Dertrotheca δέρτρον θήκη
deruralize -ίζειν
desaccharify -ication σάκχαρ
desamido- ἀμμωνιακόν
desamino- ἀμμωνιακόν
gluten protein πρωτεῖον
de-Saxonize -ίζειν
descemet-
itis ocele -ῖτις κήλη
descendentalism -ist -ισμός
descensionist -ιστής -ιστής
desclozite -ίτης
desectionalize -ίζειν
de-Semiticize -ίζειν
desentitize(r -ation -ίζειν
desentimentalize -ίζειν
desertism -ισμός
desexualize -ίζειν
deshydremia ὑδρ- -αιμία

desichthol ἰχθύς
desiliconize -ation -ίζειν
desilverize(r -ation -ίζειν
deskeletonize σκελετόν -ίζειν
desma δέσμα
chyme -atous -ic χυμός
cidon(idae
cyte κύτος
desmactinic δέσμα ἀκτιν-
Desmanthus δέσμη ἄνθος
desmat- δεσματ-
ippus ἵππος
odon ὀδών
urgia -ουργία
desmato- δεσματο-
chelys -yidae χέλυς
choerus χοῖρος
phoca φώκη
suchus -ia -idae σοῦχος
Desmediaperioecia δέσμα
desm- δεσμός περίοικος
ectasis -ia ἔκτασις
emys ἐμύς
epithelium ἐπί θηλή
ergate ἐργάτης
ic ine itis -ῖτις
Desmeplagioceia δεσμή πλά-
Desmia δέσμιος γιος οἶκος
-iospermeae σπέρμα
desmid δεσμιδ-
i(ac)eae iaceous iales ian
iology -ist -λογία -ιστής
ocarp καρπός
desmo- δεσμο-
bacteria βακτήριον
brya -oid βρύον
ceratidae κερατ-
chondria χόνδρος
cyte -oma κύτος -ωμα
dactyli -ous δάκτυλος
desm- δεσμός
odium -idae -ώδης
odus ὀδούς
-ont(es id(ae -oid)
odynia -ωδυνία
desmo- Cont'd
gen(ous -γενής
gnath- γνάθος
ae id(ae ism oid ous
gomphus γόμφος
graphy -γραφία
hemoblast αἱμο- βλαστός
lase λύσις διάστασις
logy -λογία
lysis λύσις
myaria(n μυ-
desm-
oid -οειδής
oma δέσμωμα
on
oncus ὄγκος
desmo- Cont'd
neoplasm νεο- πλάσμα
nosology νοσο- -λογία
pathology παθολογική
pathy -πάθεια
pelmous πέλμα
pexia -πηξία
plankton πλαγκτόν
plastic πλαστικός
pyknosis πύκνωσις
rrhexis ῥῆξις ληξ
scolex -ic(id(ae -icoid σκώ-
desmosis -ite δεσμός -ωσις
desmo- Cont'd -ίτης
spondylus σπόνδυλος
stichi -ous στίχος

desmo- Cont'd
stylidae στῦλος
teuthis -id(ae -oid τευθίς
thoraca(n θωρακ-
tomy -τομία
tropic -ism -y τροπή -ισμός
tropo- τροπο-
artemisin ἀρτεμισία
santonin -osis -ωσις
desmous δεσμός
desocialize -ation -ίζειν
desoleolecithin λέκιθος
desophisticate -ation σοφισ-τικός
desoxalic -ate ὀξαλίς
desox- ὀξύς
idation idizable idize in
indigo Ἰνδικός
desoxy- ὀξυ-
alizarin allocaffuric andrographolide anisoin benzoin bilianic biliobanic cantharidic -in carminic chol(al)ic cinchotine codeine codomethine flavopurpurin glycyrrhetin hematoporphyrin humulinic hydrangenolic hydrocatechol lithofellenic morphine naphthalic mesityloxide paraxanthine strychnine thebacodine theophylline toluoin xanthine
despecialize -ation -ίζειν
despiritualize -ation -ίζειν
despot(es δεσπότης
ism ist ize -ισμός -ιστής
despotic δεσποτικός -ίζειν
al(ly alness ly
despoticon δεσποτικόν
despoto- δεσπότης
cracy -κρατία
destinezite -ίτης
destinism -ist -ισμός -ιστής
destructionist -ιστής
destructuralize -ation -ίζειν
Desulphobacteria βακτήριον
desulphurize(r -ation -ίζειν
desupernaturalize -ίζειν
desuprarenalize -ίζειν
desyl(ene ὕλη
desylamin(e ὕλη ἀμμωνιακόν
desynonymize -ation συννο-μίζειν
detarantulize Τάραντα -ίζειν
detartarize τάρταρον -ίζειν
detecta-
graph phone -γραφος -φωνον
deteriorationist -ιστής
deriorism -ist -ισμός -ιστής
determinism -ισμός
determinist(ic -ιστής -ιστικός
detheorize θεωρία -ίζειν
dethronize -ation θρονος -ίζειν
dethyroidism -ized θυρεοειδής
-ισμός -ίζειν
detonize -ation τόνος -ίζειν
detoxicate(d -ation τοξικόν
detoxify -fication τοξικόν
detune τόνος
deut- δεύτερος
encephalon -ic ἐγκέφαλος
deuter- δευτερ-
agonist δευτεραγωνιστής
anomalopsis ἀνώμαλος ὄψις
anope -ia ἀν- -ωπία
ion δευτέριον

deutero- δευτερο-
albumose γλεῦκος
canonical κανονικός
caseose cerebrum γλεῦκος
cladus κλάδος
col κόλλα
cone -i κῶνος
conid(ium κονίδιον
dome δῶμα
elastose ἐλαύνειν
fibrinose γλεῦκος
fraction
gamy -ist δευτερογαμία
genic -γενής
Isaiah
lichas λιχάς
mesal μέσος
myosinose μυός
Nicene Νίκαια
nomy -ic(al -ist(ic -νομία
pathia -ic -y -πάθεια
deuteropin δευτερ- ὄπιον
deutero- Cont'd
plasm(a πλάσμα
prism πρίσμα
proteose πρωτεῖον
saurus -ian σαῦρος
scopia *or* -y -ic -σκοπία
stoma -ata -atous στόμα
strophy στροφή
systematic συστηματικός
tocia -y -ous -τοκία
toxin τοξικόν
zoic ζωικός
zooid ζῷον -οειδής
deut- Cont'd
hyalosome ὑαλο- σῶμα
hydroguret ὑδρο- -γενής
iodid ἰώδης οὖρον
ipara
deuto- δεύτερος
brochal βρόχος
bromid βρῶμος
cerebrum
chlorid χλωρός
genotypic γένος τύπος
hydroguret ὑδρο- -γενής
malae -al -ar
merite μέρος -ίτης
nephron -ic νεφρός
plasm(ic πλάσμα
plasmigenous πλάσμα γένος
plasmogen πλάσμα -γενής
plastic πλαστός
psyche ψυχή
sclerous σκληρός
scolex σκώληξ
somite σῶμα -ίτης
spermatoblast σπέρμα
sulphuret οὖρον βλαστός
tergite -ίτης
vertebra(l
xylem ξύλον
deut- Cont'd
ovum
oxid(e oxyd(e ὀξύς
developmentist -ιστής
developoid -οειδής
devil διάβολος
dom er ess et hood ish(ly ishness ism ize ment ry ship try -ισμός -ίζειν
deviometer μέτρον
devioscope -σκόπιον
devirilize -ίζειν
devitalize -ation -ίζειν
devocalize -ation -ίζειν

devolatilize -ation -ίζειν
Devonaster ἀστήρ
devoteeism -ισμός
devotion(al)ist -ιστής
devulcanize devulgarize -ίζειν
dewalquite -ίτης
deweylite λίθος
dewomanize -ίζειν
Dexia -iidae δεξιός
dexio- δεξιο-
cardia καρδία
trop- προπή
ic(ally ism ous -ισμός
dextrin-
ase διάστρασις
ize uria ίζειν -ουρία
dextro-
cardia -ial καρδία
cardiogram καρδιο- γράμμα
glucose γλυκύς
gyr- γῦρος
ate atory e ous
phobia -φοβία
tropic -ous τροπή
dextrose -uria γλεῦκος -ουρία
dezymotize ζύμη -ίζειν
dia- δια-
bantite διαβάς -ίτης
base -ic basis διάβασις
basis βάσις
baterial διαβατήρια
betes διαβήτης -in(e
-eserin -ic(al -ico -ics -id
blastesis βλάστησις
boleite -ίτης
diablerie -ist διάβολος -ιστής
diablotin διάβολος
diabo- διάβολος
latry -ism λατρεία -ισμός
lepsy leptic -ληψία ληπτι-
logy -λογία κός
diabol- διάβολος
arch(y ἀρχός -αρχία
ic(al(ly icalness διαβολικός
ish o onian us
ism ist ize -ισμός -ιστής
diaboli- διάβολος -ίζειν
ad fuge fication fy
diabolo- διαβολο-
logy -ical -λογία
diabrosis διάβρωσις
diabrotic(a διαβρωτικός
diacantho- δι- ἀκανθο-
pora -inae πόρος
diacanthous δι- ἄκανθα
dia- Cont'd
calorimeter μέτρον
cathode -ic κάθοδος
catholicon καθολικός
causis διάκαυσις
caustic καυστικός
cenous διάκενος
diacet- δι-
ate ic in
amid(e imid(e ἀμμωνιακόν
emia -αιμία
onamin(e -ώνη ἀμμωνιακόν
(on)uria ώνη -ουρία
yl(ene ὕλη
ylomorphin ὑλο- μορφή
diach(a)enium δι- ἀ- χαίνειν
dia- Cont'd
chalasis διαχάλασις
chastic διαχάσκειν
chorema διαχώρημα
choresis διαχώρησις
choretic διαχωρητικός

dia- Cont'd
chorial διαχωρέω
chronic χρόνος
chylon -um διάχυλος
chyma χύμα
di- δι-
acid
acmic ἀκμή
dia- Cont'd
clase -ic -ite κλάσις
clast(ic κλαστός
clinal κλιν-
codion -ium κωδειῶν
c(o)ele -ia κοιλία
coelosis κοίλωσις
conal -ate -ia διάκονος
conica -on -um -ics διακονι-
cope διακοπή κός
coustic(s ἀκουστικός
cranterian -ic κραντῆρες
cre διάκονος
crinous διακρίνειν
crisis διάκρισις
-ia iography -γραφία
critic(al(ly διακριτικός
di- δι-
act ἀκτίς
actin(e al ic ism ἀκτιν-
acylamid(e ὕλη ἀμμωνιακόν
adelph ἀδελφός
ia(n ic ite ous -ίτης
dia- Cont'd
dectes -id(ae -oid(es δήκτης
-osauria σαῦρος
dem διάδημα
a atid(ae atoid(ea(n idae
oida oidemina omyia
derm δέρμα μυῖα
dexis διάδεξις
doche διαδοχή
doch- διάδοχος
i in ite -ίτης
do(cho)- διάδοχος
k(or c)inetic κινητικός
dophis διάδημα ὄφις
dosis διάδοσις
drom(e ous διάδρομος
doumenos διαδούμενος
di- δι-
aelurodon αἴλουρος ὀδών
aene -αινα
(a)erisis διαίρεσις
(a)eretic διαιρετικός
aetetae διαιτητής
geic γῆ
genesis γένεσις
genetic γενετικός
dia- Cont'd
genic -ism -γενής -ισμός
geotropic -ism γεω- τροπή
glyph(ic διαγλύφειν
gnose -able διάγνωσις
gnosis gnost διάγνωσις
gnostic διαγνωστικός
ally ate ation ian um -ics
diagometer διάγειν μέτρον
diagonal διαγώνιος
ic ity ize ly -ίζειν
diagram(ma διάγραμμα
(mat)ic(al(ly matize -ίζειν
meter μέτρον
diagraph διαγραφή
ic(al ics
dia- Cont'd
grydium γρύδιον
guios γυῖος
heliotropic -ism ἡλιότροπος

dia- Cont'd
hydric ὑδρ-
kainesimos διακαινήσιμος
di- δι-
aldan(e -anic
aldehyde ὕδωρ
alin allyl ὕλη
alkyl(ic ὕλη
amin(e ἀμμωνιακόν
dialect διάλεκτος
al(ly ality or
ic(al(ly διαλεκτικός
ic(ian ism) ics διαλεκτική
dialecto- διάλεκτος
logy -λογία
-er -ical -ist -or
Dialeges διαλέγειν
dialist -ιστής
Dialithus διάλιθος
diallage διαλλαγή
-ic -ite -oid -ίτης -οειδής
diallel(us ous διάλληλος
diallelon διάλληλον
dialog διάλογος
ic(al(ly διαλογικός
ism διαλογισμός
ist -ιστής
istic(al(ly διαλογιστικός
ite διαλογή -ίτης
ize διαλογίζεσθαι
ous ue(r
dialluric -ate δι- ἀλλαντ- οὖ-
dialy- διαλύειν ρον
carpel καρπός
carpic -ous καρπός
desmy δεσμός
neurosis νεῦρον -ωσις
neury -ous νεῦρον
petalae -ous πέταλον
phyllous -φυλλος
staminous στήμων
stely -ic στήλη
dialysis -able -ate διάλυσις
dialytic(ally διαλυτικός
dialyton διάλυτος
dialyze διάλυσις -er
-ability -able -ate -ation -ator
diamagnet διά Μαγνῆτις
ic(ally ism ization -ισμός
ometer μέτρον -ίζειν
diamant ἀδάμας
iferous ine oid -οειδής
diamanto- ἀδάμας
hyus ὑός
mys μῦς
pora πόρος
diamboulon διάμβουλον
diamesogamy -ous διά μεσο-
-γαμία
diameter -ral(ly διάμετρος
diametric(al(ly διαμετρικός
di- δι-
amid(e ἀμμωνιακόν
(benzo)phenol φαιν-
ogen -γενής
amin(e ἀμμωνιακόν
uria -ουρία -φορος
ammatophora ἀμματο-
ammine -o- ἀμμωνιακόν
ammonium -ation ἀμμω-
diamond ἀδάμας νιακόν
iferous ize wise -ίζειν
diamoron διαμόρων
diamorphin διά μορφή
diamorphosis διαμόρφωσις
diamotosis διαμότωσις

di- Cont'd
amyl ἄμυλον
ene ose -ήνη γλεῦκος
ancister -ron διά ἄγκιστρον
ander -ria(n -rous ἀνδρ-
andichus διάνδιχα
anhydrid(e anhydro- ἄνυ-
anil(ine δρος
anisidin(e ἄνισον
dianite -ize -ίτης -ίζειν
dianodal διά
dianoetic(al(ly διανοητικός
dianoialogy -ical διάνοια -λο-
dianome διανομή γία
dianthr- δι- ἄνθραξ
imid(e ἀμμωνιακόν
one -ώνη
Dianthus -ic -ine δι- ἄνθος
dia- Cont'd
palma παλάμη
paraffin
pasm διάπασμα
pason -pase διαπασῶν
pause παῦσις
ped πεδίον -ητικός
pedesis -etic διαπήδησις
penidion πήνη -ίδιον
pensia διάπεντε
-iaceae -iaceous -iad
pente διάπεντε
per(ing διάσπρος
peris διαπείρειν
phane διαφανής
-al -eity -ic -ous(ly ness) -t
phanella διαφαίνειν
phano- διαφανής
graph -γραφος
meter μέτρον
metry -ic -μετρία
pter- πτερόν
ites oidea -ίτης -οειδής
scope -y -σκόπιον -σκοπία
soma σῶμα
type τύπος
phemetric ἀφή μετρικός
pherin -y διαφέρειν
phone -φωνον
phonic(al -ics διάφωνος
phony διαφωνία
phoresis διαφόρησις
phoretic(al διαφορητικός
phoric -ite -us διάφορος
phote φωτ-
photo- φωτο-
scope -σκόπιον
taxis τάξις
tropic -ism τροπή -ισμός
phragm διάφραγμα
a al atic(ally
(at)algia -αλγία
(at)itis -ῖτις
(at)ocele κήλη
odynia -ωδυνία
phthol -erin διαφθείρειν
phus φῶς
phylla -ous φυλλόν
physis διάφυσις
-ary -ial -itis -ῖτις
plasis -ic διάπλασις
plastic πλαστικός
plexus πλῆξις -ωτικός
pnoe -oic -ootic διαπνοή
pophysis -ial -ical ἀπόφυσις
poresis διαπόρησις
porthe πορθεῖν
posematism ἀπό σῆμα -ισ-
positive μός

dia- Cont'd
prosomus διαπρό σῶμα
prune προῦνον
psalm διάψαλμα
pupillary
purin(e οὖρον
pus πούς
pyesis διαπύησις
pyetic διαπυητικός
pyle πύλη
di- δι-
apsis -id(a(n ἄψις
aptosauria(n ἅπτειν σαῦρος
arch(y ἀρχή -αρχία
arinus ἄρρην
diar(a)emia διαρρεῖν -αιμία
Diaresilia -ian διαιρέειν
diarhodon διάρροδον
Diariceras κέρας
diarist -ize -ιστής -ίζειν
diarrhaemia διαρρεῖν -αιμία
diarrh(o)ea διάρροια
-etic -(o)eal -(o)ic
di- δι-
arsen- ἀρσενικόν
id(e ol ized -ίζειν
arthric ἄρθρον
arthrodial ἀρθρωδία
arthro- ἀρθρο-
dactylous δάκτυλος
mere -ic διά μέρος
pus πούς
arthrosis διάρθρωσις
dia- Cont'd
schisis διάσχισις
schisma διάσχισμα
schistic σχιστός
sclerotic σκληρός -ωτικός
scope -σκόπιον
scordium σκόρδιον
senna
sia Διάσια
skeuasis διασκευάζειν -ασις
skeuast διασκευαστής
sparactus διασπαρακτός
spasis διάσπασις
Diaspis -id -inae δι- ἀσπίς
diaspirin δι-
diaspora -e -ite διασπορά
diasporo- διασπορά
gelite -ίτης
meter μέτρον
diaspre διασπορά
diast- διάστασις
afor alin ofor
diastalsis διάσταλσις
diastaltic διασταλτικός
diastaminous διά στήμων
diastase -ic -is διάστασις
-emia -αιμία
-imetry -μετρία
diastatic(al(ly διαστατικός
diastatite διάστατος -ίτης
Diastatotropis διάστατος τρόπις
Diastellopterus διαστέλλειν
diastem(a διάστημα πτερόν
diastematic διαστηματικός
diastemato- διάστημα
crania κρανίον
myelia μυελός
pyelia πύελος
diaster δι- ἀστήρ μέρος
diastereomer(ic διά στερεο-
diastimeter διάστασις μέτρον
diastole -y -ic διαστολή
Diastoleus διαστολεύς

Diastolinus διαστολή πιον
diastoloscope διαστολή -σκό-
diastoma -atic διά στόμα
Diastopora διάστατος πόρος
-id(ae -oid
diastral δι- ἀστήρ
diastrome διά στρῶμα
diastrophe -ic -ism διαστροφή
Diastrophus διάστροφος
diastyle διάστυλος
Diastylis -id(ae -oid διάστυλος
diataxia δι- ἀταξία
Diatesiae δι- ἐτήσιος
dia- Cont'd
synthesis σύνθεσις
syrm διασυρμός
tasis διάτασις
terma τέρμα
tessaron διατεσσάρων
thermal θερμός
therman- διαθερμαίνειν
ce cy eity ism osity ous
thermic -ous -y θέρμη
thermo- θερμο-
meter μέτρον
tropic -ism τροπή -ισμός
thesis διάθεσις
-(et)ic(ally -in
thyra διάθυρα
tinostoma διατείνειν στόμα
tmesis τμῆσις
diatite -ίτης
Diatmetus διατμέειν
diatom διάτομος
a aceae acean aceoid aceous
ean iferous in(e ist ite ous
-οειδής -ιστής -ίτης
(m) aniac μανία -ακός
phile -φιλος
diatomic δι- ἄτομος
diatomoscope διάτομος -σκο-
diaton- διάτονος πιον
ic(al(ly ism ous
diatribe -ist διατριβή -ιστής
dia- Cont'd
tropic -ism τροπή -ισμός
tryma τρύμη
trype -aceae διατρυπάν
tylus τύλος
typosis διατύπωσις
zenithal
zeuctic διαζευκτικός
zeuxis διάζευξις
zi- διαζεύγνυμι
ceras pora κέρας πόρος
di- δι-
aulos -ic δίαυλος
aurid(e αὖρον
axon(al ἄξων
azin(e ἀ- ζωή
azo- ἀ- ζωή
acetic
amin(e o- ἀμμωνιακόν
anhydrid(e ἄνυδρος
ate benzene ic
hydrazid(e ὑδρ-
imin(e o- ἀμμωνιακόν
methane μέθυ
sulphobenzol
type τύπος
az- Cont'd
ole
onium ἀμμωνιακόν
oxime ὀξύς ἀμμωνιακόν
urine οὖρον
diazoma διάζωμα
diazonal διά ζώνη

diazoster διαζωστήρ
diazot- ἀ- ζωή
ate ize(-ability -able -ation)
Diazus διάζομαι
di- δι-
bamus -id(ae -oid δίβαμος
basic(ity βάσις
benz-
amid(e ἀμμωνιακόν
anthr- ἄνθραξ
one onyl -ώνη ὕλη
hydrazid(e ὑδρ- ἀ- ζωή
ol oyl
yl(amin(e ὕλη ἀμμωνιακόν
blastic -ula βλαστός
bolbina βολβίνη
bolia διβολία
borane
bothrium βοθρίον
-ian -idiata -iidae
-iocephalus κεφαλή
botryoid βοτρυοειδής
brach(ys δίβραχυς
branch βράγχια
ia iata iate ious
branchus βράγχος
brom- βρῶμος
acetic id(e in
acetaldehyde ὕδωρ
bromo- βρωμο-
benzene gallic
ketone -ώνη
bunodon βουνός ὀδών
butyl βούτυρον ὕλη
acetone -ώνη
carbonoxid ὀξύς
butryin -ate βούτυρον
cacodyl(e κακώδης ὕλη
caelus κοῖλος
dicaeology δικαιολογία
Dicaeum -aeid(ae -aeoid δίκαιος
dicamphitriaena δίχα ἀμφί τρίαινα
di- Cont'd
calcic -ium ἔνδον
camphendion καμφορά
camphor καμφορά
carbamidic ἀμμωνιακόν
carbonic -ate
carboxyl(ic ὀξύς ὕλη
carotin καρωτόν
caryo- καρυο-
cyte phase κύτος φάσις
caryon κάρυον
dicast(ic δικαστής
dicastery δικαστήριον
di- Cont'd
catalectic καταληκτικός
catalexis κατάληξις
cellacephalus δίκελλα κεφαλή
cellate -a δίκελλα
centra -in(e δίκεντρος
cephal- δικέφαλος
ism ous us -ισμός
ceraea κεραία
ceras -atidae δίκερας
-atops ὤψ
-atosaurus σαῦρος
cerca κέρκος
cerion δικήριον
cerous δίκερως
-eopygus πυγή
cetyl κῆτος ὕλη
chaetae -ous χαίτη
-omyia μυῖα
dich- διχ-
agnostus ἄγνωστος

dich- Cont'd
amphitriene ἀμφί τρίαινα
as διχάς
asium -ial -iatic δίχασις
astic διχαστής
illus ἴλλος
dicha- δίχα
petalum πέταλον
-aceae -aceous
stasis στάσις
di- Cont'd
chelus δίχηλος
-est(h)ium ἐσθίειν
-iid(ae -ioid
-onychia ὀνυχ-
chirocrinus χειρο- κρίνον
chitonida διχίτων
chlamydeous χλαμυδ-
chlor- χλωρός
acetic
amin(e ἀμμωνιακόν
benzene benzol ὕλη
(di)ethylsulphid αἰθήρ
ethylarsin αἰθήρ ἀρσενικόν
hydrin ὑδρ-
methane μέθυ
methylether μέθυ ὕλη
urea οὖρον αἰθήρ
chloro- χλωρο- ὕλη
(di)ethylsulphid αἰθήρ
divinylchloroarsin ὕλη
hydrin ὑδρ- ἀρσενικόν
methane μέθυ
dicho- διχο-
blastic βλαστός
bune -id(ae -oid -us βουνός
caltrop
carpism -ous καρπός -ισμός
dynamic -ous δύναμις
gamic -ism γάμος -ισμός
gamy -γαμία
geny -γενεια
graptus γραπτός
dich- διχ-
odon ὀδών
-ont(id(ae -ontoid
ogmus ὄγμος
omma ὄμμα
optic ὀπτικός
ost ὀστέον
dicho- Cont'd
leon λέων
lophus -idae λόφος
phyllotriaene φυλλοτρίαινα
podium -ial ποδίον
pterous πτερόν
stasy στάσις
states διχοστατέειν
dichord δίχορδον
dichoree -eus διχόρειος
Dichorisandra δι- χωρίζειν
dichotic διχ- ὠτ- ἀνδρ-
dichotomous(ly διχοτόμος
-oceras κέρας
dichotomy διχοτομία
-al -ic(ally -ist(ic -ization
-ize -ιστής -ιστικός -ίζειν
Dichotozamites διχοτόμος ζαμία
dicho- Cont'd
triaene -ic τρίαινα
trider τρίδειρος
typy -τυπία
dichoxytriaene διχ- ὀξυ- τρίαινα
dichro- δίχροος
ic in ism istic ite itic ous
-ισμός -ιστικός -ίτης

dichro- Cont'd
iscope oscope -σκόπιον
scope δι- χρόα -σκόπιον
di- Cont'd
chromanassa χρῶμα ἄνασ-
chrom- χρῶμα σα
asy ate(d ic ism -ισμός
chromat(e a χρωματ-
opsia -οψία
chromatic(ism χρωματικός
chromo- χρῶμα
phil(e ism -φιλος -ισμός
chronous δίχρονος
cinchon(ic)in
clasm- κλάσμα
atinae ella oides -οειδής
clesium κλῆσις
clidia -itis δικλίδες -ῖτις
clin- κλιν-
ery ic ism ous y -ισμός
clonius κλών
coccous κόκκος
c(o)elous κοῖλος
colon(ic δίκωλος
condylia -ian -ic δικόνδυλος
conic κώνος
cordylus κορδύλη
coria κόρη
corymbus κόρυμβος
coryne -idae κορύνη
cotyl(ae ous κοτύλη
cotyledon κοτυληδών
ary eae es ous y
cotyles δικότυλος
-id(ae -iform(ia -inae -ine
-oid -ous
craeodon δίκραιος ὀδών
craeosaurus δίκραιος σαῦρος
crania -oncus δίκρανος ὄγκος
crano- δίκρανος
branchia -iata -iate βράγ-
ceras κέρας χια
cnemus κνήμη
phyma φῦμα
pleura -ous πλευρά
pteris πτερίς
cranterian = diacranterion
cranum δίκρανος
-aceae -aceous -oid
craspeda κράσπεδον
crepidus κρηπίς
dicr- δίκροος
olene ὠλένη
ostonyx ὀστέον ὄνυξ
urus -id(ae -inae -oid οὐρά
dicro- δίκροος
coelium κοῖλος
c(o)eliasis κοῖλος -ίασις
chile χεῖλος
mita μίτος
myocrinus μυο- κρίνον
dicrot- δίκροτος
ic ism ous us -ισμός
Dictaean Δικταῖος
dicta-
graph phone -γραφος φωνή
Dictamnus -in(e δίκταμνος
-olactone γαλακτ- -ώνη
Dicteniophorus δι- κτενίον
-φορος
Dictenocrinus δι- κτεν- κρίνον
dictograph -γραφος
Dictomyia δικτός μυῖα
dicty- δίκτυον
aster ἀστήρ
dium -in (δικτύδιον)
na -id(ae

dicty- Cont'd
oid oma -οειδής -ωμα
onal -ina -ine
dictyo- δικτυο-
calamites καλαμίτης
ceratina κερατ-
conus κῶνος
cysta -idae κύστις
dendron δένδρον
desmic δέσμος
drome -ous δρόμος
gen(ae ous -γενής
graptus γραπτός
merostelic μερο- στήλη
myia μυῖα
nema νῆμα
phloios φλοιός
phora -ida -φορος
phyllum φύλλον
phyton φυτόν
pora πόρος
ptera(n πτερόν
pteris πτερίς
pyge πυγή
siphon σίφων
spongia -idae σπογγία
sporae σπορά
sporangium σπορά ἀγγεῖον
stele -ic -y στήλη
xylon ξύλον
dictyot- δικτυωτός
(ac)eae aceous ales ic
Dictysomorphus δίκτυον σῶμα
di- Cont'd μορφή
cuprion ἰόν
cyan- κύανος
diamid(e ἀμμωνιακόν
id(e in(e
cyano- κυανο-
diamid(e ἀμμωνιακόν
gen -γενής
cycle -ic -ist -y δίκυκλος
cyem- κύημα
a ata id(ae ida oid
cyme -ose κῦμα
cynodon κυν- ὀδών (κυνό-
-ont(ia(n id(ae oid) δων)
cyrtus κυρτός
cyst- κύστις
ein id(ae idea(n
cytosis κύτος -ωσις
dactyl(ous ism δάκτυλος
Didache -ist διδαχή -ιστής
-ographer -γραφος
didactic διδακτικός
al(ly ism ity -ics
didactive διδακτός
didascalos -ar διδάσκαλος
-iae διδασκαλίαι
-ics διδασκαλικός
-y διδασκαλία
di- Cont'd
decahedral δεκα- -έδρος
delph δελφύς
ia(n ic id(ae ine oid ous
yid(ae yoid ys
delta δέλτα
demnum -id(ae -oid δέμνιον
diagonal διαγώνιος
diploid διπλόος
diurnal
d(j)umolite = didymolite
do -onia(l Δίδω δρον
dodecahedron -al δωδεκάε-
dotomy δίδυμος -τομία
drachm(a on δίδραχμον
dromic -y δρόμος

didym- δίδυμος
aea Διδυμαῖος
algia -αλγία
aspis ἀσπίς
ate(d iferous in
ist ite itis -ιστής -ίτης -ῖτις
odynia -ωδυνία
oid -οειδής
onycha ὀνυχ-
ops ὤψ
ous us
didymo- διδυμο-
bothrium βοθρίον
clone κλών
helix ἕλιξ
lite lith λίθος
spora σπορά
zoon(idae ζῷον
di- Cont'd
dynam δυναμίς
ia(n ic ous y
ecodichogamy οἰκο- διχο-
-γαμία
ectasis διέκτασις
egesis διήγησις
eidism εἶδος -ισμός
elasma ἔλασμα
electric(ally ἤλεκτρον
elytra ἔλυτρον
en ἐγκέφαλος
encephal(a ic on ἐγκέφαλος
ene -ol -ηνη
entomophily ἔντομος -φιλία
eres διήρης
Dieresilia(n διαιρέειν
dieresis etc. = diaeresis etc.
Diesia diesis δίεσις
Diestothyris θυρίς
diet δίαιτα
al arian ary er ic(al ine ist
dietetic διαιτητικός itian
al(ly ist -ics
dieto- δίαιτα
therapeutics θεραπευτικός
therapy θεραπεία
di- Cont'd
etesiae ἐτήσιος
ethene -ic αἰθήρ
etheroscope αἰθερο- -σκό-
πιον
ethyl αἰθήρ ὕλη
amin(e ἀμμωνιακόν
exodus διέξοδος
dietrichite dietzeite -ίτης
diezeugmenon διεζευγμένων
differentialize -ίζειν
diffractometer μέτρον
diffusi (or o)meter μέτρον
diffusionist -ιστής
di- Cont'd
formamid(e ἀμμωνιακόν
formin -yl ὕλη
gallic
gametic γαμέτης
gamma -ate(d -ic δίγαμμα
gamous δίγαμος
gamy -ist διγαμία -ιστής
gastrous -ic(us γαστρ-
gen- γένος
ea eous ite ous
genesis γένεσις
genetic(a γενετικός
geny -γένεια
digitaligenin -γενής
digitalose γλεῦκος
digitigradism -ισμός
digitize -er -ίζειν

digito-
genic -in -γενής
phyllin φύλλον
digitox- τοξικόν
igenin in(e ose -γενής γλεῦ-
digloss- δίγλωσσος κος
a an ia inae ine ism ist y
-ισμός -ιστής
otrox τρώξ
diglot δίγλωττος
tic tism tist -ισμός -ιστής
di- Cont'd
gly- γλυκύς
collic oxaline κόλλα ὀξα-
glycer- γλυκερός λίς
id(e in ol
glycin(e γλυκύς
glyph δίγλυφος
glyphic γλυφή
-osema σῆμα
gnathus γνάθος
gnomus δίγνωμος
gonal -ous γωνία
goneutic -ism γονεύειν
gonopora -ous γονο- πόρος
gram γράμμα
graph(ic -γραφος
gyn γυνή
ia(n (i)ous y
halid(e ἅλς
halo(gen(o ἁλο- -γενής
haplooid ἁπλόος
hedron -al -έδρον
helios -ium -y ἥλιος
hexagonal ἑξάγωνος
hexahedron -al ἑξάεδρον
hexosan ἕξ γλεῦκος
hydr- ὑδρ-
ate(d ic ite ol
azid(e azone ἀ- ζωή -ώνη
iodid(e ἰώδης
hydro- ὑδρο-
bromid(e βρῶμος
chlorid(e χλωρός
collidin(e κολλα
lutidin(e resorcin
hydroxy- ὑδρ- ὀξυ-
acetone acid -ώνη
phthalo- νάφθα
phenone φαιν- -ώνη
stearic στέαρ
hydroxyl ὑδρ- ὀξύς ὕλη
ene succinic
tartaric τάρταρον
iamb(us δίιαμβος
ictodon ὀδών
im- ἀμμωνιακόν
id(e onium
iod- ἰώδης
id(e iform
iodo- ἰώδης
betanaphthol βῆτα νάφ-
carbazol ἀ- ζωή θα
form
glycerin γλυκερός
salicylic ὕλη
salol
(thio)resorcin θεῖον
ionic ἰόν
isatogen ἰσάτις -γενής
iso- ἰσο-
amyl ἄμυλον ὕλη
butyl βούτυρον ὕλη
glycolic γλυκύς
propyl πρῶτος πίων ὕλη
oxalic ὀξαλίς
diisoteria Δυ- σωτήρ

dikaios δίκαιος
Dikellocephalus δίκελλα κεφαλή
diketo- diketone δι- -ώνη
Dikraeosaurus δίκραιος σαῦρος
Dila δειλός
dilact(yl)ic δι- γαλακτ- ὕλη
dilambodont(a δι- λάμβδα ὀδοντ-
Dilamus δι- λάμος
dilatometer μέτρον
dilatometry -ic -μετρία
dilemma δίλημμα
-atic(al(ly -ic -ist -ιστής
Dilephila δείλη φίλος
dilettant(e)ism -ισμός
dilettantist -ize -ιστής -ίζειν
dilipoxanthin δι- λίπος ξάνθος
dilituric δι- λίθος οὖρον
dilnite -ίτης
Diloboderus δι- λοβός δέρη
dilogy -ical διλογία
diloph(ous δίλοφος
diluvianism -ισμός
Dilyta δι- λυτός
Dima δεῖμα
di- Cont'd
magnesic Μαγνησία
magnetite Μαγνῆτις
manganion -ous Μαγνησία
mastiga -ate μαστιγ-
mecodon μῆκος ὀδών
mercuric -ion -y
mer μέρος
ic id(e ization -ίζειν
mer- διμερής
a an e ellidae ic ism ous y
meri- διμερής
stele -ic στήλη
mero- διμερής
somata -ous σωματ-
sporium σπορά
metallic μέταλλον
metaphosphite μετά φωσφόρος -ίτης
dimeter δίμετρος
dimethyl δι- μέθυ ὕλη
acetal anilin(e
amin(e o- ἀμμωνιακόν
arsin(e ἀρσενικόν
benzene carbinol
guanidin
ketone -ώνη
nornarcotin ναρκωτικός
phosphin φωσφόρος
pyr- πῦρ
azin one ἀ- ζωή -ώνη
xanthin ξανθός
diminutize -ίζειν
di- Cont'd
metria μῆτρα
metric μετρικός
mol(ecular
molybdate μόλυβδος
monoecism μον- οἶκος
morph δίμορφος
a ic ism ite ous y -ισμός
odon ὀδών -ίτης
morpho- δίμορφος
biotic βιωτικός
ceratidae κερατ-
myrmex μύρμηξ
stylis στῦλος
myactis μύαξ
myaria(n -y μυ-
myia -yid(ae -yoid μυ-
mylus -idae μύλος

din- δεινός
acrida ἀκρίς
aelurus αἴλουρος
-ictis ἴκτις
arctotherium ἄρκτος θηρίον
elops ἔλοψ
ergate ἐργάτης
ichthys -yid(ae -yoid ἰχθύς
ictis ἴκτις
din- δῖνος
aspis ἀσπίς
ic(al
dinamode δύναμις ὁδός
dinaphth(o)- δι- νάφθα
acridin(e
anthrone ἄνθραξ -ώνη
azin(e ἀ- ζωή
yl ὕλη
xanthene ξανθός
dinar δηνάριον
dindol(e δι- Ἰνδικός
dindumene -idae Δινδυμηνή
Dinetus δινητός
di- Cont'd
neric νηρός
neura νευρά
neuric -oid -on νεῦρον
nicotinic
dini- δεινός
dorites δόρυ -ίτης
fera -ida -ous
lysia λύσιος
dinitr- δι- νίτρον
ate(d il(e
dinitro- δι- νίτρον
benzene
cellulose γλεῦκος
cresol κρέας σωτήρ
glycerin γλυκερός
phenol φαιν-
resorcin toluin
din- δεινός
obolus ὀβολός
ophis ὄφις
opis -id(ae -oid δεινωπός
ops ὤψ
ornis ὄρνις
ornith- ὀρνιθ-
es i ic id(ae ine
dino- δεινο-
bryon idae inae βρύον
cephala κεφαλή
ceras -ata -ate -atous κέρας
charis -idae χάρις
cochlea κοχλίας
mys μύς
-yes -yid(ae -yoid
perca πέρκη
physisacuta φύσις
rrhopala ῥόπαλον
there θηρίον
-ia(n -iid(ae -ioid -ium
dino- δῖνος
crinus κρίνον
cystis κύστις
flagellate -a
gnathus γνάθος
hyus ὗς
mania μανία
philus -ea -idae -φιλος
prora πρῷρα
saur(ia(n σαῦρος
dinomic δι- νόμος
dinormocytosis δι- κύτος -ωσις
dinos -us δῖνος
dinoxid(e = dioxide

di- Cont'd
nucleated
obely διωβελία
obol(on διώβολον
ocese -al -an διοίκησις
-iarch ἄρχος
octahedron -al ὀκτάεδρον
octophyme ὀκτώ φῦμα
ode ὁδός
-ange -angium ἀγγεῖον
odo- ὁδο-
gone γόνος
phyte φυτόν
odon ὀδών
-ont(id(ae -ontoid(ae
cephalus κεφαλή
odonto- ὀδοντο-
metra μέτρον
oec- οἶκος
a(n ia(n ious(ly -iousness ism ous
oecio- οἶκος
morphic -ous μορφή
polygamous πολύγαμος
oedus οἰδέειν
(o)esophagus οἰσοφάγος
oestrous -um οἶστρος
oform
ogenal -γενής
Diogenes Διογένης
-ic(al(ly -ize -ίζειν
-odonta ὀδοντ-
dioidia διοιδεία
diolein diolefin(e δι-
diomede- Διομήδης
a id(a inae ine oid
diomorphin δι- ἰόν Μορφεύς
Dione Διώνη
-aea -ideidae
dionic -in δι- ἰόν
dionym(al διώνυμος
Dionysia(n Διονυσία
Dionysiac Διονυσιακός
al(ly -iacs
Dionysian -ic Διόνυσος
Diophantine Διόφαντος
di- Cont'd
oon ᾠόν
ophthalmus ὀφθαλμός
oplotherium ὁπλο- θηρίον
opside(jadeite ὀψιδ- -ίτης
opsimeter ὄψις μέτρον
opsis -id(ae ὄψις
optase -ite ὀπτασία -ίτης
opter διόπτρα
opto- ὀπτός
meter μέτρον
metry -μετρία
scopy -σκοπία
optra διόπτρα
-al -ate -on -y
optric διοπτρικός
al(ly -ics
optro- διοπτρικός
meter μέτρον
metry -μετρία
scopy -σκοπία
orama -ic διορᾶν (δια-)
ordinal
oreid ὄρειος
orexine ὄρεξις
orism διορισμός
oristic(al(ly διοριστικός
orite -ic διορίζειν -ίτης
orthosis διόρθωσις
orthotic διορθωτικός
orus διόρος

di- Cont'd
oryche διωρυχή
oryctus διορυκτής
orygomerus διῶρυξ μηρός
Dioscorea Διοσκόριδες
-eaceae -eaceous -ein -in(e
Dioscuri -ian Διόσκουροι
diose δι- γλεῦκος
Diosma Διός ὀσμή
diosmin -al δι- ὀσμή
diosmose διά ὠσμός
-osis -otic -ωσις -ωτικός
diosphenol δι- ὀσμή φαιν-
diospyros διόσπυρος
-aceae -ales
diota -ic διώτος
dioti διότι
Diocardia διώτος καρδία
diotrephes Διοτρέφης
-etically -ητικός
-ian -ic(ly -ist -ιστής
dioxal- δι- ὀξαλίς
dioxia διοξεῖων
diox- δι- ὀξύς
an(e id(e in(e ol(e
azin(e azol(e ἀ- φωή
ime ἀμμωνιακόν
indol(e Ἰνδικός
ogen -γενής
dioxy- δι- ὀξυ-
acetone -ώνη
anthol
anthracene ἀνθρακ-
benzol diquinoyl
gen -γενής
naphthalene νάφθα
tartaric τάρταρον
toluene
di- Cont'd
palmitin παλάμη
parasitized παράσιτος
partite partition
paschal πάσχα
pelicius πήληξ
peltis -id(ae -oid πέλτη
pentene πέντε
penthemimeres πενθημιμερής
peptide πεπτικός
petalous πέταλον
phanite φανής -ίτης
phase -er -ic φάσις
phenol -in(e -o- φαιν-
phenyl φαιν- ὕλη
amin(e ἀμμωνιακόν
chlorarsin χλωρός ἀρσενικόν
cyan- κύανος
arsin
ene -imide ἀμμωνιακόν
ethanolone αἰθήρ -ώνη
ketone -ώνη
methane μέθυ
urea οὖρον
phleps φλέψ
phonia φωνή
phora δίφορος
phorophyll φορο- φύλλον
phosgene φῶς -γενής
phosph- φωσφόρος
ate id(e oric
photic φωτ-
phragm- φράγμα
ida oceras κέρας
diphrelatic διφρηλάτης
diphrophoros διφροφόρος
diphros δίφρος
diphthalylic δι- νάφθα ὕλη

diphtheria διφθέρα
-ial -ian -ic(al -in -oid(al
-itis -itic(al(ly -ῖτις
-iolysin λύσις
-otoxin τοξικόν
diphthong δίφθογγος
al(ly alize ia ic ous
ize -ation διφθογγίζειν
diphu- διφυής
cephala κεφαλή
Diphulleia δι- φυλλεῖον
diphy- διφυής
acantha ἄκανθα
cercal -e -y κέρκος
es id(ae oid
genic -γενής
odont(ism ὀδοντ- -ισμός
phyllum φύλλον
zooid ζῷον -οειδής
diphyletic δι- φυλετικός
diphyll- δίφυλλος
a id(ae idea(n idia idiid(ae
odes ous
diphyllo- δίφυλλος
bothrium βοθρίον
cera κέρας
di- Cont'd
phyrama φύραμα
physite -ae -ism Διφυσῖται
picolinic planar
pilus πῖλος
planetic -ism πλανητικός
dipl- διπλόος
acanth- ἄκανθα
id(a(e oid us
ac(o)usis ἄκουσις
adenia ἀδήν
agnostus ἄγνωστος
antidian ἀντ- εἶδος
arthr- ἄρθρον
a ism ous y -ισμός
eidoscope εἶδος -σκόπιον
diplasiasmus διπλασιασμός
diplasion -ic -y διπλάσιον
diplasmatic δι- πλάσμα
diplax δίπλαξ
diplazium διπλάζειν
diple διπλῆ
di- Cont'd
pleco- πλέκειν
lobeae λοβός
plectrum πλῆκτρον
plegia -ic -πληγία
plesion διπλήσιος
-ioceras κέρας
pleur- πλευρά
a al ic ula
pleuro- πλευρο-
branchia -iate βράγχια
cystis κύστις
genesis γένεσις
genetic γενετικός
plex
diplo- διπλο-
albuminuria -ουρία
bacillus
bacteria βακτήριον
biont(ic βιοντ-
blastic(a βλαστός
cardia καρδία
cardiac καρδιακός
caulia -escent καυλός
cephal- κεφαλή
ia ous us y
chaetes χαίτη
chlamydeae -eous χλαμυδ-
choanitic χόανος

diplo- Cont'd
cocc- κόκκος
(a)emia -αιμία
al ic oid us
conical κωνικός
conus κῶνος
coria κόρη
cyte -ic κύτος
docus -idae δοκός
doxy δοξία
dipl- Cont'd
odal ὁδός
odia -ῴδης
odus -onta -ontidae ὀδούς
diploe -(et)ic διπλόη -(ετ)ικός
diplo- Cont'd
gamete γαμέτης
gangliata -iate γάγγλιον
genesis γένεσις
genetic γενετικός
genic -γενής
glossa -ata -ate γλῶσσα
gonoporus γονο- πόρος
gram γράμμα
graph -γραφος
graphy -ic(al(ly -γραφία
graptus γραπτός
harpus ἅρπη
hedron -al ἕδρα
id(al -ο- ειδής
idion διπλοίδιον
is διπλοΐς
ite -ίτης
lepariae λεπίς
lophus λόφος
diploma δίπλωμα
-acy -ατεία
-atic(al(ly ian o s) -ατικός
-at(ism ist ize) -ισμός -ιστής
-ίζειν
-atology -λογία
diplo- Cont'd
mellituria μελιτ- -ουρία
morpha -ic μορφή
myelia μυελός
mystus -id(ae -oid μύστης
nasty ναστός
nephra νεφρός
nephridium νεφρίδιον
neura -al νεῦρον
nympha νύμφη
peristomi περιστόμιος
phase φάσις -ic -ous
phoneus φωνεῖν
phonia φωνή
phyll φύλλον
physa φῦσα
pia -ic -y διπλόος -ωπία
piometer μέτρον
placula(r -ate πλακ-
pnoi -πνοος
pod(a ic ous ποδ-
pore -ita -ite πόρος -ίτης
prion -ontidae πρίων
pter- πτερόν
a idae inae ine oidea ous
pterotesta πτερωτός us
pteryga -ous πτερυγγ-
sal
scope -σκόπιον
sis δίπλωσις
som- σῶμα
(at)ia e id(ae oid us
sphene -al σφήν
spire -ellinae σπεῖρα
spondyl- σπόνδυλος
i ic ism ous y

diplo- Cont'd
spore σπορά
-angiate ἀγγεῖον
stemonous -y στήμων
stenopora στενο- πόρος
stephanous στέφανος
stic stichous στίχος
stix στίξ
streptococcus στρεπτο-
stylus στῦλος κόκκος
syntheme σύνθημα
tegis -ium τέγος
tene ταινία
teratology τερατολογία
thecta θηκτός
tmema τμῆμα
tropis τρόπις
trypina τρύπανον
xylic -oid -ous ξύλον
zona ζώνη
zoon ζῷον
di- Cont'd
plumbic -ion ἰόν
pneumon- πνεύμων
a eae es ous
pneusta -al -i πνευστός
pno- -πνοος
a an oi oid ous
pode -ic -ous διποδ-
podomys μῦς
-yian -yinae -yine
pody διποδία
pole -ar πόλος
(i)pol(e)ia Διπόλια
polarize -ation πόλος -ίζειν
poridium πόρος -ιδιον
porpa πόρπη
potassium -ic
prene primary
prion(idae -idian πρίων
-onyms μῦς
prismatic πρίσμα
prop- πρωτο- πίων
aesin
argyl(ate ἄργυρος ὕλη
yl ὕλη
amin(e ἀμμωνιακόν
ketone -ώνη
prosopia -us διπρόσωπος
protodon πρῶτος ὀδών
-ont(ia id(ae oid)
dips- διψ-
ac- δίψακος
aceae aceous onia
alidictis δίψας ἅλς ἴκτις
as idae inae ine δίψας
esis δίψησις
etic διψητικός
dipso- διψο-
mania -iac(al μανιά -ακός
pathy -πάθεια
saurus σαῦρος
therapy θεραπεία
dipsosis δίψα -ωσις
diptero- δίπτερος
carp(al one καρπός -ώνη
carpophyllum καρπο- φύλ-
cecidium κηκίδιον λον
logy -ical -ist -λογία
phora -φορος
dipter- δίπτερος
a oid(ei os ous us
dipteron δίπτερον
Dipteryx δι- πτέρυξ
-ygii -ygian
diptote δίπτωτος
diptych δίπτυχα

Dipus δίπους
-pod(id(ae inae ine oid)
dipygus δι- πυγή
Dipylidium δι- πυλίς
dipylon δίπυλον
dipyre -ite δίπυρος -ίτης
dipyrenous διπύρηνος
dipyrr- δι- πυρρός
idin(e idyl ὕλη
diquin- δι-
icin idin(e
Diradias δειράς
Dirca -ea(n Δίρκη
dirina δειρή
-aceae -ean -oid
Dirochelys δειρή χέλυς
di- Cont'd -yoidae
rhombohedron ῥομβο- -ἑδ-
rrhina ῥῖνα ρον
rrhope ῥοπή
sacchar- σάκχαρ
ase id(e διάστασις
dis- δίς
acr-
one yl -ώνη ὕλη
analogal ἀναλογία
analogous ἀνάλογος
angelical ἀγγελικός
aster ἄστρον
astrous(ly ness ἄστρον
aulax δίς αὖλαξ
authorize -ίζειν
azo- δίς ἀ- ζωή
barbarize βάρβαρος -ίζειν
canonize -ation κανών -ίζειν
chromatopsy δίς χρωματ-
chronation χρόνος -οψία
di- Cont'd
scalenohedron σκαληνός
scelion σκέλος -ἑδρον
schisma σχίσμα
scidia δισχιδής
disc δίσκος
achatae ἀχάτης
al alia alidae ida in
ina -acea -id(ae -oid
inisca -ίσκος
itis -ῖτις
octaster ὀκτ- ἀστήρ
disco- δισκο-
blastic -ula βλαστός
bol- δισκοβόλος
e i ic os ous us
campyli -ic καμπύλος
carp(ium ous καρπός
cellular
centrus κέντρον
cephal(i ous κεφαλή
cytis -ula κυτίς
dactyl δάκτυλος
a e i ous
depula δέπας
derminae δέρμα
gastrula γαστρ-
glossus γλῶσσα
-id(ae -oid(ea
helix ἕλιξ
hexact(ine ἕξ ἀκτίς
hexaster ἕξ ἀστήρ
id(a(l ea(n eae) δισκοειδής
lichen(es λειχήν
lith λίθος
loma λῶμα
discolorization -ίζειν
disco- Cont'd
medusa Μέδουσα
-ae -an -oid

disco- Cont'd
mo(ne)rula μονήρης
myces -osis μύκης -ωσις
mycete(s ous μυκήτες
nectae νήκτης
diskon- δίσκος
anth(ae ous ἄνθος
ula
disco- Cont'd
peripheral περιφέρεια
phore -φορος
-a(n -ae -ous
placenta πλακοῦς
-al alia(n -ation
plankton πλαγκτόν
planula πλαν-
plasm πλάσμα
poda -ous ποδ-
podium ποδίον
porella -idae πόρος
pyge πυγή
rhabd ῥάβδος
soma -(at)idae σῶμα
sphinctes σφιγκτός
stomata -ous στοματ-
tarbus τάρβος
discorine Διοσκορίδης
discriminoid(al -οειδής
discus -ulus δίσκος
dis- δίς
diaclasis διάκλασις
diaclast(ic διάκλαστος
diapason διαπασῶν
diplasion διπλάσιον
dodecahedroid δωδεκάεδρον
epholcia ἐφόλκιον
hexacontahedroid ἑξήκοντα
ippus ἵππος -εδρον -οειδής
di- δι-
selenid(e σελήνη
seme -ic δίσημος
sepalous σκέπη
dis- Cont'd
electrify -ication ἤλεκτρον
equalize -ίζειν
gospelize -ίζειν
harmonic(al ἁρμονικός
harmonious ἁρμόνιος
-ism -ize -ισμός -ίζειν
harmony ἁρμονία
individualize -ίζειν
intoxication τοξικόν
dish δίσκος
cloth clout faced ful rag
washer water
Disheloporidae πόρος
disilic- δι-
(ic)ane ide o-
disk(less diskos δίσκος
diskeles δι- -σκελής
dislogistic = dyslogistic
disloyalist -ιστής
dismalize -ίζειν
dismutase διάστασις
disnaturalize -ation -ίζειν
di- δι-
sodium -ic
soma -e σῶμα
somatous δισώματος
somus δίσωμος
dis- δίς
ommatus ὄμμα
ophrys ὀφρύς
orygma ὄρυγμα
dis-
organic ὄργανον
-ization -ize(r -ίζειν

dis- Cont'd
oxid- oxyd- ὀξύς
ate ation ative -ize -ίζειν
oxygenate -ion ὀξυ- -γενής
paradise παράδεισος
pareunia dyspareunia
pathy = dyspathy
pauperize -ίζειν
disperm- δι- σπέρμα
atous ic in(e ous y
disperscope -σκόπιον
dispersoid(al -οειδής
ology (-ical) -λογία
di- δι-
sphaericus σφαιρικός
sphaero- σφαιρο-
cephalus κεφαλή
sphenoid σφηνοειδής
spiran σπεῖρα
spirem(e ous σπείρημα
sporea -ous σπορά
sporum σπορός
dis- Cont'd
personalize -ίζειν
petal πέταλον
phosphate δίς φωσφόρος
playologist -λογία -ιστής
probablize -ation -ίζειν
realize sensualize
senterism -ize -ισμός -ίζειν
sertationist -ιστής
socialize -ίζειν
socioscope -σκόπιον
solutionism -ist -ισμός -ιστής
disso- δισσο-
conch κόγχη
geny -γενεία
gonous γόνος
gony γονή
phyte -ic φυτόν
psalis ψαλίς
pygus πυγή
sternus στέρνον
dis- Cont'd
some σῶμα
sorophidae σορός ὄφις
sphenoid σφηνοειδής
syllab- δισύλλαβος
ic ification ify ize le
ism δισυλλαβία -ισμός
symmetry -ic(al(ly συμμετρία
dissympathy συμπάθεια
dissynagogue συναγωγή
di- δι-
stannic -ion ἰόν
staphyla σταφυλή
stater στατήρ
stearin -yl στέαρ ὕλη
stearo- στέαρ
phosphate φωσφόρος
stegos δίστεγος
stelopora στηλο- πόρος
stemma στέμμα
stemonous στήμων
sterigmatic στήριγμα
sthene σθένος
Distemnostoma δίς τέμνειν στόμα
disthrone -ize θρόνος -ίζειν
distich δίστιχος
al ic on ous(ly
ia iasis διστιχία -ίασις
odus -ontinae ὀδούς
opis -πις

disticho- δίστιχος
cera κέρας
pora -idae πόρος
distigmatic δι- στίγμα
distocia distokia δίς -τοκία
distom- δίστομος
a (at)id(ae atosis atous ea(n eae ia(n iasis oid -ωσις -ίασις -οειδής
distone τόνος
dis- Cont'd
trix θρίξ
trophy -τροφία
-ophytes φυτόν
typsidera τύψις δέρη
di- Cont'd
stromatic στρῶμα
style -ous στῦλος
styr- στύραξ
anic ene enic inic
sulfoxid(e ὀξύς
sulph-
ate atid one onic -ώνη
uric -et -y
syllabic δισύλλαβος
syntheme σύνθημα
disunionism -ist -ισμός -ιστής
disutilize -ίζειν
ditamin(e ἀμμωνιακόν
di- Cont'd
tartaric τάρταρον
temnostoma τέμνειν στόμα
terebene terpene τερέβινθος
tertiary
tesseral τέσσερες
tetragonal τετράγωνος
tetrahedral τετράεδρον
thallious θαλλός
thecal -ous θήκη
theism θεός -ισμός
-ist(ical -ιστής -ιστικός
thel- διθελής
ism ite -ισμός -ίτης
thi- θεῖον
an(e ene in ol(e
azol(e ἀ- ζωή
ene -yl ὕλη
on(ic ate
osalicylic ὕλη
thymol- θύμον
diiodid δι- ἰώδης
dithyramb(us διθύραμβος
ic διθυραμβικός
ist -ιστής
di- Cont'd
thyrous δίθυρος
-ocaris καρίς
tokous δίτοκος
tolyl ὕλη
tomus τόμος
tone δίτονον
topogamy τοπο- -γαμία
trema τρῆμα
-ata -atous -id(ae -oid
triacontane τριάκοντα
tricho- τριχο-
phora -φορος
tomous(ly -τομος
triaene τρίαινα
triglyph(al ic τρίγλυφος
trigonal(ly τρίγωνος
trigonially τρι- γωνία
triploid τριπλόος
trita- τρι-
trocha(l τριχός
trochaeus διτρόχαιος
-ean -ee

ditroite -yte -ίτης
ditt-
ander any δίκταμνον
marite -ίτης
obolo διττός ὀβολός
ditto- διττο-
gram γράμμα
graph -γραφος
graphy -ic γραφία
logy λογία
di- δι-
tylus δίτυλος
ur- οὖρον
ate eid(e ide ol
uranic -ate Οὐρανός
ur- διουρρεῖν
esis ism οὔρησις -ισμός
uretic διουρητικός
al(ly alness -in
valent -ence -ency
valolactone -ic γαλακτ-
zygosis ζωγός -ωσις
divaporization -ίζειν
diversisporous σπορά
diverticularization -ίζειν
dividualism -ισμός
divinize -ation -ίζειν
Dixa -id(ae δίξοος
dixenite -ίτης
di- Cont'd
xeny ξένος
xgenic τοξικόν -γενής
xylic ξύλον
zoic ζῷον
zygopleura ζυγο- πλευρά
zygosis ζύγωσις
Djambioxylon ξύλον
Doaneomyia μυῖα
Docetae Δοκηταί
-ic(ally ism ist(ic ize -ισμός -ιστής -ιστικός -ίζειν
dochme δοχμή
dochmiac(al δοχμιακός
dochmius δόχμιος
-iasis -iosis -ίασις -ωσις
-iocera κέρας
doco- δοκός
glossa -an -ate γλῶσσα
ptere -i -ous πτερόν
docosi- δω- εἴκοσι
hydrate ὑδρ-
-yl ὕλη
doctorize -ation -ίζειν
doctrin-
(al)ism arianism -ισμός
(al)ist ize -ιστής -ίζειν
dodec- δωδεκ-
actinae ἀκτιν-
ade
ammino ἀμμωνιακόν
ander ἀνδρ-
andria(n androus
ane ant aquo
arch(y δωδεκάρχης -αρχία
arinus ἄρρην
dodeca- δώδεκα
dactyl- δάκτυλος
itis on us -ῖτις
diene δι-
drachm δραχμή
fid
gon(al δωδεκάεδρον
gyn(ous ia(n γυνή
hedron -al -ic δωδεκάεδρον
hydrate -ed ὑδρ-
meral μέρος
partite

dodeca- Cont'd
petalous πέταλον
pharmacum φάρμακον
semic δωδεκάσημος
some σῶμα
style -ous στῦλος
syllable -bic συλλαβή
toma τομή τημόριον
dodecatemorion -y δωδεκα-
Dodecatheon δωδεκάθεον
dodecatoic δωδέκατος
dodecuplet δώδεκα
dodecyl(ene δωδεκ- ὕλη
Dodon(a)e(*or* i)an Δωδώνη
Doedicurus δοῖδυξ
Dogberryism -ισμός
doggerel-
ist ize(r -ιστής -ίζειν
dohexacontane δω- ἑξήκοντα
dogma(olatry δόγμα λατρεία
dogmat- δογματ-
ism ist ization ize(r ory -ισμός -ιστής -ίζειν
dogmatic δογματικός
al(ly alness ian ism -ic(al)s
dogmato- δογματο-
logy δογματολογία
poeic δογματοποιία
Doketic etc. = Docetic etc.
dokimo- δόκιμος
cephalus κεφαλή
doler- δολερός
in(e ite itic us
ophanite φανής -ίτης
Dolicaon δολιχαίων
dolich- δολιχός
ellipsoid ἔλλειψις -οειδής
olus
onyx otis ὄνυξ ὠτ- (-ωτις)
os osis us -ωσις
urus -ic δολίχουρος
dolicho- δολιχο-
brachium βραχίων
cephal κεφαλή
ic ism ous us y
cera -ous κέρας
cercic κερκίς
cnemic κνήμη
derus δέρη
dira δειρή
dromos δολιχοδρόμος
facial
glossus γλῶσσα
hieric ἱερόν
lec(*or* k)anic λεκάνη
mastix μάστιξ
metopinae μέτωπον
nema νῆμα
pellic πέλλα
pelvic
prosopous πρόσωπον
prosops πρόσωπον
pus δολιχόπους
-pod(-id(ae -oid -ous
rhinus ῥίν
saurus σαῦρος
-ia(n -id(ae -oid
sigmoid σιγμοειδής
soma σῶμα
stenomelia στενο- μέλος
stylous στῦλος
thrips θρίψ
tmema τμῆμα
uranic Οὐρανός
dolio- δολιο-
myia μυῖα
vertebra

dolioloid -οειδής
doli- δόλιος
ops ὤψ
rhynchops ῥύγχος ὤψ
dolite -ίτης
dollatry λατρεία
Dollopterus πτερόν
Dollosaurus σαῦρος
Doloma δόλωμα
Dolomedes -ine δολομήδης
dolomite -ic -ίτης
-(it)ize -ation -ίζειν
dolonephron νεφρός
Dolops δόλοψ
dolphin(et δελφίς
domagnesic δω- Μαγνησία
dome δῶμα
-al -atic -ical(ly -ing -oid
-atium δωμάτιον
-atophobia -φοβία
-ite -itic -ίτης
domeykite -ίτης
donaco- δονακο-
bius βίος
donat- Δωνᾶτος
ism -ισμός
ist(ic(al Δωνατισταί
Donax δόναξ -acoid
-acia -ac(i)id(ae -aciinae
dopa δι- ὀξυ- φαιν- ἀμμωνιακόν (*for* dioxyphenylalanin)
doppler-
ite ization -ίτης -ίζειν
dor δόρυ
dora- δορά
phobia somus φοβία σῶμα
Doratonotus δόρυ νῶτος
dorca- δορκάς
bune βουνός
therium θηρίον
Dorcadion δορκάδιον
Dorcas δορκάς
dorcastry δορκάς -τηριον
Dorcopsis δορκάς ὄψις
dorema δώρημα
Dorian Δώριος
Doric Δωρικός
al ism ize -ισμός -ίζειν
Dorichthys δόρυ ἰχθύς
Doridium Δωρίς
-iid(ae -ioid(ea
Doridopsis Δωρίς ὄψις
-id(ae -oid
Dorippe Δωρίς ἵππος
-id(ae -oid
Doris -(id)id(ae -oid Δωρίς
Dorize Δώριος -ίζειν
dormigene -γενής
Doronicum δωρονείκον
Dorosoma δόρυ σῶμα
-(at)id(ae -oid
dors-
algia -αλγία
odynia -ωδυνία
dorsi-
branch βράγχια
ia iata iate
meson -ad -al μέρος
dorso-
central κέντρον
cephalad -ic κεφαλή
pleural πλευρά
dory- δόρυ
crinus κρίνον
gonus γωνιά
ichthus ἰχθύς
laemus λαιμός

dory- Cont'd
phor- δορυφόρος
a ine os us y
pterus -id(ae -oid πτερόν
pygella πυγή
rhamphus -inae ῥάμφος
sthenes σθένος
Dorx δόρξ
dose -age δόσις
dosimeter δόσις μετρον
-metric(ian μετρικός
-metry -ist -μετρία -ιστής
dos(i)ology δόσις -λογία
Dothidia δοθιήν εἶδος
-iaceae -iaceous -iales
dothien(esia δοθιήν
dothienenteria δοθιήν ἔντερον
dothi(en)enteritis δοθιήν ἔντερον -ῖτις
Doto δωτώ
-onidae -oid(ae
dotriacontane δω- τριάκοντας
douglasitis -ῖτις
doulia = dulia
d(o)ulocracy δουλοκρατία
Douvillaster ἀστήρ
dowdyism -ισμός
doxastic δοξαστικός
doxastichon δοξαστιχόν
doxology -ical -ize δοξολογία
doxy δόξα -ίζειν
Draba δράβη
Dracaena δράκαινα
dracanth = tragacanth
drachma δραχμή
Draco δράκων
albin
dracon- δράκων oides
es ia ic(al(ly in ina ites itic
ian(ism Δράκων -ισμός
dracont- δρακόντιον
ian iasis ic ium -ίασις
draconto- δρακοντο-
myia μυῖα
dragma δράγμα
dragon δράκων
(n)ade ess et head ish ism ize
dragoon(age er δράκων
dram δράχμα
drinker mage seller shop
drama δράμα
dramat- δραματ-
ic(al(ly ics δραματικός
icle ism ist -ισμός -ιστής
ize -able -ation -er -ίζειν
urge δραματουργός
urgy δραματουργία
Drapetes δραπέτης
-tomania μανία
Drassus δράσσεσθαι
-id(ae -oid(ae
Drasterius δραστήριος
drastic(ally δραστικός
dravite -ίτης
drax δράξ
dreelite -ίτης
drepan- δρέπανον
aspis ἀσπίς iform
e ellina(e ia id(ae idium
is δρεπανίς
idid(ae idinae (id)in(e oid
ium δρεπάνιον
drepanoid δρεπανοειδής
drepano- δρεπανο-
cerus κέρας
cladous κλάδος
crinus κρίνον
ptera πτερόν

dresseteria -τηριον
Drilus δρῖλος
drim- δριμύς
ad in ium ol ys
ostoma στόμα
drimy- δριμυ-
philus phyta -φιλος φυτόν
driodad -ium δρίος
drollist -ιστής
dromae- δρομαῖος
cnemis κνημίς
id(ae inae oid us
dromaeo- δρομαῖος
gnathae -i -ism -ous γνάθος
pappi -ous πάππος
saurus σαῦρος
Droma -idae δρομάς
sauria σαῦρος
therium -iidae θηρίον
Dromas δρομάς
-adid(ae -adoid
drome δρομάς δρόμος
dromedar- δρομάς
e ian ist y
Dromia δρομίας
-iaceae -iadae -iid(ae -ioid
dromic δρομικός
a al ia
osaurus σαῦρος
dromo- δρομο-
graph -γραφος
mania μανία
meryx μήρυξ
meter metry μέτρον -μετρία
scope -σκόπιον
therium θηρίον
-iid(ae -ioid
tropic -ism τροπή -ισμός
drom- δρόμος
on os ous
ornis -ithid(ae -ithoid ὄρνις
dropax δρῶπαξ
dropsy ὕδρωψ
-ical(ly -icalness -ied
Drosera δροσερός
-aceae -aceous -in
droso- δροσο-
chrus χρώς
meter μέτρον
phila -e -idae -φιλος
phore -φορος
Druidism -ισμός
drumistic -ιστικός
druml(in)oid(al -οειδής
drupe δρύππα
-aceae -aceous -al -athet
-el(et -eole -etum -iferous
Dryas Δρυάς -ose
-ad(es -adetum -adic
Drydenism -ισμός
Dryinus δρύινος
dryite δρῦς -ίτης
drym- δρυμός
odes δρυμώδης
oeca οἶκος
drymo- δρυμο-
dytops δύτης ὤψ
hippus ἵππος
mys μῦς
phytes φυτόν
Drynaria δρῦς
dryo- δρυο-
balanops δρυοβάλανος ὤψ
bates βάτης
coetes δρυοκοίτης
dromas drome δρομάς
lestes -idae λῃστής

dryo- Cont'd
myrmex μύρμηξ
phantin φανάζειν
phthorus φθόρος
pithecus πίθηκος
pteris -ideae -oid πτερίς
scopus σκοπός
Dryophis δρῦς ὄφις
-idae -(id)inae -ine
Dryops δρύοψ
Drypta -idae δρύπτειν
-osaurus σαῦρος
Drytomomys δρυτόμος μῦς
duad *etc.* = dyad *etc.*
dualism -ist(ic -ισμός -ιστής -ιστικός
dualize -ation -ίζειν
duarch δυ- ἀρχός
duarchy δυαρχία
ductilimeter μέτρον
dudgeonite -ίτης
dud(e)ism -ισμός
dudleyite -ίτης
duel(l)-
ist(ic ize -ιστής -ιστικός -ίζειν
dulcimer μέλος
Dulcinist -ite -ιστής -ίτης
Dules δοῦλος
d(o)ulia δουλεία
Dulichia Δουλίχιον
-idae -iid(ae -ina -ioid -ium
dullardism -ισμός
dulocracy = doulocracy
Dulus δοῦλος
-id(ae -inae -ine -otic -ωτικός
dumortierite -ίτης
dumreicherite -ίτης
dunite -ίτης
Dunstaniopsis ὄψις
duo- δυω-
decade δεκάς
dec- δυώδεκα
ane ary ate ation
yl ὕλη
deca δυώδεκα
gon γωνία
hedron -al -έδρον
duodenectomy -εκτομία
duodeno-
chol(e)- χολή
angitis ἀγγεῖον -ῖτις
hepatic ἡπατικός
mesocolic μεσο- χολή
-stomy -στομία
(chole)cysto χολή κύστις
choledocho χοληδόχος
entero ἐντερο-
jejuno
-tomy -τομία
cholecysto χολή κύστις
duo- δυω-
drama δράμα
graph -γραφος
logue λόγος
machy -μαχία
pod ποδ-
tone τόνος
type τύπος
dupligraph -γραφος
durangite -ίτης
duraplasty -πλαστία
durasantalin σάνταλον
durbachite -ίτης
durdenite -ίτης
durematoma αἱματ- -ωμα
duritis -ῖτις

duro-
arachnitis ἀράχνη -ῖτις
meter μέτρον
durylic -yl ὕλη
dvimangan- Μαγνησία
ate ese
dyad(ocyte δυαδ- κύτος
dyadic δυαδικός
dyakis- δυάκις ἑδρον
dodecahedron -al δωδεκά-
hexacontahedron ἑξήκοντα
dyalite δυάς λίθος
dy- δυ-
archy -ical δυαρχία
blastus βλαστός
clesium κλῆσις
dygo- δύναμις γωνία
gram graph γράμμα -γραφος
dyn- δύναμις
actinometer ἀκτινο- μέτρον
ad
dyna- δύναμις
graph -γραφος
magnite Μαγνησία -ίτης
meter -ric(al(ly μέτρον
motor
dynam δύναμις
e ia
ic(al(ly ity)ics δυναμικός
imeter μέτρον
ism ist(ic -ισμός -ιστής -ιστικός
ite -ίτης
-ard -er -ic(al(ly -ism -ist
-ization -ize -ισμός -ιστής -ίζειν
ize -ation -ίζειν
Dunamene Δυναμένη
dynamo δύναμις
dynamo- δυναμο-
cosmical κοσμικός
electric(al ἤλεκτρον
gen(ic ous(ly -γενής
genesis γένεσις
genetic γενετικός
geny -γένεια
graph(ic -γραφος
logy λογία
metamorphosis μεταμόρφωσις
-morphic -ism -ισμός
meter μέτρον
metry -ic(al(ly -μετρία
neure νεῦρον
pathy -ic -πάθεια
phone φωνή
saurus σαῦρος
scope -σκόπιον
scopy -σκοπία
static στατικός
dynast δυνάστης
es idae idan ides inae
ic(al(ly icism δυναστικός
y δυναστεία
dyne δύναμις
dyo- δυο-
caetriaconta- δυοκαιτριακόντα
hedron -έδρον
phone φωνή
physite φύσις -ίτης
-ic(al -ism -ισμός
prunida -an προῦνον
theism θεός -ισμός
thelete θέλειν -ίτης
-ian -ic(al -ism -ισμός
thelism -ite θέλειν -ισμός
dyphone δυ- φωνή
dypnone δίς ὕπνος -ώνη

dypno- δίς ὑπνο-
pinac- πινακ-
ene in ol one οστέον
Dyptychosteus δυ- πτυχή
Dyrosauridae δούρειος σαῦρος
dys- δυσ-
acousis -ia ἄκουσις
acousma ἄκουσμα
adrenia -ία
(a)emia -αιμία
(a)esthesia δυσαισθησία
(a)esthesis αἴσθησις
(a)esthetic αἰσθητικός
albumose γλεῦκος
aloto- δυσάλωτος
saurus σαῦρος
analyte δυσανάλυτος
anthic ἄνθος
antigraphia ἀντίγραφον -ία
aphe -ia ἀφή
aponotocy ἄπονος -τοκία
archus ἀρχός
arteriotony ἀρτηρία -τονία
arthria -ic -itis ἄρθρον -ῖτις
arthrosis ἄρθρωσις
aster(idae ἀστήρ
basia βάσις
bolism μεταβολή -ισμός
boulia βουλή
cataposis κατάποσις
cherus δυσχερής
chezia chesia χέζειν
chiria χείρ
cholia -ic χολή
chondroplasia χονδρο- πλάσις
chroa χροά
chroia δύσχροια
chromasia χρῶμα
chromat- χρωματ-
opsis -ia -y ὄψις -οψία
optic ὀπτικός
chromia χρῶμα
chronous χρόνος
cinesia δυσκινησία
cinetus δυσκίνετος
clasite κλάσις -ίτης
colocerus δυσκολο- κέρας
cophus δύσκωφος
-id(ae -oid
coria κορή
crasia δυσκρασία
-e -ial -ic -y
crasite κράσις -ίτης
cratic δύσκρατος
crinism κρίνειν -ισμός
critus δύσκριτος δηρης
dera -id(ae -oid(ae δύσ-
diadochokinesia διάδοχος -κινησία
diemorrhysis διά αἱμο- ῥῦσις
endo- ἐνδο-
crinia κρίνειν
-iasis -ism -ίασις -ισμός
crisiasis κρίσις -ίασις
erethisia ἐρεθίζειν
entery δυσεντερία
-ic(al δυσεντερικός
-iform -ous
epulotic(al ἐπουλωτικός
ergasia ἔργον -ασια
ergia -εργία
function
galactia γαλακτ-
galia γάλα
gena δυσγενής
genesia -ic γεννᾶν -ησία
genesis γένεσις

dys- Cont'd
genic(s γένος -ικός
genitalism -ισμός
geogenous γεω- γένος
geusia γεῦσις
glandular
gnosia δυσγνωσία
gonic γονή
grammatical γραμματικός
graphia γραφία
hematopoiesis αἱματοποίησις
(h)idrosis -ίδρωσις
hormonism ὁρμῶν -ισμός
hypophysia -ism ὑπόφυσις
iatus δυσίατος
ides δυσειδής
is δύσις -ητικός
kinesia -etic δυσκινησία
koimesis κοιμησις
lalia *or* -y λαλιά
lexia -ic λέξις
lochia λοχία
logia -ical -y -λογία
logistic(al(ly λόγος -ιστικός
luite λύειν -ίτης
lysin(e λύσις
lytite δυσλυτός -ίτης
machus δύσμαχος
masesis *or* -ia μασῆσις
mathes δυσμαθής
megalopsia μεγαλ- -οψία
menia μήν -ία
meno- μηνο-
rrhagia -ραγία
rrh(o)ea(l -oic ῥοία
mer- μέρος
ism istic -ισμός -ιστικός
mero- μερο-
genesis γένεσις
genetic γενετικός
morph(ic μορφή
metria -μετρία
metropsia μέτρον -οψία
mimia μιμεῖσθαι
mnesia -μνησία
morphism μορφή -ισμός
morpho- δύσμορφος
ceras phobia κέρας φοβία
neuria νεῦρον
noetic νοητικός
nomy δυσνομία
odile δυσώδης
odont(a -iasis ὀδοντ- -ίασις
odynia -ωδυνία
oemia -αιμία
ontogenesis ὀντο- γένεσις
ooticia ᾠοτοκία
opia -ωπία
opsia *or* -y -οψία
orexia *or* -y ὄρεξις
osmia ὀσμή
osmia δυσοσμία
osteogenesis ὀστεο- γένεσις
ostosis ὀστέον -ωσις
ovarism -ισμός
oxidative ὀξύς -ίζειν
oxidize -able -ation ὀξύς
pancreatism πάγκρεας -ισμός
pareunia δυσπάρευνος
pathy -etic δυσπάθεια -ετικός
pepsia -y δυσπεψία
-(i)odynia -ωδονία
pept- δύσπεπτος
ic(al(ly in one
odynia -ωδυνία

dys- Cont'd
peristalsis περισταλτικός
perm- σπέρμα
(as)ia atism -ασία -ισμός
phagia -ic -y -φαγία
phasia -ic -φασία
phemia -φημία
phonia -ic δυσφωνία
phoria δυσφορία
photic -istic φωτ- -ιστικός
phototropic φωτο- -τροπος
phrasia φράσις
phuistic φύειν -ιστικός
phylaxia φύλαξις
pinealism -ισμός
pituitarism -ισμός
plasia πλάσις
ploid(y -πλοος
pn(o)ea(l -etic δυσπνοία
pnoic δυσπνοικός
porus δύσπορος
-omorph(ae ic μορφή
pragia -πραγία
praxia -πραξία
prosia -ium δυσπρόσιτος
proteose πρωτεῖον γλεῦκος
rhythmia ῥύθμος
dyssnite -ίτης
Dyssophytes = Dissophytes
dus- Cont'd
sycus σῦκον
synchronous σύγχρονος
synergia συνεργία
(s)yntribite συντρίβειν
systole συστολή -ίτης
taxia τάξις
tectic δύστηκτος
teleology τελειο- -λογία
-ical -ist -ue -ιστής
teria δυστήρητος
-idae -ina
thanasia δυσθάνατος -ασια
thesia δυσθεσία
thetic(a δύσθετος
thymia -ic δυσθυμία -ικός
thyreosis θυρεο- -σις
thyroidea -ism θυροειδής
tocia -ial δυστοκία -ισμός
tome -ic -ous δύστομος
tonia -τονία
topia *or* -y -ic -τοπία
traumia τραῦμα
trophia -y -τροφία
tropho- τροφο-
dextrin δεξίτερος
neurosis νεῦρον -ωσις
tropy -ic -ous τροπή
trypsia τρῖψις
uresis -ia οὔρησις
uria -iac -ic -y δυσουρία
zoo- ζωο-
amylia ἄμυλον
Dytes δυτής
Dyticus -id(ae -oid δυτικός

Earinus ἐαρινός
Ebaeus ἠβαιός
eben- ἔβενος
aceae aceous ad ales eous
eberth(a)emia -αιμία
Ebion- Ἐβιωναῖοι
ite -ic -ism -ίτης -ίζειν
ism ize -ισμός -ίζειν
ebion- ἔβενος
ism ize -ισμός -ίζειν
ebon ebony ἔβενος
ine ist -ιστής
ite ize -ίτης -ίζειν
Ebragiceras κέρας
ebulliometer μέτρον
ebullioscope -ic -σκόπιον
eburneoid -οειδής
ecad οἶκος ἀδ-
ec- ἐκ
ballion -ium ἐκβάλλειν
basis batic ἔκβασις
blastesis ἐκβλάστησις
bole -in(e ἐκβολή
bolic ἐκβόλιον
caleobion ἐκκαλεῖν βίον
centric ἔκκεντρος
al(ly ity -ing
centro- ἔκκεντρος
linead
meter μέτρον
piesis πίεσις
cephalosis κεφαλή -ωσις
chondr- χόνδρος
oma osis otic -μωα -ωσις
chondro- χονδρο- -ωτικός
tome -τομον
chym- χυμός
oma -ωμα
osis ἐκχύμωσις
osed otic -ωτικός
ecclesi- ἐκκλησι-
a al ian ἐκκλησία
arch(y ἐκκλησιάρχης
ast(ry ἐκκλησιαστής
astic ἐκκλησιαστικός
al(ly ism ize -ics -ισμός
ecclesio- ἐκκλησία -ίζειν
clastic κλαστός
graphy -γραφία
later -λατρης
latry λατρεία
logy -λογία
-ic(al(ly -ist -ιστής
ec- Cont'd
cope ἐκκοπή
coprotic(al ἐκκοπρωτικός
ophoric -φορος
copto- ἐκκόπτειν
genia γένειον
stoma στόμα
coptura οὐρά
cremo- ἐκκρεμής
carpus καρπός
crino- ἐκκρίνειν
logy -λογία
crisis ἔκκρισις
-iologia -y -λογία
critic(a ἐκκριτικός
cyclema ἐκκύκλημα
cyesis κύησις
cyliosis ἐκκυλίεσθαι
cystis κύστις
dem- ἔκδημος
ic ite -ίτης
demio- ἐκδημία
mania μανία
demo- ἔκδημος
mania μανία
nosus νόσος
deron(ic δέρος
dysis ἔκδυσις
ethmoid ἠθμοειδής
gonin(e ἔκγονος
ecesis οἴκησις
echard ἔχειν
Echeneis ἐχενηΐς -eini
-e(id)id(ae -eidan -e(id)oid
echeum ἠχεῖα
Echiales ἔχιον
echi- ἐχῖνος
aster ἀστήρ
mys μῦς
-yidae -yinae -yine
Echidna ἔχιδνα
-ase διάστασις
-id(ae -ina -in(e -oid
echidno- ἐχιδνο-
phaga -φαγος
toxin τοξικόν
vaccine
echin- ἐχῖνος
acea al ate(d
arachnius ἀράχνη
aspis ἀσπίς
aster(id(ae oid) ἀστήρ
astrin ἀστρ-
i id(ae ida(n idea iform
iscus -ισκος
ite -al -ίτης
echino- ἐχινο-
bothrium βοθρίον
-iid(ae -ioid
brissus -idae βρύσσος
cactus κάκτος
cardium καρδία
caris -idae καρίς
cereus
chloa χλοή
chrome χρῶμα
-ogen -γενής
cocc- κόκκος
ifer osis us -ωσις
cocco- κοκκο-
tomy -τομία
conchus κόγχος
conus -idae κῶνος
corys -idae κόρυς
cotyle -idae κοτύλη
crepis κρηπίς
cyst(is κυστίς
ites -id(ae -oid -ίτης
oida -οειδής
deres -id(ae -oid δέρη
derm δέρμα
a(l aria ata ous
disc- δίσκος
aster ἀστήρ
galerinae
glossa -al γλῶσσα
echinodes ἐχινώδης
echinoid ἐχινοειδής
echino- Cont'd
lampras λαμπράς
lichas Λιχάς
logy -ist -λογία -ιστής
metra ἐχινομήτρα
-id(ae -oid
myia -yidae μυῖα
mys -yinae -yine μῦς
neus νέος
-eid(ae -eides -eoid -idae
paedium -ic παιδίον
panax πάναξ
phrictis φρικτός
placid πλακ-
echin- Cont'd
ophthalmia ὀφθαλμία
ops(in(e ὤψ
opsis ὄψις
osis -ωσις
echino- Cont'd
plute -eus
pora -idae πόρος
procta -ous πρωκτός
echino- Cont'd
ptilium -idae πτίλον
rhinus -id(ae -oid ῥίνη
rhynchus ῥύγχος
-id(ae -oid
sigra σίγραι
soma σῶμα
spermum σπέρμα
sphaer- σφαῖρα
idae ite(s -ίδης -ίτης
stomata στόμα
strobus στρόβος
thuria θύριον
-idae -iid(ae -ioid
zoa ζῶον
echinul- ἐχῖνος
ate ation iform
echinus ἐχῖνος
Echis ἔχις
-iostoma στόμα
Echites ἐχίτης
-amin(e ἀμμωνιακόν
-ein -enine -in
-onium
echi-
retin ἐχίτης ῥητίνη
tone ἐχῖνος τόνος
urus ἐχίτης οὐρά
-id(ae -oid(ea(n
Echium ἔχιον
echlorophyllous χλωρο- -φυλλος
echma ἔχμα
echo- ἠχώ
ance er ic(al ing(ly
acousia ἄκουσις
graphia -γραφία
ism -ισμός
ist(ic -ιστής -ιστικός
ize -ίζειν
kinesia -κινησία
kinesis κίνησις
lalia -iac -us λαλία
matism μάταιος -ισμός
meter μέτρον
metry -μετρία
pathy -πάθεια
phony -φωνία
photony φῶς -τονία
praxia -πραξία
praxis πρᾶξις
scope -σκόπιον
Echthistatus ἔχθιστος
echthronym ἐχθρός ὄνυμα
echurin ἐχυρός
ecitophile φίλος
eclabium ἐκ-
eclampsis ἔκλαμψις
-ia -ic -ism -y -ισμος
eclampt- ἐκλαμπτ-
ic ism -ισμός
eclect- ἐκλεκτός
ism ist -ισμός -ιστής
us eus
eclectic ἐκλεκτικός
al(ly ism ize -ισμός -ίζειν
eclegm(atically ἔκλειγμα
eclimeter μέτρον
eclipi- ἐκλιπής
drilus -id(ae -oid δρῖλος
eclipse ἔκλειψις
-areon -αριον
-ation -ed -er -is
ecliptic(al(ly ἐκλειπτικός
eclog(e ite ue ἐκλογή -ίτης
eclysis ἔκλυσις
ecmnesia ἐκ- -μνησία
ecnephias ἐκνεφίας

eco- οἰκο-
dichogamy διχο- -γαμία
genesis γένεσις
graph -γραφος
logy -ic(al(ly -λογία
-ism -ist -ισμός -ιστής
mania μανία
econome οἰκονόμος
-acy -ατεία
econo- οἰκονομία
meter μέτρον
economic οἰκονομικός
al(ly ule
economics οἰκονομική
economy οἰκονομία
-ist -ite -ιστής -ίτης
-ize(r -ization -ίζειν
eco- Cont'd
parasite παράσιτος
phene φαιν-
phobia -φοβία
proter(o)- πρότερος
andry -ανδρία
gymny -γυνία
site σῖτος
species
tone τόνος
type -ical τύπος
ecpantheria ἐκ πανθήρ
ecphasis ἔκφασις
ecphonema -e ἐκφώνημα
ecphonesis ἐκφώνησις
ecphora -etic ἐκφορά -ητικός
ecphore ἐκ- -φορος
-ia -ization -ize -ίζειν
ecphractic ἐκφρακτικός
ecphrasis ἔκφρασις
ecphyad- ἐκφυαδ-
ectomy -εκτομία
itis -ῖτις
ecphylactic ἐκ- φυλακτικός
ecphylaxis ἐκ- φύλαξις
Ecphylus ἔκφυλος
ecphyma ἔκφυμα
-(at)otes -ώτης
echysesis ἐκφύσησις
ecphysis ἔκφυσις
ecpiesma ἐκπίεσμα
ecpleo- ἐκ- πλέος
pus -podidae πούς
ecptoma ἔκπτωμα
ecpyesis ἐκπύησις
ecpyrosis ἐκπύρωσις
ecrhythmus -ic -ous ἔκρυθμος
Ecripsis ἔκριψις
ecsantal- ἐκ σάνταλον
al ic ol
ecsomatics ἐκ- σωματικός
ecstasy ἔκστασις
-is -ize -ίζειν
ecstatic ἐκστατικός
al(ly -ica
ect- ἐκτός
ad al(ly
aster ἀστήρ
auxesis αὔξησις
ecta- ἐκτός
colia coly κόλον
ectasis ἔκτασις
-ia -in -y
-iograph -γραφος
ectemno- ἐκτέμνειν
rrhinus ῥίν
ecten- ἐκτενής
aspis ἀσπίς
e es ic

ecteno- ἐκτενής
gnathus γνάθος
notus νῶτος
ect- Cont'd
endo- ἐνδο-
trophic -τροφία
ental ἐντός
epicondyl- ἐπί κόνδυλος
ar oid -οειδής
erograph ἐντερο- -γραφος
ethmoid(al ἠθμοειδής
Ecthesis ἔκθεσις
ecthlipsis ἐκθλῖψις
ecthol ἐχῖνος θυία
ecthor- ἐκ- θοραίος
(a)eal (a)eum
ecthr- ἐχθρός
onym ὄνυμα
ecthyma ἔκθυμα
-(at)iform -atous
-osis -ωσις
ecthyre- ἐκ- θυρεοειδής
osis -ωσις
ectino- ἐκτείνειν
gramma γραμμή
ect- Cont'd
iris ἶρις
obliquus
ecto- ἐκτός
basidium βάσις -ίδιον
batic βαίνειν
bia biides βιός
blast(ic βλαστός
branchia βράγχια
-iata -iate
bronchium βρόγχος
calcaneal
cardia καρδία
carotid καρωτίδες
carpous καρπός
-aceae -aceous -oid -us
chona -e χώνη
choroidea χοριοειδής
cinera(l
clinal κλίνειν
cnemial κνήμη
coelian -ic κοῖλον
colon κόλον
colostomy κόλον -στομία
condyl- κόνδυλος
ar e oid -οειής
coracoid κορακοειδής
cornea cuneiform
cranial κρανίον
cyclic κυκικός
cyst κύστις
dactylism δάκτυλος -ισμός
derm δέρμα
al ic oidal -οειδής
entad -al ἐντός
enzyme ἔνζυμος
ethmoid ἠθμοειδής
gastro- γαστρο-
cnemius κνήμη
genesis γένεσις
genic -ous -γενής
glia γλία
globular
glutaeus -aeal γλουτός
kelostomy κήλη -στομία
kinetic κινητικός
lateral
lecithal λέκιθος
lithia -ic λίθος
loph λόφος
lyta λυτός

ecto- Cont'd
mere -ic μέρος
mesoblast μεσο- βλαστός
-ectomy -εκτομία
ecto- Cont'd
nephridium νεφρός -ιδιον
neuroglia νευρο- γλία
nuclear
pagia -us πάγος
parenchyma παρέγχυμα
parasite -ic(a παράσιτος
patagium παταγεῖον
pectoralis
peptase πεπτός διάστασις
peritoneal -itis περιτόναιον
phloeodes φλοιός -ωδης
phloic φλοιός
phylaxination φύλαξις
phyte -ic φυτόν
placenta πλακοῦς
plasm (at)ic πλάσμα
plast(s πλαστός
plastic πλαστικός
plasy πλάσις
popliteal
proctous -a(n πρωκτός
prote- πρωτεῖον
ase διάστασις
pterygoid(eus πτερυγοειδής
ectopia -ic -y ἔκτοπος
Ectopistes ἐκτοπίζειν
ectopo- ἔκτοπος
cystis -ic(us κύστις
tomy -τομία
ecto- Cont'd
retina ῥητίνη
rhinal ῥιν-
sac(al σάκκος
sarc(ous σαρκ-
sarcode -ous σαρκώδης
siphon σίφων
skeleton -al σκελετόν
solenian σωλήν
some -a(l σῶμα
sphenoid σφηνοειδής
sphenotic σφήν -ωτικός
sphere σφαῖρα
spore σπόρα
-a -ium -ous
ect- Cont'd
organism ὄργανον -ισμός
ost- ὀστέον
eal(ly osis -ωσις
ostracium -al ὄστρακον
ecto- Cont'd
sticta στικτός
suggestion sylvian
theca -al θήκη
thio- θεῖον
bacteria βακτήριον
leukaceae λευκός
thrix θρίξ
tox- τοξικόν
(a)emia -αιμία
ic in
trachea τραχεία
triceps
tricho- τριχο-
phyton φυτόν
trochlea τροχαλός
trophi -ic -ous -τροφος
zo- ζῷον
a an ic ous
Ectrephes ἐκτρέφειν
ectrichod- ἐκ- τριχώδης
es ia iinae
ectrimma ἔκτριμμα

ectroma ἔκτρωμα
ectro- ἔκτρωμα
dactyl- δάκτυλος
ia ism y -ισμός
geny -ic -γένεια
mel μέλος
ia ian ic ous
syn- συν-
dactyly δάκτυλος
ectrop- ἐκτροπή
ic ite -ίτης
ectropical ἐκ- τροπικός
ectropium ἐκτρόπιον
-ion(ize -ίζειν
ectropo- ἐκτροπή
meter μέτρον
ectrosis ἔκτρωσις
ectrotic ἐκτρωτικός
ectro- ἐκτροπή
tropic -τροπος
ectylosis ἐκ- τύλωσις
ectylotic ἐκτυλωτικός
ectype -al ἔκτυπος
ectypo- ἔκτυπος
graphy -ic -γραφία
ecumene οἰκουμένη
ecumenic οἰκουμενικός
al(ly ism -(ic)ity -ισμός
ecyphellate κύφελλα
eczema ἔκζεμα
-atization -ίζειν
-atoid -οειδής
-atous(ly
-otes -ώτης
edaph- ἔδαφος
ic ism on us -ισμός
odon ὀδών
odus -ont ὀδούς
edapho- ἔδαφος
paussus ? Παῦσος
phytes φυτόν
edeitis αἰδοῖα -ῖτις
edema οἴδημα
-atose -atous -ic -in
-ization -ize -ίζειν
edenite -ίτης
Edenize -ation (ἡδονή) -ίζειν
edeo- αἰδοῖα
logy -λογία
edest- ἐδεστός
an in us
edesto- ἐδεστός
saurus σαῦρος
edingtonite -ίτης
Edmontosaurus σαῦρος
edobole(s οἶδος βολή
edri- ἕδριον
aster ἀστήρ
id(ae oid(ea
ophthalm- ὀφθαλμός
a ata ate (at)ous ia(n ic
edrio- ἕδριον
crinidae κρίνον
education(al)ist -ιστής
Edwardeanism -ισμός
effeminize -ation -ίζειν
effluviography -γραφία
egagro- αἴγαγρος
pilus πῖλος
egalitorianism -ισμός
Egiria Ἡγερία
-ian -iid(ae -ioid
egersi- ἐγερσι-
meter μέτρον
egilops -opic αἰγίλωψ
eglestonite -ίτης
egma αἴνιγμα

ego- αἰγο-
broncho- βρογχο-
phony -φωνία
phony -ic -φωνία
ego- Latin (or ἐγώ)
altruism -ισμός
altruistic -ιστικός
centric κεντρικός
al(ly ism ity -ισμός
ic(al (-ικός)
idea ἰδέα
ism mism tism -ισμός
ist(ry tist -ιστής
(t)istic(al(ly -ιστικός
ize(r tize -ίζειν
latrous λατρεία
mania(c μανία -ακος
meter μέτρον
theism θεός -ισμός
egriot ἀγριότης
Egypti- Αἰγύπτιος
acal Αἰγυπτιακός
ian(ism ize) -ισμός -ίζειν
Egyptic Αἰγυπτικός
ity ize -ίζειν
Egypto- Αἴγυπτος
log(ue λόγος
logy -λογία
-er -ic(al -ist -ιστής
ehlite -ίτης
Ehretiaecarpum καρπός
Eichwaldiceras κέρας
eichwaldite -ίτης
eicono- = eikono-
eidetic εἰδητικός
eido- εἰδο-
graph -γραφος
musikon μουσικός
phone -φωνον
phusikon φυσικός
scope -σκόπιον
trope -ic τροπ-
eidolic εἰδωλικός
eidolon εἴδωλον
eidolo- εἰδωλο-
clast -κλαστης
logy -λογία
scope -σκόπιον
eidos εἶδος
-opto- ὀπτικός
metry -μετρία
-ouranian Οὐρανός
Eifelo-
crinus κρίνον
saurus σαῦρος
eikon εἰκών
eikono- εἰκονο-
gen -γενής
meter μέτρον
stasion εἰκονοστάσιον
eikos- εἴκοσι
arion -αριον
ylene ὕλη -ήνη
eikosi- εἴκοσι
hepta- ἑπτα-
gram γράμμα
eil- εἴλειν
ema εἴλημα
eton εἰλητον
oid oin -οειδής
Einsteinism -ισμός
-ist -ize -ιστής -ίζειν
eiren- εἰρην-
arch εἰρηνάρχης
ical εἰρηναρχικός
y εἰρηναρχία

eiren- Cont'd
ic εἰρηνικός
icon εἰρηνικόν
eiresione εἰρεσιώνη
eis- εἰσ-
anthema ἄνθημα
egesis -ical εἰσήγησις
kuklema εἰσκύκλημα
odal εἴσοδος
odial -ic εἰσόδιος
odicon εἰσοδικόν
eisen-
antho- ἀνθο-
phyllite φύλλον -ίτης
epidot ἐπίδοσις
pyro- πυρο-
chroite χρόα -ίτης
sajodin ἰώδης
eka-
iod- ἰώδης
in(e oform
tantalum Τάνταλος
ecbain- ἐκβαίνειν
akanthus ἄκανθος
ekdemite ekebergite ekerite
ekmannite -ίτης
ekphonize ἐκ- φωνή -ίζειν
ekphore etc. = ecphore etc.
eksantal- ἐκ- σάνταλον
al ic
ektene(s ἐκτενής
ektodynamomorphous ἐκτός δύναμις μορφή
Elacate ἠλακάτη
-id(ae -oid -is
Elachisina ἐλαχύς
elachist- ἐλάχιστος
a idae inae us
arthron ἄρθρον
odon ὀδών
elacho- ἐλαχύς
ceras κέρας
Elaeagnus ἐλαίαγνος
-aceae -aceous
Elaenia ἐλαίνεος
Elaeis ἐλάεις
elaeo- ἐλαιο-
blast(ic βλαστός
carpus καρπός
-aceae -aceous
cocca κόκκος
crinus -idae κρίνον
dendron δένδρον
des ἐλαιώδης
dochon ἐλαιοδόχος
lite λίθος
margaric μάργαρον
meter μέτρον
myenchysis μυ- ἔγχυσις
plast πλαστός
ptene πτενός
saccharum σάκχαρον
-ine
stearic στέαρ
thesium ἐλαιοθέσιον
Elaeus ἐλαιόεις
Elagatis ἠλακάτη
elaic ἐλαικός
elaid- ἐλαιδ-
ate ic in(e inic
one yl -ώνη ὕλη
elain(e ἔλαιον
Elainia -iinae -iine ἐλαίνεος
elaiodic ἐλαιώδης
elaio- ἐλαιο-
leucites λευκός -ίτης
meter μέτρον

elaio- Cont'd
pathy -ia -πάθεια
plankton πλαγκτός
plast πλαστός
somes σῶμα
spheres σφαῖρα
elaldehyde ἔλαιον ὕδωρ
Elamite -ic -ish -ίτης
elan- ἔλανος
et oides us -οειδής
elao- = elaeo-
lite ptene
elaph- ἔλαφος
aglossum γλῶσσα
ebollion ἐλαφηβολιών
idion -ίδιον
ine
inis ἐλαφίνης
odes -us ἐλαφώδης
ure -ine -us οὐρά
elapho- ἐλαφο-
myces μύκης
mycetes -aceae μυκήτες
elaphr- ἐλαφρός
erga ἔργον
idae us
elaphro- ἐλαφρο-
pus ἐλαφρόπους
saurus σαῦρος
Elaps ἔλ(λ)οψ
-id(ae -ine -oid
elasma- ἔλασμα
pod(a podous ποδ-
elasm- ἐλασμός
iae oidae us -οειδής
odon ὀδών
odontomys ὀδοντο- μῦς
elasmo- ἐλασμός
branch βράγχια
ia ian iate ii
gnatha -ous -us γνάθος
meter μέτρον
saur σαῦρος
id(ae oid us
stethus στῆθος
therium θηρίον
-iidae -iinae -ine
elass- ἐλάσσων
oma ἐλάσσωμα
-atidae -e -id(ae -oid
onyx ὄνυξ
elastic ἐλαστικός
a al(ly ian in ity ness
ize -ίζειν
elast- ἐλαστικός
in(ase διάστασις
ivity ose γλεῦκος
oid(in oma -οειδής -ωμα
ometer μέτρον
Elastrus ἐλαστρέειν
elater ἐλατήρ
id(ae oid
elater- ἐλατήρ
ics ist ite -ιστής -ίτης
elaterium ἐλατήριον
-id(ae -(id)in -one -ώνη
elatero- ἐλατήρ
meter μέτρον
phore -φορος
elatic ἐλάτη
Elatine ἐλατίνη
-(ac)eae -aceous -(ol)ic
elato- ἐλατός
branchia βράγχια
lite λίθος
elatt- ἐλάττων
archus ἀρχός

elayl(e ἔλαιον ὕλη
Elcabrosaurus σαῦρος
Elcasite -ίτης
elcosis ἕλκωσις
elco- ἕλκειν
tropism τροπ- -ισμός
eleasite -ίτης
Eleatic(ism Ἐλεατικός
elecampane ἐλένιον
electic etc. = eclectic etc.
-osome σῶμα
electr- ἤλεκτρον
agy -ist ἄγειν -ιστής
epeter τρέπειν -τηρ
ic ics
al(ly alness ian ity ize
ico-
logy -λογία
meteorological
ina -e -id(ae -oid -us
ion ἰόν
ize(r -ation -ίζειν
electri- ἤλεκτρον
cute -er -ion
ferous
fy -iable -ication -ier
lethal λήθη
electro- ἠλεκτρο-
affinity
an(a)esthesia ἀναισθησία
analysis ἀνάλυσις
analytic ἀναλυτικός
ballistic(s βάλλειν
bat bath
bio- βιο-
logy -ical -ist -λογία
scopy -σκοπία
bisium bronze bus
capillary -ity
cardio- καρδιο-
gram γράμμα
graph -γραφος
graphy -ic -γραφία
phono- φωνο-
gram graph
catalysis κατάλυσις
catalytic καταλυτικός
cataphoresis κατα- φόρησις
cautery καυτήριον
chemical(ly χημεία
chemist(ry χημεία
chrono- χρονο-
graph(ic -γραφος
meter μέτρον
metry -ic -μετρία
cision
coagulation
colloidal κολλώδης
contractility
copper Κύπριος
culture -al
cuprol Κύπριος
cysto- κύστις
scope -σκόπιον
electr- ἤλεκτρον
ode(less ὁδός
electro- Cont'd
deposit
a able ic ition(or
dessication
diagnosis διάγνωσις
dialysis διάλυσις
-yze(r
diapason διαπασῶν
diaphane -y διαφανής
dynam- δυναμίς
ics -ic(al δυναμικός

electro- Cont'd
ism -ισμός
dynamo- δύναμις
meter -ric(al μέτρον
endo- ἐνδο-
scope -σκόπιον
endosm- ἔνδον ὠσμός
osis otic -ωσις -ωτικός
engrave -ing
etch(ing
etherial αἰθέριος
fining foenus
galvanize -ίζειν
gastro- γαστρο-
gram γράμμα
genesis γένεσις
genetic γενετικός
genic -γενής
geny -γένεια
gild(er gilt
gonio- γωνία
meter μέτρον
gram γράμμα
graph -γραφος
graphy(ic -γραφία
harmonic ἁρμονικός
hemo- αἱμο-
stasis στάσις
industrial irrigation
kinetic(s κινητικός
lepsy -ληψία
lier ἤλεκτρον
lithotrity λιθο-
logy -λογία
-ic(al -ist -ιστής
lophidion λοφίδιον
luminescent -ence
lysis lyte λύσις λυτός
lytic λυτικός
lyze λύσις -ίζειν
-ability -able -ation -er
magnet Μαγνῆτις
ic(al(ly ics
ism ist -ισμός -ιστής
martiol
massage medical
mer(ic ism μέρος -ισμός
mercurol
metallurgy μεταλλουργός
-ical -ist -ιστής
meter μέτρον
metro- μήτρα
gram γράμμα
metry -ic -μετρία
mobile -ism -ισμός
motion motive motor
motograph -γραφος
muscular
myo- μυο-
graph -γραφος
graphy -γραφία
myrmex μύρμηξ
electron ἤλεκτρον
ation ic ide
electro- Cont'd
negative(ly -ity
nome νόμος
optic(al(ly -ics ὀπτικός
osmose -is ὠσμός -ωσις
path πάθος
pathology παθολογική
pathy -ic -πάθεια
pheidole φειδωλή
phone -oide φωνή -οειδής
phore -ic -φορος
phoresis -etic φόρησις
phorus -φορος

electro- Cont'd
-id(ae -oid -ous
photo- φωτο-
meter μέτρον-
micro- μικρο-
graphy -γραφία
therapy θεραπεία
physiology φυσιολογία
-ical -ist -ιστής
plate -ing πλατύς
pneumatic πνευματικός
poion ποιῶν
polar πόλος
polis πόλις
ponera πονηρά
positive
prognosis πρόγνωσις
puncture -ing -ation
py -ic ἤλεκτρον ὠπή
pyro- πυρο-
genic -γενής
meter μέτρον
radiometer μέτρον
receptive reduction
refine -ing replica
rhodiol ῥόδιος
scission
scope -ic -σκόπιον
semaphore σῆμα -φορος
silenium silver
electr- Cont'd
osis osol
osm- ὠσμός
ose osis -ωσις
otically -ωτικός
electro- Cont'd
some σῶμα
static(al(ly -ics στατικός
steel(ing
steno- στενός
lysis λύσις
lytic(al(ly λυτικός
stereo- στερεός
scope -σκόπιον
striction
surgery χειρουργία
synthesis σύνθεσις
tactic τακτικός
taxis τάξις
technic(al -ics τεχνικός
technology τεχνολογία
telegraphy -ic τηλε- -γραφία
tellurograph -γραφος
termes
thanasia -is -y -θανασια
thanatize θανατ- -ίζειν
thanatosis θανάτωσις
therapeutic θεραπευτικός
al -ics ist
therapy -ist θεραπεία
therm al(ly ic θερμ-
thermancy θερμαίνειν
thermo- θερμο-
meter μέτρον
thermotic -in θερμωτικός
thrips θρίψ
tint(ing titration
tome -τομον
tone τόνος
-ic(ity -ize -ous -us
trephine τρύπανον
tropic τροπικός
(tro)pism τροπ- -ισμός
type -er -ing τύπος
typo- τυπο-
graph(ic -γραφος
typy -ic -ist -τυπία

electro- Cont'd
ultrafication
valent -ence -ency
electr- ἤλεκτρον
ozone um ὄζων
electuary ἐκλεικτόν
Eledone ἐλεδώνη
-id(ae -in
eleemosinary ἐλεημοσύνη
-ily -iness
eleg- ἐλεγεῖον
iambus -ic ἴαμβος
idion -ίδιον
elegiac(al ἐλεγιακός
Eleginus ἐλεγῖνοι
elegio- ἐλεγειο-
grapher ἐλεγιογράφος
elegy -ious ἐλεγεῖα
-iast -αστής
-ist -ize -ιστής -ίζειν
eleidin ἐλαιά
elementalism -ισμός
-ize -oid -ίζειν -οειδής
elementarize -ίζειν
elementist -oid -ιστής -οειδής
elench(us ἔλεγχος
ic(al(ly
ism ize -ισμός -ίζειν
tic(al ἐλεγχτικός
Eleodes ἐλαιώδης
eleo- ἐλαιο-
blast βλαστός
lite λίθος
margaric μάργαρον
meter μέτρον
my- μυ-
enchysis ἔγχυσις
pathy -πάθεια
plast πλαστός
pten(e πτενός
saccharum σάκχαρον
stearic -in στέαρ
eleo- ἐλειο-
charis χάρις
tragus τράγος
eleonorite -ίτης
Eleotridinae ἐλέωτρις
elephant ἐλεφαντ-
a eer er iac ic(al ry ship
iasis ἐλεφαντίασις
iasic iastic oid(al
ine ἐλεφάντινος
elephanto- ἐλεφαντο-
myia μυῖα
pus πούς
Elephas ἐλέφας
-ant(id(ae inae oid)
elepidote λεπιδωτός
Eleusine Ἐλευσίνη
-ia -ian Ἐλευσινία
-ion Ἐλευσίνιον
eleuther- ἐλεύθερος
antherous ἀνθηρός
arch ἀρχός
ata ism -ισμός
ia ian ἐλευθερία
eleuthero- ἐλευθερο-
blaster -ic βλαστός
branchii -iate βράγχια
dactyl(i ous δάκτυλος
gnathi γνάθος
mania -iac μανία
petalous πέταλον
phyllous -φυλλος
pomi πῶμα
rhabdic ῥάβδος
sepalous σκέπη

eleuthero -Cont'd
tepalous πέταλον
zoa(n -oic ζῶον
Eleutherus ἐλεύθερος
Eligmus ἐλιγμός
-id(ae -oid
Eliomys ἐλειός μῦς
elixir ξηρός
Elizabethan
ism -ize -ισμός -ίζειν
Elkology -o- λογία
Ellampus ἐλλάμπειν
Elleschus ἔλλεσχος
Ellimenistes ἐλλιμενιστής
ellipo- ἐλλιπής
choanoid(a(l χοάνη
toma τόμος
ellipse ἔλλειψις
-ing -is -odes -ώδης
-oid(al ella -οειδής
-one -onic κυκλῶν
ellipso- ἔλλειψις
graph -γραφος
lingulina
elliptic ἐλλειπτικός
al(ly alness ity oid
elliptico- ἐλλειπτικός
graph -γραφος
ellops -opia ἔλλοψ
Elobiceras κέρας
elocution
ist ize -ιστής -ίζειν
elod ἤλεκτρον ὁδός
elod- ἑλώδης
ea es ian ioid ites
elogist -ιστής
Elohism -ισμός
-ist(ic -ιστής -ιστικός
elo- ἕλος
philae -φιλος
saurus σαῦρος
therium θηρίον
Elops ἔλοψ
-op(ian id(ae ina ine oid)
Elopteryx ἔλοψ πτέρυξ
elpaso-
itis lite -ῖτις λίθος
elpid- ἐλπιδ-
ia iidae ite
Eluma ἔλυμα
elydoric ἔλαιον ὕδωρ
Elymus -etum ἔλυμος
Elysia Ἠλύσιον
-iadae -iid(ae -ioid
Elysium -ian Ἠλύσιον
elytr- ἔλυτρον
edema οἴδημα
iculous
(on)itis -ῖτις
onchus ὄγκος
elytro- ἐλυτρο-
baeus βαιός
cele κήλη
clasia κλάσις
cleisis clisia κλεῖσις
episio- ἐπίσειον
rrhaphy -ῥαφία
gona γόνος
phore -φορος
plasty -ic -πλαστία
polypus πολύπους
ptera πτέρον
ptosis πτῶσις
rhagia -ῥαγία
rrhaphy -ῥαφία
sphaera σφαῖρα
stenosis στένωσις

elytro- Cont'd
teinus τείνειν
tomy -τομία
emailloblast βλαστός
emailloid -οειδής
emanationism -ist -ισμός -ιστής
emanatism -ισμός
-ist(ic -ιστής -ιστικός
emancipist -at(ion)ist -ιστής
embado- ἐμβαδο-
metry ἐμβαδομετρικός
monas μονάς
Emballonura οὐρά
-id(ae -ina(e -ine -oid
embasis ἔμβασις
embaterion ἐμβατήριον
Embia ἔμβιος
-idae -iid(ae -ioid
Embiotoca ἔμβιος τόκος
-id(ae -inae -ine -oid
emblem(a ἔμβλημα
atic
al(ly alness ize -ίζειν
(at)ist -ιστής
(at)ize -ίζειν
(at)ology -λογία
embolalia = embolololalia
embol- ἔμβολος
(a)emia -αιμία
e ia ic y ἐμβολή
ectomy -εκτομία
iform
imus ἐμβόλιμος
-eal -ean -ic -inae
ism ἐμβολισμός
al (at)ic(al us
ium ἐμβόλιον
-ite -ize -ίτης -ίζειν
on um ἔμβολον
embolo- ἐμβολο-
carus κάρος
lalia λαλία
meri -ism -ous μέρος
mycotic μύκης -ωτικός
phasia -φασία
phrasia φράσις
embolus ἔμβολος
Embrithes -ite ἐμβριθής
embritho- ἐμβριθής
poda ποδ-
saurus σαῦρος
embry- ἐμβρυ-
al ous
ectomy -εκτομία
oma otic -ωμα -ωτικός
ulcia ἐμβρυουλκία
ulcus ἐμβρυουλκός
ulsterulcia ὑστέρα -ουλκία
embryo ἔμβρυον
embryo- ἐμβρυο-
blastanon βλαστός
cardia καρδία
crinus κρίνον
ctonous ἐμβρυοκτόνος
ferous -ic -y
genesis γένεσις
genetic γενετικός
geny -ic -γενεία
gony -γονία
graph(er -γράφος
graphy -ic -γραφία
logy -λογία
-ic(al(ly -ist -ιστής
embryon ἔμβρυον
al ary atae ate(d ic(ally iferous iform ization oid

embryo- Cont'd
morphous μορφή
pathology παθολογική
phore -φορος
phyte -a -ic φυτόν
plastic πλαστικός
scope -ic -σκόπιον
tega -ium τέγος
thlasis θλάσις
thlast(a θλαστός
tocia -τοκία
tome -τομον
tomy -τομία
toxon τόξον
troph(e -τροφος
tropha τροφή
trophy -τροφία
Embryx βρύξ
emerald(ine σμάραγδος
emero(i)ds αἱμορροίδες
Emersonianism -ισμός
Emersonized -ίζειν
emery σμῆρις
lite λίθος
Emesa Ἔμεσα
-id(ae -inae -is -oid
emesia ἐμεσία
emesis ἔμεσις
emet- ἔμετος
amin(e ἀμμωνιακόν
atrophia ἀτροφία
ic ἐμετικός
al(ly ize -ίζειν
ology -ο- λογία
in(e ism ium ol(ine
emeto- ἐμετο-
catharsis κάθαρσις
cathartic καθαρτικός
logy -λογία
morphia -in(e Μορφεύς
-emia -αιμία
emigrationist -ιστής
emmele ἐμμελής
emmeleia ἐμμέλεια
emmen- ἐμμήνα
agog(ue ic -αγωγός
ology -ο- λογία
ia ic
iopathy -πάθεια
ology -ical -ο- λογία
emmensite -ίτης
emmetr- ἔμμετρος
opia -ωπία
-e -ic -ism -y -ισμός
emolliotype τύπος
emophytes αἱμο- φυτόν
emotiometabolic μεταβολή
emotionalism -ist -ισμός -ιστής
emotion(al)ize -ation -ίζειν
emp(a)estic ἐμπαιστική
em- ἐμ-
panoply πανοπλία
pathy ἐμπάθεια
-ic -ize -ίζειν
paradise παράδισος
parchment Περγαμήνη
pasm(a ἔμπασμα
pathema ἐμπαθής
pelus ἐμπέλιος
petrum ἔμπετρον
-aceae -aceous
petrous ἔμπετρος
petrichthys πέτρα ἰχθύς
phasis ἔμφασις
-ize -ίζειν
phatic(al(ly -alness ἐμφατικός
phlysis φλύσις

em- Cont'd
photion ἐμφώτιον
phractic ἐμφρακτικός
phraxis ἔμφραξις
phylus ἔμφυλος
-optera πτερόν
phyma φῦμα θεραπεία
physatherapy ἐμφυσᾶν
physem(a ἐμφύσημα
-atose -atous
phyteusis ἐμφύτευσις
phyteuta ἐμφυτευτής
-ic(ary -ist -ιστής
emphyt- ἐμφυτός
ism us -ισμός
emphyto- ἐμφυτός
genesis γένεσις
genous -γενής
Empidonax ἐμπιδ- ἄναξ
empirema ἐμπειρία -ημα
empiric ἐμπειρικός
al(ly alness
(ic)ism -ισμός
icist -ιστής
(ic)istic -ιστικός
-icritical κριτικός
-ism -ισμός
utic -υτικός
empirico- ἐμπειρικός
psychological ψυχο- -λογία
Empis ἐμπίς
-id(ae -idid(ae -idoid
emplaster -trum ἔμπλαστρον
emplastic ἐμπλαστικός
Emplastus ἐμπλαστός
emplectite ἔμπλεκτος
emplecton *or* -um ἔμπλεκτον
Emplectus ἔμπλεκτος
empleomania μανία
Emplesis ἐμπλέειν
Empleurus ἔμπλευρος
empodium ἐμπόδιος
emporeutic ἐμπορευτικός
al -ics
emporium -ial -y ἐμπόριον
empresmo- ἐμπρησμός
thrips θρίψ
emprostho- ἔμπροσθεν
dromous δρόμος
tonos ἐμπροσθότονος
-us -ic
emptysis ἔμτυσις
Empusa -idae ἔμπουσα
empyema -ic ἐμπύημα
empyematic -ous ἐμπυηματικός
empyesis ἐμπύησις
empyic(al ἐμπυικός
empyo- ἔμπυος
cele κήλη
empyr(a)eum ἔμπυρος
-eal -ean ?ἐμπυραῖον
empyreuma ἐμπύρευμα
-al -atic(al -(at)ize
empyrical ἔμπυρος
empyro- ἔμπυρος
form
mancy μαντεία
empyrosis ἐμπύρωσις
emulsionize -ίζειν
emulsoid(al -οειδής
emyd- ἐμύς
in ops ὤψ
emydo- ἐμύς
champsa χάμψαι
rhynchus ῥύγχος
Emyon ἡμύειν

Emys ἐμύς
-yd(a ae ea ian id(ae ina inidae oid(ae)
en- ἐν
enalid ἐνάλιος
enali- ἐνάλιος
ornis ὄρνις
-ithid(ae -ithoid
enalio- ἐνάλιος
saur(ia(n σαῦρος
enallage ἐναλλαγή
enallostega ἐν ἄλλος τέγος
enameloma -ωμα
enamic ἀμμωνιακόν
enanthem(a ἐν ἄνθημα
enanthesis ἐν ἄνθησις
enanth- οἰνάνθη
aldehyde ὕδωρ
ic in oin ol(e yl ὕλη
enantho- οἰνάνθη
toxin τοξικόν
enanthrope ἐν ἄνθρωπος
enantio- ἐναντιο-
biosis βίωσις
-istic -ιστικός
blastic -ous βλαστός
liparis λιπαρός
meride μέρος
morph μορφή
ic ism ous(ly -ισμός
pathy -ic -πάθεια
styly ἐναντιο- στῦλος
thamnus θάμνος
-osis -ωσις
treta -ous τρητός
tropy -ic(ally -τροπία
enantiosis ἐναντιωσις
enapto- ἐνάπτειν
rrhinus ῥίν
enargea ἐνάργεια
enargite ἐναργής -ίτης
Enaria ἐναρίζειν
en- ἐν-
arkyo- ἄρκυς
chrome χρῶμα
arthritis ἀρθρῖτις
arthrodia(l ἀρθρωδία
arthrosis ἐνάρθρωσις
arxis ἔναρξις
aulad -ium ἔναυλος
aulo- ἔναυλος
philus -φιλος
phyta φυτόν
c(a)enia ἐγκαίνια
canthis ἐγκανθίς
cara κάρα
carditis καρδία -ιτις
carnalize -ίζειν
carpium -us ἔγκαρπος
c(*or* k)atarrhaphy ἐγκαταρράπτειν
cauma ἔγκαυμα
caustes ἐγκαυστής
encaustic ἐγκαυστικός
al(ly -um
encaustics ἐγκαυστική
encel(i)- ἐγκοίλιος
algia -αλγία
itis -ῖτις
encephal- ἐγκέφαλος
a ata ate
(a)emia -αιμία
algia -αλγία
artos ἄρτος
asthenia ἀσθήνεια
atrophy -ic ἀτροφία
auxe αὔξη
ic in ization -ίζειν
itis -ic -ῖτις

encephal- Cont'd
odus -ontidae ὀδούς
oid oma -οειδής -ωμα
on opsy -οψία
os osis ous -ωσις
encephalo- ἐγκέφαλος
coele κοῖλος
(cysto)cele κύστις κήλη
dialysis διάλυσις
graphy -γραφία
lith λίθος
logy -λογία
malacia μαλακία
malacosis μαλακός -ωσις
malaxis μάλαξις
mening- μενιγγ-
itis ocele -ῖτις κήλη
mere -ic μέρος
meter μέτρον
metric μετρικός
myelitis μυελός -ῖτις
myelo- μυελο-
pathy -πάθεια
narcosis νάρκη -ωσις
pathy -ia -ic -πάθεια
phyma φῦμα
psychosis ψυχή -ωσις
pyosis πύωσις
rachidian ῥάχις
rrhagia -ῥαγία
sclerosis σκλήρωσις
scope -σκόπιον
scopy -σκοπία
sepsis σῆψις
spinal
thlipsis θλίψις
tome -τομον
tome -τομία
enchair καθέδρα
encheir- ἐγχειρ-
esis ἐγχείρησις
ia ἐγχειρία
idion ἐγχειρίδιον
ion ἐγχείριον
Enchelion ἐγχέλιον
enchely- ἐγχελυ-
cephal(i ous κεφαλή
core κόρη
opus ἐγχελυωπός
enchelyo- ἐγχελυο-
lepis λεπίς
Enchelys ἔγχελυς
-ia -idae
Enchodus ἔγχος ὀδούς
-ontid(ae -ontoid
encho- ἔγχος
phyllum φύλλον
ptera πτερόν
enchondr- ἐν χόνδρος
al ous
oma -atous -ωμα
osis -ωσις
enchondro- ἐν- χονδρο-
sarcoma σάρκωμα
enchor- ἐγχώριος
-ial -ic -ious -istic
enchylema ἐν χυλός -ημα
enchyma -atous ἔγχυμα
enchymoma ἐκχύμωμα
Enchymus ἔγχυμος
Enchytraeus ἐν χυτραῖος
-aeidae -aeoides -aeoididae
enclisis ἔγκλισις
enclitic ἐγκλιτικός
al(ly -ics -ism
encolpion -ium ἐγκόλπιον

encolp- ἐν κόλπος
ism itis -ισμός -ῖτις
encomiast ἐγκωμιαστής
ic(al(ly ἐγκωμιαστικός
encomic ἐν κόμη
encomiologic ἐγκωμιολογικόν
encomion ἐγκώμιον
ize -ium -ίζειν
encope ἐγκόπτειν
encranial ἐν κρανίον
encratic ἐγκρατής
-ism -ισμός
-ite Ἐγκρατῖται
-y ἐγκράτεια
encrinomenos ἐγκρινόμενος
encrin- ἐν κρίνον
al ic
asteridae ἀστήρ
ite -al -ic(al -ίτης
urus -id(ae -oid οὐρά
us -idae -oid(ea(n
encrystal κρύσταλλος
encuclo- ἐν κυκλο-
dema δῆμος
Encya ἔγκυος
encyclic(al ἐγκύκλιος
encyclop(a)edia ἐγκυκλοπαιδεία
-iac(al -ian -iast -ic(al
-ism -ist -ισμός -ιστής
-ize -ίζειν
encyesis ἐν κύησις
Encymon ἐγκύμων
encyo- ἐν κύησις
pyelitis πύελος -ῖτις
Encyrtus ἔγκυρτος
-idae -inae
encyst ἐν κύστις
ation ed is ment
end- ἔνδον
abdominal
adelphos ἀδελφός
am(o)eba ἀμοιβή
-iasis -ίασις
angium ἀγγεῖον
-(e)itis -ῖτις
anthem ἄνθεμα
aortic -itis ἀορτή -ῖτις
arch ἀρχή
arterium ἀρτηρία
-ic -itic -itis -ῖτις
aspideae -ean ἀσπιδ-
auxesis αὔξησις
axoneuron ἄξων νεῦρον
endeca- ἕνδεκα
gon γωνία
gynian -ous γυνή
naphthene νάφθα
phyllous -φυλλος
endec- ἕνδεκα
androus -ανδρος
endeictic ἐνδεικτικός
endeiolite ἔνδεια λίθος
Endeis ἐνδεής
endeixis ἔνδειξις
endellionite -ίτης
Endelus ἔνδηλος
endem- ἔνδημος
ia(l ic(al(ly icity
ism -ισμός
endemio- ἔνδημος
epidemic ἐπιδήμιος
logy -ical -λογία
endenization -ίζειν
enderm- ἐν δέρμα
atic ic(ally
ism osis -ισμός -ωσις

end- ἔνδον
epidermis ἐπιδερμίς
exoteric ἐξωτερικός
hymenine ὑμήν
imino- ἀμμωνιακόν
istem ἵστημι
ite -ίτης
oarii -ian ᾠάριον
enderon(ic ἐν δέρος
endiadem διάδημα
endiaper δίασπρος
endlichite -ίτης
endo- ἐνδο-
abdominal
aneurysmo- ἀνευρύσμα
rrhaphy -ῥαφία
angeitis ἀγγεῖον -ῖτις
antitoxin ἀντί τοξικόν
aortitis ἀορτή -ιτις
appendicitis -ῖτις
arteritis ἀρτηρία -ῖτις
auscultation
azo- ἀ- ζωή
bacillary
basidium βάσις -ιδιον
biotic βιωτικός
blast(ic βλαστός
blem βλῆμα
branchiata βράγχια
bronchitis βρόγχια -ῖτις
cannibalism -ισμός
-iac(al -ines -itic -itis
cardium καρδία
carp καρπός
eae ei(n ic oid
caryogamy καρυο- -γαμία
catadromous κατά δρόμος
celiac κοιλία -ακός
cephala -ous κεφαλή
ceras κέρας
-atid(ae -atoid
ceratite -ic κερατ- -ίτης
cervical -itis -ῖτις
chite χιτών
chlorites χλῶρος -ίτης
chondral χόνδρος
chone -a χώνη
chorion(ic χόριον
chroa χρόα
chrome χρῶμα
chyle -ous χυλός
chyme χυμός
cline -al κλίνειν
coccoid κόκκος -οειδής
coelium -ar -e κοῖλος
colitis κόλον -ῖτις
colpitis κόλπος -ῖτις
compliment
condensation
cone -al -ic κῶνος
corpuscular
cortex
crane -ium κρανίον
-ial -itis -ῖτις
cribrose
crin- κρίνειν
asthenia -ic ἀσθενεία
e ic ism ous -ισμός
odontia ὀδοντ-
crino- κρίνειν
logy -ist -λογία -ιστής
path(y ic -πάθεια
therapy θεραπεία
critic κριτός
crystallic κρύσταλλος
cuneiform
cycle -ic(a(l κύκλος

endo- Cont'd
cyclic κυκλικός
cyemate κυήμα
cyesis κύησις
cyst(itis κύστις -ῖτις
cyte κύτος
derm δέρμα
al ic is oid
dermo- δερμο-
gens -γενής
phyton φυτόν
dia- διά
scope -σκόπιον
scopy -σκοπία
dinium δῖνος
dontitis ἔνδον οδοντ-
dyna- δύναμις
morphous μορθή
ectothrix ἐκτός θρίξ
electrical ἤλεκτρον
enteritis ἔντερον -ῖτις
enzym(e ἔνζυμος
enzyme ἔνζυμος
erepsin
esophagitis ὀισοφάγος
exoteric ἐξωτερικός
faradism -ισμός
galvanism -ισμός
gamy -ic -ous -γαμία
gastr- γαστρ-
ectomy -ἐκτομία
-ic(al(ly -itis -ῖτις
gen(ae -γενής
genesis γένεσις
genetic γενετικός
genic -ous -γενής
genous(ly γένος
geny -γένεια
glob(ul)ar
gnath(al -ion γνάθος
gon(id)ium γονή -ιδιον
haustorium
intoxication τοξικόν
karyo- καρυο-
gamy -γαμία
kinetic κινητικός
labium
labyrinthitis λαβύρινθος
laryngial λαρυγγ-
lemma λέμμα
limax λεῖμαξ
lith -ia -ic λίθος
litho- λιθο-
phytes φυτόν
lumbar
lymph(ic atic νύμφη
angial ἀγγεῖον
lysin λύσις
endome δῶμα
endo- Cont'd
me(ristem μεριστός
mersion
mesoderm μεσο- δέρμα
metr- μήτρα
ectomy -εκτομία
itis -ῖτις
metrium μήτρα
-ial -ioma -ωμα
metry -μετρία
mixis μίξις
morph μορφή
ic ism -ισμός
m(o)usia μοῦσα
myces -aceae μύκης
mychus -id(ae -oid μυκός
myo μυο-
carditis καρδία -ῖτις

endo- Cont'd
mysium -ial μῦς
nasal
nastic ναστός
nephritis νεφρῖτις
neurium -ial νεῦρον
nomic νόμος
nuclear -eolus
oxidase ὀξύς διάστασις
parasite -ic(a παράσιτος
pathic πάθος
pelvic
peri- περί
arteritis ἀρτηρία
card- περικάρδιον
ial itic itis -ῖτις
dium -ial πηρίδιον
myo- μυο-
carditis καρδία
neuritis νεῦρον
tonitis περιτόναιον
petrion πέτρα
phagy -ous -φαγία
phasia -ic φάσις
phlebitis φλεβ- -ῖτις
phloeum -oic φλοιός
phragm(a(l φράγμα
phthalmitis ὄφθαλμος
phylaxination φύλαξ
phyllum φύλλον
-aceae -ous
phyte φυτόν
-al -ic(ally -ism -ous
plasm(a ic πλάσμα
plast(ic(a id πλαστός
plastron ἔμπλαστρον
plastule -ar πλαστός
pleura(l πλευρά
-ite -itic -ίτης
prothallae πρό θαλλός
plutonic πλούτων
-ism -ist -ισμός -ιστής
podite -ic ποδ- -ίτης
proct(a ous πρωκτός
psychic ψυχικός
pterygote πτερυγωτός
-a -ic -ism -ous
ptile πτίλον
r(h)achis ῥάχις
rhinitis ῥίν -ῖτις
rhiz- ῥίζα
ae al oid ous
salpingitis σαλπιγγ-
sapro- σαπρο-
phytism φυτόν -ισμός
sarc(ous σαρκ-
sarcode -ous σαρκώδης
sclerotium σκληρός
scope -σκόπιον
scopy -ic -σκοπία
secretory
sepsis σήψις
sipho- σίφων
blade
coleon κολεός
cone κῶνος
cylinder κύλινδρος
funicle tube
siphon(al ate σίφων
siphuncle -ular σίφων
skeleton -al σκέλετον
endosis ἔνδοσις
endosm- ἔνδον ὠσμός
(od)ic
ometer -ric μέτρον
ose osis -ωσις
otic(ally -ωτικός

endo- Cont'd
some -a -al σῶμα
sperm(ic σπέρμα
sphaera -ine σφαῖρα
sphaero- σφαῖρο-
sira σειρά
spore σπορά
-a -ae -ium -ous
sporozoa σπορο- ζῷον
endost- ἔνδον οστέον
eal(ly eum
(e)itis -ῖτις
(e)oma -ωμα
osis -ωσις
endo- Cont'd
sternum στέρνον
-al -ite -itic -ίτης
stetho- στηθο-
scope -σκόπιον
stome -a στόμα
stracum ὄστρακον
style -ic στῦλος
tenon τένων
testa
thamna θάμνος
thec- θήκη
a(l ate ial ium
theistic θεός -ιστικός
thelio- θηλή
blastoma βλαστός
cyte -osis κύτος
inoma -ωμα
lysin λύσις
lytic λυτικός
myoma μυ- -ωμα
myxoma μύξα -ωμα
toxin τοξικόν
thelium θηλή
-ial -ioid -ioma
therm θέρμη
al(ly ic(ally icity y
thio-
bacteria βακτήριον
leukaceae λευκός
rhodaceae ῥόδον
endothi- ἔνδοθι
odon(t ὀδών
endoto- ἔνδον ὠτ-
scope -σκόπιον
endo- Cont'd
thorax -acic θώραξ
thrix θρίξ
thyr(e)o- θυρεοειδής
pexy πηξία
thyrina θύρα
toxic -in τοξικόν
osis -ωσις
trachea τραχεῖα
-eitis -ῖτις
trachelitis τράχηλος
troph τροφή
trophy -ic -τροφία
tropic τροπή
trypsin τρῖψις
tryptase τριπτός διάστασις
vasculitis -ῖτις
venous
zoa ζῷον
zoochory ζωο- χωρέω
endoxy- ἔνδον ὀξύς
endromides ἐνδρομίς
Endrosa ἔνδροσος
endyma -al ἔνδυμα
Endymion Ἐνδυμίων
idae -ίδης
endysis ἔνδυσις
-ene -ήνη

enecia ἠνεκής
Enedreutes ἐνεδρευτής
eneilema ἐνείλημα
enelectro- ἐν ἤλεκτρον
lysis λύσις
enema ἔνεμα
enepidermic ἐν ἐπιδερμίς
energ- ἐνέργεια
eia ic(al ico ics id in
ism -ισμός
ize -er -ίζειν
energesis ἐνεργής
energia- ἐνεργεία
type τύπος
energo- ἐνεργο-
meter μέτρον
poda ποδ-
energumen ἐνεργούμενος
energy ἐνεργεία
enesol ἔνεσις
enfrenzy φρενῖτις
engastr- ἐν γαστρ-
ation ius
engastrimyth(ic ἐγγαστρί-
engisoma ἐγγείσωμα μυθος
Englerophoenix φοῖνιξ
Englishism -ισμός
Englistic -ιστικός
engomphosis ἐν γόμφος -ωσις
engram(mic ἐν γράμμα
engraphia -y ἐν -γραφία
-ic(ally
Engraulis ἐγγραυλίς
-idae -idid(ae -idoid -inae
engrave etc. ?ἐγγράφειν
engy- ἐγγυ-
cera κέρας
schistae -ous σχιστός
scope σκόπιον
Enhalus -id ἐν ἅλς
enh(a)em(at)o- ἐν αἱμ(ατ)ο-
spore σπορά
enhalo ἅλως
enharmon- ἐναρμόνιος
ian ic(al(ly
enhydr- ἔνυδρος
a ic inae ine is os ous us
ite -ic -ίτης
enhypost- ἐνυπόστατος
asia atize -ασία -ίζειν
atic ἐνυποστατικός
enicmo- ἔνικμος
soma σῶμα
Enicurus ἔνικος οὐρά
-id(ae -oid
enidin οἰν-
enigma αἴνιγμα
therium θηρίον
enigmat-
ic αἰνιγματικός
al(ly ness
ist αἰνιγματιστής
ize -ation αἰνιγματίζειν
enigmo- αἴνιγμα
grapher -γραφος
graphy -γραφία
logy -λογία
Enigmonia αἴνιγμα
enimic -ization ἀμμωνιακόν
enimme αἴνιγμα -ίζειν
enin οἰν-
enkatarrhaphy ἐγκατάρραπ-
enkolpin ἐγκόλπιον τειν
enndecane ἐννέα δέκα
enne- ἐννε-
acanthus ἄκανθα
adic ἐννεάς

enne- Cont'd
ander -ανδρος
andria(n ous ἀνδρ-
arinus ἄρρην
arthron ἄρθρον
atic(al -ατικός
ennearctic ἐν νέος ἀρκτικός
ennea- ἐννέα
conta- ἐννεάκοντα
hedron -al -oid -έδρον
cosan εἴκοσι
eteric ἔτος
gon(al(ly γωνία
gynia(n ous γυνή
hedron -al -ia -έδρον
hydrate(d ὑδρ-
logy -λογία
meruri- -ic
octonus -ο- κτείνειν
petalous πέταλον
phyllous φύλλον
pla -oid -πλοος
pterygii πτέρυξ
semic σῆμα
sepalous σκέπη
some σῶμα
spermous σπέρμα
style -os στῦλος
sulphid(e
syllabic συλλαβικός
Enneles ἐν νηλής
-ichthys ἰχθύς
ennoic ἐννέα
Ennomos ἔννομος
-id(ae -inae -us
-oclon κλῶν
eno- οἰνο-
barometer βαρο- μέτρον
logy -ical -ist -λογία
mania μανία
Enodia -ous ἐνόδιος
enolize -able -ίζειν
enomot- ἐνωμοτ-
arch ἐνωμοτάρχης
y ἐνωμοτία
en- ἐν
ophite ὄφις -ίτης
ophrys ὀφρύς
ophthalm- ὀφθαλμός
in os us
enopl- ἔνοπλος
a an
ios ium ἐνόπλιος
id(ae oid us
enoplo- ἔνοπλος
cephalus κεφαλή
teuthis τευθίς
-id(ae -oid
enopto- ἔνοπτος
mancy μαντεία
enoptro- ἔνοπτρον
mancy μαντεία
teuthis τευθίς
Enorchis ἔνορχις
en- ἐν
organic ὄργανον
ortho- ὀρθο-
trope τροπ-
ostosis ὀστέον -ωσις
oxid- ὀξύς
ase διάστασις
enosi- ἔνοσις
mania μανία
enschedule σχέδη
ensile σιρός
-age -ist -ιστής
ensphere σφαῖρα

ensporulation σπορά
enstyle στῦλος
en- ἐν
scepastra σκεπάστρα
somphalus σῶμα ὀμφαλός
statite -ic ἐνστάτης
strophe στροφή
synopticity συνοπτικός
ent- ἐντός
acmaeous ἀκμή
aconid ἀκόνη
acoustic ἀκουστικός
ad -al ἀδ-
am(o)eba ἀμοιβή
-iasis -ίασις
apophysis -ial ἀπόφυσις
arthrotic ἄρθρον -ωτικός
asis -ia ἔντασις
atic ἐντατικός
edon(inae ἔδειν
encephalic ἐγκέφαλος
epi- ἐπί
condyle -ar κόνδυλος
entel- ἐντελής
echy ἐντελέγεια
opes ὤψ
Ententophil(e -φιλος
enter- ἔντερον
aden(itis ἀδήν -ῖτις
adeno- ἀδενο-
graphy -γραφία
logy -λογία
al ate in
algia -y -αλγία
auxe αὔξη
angi- ἀγγει-
emphraxis ἔμφραξις
ectasis ἔκτασις
ectomy -εκτομία
elcosis ἕλκωσις
ic(in oid) ἐντερικός
itis -ic -ῖτις
entergo- ἐντός ἔργον
genic -ism -γενής -ισμός
entero- ἐντερο-
anastomosis ἀναστόμωσις
antigen ἀντί -γενής
apokleisis ἀπόκλεισις
bacterio- βακτήριον
therapy θεραπεία
biliary
brosis -ia βρῶσις
cele -ic κήλη
centesis κέντησις
chirurgia χειρουργία
chloro- χλωρο-
phyl(l φύλλον
cholecysto- χολή κύστις
stomy -στομία
tomy -τομία
cinesia -κινησία
cinetic κινητικός
cleaner
cleisis κλεῖσις
clysis κλύσις
clysm κλυσμός
coccus κόκκος
coele -a -ic -ous κοιλία
colitis κόλον -ῖτις
colostomy κόλον στόμα
cyst(oma κύστις -ωμα
cystocele κύστις κήλη
delous δῆλος
dynia -ωδυνία
enterostomy -στομία
epiplo- ἐπίπλοον
cele κήλη

entero- Cont'd
gastritis γαστρ- -ῖτις
gastro γαστρο-
cele κήλη
genous -γενής
gram γράμμα
graph -γράφος
graphy -γραφία
helcosis ἕλκωσις
h(a)ematin αἱματ-
hemorrhage αἱμορραγία
hepatitis ἡπατ- -ῖτις
hydrocele ὑδροκήλη
id(ea -ο- ειδής
intestinal
ischiocele ἰσκίον κήλη
kin- κίνειν
ase διάστασις
kinesia -κινησία
kinetic κινητικός
enterol ἔντερον
entero- Cont'd
lipase λίπος διάστασις
lite lith(ic λίθος
lithiasis λιθίασις
logy -λογία
megalia *or* -y μεγάλη
mere μέρος
merocele μηρός κήλη
mesenteric μεσεντέριον
meter μέτρον
monas μονάς
morpha μορφή
myco- μύκης
dermitis δέρμα -ῖτις
mycosis μύκης -ωσις
myiasis μυῖα -ίασις
neuritis νεῦρον -ῖτις
enter- Cont'd
omphalos -us ὀμφαλός
on onol
entero- Cont'd
paralysis παράλυσις
paresis πάρεσις
pathy -πάθεια
peristole περιστολή
pexis -y πῆξις -πηξία
phleodes φλοιώδης
phthisis φθίσις
plasty -πλαστία
plegia -πληγία
plex(y πλέξις
pneumatics πνευματικός
pneust(a(l πνευστικός
proctia πρωκτός
ptosis *or* -ia πτῶσις
ptotic πτωτικός
rose ῥῶσις
rrhagia -ῥαγία
rr(h)aphia -ic -y -ῥαφία
rrhexis ῥῆξις
rrh(o)ea -ῥοιά
enter ἔντερον
oscheocele ὀσχέον κήλη
entero- Cont'd
scope σκόπιον
sepsis σῆψις
septol σηπτός
spasm σπασμός
stasis στάσις
staxis στάξις
stenosis στένωσις
stomy στόμα
syphilis
tomy -τομία
tox- τοξικόν

entero- Cont'd
ication in ism
zoa -oan -oic -oon ζῶον
enthe- ἔνθεος
al an ate os
asm ἐνθεάζειν
astic(al(ly ἐνθεαστικός
omania μανία
ent- ἐντός
helmintha -ic ἑλμινθ-
enthesis ἔνθεσις
-etic ἐνθετικός
enthlasis ἔνθλασις
Enthora ἔνθορος
enthrone(ment θρόνος
enthronize ἐνθρονίζειν
-ation
enthusiasm ἐνθουσιασμός
-e
-iast ἐνθουσιαστής
ic(al(ly ἐνθουσιαστικός
-iac -ian ἐνθουσία -ακός
Enthylacus ἐν θύλακος
enthymeme ἐνθύμημα
a ical
atic(al ἐνθυμηματικός
enthymorphose μόρφωσις
Entimus ἔντιμος
ent- ἐντός
iris ἶρις
obliquus
ento- ἐντός
blast(ic βλαστός
branchia -iate βράγχια
bronchium βρόγχος
calcaneal
carotid καρωτίδες
cele κήλη
cha(n κόγχη
chondr- χόνδρος
ostosis ὀστέον -ωσις
choroidea χοριοειδής
cinerea
cnemial κνήμη
coele -ian -ic κοῖλος
concha κόγχη
-an -id(ae -oid
condyle κόνδυλος
-ar -oid -οειδής
cone -id κῶνος
cornea cuneiform
cranial κρανίον
cyclic κυκλικός
cyemate κύημα
cyst κύστις
cyte κύτος
derm(al -ic δέρμα
discalis δίσκος
ectad ἐκτός
gastric γαστρικός
gastro- γαστρο-
cnemius κνήμη
genous -γενής
glossum -al γλῶσσα
glutaeus -(a)eal γλουτός
gnathi γνάθος
hyal ὑετός
lithia -ic λίθος
loma λῶμα
mere μέρος
meso- μεσο-
blast βλαστός
meta- μετά
tarse ταρσός
entoma ἔντομα
-acis ἀκίς
-al -ic(al

entome ἐν τόμος
entom- ἔντομος
acodon ἀκίς ὀδών
acrodus ἄκρος ὀδούς
ion ἐντομή
is idae ἐντομίς
oid olin -οειδής
oletes ὀλέτης
osis -ωσις
ostrac- ὄστρακον
a(n ite ous -ίτης
entomo- ἔντομος
conchus -idae κόγχη
crania κρανίον
gamy -γαμία
genous -γενής
graphy -ic -γραφία
lestes λῃστής
lite -ic lith(ic λίθος
lithis λίθος
logy -ic(al(ly -λογία
-ist -ize -ιστής -ίζειν
meter μέτρον
phaga -an -ous -φαγος
phila -φιλος
phily -ous -φιλία
phthora φθορά
-aceae -ales -(in)eae -ous
phytal -ous φυτόν
sporium σπορά
stega -ous στέγος
stoma στόμα
-ata -atous
taxy -ταξία
tomy -ist τομία -ιστής
entone(ment τόνος
entonic ἔντονος
ent- ἐντός
oniscus -idae ὀνίσκος
ophthalmia ὀφθαλμία
entopic ἔντοπος
optic ὀπτικός
ally -ics
organism ὄργανον
ostosis ὀστέον -ωσις
otic ὠτικός
ento- Cont'd
parasite -ic παράσιτος
pectoralis
peripheral περιφέρεια
phyte φυτόν
-al -ic(ally -ous
plasm πλάσμα
plastic πλαστικός
plastron -al ἔμπλαστρον
popliteal
procta -ous πρωκτός
pterygeus πτερύγιον
-oid πτερυγοειδής
retina ῥητίνη
sarc σαρκ-
sclerite σκλῆρος -ίτης
scopy -ic -σκοπία
septum
sphaerida σφαῖρα
sphenoid σφηνοειδής
sphenus -al σφήν
sphere σφαῖρα
spore σπορά
sternum στέρνον
-al -ite -ίτης
tentacle triceps
thorax θώραξ
trophi -ous τροφός
tympanic τύμπανον
zo- ζῶον
a(l (ari)an ical(ly on

ento- Cont'd
zoo- ζωο-
logy -λογία
-ical(ly -ist -ιστής
zootic φωοτής
entostho- ἔντοσθε
blast βλαστός
entropia ἐντροπία
-ion(ize -ium -ous -y
entyloma ἐν τύλος -ωμα
Entyus ἐντύειν
Enuphantae ἐνυφαντός
enuresis ἐνουρεῖν -ησις
enygmato- αἰνιγμα
strobos στρόβος
Enyo -idae Ἐνυώ
enzone ζώνη
enzootic -y ἐν ζωοτής
enzygotic ἐν ζυγωτός
enzym(e ἔνζυμος
ation ic(ally oid ol
osis otic -ωσις -ωτικός
uria -ουρία
enzymo- ἔνζυμος
logy -λογία
lysis λύσις
eo- ἠω-
achras ἀχρᾶς
actis -inidae ἀκτίς
an ἠῷος
anthropus ἄνθρωπος
balanus βάλανος
banksia brunneria
bumbatrix
carbonifreous
cene -ic καινός
ceratops κερατ- ὤψ
cerus κηρός
cetus κῆτος
cicada
cidaris κίδαρις
cladous κλάδος
coelopoma κοῖλος πῶμα
conodon κῶνος ὀδων
cottus κόττος
crinus κρίνον
-idae -oidea
cteniza κτενίζειν
ctonus κτόνος
cyclops Κύκλωψ
delphys δελφύς
demotic δημοτικός
devonian
dichroma δι- χρῶμα
didelphys δι- δελφύς
diplurina δι- πλευρά
discus -idae δίσκος
formica
gaea(n γαῖα
harpes ἅρπη
hippus ἵππος
historic ἱστορικός
homalo ὁμαλός
notus νῶτον
hyus ὗς
lian *etc.* = aeolian *etc.*
lith(ic λίθος
mactra μάκτρα
megalodus μεγαλ- ὀδούς
merope μέροψ
mesodon μέσος ὀδών
moropus μόρον ὀπός
eolo- αἴολος
tropy -ic -τροπία
Eomm- ἠώς ὄμμα
anodon ἀνόδοντος

eon αἰών
ial ian ic ist -ιστής
Eophiura ἠώς ὀφίς οὐρά
eo- Cont'd
nycteris νυκτερίς
orthus -inae ὀρθος
pal(a)eozoic παλαιός ζωικός
phone φωνή
phyte -ic -on φυτόν
placophora πλάξ -φορος
plasm πλάσμα
polychaeta πολυ- χαίτη
psaltria ψάλτρια
psetta ψῆττα
psilopteron ψιλός πτερόν
ptyelus πτύελον
rhylite ῥεῖν λίθος
rhyolite ῥυ- λίθος
eos(ate ic) ἠώς
eo- Cont'd
salate
saurus -avus σαῦρος
scorpius σκορπίος
sebastes σεβαστός
semio- σημειόν
notus νῶτος
serranus
eos- ἠώς
blast βλαστός
erpeton ἑρπετόν
in(e
ate ic ide o-
ium olate
penia πενία
phil(e -ic -ous -φιλος
philia -φιλία
phorite ἠωσφόρος
tactic τακτικός
eo- Cont'd
siren Σειρήν
sote σωτήρ
spermato- σπερματο-
pteris πτερίς
spirifer σπεῖρα
stase στάσις
strate
therium θηρίον
thinia θιν-
thynnus θυννός
trochus τρόχος
tylopus τυλός πούς
vasum versatrix
zoic ζωικός
zoon -oal -oina ζῷον
ep- ἐπ-
acmaic ἀκμαῖος
acme ἀκμή
acris ἄκρις
-id(aceae -idaceous
act ἐπακτή
actal ἐπακτός
acter ἐπακτήρ
agoge ἐπαγωγή
agogic ἐπαγωγικός
agomenae ἐπαγόμενος
-al -ic
ammonites Ἄμμων -ίτης
anadiplosis ἐπαναδίπλωσις
analepsis ἐπανάληψις
anaphora ἐπαναφορά
anastrophe ἐπαναστροφή
aniso- ἀνισο-
gnathism γνάθος -ισμός
anodont(a ἀνόδοντος
anodos -y ἐπάνοδος
anorthosis ἐπανόρθωσις
anorthotic ἐπανορθωτικός

ep- Cont'd
anorthus -id(ae ἄνορθος
anthem ἐπάνθημα
anthous ἄνθος
aphra ἔπαφρος
apophysis ἀπόφυσις
arch(ial ἔπαρχος
arch(a)ean ἀρχαῖος
archy -ate ἐπαρχία
arcuale
aritoi Ἐπαρίτοι
ars- ἐπαίρειν
algia -αλγία
arterial ἀρτηρία
auxesi- ἐπαύξησις
ectomy -εκτομία
axial(ly
ectasis ἐπέκτασις
ectin- ἐπεκτείνειν
aspis ἀσπίς
edaphic ἔδαφος
eira ἤπειρος
-id(ae -oid
epeiro- ἤπειρος
genetic γενετικός
geny -ic -γένεια
ep- Cont'd
eisodion ἐπισόδιον
embryonic ἔμβρυον
encephal ἐγκέφαλος
ic on
enchyma ἔγχυμα
endyma ἐπένδυμα
-al -is
-itis -oma -ῖτις -ωμα
endytes ἐπενδύτης
enetic ἐπαινετικός
enthesis -y ἐπένθεσις
-etic ἐπενθετικός
erotesis ἐπερώτησις
exegesis ἐπεξήγησις
-etic(al(ly -ητικός
epeolatry ἔπος λατρεία
epeslatry ἐπεσ- λατρεία
eph- ἐφ-
aptomenon ἐφαπτομενον
armony ἁρμωνία
-ic -ism -ισμός
armosis ἐφάρμωσις
-otic -ωτικός
epheb- ἔφηβος
arch ἐφήβαρχος
asty -ic ἄστυ
e aceae os us
eia ἐφηβεία
eitis eitic -ῖτις
iate ite -ίτης
ic ἐφηβικός
ium eion ἐφηβεῖον
ephebo- ἔφηβος
ceras κέρας
genetic γενετικός
logy -ic -λογία
ephectic ἐφεκτικός
Ephedra -in(e ἐφ- ἕδρα
ephedros -us ἔφεδρος
-ismos ἐφεδρισμός
ephelis ἐφ- ἧλος
ephelkustic(on ἐφελκυστικός
ephemer ἐφήμερος
al(ity ly ness) an ic id ous
anthy ἄνθος
ephemera ἐφήμερον
-al -id(ae -ida -ides -ina -ine
-inous -oid
ephemeris ἐφημερίς
-ides -idian -ist -ιστής

ephemerius ἐφημέριος
-ite -ίτης
ephemero- ἐφήμερον
ptera πτερόν
pus πούς
ephemero- ἐφήμερος
morph(ic μορφή
phytes φυτόν
Ephes- Ἔφεσος
ian Ἐφέσιος
ine ite -ίτης
ephete -ae -ic ἐφέτης
ephialtes ἐφιάλτης
ephidrosis ἐφίδρωσις
ephippio- ἐφίππιον
mantis μάντις
rhyncus ῥύγχος
ephippion ἐφίππιον
-ial -ic -ium
Ephippus ἐφίππος
-(i)id(ae -(i)oid
ephor(us ἔφορος
al(ty ate ship
ic ἐφορικός
y ἐφορεία
Ephraimite -ic -ish -ίτης
Ephthian ἔφθιεν
ura -e οὐρά
Ephydra ἔφυδρος
-id(ae -inae -oid
ephydriad ἐφυδριάς
-ogamy -ic(ae -γαμία
ephymnion -ium ἐφύμνιον
Ephyra -ula Ἔφυρα
-omedusae -an -idae Mέ-
-opsis -idae ὄψις δουσα
epi- ἐπί-
acera- ἄκερος
therium θηρίον
achene ἀχανής
al(id
alus ἠπίαλος
-id(ae -ine -oid
andrium ἀνδρ-
aphelops ἀφελής ὤψ
ascidium ἀσκίδιον
basal βάσις
baterium ἐπιβατήριος
batus ἐπιβατός
benthos -ic βένθος
biotica βιωτικός
blast βλαστός
ic anus
blastema βλάστημα
blastesis βλάστησις
blema ἐπίβλημα
bole ἐπιβολή
-ic -ism -y -ισμός
borneol
boulangerite -ίτης
branchial(e βράγχια
brom(o)hydrin βρῶμος ὑδρ-
bulbar βόλβος
bul- βουλή
ia idae inae ini us
caerus καιρός
epic ἐπικός
al(ly ism ist ly -ισμός
epi- Cont'd -ιστής
calycius καλυκ-
calyx κάλυξ
camphor καμφορά
canthis -us -ic ἐπικανθός
cardia καρδία
-iac -ial -ium
carides -an καρίς
carin

epi- Cont'd
carp καρπός
anthous ἄνθος
ium ius ous
catechin -ol
catophora κατώφορος
cauta ἐπίκαυτος
cede ἐπικήδειον
-ial -ian -ion -ium
cedia ἐπικήδειος
cene ἐπίκοινος
center ἐπίκεντρος
-tral -trum
cerastic ἐπικεραστικός
cerato- κερατο-
hyal ὕαλος
cerebrous
chirema ἐπιχείρημα
ch(e)ilous ἐπιχειλής
chil(e -ium ἐπιχειλής
chloe χλοή
chlor- χλῶρος
hydrin ὑδρ-
chondr- χόνδρος
osis otic -ωσις -ωτικός
chordal χορδή
chorial ἐπιχώριος
-ic -istic -ιστικός
choriambic ἐπιχοριαμβικός
chorion χόριον
christian Χριστιανός
chrosis ἐπίχρωσις
chthonius -ii ἐπιχθόνιος
chysis ἐπίχυσις
clastic κλαστός
clavicle
c(*or* k)lesis ἐπίκλησις
cl(e)idium κλειδίον
-ial -ian
cline -al -es ἐπικλινής
cnemis -al κνήμη
coela -e -ous κοῖλος
c(o)ele -ar κοιλία
coelia(n -iac κοιλία
coelom(a κοίλωμα
coene = epicene
colic κόλον
columella(r
comus κόμη
condyl- κόνδυλος
algia -αλγία
condyle κόνδυλος
-ar -ian -ic -itis -us
continental copula
coraco- κορακοειδής
humeral(is
coracoid(al κορακοειδής
cormic κορμός
corneascleritis σκληρός -ῖτις
corolline costal
cotyl(ar κοτύλη
cotyledonary κοτυληδών
cranium -ial -ius κρανίον
crasis ἐπίκρασις
crates ἐπικρατής
crisis -ic ἐπίκρισις
crisis κρίσις
critic κριτικός
crystalline κρυστάλλινος
Epictetian Ἐπικτήτειος
epicure Ἐπίκουρος
-eal -ial -ish(ly -ity -ly
-ism -ize -ισμός -ίζειν
epicurean ἐπικούρειος
ism ize -ισμός -ίξειν
epi- Cont'd
current cutis

epi- Cont'd
cyan- κύανος
hydrin ὑδρ-
cycle -ic(al -oid(al ἐπίκυκλος
cyemate κύημα
cyesis κύησις
cypselus κύψελος
cystitis κύστις -ῖτις
-otomy -τομία
cyte -oma κύτος -ωμα
dactylo- δακτυλο-
scope -σκόπιον
d(e)ictic(al ἐπιδεικτικός
deigma δεῖγμα
deistic -ιστικός
delus ἐπίδηλος
epidemic ἐπιδήμιος
al(ly alness ity
epidemio- ἐπιδήμιος
graphy -ist -γραφία
logy -λογία
-ical(ly -ist -ιστής
epidemy ἐπιδημία
Epidendrum ἐπί δένδρον
-al -ic(al
epiderm(is ἐπιδερμίς
a(l ata atic atoid atous eous
ic(al idal in(e (al)ization
oid(al ose ous
atoplasty -πλαστία
(id)olysis λύσις
(id)osis -ωσις
epidermo- ἐπιδερμίς
muscular
mycosis ͱμύκης -ωσις
phyton -osis φυτόν -ωσις
epi- Cont'd
desmin δεσμός
dia- διά
base βάσις
pente διάπεντε
scope διά -σκόπιον
tessaron διατεσσάρων
epididym- ἐπιδιδυμίς
al ic is ite -ίτης
ectomy -εκτομία
epididymo- ἐπιδιδυμίς
deferentectomy -έκτομία
deferential
orchitis ὄρχις -ῖτις
tomy -τομία
vasotomy -στομία
epidiorthosis ἐπιδιόρθωσις
epidiphyllum ἐπί δι- φύλλον
epidosite ἐπίδοσις -ίτης
epidote ἐπίδοσις
-ic -iferous -ization -ίζειν
orthite ὀρθος -ῖτης
epidromia ἐπιδρομή
Epierus ἐπίηρος
epi- Cont'd
dural fascial focal
endo- ἐνδο-
dermal δέρμα
folliculitis -ῖτις
fucose γλεῦκος
g(a)e- ἐπίγαιος
al an ic ous
gamic -ous γάμος
gaster ἐπιγάστριον
gastr- ἐπιγάστριον
aeal aeum al ial ic(al ium
algia -αλγία ius oid
(i)ocele κήλη
orrhaphy -ῥαφία
gaulus γαυλός
gee geum ἐπίγειος

epi- Cont'd
gene ἐπιγενής
-ic -ite -ίτης
genesis(t γένεσις
genetic(al(ly γενετικός
genist-ous -γενής
geo- γεω-
tropism τροπή -ισμός
glaubite -ίτης
glott- ἐπιγλωττίς
(id)ectomy -εκτομία
ideus -dean
(id)itis -ῖτις
is ic
ohyoidean ὑοειδής
glypta γλυπτός
gnath γνάθος
ism ous us -ισμός
gnosis ἐπίγνωσις
gone -al -ium γονή
epigon- ἐπίγονος
ation ἐπιγονάτιον
ion ἐπιγόνειον
ous us
epigram(me ἐπίγραμμα
ism ist -ισμός -ιστής
mat- ἐπιγραμματίζειν
arian ic(al(ly ize(r
ism ist -ισμός -ιστής
epigraph(y ἐπιγραφή
er ic(al(ly ics ist
epi- Cont'd
cranitis ἐπικρανῖτις
guanin(e
gyne γυνή
-icus -ous -um -y
gyno γυνο-
phorius -φορος
hippus ἵππος
hyal ὕαλος
hypocycloidal ὑποκυκλικός
-οειδής
ky ἐπιείκεια
labrum
lachna -ides λάχνη
lamella
laryngeal λαρυγγ-
lemma(l λέμμα
leny ἐπιλήνιον
lepidoma λεπιδ- -ωμα
epilepsy -ia ἐπιληψία
epileptic ἐπιληπτικός
-icoccus κόκκος
-iform
epilept- ἐπιληπτός
oid ol osis -ωσις
epilepto- ἐπιληπτός
genic -ous -γενής
logy -ist -λογία
epilithic ἐπί λίθος
epilobe -ium ἐπί λοβός
epilog(ue ἐπίλογος
ate ation ἐπιλογίζεσθαι
ic(al ἐπιλογικός
ism ἐπιλογισμός
ist(ic -ιστής -ιστικός
(u)ize(r ἐπιλογίζεσθαι
Epimachus ἐπίμαχος
-inae -ine
epimatium ἐπ- ἱμάτιον
epi- Cont'd
magmatic μάγμα
mandibular
manikion ἐπιμανίκιον
mecyntis μηκύνσις
mede -ium ἐπιμήδιον
melitta μέλιττα

epi- Cont'd
menus μένειν
mer μέρος
e ic ism -ισμός
ite -ic -ίτης
meron -um -al μηρός
morphosis μόρφωσις
mysium μῦς
myth(ium ἐπιμύθιον
naos ναός
nasty -ic(ally ναστός
natrolite νίτρον λίθος
nemus νῆμα
nephelus ἐπινέφελος
nephr- νεφρός -inae
ectomy -εκτομία
idial νεφρίδιος
in(e emia -αιμία
itis oma -ῖτις -ωμα
netron ἐπίνητρον
neurium -(i)al νεῦρον
nicion -ial- ian ἐπινίκιον
notum νῶτος
nyctis ἐπινυκτίς
nyctous ἐπινύκτιος
odion ᾠδή
onic ἐπιωνικός
onto- ὀντο-
logy -ic -λογία
onychium ὀνυχ-
opticon ὀπτικός
ornitic ὄρνις
osin
ostracum ὄστρακον
otic ὠτ-
pactis ἐπιπακτίς
paractis παρ- ἀκτίς
parasite παράσιτος
parodos ἐπιπάροδος
pastic ἐπίπαστος
pedo- ἐπίπεδος
cera κέρας
chorisis χώρισις
metry -μετρία
peltate πέλτη
pephysitis ἐπίφυσις
peridion πηρίδιον
peri- περί
pheral περιφέρεια
spermicus σπέρμα
petalous πέταλον
petreous πέτρα
phallus φαλλός
phaneus -ous ἐπιφανής
phany -in ἐπιφάνεια
pharynx -yngeal φάρυγξ
phegus φηγός
phenomenon φαινόμενον
-atical -ism -ist(ic -ισμός
-ιστής -στικός
phloeodal -ic φλοιώδης
phloeum φλοιός
phonem(a ἐπιφώνημα
atical(ly ἐπιφωνηματικός
phora ἐπιφορά
phragm(a(l ἐπίφραγμα
phylax ἐπιφύλαξ
-actic φυλακτικός
-axis φύλαξις
phyll φύλλον
ae ine ous um y
phyllo- φυλλο-
spermous σπέρμα
phyma φῦμα
physeo- ἐπίφυσις
lysis λύσις
pathy -πάθεια

epi- Cont'd
physis ἐπίφυσις
-an -ary -eal -ial
-itis -ῖτις
phyte φυτόν
-aceous -al -ic(al(ly
-ism -oid -ισμός -οειδής
-otic -ism πτωτός
-ous
pial
plankton(ic πλαγκτόν
plasm(ic πλάσμα
plastron -al ἔμπλαστρον
plecta ἐπίπληκτος
plectic ἐπιπληκτικός
plerosis ἐπιπλήρωσις
pleur πλευρά
a al on
plexis ἐπίπληξις
ploce ἐπιπλοκή
epiplo- ἐπίπλοον
cele κήλη
(entero ischio mero omphalo oscheo sarcomphalo)
itis -ῖτις
pexy -πηξία
rrhaphy -ῥαφία
epiploon -oic ἐπίπλοον
epi- Cont'd
pocus ἐπίποκος
pod- ἐπιπόδιος
al ial(ia ium
ite -ic -ίτης
polyarch πολυ- ἀρχή
precoracoid κορακοειδής
proteid πρωτεῖον
psyche ψυχή
ptere -ic -ous πτερόν
pterygoid πτερυγοειδής
pubis -ic
pygium -us πυγή
rhode- ῥόδεος
ose γλεῦκος
Epirinus ἐπ- εἰρίνεος
epirogenic = epeirogenic
Epirot Ἠπειρώτης
Epirotic Ἠπειρωτικός
epirotulian ἐπί
epirrhema ἐπίρρημα
atic ἐπιρρηματικός
epirrheo- ἐπίρροια
logy -λογία
epi- Cont'd
(r)rhizous -ῥιζος
rrhysa ἐπίρρυσις
saccharic σάκχαρ
sarc(*or* k)in(e σαρκ-
scenium ἐπίσκηνιον
schesis ἐπίσχεσις
sclera -al σκληρός
(ot)itis -ῖτις
episcop- ἐπίσκοπος
able acy an ant arian ate ation ature ian icide ization ize us
episcopal ἐπίσκοπος
ian(ize -ίζειν
(ian)ism -ισμός
ity ly
episcopo- ἐπίσκοπος
latry λατρεία
phagy -φαγία
episcopy ἐπισκοπία
epi- Cont'd
scope -σκόπιον
sematic σῆμα

epi- Cont'd
semon ἐπίσημον
sepalous σκέπη
episio- ἐπίσειον
cele κήλη
clisia κλεῖσις
haematoma αἱματ- -ωμα
plasty -πλαστία
rhagia -ῥαγία
rrhapy -ῥαφία
elytro ἔλυτρον
perineo περίναιον
stenosis στένωσις
tomy -τομία
epi- Cont'd
oda ἐπείσοδος
skeletal σκέλετον
skotister ἐπισκοτίζειν
episod(e ἐπεισόδιον
(i)al ic(al(ly
episo- ἐπ- ἰσο-
morph μορφή
Episomus ἐπίσωμος
epi- Cont'd
spadia(s σπαδών
-iac -ial
spasm σπάσμα
spastic(a ἐπισπαστικός
sperm(ic(us σπέρμα
sphales ἐπισφαλής
spinal stapedial
splenitis -ic σπλήν -ῖτις
spore -ium -ic σπορά
-angium ἀγγεῖον
stamenalis στήμων
stasis -y ἐπίστασις
static ἐπιστατικός
staxis ἐπίσταξις
stemo- ἐπιστήμη
log -λογος
logy -λογία
-ical(ly -ist -ιστής
stemonic ἐπιστημονικός
sternum στέρνον
-al -ite -ίτης
stilbite ἐπιστίλβειν
ep- ἐπ- -ίτης
isthotonus ὀπισθότονος
epistle -er ἐπιστολή
epistol- ἐπιστολή
ar(ian ily y)
ean er et ic(al
ist ite -ιστής -ίτης
ize -ίζειν
-able -ation -er
epistolo- ἐπιστολο-
graph- γραφ-
er ἐπιστολογράφος
ic ἐπιστολογραφικός
y ist -γραφία
phobia -φοβία
epi- Cont'd
stom στόμα
a(l ata ate e(ous ian
stomium ἐπιστόμιον
strepho- στρέφειν
genesis γένεσις
striatum
stroma ἐπίστρωμα
strophe ἐπιστροφή
-al -ion -y
-eus -eal ἐπιστροφεύς
-ization -ize -ίζειν
-us ἐπίστροφος
style ἐπιστύλιον
-ar -ion -ium
stylis ἐπιστυλίς

Episus ἔπισος
epi- Cont'd
syllogism συλλογισμός
synaloephe -a ἐπισυναλοιφή
synlestes σύν λῃστής
synthetic -on συνθετικός
tactic ἐπιτακτικός
epitaph ἐπιτάφιος
er ial ian ic(al less
ist ize -ιστής -ίζειν
epi- Cont'd
tarsus τάρσος
-ipus πούς
tasis ἐπίτασις
tela -ar tendineum
teles ἐπιτελής
tenon τένων
teospore σπορά
tetrarch τέτραρχος
thalam- ἐπιθαλάμιος
ial iast ion ium ize y
thalamus -ic θάλαμος
thallus -ine θαλλός
theca θήκη
-al -ate -ium
thelaria(n θηλή
epitheli- ἐπί θηλή
al ate um
oma -atous -ωμα
oid osis -οειδής -ωσις
epithel- ἐπί θηλή
ization -ίζειν
epithelio- ἐπί θηλή
blastoma βλαστός -ωμα
ceptor glandular
genetic γενετικός
lysis -in λύσις
lytic λυτικός
muscular
toxin -ization τοξικόν
epithem(e a ἐπίθεμα
epithermol ἐπί θέρμη
epithesis ἐπίθεσις
epithet ἐπίθετον
ic(al(ly ician ἐπιθετικός
ize on -ίζειν
epitheto- ἐπίθετος
soma σῶμα
-atidae -id(ae -oid
epithyme ἐπίθυμον
-etic(al ἐπιθυμητικός
epitimesis ἐπιτίμησις
epitithides ἐπιτιθέναι
epitoc(*or* k)e -al ἐπί τόκος
epitome ἐπιτομή
-ator(y -ic(al
-ization -ize(r -ίζειν
epitonic ἐπίτονος
epitonion ἐπιτόνιον
epi- Cont'd
tox(on)- τοξικόν
oid -οειδής
trachelion ἐπιτραχήλιον
tragus τράγος
trapezius ἐπιτραπέζιος
triarch τρίαρχος
trichium -ial τρίχιον
trite -ic ἐπίτριτος
trix θρίξ
trochlea(r τροχιλία
trochoid(al τροχοειδής
trope ἐπιτροπή
trophy -ic -τροφία
tropic -ism τροπός
tropous τροπή
turbinate vertebral
tympanum -ic τύμπανον

epi- Cont'd
typhlon -itis τυφλόν -ῖτις
xylous ξύλον
-oneus -oneae
zeuxis ἐπίζευξις
zo- ζῷον
a(l an ic icide on
zoarius ζωάριον
zonal ζώνη
zoo- ζωο-
chory χωρεῖν
logy -λογία
zooty -ic ζωότης
zygal ζύγον
epoch ἐποχή
a al ism ist -ισμός
epode ἐπῳδός -ιστής
-ic -ist -us
epomania ἔπος μανία
ep- ἐπ-
oiko- οἰκο-
phytes φυτόν
omophorus ὦμος -φορος
onychium ὀνυκ-
onym ἐπώνυμος
al ic os ous us
ism ist -ισμός -ιστής
ize -ίζειν
onymy ἐπωνυμία
oophoron ᾠοφορον
-ectomy -εκτομία
Epopea ἐπωπή
epopee ἐποποιία
-oean -oeia -oeist -ιστής
Epopsima ἐπ- ὄψιμος
epopt(ic ἐπόπτης
(-a -es -ist *Obs.*)
Epopterus ἐποπτήρ
epornitic ἐπ- ὄρνις
epos ἔπος
epoxy- ἐπ- ὀξυ-
Eproboscidia προβοσκίς
epsomite -ίτης
epta- ἑπτά
tretus -idae τρητός
epulis ἐπουλίς
-oid -οειδής
-osis ἐπούλωσις
-otic ἐπουλωτικός
epulo- ἐπουλίς
erectile
fibroma -ωμα
epural ἐπ- οὐρά
Epyornis = Aepyornis
equalist -ιστής
-ize(r ization -ίζειν
equation
ism ist -ισμός -ιστής
equi-
anchorate ἄγκυρα
anharmonic(ally ἀν- ἁρμονικός
atomic ἄτομος
diagonal διαγώνιος
harmonic(al ἁρμονικός
elliptic ἐλλειπτικός
grammolar γράμμα
graphic γραφικός
librism -ize -ισμός -ίζειν
librist(ic -ιστής -ιστικός
libristat στατός
lobed -ate λοβός
periodic περιοδικός
probabil-
ism ist -ισμός -ιστής
equiset-
oid osis -οειδής -ωσις
equitist -ιστής

er- ἐρᾶν
agrostis ἄγρωστις
Erana ἔρανος
eranist ἐρανιστής
erann- ἐραννός
ornis ὄρνις
Eranthemum ἠράνθεμον
Eranthis ἦρ ἄνθος
Erasmiphlebohecta ἐράσμιος φλεβο- ἕκτος
Erastianism -ize -ισμός -ίζειν
Erchomus ἔρχομαι
erdmannite -ίτης
Erebus -ian Ἔρεβος
Erechthites ἐρεχθίτης
erem- ἐρημία ἐρῆμος
ad ian ion ium os us
iacausis καῦσις
ic ἐρημικός
oecus οἶκος
otes ἐρημωτής
urus οὐρά
eremi- ἐρημία
alector ἀλέκτωρ
cinnyris κιννυρίς
proetus πρό ἐτός
eremit- ἐρημίτης
age al e ic(al ish ship
ism -ισμός
Eremnus ἐρεμνός
eremo- ἐρημο-
blast βλαστός
brya -oid -ous βρύον
ceras κέρας
chaeta -ous χαίτη
cola
mela -inae -ine μέλος
pezus πεζός
phanes -φανής
phila -us φίλος
phobia -φοβία
phyte -a φυτόν
pteris πτερίς
ereptase διάστασις
Eressus ἐρέσσειν
-id(ae -oid(ae
-ornis ὄρνις
ereth- ἐρεθ-
ism ἐρεθισμός
-(ism)ic -in -itic
istic ἐρεθιστικός
izon ἐρεθίζων
-ontid(ae -ontoid
Eresus -id(ae -oid(ae ἐρέσ-σειν
erethism(ic ἐρεθισμός
-ic -in -itic
erethistic ἐρεθιστικός
Erethizon ἐρεθίζων
-ontid(ae -ontoid
eretmo- ἐρετμόν
chelys χέλυς
logist -λογία -ιστής
podes ποδ-
saurus -ia σαῦρος
Eretmotus ἐρετμόειν
Ereunetes ἐρευνητής
erg ἔργον
al in
amin ἀμμωνιακόν
asi- ἐργασία
apophytes ἀπό φυτον
asia- ἐργασία
lipophytes λιπαρέειν φυ-τόν
asio- ἐργασία
mania μανία
phobia -φοβία τόν
(phygo)phytes φυγο- φυ-

erg Cont'd
asterion ἐργαστήριον
asthenia ἀσθένεια
astic ἐργαστικός
astinae ἐργαστῖναι
asto- ἐργαστικός
plasm πλάσμα
a atic ic
ates ἐργάτης
-andro- ἀνδρο-
morph(ic ism μορφή
-androus -ανδρος
-andry -ανδρία
-oid -οειδής
aticus ἐργατικός
atis ἐργατίς
ato- ἐργατο-
cracy -κρατία
gyne -ic -ous γυνή
morphic -ism μορφή
esis -ησις -ισμός
meter μέτρον
odic ὁδός
ergo- ἐργο-
chemical χημέια
chrysin χρυσός
esthesiograph αἴσθησις
genesis γένεσις -γραφος
gram γράμμα
graph(ic -γραφος
logy -λογία
mania -iac μανία
meter metric μέτρον
nomy -νομία
phobia -φοβία
phore φόρος
plasm πλάσμα
plastic πλαστικός
stat στατός
stearin στέαρ
therapy θεραπεία
thionein(e θεῖον
tropic τροπή
ergoism -ισμός
ergo- = ergot
st- στερεός
ane anol erin erol
toxin(e τοξικόν
xanthein ξάνθος
ergot
am(in)in(e ἀμμωνιακόν
ism ist -ισμός -ιστής
ize -ation -ίζειν
erianthus ἔριον ἄνθος
erica ἐρείκη
-(ac)eae -(ace)ous -al(es -eal
-etal -(im)one -in(eous
-oid -ol(in(e
erico- ἐρείκη
phyte φυτόν
Erichthys ἦρι ἰχθυς
eri- ἐρι
cymba κύμβη
erpeton ἑρπετόν
glossa -ate γλῶσσα
gnathus γνάθος
leucus ἐρίλευκος
monax μονάξ
myzon μυζῶν
Eridanus Ἠριδανός
Eridorthis ὀρθός
Eridotrypina τρῦπα
Erigeron ἠριγέρων
erineum ἐρίνεος
-eus -ose
eringo -ium ἠρύγγιον
erinite -ίτης

Erin(n)ys Ἐριν(ν)ύς
erinocyce συκῆ
erio- ἐριο-
botrya βότρυς
caulon καυλός
-aceous -(on)aceae
cera κέρας
chrome χρῶμα
cnemis κνημίς
come -i κόμη
cyanin(e κύανος
dendron δένδρον
des ἐριώδης
dictyon -ol δικτυον
gaster γαστήρ
glaucin(e γλαυκός
gonum γόνυ
meter metric μέτρον
peltastes πελταστής
phorum -ous ἐριοφόρος
phyes -idae φύειν
phyllous φύλλον
psilus ψιλός
pterites πτερίς -ίτης
pus -inae πούς
erionite ἔριον -ίτης
Eriopisella ἐριῶπις
Eriphus ἔριφος
-osoma σῶμα
-ostoma στόμα
eripleogamy ἔρις πλεο- -γαμία
Eripsimus ἐρείψιμος
Erirhinus -idae ἐρι ῥίν
Erismatura ἔρεισμα
-i -inae -ine -us οὐρά
eristic(al ἐριστικός
Erithacus = Erythacus
Erkosonea ἕρκος
Ernogrammus ἔρνος γραμμή
erodium ἐρωδιός
-amin(e ἀμμωνιακόν
erogenous -ic(s Ἔρως -γενής
Eros Ἔρως
erot- ἐρωτ-
eme ἐρώτημα
-atic ἐρωτηματικός
esis ἐρώτησις
etic ἐρωτητικός
ic ἐρωτικός
a al(ly o-
ism ist -ισμός -ιστής
ico- -ικο-
mania μανία
ism -ισμός
eroto- ἐρωτο-
genic -γενής
logy -λογία
mania -ic -y ἐρωτομανία
path πάθος
pathia -iac -y -πάθεια
phobia -φοβία
psychic ψυχικός
sexual
Erotylus ἐρωτύλος
-id(ae -oid
erpeto- *etc.* = herpeto- *etc.*
brachium βραχίων
saurus σαῦρος
suchus σοῦχος
Erphaea ἔρφος
errephori = arrephori
errhine ἔρρινον
erromen- ἐρρωμένος
osteus ὀστέον
ersaeome ἔρση
erubescite -ίτης
erucyl ὕλη

Erycina Ἐρυκίνη
-acea -aceous -ae -id(ae -oid
eryglucin γλυκύς
Erymanthus Ἐρύμανθος
eryngium -o ἠρύγγιον
Eryon(idae -inae ἐρύων
-ontid(ae -ontoid
Eryops(oides ἐρύων ὤψ
Erysibe ἐρυσίβη
Erysimum -in ἐρύσιμον
-opicron πικρόν
erysipelas ἐρυσίπελας
-atic -(at)oid -(at)ous
erysipelo- ἐρυσίπελας
coccus κόκκος
thrix θρίξ
toxin τοξικόν
erysiphe ἐρυθρός σίφων
-aceae -aceous -eae
erysolin ἐρύσιμον
ery- ἐρυθραῖος
taurin κενταύριον
Erythacus ἐρίθακος
eryth- ἐρυθρός
anthema ἄνθημα
Erythea ἐρύθεια
erythema ἐρύθημα
-atic -atoid -atous
erythra ἐρυθρός
Erythraea(n ἐρυθραῖος
erythr- ἐρυθρός
aemia -αιμία
arsin ἀρσενικόν
asma ἄσμα
edema οἴδημα
emomelalgia αἱμο- μέλος
estes ἐσθής -αλγία
ichthys -yini ἰχθύς
ic in(e ina inic
inus ἐρυθρῖνος
-id(ae -ina(e -ine
-olepis λεπίς
ism(al -ισμός
istic -ιστικός
ite -ic -ol -ίτης
erythro- ἐρυθρο-
bacillus benzene
bacteria βακτηρία
blast(ic βλαστός
oma (omat)osis -ωμα
calcite -ίτης -ωσις
carpous καρπός
catalysis κατάλυσις
centaurin κενταύριον
chaete χαίτη
champsa χάμψαι
chloropia χλῶρος -ωπία
chromia χρῶμα
clasis κλάσις
clastic κλαστός
cyte -ic κύτος
cythemia κύτος -αιμία
cyto- κυτο-
blast βλαστός
lysis -in λύσις
lytic λυτικός
meter μέτρον
(o)psonin ὀψόνιον
rrhexis ῥῆξις
schisis σχίσις
cytosis κύτος -ωσις
degenerative
dermatitis δερματ- -ιτις
dermia δέρμα
dextrin(e δεξιτερός
edema οἴδημα
gen(ic -γενής

erythro- Cont'd
genesis γένεσις
glucin γλυκύς
gonium γονή
gonys γόνυ
granulose γλεῦκος
erythroid(es ἐρυθροειδής
erythrol ἐρυθρός
eic ein(e inic
erythro- Cont'd
laccin litmin(e
lophus λόφος
lysis -in λύσις
mannite μάννα -ίτης
melia μέλος
-algia -αλγία
meter μέτρον
neocytosis νεο- κύτος -ωσις
neura νεῦρον
Erythronium -ic ἐρυθρόνιον
erythro- Cont'd
penia πενία
phage -ous -φαγος
phil(ous -φίλος
phleum -ein(e φλοιός
phobe φόβος
phobia -φοβία
phore -φορος
phose φῶς
phyl(l phyllin φύλλον
phytoscope φυτο- -σκόπιον
plastid πλαστός
plate πλατύς
poiesis ποίησις
erythr- Cont'd
opia -ωπία
opsia ὄψις
opsin ὤψ
ose -in(e -inophil -φιλος
osis -ωσις
ulose γλεῦκος
uria -ουρία
erythro- Cont'd
poietic ποιητικός
porphyrin πορφυρα
precipitin
prosop- πρόσωπον
algia -αλγία
proteid πρωτεῖος
pyknosis πύκνωσις
quinin(e
retin ῥητίνη
rrhexis ῥῆξις
scope -σόπιον
siderite σιδηρίτης
stomum στόμα
suchus σοῦχος
toxin τοξικόν
xyl ξύλον
aceae aceous in(e on um
zincite -ίτης
zym(e ζύμη
Erythrus ἐρυθρός
Eryx Ἔρυξ
esbeno- ἐσβαίνειν
phlebia φλεβ-
escandalize σκανδαλίζειν
escapologist -λογία -ιστής
Eschara ἐσχάρα
-id(ae -ina -ine -oid(ea(n
-ipora -idae πόρος
-odes ἐσχαρώδης
-otic ἐσχαρωτικός
eschato- ἔσχατος
logy -λογία
-ic(al -ist

eschro- ἀισχρός
lalia λαλία
eschynite ἀισχύνη
escigenin -γενής
escorial σκωρία
esemplasty ἐς ἐμ- πλάσις
-plastic πλαστικός
eserethol(e ἀιθήρ
eserinpilocarpin πίλος καρπος
esiphonal -ate σιφών
eskulase διάστασις
esmeraldaite -ίτης
esodic ἐσόδος
eso- ἔσω
anhydrid(e ἄνυδρος
cataphoria κατά -φορος
celops ὤψ
colitis κόλον -ῖτις
derm δέρμα
enteritis ἔντερον -ῖτις
ethmoiditis ἠθμοειδής
gastritis γαστρ- -ῖτις
narthex νάρθηξ
esophag- οἰσοφάγος
(e)al ean
algia -αλγία
ectasis -ia ἔκτασις
ectomy -εκτομία
eocutaneous
ism(us -ισμός
itis -ῖτις
odynia -ῳδυνία
esophago- αἰσοφάγος
blast βλαστός
cele κήλη
enterostomy ἔντερον -στομία
gastro- γαστρο-
scopy -σκοπία
stomy -στρομία
malacia μαλακία
meter μέτρον
mycosis μύκης -ωσις
pathy -ia -πάθεια
plasty -πλαστία
plegia -πληγία
plication
ptosis πτῶσις
rrhagia -ῥαγία
scope -σκόπίον
scopy -ic -σκοπία
spasm σπασμός
stenosis στένωσις
stoma στόμα
-iasis -y -ίασις -στομία
tome -y -τομον -τομία
esophagus αἰσοφάγος
esopho = esophago-
esorediate σωρός
eso- Cont'd
phoria -ic -φορία
phylactic φυλακτικός
sphenoid σφηνοειδής
itis -ῖτις
thyreo- θυρεοειδής
pexy -πηξία
trope -ia -ic τροπός
esoteric ἐσωτερικός
al(ly -ics -y
(ic)ism -ισμός
-ist -ize -ιστής -ίζειν
esparto -etum σπάτος
espathaceous σπάθη
Esperant(id)ist -ιστής
esphlasis ἔσφλασις
esphere σφαῖρα
espnoic ἐς πνοή
esquillectomy -εκτομία

esquirearchy -αρχία
-ess -ισσα
essayism -ισμός
-ist(ic(al -ιστής -ιστικός
Essene Ἐσσηνοί
-ian -ic(al
-ism -ize -ισμός -ίζειν
essentialist -ιστής
-ize -ίζειν
essexite essonite -ίτης
Essoprion ἧσσων
establishment(arian)ism -ισμός
estafa(dor(a στροφή
esterize -ation -ίζειν
esth- *etc.* *See* aesth-
esthiology ἐσθίειν λογία
esthiomene -(o)us ἐσθιόμενος
Esthlogena ἐσθλο- γενή
Esthonocrinus -idae κρίνον
Esthonyx -ycidae ὀνύξ
Estoniceras -idae κέρας
Estonocystis -idae κύστις
estradiot στρατιωτής
estramazone ζώνη
estrich estrige στρουθίον
(o)estrum οἶστρος
-iasis -ίασις
-in -ual -uation
esuritis -ῖτις
etacism -ist ἦτα -ισμός -ιστής
et(a)erio -ium ἑταιρεία
Etagraptus ἦτα γραπτός
Etelis ἔτελις
eteo- ἐτεο-
cretan -ic Ἐτεόκρητες
polymorphism πολυμορφός
stich(on στίχος -ισμός
eternalism -ist -ισμός -ιστής
eternalize -ίζειν
-ation -er -ment
Etesiae -ial -ian ἐτησίαι
eth- αἰθήρ
al
aldehyde ὕδωρ
amide ἀμμωνιακόν
ane
-(es)al -oid -ol -oyl
-olysis λύσις
ene -ήνη
-ic -oid(al -yl ὕλη
Ethas ἐθάς
ethelism ἐθέλειν -ισμός
Ethemon ἐθήμον
etheo- ἠθέω
genesis γένεσις
stome στόμα
-a -ata -atinae -atine -id(ae -inae -oid(ae -oidei
ether αἰθηρ
al ate ean ene ic(al iform ification ify ism ization ize(r ol(ate ous sol -ισμός -ίζειν
ethere(or i)al αἰθέριος
ism ity ization ize ly ness
Etheria αἰθέριος
-iid(ae -ioid
etherian -(e)ous αἰθέριος
etherion αἰθεριον
ethero- αἰθερο-
bacillin gel sol
graphy -γραφία
mania μανία
meter μέτρον
ethic(al(ly ἠθικός
alness ism -ισμός
ist ize -ιστής -ίζειν

ethico- ἠθικός
aesthetic αἰσθητικός
political πολιτικός
religious
ethics ἠθικά
ethid(e -(id)in(e αἰθήρ
ethinyl αἰθήρ ὕλη
ethionic αἰθήρ θεῖον
Ethiop ethiops Αἰθίοψ
ian(ism Αἰθιοπία
ic Αἰθιοπικός
ification
ethize ἦθος -ίζειν
ethmo- ἠθμο-
carditis καρδία -ῖτις
cephalus κεφαλή
lysian λύσις
phract φρακτός
sphaera -idae σφαῖρα
ethmo- ἠθμοειδής
cranial κρανίον
frontal
id(al itis -ῖτις
idectomy -ἐκτομία
lachrymal maxillary
nasal palatal
physal φῦσα
presphenoidal
sphenoid(al σφηνοειδής
turbinate vomerine
ethmose ἠθμός
ethmyphitis ἠθμός ὑφή -ῖτις
ethn- ἔθνος
agog(ue ἀγωγός
arch ἐθνάρχης
archy ἐθναρχία
ish ize -ίζειν
ethnic ἐθνικός
al(ly ism ist ize on -ισμός -ιστής -ίζειν
ethnico- ἐθνικός
physiological φυσιολογικός
psychological ψυχο- -λογία
ethno- ἔθνος
botany -ic(al βοτάνη
centric κεντρικός
conchology κογχο- -γολία
dicy δίκη
flora
gamy -ic -γαμία
geny -ic -γένεια
geography γεωγραφία
-er -ical(ly
graphy -γραφία
-er -ic(al(ly -ist -ιστής
logy -λογία
-ic(al -ist -ize -ίζειν
maniac μανία -ακός
metry -ic -μετρία
psychic ψυχικός
psychology -ical ψυχο- -λογία
technics τεχνικός
technography τέχνη -γραφία
zoology ζωο- -λογία
ethnos ἔθνος
ethocaine αἰθήρ
etho- ἔθος
graphy -γραφία
mere μέρος
physical φυσικός
etho- ἠθο-
logy -λογία
-ic(al -ist -ιστής
poeia ἠθοποιία
poetic ἠθοποιητικός
ethos ἔθος

ethox- αἰθήρ ὀξύς
id(e yl ὕλη
exthoxal- αἰθήρ ὀξαλίς
yl ὕλη
ethoxy- αἰθήρ ὀξυ-
caffein(e
ethyl αἰθήρ ὕλη
al ate(d ation
am- ἀμμωνιακόν
id(e in(e
chlor- χλωρός
urethan οὖρον
dichlor- δι- χλωρός
arsin ἀρσενικόν
ene -ic -oid -ηνη
diamin(e imid imin(e δι-
hydro- ὑδρο- ἀμμωνιακόν
cuprein Κύπριος
iodoacetate ἰώδης
ism -ισμός
morphin Μορφεύς
phenylcarb- φαιν-
amate ἀμμωνιακόν
sulphuric
tartaric τάρταρον
urethan οὖρον αἰθήρ
etio- ?στύπος
hemin αἷμα
phy(llin φύλλον
plast πλαστός
porphyrin πορφύρα
etiolize -ίζειν
etio- αἰτιο-
logy αἰτιολογία
-ic(al -ist -ιστής
tropic τροπ-
Etnean -ite Αἰτναῖος
etro- ἦτρον
hyster- ὑστέρα
ectomy -εκτομία
pus πούς
tomy -τομία
ettringite -ίτης
etymo ἐτυμο-
graphy -γραφία
logic(al(ly ἐτυμολογικός
logicon ἐτυμολογικόν
logy ἐτυμολογία -ίζειν
-ist -ization -ize -ιστής
etymon -(on)ic ἔτυμον
etypic(al(ly τυπικός
eu- εὖ
acranthis ἄκρος ἄνθος
(a)emia -αιμία
(a)esthesia -αισθησία
amphibia ἀμφίβιος
angiotic ἀγγεῖον
anthic ἄνθος
antho- ἀνθο-
strobilus στρόβιλος
apogamy ἀπό -γαμία
apospory ἀπό σπορά
arges ἀργής
asceae -ales ἀσκός
aster(oidea(n ἀστήρ
asteriae ἀστέριος
astrose -a ἀστρ-
bacteria βακτηρία
bactrus βάκτρον
badizon βαδίζων
baena βαίνειν
balta βάλτη
basidii -ieae βάσις
biodectes βιο- δήκτης
blepharis βλεφαρίς
-id(ae -oid(ea(n
boean Εὔβοια

eu- Cont'd
boeic Εὐβοικός
bolism μέταβολή
bolocera βολο- κέρας
boptus βαπτός
bothrium βοθρίον
brachiosaurus βραχίων
brychius βρύχιος σαῦρος
caenus καινός
cain(e
cairite εὔκαιρος -ιτης
calia καλία
caliga καλίκιοι
calin -oid -ol καλυπτός
calus καλός
calypsinthe καλυπτός
-intene -intic ἀψίνθιον
calypt- καλυπτός
ene eol ic ol us
calypto- καλυπτός
crinus κρίνον
-id(ae -ite -oid
graphy -γραφία
logist -λογία -ιστής
resorcin
capren
carotin καρωτόν
carpic -ous καρπός
carvone κάρον
catropin Ἄτροπος
catalepsy -ia κατάληψις
cephala -ous κεφαλή
cera ἐυκέραος
coris κόρις
ceratherium ἐυκέραος θηρίον
cerin
chaetes χαίτη
-opsis ὄψις
chalina -inae χαλινός
charis -idae εὔχαρις
charist εὐχαριστία
ial ic(al(ly ize
chasmus χασμός
chelaion εὐχέλαιον
chelate -a χήλη
chiloneuropsis χεῖλος νεῦ-
chinin(e ρον ὄψις
chira -idae εὔχειρ
chirotidae εὐχείρωτος
chite Εὐχῖται
chitoma -iid(ae χιτών
chlaina χλαῖνα
chlanidota χλανιδωτός
chlanis χλανίς
-id(ae -oid
chlore -ic -in(e χλωρός
-hydria -ὑδρία
cholia χολή
chologion ἐυχολόγιον
-ue -y -ical
chone χώνη
chroic -ite εὔχροος -ίτης
chrome χρῶμα
chromo- χρωμο-
some σῶμα
chrone -ic εὔχροος
chrysine χρυσός
chylia χυλός
chymous εὔχυμος
chymy εὐχυμία
cibdelus κίβδηλος
cinetus εὐκίνητος
cinostomas στόμα
ciroa -oidae κειρία
cirrus κιρρός
-pedia
clase -ite κλάσις -ιτης

euchreist -ιστής
Euclea εὐκλεία
-eidae -eoid
Euclid -e(*or* i)an -ic Εὐκλείδης
euclionism -ισμός
eu- Cont'd
cneme- κνήμη
saurus σαῦρος
cnemia κνήμη
cnemis -idae ἐυκνήμις
cnide κνίδη
cod(e)in κώδεια
coela κοῖλος
colite εὔκολος -ίτης
colloid κόλλα -οειδής
colobodes κολοβώδης
cone κῶνος
cope κώπη
pod(a ous ποδ-
copia κώπη
-idae -iid(ae -ioid
coracias κορακίας
corystes κορυστής
cosmodon κόσμος ὀδών
crada κράδος
crasia -ite -y ἐυκρασία
cratea -eidae κραταῖος
creodi κρεώδης
crinoid(ea κρίνον -οειδής
crite εὔκριτος
crustacea
cryphia εὐκρυφής
-iaceae -iaceous
cryptite εὔκρυπτος
cteanus εὐκτέανος
ctical εὐκτικός
cupin
cyclic εὔκυκλος
-ogobius
cyrtidium -iidae κυρτίδιον
eud(a)emon εὐδαίμων
ia y εὐδαιμονία
ic(al εὐδαιμονικός
ics εὐδαιμονικά
ism εὐδαιμονισμός
ist(ic -ιστής -ιστικός
ize εὐδαιμονίζειν
ology -ο- λογία
eu- Cont'd
dalene δέσμος
dectus δήκτης
dendrium δενδρίον
derces δέρκομαι
dermol δέρμα
desicrinidae δέσις κρίνον
desmin -ene -ol δέσμος
desmo- δεσμο-
scolex σκώληξ
diagogus εὐδιάγωγος
diagnostic διαγνωστικός
dialy(*or* i)te εὐδιάλυτος
dianodes εὐδιανός -ωδης
diaphoresis διαφόρησις
diastatus διάστατος
didymite δίδυμος -ίτης
diemorrhysis διά αἱμόρρυσις
dio- εὔδιος
meter μέτρον
metry -ic(al(ly -μετρία
dipleural δι- πλευρά
dist -ιστής
dmetus εὔδμητος
dnophite δνόφος -ίτης
docimus δόκιμος
dorina εὔδωρος
doxia εὔδοξος
-iform -in(e -ome

eu- Cont'd
doxian Εὐδόξιος
drenin
dromias εὐδρομιάς
-ades -adine
dynamis δύναμις
dyptes -ula δύπτης
echinoidea(n ἐχῖνος -οειδής
elephas ἐλέφας
emerism *etc.* = euhemerism
ereta ἐρέτης *etc.*
ergetes εὐεργέτης
eryx Ἔρυξ
ethistically εὐήθης -ιστικός
fitchia gallol
gamophyte γαμο- φυτόν
ganoid(ei γάνος -οειδής
gaster(ella γαστήρ
ge εὖγε
geinitzia
Eugenes εὐγενής
eugenesis -ic γένεσις
eugenetic γενετικός
Eugenia Εὐγένιος
-in(e -ol(ate
crinus -idae -ite κρίνον
eugenic -ics εὐγενής
al(ly (ic)ism (ic)ist oform
eu- Cont'd
geny εὐγένεια
geo- γεω-
genous -γενής
phytes φυτόν
gerion εὐγηρία
get(in)ic εὐγενής -ητής
geusis γεῦσις
glena γλήνη
-id(ae -oid(ea(n
globulin
glossate γλῶσσα
glypha -idae εὖ γλυφειν
gnamptus -idae γναμπτός
-obius βίος
gnomus εὐγνώμων
osyne εὐγνωμοσύνη
gnoristes γνωριστής
gonic -idia γονή
granitic guform
graphic γραφία
gyrichnites γυρός ἴχνος
gyrinus γυρῖνος -ίτης
hages εὐαγής
hapsis ἀψίς
harmonic ἁρμονικός
hedral ἕδρα
hemerism Εὐήμερος
-ist(ic(ally -ize
heterangium ἕτερος ἄγγος
hippus ἵππος
hyaenine ὕαινα
hyostyly -ic ὑοειδής στῦλος
ichthyes -ydina ἰχθύς
ides εὐειδής
isogamy ἰσο- -γαμία
isopoda -ous ἰσο- ποδ-
k(*or* c)airite καιρός -ίτης
kamptite εὔκαμπτος
kinase κίνησις διάστασις
kinesia εὐκινησία
kinetodes κινητός -ώδης
kloedenella
kryptit εὔκρυπτος -ίτης
ktolite εὐκτός λίθος
labes -is εὐλαβής
-etinae -etine
lachus λάχος
lactol γαλακτ-

eu- Cont'd
lalia Εὐλαλία
lamelli-
branch(ia(ta βράγχια
leptus εὔληπτος
-orhamphus ῥάμφος
lima λιμός
-aceae -id(ae -oid
limnetic λιμνήτης
logy εὐλογία
-ia -ic(al(ly -ism -ist(ic-(al(ly -ium -ize(r -ισμός -ιστής -ιστικός -ίζειν
loma λῶμα
lophia εὔλοφος
-inae -odes -us
lyptol καλυπτός
lysite εὐλυσία -ίτης
lytin(e-ite εὔλυτος
mathes εὐμαθής
meces εὐμήκης
-ocera κέρας
medusa Μέδουσα
meiosis μείωσις
menes εὐμενής
-id(ae -inae -oid
menides Εὐμενίδες
menol μήν
mer- μέρος
ism istic -ισμός -ιστικός
meristelic μερίς στήλη
mero- μέρος
genesis γένεσις
genetic γενετικός
morph(ic μορφή
metopias μετωπίας
metopon μέτωπον
metria εὐμετρία
micr- μικός
erpeton ἑρπετόν
onyx ὄνυξ
mictin
mikro- μικρο-
tremus τρῆμα
mimesis μίμησις
mimetes μιμητής
mit- μίτος
osis otic -ωσις -ωτικός
moiriety εὐμοιρία
moirous εὔμοιρος
molpus Εὔμολπος
morphous εὔμορφος
-ics -ism -us -ισμός
mycetes -ic μυκήτες
mydrin μύδρος
natrol
nectes νήκτης
nelichthys νηλής ἰχθύς
nema νῆμα
nice Εὐνίκη
-ae -ea(n -id(ae -iform -oid
nidia εὖνις
noia εὐνοία
nol νάφθα
nomia -ian Εὐνομία Εὐνό-
nomy εὐνομία μιος
nostus νόστος
nota νῶτος
notosauria νῶτον σαῦρος
eunuch εὐνοῦχος
al ate ry
ism εὐνουχισμός
ize εὐνουχίζειν
oid(ism εὐνουχοειδής
eu- Cont'd -ισμός
nucleus
odic εὐώδης

eu- Cont'd
omphalus -oid ὄμφαλος
omus ὦμος
onym εὐώνυμος
in ous us y
(ster)ol στερεός
ophthalmin ὀφθαλμός
ornithes -ic ὄρνιθες
ortho- ὀρθο-
ptera πτερόν
osmite ὀσμή -ίτης
ostrea ὄστρεον
otomous -ο- τόμος
oxymetopon ὀξυ- μέτωπον
pachy- παχυ-
crinidae κρίνον
discus δίσκος
pactus πακτός
pages εὐπαγής
-urus οὐρά μός
pancreatism πάγκρεας -ισ-
pantolepta παντο- λεπτός
parkeria -iidae σπέρμα
parthenosperm παρθενο-
pathia or -y εὐπαθεία
patorium εὐπατόριον
-iaceae -iaceous -ieae -in(e
patorus εὐπάτωρ -y
patrid(ae al es εὐπατρίδης
pelagic πέλαγος
pelmus -inae πέλμα
pempelus πέμπελος
pepsia -ic-y εὐπεψία
peptic(ity εὔπεπτος
peristalsis περισταλτικός
petes -idae εὐπέτης
phagia -φαγία
phanistes εὐφανής
phansia εὐφανής οὐσία
-idae -iid(ae -ioid
phemerous ἐφημέριος
euphem- εὐφημ-
a us εὔφημος
ism εὐφημισμός
ist(ic(al(ly -ιστής -ιστικός
ize(r εὐφημίζειν
y εὐφημία
ian ious(ly ous
phenges εὐφεγγής
phober- φοβερός
ia iid(ae ioid
phone -ous εὔφωνος
phonia εὔφωνος
-(i)inae -iine
phonium εὐφωνία
-iad -icon
phonon εὔφωνον
phony εὐφωνία
-ia -ic(al(ly -icalness -ious-
-ism -ισμός (ly
-ist(ic -ιστής -ιστικός
-ize -ation -ίζειν
phorb- εὐφόρβιον
ia iaceae -iaceous -ial(es
iaecarpum καρπός
ic in(e ium on(e
phoria εὐφορία
-ic -in -ious -y
phorus εὔφορος
phosterol εὐφόρβιον στερεός
photic -ide φωτ-
photo- φωτο-
metric μετρικός
tropic τροπ-
phrasia -y εὐφρασία
phthalmin(e ὀφθαλμός
phues εὐφυής

euphem- Cont'd
-ism -ize -ισμός -ιζειν
-ist(ic(al(ly -ιστής -ιστι-
phyll εὔφυλλος κός
a in um
ite oid -ίτης -οειδής
opoda ποδ-
phyllode φυλλώδης
phytoid φυτόν -οειδής
picin
pion(e πίων
pisolite πίσος λίθος
pithecia πίθηκος
pittone -ic πίττα
plankton πλαγκτόν
plastic εὔπλαστος
plectella εὐπλεκτός
-id(ae -oid
plere(s πλήρης
-id(ae -inae -ine -oid
pleur- πλευρά
odus ὀδούς
plexo- πλέξις
ptera -ous πτερόν
ploceus πλοκεύς
plocomi -ic εὐπλόκαμος
ploeinae πλοῖον
plynes ἐυπλυνής
pn(o)ea -ic εὔπνοια
podia -a -otis ποδ- ὠτίς
pogonius πογώνιον
polidean Εὐπόλις
polyzoa(n -on πολυ- ζῶον
pomotis πῶμα ὠτίς
pontic Πόντος
porphin ἀπό Μορφεύς
porus εὔπορος
practic εὔπρακτος
praxia or -ic -y εὐπραξία
prepia -iidae πρέπειν
primitia
proctus πρωκτός
-imyia μυῖα
protoscalpellum πρωτο-
psalis ψαλίς
psammae -idae ψάμμος
psenius ψηνός
pterotidae πτερόν ὠτ-
puccinia
purpurin πορφύρα
pyrchroite πῦρ χροία -ίτης
pyrene πυρήν
pyrexia πυρέσσειν
pyrin -ion πῦρ
quinin(e radulan
Eur- Εὐρώπη
afric(a(n aryan
asia(n 'Ασία 'Ασίανος
asiatic 'Ασιατικός
eureka εὕρηκα
Eurekia εὑρίσκειν
eurema -atics εὕρημα
eu- Cont'd
ramphaea ῥάμφος
resol
rhino- ῥινο-
delphis -idae δελφίς
saurus σαῦρος
rhipid- ῥιπιδ-
ura(e -ous οὐρά
rhodin(e -ol εὖ ῥόδον
rhomaiea ῥωμαλέος
rhythmy -ic εὐρυθμία
rino- εὔρινος
phorus -φόρος
ripe -ize -us εὔριπος
robin

eurite -ic εὐρύς -ίτης
euro- εὐρο-
aquilo
bius βίος
blepharon εὐρύς βλεφαρον
clydon εὐροκλύδων
phen(ol φαιν-
European Εὐρωπαῖος
ism ization ize -ισμός -ίζειν
Europ(a)eo- Εὐρωπαῖος
Asiatic 'Ασιατικός
europium Εὐρώπη
Europtron εὖ ῥόπτρον
eurosamarium Εὐρώπη
eurotium εὐρώς
euroto- εὐρώς
philus -φίλος
phyt(i)a φυτόν
Eurus Εὖρος
eury- εὐρυ-
ale Εὐρυάλη
-eae -ean -id(ae -ida(n
apteryx ἀπτέρυγος
bathic βάθος
benthic βένθος
bia εὐρυβιάς
-iid(ae -ioid
campyli καμπύλος
cephalic -ous κεφαλή
ceros -ous εὐρύκερως
-otid(ae -otinae -otine
chory -ic χωρέω
cladous κλαδος
clea Εὐρύκλεια
cleidus κλειδ-
coenose κοινός
coronine κορώνη
cysts κύστις
dice Εὐρυδίκη
gaea(n γαῖα
gaster(inae γαστήρ
genius γένειον
gnathium -ic -ous γνάθος
gona -i -inae γόνυ
haline ἅλς
laemus λαιμός
-id(ae -inae -ine -oid(eae
leme λαιμός
lepta -id(ae -oid λεπτόν
mela -inae μέλος
metopon μέτωπον
myella μυ-
notus νῶτος
omia ὦμος
ophrus ὀφρύς
euryon εὐρύς
eury- Cont'd
pauropus παυρο- πούς
-(od)id(ae -oid
pelma πέλμα
pharynx φάρυγξ
-yngid(ae -yngoid
phlepsia φλέψ -ία
photic φωτ-
plegma -atidae πλέγμα
pogon πώγων
porus πορεύειν
prognathous πρό γνάθος
prosopus πρόσωπον
pterus πτερόν
-id(ae -ida(n -ina(e -ine
pyga πυγή -oid(ea
-id(ae -oid(ea(n
pylous εὐρυπηλής
saces εὐρυσάκης
scope -σκόπιον
siphonella σίφων

eury- Cont'd
staura σταυρός
stern -id(ae -oid στέρνον
stomata -ous στοματ-
stome -an -ous -us στόμα
synusic συνουσία
tenes εὐρυτενής
therm(al ic y θέρμη
thyrea θυρεός
toma -idae -inae τόμη
tropic τροπή
zygoma ζύγωμα
zygous ζυγόν
eu- Cont'd
salacia σάλαξ
sarcus σαρκ-
sattus σάττειν
scepes εὐσκεπής
schides εὐσχιδής
schist σχιστός
schizus σχίζειν
scope σκόπιον
sebian Εὐσέβιος
sebus εὐσεβής
selachii σέλαχος
selasia -iinae εὐσέλαος
semin σῆμα
sepii σηπία
sigillarian
siphonia σίφων
-acea -aceous
sitia εὔσιτος
smilus σμίλη
-ia -idae -inae
sol
somphalus εὔσοος ὀμφαλός
sphalerum σφαλερός
sphenopteris σφενο- πτερίς
spilaria σπίλος
spirocrinidae σπεῖρα κρίνον
spiza σπίζα
splanchnia εὐσπλαγχνία
spongia -iate σπογγία
sporangium -iate σπορά ἀγγεῖον
sporophyta σπορο- φυτόν
stales εὐσταλής
stathes εὐσταθής
stathian Εὐστάθιος
static στατικός
stely -ic στήλη
stenin στεν-
stom- εὔστομος
ata atous idae
Eustra εὔστρα
eu- Cont'd
strobilus στρόβιλος
strongylus στρογγύλος
strophus εὔστροφος
style εὔστυλος
suchia(n -us σοῦχος
synchite συγχεῖν -ίτης
systole -ic συστολή
tactus εὔτακτος
taenia ταινία
tannin
taxiology -ical τάξις -λογία
taxite -ic τάξις -ίτης
taxocrinus τάξις κρίνον
taxy εὐταξία
tectic εὔτηκτος
-an -iferous -oid
telecrinus τέλος κρίνον
telo- τελο-
laimus λαιμός
lecithal λεκιθος
telus εὐτελής

eu- Cont'd
terentia
terpe -ean Εὐτέρπη
terpene τερέβινθος
texia εὐτηξία
thallite θαλλός
thallophyta θαλλο- φυτόν
thanasia(n -y εὐθανασία
theca -ate θήκη
thecodon θήκη ὀδων
thenic(s -ist εὐθηνία
theria -ian θηρίον
thermic θέρμη
threna θρῆνος
thumism εὔθυμος -ισμός
thymia -ie -y εὐθυμία
thysanius εὐθύσανος
Euthis εὐθύς
euthy- εὐθυ-
basid βάσις
carcinus καρκίνος
comi -ic κόμη
morphosis μόρφωσις
neura(l -ous νεῦρον
phoria -φορία
schist σχιστός
symmetric(al(ly συμμετρικός
tactic τατός
tropic τρόπος
euthynteria εὐθυντηρία
eu- Cont'd
ticheus εὐτείχεος
tocia εὐτοκία
tomous εὔτομος
tony εὐτονία
topia(n τόπος
toreutus τορευτός
tornus τόρνος
toxeres τοξήρης
toxus εὔτοξος
tracheata τραχεῖα
trapela εὐτράπελος
trepisty εὐτρεπής
trichosis τρίχωσις
trimero- τριμερής
cephalus κεφαλή
triptus εὔτριπτος
trophia -ic -y εὐτροφία
tropic τρόπος
tropy -ic -ous τροπή
trypanus τρυπάνη
tuberaceae
tychian(ism Εὐτυχιανός
istae Εὐτυχιανισταί
typomys τυπο- μῦς
vaselin
xanth- ξάνθος
an ate ic in(e one -ώνη
xantho- ξανθο-
gen -γενής
pyge πυγή
xenite εὔξενος -ίτης
xenium εὔξενος
zeolite ζέω λίθος
evangel εὐαγγέλιον
ian iarion iary ium
ic(al εὐαγγελικός
(al)ism (al)ity
an ally alness
ism -ισμός
ist εὐαγγελιστής
arion arium ary
ic(s ship -ιστικός
ize εὐαγγελίζεσθαι
-ation -er
Evania εὐάνιος
-iid(ae -ioid

evanio- εὐάνιος
cera κέρας
somus σῶμα
evansite -ίτης
evapometer μέτρον
evaporigraph -γραφος
evapori(*or* o)meter μέτρον
evaporize -ίζειν
evento- εὖ ἐντός
gnathi -ous γνάθος
Everges εὐεργής
Evernia εὐερνής
-ic -iine -in(e -inic
-ioid -uric -ουρία -τομία
evisceroneurotomy νευρο-
evodiamin(e ἀμμωνιακόν
evolution
ism -ize -ισμός -ίζειν
ist(ic -ιστης -ιστικός
Evonymus -ous εὐώνυμος
Evotomys εὖ ὠτ- μῦς
Evoxymetopon εὖ ὀξυ- μετῶπον
exacrinous ἐξ κρίνειν
ex- ἐξ
actinio ἀκτιν-
aeresis ἐξαίρεσις
aereta ἐξαίρετος
agistus ἐξάγιστος
algin(e ἄλγος
allonyx ἔξαλλος ὄνυξ
allotriote ἐξαλλοτριοῦν
examination
ism -ist -ισμός -ιστής
ex- Cont'd
ang(e)ia ἀγγεῖον
anthal- ἐξανθέειν ἅλς
ite ose
anthema ἐξάνθημα
-atic -atous
-atology -λογία
anthesis ἐξάνθησις
anthrope -ic ἄνθρωπος
antlate -ation ἐξαντλεῖν
apophysatus ἀπόφυσις
aposteilarion ἐξαποστειλάριον
arch(ate(ship ἔξαρχος
artemato- ἐξάρτημα
pus πούς
arteritis ἀρτηρία -ῖτις
arthrosis ἔξαρθρος -ωσις
ascus ἔξω ἀσκός
-aceae -ales -ous
aspideae -ean ἐξ ἀσπιδ-
atheta ἐξ ἄθετος
excathedral -ate καθέδρα
excentral -ic(al κέντρον
-ostomata στόμα
excitometabolic μεταβολή
excoemum ἐξ οἰμάω
excrementosis -ωσις
excretophore -φορος
excursionism -ισμός
-ist -ize -ιστής -ίζειν
excystation κύστις
exedra ἐξέδρα
exegesis -ist ἐξήγησις -ιστής
exegete -ist ἐξηγητής
-ic(al(ly -ics ἐξηγητικός
exeligmos ἐξελιγμός
exelissa ἐξελίσσειν
ex- Cont'd
embryonate ἐξ ἔμβρυον
emia ἔξαιμος
encephalia ἐξ ἐγκέφαλος
-ic -ous -us -y

ex- Cont'd
endospermous ἐνδο- σπέρμα
tropic -y τροπος
enterate -ation ἐξεντερίζειν
enteritis ἔντερον -ῖτις
etastes ἐξεταστής
homotropic -y ὁμός τρόπος
hymenine ὑμήν
hysteropexy ἔξω ὑστέρα
iconize ἐξεικονίζειν πῆξις
exhibitionism -ισμός
-ist -ize -ιστής -ίζειν
exilarch ἀρχός
existem ἱστός μεριστός
exite ἔξω -ίτης
ex- ἔξω
oarii -ian ᾠάριον
occipital
exo- ἔξω
ascus ἀσκός
-aceae -aceous -ales
basidium βάσις -ίδιον
-iaceae -ial(es
cannibalism -ισμός
cardia καρδία
cardiac(al καρδιακός
carp καρπός
caryogamy καρυο- -γαμία
cata- κατά
dromous δρόμος
phoria -φορία
cellular
cephala -ous κεφαλή
cerite κέρας -ίτης
chite χιτών
chnata γνάθος
choecia χοικός
chomophyte χῶμα φυτόν
chorda χορδή
chorion χόριον
cline -al κλιν-
coele -ic κοῖλος
coelom(a κοίλωμα
ar(ium um
coetus ἐξώκοιτος
-id(ae -inae -ine -ini -oid
colitis κόλον -ῖτις -ous
condensation corium
cortex -ical
crin κρίνειν
cyclic(a κυκλικός
cycloida κύκλος -οειδής
derm(is δέρμα
exod- ἐξοδ-
e ἐξόδιον
e iary ium ἐξόδιος
e ist os us ἔξοδος
ic ἐξοδικός
y ἐξοδία
exodont- ὀδοντ-
ia ist -ιστής
ology -ο- λογία
exodyne ὀδύνη
exo- Cont'd
electrical ἤλεκτρον
enzyme ἔνζυμος
gamy -(it)ic -ous -γαμία
gastric(ally γαστρικός
gastr- γαστρ-
itis ula -ῖτις
gen(ae ic ous(ly -γενής
genesis γένεσις
genetic γενετικός
genite -γενής -ίτης
geny -ic -ous(ly -γένεια
glossops γλῶσσα ὤψ
glossum -inae -ine γλῶσσα

exo- Cont'd
gnathion -ite γνάθος
gonium γωνία
gynous γυνή
gyra γῦρος
hadromatic ἅδρος λαξις
exohemophylaxis αἱμο- φύ-
hysteropexy ὑστέρα -πηξία
isogamy ἰσο- -γαμία
lemma λέμμα
litho- λιθο-
phytes φυτόν
me(ristem μεριστός
meter μέτρον
metritis μήτρα -ῖτις
exomis -ion ἐξωμίς
exomologesis ἐξομολόγησις
exomphalos -ous -us ἐξόμφα-
exo- Cont'd λος
morphic -ism μορφή -ισμός
narthex νάρθηξ
nastic ναστός
nautes ναύτης
neural(ly νεῦρον
neurosis νεῦρον -ωσις
pathy -ic -πάθεια
peridium πηρίδιον
phagy -ous -φαγία
phoria -ic -φορία
exophthalmia ἐξόφθαλμος
-ic -os -us -y
-ometer μέτρον
exo- Cont'd
phyllous φύλλον
plasm πλάσμα
pleura πλευρά -ισμός
exoplutonic -ism πλούτων
pod(ite -itic ποδ- -ίτης
prothallae πρό θαλλός
pterygote πτερυγωτος
-a -ic -ism -ous
ptile πτίλον
Exorchis ἐξ ὄρχις
exorcise ἐξορκίζειν
-ation -er -ize -ment -ory
ism(al ἐξορκισμός
ist(ic(al(ly ἐξορτιστής
exordize -ίζειν
exorganic ἐξ ὄργανον
Exorista ἐξόριστος
exorhiza(e -al -ous ἐξορίζειν
exormia ἐξορμᾶν
exo- Cont'd
sclerotes σκληρός
scopic(ally σκοπός
exosepsis σῆψις
septum σηπτός
serosis -ωσις
skeleton -al σκελετόν
exosmic -ose ἐξ ὠσμος
-osis -otic -ωσις -ωτικός
exo- Cont'd
sperm σπέρμα
sporangial σπόρα ἀγγεῖον
spore σπόρος
-al -eae -(in)ium -ous
stema στῆμα
stome στόμα
exost- ἐξ ὀστέον
osed osis otic -ωσις -ωτικός
exostra ἐξώστρα
exostracize ἐξοστρακίζειν
exo- Cont'd
stylus στῦλος
tentacle testa
teric(al(ly ἐξωτερικός
-ics -ism -y

exo- Cont'd
theca(l -ate -ium θήκη
theistic θεός -ιστικός
therm(al ic ous θέρμη
thiobacteriaceae θεῖον βακ-
τήριον
thymopexy θύμος -πηξία
exotic ἐξωτικός
a al(ly (al)ness ism -ισμός
-ospore σπορά
exo- Cont'd
thyro- θυρεοειδής
pexy -πηξία
toxic -in τοξικόν
trophy -ic -τροφία
tropia τροπή
-ic -ism -y -ισμός
Exoucontian ἐξ οὐκ ὄντων
expansionism -ist -ισμός -ιστής
expansometer μέτρον
expeditionist -ιστής
expenthesis ἔνθεσις -ιστής
experientialism -ist -ισμός
experimentalism -ισμός
(al)ist -ιστής
(al)ize -ίζειν
expressionism -ισμός
-ist(ic -ιστής -ιστικός
exraphidian ῥαφίς
exsomatized σωματ- ίζειν
exstrophy ἐξστροφή
extemporize(r -ation ίζειν
extensi(or o)meter μέτρον
extensionist -ιστής
exteriorize -ation -ίζειν
externalism -ισμός
-ist(ic -ιστής -ιστικός
(al)ize -ίζειν
extortionist -ιστής
extra-
anthropic ἀνθρωπικός
atmospheric ἀτμο- σφαῖρα
branchial βράγχια
bronchial βρόγχια
canonical κανονικός
cardial καρδία
carpal καρπός
christian Χριστιανός
cranial κρανίον
cystic κύστις
embryonic ἔμβρυον
enteric ἔντερον
epiphyseal ἐπίφυσις
galactic γαλακτ-
hepatic ἡπατ-
lite λίθος
logical(ly λογικός
mastoiditis μαστοειδής
metrical μετρικός -ῖτις
metropolitan μητροπολίτης
parenchymal παρέγχυμα
paro(i)chial(ly παροικία
perineal περίνεον
periosteal περί ὀστέον
peritoneal περιτόναιον
physical φυσικός
physiological φυσιολογικός
placental πλακοῦς
planetary πλανήτης
prostatic προστάτης
-itis -ῖτις
prothallial πρό θαλλός
pyramidal πυραμίς
somatic σωματ-
stomachal στομαχος
systole συστολή
thecal θήκη

extra- Cont'd
theistic θέος -ιστικός
thermo- θερμο-
dynamic δυναμικός
thoracic θωρακ-
tracheal τραχεῖα
tropical τροπικός
tympanic τύμπανον
vaganzist -ιστής
zodiacal ζωδιακός
extremist -ιστής
extrotropical τροπικός

Fabianism -ist -ισμός
fabrikoid -οειδής -ιστής
fabulist -ize -ιστής -ίζειν
facio-
brachial βραχίων
plegia -πληγία
factorize -ation -ίζειν
facultize -ίζειν
faddism -ist -ισμός -ιστής
faecaloid -οειδής
fagaramide ἀμμωνιακόν
Fagopsis ὄψις
Fagopyrum πῦρ
-ism -ισμός
fagottist -ιστής
fahlunite -ίτης
fairyism -ισμός
fall-
chrometer χρονο- μέτρον
ectomy -εκτομία
ostomy -στομία
otomy -τομία
phonometer φωνο- μέτρον
fals(e)ism -ισμός
famatinite -ίτης
familiarism -ισμός
-ize(r -ization -ίζειν
Familism -ισμός
-ist(ic(al -ιστής -ιστικός
famulist -ιστής
fanariot = phanariot
fanaticism -ize -ισμός -ίζειν
fancy φαντασία
-ical -ied -ier -iful(ly -iful-
ness -ify -iless
fangotherapy θεραπεία
fanta- φαντασία
scope -σκόπιον
fantas- φαντασ-
ia ied ist φαντασία
iastic φαντασιαστικός
m(a φάντασμα
agoria ἀγορά
-ial- ic(al -ist -y -ιστής
al(ly alian ality atic(al
ic(al(ly ism -ισμός
ascope -σκόπιον
atography -γραφία
mo- φαντασμός
genesis γένεσις
genetic(ally γενετικός
graph -γραφος
logy -ical -λογία
que φανταστικός
t(ry φανταστής
tic φανταστικός ity o
al (al)ly (al)ness ate ism
y er ious φαντασία
fantom = phantom
fantoscope -σκόπιον
faradi(or o)meter μέτρον
faradiol δι-

faradism -ισμός
faradize(r -ation -ίζειν
farcilite -ίτης
farinatome -τομον
farinometer μέτρον
fascia(or o)plasty -πλαστία
fasciculite -ίτης
fasciodesis δέσις
fascioliasis -ίασις
fasciotomy -τομία
Fasciscization -ίζειν
Fascism(o -ist(i -ισμός -ιστής
fasernephrite νεφρός -ίτης
fashionize -ίζειν
fasiculite λίθος
Fastigioceras κέρας
fatalism -ισμός
-ist -ize -ιστής -ίζειν
Fatimite -ίτης
faucitis -ῖτις
faujasite -ίτης
faunist(ic(ally -ιστής -ιστικός
faunology -ical -λογία
fauserite -ίτης
favellidium εἶδος
favelloid favioid -οειδής
favor(it)ize -ίζειν
favo(u)ritism -ισμός
fayalite -ίτης
Fayettism -ισμός
febralgene ἄλγος
Febromanism -ισμός
fecalith λίθος
fecaloid -οειδής
fecaluria -ουρία
feculite λίθος
feculometer μέτρον
feculose γλεῦκος
fecundize -ίζειν
federalism -ισμός
-ist(ic -ιστής -ιστικός
federalize -ation -ίζειν
federationist -ιστής
federoite -ίτης
feldsparize -ation -ίζειν
feldsparphyre πορφύρα
feldspathize -ation -ίζειν
feldspathoid -οειδής
Felichthys ἰχθύς
felid(ae -ίδης
felitomy -ist -τομία
Felixigyra γυρός
feloid -οειδής
felsite -ic -oid -ίτης -οειδής
felsoebanyite -ίτης
felsophyre -ic πορφύρα
femalism -ισμός
-ist -ize -ιστής -ίζειν
femic Μαγνησία
femin(in)ism -ισμός
feminist -ιστής
feminize -ation -ίζειν
femoro-
cele κήλη
coccygeus -eal κόκκυξ
fencho-
camphorone καμφορά -ώνη
nitrile νίτρον
fencholenamine ἀμμωνιακόν
fenchyl(ene ὕλη
fenellite -ίτης
fengite φεγγίτης
Fenianism -ισμός
fenugreek Γραικός
ferberite -ίτης
fermentemia -αιμία
fermentogen -γενής

fermentoid -οειδής
ferocize -ίζειν
ferrase διάστασις
ferratogen -γενής
ferrichthyol ἰχθύς
ferri-
allophane ἀλλοφανής
amine ἀμμωνιακόν
chloride χλωρός
chromic χρῶμα
citric κίτρον
cyanic -ide κύανος
cyano- κυανο-
gen -γενής
hydric ὑδρ-
epidote ἐπίδοσις
lite λίθος
malonate μᾶλον
natrite νίτρον -ίτης
oxalic ὀξαλίς
phosphite φωσφόρος
pyrin πῦρ
pyro- πυρο-
phosphate φωσφόρος
salicylic ὕλη
salipyrin πῦρ
sarcolite σαρκο- λίθος
symplesite συμπλησιάζειν
ferro- -ίτης
allophane ἀλλοφανής
ammonium ἀμμωνιακόν
anhydric ἄνυδρος
antho- ἀνθο-
phyllite φύλλον -ίτης
axinate ἀξίνη
bacteria βακτήριον
calcite -ίτης
carbonyl ὕλη
chrome -ite -ium χρῶμα
cobaltite -ίτης
cyan- κύανος
ate ic -id(e
cyanogen κυανο- -γενής
dolomite gostarite -ίτης
hemol αἷμα
hydro- ὑδρο-
cyanic κύανος
lite λίθος
magnesia Μαγνησία
magnetic -ism Μαγνήτις
manganese -ian Μαγνησία
meter μέτρον
molybdenum μολύβδαινα
molybdite μόλυβδος -ίτης
natrite νίτρον ίτης
nemalite νῆμα λίθος
nitrosulfide νιτρο-
pallidite -ίτης
phosphorus φωσφόρος
plasm πλάσμα
proteid -ein πρωτεῖον
pyrin(e πῦρ
pyro πυρο-
phosphate φωσφόρος
rhabdite ῥάβδος -ίτης
sajodin ἰώδης
salicylic ὕλη
somatose σῶματ-
styptin στυπτικός
tellurite -ίτης
therapy θεραπεία
titanium -ate -ic Τιτᾶνες
type(r τύπος
ferryl ὕλη
fertilize(r -ίζειν
-able -ation -in
festi(*or* o)logy -λογία

fetishism -ισμός
-ist(ic -ιστής -ιστικός
fetography -γραφία
fetometry -μετρία
feudalism -ισμός
-ist(ic -ιστής -ιστικός
ize -ation -ίζειν
feudist -ιστής
feudovassalism -ισμός
feuilletonism -ισμός
-ist(ic -ιστής -ιστικός
Fialoides φιάλη -οειδής
Fibribranchiata -iate βράγχια
fibr(in)emia -αιμία
fibrino-
gen(ic ous -γενής
genetic γενετικός
lysis -in λύσις
lytic λυτικός
plastic πλαστικός
plastin πλαστός
scopy -σκοπία
fibrin- oid -οειδής
osis uria -ωσις -ουρία
fibro-
adenia ἀδήν
adenoma ἀδήν -ωμα
angioma ἀγγεῖον -ωμα
bacterium βακτήριον -ωμα
blast(ic -oma βλαστός
bronchitis βρόχια -ῖτις
carcinoma καρκίνωμα
chondr- χόνδρος
itis oma -ῖτις -ωμα
osteal ὀστέον
crystalline κρυστάλλινος
cyst(ic -oma κύστις -ωμα
cyte κύτος
elastic ἐλαστικός
enchondroma ἐν χόνδρος
gen -γενής -ωμα
genetic γενετικός
glia γλία
glioma γλίωμα
hemorrhagic αἱμορραγικός
lipoma -atous λίπωμα
lite -ic λίθος
lysin λύσις
fibroid -οειδής
ectomy -εκτομία
fibroma -atosis -ωμα -ωσις
-ectomy -εκτομία
fibro- Cont'd
mucous μύκης
my- μυ-
ectomy -εκτομία
itis -ῖτις
oma -atous -ωμα
-ectomy -εκτομία
myositis μυος -ῖτις
myotomy μυο- -τομία
myxoma μύξα -ωμα
myxosarcoma μυξο- σάρκωμα
neuroma νεῦρον -ωμα
osteoma ὀστέον -ωμα
papilloma -ωμα
pericarditis περικάρδιον
plastic πλαστικός -ῖτις
plastin πλαστός
polypus πολύπους
psammoma ψάμμος -ωμα
sarcoma σάρκωμα
spongiae -ian σπογγιά
tuberculosis -ωσις
type τύπος
fibrosis -ωσις

fibrositis -ῖτις
Fichteanism -ισμός
fichtel(l)ite -ίτης λίθος
ficoceryl(ic ὕλη
ficoid(es al eae -οειδής
fictionist -ize -ιστής -ίζειν
fideism -ισμός
fiedlerite -ίτης
Fidonia φείδων
fieldrheostat ῥέος στατός
fiendism -ισμός
fierize -ίζειν
figurism -ισμός
-ist -ize -ιστής -ίζειν
filamentoid -οειδής
filiariasis -ίασις
filibranch βράγχια
ia iata iate
filibusterism -ισμός
filicite -ίτης
filicoid -οειδής
filicology -ist -λογία -ιστής
filionymic ὄνυμα
filiopietistic -ιστικός
filite fillowite -ίτης
filmize -ation -ίζειν
filmogen -γενής
filobacterium βακτήριον
filopodium ποδίον
filovaricosis -ωσις
filtratometer μέτρον
Fimbribranchia βράγχια
-iata -iate
fimbriocele κήλη
finalist -ιστής
financialist -ιστής
finicism -ισμός
finigraphical γραφικός
fiorite -ίτης
firesyringe σύριγξ
Firmisternia στέρνον
-al -ial -ous
firpene τερέβινθος
fiscalize -ation -ίζειν
fischerite -ίτης
fissicele κήλη
fissicoele κοιλία
fissidactyl(e δάκτυλος
fissiparism -ισμός
Fistula(*or* i)pora -idae πόρος
fistulatome -τομον
fistulectomy -εκτομία
fistulization -ίζειν
fistuloenterostomy ἔντερον
flabello- κρίνον -στομία
crinus -ite -ίτης
rhynchia ῥύγχος
Flacianism -ist -ισμός -ιστής
flagellispore σπορά
flagellosis -ωσις
flamboyantism -ισμός
flammentachygraph ταχυ- -γραφος
flautist -ιστής
flautone τόνος
flav-
anone -ώνη
anthrene ἄνθραξ
azine azoe ἀ- ζωή
eosine ἠώς
ind(ul)in Ἰνδικός
ylium ὕλη
flavo-
castaneous κάστανος
hyaline ὕαλος
phenin φαίνειν
purpurin(e πορφύρα

Fletcherism -ισμός
-ite -ize -ίτης -ίζειν
fleximeter μέτρον
flinkite -ίτης
floodometer μέτρον
floraecocoly οἰκο- -λογία
floralize -ίζειν
flora(*or* i)scope -σκόπιον
Florentinize -ίζειν
floriculturist -ιστής
florigraphic -γραφία
florimania -ist μανία ιστής
florist(ry -ιστής
-ic(ally -ics -ιστικός
flowmeter μέτρον
fluellite λίθος
fluidimeter μέτρον
fluidism -ισμός
-ist -ize -ιστής -ίζειν
fluigram(me γράμμα
flunk(e)y ism -istic -ite -ize
-ισμός -ιστικός -ίτης -ίζειν
fluo-
boryl ὕλη
bromide βρῶμος
chloride χλωρός
chrome χρῶμα
collophanite κόλλα φαιν-
cuprate Κύπριος -ίτης
hydric -ate ὑδρ-
phosphate -ide φωσφόρος
fluor-
acene ἄνθραξ
adelite ἄδηλος
amide ἀμμωνιακόν
anthene ἄνθος
apatite ἀπάτη -ίτης
arsenate ἀρσενικόν
baryt βαρύς
cerine cerite κέρας
diopside δι- ὄψις
emetry -μετρία
enyl ὕλη
escigenic -ous -γενής
hydric -ate ὑδρ-
indin(e Ἰνδικός
ion ite ἰόν -ίτης ἀπάτη
manganapatite Μαγνησια
meionite μείων -ίτης
meter μέτρον
spodiosite σποδιός -ίτης
yl(ene ὕλη
fluori-
graphic γραφικός
graphy -γραφία
fluoro-
cyclene κύκλος
gen -γενής
meter μέτρον
phore -φορος
scope -σκόπιον
scopy -ic -σκοπία
tantalate Τάνταλος
type τύπος
fluo- Cont'd
tantalic -ate Τάνταλος
titanic -ate Τιτάν
flushingize -ίζειν
flushometer μέτρον
fluteorgan ὄργανον
fluvio-
graph -γραφος
logy -λογία
meter μέτρον
fluxmeter μέτρον
flyschoid -οειδής
focalize -ation -ίζειν

focaloid -οειδής
foci(or o)meter μέτρον
-metry -ic -μετρία
focoid -οειδής
foliobranch(iate βράγχια
foliophagous -φαγος
folk-etymology ἐτυμολογία
folklorism -ισμός
-ist(ic -ιστής -ιστικός
follicul- -ωσις
itis oma osis -ιτις -ωμα
fontactoscope -σκόπιον
foolocracy -κρατία
foolometer μέτρον
foolosopher -y φιλόσοφος
foot- φιλοσοφία
clonus κλόνος
phenomenon φαινόμενα
tone τόνος
foral(l)ite λίθος
foraminooptic ὀπτικός
forb φορβή
Forbesiocrinidae κρίνον -ίδης
forbesite -ίτης
Forcipomyia μυῖα
foreignism -ισμός
-ize -ization -ίζειν
foreprophecy προφητεία
forestomach στόμαχος
formacoll κόλλα
formald-
azine ἀ- ζωή
ehyde ὕδωρ
oxime ὀξύς ἀμμωνιακόν
formalism -ισμός
-ist(ic -ιστής -ιστικός
-ize(r -ation -ίζειν
formalith λίθος
formam- αμμωνιακόν
id(e in(e
formiciasis -ίασις
formo-
bas bor
chlorol χλωρός
choline
cresol κρέας σωτήρ
forin form
hydroxamic ὑδρ- ὀξύς ἀμ-
nitrile νίτρον μωνιακόν
pyrin(e πῦρ
formularize ίζειν
formulism -ισμός
-ist(ic -ιστής -ιστικός
-ize(r -ation -ίζειν
formyl(ate ation ὕλη
fortuitism -ist -ισμός -ιστής
fortunize -ίζειν
fossilism -ist -ισμός -ιστής
fossilize -ation -ίζειν
fossil(ol)ogy -λογία
-ical -ist -ιστής
fostite -ίτης
fountainsyringe σῦριγξ
fourchite -ίτης
Fourierism -ist(ic -ite -ισμός
-ιστής -ιστικός -ίτης
fowlerite foyaite -ιτής
Foxite -ίτης
fractionist -ιστής
fragmentist -ize -ιστής -ίζειν
framb(o)esioma -ωμα
Francize -ation -ίζειν
franckeite -ίτης
Franco-
caris καρίς
lite λίθος
phil(e -φιλος

Franco- Cont'd
phobe -ia φόβος -φοβία
phone φωνή
pora -inae πόρος
frankeniad ἀδ-
Frankist -ιστής
franklandite -ίτης
Franklinism -ισμός
-ist -ite -ιστής -ίτης
-ize -ation -ίζειν
frantic φρενητικός
al(ly ly ness
franzy φρενητικός
fratern(al)-
ism ist -ισμός -ιστής
ization ize(r -ίζειν
Fredericize -ίζειν
fredricite -ιτης
freedomism -ίζειν
Freemasonism -ισμός
Freesoilism -ισμός
freetradist -ιστής
freibergite -ίτης
freieslebenite -ίτης
Fremontodendron δένδρον
Frenchism -ize -ισμός -ίζειν
frenetic(al(ly φρενητικός
frenotomy -τομία
frenzelite -ίτης
frenzy φρένησις
-ic(al -ied -ily -iness
frescoist -ιστής
fretize frictionize -ίζειν
Freudianism -ισμός
freyalite friedelite frieseite
frigidize -ίζειν -ίτης
frigidometer μέτρον
frigorimeter μέτρον
frigotherapy θεραπεία
frivolism -ize -ισμός -ίζειν
Froebelism -ist -ισμός -ιστής
Frondipora -id(ae -oid πόρος
frondome -ωμα
frontierism -ισμός
fronto-
cotyloid κοτυλοειδής
ethmoidal ἠθμοειδής
gonial γονία
sphenoidal σφηνοειδής
zygomatic ζύγωμα
fruct(ic)ist -ιστής
fructohept- ἑπτά
onic ose γλεῦκος
Fructidor δῶρον
fructos- γλεῦκος
azine (az)one ide ἀ- ζώη
uria -ουρία -ώνη
fructosucrase διάστασις
frugalism -ist -ισμός -ιστής
fruitarianism -ισμός
fruitmeter μέτρον
frustoconical κωνικός
fry ?φρύγειν
fuco- φῦκος
hexonic ἕξ
xanthin(e ξάνθος
fucus φῦκος
-iphagous -ivorous -φαγος
-oid -οειδής
al eae es ous us
-onic
-ose -an γλεῦκος
fuggerite -ίτης
fuguist -ιστής
fulgurite -ίτης
fulminuric -ate οὖρον
fulvohyaline ὕαλος

fumar-
amide ἀμμωνιακόν
oid(al -οειδής
onitrile νίτρον
yl ὕλη
fumifugist -ιστής
funambulism -ist -ισμός -ιστής
function(al)ize -ίζειν
functionarism -ισμός
Fundamentalism -ist -ισμός
funeralize -ίζειν -ιστής
fung(i)idae -ίδης
fung(i)oid -οειδής
fungisterin στερεός
Fungolichens λειχήν
fungology -λογία
-ical -ist -ιστής
funiculitis -ῖτις
funiculopexy -πηξία
furaldehyde ὕδωρ
furaloid -οειδής
Furcicirhynchia ῥύγχος
furculite -ίτης
furfur-
acrylic -uric ὕλη οὖρον
aldehyde ὕδωρ
amid(e ἀμμωνιακόν
oid -οειδής
yl ὕλη
amide ἀμμωνιακόν
idene
furo-
diazole δι- ἀ- ζωή
methyl μέθυ ὕλη
monazole μον- ἀ- ζωή
stilbene στίλβειν
furoid -οειδής
furoxan ὀξύς
furunculoid -osis -οειδής -ωσις
fuscamine ἀμμωνιακόν
fuscohyaline ὕαλος
fusi-
cladian κλάδος
cladium κλάδιον
coccum κόκκος
coecum κόκκυξ
fusiometer μέτρον
fusionism -ist -ισμός -ιστής
fusoid -οειδής
fustianist -ize -ιστής -ίζειν
futilize -ίζειν
futurism -ize -ισμός -ίζειν
-ist(ic -ιστής -ιστικός
fuzzy(or i)type τύπος

Gabrielite -ίτης
gad- γάδος
amine ἀμμωνιακόν
ic icnic uol uin(e
inae ινος
iid(ae -in(e -ioid
oleinic ἔλαιον
olinite -ίτης
opsis -id(ae -oid ὄψις
Gadite -ίτης
gadu- γάδος
histon ἱστός
in(e ol
Gadus γάδος
-id(ae -ine -ini -oid(ea(n
-gaea γαῖα -oides
Gaelicism -ισμός
-ist -ize -ιστής -ίζειν
gaesum γαῖσον
gahnite -ίτης

gaidic γαῖα
galact- γαλακτ-
acrasia ἀκρασία
(a)emia h(a)emia -αιμία
agog(ue ἀγωγός
an ia ide -in
apostema ἀπόστημα
ase διάστασις
(h)idrosis -ίδρωσις
ic γαλακτικός
ischia ἴσχειν
ite γαλακτίτης
galacto- γαλακτο-
ane inose γλεῦκος
arab- Ἀράβιος
blast βλαστός
cele κήλη
chiloides χεῖλος -οειδής
chloral(ic -ose χλωρός γλεῦ-
coccus κόκκος κος
dendron δένδρον
densimeter μέτρον
genous -γενής
gogue ἀγωγός
h(a)emia -αιμία
heptonic ἑπτά
id γαλακτοειδής
lipin(e λίπος
lysis λύσις
lytic λυτικός χαρ
metasaccharic -in μετά σάκ-
metastasis μετάστασις
meter μέτρον
metry -μετρία
pathy -πάθεια -ιστής
phagous -ist γαλακτοφάγος
phlebitis φλεβ- -ῖτις
phlysis φλύσις
phore γαλακτοφόρος
-itis -ous -ῖτις
phthysis φθίσις
phygous φυγή
plania -πλανία
poiesis ποίησις
po(i)etic ποιητικός
posia γαλακτοποσία
pyra πῦρ
pyretus -os -ic πυρετός
raffinase διάστασις
rrh(o)ea -ῥοία
schesis σχέσις
scope -σκόπιον
galact- Cont'd
oma onate onic -ωμα
ose γλεῦκος
-amin(e ic ἀμμωνιακόν
-azone ἀ- ζωή -ώνη
-id(e -ido-
-uria -ουρία
osis -ωσις
uria -ουρία
uronic οὖρον
galacto- Cont'd
stasis -ia στάσις
therapy θεραπεία
tox- τοξικόν
icon in ism(us -ισμός
trophy -τροφία
zyme ζύμη
-ase διάστασις
Galanthus γάλα ἄνθος
gala- γάλα
hept- ἑπτ-
ite itol onic ose
lith λίθος
octose ὀκτ- γλεῦκος
pectite πηκτός -ίτης

galatea Γαγάτεια
Galathea Γαγάτεια
-eid(ae -eides -eoid
Galax(ia γάλαξ
Galaxias γαλαξίας
-idian -iid(ae -ioid
galaxy -ian γαλαξίας
Galbancyrhyncus ῥύγχος
galban(um χαλβάνη
gale- γαλῆ
anthropy -ανθρωπία
chirus χείρ
i id(ae idan iform
ichthys ἰχθύς
mys -yinae μῦς
Galega -in -ol γάλα
Galen Γαληνός
ian ic(al ism ist ite -ισμός
-ιστής -ίζειν
galena γαλήνη
-ic(al -iferous
-ite -oid -ίτης -οειδής
galeno- γαλήνη
bismutite -ίτης
chemist χημεία
galeo- γαλεο-
bdolon βδόλος
cerdo κερδῶ
philia -φιλία
phobia -φοβία
pithecus πίθηκος
-id(ae -ine -oid
rhinus ῥίνη
-id(ae -inae -oid
saurus σαῦρος
-id(ae -oid
scoptes σκώπτης
therium θηρίον
gale- Cont'd
odes γαλεώδης
-ea -id(ae -oid
oid γαλεοειδής
omma ὄμμα
-atidae -id(ae -oid
ops opsis ὤψ ὄψις
pus πούς
stes ληστής
galet Galeus γαλῆ
galgal γάλγαλ
Galictis γάλα ἴκτις
galid- γαλιδεύς
ea ia iinae ine
ictis -iinae -ine ἴκτις
Galil(a)ean Γαλιλεία
galipoidine -οειδής
Galium γάλιον
gall-
acetophenone φαιν- -ώνη
am- ἀμμωνιακόν
ide in(e
azin(e ἀ- ζωή
gallantize -ίζειν
galliambus -ic ἴαμβος
galliardize -ίζειν
Gallic(an)ism -ισμός
-ist -ize -ιστής -ίζειν
gallize -ation -ίζειν
gallo-
benzophenone φαιν- -ώνη
bromol βρῶμος
carboxylic ὀξύς ὕλη
cyanine κύανος
desoxycholic ὀξυ- χολή
mania -iac μανία -ακος
nitrate nitrile νίτρον
phenine φαιν-
phil(e ism -φιλος -ισμός

Gallophobe -ia -φοβος -φοβία
gall(o)yl ὕλη
galochrous γάλα χρώς
galosh καλοπόδιον
galtose γλεῦκος
galvanism -ισμός
-ist(ical -ιστής -ιστικός
ize(r -ation -ίζειν
galvano-
caustic καυστικός
cauterize καυτηριάζειν
cautery καυτήριον
chemic(al χημεία
faradization -ίζειν
glyph(y -ic γλυφή
graph -γραφος
graphy -ic -γραφία
ionization ἴον -ίζειν
logy -ist -λογία -ιστής
lysis λύσις
magnetic μαγνητικός
meter μέτρον
metry -ic(al(ly -μετρία
plastic πλαστικός
ally -ics -ique
plasty -πλαστία
scope -σκόπιον
scopy -ic -σκοπία
tactic τακτικός
taxis τάξις
technics τεχνικός
therapeutics θεραπευτικός
therapy θεραπεία
thermo- θερμο-
meter μέτρον
thermy θέρμη
tonus -ic τόνος
tropic τροπικός
tropism τροπή -ισμός
galyl ὕλη
gamete γαμέτης
-ange (-ium) ἀγγεῖον
-al -ic(ally -is
gameto- γαμέτης
cyst κύστις
cyte κύτος
genesis γένεσις
genic -ous -γενής
geny -γένεια
gonium -idium γόνος
nucleus
phagia -φαγία
phore -φορος
phyll φύλλον
phyte -ic φυτόν
plasm πλάσμα
zoospore ζωο- σπορά
game- γαμέτης
tropic τροπή
gamic(ae γαμικός
gamma γάμμα
-acism(us -ισμός
-adion γαμμάδιον
-ation γαμμάτιον
gammaro- κάμμαρος
lite λίθος
Gammarus κάμμαρος
-acea -id(ae -idea(n -ina -ine
-ini -oid(ea(n
gammation γάμμα
gamo- γαμο-
bium βίος
bothridae βοθρίον
centres κέντρον
desmic -y δεσμός
ecia οἰκίον
gastrous γαστρ-

gamo- Cont'd
gemmi
genesis γένεσις
genetic(al(ly γενετικός
genic -γενής
gony -γονία
id -οειδής
lepis λεπίς
machy -μαχιά
mania μανιά
meristele -ic μέρος στήλη
mery μέρος
mites μίτος
morphism μορφή -ισμός
petalae -ous πέταλον
phagia -y -φαγία
phyllous -φυλλος
phyte φυτόν
sepalous σκέπη
somes σῶμα
sperms σπέρμα
sporae σπορά
stele -ic -y στήλη
trop- τροπή
ic ism -ισμός
gamont γάμος ὄντα
-gamous γάμος
gampso- γαμψός
dactylia δάκτυλος
Gampsonyx γαμψῶνυξ
-onych(es id(ae oid)
gamut γάμμα
-gamy -γαμία
Ganaspis γανάειν ἀσπίς
Gandh(i)ism -ισμός
gangli- γαγγλι-
ac al ar ate form ous
asthenia ἀσθένεια
ectomy -ἐκτομία
itis -ῖτις
oid oma -οειδής -ωμα
ganglio- γαγγλιο-
blast βλαστός
cyte κύτος
form globule
neur- νεῦρον
a al e on oma -ωμα
nervous plexus
ganglion γάγγλιον
a ary ated ic ica less
ectomy -εκτομία
itis -ῖτις
opathy -ic -πάθεια
gangrene γάγγραινα
-ate -escent -ous
-osis -ωσις
gano- γάνος
cephal- κεφαλή
a an ous
dentin(e in(e
phyllite φύλλον -ίτης
gan- γάνος
odont(a ὀδοντ-
odus ὀδούς
oid -οειδής
al (ea(n ei ian
ganomalite γάνωμα λίθος
ganosis γάνωσις
Ganymede Γανυμήδης
garbyite -ίτης
gardenize -ίζειν
gargarism -ize γαργαρίζειν
gargle γαργαρίζειν
garnierite -ίτης
garum γάρον
gas χάος

gaso- χάος
electric ἤλεκτρον
gen(e -ic -ous -γενής
lier line
meter μέτρον
metry -ic(al -μετρία
plankton πλαγκτόν
scope -σκόπιον
gasserectomy -ἐκτομία
gastaldite -ίτης
gaster γαστήρ
algia -αλγία
asthenia ἀσθένεια
(angi)emphraxis ἀγγεῖον ἔμφραξις
hysterotomy ὑστερο- -τομία
ic in
gastero- γαστερο-
coma κόμη
-id(ae -inae -oid
lichenes λειχήν
mycetes -ous μυκήτες
pegmata πῆγμα
pelecus πέλεκυς
philus -φιλος
pod ποδ-
a(n idae ous
podophora ποδο- -φορος
pteron πτερόν
-id(ae -oid
pterophora πτερο- -φορος
pterygii πτερύγιον
stomum στόμα
-atidae -id(ae -oid
thalameae θάλαμος
theca -al θήκη
tricha(n -ous τριχ-
zoa zooid ζῷον
gaster- Cont'd
osteus ὀστέον
-eid(ae -eiform(es -ein(ae
uption ὕπτιος -eoid(ea
Gastornis ὄρνις
-ithes(-id(ae -oid)
gastr- γαστρ-
acantha -idae ἄκανθα
adenitis ἀδήν -ῖτις (a)eal
(a)ea (a)ead(a(e (a)eaform
aeades aeum al alium
algia -y -αλγία
algo- ἀλγο-
kenosis κένωσις
aneuria ἄνευρος
asthenia ἀσθένεια
atrophia ἀτροφιά
echmia(n ἔχμα
ectasis *or* -ia ἔκτασις
ectomy -εκτομία
elcosis ἕλκωσις
epatitis ἠπατ- -ῖτις
ic(in(ism -ικός -ισμός
idium γαστρίδιον
in(e
itis -ic -ῖτις
gastri- γαστρι-
colous
loqu-
(i)al ous y
ism ist -ισμός -ιστής
margism -y μάργος
gastrio- γαστρίον
ceratea κερατ-
gastro- γαστρο-
adenitis ἀδήν -ῖτις
adynamic ἀ- δυναμικός
albumorrhea -ῥοία
anastomosis ἀναστόμωσις

gastro- Cont'd
arthritis ἀρθρῖτις
atonia ἀτονία
atrophia ἀτροφία
blennorrhea βλέννος -ῥοία
brosis βρῶσις
campyli καμπύλος
cele κήλη
centrous κέντρον
cephalitis κεφαλή -ῖτις
chaena -id(ae -oid χαίνειν
chene -ite χαίνειν -ίτης
chronorrhea χρονο- -ῥοία
cnemius -ial -ian κνήμη
coele -us κοῖλος
colic -itis κόλον -ῖτις
colo- κόλον
ptosis πτῶσις
stomy -στομία
tomy -τομία
colpotomy κολπο- -τομία
cystis -ic κύστις
dela δῆλος
dialysis διάλυσις
diaphane -y διαφανής
-oscopy -σκοπία
didymus δίδυμος
disc(us δίσκος
duodenal -itis -ῖτις
duodeno-
scopy -σκοπία
stomy -στομία
dynia γαστρ- -ωδυνία
elytro- ἐλυτρο-
tomy -τομία
enter- ἔντερον
algia -αλγία
itis (it)ic -ίτης
entero- ἐντερο-
anastomosis ἀναστόμωσις
colitis κόλον -ῖτις
(colo)stomy κόλον -στο-
logy -ical -ist -λογία μία
plasty -πλαστία
ptosis πτῶσις
tomy -τομία
epiploic ἐπίπλοον
esophageal -itis οἰσοφάγος
-ostomy -στομία -ῖτις
faradization -ίζειν
gastrostomy -στομία
gen(ic -γενής
genital
graph -γραφος
helcosis ἕλκωσις
hepatic -itis ἡπατ- -ῖτις
hydrorrhea ὑδρο- ῥοία
hyper- ὑπέρ
neuria νεῦρον
tonic τόνος
hyster- ὑστέρα
ectomy -ἐκτομία
hystero- ὑστέρα
pexy -πηξία
rrhaphy -ῥαφία
tomy -τομία
id γαστροειδής
ileal intestinal jejunal
jejunostomy -στομία
kateixia κατ- εἶξις φος
kinesograph κίνησις -γρα-
later latrous -λάτρης
lepidotidae λεπιδωτός
lienal
lith(us λίθος
lithiasis λιθίασις
lobium -in λοβός

gastro- Cont'd
logy γαστρολογία
-er -ical -ist -ιστής
lysis λύσις
lytic λυτικός
malacia μαλακία
malaxia μάλαξις
mancy μαντεία
margue μάργος
megaly μεγάλη
melus μέλος
menia μῆνες
meningitis μῆνιγγ- -ῖτις
metrotomy μήτρα -τομία
myces μύκης
mycetes μυκῆτες
mycosis μύκης -ωσις
myth μυθεῖσθαι
myxin μῦξα
myxorrhea μῦξα ῥοιά
nasty ναστός
nephritis νεφρός -ῖτις
nesteostomy νῆστις στόμα
nomancy γαστρονομία
μαντεία
nomy γαστρονομία
-e -er -ic(al(ly -ist -ous
nosos νόσος
omental
pacha παχύς -ῖτις
pancreatic -itis πάγκρεας
paralysis παράλυσις
paresis πάρεσις
parietal
pathy -ic -πάθεια
periodynia περίοδος -ωδυνία
pexy -πηξία
phile -us -φιλος
-ism -ist -ite -ισμός -ισ-
τής -ίτης
phore -φορος
phrenic φρήν
phthisis φθίσις
physema φύσημα
plasty -πλαστία
plegia -πληγία
pleuritis πλευρά -ῖτις
plication
pneumatic πνευματικός
pneumonic πνευμονικός
pod(a(n ous ποδ-
pore πόρος
psetta ψῆττα
ptosis -ia πτῶσις
pulmonary
pyloric πυλωρός
ectomy -εκτομία
radiculitis -ῖτις
rhopalus ῥόπαλον
rrhagia -ῥαγία
rrhaphy -ῥαφία
rrh(o)ea -ῥοία
salpingotomy σαλπιγγο-
-τομία
san
schisis σχίσις
scirrhus σκίρρος
scope -σκόπιον
scopy -ic -σκοπία
soph(er σοφός
sophy σοφία
spasm σπασμός
splenic σπλήν
staxis στάξις
stege -al στέγος
stenosis στένωσις
sto- στόμα

gastro- Cont'd
gavage lavage
stoma στόμα
-ize -osis -us -y -ωσις
succorrh(o)ea -ῥοία
theca -al θήκη
thoracic θωρακ-
-opagus πάγος
thyrid θυρίς
tome -τομον
tomy -ic -τομία
toxic -in τοξικόν
trachelotomy τράχελος
-τομία
tricha(n -ous τριχ-
trocha(l τροχός
trypes τρυπάειν
tubotomy -τομία
tympanites τυμπανίτης
vascular
zooid ζῷον
gastr- Cont'd
on osis us -ωσις
oste- ὀστέον
idae iform(es us
oxyia ὀξύς
oxynsis ὀξύνειν -σις
ula -ar -ate(d -ation
ura(n ous οὐρά
gatophobia γάτος -φοβία
gaultherase διάστασις
gauteite gaylussite -ίτης
Gazacrinidae γάζα κρίνον
Gazellaster ἀστήρ
gazette -ist γάζα
gazetteer γάζα
age ish ship
gazo-
lite lyte λίθος λυτός
therm θέρμη
gazzetta γάζα
ge- γῆ
adephaga -ous ἀδηφάγος
al ic in(e ite
anticline -al ἀντί κλίνειν
arksutite -ίτης
aster ἀστήρ
astrum ἄστρον
bia βίος
-idae -iid(ae -ioid
carcinus καρκίνος
-ian -id(ae -oid
cinus κίνειν
hydro- ὑδρο-
phila -ian -ous -φιλος
isotherm(al ἰσο- θέρμη
geciambus -ic ἴαμβος
gedanite gedrite -ίτης
Gehenna -ical Γέεννα
gehlenite -ίτης
geikielite λίθος
geison γεῖσων
geisso- γεῖσσον
loma λῶμα
-aceae -aceous
rhiza ῥίζα
saura -ous σαῦρος
spermum -in(e σπέρμα
geiton γείτων σπέρμα
embryosperm ἔμβρυο-
ogamy -ic -ous -γαμία
gelanthum ἄκανθα
Gelasimus γελάσιμος
Gelasinophorus γελασῖνος
gelastic γελαστικός φόρος
gelatigen(e ic ous -γενής
gelatigeny -γένεια

gelatinize(r -ίζειν
-ability -able -ation
gelatino-
bromid(e βρῶμος
chlorid(e χλωρός
graphy -γραφία
lytic λυτικός
type τύπος
gelat(in)oid -οειδής
gelatinose γλεῦκος
geldiadochite διάδοχος -ίτης
Gelechia -iid(ae γηλεχής
gelignite -ίτης
gelmagnesite Μαγνησία -ίτης
gelo- γέλως
chelidon χελιδών
diagnosis διάγνωσις
genic -γενής
meter μέτρον
plasm πλάσμα
scopy -σκοπία
therapy θεραπεία
geloto- γέλωτος
meter μέτρον
scopy -σκοπία
therapy θεραπεία
gelpyrophyllite πυρο- φύλλον
gelsemoidine -οειδής -ίτης
Gemarist -ιστής
gematria -ic(al γεωμετρία
Gemelliporella πόρος
gemmoid -οειδής
gemmology -λογία
-gen -γενης
gen(e -γενής
genarch(a(ship γενάρχης
genatropine -γενής Ἄτροπος
genea- γενέα
genesis γένεσις
genetic γενετικός
logic(al(ly γενεαλογικός
logue -er γενεαλόγος
logy -ist -ize(r γενεαλογία
genearch γενεάρχης
gen- γένος
eclexis ἔκλεξις
ecology -ical οἰκο- -λογία
epistasis -y ἐπίστασις
epistatic ἐπιστατικός
geneogenous γενέα -γενής
generalism -ist -ισμός -ιστής
generalize(r -ation -ίζειν
generationism -ισμός
geneser- -γενής
ethole -ium αἰθήρ
ine olene oline
genesio- γενεσιο-
logy -λογία
Genesis γένεσις
-iac(al -itic -ακός -ίτης
genesis -ial -ic γένεσις
genethli- γενέθλιος
ac γενεθλιακός
a al(ly ism on -iacs
alogic(al γενεθλιαλογικός
alogy γενεθλιαλογία
atic ic -ατικός -ικός
ology γενεθλιολογία
genetic γενετικός
al(ly ian ist -ics ιστής
geneto- γενετικός
pathy -πάθεια
phobia -φοβία
Genevize -er -ίζειν
genhyoscyamine -γενής
ὑοσκύαμος
Geniatus γένυς

genio- γενειο-
(hyo)glossus -al ὑο- γλῶσσα
hyoid(eus ean ὑοειδής
hyus ὑός
latry λατρεία
plasty -πλαστία
genion γένειον
genito-
coele κοῖλος
enteric ἔντερον
gennyl- γεννᾶν ὕλη
angium ἀγγεῖον
eion ἤια
ozooid ζῷον -οειδής
geno- γένος γένυς
blast(ic βλαστός
dermatosis δερματ- -ωσις
different siris species
holotype ὅλος τύπος
lectotype λεκτός τύπος
phene φαιν-
plast(ic πλαστός
scopolamine ἀμμωνιακόν
strychnine στρύχνος
syntype συν- τύπος
type -ical τύπος
genos γένος
genteelize -ίζειν
genthite -ίτης
gentian γεντιανή
aceae aceous al(es eae ella
ic in(e ose
gentiano- γεντιανή
phil(ous -φιλος
phobic -ous -φοβία
gentilism -ize -ισμός -ίζειν
gentio- γεντιανή
biase biose βίος δίαστασις
genin -γενής
picrin πικρός
gentiol γεντιανή
gentis- γεντιανή
aldehyde ὕδωρ
ate ic in
gentlemanize -ίζειν
genuclast κλαστός
-geny -γένεια
geny- γένυς
antrum ἄντρον
algia -itis -αλγία -ῖτις
atremus ἀ- τρῆμα
chiloplasty χειλο- -πλαστία
ornis ὄρνις
pterus πτερόν
genyo- γένυς
cerus κέρας
dectes δήκτης
nemus νῆμα
plasty -πλαστία
schiza σχίζειν
Genys γένυς
geo- γεω-
aesthesia -αἰσθησία
agronomic ἀγρόνομος
baenus βαίνειν
biology -ic βιο- -λογία
bion(t βίον βιοντ-
bios βίος
blast βλαστός
botany βοτάνη
-ic(al -ist -ιστής
calyx -ycal κάλυξ
carpy -ic καρπός
centric κεντρικος
al(ly ism -ισμός
ceric
cerite κηρός -ίτης

geo- Cont'd
chem- χημεία
ical ism ist(ry -ισμός
chrone -ic -y χρόνος
chronology χρονολογία
cichla -in(e κίχλη
coccyx κόκκυξ
cores κόρις
-inae -isae -yzes
coronium κορώνη
cratic κρατεῖν
cronite Κρόνος -ῖτης
cryptophyte κρυπτός φυτόν
cyclic κυκλικός
cyclus κύκλος
desmus δεσμός
geod- γεώδης
al e ete ia ic iferous iidae ist
ize(d -ετης -ιστής -ίζειν
ephaga -ous -φαγος
geodesy γεωδαισία
-ia(n -ic(al -ist
geodetic γεωδέτης ?
al(ly ian ics
geo- Cont'd μός
diatropism διά τροπος -ισ-
dromus -ica(n δρόμος
dynamic(al -ics δυναμικός
emyda -ina ἐμυδ-
ethnic ἐθνικός
fault form
gale -id(ae -inae -oid γαλῆ
genesis γένεσις
genetic γενετικός
geny -ic -ous -γένεια
glossum -aceae γλῶσσα
glyphic γλυφή
gnosis *or* -ist -y γνῶσις
gnost(ic(al(ly γνώστης
gnostic γνωστικός
gony -ic(al -γονία
gram γράμμα
grapher γεωγράφος
graphy γεωγραφία
-ic(al(ly -ics -ize ίζειν
heterauxecism ἕτερος
αὔξησις -ισμός
hydrology -ist ὑδρο- -λογία
id(al γῆ -οειδής
isotherm ἰσο- θερμός
latry λατρεία
logy -λογία
-er -ian -ic(al(ly -ician -ist
-ize -ιστής -ίζειν
lyte λυτός
magnetic Μαγνῆτις
-ist -ιστής
mal- γῆ ὁμαλός
-ic ism y -ισμός
mance(r -y μαντεία
mant(ic(al(ly μάντις
meter γεωμέτρης
metra γεωμέτρης
-id(ae -ideous -iform -ina
-ine -oid(ea(n
metric γεωμετρικός
al(ly ian ize -ίζειν
-graphy -ic -γραφία
metry γεωμετρία
-al -ial -ian -ize -ίζειν
morpho- μορφο-
geny -ic -ist -γένεια
logy -ical -ist -λογία
morphy -ic -ist μορφή
mys μῦς
-yid(ae -yinae -yine -yoid
nasty ναστός

geo- Cont'd
navigation
noma γεωνόμος
-ic(al -y
phagus -φαγος
phaps φάψ
-apid(ae -apoid
phil- -φιλος
a(n ae ian idae inae oid
phone φωνή ous y
physics φυσικά
-ic(al -icist ἰστής
physiognomy φυσιογνωμία
phyte φυτόν
-a -es -ia -ic
pinus πίνος
plagiotropism πλάγιος
τροπή -ισμός
plana -id(ae -oid πλαν-
polar πόλος
political πολιτικός
ponic γεωπονικός
al(ity -ics -ist ιστής
pony γεωπονία
retic ῥητίνη
georama γῆ ὅραμα
george Γεώργιος
Georgian Γεώργιος
georgic γεωργός
georgic(al γεωργικός
Georhycus γῆ ὀρύσσειν
-idae -ina(e
Georissus γῆ ὀρύσσειν
-id(ae -oid
geo- Cont'd
saurus σαῦρος
scaptus σκάπτειν
scolex σκώληξ
-icid(ae -icoid
scopus σκοπος
scopy -ic -σκοπία
selenic σελήνη
sere
side γῆ γλεῦκος
sitta σίττα
sphere σφαῖρα
spiza σπίζα
static(s στατικός
strate
strophic στροφικός
strophism στροφή -ισμός
syncline -al συγκλίνειν
tactic(ally τακτός
taxis -y τάξις -ταξία
tec(h)tonic τεκτών
teuthis τευθίς
thermal -ic θερμός
thermometer -metric μέτρον
thlypis -eae Θλυπίς
tome -τομον
tonus -ic τόνος
tortism -ισμός
tragia τρώγειν
triton τρίτων
trophy -τροφία
tropism -y -ic(ally τροπ-
-ισμός
trygon τρυγών
trypes -id(ae -inae τρυπᾶν
xyl ξύλον
gephyr- γέφυρα
(a)ea(n -eoid
ella -ia(n
r(h)ina -e ῥίν
gephyro- γεφυρο-
ceras -atea κέρας
cercal -y κέρκος

gephyro- Cont'd
neura νεῦρον
phobia -φοβία
phora -φορος
stegus στεγός
Gerablattina γῆρας
ger(a)eology γεραιο- -λογία
Geraeopsis γεραιός ὄψις
Geralius γηραλέος
geran- γεράνιον
-ic -iene -iine -iol(ene
geranarchus γέρανος ἀρχός
Gerani -ia γέρανος
geranium γεράνιον
-iaceae -iaceous -ical(es
gerano- γερανο-
morph(ae ic μορφή
myia μυῖα
saurus σαῦρος
geranyl γεράνιον ὕλη
acetate
amine ἀμμωνιακόν
gerarulus γῆρας
gerastian γῆρας
geratic γῆρας
geratology γῆρας -λογία
-ic -ist -ous -ιστής
Gerdalepis λεπίς
gerhardtite -ίτης
geriatrics γῆρας ἰατρικός
gerio- γεραιο-
psychosis ψύχωσις
germander χαμαίδρυς
Germanism -ισμός
-ist(ic -ιστής -ιστικός
-ize(r -ation -ίζειν
Germano-
mania -iac μανία -ακός
phile -ist -φιλος -ιστής
phobe -φοβος
phobia -ic -ist -φοβία
germiculturist -ιστής
germigenous -γενής
germogen -γενής
germozone ὄζων
germplasm πλάσμα
gero- γηρο-
comia -ical -y γηροκομία
derm(i)a δέρμα
marasmus μαρασμός
morphism μορφή -ισμός
Geroldicrinus κρίνον
geronic γεράνιον
Geronomite -ίτης
geront- γεροντ-
al in(e ism -ισμός
archical ἀρχή
asty -ic -αστία
atrophy ἀτροφία
es γέροντες
ic(on γεροντικός
opia -ωπία
geronto- γεροντο-
comia γεροντοκομεῖον
cracy -κρατία
g(a)eous γῆ
logy -λογία
gerontoxon γέρων τόξον
gerousia γερουσία
gerrho- γέρρον
notus -idae νῶτος
saurus -id(ae -oid σαῦρος
Gerris -idae γέρρον
gerrymander(er σαλαμάνδρα
gersdorffite -ίτης
gerusia γερουσία
Gerygone γηρυγόνη

Geryonia Γηρυών
-idae -iid(ae -ioid
Gesomyrmex μύρμηξ
Geta γήτης
Gethosynus γηθόσυνος
geyerite -ίτης
ghostism -ισμός
-ology -λογία
giant γιγαντ-
esque ess hood ish tism ize
like ly ry ship -ισμός -ίζειν
giardiasis -ίασις
Gibbirhynchia ῥύγχος
gibbsite gieseckite -ίτης
gigant- Γιγαντ-
al icide (-al) ine
ean esque Γιγάντειος
ic(al(ly Γιγαντικός
ism ize -ισμός -ίζειν
ornis a an ous ὄρνις
giganto- Γιγαντο-
(chromo)blast χρωμο-
cyte κύτος βλαστός
gonia γονή
lite λίθος
logy -ical -λογία
machy *or* -ia Γιγαντομαχία
monas μονάς
rhynchus ῥύγχος
scelus σκέλος
soma σῶμα
termes
Gigartina γίγαρτον
-aceae -aceous
gigmania μανία
-ic(ally -ity
gilbertite -ίτης
Gilbertsocrinidae κρίνον
gillingite -ίτης
gillotype τύπος
gillyflower καρυόφυλλον
gilsonite -ίτης
ginger ζιγγίβερις
ade bread(y in line ous snap
gingivalgia -αλγία wort
gingivo-
ectomy -εκτομία
glossitis γλῶσσα -ῖτις
pericementitis περι-
gingkophyte -on φυτόν
ginglym- γίγγλυμος
ate us
odi -(i)an γιγγλυμώδης
oid(al γιγγλυμοειδής
ginglymo- γιγγλυμο-
arthrodia ἀρθρωδία
cladus κλάδος
stoma στόμα
-atidae -id(ae -oid
gingras -ina γίγγρας
giobertite -ίτης
gipsy Αἰγύπτιος
-ify dom ism moth ry
-(i)ology -ist -λογία
Giptian Αἰγύπτιος
giraffid(ae -oid(ea(n -ίδης
-οειδής
Giraffokeryx κῆρυξ
girlism -ισμός
Girondist -ιστής
gironettism -ισμός
Girvanaster ἀστήρ
gismondite -ίτης
Gissocrinus γεῖσσον κρίνον
git(al)igenin -γενής
githagenin -γενής
githagism -ισμός

Gitocrangon γείτων κράγγον
gitogenic -ism -γενής -ισμός
gitox(igen)in τοξικόν
glacialism -ισμός
-ist -ize -ιστής -ίζειν
glacierist -ιστής
glaciology -λογία
-ical -ist -ιστής
glaciometer μέτρον
gladiatorism -ισμός
Gladiograptus γραπτός
Gladstonianism -ισμός
glagolitic -ίτης
glandilemma λέμμα
glanis -idian γλάνις
-enchel- ἔγκελος
i ian ous
-iostomi -ous στόμα
Glaphyrus γλαφυρός
-omyrmex μύρμηξ
-onyx ὄνυξ
-ophiton ὀφίτης
Glaridacris γλαρίς ἄκρις
Glaridorrhinus γλαρίς ῥίν
glarimeter μέτρον
glaserite glasurite -ίτης
Glassite glauberite ίτης
glauc- γλαυκός
amphiboles ἀμφίβολος
ic id(ae in(e
ion ium γλαύκιον
odes γλαυκώδης
oma γλαύκωμα
-atic -atose -atous
onia -iidae oniferous
onite -ic -ization -ίτης
opis γλαυκῶπις
-inae -ine
ops γλαυκώψ
osis γλαύκωσις
osuria -ουρία
ous us
glaucidium γλαύξ -ίδιον
glauco- γλαυκο-
chroite χρόα -ίτης
crinus κρίνον
dot(ite δοτός -ίτης
dymium δίδυμος
gonidium γονή -ίδιον
hydroellagic ὑδρο-
lepis λεπίς
lite λίθος
meter μέτρον
mya -id(ae -oid μυ-
nome Γλαυκονόμη
phane -ic -φανής
phyllin φύλλον
picrin πικρός
porphyrin πορφύρα
pyrite πυρίτης
saurus σαῦρος
Glaux γλαύξ
Glec(h)oma γλήχων
Gleditsiophyllum φύλλον
gleichenioid -οειδής
glenitis γλήνη -ῖτις
gleno- γληνο-
chrysa χρυσός
humeral γληνοειδής
glenoid(al es γληνοειδής
sema σῆμα
spora -osis σπορά -ωσις
vertebral γληνοειδής
Glenus γλῆνος
glessite -ίτης
gleucometer = glucometer
Gleviceras κέρας

glia -al γλία
bacteria βακτήριον
coccus κόκκος
cyte κύτος
gliadin(e γλία
glinkite -ίτης
glio- γλία
bacteria βακτήριον
blastoma βλαστός -ωμα
coccus κόκκος
glioma -ωμα
-atosis -atous -ωσις
myoma μυ- -ωμα
myxoma μύξα -ωμα
sarcoma σάσκωμα
gliosa γλία
gliosis γλία -ωσις
glischr- γλίσχρος
ia in uria -ουρία
globi-
cephalus κεφαλή
-inae -ine
rhynchia ῥύγχος
globinometer μέτρον
Globirhynchia ῥύγχος
globosite -ίτης
globospherite σφαῖρα -ίτης
globularization -ίζειν
globuligenic -γενής
globulimeter μέτρον
globulinolysis λύσις
globulinuria -ουρία
globulism -ισμός
-ist -oid -ιστής -οειδής
globulite -ίτης
globulysis λύσις
-lytic λυτικός
glochis γλωχίς
-iceras κέρας
-id- -ίδιον ious ium
ate ean eous ial ian iate
-inorrhinus ῥίν
-ionodon ὀδών
glockerite -ίτης
gloea -al γλοία
gloeo- γλοιο-
capsa -in(e -oid
captomorpha μορφή
carpous -καρπος
lichenes λειχήν
phyte φυτόν
soma σῶμα
spore(s -ium σπορά
gloio- γλοιο-
carp(us -καρπος
glomeroporphyritic πορφύρεος
-ίτης
glomerulitis -ῖτις
-onephritis νεφρῖτις
glonoin γλυκερός νίτρον ὀξύς
gloss γλῶσσα
ator(ial er ic ist ιστής
a(l ata ate ina ium
agra ἄγρα
algia -αλγία
anthrax ἄνθραξ
ary γλωσσάριον
-ial(ly -ian
-ist -ize -ιστής -ίζειν
aster ἀστήρ
ecolite κολλᾶν -ίτης
ectomy -εκτομία
ema γλώσσημα
itis -ic -ῖτις
odus ὀδούς
odynia -ωδυνία
oncus ὄγκος

glossi- γλῶσσα
ptila -ina πτίλον
Glossiphonia γλῶσσα σίφων
glosso- γλωσσο-
carcinoma καρκίνωμα
cele κήλη αἰσθητικός
c(*or* k)inesthetic κινεῖν
coma μεῖον
comium -ion γλωσσοκο-
comon γλωσσόκομον
dynamometer δύναμις μέτ-
epiglottic ἐπιγλωττίς ρον
-id(ean
graph -γραφος
graph γλωσσογράφος
er ical y
hyal ὕαλος
id γλωσσοειδής
labial
labiopharyngeal φαρυγγ-
lalia -ist -y λαλιά ιστής
laryngeal λαρυγγ-
lepti λεπτός
liga
logy -λογία
-ical -ist -ιστής
lysis λύσις
machical -μαχία
mantia μαντία
meter μέτρον
nomy -νομία
palatine -us
pathy -πάθεια
petrae πέτρα
phaga -inae -ine -φαγος
pharyngeum φαρυγγ-
-eal -eus
phora -ous -φορος
phyton -ia φυτόν
plasty -πλαστία
plegia -πληγία
pode -ial -ium ποδ-
poridae πόρος
pteris πτερίς
ptila -inae -ine πτίλον
ptosis πτῶσις
pyrosis πύρωσις
rrhaphy -ραφία
scopy -ia -σκοπία
spasm σπασμός
steresis στέρησις
theca θήκη
therium θηρίον
tilt τίλλειν
tomy -τομία
trichia τριχ-
type τύπος
glott- γλῶττα
agra algia ἄγρα -αλγία
al alite λίθος
ic(al γλωττικός
is γλωττίς
id(ean idia
iscope -σκόπιον
osis -ωσις
glotto- γλωττο-
gonic γόνος
logy -λογία
-ical -ist -ιστής
gloze(r -ingly γλῶσσα
gluc(o)- = glyc(o)-
gluc- γλεῦκος
al
imid- ἀμμωνιακόν
azole ἀ- ζωή
in(e a ate ic
iphore -φορος

gluco- γλ(ε)υκο-
albumin -ose
azone ἀ- ζωή -ώνη
biose βίος
cheirolin χείρ
chloralic χλωρός
cyam(id)in(e κύανος ἀμμω-
dec- δεκ- -ίτης νιακόν
ite itol onic ose
gallic -in
gen *etc.* = glycogen *etc.*
h(a)emia -αιμία
hept- ἑπτ-
ite itol onic ose
kinin κινεῖν
lignose
metastasis μετάστασις
meter μέτρον
neogenesis νεο- γένεσις
phenetidin φαιν-
prote- πρωτεῖον
id ose γλεῦκος
protocatechuic πρωτο-
glucon- γλεῦκος
ate ic o-
glucose γλεῦκος
-an(e -ate -ic
amine -ic αμμωνιακόν
azone ἀ- ζωή -ώνη
-id(e al ic o-
ase διάστασις
-olytic λυτικός
-imeter μέτρον
-uria -ic -ουρία
gluco- Cont'd
stacty -ous
sucras διάστασις
syringic συριγγ-
tannoid -οειδής
thionic θεῖον
vanillic -in(e
xylose ξύλον
glucuron γλεῦκος οὖρον
ate ic
glusid(e γλυκύς
glut- τάρταρον
aconic -ate ἀκόνιτον
am- ἀμμωνιακόν
(in)ic in(e
imic ἀμμωνιακόν
glutar- τάρταρον
aldehyde ὕδωρ
anilic ic
azin(e ἀ- ζωή
imide ἀμμωνιακόν
gluta- τάρταρον
thione θεῖον
glut(a)eus γλουτός
-(a)eal -(a)ean
gluteo- γλουτός
femoral -inguinal
perineal περήνεον
glutin-
ase διάστασις
ize oid -ίζειν -οειδής
glut- γλουτός
itis oid -ῖτις -οειδής
glutokyrin(e κῦρος
glutolactonic γαλακτ-
glutose γλεῦκος
gluttonism -ize -ισμός -ίζειν
glyc- γλυκύς (γλυκ-)
(a)emia -αιμία
ase -in(e διάστασις
el(a)eum ἔλαιον
er- γλυκερός
a ate ic ia id(ae id(e

glyc- Cont'd
aldehyde ὕδωρ
ite -ίτης
ize -in(e -ίζειν
ol(e ate ize ose
yl ὕλη
erin(e γλυκερός -ίνη
ate ation ize(d um
ophosphoric φωσφόρος
ero- γλυκερο-
degras formal
gel(atin
phosph- φωσφόρος
ate atic oric
ase διάστασις
plasma πλάσμα
ia ic
id(e ic ol yl) ὕλη
in(e ation in ium)
amide ἀμμωνιακόν
onitrile νίτρον
glyci- γλυκύς
phagus -φαγος
glyco- γλυκύς
aldehyde ὕδωρ
bacter(ium βακτήριον
chol- χολή
ate (e)ic onic
coll κόλλα
cyam(id)in κύανος ἀμμω-
cyanin κύανος νιακόν
drupose formal gelatin
gen -γενής
al ic ous
ase διάστασις
genesis γένεσις
genetic γενετικός
geno- -γενής
lysis λύσις
lytic λυτικός
geny -γένεια
h(a)emia -αιμία
in(e
leucin -yte λευκός
lipin λίπος
lysis λύσις
lytic λυτικός
glucol γλυκύς
ate ic id(e in(e o-
aldehyde ὕδωρ
amide ἀμμωνιακόν
oside γλεῦκος
uria -ic -ουρία
yl(urea ὕλη οὖρον
glycone γλυκύς κῶνος
Glyconian -ic Γλυκώνειος
glyconin γλυκερός
glyco- Cont'd
metabol- μεταβολή
ic ism -ισμός
neogenesis νεο- γένεσις
nucleoproteid -ein πρωτεῖον
pexis -ic πῆξις
phenol φαιν-
philia -φιλία
phospho- φωσφόρος
lipin λίπος
polyuria πολυ- -ουρία
protein πρωτεῖον
ptyalism πτύαλον -ισμός
rrhachia ῥάχις
rrhea -ῥοιά
secretory solvol
thymolin(e θύμον
glycose γλυκύς
-al -ic -id(e -in(e
-(a)emia -αιμία

glycose Cont'd
-amin ἀμμωνιακόν
-ometer μέτρον
-uria -ic -ουρία
glyc- Cont'd
uresis οὔρησις
uron- οὖρον
ate ic uria -ουρία
yl ὕλη
glycin
triptophan τριπτός
glycy- γλυκυ-
meris μερίς
-id(ae -oid
phagia φαγία
phyllin φύλλον
rrhetic -in γλυκύρριζα
rrhiza γλυκύρριζα
-ic -in(e
glyk- γλυκύς
(a)emia aolin -αιμία
Glymma γλύμμα
glyox- γλυκύς ὀξύς
al iline
glyoxal- γλυκύς ὀξαλίς
ase διάστασις
ic idine in(e
one -ώνη
glyox- Cont'd
ime ἀμμωνιακόν
yl(amide ase) ὕλη
glyph γλυφή
aea γλυφεύς
ic γλυφικός
id- γλυφιδ-
eae ops ὤψ
odon ὀδών
-ontes -ontidae
ina γλύφανος
io- γλυφεῖον
ceras κέρας
ipteryx γλυφίς πτέρυξ
-ygidae
isodon -ia γλυφίς ὀδών
oea odes -ώδης
glypho- γλυφ- -ο-
ceratid(ae -oid κερατ-
graph(er -γραφος
graphy -ic -γραφία
lecine λέκος
stethus στῆθος
glypt- γλυπτός
a ic(ian ics
odon ὀδών
-ontid(ae -ontine -ontoid
orthis ὀρθός
glypto- γλυπτός
cardia καρδία
cephalus κεφαλή
crinus -idae κρίνον
cystidea κύστις
dipterine -i δίπτερος
geraeus γεραιός
graph(er -γραφος
graphy -ic -γραφία
lepis λεπίς
lith λίθος
logy -λογία
-ical -ist -ιστής
lopus λοπός
pomus πῶμα
saurus σαῦρος
-id(ae -oid
scorpius σκορπιός
theca thek θήκη
therium θηρίον
Glyptus γλυπτός

gmelinite -ίτης
gnampt- γναμπτός
odon ὀδών
orhynchus ῥύγχος
Gnaphalium γναμφάλιον
-ioid -odes -οειδής ώδης
Gnaphon γνάφος
gnath- γνάθος
al algia -αλγία
anacanthus ἄκανθα
-id(ae -oid
ankylosis ἀγκύλωσις
aphanus ἀφανής
aptera -ous ἄπτερος
ia iid(ae ite -ίτης
ic idion ion -ίδιον -ιον
ism itis -ισμός -ῖτις
odon ὀδών
odont(ia ὀδοντ-
odus ὀδούς
odynia -ωδυνία
oxys ὀξύς
ymenus ὑμήν
Gnatho γναθών
gnatho- γνάθος
base -ic βάσις
bdellae -ida(e βδέλλα
cephalus κεφαλή
chilarium χεῖλος
crin- κρίνον
ites oidea -ίτης -οειδής
(dynamo-) δύναμις
meter μέτρον
phora -ous -φορος
plasty -πλαστία
pod(a ite ous) ποδ- -ίτης
rhynchia ῥύγχος
schisis σχίσις
stegite στέγη -ίτης
stome στόμα
-a -ata -ate -atous -i -ous
theca θήκη
Gnathon Γνάθων
ic(al(ly
ism ize -ισμός -ίζειν
gneiss
itic oid -ίτης -οειδής
gnesio- γνήσιος
gamy -γαμία
gnome -ist γνώμη -ιστής
-ographer -γραφος
gnome γνώμων
-ed -ide -ish -ium
gnomic(al(ly γνωμικός
gnomology γνωμολογία
-ic(al -ist -ιστής
gnomon γνώμων
ia iaceae
ic(al(ly γνωμονικός
ist -ιστής
ology -ical(ly -λογία
Gnophota γνόφος
Gnophria γνοφερός
Gnorimus γνώριμος
gnosia gnosis γνῶσις
-iology -ical
-ology -ia -λογία
gnostic γνωστικός
al(ly ity
ism ize(r -ισμός -ίζειν
gnostology γνωστός -λογία
Gnostus γνωστός
-id(ae -oid
gnypeto- γνύπετος
soma σῶμα
Gobiomorus μωρός
Gobiopsis ὄψις

Gobiosoma σῶμα
goblin κόβαλος
dom ic ish ry
ism ize -ισμός -ίζειν
goelism -ισμός
Goera -ius γοερός
Goes γόης
Goetae γοητής
goethite -ίτης
goety -ia γοητεία
goitri(or o)genous -γενής
goldschmidtite -ίτης
goliathize -ίζειν
Gomarist -ite -ιστής -ίτης
gomph- γόμφος
iasis γομφίασις
odont ὀδοντ-
osis γόμφωσις
us inae
gompho- γομφο-
carpous καρπός
ceras -atite κέρας -ίτης
cythere Κύθηρα
lite λίθος
lobium λοβός
gon- γόνος
actinia -idae ἀκτιν-
angium -ial ἀγγεῖον
apophysis -ial ἀπόφυσις
gon- γονή
acratia ἀκράτεια
ad- (Latin)
ectomy -εκτομία
(i)al ic
ado-
pausis παῦσις
trope -ic -ism τροπή -ισμός
aduct
angi- ἀγγεῖον
ectomy -εκτομία
gon- γόνυ
agra algia ἄγρα -αλγία
arthritis ἀρθρῖτις
arthro- ἀρθρο-
cace κάκη
meningitis μηνιγγ- -ῖτις
tomy -τομία
(e)itis -ῖτις
gonal γονορροία
gonatagra γονατ- ἄγρα
gonato- γονατο-
cele κήλη
pus -ides πούς
gonda κόνδυ
gondola κόνδυ
-et -ier(a -ina
Gonduleae -ean κόνδυ
gone- γονή
cyst(is itis κύστις
cysto- κύστις
lith λίθος
pyosis πύωσις
poiesis ποίησις
poietic ποιητικός
gonel(et γονή
goneo- γονεύς
clinic κλιν-
Gonepteryx γωνία πτέρυξ
gones γόνος
Gongorism -ist -ισμός -ιστής
gongro- γογγρο-
pelma πέλμα
sira -oid σειρά
gongylo- γογγυλο-
nema νῆμα
spermeae σπέρμα
gongylodes γογγυλώδης

Gongylus γογγύλος
gonia -ic γονή
Gonia -iac γωνία
goni- γόνος
angium ἀγγεῖον
autoecious αὐτ- οἶκος
dema δεῖν
goni- γωνία
aster(idae oid αστήρ
atit(e(s ic id(ae inula oid-
atogyra γῦρος (ea(n)
aulax αὖλαξ
gonid γονή -ίδιον
angium ἀγγεῖον
ial ic iferous ioid iose ium
io-
genous -γενής
phore -φορος
phyll φύλλον
spore σπορά
gonimium γόνιγος
-ic -on -ous
gonimo- γόνιμος
blast βλαστός
lobe λοβός
gonio- γωνιο-
autoec- αὐτ- οἶκος
iasis (i)ous -ίασις
basis βάσις
cephalus κεφαλή
clinic κλιν-
clymenia κλυμένη
concha κόγχη
cranio- κρανιο-
metry -μετρία
cyst κύστις
cytium κύτος
goni- γωνία
odes γωνίωδης
odont(es idae ὀδοντ-
gonion γωνία
gonio- Cont'd
doris -(id)idae Δωρίς
gnatha -ous γνάθος
graph γραφος
id γωνιοειδής
lepidoti λεπιδωτός
meter μέτρον
metry -ic(al(ly -μετρία
neurum νεῦρον
pholis φολίς
-idid(ae -idoid
phora -φορος
phyllum φύλλον
plectrus πλῆκτρον
pteris πτερίς
rhynchus ῥύγχος
scope -σκόπιον
soma σῶμα
stat στατός
stoma -inae στόμα
stomata στοματ-
symphyseal σύμφυσις
theca θήκη
thyris θυρίς
tropous -τροπος
zygomatic ζύγωμα
Goniozus γωνία ὄζος
gonitis γόνυ -ῖτις
Goniurus γωνία οὐρά
gonnardite -ίτης
gono- γονο-
blast(ic βλαστός
id(ium ial ion -ίδιον
blennorrhea βλέννος -ῥοία
cace κάκη
calyx -yces -ycine κάλυξ

gono- Cont'd
cheme γόνος ὄχημα
chorism(us χωρισμός
al ist(ic -ιστής -ιστικός
clines κλίνειν
(cocco)cide κοκκο-
coccus κόκκος
-aemia -αιμία
-al -ic -ide -in -oid
coele κοῖλος
cyst κύστις
cyte κύτος
dactylus γόνυ δάκτυλος
dendron δένδρον
drepanum δρέπανον
duct
ecium γόνος οἶκος
genic -γενής
h(a)emia -αιμία
hyphema ὑφή
lobus λοβός
mere -y μέρος
nephrotome νεφρός -τομον
palpon
phore -φορος
-ic -ous -us
plasm πλάσμα
plax πλάξ
-acid(ae -acoid
pod ποδ-
poietic ποιητικός
pore πόρος
ptera -idae πτερόν
rhynchus ῥύγχος
-id(ae -oid
rrh(o)ea(l -(o)ean γονόρροια
some -al σῶμα
sph(a)erium σφαῖρα
sphere σφαῖρα
stoma -inae στόμα
style -aceae -us στύλος
tactic τακτός
taxis τάξις
telma τέλμα
thallium θάλλος
theca -al θήκη
tokont τόκος ὀντ-
tome -τομον
toxin -emia τοξικόν -αιμία
trophism τροφή -ισμός
tropic -ism τροπ- -ισμός
zooid ζωοειδής
gonsogolite -lith λίθος
gonuklisia γονυκλισία
-gony γωνία
gony- γόνυ
acantha ἄκανθα
agra ἄγρα
algia -αλγία
campsis κάμψις
crotesis κρότησις
ectyposis ἐκτύπωσις
leptes λεπτός
-id(ae -oid
gonyocele κήλη
oncus ὄγκος
theca θήκη
gonys γένυς
-yde(or i)al
goodletite -ίτης
goodygoodyism -ισμός
Gordian Γόρδιος
Gordi- Γόρδιον
aceae aceous id(ae -oid(ea
ichthys ἰχθύς
gorgon -oic Γοργώ
acea ello ellid(ae esque

gorgon Cont'd
e Γοργόνειος
an ion um
ia(n iacea(e iacean iaceous
iadae (i)id(ae in ioid
opsia ὄψις
gorgono- Γοργώ
cephalus κεφαλή
saurus σαῦρος
gorilla -ine γορίλλα
go(u)rmandism -ισμός
-ist -ize(r -ιστής -ίζειν
Gortanipora πόρος
Gortyna Γορτύνη
goshenite goslarite -ίτης
gospelize -ίζειν
Gossypium ?κοσσύμβη
-etin -ine -ose
Gothamist -ite -ιστής -ίτης
Gothicism -ισμός
-ist -ize(r -ιστής -ίζειν
Gothism -ισμός
Gothocrinidae κρίνον
govern κυβερνᾶν
able(ity ly ness) all a(u)nce
ancy ante ation ess (dom
hood ship) ingly less ment-
(al(ly alism alist) or(at ship)
Gowericeras κέρας
gown(sman) γοῦνα
goyazite -ίτης
Grabauphyllum φύλλον
grad(i)ometer μέτρον
gradualism -ist -ισμός -ιστής
Graecian = Grecian
Graeco- Γραικός
phalangium φαλάγγιον
graft(age ed er) γραφίον
Grahamism -ize -ισμός
grahamite -ίτης -ίζειν
grail ?κρατήρ
gram(me γράμμα
ary(e
ion ἰόν
gramentite -ίτης
graminology -λογία
-ical -ist -ιστής
Gramma γράμμα
log(ue λόγος -λογιον
pheny φαιν-
grammar γραμματική
ian(ism -ισμός
Grammaria -idae γραμμή
grammat- γραμματ-
es γράμματα
ic(s γραμματική
al(ly alness aster ation ism
ize -ισμός -ίζειν
ist(ical -ιστής -ιστικός
grammatite γραμμή -ίτης
grammato- γραμματο-
latry λατρεία
mya μυ-
phore -φορος
phyllum φύλλον
Grammiates γραμμή
Grammicus γραμμικός
-olepis -idid(ae λεπίς
Gramminae γράμμα
grammole γράμμα
grammo- γραμμο-
petalous πέταλον
phorus -φορος
Grammysia γραμμή μῦς
-iid(ae -ioid(ea
gramophone γράμμα φωνή
granatite -ίτης

Granatoblastidae βλαστός
Grandirhynchia ῥύγχος
grangerism -ite -ισμός -ίτης
grangerize(r -ation -ίζειν
granilite λίθος
granitite -ίτης
granitize -ation -ίζειν
granitoid(al -οειδής
grano-
dolerite δοριοσμός -ίτης
dolerite δολερός -ίτης
liparose λιπαρός
lite lith(ic λίθος
phyr(e ic πορφύρα
plasma πλάσμα
spherite σφαῖρα -ίτης
Granulirhynchia ῥύγχος
granul-
ite -ic -ίτης
itis -ῖτις
(it)ize -ίζειν
oma -atous -osis -ωμα -ωσις
granulo-
blast βλαστός
crystalline κρυστάλλινος
cyte κύτος
metric -μετρία
plasm πλάσμα
plastic πλαστικός
sarcoid σαρκ- -οειδής
sarcoma σάρκωμα
-graph(er -γραφον -γραφος
graph γραφή
ic(s γραφικός
al (al)ly (al)ness
graphio- γράφειν
crinidae κρίνον
hexaster ἑξ ἀστήρ
logy -ical -ist -λογία
graphiola γράφειν
Graphis γραφίς
-idaceae -idaceous -ideine
-idurus οὐρά
graphite γράφειν -ίτης
-ic ite ization -ize oid(al
-ίζειν -οειδής
graphi- γραφεῖον
ure -es -us οὐρά
grapho- γραφο-
kinesthetic κινεῖν αἰσθητικός
lite λίθος
litha -id(ae -oid λίθος
logy -ical -ist -λογία
mania -iac μανία -ακός
meter μέτρον
metric(al -ics μετρικός
motor
nym ὄνομα
phone -ic φωνή
rrhea -ῥοιά
rrhinus ῥίν
scope -σκόπιον
spasm σπασμός
static(al -ics στατικός
tone τόνος
type -ic τύπος
graphon -γραφον
-graphy -γραφία
Grapsus γραψαῖος
-id(ae -oid(ea(n
Grapta γραπτός
grapto- γραπτός
dera δέρος
lite λίθος
-es -ic -oid(ea(n
lith λίθος
ic ida(e ina oidea us

grapto- Cont'd
mancy μαντεία
spongia σπογγιά
theca θήκη
gravi-
(volu)meter μέτρον
metry -ic(al(ly -μετρία
gravitometer μέτρον
grawackenitic -ίτης
grayanotoxin τοξικόν
Grec- Γραικός
an(ic ian (i)anize ism ist ize
-ισμός -ιστής -ίζειν
Greco- Γραικός
Asiatic Bactrian Latin Phoenician
Roman Turkish
latry λατρεία
phil(e φίλος
stasis στάσις
grecque Γραικός
Greek Γραικός
ery ess ish ism -ισσα -ισμός
greenalite λίθος
greenockite -ίτης
greffotome -τομον
gregarianism -ισμός
gregarinosis -ωσις -ίζειν
Gregorianist -ize(r -ιστής
Gregoriura γρηγορέω οὐρά
grengesite -ίτης
Grewioxylon ξύλον
griffin γρύψ
age esque ish ism -ισμός
griphite γρῖφος -ίτης
gripho- γρῖφος
pithecus πίθηκος
saurus σαῦρος
sternus στέρνον
Gripoptera γρῖπος πτερόν
grippotoxin τοξικόν
grisonnite -ίτης
groceteria -τηριον
grochanite -ίτης
Gromphas γρομφάς
Gronias γρώνη
Gronophora γρῶνος φόρος
Gronops γρῶνος ὤψ
groroilite λίθος
grorudite -ίτης
grossularite -ίτης
grot κρύπτη
esco
esque ly ness -eri -ery
to(ed -ology -λογία
grothite -ίτης
gru-
id(ae -oid(ean -ίδης -οειδής
grunauite -ίτης
Grundyism -ist -ισμός -ιστής
grunerite -ization -ίτης -ίζειν
grunlingite -ίτης
gry γρῦ
gryllus γρύλλος
-id(ae -ina -ine -oid
gryochrome γρῦ χρῶμα
grypanian γρυπάνιος
Gryphaea -ite γρύψ
Grypidius γρυπός εἶδος
grypo- γρυπός
blattina
ceras κέρας
saurus σαῦρος
suchus σοῦχος
therium θηρίον
gryposis γρύπωσις
Grypus -ina(e -ine γρυπός
onyx ὄνυξ

Grystes γρύζειν
guadalcazarite -ίτης
guaethol αἰθήρ
guaiacyl ὕλη
guanajuatite -ίτης
guanapite -ίτης
guanazine -azole ἀ- ζωή
guanidopropionic πρωτεῖον
guanovulite -ίτης πίων
guanyl(ic ὕλη
guardianize -ίζειν
guarinite -ίτης
guasconize -ίζειν
guayacanite -ίτης
guayaquillite λίθος
gubern- κυβερνᾶν
aculum -ar
ates κυβερνήτης
ation -ive -or(ial -ory
gudgeon κωβιός
guejarite -ίτης
Guelphism -ισμός
guembelite -ίτης
guerillist -ιστής
Guesdism -ist -ισμός -ιστής
guiacyl guianylic ὕλη
Guibaliceras κέρας
guillotinism -ist -ισμός -ιστής
guitar(ist -ro κιθάρα
guitermanite -ίτης
gulf(y κόλφος
gulohept- ἑπτ-
ite onic ose γλεῦκος
gummite -ίτης
gummosis -ωσις
gunethics γυνή ἐθικός
gunnarite -ίτης
gurhofite gurolite -ίτης
gustometry -μετρία
guttameter μέτρον
gutteralism -ισμός
-ization -ize -ίζειν
gutturize -ίζειν
gutturotelany τέτανος
Gyalecta γύαλον ἐκτός
-iform -ine -oid
Gyalostoma γύαλον στόμα
gyascutus γίγας
Gygis -id γύγης
Gyioperus γυιο- πηρός
gymn- γυμνός
achirus ἄχειρος
adenia ἀδήν
anthous ἄνθος
archus -id(ae -oid ἀρχός
arthrus ἄρθρον
asiarch γυμνασίαρχος
asiarchy γυμνασιαρχία
asium γυμνάσιον
-ial -iast -ic -y
ast(es γυμναστής
asteria -id(ae -oid ἀστήρ
astic γυμναστικός
al(ly ize -ίζειν
astics γυμναστική
axony ἄξων
eleotris ἐλεώτρις
elis -inae ἔγχελυς
ema -ic νῆμα
entome ἔντομος
eosere
etis -idae γυμνήτις
etron -ous ἦτρον
ic(al -ics γυμνικός
ite -ίτης
gymno- γυμνο-
ascus ἀσκός

gymno- Cont'd
bacteria βακτηρία
biblism -ical βίβλος -ισμός
-ist -ιστής
blast(a)ea βλαστός
-ic -ous -us
branchia βράγχια
-iata -iate
canthus ἄκανθα
carpic(us ous καρπός
caulus καυλός
cephalus κεφαλή
cerata -ous κερατ-
cerithium κεράτιον
chila -inae χεῖλος
chlorites χλωρός -ίτης
chroa γυμνόχρους
citta κίττα
cladus κλάδος
copa -ous κώπη
cycads κυκαδ-
cyte -a -ode κύτος -ώδης
derus -inae δέρη
gamae γάμος
gamy -γαμία
gen(e -ous -γενής
glossa -ate γλῶσσα
gongrous γόγγρος
gram(me mene γραμμή
gynous -γυνος
gyps γύψ
laemata -ous λαιμός
loma -idae λῶμα
mera -ous μέρος
myxa(n -ine -on μύξα
notus -i -ous νῶτος
paedes παῖδες
paedia (e γυμνοπαιδία
paedic γυμνοπαιδική
phobia -φοβία
phryxe Φρύξ
phylla(n ous φύλλον
plast(id πλαστός
poda -al -ous ποδ-
polyspermous πολυ- σπέρμα
psittacus ψιττακός
ptera -ous πτερόν
rinus ῥίν
-a(l -inae -ine
sarda σαρδή
solen σωλήν
some -ata -(at)ous σῶμα
soph(ical -σοφος
sophist Γυμνοσοφισταί
sophy σοφία
sperm σπέρμα
ae al (at)ous
ia ic ism y -ισμός
spor- σπορά
angium ἀγγεῖον
idia -ous -ίδιον
stom- στόμα
acea(n ata ous
symplast συμ- πλαστός
tetraspermous τέτρα σπέρμα
thorax θώραξ
toc(or kăa -ous τόκος
tremoid τρῆμα -οειδής
zoida -al ζῷον
gymn- Cont'd
ocidium ὄγκιδιον?
ode -inium -ώδης
odon ὀδών
-ont(es id(ae oid)
ophiona ὀφιόνεος
ophthalmus ὀφθαλμός
-ata -ate -atous -ic -idae

gymn- Cont'd
oplea(n ὅπλον
ops ὤψ
ote νῶτος
-id(ae -oid -us
ura -e -inae -ine οὐρά
gyn(a)ec- γυναικ-
archy ἀρχή
eum ium γυναικεῖον
ian ic
gyn(a)eco- γυναικο-
coenic κοινός
cosmos κοσμός
cracy γυναικοκρατία
latry λατρεία
logy -ical -ist -λογία
mania γυναικομανία
mastia -y μαστός
morphous γυναικόμορφος
nitis γυναικωνῖτις
nomos γυναικονόμος
pathy -ic -πάθεια
phore -al -ic -ous -φορος
gyn(a)eo- γύναιον
cracy -κρατία
later -λατρής
latry λατρεία
gyn(a)eclexis γυνή ἔκλεξις
gyn(a)er(h)opy γυνή ῥοπή
gynaikites γυναικίτης
gynandr- γύνανδρος
-er ia(n ous
ism oid -ισμός -οειδής
gynandro- γύνανδρος
cratic -κρατία
morph μορφή
ic ism ous us y
phore -φορος
spore -ous σπορά
gyn- γυνή
antherous ἀνθηρός
apteryx ἀ- πτέρυξ
archy -αρχία
atresia ἀτρησία
ecology οἰκο- -λογία
erion esin(e ἔριον
iatrics ἰατρικός
iatry ἰατρεία
ics ixus -ικά ἰξός
(o)ecium -y οἰκίον
gyneco- γυναικο-
centric κεντρικός
genic -γενής
mastia -ism -y μαστός
mazia μαζός ἰσμός
gyne- γυνή
cratic -κρατία
phobia -φοβία
thusia θυσία
type τύπος
Gynis γύννις
gyno- γυνή
base -eous -ic βάσις
card- καρδία
ase ate ia ic in(e
cracy -κρατία
cyanauridzarin κύανος
dimorphism δι- μορφή -ισμός
dioecism -ious(ly δι- οἶκος
gamete γαμέτης -ισμός
angium ἀγγεῖον
ophore γαμέτης -φορος
genesis γένεσις
genetic γενετικός
gonidium γονή -ιδιον
monoecism -ious μονος οἶκος
-ισμός

gyno- Cont'd
phagite -φαγος -ίτης
philian -φιλος
phore -ic -φορος
phylly -φυλλία
phyte φυτόν
plasm(ic πλάσμα
plastic πλαστικός
spore σπορά
-angium ἀγγεῖον
pleo- πλέον
gamy -γαμία
stegium στέγη
stemium στήμων
style στῦλος
tegium τέγος
zoo- ζωο-
gonidium γονή
gyn- Cont'd
ous -γυνος
oval ura οὐρά
gyp- γύψ
aetus -idae γυπαίετος
onychus ὀνυχ-
gypagus ὑπάετος
gypo- γύψ
geranus -idae γέρανος
hierax -acinae ἱέραξ
Gyps γύψ
gyps- γύψος
ite -ίτης
kemper
ornis ὄρνις
gypso- γύψος
graphy -γραφία
phila -es -ous -φιλος
phyta -ia φυτόν
plast πλαστός
gypsum γύψος
-eous -iferous -ify -ine -ous
gypsy *etc.* = gipsy *etc.*
gyr- γῦρος
a al(ly ant e
acanthus ἄκανθα
ate -ion(al -ory
encephal- ἐγκέφαλος
a ate ic ous
etes γυρεύειν -ητης
gyri(*or* o)lone -ώνη
Gyrinus γυρῖνος
ichthys ἰχθύς
-id(ae -oid
Gyriosomus γύριος σῶμα
gyro γῦρος
gyro- γῦρος
car
ceracone κέρας κῶνος
ceras κέρας
-an -at(id(ae ite itic oid)
chrome χρῶμα
cochlea κοχλίας
compass
coryna κορύνη
cotyle -idae κοτύλη
cystidae κύστις
dactylus δάκτυλος
-id(ae -oid
gonite(s γόνος -ίτης
graph -γραφος
graphic γραφικός
hedral ἕδρα
idal(ly γυροειδής
lepis λεπίς
lite lith λίθος
magnetic Μαγνῆτις
mancy μαντεία
mele μήλη

gyro- Cont'd
meter μέτρον
mitra μίτρα
phaena φαίνειν
phora -aceae -ic -φορος
pigeon plane
psoriasis ψωρίασις
pter πτερόν
scope -ic -σκόπιον
spasm σπασμός
stachys στάχυς
stat(ic(ally -ics στατικός
stoma στόμα
theca θήκη
trope τροπή
vagues vagi
gyr- Cont'd
odus οδούς
oma -ωμα
on(wise onn(ett)y
ose ous us
osia γύρωσις

habro- ἁβρο-
cerus κέρας
come -a κόμη
lepistra λεπίς
mania μανία
nem- νῆμα
a e ic iasis -ίασις
phora -φορος
phyes φυή
pous πούς
thrix θρίξ
Habryna ἁβρύνειν
hackmanite -ίτης
hackneyism -ισμός
Hades -ean ᾅδης
-ena(-idae)
-enoecus ἔνοικος
-entomoidea ἔντομος
hadr- ἁδρος
acantha ἄκανθα
aspis ἀσπίς
ome -al -in(e -ωμα
-ase διάστασις
hadro- ἁδρο-
bregmus βρέγμα
centric κεντρικός
cerus κέρας
gnathus γνάθος
mastix μάστιξ
merus -ina -ine μηρός
mestome μεστός -ωμα
pithecus πίθηκος
pterus πτερόν
pus πούς
rhynchus ῥύγχος
rrhinus ῥίν
saur(us σαῦρος
id(ae inae oid
scelus σκέλος
tes ἁδροτής
toma τομή
Hadrus ἁδρός
h(a)em- αἱμ-
achate -ae ἀχάτης
h(a)ema- αἷμα
barometer βαρο- μέτρον
chromatosis χρωματ -ωσις
chrome χρῶμα
chrosis χρῶσις
cyanin κύανος
cyte κύτος
cyto- κυτο-

h(a)ema- Cont'd
meter μέτρον
zoon ζῷον
dipsa δίψα
dro- δρόμος
meter μέτρον
metry -μετρία
dromo- δρόμος
graph -γραφος
meter μέτρον
metry -μετρία
dynamic(s δυναμικός
dyna(mo)meter δύναμις
fibrite -ίτης μέτρον
leucin λευκός
ovoidagates ἀχάτης
phein φαιός
pod(ous ποδ-
poiesis ποίησις
poietic ποιητικός
scopy -σκοπία
spectroscope -σκόπιον
statics -ic(al στατικός
tacho- ταχύς
meter μέτρον
metry -μετρία
therapy θεραπεία
therm(al ous θέρμος
thorax θώραξ
tonic τόνος
toxic(in τοξικόν
h(a)em- -αἱμ-
ad al
agglutin-
ation ative in
agogue -ic αἱμαγωγός
albumen alum
alopia ἀλαός -ωπια
amoeba -idae ἀμοιβή
angioma ἀγγεῖον -ωμα
anthus ἄνθος
apophysis ἀπόφυσις
-eal -ial
aria -αριον
arthrus -osis ἄρθρον -ωσις
ase διάστασις
h(a)emat- αἱματ-
aerometer ἀέρο- μέτρον
al aria ate ein(e id in(e inic
angio- ἀγγειο-
nosus -os νόσος
aulics ὑδραυλικός
emesis ἔμεσις
emetic ἐμετικός
encephalon ἐγκέφαλον
(h)idrosis -ἱδρωσις
ic(um ics αἱματικός
i(no)meter μέτρον
i(no)metry -μετρία
ine αἱμάτινος
-on(e -um
inuria -ουρία
ite αἱματίτης
-ic(al -ogelit
h(a)emato- αἱματο-
bic bious bium βίος
blast(ic βλαστός
branchia -iate βράγχια
cathartic καθαρτικός
cele κήλη
chares αἱματο χαρής
chezia χέζειν
chlorin χλωρός
chrome -atosis χρῶμα -ωσις
chroos χρώς
chyluria χυλός -ουρία
coccus κόκκος

h(a)emato- Cont'd
c(o)elia κοιλία
colpus κόλπος
crit(e κριτής
crya- al κρύος
crystallin(e κρυστάλλινος
cyanin κύανος
cyst(is κύστις
cyte κύτος
-uria -ουρία
cyto- κυτο-
blast βλαστός
lysis λύσις
meter μέτρον
zoon ζῷον
Haematodes αἱματώδης
h(a)emato- Cont'd
dynamics δυναμικός
dyna(mo)meter δύναμις μέτρον
dyscrasia δυσκρασία
gastric γαστρ-
gelit(e -ίτης
gen(ic ous -γενής
genesis γένεσις
genetic γενετικός
glob(ul)in
globinuria -ουρία
gnomist γνώμη -ιστής
graphy γραφία
hidrosis -ίδρωσις
id(in(e αἱματοειδής
kolpos κόλπος
krit κριτής
h(a)emat- Cont'd
oin olin
oma -atous -ωμα
omphalo- ὀμφαλός
cele κήλη
h(a)emato- Cont'd
lite λίθος
logy -ia -ical -ist λογία -ιστής
lymph- νύμφη
angioma ἀγγεῖον -ωμα
lysis λύσις
lytic λυτικός
mania μανία
meter μέτρον
metra μήτρα
myelia -itis μυελός -ῖτις
myelo- μυελο-
pore πόρος
nephrosis νεφρός -ωσις
pathology παθολογική
pe πούς
pedesis πηδήσις
pericardium περικάρδιον
phagous -φαγος
philia -ic -φιλία
philina -e -ic -φιλος
phobia -φοβία
phyte φυτόν
plania πλάνη
plast(ic πλαστός
poiesis αἱματοποίησις
poietic αἱματοποιητικός
porphyr- πορφύρεος
inuria -ουρία
oid(in -οειδής
pus πούς
-od(id(ae inae oid)
r(h)achis ῥάχις
rrh(o)ea -ροία
salpinx σαλπιγξ
scope -σκόπιον
scopy -σκοπία

h(a)emato- Cont'd
sepsis σῆψις
spectroscope -σκόπιον
spectroscopy -σκοπία
staphis σταφίς
stibiite στίβι -ίτης
therapy θεραπεία
therm(a(l -ous θερμός
thorax θώραξ
toxic τοξικόν
tympanum τύμπανον
xyl- ξύλον
ic in(e inic on um
zo- ζῷον
a an ic on
zymotic ζυμωτικός
h(a)emat- Cont'd
opsis ὄψις
ornis ὄρνις
ose -in
osis -ωσις
uresis οὔρησις
uria -ουρία
h(a)em- Cont'd
auto- αὐτο-
gram γράμμα
graph -γραφος
graphy -ic -γραφία
erythrin ἐρυθρός
-h(a)emia -αιμία
h(a)emic -in αἱμ-
h(a)emo- αἱμο-
agglutinin -ation
chromatosis χρωματ- -ωσις
chrome χρῶμα
chromo- χρῶμα
gen -γενής
meter μέτρον
metry -μετρία
coele -ic κοιλία
coelom(a κοίλωμα
conion -iosis κόνις -ωσις
crystallin κρυστάλλινος
cyanin(e κύανος
cyte κύτος
cyto- κυτο-
lysis λύσις
meter μέτρον
tripsis τρίψις
dipsa δίψα
dorum δῶρον
-aceae -aceous
dromo- δρόμος
graph -γραφος
graphy -γραφία
-(mo)meter μέτρον
dynamic(s δυναμικός
dyna(mo)- δύναμις
meter μετρον
erythrin ἐρυθρός
ferrin -um
flagellate(s
fuscin gallol
gaster γαστήρ
genesis γένεσις
genetic γενετικός
globin
(a)emia ate(d -αιμία
iferous ous
uria -ic -ουρία
globino-
cholia χολή
meter μέτρον
metry -μετρία
globulin
gregarina -idae
h(a)emoid αἱμοειδής

h(a)em- Cont'd
ol
onchus ὄγκος
ophthalmia ὀφθαλμία
opsis ὄψις
optic ὀπτικός
haemony αἱμώνιος
h(a)emo- Cont'd
konion κόνις
lutein
lymph(atic νύμφη
ocytotoxin κυτο- τοξικόν
lysis -in λύσις
lytic(ally λυτικός
lyze -ability -able λύσις
(mano)meter μανός μέτρον
mediastinum
metra μήτρα
opsonin ὀψόνιον
pathology παθολογική
pericardium περικάρδιον
peritoneum περιτόναιον
pheic -in φαιός
phila φίλος
phile -iac -φιλος -ακος
philia -ic -φιλία
phobia -φοβία
phobous αἱμοφόβος
plasmodium πλάσμα
plastic πλαστικός
pneumothorax πνευμο- θώραξ
poiesis ποιήσις
poietic ποιητικός
ptysis -ic(al πτύσις
pyrrol(e πυρρός
(r)r(h)odin ῥόδον
h(a)emorrhage αἱμορραγία
-aphilia -φιλία
-ia -ic(ally -in -ious -y
h(a)emo- Cont'd
rrh(o)ea -ροία
rrhoid(s al αἱμορροίδες
salpinx σάλπιγξ
scope -σκόπιον
scopy -σκοπία
siderin -osis σίδηρος -ωσις
spasia σπάσις
spastic σπαστικός
sporid σπορά -ίδιον
ia(n ium
stasis -ia στάσις
stat στατός
static(s στατικός
tacho- ταχύς
meter μέτρον
metry -μετρία
thorax θωραξ
toxis -ic -in τοξικόν
trophy -τροφία
tropic τροπικός
zoin ζῷον
Haemulon αἱμ- οὖλον
-(on)id(ae -(on)oid
hagemannite -ίτης
haggadist(ic -ιστής -ιστικός
hagi- ἅγιος
archy -αρχία
heroical ἡρωικός
hagiasma ἁλίασμα
hagiasterium ἁγιαστήριον
hagio- ἁγιο-
cracy -κρατία
graph ἁγιόγραφα
a al er ic(al ist y
later -λατρης
latry -ous λατρεία
logy λογία

hagio- Cont'd
-ic(al -ist -ιστής
mania μανία
nym ὄνυμα
phobia -φοβία
politan πολίτης
romance
samantron σήμαντρον
scope -ic σκοπός
sidere -on σίδηρον
taphites ἁγιοταφίτης
tat ἁγιώτατος
therapy θεραπεία
type τύπος
haidingerite -ίτης
halachist(ic -ιστής -ιστικός
hal- ἅλς (ἁλ-)
acone κῶνος
aelurus αἴλουρος
arch ἀρχή
ate
atinous ἀλάτινος
azone ἀ- ζωή
halcedonian ἀλκυών
Halcyoides ἀλκύων
halcyon ἀλκυών
arian -αριον
eum ἀλκυόνειον
ian ic idae inae ine ite
ium oid(a
Haldanite -ίτης
Halecodon ὀδών
halecomorph(i ous μορφή
Halecopsis ὄψις
halhydration ἁλ- ὑδρ-
hali- ἁλι-
actis ἀκτίς
ae(e)tus ἁλιάετος
bios βίος
biotic βιωτικός
choerus χοῖρος
chondr- χόνδρος
ia(e iid(ae (i)oid ina ine
chores χοῖρος
core κόρη
-id(ae -oid(ea(n
current
Halia -iid(ae -ioid ἅλς
halid(e ἅλς
aceae aceous
halidrome -a -ina ἁλίδρομος
Halieutaea -ella ἁλιευτής
-ichthys -yinae ἰχθύς
halieutic(al(ly -ics ἁλιευτικός
hali- Cont'd
graphy -γραφία
ichthyotoxin ἰχθυο- τοξικόν
limnic λίμνη
meda -eae -idae μήδιον
meter μέτρον
metry -ic -μετρία
Halimus -ous ἅλιμος
-ochirurgus χειρουργός
-id(ae -oid
halinous ἅλινος
halion ἁλ- ἰόν
halio- ἁλιο-
grapher -γραφος
graphy -γραφία
trema τρῆμα
hali- Cont'd
omma -atidae ὄμμα
otis -id(ae -oid ὠτίς
physema φύσημα
-ata -id(ae -oid
plana πλαν-
plankton πλαγκτόν

hali- Cont'd
plus -id(ae -oid ἁλίπλους
sarca -idae -ina -ine σαρκ-
sauria(n -us σαῦρος
scoleina σκώληξ
seris -ites σέρις -ίτης
stase στάσις
stemma -atidae στέμμα
steresis στερήσις
steretic στερητικός
therium θηρίον
-iid(ae -ioid
halite ἁλ- -ίτης
-kainit
halitosis -ωσις
halli- ἅλς λύειν
meter -ric μέτρον
Hallomenus ἁλλομενος
hallo- ἀλλο-
pora -ina πόρος
pus πούς
-od(a id(ae oid ous)
type τύπος
halloysite -ίτης
hallucinosis -ωσις
halma ἅλμα
rhiphus ῥιπίς
selus σελίς
-atogenesis γένεσις
-aturus οὐρά
-id(ae -ous
halmyro- ἁλμυρός
lysis λύσις
halo- ἅλως
Haloa Ἁλῶα
hal- ἁλ-
odon ὀδών
oid(ite -οειδής -ίτης
onia -ial ἁλωνία
oniscus ὀνίσκος
halo- ἁλο-
alkyl ὕλη
amine ἀμμωνιακόν
bates βάτης
bia bic bion bios βίος
biotic βιωτικός
chloa(e χλόη
chromism -y χρῶμα -ισμός
cynthiidae Κύνθιος
cypris -id(ae -oid Κύπρις
cypselus κύψελος
drome δρόμος
-id(ae -inae -oid
drymium δρυμός
gen -γενής
ate(d ation ato-
ia o- oid ous
imetry -μετρία
graphy -γραφία
hydrin(e ὑδρ-
hydrocarbon ὑδρο-
limnetic λιμνήτης
limnic λίμνη
logy -λογία
mancy μαντεία
meter μέτρον
nate
nereid Νηρείς
nomus νέμειν
phil(e -φιλος
ic ism ous -ισμός
phobe -ous -φοβος
phyte φυτόν
-a -ia -ic -ism -ισμός
plankton πλαγκτόν
psyche -idae ψυχή
ragis ῥάξ

halo- Cont'd
-eae -(id or in)aceae -idaceous
saur(us σαῦρος
ian id(ae oid
opsis ὄψις
scope -σκόπιον
sel sere
sphaera σφαῖρα
steresis στέρησις
steretic στερητικός
techny -ic τέχνη
trichine -ite τριχ- -ίτης
wax
xylin(e ξύλον
Haltera ἁλτήρ
-ia -idae -idid(ae -ium
halteres ἁλτήρ
Haltica -idae ἁλτικός
haltico- ἁλτικός
ptera πτερόν
saurus σαῦρος
Halticoris ἁλτικός κόρις
halurgy -ist ἁλ- ουργία
haly- ἁλι- -ιστής
men- μήν
ia ieae ites -ίτης
seris -eae σέρις
Halysidota ἁλυσιδωτός
Halysites ἅλυσις -ίτης
-id(ae -inae -oid
ham- ἅμα
acantha -inae ἄκανθα
archy -αρχία
arthritis ἀμαρθρῖτις
hama- ἅμα
cratic κράτος
dryad -as Ἁμαδρυάς
thionic θεῖον
Hamamelis ἀμαμηλίς
-(id)aceae -idaceous ideae
-idoxylon ξύλον
-itannin
hamartia ἁμαρτία
-igeny -γένεια
-iology (-ist) -λογία
-ite -ίτης -ιστής
-oblastoma βλαστός
-oma -ωμα
hamatogelite αἱματο-
hambergite -ίτης
Hamiglossa -ate γλῶσσα
Hamilton(ian)ism -ισμός
Haminura οὐρά
Hamite -ic -oid -ίτης -οειδής
Hamites -id(ae -oid ἴτης
hamletize -ation -ίζειν
hamlinite ἴτης
hammato- ἅμμα
chaerus χείρ
derus δέρη
Hammatopsis ἅμμα ὄψις
hammochrysos ἀμμόχρυσος
Hanafite Hanbalite -ίτης
hancockite hanksite hannayite
Hansardize -ation -ίζειν
Hapale -id(ae -oid ἁπαλός
hapalo- ἁπαλο-
chrus χρώς
crex κρέξ
dectes δήκτης
derma δέρμα
pteroidea πτερόν
ptyx πτύξ
rhynchus ῥύγχος
hapal- ἁπαλός
onychia -us ὀνυχ-
ote -is ὠτ-

Hapalus ἁπαλός
hapax- ἅπαξ
anthic -ous ἄνθος
haph- ἁφή
algesia -αλγησία
ephobia -φοβία
ospathia σπάθη
hapl- ἁπλόος
amaurus ἀμαυρός
andrus ἀνδρ-
anthe ἄνθη
idia ἰδέα
ite -ic -ίτης
odes -ώδης
odon ὀδών
-ont(ia (i)id(ae (i)oid)
odonty ὀδοντ-
oid(y -οειδής
oma -e ἅπλωμα
ome -i -ous ὦμος
onycha ὀνυχ-
opia opsis -ωπία ὄψις
haplo- ἁπλο-
annelida
bacteria -inae βακτηρία
biont βιοντ-
biotic βιωτικός
cardia -iac καρδία -ακός
caulous -escent καυλός
cephalopora κεφαλή πόρος
cerus -ine κέρας
cheilus -chila χεῖλος
chiton(id(ae -oid χιτών
chlamydeous χλαμυδ-
cnemia κνήμη
coccus κόκκος
coela κοῖλος
conus κῶνος
crinus -idae -oid κρίνον
cyemate κύημα
cyte -a -ic κύτος
chromosomes χρῶμα σῶμα
dema δέμα
derm(at)itis δέρμα -ῖτις
derus δέρη
dinotus -inae δι- νῶτος
gamy -ic -γαμία
genesis γένεσις
geneus -γενής
glossa γλῶσσα
gonidium γονή -ιδιον
gonimium γόνιμος
graphiaceae γράφειν
graphy -γραφία
hedral ἕδρα
laeneae λάινος
laly λαλία
lepideous λεπίς
logy -λογία
lophus λόφος
meristele -ic μέρος στήλη
meryx μήρυξ
mitosis μίτος -ωσις
morpha -ic -ous μορφή
mycetes -ous μύκης
mylus μύλος
pappus πάππος
pathy -πάθεια
peristomous περί στόμα
petalous πέταλον
peza πεζός
phase φάσις
phonae -ous φωνή
phyll φύλλον
poda -ea(n ποδ-
pus πούς
rhacus ῥάκος

haplo- Cont'd
scelis σκελίς
scleridae σκληρός
scope -ic -σκόπιον
siphonia -iate σίφων
spore σπορά
-idia -idium -ιδιον
stele στήλη
stemma στέμμα
stemonous στήμων
stephanous στεφάνη
stethops -us στῆθος ὤψ
stichous -στιχος
thorax θώραξ
thrips θρίψ
tomy ἁπλο- -τομία
trachelus τράχηλος
trechus τρέχειν
type -ic τύπος
voluta
xylic ξύλον
Hapsidopora ἅψις πόρος
hapt- ἅπτειν
ere eron
ic(al ics ἁπτικός
oncus ὄγκος
hapto- ἅπτειν
chlaena χλαῖνα
dysphoria δυσφορία
gen(ic -γενής
morphism μορφή -ισμός
phil(e -φιλος
phor(e ic(a ous -φορος
poda ποδ-
taxis τάξις
tropism τρόπος -ισμός
hardenite -ίτης
hardystonite ἴτης
hariolize -ίζειν
harlequinize -ίζειν
harlotize -ίζειν
harmamaxa ἁρμάμαξα
harm- ἅρμαλα
el in(e inic ol(ic
harmala -in(e ἅρμαλα
Harmatelia ἁρμάτιον
harmo- ἁρμο-
gaster γαστήρ
phorus -φορος
tome -ic -ite -τομος
harmoge ἁρμογή
harmonean ἁρμονίον
harmonia ἁρμονία
-iacal -ial -ian
harmonic(s ἁρμονικός
a al(ly ian ism
harmoni- ἁρμονία
chord phone χορδή φωνή
harmonicon ἁρμονικόν
harmonious(ly ness ἁρμόνιος
Harmonite ἁρμονία -ίτης
harmonium(ist ἁρμονίον
harmono- ἁρμονία
graph -γραφος
meter μέτρον
harmony ἁρμονία
-ist(ic -ιστής -ιστικός
-ization -ize(r -ίζειν
harmosis ἅρμωσις
harmost(y ἁρμοστής
harmozon(e ἁρμόζειν
harpac- ἁρπακ-
terus ἁρπακτήρ
ticus ἁρπακτικός
-id(ae -oid
tor(ides ἁρπακτήρ

harpag- ἁρπάγη
ifer(id(ae oid)
o on idae odes -ωδης
ophytum φυτόν
ornis ὄρνις
Harpalus ἁρπαλέος
-idae -ides -inae -ine
Harpax ἅρπαξ
harpe ἅρπη
phyllum φύλλον
harp- ἅρπη
id(ae ina oid
harpi- ἅρπη
phorus -φορος
harpoon(er eer ἅρπη
harpo- ἅρπη
rhyncus ῥύγχος
scelis σκελίς
stomus στόμα
harpsichord χορδή
ist -ιστής
harpy -yia Ἅρπυιαι
harrisite harstigite -ιτής
harrisoph σοφιστής
Harveyize -ίζειν
harzburgite -ίτης
Haskinize -ation -ίζειν
Hastimima μίμος
hastingsite hatchettite -ίτης
hatchettolite λίθος
Hattemista -ιστής
hauchecornite hauerite -ίτης
haughtonite hausmannite -ίτης
Hausmannize -ation -ίζειν
hauynite -ίτης
hauynophyre -ic πορφύρα
hawcubite haydenite ίτης
headphone φωνή
heathenism -ize -ισμός -ίζειν
heaut- ἑαυτοῦ
androus -ἀνδρος
heauto- ἑαυτοῦ
morphism μορφή -ισμός
phany -φανεία
phonics φωνή
type πύπος
Hebascus ἡβάσκειν
hebdom- ἑβδομάς
ad(al(ly (ad)ary
atical ἑβδομαδικός
ically ἑβδομός
Hebe Ἥβη
hebe- ἥβη
anthous -ανθος
carpous -καρπος
cerus κέρας
cladous κλάδος
gynous -γυνος
petalous πέταλον
phrenia -iac -ic φρήν -ακός
stola στολή
hebetic ἡβητικός
hebetize -ίζειν
Hebetomus φλεβοτόμος
Hebomma ἥβη ὄμμα
heb(oste)otomy ἥβη ὀστεο- -τομία
Hebra- Ἑβραῖος
dendron δένδρον
ean
ic Ἑβραικός
al(ly ian
ism ize -ισμός -ίζειν
ism -ισμός
ist(ic(al(ly -ιστής -ιστικός
ize(r -ation -ίζειν
Hebrician Ἑβραικός
hebronite -ίτης

Hecabolus ἑκαβόλος
hecasto- ἕκαστος
theism θεός -ισμός
Hecate Ἑκάτη
-(a)ean Ἑκαταῖος
-aion -eion Ἑκάτειον
-an -ic -ine
-olite λίθος
hecat- ἑκατόν
archy -αρχία
hecatero- ἑκάτερος
meral -ic μέρος
hecato- ἑκατο-
logue λόγος
meric μέρος
phyllous -φυλλος
saurus σαῦρος
hecatomb ἑκατόμβη
aeon ἑκατομβαιών
hecatomped ἑκατόμπεδος
ism -ισμός
on ἑκατόμπεδον
hecaton- ἑκατόν
cheires ἑκατόγχειρες
stylon -στυλον
tome τόμος
hecatont- ἑκατοντ-
archy ἑκατονταρχία
heckelphone φωνή
hect- ἕκτος
arthro- ἀρθρο-
pus πούς
-idae -oid(ae -podoid
arthrum ἄρθρον
hectare ἑκατόν
hectastyle ἑξα στῦλος
hectic(al(ly ἑκτικός
hectin(e ἑκτικός
hectoid ἑκατόν -οειδής
hecto- ἑκατόν
ampere
cotyl(e κοτύλη
iferous ism us -ισμός
ization ize(d -ίζειν
gram(me γράμμα
graph(ic -γραφος
liter -re λίτρα
meter -re μέτρον
stere στερεός
watt
hector Ἕκτωρ
ean er ia ian ism ly ship
Hecuba Ἑκάβη
Hecyrida ἑκυρός εἶδος
hedenbergite -ίτης
Hedeoma -ol ἡδύς ὀσμή
hederagen- -γενής
ic in olic one onic
hederag(on)ic γενής
hederose γλεῦκος
hedescepe = hedyscepe
hedion -ium ἕδος
Hedobia ἕδος βίος
hedonal ἡδονή
hedonic(al -ics ἡδονικός
hedonism ἡδονή -ισμός
-ist(ic(ally -ιστής -ιστικός
hedono- ἡδονο-
logy -λογία
meter μέτρον
hedral ἕδρα
-atresia ἀ- τρῆσις
hedrio- ἕδριον
blast βλαστός
phthalma -ous ὀφθαλμός
hedrocele ἕδρα κήλη
-hedron -εδρον

hedrumite -ίτης
hedy- ἡδυ-
bius ἡδύβιος
carya κάρυον
cera κέρας
chium χιών
chrum ἡδύχροος
Hedyle -us ἡδύλος
-id(ae -inae -oid
hedy- ἡδυ-
ophore -o- φορος
otis -(id)eae ὠτ-
pathes ἡδυπαθής
phane -φανής
sarum ἡδύσαρον
scepe σκέπη
Hegel(ian)ism -ize -ισμός
hegemon ἡγεμών -ίζειν
ic(al ἡγεμονικός
ist -ιστής
hegemony ἡγεμονία
Hegeter ἡγέτης
hegumen ἡγούμενος
e os y
heinzite -ίτης
hekataion ἑκάταιον
hekisto- ἥκιστος
therm θέρμη
hekkaidekeres ἑκκαιδεκήρης
helad ἕλος ἀδ-
helcoid ἕλκος -οειδής
helco- ἑλκο-
dermatous -δερματος
gaster γαστήρ
logy -λογία
plasty -πλαστία
pod ποδ-
soma σῶμα
tropism τροπή -ισμός
helc- ἕλκος
oid oma -οειδής -ωμα
on ἑλκόειν
ophthalmia -y ὀφθαλμία
osal osol
osis ἕλκωσις
otic ἑλκωτικός
helctic ἑλκτικός
Heledona ἕλη ἡδονή
helena Ἑλένη
helenium ἑλένιον
-ene -iae -in(e -ioid(eae
heleno- ἑλένη
phorus -φορος
Helenterophyllum ἑλένη ἐντερο- φύλλον
heleo- ἑλειο-
charis χάρις
dytes δύτης
plankton πλαγκτόν
saurus σαῦρος
helepole -is ἑλέπολις
helgramite = hellgramite
heli- ἡλι-
ac(al(ly ἡλιακός
ad -ἀδ-
aea(n ἡλιαία
amphora ἑλίσσειν ἀμφορεύς
anthemum ἄνθεμον
anth(us ἄνθος
aceous ic id(eae in(e oid-(ea(n -oideae on
anthrone ἄνθραξ -ώνη
as ἡλιάς
ast ἡλιαστής
aster ἀστήρ
id(ae oid
astic ἡλιαστικός

heli- Cont'd
batus βάτης
chryse ἑλίχρυσος
-etum -in -um -yze
helic ἑλικ-
acea al(ly ea(e ed ia id(ae
in- -ινος iform
a(e ian id(ae oid
in(e ism ite oid(al oidin -ισμός -ίτης -οειδής
olenus ὠλένη
Helicolenus ἡλικός ὠλένη
helico- ἑλικο-
bacterium βακτήριον
carp καρπός
ceras -an κέρας
graph -γραφος
gyrate γῦρος
metry -μετρία
morphy μορφή
pegmata -ous πῆγμα
pepsin πέψις
pod(ia ποδ-
podosoma ποδο- σῶμα
proteid -ein πρωτεῖον
pter -re πτερόν
rubin(e
sophy σοφία
sporium σπόρα
trema τρῆμα
helicon Ἑλικών
ian ist -ιστής
Heliconia Ἑλικώνιος
-ian -ideous -iidae -iinae
-iine -ius -oid
Helicter ἑλικτήρ
eae es id(ae -oid
Helicteris -inae ὕλος ἴκτις
helictite ἑλικτός -ίτης
helid(e ἥλιος λον -ῖτις
heliencephalitis ἡλι- ἐγκέφα-
Heligmus ἑλιγμός
-ostylus στῦλος
-otaenia ταινία
Helinaia ἕλος ναίειν
helindone ἡλι- Ἰνδικός -ώνη
helio- ἡλιο-
arkite -ίτης
bletus ἡλιόβλητης
carpus καρπός
centric κεντρικός
al(ly ism ity -ισμός
chrome -ic -y χρῶμα
chromo- χρῶμα
scope σκόπιον
type τύπος
chryse -in χρυσός
comete(s κομήτης
copris
coptre = helicopter
heliod ἥλιος
heliodon ἡλι- ὁδός
helio- Cont'd
daemonic δαίμων
dor(e δῶρον
electric ἤλεκτρον
engraving γράφειν
fugal
grabalize -ίζειν
gram γράμμα
graph(er -γραφος
graphy -ic(al(ly -γραφία
gravure γράφειν
id ἡλιοειδής
later -λατρης
latry -ous λατρεία
lite -es -idae λίθος

helio- Cont'd
lithic λίθος
logue λόγος
logy -ist -λογία
mera μέρος
metry -ic(al(ly -μετρία
(micro)meter μικρο- μέτρον
pates πατέειν
phag(ous -φαγος
philtates ἑλειο- φίλτατος
philous -us -φιλος
phobe -ous -φοβος
phobia -ic -φοβία
photo- φωτο-
graphy -γραφία
meter μέτρον
phygus φυγάς
phyll(um -ite φύλλον
physical φυσικός
phytes -ia φυτόν
polar πόλος
pore -a -idae πόρος
proctus πρωκτός
heli- ἡλι-
opsis -idae ὄψις
opticon ὀπτικόν
ornis ὄρνις
-ithid(ae -ithoid
osis ἡλίωσις
othis ἡλιῶτις
-id(ae -oid
helio- Cont'd
purpurine πορφύρα
scene σκηνή
scope -ic -σκόπιον
scopy -σκοπία
spherical σφαιρικός
stat(ic στατός
strophism στροφή -ισμός
tactic τακτικός
taxis τάξις
therapy θεραπεία
thermometer θερμο- μέτρον
tortism -ισμός
trope ἡλιοτρόπιον
-er -ian -ic(al(ly -eae -in
-ism -ium -y -ισμός
turgotropism τροπή -ισμός
type -ic τύπος
typography τυπο- -γραφία
typy -τυπία
xanthin ξανθός
xero- ξηρός
philous -φιλος
phyll φύλλον
zincography -γραφία
zo- ζῷον
a an ic oid
Helipterum ἡλι- πτερόν
helispheric(al ἕλιξ σφαιρικός
helium ἕλος ἥλιος
helix ἕλιξ
igemin in(e oid -γενής
helkotropism ἕλκειν τρόπος
Helladian Ἑλλάς -ισμός
Helladic Ἑλλαδικός
Hellado- Ἑλλάς
therium θηρίον
-e -iid(ae -iinae -ioid(ea
hellandite -ίτης
Hellanodic Ἑλλανοδίκαι
hellebor- ἑλλέβορος
ate ein esin etin ic in
aster αστήρ
hellebore ἑλλέβορος
-aceae -aceous -eae -in -us
-ine ἑλλεβορίνη

hellebore Cont'd
-ism ἑλλεβορισμός
-ize ἑλλεβορίζειν
Hellene(dom Ἕλλην
-ian Ἑλλήνιος
-ic Ἑλληνικός
al(ly ism ize -ισμός -ίζειν
Hellene Cont'd
-ism Ἑλληνισμός
-ist Ἑλληνιστής
-istic(al(ly -ιστικός
-ize(r -ation Ἑλληνίζειν
hellenotype Ἑλληνο- τύπος
Hellespont(ine Ἑλλήσποντος
iac Ἑλλησποντιακός
hellite -ίτης
Helmintherus θήρ
helminth ἑλμινθ-
agogue -ic ἀγωγός
emesis ἔμεσις
es ia ic icide
iasis ism -ίασις -ισμός
imorphous μορφή
ite oid -ίτης -οειδής
helmintho- ἑλμινθ-
chiton χιτών
cladia κλάδος
lepis λεπίς
lite λίθος
logy -ic(al -ist -λογία -ιστής
morph(a μορφή
phaga -φαγος
phila -φιλος
phobia -φοβία
sporium -ious -oid σπόρος
helminthous ἑλμινθ-
helmitol ἕλμινς
helo- ἑλο-
biae bious βίος
brachium -idae
driad drium δρίος
hydrad ὕλη δρίος
hylium ὕλη
hylo- ὑλο-
philus -φιλος
phyta φυτόν
hyus hyidae ὑιός
laphyctis λαφύκτης
lochmium λόχμη
lochmo λόχμη
philus -φιλος
phyta φυτόν
panoplia πανοπλία
pelite πηλός -ίτης
philus -φιλος
phorus -idae -φορος
phylium φύλλον
phytes φυτόν
plankton πλαγκτόν
xyle ξύλον
zoistic ζωή -ιστικός
helo- ἧλος
bacterium βακτήριον
brachium -idae βραχύς
cerous κέρας
derm(a δέρμα
atidae atoid(ea(n atous
id(ae oid
hydrad ὕλη δρίος
stoma -id(ae -oid στόμα
tomon -τομον
tomy -eia -τομία
helod- ἑλώδης
ad es ium
hel- ἧλος
odus ὀδούς
oecetes οἰκέτης

hel- Cont'd
oma -ωμα
osis
-idae -id(i)eae
hel- ἕλος
on(aea ias in)
ops ὤψ
orgadium ὀργάς
-ophilus -φιλος
-ophyta φυτόν
Helorus ἕλωρ
helosis εἴλειν -ωσις
helot Εἱλώτης
age ism ize ry -ισμός -ίζειν
helvite -ίτης
helxine ἑλξίνη
Helygia ἕλιξ
helypsometer ἥλιος ὕψος
hem- αἱμ- μέτρον
aden ἀδήν
ology -ο- λογία
amebiasis ἀμοιβή -ίασις
analysis ἀνάλυσις
angi- ἀγγεῖον
omatosis -ωμα -ωσις
anthine ἄνθος
asthenosis ἀσθένεια
hema αἷμα
boloids βῶλος -οειδής
cite
coelom κοίλωμα
dynamometry δύναμις
facient fecia -μετρία
formyl ὕλη
ph(a)eism φαιός -ισμός
phobia -φοβία
photograph φωτο- -γραφος
pium πίων
strontium
tone τόνος
urochrome οὖρον χρῶμα
hemado- αἱμάς
stenosis στένωσις
hemat- αἱματ-
alloscopy ἀλλο- -σκοπία
apostasis ἀπόστασις
apostema ἀπόστημα
eikon εἰκών
einol eric
in(emia -αιμία
ino- -gen -γενής
oscheocele ὄσχεον κήλη
osteon ὀστέον
hemati- αἱματ-
schesis σχέσις
schetic σχετικος
hemato- αἱματο-
aerometer ἀερο- μέτρον
catharsis κάθαρσις
cephalus κεφαλή
chrosis χρῶσις
diarrhea διάρροια
dystrophy δυσ- -τροφία
gonia γονή
histon ἱστός
hyaloid ὕαλος -οειδής
lith λίθος
manometer μανός μέτρον
manty μαντεία
mediastinum mole pan
metry -μετρια
monas μονάς
peritoneum περιτόναιος
pexis -in πῆξις
phage -φαγος
phagia -y φαγία
phore -φορος

hemato- Cont'd
pneic πνοή
poietin ποιητός
posia πόσις
postema ἀπόστημα
pota ποτή
pyrrolid(in)ic πυρρός
sac σάκκος
spermatocele σπέρμα κήλη
spermia σπέρμα
spherinemia σφαῖρα -αιμία
sporidia σπορά -ίδιον
static στατικός
thyroidin θυρεοειδής
toxin τοξικόν
trachelos τράχηλος
hematous αἱματ-
zemia ζημία
zymosis ζύμωσις
hem- αἱμ-
atropin Ἄτροπος
elytro- ἔλυτρον
metra μήτρα
endothelioma ἐνδο- θηλή
hemellit- ἡμ- -ωμα
enol ic ol ylic ὕλη
hemera ἡμέρα
-alopia(-ic) ἡμεραλωπία
-anthous -y ἄνθος
-istia ἱστίον
-iid(ae -ioid
hemero- ἡμερο-
baptist βαπτιστής
bius βίος
-ian -ida -(i)id(ae -ioid
callis -(id)eae ἡμεροκαλλίς
diaphorous διάφορος
dromus δρόμος
harpages ἅρπαξ
logy -ium ἡμερολόγιον
philous -φιλος
phobous -φοβος
phytes φυτόν
zoic ζωικός
hemerythrin αἱμ- ἐρυθρος
Hemesthocera ἡμι- ἐσθής
κέρας
hemetaboly αἷμα μεταβολή
hemi- ἡμι-
ablepsia *or* -y ἀβλεψία
acardius ἀκάρδιος
acephalus ἀκέφαλος
acetal
achromat- ἀχρώματος
opsis -ia ὄψις -οψία
ageusia ἀ- γεῦσις
ageustia ἄγευστος
albumin -ose γλεῦκος
albumosuria -ουρία
algia -αλγία
amaurosis ἀμαύρωσις
hemiamb(us ἡμίαμβος
amblyopia ἀμβλυωπία
amphicarpous ἀμφίκαρπος
anacousia ἀν- ἀκουσία
anaesthesia -ic ἀναισθησία
analgesia ἀναλγησία
anatropous ἀνά -τροπος
ancistrus ἄγκιστρον
angiaspermeae ἀγγεῖον
σπέρμα καρπός
angiocarpic -ous ἀγγειο-
anopia -ic ἀν- -ωπία
anopsia -ic ἀν- -οψία
anoptic ἀν- ὀπτικός
anosmia ἄνοσμος
anthias ἀνθιάς

hemi- Cont'd
apraxia ἀπραξία
arges ἀργής
arthrosis ἄρθρωσις
asci -ales -ineae ἀσκός
aspis ἀσπίς
-idae -idid(ae -idoid
aster(inae ἀστήρ
asynergia ἀσύνεργος
ataxia *or* -y ἀταξία
athetosis ἄθετος -ωσις
atrophy ἀτροφία
autophyte αὐτο- φυτόν
azygos ἄζυγος
ballism βαλλισμός
basidium βάσις -ιδιον
-iales -ii
-iomycetes -ous μυκήτες
bathybial βαθυ- βίος
benth(on)ic βένθος
bilirubin body
branch(ii iate βράγχια
brycon βρύξ
canities caranx
cardia -iac καρδία -ακός
carp καρπός
catalepsis κατάληψις
cataleptic καταληπτικός
catatonistic κατάτονος -ισ-
cellulose γλεῦκος τικός
cellutase διάστασις
centrum -al κέντρον
cephalia κεφαλή
-ic -ous -us
cerebrum -al -φιλος
chimonophilous χειμών
chlaena -eae -idae χλαῖνα
chlamydeous χλαμυδ-
chlorogenic χλωρο- -γενής
chorda -ata -ate χορδή
chorea χορεία
chroa χρώς
chromatopsis χρωματ- ὄψις
chromosome χρῶμα σῶμα
cidaris -idae κίδαρις
circle circular
cladus κλάδος
clastic κλαστός
cleisto- κλειστός
gamous -γαμος
gamy -ic -γαμία
c(o)elom κοίλωμα
colectomy κόλον -εκτομία
collin -oid κόλλα
complex
concentric κεντρικός
cosmites -idae κόσμος μίτος
crania -y ἡμικρανία
-ial -ic -in -iosis -ωσις
-iectomy -εκτομία
-iotomy -τομία
crescentic
cryptophytes κρυπτός φυτόν
-osynusia συνουσία
crystal κρύσταλλος
crystalline κρυστάλλινος
cycadales κύκας
cycle -ic -us ἡμικύκλιον
cyclone κυκλῶν
cylindric(al κυλινδρικός
cyrtus κυρτός
dactyl(e δάκτυλος
-ous -us
dapedonta δάπεδον
demisemiquaver
desmus δεσμός
diapente διάπεντε

hemi- Cont'd
diaphoresis διαφόρησις
diorite διορίζειν -ίτης
diplopoidion ἡμιδιπλοποί-
ditone δίτονος διον
dome -atic
drachm ἡμίδραχμον ρα
hemidoporphyrin αἱμ- πορφύ-
hemidrosis αἱμ- -ίδρωσις
hemi- Cont'd
dys(a)esthesia δυσαισθησία
dystrophia δυσ- -τροφία
ectromelia ἐκτροπή μέλος
edric ἕδρα
elastin ἐλάσσειν
elytron -al -um ἔλυτρον
encephalon -ic -us ἐγκέφα-
endo- ἐνδο- λον
biotic βιωτικός
phytic φυτόν
zoa ζῶον
enneahydrated ἐννέα ὑδρ-
epilepsy ἐπιληψία
epiphyte -ic ἐπί φυτόν
ester facial form
ether αἰθήρ
gale -us γαλῆ
-(e)inae -ine
gamo- γαμο-
tropous -τροπος
gamous γάμος
ganus γάνος
gastr- γαστρ-
ectomy -εκτομία
geometer γεωμέτρης
geusia γεῦσις
glossal -itis -y γλῶσσα
glottides -ean γλῶττα
glyph γλυφή
gnathus -ous γνάθος
group πος
gymnocarpous γυμνός -καρ-
gyraspis γῦρος ἀσπίς
hedron -ἑδρον
-al(ly -ic -ism -y -ισμός
helicoid ἑλικ- -οειδής
hetero ἑτερο-
cercal -y κέρκος
thalliam θαλλός
hidrosis -ίδρωσις
holohedral ὅλος ἕδρα
homothallism θαλλός
hydrate ὑδρ-
hypalgesia ὑπ- -ἀλγησία
hyper- ὑπέρ
aesthesia -αισθησία
idrosis -ίδρωσις
metria -μετρία
tonia τόνος
trophy -τροφία
hypo- ὑπό
esthesia -αἴσθησία
tonia τόνος
hypnosis ὕπνος -ωσις
hypnotism ὑπνωτικός
idealism ἰδέα -ισμός
identic
karyon κάρυον
laminectomy -εκτομία
laryng- λαρυγγ-
ectomy -εκτομία
lateral lesion
lepidotus λεπιδωτός
lethargy -ic ληθαργία
lexis λῆξις
ligulate lingual
lissa λισσός

hemi- Cont'd
logous λόγος
lytic λυτικός
mastodon μαστός ὀδών
melia -us μέλος
mellit-
ene ic ol
merus -id(ae -oid μέρος
metabole -y μεταβολή
-a -ic -ism -ous -ισμός
metamorphosis -(os)ic μετα-
μόρφωσις
metatropic μετά -τροπος
morph(y μορφή
-ic -ism -ous -ισμός
ite -ίτης
myaria(n μυ-
mylacris μυλακρίς
myosthenia μυο- -σθένεια
hemin αἱμ-
al ium
oporphyrin πορφύρα
hemina ἡμίνα
hemiolia -e -ic ἡμιολία
Hemiolimerus ἡμιόλιος μέρος
hemione -us ἡμίονος
hemi- Cont'd
neurasthenia νεῦρον
ἀσθένεια
obole -ion ἡμιοβώλιον
octahedron -al ὀκτάεδρον
ologamous ὅλος γάμος
onitis ἡμιονῖτις
opal ὀπάλλιος
opalgia ὠπ- -αλγία
ope ὀπή
ophrya ὀφρύς
opia -ic -y -ωπία
opsia ὀψία
ortho- ὀρθο-
morphic μορφή
tropy -τροπία
type τύπος
oxide oxy- ὀξύς ὀξυ-
pagus πάγος
palmate
parabola παραβολή
par(a)esthesia παρ- -αισθη-
paralysis παράλυσις σία
paran(a)esthesia παρ-
ἀναισθησία
paraplegia παραπληγία
parasite -ic παράσιτος
paresis -etic πάρεσις
parthenosperm παρθενο-
pecteros πεκτεῖν σπέρμα
pelic πηλός
peloric πελώριος
penis
pentacotyl πεντα- κοτύλη
peplus πέπλος
peptone πεπτικός
petalous πέταλον
phonon ἡμίφονον
phractus ἡμίφρακτος
-id(ae -oid
phrase φράσις
phyll φύλλον
p(in)ic ὄπιον
plane πλανης
plankton -ic πλαγκτόν
plegia ἡμιπλεγία
-iac -ian -ic -y
plexia -y ἡμιπληξία
plunger
pod(e an ii ius ποδ-
prism(atic πρίσμα

hemi- Cont'd
pristis πριστίς
protein πρωτεῖον
psammic ψάμμος
pter πτερόν ous us
a(n al idae ist oid(ea on
pterygoid πτερυγ- -οειδής
ptychus πτυχ-
puccinia
pyocyanin πυο- κύανος
pyramid(al πυραμιδ-
quin(on)oid (-ώνη) -οειδής
r(h)amph(us ῥάμφος
idae inae ine
rhipus ῥιπίς
saprophyte -ic σαπρός φυτόν
schist σχιστός
scotosis σκότωσις
scyllium Σκύλλα
-iid(ae -ioid
sect(ion septum -al
silicide
some -us σῶμα
somnambulism -ισμός
sparteilene σπάρτος
spasm σπασμός
sphere ἡμισφαίριον
-ed -ic(al(ly -ium -oid(al
-ule
spore -a -osis σπορά -ωσις
stater ἡμιστατήριον
sternum στέρνον
Hemisus ἥμισυς
-id(ae -oid
hemi- Cont'd
stich(al ἡμιστίχιον
symmetric(al συμμετρικός
symmetry συμμετρία
syncotyly σύν κοτύλη
syndrome συνδρομή
syngynicus σύν γυνή
systematic σύστημα
systole συστολή
taxy = hemiataxia
telia -ieae ἡμιτελής
terata -ic(s τερατ-
terpene τερέβινθος
tery -ic τέρας
tetartomorion ἡμιτεταρτη-
tetra- τέτρα μόριον
cotyledon κοτυληδών
thallide θαλλός
thermo- θερμο-
anesthesia ἀναισθησία
thersites θερσίτης
thyroid- θυρεοειδής
ectomy -εκτομία
tomes τομή
tomias ἡμιτομίας
tone ἡμιτόνιον
tonia τόνος
toxin τοξικόν
tremor
trichous τριχ-
tricotyledon τρι- κοτυληδών
tri- τρι-
cotyly κοτύλη
glyph τρί γλυφος
hydrated ὑδρ-
pterus πτερόν
-id(ae -inae -oid
tritaean ἡμιτριταῖος
trochiscidae τροχός ἴσκος
trope -y τροπή
-al -ic(al -ism -ous
trypa τρῦπα
type -ic τύπος

hemi- Cont'd
vagotomy -τομία
vertebra
xesma ξεσμή
zeuxis ζεύξις
zonia ζωνή
zygosis ζύγωσις
zygote ζυγωτός
zygous ζυγόν
hemo- αἱμο- See h(a)emo-
alkalimeter μέτρον
bilinuria -ουρία
blast βλαστός
chromo- χρῶμα
protein πρωτεῖον
clasis -ia κλάσις
clastic κλαστός
coccidium κόκκος -ίδιον
cryoscopy κρύος -σκοπία
cyto- κυτο-
blast βλαστός
genesis γένεσις
logy -λογία
zoon ζῷον
diagnosis διάγνωσις
digestion
dystrophy δυσ- -τροφία
ferrogen -γενής
genia -ic γεννᾶν
globic
globino-
genic -ous -γενής
lysis λύσις
pepsia -πεψία
philia -ic -φιλία
gram γράμμα
koniosis κόνις -ωσις
hemolarsenic αἱμ- ἀρσενικόν
hemo- Cont'd
leukocyte -ic λευκός κύτος
lipase λίπος διάστασις
lith λίθος
logy -λογία
lysinogen λύσις -γενής
lysoid λύσις -οειδής
lysophilic λύσις -φιλος
lyzation λύσις
metry -μετρία
nephrosis νεφρός -ωσις
pathy -πάθεια
pexis -in πῆξις
phage -φαγος
phago- φαγο-
cyte -osis κύτος -ωσις
philus -φιλος
phoric -φορος
photograph φωτο- -γραφος
phyllin φύλλον
Hemopis αἱμ- -ῶπις
hemo- Cont'd
plastin πλαστικός
pneumo- πνευμο-
pericardium περικάρδιον
poietin ποιητός
porphyrin πορφύρα
precipitin
proctia πρωκτός
protein πρωτεῖον
proteus Πρωτεύς
pyrrol(id)ine πυρρός
quinin(ic
rachis ῥάχις
rrha- αἱμορραγία
genic -γενής
rrhagiparous αἱμορραγία
rrheuma- ῥεῦμα
scope -σκόπιον

hemo- Cont'd
rrhoid- αἱμορροΐδες
ectomy -εκτομία
sozin σώζειν
spast σπαστικός
spermia σπέρμα
statin στατός
sterol στέαρ
stix στίφειν
styptic στυπτικός
texis τῆξις
therapeutics θεραπευτικός
therapy θεραπεία
thymia θυμός
tropin τροπή
tympanum τύμπανον
zoon ζῷον
hemoxometer αἱμ- ὀξύς μέτρον
hendec- ἑνδεκ-
androus -ανδρος
ane anol anone atoic ene (en)oic ine
hendeca- ἕνδεκα
colic κῶλον
gon(al γωνία
gynous -γυνος
hedron -έδρον
phyllous φύλλον
ploid -πλοος
semic σῆμα
syllab- ἑνδεκασύλλαβος
ic le
tomus τόμος
hendecyl ἑνδεκ- ὕλη
hendeka- ἕνδεκα
some σῶμα
hendiadys ἐν διά δυοῖν
heneicos- ἐν εἴκοσι
ane ine oic yl(ene ὕλη
ihydrated ὑδρ-
henico- ἑνικός
cephalidae κεφαλή
pus πούς
Henicurus ἑνικός οὐρά
-id(ae -oid
henism ἕν -ισμός
heno- ἑνο-
genesis γένεσις
geny -γένεια
the- θεός -ιστικός
ic ism ist(ic -ισμός -ιστής
therm θέρμος
henosis ἕνωσις
henotic ἑνωτικός
Henoticon ἑνωτικόν
Henotosoma ἑνότης σῶμα
henryite henwoodite -ίτης
hentri(a)contan(e ἕν τρίακοντα
Heopitheci -ine ἕως πίθηκος
heortologion ἑορτολόγιον
-ical -y
hepaptosis -ia ἧπαρ πτῶσις
hepar ἧπαρ
aden ἀδήν
ene -in inize -ίζειν
hepat- ἠπατ-
algia -ic -αλγία
argia *or* -y ἀργία
atrophy *or* -ia ἀτροφία
auxe αὐξή
ectomize ἐκτομή -ίζειν
ectomy -εκτομία
emphraxis ἔμφραξις
ic(a(e al us ἡπατικός
hepatico- ηπατικός
dochotomy χοληδόχος -τομία

hepatico- Cont'd
duodenostomy -στομία
enterostomy ἐντερο- -στομία
gastrostomy γαστρο-
lithotripsy λιθο- τρῖψις
logy -ist -λογία -ιστής
pulmonary
stomy -στομία
tomy -τομία
hepat- Cont'd
in(e ism ite -ισμός -ίτης
itis ἡπατῖτις
ize -ation ἡπατίζειν
odynia -ωδυνία
hepato- ἡπατο-
cele κήλη
cholangio- χολή ἀγγειο-
-stomy -στομία
-cystoduodeno -κύστις
-entero- ἐντερο-
-gastro- γαστρο-
chrome -ate χρῶμα
cirrhosis κιρρός -ωσις
colic κόλον
cystic κύστις
duodenal
duodenostomy -στομία
dysentery δυσεντερία
enteric ἔντερον
gastric γαστρ-
genic -ous -γενής
graphy γραφία
h(a)emia -αιμια
id -οειδής
lenticular
lith(ic λίθος
ectomy -εκτομία
iasis λιθίασις
logy -ical -ist -λογία
lysis -in λύσις
lytic λυτικός
malacia μαλακία
megalia μεγάλη
melanosis μελάνωσις
nephric νεφρός
oma -ωμα
omphalos ὀμφαλός
oncus ὄγκος
pancreas πάγκρεας
pathy -πάθεια
peritonitis περιτόναιον -ῖτις
pexy -ia -πηξία
phage -φαγος
phlebitis φλεβ- -ῖτις
phlebotomy φλεβοτομία
phthisis φθίσις
phyma φῦμα
pneumonic πνευμών
portal pulmonary renal
ptosis -ia πτῶσις
rrhagia -ραγία
rrhaphy -ῥαφία
rrhexis ῥῆξις
rrh(o)ea -ῥοια
scirrhus σκίρρος
scopy ἡπατοσκοπία
splenitis σπλήν -ῖτις
stomy -στομία
therapy θεραπεία
thrombin θρόμβος
tomy -τομία
tox- τοξικόν
emia ic in -αιμία
umbilical ventral
zoon ζῷον
hepatrilobin ἧπαρ τρι- λοβός
hepedochae ἕπειν δοχή

Hephaestus Ἥφαιστος
-ian -ic -iorrhaphy -ῥαφία
hephthemim ἑφθημιμερής
er(es eral
hepodoche ἕπειν δοχή
hepta- ἑπτά
branchias βράγχια
capsular carbon
chord χορδή
chromic χρῶμα
chronous χρόνος
colic κῶλον
compound
(i)cosane εἴκοσι
cosihydrated εἴκοσι ὑδρ-
cyclene κύκλος
dec- δεκ-
ane yl(ene ic) ὕλη
deca- δέκα
colophenic κολοφωνία
hydrated ὑδρ-
decad δεκάς
di- δι-
ene(-ic -ol) ine
glot γλῶττα
gon(al(ly ἑπτάγωνος
gyn(ia(n (i)ous γυνή
hedron -(ic)al -έδρον
hexadral ἕξ ἕδρα
hydrated ὑδρ-
meral -ous μέρος
meride μερίς
meter metrical μέτρον
methylene μέθυ ὕλη
molybdate μόλυβδος
nesian νῆσος
petalous πέταλον
phony ἑπτάφωνος
phyllous ἑπτάφυλλος
pla ἑπταπλᾶ
ploid -πλοος
pody -ic ποδ-
seme -ic ἑπτάσημος
sepalous σκέπη
some σῶμα
spermous σπέρμα
stadium Ἑπταστάδιον
sterigmatic στήριγμα
stich(ous στίχος
strophic στροφή
style -ar στῦλος
sulphide
syllabic συλλαβικός
technist τέχνη -ιστής
tetrazine τετρ- ἀ- ζωή
teuch τεῦχος
thiazine θεῖον ἀ- ζωή
tonic ἑπτάτονος
trema -id(ae -oid) τρῆμα
triene τρι-
valent -ency
hept- ἑπτ-
ace ἀκή
actin(e ἀκτιν-
ad ἑπτάς
al
aldehyde ὕδωρ
anchus ἄγκος
ander ἀνδρ-
andr- ἀνδρ-
a ia(n (i)ous
ane -al -ol -one -ώνη
angular
arch(al ἀρχός
archy -ic(al -ist -αρχία
arinus ἄρρην
atomic ἄτομος

hept- Cont'd
axodon ἄξων ὀδών
ene (-ic -ol -one -yl) -ώνη
eres ἐπτήρης ὕλη
in(e ine yl) ὕλη
ite -ol -ίτης
oic one onene -ώνη
ose -uria -ουρία
oxid(e ὀξύς
yl(ene ic ὕλη
amin(e ἀμμωνιακόν
Hera Ἡρά
Heracle(i)an Ἡράκλειος
Heracleonite Ἡρακλέων
Heracleum -in(e ἡράκλεια
Heraclid(ae an Ἡρακλεῖδαι
Heraclit(e)an Ἡρακλείτειος
ism -ισμός τος
Heraclitic(al -ism Ἡράκλει-
Heraea Ἡραῖος -ισμός
Heraeon -aeum Ἡραῖον
herbalism -ισμός
-ist -ize -ιστής -ίζειν
herbarism -ist -ισμός
Herbartianism -ισμός
herborist -ιστής
herborize(r -ation -ίζειν
Hercitis ἑρκίτης
herco- ἑρκο-
ceras κέρας
-atid(ae -atoid
crinus κρίνον
gamy -ic -ous -γαμία
lepas λεπάς
Hercules -ean -id Ἑρακλῆς
Hercyn- Ἑρκύνιος
ian ite -ίτης
osaurus σαῦρος
herderite -ίτης
heredo-
ataxia ἀταξία
syphilology λογία
heremetabola ἠρέμα μεταβολή
heresiarch(y αἱρεσιάρχης
heresimach αἱρεσιμάχος
heresio- αἱρεσιο-
grapher -γραφος
graphy -γραφία
loger -λογος
logy -ist -λογία -ιστής
heresy αἵρεσις
heretic αἱρετικός
al(ly alness ate ation ator ize
heretification αἱρετικός
heretize -ation αἱρετίζειν
Hermaea Ἑρμαῖος
-aeid(ae -aeoid
Hermaic(a(l Ἑρμαικός
hermaphrodite Ἑρμαφρό-
-a -eity -ic(al(ly -ish διτος
-anthae ἄνθος
-(it)ism -ize -ισμός -ίζειν
hermeneut ἑρμηνευτής
ae ist -ιστής
al(ly ics ἑρμηνευτικός
Hermes Ἑρμῆς
Hermesianism -ισμός
-etic(al(ly -ics -ητικός
-etism -ist -ισμός -ιστής
-etologist λογία
-idin
hermit ἐρημίτης -ισσα
age ary ess ic(al(ly ish ism
-ize ress ry -ισμός -ίζειν
hermo- ἑρμο-
dactyl ἑρμοδάκτυλος
gene(or i)an -γενής

hermo- Cont'd
glyphic -ist ἑρμογλυφικός
kopid ἑρμοκοπίδης
logion εἱρμολόγιον
phenol φαιν-
hernioid -οειδής
hernio-
enterotomy ἐντερο- -τομία
logy -λογία
plasty -πλαστία
rrhaphy -ῥαφία
tome -τομον
tomy -ist -τομία -ιστής
hero ἥρως
archy -αρχία
ess hood -ισσα
gony -γωνία
ic ἡρωικός
al(ly (al)ness ly
omic(al κωμικός
id ἡρωίδες
ify in(e inism -ισμός
ine ἡρωίνη -ίζειν
-ic -ism -ize ship -ισμός
ism istic -ισμός -ιστικός
ize -ation -ίζειν
mal
mania μανία
terpen τερέβινθος
theism θεός -ισμός
Herodian(ic Ἡρώδης
herod- ἐρωδιός
iae ii iones ionin(e
heroinomania μανία
heronite -ίτης
heroogony ἡρωογωνία
heroology -ist ἡρωολογία -ισ-
heroon or -oum ἡρῷον τής
Heros ἥρως
herpes ἕρπης
-etic(al -etism -etiform -etoid
Herpestes ἑρπηστής
-idae -inae -ine -is
herpetic -oid ἑρπετόν
herpeto- ἑρπής
graphy -γραφία
logy -ic(al(ly -ist -λογία
herpeto- ἑρπετόν
dryas δρυάς
logy -ic(al(ly -ist -λογία
monas μονάς
moniasis μονάς -ίασις
spondylia(n σπόνδυλος
theres θήρ
tomy -ist -τομία -ιστής
herpism ἕρπειν -ισμός
herpo- ἕρπειν
bdella -id(ae βδέλλα
blast βλαστός
trichia τριχ-
herpolhode ἕρπειν πόλος ὁδός
Herpysticus ἑρπυστικός
herrengrundite -ίτης
herschelite -ίτης
hertzotropism τροπή -ισμός
Hesiodic Ἡσίοδος
Hesione -id(ae -oid Ἡσιόνη
hesperetic Ἑσπερίδες
-in -ol
Hesperia -ian Ἑσπερία
-(i)id(ae -iinae -ioid
-isphynges σφίγξ
hesperic ἑσπέρα
Hesperid Ἑσπερίδες
es ean ian
hesperidium Ἑσπερίδες
-ate -eae -eous -ene -in

hesperinic Ἑσπερίδες
Hesperis ἑσπερίς
hespero- ἕσπερος
baenus βαίνειν
chernes χερνής
cicla κίχλα
mys μῦς
phylum φῦλον
pithecus -ine πίθηκος
pora πόρος
tropismus τροπή -ισμός
hesper- ἕσπερος
ornis ὄρνις
-ithes (-id(ae -oid)
Hesperus ἕσπερος
hessenbergite hessite -ίτης
hessonite ἥσσων -ίτης
hesthogenous ἐσθής -γενής
Hesycha ἥσυχος
-asm ἡσυχάζειν -μα
-ast ἡσυχαστής
-astic ἡσυχαστικός
hetaera ἑταίρα
hetaeria -io -y ἑταιρεία
hetaeric ἑταιρικός
hetaerism ἑταιρισμός
hetaerist(ic ἑταιριστής
Hetaerius ἑταῖρος
hetaero- ἑταιρο-
cracy -κρατία
lite λίθος
hetaira *etc.* = hetaera *etc.*
heter- ἑτερ-
acanth(a -i -ous ἄκανθα
acmy ἀκμή
actinid(ae ἀκτιν-
actis -id(ae ἀκτίς
adelphia -us -y ἀδελφός
adenia -ic -oma ἀδήν -ωμα
alin
ali(c)us ἅλως
alocha ἄλοχος
andria -ous -y -ανδρία
angium ἄγγος
anthera -ous -y ἀνθηρός
apial
archy -αρχία
aspis ἀσπίς
atomic ἄτομος
auxesis αὔξησις
axial
axon ἄξων
elasma ἔλασμα
ephaptomenon ἐφαπτόμενον
esthesia -αισθησία
euforms eupuccinia εὖ
ic(ally
ism -ist -ισμός -ιστής
ize -ation -ίζειν
ochthes ὄχθη
odon ὀδών
odont ὀδοντ-
a ia id(ae ism oid us
hetero- ἑτερο-
albumose γλεῦκος
-uria -ουρία
atom ἄτομος
autoplasty αὐτο- -πλαστία
blastic(ally -y βλαστός
bolites βολίς
brachium βραχίων
branchia -iate βράγχια
cardia καρδία
carpic καρπός
-eae -ian -icus -ism -ous -y
cary- κάρυον
osis otic -ωσις -ωτικός

hetero- Cont'd
caseose γλεῦκος
catalysis κατάλυσις
cellular
centric κεντρικός
cephalus κεφαλή
cera κέρας
-id(ae -oid -ous -us
cerc κέρκος
a(l i ity ous y
chelae χηλή
chiral χείρ
chiromys χειρο- μῦς
chlamydeous χλαμυδ-
cholestan(*or* en)one χολή
choric χωρεῖν -ώνη
chromatic -ism χρωματικός
chrome χρῶμα -ισμός
-ia -ic -ous -y
chromeae -eous ἑτερόχρω-
-ia -ic -ous -y μος
chromeae -eous ἑτερόχρω-
chromis χρόμις μος
chromosome χρῶμα σῶμα
chronous ἑτερόχρονος
-ia -ic -ism -istic -y
-ισμός -ιστικός
chrosis χρῶσις
chthon(ous χθών
chylia χυλός
cinesia κίνησις
cinnamic κίνναμον
cithara κιθάρα
cladia -ic -ieae κλάδος
clema κλῆμα
cline -ous κλίνη
clite ἑτερόκλιτος
-a -al -ic(al -ous
cnemis κνημίς
codeine κώδεια
coela -ous κοῖλος
coenites κοινός -ίτης
complimentophilic -φιλος
condensation
cotylea(n κοτύλη
crepidius κρηπίς
cresol κρέας σώζειν
crinites κρίνον -ίτης
crisis κρίσις
cycle κύκλος
-ane -ene -ic oid
cyemida κύημα
cyst κύστις
-eae -idae -ous
cytotoxin κυτο- τοξικόν
dactyl(e δάκτυλος
ae i ous us
dermatous δερματ-
dermeae -ic δέρμα
desmic -otic δέσμος -ωτικός
dichogamy διχο- -γαμία
diody δίοδος
diphycercal διφυής κέρκος
distylous -y δι- στῦλος
dogmatize δογματίζειν
doris -id(ae -oid δορίς
dox(ly (ic)al ness ἑτερόδοξος
doxy ἑτεροδοξία
drome -ous -y δρόμος
dymous δίδυμος
dynamic δυναμικός
dynamous δύναμις
dyne δύναμις
(o)ecium -ious οἰκίον
ecus -ism(al οἶκος -ισμός
epy -ic ἔπος
erotism ἔρως -ισμός

hetero- Cont'd
form
gamete γαμέτης
-ic -ism -ισμός
gamus γάμος
gamy -ic -ous -γαμία
gangliata -iate γάγγλιον
ganglionic γάγγλιον
gen- ἑτερογενής
e eal(ness eity eous(ly ness) ic(ity
ism ist -ισμός -ιστής
ite ize -ίτης -ίζειν
ous y
genesis γένεσις
genetic γενετικός
geophytes γεω- φυτόν
globulose
glossa -y γλῶσσα
glyphaca γλῦφη
gnath(i ous γνάθος
gomph γόμφος
gone γόνος
-ism -ous(ly -y -ισμός
graft
grapher -γραφος
graphy -ic(al -γραφία
gyna(l -ous γύνη
gyropus γυρο- πούς
hemagglutinin αἱμ-
homotype ὁμο- τύπος
ideus ἑτεροειδής
immune infection
inoculable -ation
intoxication τοξικόν
ion ἰόν
kinesia -κινησία
kinesis κίνησις
lalia λαλία
lateral literal
lecithal λέκιθος
lepidae λεπίς
licheni λειχήν
lith λίθος
lobous λόβος
logal λόγος
logy -ous λογία
lysis -in λύσις
lytic λυτικός
mactra μάκτρα
mallous μαλλός
mastig- μαστιγ-
ate
idae oda(n) ote -ίδης -ώδης
mastix μάστιξ -ωτης
mecic μῆκος
meles μῆλον
mera(n -ous ἑτερομερής
merae -als μέρος
meral -ic -y μέρος
meri -ic μηρός
meri- ἑτερομερής
carpy καρπός
meristic μεριστικός
mericus μέρος
meryx μήρυξ
mesogamy μεσο- -γαμία
metabola -ous μεταβολή
metabolic μεταβολικός
metaplasia μετάπλασις
metric μετρικός
metropia μέτρον -ωπία
mita -idae μίτος
monadidae -ina μοναδ-
morph ἑτερομόρφος
a ae ic ism ite ous y
mya -yaria(n μυ-

hetero- Cont'd
mys -yid(ae μῦς
-yinae -yine -yoid
narce νάρκη
nema νῆμα
-eae -(e)ous
nemertini Νημερτής
nephrolysin νεφρο- λύσις
nereis -eid Νηρείς
neural νεῦρον
nomy -ic -ous(ly -νομία
nucleal(ly nuclear
nym(y ic ous(ly ὄνυμα
osteo- ὀστεο-
plasty -πλαστία
ousia(n -iast -ious ἑτερ(ο)-ουσίος
pagus πάγος
pancreatism πάγκρεας -ισ-
partheno- παρθενο- μός
genesis γένεσις
pathy -ic -πάθεια
pelma -ous πέλμα
petalous -ody πέταλον -ωδία
phagi -ous -φαγος
phagy -φαγία
phallina φαλλός -ινος
phasia -iac -ic -φασία
phasis φάσις
phemia *or* -y -φημία
-ism -ist(ic -ize
phlebia φλεβ-
phonia *or* -y -φωνία
phora -φορος
phoria -ic -φορία
-algia -αλγία
phthongia φθόγγος
phyadic φυαδ-
phyes φυή
phyl(ly φύλλον
etum ii ous
phyletic φυλετικός
phyte -ic -ous φυτόν
plasia -y -πλασία
plasm(ic πλάσμα
plastic πλαστικός
plastid(e πλαστός
plasty -ia -πλαστία
ploid(y -πλοος
pod(a(n al ous ποδ-
polar(ity πόλος
poly- πολυ-
polymer πολυμερής
pora πόρος
proral
prosopus πρόσωπον
proteose πρωτεῖος
prothally πρό θαλλός
psychological ψυχο- λογία
pter(a(n -ous πτερόν
ptilus πτιλον
ptoton ἑτερόπτωτος
pycnosis πύκνωσις
pygii -ian πυγή
rhabdic ῥάβδος
rhina ῥιν-
rhizal ῥίζα
schisis σχίσις
schiza σχίζα
schoenus σχοῖνος
scope -σκόπιον
scopy -σκοπία
sepalody σκέπη -ωδία
serotherapy θεραπεία
sexual(ity
sitostanol σιτο- στερεός
some -ata -(at)ous σῶμα

hetero- Cont'd
soteric σωτήρ
sporangium σπορά ἀγγεῖον
sporium σπόρος
-eae -(e)ous -ic
spasis σπάσις
spermy σπέρμα
stachyous στάχυς
staminody στημών -ωδία
stasis στάσις
static στατικός
staural σταυρός
steginoides στέγη
stemonous στήμων
stichus στίχος
stoma στόμα
strophe -ic -ous -y -στροφος
strophic ἑτερόστροφος
stylia -ism -ous -y στῦλος
suggestion
symbiontic συμβιῶν
tactic τακτικός
tactous τακτός
tarbus τάρβος
taxia -y -ταξία
taxis -ic τάξις
telic τέλος
thalamus -eae θάλαμος
thallic -ism θαλλός -ισμός
theca -eae θήκη
therapy θεραπεία
therm(al -ic θέρμος
thesis θέσις
toma -ic -ous -τομος
tonia -τονία
tonic -ous(ly τόνος
tope τόπος
-ia -ic -ism -ous -y -ισμός
toxis -ic -in τοξικόν
transplant(ation
tricha -al -ous -um τριχ-
trichosis τρίχωσις
tristyly τρι- στῦλος
trochalus τροχαλός
troph τροφή
trophy -ia -ic -τροφία
tropia -y -τροπία
tropous -al -ic τρόπος
type -al -ic(al τύπος
vicinal
xanthin(e ξάνθος
xenous ξένος
xetes -esis ξήτησις
zoic ζῷον
zonal ζώνη
zygosis -ity ζύγωσις
zygote -ic ζυγωτός
zygous ζυγόν

heter- Cont'd
omaton αὐτόματον
ome -i -ous ὦμος
ophthalmia -y ὀφθαλμία
ophthalmos -us ὀφθαλμός
opia -idae ὠπ-
oplites ὁπλίτης
opsia -οψία
opsomys ὤψ μῦς
optics ὀπτικός
orexia ὄρεξις
oscian ἑτερόσκιος
osis ἑτέρωσις
osite -ίτης
osteo- ὀστεο-
plasty -πλαστία
osteus ὀστέον
ostraca ὄστρακον
-an -i -ous

heter- Cont'd
ostrea ὄστρεον
otis ὠτ-
hetocresol ἕτερος κρέας σώζειν
Hetoemis ἑτοῖμος
hettocyrtosis ἥττων κύρτωσις
heubachite -ίτης
heulandite heumite -ίτης
heuretic(s εὑρετικός
heuristic εὑρίσκειν -ιστικός
hexa- ἑξα-
amylose ἄμυλυν γλεῦκος
basic βασις
biose βίος
blemma βλέμμα
bromid(e -o- βρῶμος
capsular
carbon
ceratina -e κερατ-
chaetae -ous χαίτη
chinol
chlorid χλωρός
chloro- χλωρο-
chord(al χορδή
chromic χρῶμα
chronous χρόνος
coccus κόκκος
colic -us ἑξάκωλος
compound
coralla(n -ia -ine κοράλλιον
cosane -ic εἴκοσι
cosihedroid ἑξακόσιοι ἕδρα
cotylous κοτύλη -οειδής
crinus κρίνον
cyanogen κυανο- -γενής
cyclic κυκλικός
dactyl- δάκτυλος
ic ism ous -ισμός
dec- δεκ-
ane oic
yl(ene ic ὕλη
deca- δέκα
colophenic κολοφωνία
d(i)ine δι-
hedroid ἕδρα -οειδής
hydrated ὑδρ-
diene -ic -ol -one δι- ὠνη
diine δι-
drachm ἑξάδραχμος
(h)emeron -ic ἑξαήμερον
foil
glot γλῶττα
gon ἑξάγωνον
al(ly alize ial ian ical ite oid ous y -ίζειν -ίτης
ienchyma ἔγχυμα
ize ἑξαγωνίζειν
ochilus χεῖλος
gram ἑξάγραμμος
grammos ἑξάγραμμος
-id(ae -inae -oid
gyn(ia(n (i)ous γυνή
hedron ἑξάεδρον
-(ic)al -ite -ίτης
hexosan ἕξ γλεῦκος
hydr- ὑδρ-
ate(d ic id(e ite -ίτης
oxybenzene ὀξυ-
hydro- ὑδρο-
benzene carvacrol
hemato- αἱματο-
porphyrin πορφύρα
thymol θύμον
icosane εἴκοσι
lepidus λεπιδ-
logy -λογία
mecol μέθυ

hexa- Cont'd
meral -ous ἑξαμερής
-oceras κέρας
mere -ism μέρος -ισμός
meter ἑξάμετρος
methyl- μέθυ ὕλη
ene (en)ated -ηνη
(di)amin(e ἀμμωνιακόν
tetr- τετρ-
am- ἀμμωνιακόν
in(e onium
enimine ἀμμωνιακόν
metr- -er ἑξάμετρος
al ic(al ist -ιστής
metro- ἑξάμετρος
grapher -γραφος
mania μανία
nemous νῆμα
nephric νέφρος
nitro- νίτρον
partite ped
petal- πέταλον
ae oid(eous ous
phase φάσις
phyletic φυλετικός
phyllous φύλλον
pla ἑξαπλόος
-ar(ian -ic -oid
plasta πλαστός
plex plumbic
pod(a(l an e ous y) ποδ-
prostyle πρόστυλος
protodont πρῶτος ὀδοντ-
psalmos *or* -us ἑξάψαλμος
pterous πτερόν
ptote ἑξάπτωτος
pyrenus πυρήν
radial
rhoptra ῥόπτρον
seme -ic ἑξάσημος
sepalous σκέπη
somic σῶμα
spermous σπέρμα
stemonous στήμων
sterigmatic στήριγμα
stich ἑξάστιχος
ic on ous y
orchis ὄρχις
stigm στίγμα
style ἑξάστυλος
-ar -ic -os
sulphid
amide ἀμμωνιακόν
syllab- ἑξασύλλαβος
ic le
tanytarsus τανυ- ταρσός
tetrahedron -al τετράεδρον
teuch(al τεῦχος
thi- θεῖον
azole onic ἀ- ζωή
triacontane τριάκοντα
triene triose τρι-
vaccine valent -ency
hex- ἕξ
acanth(ous ἄκανθα
ace ἀκή
acid
acis- ἑξάκις
octohedral ὀκτώ ἕδρα
tetrahedron -al τετράεδ-
act ἀκτίς ρον
actin ἀκτιν-
al e ia(e ian
ella (-id(ae ida(n ine)
ad(e ic ἑξαδ-
akis- = heracis-
al alet alin

hex- Cont'd
aldehyde ὕδωρ
aldose γλεῦκος
amine ἀμμωνιακόν
amm- ἀμμωνιακόν
ine ino- oniate onium
anchus ἄγχω
-id(ae -oid
ander -ανδρος
andria -ανδρία
-ian -ic -ous -y
ane -ol -one -ώνη
angle angular(ly
anthus ἄνθος
arch(y ἀρχή -αρχία
arinus ἄρρην
ase διάστασις
aster ἀστήρ
astero- ἀστερο-
phora -ous -φορος
athlon ἄθλον
atomic ἄτομος
axon ἄξων
azene azoane ἀ- ζωή
decyl(ic δεκ- ὕλη
hexecontane ἑξηκοντα
-contahedron -έδρον
hex- Cont'd
eikosane εἴκοσι
ene -ηνη
-ic -oic -ol -one -yl -ώνη
eres eris ἑξήρης ὕλη
eton(e ?αἰθήρ
ine -ol -one -ώνη
iodid(e ἰώδης
hexiology -ical ἕξις -λογία
hexiradiate ἕξ
hexo- ἕξ
biose triose βίος τρι-
hex- Cont'd
it(e ol -ίτης
octahedron -al ὀκτάεδρον
ode ὁδός
oic ol one onic -ώνη
os(e γλεῦκος
am(in)ic ἀμμωνιακόν
an id(e
azone ἀ- ζωή -ώνη
oxide ὀξύς
oyl(ene ὕλη
partite
tetrahedron -al τετράεδρον
yl(ene ic ὕλη
amin(e ἀμμωνιακόν
resorcinol
Hibern-
ianism icism -ισμός
(ic)ize -ation -ίζειν
Hiberno-
logy -ist -λογία -ιστής
phobe -φοβος
Hibiscus ἰβίσκος
-eae -etin
Hibolites ἶπός λίθος
hibschite Hicksite -ίτης
hickery-pickery ἱερά πικρά
hidalg(o)ism -ισμός
hiddenite -ίτης
hidr- ἱδρώς
aden- ἀδήν
itis oma -ῖτις -ωμα
hidroa ἵδρωα
hidro- ἱδρώς
adenoma ἀδήν -ωμα
cystoma κύστις -ωμα
mancy μαντέια
nosus νόσος

hidro- Cont'd
plankton πλαγκτόν
poiesis ποίησις
poietic ποιητικός
rrhea -ῥοία
schesis σχέσις
hidrosis ἱδρώς -ωσις
hidrotic ἱδρωτικός
hielmite -ίτης
Hieracium ἱεράκιον
-iarch ἀρχός
-ology -ist λογία -ιστής
hieraco- ἱερακο-
sphinx σφίγξ
hieralgia ἱερόν -αλγία
hierapicra ἱερά πικρά
hierarch(al ἱεράρχης
ic(al(ly ἱεραρχικός
y ἱεραρχία -ίζειν
ism ist ize -ισμός -ιστής
hieratic(al -ica ἱερατικός
opolitical πολιτικός
hieratite Ἱερά -ίτης
Hierax ἱέραξ
hiero- ἱερο-
chloe -oea χλόη
cracy -κρατία
cratic(al -κρατία
dule -ic ἱερόδουλος
falco
gamy -ic -γαμία
glyph ἱερογλυφικός
ed ic(al(ly (ic)ize ism ist y
-ίζειν -ισμός -ιστής
ology -λογία
glypher ἱερογλύφος
-odes -ώδης
glyptic γλυπτικός
gram γράμμα
grammat ἱερογραμματεύς
e eus ic(al ist -ιστής
graph ἱερόγραφα
grapher ἱερογράφος
graphic(al ἱερογραφικός
graphy ἱερογραφία
latry λατρεία
logy -ic(al -ist -λογία -ιστής
machy -μαχία
mancy μαντεία
mania ἱερομανία
martyr ἱερομάρτυς
mnemon ἱερομνήμων
monach ἱερομόναχος
pathic ἱερο- πάθος
phancy ἱεροφαντία
phant ἱεροφάντης
phantic(ally ἱεροφαντικός
phobia -φοβία
poioi ἱεροποιοί
saurus σαῦρος
scopy ἱεροσκοπία
solymite -an Ἱεροσολυ-
theca ἱεροθήκη μίτης
therapy θεραπεία
hieron ἱερόν
Hieronym- Ἱερώνυμος
a eae ian ic ite -ίτης
hierurgy -ical ἱερουργία
highmoritis -ῖτις
Hikelaster ἀστήρ
hilasmic ἱλασμός
hilastic ἱλασμός -αστικός
Hilipus ἑιλίπους
hillangsite -ίτης
Himanthalia ἱμάς
himanto- ἱμαντο-
cera κέρας

himanto- Cont'd
lophus -inae λόφος
phyton φυτόν
pus ἱμαντόπους
stomopsis στόμα ὄψις
himantosis ἱμάντωσις
Himatega ἱματηγός
Himatidium ἱματίδιον
himation -ium ἱμάτιον
Himatismus ἱματισμός
Hime εἷμα
himero- ἱμερο-
crinus κρίνον
Himyarite -ic -ίτης
Hinduism -ize -ισμός -ίζειν
hinoid(e(o)us ἰνοειδής
Hiodon ὑοειδής ὀδών
-ont(idae
hintzeite hiortdalite -ίτης
Hippa ἵππος
-id(ae -idea(n
hipp- ἱππ-
alectryon ἱππαλεκτρυών
anthropy ἱππάνθρωπος
aphesis ἱππάφεσις
arch ἱππαρχής
archia ἱππαρχία
arion ἱππάριον
-ionyx ὄνυξ
-iotherium θηρίον
astrum -eae ἄστρον
elaph(us ἱππέλαφος
ia -ieae -ian
iater ἱππιατρός -ιστής
iatric(al -ics ἱππιατρικός
iatry -ist ἰατρεία
ic ἱππικός
idion -ium ἱππίδιον
ius ἵππειος
hippo ἱπποπόταμος
hippo- ἱππο-
bosca(n -id(ae -oid ἱππο-
broma βρῶμα βοσκός
camp(us ἱππόκαμπος
al id(ae ina(e ine oid(es
castanum -aceae κάστανα
caust ὁλόκαυστον
centaur(ic ἱπποκένταυρος
cephalus -oid κεφαλή
coprosterin -ol κοπρο- στε-
cras Ἱπποκράτης ρεός
crat- ism
aceae aceous ea ian ic(al
crene -ian Ἱπποκρήνη
crepis -ian -iform κρηπίς
dame -ist -ous ἱππόδαμος
dramatic δραματικός
drome ἱππόδρομος
-(at)ic -ist -ιστής
fly form
gastronomy γαστρονομία
glossus -ina(e γλῶσσα
gony -γονία
griff(in γρυπ-
kopro- = hippocopro-
lite lith λίθος
logy -ical -ist -λογία -ιστής
lyte -id(ae -oid Ἱππολύτη
machy ἱππομαχία
mane(s -eae ἱππομανής
maniacally μανία -ακός
marathrum ἱππομάραθρον
melanin μελαν-
meter metric μέτρον
nactean Ἱππονάκτειος
nosology -ical νοσο- -λογία
pathology -ical παθολογική

hippo- Cont'd
phae -aetum ἱπποφαές
phagi- ous -φαγος
phagy -φαγία
-ism -ist(ical -ισμός -ισ-
phile -φιλος τής -ιστικός
phobia -φοβία
podius -iidae ποδ-
porella πόρος
potamus ἱππόποταμος
-i(an -ic -id(ae -inae -ine
-oid(ea
pus πούς
sandal σάνδαλον
spongia σπογγία
stercorin -ol
therium θηρίον
tigris ἱππότιγρις
tomy -ical -ist -τομία
tragus -inae -ine τράγος
hipp- Cont'd
oid ol -οειδής
onyx ὄνυξ
-ychid(ae -ychoid
osteology ὀστεο- -λογία
ur- οὖρον
amide ἀμμωνιακόν
arsinic ἀρσενικόν
ia ate ic -ουρία
is id(eae ἵππουρις
in(e
ite(s ἵππουρος -ίτης
-ic -id(ae -oid
yl ὕλη
uro- οὐρο-
hippus ἵππος
Hiptage -eae ἵπταμαι
hiptagenic -in -γενής
Hiramite -ίτης
hircismus -ισμός
hirmo- εἱρμο-
logion εἱρμο λόγιον
neurites νεῦρον -ίτης
hirmos -us εἱρμός
hirsutism -ισμός
hirudiniasis -ίασις
hisingerite -ίτης
Hispanicism -ize -ισμός
Hispaniolize -ίζειν
Hispanophile -φιλος
hist- ἱστός
affin(e
amin(e ἀμμωνιακόν
emia -αιμία
ase διάστασις
enzyme ἔνζυμος
ic idin(e
idase διάστασις
idyl ὕλη
oid oma -οειδής -ωμα
on(e a al ἱστόν
uria -ουρία
histio- ἱστιο-
branchus βράγχια
cephalus κεφαλή
clastic κλαστός
cottus κόττος
cyte κυτος
genic -γενής
logy -ical -λογία
notophorus νῶτον -φορος
phorus -id(ae -oid -φορος
thrissa θρίσσα
histi- ἱστίον
oid oma -οειδής -ωμα
onic
urus οὐρά

histo- ἱστο-
blast βλαστός
chem- χημεία
ical istry
clastic κλαστός
cyte κύτος
diagnosis διάγνωσις
dialysis διάλυσις
dialytic διαλυτικός
fluorescence
gen(ic -ol -ous -γενής
genesis γένεσις
genetic(ally γενετικός
geny -γένεια
geography γεωγραφία
grapher -γραφος
graphy -ic(al(ly -γραφία
h(a)ematin αἱματ- -γενής
hematogenous αἱματο-
logy -ic(al(ly -ist -λογία
lysis λύσις -ιστής
lytic λυτικός
metabasis μετάβασις
metaplastic μετά πλαστός
monas μονάς λογία
morphology -ical μορφο-
morphosis μόρφωσις
morphotic μορφωτικός
nomy -νομία
pathology -ic(al παθολογική
pedes
peptone πεπτόν
philus -φιλος
phyly -φυλία
physics φυσικά
physiology -ical φυσιολογία
phyta -ia φυτόν
plasma -osis πλάσμα -ωσις
podes ποδ-
psyche ψυχή
psychology ψυχο- -λογία
retention
histori- ἱστορία
an(ism (at)ed er ette fy ous
histor- ἱστορία
ism ize -ισμός -ίζειν
historic ἱστορικός
al(ly alness ian ity ize -ics
historico- ἱστορικός -ίζειν
critical κριτικός
philosophical φιλοσωφία
historio- ἱστοριο-
graph ἱστοριογράφος
al er(ship
graphic(al(ly ἱστοριογραφι-
graphy ἱστοριογραφία κός
logy -ical -λογία
metry -μετρία
nomer -ical νόμος
history ἱστορία
histo- Cont'd
rrhexis ῥῆξις
san
sporidia σπορά -ιδιον
therapy θεραπεία
thrombin θρόμβος
tome -τομον
tomy -τομία
tribe τρίβειν
trophic τροφή
tropic τρόπος
zoa zoic ζῷον ζωικός
zyme ζύμη
histrion(ic)ism -ισμός
histrionize -ίζειν
Histriophoca φώκη
histrixite ὑστριχρός -ίτης

Hittite -ίτης
hizometer ἵζειν μέτρον
hjelmite -ίτης
Hlauriceras κέρας
Hobb(ian)ism -ισμός
Hobbist(ical -ιστής -ιστικός
hobbyism -ισμός
hodegetics ὁδηγητικός
hodo- ὁδο-
graph(ic(ally -γραφος
meter metric(al ὁδόμετρος
neuromere νευρο- μέρος
hoernsite hohmannite -ίτης
Hoffmanist -ite -ιστής -ίτης
hokutolite λίθος
hol- ὅλος
acanthus -inae ἄκανθα
agog(ue ἀγώγος
arctic ἀρκτικός
ard
arrhenin(e ἄρρην
arthritis -ic ἀρθρῖτις
aspideae -ean ἀσπιδ-
holcad ὁλκάς
holco- ὁλκός
coenia κοῖνος
discoides δισκοειδής
myrmex μύρμηξ
notus -id(ae -oid νῶτος
rhynchia ῥύγχος
spermum σπέρμα
stephanidae στέφανος
teuthis τευθίς
thyris θυρίς
Holcus ὁλκός
-odont ὀδοντ-
hol- Cont'd
endo- ἐνδο-
biotic βιωτικός
phytes φυτόν
zoa ζῷον
ethnos -ic ἔθνος
etra -ous ἦτρον
holidayism -ισμός
Holk(e)ion ὁλκεῖον
holmos ὁλμος
holo- ὁλο-
acid acral axial
baptist βαπτιστής
basid βάσις
benthic βένθος
biont βιοντ-
blast(ic(ally βλαστός
brachys βραχύς
branch(ia βράγχια
ial iate ious
cain(e
carcinus καρκίνος
cardius καρδία
carp(ic -ous καρπός
caust(al ic ὁλόκαυστον
cene καινός
centrus -id(ae -oid κέντρον
cephal κεφαλή
a i ic ous
chlamyda χλαμυδ-
-ate -eous -ic
choan- χοάνη
ites -ic oid(a(l -ίτης -οειδής
chordate χορδή
chroal χρόα
chrone χρόνος
clastic κλαστός
crine -idae κρίνον
cryptic κρυπτικός
crystalline κρυστάλλινος
cyclic κύκλος

holo- Cont'd
dactylic -ous δάκτυλος
diastolic διαστολή
edric ἕδρα
gamic -ous γάμος
gamy -γαμία
gastrula -ar γαστρ-
genesis γένεσις
glossy γλῶσσα
gnatha -ous γνάθος
gonic γόνος
graph(ic(al ὁλόγραφος
gymno- γυμνο-
carpous καρπός
hedron -έδρον
-al -ic -ism -ισμός
hemihedral ἡμι- ἕδρα
hexagonal ἑξάγονος
hyalin(e ὕαλος
isometric ἰσο- μέτρον
lepta λεπτός
mastigote μαστιγγ- -ωτης
metabole -y μεταβολή
-a -ian -ic -ism -ous
meter μέτρον
metopa μέτωπον
morph μορφή
ic -ism -y ιομός
morphosis μόρφωσις
myaria(n μυ-
myerial μυ- ἔριον
narcosis νάρκωσις
holontho- ὄλονθος
gaster γαστήρ
holo- Cont'd
paramecus παραμήκης
parasite -ic παράσιτος
pathy -πάθεια
pedium -iidae πεδίον
phane φαν-
phanerous φανερός
phote -al(ly φωτ-
photo- φωτο-
meter μέτρον
phrasis -ic φράσις
phrasm
phrastic φραστικός
phyte φυτόν
-a -ic -ism -ισμός
plankton(ic πλαγκτόν
plexia -πληξία
pneustic πνευστικός
poda -ous ποδ-
prizus πρίζειν
ptilus -idae πτίλον
ptychius πτυχή
-ian -iid(ae -ioid
pus -id(ae -oid πούς
quin oid -οειδής
quinonic -oid -ώνη -οειδής
r(h)achischisis ῥαχις σχίσις
rhiny -al ῥιν-
sapro- σαπρο-
phyte -ic φυτόν
schisis σχίσις
sericeous Σηρικός
siderite σιδηρίτης
siphona -ate σίφων
somata -ous σῶμα
spheric σφαῖρα
spondaic σπονδειακός
steric στερεός
stome στόμα
-ata -ate -atous -i -idae
styly -ic στῦλος -um
symmetric συμμετρικός
symmetry συμμετρία

holo- Cont'd
systematic συστηματικός
systolic συστολή
tarsia -ian ταρσός
tesseral τέσσερες
tetanus τέτανος
tetragonal τετράγωνος
thecal θήκη
thure -ium ὁλοθούριον
-ia -ial -ian -id(ea -iid(ae
-ioid(ea -ioid(i)a
thrix θρίξ
thyrus θύρα
tomy -τομία
tonia *or* -ic -y τόνος
topy -τοπία
tricha(l ous τριχ-
trocha(l ous us τροχός
tropical -τροπος
type τύπος
zoic ζωικός
hol- Cont'd
opon ὄπιον
ops ὤψ
optic(us ὀπτικός
oste- ὀστε-
an i ous um
ostraca(n ous ὄστρακον
urus οὐρά
hom- ὁμ-
acanth(i ἄκανθα
acodon ἀκίς ὀδών
homal- ὁμαλός
a ieae isus ium
obus λοβός
odonto- ὀδοντο-
theriidae θηρίον
odothere ὀδών θηρίον
-ia(n -iid(ae -ium
oid(al -οειδής
opsis -id(ae -oid ὄψις
otes ὁμαλότης
homalo- ὁμαλο-
cenchrus κέγχρος
cephalus κεφαλή
ceraea κεραία
choric χωρεῖν
cladous κλάδος
dora δορά
gonatae -ous γονατ-
graphy -ic -γραφία
grypota γρυπότης
gyra -id(ae -oid γῦρος
myia μυῖα
notidae νῶτον
phora -φορος
ptera -ous πτερόν
ptila πτίλον
sternal -ii στέρνον
teuthis τευθίς
tropism τροπή -ισμός
homate ὁμάς
hom- Cont'd
atomic ἄτομος
atropia -in(e Ἄτροπος
axial
axonia(l ic ἄξων
elix ὁμῆλιξ
homeo- ὁμοιο-
cyte κύτος
kinesis κίνησις
morphous -μορφος
osteo- ὀστεο-
plasty -πλαστία
path ὁμοιοπαθής
pathy ὁμοιοπάθεια
-ic(al(ly -icity -ist

homeo- Cont'd
phony -φωνία
plasia -y πλάσις
plastic πλαστικός
praxis πρᾶξις
therapy θεραπεία
transplant(ation
homergy ὁμ- -εργία
Homerian Ὁμήρειος κός
Homeric(al(ly -ican Ὁμηρι-
Homerid(ae -ean Ὁμηρίδης
Homerist Ὁμηριστής
Homerology -ist Ὁμηρο-
homichlin ὁμίχλη -λογία
homilete ὁμιλητής
-ic(al(ly -ics ὁμιλητικός
homilite ὁμιλεῖν
homily ὁμιλία -ίζειν
-iarium -iary -ist(ical -ize
-αριον -ιστής -ιστικός
hominid(ae -oid -ίδης -οειδής
hominocentric κεντρικός
homo- ὁμο-
anis- ἄνισον
aldehyde ic ὕδωρ
anthr- ἄνθραξ
anilic oxanic ὀξύς
apocamphoric ἀπό καμφορά
asparagine ἀσπάραγος
baric βάρος
berberine betaine
biophorid βιο- -φορος
bium βίον
blasteae -ic -y βλαστός
branchia -iate βράγχια
bront βροντή
camphor καμφορά
ane ene enilone enol enylic
caronic κάρον (ol)ic
carpous -καρπος
cary- κάρυον
osis otic -ωσις -ωτικός
catechol
categorical κατηγορικός
cedrenol κέδρος
centric(al(ly κεντρικός
cephalic κεφαλή
cerc(y al(ity κέρκος
cerebrin chaulmoogric
cheiroline χειρο-
chelae χηλή
chelidonin χελιδών
chiral(ly χείρ
chlamydeous χλαμυδ-
cholane & -ine χολ-
chroma -eae -eous -y χρῶμα
chromatic -ism χρωματ-
chromo χρῶμα -ισμός
isomerism ἰσομερής
some σῶμα
chronic -ous χρόνος
cincholoipon λοιπόν
cinchonin -icin -idin(e
cladic κλάδος
clinic -ous κλινή
cocain conessine
coela -ous κοῖλος
coniine κώνειον
coralyn -ydine κορυδαλλίς
creosol κρέας σώζειν
crinidae κρίνον
cumic κύμινον
cyclic κυκλικός
demic ὁμόδημος
derma δέρμα
-atous -ic -idae -y
desmic -otic δεσμός -ωτικός

homo- Cont'd
dichogamy διχο- -γαμία
dox(ian ὁμόδοξος
drome -y ὁμό δρομος
-al -ic -ous
dynamy -ic -ous δύναμις
dyne δύναμις
eledonine ἐλεδώνη
homodont(y ism ὁμ- ὀδοντ-
homoe- ὅμοιος -ισμός
odont ὀδοντ-
oid(al(ity ὁμοιοειδής
osis ὁμοίωσις
otic ὁμοιωτικός
homoeo- ὁμοιο-
andry -ous -ανδρία
archy -αρχία
cephalic κεφαλή
chromatism χρωματ- -ισμός
chronous χρόνος
crystalline κρυστάλλινος
dipnis δεῖπνον
gamy -γαμία
genesis γένεσις
kinesis κίνησις
lichenes λειχήν
meral -i -ic -ous ὁμοιο μερής
meria -y ὁμοιομέρεια
-ian(ism -ic(al -(i)ous
morph ὁμοιόμορφος
ic ism ous y -ισμός
myarii μυ-
path(y = homeopath(y
phony -φωνία
phyllous -φυλλος
plasia -y πλάσις
plastic πλαστίκος
podal ποδ-
prophoron προφορά
pteryx πτέρυξ
ptoton ὁμοιόπτωτον
ptotus πτωτός
rhynchia ῥύγχος
saurus σαῦρος
-ia(n -id(ae -oid
semant ὁμοιόσημος
tel ὁμοιοτέλευτον
euton eutonic
therm(ism al ic θερμός
topy -τοπία
type -ic(al τύπος
zoic ζωικός
homo- Cont'd
erio- ἐριο-
dictyol δίκτυον
erotic (ic)ism ἐρωτικός
esdragol
etero- ἑτερο-
styly στῦλος
euony- εὐώνυμος
sterin -ol στερεός
fenchene fenchonic
fenchyl ὕλη
flemingin focal
galax γάλαξ
gallic
gametic γαμέτης
gamy -ous -γαμία
gangliate -a γάγγλιον
gen -γενής
gene ὁμογενής
-eal(ness -ean -eate -ei
-eity -eous(ly -eousness
-eum -ization -ize(r
genesis γένεσις -ίζειν
genetic(al γενετικός
gentis(in)ic

homo- Cont'd
geny ὁμογένεια
-ic -ist -ous -ιστής
glandular
glenus γλήνη
glot ὁμόγλωττος
gomph γόμφος
gone -y -ous(ly γόνος
graph(ic -y ὁμόγραφος
graphy -ic -γραφία
gyrous γῦρος
hedral ἕδρα
heliotropin ἡλιοτρόπιον
hemo- αἱμο-
therapy θεραπεία
hetero- ἑτερο-
styly στῦλος
histio- ἱστιο-
blast βλαστός
hordenine
hydnocarpic ὕδνο- καρπός
homoi- ὅμοιος
an
anthodes ἀνθώδης
homoio- ὁμοιο-
gamy -ous -γαμία
merous ὁμοιο μερής
plasia πλάσις
therms θέρμος
zoic ζωή
homoiousia(n -ious ὁμοιούσιος
homo- Cont'd
isochemite ἰσο- χημεία
karyotic κάρυον -ωτικός
kinesis κίνησις
lateral levulinic
lecithal λέκιθος
lichas Λίχας
licheni λειχήν
limonenol linalool
homolog-
ate -ation ὁμολογεῖν
ous al ὁμόλογος
ue on ὁμόλογον
umena ὁμολογούμενα
y ὁμολογία
ic(al(ly ist ize(r -ιστής
-ίζειν
homolo- = homalo-
homo- Cont'd
lytic λυτικός
mal(l)ous μάλλος
martonite
menthene & -one μίνα -ώνη
mer- μέρος
al ic(us ous y
meristic μεριστικός
meroquinene μερο-
mesitone μεσίτης -ώνη
mesityl μεσίτης ὕλη
metrical(ly μετρικός
morph(y μορφή
a ic ism ous -ισμός
morpholine Μορφεύς
morphosis μόρφωσις
muscarine
myristicyl μυριστικός ὕλη
naphthalic νάφθα
narceine νάρκη
nataloin ἀλόη
nemeae -eous νῆμα
neural νεῦρον
nicotinic
noia ὁμόνοια
nomous -y ὁμόνομος
nucleal(ly
nym(al ὁμώνυμον

homo- Cont'd
nymous(ly -ic(al ὁμώνυμος
nymy ὁμωνυμία
homoo- ὁμ- ᾠόν
gonous γόνος
plasy πλάσσειν
homo- Cont'd
(o)usiast ὁμοουσιαστής
ousion -ia -ie ὁμοούσιον
(o)usious ὁμ(ο)ούσιος
-ian(ism -ισμός
-ianist -ιστής
parthenogenesis παρθενο-
pathy ὁμοπάθεια γένεσις
periodic περιοδικός
petalous πέταλον
phene -ous φαιν-
phenetole φαιν- αἰθήρ
phoeta ὁμόφοιτος
phone -ic -ous ὁμόφωνος
phony -ic -ous ὁμοφωνία
phorone καμφορά
phron ὁμόφρων
phthal- νάφθα
ic ide
imide ἀμμωνιακόν
phyadic φυαδ-
phyla ὁμοφύλος
phyletic φυλετικός
phyly -ic ὁμοφυλία
phytic φυτόν
pilopic πιλο- καρπός
pinene -(en)ol
pinocamphoric καμφορά
piperonal -yl(ic πέπερι ὕλη
plasia -y -πλασία
plasmy -ic πλάσμα
plast(ic id(e πλαστός
plasty -ic -πλαστία
polar(ity ic πόλος
proral
protein -eoid πρωτεῖον
pter ὁμόπτερος
a(n on ous us
ocarpin καρπός
pyrocatechol πυρο-
pyrrol(e πυρρός
quinine renon
raphidae ῥαφιδ-
rhabdic ῥάβδος
Homorocerus ὅμορος κέρας
omo- Cont'd
rosanilin
salicylic ὕλη
saligenin -γενής
seismal -ic σεισμός
sexual(ity
spor- σπορά
angium -ic ἀγγεῖον
es ic ous y
static στατός
staura -al σταυρός
Homosteus ὁμ- ὀστέον
homo- Cont'd
stimulant -ation
styl- στῦλος
ed ia ic ism ous y
systemic σύστημα
tactic τακτικός
taraxasterol στερεός
tatic τατός
taxia -ταξία
-eous -ial(ly -ic -y
taxis τάξις
telus τέλος
tenous
terpene -ylic τερέβινθος ὕλη

homo- Cont'd
terpineol -ene τερέβινθος
thalamus -eae θάλαμος
thallium -ic -ism θαλλός
therapy θεραπεία
therm(al -ic -ous θερμός
thes θής
thety -ic θετός
thujyl θυία ὕλη
timous ὁμότιμος
ton- ὁμότονος
ic ous(ly us y
topy -ic -τοπία
transplant(ation
trop- τροπή
al ic ine ism ous y
type τύπος
-al -ic(al -osis -y
tyrosol τυρός
vanillic -in
veratric -ole -yl ὕλη
zygosis ζύγωσις
zygote ζυγωτός
zygous -osity ζυγόν
hoodlumism -ισμός
Hooverism -ize -ισμός -ίζειν
Hopatrum ὅπατρος
hopcalite hop(e)ite -ίτης
Hopkinsianism -ισμός
hopl- ὁπλ-
andria ἀνδρεία
archy -αρχία
arion ὁπλάριον
ia -iidae
ichthys -yid(ae -yoid ἰχθύς
Hoplegnathus ὁπλη γνάθος
-id(ae -oid
hoplite -ic ὁπλίτης
Hoplites -idae ὁπλίτης
hoplito- ὁπλιτο-
cera κέρας
dromos ὁπλιτο δρόμος
pales ὁπλιτοπάλης
trachelus τράχηλος
hoplo- ὁπλο-
campa κάμπη
cephalus κεφαλή
chelus χηλή
chelys χέλυς
chrism χρῖσμα
christical χριστός
cneme κνήμη
dictya δίκτυον
gnathus -idae -ous γνάθος
logy λογία
lopha λόφη
machia -ist -y ὁπλομαχία
machic ὁπλομαχικός
machos ὁπλομάχος
mytilus μυτίλος
nemertea(n Νημερτής
-ine -ini
pagrus -inae -ine πάγρυς
phora -ous ὁπλόφορος
platy- πλατυ-
stoma στόμα
pleurid(ae -oid πλευρά
pterus πτερόν
pteryx πτέρυξ
pus -id(ae -oid πούς
saurus σαῦρος
stethus στῆθος
Hoplolenus ὁπλ- ὠλένη
Hoplunnis ὁπλ- ὕννης
Hopolichas Λίχας ὀδοντ-
Hopoterodontes ὁπότερος

horadimorphism ὥρα δι- μορ-
horal -ary ὥρα φή -ισμός
Horatopyga ὁρατός πυγή
horbachite -ίτης
Horia ὥριος
horisma- ὅρισμα
scope -σκόπιον
-ology -λογία
horisto- ὁριστός
myia μυῖα
notus νῶτος
horizo- ὁρίζων
cardia καρδία
meter μέτρον
horizon ὁρίζων
less ward
horizont- ὁρίζων
al ic(al(ly ism ity izatic ize ly
-ισμός -ίζειν ness
Hormaphis ὅρμος
horme -ic ὁρμή
hormetic(ally ὁρμητικός
horminum ὅρμινον
hormion ὁρμή
Hormiphora ὅρμος -φορος
Hormiscus ὁρμίσκος
Hormius ὅρμος
hormo- ὁρμο-
crinus κρίνον
gon(e γόνος
ales eae ium ous
gonimium γονίμος
hormone ὁρμῶν
-adin -al -ic
hormono- ὁρμῶν
genesis γένεσις
genic -γενής
logy λογία
poiesis ποίησις
poietic ποιητικός
hormo- Cont'd
phorous -us -φορος
spermeae σπέρμα
hormus ὅρμος
hornblendeophyre πορφύρα
hornist -ιστής
horograph(er ὁρο- -γραφος
graphy γραφία
horologe ὡρολόγιον
-er -ial -ion -ium -ue
-ic(al(ly ὡρολογικός
-iographer -ian -γραφος
-iography -ic -γραφία
horo- ὡρο-
logy -ist -λογία -ιστής
meter ὡρο- μέτρον
metry -ic -μετρία
horopter(y ic ὅρος ὀπτήρ
horos ὅρος
horoscope ὡροσκόπος
-al -ate -er -ic(al -ist -y
horsfordite -ίτης
horticult(ur)ist -ιστής
hortonolite λίθος
hosanna ὡσαννά
hosiomartyr ὁσιομάρτυρ
hospitalism -ισμός
hospitalize -ation -ίζειν
hostilize -ίζειν
houghite -ίτης
hour ὥρα
glass less ly
howardite -ίτης
howdenize -ίζειν
huantajayite -ίτης
huascolite λίθος
hübnerite -ίτης

hubristic ὑβριστικός
Hudsonasteridae ἀστήρ
hulk ὁλκάς
humanism -ist(ic(al(ly -ισμός
-ιστής -ιστικός
humanitarianism -ize -ισμός
humanize(r -ation -ίζειν
humboldt(il)ite λίθος -ίτης
humidostat στατός
humigenic -γενής
Humism -ist -ισμός -ιστής
humite -ίτης
humogen -γενής
humophosphate φωσφόρος
humor(al)ism -ισμός
-ist(ic -ιστής -ιστικός
humorize -ίζειν
humusnecron νεκρός
huntilite λίθος
hureaulite λίθος
Hussite -ίτης
Hutchinsonianism -ισμός
hutchinsonite -ίτης
hyacinth(ian ὑάκινθος
Hyacinthia 'Υακίνθια
hyacinthine ὑακίνθινος
Hyacinthus 'Υάκινθος
Hyades 'Υάδες
Hyaena ὕαινα
hyaen- ὕαινα
anche -in ἄγχω
arctos ἄρκτος
-idae -inae -ine
ia id(ae iform(es inae ine oid
ictis ἴκτις
odon ὀδών
-ontid(ae -ontoid
hyaeno- ὕαινα
gnathus γνάθος
suchus σοῦχος
Hyalea -acea -eidae ὑάλεος
hyalescent -ence ὑάλος
hyalin(e ὑάλινος
-osis -uria -ωσις -ουρία
hyalite hyalithe ὑάλος -ίτης
hyalitis ὑάλος -ῖτις λίθος
hyalo- ὑαλο-
allophane ἀλλοφανής
clast -κλαστης
crinus κρίνον
derma δέρμα
dictyae δίκτυον
didymae δίδυμος
enchondroma ἐν χόνδρος
gen -γενής -ωμα
gnathus γνάθος
graph(er -γραφος
graphy -γραφία
melan μελαν-
micte μικτός
mitome μίτος -ωμα
mucoid μύκης -οειδής
nema νῆμα '
-atidae -id(ae -oid
nyxis νύξις
phagia -φαγία
phane -φανης
phobia -φοβία
phragmiae φράγμα
pilitic πῖλος -ίτης
plasm(ic a πλάσμα
pterus -ous πτερόν
rhynchus ῥύγχος
serositis -ῖτις
siderite σιδερίτης
some σῶμα
spermous σπέρμα

hyalo- Cont'd
spongia(e σπογγία
sporae σπορά
staurae σταυρός
stelia στήλη
tekite τήκειν -ίτης
tome μίτος -ωμα
type τύπος
hyaloid ὑαλοειδής
a ea in itis -ῖτις
hyaloma ὑάλος -ωμα
hyalose ὕαλος
Hyattechinus ἐχῖνος
Hybl(a)ean Ὕβλη
hybo- ὑβός
aspis ἀσπίς
clonius κλωνίον
codon(idae κῶδον
crinus κρίνον
-idae -ites -oid
cystidae κύστις
rrhynchus ῥύγχος
sorus σωρός
hyb- ὑβός
odontology ὀδοντο- -λογία
odus ὀδούς
-ont(ei es id(ae)
opsis ὄψις
hybridism -ist -ισμός -ιστής
hybridize(r -able -ation -ίζειν
hybridogam(y γάμος -γαμία
hybridology -λογία
hyc(h)lorite ὕδωρ χλωρός
hycyan ὕδωρ κύανος
hydant- ὕδωρ ἀλλαντ-
ate oic oin
hydat- ὑδατίς
hode ὁδός
ic(al icus ὑδατικός
id(es (id)iform idinous
igenous -γενής
ina -id(ae -oid
in(e -ινη
ism ὑδατισμός
oid ὑδατοειδής
oma osis -ωμα -ωσις
hydato- ὑδατο-
cele κήλη
genic -ous -γενής
morphic μορφή
phytia φυτόν
pneumatic πνεῦμα
-olithic λίθος
pyrogenetic πυρο- γενετικός
pyrogenic πυρο- -γενής
scopy -σκοπία
stomy -στομία
hydatos ὕδατος
Hyderodes ὑδερώδης
hydno- ὑδνο-
bius βίος
carpus -ic καρπός
ceras -ina κέρας
resinotannol
Hydnum ὕδνον
-aceae -aceous -oid
-ora (-aceae -aceous)
hydra ὕδρα
cellulose γλεῦκος
coral κοράλλιον
tropic τροπικός
Hydraena ὑδραίνειν
hydr- ὑδρ-
acarine -a ἄκαρι
acetin
achna -id(ae -oid ἄχνη
acid

hydr- Cont'd
acrylic -ate ὕλη
actinia ἀκτιν-
-ian -iid(ae -ioidea(n
actomma ἀκτίς ὄμμα
ad ἀδ-
aden- ἀδήν
itis oma -ῖτις -ωμα
adephaga(n -ous ἀδηφάγος
(a)emia -ic -αιμία
aeroperitoneum ἀερο- περι- τοναιον
agog(ue ὑδραγωγός
al ic(al(ly in y
ales algae
amid(e amin(e ἀμμωνιακόν
amnion *or* -ios ἀμνίον
amyl ἄμυλον ὕλη
anencephaly ἀνεγκέφαλος
angea ἀγγεῖον
-aceae -aceous -ead -eae
ant -enol -in
anth ἄνθος
arch ἀρχή
archus ἀρχός
archy -αρχία
arenite -ίτης
argillite ἄργιλλος -ίτης
argo- ὑδράργυρος
chlorid(e χλωρός
arguent ὑδράργυρος
argyre ὑδράργυρος
-al -ate -ation -ia -iasis -ic
-ism -ol -osis -ίασις
-ισμός -ωσις
argyro- ὑδράργυρος
iodohemol ἰώδης αἱμ-
septol σηπτός
arthrosis ἄρθρωσις
arthrus ἄρθρον
as
aspis ἀσπίς
-(id)id(ae -idoid
astis ?ὑδράστινα
-ic -eine -in(e ic in(e um)
ate(d (at)ion -onic
aulic ὑδραυλικός
al(ly ian ity -ics -ist
aulico- ὑδραυλικός
pneumatic πνευματικός
al -ics
statics στατικός
aulicon ὑδραυλικόν
az- ἀ- ζωή
i ide idine ido- in(ate e ic
o-) oate oic one ono- yl
onium ἀμμωνιακόν
oxime ὀξύς
ulmin(e
ed(a)ema οἴδημα
eionocrinidae ὑδρεῖον κρίνον
elaeon -aeum ὑδρέλαιον
encephal ἐγκέφαλος
ic oid on us
ocele κήλη
enterocele ἐντεροκήλη
epigastrium ἐπιγάστριον
esculin
ia -iae id(ae ὑδρία
iad ὑδριάς
iatic ἰατικός
iatric(s ἰατρικός
iatry -ist ἰατρεία
ic(s -ικός
ictis ἴκτις
id(e iform in
ind- Ἰνδικός

hydr- Cont'd
acene ἄνθραξ
amine ἀμμωνιακόν
anthracene ἀνθρακ-
anthraquinone ἄνθραξ
antin ἀλλαντ- -ώνη
ene -one -ώνη
iod- ἰώδης
ate ic id(e ol
ion ἰόν
hydrio- ὑδριο-
crinidae κρίνον
menidae
phore ὑδριοφόρος
hydro- ὑδρο-
a acid
acridin(e ἀκριδ-
adenitis ἀδήν -ῖτις
adipsia ἄδιψος
aeric ἀήρ
aeroplane ἀερο-
airplane ἀήρ
anisoin ἄνισον
anthracene ἀνθρακ-
apatite ἀπάτη -ίτης
appendix
arion ὑδρ- ᾠάριον
aromatic ἀρωματικός
atmospheric ἀτμο- σφαῖρα
barometer βαρύς μέτρον
bata -es -idae βάτης
benzamide ἀμμωνιακόν
benzoic -oin berberine
bia βίος
-iid(ae -ioid -ius
bilirubin
biosis βίωσις
biotite βιωτός -ίτης
biplane
blepharon βλέφαρον
boracite -ίτης
borofluoric χια
branch(ia -iata -iate βράγ-
bromic -ate -id(e βρῶμος
bromoplatinic βρωμο-
calcirudite -ίτης
calcite -ίτης
campa -id(ae -oid κάμπη
camphene καμφορά
canthari κάνθαρος
carbide
carbon
aceous ate ic ous uret(ted
carbostyril στύραξ
cardia καρδία
car(r)otin καρωτόν
carpic -y καρπός
caryaceae -aceous κάρυον
castorite κάστωρ
caulus -i -ine καυλός
cele ὑδροκήλη
celic ὑδροκηλικος
cellulose γλεῦκος
cena -id(ae -oid
cenosis κένωσις
cephale -us ὑδροκέφαλον
-ic -itis -oid -ous -y
-ocele κήλη
cephalis κεφαλή
ceramic κεραμικός
cerin
cerus(s)ite κηρός
charis ὑδροχαρής
-aceae -aceous -ad -etum
-id(-aceae -aceous -eae
-ian -inae) -idae -itaceae
chelidon χελιδών -itaceous

hydro- Cont'd
chimous χειμών
chinconuria -ουρία
chinon(e -ine
chlor- χλωρός
aurate
ic ate id(e uret
chloroplatinic χλωρο-
choerus χοῖρος
-id(ae -inae -oid
chore -ic χωρά
choreutes χορευτής
chrom -ate χρῶμα
chus ὑδροχόος
cinchonin(e
cinnamic -id(e κιννάμωμον
cirsocele ὑδρο κιρσοκήλη
cladium κλάδος
clastic κλαστός
cle(i)sto- κλειστός
gamy -γαμία
cleys κλείς
clinohumite κλινο- -ίτης
cobalticyanic κύανος
coele κοῖλος
coelia κοιλία
collidin(e κόλλα
colpos κόλπος
conion κόνιον
conite κονία -ίτης
cope κώπη
corallin(e κοράλλιον
ae ia(n ina
corax κόραξ
cores -isae -isan κόρις
coridin(e κόρις
cotarnia -in(e ναρκωτικός
cotoin
cotyle -eae κοτύλη
coumaric -in(e
cranium κρανίον
croconic κρόκος
crypto- κρυπτός
phytes φυτόν
cuprite Κύπρος -ίτης
curcumin(e
cyan- κυάνος
ate ic ide ite
uric οὖρον
cycle -ist κύκλος -ιστής
cyclic κυκλικός
cyon(inae κύων
cyst(is ic ome κύστις -ωμα
damalis -idae δάμαλις
diascope δία -σκόπιον
dictiotomy δικτυο- -τομία
dictyon(eae δίκτυον
diffusion
dolomite -ίτης
drome -ica(n δρόμος
dynamic(al -ics δυναμικός
dynamo- δύναμις
meter μέτρον
hydr- Cont'd
oecia οἶκος
oecium -ial οἰκίον
hydro- Cont'd
electric(ity ἤλεκτρον
-ization -ίζειν
-othermic θέρμη
encephalo- ἐγκέφαλος
cele κήλη
ergotinine extract(or
ferri(*or* o)-
cyanic -ate κύανος
fluate
fluo-

hydro- Cont'd
boric silicate silicic zirconic
fluor-
(an)ic id(e
herderite -ίτης
foil fuge
franklinite -ίτης
gallein galvanic
gams γάμος
gastrum -eae γαστρ-
gel(e
gen -γενής
ase ate ation ator etted
id iferous ite ium ization
ize oid ous uret(ed
διάστασις -ίτης -ίζειν
genomonas γενο- μονάς
geology -ical γεω- -λογία
ger
giobertite -ίτης
glockerite -ίτης
glossa γλῶσσα
gnosy γνῶσις
gode ὁδός
goethite -ίτης
graph(er ally -γραφος
graphy -ic(al(ly γραφία
guret(ted -γενής
haderite -ίτης
h(a)ematite αἱματίτης
h(a)emostate αἱμο- στατός
h(a)emothorax αἱμο- θώραξ
h(a)emy -ia -ic -αιμία
halide ἁλ-
halogen(ide ἁλο- -γενής
harmose ἁρμόζειν
hemato- αἱματο-
nephrosis νεφρος -ωσις
herderite -ίτης
hyalus ὕαλος
hymenitis ὑμήν -ῖτις
hystera -ic ὑστέρα
hydroid(a -ea(n ὑδροειδής
hydro- Cont'd
igneous
iodic -ide ἰώδης
ionometer ἰόν μέτρον
isatin ἰσάτις
kineter κινητήρ
kinetic(al -ics κινητικός
lagus λαγώς
larioidea(n -οειδής
hydrol ὑδρ-
ase διάστασις
ate(d ation ein
oxide ὀξύς
hydro- Cont'd
latry λατρεία
leucite λευκός -ίτης
lite lith(e λίθος
logy -λογία
-ic(al(ly -ist -ιστής
lutidin lutite -ίτης
lymph νύμφη
lysis lyst λύσις
lyte λυτός
lytic λυτικός
lyze -able -ate -ation λύσις
hydroma ὑδρ- -ωμα
hydro- Cont'd
magnesite Μαγνησία -ίτης
mancy -e(r μαντεία
mantic(al(ly ὑδρόμαντις
mania -iac(al μανία -ακός
me μεστός
mechanical -ics μηχανικός
meconic μήκων

hydro- Cont'd
medusa μέδουσα
-ae -an -ida -inae -oid
megatherm μεγα- θερμ-
mel ὑδρόμελι
litic lonic
melano- μελανο-
thallite θαλλός
meningitis μηνιγγ- -ῖτις
meningocele μηνιγγο- κήλη
metallurgy μεταλλουργός
-ical(ly
metamorph- μεταμόρφωσις
ic ism osis -ισμός
meteor(ic μετέωρον
ology -ical -λογία
meter μέτρον
metra -id(ae -oid μήτρα
metro- μετρο-
graph -γραφος
metry -ic(al -μετρία
mica -aceous mineral
monoplane μονο-
morphosis μόρφωσις
morphy μορφή
muconic
muscovite -ίτης
myelia -us μυελός
myelocele μυελός κήλη
myoma μυ- -ωμα
mys μῦς
-yid -yin(e -yinae
mysta -es ὑδρομύστης
naphthol νάφθα
ylamin ὕλη ἀμμωνιακόν
nardetum νάρδος
nasty -ic ναστός
nemateae νῆματ-
nephelite νέφελη -ίτης
nephros νεφρός
-osis -otic -ωσις -ωτικός
neurosis νεῦρον ωσις
nitr- νίτρον
ic ide ite ous
nitro- νιτρο-
gen -γενής
prussic
oligo- ὀλιγο-
cythemia κύτος -αιμία
oxide ὀξύς
oxygen ὀξυ- -γενής
hydr- Cont'd
omphalus -on ὑδρόμφαλος
on(ate ation ette)
onal ὤν
one -ώνη
onium ἀμμωνιακόν
hydro- Cont'd
para- παρά
coumaric
salpinx σάλπιγξ -ται
statae -es ὑδροπαραστά
parotitis παρωτίς -ῖτις
path πάθος
pathy -πάθεια -ίζειν
-ic(al -ist -ize -ιστής
perbromide βρῶμος
peri- περι- -ῖτις
cardium -itis περικάρδιον
nephrosis νεφρός -ωσις
on ᾠόν
pneumonia περιπνευμονία
toneum -ia περιτόναιον
permeable persulfide
peroxid ὀξύς
pesium πεσσός
phane -ous φαν-

hydro- Cont'd
phantic ὑδροφαντική
phasianus φασιανός
phil(e -φιλος
ic (id(ae oid ous
Hydrophis ὑδρ- ὄφις
-id(ae -inae -ite -oid
hydro- Cont'd
phlorone φλοιόρριζος
phobe -ous ὑδροφόβος
phobia ὑδροφοβία
-iac -ial -ian -in -ist -(i)ous
-ophobia -φοβία -y
phobic(al ὑδροφοβικός
phogopite φλογός ὠπ- -ίτης
phone φωνή
phore ὑδροφόρος
-a(n -os -ous
phoria ὑδροφορία
phosphate φωσφόρος
phthalic νάφθα
hydrophthalmus ὑδρ- ὀφθαλ-
-ia -ic -os -y μός
hydro- Cont'd
phyceae φῦκος
phylacium ὑδροφύλαξ
phyll(s φύλλον
aceae eae (i)aceous (i)um
physocele φυσο- κήλη
physometra φυσο- μήτρα
phyte φυτόν
-a -ic -ium -on -um
phyto- φυτο-
graphy -γραφία
logy -λογία
hydropic(s ὑδρωπικός
al(ly olen(e
-igneous -γενής
hydrops ὕδρωψ
ia ic(al y
-opotherapy θεραπεία
-optic(al
hydro- Cont'd
piper(ic πίπερι
pirin
plane planula
plasma -ia πλάσμα
plast(ids πλαστός
plasty -πλαστία
platinocyanic κύανος
pleon πλέων
plutonic πλοῦτος
pneumatic πνευματικός
pneumatosis πνευμάτωσις
pneumonia πνευμονία
pneumo- πνεῦμα
gony -γονία
pericardium περικάρδιον
peritoneum περιτόναιον
thorax θώραξ
polyp(inae πολύπους
pore -us ὑδροπόρος
pot(es ὑδροπότης
potassic propulsion
psyche -id(ae -oid ψυχή
psychosis ψύχωσις
pterid(ae -eae πτεριδ-
ptila -id(ae -oid πτίλον
pult(ic
pyonephrosis πυο- νεφρός
pyretos -ic πυρετός -ωσις
pyridin(e πῦρ
quin-
icin idin in(e ol(in(e on(e
r(rh)achis ῥάχις
rachitis ῥαχιτις
renal

hydro- Cont'd
rhabd ῥάβδος
rheostat ῥέος στατός
rhiza -al ῥίζα
rhodonite ῥόδον -ίτης
rrh(o)ea -ῥοία
rudite -ίτης
saccharum σάκχαρον
salpinx σάλπιγξ
salt
sarcocele σαρκο- κήλη
sauria -us σαῦρος
scapha -id(ae -oid σκάφος
hydroscheocele ὑδρ- ὄσχεον
hydro- Cont'd κήλη
scope ὑδροσκόπος
-ic(al -icity -ist -ιστής
selen- σελήνη
ate ic id(e uret
sere
silicon
-arenite -ate -ic(ite -ilutite
-irudite -ίτης
sodic sol sorbic
some σῶμα
-a(l -ata -atous
sphere -ic σφαῖρα
sphygmo- σφυγμός
graph -γραφος
spire -ic σπεῖρα
-ometer μέτρον
sporae σπορά
stachys σταχυς
-ydaceae -ydaceous
stasy στάσις
stat ὑδροστάτης
ic(al(ly ica ician ics ist
stereids -eome στερεός
stome -ia στόμα -ωμα
sudopathy -πάθεια
sudotherapy θεραπεία
sulph-
ate id(e ite
sulphanion ἀνιών
sulphocyanic κύανος
sulphur-
et(ed ic ous yl ὕλη
synthesis σύνθεσις
syringomyelia συριγγο-
tachy- ταχυ- μυελός
lite λίθος
meter μέτρον
tactic τακτικός
talcite -ίτης
tasimeter τάσις μέτρον
taxis τάξις
technic(al -ics τεχνικός
technology τεχνολογία
techny τέχνη
telluric -ate(s
tephroite τεφρός -ίτης
terpene τερέβινθος
theca -al θήκη
therapeutic(s θεραπευτικός
therapy -ic(s θεραπεία
thermal θέρμος
thiocyanic θεῖον κύανος
thion θεῖον
ate ic ite ous
(ammon)emia ἀμμωνιακόν
uria -ουρία -αιμία
thomsonite -ίτης
thorax -acic θώραξ
hydrotic(al(ly ὑδρωτικός
hydroti- ὑδρότης
meter μέτρον
metry -ic -μετρία

hydrotis ὑδρ- ὠτ-
hydro- Cont'd
titanate τιτανός
tomy -τομία
tribium τρίβη
tribo- τρίβη
philus -φιλος
phyta φυτόν
tribulus τρίβυλος
trophe τροφή
trophy -τροφία
tropism -ic τροπή -ισμός
tympanum τύμπανον
ureter(osis οὐρητήρ -ωσις
vane
xanthic ξάνθος
hydrous -υδρος
hydr- Cont'd
ovarium
ox- ὀξύς
acetone -ώνη
am- ἀμμωνιακόν
ic ino yl ὕλη
id(e idated
im- ἀμμωνιακόν
ate ic ido ino
ion ἰόν
o- onic
onium ἀμμωνιακόν
hydroxy- ὑδρ- ὀξυ-
acetic -in(e -one -ώνη
acid
amino ἀμμωνιακόν
propionic πρωτο- πίων
ammonia ἀμμωνιακόν
apatite ἀπάτη -ίτης
aromatic ἀρωματικός
azo- ἀ- ζωή
benzene -comenic
-carbamid(e ἀμμωνιακόν
cholin χολή
codein κώδεια ὕλη πῦρ
dimethylopyrone δι- μέθυ
malonic
pentacosanic πεντακόσιοι
stearic στέαρ
sulphid succinic
hydroxyl ὑδρ- ὀξύς
(carb)amid(e ἀμμωνιακόν
amin(e ate(d ation
ate ation ic inolein ization ize
urea -ουρία
hydro- Cont'd
zinc(or k)ite -ίτης
zo- ζῷον
a al an ic on
hydr- Cont'd
ula
uresis οὔρησις
uret -et(t)ed
uria -ic -ουρία
uric -ilate οὖρον
urus -eae οὐρά
Hydrus ὕδρος
hyena ὕαινα
-aform -asic -ia -ic -oid
-anchin ἄγχειν
hyetal ὑετός
hyeto- ὑετο-
graph -γραφος
graphy -ic(al -γραφία
logy -ical -λογία
meter μέτρον
metrograph μετρο- -γραφος
metry -μετρία
Hyetornis ὑετός ὄρνις

Hygeia ὑγίεια
-eial -eian
-eist(ic -ιστής -ιστικός
hygeio- ὑγίεια
later -λάτρης
latry λατρεία
logy -λογία
hygiantic(s ὑγιαντός
hygiastic(s ὑγιαστικός
hygieist ὑγίεια -ιστής
hygiene ὑγιεινός
-al -ic(al(ly -ics -ism -ist
-ization -ισμός -ιστής
hygio- ὑγίεια -ίζειν
genesis γένεσις
logy -λογία
hygiopon ὑγίεια ὀπός
hygr- ὑγρός
aulic -αυλικός
echema ἤχημα
emometry αἱμο- -μετρία
ic in(e inic
ol ὑ(δράρ)γ(υ)ρος
oma -atous ὑγρός -ωμα
ophthalmia -ic -y ὑργ-
hygro- ὑγρο- ὀφθαλμία
blepharic βλέφαρον
chasy -astic χάσις -αστικός
deik δεικνύναι
derma δέρμα
drymium δρυμός
geophila γεω- -φιλος
graph -γραφος
logy -ical(ly -λογία
med(ry -μετρία
meter μέτρον
metry -ic(ity -ical -μετρια
morphic -ism μορφή -ισμός
noma ὑγρονόμος
phanous -eity ὑγροφανής
phant -φαντης
phila -e -eae -y -φιλος -φιλία
phile -ae -ous -φιλος
phobia -φοβία
phorbium φορβή
phorus -φορος
phyte -es -ia -ic φυτόν
plasm(a πλάσμα
poium πόα
pora ὑγροπόρος
scopy -ic(al(ly -icity -σκοπία
(spectro)scope -σκόπιον
sphagnium σφάγνος
statics στατικός
stomia στόμα
thermal θέρμη
trechus τρέχειν
Hyla -id(ae -oid ὕλη
hylactic ὑλακτικός
hylactism(us ὑλακτεῖν -ισμός
hylad ὕλη -ἀδ-
hylaeo- ὑλαῖος
batrachus βάτραχος
champsidae χάμψαι
saur(us σαῦρος
Hylaia ὑλαῖος
-aplesia -idae πλησίος
asmus -ασμός
hylarchic(al ὑλάρχιος
hylastes ὑλάστρια
hylastic(ally ὕλη -αστικός
hyle ὕλη
coetus κοῖτος
phobia φοβία
sinus σίνος
hylic(s -ism -ist ὑλικός -ισμός
hylism ὕλη -ισμός -ιστής

Hylithus ?ὑλίζειν
hylium -ion ὕλη
Hyllus ὕλλος
hylo- ὑλο-
bate(s -inae -ine ὑλοβάτης
bian ὑλόβιος
bius βίος
brotus βρωτός
charis χάρις
choerus χοῖρος
cichla κίχλη
cola
hylod- ὑλώδης
ad es ium
ophilus -φιλος
ophyta φυτόν
hyl- ὕλη
oids -οειδής
oma -ωμα
onism -ισμός
hylo- Cont'd
crinidae & -ites κρίνον
curus ὑλοκουρός
gamy -γαμία
genesis γένεσις
geny -γένεια
gnosy γνῶσις
gony -γονία
idealism ἰδέα -ισμός
ism ist -ισμός -ιστής
logy -λογία
mania μανία
morphism μορφή -ισμός
-ic(al -ist -ous -ιστής
mys μῦς
nomus ὑλονόμος
-id(ae -oid
pathism πάθος -ισμός
-ian -ic -ist -ιστής
pathy -πάθεια
pemon πήμων
phagous ὑλοφάγος
philus -φιλος
phyte -a -ic φυτόν
static(al στατικός
theism θέος -ισμός
-ist(ic(al -ιστής -ιστικός
toma -idae -ous ὑλοτόμος
torus τορός
tropism -ic -y τροπή -ισμός
trupes τρυπάειν
zo- ζῷον
al ic(al ism ist(ically
-ισμός -ιστής -ιστικός
Hylorus -ops ὑλωρός ὤψ
Hylurgus ὑλουργός
hymato-
melanic μελαν-
hymen ὑμήν Ὑμήν
aea aic Ὑμέναιος
al ial ic itis -ῖτις
antheae ἄνθος
anthera ἀνθήρος
eal(ly ean Ὑμέναιος
ium ὑμένιον
icolar icolini
iferous
iophore -φορος
odes ὑμενώδης
oid ὑμενοειδής
oplia ὁπλή
ula -um
hymeno- ὑμενο-
callis κάλλος
camarota καμαρωτός
caris -id(ae -ina κάρις
cephalus κεφαλή

hymeno- Cont'd
chaete χαίτη
chromasy χρῶμα
dictyon δίκτυον
-in in(e
gaster γαστήρ
aceae ales es inae
geny -γένεια
graphy -γραφία
lepis λεπίς
lichen(es λειχήν
logy -ical -λογία
mycete(s μυκήτες
al ineae oid ous
pappus -eae πάππος
phore -eae -um -φόρος
phyllum φύλλον
-aceae -aceous -eae
plasia πλάσις
pode ποδ-
pter ὑμενόπτερος
a al an id ism ist on ous
-ισμός -ιστής
ology -ical -ist -λογία
rrhaphy -ῥαφία -ιστής
soma -id(ae σῶμα
stomata -ous στόμα
tome -τομον
tomy -τομία
trophy -τροφία
Hymettian -ic Ὑμηττός
hymn ὕμνος
al ar(ium ary er ic icide ification ish ist less -αριον
ody -ist ὑμνῳδία -ιστής
hymno ὑμνο-
grapher -y ὑμνογράφος
logic(al(ly ὑμνολογικός
logy -ist ὑμνολογία -ιστής
Hynnis ὕννις
hyo- ὑο-(ῦ)
basio- βάσις
glossus γλῶσσα
branchial βράγχια
epiglott- ἐπιγλοττίς
ic(id)ean
ganoid(ean ei γάνος
glossus -al γλῶσσα
hypo- ὑπό
plastral ἔμπλαστρον
mandibular
mental
pharyngeus φάρυγξ
plastron -al ἔμπλαστρον
scapular
seris ὑόσερις
spondylotomy σπόνδυλος
-τομία
sternum -al στέρνον
strongylus στρόγγυλος
styly -ic στῦλος
suspensorial
vertebrotomy -τομία
hyo- ὑο- (ῦς)
boops βοος ὤψ
choladienic χολή δι-
cholic -alic -anic χολή
desoxy- ὀξυ-
bilianic cholic χολή
glychocholic -ate γλυκύς
glycodesoxycholic ὀξυ-
hippus ἵππος
lithus λίθος
-es -id(ae -oid
potamus ποταμός
-idae -inae -ine
taurocholic χολή

hyo- Cont'd
there -ium θηρίον
thyroid θυρεοειδής
Hyodon ὗ ὀδών
-ont(es id(ae oid)
hyoid ὑοειδής
(e)al (e)an
Hyopsodus ὗ ὤψ ὀδούς
-ont(a id(ae)
Hyoscyamus ὑοσκύαμος
-eae -in(e ὑοσκοάμινος
hyoscamia hyoscin(e
hyp ὑποχονδρια
hyp- ὑπ-
abyssal ἄβυσσος
acidemia -αιμία
acidity
acrosaurus ἀκρο- σαῦρος
actic ὑπακτικός
acusis -ia ἄκουσις
(a)emia -αιμία
(a)esthesia -ic -ἀισθησία
aethron -al -os ὑπαίθρος
agnostus ἄγνωστος
akoe ὑπακοή
albuminosis -ωσις
algesia ἄλγησις
algetic ἀλγ- -ητικός
algia -ic -αλγία
allactic ὑπαλλακτικός
allage -ize ὑπαλλαγή
allelo- ἀλλήλων -ίζειν
morph(ic μορφή
amnesia ἀμνησία
amnion -ios ἀμνίον
anakinesis -ia ἀνακίνησις
anisognathism ἀνισο- γνάθος
ante ὑπαντή -ισμός
antherus ἀνθηρός
anthium -ial ἄνθος
anthodium ἀνθώδης
antrium ἄντρον
apante ὑπαπαντή
apophysis -ial ἀπόφυσις
arcuale
argyrite ἄργυρος -ίτης
arterial ἀρτηρία
arxis ὑπάρξις
aspist ὑπασπιστής
ate ὑπάτη
atium ὕπατος
aton ὕπατον
aulax αὖλαξ
axial
azoturia ἄζωτος -ουρία
ena -id(ae -oid ὑπήνη
enantion ὑπεναντίος
encephalon ἐγκέφαλος
enchyme ἔγχυμα
enemious ὑπηνέμιος
enemy ὑπηνέμιον
eosinophil ἠώς -φιλος
Hypera ὑπέρα
hyper- ὑπέρ
abelian absorption
acanthosis ἄκανθα -ωσις
acid(ity
acidaminuria ἀμμωνιακόν
action activity -ουρία
acuity acute(ness
acusis -ia ἄκουσις
adenosis ἀδήν -ωσις
adiposis -ity
adrenalemia -αιμία
adrenalism -ia -ισμός
(a)emia -ic -αιμία
aeolian ὑπεραιόλιος

hyper- Cont'd
(a)esthesis -ia -ic αἴσθησις
(a)esthete ἀισθήτης
aesthetic αἰσθητικός
albuminosis -ωσις
algesis or -ia -ic ἄλγησις
algetic ἀλγ- -ητικός
algia ὑπεραλγέειν
alimentation
alkalescence alkaline -ity
alonemia ἀλο- -αιμία
aminoacidemia ἀμμωνιακόν
-αιμία -ισμός
anabolic -ism ἀναβολικός
anakinesis -ia ἀνακίνησις
anarchy ἀναρχία
anisogamy ἀνισο- -γαμία
antha ἄνθος
aphia -ic ἀφή
aphrodisia Ἀφροδίσιος
apophysis -ial ἀπόφυσις
archia -αρχία
aspist ὑπερασπιστής
asthenia or -y ἀσθένεια
auxesis αὔξησις
azot- ἀ- ζωή
emia uria -αιμία -ουρία
baton -ic(ally ὑπέρβατον
bilirubinemia -αιμία
blastosis βλαστός -ωσις
bola ὑπερβολή
-atoid -iform -ism -oid(al
bolaeon ὑπερβολαίον
bole ὑπερβολή
-ism -ist -ize -y -ισμός
-ιστής -ίζειν
ograph -γραφος
bolic(ly al(ly ὑπερβολικός
borean ὑπερβόρεος
ism -eal -eous -ισμός
brachy- βραχυ-
cephal(ic -y κεφαλή
uranic οὐρανός
branchial βράγχια
b(o)ulia βουλή
byssal βυσσός
Calvinism -ισμός
-ian -ist(ic -ιστής -ιστικός
capnia καπνός
carbamidemia ἀμμωνιακόν
carbureted -αιμία
cardia καρδία -ικός
catalectic ὑπερκατάληκτος
catalectic καταληκτικός
catalexis κατάληξις
catharsis ὑπερκάθαρσις
cathartic καθαρτικός
cementosis -ωσις
cen- κοινός
esthesia -αισθησία
cenosis κένωσις
chim(a)era χίμαιρα
chlor χλωρός
hydria -ic ὑδρ-
(hydr)idation
ic id στερεός -αιμία
cholesterin(or ol)emia χολή
cholia -χολία
chrom χρῶμα
asia asy -ασία
emia -αιμία
ia ic ism -ισμός
chromat- χρωματ-
ic in
opsis -ia -y ὄψις -οψία
osis -ωσις
cinesis = hyperkinesis

hyper- Cont'd
climax κλῖμαξ
coagulability
complex composite
conic κωνικος
conscious(ness
coracoid κορακοειδής
coria κόρος
cosmic κόσμος
crinism κρίνειν -ισμός
critic(al(ly κριτικός
-icism -icize ίζειν
cry- κρύος
algesia -ἀλγησία
esthesia -αἰσθησία
cyanotic κύανος -ωτικός
cycle κύκλος
cycloid(e κυκλοειδής
cyesis κύησις
cyrtosis κύρτωσις
cythemia κύτος -αιμία
cytochromia κυτο- χρῶμα
cytosis κύτος -ωσις
dactylia -y δάκτυλος
dapedon δάπεδον
deify determinant
dermatosis δερματ- -ωσις
diapason διαπασῶν
diapente διάπεντε
diastole διαστολή
diatessaron διατεσσάρων
diazeuxis διάζευξις
dichobune διχο- βουνός
dicrotism -ic -ous δίκροτος
-ισμός σις
diemorrhysis διά αἱμορρύ-
dissyllable ὑπερδισύλλαβος
distention distributive
ditone -os δίτονον
diuresis διουρέω -ησις
dolicho δολιχός
cephal(ic y κεφαλή
pellic πέλλα
dontogeny ὀδοντο- -γένεια
dorian Δώριος
dromic δρόμος
dulia -y -ic(al δουλεία
dynamia -ic δύναμις
elliptic ἐλλειπτικός
emesis -ic ἔμεσις
emetic ἐμετικός
emotivity
encephalus ἐγκέφαλος
endo- ἐνδο-
crinism κρίνειν -ισμός
crisia κρίσις
energetic ἐνεργητικός
eosinophilia -ic ἠώς -φιλία
ephidrosis ἐφίδρωσις
epinephry ἐπινέφρος
equatorial equilibrium
erethisia ἐρεθίζειν
erethism ἐρεθισμός
ergasia ἐργασία
esophoria ἔσω -φορία
ethical ἠθικός δής
eutectic -oid εὔτηκτος -οει-
excitability extension
exophoria ἔξω -φορία
faisceau fine flexion focal
fuchsin function(ary
gamy -ous -γαμία
gas(eous χάος
genesis γένεσις
genetic γενετικός
genitalism -ισμός
geometric(al γεωμετρικός

hyper- Cont'd
geometry γεωμετρία
geusia γεῦσις
-esthesia -αἐσθησία
giganto- γιγαντο-
soma σῶμα
globulia -ism -ισμός
glyc- γλυκύς
(a)emia -ic -αιμία
i(or y)stia ἱστός
glyco- γλυκο-
genolysis -γενής λύσις
plasmia πλάσμα
rrhachia -ῥαχία
glycos- γλυκύς
emia -αιμία
uria -ουρία
goddess -ισσα
gon γωνία
gonadism γοναδ- -ισμός
hedonia -ism ἡδονή -ισμός
hemoglobinemia αἱμο-
hepatia ἡπατ- -αιμία
heredity
hexapod(a -ous ἑξάπους
hidrosis -ἱδρωσις
hydric ὑδρ- ρός
hydrochlor(id)ia ὑδρο- χλω-
hypercytosis κύτος -ωσις
hypocytosis ὑπό κύτος -ωσις
hypostasis ὑπόστασις
hypsistous ὕψιστος
ia Ὑπερίων
ian (i)id(ae iidea(n iidina
iidin(e ioid
iastian ὑπεριάστιος
icum or -on ὑπέρεικον
-aceae -aceous -ales -ineae
ideal ideation ἰδέα -inic
immune -ity
immunize -ation -ίζειν
ingestion
inosemia ἰνός -αιμία
inosis -osed -otic ἰνός -ωσις
-ωτικός
internopathy -πάθεια
involution
ionian -ic Ἰόνιον
isotonia -ic ἰσο- τόνος
ite -ίτης
Jacobian Ἰάκωβος μός
katabolism καταβολή -ισ-
keratomycosis κερατο-
μύκης -ωσις
keratosis κερατ- -ωσις
kinesis -ia κίνησις
kinetic κινητικός
koria κόρος
lactation γαλακτ-
latinistic -ιστικός
lethal λήθη -ωσις
leucocytosis λευκο- κύτος
lip- λίπος
(oid)emia -οειδής -αιμία
osis -ωσις
lithic -uria λίθος -ουρία
logia -λογία
logism λογισμός
lydian Λύδιος
mallus μαλλός
mastia μαστός
mature medication
mega- μεγα-
cranious κρανίον
prosopous πρόσωπον
soma σῶμα
megalia μεγαλ-

hyper- Cont'd
megethes μέγεθος
mesati- μέσατος
cephalic κεφαλή
mesosoma μεσο- σῶμα
metabolism μεταβολή
metamorph- μεταμόρφωσις
ic ism osis otic -ισμός -ωτικός
metaphorical μεταφορικός
metaplasia μετάπλασις
metatropy -ic μετάτροπος
meter ὑπέρμετρος
metron metric(al
metria ὑπερμετρία
metropia ὑπέρμετρος -ωπία
-e -ic -y
micro- μικρο-
prosopous πρόσωπον
soma σῶμα
mineralization -ίζειν
mixolydian μιξολύδιος
mnesis -ia μνήσις -μνησία
motility
myotonia μυο- τόνος
myotrophy μυο- -τροφία
myri- μυρίος
orama ὅραμα
nanosoma νᾶνος σῶμα
natural
neocytosis νεο- κύτος -ωσις
nephelist ὑπερνέφελος -ισ-
nephia νεφιόν τής
nephr- νεφρός
oid oma -οειδής -ωμα
nic
nidation
nitr(a)emia νίτρον -αιμία
nitrogenous νιτρο- -γενής
noia noea -νοία
nomian -ic ὑπέρνομος
normal
normocytosis κύτος -ωσις
note nutrition
o- ὑπερῷος
artia(n ii ious ἄρτιος
dapedon δάπεδον
itis ἶτις
odon -idae ὀδών
treta τρητός
-an -e -i -ous
ochality ὑπέροχος
odontogeny ὀδοντο- -γένεια
oidesipus οἴδησις πούς
ol
ontomorph ὀντο- μορφή
onychia ὀνυχ-
oon ὑπερῷον
opia -e -ic -ωπία
ops opsia ὤψ -οψία
orchidism ὀρχιδ- -ισμός
orexia -ic -y ὄρεξις
organic ὀργανικός
ortho- ὀρθο-
cytosis κύτος -ωσις
dox(y ὀρθόδοξος ὀρθοδοξία
gnathy -ic -ous γνάθος
osmia -ic ὀσμή
osmotic ὠσμός -ωτικός
osphresis -ia ὄσφρησις
osteogeny -ic ὀστεο- -γένεια
ost- ὀστέον
osis otic -ωσις -ωτικός
ovaria
ox- ὀξύς
emia -αιμία
ide -ation ὑπέροξυς

hyper- Cont'd
oxy- ὀξυ-
gen- -γενής
ate(d ation ized -ίζειν
muriate -ic
parasite παράσιτος
-ic -ism -ισμός
pearlitic -ίτης
pencil
pepsia -inia πέψις
peptic πεπτικός
per ὑπέρπυριον
perfection personal
peristalsis περισταλτικός
phalang- φαλαγγ-
eal ism y -ισμός
pharyngeal φαρυγγ-
phasia -ic φάσις
phenomenal φαινόμενα
phonia φωνία
phoria -φορος
phoric -φορικός
phosph- φωσφόρος
atemia -αιμία
ine orescence oric
phrenia φρήν
phrygian ὑπερφρύγιος
physical(ly -ics φυσικός
piesis -ia πίεσις
pietic πίεσις -ετικός
pigmented -ation
pinealism -ισμός
pituitarism -ισμός
plane
plasia -ic -y πλάσις
plasm(a ia πλάσμα
plastic πλαστικός
platyrrhine πλατύρρις
pn(o)ea -πνοία
porosis πώρωσις
praxia πράξις
presbyopia πρεσβυ- -ωπία
pressure
prochoresis προχώρησις
promethia Προμηθεύς
prosopon πρόσωπον
proteosis πρωτεῖον -ωσις
pselaphesia ψηλάφησις
pulmonary
purist -ιστής
pyr(a)emia πυρρεῖον -αιμία
pyretic πυρετός
pyrexis πυρέσσειν
-ia -ial -ic
rational reflexia
resonant -ance
rhythmical ῥυθμός
salivation
sarcoma σάρκωμα
sarcosis σαρκός -ωσις
secretion sensibility
sensitive(ness
sensitize -ation -ίζειν
sensual
skeocytosis σκαίος κύτος
solid somnia -ωσις
space spatial
spermatic σπέρμα
sphere σφαῖρα
spherical σφαιρικός
sphyxia σφύξις
spiritual
splenia -ism σπλήν -ισμός
state στατός
sthene σθένος
-ia -ic -ite -uria -ίτης -ουρία

hyper- Cont'd
stoic στωικός
stomatic -ous στωματ-
strophic στροφικός
strophy στροφή
suprarenalism -ισμός
surface susceptibility
systole -ic συστολή
tarachia ταραχή
tectic τηκτικός
tely -ic ὑπερτέλειος
tension -ive -or
thelia θηλή
therm θέρμη
al an ia ic y
algesia -ἀλγησία
esthesia -αἰσθησία
thesis ὑπέρθεσις
thetic(al ὑπερθετικός
thymia -ism -ization ὑπέρθυμος -ισμός -ίζειν
thyrea θυρεοειδής
-eosis -ωσις
thyrion -um ὑπέρθυριον
thyroid θυρεοειδής
ation ism ization osis -ισμός -ίζειν -ωσις
tonia -ic(ity -us ὑπέρτονος
toxic(ity τοξικόν
trichiasis τριχίασις
trichophobia τριχο- -φοβία
trichosis τρίχωσις
tridimensional τρι-
trophy -τροφία
-ied -ic(al -ous
trophytes -τροφία φυτόν
tropia τρόπος
type -ic(al τύπος
uranium ὑπερουράνιος
uresis οὔρησις
uric(a)emia οὖρον -αιμία
vaccination ὑπέρ
vascular(ity ὑπερ
venosity ὑπέρ
viscosity ὑπέρ
hyperythrocythemia ὑπ- ἐρυθρο- κύτος -αιμια
hypha -al ὑφή
hyph(a)emia ὕφαιμος
Hyph(a)ene -is ὑφαίνειν
Hyphaereon ὑφαιρέειν
hyph(a)eresis ὑφαίρεσις
hyphalmyro- ὑφάλμυρος
plankton πλαγκτόν
Hyphantes ὑφάντης
-ornis ὄρνις
Hyphantria ὑφαντρία
Hyphantus ὑφαντός
Hypharpax ὑφαρπάζειν
hyphasma -ine ὕφασμα
hyphear ὕφεαρ
hyphedonia ὑπ- ἡδονή
hyphegetic ὑφηγητικός
hyphema ὑφή -ημα
hyphen ὑφέν
ate(d ation ic ism ization ize -ισμός -ίζειν
hyphenchyma ὑφή ἔγχυμα
hyphidium ὑφή -ιδιον
hyphidrosis ὑπ- -ίδρωσις
hypho- ὑφή
drome -ous δρόμος
genic *or* -ous -γενής
loma λῶμα
mycete(s -ic -ous μυκήτες
mycosis μύκης -ωσις
pode -ium ποδ-

hypho- Cont'd
stroma στρῶμα
thallium θαλλός
Hyphus ὕφος
hyp- ὑπ-
hydrogamy -ic(ae ὑδρο-
hydrus ὑδρ- -γαμία
idomorphic(ally ἰδιόμορφος
inosis ἰν- -ωσις
inotic -ωτικός
isomerous ἰσόμερης
isotonic ἰσότονος
Hypleurochilus ὑ πλευρά χεί-
Hypnea ὕπνος λος
-eaceae -eaceous -eae
hypn- ὕπνος
acetin
aesthesia -ic -is -αἰσθησία
agog(ue -ic ἀγωγός
al
ale ὑπναλέη
algia -αλγία
apagogic ἀπαγωγός
etum ὕπνον
ic ὑπνικός
odes ὑπνώδης
ylic -ism ὕλη -ισμός
ody ὑπνωδία
oid -οειδής
al ic ization -ίζειν
one
osis -ia -ωσις
-igenous -γενής
hypnoetic ὕπνος νοητικός
hypno- ὑπνο-
analgesic ἀναλγησία
anesthetic ἀναίσθητος
bate -ia -βατος
cyst κύστις
genesis γένεσις
genetic γενετικός
geny -ic -ous -γένεια
graphy -γραφία
lepsis -y λῆψις -ληψία
leptic ληπτικός
logy -λογία
-ic(al -ist -ιστής
narcosis νάρκωσις
phila -ous -φιλος
phobia *or* -ic -y -φοβία
plasm πλάσμα
plasy πλάσις
pompic πομπή
pyrin πυρινος
scope -σκόπιον
sophy -ist σοφία -ιστής
sperm σπέρμα
spore -ic σπορά
ange -ium ἀγγεῖον
thallus θαλλός
therapy θεραπεία
toxin τοξικόν
zygote ζυγωτός
hypnotic ὑπνωτικός
-al -e -ical(ly -ism -ist(ic -ization -ize(r -oid -ισμός -ιστής -ιστικός -ίζειν
Hypnum ὕπνος -οειδής
-aceae -aei -oid(ea
hypo ὑπό
hypo- ὑπο-
achene ἀ- χαίνειν
acidity activity
adenia ἀδήν
adrenalemia -αιμία
adrenalism -ισμός
adrenia

hypo- Cont'd
(a)eolian -ic Αἰόλιος ʽΑιο-
aeolic αἰόλος λικός
alimentation alkaline -ity
alonemia ἀλο- -αιμία
aminoacidemia ἀμμωνιακόν
antimonate -αιμία
aria(n ὑπ- ᾠάριον
ascidium ἀσκίδιον
azo- ἀ- ζωή
ic ide uria -ουρία
bacchius ὑποβάκχειος
baropathy βάρος -πάθεια
basal βάσις
benthos -(on)ic βένθος
blast(ic -us βλαστός
bole ὑποβολή
borate
borus βορός
bosca βόσκειν
branchia -ial βράγχια
-iaea -iaeid(ae -iaeoid
bromous -ite βρῶμος -ίτης
b(o)ulia βουλή
caffeine
calcemia -αιμία
capnia καπνός
carp(ium καρπός
carpo- καρπο-
gean γῆ
genous -γενής
castanum κάστανα
catharsis ὑποκάθαρσις
cathartic καθαρτικός
caust(um ὑπόκαυστον
cen- κοινός
esthesia -αισθησία
center centrum κέντρον
cephalus -id(ae -oid κεφαλή
cerebric
chil(e ium χεῖλος
chlor- χλωρός
emia -αιμία
hydria -ic ὑδρ
in ite ous -ίτης
ization -ίζειν
uria -ουρια
chnus -aceae χνόος
choeris -idae χοῖρος
cholester(ol)emia χολή
στερεός -αιμία δρια
chondria (-er -re) ὑποχόν-
-iac(al(ly -ism ὑποχον-
δριακός -ισμός
-ial(ly -iasis -iasm -iast
-ίασις -ασμος -αστής
-iatic(al(ly -ατικός
chondrium -y ὑποχόνδριον
chordal χορδή
chromatic χρωματ-
chromatism -osis χρωματ-
-ισμός -ωσις
chrom χρῶμα
emia -αιμία
ia yl ὕλη
chrosis χρῶσις
chylia χυλός
cinesis = hypokinesis
cist(is ὑποκιστίς
cl(e)idium -ian κλειδ-
clydoma κλύδων -ωμα
c(o)elom κοίλωμα
colobus ὑποκόλοβος
colon κῶλον
coma -idae κομή
condylar κόνδυλος
cone -id -ule -ulid κῶνον

hypo- Cont'd
coprus κόπρος
copula
coracoid κορακοειδής
corism ὑποκόρισμα
coristic(al(ly ὑποκοριστικός
cotyl(ar -eal -ous κοτύλη
cotyledonous -ary κοτυλη-
crater ὑποκρατήριον δών
iform imorphous -μορφος
crea κρέας
-aceae -eaceous -eales
crinidae κρίνον
crinism κρίνειν -ισμός
crisy -e -ify -is ὑπόκρισις
crite ὑποκριτής
-al -es -ess -less -ness
-ic(al(ly ὑποκριτικός
-ichthys ἰχθύς
-ish -ism -ize -ισμός -ίζειν
crystalline κρυστάλλινος
ctenes κτείνειν
cycle κύκλος
-oid(al κυκλοειδής
cystic κύστις
-otomy -τομία
cytosis κύτος -ωσις
dactylum δάκτυλος
deacon ὑποδιάκονος
derm δέρμα -ωσις
a al ale alium ic(al(ly osis
dermatic(ally -aceae δερματ-
dermato δερματο-
clysis κλύσις
dermatomy δέρμα -τομία
dermis -iae ὑποδερμίς
dermo δερμο-
clysis κλύσις
desis ὑπόδησις
detus ?ὑποδεειν
diapason διαπασῶν
diapente διάπεντε
diastole ὑποδιαστολή
diatessaron διατεσσάρων
diazeuxis διάζευξις
dicrotous -ic δίκροτος
didascal ὑποδιδάσκαλος
digmatical ὑποδειγματικός
ditone δίτονον
dorian -ic -on ὑποδώριος
drome ὑπόδρομος
dynamia δύναμις
dynamic δυναμικός
elimination -ator
ellipsoid ἔλλειψις -οειδής
ema αἷμα
endo- ἐνδο-
crinism κρίνειν -ισμός
crisia κρέσις
eosinophilia ἠώς -φιλία
epinephry ἐπί νεφρός
-inism -ισμός
equilibrium
esophoria ἔσω -φορος
esthetic αἰσθητικός
eutectic -oid εὔτηκτος -οει-
exophoria ἔξω -φορία δής
function
g(a)e- ὑπόγειος
al an ate i ic ous
gastral(e γαστρ-
gastria ὑπογάστριον
-ic(al -ium
gastro- ὑπογάστριον
cele κήλη
didymus δίδυμος
gee geiody ὑπόγειος ὁδός

hypo- Cont'd
gene -ic -ous -γενής
genesis γένεσις
genetic γενετικός
genitalism -ισμός
geocarpous ὑπόγειος -καρ-
geum ὑπόγειον πος
geusia γεῦσις
giganto Γιγαντο-
soma σῶμα
globulia
glossal -itis γλῶσσα -ῖτις
glossis -us ὑπογλωσσίς
glottis -idian ὑπογλωττίς
glucemic γλυκύς -αιμία
glucoxanthine γλεῦκος
ξανθός
glycemia γλυκύς -αιμία
glyptus ὑπογλύφειν
gnathous -ism γνάθος -ισ-
gon(ae γόνυ μός
gonadism γοναδ- -ισμός
gonation ὑπογονάτιον
gram ὑπόγραμμα
gyn(ae ic ous y) γυνή
halous -ite ἁλ- -ίτης
hemia -αιμία
hepatia ἡπατ-
hidrosis -ἵδρωσις
homus ὁμός
hyal ὕαλος
hyalin(e ὑάλινος
hydro- ὑδρο-
chloria χλωρός
hyloma ὕλη -ωμα
hypnotic ὑπνωτικός μός
hypophysism ὑπόφυσις -ισ-
iastrian -ic ὑποιάστριος
idrosis -ἱδρωσις
inosemia ἰνός -αιμία
iodic -ite -ous ἰώδης
ionian Ἰόνιος
ischium ἰσχίον
isotonic ἰσότονος
jacobian -μετρία
keimenometry ὑποκείμενον
kinesis or -ia κινήσις
kinetic κινητικός
kolasia κόλασις
lagus λαγῶς
lais ὑπολαίς
lampsis λάμψις
lemniscus ὑπολημνίσκος
lepidoma λεπιδ- -ωμα
lepis -ideae λεπίς
leptically λεπτικός
lethargy ληθαργία
lethria ὑπολέθριος -ωσις
leucocytosis λευκο- κύτος
leuk(a)emia λευκός -αιμία
leukomatosis λεύκωμα -ωσις
liposis λίπος -ωσις
lithic -us λίθος
locrian Λοχρός
logism λογισμός
lophinae -ites λόφος -ίτης
lydian ὑπολύδιος
lymphemia νύμφη -αιμία
lytrum -eae λύτρον
mania μανία
manik(i)on ὑπομανικόν
mastia μαστός
mazia μαζός
meces ὑπομήκης
medication
megasoma μεγα- σῶμα
melancholia μελαγχολία

hypo- Cont'd
menous ὑπομένειν
mere -al μέρος
mesosoma μεσο- σῶμα
mesus μέσος
metabolism μεταβολή -ισ-
metria -μετρία μός
Hypomia ὑπωμία
hypo- Cont'd
micron -ous μίκρον
microsoma μικρο- σῶμα
mixolydian μιξολύδιος
mnematic ὑπομνηματικός
mnesis -ic ὑπόμνησις
mnestic ὑπομνηστικός
mochli(or il)on ὑπομόχλιον
motility
myces μύκης
mycteri μυκτήρ
myotonia μυο- -τονία
myxia μύξα
nanosoma νᾶνος σῶμα
nasty -ic(ally ναστός
neocytosis νεο- κύτος -ωσις
neuria νεῦρον
nitric -ite -ous νίτρον
noetic νοητικός
noia ὑπόνοια
nome -ic ὑπόνομος
nomoderma δέρμα
nomeutidae = Yponomeu-
hyp- Cont'd tidae
onychium ὀνυχ-
-ial -on -um
onym ὄνυμα
oogamy ᾠόν -γαμία
hypo- Cont'd -ωσις
orthocytosis ὀρθο- κῦτος
osmious ὀσμή
ovaria
pancreatism πάγκρεας -ισ-
para- παρά μός
thyreosis θυρεός -ωσις
thyroidism θυρεοειδής
paria παρεία -ισμός
peltate πέλτη
pepsia -inia -y -πεψία
peptic πεπτικός
petaly -(e or i)ous πέταλον
phaeus ὑπόφαιος
phalangia -ism φαλαγγ-
phare -a φᾶρος -ισμός
pharyngo- φαρυγγο-
scope -σκόπιον
scopy -σκοπία
pharynx φάρυγξ
phet ὑποφήτης
phloeodal ic φλοίωδης
phloeus -ous φλοιός
pholis φολίς
phonia -ic -ous φωνή
phora ὑποφορά
phoria -φορία
phosph- φωσφορός
ate ite oric orous
phrenia -ic -osis φρήν -ωσις
phrygian ὑποφρύγιος
Hypophthalma ὑπ- ὀφθαλμός
hypo- Cont'd
phyge ὑποφυγή
phyll φύλλον
-ium -ous -um -y
phyllo- φυλλο-
podous ποδ-
spermous σπέρμα
phys- ὑπόφυσις
e eal ial is

hypo- Cont'd
ectomy -ize -εκτομία
eolysin λύσις
eopruric -ous
physical -ics φυσικός
pial πούς
pitys πίτυς
plankton -(on)ic πλαγκτόν
plasia *or* -y -πλασία
plasm πλάσμα
plastic πλαστός
plastotype πλαστός τύπος
plastron -al ἔμπλαστρον
plasty -ic -πλαστία
plax πλάξ
plectrus πλῆκτρον
pleura πλευρά
podium -ial ὑποπόδιον
podus ποδ-
porosis πῶρος -ωσις
prasis πράσιος
praxia πρᾶξις
proteoid πρωτεῖον -οειδής
pressure
prion πρίων
psetta ψῆττα
pteron -al -ate πτερόν
pterygei -iaceae πτερυγ-
ptilum -ar πτίλον
ptyalism πτυάλον -ισμός
pus ὑπόπους
pygium -ial ὑποπύγιον
pyon -um ὑπόπυον
quebrachin(e
radial -ii -ioli -iolus -ius
hypoptus ὕποπτος
hyporchem(e -a ὑπόρχημα
hyporchematic ὑπορχηματικός
hyporchesis ὑπόρχησις
hypo- Cont'd
reflexia
r(h)achis -idian ῥάχις
rhamphus ῥάμφος
rrhagus ῥάξ
r(r)hined ὑπόρρινος
r(r)hythmic ὑπόρυθμος
sarca σαρκ-
sathria ὑπόσαθρος
scenium ὑποσκήνια
hyposcheotomy ὑπ- ὀσχεο-
hypo- Cont'd -τομία
scleral -ite -ous σκληρός
scope -σκόπιον -ίτης
secretion
selaphasia ὑποψηλαφάω
sensitive
sensitization -ίζειν
siagon- σιαγών
arthritis ἀρθρῖτις
sialadenitis σίαλον ἀδήν
siderite σιδηρίτης -ῖτις
skeletal σκελετόν
skeocytosis σκαιός κύτος
hyposmia ὑπ- ὀσμή -ωσις
hyposmotic ὑπ- ὠσμός -ωτικός
hypo- Cont'd
soda
spadia(s ὑπο σπαδίας
-iac -ial -ic
sperm σπέρμα
sphagm(a ὑπόσφαγμα
sphene -al σφήν
sphyxia σφύξις
sporangium σπορά ἀγγεῖον
stase ὑπόστασις
-is -ization -ize -y -ίζειν
static(al(ly ὑπο στατικός

hypo- Cont'd
statize -ation ὑποστατ-
-ίζειν
sternum -al ὑπόστερνος
sthenia -iant -ic -uria σθένος
stheniont(ic -ουρία
stigma ὑποστιγμή
stilbite στίλβειν -ίτης
stle ὑποστολή
stoma στόμα
-e -ial ium ous
stomata στοματ-
-al -ic -ous
stomus στόμα
-ata -atous -idae -idan
-ides -inae
hypostracum ὑπ- ὄστρακον
hypo- Cont'd
stroma στρῶμα
strophe ὑποστροφή
style ὑπόστυλος
stypsis ὑπόστυψις
styptic στυπτικός
sulphate -ite
sulphur(ic ous
suprarenalism -ισμός
syllogistic συλλογιστικός
synaphe ὑποσυναφή
systole συστολή
tactic ὑποτακτικός
tarsus -al ταρσός
taxis -ia ὑπόταξις
telus ὑποτελής
tension -ic -ive -or
tenuse -al ὑποτείνουσα
tetrarch τετράρχης
thalamus θάλαμος
thallus θαλλός
-i -ine -inic -ium
theca(l -ial -ium θήκη
thec(a ὑποθήκη
al arious ary ate(d ation
ative ator(y
thenar ὑποθέναρ
thenemus -θεν νέμειν
t(h)enuse -al ὑποτείνουσα
theria(n θηρίον
therm θερμή
thermia ὑπόθερμος
-al -ic -y
-olysin λύσις
thesis ὑπόθεσις
-ist -ize(r -ιστής -ίζειν
thetic(al(ly -ico ὑποθετικός
thet- ὑπόθετος
ist ize(r -ιστής -ίζειν
thymia -ism θύμος -ισμός
thyr- θυρεοειδής
ea (e)osis -ωσις
oid(ation eo ism) -ισμός
tonia -ic(ity -us -y τόνος
toxicity τοξικόν
trachelium ὑποτραχήλιον
triarch τρίαρχος
tricha -ous(ly τριχ-
trichosis τρίχωσις
triorchis ὑποτριόρχης
triploid τρίπλοος
trochanteric τροχαντήρ
trochoid(al τροχοειδής
trophy -τροφία
tropia τροπή
tympanic τύμπανον
type τύπος
typic(al τυπικός
typosis ὑποτύπωσις
valva vanadic -al -ious

hypo- Cont'd
varia vitaminosis
xanthic -in(e ξανθός
xylon -ous ξύλον
zeugma ζεῦγμα
zeuxis ὑπόζευξις
zoa -zoan -zoic ζῷον
zygal ζυγόν
Hypoxis- ὑπ- ὀξύς
-id(aceae -ideae
hypped -ish ὑποχόνδρια
hyps- ὑψ-
agonus ἄγονος
alograph ἀλο- -γραφος
el- us ὑψηλός
odont ὀδοντ-
omus ὦμος
elo- ὑψηλο-
genia γένειον
hypsi- ὕψι
bates ὑψίβατος φαλή
brachycephali βραχυ- κε-
-ic -ism -ous -ισμός
cephaly -ic κεφαλή
comatides κωματώδης
cometes κωμήτης
conchy -ic -ous κόγχος
cranial κρανίον
dolicho- δολιχο-
cephaly -ic -ism κεφαλή
dont οδοντ- -ισμός
lophodon ὑψίλοφος ὀδών
ont(id(a(e -ontoid
oma ὦμος
primnus πρύμνα
-inae -ine -oid
odon(tine ὀδών
staphylia σταφυλή
stary -ian Ὑψιστάριος
stegoid στέγη -οειδής
steno- στενός
cephaly -ic -ism κεφαλή
hypsiliform Ὑψίλον
hypsiloid ὑψιλοειδής
hypsium ὕψι
Hypsodon(t(idae ὑψ- ὀδών
hypso- ὑψο- μέτρον
barometer -metric βάρος
bathymetric βαθυ- μέτρον
blennius βλέννος
cephaly -ic -ous κεφαλή
chrome -ic(ally χρῶμα
flore
graphy -ic(al -γραφία
isotherm ἰσο- θερμ-
kinesis κίνησις
lophodon(t(idae ὑψόλοφος
ὀδών
meter μέτρον
metopus μέτωπον
metry -μετρία
-ic(al(ly -ist -ιστής
phobia -φοβία
phonous ὑψόφωνος
phyl(l(um φύλλον
-ar(y -ous
psetta ψῆττα
thermometer θερμο- μέτρον
hypsosis ὕψωσις
Hypsurus -al ὑψ- οὐρά
Hypsypops ὑψ- ὑπ- ὤψ
Hyptiocheta ὕπτιος χαίτη
Hyptis -olide ὕπτιος
Hypudaeus ὑπουδαῖος
Hypulus ὕπουλος
hypural ὑπ- οὐρά
hypurgia ὑπουργία

Hyraces ὑρακ-
-id(ae -iform -ina -oid(ea(n
hyraceum -ium ὑρακ-
Hyrach(y)us ὑρακ-
Hyracodon ὑρακ- ὀδών
-ont(id(ae -ontoid
hyracothere -ium ὑρακ- θηρίον
-ian -iinae -iine
Hyrax ὕραξ
hysginus ὕσγινον
hyssop ὕσσωπος
idae in us
Hystatus ὕστατος
-oceras κέρας
hystazarin ὕστερος
Hysterarthron ὕστερος ἄρθρον
hyster- ὑστέρα
algia -ic -y -αλγία
angium -iaceae ἀγγεῖον
anthous ἄνθος
ectomy -εκτομία
elcosis ἕλκωσις
esis -ial -ic ὑστέρησις
-imeter μέτρον
etic(ally ὑστερητικός
eurynter εὐρύνειν -τηρ
eurysis εὐρύνειν -σις
ia iac(ism -ακός -ισμός
ic ὑστερικός
al(ly -icky -ics
ism ize -ισμός -ίζειν
ico- ὑστερικός
neuralgia νεῦρον -αλγία
iform
ism itis -ισμός -ῖτις
odynia -ωδυνία
oid(al -οειδής
oncus ὄγκος
ope opia ὤπ- -ωπία
ovariotomy -τομία
Hysterium ὕστερος
-iaceae -iales -(i)inae -ioid
hystero- ὑστερο-
base
genetic γενετικός
gen- ὑστερογενής
ic ite ous -ίτης
logy ὑστερολογία
lysigenous λύσις -γενής
morphous -μορφος
phyte -a(l -ic φυτόν
plasm πλάσμα
stele στήλη
hystero- ὑστέρα
bubonocele βουβών κήλη
carcinoma καρκίνωμα
carpus -inae καρπός
catalepsy κατάληψις
c(*or* k)ataphraxis κατά-
cele -κήλη φραξις
cervicotomy -τομία
cleisis κλεῖσις
crystallization κρύσταλλος
cystic κύστις -ίζειν
cysto- κύστις
cleisis κλεῖσις
pexy -πηξία
epilepsy ἐπιληψία
epileptic ἐπιληπτικός
epilepto- ἐπίληπτος
genic -ous -γενής
erotic ἐρωτικός
frenic -atory
gastro- γαστρο-
rrhaphy -ραφία
gen(ic -ous -γενής
geny -γένεια

hystero- Cont'd
graphium -γραφος
laparo- λαπάρα
tomy -τομία
lite lith λίθος
lithiasis λιθίασις
logy -λογία
loxia λοξός
lysis λύσις
malacia μαλακία
mania μανία
meter μέτρον
metry -μετρία
myoma μυ- -ωμα
-ectomy -εκτομία
myotomy μυο- -τομία
narcolepsy νάρκη -ληψία
neurasthenia νεῦρον ἀσθε-νεία
neurosis νεῦρον -ωσις
on proteron ὕστερον πρότερον
oophorectomy ᾠοφόρος
oothecectomy ᾠοθήκη -εκ-
ovariotomy -τομία τομία
pathy -ic -πάθεια
pexy -ia -πηξία
phore -φορος
phyme φῦμα
plasm πλάσμα
polypus πολύπους τερον
proteron -ize ὕστερον πρό-
psychosis ψυχή -ωσις
ptosis -ia πτῶσις
rrhaphy -ῥαφία
rrhexis ῥῆξις
salpingo- σαλπιγγο-
oophorectomy ᾠοφόρος
oothecectomy ᾠοθήκη
stomy -στομία -εκτομία
scope -σκόπιον
stoma(to)- στομα(το-
tomy -τομία
syphilis
tome -τομον
tomotokia τομο- -τοκία
tomy -τομία
trachelo- τράχηλος
rrhaphy -ῥαφία
tomy -τομία
traumatic -ism τραῦμα
trismus τρισμός -ισμός
vaginoenterocele ἐντερο-
hystrella ὑστέρη κήλη
hystrich- ὑστριχ-
iasis -ίασις
ism(us -ισμός
Hystriciella ὑστριχ-
hystrico- ὑστριχ-
mantis μάντις
morph μορφή
a ic ine ous
hystricism(us ὑστριχ- -ισμός
Hystricurus ὑστριχ- οὐρά
Hystrix ὕστριξ
-ic(id(ae inae ine oid)
hystrixite ὑστριξ -ιτης
hyther ὑγρο- θερμο-
hyzone ὑδρο-

-i- Thematic (Latin as a combining form)
-ia -ία
iache Ἰάχη
Ialtris ἰαλτός

iamatology ἴαμα -λογία
iamb(us ἴαμβος
iambelegus ἰαμβέλεγος
iambic(al(ly ἰαμβικός
iambist ἰαμβιστής
iambize ἰαμβίζειν
iambographer -ic ἰαμβογράφος
Ianassa Ἰάνασσα
ianthine ἰάνθινος
-a -id(ae -oid -us
Iapetus Ἰαπετός
Iapyx Ἰαπῦξ
-ygian -ygid(ae -ygoid
-iasis -ίασις
Iastian Ἰάστιος
iatral(e)iptic(s ἰατραλειπτική
iatrarchy ἰατρός -αρχία
iatrevin ἰατρεία
-iatria or -y -ιατρεία
iatric(al ἰατρικός
iatrol ἰατρός
iatro- ἰατρο-
chemist(ry -ical χημεία
liptic = -iatral(e)iptic
logy -ical ἰατρολογία
mathematics ἰατρομαθη-
-ical -ician ματικοί
mechanical μηχανικός
physics -ical φυσικά
technics -ique τεχνική
Iba ἴβη
Ibenism -ισμός
Iberia Ἰβηρία
-ian(ism ism -ist -ite -ισμός
-ιστής -ιτης
Iberic Ἰβηρικός
Iberis -ideae ἰβηρίς
Ibero- Ἰβηρία
Celtic Celto-Teutonic
insular
Ibides ἶβις
-ae -id(ae -ides -ine oid(ea(n
ibidio- ἶβις
mimus μῖμος
ibido- ἶβις
rhynchus ῥυγχος
ibis ἶβις
Ibycter ἰβυκτήρ
-ic(al(ly -ικός
Icarian(ism Ἰκάριος -ισμός
Icelinus Ἴκελος
Icelonirus εἰκελόνειρος
Ichnea ἰχνεία
Ichneumia -ous ἰχνεύμων
ichneumon ἰχνεύμων
ed es id(ae id(i)an ideous
ides iform ize(d oid(ea
ology -ist ἰχνεύμων -λογία
Ichneutes ἰχνευτής -ιστής
ichneutic ἰχνευτικός
ichnite ἴχνος -ιτης
ichno- ἰχνο-
carpus καρπός
gram γράμμα
graph -γραφος
graph -ic(al(ly -γραφία
lite -ic λίθος
(litho)logy -ical λιθο- -λογία
mancy μαντεία
pora πόρος
ichor(ous ose ἰχώρ
(rh)(a)emia -αιμία
oid ἰχωροειδής
ology -λογία
rh(o)ea -ῥοία
ichth ἰχθύς
ammon ἀμμωνιακόν

ichth- Cont'd
albin
argan -ol ἄργυρος
ermol θέρμη
id(in in oform
oldine ἰώδης
osote σώζειν
ulin(ic ὕλη
ichthus ἰχθύς
Ichthydium ἰχθύδιον
-iid(ae -ioid
ichthyic ἰχθυικός
ichthy- ἰχθυ- μός -ίζειν
al ism(us ization ized -ισ-
lepidin λεπιδ-
nat
od- ἰχθυώδης
ea ean es in
odont ὀδοντ-
oid(al ea ἰχθυοειδής
ol
ate ic idin oil um
sulphonic -ate
ophthalme ὀφθαλμός
-ite -ιτης
opsid(a an ian ὀψιδ-
ornis -idae ὄρνις
ornithes ὄρνιθες
-ic -id(ae -oid
osis -ism -ωσις -ισμός
otic -ωτικός
phallic φαλλός
taxidermy τάξις δέρμα
ichthyo- ἰχθυο-
batrachian βάτραχος
bdella -id(ae βδέλλα
benzine
cephal(i ous κεφαλή
col(la ἰχθυόκολλα
coprus κόπρος
-olite λίθος
crinus κρίνον
-id(ae -ites -oid
dectidae δήκτης
dorulite δόρυ λίθος
fauna form
grapher -γραφος
graphia -ic -γραφία
latry -ous λατρεία
lite λίθος
logy λογία
-ic(al(ly -ist -ιστής
mancy μαντεία
mantic ἰχθύομαντίς
methia μέθη
morpha -ic -ous ἰχθυόμορ-
myzon μύζειν φος
nomy -νομία -λογία
paleontology παλαιο- ὀντο-
patolite πάτος λίθος
phagous ἰχθυοφάγος
-i -(i)an -ic -ist -ite -ize
-us -y -ιτης -ίφειη
phile -ist -φιλος -ιστής
phobia -φοβία
phthira(n φθείρ
podolite ποδο- λίθος
polism -ist ἰχθυοπώλης
-ισμός -ιστής
pterygia(n -ium πτερύγιον
sarcolite σαρκο- λίθος
saur(us σαῦρος
ia(n id(ae oid
sulphonio -ate
taenia -iidae ταινία
tomi -ous τομος
tomy -ist -τομία -ιστής

ichthyo- Cont'd
toxic τοξικόν
-icon -icum -im -in -ism
ichthys ἰχθύς
Ichtidognathus ἴκτις γνάθος
icon εἰκών
antidyptic ἀντί δύπτειν
ic (al εἰκονικός
ism εἰκονισμός
istic -ιστικός
ize εἰκονίζειν
icono- εἰκονο-
clasm κλάσμα
clast εἰκονοκλάστης
ic(ally icism -ισμός
dule -ic -ist -y δουλεία -ισ-
gen -γενής τής
graph(er εἰκονογράφος
graphy εἰκονογραφία
-ic(al -ist -ιστής
lagny λαγνεία
later -λατρης
latry λατρεία
logy -ical -ist (?)εἰκονολογία
machal εἰκονομάχος
machy -ist εἰκονομαχία
mania μανία
meter μέτρον
metry -ic(al(ly -μετρία
phile -y φίλος -φιλία
-ism -ist -ισμός -ιστής
plast πλαστός
scope -σκόπιον
stas(is εἰκονόστασις
ia ion ium
iconomat- εἰκών ὄνομα
ic(ally icism -ισμός
ography -γραφία
icos- εἰκοσ-
ander -ανδρος
andria(n -ous -ανδρία
ane inene
icosa- εἰκοσα-
colic εἰκοσάκωλος
hedron -al εἰκοσάεδρον
semic σῆμα
icosi- εἴκοσι
an
dodecahedron δωδεκάεδρον
hydrate ὑδρ- ρον -οειδής
tetrahedron -oid τέτρα -ἑδ-
Icosteus εἴκειν ὀστέον
-eid(ae -eine -eoid
icotype εἰκός τύπος
-ics -ικά
ictalure ἰχθύς αἴλουρος
-inae -ine -us
Icteria ἴκτερος
-epatitis ἡπατ- -ῖτις
-ic(al ἰκτερικός
-ism -it(i)ous -ισμός -ῖτος
-ode ἰκτερώδης
ictero- ἴκτερος
anemia ἀναιμία
gen(ic -γενής
genetic γενετικός
h(a)ematuria αἱματ- -ουρία
h(a)emoglobinuria αἱμο-
hemorrhagic αἱμορραγία
hepatitis ἡπατ- -ῖτις
Icterus ἴκτερος
-id(ae -inae -ine -oid
Icticyon(i(de(s ἴκτις κύων
ictido- ἴκτις
gnathus γνάθος
rhinus ῥίν

ictido- Cont'd
saurus σαῦρος
suchus σοῦχος
Ictidopsis ἴκτις ὄψις
Ictinia ἰκτῖνος
ictio- ἰχθύς
borus ?βορά
bus -inae -ine βούς
phoridae -φορος
Ictis ἴκτις
Ictitherium ἴκτις θηρίον
ictometer μέτρον
Ictycyon ἰχθύς κύων
-id -ίδης -ἴδες
id(ant -ic ἴδιος
idae -ίδης
Idaean id(a)ein Ἰδαῖος
Idalian Ἰδάλιον
iddingsite -ίτης
-idea(n εἶδος
idea -ead -ee ἰδέα
genous -γενής
ideal ἰδέα
ics ism ist(ic ity ization ize(r -less ly ness -ισμός -ιστής -ιστικός -ίζειν
idealogy -ic -ue ἰδέα -λογία
ideate ἰδέα
-ion(al -ive -um
identism -ist -ισμός -ιστής
ideo- ἰδέα
didelphys δι- δελφύς
dynamism δύναμις -ισμός
emotional
genetic γενετικός
genous -γενής
geny -γένεια
glandular
glyph γλυφή
gram γράμμα
graph -γραφος
graphy -γραφία
-ic(al(ly -icly -ics
latry λατρεία
logue λόγος
logy -λογία
-ic(al(ly -ism -ist -ize -ισμός -ιστής -ίζειν
metabolic μεταβολή
-ism -ισμός
molecular
motion -or muscular
phone -ous φωνή
phonetics φωνητικός
phrenia -ic φρήν
plasm πλάσμα
plastia -ic -y -πλαστία
plasy πλάσις
praxist πράξις -ιστής
unit vascular
Idia ἴδιος
-acanthus -id(ae ἄκανθα
idiasm ἰδιασμός
Idiasta ἰδιαστής
idiocy ἰδιωτεία
idiodinic ἴδιος ὠδίς
idio- ἰδιο-
agglutinin
androsporous ἀνδρο- -σπορος
biology βιο- -λογία
blast βλαστός
chelys χέλυς
choro- χῶρος
logy -λογία
chromatic -in χρωματ-
chrom(e χρῶμα
idia osome σῶμα

idio- Cont'd
cracy -κρατία
crasy -ic(al -is ἰδιοκρασία
cratic(al ἰδιοκρασία
cyclo- κυκλο-
phanous -φανης
dactylae δάκτυλος
derma δέρμα
ecology οἰκο- -λογία
electric ἤλεκτρον
gamist γάμος -ιστής
genesis γένεσις
genite -γενής -ίτης
glossia ἰδιόγλωσσος
glottic γλῶττα
gnathus γνάθος
gnomonic γνωμονικός
gonaduct γονή
graph(ic(al ἰδιόγραφος
gynous -γυνος
hetero- ἑτερο-
agglutinin
lysin λύσις
hypnosis ὕπνος -ωσις
hypnotism ὑπνωτικός
iso ἰσο-
agglutinin
isolysin λύσις
kinetic κινητικός
latry λατρεία
logism λόγος -ισμός
lysin λύσις
idiom ἰδίωμα
atic ἰδιωματικός
al(ly alness
atism -ισμός
ography -γραφία
ology -λογία
idionym ἴδιος ὄνυμα
idiopt ἴδιος ὀπτικός
idio- Cont'd
mere μέρος
meter μέτρον
metritis μήτρα -ῖτις
morphic(ally μορφή
morphosis μόρφωσις
morphous -μορφος
muscular
mysis μύσις
neural -osis νεῦρον -ωσις
parasite παράσιτος
pathetic(ally παθητικός
pathy -ic(al(ly -πάθεια
phanic -φανής
pher -ism -ous -ισμός
phone φωνή
phrenic φρήν
phyllum φύλλον
plasm(a -(at)ic πλάσμα
plast(ic πλαστός
psychology -ical ψυχο- -λογία
pygus πυγή
reflex repulsive
retinal ῥετίνη
(r)rhythmic ῥυθμός
sepion σηπία
-iid(ae -ioid
some σῶμα
spasm σπασμός
spastic σπαστικός
static στατικός
styla στῦλος
syncrasy ἰδιοσυγκρασία
-atic(al(ly -ατικός
idiot(cy ἰδιώτης
ish ist(ical ize ry -ιστής

idio- Cont'd -ιστικός -ίζειν
tarsus ταρσός
techna τέχνη
tery τέρας
thalameae -ous θάλαμος
thermic -ous θέρμη
topy -τοπία
idiotic(al(ly -alness ἰδιωτικός
idioticon ἰδιωτικόν
idiotism ἰδιωτισμός
idio- Cont'd
trophic τροφή
tropian ἰδιότροπος
type -a -ic τύπος
typy -τυπία
ventricular
zome ζῶμα
idite -ol (?)ἴδιος -ιτης
-idium -ίδιον -ιδίον
Idmonea -eid(ae -eoid Ἴδμων
Idmosyne ἰδμοσύνη
idocrase εἶδος κράσις
idol(a εἴδωλον
et ify ish ism ist(ic ization ize(r -ισμός -ιστής -ιστικός -ίζειν
idolater εἰδωλολάτρης
-ress -ric(al -rize -rous(ly
idolatry -ial εἰδωλολατρεία
idolon -um εἴδωλον
idolo- εἰδωλο-
clast(ic -κλαστης
doulia δουλεία
graph(ic(al -γραφος
latry -ical εἰδωλολατρεία
mancy μαντεία
mania -y μανία λόθυτος
thyte -ic thism thyous εἰδω-
Idomenean Ἰδομενεύς
idorgan ἴδιος ὄργανον
idosaccharic σάκχαρον
Idot(h)(a)ea Εἰδοθέα
-eid(ae -eidian -eiform -eoid-(ea(n
idrialite λίθος
Idrisite -ίτης
idryl ὕλη
Idum(a)ean Ἰδουμαῖα
Idyia εἰδώς
idyl(l εἰδύλλιον
er ian ic(al(ly ion ism ist ium ize -ισμός -ιστής -ίζειν
igelstromite -ίτης
Ignatianist -ιστής
ignicolist -ιστής
ignigenous -γενής
ignotobranchiate βράγχια
Iguanodon ὀδών
-ont(ia id(ae oid)
ihleite ijolite -ίτης λίθος
ile(or i)adelphus ἀδελφός
ileectomy -εκτομία
ileitis -ῖτις
ileocholosis χολή -ωσις
ileo- κόλον
col- κόλον
(on)ic itis -ῖτις
otomy -τομία
dictyon δίκτυον
graphy -γραφία
logy -λογία
sigmoid σιγμοειδής
stomy -στομία
-colo- κόλον
-ileo- -recto-
-procto- πρωκτός
-sigmoido- σιγμοειδής
-transverso

ileo- Cont'd
tomy -τομία
typhus τύφος
ilesite -ίτης
Iletica εἰλητικός
ileus εἰλεός
-eac -eosis -ωσις
ile(or i)xanthin ἄνθος
Iliac Ἰλιακός
Iliad Ἰλιάς
ic ist ize -ιστής -ίζειν
Ilian Ἴλιος
ilio- -ωτικός
aponeurotic ἀπό νεῦρον
coccygeus -eal -ian κοκκυγ
colotomy κόλον -τομία
hypogastric ὑπογάστριον
ischiac -iad(or t)ic ἰσχίον
meter μέτρον
peroneal περόνη
psoas -atic ψόα -ατικός
thoracopagus θωρακο- πάγος
trochanteric τροχαντηρ
Iliupersis Ἰλιουπέρσις
Illaena -oides -us ἰλλαίνειν
Illaphanes ἴλλος ἀφανής
illegalize -ίζειν
illegitim(at)ize -ίζειν
illeism -ist -ισμός -ιστής
illiberalism -ize -ισμός -ιστής
Illingoceras κέρας
illmenite ilsemannite
illogic λογικός
al(ly ality alness
Illops ἴλλοψ -ίζειν
illuminatism -ist -ισμός -ιστής
illuminism -ist(ic -ize -ισμός -ιστής -ιστικός -ίζειν
illuminometer μέτρον
illusionism -ist -ισμός -ιστής
ilvaite -ίτης
ily- ἰλύς
anthus ἄνθος
-id(ae -oid
bius βίος
ophis -id(ae -oid ὄφις
ilyo- ἰλύς
bates βάτης
bius βίος
genic -γενής
Ilypnus ἰλύς ὕπνος
ilys- ἰλύς
anthes -ανθης
ia iid(ae ioid
imaginationalism -ισμός
imagism -ist -ισμός -ιστής
imbastardize -ίζειν
imbranch βράγχια
imid- ἀμμωνιακόν
azo- ἀ- ζωή
azol ἀ- ζωή
(id)ine ol one yl -ώνη ὕλη
iod ἰώδης
imido- ἀμμωνιακόν
acid carbonic sulfonate sulfonic
ether αἰθήρ
gen -γενής
xanthide ξανθός
imino- ἀμμωνιακόν
azole ἀ- ζωή
ester
hydrin ὑδρ-
pyrine πῦρ
quinol sulfide
immaterialism -ισμός
-ist -ize -ιστής -ίζειν
immediatism -ist -ισμός -ιστής

immersionism -ισμός
immethoded μέθοδος
-ize -ίζειν
immethodic μεθοδικός
al(ly alness
immetrical(ly -alness μετρικός
immobilize -ation -ίζειν
immoralist -ize -ιστής -ίζειν
immortalism -ist -ισμός -ιστής
immortalize -ίζειν
-able -ate -ation -er
immunist -ιστής
-ization -izator -ize -ίζειν
immuno-
chemistry χημεία
diagnosis διάγνωσις
genic -γενής
logy -ical -λογία
protein πρωτεῖον
therapy θεραπεία
toxin τοξικόν
imonium ἀμμωνιακόν
impactionize -ίζειν
impaludism -ισμός
imparadise παράδεισος
imparalleled παράλληλος
imparasite -ic παράσιτος
imparisyllabic(al συλλαβικός
impartialism -ist -ισμός -ιστής
impatronize -ation -ίζειν
imperialism -ισμός
-ist(ic(ally -ιστής -ιστικός
imperialize -ation -ίζειν
impermeabilize -ation -ίζειν
imperson(al)ize -ation -ίζειν
impftetanus τετανός
impolarizable -ίζειν
impolitic πολιτικός
al(ly ly ness
impracticable πρακτικός
ness -ity -ly
impractical πρακτικός
impressionalist(ic -ιστής -ιστικός
impressionism -ισμός
-ist (ic -ιστής -ιστικός
improvisatize -ίζειν
improvize -ation -ίζειν
impsonite -ίτης
impuritanism -ισμός
Inachus -id(ae -oid Ἴναχος
inactinic ἀκτιν-
in(a)emia ἰν- -αιμία
in(a)esthetic αἰσθητικός
inankylo- ἀγκύλη
glossia γλῶσσα
inantherate ἄνθηρος
inartistic -ιστής
al(ly ality -ιστής
inauthentic(ity αὐθεντικός
inaxon ἄξων
incanonical κανονικός
incarnationist -ιστής
incarnatrin κίτρον
incarnatyl ὕλη
incivilize -ation -ίζειν
incivism -ισμός
inclinograph -γραφος
inclinometer μέτρον
inconic κῶνος -ιστής -ίζειν
incorporealism -ist -ize -ισμός
incrystal(lizable κρύσταλλος
incudectomy -εκτομία -ίζειν
Ind Ἰνδία
Indalmus ἰνδαλμός
ind- Ἰνδός
arctos ἄρκτος
aster ἀστήρ

ind- Ἰνδικός
an(ol ate ene eno
aconitine ἀκόνιτον
anone -ωνη
anthr(ac)ene ἄνθραξ
anyl ὕλη
az- ἀ- ζωή
in ole olium urine yl(ic ὕλη
enyl(ene ὕλη
independentism -ισμός
indeterminism -ισμός
-ist(ic -ιστής -ιστικός
indiadem διάδημα
indianaite -ίτης
Indiaman Ἰνδία
Indian Ἰνδία -ίτης -ίζειν
eer esque ist ite ize -ιστής
indiazene Ἰνδικός δι- ἀ- ζωή
indic Ἰνδικός
indican Ἰνδικός
emia -αιμία
(h)idrosis -ίδρωσις
in(e
meter μέτρον
uria -ουρία
indicolite Ἰνδικός λίθος
Indierotherium Ἰνδία ἔρος θηρίον
indifferentism -ist -ισμός -ιστής
indi- Ἰνδικός
ferous fulvin
fuscin fuscone
gly(or u)cin γλυκύς
humin rubin
leucin λευκός
retin ῥετίνη
indig- Ἰνδικός
azine ἀ- ζωή
oid -οειδής
otic -ate -in(e rubin
uria -ουρία
indigo Ἰνδικός
carmin gelatin
fera -eae -ous
gen(e -γενής
glutin
lite λίθος
meter μέτρον -μετρία
phenol φαιν-
purpurin πορφύρα
sapphire σάπφειρος
sol
uria -ουρία
Indist Ἰνδία -ιστής
indium -isin Ἰνδικός
individualism -ισμός
-ist(ic -ιστής -ιστικός
-ize -ation -ίζειν
Indo- Ἰνδο-
Briton Celtic
China Chinese
crinus κρίνον
European Εὐρωπαῖος
gaea(n γαῖα
lestes λῃστής
logy -ian -λογία
nesian νῆσος
pelagia πέλαγος
phile -φιλος
-ism -ist -ισμός -ιστής
phyllia φύλλον
pseudodon ψευδ- ὀδών
type τύπος
indo- Ἰνδικός
anilin(e form in
coccus κόκκος
gen(e genid(e -γενής

indo- Cont'd
naphthene νάφθα
phan(e -φανής
phen- φαιν-
azine in ἀ- ζώη
ol(oxydase ὀξυ- διάστασις
phor -φορος
quinoline safranine tint
rhodine ῥοδον
thymol θύμον
xanthic ξανθός
indoctrinize -ation -ίζειν
indol(e Ἰνδικός
aceturia -ουρία
(en)in(e (in)one ium o- oid
ogenous -γενής
yl ὕλη
indone -yl Ἰνδικός
indox- Ἰνδικός ὀξύς
azene ἀ- ζωή
yl(ic ὕλη
carboxylic ὀξύς
uria -ουρία
Indratherium θηρίον
inductionist -ιστής
inducto-
gram γράμμα
meter μέτρον
phone φωνή
scope -σκόπιον
indulin(e Ινδικός
ophil -φιλος
indurite -ίτης
indusioid -οειδής
industrialism -ist -ισμός -ιστής
industrialize -ation -ίζειν
indyl Ἰνδικός ὕλη
-ine -ινη -ινος
ineconomic οἰκονομικός
ineconomy οἰκονομία
inelastic ἐλαστικός
ity -icate
inembryonate ἔμβρυον
inenchyma ἔγχυμα
inequiactinate ἀκτιν-
inequianchorate ἄγκυρα
inergetic(al(ly ἐνεργητικός
inesite ἶνες -ίτης
infallibilism -ist -ισμός -ιστής
infam(on)ize -ίζειν
infantilism -ισμός
infectionist -ιστής
inferentialism -ist -ισμός -ιστής
inferiorize
infernalism -ize -ισμός -ίζειν
inferobranch βράγχια
ia ial ian iata iate
infidelism -ισμός
-istic -ize -ιστικός -ίζειν
infinitesimalism -ισμός
Inflaticeras κέρας
inflationist -ιστής
influenzoid -οειδής
influxionism -ist -ισμός -ιστής
infra-
atomic ἄτομος
basal βάσις
branchial βράγχια
infracanthal ἄκανθα
central κέντρον
cotyloid κοτυλοειδής
crystic κρύσταλλος
diaphragmatic διάφραγμα
esophageal οἰσόφαγος
glenoid γληνοειδής
glottic γλῶττα
hyoid ὑοειδής

infra- Cont'd
lapsarianism -ισμός
naturalism -ισμός
neolithic νεο- λίθος
peripheral περιφέρεια
pharyngeal φαρυγγ-
psychical ψυχή
sternal στέρνον
stigmata -al στιγμή
thoracic -ial θωρακ-
tracheal τραχεία
trochanteric τροχαντήρ
infusionism -ist -ισμός -ιστής
infusorigen -γενής
infusoriotoxin τοξικόν
Inghamite -ίτης
ingrammaticism -al γραμματικός
inguinodynia -ωδυνία
inguinoproperitoneal πρό περιτόναιον
inharmonic(al ἁρμονικός
inharmonious(ly -ness ἁρμόνιος
inharmony ἁρμονία
inhexagon ἑξάγωνον
inhibitrope τροπή
inhomogeneous -eity ὁμογενής
inhumanize -ίζειν
ini- ἰνίον
encephalus -y ἐγκέφαλος
istius ἱστίον
ome -i -ous ὦμος
ophthalma ὀφθαλμός
ops ὤψ
inion -iac -ial ἰνίον
inio- ἰνίον
thrips θρίψ
initialist -ize -ιστής -ίζειν
innatism -ισμός
Ino Ἰνώ
inoculist -ιστής
ino- ἰνός
blast βλαστός
carpus καρπός
-eae -in -ous
ceramus κέραμος
chondr- χόνδρος
itis oma -ῖτις -ωμα
cystoma κύστις -ωμα
cyte κύτος
epithelioma ἐπί θηλη -ωμα
gen(ic ous -γενής
genesis γένεσις
glia γλία
hymenitis ὑμήν -ῖτις
(leio)myoma λεῖος μυ- -ωμα
lith λίθος
mycete μυκήτες
myositis μυος -ῖτις
myxoma μύξα -ωμα
neuroma νεῦρον -ωμα
pectic πεκτός
pexia -πηξία
phyllous φύλλον
psetta ψῆττα
scleroma σκλήρωμα
sclerosis σκλήρωσις
scopy -σκοπία
steatonia στεατ- -ωμα
tagma -ata τάγμα
tropic -ism τροπ- -ισμός
inoma ἰν- -ωμα
inopportunism -ist -ισμός -ιστής
inorgan- ὄργανον
ic(al(ly ism ity -ισμός
izable ization ized -ίζειν
ography -γραφία
inorthodox ὀρθόδοξος

inorthography ὀρθογραφία
inos- ἰνός
emia -αιμία
ic in(ate inite
ite -ol -ίτης
itis -ῖτις
(it)uria -ῖτις -ουρία
inostosis ὀστέον -ωσις
inoxidize ὀξύς -ίζειν
-ability -able -ed
inpentahedron πεντα- -έδρον
inphase φάσις
inpolygon πολύγονος
inquisitionist -ιστής
insanoid -οειδής
inscriptionist -ιστής
insectology λογία
-ist -ιστής
insensibilize -ation -ίζειν
insolubilize -ation -ίζειν
insphere -ation σφαῖρα
inspiration(al)ism -ist -ισμός
inspirometer μέτρον -ιστής
instantograph -γραφος
institution(al)ism -ισμός
-ist -ize -ιστής -ίζειν
instrumentalism -ισμός
-ist -ize -ιστής -ίζειν
insularism -ize -ισμός -ιζειν
insulinize -ίζειν
insulite -ίτης
insurometer μέτρον
insurrectionism -ισμός
-ist -ize -ιστής -ίζειν
intagliotype τύπος
intechnicality τεχνικός
integralism -ization -ισμός
integraph -γραφος -ίζειν
integrometer μέτρον
intellectualism -ισμός
-ist(ic -ιστής -ιστικός
-ize -ation -ίζειν
intelligize -ίζειν
intensimeter μέτρον
intensionometer μέτρον
inter-
academic ἀκαδημικός
actionism -ist -ισμός -ιστής
anode ἀνά ὁδός
arytenoid ἀρυταινοειδής
asteric ἀστέριος
asteroidal ἀστεροειδής
atherium -iidae ἀ- θηρίον
atomic ἄτομος
aulic αὐλικός
branch(ial βράγχια
carotic καρωτικός
carotid καρωτίδες
carpal -ellary καρπός
c(or k)athode κάθοδος
centrum -al κέντρον
chondral χόνδρος
chromo- χρῶμα
somal σῶμα
coccygeal -ean κόκκυξ
conal κῶνος
condylar -ic -oid κόνδυλος
coracoid κορακοειδής
corallite κοράλλιον -ίτης
coronoid -οειδής
cosmic(al(ly κόσμος
cotylar κοτύλη
cotyledonary κοτυληδών
cranial κρανίον
crystalline κρυστάλλινος
crystallization κρύσταλλος
cystic κύστις -ίζειν

inter- Cont'd
discal δίσκος
distichal δίστιχον
dome δῶμα
electrode -ic ἤλεκτρον ὁδός
epimeral ἐπί μέρος
epithelial ἐπί θηλή
ferometer μέτρον
ferometry -μετρία
ganglionic γάγγλιον
genetic γενετικός
glacialism -ist -ισμός -ιστής
glyph γλυφή
gonial γωνία
gyral γῦρος
h(a)emal αἷμα
hemicerebral ἡμι-
hemispheral -ic ἡμισφαίριον
hepatic ἡπατ-
hyal ὕαλος
hybridize -ίζειν τικός
interimist(ic(al(ly -ιστής -ισ-
internalist -ization -ize -ισμός
internist -ιστής
internobasal βάσις
inter- Cont'd
ionic ἴόν
ischiadic ἰσχιαδικός
jectionalize -ίζειν
kinesis κίνησις
lobar -ate -ular λοβός
lobitis λοβός -ιτις
mastoid μαστοειδής
meningeal μῆνιγξ
mesenterial -ic μεσεντέριον
metacarpal μετακάρπιον
metallic μέταλλον
meta- μετά
meric μέρος
tarsal ταρσός
nationalism -ισμός -ιζειν
-ist -ization -ize -ιστής
neural νεῦρον -ίζειν
oceanic ὠκεανός
parenchymal παρέγχυμα
parenthetical(ly παρένθετος
paroxysmal παροξυσμός
petaloid -ary πέταλον
phase φάσις
phyletic φυλετικός
placental πλακοῦς
planetary πλανήτης
plastidic πλαστός
pleural πλεῦρα
political πολιτικός
polity πολιτεία
polypal πολύπους
poriferous πόρος
proglottidal πρό γλωττίς
proto- πρωτο-
metameric μετά μέρος
plasmic πλάσμα
plastic πλαστός
vertebral
pterion πτερόν
pterygial πτερύγιον
-oid(al -οειδής
renalopathy -πάθεια
scene σκηνή
scholastic σχολαστικός
-ism -ισμός
sesamoid σήσαμον -οειδής
sexualism -ισμός
sigmoid σιγμοειδής
sphere -al σφαῖρα
sporal σπορά
-angial ἀγγεῖον

inter- Cont'd
stephanic στέφανος
sternal στέρνον
stitialoma -ωμα
sympathy συμπάθεια
synapticular συναπτικός
system(atical σύστημα
systole συστολή
tarsal ταρσός
thoracic θωρακ-
tonic τόνος
triglyph τρίγλυφος
trochanteric τροχαντήρ
trochlear τροχιλια
tropic(al τροπικός
tropics τροπική
ureteric οὐρητήρ
uteroplacental πλακοῦς
ventionist -ιστής
xylary ξύλον
zonal ζώνη
zooecial ζῷον οἶκος φυσις
zygapophysial ζύγον ἀπό-
inthronize -ation θρόνος -ίζειν
intimitis -ῖτις
intoxicant -able τοξικόν
intoxicate τοξικόν
-ed(ly -edness -ingly -ion
intra- -ive -or
arachnoid ἀραχνοειδής
atomic ἄτομος
biontic βιοντ-
bronchial βρόγχια
canonical κανονικός
cardiac -ial καρδία -ακός
carpal -ellary καρπός
cephalic κεφαλικός
chordal χορδή
clonal κλῶν
c(o)elial κοιλία
coelomic κοίλωμα
colic κόλον
cosmic(al(ly κοσμικός
cranial(ly κρανίον
cystic κύστις
dermic δέρμα κός
ecclesiastical ἐκκλησιαστι-
epiphyse(or i)al ἐπίφυσις
epithelial ἐπί θηλή
gastric γαστρ-
gyral γῦρος
hepatic ἡπατικός
hyoid ὑοειδής
laryngeal λαρυγγ-
leucocytic λευκο- κύτος
lobular λοβός
logical λογικός
mastoiditis μαστοειδής -ῖτις
meningeal μηνιγγ-
mesenterial μεσεντέριον
metropolitan μητρόπολις
myocardial μυο- καρδία
neural νεῦρον
organic ὀργανικός
osteal ὀστέον
paracentral παρά κέντρον
parasitic παράσιτος
parenchymatous παρέγχυμα
parochial παροικία
pericardiac -ial περικάρδιον
perineal περίναιον
periosteal περιόστεον
peritoneal(ly περιτόναιον
petalous πέταλον
philosophic φιλοσοφία
phyletic φυλετικός
placental πλακοῦς

intra- Cont'd
pleural πλευρά
polar πόλος
prostatic προστάτης
prothalloid πρό θαλλός
proto πρωτο- -οειδής
plasmic πλάσμα
pyretic πυρετός
retinal ῥητίνη
r(h)achidian ῥαχιδ-
sporal σπορά
state στατός
stromal στρῶμα
synovial συν-
thecal θήκη
thoracic θωρακ-
tracheal(ly τραχεία
tropical τροπικός
tympanic τύμπανον
urethral οὐρήθρα
xylary ξύλον
intratomic ἄτομος
intro-
gastric γαστρικός
spectionist -ιστής
spectivism -ισμός
intrusionist -ιστής
intuition(al)ism -ισμός
-ist(ic -ιστής -ιστικός
intuitivism -ist -ισμός -ιστής
Inula ἑλένιον
-aceae -eae -oid
inule ἑλένιον
-ase -ate in(oid
invalidism -ισμός
invar(i)oid -οειδής
invasionist -ιστής
inventorize -ίζειν
Inversoceras κέρας
invertase διάστασις
invertenzyme ἔνζυμος
Involuticeras κέρας
iod- ἰώδης
acetanilide
acetone -ώνη
al(ia albin -acid
algin ἄλγος
amide ἀμμωνιακόν
amoeba ἀμοιβή
amylformol ἄμυλον
anil(ic anisol
anthrak ἀνθρακ-
antifebrin ἀντί
antipyrin ἀντί πῦρ
argyr-ite ἄργυρος -ίτης
arsyl ἀρσενικόν ὕλη
ate(d ation
aurate αὖρον
benzin casein
chloroform χλωρο-
e(s ic
embolite ἐμβόλιον -ίτης
eosin ἠώς
hydrargyrate ὑδράργυρος
hydric -ate -in ὑδρ-
id(e ate(d)
idion ἴόν
iferous ile
imetry -ically -μετρία
in(e
ate(d ation ium ization ize
inophil(ous -φιλος ol
iodid(e
ioid -οειδής
iperol ipin ival
ism ite -ισμός -ίτης
ize(r -ation -ίζειν

iodo- ἰώδης
acetanilid albumin
amylum ἄμυλον
atoxyl ἀ- τοξικόν ὕλη
benzene bismuthate
bromide -ite βρῶμος -ίτης
caffein casein
chlorid χλωρός
cin citin
col κόλλα
cresin -ol κρέας σωτηρ
crol
cyanogen κυάνος -γενής
derma δέρμα
dichloride δι- χλωρός
eosin ἠώς
ethane αἰθήρ
ethylformin αἰθήρ ὕλη
eugenol εὖ -γενής
fan ferration
form
agen al albumin in ism ize
ogen um -ισμός -ίζειν
gallicin -γενής
gene -in -ol
glandin glidin(e
globulin guiacol
glycerin γλυκερός
gorgoic Γοργώ
h(a)emol αἷμα
hematin αἱματ-
hydrargyrate ὑδράργυρος
hydric -in -ate ὑδρ-
iodid(e kefir
iodol(ein -in ἰώδης
caffein
menthol μίνθα
iodo- Cont'd
lysin λύσις
maisin
mangan Μαγνησία
menin mercur(i)ate
methan(e μέθυ
metry -ic(al(ly -μετρία
muth
naftan νάφθα
naphthol νάφθα
nucleoid -οειδής
peptid πεπτός
phen φαιν-
acetin in ol
ochloral χλωρός
phile -ia -φιλος -φιλία
phthisis φθίσις
platinate potassic
protein πρωτεῖον
pyrin πῦρ
serum sin sol
so(benzene
spermin σπέρμα
spongin σπογγιά
starin stem
sulphid -ate tannin -ol
terpen τερέβινθος
thein θεῖον
theobromin θεῖον βρῶμος
therapy θεραπεία
thiophen θεῖον φαιν-
thymol -oform θύμον
thyr(oid)in θυρεοειδής
-oglobin
tone -al τόνος
vasol -ogen -γενής
iod- Cont'd
onium ἀμμωνιακόν
osyl ὕλη
ous oxy(benzene ὀξυ-

iod- Cont'd
ozen -one ὄζων
peptid πεπτός
terpen τερέβινθος
ur-
ase διάστασις
ate et(ted
yl(in oform ὕλη
yrite ἀργυρίτης
iodum ἰώδης
Ioglossus ἰός
iolin ἰώδης
iolite ἰόν λίθος
-ion -ιον
ion ἰόν
ic ium
protein πρωτεῖον
ion- ἴον
amine ἀμμωνιακόν
ane ene one -ήνη -ώνη
idium -ine -ιδιον
ornis ὄρνις
Ionian Ἰωνιός
ism ist ize -ισμός -ιστής
Ionic(al Ἰωνικός -ίζειν
ism ization ize -ισμός -ίζειν
Ionism Ἰωνιός -ισμός
-ist -ization -ize -ιστής -ίζειν
iono- ἰόν
gen(ic -γενής
graph -γραφος
lysis λύσις
lytic λυτικός
magnetic Μαγνῆτις
meter μέτρον
phose ἴον φῶς
plasty -πλαστία
therapy θεραπεία
ionto- ἰόν
phoresis φόρησις
quantimeter μέτρον
therapy θεραπεία
Iophanus Ἰώ φανός
iophobia ἰός φοβία
io- ἰο-
pterous -πτερος
scytus σκῦτος
siderite σιδηρίτης
iota -ization -ize ἰῶτα
iotacism(us ἰωτακισμός
-ist -ιστής
ioterium ἰός τερεῖν
io- ἰώδης
terpin τερέβινθος
thion(al θεῖον
ipecamine ἀμμωνιακόν
ipha -idea ἶφι
Iphigenia Ἰφιγένεια
Iphiona -eae ἴφυον
Iphipus ἶφι ποῦς
Iphis(idae ἶφι
Iphthimus ἴφθιμος
Ipnops ἰφνός ὤψ
-opid(ae -opoid
ipo- ἰπο-
coelius κοιλία
cregues κρήγυος
Ipomoea ἰπ- ὁμοῖος
-ein -(o)ic
Ips ἴψ
ipsographic γραφικός
ipsolateral ἰψος
ipur- ἰπ-
ur(g)anol olic
iralgia ἶρις -αλγία
Irena -inae Εἰρήνη
irenarch(y -ical εἰρηνάρχης

irene ἶρις
irenic(al(ly -ics εἰρηνικός
irenicon -um εἰρηνικόν
Iresine εἰρεσιώνη
iretol ἶρις
iriankistrium ἶρις ἀγκίστριον
Iricism -ist -ισμός -ιστής
irid- ἰριδ-
adenosis ἀδήν -ωσις
al ate eous
algia -αλγία
auxesis αὔξησις
ectome ἐκτομή
ectomesodialysis ἐκτομή
μεσο- διάλυσις
ectomy -ize -εκτομία -ίζειν
ectropium ἐκτροπίον
elcosis ἕλκωσις
emia -αιμία
encleisis ἔγκλισις
entropium ἐντροπίον
eremia ἐρημία
esce
-ence -ency -ent(ly
esis ic(al ico- in(e ite ize
-ation -ίζειν
ol(in(e
oncus ὄγκος
osm- ὀσμή
in(e (irid)ium
iridi- ἰριδ-
al an ous um
color
iridio- ἰριδ-
platinum
irido- ἰριδ -ο-
avulsion
capsulitis -ῖτις
cele κήλη
ceratitis κερατ- -ῖτις
choroiditis χοριοειδής -ῖτις
cinesis -ia κίνησις
coloboma κολόβωμα
constrictor
cycl- κύκλος
ectomy -εκτομία
itis -ῖτις
cyclo- κυκλο-
choroiditis χοριοειδής
cyst κύστις -ῖτις
ectomy -εκτομία
cyte κύτος
desis δέσις
diagnosis διάγνωσις
dialysis διάλυσις
dilator
donesis δόνησις
keratitis κερατ- -ῖτις
kinesis -ia κίνησις
kinetic κινητικός
leptinsis λέπτυνσις
logy -λογία
malacia μαλακία
me(so)dialysis μεσο- διάλυ-
motor σις
myrmex μύρμηξ
paralysis παράλυσις
paresis πάρεσις
periphacitis περί φακός -ῖτις
plegia -πληγία
procne πρόκνη
ptosis πτῶσις
pupillary
rhexis ῥῆξις
schisis σχίσις
schisma σχίσμα
sclerotomy σκληρός -τομία

irido- Cont'd
scope -σκόπιον
steresis στέρησις
tasis τάσις
tome tomy -τομον -τομία
iri- ἴρις
dosis δόσις
dovalosis -ωσις
genin -γενής
scope -σκόπιον
sol
tomy -τομία
iris ἴρις -ideaeal
-idaceae -idaceous -idaea
amin(e ἀμμωνιακόν
ated ation
ed in
opia opsia -ωπία -οψία
Irishism -ize -ισμός -ίζειν
iritis -ic ἴρις -ῖτις
-oectomy -εκτομία
iron- -ίτης
pyrochroite πυρο- χρόα
sarcolite σαρκο- λίθος
Ironeus εἴρων
ironic εἰρωνικός
al(ly alness
irony εἰρωνία
-ism -ist -ize -ισμός -ιστής
irotomy ἴρις -τομία -ίζειν
irrationalism -ισμός
-ist -ize -ιστής -ίζειν
Irredentism -ist -ισμός -ιστής
irreligionism -ist -ισμός -ιστής
irrigationist -ισμός -ιστής
irrigoradioscopy -σκοπία
Irvingite -ίτης
isabelite -a -ίτης
is- ἰσ-
abnormal
aconitic -in(e ἀκόνιτον
acoustic ἀκουστικός
actinic ἀκτιν-
adelphia -ous ἰσάδελφος
afrol(e
agog(u)e εἰσαγωγή
agogic(al(ly -ics εἰσαγαγι-
agon = isogon κός
alea ἄλεα
allo- ἀλλο-
bar βάρος
therm θέρμη
amin(e ἀμμωνιακόν
androus ἴσανδρος
anemone ἀνεμος
angelical ἰσάγγελος
anomal(ous ἀνώμαλος
anomaly ἀνωμαλία
anther(ic ous ἀνθηρός
anthus -ous ἄνθος
apiol
apostolic ἰσαπόστολος
aria -iacei -ioid
atropic Ἄτροπος
-ylcocain ὕλη
azoxy- ἀ- ζωή ὀξυ-
isam- ἰσάτις ἀμμωνιακόν
ate ic id(e
isat- ἰσάτις
an ate ic id(e oic oid
anthr- ἄνθραξ
ene one -ώνη
ase διάστασις
imid(e ἀμμωνιακόν
in(e ic ol one -ώνη
sulphonic
is eae

isat- Cont'd
ogen(ic -γενής
oxime ὀξύς ἀμμωνιακόν
isa- ἴσος
metral μετρον
Iscariotism -ισμός
isch(a)emia -ic ἴσχειν -αιμία
Ischaena ἰσχαίνειν
Ischalia ἰσχαλέος
ischi- ἰσχίον
ac ἰσχιακός
adelphus ἀδελφός
adic ἰσχιαδικός
agra ἄγρα
algia -αλγία
atic(a ἰσχιαδικός
-itis -ῖτις
-ocele κήλη
odous ὀδούς
osis -ωσις
ischidrosis ἰσχίον -ἱδρωσις
ischio- ἰσχιο-
anal
aponeurotic ἀπονεύρωσις
bulbar βόλβος -ωτικός
capsular caudal
cavernous -osus
cele κήλη
cerite κέρας -ίτης
clitorian κλειτορίς
coccygeus -eal κόκκυξ
didymus δίδυμος
dymia δίδυμος
femoral fibular
gnathite γνάθος -ίτης
hebotomy ἥβη -τομία
iliac innominate
loncha λόγχη
menia ἴσχειν μῆνες
neuralgia νεῦρον -αλγία
pagus -ia *or* -y πάγος
penile
perineal περίναιον
podite ποδ- -ίτης
prostatic προστάτης
pubis -ic -otomy -τομία
rrhogic ἰσχιορρωγικός
sacral tibial
rectal vaginal vertebral
ischium -ial ἰσχίον
Ischnarthron ἰσχνός ἄρθρον
ischno- ἰσχνο-
cerus κέρας
chiton(id(ae χιτών
dora δορά
neurula νεῦρον
phony -ia -ic ἰσχνοφωνία
soma σῶμα
Ischnotes ἰσχνότης
ischo- ἴσχειν
cholia -χολία
chymia χυμός
galactia -ic γαλακτ-
lochia λόχια
menia μῆνες
ischuria -y ἰσχουρία
-(et)ic -ετικός
Ischyodus ἴσχειν ὀδούς
ischyro- ἰσχυρο-
mys -yidae μῦς
tomus -τομος
Ischyrus ἰσχυρός
is- Cont'd
eidom(*or* n)al εἴδομαι
energic ἐνεργία
enite -ίτης
entropic ἐντροπή

is- Cont'd
epipteses -ial ἐπί πτῆσις
erite -ίτης
ethionic -ate αἰθήρ θεῖον
ionic ἰόν
Ishmaelite -ic -ish -ism -ίτης
Isiac Ἰσιακός -ισμός
isidium ἶσις εἶδος
-iferous -ioid -iose
-iophorous -φορος
Isis Ἶσις
Isis ἶσις
-idae -idid(ae -idoid -ioid
Islamism -ist(ic -ite -itic -ize
-ισμός -ιστής -ιστικός -ίτης
-ism -ισμός -ίζειν
ism -ισμός
al atic(al aticness ist y
Ismae(*or* i)lism -ισμός
-ite -itic(al -ίτης
iso- ἰσο-
abnormal acid
aconitin(e ἀκόνιτον
actinate ἀκτιν-
agglutinin
-ate -ation -ative
allyl ὕλη
amide ἀμμωνιακόν
amplitude
amyl ἄμυλον
amin(e ἀμμωνιακόν
ate en(e idene
androspore ἀνδρο- σπορά
anemonia ἀνεμώνη
antipyrin ἀντί πῦρ
asparagine ἀσπάραγος
atmic ἀτμός
aurore
azotate ἀ- ζωή
barbituric βάρβιτον οὖρον
bar ἰσοβαρής
e ic ism -ισμός
ometric μετρικός
base -ial βάσις
bath(ic ἰσοβαθής
ymetric μετρικός
ytherm(al -ic(al θέρμή
benzyl ὕλη
bilateral bilianic
biogenetic βιο- γενετικός
body borneol
bolism βολή -ισμός
brachium βραχίων
brious -iatus βριᾶν
bront(on βροντή
bryous βρύειν
but- βούτυρον
ane yl(ene ὕλη
butyric -ate βούτυρον
camphor(ic -onic καμφορά
caproic
carbostyril στύραξ
cardia καρδία
-iadae -iidae
carpae καρπός
-eae -ic -ous
cellular
cephaly ἰσοκέφαλος
-ic -ism -ous -ισμός
ceras κέρας
ceraunic κεραυνός
cerauno- κεραυνο-
graphic γραφικός
phonic φωνή
cercy -al κέρκος
chasm(en ic χάσμα
cheim(e -al -ic χεῖμα

iso- Cont'd
ch(e)imene -al χειμαίνειν
ch(e)imonal χειμών
chela χηλή
chion χιών
chlor χλωρός
cholesterin -ol χολή στερεός
cholin(e -anic χολή
chomous χῶμα
chor(e -ic χῶρα
chromatic χρωματικός
chromato- χρωματο-
phil(e -φιλος
chrome χρῶμα
chronous(ly ἰσόχρονος
-al(ly -e -ic(al(ly -ism -ize
-on -ισμός -ίζειν
chroous -χροος
cinchomeronic μέρος
citric κίτρον
clasite κλάσις -ίτης
cline -al -ic κλίνειν
clinostat κλινο- στατός
cnemus -ic κνήμη
cocain
codein(e κώδεια
coelous κοῖλος
coenosium κοινός
colloid κολλῶδης
colon ἰσόκωλον
coly ἰσοκωλία
-(et)ic -ετικός
coma κόμη
complement(ophilic φίλος
conin(e κώνειον
coria κόρη
cory- κορυδαλλίς
bulbin(e βόλβος
coumarin
cracy ἰσοκρατία
crat(ic -ize -ίζειν
creatinin(e κρεατ-
crinus κρίνον
crotonic κρότων
cryme -a(l -ic κρυμός
cryoscopic κρύος -σκοπος
cyan- κύανος
-ate -ic -id(e -ine
uric -ate οὖρον
cyano- κυανο-
gen -γενής
cyclic κυκλικός
cyclous -us κύκλος
cymene κύμινον
cytic κύτος
cyto- κυτο-
lysin λύσις
toxin τοξικόν
dactyli -ous δάκτυλος
dehydracetic ὑδρ-
demic δῆμος
dense
Isodia εἰσόδια
isodic(*or* k)on = eisodicon
iso- Cont'd
diabatic διαβατικός
dialuric δι- ἀλλᾶς οὖρον
diametric(al διαμετρικός
diaphore διάφορος
diazo- δι- ἀ- ζωή
dictyal δίκτυον
dimorphous δίμορφος
-ic -ism -ισμός
diode -y δίοδος
dipyridin(e δι- πυρρός
dispersoid -οειδής
domon ἰσόδομον

iso- Cont'd
-ic -ous -um
drome δρόμος
dulcite -ic -(on)ic -ίτης
durene
dynam δύναμις
ia ic(al ous
ogenic -γενής
dyne δύναμις
eidomal = iseidomal
electr(on)ic ἤλεκτρον
emodin
energetic ἐνεργετικός
energic ἐνεργός
ephedrin(e ἐφέδρα
eral erucic
etes ἰσοετής
-aceae -aceous -ales -eae
eugenol Εὐγένιος -oid
ferulic form
fluid(ity ism -ισμός
game γάμος
gamete γαμέτης
angium -ial ἀγγεῖον
gamy -ic -ous -γαμία
gen γένος
genesis γένεσις
genetic γενετικός
genotypic γένος τύπος
geny -ous ἰσογενής
geotherm(al -ic γεω- θέρμη
geranic γεράνιον
gnathism -ous γνάθος -ισ-
gon ἰσογώνιος μός
al(ity ic(al ous
iostat στατός
gonism -ic -ous γόνος -ισμός
gradient graft
gram γράμμα
graph -γραφος
graphy -ic(al(ly -γραφία
gynae -ous γυνή
-ospore σπορά
gyre -ic -ous γῦρος
halsine ἅλς
hel(ic ἥλιος
hemagglutinate -ion αἱμ-
hemo- αἱμο-
lysis -in λύσις
lytic λυτικός
hesperidin Ἑσπερίδες
holo- ὁλο-
gamy -γαμία
type τύπος
homovanillin ὁμός
humic
hydric υδρ-
hydrosorbic ὑδρο-
hyet(al ose ὑετός
hygrometric ὑγρο- μετρικός
hyp ὕψος -ωσις
hypercytosis ὑπέρ κύτος
hypocytosis ὑπό κύτός -ωσις
hypsometric ὑψο- μετρικός
indol Ἰνδικός
kom (?) κόμμι
kont κοντός
lactose γαλακτ- γλεῦκος
lantite -ίτης
isolaphobia -φοβία
isolationist -ιστής
iso- Cont'd
lateral(ity
lecto- λεκτός
type τύπος
leda Λήδα
leucin λευκός

iso- Cont'd
lichenin λειχήν
linole(n)ic
lithic λίθος
lobodon λοβός ὀδών
log(ue -ous -y λόγος -λογία
loma λῶμα
lysis -in λύσις
lytic λυτικός
magnetic Μαγνῆτις
malic
maltose γλεῦκος
matig- μαστιγ-
ate oda(n -ώδης
mastigote μαστιγωτός
melamin(e ἀμμωνιακόν
mer(e ἰσομερής
a ia ic(al(ly id(e ism ization ous y
ase διάστασις
mero- ἰσομερής
gamy -γαμία
morphism μορφή -ισμός
meristic μεριστικός
meteoric μετέωρος
metoporal μετόπωρον
metric(al(ly ἰσόμετρος
-ograph -γραφος
-opia -ωπία
metry ἰσομετρία
micro- μικρο-
cline κλίνειν
gamete γαμέτης
morph μορφή
ic(ally ism ous(ly -ισμός
ogen(ic -γενής
muscarin(e
mya -arian μυ-
ison ἴσον
andra -ανδρος
ergic ἔργον
iso- ἰσο-
naphthol νάφθα
azarin
neph(elic νεφέλη
nephro- νεφρός
toxin τοξικόν
nicotin(e -(in)ic
nitr- νίτρον
amine ἀμμωνιακόν
il(e o
oso(antipyrin ἀντί πῦρ
nomia -y ἰσονομία
nomous -ic ἰσόνομος
normocytosis κύτος -ωσις
nuclear
oleic orcin
osmotic ὠσμός -ωτικός
is- Cont'd
odont(a ous ἰσ- ὀδοντ-
onym ἰσωνυμος
onymy -ic ἰσωνυμία
opia -ωπία
opisthes ὄπισθεν
opter ὀπτήρ
orcin(ol(eic
orthose ὀρθός
osm- ὠσμός
osis otic -ωσις -ωτικός
otes ἰσότης
iso- Cont'd
pag πάγος
paraffin γένεσις
parthenogenesis παρθενο-
pathy -ic -πάθεια
pectic πηκτός
pelletierine

iso- Cont'd
pentyl πεντ- ὕλη
pepsin πέψις
pericoelous περί κοῖλος
perimeter ἰσοπερίμετρος
-metry(-al -ic(al)(
petalous πέταλον
phagous -y -φαγος -φαγία
phan(e -φανής
phasal φάσις
phasm φάσμα
phathalic -yl νάφθα ὕλη
phene -ous φαιν- -λογία
phenological φαινόμενον
ph(a)enomenal φαινόμενον
phile -φιλος
phlorizen φλοιός ῥίζα
phone φωνή
phoria -φορία
phorone
phorous ἰσόφορος
phote -al -ic φωτ-
photo- φωτο-
graphy -γραφία
phyll φύλλον
phyllous -y φύλλον
phyte -oid φυτόν -οειδής
phyto φυτο-
tone -ous τόνος
piestic(ally πιεστός
plano- πλάνος
gametes γαμετης
plastic πλαστικός
plere πλήρης
pleth ἰσοπληθής
pleura(n -al -ous πλευρά
pleure ἰσόπλευρος
plexis πλῆξις
pluviose
pod(e a(n ous ποδ-
iform imorphous -μορφος
pogonous πώγων
polar πόλος
polite ἰσοπολίτης
polity -ical ἰσοπολιτεία
poly- πολυ-
pora -idae πόρος
pral πρωτο- ὕλη
precipitin prene
prop- πρωτο- πιών
enyl ὕλη
yl ὕλη
acetic ene toluene
amine ἀμμωνιακόν
prothally πρό θαλλός
psephic -ism ἰσοψηφία
psetta ψῆττα
psychric ψυχρός
ptera -ous πτερόν
pulegone ὠνη
purpuric -ate -in πορφύρα
pyc(nal -nic πυκνός
pyrum -eae ἰσόπυρον
pyre πῦρ
pyro πυρο-
mucic
tritartaric τρι- τάρτανον
quinolin(e
rhamnose ῥάμνος
rh(or rr)opesis ἰσορρόπησις
rhythmic ῥυθμός
rropic ἰσόρροπος
rubine safrol
saccharic -in σάκχαρον
scaphidium σκαφίδιον
scel ἰσοσκελής
ar es ism -ισμός

iso- Cont'd
schist σχιστός
scope -σκόπιον
scopolamine ἀμμωνιακόν
seismal -ic σεισμός
seist σειστός
serin spectric
serotherapy θεραπεία
soma ἰσοσώματος
spondyle -i -ous σπόνδυλος
spore σπορά
-a -eae -ia -ic -ous -y
stas(or c)y στάσις
stath(mic ἰσόσταθμος
static(al(ly στατικός
stemonous -y στήμων
stere στερεός
-ic -ism -ισμός
stichous στίχος
stylous -ed στῦλος
succinic sulfide
sulphocyanic -ate κύανος
tac τακερός τωσις
talantous -osan -ose ταλάν-
tamieutic ταμιευτικός
tarphius ταρφεῖος
tartaric τάρταρον
tectonism τεκτων -ισμός
teles -oides ἰσοτελής
telus τέλος
tely ἰσοτέλεια
teniscope -σκόπιον
terpene τερέβινθος
therapy θεραπεία
there -al θέρος
ombrose ὄμβρος
therm θέρμη
al(ly ic(al ous y
thermo- θερμο-
bath(ic βάθος
hyps ὕψος
thiocyanate θεῖον κύανος
thujone θυία
thymol θύμος
thyocyanic -ate θεῖον κύανος
thyme -al θυμίασις
timal
tome -a -ic -ous τομή
tonia -ic(ity -τονιά
tonic ἰσότονος
tope τόπος
-ic -ism -y -ισμός
toxic -in τοξικόν
transplant(ation
tricha -ia -idae -ina τριχ-
trimorphous τρι- -μορφος
-ic -ism -ισμός
trope ἰσότροπος
-al -ic -ism -ous -y
trophy -ic -τροφία
tropylcocaine τρόπος ὕλη
type -ic τύπος
uric -etin(e οὖρον
valer(ian)ic vanillic -in
voluminal
zoic zooid ζῶον -οειδής
isox- ἰσ- ὀξύς
azol(e ἀ- ζωή
ime ἀμμωνιακόν
ylene ὕλη
Israel Ἰσραήλ
ism -istic -ize -ισμός -ιστικός -ίζειν
Israelite Ἰσραήλ -ίτης
-ic(al -ish -ism -ize -ισμός
Issidioromys μῦς -ίζειν
-ist -ιστής

isthm(us ἰσθμός
iad ian iate ἴσθμιος
ic ἰσθμικός
itis -ῖτις
oid -ἰσθμοειδής
isthmo- ἰσθμο-
colosis χολή -ωσις
coris κόρις
plegia -πληγία
-istic(al(ly -ics -ιστικός
Istiophorus -idae ἱστίον -φορος
Istor ἵστωρ
is- ἰσ-
uret(ine οὖρον
uria -ουρία
uric οὖρον
ur- οὐρά
ichthys ἰχθύς
opsis ὄψις
us -id(ae -oid ἰσ- οὐρά
ita ακόνιτον
itabe(or i)rite -ίτης
itacism ἦτα- -ισμός
-ist(ic -ιστής -ιστικός
itacolumite -ίτης
itaconic -ate ἀκόνιτον
Italian Ἰταλία
ate ation ish ism ist ization ize(r ly -ισμός -ιστής -ίζειν
Italic Ἰταλικός
al(ly an ate e ism ization ize(r
o- -ισμός -ίζειν
Italiot(e Ἰταλιώτης
Italish Ἰταλία
Italomania Ἰταλία μανία
itamalic ἀκόνιτον
Itamus ἰταμός
-ite(s -ίτης
Itea ἰτέα
iteology -ic -λογία
itemize(r -ation -ίζειν
Ithacan -ension Ἰθάκη
Ithaginis ἰθαγενής
ithomid ἰθύς ὦμος
-iidae -iinae
Ithris ἴθρις
ithy- ἰθυ-
cerus κέρας
cyphos -osis ἰθύκυφος -ωσις
dontia ὀδοντ-
grammodon γραμμή ὀδών
lordosis ἰθύλορδος -ωσις
phallic ἰθυφαλλικός
phallos -us ἰθύφαλλος
phyllous φύλλον
poroidus πόρος
porus ἰθυπόρος
-itic -ιτικός
-itis -ῖτις
itrosyl νίτρον ὕλη
Itylos Ἴτυλος
Iulus ἴουλος
-an -id(ae -idan -ites -oid-(ea(n
-ium -εῖον -ιον
ivigtite -ίτης
ivorist -ιστής
I. W. W. ism -ισμός
Ix Ixias Ἴξ ἰξίας
Ixia(eae ἰξία
Ixiolirion ἰξός λείριον
ixiolite Ἰξίων λίθος
Ixion(ian Ἰξίων
Ixodes ἰξώδης
-ian -ic -id(ae -in -oid(ea
-iasis -ίασις

ixo- ἰξο-
lite λίθος
myelitis μυελός -ιτις
Ixonanthes -eae ἰξός ἄνθος
ixous ἰξός
Iynx ἴυγξ
-yng(-idae -inae -in(e
-ize(r -ίζειν
-ability -able -ation

Jacamaerops ὤψ
-opinae -opine
Jacamaralcyon ἀλκυών
Jacchus Ἴακχος
jacinctine -ous ὑάκινθος
jacinth(ine ous ὑάκινθος
Jack Ἰάκωβος
-a-dandy(ism -ισμός
-a-Lent
anapes
-ery -esian -ish
aroo
ass
ery ification ism ness
bird boot draw een er
elocystis κύστις
et(less wise y)
sonite -ίτης
Jacob Ἰάκωβος
aea(n ean ian ic
jacobin Ἰάκωβος
ia ic(al(ly ism ization ize ly
Jacobite Ἰάκωβος -ίτης
-ic(al(ly -ish(ly -ism -ισμός
jacobsite Ἰάκωβος -ίτης
jacobus Ἰάκωβος
jacquemart Ἰάκωβος
Jacquerie Ἰάκωβος
jacuspirangite -ίτης
jade(it)ite -ίτης
jadeolite λίθος
jagounce ὑάκινθος
Jahnocrinus κρίνον
Jainism -ist -ισμός -ιστής
jalpaite jamesonite -ίτης
Jane Ἰωάννης
Jansenism -ισμός
-ist(ic(al -ize -ιστής -ιστικός -ίζειν
Janthe Ἰάνθη
japaconitine ἀκόνιτον
Japanicize -ίζειν
Japanism -ισμός
-ization -ize -ίζειν
Japano-
latry λατρεία
logy -ist -λογία -ιστής
phile -φιλος
japbenzaconine ἀκόνιτον
Japetidae -ίδης
Japon(ic)ize -ίζειν
Japonism -ισμός
Japyx -ygidae Ἰαπυξ
jargonist -ιστής
-ization -ize -ίζειν
jarosite -ίτης
jasione ἰασιώνη
jasmin(e ἰάσμινον
eae ed um
jasmone ἰάσμινον
jaspachate ἰασπαχάτης
jasper ἴασπις
(at)ed ine ite ize oid one ous y
jaspide(*or* i)an -eus ἰασπιδ-
jaspilite ἴασπις λίθος

jaspis ἴασπις
-oid -ure -οειδής
jasponyx ἰασπόνυξ
Jassus -idae -oid(ea Ἴασσος
Jateor(r)hiza -ine ἰατήρ ῥίζα
Jatropha -ic ἰατρός τροφή
jatrorrhizine ἰατρο- ῥίζα
jaulingite -ίτης
Javanoseris σήρ(σηρός)
javellization -ίζειν
jealous(y ly ness ζῆλος
Jebusite -ic(al -ish -ίτης
jefferisite jeffersonite -ίτης
Jeffersonianism -ισμός
Jehovism -ισμός
-ist(ic -ιστής -ιστικός
jejunectomy -εκτομία
jejunitis -ῖτις
jejuno-
colostomy κῶλον -στόμια
ileitis -ῖτις
(ileo)stomy -στομία
tomy -τομία
jellettite -ίτης
jelloid -οειδής
Jenarcrinus κρίνον
jenkinsite -ίτης
Jennerize -ation -ίζειν
jeopardize -ίζειν
jeremejevite -ίτης
Jeremiad -αδ-
jesaconitine ἀκόνιτον
jesoanisaconic ἄνισον ἀκόνιτον
jessamy -in(e ἰάσμινον
Jesuate -ess Ἰησοῦς
Jesuist -ιστής
Jesuit Ἰησοῦς -ίτης
ed ess ic(al(ly ish rice ry
ism ize -ισμός -ίζειν
ocracy -κρατία
jet γαγάτης
Jew Ἰουδαῖος
dom ed ess fish hood ish(ly
ishness ism less ling ly ry
stone ship trump
jew'sear -harp Ἰουδαῖος
jingoism -ισμός
-ist(ic -ιστής -ιστικός
Joachimite -ίτης
Joan Ἰωάννης
ese nist nite -ιστής -ίτης
Job ation e ism Ἰώβ -ισμός
jock Ἰάκωβος
jockey Ἰάκωβος
ing ish ism ship
jod- ἰώδης
chromate χρῶμα
embolite ἐμβόλιον
joe joesweet joey Ἰωσήφ
jogtrottism -ισμός
jogynaite -ίτης
johannes Ἰωάννης
-ean -ine -ite -ίτης
-isberger
-ophyton φυτόν
John Ἰωάννης
ian nie ny
ize -ίζειν
son(ian)ism -ισμός
johnstrupite -ίτης
jointist jokist -ιστής
jollyte -ίτης
jonathanization -ίζειν
jonon ἴον
Jonthodes ἴονθος -ώδης
jordanism -ite -ισμός -ίτης
Jordanon ὄντα

Jorist joseite -ιστής -ίτης
joseph Ἰωσήφ
ia ine (in)ism -ισμός
inite -ίτης
jossaite -ίτης
jot jotter jotty ἰῶτα
Jotherium ἴον θηρίον
joulad joulemeter -αδ- μέτρον
journalism -ισμός
-ist(ic(ally -ιστής -ιστικός
journalize(r -able -ation -ίζειν
journalology -λογία -ίζειν
jovialist(ic -ize -ιστής -ιστικός
jovicentric(al(ly κεντρικός
jovilabe -λάβον
Jovinianist -ιστής
joviology λογία
jovite -ίτης
jubilee ἰωβηλαῖος
-ance -ancy -ant(ly -ar(ian
-ate(d -ation -atory -ean
-ist -ize -ose -ιστής -ίζειν
Judae Ἰουδαῖος
phobe phobia -φόβος -φοβία
Judaic Ἰουδαικός
al(ly -aico-
Judaism Ἰουδαισμός
-ist(ic(ally -ιστής -ιστικός
Judaize(r -ation Ἰουδαΐζειν
Jud(a)eo- Ἰουδαῖος
mancy μαντεία
philism -φιλος -ισμός
phobe -φοβος
phobia -ism -φοβία -ισμός
Judas Ἰούδας
ian ite ly
judicialize -ίζειν
Judy Ἰουδίθ
jug(ful Ἰωάννης
jugulocephalic κεφαλή
jujube ζίζυφον
jujuism -ist -ισμός -ιστής
Julianist -ιστής
Julistus ἰουλίζειν
Julodis ἰουλώδης
julus ἴουλος
-aceous -iform
juncite junckerite -ίτης
Juncoides -οειδής
juniperite -ίτης
junkerism -ισμός
jurist -ιστής
ic(al(ly -ics -ιστικός
Justinianist -ιστής
juvenilize -ίζειν
juxtabasal βάσις
juxtapyloric πυλωρός

Kada(*or* e)rite -ίτης
kaenocyclic καινο- κυκλικός
kaino- καινο-
phobia -φοβία
zoic ζωικός
kain(os)ite καινός -ιτης
kairocoll καιρο- κόλλα
kair(ol)in(e καιρός
kairolinum καιρός
kaiserism -ισμός
kak- κακός
idrosis -ίδρωσις
isto- κάκιστος
cracy -κρατία
crat(ic -κρατής
odyl(e κακώδης ὕλη
osmia ὄσμη

kakkerlakism -ισμός
kako- κακο-
genesis γένεσις
kalchoid χαλκοειδής
kaleido- καλός εἰδο-
graph -γραφος
phon(e φωνή
scope -ic(al(ly -σκόπιον
kalgoorlite λίθος
kaliblodite kaliborite -ίτης
kalidion -ium καλίδιον
kaligenous -γενής
kalli- καλλι-
lite λίθος
nikos καλλίνικος
sophy σοφία
type τύπος
kaliharmotom ἁρμός τομή
kalimeter -ry μέτρον -μετρία
kalinite -ίτης
kalion ἰόν
kaliophilite -φιλος -ίτης
Kaliosysphinga συσφίγγειν
kalisaccharic σάκχαρον
kallaite κάλλαις -ίτης
Kallima κάλλιμος
kallimenia -eae κάλλος ὑμήν
Kallistina Καλλιστώ
Kalloclymenia καλλο- κλυμένη
kallynteria καλλυντήριος
kalmopyrin πῦρ
kalo- καλο-
batipus βατίς ἵππος
logy λογία
trope τρόπος
type τύπος
-ography -γραφία
Kalodontidae καλός ὀδοντ-
kalon καλόν
Kalosanthes καλός ἄνθος
kalpis κάλπις
kaluszite -ίτης
kalybe καλύβη
kaly(*or* u)mmocyte κάλυμμα
kalypteres καλυπτήρ κύτος
kalyptra καλύπτρα
kamacite κάμαξ -ίτης
kammatograph -γραφος
kammererite -ίτης
Kampecaris κάμπη καρίς
kamptoderm καμπτός δέρμα
kamptulicon καμπτός οὖλος
Kampylaster καμπύλος ἀστήρ
Kandyca κανδύκη
kanistron κάνιστρον
kanonarchos κανονάρχης
Kant(ian)ism -ισμός
Kantist -ite -ιστής -ίτης
kaolin- -ίζειν -ωσις
ite ization ize osis -ίτης
kapnography -ic καπνός -γραφία
kappa κάππα
kapselcoccus κόκκος
Karaite -a(it)ism -ίτης -ισμός
karbatinai καρβάτιναι
karchesion καρχήσιον
karelinite -ίτης
karenchyma κάρυον ἔγχυμα
Karoceras καρά κέρας
karoomys μῦς
karstenite -ίτης
kary- κάρυον
apsis aptic ἀψίς
aster ἀστήρ
enchyma ἔγχυμα
karyo- καρυο-
basis βάσις

karyo- Cont'd
blast βλαστός
cerite κέρας -ίτης
chromato- χρωματο-
phil -φιλος
chrome χρῶμα
chyleme χυλός
dermato- δερματο-
plast πλαστός
gametes γαμέτης
gamy -ic -γαμία
gen(ic -γενής
genesis γένεσις
gonad γονή
hyalo- ὕαλος
plasm πλάσμα
kinesis κίνησις
kinetic κινητικός
klasis κλάσις
lobic -ism λοβός -ισμός
logy λογία
lyma λῦμα
lymph νύμφη
lysis λύσις
lysus λύειν
lytic λυτικός
merite -ite μέρος -ίτης
micro- μικρο-
some -a σῶμα
mite -on μίτος
-oic -ome -osis -otic -ωμα -ωσις -ωτικός
mitoplasm(ic μίτος πλάσμα
morphism μορφή -ισμός
phage -y -φαγος -φαγία
phan -φανής
plasm(a -ic πλάσμα
plast(in πλαστός
reticulum
rhexis ῥῆξις
some -a σῶμα
stenosis στένωσις
-otic -ωτικός
symphisis σύμφυσις
theca θήκη
tonia -ic -τονία
zoic ζῷον
karyon κάρυον
karyota -in καρυωτός
karystiolite λίθος
kata- κατα-
basis κατάβασις
batic καταβατικός
blast βλαστός
bolic -ism καταβολή -ισμός
bothron κατάβοθρον
chromiasis χρῶμα -ίασις
climatic κλίμα
dicrotism δίκροτος -ισμός
kinetic κινητικός
kineto- κινητός
mere -ic μέρος -ισμός
klinotropism κλινο- τροπ-
morphism μορφή -ισμός
nyktikon κατανυκτικός
phoresis φόρησις
phoric καταφορικός
phraxis κατάφραξις
phrenia = cataphrenia
phylaxis φύλαξις
plasia = cataplasia
plectic καταπληκτικός
plexis κατάπληξις
positive
pyknosis καταπύκνωσις
state -ic στατός
thermometer θερμο- μέτρον

kata- Cont'd
thesis κατάθεσις
tonia -iac = catatonia
trepsis τρέψις
kat- κατ-
egoriastes κατηγοριαστής
electro- ἠλεκτρο-
tonus τόνος
kath- = cath-
katharite καθαρός -ίτης
katharmon καθαρμός
katharo- καθαρο-
bia βίος
meter μέτρον
phore -φορος
katharsis κάθαρσις
kath- καθ-
embryo(nic ἔμβρυον
emoglobin αἱμο-
enotheism ἑνο- θεός -ισμός
etal eto- κάθετος
stoma -inae στόμα
isma κάθισμα
is(i)o- κάθισις
phobia -φοβία
odic ὁδός
katigen -γενής
katoikogenic οἶκος -γενής
kato- κάτω
lysis λύσις
phoria -φορία
tropia -τροπία
kau- = cau-
kaulosterin καυλός στερεός
kausia καυσία -ίτης
keffekilite kehoeite keilhauite
keirospasm κείρειν σπασμός
Kekenodon ὀδών
kekryphalos κεκρύφαλος
kelebe κελέβη
kelectome κήλη ἐκτομή
Kelestoma κήλη στόμα
keleusmatically κελευσματικός
kelis -oid -os κηλίς
kelotomy -ia κήλη -τομία
kelyphite κέλυφος
Kemalist -ιστής
ken- κενός
apophytes ἀπό φυτόν
enchyma ἔγχυμα
kenodoxy κενοδοξία
keno- καινο-
genesis γένεσις
genetic(ally γενετικός
geny -ic -γένεια
keno- κενός
phobia -φοβία
precipitin
toxin τοξικόν
tron ὄλεκτρον
kenosis κένωσις
kenotic κενωτικός
-(ic)ism -(ic)ist -ισμός -ιστής
kentallenite -ίτης
Kenticism -ισμός
kentro- κεντρο-
gon γόνος
kinesis κίνησις
kinetic κινητικός
lite λίθος
saurus σαῦρος
Kentrurosaurus κέντρον οὐρά
kenyte -ίτης σαῦρος
kephalepsalis κεφαλή ψαλίς
kephalin(e κεφαλή
kephalo = cephalo-
kephaloidin κεφαλή -οειδής

Ker Κήρ
kera- κερασός
cyanin κύανος
kera- κέρας
cele κήλη
lite λίθος
phyll- φύλλον
ite ous -ίτης
phyllo- φυλλο-
cele κήλη
tome -y -τομον -τομία
keras κέρας
in(e ite -ίτης
kerat- κερατ-
algia -αλγία
ate ic in globus
ectasia ἔκτασις
ectomy -εκτομία
iasis itis -ίασις -ῖτις
ize -ation -ίζειν
ode κερατώδης
oid(ea itis -οειδής
ol oma -ωμα
ose(d ous
(on)osis -ωσις
kerato- κερατο-
angioma ἀγγεῖον -ωμα
cele κήλη
centesis κέντησις
conjunctivitis -ῖτις
conus κῶνος
cricoid κρικοειδής
derma -ia δέρμα
dermatitis δερματ- -ῖτις
genetic γενετικός
genous -γενής
glossus γλῶσσα
helcosis ἕλκωσις
hyalin(e ὕαλος
irido- ἰριδο-
cyclitis κύκλος -ῖτις
scope -σκόπιον
iritis ἶρις
leucoma λεύκωμα
lysis lytic λύσις λυτικός
malacia μαλακία
meter μέτρον -μερτία
mycosis μύκης -ωσις
nosus νόσος
nyxis νύξις
phyre πορφύρα
phyte -a φυτόν
plasty -ic -πλαστία
scleritis σκληρός -ῖτις
scope -y -σκόπιον -σκοπία
tome tomy -τομον -τομία
keraulo- κεραύλης
phon(e φωνή
keraunoid κεραυνός -οειδής
kerauno- κεραυνο-
graph -γραφος
graphy -ic -γραφία
neurosis νεῦρον -ωσις
phobia -φοβία
phone -ic φωνή
scopeion κεραυνοσκοπεῖον
scopy κεραυνοσκοπία
kerectomy κέρας -εκτομία
kerion κηρίον
kerite κηρός -ίτης
keri(*or* o)therapy κηρός θερα-πεία
kermesite -ίτης
kermess -is(in(e κυριακόν
kernos κέρνος
kerogen κηρός -γενής
keroid κεροειδής
keros(ol)ene κηρός

kerrite kersantite kerstenite
Keryces κήρυκες -ίτης
kerygma κήρυγμα
kerykeion κερυκεῖον
kerykics κηρυκικός
kerystic(s κηρύσσειν
kessyl ὕλη
ketazin ἀ- ζωή
ketimide imine αμμωνιακόν
keto- -ώνη
aldehyde ὕδωρ
amid(e ἀμμωνιακόν
bromide βρῶμος
chloride χλωρός
cholanic χολή
genesis γένεσις
genetic γενετικός
genic -γενής
halide ἁλ-
hexose ἕξ
lytic λυτικός
plasia πλάσις
plastic πλαστικός
reductase διάστασις
ketone -ώνη
-(a)emia -αιμία
-aldehyde- ὕδωρ
mutase διάστασις
-ization -ize -ίζειν
-uria -ουρία
ket-
oside γλεῦκος
osis -ωσις
oxim(e ὀξύς ἀμμωνιακόν
uret yl οὖρον ὕλη
Kharjite -ίτης
kibdelophane κίβδηλος -φανής
kibisis κίβισις
-itome -τομον
kibotos κιβωτός
kieselomagnesite Μαγνησία
kieserite -ίτης -ίτης
kilampere χίλιοι
kilbrickenite -ίτης
kilerg χίλιοι ἔργον
Kilhamite killinite -ίτης
kilo χίλιοι
ampere calory -ic
cycle κύκλος
dyne δύναμις
erg ἔργον
gauss joule maxwell
gram(me γράμμα
meter -rical μέτρον
liter λίτρα
meter metrical μέτρον
stere στερέος
volt(ampere watt
kilurane χίλιοι Οὐρανός
kimberlite -ίτης
kin(e κινεῖν
kin- κινεῖν
(a)esthesis -ia αἴσθησις
(a)esthetic αἰσθητικός
anesthesia ἀναισθησία
ase διάστασις
ate
ergety ἔργον
kinema κίνημα
-atic(al -atics
-atograph(ic(al -γραφος
-ometer μέτρον
kine- κινεῖν
negative
plastics πλαστικός
plasty -πλαστία
scope -σκόπιον

kineo- κινεῖν
graph -γραφος
kines- κίνησις
algia -αλγία
iatric(s ἰατρικός
odic ὁδός
kinesia κίνησις
kinesi- κινησι-
(a)esthiometer αἴθησις
algia -αλγία μέτρον
graph -γραφος
meter μέτρον
pathy -ic -ist -πάθεια
phony -φωνία
scope -σκόπιον
therapy θεραπεία
kinesio- κίνησις
logy -λογία
meter μέτρον
neurosis νεῦρον -ωσις
kinesis κίνησις
kineso- κίνησις
pathy -πάθεια
kinesthesiometer κινεῖν αἴσ-
kinetia κινητός θησις μέτρον
-ism -ite -ισμός -ἴτης
kinetic κινητικός
al(ly -ics
kineto- κινητός
camera καμάρα
genesis γένεσις
genic -γενής
gram γράμμα
graph(er -γραφος
graphy -ic -γραφία
mere μέρος
nucleus
phone φωνή
phonograph φωνο- -γραφος
plasm πλάσμα
scope -σκόπιον
scopy -ic -σκοπία
skoto- σκότος
scope -σκόπιον
some(s σῶμα
therapy θεραπεία
kinetosis κινητός -ωσις
kinit κινεῖν
kino- κινεῖν
centrum κέντρον
drome δρόμος
logy -λογία
meter μέτρον
metry -μετρία
plasm(ic πλάσμα
plastic πλαστικός
rhyncha ῥύγχος
sphere σφαῖρα
spore σπορά
sternon -idae στέρνον
sthenic σθένος
tannic
toxin τοξικόν
kinzigite -ἴτης
kionectomy κίων -εκτομία
kiono- κιονο-
ceras κέρας
crania κρανίον
ptosis πτῶσις
kio- κιο-
tome -y -τομον -τομία
kirk κυριακόν
ale er garth ify ist land man mass master session ship shire shot town ward yard
kirr(h)onosis κίρρος νόσος
kirwanite -ἴτης

kis κίς
kischtimite -ἴτης
kissybion κισσύβιον
klaprotholite λίθος
Klasmura κλάσμα οὐρά
kleido- κλειδο-
graph -γραφος
klementite -ἴτης
klepht(ic ism κλέφτης
kleptic κλεπτικός
kleptistic κλέπτης -ιστικός
klepto- κλεπτο-
biosis βίωσις
cracy -κρατία
mania μανία
-iac(al -ist -ακός -ιστής
phobia -φοβία
scope -σκόπιον
kline κλίνη
klino- κλινο- See clino-
augit(e αὐγή -ἴτης -ισμός
cephalic -ism -ous -y κεφαλή
geotropism γεω- τροπή
morphy μορφή -ισμός
pyroxene πυρο- ξένος
rrhombic ῥόμβος
stat στατός
klipsteinite -ἴτης
kliseometer = cliseometer
klismos κλισμός
klopemania κλοπή μανιά
klumene Κλυμένη
knebelite -ἴτης
knestis κνῆστις μέτωπον
Knestrometopon κνῆστρον
knismogenic κνισμός -γενής
knoxvillite kobellite -ἴτης
kobold ?κόβαλος
kochelite koenenite koenleinite
koenlite koethigite -ἴτης
Kochleraster ἀστήρ
kodachrome χρῶμα
koilon κοῖλον
koilonychia κοῖλος ὀνυχ-
koilo- κοιλο-
kiosaurus κιο- σαῦρος
pleura πλευρά
rachic ῥάχις
Koinocystis κοινο- κύστις
koinonikon κοινωνικόν
Kokenspira σπεῖρα
koleochyma κολεός ἔγχυμα
kollaplankton κόλλα πλαγκ-
koll- κόλλα τον
enchym ἔγχυμα
oxylin(e ὀξύς ὕλη
kolynos kolyone κωλεύειν
koly- κωλεύειν
peptic πεπτικός
septic σηπτικός
komarch κωμάρχης
Kome(*or* o)ceras κομή κέρας
kompology κομπολογία
kongsbergite konilite koninc-
konide κονίς kite -ἴτης
konimeter κονία μέτρον
koniology κόνις -λογία
koniscope κόνις -σκόπιον
konisterion κονιστήριον
konistra κονίστρα
konite κόνις -ἴτης
kontakion κοντάκιον
kontarion κοντάριον
kopftetanus τετανός
kophemia κωφός
kopho- κωφός
belemnon -idae βέλεμνον

kopiopia κόπος -ωπία
koppa κόππα
koppite -ἴτης
kopraemia = copremia
koprosterin -ol κοπρο- στερεός
Koranolatry λατρεία
kordylite κορδύλος
Koreishite -ἴτης
Korethraster(id(ae oid κόρη-
koronion κορώνη θρον ἀστήρ
koroscopy κόρη -σκοπία
korykos κώρυκος
Korythoceras κόρυθος κέρας
kosmeterion κοσμητήριον
kosmetes κοσμητής
kosmo- = cosmo-
chlor χλωρός
chromit χρῶμα -ἴτης
kosotoxin τοξικόν
koswite kotschubeite kottigite
kotowism -ισμός -ἴτης
kotyliskos κοτυλίσκος
Kotzebuism -ισμός
koupholite κοῦφος λίθος
kouros κοῦρος
kourotrophos κουροτρόφος
krablite krantzite -ἴτης
krama κρᾶμα
Kranaosphinctes κραναός
krasis κράσις σφιγκτός
krateriskos κρατηρίσκος
krauomania μανία
kraur- κραῦρος
ite osis -ἴτης -ωσις
kredemnon κρήδεμνον
kreittonite κρείττων -ἴτης
kremasto- κρεμαστός
plankton πλαγκτόν
kremersite krennerite -ἴτης
kreo- κρέας
sal solid sotal σώζειν
toxin -icon -ism τοξικόν
-ισμός
krepis κρηπίς
kres- κρέας σώζειν
apin (at)in
kreso- κρέας σώζειν
fuchsin
steril στερεός
kresol = cresol
krioboly κριοβόλιον
Krishnaism -ισμός
-aist -aite -ιστής -ἴτης
krisuvigite -ἴτης
kritarchy κριτής -αρχία
krit- κριτός
enchyma ἔγχυμα
osaurus σαῦρος
krobylos κρωβύλος
krochnkite kroenite -ἴτης
kromarograph -γραφος
kromskop χρῶμα -σκόπιον
kronethyl αἰθήρ ὕλη
kronia Κρόνια
kronocentric Κρόνος κεντρικός
Kronos Κρόνος
kroumatic κρουματικός
krugite -ἴτης
Kruppize -ἴζειν
krupsis -ist κρύψις -ιστής
krymo- = crymo-
kryo- κρύος See cryo-
fin(e
gen(e in -γενής
konite κόνις -ἴτης
meter μέτρον
scopy -ic -σκοπία

krypsis κρύψις
kryptic κρυπτικός
krypto- κρυπτός
blast βλαστός
brucinolone -ώνη
clase κλάσις
cyanine κύανος
merite μέρος -ἴτης
mnesic μνησ-
pyrrol(e πυρρός
kryptol kryton κρυπτόν
krystic κρύσταλλος
ktyp(p)eite κτυπέειν -ἴτης
kuanacetic κύανος
kuanos κύανος
kudize kudos κῦδος
Ku-Klux(er -ism κύκλος
kulaite -ἴτης
Kulinism -ισμός
kumascope -ic κῦμα -σκόπιον
kumatology -ist κῦμα -λογία
kummeter κῦμα μέτρον
kunchangraph -γραφος
kunzite kupfferite -ἴτης
kurtorrhachic κυρτός ῥάχις
Kurtus κυρτός
-id(ae · iformes -oid
Kustarachnae ἀράχνη
Kutchirhynchia ῥύγχος
Kutchithyris θυρίς
kuttarosome κύτταρος σῶμα
kyan- κύανος
idine ol
ize -ation -ἴζειν
opsia -οψία
kyano- κυανο- See cyano-
phane -φανης
philous -φιλος
kyesamechania κύησις ἀμή-
χανος
kyestein(e κύησις
kylindrite κύλινδρος -ἴτης
kylix κυλιξ
kyllosis κύλλωσις
kymascope -ic κῦμα -σκόπιον
kymation κυμάτιον
kymatism κῦμα -ισμός
kymato- κῦμα
genesis γένεσις
logy -ist -λογία -ιστής
kymbalon κύμβαλον
kymo- κῦμα
gram γράμμα
graph(ic ion -γραφος
scope -σκόπιον
Kynephorus κυνη- -φορος
Kynocephalus κυνοκέφαλος
kynuric κυν- οὖρον
-enic -in(e
kypho- κυφο- See cypho-
clonella κλών
scoliosis σκολίωσις
tone τόνος
kyphos κύφος
-osis -otic κύφωσις
-osus (-id(ae -inae)
kyrbasia κυρβασία
kyrie eleison Κύριε ἐλέησον
kyrielle Κύριε ἐλέησον
kyrin(e κῦρος
kyriolexy κυριολεξία
kyriologic(al κυριο λογικός
kyriology κυριολογία
kyrosite κύρωσις -ἴτης
kysthitis κύσθος -ῖτις πτῶσις
kystho(pro)ptosis κύσθος πρό

Labadism -ist -ισμός -ιστής
Labagathis λαβ- ἀγαθίς
labarum λαβαρόν
labdacism(us λαβδακισμός
labdanum -ol λάδανον
labecidization -ίζειν
labelloid -οειδής
Labia λαβή
labialism(us -ισμός
-ization -ize -ίζειν
labi(o)chorea -ic χορεία
Labichthys λαβίς ἰχθύς
labido- λαβίς
lemur
mera μηρός
meter μέτρον
phorous -φορος
Labidura λαβίς οὐρά
labilize -ίζειν
labimeter λαβίς μέτρον
labio-
glosso- γλωσσο-
laryngeal λαρυγγ-
pharyngeal φαρυγγ-
graph -γραφος
mancy μαντεία
mycosis μύκης -ωσις
pharyngeal φαρυγγ-
plasty -πλαστία
proctus λαβή πρωκτός
labis λαβίς
labitome λαβίς -τομον
labo(u)rism -ite -ισμός -ίτης
labradophyte πορφύρα -ίτης
labradorite -ic -ίτης
Labrax λάβραξ
-acidae -acinae -acine
labro- λαβρο-
cyte κύτος
saurus σαῦρος
-id(ae -oid
labrys λάβρυς
labyrinth λαβύρινθος
al(ly ean i ial ian ic(al(ly ici in(e ous us
ites itis -ίτης -ῖτις
odon(t(a ὀδών
ula -eae -idae -idea(n
labyrinthi- λαβύρινθος
branch(ii iate βράγχια
form
labyrintho- λαβύρινθος
lite myxa λίθος μύξα
laccase διάστασις
lacco- λακκο-
bius βίος
cephalus κεφαλή
lite -ic lith(ic λίθος
nectus νήκτης
philus φίλος
proctus λακκόπρωκτος
pteris πτερίς
Lacedemonian Λακεδαιμόνιος
ism -ισμός -ιστής
lachanopolist λαχανοπώλης
Lachenus λαχαίνειν
Laches -ium λάχεσις
Lachesis Λάχεσις
Lachnabothra λάχνη βόθρος
Lachnaea λαχναῖος
lachn- λάχνη
anthes -ανθής
esthus ἐσθής
inae us
lachno- λαχνο-
gya λαχνόγυιος
sterna στέρνον

lachrymist -ιστής
Lacistema λακίς στῆμα
-aceae -aceous -eae
lacmoid -οειδής
Lacon(ian Λάκων
laconic Λακωνικός
al(ly alness ism ly um
Laconiella ?Λάκων
laconism λακωνισμός
laconist λακωνιστής
laconize λακωνίζειν
Lacosomidae λάκκος σῶμα
lacrimotome -y -τομον -τομία
lacrymogenic -γενής
lact- γαλακτ-
acidogen -γενής
aciduria -ουρία
ac(*or* k)onium κόνις
al
am(id(e amin(e ἀμμωνιακόν
ase διάστασις
az- ἀ ζωή
am ἀμμωνιακόν
one -ώνη
ica λακτικός
genic -ous -γενής
im(id(e ἀμμωνιακόν
-ization -one -ίζειν -ώνη
olase διάστασις
one -ization -ώνη -ίζειν
ophrys ὀφρύς
oriscometer μέτρον
ose γλεῦκος
-azone ἀ- ζωή -ώνη
-uria -ουρία
oxime ὀξύς ἀμμωνιακόν
upicrin πικρός
uramic οὖρον ἀμμωνιακόν
yl ὕλη
tropein Ἄτροπος
lacto- γαλακτο-
bionic biose βίος
butyrometer βούτυρον μέτρον
cele κήλη
cholin(e χολή
chrome χρῶμα
crit(e κριτής
densimeter μέτρον
gogue ἀγωγός
meter μέτρον
metry -ic -μετρία
naphthol νάφθα
nitrile νίτρον
pepsin(e πέψις
phen(in(e φαιν-
phosphate -oric φωσφόρος
picrin πικρός
proteid -ein πρωτεῖον
rrhea -ροία
scope -σκόπιον
thermometer θερμο- μέτρον
toxin τοξικόν
vegetarian
viscometer μέτρον
ladanisterium λαδανιστήριον
ladanum -iol λάδανον
ladronism -ize -ισμός -ίζειν
Laelaps λαῖλαψ
laemo- λαιμο-
coridea κόρις εἶδος
dipod(a(n iform ous δίπους
nema νῆμα
paralysis παράλυσις
phloeus φλοιός
saccus σάκκος

laemo- Cont'd
schirrus σκίρρος
stenosis στένωσις
sthenes σθένος
laemous λαιμός
Laena λαῖνα
laeo- λαιός
gyra γῦρος
tropic τροπή
-ism -ous -ισμός
Laestrygoniun Λαιστρυγόνες
Laganum λάγανον
-id(ae -oid
lagena λάγυνος
-id(ae -idea(n -iform -oid
Lagenderus λάγυνος δέρη
Lagenitheca λάγυνος θήκη
lageno λάγυνος
spermum σπέρμα
stome στόμα
laggardism -ισμός
lagidium λαγίδιον
lagnosis λάγνος -ωσις
Lagoa λαγώς
lago- λαγω-
cephalus κεφαλή
chila χεῖλος
morph(a ic ous μορφή
mys μῦς
-yid(ae -yinae -yoid
pezus πεζός
pus λαγώπους
-ode -(od)ous
riolite -lith ῥυ- λίθος
stom- στόμα
a idae inae ine us
thrix θρίξ
trophy τροφεῖον
lagobolon λαγωβόλον
Lagoecia λαγώς οἶκος
lagonite -ίτης
Lagonoecia λαγών οἶκος
lagophthalm- λαγώφθαλμος
ia ic os us y
Lagorchestes λαγῶς ὀρχηστής
lagotic -is λαγῶς ὠτ-
lagyno- λαγυνο-
cystidae κύστις
por -idae inae πόρος
lagynos λάγυνος
-odes -urus -ώδης οὐρά
laic(al(ly ality λαικός
ism ization ize -ισμός -ίζειν
laity λαικός
Lakeism -ist -ισμός -ιστής
Lalagetes λαλαγητής
lalo- λαλο-
neurosis νεῦρον -ωσις
pathy -πάθεια
phobia -φοβία
plegia -πληγία
Lamaism -ist -ισμός -ιστής
-istic -ite -itic -ιστικός -ίτης
Lamanism -ite -ισμός -ίτης
Lamarchy -αρχία
Lamarck(ian)ism -ισμός
lambda -aic -al λαμβδα
lambdacism λαμβδακισμός
lambdoid(al -ean λαμβδοειδής
lambdo- λαμβδο-
therium -iid(ae -ioid θηρίον
Lamberticeras κέρας
lamellectomy -εκτομία
lamellibranch βράγχια
ia iata iate
Lamia Λάμια

Lamia λάμια
-iaceae -id(ae -ides -inae
saurus σαῦρος
laminarioid -ite -οειδής -ίτης
laminariose γλεῦκος
laminectomy -εκτομία
Laminibranchiata -iate βράγχία
laminitis -ῖτις
lamp λαμπάς
black er ful ic ist(ry less let light(er wick
lampad(e λαμπαδ-
ary λαμπαδάριος
ias λαμπαδίας
ist λαμπαδιστής
lampade- λαμπαδη-
dromy λαμπαδηδρομία
phore -os λαμπαδηφόρος
phoria λαμπαδηφορία
lampadena λάμπη ἀδήν
lampadite -ίτης
lampado- λαμπαδο-
mancy μαντεία
Lampanyctis λαμπή νύξ
lampate λαμπάς
lampoonist -ιστής
Lamprima λαμπρείμων
Lampris λαμπρός
-(id)id(ae -(id)oid
lampro- λαμπρο-
colius κολιός
cyphus κῦφος -ίτης
phane -ite λαμπροφανής
phoner λαμπρόφωνος
phonia λαμπροφωνία
-ic -y
phyllum -ite φύλλον -ίτης
phyre -ic πορφύρα
rhiza ῥίζα
soma -ella σῶμα
stibian στίβι
teucha τεῦχος
threptes θρεπτήρ
type τύπος
Lamprops λαμπρός ὤψ
idae -opid(ae -opoid
Lamprotes λαμπρότης
-inae -in(e
-ornis (-ithine) ὄρνις
Lamprura λαμπρός οὐρά
Lampsilus λαμπρός ψιλός
Lampyris λαμπυρίς
-id(ae -inae -ine
Lamyrus λαμυρός
lanarkite -ίτης
landmeter μέτρον
landocracy -crat -κρατία -κρατής
landscapist -ιστής
langbanite langbeinite langite
lanoceric κηρός -ίτης
lansfordite -ίτης
Lantana ἀλλᾶντος
-in(e -uric οὖρον
lantern λαμπτήρ
e(d ist -ιστής
oscope -σκόπιον
lanthana λανθάνειν
-ate -ide -in(e -(i)um
-ite -ίτης
-otus -id(ae -oid ὠτ-
lanthopia -in(e λανθάνειν ὄπιον
lanthorn λαμπτήρ
Laocoon Λαοκόων
Laodicean(ism Λαοδίκεια -ισμός
lao- λαο-
porus πόρος

lao- Cont'd
pteryx πτέρυξ
saurus σαῦρος
lapactic λαπακτικός
laparectomy λαπάρα -εκτομία
laparo- λαπάρα
cele κήλη
cerus κέρας
-ectomy -εκτομία
col cyst hyster hystero-oophor myom nephr salping splen
gastro- γαστρο-
scopy -σκοπία
hystero- ὑστέρα
pexy tomy -πηξία -τομία
mono- μονο-
didymus δίδυμος
myitis μυ- -ῖτις
rrhaphy -ῥαφία
scope -y -σκόπιον -σκοπία
stict(a i στικτός
-stomy -στομία
colo entero gastro
thoraco- θωρακο-
scopy -σκοπία
tome -τομον
tomy -τομία
-ic -ist -ize -ιστής -ίζειν
-tomy -τομία
cholecysto colo colpo(hystero) cyst(id)o elytro entero gastro hepato ileo kelypho myomo nephro salpingo(oophoro)spleno trachelo typhlo utero
Laphria Λαφρία
Laphygma λαφυγμός
lapid(ar)ist -ιστής
Lapith(ae Λαπίθαι
lappaconitin(e ἀκόνιτον
Lapsana -eae λαψάνη
larch λάριξ
Larcoidea(n λάρκος
larderellite λίθος
laricetum λάριξ
laricin(olic λάριξ
lariciresinol λάριξ
Laricobius λάριξ βίος
Larimus λάριμος
larino λαρῖνος
mesius μέσος
rhynchus ῥύγχος
Larinus -oid λαρῖνος
Lariosaurus λάρος σαῦρος
larnax λάρναξ
Larodryas λάρος δρυάς
Larus λάρος
-id(ae -idin(e -inae -ine -oid(eae -oidean
larrikinism -ισμός
laryng- λαρυγγ-
al eal ean ic algia -αλγία
ectomy -ic -εκτομία
endoscope ἐνδο- -σκόπιον
ismus -al λαρυγγισμός
itis -ic -ῖτις
laryngo- λαρυγγο-
catarrh κατάρροος
cele κήλη
centesis κέντησις
fission fissure
graph(y -γραφος -γραφία
logy -ιστής
logy -λογία
-ical -ist -ιστής
metry -μετρία

laryngo- Cont'd
paralysis παράλυσις
pathy -πάθεια
phantom φάντασμα
pharyng- φαρυγγ-
ectomy -εκτομία
eus eal itis -ῖτις
pharynx φάρυγξ
phony -φωνία
phthisis -ical φθίσις
plasty -πλαστία
plegia -πληγία
rhinology ῥινο- -λογία
rrhagia -ῥαγία
rrh(o)ea -ῥοία
scleroma σκλήρωμα
scopy -σκοπία
-ic(al(ly -ist -ιστής
spasm(us σπασμός
stasis στάσις
stenosis στένωσις
stomy στόμα
strobo- στροβός
scope -σκόπιον
scopy -ic -σκοπία
tome -τομον
tomy -ic λαρυγγοτομία
tracheal τραχεῖα
-eitis -ῖτις
eotomy -τομία
typhoid τυφοειδής
typhus τῦφος
vestibulitis -ῖτις
xerosis ξήρωσις
larynx λάρυγξ
Lasconotus λάσκειν νῶτος
Lasia -ieae λάσιος
lasi λασι-
anthus -ous ἄνθος
oidea -οειδής
lasio- λασιο-
campa -id(ae -oid κάμπα
carpous -καρπος
crinus κρίνον
derma δέρμα
graptus γραπτός
lasionite λάσιον -ίτης
lopha λόφος
mactra μάκτρα
petalum -eae πέταλον
pus πούς
sphaeria σφαῖρα
stola στόλη
Lasius λάσιος
lasur-oligoclase ὀλιγο- κλάσις
Lateolabrax λάβραξ
lateralize(r -ation -ίζειν
laterite -ic -ίτης
lateritypy -ic -τυπία
laterization -ίζειν
lateronychal ὀνυχ-
laterostigmatal στιγματ-
Lathiphronus λαθίφρων
Lathraea -oeus λαθραῖος
Lathridius λαθρίδιος
-iid(ae -ioid
Lathrimaeum λαθριμαῖος
lathro- λαθρο-
bium -iidae -iiformes βίος
stigma στίγμα
lathyrus λάθυρος
-ic -in -ism -ισμός
latialite -ίτης
latibulize -ίζειν
latimeandroid Μαίανδρος
Latinism -ισμός -οειδής
-ist(ic -ιστής -ιστικός

Latinize(r -ation -ίζειν
latitudinarianism -ισμός
Latometus λατομητός
latomy λατομία
Latona -ian Λατώ
latreutic(al λατρευτικός
latria λατρεία
Latris λάτρις
latrobite -ίτης
-latry λατρεία
latubilize(r -ίζειν
laubanite -ίτης
laudanum λάδανον
-(id)in(e -osine
Laud(ian)ism -ισμός
laudist -ιστής
laudocracy -κρατία
-crat -κρατής
laumontite -ίτης
laura -ad -ium λαύρα -άδης
laure λαύρη
Laurinoxylon -um ξύλον
laurionite Λαύριον -ίτης
lauristic -ιστικός
laurite -ίτης
lauro-
cerasus κερασός
lactone γαλακτ- -ώνη
phenone φαιν- -ώνη
philus λαύρα -φιλος
phyllum φύλλον
phyta λαύρα φυτόν
stearin λαύρα στέαρ
tetanin(e τετανός
lauroxylic ὀξύς
laurvikite lautarite laven(dul)-
lauryl(ene ὕλη ite
lavrovite lausonite -ίτης
laxism -ist -ισμός -ιστής
laxmannite lazulite lazurite
lazarist -ite -ιστής -ίτης
lazur -oligoclase ὀλιγο- κλάσις
lecan- λεκάνη
act ἀκτίς
idaceae idaceous is
ate e ic id inae in(e
itida itinae -ίτης
ium
ora ὥρα
-aceae -aceous -ate -ic
lecano- λεκανο- -in(e -oid
crinus κρίνον
-idae -ites -ίτης
mancy λεκανομαντεία
mancer mantic
lechri- λέχριος
odont(a ὀδοντ-
ops ὤψ
lecid- λεκίς
ea eaceae eaces eaceous ei eiform ein(e ioid
leci- λέκιθος
microonine μίκρος ᾠόν
microzymase μικρο- ζύμη
pon διάστασις
lecith- λέκιθος
albumin
al ase id(e διάστασις
in(ase emia ose) διάστασις
-αιμία γλεῦκος
oonin ᾠόν
lecitho- λεκιθο-
blast βλαστός
proteid -ein πρωτεῖον
vitellin
zymase ζύμη διάστασις
Leconictida λεκάνη

lecontite -ίτης
lecotropal λέκος -τροπος
lectotype λεκτός τύπος
lecturize -ίζειν
lecus λέχος
lecyth(is λήκυθος eae
-idaceae -idaceous -idae -id-
Lecythoconcha ληκυθο- κόγχη
lecythus *or* -os -oid λήκυθος
Leda -id(ae -oid Λήδα
ledi- λῆδον
tannic
xanthin ξανθός
ledum λῆδον
-ene -ol -yl -ήνη ὕλη
leelite λίθος
Leeporina πόρος
lefkasbestos λευκός ἄσβεστος
legalism -ισμός
-ist(ic -ιστής -ιστικός
legalize -ation -ίζειν
legendist -ize -ιστής -ίζειν
legionize -ίζειν
legist(er -ιστής
legitim(at)ist -ιστής κός
legitimism -istic -ισμός -ιστι-
legitimitize -ation -ίζειν
Legnotidiae λεγνωτός
lehmanite lehrbachite -ίτης
Leiagnostidae λεῖος ἄγνωστος
Leibni(t)zianism -ισμός
leidyite -ίτης
Leidyosuchus σοῦχος
Leimacopsis -id(ae λεῖμαξ
leimicolous λειμών ὄψις
leimonapophyte λειμών ἀπό
leimtype τύπος φυτόν
leio- λειο-
cephalous κεφαλή
cithara κιθάρα
clemina κλῆμα
come κόμμι
cottus κόττος
dere δέρος
dermaria(n δέρμα
dermatous δερματ-
dermia -δερμία
glossate γλῶσσα
gnathus γνάθος
-id(ae -oid
hyphe ὑφή
lamprogaster λαμπρο- γασ-
lichas λιχάς τήρ
myo- μυο-
blastoma βλαστός -ωμα
fibroma -ωμα
sarcoma σάρκωμα
myoma μυ- -ωμα
pathes -idae πάθος
phyllum φύλλον
pterinae πτερίς
pus πούς
stegium στέγος
stomaster στόμα ἀστήρ
stomus στόμα
telus -inae τέλος
thrix (trichid(ae -trichoid)
triches τριχ- θρίξ
-i -an -ous
tropic τροπή
Leiosoecia λεῖος οἶκος
leiphemia λείπειν -αιμία
Leipoa λείπειν ρος
Leipsanosaurus λείψανον σαῦ-
leishmaniasis -iosis -ίασις
Leistes ληιστής -ωσις
Leistus ληιστός

lekane λεκάνη
Lekanophyllum λεκανο- φύλ-
Lekythionia ληκύθιον λον
lema λήμη
Lembodes λεμβώδης
Lembus -idae λέμβος
lemic -emia λοιμός -αιμία
lemma λῆμμα
lemmo- λέμμα
blastic βλαστός
cyte κύτος
Lemna λέμνα
-aceae -aceous -ad -etum
Lemnian Λῆμνος
lemniscus λημνίσκος
-ate -ati(c -oid(al
lemo- λοιμός
graphy -γραφία
logy -λογία
paralysis παράλυσις νίας
Lemonias -iid(ae -ioid λειμω-
lemophthalmia λοιμός ὀφθαλ-
Lemphus λέμφος μία
lemur(av)id(ae -ίδης
lenad -ic λευκός νεφέλη
Lenaea(n Λήναια
Leninism -ist -ite -ισμός -ιστής
Lenneocrinus κρίνον -ῖτης
lennilite λίθος
Lenophyllum ληνο- φύλλον
lenticonus κῶνος
lentigomelanosis μελάνωσις
lentoid -οειδής
lenzinite -ίτης
Leo λέων
chromus χρῶμα
leon- λέων
aspis ἀσπίς
cito
ic id ine(ly
ist ite -ιστής -ίτης
leonhardite -ίτης
leontiasis -ic λεοντίασις
Leontice λεοντική
Leontium λεόντιος
leonto- λεοντο-
cebus κῆβος
cephalous κεφαλή
podium ποδίον
leontodin -on λεοντ- ὀδών
Leonurus λέων οὐρά
leopard λεόπαρδος
e ess ine ite ize ling -ίτης
leopoldite -ίτης -ίζειν
Leotia λειότης
leotropic λαῖος -τροπος
Lepachys λεπίς παχύς
lepado- λεπαδο-
crinus κρίνον
gaster γαστήρ
lepal λεπίς
lepamin(e λεπίδιον ἀμμωνια-
lep- λεπίς κόν
argylic ἄργυρος
argyrea ἀργύρεος
Lepas λεπάς
-adid(ae -adite -adoid
lepaste λεπαστή
leper λέπρα
dom ed head ize ous y
Leperiza λεπίς ῥίζα
lepid- λεπιδ-
actis ἀκτίς
aster(ella -ina ἀστήρ
echinus ἐχῖνος
esthes -idae ἐσθής
ic ine

lepid- Cont'd
in(e λεπίδιον
ion iota ium λεπίδιον
oma osis -ωμα -ωσις
ophthalmus ὀφθαλμός
osteus ὀστέον
-eid(ae -eoid(ei
ote λεπιδωτός
-ed -es -ic -idae -us
urus οὐρά
lepido- λεπιδο-
centrus κέντρον
chlore χλωρός
chromy χρῶμα
chrysops χρυσώψ
coleus κολεός
compsia κομψεία
cottus κόττος
crocite κρόκος -ίτης
cystis κύστις
dendron δένδρον
-aceae -aceous -id -oid
ganoid(ean -ei γάνος
gobius
lite λίθος
logy -λογία
meda
melane μελαν-
morphite μορφή -ίτης
phaeite φαιός -ίτης
phloios φλοιός
phylium -ous φύλλον
phyte -ae -ic -on φυτόν
porphyrin πορφύρα
pter(a(n πτερόν
al er ic id ist ous
ptero- πτερο-
logy -ical -ist -λογία
pterophilae -φιλος
pus πούς
-idae -odid(ae -odoid
sauria(n σαῦρος
scioptera σκιο- πτερόν
selaga σελαγεῖον
semicyclina κύκλος
siren Σειρήν
id(ae -idea -oid
soma σῶμα
sperma -ae σπέρμα
sternidae & -oid στέρνον
stethaspis στῆθος ἀσπίς
strobus -oid στρόβος
taenia ταινία
trema τρῆμα
tychius Τυχίος
Lepiopomus λεπίς πῶμα
Lepiota λεπίς ὠτ-
lepis -oid(ei λεπίς -οειδής
Lepisma λέπισμα
-(at)id(ae -oid τέον
Lepisosteus -eidae λεπίς ὀσ-
Lepistemon(eae λεπίς στήμων
lepo- λέπος
cyte -a -ode κύτος -ώδης
lite λίθος
spondyli -ous σπόνδυλος
thrix θρίξ
trichium τριχ-
Lepomis -inae λεπίς πῶμα
Lepophidium λεπός ὀφίδιον
lepr- λεπρός
alia(n
antha -in ἄνθος
lepra λέπρα
phobia -φοβία
lepr- λέπρα
aria arioid id olin(e

lepr- Cont'd
ic λεπρικός
oma omatous -ωμα
ose (-arium -ery -ied -in -ity)
otic -ωτικός
ous(ly ness y)
lepro- λέπρα
logy -ist -λογία -ιστής
Leprosoma λεπρός σῶμα
-lepsia -lepsy -ληψία
lept- λεπτ-
abacia ἀβακ-
acinus λεπτακινός
adenia -ieae ἀδήν
aena -oid(ea -αίνα -οειδής
agonus ἄγονος
aleus λεπταλέος
-oceras κέρας
amnium ἀμνίον
andria -in(e ἀνδρ-
anilla ἀνίλλειν
epania ἠπανία
estia ἑστία
ictis -idae ἴκτις
iform ilon
ino- -ινος
lite λίθος
pterus πτερόν
inus -ινος
-id(ae -ite -oid -ol
is (-idae -idea -oid)
oid -οειδής
ommatus ὀμματ-
lepto- λεπτο-
campyli καμπύλος
cardia(n -ii καρδία
centric κεντρικός
cephal- κεφαλή
ia ic us y
cephalus κεφαλή
-an -id(ae -oid -ous
ceratops κερατ- ὤψ
cercal κέρκος
cerus -id(ae -oid κέρας
chauliodes χαυλιόδους
cheilo- χεῖλος
porinae πόρος
chlorite χλωρός -ίτης
chroa -ous χρόα
chromatic χρωματ-
cladous κλάδος
clase κλάσις
cleidus κλειδ-
clema κλῆμα
cletodes κλητός -ώδης
clinus κλίνειν
coelia κοῖλος
conger γόγγρος
corynus κορύνη
cottus κόττος
cymatium κυμάτιον
dactyl(e -i -ous δάκτυλος
dera δέρος
dermatous δερματ-
dermia -ic -ous δέρμα
dinae δίνη
dirus δειρή
dora -id(ae δορά
forms
gaster γαστήρ
gastrella & ula γαστρ-
gium -ioid λεπτόγειος
glossa(l -ate -us γλῶσσα
gonidium γονή -ιδιον
lepis -id(ae -oid λεπίς
linae
logy λεπτολογία

lepto- Cont'd
medusae -an Μέδουσα
meninges μηνιγγ-
-eal -itis -ῖτις
meninx μῆνιγξ
mere -ia μέρος
(mesto)me -atic μεστός
meter μέτρον
min μεστός
mitus -aceae λεπτόμιτος
monas μονάς
morphic μορφή
lepton λεπτόν
acea(n aceous ic id(ae isation
oid ology -λογία
lepto- Cont'd
nema νῆμα
pellic πέλλα
phloe(u)m φλοιός
phoca φώκη
phonia -ic λεπτόφωνος
phyll(ous λεπτόφυλλος
pilina πίλινος
plana -id(ae -oid πλάνης
pod(a ia(n (i)id(ae ποδ-
(i)inae iin(e ioid
prosope πρόσωπον
-ia -ic -ous -y
pterous πτερόν
ptila -us πτίλον
puccinia
pus podidae πούς
rhaptus ῥαπτός
(r)rhin(e ῥίν
-ian -ic -ism -ισμός
rhynchoides ῥύγχος -οειδής
schoenus σχοῖνος
scopus -id(ae -oid σκοπός
sialis σιαλίς
somus σῶμα
-(at)id(ae -(at)oid
sperm σπέρμα
eae ol um
spermo- σπερμο-
carpum καρπός
sphaeria σφαῖρα
spira σπεῖρα
spondylii -ous σπόνδυλος
sporangium -iate σπορά
ἀγγεῖον
staphyly -in(e σταφυλή
stomias στόμα
stroma -aceae στρῶμα
strophia στροφή
syne λεπτοσύνη
tene ταινία
theridium θηρίδιον
thrix -icosis θρίξ -ωσις
thyrium θυρεός
tichus τεῖχος
tomus τόμος
trachelus τράχηλος
trichalus τρίχαλος
trichia τριχ-
trombidium θρόμβος
trypella -ina τρῦπα
typhlops τυφλώψ
-opid(ae -opoid
xylem ξύλον
zancha ζάγκλη
zestis ζεστός
zygo- ζυγο-
nema νῆμα
tene ταινία
lept- Cont'd
ophidium ὀφίδιον
ophis ὄφις

lept- Cont'd
ops ὤψ
orchis ὄρχις
ostraca(n -ous ὄστρακον
untic λεπτυντικός
ur- οὐρά
a eae id(ae oid us
Leptus λεπτός
Leptynis λεπτύνειν
-i(*or* y)te -ίτης
-oderes δέρις
Lepyrus λέπυρον
-ophylly -φυλλία
leresis λήρησις
Lermichthys ἰχθύς
Lernaea Λερναῖος
-aceae -an -id(ae -iform
-oid(ea(n -oides
Lernaepoda Λερναῖος ποδ-
-ian -id(ae -oid
lerpamyloum ἄμυλον
Lesbia Λέσβιος
-ian (ism -ισμός
lesche λέσχη
Lescuropteris πτέρις
lest- es λῃστής
eva λῃστεύειν
ichthys ἰχθύς
icus λῃστικός
idium -ίδιον
odon ὀδών
ornis ὄρνις
osaurus σαῦρος
Lestrigon(ian Λαιστριγών
Lestris -inae λῃστρίς
lethal αἰθήρ
leth- λήθη
al(ize -ίζειν
archus ἀρχός
argic ληθαργικός
al(ly (al)ness
argus λήθαργος
-ogenic -γενής
argy -ia ληθαργία
-ean -ine -ious -ize
e ean (e)ed
enteron ἔντερον
eomania μανία
eon(ize -ίζειν
onymus ὄνυμα
letho- ληθο-
cerus κέρας
logica λόγος
mania μανία
stole στολή
trema τρῆμα
Leto Λητώ
lettergram γράμμα
letterize -ίζειν
lettsomite -ίτης
Leucadendron λευκός δένδρον
Leucadian Λευκαδία
leuc- λευκ-
acene
(a)emia -ic -αιμία
aena -αινα
aethiop(ia -ic(s Αἴθιωψ
ania -iid(ae -ioid
anilin(e
anthemum ἄνθεμον
anthous ἄνθος
ascus -idae ἀσκός
asmus -ασμός
aster(eae ἀστήρ
ate aurin(e ein(e
augite αὐγίτης
azone ἀ- ζωή -ώνη

leuc- Cont'd
haemia -ic -αιμία
ichthyops ἰχθυ- ὤψ
ic indigo Ἰνδικός
in(e ic -ινος
ethylester αἰθήρ ὕλη
imid(e ἀμμωνιακόν
osis -ωσις
uria -ic -ουρία
iscus λευκίσκος
-iform -inae -in(e -ulus
ism -ισμός
ite (-ic -ite -oid) -ίτης
itis -ῖτις
-ohedron -έδρον
-ophyre -ic πορφύρα
-uronolite οὐρανός λίθος
ol(in(e inic
oma -atous λεύκωμα
onychia ὀνυχ-
leuco- λευκο-
alizarin
base βάσις
blast(ic βλαστός
blepis βλέψις
bryum βρύον
carpous -καρπος
chalcite χαλκός
choly -χολία
chroi -oic χροά
cidic -in(e
coryne κορύνη
craspedum κράσπεδον
cratic -κρατία
crinum κρίνον
cyan κύανος
cyclite κύκλος -ίτης
cyt- κύτος
al ary e ic iform
h(a)emia -ic -αιμία
oma -ωμα
osis otic -ωσις -ωτικός
uria -ουρία
cyto- κυτο-
genesis γένεσις
lysis λύσις
lytic λυτικός
penia -ic πενία
derma δέρμα
-atous -ia -ic -is
dextrin(e δεξίτερος
dore -id(ae -oid δόρα
drin δένδρον
encephalitis ἐγκέφαλον
gallol -ῖτις
indophenol Ἰνδικός φαιν-
i(*or* j)um λεύκοιον
keratosis κερατ- -ωσις
laephus λαῖφος
lysis -in λύσις
lytic λυτικός
melanic -ous μελαν-
migus μιγάς
myelitis μυελός
Leucon λευκόν
leuco- Cont'd
es (-aria(n -ate)
ic id(ae -oid
necrosis νέκρωσις
nostoc nuclein
paryphus παρυφής
pathy -ic -πάθεια
penia -ic πενία
phalera φάλαρα
phane -ite λευκοφανής -ίτης
phasia φάσις
philous -φιλος

leuco- Cont'd
phlegmacy λευκοφλεγματία
-asia -asy -atia -atic(al
phoenicite φοῖνιξ -ίτης
pholis φολίς
phoroptera φορο- πτερόν
phyl(l(um λευκόφυλλος
eae ous
phyre πορφύρα
plac(*or* k)ia -acy πλάξ
plast(id πλαστός
poliin
protease πρωτεῖον διάστα-
pterin πτερόν σις
pterous λευκόπτερος
pyrite πυρίτης
rhamphus ῥάμφος
rrhagia -ραγία
rrh(o)ea -eal -eic ῥοία
sarcoma σάρκωμα
scope σκοπός
solenia -iidae σωλήν
somes -ata σῶμα
spermous σπέρμα
sphenite σφήν -ίτης
sphere -ic σφαῖρα
spori σπόρος
sticte στικτός
stigma στιγμή
taphus τάφος
tephrite τεφρός -ίτης
thionine θεῖον
thoe -oid(ae -ooid Λευκοθόη
thyreus θυρεός
toxic -in τοξικόν
trichia τριχ-
trop(e ine τροπή
xene ξένος
leuc- Cont'd
oryx ὄρυξ
os(in(e
osia λεύκωσις
-ian -(i)id(ae -(i)oid(ea(n
osis -ism λεύκωσις -ισμός
ostine ὀστέον
ot- λευκότης
ine uria -ουρία
ous yl ὕλη
leuk- λευκ-
anemia ἀναιμία
asmus -ασμός
emoid -αιμία -οειδής
exosis ἔξωσις
in -ινος
omain(ic λεύκωμα
emia -αιμία
opsin ὤψ
ourobilin οὐρο-
leuko- λευκο-
agglutinin cidin
blast βλαστός
cyte -al -ic -oid κύτος
-hemia -oma -αιμία -ωμα
-osis -otic -ωσις -ωτικός
-uria -ουρία
cyto- κυτο-
blast βλαστός
genesis γένεσις
logy -λογία
lysis -in λύσις
lytic λυτικός
meter μέτρον
penia πενία
plania -πλανία
tactic τακτικός
taxis τάξις
therapy θεραπεία

leuko- Cont'd
toxin τοξικόν
zoon ζῷον
dextrin δεξίτερος
diagnosis διάγνωσις
ferment
keratosis κερατ- -ωσις
monocyte μονο- κύτος
myelo- μυελός
pathy -πάθεια
myoma μυ- -ωμα
nuclein
plakia πλάξ
poiesis ποίησις
poietic ποιητικός
prophylaxis προφυλάσσειν
protease πρωτεῖον διάστα-
σις
sarcoma -atosis σάρκωμα
tactic τακτικός -ωσις
taxis τάξις
therapy θεραπεία
thrombin θρόμβος
toxin -ic(ity τοξικόν
leur- λευρός
esthes ἐσθίειν
etra ἦτρον
leuro- λευρός
glossa γλῶσσα
metopon μέτωπον
peltis πέλτη
spondylus σπόνδυλος
levelism -ization -ισμός -ίζειν
leverierite leviglianite -ίτης
Levite -ism Λευίτης -ισμός
Levitic Λευιτικός
al(ly alness ism ity
levo-
cardio- καρδιο-
gram γράμμα
glucose γλυκύς
gyre γῦρος
-ate -ation -ous
phobia -φοβία
tartaric τάρταρον
levulargyre ἄργυρος
levulose γλεῦκος
azone ἀ- ζωή -ωνη
emia -αιμία
uria -ουρία
levynite lewisite -ίτης
lexiarchus ληξίαρχος
lexic(al(ly alic λεξικός
lexicographer λεξικογράφος
-al -ian -ic(al(ly -ist -y
lexicology λεξικο- λογία
-ical -ist -ιστής
lexicon(ist λεξικόν
lexigraphy λεξι- -γραφία
-ic (al (ly -ist
lexiphanes λεξιφάνης
-ic(ism -ist -ισμός -ιστής
lherzol(*or* y)te λίθος
Lia λεῖος
Liasspermum σπέρμα
libano- λιβανο-
ferous
mancy μαντεία
phorous λιβανοφόρος
libanotris λιβανωτρίς
libardine λεόπαρδος
libellist -ize -ιστής -ίζειν
liberalism -ισμός
-ist(ic -ιστής -ιστικός
-ize(r -ation -ίζειν
liberationism -ist -ισμός -ιστής
libertarianism -ισμός

libert(in)ism -ισμός
libethenite -ίτης
libidinist -ιστής
libidogen -γενής
Libocedrus -ene λίβανος κέδρος
librarianism -ισμός
librettist -ιστής
libroplast πλαστός
Libs λίψ(λιβός)
Libya(n Λιβύη
libyco- Λιβυκός
suchus -idae σοῦχος
Liby- Λιβυ-
pithecus πίθηκος
theidae theinae θέα
Lichas λίχας
-adae -adid(ae -adoid -idae
lichanos λίχανος
lichen λειχήν
aceous al(es alia
ase διάστασις
ate ed es ian ic
iasis -ίασις
idin in(e inin less ose ous y
ism ist -ισμός -ιστής
ize -ation -ίζειν
oid(ae oin -οειδής
ops ὤψ
licheni- λειχήν
colous fication
form vorous
licheno- λειχήν
grapher -γραφος
graphy -γραφία
-ic(al -ist -ιστής
logy -λογία
-ic(al -ist -ιστής
phagus -φαγος
pora -idae πόρος
xanthin(e ξανθός
Lichnasthenes λίχνος ἀσθενής
Lichnia λιχνεία
Lichnophora λίχνος
-idae -inae -φορος
lichosan λειχήν γλεῦκος
Licmetis λικμητός
licorice γλυκυρρίζα
liebenerite -ic liebigite -ίτης
lien σπλήν
al culus itis -ῖτις
lieno- σπλήν
cele κήλη
gastric γαστρικός
intestinal medullary renal
malacia μαλακία
myelo- μυελο-
genous -γενής
malacia μαλακία
pancreatic πάγκρεας
toxin τοξικόν
lientery -ia -ic λειεντερία
lievrite -ίτης
ligamentopexis -y πῆξις
Ligia -iidae -iinae λίγεια
lignite -iferous -ize -ίτης -ίζειν
lignograph(y -γραφος γραφία
lignone -ώνη
Lignyodes λιγνυώδης
Lig(u)orist -ιστής
ligure λιγύριον
Ligurian(ize Λιγυρία
ligurite Λιγυρία -ίτης
Ligyrus λιγυρός
Lilium λείριον
-iaceae -iaceous -ial(es -iated
-ied -iform -iiflorae

lillianite lillite -ίτης
Lilliputianism -ize -ισμός -ίζειν
lily λείριον
fy liver(ed wort white(ness
Limacodes λειμακώδης
-id(ae -oid
limanol λιμήν
Limapontia πόντος
-iid(ae -ioid -ίτης
limbachite limbelite limburgite
limenarch λιμενάρχης
Limenitis Λιμενῖτις
limerickite -ίτης
limitographic γραφία
limitrophe -ic -ous -τροφος
limma λεῖμμα
limn- λίμνη
acea(n aceous
actinia ἀκτιν-
ad(ia -iaceae -iidae ἀδ-
aea ean
aea λιμναῖος
aeid(ae aeinae aeine
aea λιμναῖος -aeoid
(a)emia -ic -αιμία
anth(es ἄνθος
-aceae -aceous
anthemum ἄνθεμον
erpeton ἑρπετόν
estheria Ἐσθήρ
etes -ic λιμνήτης
iad ite ium
limne- λίμνη
bius βίος
philus -φιλος
limni- λίμνη
colous
meter metric μέτρον
limno- λιμνο-
bates -id(ae -oid βάτης
biology -ic(al(ly λιμνόβιος
-λογία
bion -os -ous λιμνόβιος
chares -id(ae -oid χάρις
cnida -id(ae κνίδη
cochlides κοχλίς
codium κώδειον
crex κρέξ
cyon κύων
gram γράμμα
graph -γραφος
hyus hyidae ὗς
logy -ic(al(ly λογία
mephitis
meter metric μέτρον
nereid Νηρείς
phagae -ous -φαγος
philus -φιλος
-a -id(ae -oid -ous
philomyia φιλο- μυῖα
phyta φυτόν
plankton πλαγκτόν
scala
scelis -idae σκελίς
spiza σπίζα
limnod(o)- λιμνώδης
ad ium
philus phyta -φιλος φυτόν
Limnoria Λιμνώρεια
-iid(ae -ioid
Limodorum -eae λιμόδορον
limonite -ίτης
-ic -ization -ίζειν
-ogelit
Limonium λειμώνιον
Limonius λειμώνιος
Limonobius λειμωνο- βίος

limo- λιμο-
phoitos φοῖτος
phthis φθίσις
sphere σφαῖρα
therapy -(e)ia θεραπεία
limosis -ωσις
limulite -ίτης
linalyl ὕλη
Linanthus λίνον ἄνθος
linarite -ίτης
linase διάστασις
lindackersite lindsyaite -ίτης
Lindstroemiocrinus κρίνον
lineameter μέτρον
linearize -ίζειν
linearsenate ἀρσενικόν
Lineirhynchia λινεύς ῥύγχος
lineograph -γραφος
Linerges -idae λινεργής
Lingism lingualize -ισμός -ίζειν
linguatuliasis -ίασις
linguist(ry -ιστής
linguistic -ιστικός
al(ly -ician -ics
Linguithyris θυρίς
Lingulapholis φωλίς
linguopapillitis -ῖτις
linin(e λίνον
-oplast πλαστός
linitis λίνον -ῖτις
Linnae-
ism ite on -ισμός -ίτης
lino- λινο- ὄντα
geraeus γεραιός
glossa γλῶσσα
pteris πτέρις
graphy -γραφία
meter μέτρον
phryne φρύνη
pteris πτέρις
sporous σπορά
type(r -ist τύπος -ιστής
xanthin ξανθός
linoxyn(ic ὀξύς
lintonite -ίτης
linyphia λίνυφος
lio- λειο-
calymene καλύμμενος
cephalus κεφαλή
cetus κῆτος
chrysogaster χρυσο- γαστήρ
cypris Κύπρις
dere -a δέρος
derma -atidae -ia δέρμα
glossa -ate -ina γλῶσσα
gnathus γνάθος
lepis λεπίς
metopum μέτωπον
myoma μυ- ωμα
piophila πῖος -φιλος
placis πλάξ
pleurodon πλεῦρον ὀδών
propoma πρό πῶμα
psetta ψῆττα
pterinae πτερίς
ptilornis πτίλον ὄρνις
pus πούς
rhizae ῥίζα
stomaster στόμα ἀστήρ
theum -eid(ae θέειν
thrix θρίξ
trichi -an -ous τριχ-
zancla ζάγκλη
Liodes λειώδης
Liodon λεῖος ὀδών
lion λέων
ceau ced cel(le el esque ess

lion Cont'd
et heart(ed(ness hood ism
ish ite ization ize(r ne se
ship -ισσα -ισμός -ίτης
urus σύρά -ίζειν
Liopistha λεῖος ὄπισθεν
Liostraca -ina λεῖος ὄστρακον
lip- a λίπος
(acid)(a)emia -αιμία
aciduria -ουρία
amin ἀμμωνιακόν
angopaludina ἄγγος
anin
arges ἀργῆς
ase διάστασις
-eidin(e -uria -ουρία
augus λιπαυγής
-inae -ine
ectomy -εκτομία
h(a)emia -αιμία
ic id(e in(ic inous
iodin -ol ἰώδης
lipalian λείπα ἅλς
lipar- λιπαρός
etrus ἦτρον
ia ieae ite -ίτης
is (-id(ae -ina(e -oid)
omphalus ὀμφαλός
ops(idae ὤψ
ous us
liparo- λιπαρο-
cele -ic κήλη
phleps φλέψ
rhynchus ῥύγχος
lipo- λιπο- (λίπος below)
brachia -iate βραχίων
branchia βράγχια
chromis χρόμις
gastr- γαστρ-
ia ism y -ισμός
osis otic -ωσις -ωτικός
genys -yid(ae γενύς
glossa -al -ate γλῶσσα
gram(mat- λιπογράμματος
ic ism ist -ισμός -ιστής
graphy -γραφία
meria μέρος
morph μορφή
nema -idae νῆμα
nycteris νυκτερίς
phrenia φρήν
pod(a ποδ-
ptera πτερόν
rrhopalum ῥόπαλον
scia λιπόσκιος
stom- στόμα
a ata (at)ous ia y
ism -ισμός
osis otic -ωσις -ωτικός
thymia λιποθυμία
-ial -ic -ous -y
thymus θύμος
trichia τριχ-
type -ic τύπος
typhla τυφλός
xenous -y ξένος
lipo- λίπος (λιπο -above)
blastoma βλαστος -ωμα
cardiac καρδιακός
cele κήλη
cephala -ous κεφαλή
cholesterol χολή στερεός
chondroma χόνδρος -ωμα
chrome χρῶμα
-ic -oid -οειδής
-ogen -γενής
clastic κλαστός

lipo- Cont'd
colloid κόλλώδης
cyanine κύανος
cytic κῦτος
diastase διάστασις
dysentery δυσεντερία
dystrophy -ia δυστροφία
ferous fuscin
fibroma -ωμα
genesis γένεσις
genetic γενετικός
genic -in -ous -γενής
haemia -αιμία
iodin ἰώδης
lysis lytic λύσις λυτικός
metabol- μεταβολή
ic ism -ισμός
myoma μυ- -ωμα
myxoma μύξα -ωμα
peptid πεπτός
protein πρωτεῖον
sarcoma σάρκωμα
some σῶμα
trophy -ic -τροφία
tropy -ic -τροπία
tuburculin vaccine
xanthin ξανθός
lipochrin λίπος ὠχρός
lipoid λίπος -οειδής
ase διάστασις
emia -αιμία
osis -ωσις
lipoma λίπος -ωμα
-atoid -atosis -atous
lip- Cont'd
ommata ὄμμα
osis -e -in -ωσις
ox- ὀξύς
idemia ysm -αιμία -ισμός
uria -ουρία
lipsanotheca λείψανον θήκη
liptobiolith λειπτός βιο- λίθος
liquidize -ίζειν
liquidogenic -ous -γενής
liquorist -ιστής
liquorice γλυκύρριζα
lira λυρα
lirio- λείριον
dendron -in(e δένδρον
gamae γάμος
lirocone -ite λειρός κονία -ίτης
lirone λύρα
Lirus λειρίος
Lisianthus -eae ἄνθος
liskeardite -ίτης
Lispodemus λισπο- δέμας
Lissa λισσός
trypa τρῦπα
liss- λισσός
actinic ἀκτιν-
amphibia(n ἀμφίβιος
encephala ἐγκέφαλος
-ic -ous
lisso- λισσός
campus κάμπος
chroa χρόα
desmus δεσμός
flagellate -a
genius γένειον
neoid νεῖν -οειδής
notus νῶτος
pogonus πώγων
prion πρίων
trichi(an -es -ous τριχ-
triton Τριτών
Listerism -ize -ισμός -ιζειν

Listrium λίστριον
-iodon ὀδών
-ontid(ae -ontoid
-ochelus χηλή
-opsis ὄψις
-orhinus ῥίν
litaneutical λιτανευτικός
litany λιτανεία
Litargus λίταργυς
lite λιτή
-lite -ic -lithic(ic λίθος
liter λίτρα
literalism -ισμός
-ist(ic -ιστής -ιστικός
-ize(r -ation -ίζειν
literaryism -ισμός
literalist -ize -ιστής -ίζειν
lith- λίθος
-(a)emia -ic -αιμία
agogue ἀγωγός
angiuria ἀγγεῖον -ουρια
anode ἄνοδος
anthrax -acic ἄνθραξ
arch ἀρχή
arge -ic -ite λιθάργυρος
argyrum λιθάργυρος
arium λιθάριον
ate ia iate
ectasy ἔκτασις
ectomy -εκτομία
iasis λιθίασις
ic(al λιθικός
ification ify
inus λίθινος
ion(ite λιθίον -ίτης
istid(a(n λιθίζειν
ium ona
odes λιθώδης
-id(ae -oid
oid(al ite λιθοειδής
olein(e ἔλαιον
lithio- λίθος
glauco- γλαυκο-
phanite φανής -ίτης
mangano- Μαγνησία
triphyllite τρι- φύλλον
philite -φίλος -ίτης -ίτης
phorite -φόρος -ίτης
salicylate ὕλη
litho- λιθο-
bexis βήξ
biblion -ia βίβλιον
bilianic bilic
biotic -ism βιωτικός -ισμός
bius -iid(ae -ioid βίος
bolia λιθοβόλος
carbon
carp καρπός
cenosis κένωσις
chemistry χημεία
cholic χολή
chromatic(s χρωματικός
chromato- χρωματο-
graphy -ic -γραφία
chrome -ic(s -y χρῶμα
chromo- χρῶμα
graphy -γραφία
chryso- χρυσο-
graphy- -γραφία
clasis -y κλάσις
clast(y -ic κλαστός
clysmia -y κλύσμα
colla λιθόκολλα
colletis- λιθοκολλητός
-id(ae -oid
corallia -ine κοράλλιον
cosmus κόσμος

litho- Cont'd
culture
cyst(otomy κύστις -τομία
dendron(inae δένδρον
desma δέσμα
dialysis διάλυσις
dialytic διαλυτικός
dome λιθοδόμος
-i -ize -ous -us -ίζειν
fell(in)ic fracteur -or
gen(ous -γενής
genesis -y γένεσις
genetic γενετικός
geny -γένεια
glyph λιθογλύφος
er -ic -ite -ίτης
glyptic(s λιθογλύπτης
gram γράμμα
graph(er -γραφος
graphy -γραφία
-ic(al(ly -ize -ίζειν
gravure γράφειν
ichnozoa ἴχνος ζῶον
ification
kelyphos κέλυφος
-opedion παιδίον
konion κονιᾶν
labe -on λιθολάβος
lapaxy λάπαξις
latry -ous λατρεία
logy -λογία
-er -ic(al(ly -ist -ιστής
lysis lytic λύσις λυτικός
lyte -λυτης
mancy μαντεία
mantidae μάντις -ῖδης
marge μάργος
meter μέτρον
metra μήτρα
moscus μόσχος
myl(y μύλη
nephria νεφρός
nephritis νεφρῖτις
nephrotomy νεφρο- -τομία
lithontribon λίθον τρῖβον
-thryptic θρυπτικός
-tripty τρίβειν
-ic(al -ist -or
litho- Cont'd
p(a)edion -ium παιδιόν
phaga -φαγος
-i -idae -ous -us
phane -ous -y -φανής
phil(e ous us φίλος
phone φωνή
phosphor(ic φωσφόρος
photo- φωτο-
gravure γράφειν
graphy -γραφία
phthisis φθίσις
phyl(l(ous -φυλλος
phyllo- φύλλον
dendron δένδρον
physa(l -e φῦσα
phyte φυτόν
-a -es -ia -ic -on -ous
pone
prion prisy πρίων πρῖσις
scope -ist -σκόπιον -ιστής
sere
siderite σιδηρίτης
sperm(on λιθόσπερμον
ous um
sphere -ic σφαῖρα
strotion λιθόστρωτος
thamnia θάμνος
theology θεολογία

litho- Cont'd
thrypty θρυπτικός
-ic -ist -or -ιστής
tint
tome -ic(al λιθοτόμος
tomy λιθοτομία
-ist -ize -ιστής -ίζειν
tone τόνος
tresis τρῆσις
tripsis -y -ia τρῖψις
triptic -ist -ιστής
tripton -or
trite -ic -or -y
-ist -ize -ιστής -ίζειν
type -ic -y τύπος -τυπία
xyl(e ξύλον
ite oidical -οειδής -ίτης
ornis ὄρνις
osia -ian -iid(ae -iinae -ioid
osis -ol -ωσις
osochrysography χρυσογρα-
ous φία
oxiduria ὀξύς -ουρία
uresis οὔρησις
ureteria οὐρητήρ
uria -ic -ουρία
urorrhoea οὖρον -ῥοία
Litiopa -id(ae -ina -oid λιτός
litnolite λίθος ὀπή
Litonotus -idae λιτός νῶτος
lito- λιτο-
borus βορός
nema νῆμα
phyllus φύλλον
pterna πτέρνα
sphingia σφίγξ
litotes λιτότης
litrameter λίτρα μέτρον
litre litron λίτρα
liturge -us λειτουργός
-ic(s λειτουργικός
al(ly ian
-y λειτουργία
-iology -λογία -ίζειν
-ical -ist -ize -ιστής
-ist(ic(al -ιστής -ιστικός
-ize -ίζειν
liveingite -ίτης
livingstonite -ίτης
lobbyism -ist -ισμός -ιστής
lob- λοβός
ar ata(e ate(ly ation ato- e(d
less let ellated ine inol
iole ites
odon ὀδών
-ontinae -ontine
oido- -οειδής
thyris θυρίς
ose -a -oecia οἶκος
otes -id(ae -oid -οτης
ule -ar(ly -ate(d -ation -ette
-ization -ose -ous -us
lobi- λοβός
form gerous ped
Lobetorus λωβήτωρ
Lobetus λωβητός
lobo- λοβο-
chilus χεῖλος
ite -ίτης
podium ποδίον
ptychium πτύχιον
saccus σάκκος
sterni στέρνον
stomat(in)inae στοματ-
thyris θυρίς
trachelus τράχηλος
lobus λοβός

localism -ισμός
-ist(ic -ιστής -ιστικός
-ize(r -able -ation -ίζειν
lochage λοχαγός
Locharcha λοχάρχης
Lochia Λοχία
lochia -ial λόχια
lochio- λόχιος
calitis cellitis -ῖτις
colpos κόλπος
cyte κύτος
metra -itis μήτρα -ῖτις
pyra πῦρ
rrhagia -ῥαγία
rrh(o)ea -ῥοία
schesis σχέσις
lochites λοχίτης
lochmad -ium λόχμη
-odium -odo- λοχμώδης
philus -φιλος
phyta φυτόν
-ocola
-ophilus -φιλος
-ophyta φυτόν
locho- λόχος
metritis μήτρα -ῖτις
lochoophoritis ὠοφορος -ῖτις
peritonitis περιτόναιον -ῖτις
phlebitis φλεβ- -ῖτις
pyra πῦρ
Lockist -ιστής
Locrian Λοκροί
loeschiasis -ίασις
loessoid -οειδής
loeweite loewigite -ίτης
logad- λογάδες
ectomy -εκτομία
itis -ῖτις
oblennorrhea βλέννος -ῥοία
log- λόγος
agnosia ἀ- γραφία
agraphia ἀγνωσία
amnesia ἀμνησία
aoedic λογαοιδικός
aphasia ἀφασία
arithm ἀριθμός
al (et)ic(al(ly
arithmo- ἀριθμός
mancy μαντεία
techny τέχνη
asthenia ἀσθένεια
eion eum ium λογεῖον
er ian
loganite -ίτης
Loganus λωγάνιον
-iopharynx φάρυγξ
-logia λογία
-logic(al(ly λογικός
logic λογική
aster ian(er
logical(ly ness λογικός
logical λογικός
ist ity ization ize ly ness
-ιστής -ίζειν
logico- λογικός
logion λόγιον
logism(ography λογισμός
logist λογιστής γραφία
-logist λογία -ιστής
logistic(al -ics λογιστικός
logo- λογο-
cracy -κρατία
cyclic κυκλικός
daedalus λογοδαίδαλος
daedaly -ist λογοδαιδαλία
diarrhea διάρροια -ιστής
fascinated

logo- Cont'd
gram(matic γράμμα
graph(er λογογράφος
graphic(al(ly λογογραφικός
graphy λογογραφία
griph(ic γρῖφος
kophosis κώφωσις
lept ληπτός
latry λατρεία
logy -λογία
mach(ic(al λογομάχος
machia λογομαχία
-ist -ize -y -ιστής -ίζειν
mancy μαντεία
mania -iac μανία -ακός
meter metric(al(ly μέτρον
neurosis νεῦρον -ωσις
nomy -νομία
pandocie πανδοκεία
pathy -πάθεια
pedia παιδεία
pedics παιδικά
plegia -ic -πληγία
rrh(o)ea -ῥοία
spasm σπασμός
thete λογοθέτης
type -y τύπος -τυπία
logos(ship λόγος
-logue λόγος
-logy λογία
Loimia λοίμιος λοιμός
loimic λοιμικός
loimo- λοιμο-
cholosis χολή -ωσις
comium -κομεῖον
grapher -y -γραφος γραφία
logy -λογία
loimous λοιμός
loiponic λοιπόν
Loligopsis ὄψις
-id(ae -inae -oid
Lollardism -ισμός
-ist -ize -ιστής -ίζειν
lollingite -ίτης
Loma λῶμα
notus -idae νῶτος
stome στόμα
lom- λῶμα
andra -eae ἀνδρ-
aria -ioid -αριον -οειδής
ata -ine -ous
Lomatium λωμάτιον
Lombardism -ισμός
Lomechusa λῶμα
Lomocnemis λῶμα κνήμη
lomonite -ίτης
lonch- λόγχη
aea aeid(ae aeoid
eres λογχήρης
idite λογχίδιον -ίτης
itis -idae λογχῖτις
iurus οὐρά
opisthus ὄπισθεν
otus λογχωτός
loncho- λογχο-
carpus -eae καρπός
crinus κρίνον
delphis δελφίς
phorus λογχοφόρος
ptera -id(ae -oid πτερόν
pteris πτερίς
thrix θρίξ
Londonism -ισμός
-ization -ize -ίζειν
-ologist -λογία -ιστής
longi-
cauline καυλός

longi- Cont'd
cone κῶνος
metry -ic -μετρία
Longorhynchus ῥύγχος
longulite -ίτης
Lonsdaleiastra ἀστρ-
loopist -ιστής
Lopadiocrinus λοπάδιον κρί-
loopist -ιστής νον
Lopadophorus λοπαδο- -φορος
Lophidius λοφίδιον
lophin(e λόφος
lophio- λόφιον
derm(ic δέρμα
hyus ὗς
mys myid(ae myoid μῦς
phora -φορος
stoma -aceae στόμα
stomate -ous στοματ-
lophi- λόφιον
odon ὀδών
-ont(id(ae in(e oid(ea ous)
omus ὦμος
lophium -ad -ius λόφος
lopho- λοφο-
bius βίος
branch βράγχια
ia(n iata iate ii ous
caltrop
carinaphyllum φύλλον
cephaly -ic κεφαλή
cercy -al κέρκος
chiton χιτών
come -i κόμη
crinidae κρίνον
delta δέλτα
derm(ium δέρμα
dont λόφος ὀδοντ-
dytes δύτης
gaster γαστήρ
gastrid(ae -oid
gobius latilus
ite -ίτης
monas -adidae μονάς
mycter μυκτήρ
petalum -in πέταλον
philus -φιλος
phore -φορος
-a(l -inae -in(e -us
phyte φυτόν
-a -ic -on -osis -ωσις
poda ποδ-
poeum ποιός
prosopus πρόσωπον
psetta ψῆττα
psittacus ψιττακός
sceles σκέλος
scytus σκῦτος
seris -idae σήρ
spermum σπέρμα
spore(s σπορά
tragus τράγος
triaene τρίαινα
trichea -ic -ous τριχ-
loph- λόφος
ornis ὄρνις
ortyx ὄρτυξ
osteon ὀστέον
otes λοφωτός
-id(ae -oid -us
Lophyrus λόφουρος
-opod(a ποδ-
lopolith λοπός λίθος
lorandite -ίτης
loranth(us λῶρον ἄνθος
-aceae -aceous -ad -yl ἀδ-
Lordites λορδός -ίτης ὕλη

lordolatry λατρεία
lordoma λόρδωμα
Lordops λορδός
lordoscoliosis λορδο- σκολίω-
σις
Lordops λορδός
lordosis -otic λόρδωσις -ωτικός
lorenzenite -ίτης
Loricera λῶρον κέρας
Loriolicrinus κρίνον
lorion λωρίον
Lorostemma λῶρον στέμμα
lossenite -ίτης
lotahiston λωτός ἱστός
lote -eae -iform λωτός
lotoflavin λωτός
Lotophagi Λωτοφάγοι
-ist -ous(ly -ιστής
lotos lotus(eater λωτός
lotusin λωτός
loutron λουτρόν
loutro λουτρο-
phoros λουτρόφορος
therapy θεραπεία
Lovenechinus ἐχῖνος
Loveniocrinus κρίνον
loweite lowigite -ίτης
lox- λοξός
arthron -us ἄρθρον
ia iadae iinae iine
ian Λοξίας
ic itic
odograph ὁδός -γραφος
odon ὀδών
-ont(a -ontous
omma ὄμμα
ophthalmus λοξόφθαλμος
ops ὤψ
otic λοξότης
ozus λοξός ὄζος
loxo- λοξο-
ceras κέρας
clase κλάσις
cosm κόσμος
crambus κράμβος
crinus κρίνον
cyesis κύησις
drome δρόμος
-ic(ally -ics -ism -y
lophodon(t λόφος ὀδών
nema -atacea -oid νῆμα
prosopon πρόσωπον
pterygium -in(e πτερύγιον
soma -id(ae -oid σῶμα
tomy -τομία
loyalism -ισμός
-ist -ize -ιστής -ίζειν
Loyolism -ισμός
-ist -ite -ιστής -ίτης
lubanyl ὕλη
lubraseptic σηπτικός
lucasite -ίτης
Lucian Λυκιανός
ic(al(ly -ist -ιστής
luciferase διάστασις
lucigen(ous -γενής
lucigraph -γραφος
luciite -ίτης
lucimeter μέτρον
Luciocharax χάραξ
Lucioperca πέρκη
luckite lucullite -ίτης
lucotherapy θεραπεία
Luddite -(it)ism -ίτης -ισμός
ludicrism -ισμός
ludlamite ludwigite -ίτης
Lullist -ιστής

lumbo-
aortic ἀορτή
colostomy κόλον -στομία
colotomy κόλον -τομία
lumbodynia -ωδυνία
lumbricomorph(a μορφή
lumbricosis -ωσις
Lumbrinereis Νηρεΐς
-eid(ae -eoid
luminarist -ιστής
luminism -ist(e -ισμός
lumino-
graphy -γραφία
logist -λογία -ιστής
meter μέτρον
phore -ic -φορος
lunambulism -ισμός
lun(ar)ist -ιστής
lunebergite -ίτης
luniolatry λατρειά
lunoid -οειδής
Lunulicardium καρδία
-iid(ae -ioid
lunulite(s -ίτης λίθος
luo- λύειν
calcite -ίτης
chalybite χάλυψ -ίτης
diallogite διαλογή -ίτης
magnesite Μαγνησία -ίτης
lupamaric ἀμάρακος
Luperus λυπηρός
lupetazin ἀ- ζωή
lupigenin(e -γενής
lupinaster ἀστήρ
lupinite -ίτης
lupinosis -ωσις
lupinotoxin τοξικόν
lupoid lupoma -νειδής -ωμα
lupuliretin(e ῥητίνη
lupulite lussatite -ίτης
luta(or e)nist -ιστής
lutec- λύειν τήκειν
ine ite -ίτης -οειδής
luteoh(a)ematoidin αἱματ-
luteolipoid λίπος -οειδής
Lutetiaster ἀστήρ
Luther(i)anism -ισμός
Lutheranize(r -ίζειν
Lutherism -ist -ισμός -ιστής
Lutherolatry -ist λατρεία
lutist -ιστής
Lutremys -yina ἐμύς
Lutrochus λουτροχόος
lux luxate luxation λοξός
luxograph -γραφος
luxullianite -ίτης
luzonite -ίτης
luxurist -ιστής
Lyaeus Λυαῖος
lycacon(it)in(e λυκοκτόνον
lyc- λυκ- ἀκόνιτον
aena λύκαινα
-id(ae -oid
alopex ἀλώπεξ
anthrope λυκάνθρωπος
-a -i -ic -ous -us
anthropia λυκανθρωπία
-ist -y -ιστής
aon Λυκάων
aste Λυκάστη
encheluss ἔγχελυς
engraulis ἐγγραυλός
eum Λύκειον
eal ean ee
lycetol γλυκός αἰθήρ
lychn- λυχν-
apsia λυχναψία

lychn- Cont'd
ic λυχνικός
idiate λυχνίδιον
is λυχνίς
idea ides in
isk λυχνίσκος
ite(s λυχνίτης
lychno- λυχνο-
bite λυχνόβιος -ίτης
mancy μαντεία
paes φάειν
phora -eae λυχνοφόρος
scope -ic -σκόπιον
lyc- Cont'd
ian Λύκειος Λύκιος
ium in(e λύκιον
od λυκώδης
alepis ἄλεπις
apus -odid(ae ἄπους
es id(ae oid(ea
onus
opsis ὄψις
odon λυκοδόντες
-ont(idae inae in(e is)
ophthalmy λυκόφθαλμος
opsis -ids λύκοψις
orexia ὄρεξις
oris -in(e Λυκωρίς
ornis ὄρνις
lyco- λυκο-
cara κάρα
ctonum λυκοκτόνον
-in(e -inic
gnathus γνάθος
mania μανία
medes Λυκομήδης
medicus Μηδικός
morphon μορφή
nectes νήκτης
nema νῆμα
panther λυκοπάνθηρ
perdon πέρδεσθαι
-aceae -aceous -ales -ine
-oid πέρσιον
persicin -ic(or k)on λυκο-
phosed -y λυκόφως
pod(e ποδ-
in(e ite(s -ίτης
pus -in πούς
saurus σαῦρος
suchus σοῦχος
tropal -ous τροπή
Lycosa λύκος
-id(ae -oid(ea -in(quinin
Lycus λύκος
Lyda -ella Λυδός
lyddite lydite -ίτης
Lydian Λύδιος
Lyencephala -ous λύειν ἐγκέ-
Lygaeus λυγαῖος φαλος
-aeid(ae -aeoid
-aeospilus σπίλος
Lygaria λύγη
Lygeum λύγος
Lygistum λυγιστός
lygo- λυγο-
cerus κέρας
desmia δεσμός
Lygodium -i(ac)eae λυγώδης
soma σῶμα
Lygrus λυγρός
-ommatoides ὀμματ-
Lyka λύκη
Lymantes λυμαντήρ
-antriid(ae
Lymexylon λύμη ξύλον
id(ae oid

lymph νύμφη
aden ἀδήν
ia ism itis oid oma(tous
(omat)osis -ισμός -ίτις
-οειδής -ωμα
ectasis ἔκτασις
hypertrophy ὑπέρ -τροφία
adeno- ἀδενο-
leukopoiesis λευκο- ποίη-
pathy -πάθεια σις
(a)emia -αιμία
agogue ἀγωγός
angi- al ἀγγει-
ectasis ἔκτασις
-ia -atic
-odes -ατικός -ώδης
itis -ῖτις
oma -atous -ωμα
otis ὠτ-
angio- ἀγγειο-
endotheli(oblast)oma
ἐνδο- θηλή βλαστός
fibroma -ωμα -ωμε
itis -ῖτις
logy -λογία
phlebitis φλεβ- -ῖτις
plasty -πλαστία
sarcoma σάρκωμα
tomy -τομία
ate(d -ic(al
-icostomy -ικο- -στομία
-ism -itis -ισμός -ῖτις
ato-
lysis -in λύσις
lytic λυτικός
lymphatome νύμφη -τομον
lympheduct νύμφη
lymph Cont'd
ectasia ἔκτασις
edema οἴδημα -ωμα
endothelioma ἐνδο- θήλη
enteritis ἔντερον -ῖτις
erythrocyte ἐρυθρο- κύτος
ic id
(nod)itis -ῖτις
oid(al ity -οειδής
ectomy -εκτομία
ocyte κύτος
otoxemia τοξικόν -αιμία
oma -ωμα
-atosis -atous -ωσις
oncus ὄγκος
otism ὠτ- -ισμός
-orrhea -ῥοία
ous y
uria -ουρία
lympho- νύμφη
adenoma αδήν -ωμα
blast(ic βλαστός
emia oma osis -αιμία
cele κήλη -ωμα -ωσις
cerastism κεραστός -ισμός
coccus κόκκος
cyst(osis κύστις -ωσις
cyte -ic κύτος
-hemia -oma -osis -αιμία
cyto- κυτο- -ωμα -ωσις
toxin τοξικόν
zoon ζῷον
dermia δέρμα
genic -ous -γενής
gonion γόνος
granuloma -atosis -ωμα
graphy -γραφία -ωσις
logy λογία
megalo- μεγαλο-
blast βλαστός

lympho- Cont'd
monocyte μονο- κύτος
myelocyte μυελο- κύτος
myeloma μυελός -ωμα
myxoma μύξα -ωμα
pathy -πάθεια
p(a)enia πενία
plasm(ia πλάσμα
poiesis ποίησις
poietic ποιητικός
protease πρωτεῖον διάστα-
rrhage -ia -ic -ῥαγία σις
rrhea -ῥοία
sarco σαρκο-
leukemia λευκός -αιμία
sarcoma σάρκωμα
-atosis -atous -ωσις
sporidiosis σπορά -ιδιον
stasis στάσις -ωσις
taxis τάξις
tome -y -τομον -τομία
toxin τοξικόν
-emia -αιμία
trophy -τροφία
lynce- λύγκειος
an id(ae oid ous us
lyncid λύγξ
lynco- λύγξ
daphna Δάφνη
-iid(ae -iod
lyncurion -ium λυγκούριον
lynx λύγξ
lyo- λύω
colloid κολλώδης
gnatha γνάθος
luminescence
mer(i ous μέρος
phil(e -ic -φιλος
phobe -ic -φοβος
pomata -ous πωματ-
pome -i -ous πῶμα
psetta ψῆττα
sphaera σφαῖρα
trope -ic τροπή
zoon ζῷον
Lyon Lyonist λέων -ιστής
lypemania λύπη μανία
lyper- ia osia λυπηρός
anthus ἄνθος
iops ὤψ
lypo- λύπη
phemus φήμη
thymia θυμός
Lyprops λυπρός ὤψ
lyra λύρα
chord χορδή
lyr- λύρα
aid ate(d ly wise) id ula
ism λυρισμός
ist λυριστής
urus οὐρά
lyre λύρα
bird fish flower man tail(ed
lyri- λύρα tree
fer(a ous) form schapa
lyric λυρικός
al(ly alness ism ist ize -ισμός
-ιστής -ίζειν
lyrico- λυρικός
dramatic δραματικός
epic ἐπικός
lyro- λυρο-
cephalus κεφαλή
desma δέσμα
tylus τύλος
lys- λυσ-
actinic ἀκτιν-

lys- Cont'd
alb(in)ic albinate antinin(e
arete -idae λυσαρέτη
argin ἄργυρος
astrosoma ἀστρο- σῶμα
at(in)ine idin(e
emia -αιμία
in -ινος
ogen osis -γενής -ωσις
(it)ol -ίτης
lecithin λέκιθος
uric οὖρον
lysi- λυσι-
anassa -id(ae -oid ἀνάσσα
form
genetic γενετικός
genic -ous(ly -γενής
loma λῶμα
machia -icae -us λυσιμά-
meter μέτρον χιον
Lysiopetalum λύσιος
-id(ae -oid πέταλον
Lysippan -ian -ic Λύσιππος
lysis λύσις
lyso- λύσις
cithin λέκιθος
dactylae δάκτυλος
gen(ic -γενής
genesis γένεσις
genetic γενετικός
pter(i -ous πτερόν
solveol
zym(e -ic ζύμη
lyssa -ic -in -oid λύσσα
lyssacine -a λύσσα ἀκίς
lysso- λυσσο-
dexis δῆξις
dectus λυσσόδηκτος
manes λυσσομανής
-id(ae -oid
phobia -φοβία
Lystra Λύστρα
lysulfol λύσις
lyterian -ius λυτήριος
Lythrum λύθρον
-aceae -aceous -ad -(ari)eae
-ulon οὖλον
lytic λυτικός
lyto- λυτός
ceras κέρας
-atid(ae -atoid
discoides δίσκος -οειδής
sema σῆμα
lytta λύττα
lyx- ξύλον
ose -ide γλεῦκος
-amine ἀμμωνιακόν
(ur)onic οὖρον
lyxo- ξυλο-
hexosamine -ic ἕξ γλεῦκος
ἀμμωνιακόν

macadamite -ίτης
-ization -ize(r -ίζειν
macar- μακάριος
ia(n iidae
ism μακάριος
ism μακαρισμός
ite μακαρίτης
ize μακαρίζειν
macaron(ic)ism -ισμός
Macaulayism -ισμός
Maccab(a)ean Μακκαβαῖος
mace μάκερ
Macednus μακεδνός
Macedonian(ism Μακεδονίας
-ισμός
Macellodon μάκελλα ὀδών
macfarlanite -ίτης
machaer- μαχαιρ-
akanthus ἄκανθα
ites ium -ίτης
odus ὀδούς
-ont(inae -ine
oides -ο-ειδής
machaero- μαχαιρο-
gnathus γνάθος
prosopus πρόσωπον
pterus πτερόν
machairo- μαχεμρο-
mancy μαντεία
machaon μαχάων
machetes μαχητής
-machia -μαχία
Mac(c)hiavel(l)(ian)ism -ισμός
Machiavel(l)ist -ιστής
Machiavellianize -ίζειν
machine μηχανή
-a(ment -ate -ation -ator
-er(y -ism -ist -ization -ize
-ous -ule -ισμός -ιστής
Machla μάχλος -ίζειν
Machlo- μάχλος
plasia πλάσις
polyp πολύπους
Machlotes μαχλότης
machromin χρῶμα
-machy -μαχία
mack(intosh)ite -ίτης
macilenic & -olic μάκερ
maclur(e)ite -ίτης
Maclurites -id(ae -oid -ίτης
Macmillanite maconite -ίτης
macr- μακρ-
adenous ἀδήν
androus -ανδρος
aucheon(e ἀυχήν
-ia -iform -iid(ae -ioid
encephal- ἐγκέφαλος
ia -y -ic -ous
istium -iid(ae ἱστίον
macro- μακρο-
aerophilous ἀέρο- -φιλος
(a)esthesia -αισθησία
aggregate
analysis ἀνάλυσις
androspore ἀνδρο- σπορά
aplano- ἀπλανής
spore σπορά
-angium ἀγγεῖον
axis
bacterium βακτήριον
basis βάσις
bdella βδέλλα
bian Μακρόβιος
biocarpy βιο- καρπός
biosis μακροβίωσις
biostigmatic μακρόβιος
-ous στιγματ-
biote -ic(s μακροβίοτος
biostemonous βιο- στήμων
biotia μακροβιοτία
biotus μακροβίοτος
-id(ae -oid
blast βλαστός
brachia βραχίων
branchia -iate βράγχια
brochus βρόχος
camerae -ate καμάρα
cardius καρδία
carpous -in -καρπος
centri -us μακρόκεντρος
macro- Cont'd
centrosome κεντρο- σῶμα
cephal- μακροκέφαλος
ia ic ism ous us y
ceryle κηρύλος
chaeta χαίτη
ch(e)ilia -ous χεῖλος
ch(e)ir(i)a -ous χείρ
chelys χέλυς
chemical(ly χημεία
chemistry χημεία
chira(n -es μακρόχειρ
chiropter(a(n μακρόπτερος
choanite(s χοάνη χειρο-
cladous κλάδος
clema κλῆμα
cnemia -ic -um κνήμη
coccus κόκκος
colia -ous μακρόκωλος
colon -y κόλον
coma κόμη
conidium κονίδιον
cornea
corynus κορύνη
cosm(os -ic(al κόσμος
cosmology κοσμο- -λογία
cranial κρανίον
crates κράτος
crystalline κρυστάλλινος
cyst(is eae κύστις
cyte κύτος
-ase διάστασις
-h(a)emia -αιμία
-osis -ωσις
dactyl(a δακτυλος
dactyl- μακροδάκτυλος
ia ic idae ism ous us
dasys δασύς
diagonal διαγώνιος
diode δίοδος
ange ἀγγεῖον
dome -atic δῶμα
ergate ἐργάτης
erythro- ἐρυθρο-
blast βλαστός
esthesia -αισθησία
flora
gamete γαμέτης
-ocyte κύτος
gamy -γαμία
gaster gastria γαστήρ
genesy -γενεσία γαστρ-
genitosoma σῶμα
glossa -ate -ia γλῶσσα
-inae -in(e -ini -us
gnathia -ic -ism -ous γνάθος
gonidium γονή -ιδιον
graph -γραφος
graphy -ic -γραφία
gyn(e γύνη
ospore σπορά
gyropus γυρο- πούς
h(a)emozoite αἱμο- ζώη
hynnis ὕννης -ίτης
illuminator labia
lecithal λέκιθος
lepido- λεπιδο-
lite λίθος
pter(a ist ous πτερόν
leuko- λευκο-
blast βλαστός
logy μακρολογία
lophic λόφος
malocera μαλός κέρας
mania -iacal μανία -ακός
mastia μαστός
mazia μαζός
macro- Cont'd
melia μέλος
-ic -ism -ous -us -ισμός
meracis μηρός ἀκίς
mere μέρος
-al -ic -ite -itic -ίτης
merozoite μερο- ζώη -ίτης
mesentery μεσεντέριον
meter μέτρον
method μέθοδος
micro(meter μικρο- μέτρον
mischoides μίσχος -οειδής
molecule
monocyte μονο- κύτος
myelon(al μυελός
macron μακρόν
nemeae νῆμα
normo(chromo)blast χρῶμα
nosia νόσος βλαστός
nucleus
othnius ὀθνεῖος
pathology παθολογική
petalous πέταλον
phage -φαγος
phagocyte φαγο- κύτος
phallus φαλλός
phanero- φανερός
phyte φυτόν
pholidus φολίς
phonous -φωνος
phorbia φόρβειος
photograph(y φωτο- -γρα-
phya φυή φος γραφία
phyll(in(e φύλλον
phyllous -φυλλος -φορος
physaliophora φυσαλλίς
physics -ical φυσική
phyte -ic φυτόν
phyto- φυτο-
plankton πλαγκτόν
macropia μακρ- -ωπία
macropicide μακρόπους
pinacoid(al πινακ- -οειδής
piper πίπερις
plasia πλάσις
plast πλαστός
plastia -πλαστία
pleionian πλείων
pleural πλευρά
pleurodus πλευρά ὀδούς
pnus μακρόπνοος
pod(ia -ous ποδ-
pod(an μακρόπους
podal -(pod)ous ποδ-
podia -iadae μακρόπους
pogon πώγων
poma πῶμα
prism πρίσμα κύτος
promyelocyte πρό μυελο-
prosopus μακροπρόσωπος
-ia -ous
prothallium πρό θαλλός
pter μακρόπτερος
an es ous
pteryx -ygid(ae πτέρυξ
ptilus πτίλον
pus -ina -in(e μακρόπους
-pod(-id(-ae -inae -in(e
pycnid(ia πυκνός -oid)
-ospores σπορά
pygia πυγή
pyramid πυραμιδ-
rhabdus ῥάβδος
rhamphus ῥάμφος
-osus(-id(ae -oid)
(r)rhin(e -ia -ous -us ῥίν
scel- μακροσκελής

macro- Cont'd
es(-ia -ic -ous)
ides (-a(n -ae -id(ae -oid)
esaurus σαῦρος
scepis σκέπος
scian μακρόσκιος
sclereids σκληρός
scope -σκόπιον
scopy -ic(al(ly -σκοπία
seism(ic σεισμός
ograph -γραφος
sepalous σκέπη
septum
siphon(ula(r -ulate σίφων
somatia σωματ-
-ic -ism -ous -ισμός
some σῶμα
-ia -ic -itic -ous
spartinetum σπαρτίνη
spore σπορά
-ange(-iate -ium) ἀγγεῖον
-(angi)ophore -φορος
-ic -ium -oid
sporo- σπορο-
phyl(l(ary φύλλον
zoite ζωή -ίτης
stachya στάχυς
stelineae -ian στήλη
stemma στέμμα
stereo- στερεο-
chemistry χημεία
stoma -(at)ous -e στόμα
-ia -id(ae -oid -um -us
structure -al
style -ous στύλος
stylospore στυλο- σπορά
symbiont συμβιῶν
tarsi(us -ian τάρσος
there -ium θηρίον
-iid(ae -ioid
therm θέρμη
thermo- θερμο-
philus -φιλος
phyt(i)a φυτόν
tome μακρότομος
tone μακρότονος
toxus τόξον
trachelous τράχηλος
trachia τραχεῖα
type -al -ous τύπος
variolitic -ίτης
zamia ζαμία
zancla ζάγκλη
zonites ζωνίτης
zoo- ζωο-
gonidium γονίδιον
spore σπορά
macr- Cont'd
odon ὀδών
odont ὀδοντ-
ella ia ic ism -ισμός
onychia -es ὀνυχ-
onyx ὄνυξ
ophthalm- ὀφθαλμός
ic id(ae oid ous us
opsia -y -οψία
osis -ωσις
osmatic -ism ὀσμή
ot- μακρώτης
ia is oid ous
ura(l -an -ous οὐρά
Mactra -acea(n μάκτρα
-aceous -id(ae -oid
Madar- μαδαρός
ites -ίτης
oma -atic -ωμα
osis otic μαδάρωσις -ωτικός

madisterium μαδιστήριον
Madopterus μαδός πτερόν
madrepor- πόρος
acea(n aceous al aria(n e ian
ic idan iform ite itic oid
igenous -γενής
madrigal μάνδρα
er etto ian ist -ιστής
Madrus μαδαρός
madupite -ίτης
maduromycosis μύκης -ωσις
M(a)endrina -in(e μαίανδρος
-id(ae -iform -inae -(in)oid
maeandr- μαίανδρος
ipora πόρος
ospongidae σπόγγος
Maemactes μαιμάκτης
-erion Μαιμακτηριών
Maena -id(ae -oid(ea μαίνη
m(a)enad(ic -ism μαινάς
Maeonian -ides Μαιόνιος
Μαιονίδης
magada -is μαγάς μάγαδις
magadize μαγαδίζειν
magaline Μαγνῆτες
magarita μαγαρίτης
magas μαγάς
mag- μάγος
astrological ἀστρολογία
astromancy -er ἀστρομαν-
mantic τεία
magazinism -ist -ισμός -ιστής
Magdala Μαγδαλά
magdalen(e -ian Μαγδαληνή
magdaleon μαγδαλιά
mage Magi(an(ism Μάγος
magic μαγικός -ισμός
al(ly alize ian ienne ly
magir- μαγειρός
ic(s μαγειρικός
ist(ic -ιστής -ιστικός
ology -ical -ist -λογία
Magism μάγος -ισμός
magma μάγμα
-atic -oid -οειδής
-atogenous -γενής
morphose μόρφωσις
philae -φιλος
magnalium -it Μαγνησία
magne- Μάγνης λίθος
crystal(lic κρύσταλλος
optic ὀπτικός
tropism τροπή -ισμός
magnes(yl Μάγνης ὕλη
-electric ἤλεκτρον
magnesia Μαγνησία
-ian -iated -ic -ide -iferous
magnesio- Μαγνησία
anthophyllite ἀνθο- φύλλον
ferrite ludwigite -ίτης
magnesium Μαγνησία
axinite ἀξίνη -ίτης
diopside δι- ὄψις
pectolite πηκτός
pertolite λίθος
magneso- Μαγνησία
scheelite -ίτης
magnet Μαγνῆτις
arium in(e ish
ic(al(ly (al)ness ian s)
ism ist -ισμός -ιστής
ite -ic -ίτης
ize -ee -er -ίζειν
-ability -able -ation
magneti- Μαγνῆτις
ferous fication fy
meter μέτρον

magneto Μαγνῆτις
acoustic ἀκουστικός
alternator caloric
chem- χημεία
ical istry
crystallic κρύσταλλος
magnetod ὁδός
drop
dynamo δύναμις
electric(ity al ἤλεκτρον
friction generator
gram γράμμα
graph(ic -γραφος
id -ο-ειδής
ignition inductive
instrument
logy -λογία
machine μεχάνη
meter μέτρον
metry -ic(al(ly -μετρία
motive motor
on -ον
optic(al -ics ὀπτικός
phone φωνή
phonograph φωνο- -γραφος
pointer printer
regulator resistance
scope -σκόπιον
static(s στατός
stibian στίβι
striction -ure
tele- τηλε-
graph -γραφος
phone φωνή
therapy θεραπεία
transmittor
magnetron Μάγνης ἤλεκτρον
magniscope -σκόπιον
magnium Μάγνης
magno- Μαγνησία
chromite χρῶμα -ίτης
ferrite franklinite
magnoliad ἀδ-
magnolite -ίτης
magophony μαγοφόνία
Magosphaera μαγο- σφαῖρα
Magus Μάγος
Magyarism -ισμός
-ization -ize -ίζειν
mahatmaism -ισμός
Mahd(i)ism -ist -ισμός -ιστής
mahoganize -ίζειν
Mahomet(an)ism -ize -ισμός
Mahometist -ιστής
Mahomite -ίτης
Maia Μαῖα
maia μαῖα
-acea(n -aceae -an -id(ae
-inea(n -oid(ea(n
Maianthemum Μάιος
maid(en)ism -ισμός
maieusio- μαίευσις
mania μανία
phobia -φοβία
maieutic(al -ics μαιευτικός
maimakterion μαιμακτηριών
Maimonist -ιστής
Maiocercus μαῖα κέρκος
m(a)iosis -otic miosis -otic
mairogallol μαρμαίρειν
maizolithium λίθος
majolist -ιστής
majorism -ist(ic -ize -ισμός
-ιστής -ιστικός -ίζειν
malabathrum μαλάβαθρον
Malacanthus μαλακός
-id(ae -ine -oid ἄκανθα

malache -ite μαλάχη -ίτης
Malachius μαλακός
-iid(ae -ioid
malacia -ic μαλακία
malacissant -ation μαλακίζειν
Malaclemmys μαλακός κλεμ-
malac- μαλακία μύς
oma on(e -ωμα
osis -ωσις
oste- ὀστέον
id(ae oid on us
ostrac- μαλακόστρακος
a an ous
ology -λογία
-ical -ist -ιστής
otic μαλακότης
malaco- μαλάκια
gamy -γαμία
logy -λογία
-ic(al -ist -ιστής
philae -ous -φιλος
tomy -τομία
-ic -ist -ιστής
malaco- μαλακο-
bdella βδέλλα
-id(ae -oid
cephalus κεφαλή
clemmys κλεμμύς
cottus ?κόττος
cotylea(n κοτύλη
ctenus κτεν-
derm δέρμα
ata atous i idae ous
graptis γραπτός
id μαλακοειδής
lite λίθος
notus -inae -ine νῶτος
phonous φωνή
phyllous -φυλλος
plakia πλάξ
pod(a -ous ποδ-
pteri -ous πτερόν
pterygii -ian -ious πτερύγιον
sarcosis σάρκωσις
scolices -in(e σκώληξ
stome -ous στόμα
zoa -ic -oid ζῷον
zoaria ζωάριον
zoology ζωο- λογία
malactic(al μαλακτικός
maladize -ίζειν
malagma μάλαγμα
malakin μαλακός
malam- μᾶλον ἀμμωνιακόν
ate ic id(e
ethane αἰθήρ
malaprop(o)ism -ισμός
Mala- μαλακός
pterurus πτερόν οὐρά
-id(ae -ina -ine -oid
malari(a)genous -γενής
malarialist -ιστής
malarioid -iosis -οειδής -ωσις
malariology -ist -λογία -ιστής
malate μᾶλον
malaxate -ion -or μαλάσσειν
Malaxis -eae μάλαξις
Malayize -ίζειν
malcrasis κρᾶσις
maldonite -ίτης
Malebranchism -ισμός
male- μᾶλον
amic ἀμμωνιακόν
anilic ide
(in)imide ἀμμωνιακόν
inoidal oid -οειδής
maliasmus μαλιασμός

malic μᾶλον
malignite Malikite -ίτης
malignometer μέτρον
malingeroscope -σκόπιον
malinowskite -ίτης
malis μᾶλις
malism -ist(ic -ισμός -ιστής
mallardite -ίτης -ιστικός
malleabilize -ίζειν
malleabl(e)ize -ation -ίζειν
malleotomy -τομία
mallo- μαλλο-
chorion χόριον
coccus κόκκος
delphys δελφύς
phaga(n -idae -ous -φαγος
placenta πλακοῦς
soma σῶμα
toxin τοξικόν
Mallotus μαλλωτός
malmsey Μονεμβασία
malobathrum μαλόβαθρον
malo- μᾶλον
biuric οὖρον
malic
nitrile νίτρον
notus νῶτος
plasty -πλαστία
malol(oic μᾶλον
malon- μᾶλον
aldehyde -ic ὕδωρ
amic -ide ἀμμωνιακόν
anilic -ide
ate ato o-
yl(urea ὕλη
malorganized -ation ὄργανον
malpighiad ἀδ- ίζειν
malpraxis πρᾶξις
maltase διάστασις
maltesite -ίτης
maltha μάλθα
malthacite μαλθακός -ίτης
Malthe -eid(ae -eiform μάλθη
-einae -eine -eoid
Malthesis μάλθη
malthite μάλθα -ίτης
Malthodes μαλθώδης
Malthonea μάλθων -ίζειν
Malthusianism -ize -ισμός
maltobiose βίος γλεῦκος
maltometer μέτρον
maltose -an -id(e γλεῦκος
-(az)one ἀ- ζωή -ώνη
-uria -ουρία
maltzyme ζύμη
Malurus μαλακός οὐρά
-inae -ine
malvasia(n Μανεμβασία
-voisie
Malvastrum ἄστρον
mamanite -ίτης
mamm-
algia -αλγία
alogy -λογία
-ical -ist -ιστής
ectomy -εκτομία
illaplasty -πλαστία
(ill)itis -ῖτις
(ill)oid -οειδής
otomy -τομία
mammon Μαμμωνᾶς
dom iacal ic ish ism ist(ic
ite itish ization ize -ακος
-ισμός -ιστής -ιστικός
-ίτης -ίζειν
olatry λατρεία
mammothistic -ιστικός

mammothrept μαμμόθρεπτος
Manatherium θηρίον
Manchesterism -ισμός
Manchestrist -ιστής
mancinism -ισμός
-mancy -μαντεία
Mandaite -ίτης
Mandalotus μάνδαλος
mandarinism -ize -ισμός -ίζειν
Mandeism -ισμός
mandelamide ἀμμωνιακόν
mandelonitrile νίτρον
mandelyl ὕλη
mandibulo-
hyoid ὑοειδής
pharyngeal φαρυγγ-
mandilion μανδύλιον
mandolinist -ιστής
mandra μάνδρα
mandragon μανδραγόρας
mandragora μανδραγόρας
-e -in(e -ite
mandrake μανδραγόρας
mandriarch μανδριάρχης
mandrite μανδρίτης
mandyas μανδύας
mangan- Μαγνησία
almandine Ἀλάβανδα
amphibole ἀμφίβολος
andalusite -ίτης
apatite ἀπάτη -ίτης
ate
berzel(l)ite -ίτης
blende eisen
brucite -ίτης
chlorite χλωρός -ίτης
ese Μαγνησία
-an -eous -(i)ate -ic -(i)ous
-ite -ium -um
chalcanthite χάλκανθον
etic
fayalite -ίτης
glauconite γλαυκός
grandite hedenbergite
ic in ite itic ium ize
kiesel
osite -ίτης
osomanganic
ous spinel
purpurite πορφύρα
mangani- Μαγνησία
cyanhydric κυανός ὑδρ-
cyanide κυανός
ferous
manganate
mangano- Μαγνησία
axinite ἀξίνη -ίτης
calcite columbite
ferrite
lite λίθος
magenite -ίτης
magnetite Μαγνῆτις
manganic
pectolite πηκτός λίθος
phyllite φύλλον -ίτης
siderite σιδηρίτης
sph(a)erite σφαῖρα
stibite στίβι -ίτης
tantalite Τάνταλος
wolframite
mangle(r μάγγανον
mangona -el μάγγανον
-ism -ist -ισμός -ιστής
mangonize -ation
mania μανία
-iac(al(ly -iacy -ακός
manic (depressive μανία

Manichee Μανιχαῖος
(a)ean(ism -ize -ισμός -ίζειν
(a)eism -ist -ισμός -ιστής
manichord μονοχόρδιον
ion ium on
manicon μανικόν
manicurist -ιστής
manigraph(y -γραφος -γραφία
manikion μανίκιον
Manisuris οὐρά
manitology -λογία
manna μάννα
-an(ase ἀν- διάστασις
-eotetrose τέτρα γλεῦκος
-id(e -iferous -iparous
mannerism -ισμός
-ist(ic(al(ly -ize -ιστής
-ιστικός -ίζειν
man(n)ikinism -ισμός
maniphalanx φάλαγξ
manninotri- μάννα τρι-
ase διάστασις
ose γλεῦκος
mannite μάννα -ίτης
-an -ate -ic -ine -ol -ose
manno- μαννο-
biose γλεῦκος
chloralic -ose χλωρός γλεῦ-
hept- ἑπτ- κος
aric ite uronic -ίτης οὖρον
oct- ὀκτ-
aric onic ose γλεῦκος
phorus μαννοφόρος
saccharic σάκχαρον
mann- μάννα
onic -o- -onic -onose
ose -an γλεῦκος
uronic οὖρον
mano- μανο-
cyst κύστις
dactylus δάκτυλος
graph -γραφος
metabola μεταβολή
meter -ric(al(ly μέτρον
-baro- βαρύς
-cryo- κρύος
-nitro- νίτρον
pus πούς
scope -y -σκόπιον -σκοπία
stat στατός
xylic ξύλον
man- μανός
onychus ὀνυχ-
orchis ὄρχις
manorialism -ισμός
manteion μαντεῖον
Manteoceras μαντεῖος κέρας
mantian μάντις
mantic(s μαντική
mantic μαντικός
al(ly ism -ισμός
oceras κέρας
mantichora -idae μαντιχώρας
manticor(e a
Mantis(ia μάντις
-id(ae -oid(ea
Mantispa μάντις
-id(ae -inae -oid
mantistic μάντις
mantology -ist μάντις -λογία
-ιστής
manualism -ισμός
-ist -ization -ιστής -ίζειν
manubalist -ιστής
manudynamometer δύναμις
manutype(r τύπος
mappist -ιστής

maranatha μαραναθά
maranite -ίτης
marantic μαραντικός
marasme -us μαρασμός
-(at)ic -ius -oid -ous
-olite λίθος
Marathon Μαραθών
ian ites -ίτης
Maratism -ισμός
-ist -ize -ιστής -ίζειν
marble μάρμαρος
-ed -er -et header -ing -ish
-ization -ize ness -y -ίζειν
marbrinus μάρμαρος
marcasite -ic(al -ίτης
Marcellianism -ισμός
Marcellinist -ιστής
Marcianist -ιστής ταί -ισμός
Marcionist -ism Μαρκιωνισ-
Marcionite Μαρκιωνῖται
-ic -ish -ism -ισμός
Marcite Μάρκος -ίτης
Marconigram γράμμα
-graph(y -γραφος -γραφιά
Marconism -ist -ισμός -ιστής
Marcosian Μαρκώσιος
marcylite λίθος
marekanite -ίτης
mare(o)gram γράμμα
-graph(ic -γραφος
mareometer μέτρον
Mareotic Μαρεῶτις
margar- μάργαρον
ate ic in(e on(e ous
imeter μέτρον
ite -ate -ic -ίτης
margaret μαργαρίτης
margari- μαργαρίς
carpus καρπός
notus νῶτος
margarit- μαργαρίτης
a acea(n aceous ana e iferous
omancy μαντεία ite
margaro- μαργαρο-
pus πούς
sanite σανίς -ίτης
margarod- μαργαρώδης
es id(ae ite oid
margaryize -ίζειν
Margelis -idae μαργηλίς
margery μαργαρίτης
marginalize -ίζειν
marginoplasty -πλαστιά
margosopicrin πικρός
marguerite μαργαρίτης
Maria Μαρία
lite -ic λίθος
Marian Μαρία
ic ism ist ity olatry -ισμός
-ιστής λατρεία
marien(glas mariet Μαρία
marigenous -γενής
mari- Μαρία
gold ola
gram γράμμα
graph(ic -γραφος
Marinism -ist -ισμός -ιστής
marinorama ὅραμα
Mario- Μαρία
later -λατρης
latry -ous λατρεία
logy -λογία
marionette Μαρία
Marist Μαρία -ιστής
marionite mariposite
mariupolite marlite -ic -ίτης
Marlowism -ισμός

marm(air)o- μαρμαίρειν
lite λίθος
marmalade -y μελίμηλον
marmar- μάρμαρος
itin μαρμαρῖτις
ize osis -ίζειν -ωσις
oglypha γλύφειν
opus μαρμαρωπός
marm(at)ite -ίτης
marmor μάρμαρος
aceous ate ation atum eal(ly ean eous ic ization ize tinto
Maronist -ite -ιστής -ίτης
maroon(er κῦμα
marshite -ίτης
marsipo- μάρσιπος
branch βράγχια
ia(n iata iate ii
crinidae κρίνον -ίδης
Marssonopora πόρος
marsup- μαρσύπιον
ia(n iata iate(d ida (i)oid ium
ite(s -idae -ίτης
ize -ation -ίζειν
marsyle ὕλη
martensite -ic -ίτης
martialism -ist -ισμός -ιστής
martialize -ation -ίζειν
martigenous -γενής
martiloge μαρτυρολόγιον
martinetism -ισμός
Martinism -ισμός
-ist -ize -ιστής -ίζειν
martinite -ίτης
Martiology -λογία
mart(on)ite -ίτης
martyr μάρτυρ
dom er ess ial ing ish ization ize(r ly ship y -ίσσα- ίζειν
martyro- μαρτυρο-
latry λατρεία
log(u)e μαρτυρολόγιον
-ical -ist -y -ιστής
marundite μάργαρος
Mary(mass Μαρία
Masaris μασάομαι
-id(ae -oid
mascagnite -ίτης
maschal- μασχάλη
adenitis ἀδήν -ῖτις
ephidrosis ἐφίδρωσις
iatry ἰατρεία
masculinism -ισμός
maskoid -οειδής
masochism -ισμός
-istic -ιστικός
masonite Masorite -ίτης
masrite -ίτης
Masritherium θηρίον
mass μᾶζα
massage μάσσειν
-euse -ist -ιστής
masseter μασητήρ
al ic in(e
masseur -euse μάσσειν
masso- μάσσειν
therapeutics θεραπευτικός
therapy θεραπεία
massula massy μᾶζα
Mastacembalus -id(ae -oid
μάσταξ ἐν βέλος
mast- μαστός
acanthus ἄκανθα
aden- ἀδήν
itis oma -ῖτις -ωμα
algia -αλγία

mast- Cont'd
atrophia -y ἀτροφία
auxe αὔξη
ectomy -εκτομία
helcosis ἕλκωσις
mastax(ed μάσταξ
mastic μαστίχη
ability able
ate(r ation ator(y
(h)ic in(e olic onic
mastic- μάστιξ
ophis ὄφις
ura -e -ous οὐρά
mastig- μαστιγ-
amoeba -idae ἀμοιβή
osis μαστίγωσις
ote -ωτος
ure -us οὐρά
mastigo- μαστιγο-
bolbina βολβίνη
branch(ia(l βράγχια
cerus κέρας
cladous κλάδος
crinidae κρίνον
graptus γραπτός
myia μυῖα
phore μαστιγοφόρος
-a(n -ic -ous
pod(a ous ποδ-
pus πούς
spore σπορά
-mastix μάστιξ
mast- Cont'd
itis -ῖτις
occipital
odon(ic ὀδών
saurus σαῦρος
-id(ae -ion -oid
odont ὀδοντ-
ic inae in(e oid
odynia -y -ωδυνία
(opi)oncus ὄγκος
mastoid μαστοειδής
aic al(e ea(l ean eum eus
algia -αλγία
ectomy -εκτομία
eocentesis κέντησις
eosquamous
itis -ῖτις
mastoido- μαστοειδής
humeral(is
tomy -τομία
masto- μαστο-
carcinoma καρκίνωμα
logy -λογία
-ical -ist -ιστής
menia μήν
occipital parietal
pathia -y -πάθεια
pexy -πηξία
phorus -φορος
rrhagia -ραγία
scirrhus σκίρρος
spargosis σπάργωσις
stethus στῆθος
syrinx σῦριγξ
theca θήκη
tomy -τομία
tympanic τύμπανον
zoa ζῷον
zoology ζωο- λογία
zootic ζωωτός
Mataxa μάταξα
mat(a)eo- ματαιο-
logia ματαιολογία
-ian -ical

mat(a)eo- Cont'd
logue ματαιολόγος
techny -τεχνία
materialism -ισμός
-ist(ic(al(ly -ιστής -ιστικός
ize(r -ation -ίζειν
matern(al)ize -ίζειν
maternology -λογία
matezite -ίτης
mathematic μαθηματικός
al(ly aster ian ize
ico-
logical λογικός
physical φυσικός
-ist -ize -ιστής -ίζειν
mathematics μαθηματική
mathesis -y μάθησις
mathetic μαθητικός
matildite matlockite -ίτης
matonioid -οειδής
matri-
arch(y ἀρχός -αρχία
al(ism alist ate -ισμός -ιστής
linearism -ισμός
monialism -ist -ισμός -ιστής
monism -ize -ισμός -ίζειν
matronism -ize -ισμός -ίζειν
matrixitis -ῖτις
matro- ματρο-
clinic -ous -y κλιν-
nymic(al ματρωνυμικός
matterism -ist -ισμός -ιστής
matteucioid mattoid -οειδής
maudlinism -ize -ισμός -ίζειν
maundril μάνδρα
Maurist -ιστής
Mauritanaster Μαυριτανία
Maurist -ιστής ἀστήρ
mausoleum μαυσωλεῖον
-eal -ean
Maxillirhynchia ῥύγχος
maxillitis -ῖτις
maxillopharyngeal φαρυγγ-
Maximianist -ιστής
maximist(ic -ιστής -ιστικός
maximize(r -ation -ίζειν
maxite, mazapilite -ίτης
Mazda(*or* e)ism -ist -ισμός -ιστής
Mazdakite -ίτης
maz- ic μαζός
algia -αλγία
eutoxeron εὔτοξος
odynia -ωδυνία
mazo- μαζο-
caco- κακο- θετικός
thesis thetic θέσις
logy -λογία
-ic(al -ist -ιστής
lysis lytic λύσις λυτικός
pathia -y -ic -πάθεια
pexy -πηξία
Mazonerpeton μαζός ἑρπετόν
Mazzinianism -ist -ισμός -ιστής
meander Μαίανδρος
er ingly
meandr- Μαίανδρος
ated ella ian ically iform ite ous y
meato-
meter μέτρον
rrhaphy ῥαφία
scope -y -σκόπιον -σκοπία
tome -y -τομον -τομία
mec- μῆκος
aptera ἄπτερος
ecyon κύων

mec- Cont'd
edanum μηκεδανός
enic μηκωνικός
mechanic μηχανικός
al(ism ist ity ize ly ness)
ian ism iz(er -ισμός -ιστής -ίζειν
mechanico- μηχανικός
chemical χημεία
corpuscular
physical φυσικός
therapeutics θεραπευτικός
therapy θεραπεία
mechanics μηχανικά
mechan- μηχάνη -ίζειν
ipulate ism ist(ic ization ize(r -ισμός -ιστής -ιστικός
mechano- μηχανο-
gram γράμμα
graph(y -ic -ist -γραφος γραφία -ιστής
gymnastics γυμναστικός
logy -λογία
morphic μορφή
morphosis μόρφωσις
therapy θεραπεαί
tropism τροπή -ισμός
mechanurgy μηχανουργία
mechation μοιχός
mechlor(in)ic μηκωνικός χλωρός
mecist μήκιστος
ocephali κεφαλή
-ic -ous -y
ops -us ὤψ
Meckechinus ἐχῖνος
meckelectomy -εκτομία
mec- Cont'd
ism -ισμός
odont(a ὀδοντ-
olenus ὠλένη
meco- μηκο-
cephalic κεφαλή
ceras -inae κέρας
corynus κορύνη
cyanin κύανος
graphy -γραφία
metacnema μετά κνήμη
meter μέτρον
metry -μετρία
pselaphus ψηλαφάειν
pter(a ous πτερόν
tagus ταγός
tetartus τέταρτος
mecon- μήκων
ate ella ic idine in(e inic isin oi(o)sin
idium ism -ιδιον -ισμός
ium μηκώνιον
ial ioid -οειδής
iorrhea -ροία
opsis ὄψις
mecono- μηκωνο-
logy -λογία -ισμός
phagism -ist -φαγία
Mecubalist -ιστής
medal μέταλλον
ary (l)et ic(ally lion(ist (l)ist (l)ize (l)urgy -ιστής -ίζειν
Mede -ian Μῆδος -ουργία
Medeola -eae Μήδεια
medi(a)evalism -ισμός
-ist(ic -ize -ιστής -ιστικός
medialize -ation -ίζειν
medianisophylly ἀνισο-
mediaometer μέτρον -φυλλία
mediastinitis -ῖτις

mediastino-
pericarditis περικάρδιον
tomy -τομία -ῖτις
mediatize -ation -ίζειν
mediatorialism -ισμός
Medic Μηδικός
ago(phyll φύλλον
medicephalic κεφαλικός
medico-
botanical βοτάνη
chemical chemistry χημεία
chirurgic(al χειρουργία
dental legal
electric ἤλεκτρον
mania μανία
mechanic(al μηχανικός
pedagogic παιδαγωγικός
philosophical φιλοσοφιά
physical φυσικός
psychologic(al ψυχο- λογία
statistical στατός -ιστικός
theologue θεολόγος
topographical τοπο- -γραφία
zoologic(al ζωο- -λογία
mediglycin γλυκός
medimnos -us μέδιμνος
medio-
carpal καρπός
center κέντρον
colic κῶλον
cracy -κρατία
tarsal ταρσός
mediocrist -ιστής
mediscalene -us σκαληνός
Medism μηδισμός
meditat(ion)ist -ιστής
Medithorax -acic θώραξ
mediumism -ισμός
-istic -ιστικός
-ize -ation -ίζειν
Medize μηδίζειν
medlar μέσπιλον
medorrhea -inum μῆδος -ῥοία
medull-
aden ἀδήν
itis ization -ῖτις -ίζειν
medullo-
arthritis ἀρθρῖτις
encephalic ἐγκέφαλος
Medusa Μέδουσα
-ae -al -an -(ar)ian -id(ae
-idan -iferous -iform -ina
-ite -oid
medusome Μέδουσα σῶμα
meg- μέγας
alania -idae ἠλαίνειν
alethoscope ἀληθής -σκό-
πιον
allantoid ἀλλαντοειδής
ampere
archidium ἀρχίδιον
aristerus ἀριστερός
aulaco- αὐλακο-
bothrus βόθρος
aulic(a αὐλικός
mega- μεγα-
bacteria βακτηρία
bar(y -ic βάρος
basite βάσις -ίτης
bates βάτης
caryocyte κάρυον κύτος
cecum
cephalic κεφαλή
-on -ous -y
ceras κέρας
-atin(e -atous
cerchneis κερχνηΐς

mega- Cont'd
cercopis κέρκος -ωπις
cetes μεγακήτης
ch(e)ile -idae -ous χεῖλος
chiropter(a(n ous χειρο-
πτερόν
chloroplast χλωρο- πλαστός
choerus χοῖρος
clon κλών
cocci κόκκος
colon coly κόλον
conidea conids κόνις
cosm(us κόσμος
coulomb
crania -ous κρανίον
criodes κρίος -ώδης
derm δέρμα
a ata atidae (at)inae id(ae
in(e oid
derus δέρη
dont ὀδοντ-
drili(c -ous δρῖλος
duodenum
dyne δύναμις
dynamics δυναμικός
erg ἔργον
farad fog frustule joule
gamete γαμέτης
gnathous γνάθος
gram(me γράμμα
karyocyte caryocyte
megal- μεγαλ-
acria ἄκρα
adapis -idae ἀ- δάπις
(a)esthete αἰσθητής
algia -αλγία
encephalic ἐγκέφαλος
erg ἔργον
erythema ἐρύθημα
e(n)sia(n Μεγαλήσια
ichthys ἰχθύς
iridia ἰριδ-
odon ὀδών
odont ὀδοντ-
ia id(ae oid ous
onychosis ὀνυχ- -ωσις
onyx ὄνυξ
-ychid(ae -ychoid
ophrys ὀφρύς
ophthalmus ὀφθαλμός
op- μεγαλωπός
a ia(s ic inae in(e
opsia -ical -οψία
ornis ὄρνις
otis -inae -in(e ὠτ-
megalo- μεγαλο-
batrachus βάτραχος
blast(ic βλαστός
bythus βύθος
cardia -iac καρδία -ακός
carpous μεγαλόκαρπος
cephalia -ic -ous -y μεγαλο-
ceros -κερως κέφαλος
chirous χεῖρ
cochlea κοχλίας
coly κόλον
conidium κονίς -ιδιον
cornea
cottus κόττος
cyte -osis κύτος -ωσις
dactylia -ism -ous δάκτυλος
discus δίσκος
enteron ἔντερον
esthete αἰσθητής
gastria γαστρ-
glossia γλῶσσα
gonidium γονή -ιδιον

megalo- Cont'd
graph(y -ia -γραφος γραφία
hepatia ἠπατ-
hyrax ὑράξ
karyocyte κάρυον κύτος
mania -iac(al μανία
martyr μεγαλόμαρτυρ
melia μέλος
metis μεγαλόμητις
penis
phobia -φοβία
phonic -ous -us μεγαλό-
phylla -y φύλλον φωνος
plastocyte πλαστο κύτος
pod(ous ποδ-
polis μεγαλόπολις
pore πόρος
psychic μεγαλοψύχος
psychy μεγαλοψυχία
ptera πτερόν
pteris πτερίς
pyge -id(ae πύγη
raphium ῥαφίς
saur(us σαῦρος
i(a(n id(ae oid
scope -ic -y -σκόπιον -σκο-
spermum σπέρμα πία
sphere -ic σφαῖρα
splenia σπλήν
sporon σπόρος
syndactyly σύν δάκτυλος
mega- Cont'd
laim- λαιμός
a e id(ae oid
lith(ic λίθος
lunarion μεγαλυνάριον
mastictora -al μαστίκτωρ
maxwell
mere μέρος
merozoite μερο- ζωή -ίτης
meter -re μέτρον
mil
mys μῦς
nephric(ae νεφρός
neur- νευρά
ella idae inae ites
meganology μέγας -λογία
nucleus
phanaeus φαναῖος
phanero- φανερός
phytes φυτόν
phone -ic φωνή
photography -ic φωτο- γρα-
phragma φράγμα φία
phyll(ous idae y φύλλον
phyton -es φυτόν
plankton πλαγκτόν
planogamete πλανο- γαμέ-
pod(e an idae ποδ- της
iid(ae iinae ioid ius
polis πόλις
proctus πρωκτός
prosopia -ous πρόσωπον
prothallus προ- θάλλος
ptera -inae -in(e πτερόν
pterites πτερίς
pterna πτέρνα
pul
raphidia ῥαφίς
(recto)sigmoid σιγμοειδής
rectum
rhinus ῥίν
rhizous ῥίζα
rhynchus ῥύγχος
(r)rhine μεγα- ῥίν
rrhiza ῥίζα
sclere σκληρός

mega- Cont'd
-ic -on -ous -um
-ophora -an -φορος
scolex σκώληξ
scope -ic(al(ly -σκόπιον
scops σκώψ
seism(ic σεισμός
seme -ia σημα
soma -inae σῶμα
soroma σώρευμα
sorus σωρός
sphere σφαῖρα
spilus σπίλος
spore σπορά
-ange -ium ἀγγεῖον
sporo- σπορο-
carp καρπός
cyte κύτος
genesis γένεσις
phyll φύλλον
sthene -a -ic σθένος
stome -a στόμα
strobilus στρόβιλος
synthetic συνθετικός
teuthis τευθίς
there -ium θηρίον
-ial -ian -(i)id(ae -(i)oid
-iinae -iin(e
-iolysin λύσις
therm(ic θέρμη
thymus -id(ae -oid θύμος
thyris -id(ae -oid θυρίς
torque
tylopus τύλος ὠπ-
type -y τύπος -τυπία
volt watt weber
zoo- ζωο-
gonidium γόνος -ίδιον
spore σπορά
ange ἀγγεῖον
zo(o)id ζῷον
Megaric Μέγαρα
-ian(ism -ισμός
megaron μέγαρον
megastria μέγας γαστρ-
Megathopa μέγαθος ὠπ-
meg- μέγας
ecad οἶκος -αδ-
erg ἔργον
ger ohm(it
ohmmeter μέτρον
ophthalmus ὀφθαλμός
osmatic ὀσμη
oxycyte ὀξυ- κύτος
oxyphil ὀξυ- -φίλος
megetho- μέγεθος
logical λογικός
Megistanes μεγιστάνες
megisto- μεγιστο-
cephalic -ous κεφαλή
phylla φύλλον
therm(ic θέρμη
megotalc μέγας
megrim ἡμικρανία
ical ish
meharist -ιστής
meio- μειο- See mio-
bar βάρος
cyclic κυκλικός
gyrous γῦρος
phyll(y φύλλον
spore σπορά
-ange ἀγγεῖον
states στατός
stemonous στήμων
taxy τάξις
therm θέρμη

meionite μείων -ίτης
meiosis μείωσις
m(e)iotic μειωτικός
meizo- μείζων
glossa γλῶσσα
seismal -ic σεισμός
Mek(or c)hitarist(ican -ιστής
mekometer μῆκος μέτρον
melaconise μέλας κόνις
melaen- a ic us μέλαινα
ornis ὄρνις τύπος
melain(otype μέλαινα
mel- μέλος
agra algia ἄγρα -αλγία
mela- μέλας
leuca λευκός
meridae μηρός
notus -i(c νῶτος
phyre πορφύρα
melam(in(e μέλι ἀμμωνιακόν
melam- μελαμ-
bius μελάμβιος
-iophylax φύλαξ
pod(e μελαμπόδιον
ieae ium
psora -aceae ψώρα
pus Μελάμπους
pyrum μελάμπυρον
-in(e -ite -ίτης
melan μελίλωτον
melan- μελαν-
actes ἀκτίς
(a)emia -ic -αιμία
agogue -al ἀγωγός
asphalt ἄσφαλτος
ate
auster αὐστηρός
chlor(e χλωρός
choleric χολέρα
cholic μελαγχολικός
al(ly ly o-
cholous μελάγχολος
choly μελαγχολία
-ia(c -ian -ily -iness -ious-
(ness
-(y)ish -ist -ize -ιστής
chrus μελάγχροος -ίζειν
chthonian Μελάγχθων
chyme χυμός
conium κῶνός
-ia -iaceae -iaceous -iales
-idaceae -ieae
(der)ella δέρη
drya μελάνδρυος
-id(ae -oid
edema οἴδημα
ellite λίθος
ephidrosis ἐφίδρωσις
erpes -inae ἕρπειν
esthes ἐσθής
geophilus γεω- φιλος
geophyta -ia γεω- φυτόν
ia (-iacea(n -iid(ae -iiform
-iinae -iine -ioid) μελανία
ian -ic
idrosis -ίδρωσις
iferous ilin(e in
imon μελανείμων
ippe Μελανίππη
ism istic -ισμός -ιστικός
ite -ic ize -ίτης -ίζειν
mela- μέλας
nesia(n νῆσος
netta νῆττα
melano- μελανο-
blast(oma βλαστός -ωμα
cancroid -οειδής
melano- Cont'd
carcinoma καρκίνωμα
cerite -ίτης
cetus -inae -ine κῆτος
chalcite χαλκός -ίτης
chalcographer χαλκο-
chin -γραφος
chlorous χλωρός
chroi μελανόχροος
-oic -oid -oite -(o)ous
coleus κολεός
comous μελανοκόμης
corypha κορυφή
cratic κρατός
cyte κύτος
dendron δένδρον
derma -ia -ic δέρμα
gallic
gen -γενής
genesis γένεσις
glossia γλῶσσα
grammus γραμμή
lophus λόφος
mystax μύσταξ
Papuan
pathy -ic -πάθεια
phila -φιλος
phlogite φλόξ -ίτης
phore -φορος
phyceae φύκος
phyl(l(us φύλλον
plakia πλάξ
protein πρωτεῖον
pterus μελανόπτερος
quinine
rrhagia -ῥαγία
rrh(o)ea -ῥοία
sarcoma -atosis σάρκωμα
scirrhus σκίρρος -ατωσις
scope -σκόπιον
siderite σιδηρίτης
sperm(ous -eae σπέρμα
stibian στίβι
stigma στίγμα
tannic
tekite τήκειν -ίτης
thallite θαλλός -ίτης
trichous τριχ-
type τύπος
vanadite -ίτης
xylon ξύλον
melan- Cont'd
oi μελανοί
oid(ic in μελανοειδής
oma μελάνωμα
onychia ὀνυχ-
oplus ὅπλον
opsis ὄψις
-id(ae -inae -oid
ose osity ous
osis μελάνωσις
ose(d otic -ωτικός
terite μελαντηρία
terius μελαντήριος
uresis οὔρησις
uria -(en)ic -in -ουρία
melanth(ium μελάνθιον
aceae aceous in y
Melantho Μελανθώ
melantin μέλι ἄνθος
melanure μελάνουρος
Melarachnica μέλας ἀράχνιον
Melasis μέλας
melasma μέλασμα
-(at)ic -ia
-othrix θρίξ
melassigenic -γενής
melastome μέλας στόμα
-a -aceae -aceous -ad -eae
Melchite Μελχῖται
meldometer μέλδειν μέτρον
Meleagris μελεαγρίς
-(id)id(ae -(id)inae -(id)ine
-(id)oid -ina
mele(or i)bionic biose μέλι
melene μέλισσα
melenemesis μέλας ἔμεσις
meletetics μελετητικός
meletriose μέλι τρι- γλεῦκος
Meleus μέλεος
melezitase διάστασις
Melia μελία
-iaceae(carpum καρπός
-iaceous -ial -ieae
meliad(s Μηλιάδες
meli- μέλι
anthus ἄνθος
-aceae -aceous
biase διάστασις
b(o)ean Μελίβοιος
cer- μελίκηρον
a atous ia
ceris μελικηρίς
-ic -(it)ous -oma -ωμα
certa Μελικέρτης
-an -idae
chr(o)ous -χροος
coccus -a -eae κόκκος
crate μελίκρατον
-ed -on -ory -um
gethes γηθέω
geion γεῖος
lite lithus -ic λίθος
melic μελικός
Melica -eae μέλι
Melichthys ἰχθύς
Melierax μέλος ἱέραξ
meligrin ἡμικρανία
melilot μελίλωτος
ate ic ol us
oside γλεῦκος
Melina -um μέλινος
-ophlebia φλεβ-
melinite -ic μήλινος -ίτης
Melinodon ὀδών
melino- μηλινο-
phane -ite -φανής
Meliola μῆλον
meliorism -ισμός
-ist(ic -ιστής -ιστικός
ize -ation -ίζειν
meli- Cont'd
phag- -φαγος oid ous
a an id(ae idan inae in(e
phanite -φανής -ίτης
pona πόνειν
xanthus ξανθός
za -ophilus ζέα -φιλος
melisma -atic(s μέλισμα
Melisodera μελίζειν δέρη
Melissa μέλισσα
-an -eae -ic -one -ώνη
yl(ic ene ὕλη
melissaean μελισσαῖος
melisso- μελισσο-
phobia -φοβία
melit- μελιτ-
aea aeidae
(a)emia -αιμία
agra -ia -ous ἄγρα
ism μελιτισμός
odes -idae μελιτώδης
ophili -ine -φιλός
uria -ic -ουρία
melito- Μελίτη
coccus -osis κόκκος -ωσις
ptyalon -ism πτύαλον -ισμός
Melitta μέλιττα
-eae -is -oides
melitto- μελιττο-
philae -ous -φιλος
Melletes μελλητής
mell(it)imide ἀμμωνιακόν
melliphill μελίφυλλον
mellite -ic -ίτης
mello-
gen -γενής
phanic -φανής
melo- μηλο-
cactus κάκτος
coton Κυδώνιον
melo- μελο-
crinidae κρίνον
dram(a e ic δράμα
at(ic(al(ly ism ist ize)
-ισμός -ιστής -ίζειν
graph(ic -γραφος
logue λόγος
mania μανία
-e -iac -ic -y
melod- μελωδ-
eon ion ium -ειον
ic μελωδικός
a al(ly-ics
icon μελωδικόν
iograph -γραφος
ology -λογία
usae -ine μελωδοῦσια
y μελωδία
ia ial(ly iousness ist ize(r
less -ιστής -ίζειν
melogramma μέλας γράμμα
-ataceae
Melolontha μηλολόνθη
-ian -id(ae -idan -ides -idian
-inae -in(e
melon μηλοπέπων
iere iform ist ry
melon μῆλον
-on chus ὄγκος
(en)emetin ἐμετικός
gena -id(ae -oid -γενης
ite(s -idae -ίτης
-(on) oplasty -πλαστία
melo- μηλο-
pepon μηλοπέπων
phagus -φαγος
plasty -ic -πλαστία
skeleton σκελετόν
melo- μελο-
peia μελοποιία
pelia πέλεια
phare φάρος
phone -ic -ist φωνή
piano
plast πλαστής
poeia μελοποιία
psittacus ψιττακός
spiza σπίζα
tragedy τραγῳδία
tragic τραγικός
trope τροπή
type τύπος
melos(algia μέλος -αλγία
melosis μήλωσις
melote μηλωτή
Melothria μήλωθρον
Melpomene -ish Μελπομένη
melyne μήλινος
Membracis μέμβραξ
-id(ae -ine -oid

Membranipora -idae πόρος
membranogenic -γενής
membr(an)oid -οειδής
membranology -λογία
Memecylon -eae μιμαίκυλον
Memonian Μεμνόνειος
Memnonium Μεμνόνειον
memoirism -ist -ισμός -ιστής
memorandist -ιστής
memor(ial)ist -ιστής
memorialize(r -ation -ίζειν
memorize(r -able -ation -ίζειν
Memphite Μεμφίτης
Memphitic(al Μεμφιτικός
men- μήν
acme ἀκμή
agogue ἀγωγός
aion μηναῖον
arche -y ἀρχή
elkosis ἕλκωσις
formone
(h)idrosis -ἱδρωσις
idia -ιδιον
Mena μήνη
menaccanite -ic -ίτης
menagerist -ιστής -ιστής
Menandrian(ist Μένανδρος
menaphthyl μέθυ νάφθα ὕλη
Menaspis μήνη ἀσπίς
mendel(ian)ism -ισμός
mendelize -ίζειν
mendipite mendozite -ίτης
Mene -id(ae -oid μήνη
blastema βλάστημα
clinoid κλίνειν -οειδής
meneghinite -ίτης
Menelaion Μενέλαος
Menemachus μενεμάχος
Menephilus μήνη -φιλος
menialism -ισμός
menilite -ίτης
Meninatherium μεναίνειν θηρίον
mening- μηνιγγ-
eal es ic ina
(a)ematoma αἱματ- -ωμα
eocortical
eorrhaphy -ῥαφία
ioma ism -ωμα -ισμός
itis -ic -iform -ῖτις
-ophobia -φοβία
osis -ωσις
uria -ic -ουρία
meningo- μηνιγγο-
cele κήλη
cephalitis κεφαλή
cerebritis -ῖτις
cocc- κόκκος
emia idal us -αιμία
cortical
encephal- ἐγκέφαλος
itis -ῖτις
ocele κήλη
omyelitis μυελός
gastric γαστρικός
malacia μαλακία
myel- μυελός
itis -ic -ῖτις
ocele κήλη
orrhaphy -ῥαφία
osteophlebitis ὀστεο- φλεβ- -ῖτις
radicular
r(h)achidian ῥαχιδ-
rrhagia -ῥαγία
rrhea -ῥοία
spinal
typhoid τυφοειδής
meninx μῆνιγξ

menischesis μήν σχέσις
menisc- μηνίσκος
al ate iform itis ium oid(al us
-ῖτις -οειδής
menisco- μηνίσκος
femoral tibial
therium θηρίον
-iid(ae -ioid
menisperm(um μήνη σπέρμα
aceae aceous ad al(es ate ia
ic ina in(e
Mennonism -ισμός
-ist -ite -ιστής -ίτης
meno- μένω
branch(us βραγχος
id(ae oid
cerca -al κέρκος
gnatha -ous γνάθος
poma -(at)idae -e πῶμα
pteryx πτέρυξ
rhynca -ous ῥύγχος
typhla -ic τυφλός
meno- μηνο-
celis κηλίς
form
lipsis λεῖψις
logion -ium -y μηνολόγιον
metastasis μετάστασις
monia μονίας
pause -ic παῦσις
phania -φανία
plania -πλανία
rrhagia *or* -y -ic -ῥαγία
rrh(o)ea -ic -ῥοία
schesis -etic σχέσις
sepsis septic σῆψις σηπτικός
spora -idae σπορά
stasis *or* -ia static στάσις
station στατός
toxin τοξικόν
xen- ξένος
ia osis -ξενία -ωσις
Menoceras μένος κέρας
Menodus μήνη ὀδούς
-ontid(ae -ontoid
mensalize -ίζειν
Menshevism -ist -ισμός -ιστής
mentagra(phyte ἄγρα φυτόν
mentalism -ist -ισμός -ιστής
mentalize -ation -ίζειν
menth- μίνθα
a aceae aceous adiene ane
anol anone e ene enol ol
one δι- -ώνη
iodol ἰώδης
(ox)yl ὀξύς ὕλη
mentho- μίνθα
logist -λογία -ιστής
menthene
phenol φαιν-
pinacone πινακ- -ώνη
mentimeter μέτρον
mentism -ισμός
mentohyoid(ean ὑοειδής
mentor Μέντωρ
ism ial ship -ισμός
mentulagra ἄγρα
Menura μήνη οὐρά
-ae -id(ae -oid(ean -oideae
Menyanthes μηναῖος ἄνθος
-aceae -aceous -in(e
Mephistophelistic -ιστικός
mephitism -ized -ισμός -ίζειν
Mepygyrinae γῦρος
meralgia μηρός -αλγία
mer- μέρος
amaurosis ἀμαύρωσις

mer- Cont'd
atrophy ἀτροφία
enchyma -atous ἔγχυμα
mercantilism -ist(ic -ισμός
-ιστής -ιστικός
mercerize -ation -ίζειν
mercur-
ammonite Ἄμμων -ίτης
(ial)ism ist -ισμός -ιστής
(ial)ize -ation -ίζειν
mercuri-
chloride χλωρός
iodide ἰώδης
mercuro-
chrome χρῶμα
iodophemol ἰώδης αἱμ-
phen φαιν-
mere μέρος
Merganetta νῆττα
-inae -in(e
meri- μερίς
carp καρπός
cyclic κυκλικός
disc δίσκος
hedral -ic -ism ἕδρα
phyll φύλλον
phyte -ic φυτόν
plast πλαστός
quinone -ώνη
-ic -(on)oid
spore σπορά
sporocyst σπορο- κύστις
stele στήλη
thall(us θαλλός
meriaeum μηριαῖον
merid μερίς
meridarch μεριδάρχης
meridianoscope -σκόπιον
meridiogene -γενής
Merimnetes μεριμνητής
Meringomeria μῆριγξ μηρός
meriodin ἰώδης
Meriones μηριόνης
meris μερίς
merism μέρος -ισμός
merism μέρισμα
a atic e oid
merismo- μερισμός
derus δέρη
pedia πεδίον
merist- μεριστός
a em(atic(ally iform
ic(ally μεριστικός
meristo- μεριστός
crinus κρίνον
genetic γενετικός
spira σπεῖρα
meriz- μερίζειν
odus ὀδούς
omyria μυρίος
Mermis -ian -idae μέρμις
-ithid(ae -ithoid -itidae
mero- μηρο-
cele -ic κήλη
cerite -ic κέρας -ίτης
coxalgia -αλγία
gnathite γνάθος -ίτης
physia φῦσα
podite -ic ποδ- -ίτης
psilus ψιλός
sthenic σθένας
mero- μέρος
acrania ἀ- κρανίον
blast(ic(ally βλαστός
chrome χρῶμα
conidium κονίς -ιδιον
cracy -κρατία

mero- Cont'd
crine κρίνειν
crinidae κρίνον
crystalline κρυστάλλινος
cyte κύτος
diastolic διαστολή
dypnopinac- δι- ὑπνο- πινακ-
olene oline one -ώνη
gamy -ic γαμία
gastrula γαστρ-
genesis γένεσις
genetic γενετικός
genic -γενής
gnostic(ism γνωστικός -ισμός
gony -ic(ally -γονία
hedrism -al -ic ἕδρα -ισμός
lignin
logy -λογία
microsomia μικρο- σῶμα
morph(ic μορφή
morphosis μόρφωσις
myaria(n -ii μυ-
myerial μυ-
paresthesia παρά -αισθησία
paronymy παρωνυμία
plankton(ic πλαγκτόν
quinine
rachischisis ῥαχις σχίσις
rrheuma ῥεῦμα
sinigrin σίναπι
some -al -ata -atous σῶμα
spondyle -i -ous σπόνδυλος
stome -a -ata -(at)ous στόμα
symmetrical συμμετρικός
symmetry συμμετρία
systematic σύστημα
systolic συστολή
tome -τομια
trope -y τροπή
-ism -ize -ισμός -ίζειν
xene ξένος
zoa zoic ζῷον
zoite ζωή -ίτης
mer- μέρος
oistic ᾠόν -ιστικός
ont ὄντα
op(s μέροψ oid
ic id(ae idan ie inae in(e
opia -ωπία
organize -ation ὄργανον
meros μηρός
-merous -μερής
meryc- μηρυκ-
hippus ἵππος
ism(us μηρυκισμός
oides -οειδής
-odon(tidae ὀδών
ole μερυκός
ology -λογία
opotamus πόταμος
-id(ae -oid(ea
ops ὤψ
mes- μέσος
aconic -ate -ite ἀκόνιτον
ad αδ- μεσόν
adenia ἀδήν
agnostus ἄγνωστος
agroicus μεσάγροικος
al(ly
allantoid ἀλλαντοειδής
am(o)eboid ἀμοιβή
aortitis ἀορτή -ῖτις
araeum -aeus μεσάραιον
araic(al μεσαραικός
arch ἀρχή
arsenia(n ἀρσην
arteritis -ic ἀρτηρία -ῖτις

mesati- μέσατος
cephal(ic κεφαλή
ism ous us y -ισμός
cercic κερκίς
lekanic λεκάνη
pellic πέλλα
pelvic
rhinus ῥίν
mescalism -ισμός
mese μέση
mes- Cont'd
atlantis -ic Ἀτλαντίς
axonic ἄξων
ectic ἐκτός
ectoblast ἐκτο- βλαστός
embry- μεσημβρία
-ene -ine -ol
aceae
anthemum -eae ἄνθεμον
embryo(nic ἔμβρυον
encephal(on ἐγκέφαλος
ic ospinal
enchym ἔγχυμα
a (at)al atous e ic
endo- ἐνδο-
biotic βιωτικός
zoa ζῷον
enter- μεσεντέριον
ic(al(ly ica iform iolum
ium on(ic y
entero- μεσεντέριον
blast βλαστός
phthisis φθίσις
ento- ἐντός
derm mere δέρμα μέρος
eosere eostrate ἠώς
epi- ἐπί
meron -al μηρός
sternum -al στέρνον
thelium -ial θηλή
ethmoid(al ἠθμοειδής
iad ial(ly ian
ichthyes ἰχθύς
idium -ic(ly -in(e μεσίτης
istem μεριστός
mesi- μέσος
cerin κηρός
occlusion renia
mesio- μέσος
buccal caudal
distal lingual version
mesit- μεσίτης
e ene es id(ae ine ite ius oid
ol onic
yl ὕλη
ene -ate -ic
(en)uric οὖρlν
mesium μέσος
mesmerism -ισμός
-ist -ite -ize(-ability -able
-ation -ee -er) -ιστής
-ίτης -ίζειν
mesoarium -ial μέσος ᾠάριον
meso- μεσο-
appendix -icitis -ῖτις
bacteria βακτηρία
bar(ic βάρος
benthos -ic βένθος
bilirubin(ogen -γενής
biliviolin(ogen -γενής
blast(ic ed βλαστός
blastema -ic βλάστημα
blastesis βλάστησις
branchial βράγχια
bregmate βρέγμα
bronchitis βρόγχια -ῖτις
bronchium βρόγχος

meso- Cont'd
c(a)ecum -al calcaneal
Cambrian cambrian
camphoric καμφορά
campyli καμπύλος
cardia -ium καρδία
carp(us καρπός
(ac)eae aceous al
cauleorhiza καυλός ῥίζα
centrous κέντρον
cephal(i(a(n κεφαλή
ic ism on ous us y
cestoides -idae κεστός
cetus κῆτος -οειδής
cheilus chil(ium χεῖλος
chite χιτών
chondrium χόνδρος
choroidea χοροειδής
choros μεσόχορος
chthono- χθονο-
philus -φιλος
phyta -ia φυτόν
chroi -oic χρόα
chrone χρόνος
cladous κλάδος
cline κλίνη
coccus κόκκος
c(o)ele coelia(n κοιλία
coelom κοίλωμα
coelopus κοιλο- πούς
colon -ic μεσόκωλον
-opexy -πηξία
-oplication
conch(y ic ous κόγχη
coracoid κορακοειδής
cord χορδή
cornea cortex
corydaline κορυδαλλίς
cotyl κοτύλη
cracy cratic -κρατία
cribrum cun(e)iform
crina μεσοκρινής
ctenia κτενίον
cycle κύκλος
cyclic κυκλικός
cyst(idae κύστις -ίδης
cyte -oma κύτος -ωμα
derm(al(ia(n ic δέρμα
dermis δέρμις
desm(a(tidae δέσμα
-id(ae -oid
Devonian -ic
diastolic διαστολή
dilyte διάλυτος
disilicic -ate δι-
dorsal
duodenum -al
epididymis ἐπιδιδυμίς
gamy -γαμια
gaster γαστήρ
gastrium -al -ic -y γαστρ-
genous -γενής
gloea(l γλοία
-aceae -aceous
glut(a)eus -eal γλουτός
gnathism γνάθος -ισμός
-ia -ic -ion -ous -y
gonidium γόνος -ιδιον
gonim(ic)us γόνιμος
gonion -ium γόνος
gonistius γωνία ἱστίον
gothic
graph -γραφος
gyrous -ate γῦρος
halide ἁλ-
hem(at)in αἱματ- αἷμα
hemipteron ἡμι πτερόν

meso- Cont'd
hepar ἧπαρ
hepatic ἡπατικός
hexasilicic ἑξα-
hippus ἵππος
hydrism -y ὑδρ- -ισμός
hydrophytic ὑδρο- φυτόν
hygromorphic ὑγρο- μορφή
hyloma ὕλη -ωμα
hypoblast ὑπό βλαστός
hypocephalic κεφαλικός
hypsicephalic ὕψι
ileum jejunum
labe μεσόλαβον
lecithal λέκιθος
lepidoma λεπιδ- -ωμα
lita λιτός
lite le l(it)ine λίθος
lithic λίθος
lobe -ar -us λοβός
logarithm λόγος ἀριθμός
logy -ic(al λογία
lymphocyte νύμφη κύτος
mega μεγα-
cranous κρανίον
prosopous πρόσωπον
melitae μελιτ-
mental
mere μέρος
meristem μεριστός
meta- μετά
tarse -us ταρσός
tropic τροπός
metrium μήτρα
-al -ic -itis -y -ῖτις
mitosis μῖτος -ωσις
morphic -ous μορφή
morphous -μορφος
mula σῶμα
mycetes -ous μυκήτες
myod- μύωδης
i ian ic ous
mes- μέσος
ode -ic μεσωδός
odes -ώδης
odic μεσωδικός
odmitis μεσόδμη -ῖτις
odon -ont(a ὀδών
oid -οειδής
omphalia -us ὀμφαλός
meson μέσμν μέσον
meso- Cont'd
myodi(an -ic -ous μυώδης
nasal
naut ναύτης
neas νηάς
nemertine -i Νημερτής
nephridium νεφρίδιον
nephros -on -(it)ic νεφρός
neuritis νεῦρον -ῖτις
notum -al νῶτος
omentum
ontomorph ὀντο- μορφή
palaeaster παλαῖος ἀστήρ
panorpa παν- ὄρπη
paraffin pectus
parapteron παρά πτερόν
-um -al
patagium παταγεῖον
pellic πέλλα
petalum πέταλον
pexy -πηξία
phaea φαιός
phanerophyte φανερο- φυτόν
pharynx φάρυγξ
phile -ic -ous -φιλος
phlebitis φλεβ- -ῖτις

meso- Cont'd
phloeum φλοιός
phonus φωνή
phorbium φορβή
phragm(a(l φράγμα
phryon μεσόφρυον
phyl(l(um φύλλον
phyllic -ous
phyte φυτόν
-ia -ic -ism -ium -um
pimpla πίμπλημι
plankton(ic πλαγκτόν
plasm πλάσμα
plast(ic πλαστός
plastron -al ἔμπλαστρον
plax πλάξ
pleura -al -on πλευρόν
pneumon πνεύμων
pod(ium ial(e ποδ-
poium πόα
pore πόρος
porphyrin(ogen πορφύρα
postscutellum -ar -γενής
potamia Μεσοποταμία
-ian -ic
pr(a)escutum -al
prosop(on -ic πρόσωπον
proteoid πρωτεῖον
psyche ψυχή
psychic ψυχικός
pteridetum πτεριδ-
pterygium -ial πτερύγιον
pterygoid πτερυγοειδής
ptile πτίλον
ptychial πτυχ-
pycni πυκνόν
rachischisis ῥάχις σχίσις
rectum -al
retina ῥητίνη
(r)rhin(e ῥίν
al ean ia(n ine y
rhin(i)um rhinus ῥίν
rostral
salpinx σάλπιγξ
sapro- σαπρο-
bia phyte βίος φυτόν
sauri(a σαῦρος
-ius -id(ae -oid
scapula(r
scelocele σκέλος κήλη
sclerometer σκληρός μέτρον
scut(ell)um -ar
scytina σκύτινος
seismal -ic σεισμός
seme -ia σῆμα
siderite σιδηρίτης
sigmoid σιγμοειδής
itis opexy -ῖτις -πηξία
silicic
somatous σωματ-
some -a -atic σῶμα
sperm σπέρμα
sphaerum σφαῖρα
sphenoid σφηνοειδής
spore -ic -inium σπόρος
staphylin(e -ia σταφυλή
stasis -ic στάσις
state -ic στατός
sternebra(l -eber στέρνον
sternum -al -ite στέρνον
stethium στηθίον
sthenic σθένος
stome -a -um στόμα
-(at)idae -id(a -oid
style -ic -ous στῦλος
suchia(n -(io)us σοῦχος
syphilis tan

meso- Cont'd
systolic συστολή
tarsus -al ταρσός
tartaric τάρταρον
tendon
tenon τένων
tetrasilicic τετρα-
thamnium θάμνος
theca thecium θήκη θηκίον
thelium -al -ioma θηλή -ωμα
thenar θέναρ
theque θήκη
therium -iidae θηρίον
therm(al -ic θέρμη
thermo- θερμο-
philus -φιλος
phyta -ia φυτόν
thesis θέσις
thet(ic(al θετός
thoracotheca θωρακο- θήκη
thorax -acic θώραξ
thorium
tonic τόνος
triaene τρίαινα
triarch τρι- ἀρχή
trisilicic -ate τρι-
troch(a(l ous τροχός
trophic τροφή
tropy -ic τροπή
turbinal -ate
tympanic τύμπανον
type τύπος
uranic οὐρανός
uterine
ventral(ly ventriculum
xerophytic ξηρο- φυτόν
xylic -opsis ξύλον ὄψις
yohimbine
zoa zoal zoon ζῷον
zoic ζωικός
mes- μέσος
onyx ὄνυξ
-ychid(ae -ychoid
opic ὠπ-
oplodon(t ὅπλα ὀδών
orchis -ial -ium ὄρχις
orcine -ol
oreodon ὄρεος ὀδών
oropter ὅρος ὀπτήρ
otopus μεσότης ὠπ-
ovarium -ian
oxal- ὀξαλίς
ate ic yl(urea ὕλη
mespilo- μέσπιλον
crinidae κρίνον
Messalian Μεσσαλιανός
messelite -ίτης
Messiah(ship Μεσσίας
-iacal -ianic(ally -ias
Messian- Μεσσιάς
ism -ize -ισμός -ίζειν
messmatism -ισμός
mestom(e μέστωμα
Mestorus μήστωρ
mesuran- μέσος οὐρανός
ema ic
Mesus μέσος
mesymnion μεσύμνιον
meta- μετά
andesite autunite -ίτης
arthritic ἀρθρῖτις
basalt
basis μετάβασις
batic μεταβατικός
biont βιοντ-
biosis βίωσις
biotic(ally βιωτικός

meta- Cont'd
biotite βιωτός -ίτης
bismuthic bisulphite
blast βλαστός
bletic μεταβλητικός
bletus μεταβλητός
bolaea βολαῖος
bola -e -ia(n -ous μεταβολή
bol- μεταβολή
ic(al μεταβολικός
imeter μέτρον
imetry -μετρία
in ism ite -ισμός -ίτης
ize -able -ίζειν
ocrinidae κρίνον
on μεταβόλον
y μεταβολία
boric -acite -ate
branchial βράγχια
brucite brushite -ίτης
carbonic -ate
carpion μετακάρπιον
-ium -us -al(e
carpo- μετακάρπιον
digital
phalanx -angeal φάλαγξ
casein
cellular -ose γλεῦκος
center -re -ral κέντρον
centric(ity κεντρικός
ceria -ium
cest- κεστός -οιδής -ώδης
oid ode
chabozite χαβάζιος -ίτης
chalco- χαλκο-
lite λίθος
phyllite φύλλον -ίτης
chem- χημεία
ic(al istry
chlamydeae -eous χλαμυδ-
chloral -ite χλωρός -ίτης
chlorophyllin χλωρο-
φύλλον
choane -ites χοάνη -ίτης
choresis μεταχώρησις
chrom- χρῶμα -ασία
asia asy (at)ic atin (at)ism
atosis e ic isin y -ασία
-ισμός -ωσις
chromo- χρῶμα
phil(e -φιλος
somes σῶμα
chronism μετάχρονος -ισμός
chrosis χρῶσις
chysis χύσις
cinesis κίνησις
cineta -idae κινητός
cinnabar(ite κιννάβαρι -ίτης
cinnamein -ene κυννάμωμον
cinops μετακινέειν ὤψ
cism μυτακισμός
clinic -y κλίνειν
cneme -ic κνήμη
c(o)ele κοιλία
coelia(n -osis κοιλία -ωσις
coelome -a κοίλωμα
collenchyma κόλλα ἔγχυμα
colloidal κολλώδης
condyle -us κόνδυλος
cone -al -id -ule κῶνος
copaivic
coracoid κορακοειδής
cordylodon κορδύλη ὀδών
corm(al κορμός
crasis κράσις
cres- κρέας σώζειν
(al)ol anytol

meta- Cont'd
cribrum
cristobalite -ίτης
cryst(al κρύσταλλος
cyclic κυκλικός
cyesis κύησις
derma(tosis δέρμα(τ- -ωσις
desmine δεσμή
diabase διάβασις
diazin δι- ἀ- ζωή
diorite διορίζειν -ίτης
discoidal δισκοειδής
dromous δρόμος
dupus μετάδουπος
element facial
formaldehyde ὕδωρ
fulminuric οὖρον
gabbro gallic -ate
gadolinite -ίτης
gametal γαμέτης
gamophyte γαμο- φυτόν
gaster gastral γαστήρ
gastric -ula γαστρ-
geitnion Μεταγειτνιών
gelatin(e
gene -ic -γενής
genesis γένεσις
genetic γενετικός
geometer γεωμετρία
geometrical γεωμετρικός
geometry -ician γεωμετρία
globulin
glymma γλύμμα -ισμός
gnatha -ism -ous γνάθος
gnostic(s -ism γνωστικός
gnostus -idae γνωστός
gonimus γόνιμος
gram(mat- γράμμα(τ-
ism μεταγραμματισμός
ize μεταγραμματίζειν
graph -γραφος
graphic μεταγραφικός
graphy μεταγραφή
grobolism -ize -ισμός -ίζειν
grippal gummic
gymnospermae γυμνο-
gyny γυνή σπέρμα
heulandite -ίτης
hewettite -ίτης
hydroxide ὑδρ- ὀξύς
hylastes ὑλάστρια
hyrachyus ὕραξ ὗς(ὑός)
icteric ἴκτερος
igneous infective
indic -ate Ἰνδικός
kalcuranite οὐρανός -ίτης
kaolin
kinesis κίνησις
kinetic κινητικός
kliny κλίνειν
koenenite -ίτης
kupferuranit Κύπρος
οὐρανός -ίτης
meta- Cont'd
lepsis -y μετάληψις
leptic(al(ly μεταληπτικός
leucite λευκός -ίτης
lichas λιχάς
met- μετ-
abelian
acanthus ἄκανθα
-id(ae -oid
acet-
amid ἀμμωνιακόν
ic in yl ὕλη
one -ate -ic -ώνη
acrolein agglutinin

met- Cont'd
acromion -ial ἀκρώμιον
allactus μεταλλακτός
allaxis μετάλλαξις
allage μεταλλαγή
alumina -ate
ammida ἄμμα
met- μέταλλον
albumin
aldehyde ὕδωρ
metal μέταλλον
amm- ἀμμωνιακόν
ine o- onium
in(e(d
lithography λιθο- -γραφία
organic ὄργανον
ly man
metall- μέταλλον
aceous ar(y ed eity er escent
ide ine ish ist ity ization
ize -ιστής -ίζειν
(a)esthesia -αισθησία
encaustes ἐγκαυστής
ic(s μεταλλικός
al(ly ian ity ly
ikon μεταλλικόν
ites μεταλλίτης
oid(al -οειδής
optric ὀπτήρ
organic ὄργανον
urgy μεταλλουργός
-ic(al(ly -ist -ιστής
metalli- μέταλλον
colous facture ferous fication
form fy
metallo- μεταλλο-
(a)esthesia -ασθησία
chrome -y χρῶμα
cyanid(e κύανος
genesis γένεσις
genetic γενετικός
geny -ic -γένεια
graph(er -γραφος
graphy -γραφία
-ic(al -ist -ιστής
meter μέτρον
phobia -φοβία
phone φωνή
plastic πλαστικός
scope -σκόπιον
scopy -ic -σκοπία
somus σῶμα
statics στατός
techny -τεχνία
therapeutic θεραπευτικός
therapy θεραπεία
meta- μετά
logic(al λογική
logisis λόγισις
lonchidite λογχίδιον -ίτης
loph λόφος
mathematics -ical μαθη-
ματικός
meconic -ate μηκωνικός
mer(e y al ic(al(ly μέρος
ide ism ization ize on ous
-ισμός -ίζειν
mermerus μέρμερος
mict μικτός
mitosis μίτος -ωσις
molybdate μόλυβδος
morphia Μορφεύς
morph- μεταμόρφωσις
ic ism ite ization ize ous y
-ισμός -ίζειν
opsy -ia -οψία
ose(-able -er -ian -y)

meta- Cont'd
osis -ic(al -ist -ιστής
ostical otic -ωτικός
metamorpho- μεταμόρφωσις
genesis γένεσις
genous -γενής
logy λογία
scope -σκόπιον
metamp μεταμόρφωσις
meta- μετά
myelocyte μυελο- κύτος
natrolite νίτρον λίθος
nauplius ναύπλιος
nema -al νῆμα
nemertini Νεμερτής
nephros *or* -on -(it)ic νεφρός
nepionic νήπιος
neutrophil -φιλος
nicotine
nitr(o)anilin νίτρο(ν
nocerite -ίτης
notum -al νῶτον
nucle(ol)us
nym ὄνυμα
oleic
organism ὄργανον -ισμός
oxybenzoic ὀξυ-
panorthus πᾶν ὀρθός
parapteron -al παρά πτερόν
parisite -ίτης
pectic πηκτικός
pectus -in πηκτός
pedesis πήδησις
pepsis πέψις
peptic πεπτικός
peptone πεπτός
periodate ἰώδης
phase -is φάσις
phen φαιν-
phenomenon -al φαινόμενα
phenylene φαιν- ὕλη
phery φέρειν
phloem φλοιός
phony -ical -ize φωνή -ίζειν
phor μεταφορά
ally ist -ize -ous -ιστής
ic μεταφορικός -ίζειν
al(ly alness
phosph- φωσφόρος
ate oric
phragm(a(l φράγμα
phrase -is μετάφρασις
phrast μεταφράστης
ic(al(ly μεταφραστικός
phrene -on -um μετάφρενον
phylla φύλλον
physeal φύσις
physic -ics φυσικά
al(ly ian (ism ist ous
-ισμός -ιστής
physico- φυσικά
ethical ἐθικός
legal religious
theological θεολογία
physiology φυσιολογία
-ical -ist -ιστής
physis μεταφύεσθαι
phyte -a -ic -on φυτόν
pilocarpine πιλο- καρπός
piocrinus πίων κρίνον
plasis -ia πλάσις
plasm μεταπλασμός
plasm(ic πλάσμα
orphism μορφή -ισμός
osism -ισμός
plast(ia ic id πλαστός
plastology πλαστο- -λογία

meta- Cont'd
plasy πλάσις
plax πλάξ
pleur(e a(l on πλευρά
plexus πλέξις
plumbic -ate
pneumonic πνευμονικός
pneustic πνευστικός
pod(e ποδ-
ial(e ia(l(ia ion ium ius
pole πόλος
politic πολιτικός
al ian -ics
pontine Μεταπόντιον
pore -us πόρος
posthia ποσθία
postscutellum -ar
praescutum -al
protaspis πρωτ- ἀσπίς
protein πρωτεῖον
psyche ψυχή
psychics -ical ψυχικός
psychology ψυχο- -λογία
psychosis μεταψύχωσις
pterygium -ial πτερύγιον
pterygoid πτερυγοειδής
ptosis μετάπτωσις
purpuric πορφύρα
pyretic πυρετός
pyric πῦρ
quinite -ίτης
quinoidal -οειδής
quinone -ώνη
rachis -idial ῥάχις
rhinus ῥίν
rhyacolite ῥύαξ λίθος
rrhea -ῥοια
rrhiptae -ous ῥίπτω
saccharin -(on)ic σάκχαρ
-opentose πεντ- γλεῦκος
santonin ισμός
schematism μετασχηματ-
scolec(*or* z)ite σκώληξ -ίτης
scutellum -ar scutum -al
sedimentary septum
silicic -ate
sitism σῖτος -ισμός
social
som- σῶμα
a asis e -ασις
somat- σωματ-
ic ism ist osis -ισμός
-ιστής -ωσις
somatome -ic σῶμα
sperm σπέρμα
ae ic ous
spleno- σπληνο-
megalic μεγαλ-
sporophyte σπορο- φυτόν
stability stable stannic -ate
stasis -ize μετάστασις
state στατός -ατικός
static(al(ly μετάστασις
sternum -al στέρνον
ster(e)ocystis στερεο- κύσ-
sthenic σθένος τις
stibnite στίβι -ίτης
stigmate -a στιγματ-
stome -ium -a -ial στόμα
strabus στραβός
strongylus στρογγύλος
strophe -ic μεταστροφή
style στῦλος
styrol -(ol)ene στύραξ
syn- συν-
crisis μετασύγκρισις
critical μετασυγκριτικός

meta- Cont'd
desis σύνδεσις
syocrinus σῦς κρίνον
syphilis -itic -ῖτις
tactic μετάταξις
taenia ταινία
tarbus τάρβος
tarsal(e -us ταρσός
-algia -αλγία
tarso- ταρσός
digital
phalangeal φαλαγγ-
tartaric τάρταρον
tatic(al(ly τατός
taxis μετάταξις
tela
thalamus θάλαμος
theca θήκη
theology θεολογία
theria(n θηρίον
thesis -etic(al μετάθεσις
-ετικός
thiazine θεῖον ἀ- ζωή
thiocarbonic θεῖον
thoracotheca θωρακο- θήκη
thorax -acic θώραξ
thrombin θρόμβος
titanic -ate Τιτᾶνες
toluic
tome τομή
tonic τόνος
topic τόπος
torbernite -ίτης
tracheal τραχεῖα
trachelizus τραχηλίζειν
troph(s -ic -ism τροφή
trophia *or* -y -τροφία
tropy -ic -τροπία
tungstic -ate
type -ic τύπος
uranocircite οὐρανός κέρκος
vanadic -ate -ίτης
variscite volt(a)ite -ίτης
voltine
xylem -ene ξύλον
zingiberine ζιγγίβερις
zoa(n zoic zoon ζῷον
zonal zones ζώνη
met- μετ-
amylene ἄμυλον
amynodon ἀμύνω ὀδών
anaphytosis ἀνά φυτόν -ωσις
andry -ανδρία
anethole ἄνηθον
anhydrite ἄνυδρος -ίτης
anilic -in
anthesis ἄνθησις
antibody ἀντί
antimon-
ic (i)ate (i)ous ite
apophys- ἀπόφυσις
e ial is
arab- Ἀράβιος
ate ic in
argon ἀργός
arsen- ἀρσενικόν
ate ic ious
auric -ate
ellagic
eloidine μέτηλυς
embryo(nic ἔμβρυον
empiric(s ἐμπειρικός
al(ly)ism ist -ισμός -ιστής
metax- μέταξα
idius εἶδος
in ite -ίτης
Metaxycera μεταξύ κέρας

metempsychosis -(os)ic -(os)-
ize -os(ic)al -ose -osist
μετεμψύχωσις -ίζειν
met- Cont'd
emptosis ἔμπτωσις
encephal ἐγκέφαλος
ic on ospinal
ensarcosis ἐν σαρκ- -ωσις
ensomatosis μετενσωμάτω-
enteron(ic ἔντερον σις
meteogram -graph μετέωρος
γράμμα- γραφος
meteor(ic(al(ly -ics μετέωρος
Meteora μετέωρος
meteor μετέωρος
a(graph -γραφος
ic(al(ly ics in
ism(us μετεωρισμός
ist(ic -ιστής -ιστικός
ize(d -ation μετεωρίζειν
oid(al -οειδής
ous us y
meteoro- μετεωρο-
gram γράμμα
graph -γραφος
graphy -ic(al -γραφία
lite -ic λίθος
loger -ian μετεωρολόγος
logic μετεωρολογικός
al(ly ian
logics μετεωρολογικά
logy -ist μετεωρολογία
mancy μαντεία -ιστής
meter μέτρον
scope μετεωροσκόπιον
scopics μετεωροσκοπικά
scopy -ist -σκοπία -ιστής
sophistical μετεωροσοφιστής
metepole μέτρον
meter -re μέτρον
age er less
gram γράμμα
met- μετ-
epencephalon -ic ἐπ- ἐγκέ-
epi- ἐπι φαλος
coele -a κοιλία
meron -al μέρος
sternum -al στέρνον
ergasis ἐργασία
esthetic -ism αἰσθητικός
ethereal αἰθέριος -ισμός
etherial αἰθήρ
meth- μεθ-
(a)emoglobin(ulin αἱμο-
(h)aemia -αιμία
uria -ουρία
alocrinus ἀλο- κρίνον
armostis ἁρμοστής
atetic
ectic μεθεκτικός
hemo- αἱμο-
globinization -ίζειν
lysis λύσις
ol onal
olcus ὁλκός
meth- μέθυ
acetin(e acrylic ὕλη
aform al aniline
an (al ation ic ide oic ol)
ano-
lysis meter monas λύσις
μέτρον μονάς
azonic ἄζωνος
ene -ηνη
amine ἀμμωνιακόν
(en)ethyl αἰθήρ ὕλη
id(e in(e ose γλεῦκος

me- μέθυ
thebenol -ine θῆβαι
thion- θεῖον
ate ic ide yl ὕλη
metheglinist -ιστής
methilepsia μέθη -ληψία
method μέθοδος
aster ian less
ic(s μεθοδικός
al(ly alness
ism ist(ic(al(ly isty ization
ize(r -ισμός -ιστής -ισ-
ology -λογία τικός -ίζειν
-ical(ly -ist -ιστής
metho μέθυ
chloride χλωρός
gastrosis γαστρ- -ωσις
hydroxide ὑδρ- ὀξύς
mania μανία
nitrate νίτρον
perchlorate χλωρός
sulfate
meth- μέθυ
oxid(e oxyl ὀξύς ὕλη
oxycaffein ὀξυ-
ronic
yl ὕλη
al ate (at)ic ation ator idic
in ize o- ol -ίζειν
methyl- Cont'd
acetanilid anilic
acetoacetate
amide amin(e ἀμμωνιακόν
anthracene ἀνθρακ-
antipyrin ἀντί πῦρ
arsenic -ate ἀρσενικόν
atropin Ἄτροπος
aurin
benzaconin ἀκόνιτον
cephaelin κεφαλή ἕιλειν
codein κώδεια
conin(e κώνειον
cresol κρέας σώζειν
crotonic κρώτων
dichlorarsin δι- χλωρός
ene -ηνη ἀρσενικόν
-imine ἀμμωνιακόν
-ophil(ous -φιλος
ethyl(acetic αἰθήρ
glyoxal(id)in γλυκύς
guanidin
hydantoin ὕδωρ ἀλλαντ-
hydrid ὑδρ-
indol Ἰνδικός
malonic mercaptan
methane
naphthalene νάφθα
narcotin ναρκωτικός
ostarch otannin
oxamate ὀξύς ἀμμωνιακόν
pelletierine
pentose πέντε
phen- φαιν-
acetin
morpholin Μορφεύς
phenhydrazin φαιν- ὑδρ- ἀ-
phosphin φωσφόρος ζώη
protocatechuic πρωτο-
purin
pyridin πῦρ
pyrocatechin πυρο-
quinolin salicylate
salol sulphuric
ur- οὖρον
amin(e ἀμμωνιακόν
ethane αἰθήρ
methymnion μεθυμνία

methyo- μεθ- ὑοειδής
styly -ic στῦλος
methysis μέθυσις
methystic μεθυστικός
ic in(ic ol(e um
metic μέτοικος
met- μετ-
ichthyocrinus ἰχθυο- κρίνον
inulin
istoid ἱστός
metoche -y μετοχή
odontiasis ὀδοντ- -ίασις
oecus μέτοικος
-ism -ious -ισμός
oestrum -ous οἶστρος
olbodotes ὀλβοδότης
oleic
onomasy μετονομασία
onomatosis ὀνοματ- -ωσις
onym ὄνυμα
onymic(al(ly μετωνυμικός
onymy μετωνυμία
Metis Μῆτις
metol(quinol μέθυ
Metonic Μέτων
meto- μέτωπον
pagus πάγος
metop- μέτωπον
antrum ἄντρον
-algia -itis -αλγία -ῖτις
e ic ism -ισμός
ias μετωπίας
idius μετωπίδιος
ion μετώπιον
odynia -ωδυνία
on μέτωπον
aplos ἁπλόος
eurys εὐρύς
metopo- μετωπο-
brachia βραχίων
chaetus χαίτη
lichas λιχάς
lophium λόφιον
mancy μαντεία
mycter μυκτήρ
myia μυῖα
plasty -πλαστία
sauridae σαῦρος -ίδης
scoper μετωποσκόπος
-ic(al -ist -y -ιστής
sparga σπαργάειν
metoquinone μέθυ -ώνη
met- μετ-
oreodon ὄρος ὀδών
osteon ὀστέον
ousiast οὐσιαστής
ovum
oxazin(e ὀξύς ἀ- ζωή
meto- μετά
xenous -y ξένος -ξενία
metra μέτρα
metra μήτρα
derm δέρμα
kinesis κίνησις
term
tome -y -τομον -τομία
metr- μητρ-
(a)emia -αιμια
(a)emorroids αἱμορροίδες
algia -αλγία
an(ate μητρόπολις
anastrophe ἀναστροφη
anemia ἀναιμία
aneurism ἀνευρισμός
anoikter ἀνοικτός -τηρ
apectic ἀπέχειν
atonia -y ἀτονία

metr- Cont'd
atrophia -y ἀτροφία
auxe αὔξη
echoscopy ἠχώ -σκοπία
ectasia & -atic ἔκτασις
ectomy -εκτομία
ectopia -y -ic ἔκτοπος
elcosis ἕλκωσις
emphraxis ἔμφραξις
emphu(or y)sema ἐμφύσημα
enchyte μητρεγχύτης
eurynter εὐρύνειν
eurysis eurysma -us
haemia ia -αιμία
idium μητρίδιος
itis -ic -ῖτις
odynia -ωδυνία
oiacon μητρῳακόν
oncus ὄγκος
orthosis ὄρθος -ωσις
metre -er -et μέτρον
metrete(s μετρητής
metric(s μετρικός
al(ly ian ism ist ize -ισμός
-ιστής -ίζειν
metri- μέτρον
ficate fication fier fy
metrio- μετριο-
cephalic κεφαλή
dromus δρόμος
pus πούς
Metriotes μετριότης
metrist -ize μέτρον -ιστής
Metrius μέτριος -ίζειν
metro μέτρον
metro- μητρο- (μήτρα)
botrytes βοτρυΐτις
cace κάκη
campsis κάμψις
carcinoma καρκίνωμα
cele κήλη
clyst κλυστ-
colpocele κόλπος κήλη
cystosis κύστις
cyte -osis κύτος -ωσις
endometritis ἐνδο- -ῖτις
fibroma -ωμα
hemorrhage αἱμορραγία
leucorrhea λευκο- -ῥοία
loxia λοξός
lymphangitis νύμφη ἀγγεῖον
malacia μαλακία -ῖτις
-oma -osis -ωμα -ωσις
neuria -osis νεῦρον -ωσις
nym μητρωνυμικός
ic(s y
paralysis παράλυσις
pathia or -y -ic -πάθεια
peritonitis περιτόναιον
phlebitis φλεβ- -ῖτις
phlogosis φλόγωσις
phthisis φθίσις
phyma φῦμα
plethora πληθώρη
polypus πολύπους
proptosis πρόπτωσις
ptosis or -ia πτῶσις
radioscope -σκόπιον
rheuma ῥεῦμα
rrhagia -ic -ραγια
rrhexis ῥῆξις
rrh(o)ea ῥοία
salpingitis σαλπιγγ-
salpingo- σαλπιγγο-
rrhexis ῥῆξις
salpinx σάλπιγξ
scirrhus σκίρρος

metro- Cont'd
scopy -σκοπία
sideros -eae σίδηρος
staxis στάξις
stenosis στένωσις
steresis στέρησις
synizesis συνίζησις
taxis τάξις
tome -y -τομος -τομια
toxin τοξικόν
tuberculum
urethrotome οὐρήθρα -τομον
xylon ξύλον
metro- μετρο-
chrome χρῶμα
comy κόμη
graph(er -γραφος
logue λόγος -ιστής
logy -ical -ist -λογία
mania -iac(al μανία
meter μέτρον
nome νόμος
nomy -ic(al(ly -νομία
photography -ic φωτο- -γρα-
scope -σκόπιον φία
style στῦλος
therapy θεραπεία
metro- μητρο- (μήτηρ)
celis κηλίς
cracy cratic -κρατία
gonidium γονή -ίδιον
polis μητρόπολις
-e -ic(al(ity -ize
politan -ισμός -ίζειν
ate cy eous(ly ism ize ship
polite μητροπολίτης
-ic(al(ly
-metry -μετρία
metuloid -οειδής
metusiast μετουσιαστής
metzo(or mezzo)graph -γραφος
Meum μῆον
Mexicanize -ίζειν
Mezium μέζεα
mezzograph -γραφος
-type τύπος
mhometer μέτρον
miagite -ίτης
miargyrite μείων ἀργυρίτης
miarolitic μιαρός λίθος
miasc(or k)ite -ίτης
miasm(a μίασμα
al(at)ist atize (at)ous ic ifuge
itize -ιστής -ίζειν
(at)ology -λογία
Miastor μίαστωρ
miaz- μετά δι- ἀ- ζωή
in thiol(e θεῖον
micacize -ation -ίζειν
micanite micarellite -ίτης
micaphyre πορφύρα
micas(or t)ization ίζειν
Micawberism -ισμός
Michael Μιχαήλ
mas(tide (son)ite ('s)tide
Michelangelism Μιχαήλ
ἄγγελος -ισμός
michron μικρός χρόνος
micostalis μικρός
micr- μικρ-
acosmeryx ἄκος μήρυξ
acoustic ἀκουστικός
aeroxyl ἀερο- ξύλον
(a)esthete αἰσθητής
aetus αετός
agris ἀγρεύς
allantoid ἀλλαντοειδής

micr- Cont'd
ampelis ἀμπελίς
anatomy ἀνατομή
ander -re ἀνδρ-
androus -ανδρος
anthine ἄνθος
anthropos ἄνθρωπος
aster(inae ἀστήρ
athene Ἀθήνη
aulic(a αὐλικός
azotol ἄζωτος
embryeal ἔμβρυον
encephal- ἐγκέφαλος
ia ic ism on ous us y
ergate ἐργάτης
erpeton ἑρπετόν
ify
istodus ἱστός ὀδούς
istology -ical ἱστο- -λογία
odon ὀδών
odont ὀδοντ-
ic ism ous -ισμός
ohm(meter μέτρον
olicia -ieae ὀλικός
om on os
onymy -ωνυμία
ophthalm- μικρόφθαλμος
ia ic ous us y
ophytic ὀφίτης
opia -ωπία
opsia -y -οψία
optic ὀπτικός
orchidia ὄρχις
osmatic -ism ὀσμή -ισμός
ot(ia in(a)e (o)us ὠτ-
oxea ὀξέα
oxy- ὀξυ-
cyte phil κύτος -φιλος
micro μικρός
micro- μικρο-
aero- ἀερο-
philous -ic -φιλος
tonometer τονο- μέτρον
aesthete αἰσθητής
aggregate ampere
analysis ἀνάλυσις
analytical ἀναλυτικός
anemo- ἀνεμο-
metry -μετρία
aplanospore ἀπλανής σπορά
apparatus assay
asbestos ἄσβεστος
audiphone φωνή
bacillus -ar(y balance
bacteria -ium βακτήριον
baro- βάρος
gram graph γράμμα -γραφος
basanus βάσανος
basis βάσις
battery
microbe μικρο- βίος
-al -ic -ism -ισμός
-emia -αιμία
microbi- μικρο- βίος
al an on ous um
cide -al -in
onation
osis otic -ωσις -ωτικός
microbio- μικρο- βίος
hemia -αιμία
logy -ical -ist -λογία
phobia -φοβία -ιστής
scope -σκόπιον
therium θηρίον
-ia(n -iidae
micro- Cont'd
biosis βίωσις

micro- Cont'd
biotic βιωτικός
blast βλαστός
blepharia βλέφαρον
-ism -on -y -ισμός
blepsis βλέψις
brachidae βραχίων
branchia -iate -ius βράγχια
brenner buret(te burner
calorie -y calt(h)rops
calymma κάλυμμα
camerae -ate καμάρα
campyli καμπύλος
canonical(ly κανονικός
cardia -ius καρδία
carpous -us καρπός
cautery καυτήριον
cavity cellular
cebus κῆβος
centri -um κέντρον
centrosome κεντρο- σῶμα
cephal μικροκέφαλος
a e ia ic ism ous us y
cer(at)ous κέρας
chaeta χαίτη
character χαρακτήρ
ch(e)ilous -ia χεῖλος
ch(e)irous -ia χείρ
chem- χημεία
ic(al(ly istry
chiro- χειρο-
ptera(n -ous πτερόν
chloro- χλωρο-
plast πλαστός
choanite(s χοάνη -ίτης
choeridae χοῖρος
chronometer χρονο- μέτρον
cidin
cinemato- κίνημα
graph -γραφος
graphy -ic -γραφία
cinnyris κιννυρίς
ciona κίων
cladous κλάδος
clase κλάσις
clastic κλαστός
cleidus κλειδ-
clema κλῆμα
cleptes κλέπτης
clin(e κλίνειν
cnemia -ic κνήμη
cocco- κοκκο-
logist -λογία -ιστής
coccus -al κόκκος
codium κώδιον
codon(idae κώδων
coleoptera κολεόπτερα
colon κόλον
colorimeter -ric μέτρον
column(ar combustion
condrite χόνδρος
conid(ium κονίδιον
constituent cornea
cosm μικρόκοσμος
al ian ic(al os us
ography -γραφία
ology -λογία
cosmetor(ic κοσμήτωρ
cotyle -id(ae -oid κοτύλη
coulomb
coustic ἀκουστικός
crania κρανίον
-ius -ous
crith κριθή
cryoscopy κρύος -σκοπία
crypticus κρυπτικός
crypto- κρυπτο-

micro- Cont'd
crystalline κρυσταλλῖνος
crystal(litic κρύσταλλος
crystalline κρυστάλλινος
crystallo- κρυσταλλο-
geny -γένεια
graphy -γραφία
scopy -σκοπία
ctonus κτόνος
curie
cyclas κυκλάς
cyst(is κύστις
cyte κύτος
-ase διάστασις
(a)emia osis -αιμία -ωσις
dactyl(e δάκτυλος
ia ism ous y -ισμός
dentism -ous -ισμός
derm δέρμα
desmus δέσμος
dessication
detection -or
determination
diactine δι- ἀκτιν-
diaene δι- -αινα
dichotriaene διχο- τρίαινα
diode δίοδος
-ange ἀγγεῖον
discus δίσκος
dissection distillation
drassus δράσσομαι
drawing
drili δρῖλος
drosophila δροσο- -φιλος
dyne δύναμις
electric -ode ἤλεκτρον ὁδός
erg ἔργον
ergate ἐργάτης
estimation farad fauna
felsite -ic -ίτης
ferment filaria flora(e
fluidal food foliation form
fungus furnace
gadus γάδος
galvanometer μέτρον
gamete γαμέτης
-ocyte κύτος
-ophyte -ic φυτόν
gamy -γαμία
gaster(inae -ura γαστήρ
gastria γαστρ-
gauss
gene -γενής
genia γένειον
geology γεω- -λογία
-ical -ist -ιστής
geoxyl γεω- ξύλον
germ(al gilbert
glossa -ia -us γλῶσσα
-idae -inae -in(e -oid
gnath- γνάθος
ae ia ic ism ous -ισμός
gnathophora γναθο- -φορος
gobius -ious
gonid(ium -ial γονή -ιδιον
gradus
gram(me γράμμα
granite -ic -oid -ίτης
granular -ite -itic -ίτης
graph(er -γραφος
grapho- γραφο-
phone φωνή
graphy -γραφία
-ic(al(ly -ist -ιστής
gravimetric -μετρία
gyne γυνή
gyria γῦρος

micro- Cont'd
hemazoite αἷμα ζωή -ίτης
henry
hepatia ἡπατ-
hetero- ἑτερο-
geneous ἑτερογενής
hierax ἱέραξ
hippus ἵππος
histology -ical ἱστο- -λογία
hydro- ὑδρο-
meter μέτρον
hymenoptera ὑμενόπτερος
injection joule
iodometric ἰώδης -μετρία
kinemato- κίνημα
graphy -γραφία
kinesis κίνησις
kinetic κινητικός
kjeldahl
konoscope κόνις -σκόπιον
lecithal λέκιθος
lentis
lepido- λεπιδο-
lite λίθος
pter πτερόν
a(n ist ous -ιστής
lepidotous -us λεπιδωτός
leptosaurus λεπτός σαῦρος
lestes λῃστής
leuco- λευκο-
blast βλαστός
lichens λειχήν
line
lite -ic lith(ic λίθος
liter litre λίτρα
log(ue μικρολόγος
logy μικρολογία
logy -λογία
-ic(al(ly -ist -ιστής
lophic λόφος
lycus λύκος
maeus μάιος
magnet Μαγνῆτις
ometer μέτρον
mania -iac μανία
manipulation -or
manometer μανο- μέτρον
mastictora μαστίκτωρ
mazia μαζός
measurement
megal- μεγαλ-
opsia -όψία
megaly μεγάλη
melia -ic -us μέλος
mellito- μέλιττα
philae -φιλος
membrane
mere -al -i -ic μέρος
-ism -itic -(it)ol -ισμός
mero- μερο- -ίτης
logy -λογία
zoite ζωή -ίτης
merops μέροψ
mesentery μεσεντέριον
mesites μεσίτης
metallo- μεταλλο-
grapher -γραφος
graphy -γραφία
metallurgy -ical μεταλλουργος
meter μέτρον
metry -ic(al(ly -μετρία
method μέθοδος
microfarad mil
millimeter -re μέτρον
mineralogy -ical -λογία
molecule motion
morph μορφή

micro- Cont'd
motoscope -σκόπιον
myces μύκης
myelia μυελός
myelo- μυελο-
blast βλαστός
lymphocyte νύμφη κύτος
scope -σκόπιον
myiophilae μυιο- -φιλος
mic(or k)ron μικρόν
needle
nephric -idium νεφρός -ιδιον
nesia(n μικρόνησος
nitrogen νίτρον -γενής
nometer = microchronometer
nucleoalbumin
nucleus -ear
optical ὀπτικός
organism -al -ic ὄργανον
palama παλάμη
panto- παντο-
graph -γραφος
parasite -ic παράσιτος
particle
pathology παθολογική
-ical -ist -ιστής
pegmatite -ic τῆγμα -ίτης
penis
perca πέρκη ὤψ
perthite -ic -ίτης
petalous πέταλον
petro- πετρο-
logy -ist -λογία -ιστής
phag(e -ist -φαγος
phagocyte φαγο- κύτος
phallus φαλλός
phanero- φανερο-
phytes φυτόν
phily -φιλία
phobia -φοβία
pholidae φωλίς
phone -ic -ics -ous φωνή
phono- φωνο-
graph -γραφος
scope -σκόπιον
phonous μικρόφωνος
phony -ia μικροφωνία
photo- φωτο-
gram γράμμα
graph(y ic(ally -γραφος
meter μέτρον γραφία
scope -σκόπιον
phthire -a φθείρ
phyll φύλλον
phyllo- φυλλο-
pteris πτερίς
phyllous- φύλλον
-in(e -oid -οειδής
physics φυσικά
-ical φυσικός
physiography φυσιο- -γρα-
phyte -al -ic φυτόν φία
phytology φυτο- -λογία
pistus πιστός
plankton πλαγκτόν
plasia πλάσις
plastocyte πλαστο- κύτος
platelet
plectes πλήκτης
pluirometer μέτρον
pogonius πωγωνίας
podal -ic -ous ποδ-
pogon πώγων
poic(or k)ilitic ποικίλος -ίτης
polar- πόλος
iscope -σκόπιον
ization -ίζειν

micro- Cont'd
pore -a -idae -ous πόρος
porphyritic πορφύρα
prism πρίσμα
projection
prosop μικροπρόσωπος
ia ous us
protein πρωτεῖον
prothallus πρό θαλλός
protops πρωτ- ὤψ
-opid(ae -opoid
psalis ψαλίς
psychy μικροψυχία
pterous μικρόπτερος
-a -es -inae -ism -ισμός
pternodus πτέρνα
pterygious πτερύγιον
pteryx πτέρυξ
-ygid(ae -ygoid
ptilus πτίλον
puccinia
pus μικρόπους
pod(a id(ae inae in(e oid-
(ean oideae)
pycnid(ia πυκνός
-ospores σπορά
pyle -ar -iferous πύλη
pyrometer πυρο- μέτρον
radiography -γραφία
radiometer μέτρον
reaction respiration
refractometer μέτρον
respirometer μέτρον
r(h)abd(us ῥάβδος
rheometer ῥέω μέτρον
-metric(al
rhizophora ῥίζα -φορος
rhyncus ῥύγχος
rodlet
sauri(a(n σαῦρος
scelia -ic μικροσκελής
sclere σκληρός
-on -ous -um
sclero- σκληρο-
phora -ous -φορος
sclerote σκλερότης
scope -σκόπιον
-(i)al -ico- -ium
scopy -σκοπία
-ic(al(ly -ics -ist -ize -ισ-
second section τής -ίζειν
seism(al -ic σεισμός
seismo- σεισμο-
graph -γραφος
logy -λογία
meter μέτρον
metro- μετρο-
graph -γραφος
metry -μετρία
seme -ia σῆμα
septum
siphon σιφών
ales -uncle
ula -ar -ate -ation
slide sol
som- σῶμα
a (at)ia (at)ous atic e ite
sommite -ίτης itic
sorex
soroma σώρευμα
sorus σωρός
spathodon σπάθη ὀδών
species
spectroscope -σκόπιον
-y -ic -σκοπιά
spermae -ous -um σπέρμα
sphaera -ose σφαῖρα

micro- Cont'd
sphere σφαῖρα
-ic -ulitic -ίτης
sphygmia σφυγμός
sphyxia σφύξις
spined
spira σπεῖρα
-onema νῆμα
splenic σπληνικός
spor- σπορά
ange -ium -iate ἀγγεῖον
e ia ic in(e on ous
idia osis -ιδιον -ωσις
sporo- σπορο-
carp καρπός
cyte κύτος
genesis γένεσις
phore -φορος
phyll(ary φύλλον
zoite ζωή -ίτης
stat στατός
stetho- στῆθος
phone φωνή
scope -σκόπιον
sthene -a -ic σθῆνος
stola στολή
stom- μικρόστομος
a ata atidae (at)ous e ia
id(ae ida oid us
strobilus στρόβιλος
strongyle -on στρογγύλος
structure -al
style -ar -ous στῦλος
-ospore σπορά
stylis στυλίς
sublimation
symbiont συμβιῶν
taenia ταινιά
tannology -λογία
tasimeter τάσις μέτρον
technic -ique τεχνικός
telephone -ic τηλε- φωνή
testing
tetrod τετρ- ὁδός
thaptor θάπτειν
theos θέος
there -ium θηριόν
therm(al -ic θέρμη
thermo- θερμο-
gram γράμμα
meter μέτρον
phyta -ia φυτόν
thoracidae θωρακ-
thorax θώραξ
thyrium -iaceae θύριον
titration
tome -y -ic(al -ist -τομον
tonal τόνος -τομία -ιστής
trema τρῆμα
triaene τρίαινα
trichalus τρίχαλος
trichia -al -ous τριχ-
trigonus τρίγωνος
triod τρίοδος
tylostyle τύλος στῦλος
tylote τυλωτός
type -al τύπος
unit volt volume
volumetry -ic -μετρία
watt weber weighing
xylobius ξυλο- βίος
zeuglodon(tidae ζεύγλη
zo- ζῷον ὀδών
a(l an ic id oid on um
zoaria(n -y ζωάριον
zoo- ζωο-
gloea γλοιός

micro- Cont'd
gonidium γονή -ιδιον
logy -λογία
philous -φιλος
phobous -φοβος
scopic -σκόπιον
spore σπορά
zyme -a ζύμη
Micrurae μικρ- οὐρά
nicrurgical μικρ- -ουργία
Micrus μικρός
mictium μικτόν
Mictoschema μικτο- σχῆμα
Midas -aidae Μίδας
midcarpal καρπός
middlemanism -ισμός
midethmoid ἠθμρειδής
Midlandize -ίζειν
Miaenia μιαίνειν
Miagnostus μείων γνωστός
Miarus μιαρός
miemite miersite miesite -ίτης
Migadops μιγάς ὤψ
migale μυγαλή
migniardize -ίζειν
migraine ἡμικρανία
-ator -ous
migrationist -ιστής
mikro- karren = micro-
milammeter μέτρον
milarite -ίτης
Milesian Μιλήσιος
Milichius μειλίχιος
miliolite -ic -ίτης
militarism -ισμός
-ist(ic -ιστής -ιστικός
-ize -ation -ίζειν
milksopism -ισμός
millenar(ian)ism -ισμός
millenarist -ιστής
millen(ial)ist -ιστής
millen(ian, iar, ium)ism -ισμός
millenian(*or* ium)ite -ίτης
millenize -ίζειν
millepor- πόρος
a e (e)ous id(ae iform ina
ine ite oid
Millericrinidae κρίνον
Millerism -ite -ισμός -ίτης
milli-
am(pere)meter μέτρον
bar βάρος
gram(me -age γράμμα
liter -re λίτρα
meter -re μέτρον
microcurie μικρο-
microhm μικρ-
micron μικρόν
phot φωτ-
stere στερεός
voltmeter μέτρον
milli(*or* e)ograph -γραφος
million-
(air)ism -ισμός
ist ize -ίζειν
ocracy -κρατία
millocracy -κρατία
crat(ism κρατής -ισμός
milphosis μίλφωσις
Miltonism -ισμός
-ist -ize -ιστής -ίζειν
miltos μίλτος
-esthus ἐσθής
mim- μιμ-
argyra ἄργυρος
as Μίμας
aulus μίμαυλος

mim- Cont'd
e er μῖμος
ela μιμηλός
ema μίμημα
eo- μιμέομαι
graph(y -γραφος -γραφία
type τύπος
esis μίμησις
-a -id(ae -oid
ester etry μῖμος
et- μιμητής
es ene (es)ite ism
etic(al(ly μιμητικός
iambi(c(s μιμίαμβοι
ic μιμικός ry -ισμός
al(ly alness ation ism ker
ry -ισμός
ist μῖμος -ιστής
osa μῖμος
-aceae -aceous
-ella -ellidae
-is -ite -ωσις -ίτης
ulus y μῖμος
mimo- μιμο-
bius βίος
ceracone -as -an κερός κῶνος
drama δράμα
graph(er -us μιμογράφος
graphy -γραφία
lithophilus λιθο- -φιλος
lochus λόχος
loger μιμολόγος
-ist -y -ιστής
phyr(e πορφύρα
pictis πικτίς
prophet(ic προφήτης
selenopalpus σεληνο-
soma σῶμα
synopticus συνοπτικός
tannic
type -ic τύπος
Mimus -idae -inae -in(e μῖμος
Mimusops μιμόος ὤψ
mina μνᾶ
Minaean Μιναῖοι
mineragraphic(ally γραφικός
mineralist -ιστής
mineralize(r -ίζειν
-able -ation
mineralogy -λογία
-ic(al(ly -ist -ize -ιστής -ίζειν
minervite -ίτης
minerist miniaturist Minimalist
minimeter μέτρον -ιστής
-metric μετρικός
minimi(fidian)ism -ισμός
minimistic -ιστικός
Minimite -ίτης
minimize(r -ation -ίζειν φία
miniograph(y -γραφος -γρα-
minionism -ize -ισμός -ίζειν
ministerialism -ist -ισμός
minithosis μινύθησις -ωσις
Minoan Μινώιος
Minorist -ite -ιστής -ίτης
minorize -ίζειν
minotaur Μινώταυρος
mint Minthea μίνθα
minulize -ίζειν
Minurus μινυρός
minuthesis μινύθησις
Minyas -adidae μινύαι
Minyops μινυ- ὤψ
Minytrema μινυ- τρῆμα
mio- μειο-
cardia καρδία
cene -ic καινός

mio- Cont'd
(di)dymus δίδυμος
gyrous γῦρος
hippus ἵππος
lania ἠλαίνειν
lithic λίθος
litho- λιθο-
ceras κέρας
charis χάρις
mera μέρος
moera μοῖρα
ph(ylly -φυλλία
phone φωνή
plasmia πλάσμα
pliocene πλείων καινός
pragia -πραγία
pristis πρίστις
ptychia πτυχ-
stagmin στάγμα
stemonous στήμων
taxy -ταξία
termes τέρμα
therm(e θέρμη
ziphius ξιφίον
mion- μείων
ectic μειονεκτικός
ite -ίτης
ornis ὄρνις
miopus μείων ὤψ
miosis μείωσις
miotic μειωτικός
mirabilist -ite -ιστής -ίτης
miracidium μειρακίδιον
mirac(u)list -ιστής
miraculize -ίζειν
Miraspis μεῖραξ ἀσπίς
mirograph -γραφος
mirrorize -ίζειν
mirrorscope -σκόπιον
misandry μισανδρία
misanthrope μισάνθρωπος
-ic(al(ly -ism -ισμός
misanthropy -ia μισανθρωπία
-ist -ize -ιστής -ίζειν
misarchism -ist μισ- ἀρχή
-ισμός -ιστής
misbaptize βαπτίζειν
Miscanthus μίσχος ἄνθος
miscegenerationist -ιστής
miscegenesis γένεσις
-genetic γενετικός
-genist -γένεια -ιστής
miscellanist -ιστής -ίζειν
mischaracterize χαρακτήρ
mischomany μίσχος μανία
mischristen Χριστιανός
miscometer μέτρον
midemeanist -ιστής
misenite -ίτης
misepiscopist ἐπίσκοπος
miserabilism -ισμός
-ist(ic -ιστής -ιστικός
miserism -ισμός
Misetes μισητής
misgloze γλῶσσα
mismeter -re μέτρον
miso- μισο-
basilist μισοβασιλεύς -ιστής
cainia καινός
capnic -ist καπνός -ιστής
catholic καθολικός
clere κλῆρος
cyny κύων
gallic -ιστής
gamy -ic -ist μισόγαμος
grammatist γραμματα -ισ-
gyne -ic μισογυνής τής

miso- Cont'd
gynous μισογύνος
gyny μισογυνία
-ism -ist(ic(al -ισμός
-ιστής -ιστικός
Hellene Ἕλλην
lampus λαμπάς
logue μισόλογος
logy -ist μισολογία -ιστής
mania μανία
math μαθεῖν
monarchy -ical μοναρχία
musist μοῦσα -ιστής
neism νέος -ισμός
-ist(ic -ιστής -ιστικός
p(a)edia μισόπαις
-ism -ist -y -ισμός -ιστής
parson
paterist πατήρ -ιστής
pogonistically μισοπώγων
polemical μισοπόλεμος
psychia -ψυχία
scopist -σκοπος
sophy -ist μισόσοφος -ιστής
theism μισόθεος
-ist(ic -ιστής -ιστικός
tramontanism -ισμός
tyranny μισοτύραννος
xene -y μισοξενία
mispolicy πολιτεία
mispractise πρακτικός
mission(ar)ize(r -ίζειν
missourite -ίτης
missyllabication συλλαβικός
Mistichthys μεῖστος ἰχθύς
misy μίσυ
mit- μίτος
apsis ἄψις
aptic ἁπτικός
mitchellite -ίτης
miter -re μίτρα
er wort
Mithra Μίθρα
-a(c)ism -ισμός
-(a)eum -ειον
aic(iac) Μιθριακός
ism ist ize -ισμός -ιστής
as atic -ατικός -ίζειν
ism ist itic ize -ισμός -ιστής
-ίτης -ίζειν
mithridate Μιθριδάτης
-ism -ium -ive -ize -ισμός
-ίζειν
Mithridatic Μιθριδατικός
mithridatic Μιθριδατικόν
on um
mito- μιτο-
cera κέρας
chondria -ial -ium χόνδρος
kinetic(ism κινητικός -ισμός
plasm πλάσμα
plast πλαστός
some σῶμα
mit- Cont'd
ome osis -ic -ωμα -ωσις
otic(ally -ωτικός
mitra μίτρα
genius γενεῖον
gyne -ine γυνή
mitr- μίτρα
acea(n aidae ainae al(ism ate
id(ae oid ous y iform
aster ἀστήρ
mitraversine μίτρα
mitrephorous μίτρα -φορος
mitro- μιτρο-
arterial ἀρτηρία

mitro- Cont'd
cystidae κύστις
gona γόνος
Mittodes μιτώδης
mitys μίτυς
miurus μείουρος
mix- μίξις
ic is ite -ίτης
Hellene μιξέλλην
mixi- μίξις
genus γένος
pterygium πτερύγιον
mixo- μιξο-
barbaric μιξοβάρβαρας
chimaera Χίμαιρα
choanites χοάνη -ίτης
chromosome χρῶμα σῶμα
claenus κλεινός
dectes δήκτης
-id(ae -oid
gamy -ous -γαμία
hyrax ὕραξ
lydian μιξολύδιος
pterus πτερόν
pyous μιξόπυος
saurus -id(ae -oid σαῦρος
scope -ia -ic -σκόπιον -σκο-
πία
termitoidea -οειδής
trophic -τροφία
mixote μίξις -ωτης
mizzonite -ίτης
mna μνᾶ
mnem- μνημ-
e ia ic ism μνήμη
ia iid(ae Μνήμη
ic ism μνήμων
mnemon-
eutic μνημονευτικός
ic(s μνημονικός
al(ly alist ian on
ist -ιστής
ize -ation -ίζειν
mnemo- μνημο-
genesis γένεσις
syne Μνημοσύνη
technic(s τεχνικός
techny -τεχνία
mnesic μνήσιος
Mnestra Μνῆστρα
mni- μνίον
aceae id ium
erpes ἕρπης
mnio- μνίον
nomus νομός
tilta τίλτος
-eae -id(ae -ine -oid
Moabite Μωαβίτης
-ess -ic -ish -ισσα
mobbism -ισμός
mobilize -able -ation -ίζειν
mobilometer μέτρον
mobocracy -κρατία
-crat(ic(al -κρατής
mobolatry λατρεία
mochlic(al μοχλικός
Mochtherus μοχθηρός
mochylic χυλός
mockheroic(al(ly ἡρωικός
modalism -ισμός
-ist(ic -ize -ιστής -ιστικός
modelist -ize -ιστής -ίζειν
modera(n)tism -ist -ισμός
moderat(ion)ist -ιστής
modernism -ισμός
-ist(ic -ιστής -ιστικός
-ize(r -ation -ίζειν

Modiolopsis ὄψις
-id(ae -oid
Modiomorpha μορφή
modist(e -ιστής
modulize -ίζειν
modumite -ίτης
Moecha μοιχός
Moerae Μοῖραι
Moeris Μοῖρις
pithecus πίθηκος
-itherium -iidae θηρίον
moerology -ist μοῖρα -λογία
Moesogoth(ic Μοισοί -ιστής
mofussilite & -ize -ίτης -ίζειν
mogi- μογι-
graphia -y -ic γραφία
lalia -ism μογιλάλος -ισμός
phonia -φωνία
tocia -τοκία
mogography -ic μόγος -γραφία
Mohammed(an)ism -ισμός
-ize -ization -ίζειν
Mohrodendron δένδρον
mohsite -ίτης
Moiragetes μοιραγέτες
moirologist μοιρόλογος -ιστής
moisanite moldavite -ίτης
molarimeter μέτρον
Molgolaimus μολγός λαιμός
Molinism -ισμός
-ist(ic -ιστής -ιστικός
molion ἰόν
molization -ίζειν
mollichthyolin ἰχθύς
Mollocrinus -idae κρίνον
molluscoid -οειδής
ea(n a al an
molluskite -ίτης
Molobrus μολοβρός
Moloch(ine -ize -ship Μόλοχ
molopes μώλωψ
-ospermum σπέρμα
Molops μοῖλυς ὤψ
Molorchus Μόλορχος
Molossian Μολοσσία
molossus -ic μολοσσός
Molossus Μολοσσός
-idae -inae -ine -oid
Molothrus μολοβρός
moloxide ὀξύς
Molpadia Μολπαδία
-(i)id(ae -ioid
molugram γράμμα
Moluris μολουρίς
moly μῶλυ
molyb- μόλυβδος
amaurosis ἀμαύρωσις
ate ous
en- μολύβδαινα
a ated ic iferous ite o- ous
eus μολύβδεος um
ic in(e
ism ite -ισμός -ίτης
osis -ωσις
molybdo- μολυβδο-
arsenic ἀρσενικόν
cardialgia καρδιαλγία
colic κολική
dyspepsia δυσπεψία
malic -ate
mancy μαντεία
manganimetry Μαγνησία
-ic(ally -μετρία
menite μήνη -ίτης
nosus νόσος
oxalic ὀξαλίς
paresis πάρεσις

molybdo- Cont'd
phosphoric φωσφόρος
phyllite φύλλον -ίτης
quinic silicic sulfite
sodalite λίθος
tartaric τάρταρον
vanadic -ate
Molychnus μῶλυξ
molysite μόλυνσις
molysmo- μόλυσμα
phobia -φοβιά
mome Μῶμος -ιστής -ίζειν
-ish -ism -ist -ize -us -ισμός
momiology -λογία
mon- μον-
acanthus μονάκανθος
-id(ae -inae -ine -ous
acetin Μορφεύς
acetylmorphin ὕλη
ach μοναχός
a al ate e us
ism ist(ic ization ize -ισμός
-ιστής -ιστικός -ίζειν
ops ὤψ
acho- μοναχός
crinus κρίνον
logical -λογία
acid
acmic acon ἀκμή ἄκων
acrorhiz(a)e ἀκρο- ῥίζα
act(in(ae al e) ἀκτιν-
actinell- ἀκτιν-
id(a(n inae ine
ad ad(i)ary μοναδ-
deme δῆμος
ic(al(ly μοναδικός
iform igerous
ine -eae -ic
ism istic -ισμός -ιστικός
ite ity -ίτης
ology -ical -λογία
adelph ἀδελφός
ia(n ic on ous
aene -αινα
am- ἀμμωνιακόν
id(e ido- (m)in(e -o-)
inuria -ουρία
anaesthesia ἀναισθησία
anap(a)estic ἀναπαιστικός
ander μόνανδρος
andria μόνανδρος
-(e)ous -ian -ic -y
angic ἀγγεῖον
anthous ἄνθος
apsal ἄψις
arch ἀρχή
monarch μόναρχος
a al(ly ess -ισσα
ian μοναρχία
ism ist(ic ize -ισμός
-ιστής -ιστικός -ίζειν
ic(al(ly μοναρχικός
oaristocratical
ize -er -ίζειν
omachic -ist -μαχία
y μοναρχία
-ial -ism -ist(ic
mon- Cont'd
arinus ἄρρην
arsenous ἄρσην
arsone ἀρσενικόν
arthral -ic ἄρθρον
arthritis ἀρθρῖτις
arthro- ἀρθρο-
dactylous δάκτυλος
articular
as μονάς

mon- Cont'd
-adid(ae -adidea(n -adina
-adoid
ascideae -ian ἀσκίδιον
aster(idae ἀστήρ
monastery μοναστήριον
-ial(ly -ical
monastic μοναστικός
al(ly ism ize ly
monasticon μοναστικόν
mon- Cont'd
athetosis ἄθητος -ωσις
atomism -ic(ity ἄτομος
aulic αὐλικός
aulos -us μόναυλος
aural axial axile
axon ἄξων
a(l ial ic id(ae ide(n
azite μονάζειν
azo- -ine -ole ἀ- ζωή
elasmus ἔλασμα
elata μονήλατος
embry- ἔμβρυον
ary onic ony
epic ἔπος
episcopus ἐπίσκοπος
-acy -al
er(e μονήρης
a al an ic oid on ula
ozoa(n ozoic ζῷον
erg- ἔργον
(id)ic ism -ισμός
ist(ic -ιστής -ιστικός
eses ἧσις
esthetic αἰσθητικός
ethyl(ic αἰθήρ ὕλη
monetism -ite -ισμός -ίτης
-ization -ize -ίζειν
moneyocracy -κρατία
mongolidae -(i)oid -ίδης -οειδής
mongolism -ισμός
Mongolize -ation -ίζειν
mongrelism -ισμός
-ization -ize -ίζειν
monheimite -ίτης
monilethrix θρίξ
monili-
asis oid osis -ίασις -ωσις
gaster γαστήρ
-rid(ae -roid
monimi- Μονίμη
a (ac)eae aceous ad
monimo- μόνιμος
lite λίθος
stylic(a(te στῦλος
mon- Cont'd
hydride ὑδρ-
hysterides ὕστερος
iod ἰώδης
hydrin ὑδρ-
omethane μεθυ
ism -ισμός
ist(ic(al(ly -ιστής -ιστικός
ium
ius μονιός
monistichous στίχος
monk μοναχός
dom ery ess fish (s')hood
ish(ly ness) ism liness ly
monger ship 'shead
monkey(ism ?μιμῶ -ισμός
mon- μον-
ocle
ocule -ar(ity -arly -ate -ist
odia μονῳδία -ite -ous
odic(al(ly μονῳδικός
odon ὀδών

mon- Cont'd
odont(a(l inae ὀδοντ-
ody μονῳδία
-ist -ize -ιστής -ίζειν
oec- οἶκος
ia(n ism ious(ly
oestrous οἶστρος
oic(ous οἶκος
odimorphic δι- μορφή
olein oline
olene ὠλένη
omicellar
omma -id(ae -oid ὄμμα
omphalus ὀμφαλός
oneirist ὄνειρος -ιστής
ont ὀντ-
onychous -ώνυχος
onym ὄνυμα
ic ization ize -ίζειν
onymy -ωνυμία
onyx ὄνυξ
ophthalm- μονόφθαλμος
ic us
opous ops μονώψ
opsia -οψία
optic(al ὀπτικός
orchis μόνορχις
-id(ic -(id)ism -ισμός
organic ὄργανον
ose γλεῦκος
osis -y μόνωσις
ot- μόνωτος
a ideae is us
ocard- καρδία
ia(n iac
oureid οὖρον
ousious μονούσιος
ovular
ox- ὀξύς
id(e ime ἀμμωνιακόν
oxalate ὀξαλίς
oxy- ὀξυ-
mono- μονο-
acetin acidic
amino- ἀμμωνιακόν
-phosphatid φωσφόρος
-di- mono- δι- μονο-
an(a)esthesia ἀναισθησία
avitaminosis ἀ- ἀμμωνιακόν
axal bacillary -ωσις
azo- ἀ- ζωή
bacteria -ial βακτήριον
bar benzoate
basis -ic-ity βάσις
bion bium βίον
blastesis βλάστησις
blastic βλαστός
blepsis -ia βλέψις
bolina βολή
brachius βραχίων
-iocrinus κρίνον
branchiate βράγχια
brom- βρῶμος
acetanilid acetic
camphor καμφορά
derivative
ide inated ination ized
phenol φαιν-
bromo- βρωμο
butyrin βούτυρον
calcium -ic
carbon(ic ate
carboxylic ὀξύς ὕλη
cardian καρδία
carotin κάροτον
carp(on καρπός
al ellary ian ic idea(n ous

mono- Cont'd
caulis -idae καυλός
celled cellule -ar
centric κεντρικός
centris κέντρον
-id(ae -oid
cephalous μονοκέφαλος
-us -y
ceratin(e a κερατ-
cercous κέρκος
ceromyia κέρας μυῖα
ceros μονόκερως
-ot -ous
cesta κεστός
chasy -ium -ila χάσις
chetiose χαίτη
chitonida(n μονοχίτων
chlamyd- χλαμυδ-
eae eous
chlor- χλωρός
acetic
anthracene ἀνθρακ-
alantipryin ἀντί- πῦρ
hydrin ὑδρ-
id(e inated
methan(e μέθυ
phenol φαιν-
chloro- χλωρο-
hydrin ὑδρ-
methane μέθυ
choanitic χοάνη -ίτης
chord μονόχορδος
ical ist ize ous -ιστής -ίζειν
chorea χωρεῖος
chorionic χόριον
chrom- χρῶμα
asy ate ator e
chromatic χρωματικός
ally ism ist -ισμός -ιστής
chromato- χρωματο-
phil somic -φιλος σῶμα
chrome μονόχρωμος
-ic(al -ist -ous -y
chromophil χρῶμα -φιλος
chromous μονόχρονος
chroous -oic μονόχροος
ciliate(d
clea -eaceae κλείς
cleid(e κλειδ-
cline -al(ly -ate κλίνειν
-ic -ism -ous -ισμός
clino- κλινο-
hedral -ic ἕδρα
metric μετρικός
cliny -ian -ous κλινή
clonal κλῶν
clonius κλωνίον
coccus -ic κόκκος
coelia(n κοιλία
coelic κοῖλος
colous κῶλον
colo(u)red compound
condyl- μονοκόνδυλος
a(r (ar)ian
condylia -ic -ous κόνδυλος
coque
cormic κορμός
cotyl- μονοκότυλος
e ea(n id(ae oid ous
cotyledon κοτυληδων
ae ary es ous
cracy μονοκρατία
cranus κρανίον
crat μονοκρατής
cratic κρατός
crepid κρηπίς μός
crotism -ic -ous κρότος -ισ-

mono- Cont'd
crystal κρύσταλλος
ctinidae κτείς
ctonus κτόνος
cyanogen κυανο- -γενής
cycle -ia -ic(a κύκλος
-on -ous -y
cyesis κύησις
cyrtida(n κύρτος
cyst(ed ic(ally κύστις
cystis -aceae κύστις
-id(ae -idea(n -oid
cyte -ic -osis κύτος -ωσις
cytopenia κυτο- πενία
cyttaria(n κύτταρος
dactyl(e δάκτυλος
ate ic id(ae ism oid ous us
delph δελφύς y
ia(n ic ous
dermic δέρμα
desmic δεσμός
diabolism διάβολος -ισμός
dicus μοναδικός
diametral διάμετρος
di- δι-
chlamydeous χλαμυδ-
metric μετρικός
diplopia διπλόος -ωπία
dispersed -oid -οειδής
distich δίστιχος
domous δόμος
dora δῶρον
drama δράμα
-atic -atist -e -ic -ιστής
drome -ic -y δρόμος
dynamic δυναμικός
dynamism -ic -ous δύναμις
eidic μονοειδής -ισμός
electronic ἤλεκτρον
embryony ἔμβρυον
energid ἐνεργός
epigynia ἐπί γυνή
ethyl- αἰθήρ ὕλη
amin ἀμμωνιακόν
ethylenic
facial flagellate formin
gam(ia μονόγαμος
ic ist(ic ize ous(ly -ιστής
-ιστικός -ίζειν
gameliae -ian γαμήλιος
gamy μονογαμία
-ia(n -ious
ganglial -ionic γάγγλιον
gaster γαστήρ
gastric γαστρ-
gen(e -γενής
genea(n -eity -eous μονο-
genesia -γενεσία γενής
genesis(t γένεσις
genetic(a γενετικός
genism -ic -ous -γενής -ισ-
genodifferent γενο- μός
geny -ist(ic -γένεια -ιστής
germinal
glot μονόγλωττος
glyphic γλυφικός
goneutic γονεύειν
gonium γόνος
gono- γονο-
pora -ic -ous πόρος
gony -ic -ous -γονία
gram μονογράμματον
gramm-
al (at)ic(al atize(d ed ous
graph(er ous -γραφος
graphy -γραφία
-ic(al(ly -ist -ιστής

mono- Cont'd
graptus γραπτός
gyn(ia(n γυνή
(i)ous ist y -ιστής
gynae(*or* oe)cial γυναικεῖος
gyropus γυρο- πούς
halide ἁλ-
halogen ἁλο- -γενής
hammus ἅμμα
hemerous μονοήμερος
hetero- ἑτερο-
cyclic κυκλικός
hybrid(ic
hydric -ate(d ὑδρ-
hydrogen ὑδρο- -γενής
hypogynia ὑπό -γυνία
id(al μονοειδής
infection
iodo- ἰώδης
ion ἰόν
karic -yon κάρυον
kont κοντός
later latrous λάτρης
latry -ic -ist λατρεία
lepsis -ic λῆψις
lexis λῆξις
literal
lith(ic al μονόλιθος
lobus -ite -ular λοβός -ίτης
locular(ia
log(ue μονόλογος
ian ic(al (u *or* ue)ist (u)ize
-ιστής -ίζειν
logy μονολογία
loph(ous λόφος
machia -y μονομαχία
-ist -ιστής
machic μονομαχικός
mania -e μανία
-iac(al -ious -ακός
mastigote μαστιγωτός
mastix μάστιξ
-iga -igate
monome -ial μόνος
meniscous μηνίσκος
mer(ic -ous μονομερής
osomata -ous σωματ-
meristele μέρος στήλη
metallic μέταλλον
-(l)ism -ist -ισμός -ιστής
meter metric(al μέτρον
methyl μέθυ ὕλη
ated ic
xanthin ξάνθος
microbic μικρο- βίος
modal molecular
molybdate μόλυβδος
moria μωρία
morium μόριον
morph μορφή
ic ism ous -ισμός
mya μυ-
myaria(n -ious -y μυ-
myoplegia μυο- -πληγία
myositis μυος -ῖτις
nephrous νεφρός
neura -al -an νεῦρον
-ic -itis -ous -ῖτις
nitrate(d -ion νίτρον
nitrile nitro- νίτρον
nomial -ian -ωσις
nuclear -eated -eosis -eotid(e
nomomyarious νόμος μυ-
ousious -ian μονοούσιος
oxime ὀξύς ἀμμωνιακόν
palmitin παλάμη σία
par(a)esthesia παρ- -αἰσθη-

mono- Cont'd
paresis πάρεσις
pathy -ic μονοπάθεια
pectinate ped
perchlorate χλωρός
personal persulfuric
petalae -ous πέταλον
phagia(n φαγ-
-ism -ize -ισμός -ίζειν
phague -ous μονοφάγος
phane μονοφανής
phanous -φανής
phase -ia -ic φάσις
phenol -etidin φαιν-
phlebites φλεβ- -ίτης
phobia -φοβία
phone -ic -ous -y μονόφωνος
phoraster φόρος ἀστήρ
phote -al φωτ-
phrastic φραστός
phthong(al μονόφθογγος
-ization -ize -ίζειν
phyes -yidae μονοφυής
phylesis φυλή -ησις
phyletic -itic φυλέτης
phyll ous μονόφυλλος
-ic -in(e -us
phyodont(a μονοφυής ὀδοντ-
physite Μονοφυσιτής
-al -ical -ism -ισμος
picrate πικρός
placid πλακύς
placula(r -ate πλακύς
plane -ist -ιστής
plasmatic πλάσμα
plast(ic -id πλαστός
platus πλατύς
plegia -ic -πληγία
pleura -id(ae -oid πλευρόν
-obranch βράγχια
ia(n iata iate
pneumona πνεύμονες
-es -ia(n -ous
pnoa -πνοος
pode -ia -ial(ly -ic ποδ-
-ium -ous
pody -ic μονοποδία
polar -ic πόλος
pole μονοπώλης
poly μονοπωλία
-e -ian -ical -ish
-ism -ισμός
-ist(ic -ιστής -ιστικός
-ite(-an(ian -ical) -ίτης
-ize(r -ation -ίζειν
polylog(ue πολυ- λόγος
ist -λογία -ιστής
potassium -ic
prionid(ian πρίων
prosopus πρόσωπον
prostyle πρόστυλος
prunida(n
psychism ψυχή -ισμός
psychosis ψύχωσις
pter μονόπτερος
al on us
pterus πτερόν
-id(ae -oid -ous
pterygii πτερυγ-
-ian -ious
ptote -on -ic μονόπτωτος
pus μονόπους
pylaea πύλη
-aria(n -eae -ean
pyrenous πυρήν
rail(road way
refringent

mono- Cont'd
(r)rhin(e -a(l -ous ῥίν
rhyme rime
rhythm(ic ῥυθμός
saccharid(e -oses σάκχαρ
sceli σκέλος
schemic μονόσχημος
selenid(e σελήνη
seme -ic μονόσημος
sepalus σκέπη
serial silane -ic
silicic -ate -ide
siphonic -ous σίφων
sodium -ic
somata -ic -ous σωματ-
some -ian σῶμα
sound
spasm σπασμός
sperm(y σπέρμα
al (at)ous ic
spherical σφαῖρα
spirous -us σπεῖρα
spondylic σπόνδυλος
spore(d σπορά
-angium-iate ἀγγεῖον
-ea(n -iferous
sporogony σποροο- -γονία
sporous σπόρος
stach- (y)ous σταχύς
stearin στέαρ
stegous στέγος
stele -ic -ous -y στήλη
steliniae -ian στήλη πιον
stereoscope στερεο- -σκό-
sterigmatic στήριγμα
stich(ous στίχος
odont ὀδοντ-
stigmatous στιγματ-
stomae -ea(n στόμα
stomata -ous στοματ-
stome -ous μονόστομος
stomum στόμα
-atidae -id(ae -oid
stratal -ified
stromatic στρῶμα
strophe μονόστροφος
strophic μονοστροφικός
style -ar -ous στῦλος
sulph-
ide ite one onic uret
syllabe -on μονοσύλλαβον
syllable μονοσύλλαβος
abic(al(ly -ism -ize -ίφειν
syllogism συλλογισμός
-istic -ιστικός
symmetry συμμετρία
-ic(al(ly συμμετρικός
symptom σύμπτωμα
atic συμπτωματικός
synthetic συνθετικός
syphilid(e
syringa συριγγ-
technic τεχνικός
telephone -ic τηλε- φωνή
tessaron τέσσαρος
thalama(n θάλαμος
-ia(n -ic -ous
thallious -oid θαλλός
thamnoid θάμνος -οειδής
thecal θήκη
theism θέος -ισμός κός
-ist(ic(al(ly -ιστής -ιστι-
thele(*or* i)te μονοθελητής
-ic -ism -ισμός
thelious θῆλυς
thermia θέρμη
thetic θετικός

mono- Cont'd
thionic θεῖον
tint
toc(*or* k)ous μονοτόκος
toma τομή
-id(ae -oid -ous
tome τόμος
tone μονότονος
-ic(al(ly -ist -ize -ous(ly
-ousness -ιστής -ίζειν
tony *or* -ia μονοτονία
topic τόπος
treme -al τρῆμα
-ata -ate -(at)ous
tricha -ic -ous τριχ-
triglyph(ic τρίγλυφος
troch(e μονότροχος
a(l ian ous
tropa μονότροπος
-(ac)eae -(ac)eous
trophic τροφή
tropism -y -ic(ally τροπή
tropus μονότροπος
type -al -ic(al -ous τύπος
valent -ence -ency
variant -iance
xenous xeny ξένος ξενία
xyl(e -on -ous μονόξυλον
zoa(n zoic ζῷον
zonia ζώνη
zygous -ζυγος
monquickoid -οειδής
monradite -ίτης
Monroeism -ist -ισμός -ιστής
monrolite λίθος
Montanism Μοντανός -ισμός
-ist(ic(al -ize -ιστής -ιστικός
montanite -ίτης -ίζειν
montanyl ὕλη
montebrasite monticellite -ίτης
Montessoreanism -ισμός
monticuliporoid(ea(n πόρος
-οειδής
montmartrite montmorillonite
montroydite -ίτης
Montse(i)chobatrachus
βάτραχος
monumentalism -ισμός
-ization -ize -ίζειν
monychous μονόνυξ
monzonite -ic -ίτης
Moorism -ισμός
mora μόρα
moralism -ισμός
-ist(ic -ιστής -ιστικός
-ize(r -ation -ingly -ίζειν
Moravianism -ized -ισμός
morbidize -ίζειν
mordenite morencite
morea μόρον
morenosite -ίτης
Moreote Μορεώτης
morganite -ίτης
morganize -ίζειν
moria μωρία
Morica μωρός
morinidin μορεά
Morimus μόριμος
morio- μόριον
gram γράμμα
plasticy πλαστικός
plasty -πλαστια
Morisonianism -ισμός
Mormo(n μορμώ
-ops -opidae -opin(a)e ὤψ
Mormonism -ισμός
-ist -ite -ιστής -ίτης

mormo- μορμο-
lukee μορμολυκεῖον
saurus σαῦρος
mormyr(e μορμύρος
ian id(ae oid us
moro- μόρον
coccus κόκκος
xylic -ate ξύλον
zymase ζύμη διάστασις
moro- μωρο-
logy μωρολογία
-ical(ly -ist -ιστής
mantic μαντεία
saurus σαῦρος
-ian -id(ae -oid
soph μωρόσοφος
ist y -ιστής
therium θηρίον
moron μωρόν
Moron μόρον
olite λίθος
morosis μώρωσις
moroxite μόροξος -ίτης
morula μόρον
morph- μορφή
(a)ea ic
(a)esthesia -αισθησία
allaxis ἄλλαξις
asmo- μορφασμός
pora πόρος
morph- Μορφεύς
ean enol etic etin(e
ia iated ium
mania(c μανία
igenine -γενής
imethine μέθυ
in(e -ινος
ated ic
ism ist -ισμός -ιστής
ize -ation -ίζειν
bromethylate βρῶμος
αἰθήρ ὕλη
omania(c μανία
io-
mania(c μανία
metry -ic -μετρία
ol(in(e olone -ώνη
thebaine θῆβαι
Morpheus Μορφεύς
morphidites ἑρμαφρόδιτος
Morphnus μόρφνος
Morpho -idae -inae Μορφώ
morpho- μορφο-
cytological κυτο- -λογία
genesis γένεσις
genetic γενετικός
genic -ous -γενής
geny -γένεια
grapher -γραφος
graphy -ic(al(ly -γραφία
lecithus -al λέκιθος
lite λίθος
logy -ic(al(ly -ist -λογία
metry -ical -μετρία -ιστής
nomy -ic -νομία
phyly φυλή
physics φυσικά
physis φῦσις
plasm(a -ic πλάσμα
scapha σκάφη
scopy -ic -σκοπία
tropy -τροπία
-ic(ally -ism -ισμός
zonites ζωνίτης
morphon μορφή
morphosis μόρφωσις
morphotic μορφωτικός

-morphous -μορφος
morselize -ation -ίζειν
mortalism -ισμός
-ist -ize -ιστής -ίζειν
mortarize -ίζειν
mosaic(ity -al(ly -ist μουσαῖος
mosaiculture
Mosaism -ist -ισμός -ιστής
mosandrite -ίτης
mosasaur σαῦρος
i(a(n id(ae oid
mosc- μόσχος
ardino at(a ate
mosch- μόσχος
atine atous iferous
idae inae in(e us
ops ὤψ
moscho- μοσχο-
gnathus γνάθος
phoros μοσχοφόρος
rhinus ῥινός
Moscovicrinus κρίνον
Moses Μωσῆς
-aism -aist -ισμός -ιστής
Moslemism -ισμός
-ite -ize -ίτης -ίζειν
Mososauria(n -us σαῦρος
mossite -ίτης
Mo(a)tazilite -ίτης
Mothonica μοθωνικός
Mothonodes μόθων -ώδης
motionist motist -ιστής
motivization -ίζειν
moto-
chem- χημεία
ical istry
cycle κύκλος
graph(y -ic -γραφος -γραφία
isomer(ism ἰσομερής
magnetic Μαγνῆτις
merism μέρος -ισμός
meter μέτρον
neuron(e νεῦρον
phone φωνή
stereo- στερεο-
chemistry χημεία
motor-
cycle κύκλος
drome δρόμος
graphic γραφικός
ist ize -ation -ιστής -ίζειν
meter μέτρον
pathy -ic -πάθεια
phobe φόβος
mottramite -ίτης
mountainist -ιστής
Moxostoma στόμα
Mozartism -ισμός
mu Μῦ
mucigen(ous -γενής
mucin-
ase διάστασις
emia -αιμία
oid uria -οειδής -ουρία
mucino-
blast gen βλαστός -γενής
muckite -ίτης
mucoid(al -οειδής
muco-
bromic βρῶμος
cele κήλη
chloric χλωρός
colitis κόλον -ῖτις
dermal δέρμα
enteritis ἔντερον -ῖτις
lysin lytic λύσις λυτικός
membranous

muco- Cont'd
peptone πεπτόν
periosteum -eal περιόστεον
rrhoea -ῥοια
(so)saccharine σάκχαρον
mucorioid -οειδής
mucormycosis μύκης -ωσις
Mucroteuthis μυκρός τευθίς
mucyl ὕλη
muffism Muggletonianism
mugavumpism mulattoism
mulism -ισμός
multi-
actinate ἀκτιν-
cauline καυλός
central κέντρον
coccous κόκκος
crystalline κρυστάλλινος
cycle -ina κύκλος
cylinder(ed κύλινδρος
diarch δι- ἀρχή
dynamo δύναμις
electronic ἤλεκτρον
ganglionic- ate γάγγλιον
graph -γραφος
gyrate γῦρος
lobular -ate(d λοβός
micro μικρο-
modalism -ισμός
periodic περιοδικός
phase(r φάσις
phone φωνή
photography φωτο- -γραφία
ple-tuned τόνος
ploid -πλοος
spermous σπέρμα
stelic στήλη
syllabic συλλαβικός
syllable συλλαβή
theism θέος -ισμός
multitudinism -ισμός
-ist(ic -ιστής -ιστικός
Mumbo-jumboism -ισμός
mummianize -ίζειν
Mummopsis -idae ὄψις
Munchausenism -ισμός
-ize -ίζειν
Munichion Μουνυχιών
municipalism -ist -ization -ize
-ισμός -ιστής -ίζειν
Munychia(n μουνύχια
Mur(a)ena μύραινα
-id(ae -oid
-esox ἴσοξ
-ocid(ae -ocoid
murchisonite -ίτης
muromontite -ίτης
murmekiasmosis -ωσις
μυρμηκιάσμος
murr(h)in(e μύρρινος
mursinskite -ίτης
Musagetes μουσαγέτης
muscat(el(line μόσχος
muscegenetic γενετικός
musco-
logy -ic(al -ist -λογία -ιστής
philous -φιλος
muscovite -ίτης
-ization -ize -ίζειν
muscularize -ίζειν
musculite -ίτης
musculo-
arterial ἀρτηρία
dermic δέρμα
phrenic φρήν
rachidian ῥαχιδ-
tonic τόνος

muse Μοῦσα
museo- Μούσειος
grapher -γραφος
graphy -ist γραφία
logy -ist λογία -ιστής
museum Μουσεῖον
Mushabbihite -ίτης
music musick(er μουσική
al(e ity ly ness)
aster
ian(er ess ly ship)
musico- μουσικο-
artistic fanatic
dramatic δραματικός
grapher -y -γραφος -γραφία
logy -ist -λογία -ιστής
mania μανία
mechanical μηχανικός
philosophical φιλοσοφία
phobia -φοβία
poetic ποιητικός
musicry μουσική
musist μοῦσα -ιστής
musk(ed ish y μόσχος
melon ox rat rose tree wood
musmon μούσμων
muso- μουσο-
mania μανία
mastix μάστιξ
phaga -i -φαγος
-id(ae -inae -in(e
phobist -φοβία -ιστής
phyllum φύλλον
Mussulmanism -ισμός
must μόσχος
mustache(d μύσταξ
-ial -io(ed
mutacism = mytacism
mutinist -ize -ιστής -ίζειν
mutism -ισμός
mutograph -γραφος
mutoscope -ic -σκόπιον
mutualism -ισμός
-ist(ic -ιστής -ιστικός
-ize -ation -ίζειν
my- μυ-
a acea(n adae aria(n
agro- μύαγρος
poridae πόρος
algia -ic -αλγία
al(ism ist -ισμός -ιστής
am(o)eba ἀμοιβή
asthenia -ic ἀσθένεια
atonia -y ἀτονία
atrophy ἀτροφία
autonomy αὐτονομία
mycel- μύκης ἧλος
conidium κόνις -ιδιον
e ial ian iation ioid ium
mycelitha μύκης λίθος
Mycena μύκης
Mycenaean Μυκηναῖος
-aeologist λογία -ιστής
Mycerinus Μυκερῖνος
mycet- μυκητ-
aea al ic ous
es inae in(e μυκήτες
hemia -αιμία
ism(us -ισμός
oid -οειδής
oma -atous -y -ωμα
myceto- μυκητ-
derm δέρμα
a(toid ic itis -ιτις
genetic γενετικός
genic -ous -γενής
mycetoid -οειδής

myceto- Cont'd
logy -ist -λογία -ιστής
mychus μυχός
phagus -φαγος
-id(ae -oid -ous
phila -id(ae -oid -φιλος
poda -id(ae -oid ποδ-
zoa(n zoon ζῷον
Mychocerus μυχο- κέρας
mychogamy μυχο- -γαμία
Mychthisoma μυχθίζειν σῶμα
mycina μύκης
myco- μύκης
agglutinin βακτήριον
bacterium -iaceae -iales
cecidium κηκιδ-
cecis κηκίς
clena χλαῖνα
criny κρίνειν
cyte μύκος κύτος
derm(a δέρμα
(at)itis atoid atous ic
desmoid δεσμός -οειδής
dextrin -an δεξίτερος
domatia -ium δωμάτιον
fibroma -ωμα
galactan γαλακτ-
gastritis γαστρ- -ῖτις
gone -ose γόνος
h(a)emia -αιμία
inulin
kleptic κλεπτικός
lichen λειχήν
logy -λογία
-ic(al(ly -ist -ιστής
lysin(e λύσις
melic μῆλον
mycete(s -ous μυκητ-
-ophytes φυτόν
myringitis μύριγξ -ῖτις
nostoc
phagy -ist -ous -φαγία -φα-
phenolic φαιν- γος
phthorous -us φθόρος
phyte -ic φύτον
phylaxin φύλαξις
phytophytes φυτο- φυτόν
plasm(a ic πλάσμα
protein προτεῖον
-(iz)ation -ίζειν
rhiza -al -one ῥίζα
sozin σῴζειν
sphaerella σφαῖρα
-aceae -ose
sterol -in στερεός
thrix θρίξ
toxin(iz)ation τοξικόν -ίζειν
tretus τρητός
trophic τροφή
myc- μύκης
oid oma -οειδής -ωμα
ose -in osis -ωσις
otic -ωτικός
-opeptic πεπτικός
Mycteria -ic -us μυκτήρ
-ism μυκτηρισμός
-istes μυκτηριστής
myctero- μυκτηρο-
perca πέρκη
saurus σαῦρος
suchus σοῦχος
xerosis ξηρός -ωσις
Myctiris μυκτήρ
-id(ae -oid
Myctophism -id(ae oid ὄφις
mydalein(e μυδαλέος
mydatoxin(e μύδος τοξικόν

Mydaus -in(e -ous μυδᾶν
mydriasis -iatic μυδρίασις
mydrin(e mydrol
myectomy μυ- -εκτομία
myectopia -y μυ- ἔκτοπος
myel μυελόν
myel- μυελ-
(a)emia -αιμία
algia -αλγία
analosis ἀνάλωσις
apoplexy -ia ἀποπληξία
asthenia ἀσθένεια
atelia ἀτέλεια
atrophia ἀτροφία
auxe αὔξη
en ic
encephala ἐγκέφαλος
-ic -on -ous
ospinal
eterosis ἑτέρωσις
in μυέλινος
myelin(e μυελ-
ate(d ation ic
itis -ic -ῖτις
ize -ation -ίζειν
osis -ωσις
myelino- μυελ-
genesis γένεσις
genetic γενετικός
geny -γένεια
neuritic νεῦρον -ῖτις
myelo- μυελο-
blast(emia oma βλαστός
-αιμια -ωμα
brachium βραχίων
cele κήλη
cene cerebellar
coele κοῖλος
cone κόνις
cyst(ic κύστις
cysto(meningo)cele κύστις
μηνιγγο- κήλη
cyte -ic κύτος
-(h)(a)emia -αιμία
-oma osis -ωμα -ωσις
diastasis διάστασις
dysplasia δυσ- πλάσις
encephalitis ἐγκέφαλος -ῖτις
ganglitis γάγγλιον -ῖτις
genesis γένεσις
genetic γενετικός
geny -ic -ous -γένεια
gone -ium -ic γόνος
hyphae ὑφή
lymph- νύμφη
angioma ἀγγεῖον -ωμα
ocyte κύτος
malacia μαλακία
margarin(e μάργαρον
menia μήν
meningitis μηνιγγ- -ῖτις
meningocele μηνιγγο- κήλη
mere μέρος
myces μύκης
neuritis neura νεῦρον -ῖτις
paralysis παράλυσις
pathia *or* -y -ic -πάθεια
petal plaque
phthisis φθίσις
plast(ic πλαστός
plax(oma πλάξ -ωμα
plegia -πληγία
pore πόρος
rhaphy -ῥαφία
rrhagia -ῥαγία
sarcoma σάσκωμα
sclerosis σκλήρωσις

myelo- Cont'd
myelosis μυελ- -ωσις
spasm σπασμός
spongium σπογγιά
syphilis -osis -ωσις
syringosis συριγγ- -ωσις
therapy θεραπεία
tome -τομον
toxin τοξικόν
zoa(n ζῶον
myel- μυελ-
oid(ic in osis) -οειδής
oma -atoid -ωμα
omatosis -ωσις
on(al onic μυελόν
osis -ωσις
my- μυ-
entasis ἔντασις
enteron -ic ἔντερον
esthesia -αισθησία
gale μυγαλή
-icus -idae -inae -oid
id(ae iferous
itis -ic -ῖτις
mui- μυῖα
adestes ἐδεστής
-inae -in(e
agra μυίαγρος
-inae -in(e
archus ἀρχός
asis -ίασις
odesopsia μυιώδης -οψία
myio- μυιο-
bium βίος
cephalon -um κεφαλή
dynastes δυνάστης
philae =φιλος
zetetes ζητητής
myk(or c)ol μύκης
myl- μύλος
abris μυλαβρίς
acanthus ἄκανθα
acephalus ἀκέφαλος
acus μύλαξ
agaulodon γαυλός ὀδών
odon(t(idae μυλόδους
othris μυλωθρίς
Myledaphus μύλη ἔδαφος
Myliobatis μυλίας βατίς
-id(ae -in(e -oid
Myllaena μυλλαίνειν
Mylloceras μυλλός κέρας
mylo- μυλο-
cheilus χεῖλος
chromis χρόμις
glosse -us γλῶσσα
hyoid(eus ean ὑοειδής
murus μῦρυς
mylonite μυλών -ίτης
-ic -ize(d -ίζειν
phara(or o)don φάρυγξ ὀδών
stoma -id(ae -oid στόμα
stomatidae στοματ-
Mymar μῦμαρ
idae -inae -ine
my- μυ-
odes μυώδης
-ocopa (-ous) κόπη
odynia -ωδυνία
oidema οἴδημα
olin
oma -atosis -atous -ωμα
-ectomy -εκτομία
-otomy -τομία
on(icity μυών
onomy ὄνομα
onymy -ωνυμία

my- Cont'd
ope ops μύωψ
opia -y μυωπία
-ic(al(ly -ism -ισμός
opo- μύωψ
diorthoticon διορθωτικός
opsis ὄψις
-id(a(e -idan
optic μύωψ ὀπτικός -ωτικός
osis otic μύοειν -ωσις
osteoma ὀστέον -ωμα
otacismus = mytacismus
ox- μυωξός
id(ae in(a)e oid us
ocephalus κεφαλή
omorpha μορφή
myo- μυο-
albumin -ose γλεῦκος
architectonic ἀρχιτεκτονικός
atrophy ἀτροφία
blast(ic βλαστός
brad(y)ia βραδύς
cardia- καρδία
gram graph γράμμα
cardio- καρδιο- -γραφος
gram graph
cardium -iac -ial καρδία
-ism -itis -ισμός -ῖτις
cele κήλη
celialgia κοιλία -αλγία
celitis κοιλία -ῖτις
cellulitis -ῖτις
cephalitis κεφαλή -ῖτις
ceptor
cerosis κηρός -ωσις
chorditis χορδή -ῖτις
chrome χρῶμα πιον
chronoscope χρονο- -σκό-
chrous χρόος χροῦς
clonia -ic -us κλόνος
coel(e κοῖλος
coelom(e -ic κοίλωμα
colpitis κόλπος -ῖτις
comma κόμμα
crismus κρίζειν
ctonic -in(e -inic μυοκτόνος
cyte -oma κύτος -ωμα
degeneration
demia δημός
(o)edema οἴδημα
diastasis διάστασις
dioctes διώκτης
docha -inae μυοδόχος
dome δόμος
dynamia -ics δύναμις
-(i)ometer μέτρον
electric ἤλεκτρον -ῖτις
endocarditis ἐνδο- καρδία
epithelium -ial ἐπί θηλή
fibril(e -oma -osis -ωμα -ωσις
gale μυογάλη
-id(ae -inae -in(e -oid
gen(ic -ous -γενής
genesis γένεσις
genetic γενετικός
glia γλία
globin -ulin(e
glyphis γλυφίς
gnathus γνάθος
gram γράμμα
graph(er ion -γραφος
graphy γραφία
-ic(al(ly -ist -ιστής
h(a)ematin αἱματ-
hypertrophia ὑπέρ -τροφία
hyracidae ὑρακ- μία
hysterectomy ὑστέρα -εκτο

myo- Cont'd
id(eum al ism μυοειδής
ischemia ἴσχειν -αιμία
kerosis κηρός -ωσις
kinesis κίνησις
kymia κῦμα
kynine κυν-
lemma λέμμα
lestes λῃστής
lipoma λίπος -ωμα
logy -ic(al -ist -λογία -ιστής
lysis λύσις
malacia μαλακία
mancy mantic μαντεία
melanosis μελάνωσις
mere -ic μέρος
meter μέτρον
metrium -ial -itis μήτρα -ῖτις
mimus μῖμος
morph(a ic ine μορφή
motility
nema -e(s νῆμα
nephropexy νεφρο- -πηξία
neur- νεῦρον
al e oma osis -ωμα -ωσις
algia -αλγία
asthenia ἀσθένεια
nosus νόσος
pachynsis πάχυνσις
palmus παλμός
paralysis παράλυσις
paresis πάρεσις
pathy -ic -πάθεια
pericarditis περικάρδιον
peritonitis περιτόναιον -ῖτις
phaena φαίνειν
phage -ism -φαγος -ισμός
phan(e -φανής
phone φωνή
phonia φωνία
phore -ic -ous -φορος
phosphate -ese φωσφόρος
phrisca -φορος -ισκός
physics -ical φυσικά
plasm πλάσμα
plasty -ic -πλαστία
polar πόλος
porum -aceae -aceous πόρος
-ad -ineae -ineous
potamus ποταμός
protein -eid -eose πρωτεῖον
psin ψίειν
psychic -osis ψυχή -ωσις
psychopathy ψυχο- -πάθεια
rrhaphy -ῥαφία
rrhexis ῥῆξις
salpingitis σαλπιγγ- -ῖτις
sarcoma -atous σαρκωμα
saurus σαῦρος
sclerosis σκλήρωσις
-otic -ωτικός
scope -σκόπιον
seism(ia σεισμός
septum serum
spasia σπάσις
spasm(ia us σπασμός
stroma -in στρῶμα
suture
synizesis συνίζησις
talpa -inae
tasis τάσις
tatic τατός
tenonto- τένων -τομία
plasty -πλαστία
tenositis τένων -ῖτις
tenotomy τένων -τομία

myo- Cont'd
therapy θεραπεία
tility
tome -τομον
tomy -ic -ist -τομία -ιστής
tone τόνος
-ia -ic(ity -us -y
tonometer τονο- μέτρον
tragus τράγος
trophy -τροφία
myos- μυός
algia -αλγία
an
in(ogen -γενής
fibrin ose γλεῦκος
uria -ουρία
itis -ic -ῖτις
ote otis μυοσωτίς
uria -ουρία
myrc- μύρτος
ene ia ioid ol
myria- μυριάς
dyne δύναμις
glossa γλῶσσα
gon γόνος
gram(me γράμμα
liter litre λίτρα
merous μέρος
meter metre μέτρον
nida -e
pod(a(n ous ποδ-
podiasis ποδ- -ίασις
spored σπορά
myri- μυρι-
acanthus -ous ἄκανθα
acanthus ἄκανθος
-id(ae -oid -ous
ad(th ed fold μυριάς
ander μυρίανδρος
anthous ἄνθος
arch(y μυριάρχης
myriare -iate μύριοι
Myrica μυρίκη
-aceae -aceous -ales -etine
-ic -in(e -yl(ic ὕλη
Myrichthys μῦρος ἰχθύς
myri- μυρίκη
citrin κίτρον
Myrina(e μύρινος
myringa -itis μηνιγγ- -ῖτις
-odectomy -εκτομία
myringo- μηνιγγο-
dermatitis δερματ- -ῖτις
mycosis μύκης -ωσις
plasty -πλαστία
scope -σκόπιον
tome -y -τομον -τομία
myrio- μυριο-
lepis -inae -ine λεπίς
log(ue μυριολόγι
ical ist -ιστής
mere -ous μέρος
meter μέτρον
morph μυριόμορφος
phyllum μυριόφυλλον
-etum -ite -oid -ous
pod(a ous ποδ-
scope -σκόπιον
sporous σπόρος
theism θεός -ισμός
thela -idae θηλή
zoidae zoum ζῶον
-olic -one -yl ὕλη
myri- μυρι-
onomous μυριώνυμος
orama -ic ὅραμα
pristis πρίστις

myristic μυριστικός
a (ac)eae aceous
ate ation ene ic in(ic
ivora -ous odiolein
ol oleic olic
one yl -ώνη ὕλη
Myrmacicelus μύρμαξ ἴκελος
myrmec- μυρμηκ-
iasis μυρμηκίασις
ic -ισμός
iophytum -ism φυτόν
odes μυρμηκώδης
oid μυρμηκοειδής
Myrmecladoecus μύρμος κλάδος οἶκος
myrmeco- μυρμηκο-
be bius μυρμηκόβιος
-ian -iid(ae -iinae- iin(e
bromous βρῶμα -ioid(es
chorous -y χωρεῖν
domatia δωμάτιον
domous δῶμα
grapher -γραφος
-y -ist γραφία -ιστής
leon μυρμηκολέων
lepsy -ληψία
logy -ical -ist -λογία -ιστής
phage -a -id(ae -φαγος
-inae -in(e -oid -ous
phile -a -ism -ous -φιλος -ισμός
phily -φιλία
phobic -ous -φοβία
phyte -ic φυτόν
symbiosis συμβίωσις
symbiotic συμβιωτικός
thrips θρίψ
trophic τροφή
xenous ξένος
Myrmeleon μυρμηκολέων
-ontid(ae ontoid
Myrmic μύρμηξ
a id(ae inae in(e oid
myrmidon Μυρμιδόνες
ian ize -ίζειν
myrmo- μύρμος
pelta πέλτη
piromis πίρωμις
saulos σαῦλος
therin(e θηρᾶν
myro- μυρο-
balan μυροβάλανος
phila -φιλος
polist μυροπώλης -ιστής
spermin σπέρμα θάμνος
thamnus -aceae -aceous
xylon -ic -in(e ξύλον
Myronic Μυρών
myronic -ate -in μύρον
Myrophis μῦρος ὄφις
myrosan -in(ae μύρον διάστασις
myrrh μύρρα
ate ean ed ic in(e ol(in y
myrrhifluous μύρρα
Myrrhis μυρρίς
myrrhite μυρρίτης
myrrhophore μυροφόρος
myrsine μυρσίνη
-(ac)eae -aceous -ad
Myrsiphyllum μυρσίνη φύλλον
Myrsus μύρσος
myrt(us μύρτος
(ac)eae aceous al(es
al ene ic ol ill(id)in
ine μύρτινος
ite μυρτίτης
ophyllum φύλλον

myrti- μύρτος
colorin florae
foliate form
myrtle μύρτος
Myrus -idae μῦρος
Mysis μύσις
-id(ae -idea(n -oid
mysophobia μύσος -φοβία
myst μύστης
mystac- μύσταξ
(i)al
ina -inae -in(e -ous
ocete -i -ous κῆτος
ops opinae opin(e ὤψ
mystae -es μύστης
mystagog(ue μυσταγωγός
al us
ic(al(ly μυσταγωγικός
y μυσταγωγία
Mystax μῦσταξ
mysteri- μυστηρ-
a al(ly y μυστήριον
arch μυστηριάρχης
fical ous(ly ness)
osophy -σοφία
mysterize μυστήριον
mystic μυστικός
al(ly (al)ity (al)ness -ίζειν
ism ist ize -ισμός -ιστής
mysticete -ous μυστίκητος
mystico- μυστικός
crinus κρίνον
mystify μυστήριον
-ic(al(ly ation ator(y)
-ied -ier
mystrin μύστρον
-iophis ὄφις
mystrio- μυστριο-
pora πόρος
suchidae σοῦχος
mystro- μύστρον
leon λέων
petalon -eae πέταλον
phorus -φορος
pomus πῶμα
sporium σπορά
thamnus θάμνος
mytacism μυτακισμός
myth μῦθος
ergates ἐργάτης
ic ico- μυθικός
al(ly (al)ism -ισμός
ist ize(r -ιστής -ίζειν
ism ist -ισμός -ίζειν
istory μυθιστορία
ites μυθίτης
ize -ίζειν
mytho- μυθο-
clast(ic -κλαστής
genesis γένεσις
geny -γένεια
gony -ic -γονία
graph(er a μυθογράφος
graphy -ist μυθογραφία
heroic ἡρωικός -ιστής
historic ἱστορικός
logema μυθολόγημα
log(ue λόγος
loger -ian μυθολόγος
logic(ly al(ly μυθολογικός
logy μυθολογία
-ist -ize(r -ιστής -ίζειν
mania -iac μανία -ακός
meter μέτρον
nomy -νομία
pastoral
pheme φήμη

mytho- Cont'd
phobia -φοβία
plasm πλάσμα
p(o)e- μυθοποιός
ic ism ist -ισμός -ιστής
poem ποίημα
poesis ποίησις
poet(ry -ize ποιήτης
poetic ποιητικός
sociologic λογικός
mythos -us μῦθος
mytil- μυτίλος
aceae acean aceous
aspis ἀσπίς
iconcha κόγχη
id(ae iform inae
ite -ol -ίτης
oid us -οειδής
otox- τοξικόν
icon in(e ism -ισμός
myurous -us μυ- -ουρος
myxa μύξα
myx- μυξ-
aden- ἀδήν
itis oma -ῖτις -ωμα
amoeba(e ἀμοιβή
angitis ἀγγεῖον -ῖτις
angoitis ἄγγος -ῖτις
asthenia ἀσθένεια
emia -αιμία
(idi)idae -ίδης -ιδιον
idiocy ἰδιωτεία
ine -id(ae -oid(ei μυξῖνος
myxo- μυξο-
adenoma ἀδήν -ωμα
amoeba ἀμοιβή
bacteria βακτηρία
-iaceae -iaceous -iales
bia βίος
blastoma βλαστός -ωμα
bolus -idae -βολος
chimaera χίμαιρα
chondroma χονδρος -ωμα
ofibrosarcoma σάρκωμα
chromo- χρῶμα
somes σῶμα
coccidium κόκκος -ιδιον
cylindroma κύλινδρος
cyst- κύστις
odea(n oma -ώδης -ωμα
cyte κύτος
dermia δέρμα οἴδημα
edema -atoid -atous -ic
enchondroma ἐν χόνδρος
fibroma -atous -ωμα
fibrosarcoma σάρκωμα
flagellates
gaster(s -(e)res γαστήρ
gastric -ous γαστρ-
glioma γλία -ωμα
globulin
glucan γλυκύς
id(edema -οειδής οἴδημα
inoma ἴν- -ωμα
lipoma λίπος -ωμα
monad monas μονάς
mycete(s μυκητ-
-aceae -al -an -ous
myoma μυ- -ωμα
neur- νεῦρον
oma osis -ωμα -ωσις
papilloma -ωμα
phyceae -in φῦκος
phyte -a φυτόν
pod(a ia ous ποδ-
podium πόδιον
poiesis ποίησις

myxo- Cont'd
pterygium πτερύγιον
rrhea -ῥοία
sarcoma -atous σάρκωμα
spongiae σπογγιά
-ian -ida(n
spore -ous σπορά
sporia σπορά
-idia -idium -ιδιον
thallophyta θαλλός φυτόν
theca θήκη
trophic τροφή
myx- μυξ-
oma -atous -ωμα
on μύξω
Myzesis μύζειν
myzo- μύζειν
dendron -aceae δένδρον
mela -inae -in(e μέλος
myia μυῖα
rhyncus ῥύγχος
stom- στόμα
a ate (at)ous ea(n id(ae
ida(n oid ous um
myzont(es μυζῶν
Myzus μυζάειν

Nabalus νάβλα
-ism -ite -itic -ισμός -ίτης
Nabat(h)(a)ean Ναβαταῖοι
nabla nable νάβλα
nabobism -ισμός
nacrite nadorite -ίτης
Naemospora νῆμα σπορά
naevoid -οειδής
naevolipoma λίπος -ωμα
naftalan νάφθα
nagualism -ισμός
-ist(ic -ιστής -ιστικός
nagyagite -ίτης
Nahecaris Ναιάς κηρίς
Naiad(es Ναιαδ-
aceae aceous ales eae
ochelys χέλυς
Naias Ναιάς
naid Ναιδ-
ae es ia id(ae iform oid
omorph(a μορφή
Nais Naiidae Ναΐς
naiscus ναΐσκος
nakedize -ίζειν
Nama νᾶμα
namalite λίθος
namaquilite -ίτης
namat- ναματ-
ad ium ophilus ophyta -φιλος
nan- νᾶνος φυτόν
ander -rous -ανδρος
ism ity ization -ισμός -ίζειν
oid ous us -οειδής
nann- νάννος
irhynchia ῥύγχος
iscus -ισκός
oda νανώδης
nanno- νάννος
belus βέλος
colobodes κολοβώδης
nymphaeus νυμφαῖος
phryganea φρύγανον
pithex πίθηξ
plankton(ts πλαγκτόν ὄντα
trigona τρίγωνος
nano- νανο-
brachium βραχίων
cephal- κεφαλή

nano- Cont'd
ic ism ous y -ισμός
cormia -us κορμός
cranous κρανίον
dactylus δάκτυλος
glossa γλῶσσα
graptus γραπτός
melia -ous -us μέλος
mysis μύσις
phanero- φανερο-
phytes -ium φυτόν
phyes νανοφυής
phyll φύλλον
pterum πτερόν
saur(us σαῦρος
somia -a -us σῶμα
tragulus τράγος
Nanosura νᾶνος οὐρά
nantokite -ίτης
nao- ναο-
logy -ical -λογία
metry -μετρία
saurus σαῦρος
soma σῶμα
Naomichelys χέλυς
naos ναός
Napaea Ναπαία
-aead -(a)ean
naphindone νάφθα Ἰνδικός
naphtha νάφθα -ώνη
thioxin θεῖον ὀξύς
naphth- νάφθα
acene acridine a(li)zarin
al-
amide amine an ate ene
enic enol ic id(e idin(e
idinol imide ine inoid
ol onic ἀμμωνιακόν
ize -ation -ίζειν
operine περί
aldehyde ὕδωρ
am- ἀμμωνιακόν
ein(e ic ide ine
an(e
anthr- ἄνθραξ
aquinone -ώνη
ene oxanic ὀξύς
azin(e azole ἀ- ζωή
ene enate -ηνη
id(e idil idin
imid- ἀμμωνιακόν
azole ἀ- ζωή
ind- Ἰνδικός
an (ol)ene ole ulin
azole ἀ- ζωή
indigo Ἰνδικός
ine -oline
isatin ἰσάτις
naphthi- νάφθα θεῖον
azine onate onic
naphtho- νάφθα
benzyl ὕλη
carbazole ἀ- ζωή
carbostyril στύραξ
chroman -one χρῶμα -ωνη
cinchonic
coumarin -one -ώνη
cresol κρέας σώζειν
dianthr- δι- ἄνθραξ
ene one -ώνη
flavone fuchsone -ωνη
fluorene -ηνη
form(ine furan
gene geny -γενής
logy -λογία
nitrile νίτρον
phenazine φαιν- ἀ- ζωή

naphtho- Cont'd
phthalazine ἀ- ζωή
pyr- πῦρ
an azine in one ylium
quinoline quinone -ώνη
quinoxaline ὀξύς
resorcin(ol rubin
salol -icin styril
thio- θεῖον
phene φαιν-
pyran -one πῦρ -ωνη
xanthene ξανθός
thioxin θεῖον ὀξύς
triaz- τρι- ἀ- ζώη
ine ole
xanthene ξανθός
yl(ene ὕλη
naphth- (Cont'd)
oic ol(ate ism ize)
olsulphonic ous
ox- ὀξύς
azine azole ol
uric οὖρον
yl ὕλη
(enedi)amine ene ic
yridine πῦρ
naphtolithe νάφθα λίsθος
Napodonistic ναπώδη ἴκτις
Napoleonism -ισμός
-ist(ic -ιστής -ιστικός
-ite -ize -ίτης -ίζειν
nappist -ιστής
napra(*or* o)path(y -παθής
narc- ναρκ- -πάθεια
eia (e)in(e eonic
narciss(us νάρκισσος
al(es in(e
in(e ναρκίσσινος
Narcissus Νάρκισσος
-(iss)ism -ισμός
-(iss)ist(ic -ιστής -ιστικός
narco- νάρκη
anesthesia ἀναισθησία
batis -us βατίς βάτος
-id(ae -oid
hypnia ὕπνος
lepsy -ληψία
leptic ληπτικός
mania -iac(al μανία
medusae -an Μέδουσα
pepsis πέψις
stimulant
tropism τροπή -ισμός
narc- νάρκη
odes ναρκώδης
oma -atous -ωμα
ose otile
osis νάρκωσις
-omania μανία
yl ὕλη
narcot- ναρκωτικόν
ia in(a e ic)
ism ist -ισμός -ιστής
ize -ation -ίζειν
narcotic ναρκωτικός
al(ly (al)ness ism
oacrid oirritant
nard(us νάρδος
etum iferous
ine νάρδινος
ostachys ναρδόσταχυς
Naregamia -in(e ναρός γάμος
narsarsukite -ίτης
narthecal ναρθηκ-
-ium -ius ναρθήκιον
narthex νάρθηξ
Narycius Ναρύκιος

nasalize -ation -ίζειν
nasethmoid ἠθμοειδής
nasiobregmatic βρέγμα
nasioiniac ἰνιόν
nasitis -ῖτις
naso-
antritis -ῖτις
basal -lar βάσις
bronchial βρόγχος
ethmoidal ἠθμοειδής
logy -λογία
-ical -ist -ιστής
manometer μέτρον
pharyngitis φαρυγγ- -ῖτις
pharynx -yngeal φάρυγξ
prognathism -ic πρό γνάθος
scope -σκόπιον -ισμός
septitis sinu(s)itis -ῖτις
Nassoirocrinus κρίνον
nassology -λογία
nastic -in -us ναστός
onycha ὀνυχ-
Nastoceras ναστο- κέρας
natationist -ιστής
Naticonema νῆμα
Naticopsis ὄψις
nationalism -ισμός
-ist(ic -ιστής -ιστικός
-ize(r -ation -ίζειν
nationist -ιστής
nativism -ισμός
-ist(ic -ιστής -ιστικός
natr- νίτρον
amblygonite ἀμβλυγώνιος
ion ium um yl ὕλη
natro- νίτρον
alunite -ίτης
chalcite χαλκός
davyne
hitchcockite -ίτης
jarosite -ίτης
lite λίθος
melilith μέλι λίθος
meter μέτρον
montebrasite -ίτης
philite -φιλος -ίτης
phlogopite φλογωπός
natron νίτρον
amblygonit ἀμβλυγώνιος
anorthite ἀν ὀρθός
berzellite -ίτης
catapleiite κατά πλείων
ite jarosite -ίτης
kalisi monyite -ίτης
melilith μέλι λίθος
mikroklin μικρο- κλιν-
phlogopite φλογωπός
richterite -ίτης
sanidine σανίς
sarkolith σαρκο- λίθος
natur(al)ism -ισμός
-ist(ic(ally -ιστής -ιστικός
naturalize -ίζειν
-ability -able -ant -ation
naturopath(y -πάθεια
ist -ιστής
nau- ναυ-
clerus κλῆρος
coris -id(ae -oid κόρις
crary ναυκραρία
crates κρατ-
cratite Ναύκρατις
machia -y ναυμαχία
pactus Ναύπακτος
pathia -πάθεια
pegical ναυπηγικός
pegy ναυπηγία

nau- Cont'd
plius Ναύπλιος
-ial -iform -ioid
ropometer ῥοπή μέτρον
scopy -σκοπία
naulum -age ναῦλον
naumanite -ίτης
nause- ναυσία
a ant ity ous(ly
ate -ingly -ion -ive
Nausibius ναυσίβιος
nautic ναυτικός
al(ly ality
Nautichthys ναύτης ἰχθύς
nautics ναυτική
nautil- ναυτίλος
acea(n aceae ian id(ae iform
ine inidae ite oid(a ea(n)
icone κῶνος us
iscus -ισκος
ophora -φορος
navalism -ισμός
navarch ναύαρχος
navarchy ναυαρχία
navicul- -oid
arthritis ἀρθρῖτις
Nazarean Ναζαραῖος
Nazarene -ism Ναζαρηνός
Nazarite(ship Ναζαρίτης
-ic -ish -ism -ισμός
nazography -γραφία
Nealexia νε- ἀλέξειν
nealogy -ic νεα- -λογία
Nealotus νεάλωτος σῶμα
Neamblysomus νη- ἀμβλυ-
Neanderthaloid -οειδής
neanic νεανικός
Neapolitan Νεαπολίτης
nearctic(a νε- ἀρκτικός
nearthrosis νε- ἄρθρον -ωσις
nebelist -ιστής
Nebria νεβρίας
nebris νεβρίς
nebrismus νεβρισμός
nebulist -ιστής
-ization -ize(r -ίζειν
nebulochaotic χάος -ωτικός
necess(it)arianism -ισμός
necr- νεκρ-
(a)emia -αιμία
ectomy -εκτομια
encephalus ἐγκέφαλος
ides εἶδος
odes opsy ώδης -οψία
osis (-e(d -ial -y) -ωσις
otic νεκρότης
-ization -ize -ίζειν
necro- νεκρο-
bacillosis -ωσις
bia βίος
biosis βίωσις
biotic βιωτικός
coleoptero- κολεόπτερος
philous -φιλος
cytosis κύτος -ωσις
cytotoxin κυτο- τοξικόν
dialogistical διαλογιστικός
genic -ous -γενής
grapher -γραφος
harpages ἅρπαξ
latry νεκρολατρεία
lemur
log(ue λόγος
logy -λογία -ιστής
-ic(al(ly -icity -ist
mance(r νεκρομαντεία
-eous -ian -ing

necro- Cont'd
mancy -ist νεκρομαντεία
mania μανία
mant(ic(al(ly νεκρόμαντις
meter μέτρον
morphous -μορφος
narcema νάρκημα
parasite παράσιτος
pathy -πάθεια
phaga(n -ous νεκροφάγος
phile -φιλος
-ism -ous -us -ισμός
philia -y -φιλία
phobia -y -ic -φοβία
phore -us νεκροφόρος
-idae -ous
plasm πλάσμα
pneumonia πνευμονία
plast πλαστός
polis -itan νεκρόπολις
ponent
psittacus ψίττακος
pyoculture πυο-
sadism -ισμός
scopy -ic(al -σκοπία
spermia σπέρμα
thrips θρίψ
tomy -ic(al -ist -τομία
type -ic τύπος
necron- νέκρον
ectomy -εκτομία
idia ite -ιδιον -ίτης
Nectandra νέκταρ -ανδρος
nect- νηκτός
alia -idae ἅλς
ism on(ic -ισμός
urus οὐρά
nectar νέκταρ
e- νεκτάρεος
al an ous(ly ness)
ed el ine ize ous
inia -iid(ae -ioid
nectari- νέκταρ
a(l an ed ous um
ferous oorous
lyma -ous λῦμα
nectaro- νεκταρο-
sema σῆμα
stigma στίγμα
theca θήκη
nectary νεκτάριον
nectism νηκτός -ισμός
necto- νηκτός
brachia βράχεα
calyx -ycin(e κάλυξ
cyst κύστις
mertes -idae (Νη)μερτής
phore -φορος
pod(a ποδ-
sac(k σάκκος
some σῶμα
stem
zooid ζῷον -οειδής
Nectria -iaceous νηκτρίς
-ianin -ioidaceae -iose
Necydalis νεκύδαλος
necyomancy νεκυομαντεία
Nedinoptera νη- δεινο- πτερόν
Nedyopus νηδύς πούς
ne- νε-
encephalon ἐγκέφαλος
etrophus ἦτρον
negationist -ιστής
negatism -ισμός
negativism -ισμός
-ist(ic -ιστής -ιστικός
negatoscope -σκόπιον

negr-
itize itoid -ίτης -ίζειν
oid(al -οειδής
otic -ωτικός
negro-
ism ite -ισμός -ίτης
ization ized -ίζειν
latry λατρεία
mania μανία
(l)oid(al -οειδής
phil(e ism -φιλος -ισμός
ist(ic -ιστής -ιστικός
phobe -φοβος
-ia(c -ist -φοβία -ιστής
neiandra νη -ανδρος
neidioplankton νηίς πλαγκτον
neism νε- -ισμός
neisserosis -ωσις
nekron -ogene νεκρός -γενής
Nektaspia νηκτός ἀσπίς
Neleides Neleus Νηλείδης
nema νῆμα Νηλεύς
caulus καυλός
chilus χεῖλος
lin(e lite litic λίθος
lion(ieae λέων
phyllite φύλλον -ίτης
soma σῶμα
stylis στυλίς
thece -ium θήκη
-ial -ioid
nemat- νηματ-
ea ic
helmia ἕλμινς
(h)elminth ἑλμινθ-
a es ic iasis -ιασις
istuis -iid(ae -ioid ἱστος
ode(s νηματώδης
-a -ea -iasis -ίασις
odonteae ὀδοντ-
oid(a oidea(n -οειδής
oura οὐρά
nemato- νηματ-
bdella βδέλλα
blast βλαστός
calyx -ycin(e κάλυξ
carcinus -id(ae -oid καρκίνος
cera -(at)ous κέρας
cide
cinurus κινεῖν οὐρά
cyst(ic κύστις
dinium δῖνος
gen(e a ic ous) -γενής
gnath(i ous γνάθος
gone γονή
logist -λογία -ιστής
morpha μορφή
myces μύκης
neura(l -ose -ous νεῦρον
parataenia παρά ταινία
phore -a(n -ous -φορος
phycus -aceae φῦκος
phyton φυτόν
plast πλαστός
poda -e -ous ποδ-
pora πόρος
rhynca ῥύγχος
scelis σκελίς
schema σχῆμα
scolices -in(e σκώληξ
spermia σπέρμα
thec(i)ous θήκη
zooid ζῷον -οειδής
Nemean Νεμεαῖος
nemert- Νημερτής
ea(n es ian id(ae ida(n ina
in(e ineae ineidae oid

nemesis -ia -ic Νέμεσις
nem- νῆμα
eae ipterus πτερόν
ichthys ἰχθύς
-yid(ae -yoid
nemo- νῆμα
blastus βλαστός
cera(n -ous κέρας
cyst κύστις
glossa -ata -ate γλῶσσα
panthes πούς ἄνθος
nemo- νέμος
bius lite βίος λίθος
phila -ous -φιλος
zoma ζῶμα
Neniopsis ὄψις
neo- νεο-
alchemical χημεία
American
amphorophora ἀμφορεα-
antiluetin ἀντί φόρος
arctic ἀρκτικός
arsphenamin ἀρσένικον
φαιν- αμμωνιακόν
arsycodyl ἀρσενικόν ὕλη
arthrosis ἄρθρον -ωσις
atavistic
attic Ἀττικός
Babylonian Βαβυλῶν
balaena φάλαινα
biology -ist βιο- -λογία
blastic βλαστός -ιστής
bornyl ὕλη
brachyglossum βραχυ-
botany βοτάνη γλῶσσα
-ical -ist -ιστής
Buddhism -ισμός
-ist(ic -ιστής -ιστικός
bythites βύθιος -ίτης
carida καρίς
catechu
Catholic(ism καθολικός
Celtic Κελταί -ισμός
cene καινός
ceratodus κερατώδης
cerebellum
cerotic κηρωτόν
ceryl ὕλη
chen χήν
chlorophyll χλωρο- φύλλον
Christian(ity Χριστιανός
chrysalite χρυσόλιθος
chrysops χρυσώψ-
cinchophen φαιν-
claenodon χλαινα ὀδών
classic(ism -ist -ισμός -ιστής
clinus κλιν-
colemanite -ίτης
comian κώμη
conger
corus -ate νεωκόρος
cosmic κόσμος
cosmospora κοσμο- σπορά
cotarnine ναρκωτικός
cracy -κρατία
criminalist -ιστής
crina -oid(ea κρίνον -οειδής
criticism κριτικός -ισμός
ctese κτῆσις
cynan κύανος
in(e ite -ίτης
cyte -osis κύτος -ωσις
damode νεοδαμώδης
Darwinian -ism -ισμός
dermin δέρμα
diarsenol δι- ἀρσενικόν
didymium δίδυμος

neo- Cont'd
diplogaster διπλο- γαστήρ
ditrema δι- τρῶμα
dox(y δόξα
Druid(ic(ism -ισμός
dymium δίδυμος
Egyptian Αἰγύπτιος
embryo -onic ἔμβρυον
encephalon ἐγκέφαλος
erbium
erythromma ἐρυθρος ὄμμα
euthyris εὖ θυρίς
fetus -al fiber
form(ation ative
gaea(n gaeic γαῖα
gala γάλα
gam(ist νεόγαμος -ιστής
gamy -ous -γαμία
geic γαῖα
gen(ic -γενής
gene νεογενής
genesis γένεσις
genetic γενετικός
glucose γλεῦκος
gnathae -ic γνάθος
Gothic
grammarian γράμμα ικός
grammatical νεογραμματ-
graph(y -ic -γραφος γραφία
Greek Γραικός
Hebraic Ἑβραικός
Hebrew Ἑβραῖος
Hegelism -ian(ism -ισμός
Hellenic Ἑλληνικός
Hellenism Ἑλληνισμός
heterandria ἑτερ- ἀνδρ-
hibolites ἱπός λίθος
hierax ἱέραξ
hipparion ἱππάριον
holmia -ium
hyaenodon ὕαινα ὀδών
hyborrhynchus ὕβος ῥύγχος
hymen ὑμήν
id νέω -οειδής
impressionism -ist -ισμός
Jurassic -ιστής
Kantism -ian(ism -ισμός
kentroceras κεντρο- κέρας
kharsivan
kinetic κινητικός
koros νεωκόρος
kosmium κόσμος
lactose γαλακτ- γλεῦκος
Lamarckism -ian -ισμός
lampadidae λαμπαδ- -ίδης
Latin
lepidoptera λεπιδο- πτερόν
leucopis λευκ- ὤπ-
leucitus λευκίτης
leucophenga λευκο- φέγγος
limulis -id(ae -oid
linognathus λινο- γνάθος
liparis λιπαρός
lite lith(ic λίθος
logy -λογία
-ian(ism -ic(al(ly -ism -ist-
(ic(al -ization -ize(r -ous
-ισμός -ιστής -ιστικός
maenis μαίνη -ίζειν
Malthusian(ism -ισμός
membrane
Mendelism -ian -ισμός
meni- νεομηνία
a(n ae aria id(a oid(ea(n
menthol μίνθα
modal
mon(ic(s μονάς

neo- Cont'd
monoscope -σκόπιον
morph(us μορφή
ic inae in(e ism -ισμός
morphogenous μορφο- -γενής
morphosis μόρφωσις
mylodon μύλη ὀδών
mys μῦς
natal
nomous νόμος
-ism -ian(ism -ισμός
pagan(ism -ize -ισμός -ίζειν
palaeasteridae παλαῖος ἀστήρ
Paleozoic παλαιο- ζωικός
pallium -ial
paraffin pelline
Persian Περσίς
phila -ism -φιλος
philologist -ical φιλολογία
philosopher φιλόσοφος
phlycticeras φλύκταινα κέρας
phobia -φοβιά
phrenia φρήν
phrastic φραστικός
phron νεόφρων
phyte νεόφυτος
-ic -ish -ism -ισμός
pinophilus πῖνος -φιλος
pithecine -i πίθηκος
plase -ia πλάσις
plasm(a πλάσμα
plast πλαστός
plastic πλαστικός
plasty -ic -πλαστία
platonic(ian Πλάτων
-ism -ist -ισμός -ιστής
platycrinus πλατυ- κρίνον
proetus
psychic ψυχικός
Punic
pus νεωπός
pyrenol pyrine πῦρ
Pythagorean Πυθαγόρειος
ism -ισμός
rhacodes ῥακώδης
rhagis ῥαγίον
rhizobius ῥιζο- βιός
rhombolepis ῥομβο- λεπίς
rhynchus -idae ῥύγχος
robin
Roman romantic
salvarsan ἀρσενικόν
Sanskrit(ic
Schellingism -ισμός -κός
Scholastic(ism σχολαστι
sciuromys σκίουρος μῦς
sclerus σκληρός
silvol sorex
solen σωλήν
spathegaster σπάθη γαστήρ
sporidia σπορά -ιδιον
stenus στενός
stoma -y στόμα -στομία
striatum
style στῦλος
Sumerian
Syriac Συριακός
tantalite Τάνταλος
tarache ταραχή
te(i)nia -y -ic τείνειν
thalamus θάλαμος
themis θέμις
thulium θούλη
tingis Τίγγις
tocite νεότοκος -ίτης
tome -a -τομος

neo- Cont'd
topism τόπος -ισμός
toxoscelus τοξο- σκέλος
tragocerus τραγο- κέρας
tragus τράγος
tremata -ous τρηματ-
tropic(al τροπικός
truxinic
type τύπος
vitalism -ισμός
-ist(ic -ιστής -ιστικός
volcanic Washingtonia
xestus ξεστός
ytterbium
zoic ζωικός τής
zoology -ist ζωο- λογία -ισ-
neon(ism νέον -ισμός
ne- νε-
ontology ὀντο- -λογία
-ical -ist -ιστής
onym(y -ωνυμία
opine ὄπιον
orama νέως ὅραμα
ornithes ὄρνιθες
osine
neosidone νέος ἰώδης
neoss- νεοσσός
(id)in(e
logy -λογία
ptile πτίλον
neoter-
ic(al(ly νεωτερικός
ism νεωτερισμός
ist(ic νεωτεριστής
ize νεωτερίζειν
neotesite νεότης -ίτης
Neottia νεοττία
-ieae -ious
-opteris πτερίς
nepenth(e νηπενθής
aceae aceous es ean ic
nephalia νηφάλια
nephalism -ist νηφαλισμός
Nephalius νηφάλιος
Nephanes νηφαίνειν
nephel- νεφέλη
a id(a in(e inic is ite oid
electrometer ἠλεκτρο-
odometer ὁδός μέτρον
opia -ωπία
otus νεφελωτός
nephele νεφέλη
scope -σκόπιον
nepheli- νεφέλη
ad cola
genous -γενής
Nephelium νεφέλιον
nepheloid νεφελοειδής
nephelo- νεφελο-
coccygia Νεφελοκοκκυγία
gnosis or -y γνῶσις
later λάτρης
logy -ical -λογία
meter μέτρον
metry -ic(al(ly -μετρία
psychosis ψύχωσις
rometer -ῥοία μέτρον
scope -σκόπιον
sphere σφαῖρα
Nephodes νεφώδης
nephodoscope νέφος ὁδός -σκόπιον
nepho- νεφο-
gram -graph γράμμα -γραφος
logy -λογία
-ical -ist -ιστής
scope -ic -σκόπιον

nephr- νεφρός
adenoma ἀδήν -ωμα
aemorrhagia αἱμορραγία
algia -y -ic -αλγία
anuria ἀν- -ουρία
apostasis ἀπόστασις
atonia -y ἀτονία
auxe -y αὔξη
ectasis -ia -y ἔκτασις
ectomy -ize -εκτομία -ίζειν
elcosis ἕλκωσις
emia -αιμία
emphraxis ἔμφραξις
ia ic
idion -ium -ial νεφρίδιον
-iopore πόρος
-iostome στόμα
ism ite -ισμός -ίτης
odium -inic νεφρώδης
oncus ὄγκος
ops(idae ὤψ
osis -ωσις
osta
otoid νεφριτικός
nephrite -ic(al -oid νεφριτικός
nephritis νεφρῖτις
nephro- νεφρο-
abdominal
blast βλαστός
caps(ac)ectomy -εκτομία
cardiac καρδιακός
cathartic(on καθαρτικός
cele κήλη
colic(a κωλική
colo- κόλον
pexy -πηξία
ptosis πτῶσις
cyst κύστις
anastomosis ἀναστόμωσις
idium -ιδιον
itis osis -ῖτις -ωσις
cyte κύτος
erysipelas ἐρυσίπελας
gastric γαστρ-
genic genous -γενής
gonaduct γονή
graphy -γραφία
h(a)emia -αιμία
hydrosis ὑδρ- -ωσις
hypertrophy ὑπέρ -τροφία
id(eous νεφροειδής
lepis λεπίς
lith(ic λίθος
lithiasis λιθίασις
lithotomy λιθοτομία
logy -ist λογία -ιστής
lysin lysis λύσις
lytic λυτικός
malacia μαλακία
megaly μεγάλη
mere -ic μέρος
mixum
paralysis παράλυσις
pathy -ic -πάθεια
pexy -πηξία
phthisis φθίσις
plegia -y -πληγία
pneusta(n πνευστός
poietic -in ποιητικός
pore πορος
ptosia -is -πτωσία πτῶσις
pyelitis πύελος
pyeloplasty πυελο- -πλαστία
pyosis πύον -ωσις
rosein
rrhagia -ῥαγία
rrhaphy -ῥαφία

nephro- Cont'd
scleria -osis σκληρός -ωσις
spasis σπᾶν
stome -a -iai -ous στόμα
tome -τομον
tomy -ization -ize -τομία
tosis πτῶσις -ίζειν
toxic -in τοξικόν
tresis τρῆσις
triesis τριῆσις
tuberculosis -ωσις
typhoid τυφώδης
typhus τύφος
ureter(ocyst)ectomy οὐρτήρ κύστις -εκτομία
zym- ζύμη
ase ose osis διάστασις
Nephthys Νέφθυς -ωσις
-yaceae(n -yid(ae -yoid
Nephycta νη- φυκτός
nephydrosis -otic νεφρός ὑδρ- -ωσις -ωτικός
nepi- νήπιος
astic -y ἄστυ
odes onic -ώδης
ology -λογία
nepotism -ισμός
-ist(ical -ιστής -ιστικός
Neptunianism -ισμός
Neptunist -ιστής
Neptunicentric κεντρικός
neptunite -ίτης
Neptunochelys χέλυς
Nepytis νηπύτιος
Nereicola Νερεύς
-id(ae -oid
nere- νήριον
anthin ἄνθος
in odor(e)in
nere- Νηρηΐς
ad id(es (id)id(ae idean idian (id)iform idina idion idous ite
Nereocystis Νερεύς κύστις
nerin- Νηρεΐς
e ea eid(ae eoid
Nerinea Νερεύς
-eopsis ὄψις
nerit- νηρίτης
a e id(ae idan iform ina ine ite itic oid
opsis -id(ae -oid ὄψις
Nerium νήριον
nerocurrent νηρός
Neronism -ισμός
-ist -ize -ιστής -ίζειν
neropathy -πάθεια τόν
neroplankton νηρίτης πλαγκ-
nerterology νέρτερος -λογία
Nerthomma νέρθε ὄμμα
Nertus νέρτος
nerv(os)ism -ισμός
Nesaea Νησαίη
nesiote νησιώτης
Nesioticus νησιωτικός
Nesodon νῆσος ὀδών
neso- νησο-
ceryx κῆρυξ
dagys δαγύς
gaea(n γαῖα
gena genes γένος -γενής
lagobius λαγο- βιός
lathrus λαθραῖος
lecithus λέκιθος
mys μῦς
netta νωττα
phylax φύλαξ

neso- Cont'd
pithecus -idae πίθηκος
porogaster πορο- γαστήρ
stenodontus στενος ὑδοντ-
theca θήκη
tragus τράγος
nesquehonite -ίτης
nesslerize -ation -ίζειν
nestis νῆστις
-iatria ἰατρεία
-iostomy -στομία
-itherapy θεραπεία
-otherapy -(e)ia
Nestor -id(ae Νέστωρ
-inae -ine -ize -oid
Nestorian Νεστόριος
ism ize(r -ισμός -ίζειν
netheist νη- θεός -ιστής
Netrocera νῆτρον κέρας
netta- νῆττα
rrhinus ῥίν
stoma-idae στόμα
Nettion νήττιον
Nettopus νῆττα πούς
neum(e πνεῦμα
-atize -ic -ίζειν
neur- νεῦρον
achne ἄχνη
ad ation e
adynamia -ic ἀδυναμία
(a)emia -ic -αιμία
agnia ἀγνός
al(ist aliform -ιστής
algia -y -iac -ic -αλγία
althein
am(o)eba ἀμοιβή
-imeter μέτρον
amphipetalae ἀμφί πέταλον
anagenesis ἀναγεννᾶν
anal
ancylus ἀγκύλος
angiosis ἀγγεῖον -ωσις
apophysis -ial ἀπόφυσις
archy -αρχία
arthropathy ἀρθρο- -πάθεια
asthenia ἀσθένεια
-iac -ic(al(ly -y
ataxia *or* -y ἀταξία
atrophia *or* -y -ic ἀτροφία
axis -ial -itis -ῖτις
axon ἄξων
ectasis -ia -y ἔκτασις
ectome -y -ic ἐκτομή -ἐκτο-
ectopia ἔκτοπος μία
energen ἐνέργεια
enteric ἔντερον
epithelium -ial ἐπί θηλή
ergic ἔργον
exairesis ἐξαίρεσις
hypnology ὑπνο- -λογία
hypnotist ὑπνωτικός -ιστής
iatry ἰατρεία
ic(al icity idine ility in(e
inoma -atosis -ωμα
ism -it(e -ισμός -ίτης
itis -ic -ῖτις
neuri- νεῦρον
lemma λέμμα
-al -(at)ic -atous -(at)itis
motility motor -ῖτις
neur- νεῦρον
ocity
ode- νευρώδης
-atrophia -y ἀτροφία
-in(e
odynia -ωδυνία
oma -ωμα

neur- Cont'd
-atosis -atous -ωσις
onym ὄνυμα
onymy -ωνυμία
orrhyctes ὀρυκτής
orthopter(a(n ous ὀρθο-
ose -in πτερόν
osis -al -ism -ωσις -ισμός
osteite ὀστέον -ίτης
otic(a ism -ωτικός
-ization -ize -ίζειν
otology ὠτ- -λογία
ula urgic -ουργία
ypnology ὑπνο- -λογία
-ical -ist -ιστής
neuro- νευρο-
amebiasis ἀμοιβή -ίασις
arthritism ἀρθρῖτις -ισμός
bion βίον
biotaxis βιο- τάξις
blast(ic oma βλαστός -ωμα
branchia βράγχια
-iata -iate
cain
cardiac καρδιακός
cele κήλη κοῖλον
centrum -al κέντρον
ceptor cerebronic
ceratin κερατ-
chitin χιτών
chondrite χονδρίτης
chord(al χορδή -ῖτις
chorioretinitis χόριον ῥητίνη
choroiditis χοροειδής
circulatory
clonic κλόνος
coele -a -ian κοῖλον
crane -ium -ial κρανίον
cyte -oma κύτος -ωμα
degenerative
dendron δένδρον
derm(al δέρμα
(at)itis atosis -ῖτις -ωσις
diagnosis διάγνωσις
dynamic(s δυναμικός
enteric ἔντερον
epidermal ἐπιδερμίς
epithelium ἐπί θηλή
-ial -ioma -ωμα
febrin fibril(la(r
fibroma -atosis -ωμα -ωσις
fibrositis -ῖτις
fil fixation
gamia -γαμία -ῖτις
ganglion -iitis γάγγλιον
gastric -algia γαστρ- -αλγία
gen(ic ous -γενής
genesis γένεσις
genetic γενετικός
glandular
glia -iac -ial -iar -ic γλία
glioma γλία -ωμα
gram γράμμα
graphy -γραφία -λογία
h(a)ematology αἱματο-
histology -ist ἱστός
hypnology -ist ὑπνο- -λογία
hypnotic ὑπνωτικός
-ism -ist -ισμός -ιστής
hypophysis ὑπόφυσις
ic -ικός
id νευροειδής
induction
inoma -atosis ἰν- -ωμα -ωσις
keratin κερατ-
kinet κινητός
kym(e κῦμα

neuro- Cont'd
labyrinthitis λαβύρινθος
lite λίθος -ῖτις
logy -ical -ist λογία -ιστης
lymph νύμφη
lysis -in λύσις
lytic λυτικός
malac(*or* k)ia μαλακία
mast(ic μαστός
mechanism μηχανή -ισμός
mere -ism -ous μέρος
metabolism μεταβολή
metaphysical μετά φυσικά
meter μέτρον
mimesis μίμησις
mimetic μιμητικός
mittor muscular
myelitis μυελός -ῖτις
myo- μυο-
logy -ical -λογία
mere μέρος
myon myic μῦς
myositis μυος -ιτις
nephric νεφρός
nosis *or* -os νόσος
nyxis νύξις
otology ὠτ- -λογία
paralysis παράλυσις
paralytic παραλυτικός
parasthenia παρά σθένος
path -παθης
patho- παθο-
genesis γένεσις
logy -ical -ist -λογία -ισ-
pathy -πάθεια τής
-ic(al(ly -ist -ιστής
philic -φιλος
phonia φωνή
physiology φυσιολογία
pil(e πῖλος
plasm(ic πλάσμα
plastin πλαστός
plasty -ic -πλαστία
plex(us
ploca πλοκή
pod(ion ial ium ous ποδ-
pore πόρος
potential
psych- ψυχή
iatry ἰατρεία
ic(al ψυχικός
osis -ωσις
psycho ψυχο-
logy -ical -ist λογία -ιστής
pathy -ic -πάθεια
pter(on πτερόν
a al an ist oid(ea ous
ology -ical -λογία
pteris -id πτερίς
purpuric πορφύρα
pyra πῦρ
recurrence relapse
retinitis ῥητίνη -ῖτις
rrhaphy -ῥαφία
rrheuma ῥεῦμα
sarcokleisis σαρκο- κλεῖσις
sarcoma σάρκωμα
sclerosis σκλήρωσις
skeleton -al σκελετόν
some σῶμα
spasm(us σπασμός
spast(ic νευροσπαστόν
spermum σπέρμα
splanchnic σπλάγχνον
spongium σπογχία
stearic στέαρ
sthenia σθένος

neuro- Cont'd
surgeon surgery χειρουργιά
suture syphilis tabes
tagma τάγμα
tendinous tension
thecitis θήκη -ῖτις
thele thel(e)itis θηλή -ῖτις
therapeutics θεραπευτικός
therapy θεραπεία
thlipsis θλίψις
tome -τομον
tomy -ic(al -ist -τομία
tone -ic τόνος τονικός
tony -τονία
toxia -ic -in τοξικόν
trauma τραῦμα
tripsy τρῖψις
troma τρῶμα
trophasthenia τροφή ἀσθέ-
trophy -ic -τροφία νεια
tropic -ism -y τροπή
trosis τρῶσις
varicosis -ωσις
vascular visceral
neuron νεῦρον
al e ic
agenesis ἀγεννᾶν
atrophy ἀτροφία
ist itis -ιστής -ῖτις
neurono- νεῦρον
phage -φαγος
phagia -y -φαγία -ωσις
phagocytosis φαγο- κύτος
Neusticomys νευστικός μῦς
neuston νευστάς
neutralism -ισμός
-ist -oid -ιστής -οειδής
-ize(r -ation -ίζειν
neutronium ἀμμωνιακόν
neutro-
dyne δύναμις
logistic λογιστικός
penia πενία
phil(e -ia -ic -ous -φιλος
phyll φύλλον
taxis τάξις
nevadite -ίτης
nevicarcinoma καρκίνωμα
nevoid -οειδής
nevolipoma λίπος -ωμα
nevyanskite -ίτης
newberyite -ίτης
New Englandism -ize -ισμός
newfanglist -ιστής -ίζειν
Newmanism -ισμός
-ite -ize -ίτης -ίζειν
newmodalize -ίζειν
newspaperism -ισμός
-ist -ized -ιστής -ίζειν
newspaporialist -ιστής
Newtonianism -ισμός
Newtonist -ite -ιστής -ίτης
niatism -ισμός
niccolite -ίτης
Nicene -ian -ist Νίκαια
ni(cho)chrome χρῶμα
nickelite -ίτης
nickelize -ation -ίζειν
Nicodemius Νικόδημός
-ite -ize -ίτης -ίζειν
Nicolaite Νικολαῖται
-ae -an -(an)ism -ισμός
Nicomachean Νικόμαχος
Nicothoe -oeid(e Νικοθόη
nictoinamide ἀμμωνιακόν
nicot(in)ism -ize -ισμός -ίζειν
nicotinonitrile νίτρον

nicotinuric οὖρον
nicot(in)yl(ia ὕλη
nidology -ist -λογία -ιστής
niellist -ιστής
niggardize -ίζειν
nightingalize -ίζειν
niggerism -ισμός
nigrescite nigrite nigritic -ίτης
nihilianism -ισμός
nihilism -ισμός
-ist(ic -ιστής -ιστικός
Nika -id(ae -oid Νίκη
nikalgin νικᾶν ἄλγος
Nike Νίκη
nilo- Νειλο-
meter Νειλομέτριον
metry -μετρία
scope Νειλοσκοπεῖον
Nilot(ic Νειλώτης
Nilous Νεῖλος
niminypiminyism -ισμός
Nimrodize -ίζειν
ninhydrin ὑδρ-
Ninevite -ish -ίτης
ninnyism -ισμός
Niobe -ean -eid(e Νιόβη
niobium Νιόβη
-ate -ic -ite -ous
-i(o)fluorid
niph- νίφα
ablepsia ἀβλεψία
argopsis νιφαργής ὄψις
otyphlosis τύφλωσις
Niponaster ἀστήρ
Nipponism -ize -ισμός -ίζειν
nipter νιπτήρ
ocrinidae κρίνον
Nisus Νίσος
-aean Νισαῖος
-aetus αἐτός
-ostomia στόμα
niter nitre νίτρον
nithialin(e νίτρον θεῖον
nitr- νίτρον
acrol al ed eous
(a)emia -αιμία
agin ἄγρος
am- ἀμμωνιακόν
ide (id)in(e inic ino ite
anilic -in(e
anion ἀν- ἰόν
anis- ἄνισον
ic ide idine ol(e
ate -ed -in(e -ion -or
-ophosphoric φωσφόρος
-osilicic
-oxygen ὀξυ- -γενής
azone ἀ- ζωή -ώνη
ene iary ic(um id(e idation
ile ilo- ine ish
im- ἀμμωνιακόν
id(e ine ino
ion ἰόν
ite -o- -oid -ίτης -οειδής
nitri- νίτρον
faction ferous fiable fication
fier fy
Nitrian Νιτρία
nitro- νιτρο-
acid anilin(e
aere(or i)ous -ial -ian ἀήρ
alizarin aluminous
am- ἀμμωνιακόν
ide in(e
anisol ἄνισον
bacter βακτήριον
ia (iac)eae

nitro- Cont'd
barbituric οὖρον
barite βαρύς -ίτης
benz- ol
amide ene ide inic oate oic
bromoform βρωμο-
butyric βουτυρον
calcite -ίτης
caprylic ὕλη
carbol(e
cellulose γλεῦκος
chloroform χλωρο-
cinnamic κίνναμον
compound cotton
cumene κύμινον
dextrose δεξιτερός γλεῦκος
erythrol ἐρυθρός
explosive
ferricyanic κύανος
form gelatin(e
gen(ic -γενής
(e)ous iferous
(iz)ation ize -ίζειν
glauberite -ίτης
glucose γλυκύς γλεῦκος
glycerol -in(e γλυκερός
hippuric ἵππος οὖρον
hydro- ὑδρο-
carbon
cellulose γλεῦκος
chloric χλωρός
ic jute
levulose lignin lim(e
magnesite Μαγνησία -ίτης
mane
mannite -ol μάννα -ίτης
metal μέταλλον
meter μέτρον
methane μέθυ
metric -μετρία
monas μονάς
muriate -ic
naphthalene νάφθα
neutral paraffin
phenol φαιν-
philous -φιλος
phosphate φωσφόρος
phyte -ic φυτόν
powder
propiol πρῶτος πίων
protein πρωτεῖον
prussic -iate -id(e
quinol
saccharose σάκχαρ γλεῦκος
salicylic ὕλη
salol starch
substitute -ion
sugars σάκχαρ
sulfamide ἀμμωνιακόν
sulph-
ate ide onic uric -eous
-ious
tartareous toluene toluol
nitr- νίτρον
ol(eum ic
on(ate one
onium ἀμμωνιακόν
os γλεῦκος
amin(e ἀμμωνιακόν
ate ation e ic in ite ity olic
azone ἀ- ζωή -ώνη
oxime ὀξύς
yl(e ic ὕλη
oso-
amine ἀμμωνιακόν
bacteria βακτήριον
chlorid χλωρός

nitr- Cont'd
coccus κόκκος
compound derivative
dimethylaniline δι- μέθυ
nitrosolic ὕλη
monas μονάς
naphthalene νάφθα
phenol φαιν-
nitr- Cont'd
ous(ness um y
oxy- ὀξυ-
oxyl -ide ὀξύς ὕλη
uret yl οὖρον ὕλη
nivellization -ίζειν
nivenite -ίτης
nivometer μέτρον
nivometry -μετρία
Noachid(e -ίδης
Noachite -ίτης
nobblerize -ίζειν
nocardiasis -ίασις
nocardiosis -ωσις
nocerite -ίτης
Nochelodes νωχελής -ώδης
noctambulism -ισμός
-ist(ic -ιστής -ιστικός
noctiphobia -φοβία
noct(urn)ograph -γραφος
nocturia -ουρία
Noda νωδός
nodoid -οειδής
nodo- νωδο-
pomatias πωματίας
somata σωματ-
noema- νόημα
tacho- τάχος
graph- -γραφος
meter -tric μέτρον
-atic(al(ly -ics
-ics
noesis νόησις
Noetianism Νοητιανοί -ισμός
noetics -ic(al νοητικός
nomad -ium νομός ἀδ-
nomad(e -ian νομαδ-
-ism -ization -ize -ισμός
nomad(e -ian νομαδ- -ίζειν
Nomada -es -idae νομαδ-
nomadic(al(ly νομαδικός
nomancy ὄνομα μαντεία
nomarch νομάρχης
nomarchy νομαρχία
Nomarthra -al νομός ἄρθρον
nome νομή νομός νόμος
nomenclaturist -ιστής
nomia νόμιος
nomial νομή
nomian nomic νόμος
nomic νομικός
nominalism -ισμός
-ist(ic -ιστής -ιστικός
-ize -ίζειν
nomineeism -ισμός
nomism νόμος -ισμός
-istic -ιστικός
nomo- νομο-
canon νομοκανών
cracy cratic κρατία κράτος
geny -ist -ous -γένεια -ιστής
gram graph γράμμα γραφος
graph(e νομογράφος
graphic γραφικός
graphy (νομο)γραφία
logia λόγος
logy -ical -ist -λογία -ιστής
neura νεῦρον
pelmous πέλμα

nomo- Cont'd
phylax -actic νομοφύλαξ
phyllous -φυλλος
rhamphus ῥάμφος
spermous σπερμος
technic τεχνικός
theism θεός -ισμός
thesia -y νομοθεσία
thete -a νομοθέτης
thetic(al νομοθετικός
topic τόπος
nomo- νομός
cola
philus -φιλος
phloeus φλοιός
phyta φυτόν
nomos νόμος νομός
-nomy -νομία
nona-
cosane -ol εἴκοσι
decoic diene δέκα δι-
gon -γωνία
naphthene -ic νάφθα
triacontane τριακοντ-
triene τρι-
non-
aerobiotic ἀερο- βιωτικός
amylene ὕλη
antigenic ἀντί -γενής
conformist noncontagionist
curantist -ιστής
decane -oic δέκα
dialyzable διάλυσις νειν
diathermanous διαθερμαί-
dichogamy -ous διχο- -γα-
egotistical -ιστικός μία
electric ἤλεκτρον
al -fied -ized -ίζειν
enyl ὕλη
hygrometric ὑγρο- μετρικός
identist intervention(al)ist
intrusionism -ist -ισμός -ισ-
itol -ίτης τής
jurist(ic -ιστής -ιστικός
jurorism -ισμός
metallic μέταλλον
-morphic μορφή
naturalism -ist -ισμός -ιστής
onaphthene νάφθα
organical ὄργανον -ίζειν
phosphorized φωσφόρος
photobiotic φωτο- βιωτικός
psychological ψυχο- λογία
pyogenic πυο- -γενής
Pythagorean Πυθαγ
tronite -ίτης
substantialism -ist -ισμός
uniformist -ιστής -ιστής
unionism -ist -ισμός -ιστής
yl ὕλη
amin(e ἀμμωνιακόν
(en)ic
noodleism -ισμός
noo- νοο-
cratic -κρατία
genism γένος -ισμός
logy -ical -ist λογία -ιστής
metry -μετρία
psyche ψυχή
scopic σκοπός
Nopsides νώψ -ίδης
noralite λίθος
nor-
atropin(e Ἄτροπος
camphor -ane -ic καμφορά
carane κάρον
cod- κώδεια

nor- Cont'd
eine ide
ecsantalic ἐκ σάνταλον
emetine ἐμετο-
hemipic ἡμι-
hydrastinine ὑδράστινα
hyoscyamin ὑοσκάμινος
leucin(e λευκός
morph- Μορφεύς
ide ine
narceine νάρκη
opianic ὄπιον
thebaine Θῆβαι
trop- Ἄτροπος
ane ene (id)ine inon
nordauism -ισμός
nordmankite -ίτης
Norfolkize -ίζειν
Norlandism -ισμός
normalist -ιστής
-ize(r -ation -ίζειν
Normanism -ist -ισμός -ιστής
-ize(r -ation -ίζειν
normo-
blast(ic βλαστός
cyte -ic -osis κύτος -ωσις
mastic μαστίχη
normocytosis -ωσις
orthocytosis ὀρθο-
skeocytosis σκαιός
northernize -ίζειν
northupite -ίτης
nos- νόσος
azontology ὀντο- -λογία
ema νόσημα
encephalus ἐγκέφαλος
erius νοσηρός
etiology αἰτιολογία
ode odes νοσώδης
onomy ὄνομα
noselite -ίτης
noseology -ical -λογία
nosism -ite -ισμός -ίτης
noso- νοσο- -γραφία
chthonography χθονο-
come -ia(l νοσοκομεῖον
dendron δένδρον
genesis γένεσις
genetic γενετικός
geny -ic -γένεια
geography γεωγραφία
gnomonic γνωμονικός
graph -γραφος
y ic(al(ly -γραφία
h(a)emia -αιμία
intoxication τοξικόν
logy -λογία
-ical(ly -ist -ιστής
mania μανία
mathete μαθητής
meter μέτρον
mycosis μύκης -ωσις
parasite παράσιτος
phen φαιν-
phobia -φοβία
phyta -e φυτόν
po(i)etic ποιητικός
poeus ποιεῖν
taxis taxy τάξις
theory θεωρία
toxic toxin τοξικόν
ity osis -ωσις
trophia -y -ous -τροφία
tropic τρόπος
Nossidium νοσσίον
nost- νόστος
acoid ἀκή -οειδής

nost- Cont'd
algia -y -ic ἀλγία
ic
ology -ic -λογία
omania μανία
not- νῶτον
acanth ἄκανθα
id(ae ine oid ous us
aeum aeal νωταῖος
al
algia -ic ἀλγία
amy ἀνατομία
anencephalia ἀνεγκέφαλος
aspis -idea(n ἀσπίς
emigonus ἡμι- γωνία
encephalus ἐγκέφαλος
-ocele κήλη
eosaurus νωταῖος σαῦρος
odont- ὀδοντ-
a ian id(ae iform oid
oryctes ὀρύκτες
ostraca(n ὄστρακον
oxus ozus ὀξύς ὄζος
um urus οὐρά
not- νότος
alia alian
arikon νοταρικόν
elaea ἐλαία
erus νοτερός
-ophilus -φιλος
oecus οἶκος
ornis ὄρνις
nothing-
(arian)ism -ισμός
ist ize -ιστής -ίζειν
ology -λογία
ousian οὐσία
noth- νόθος
anomaloides ἀνώμαλος
odes ops -ώδης ὤψ
notho- νοθο-
ceras -atid(ae -atoid κέρας
c(h)laena χλαῖνα
dectes δήκτης
fagus -φαγος
gamy -ia -γαμία
laena χλαῖνα
lopus λῶπος
microdon μικρ- ὀδών
perissops περισσο- ὤψ
phila -φιλος
physis φύσις
rhizobius ῥιζο- βίος
saur(us σαῦρος
ia(n id(ae oid
nothous νόθος
Nothris νωθρίς
Notibius νοτίς βίος
Notidanus νωτιδανός
-ia(n -id(ae -idan -oid
notio- νότιος
meter μέτρον
philus -φιλος
phygus φυγή
psar νώτιος ψάρ
notion(al)ist notist -ιστής
noto- νωτο-
branchia βράγχια
-iata -iate -ious
centrum -ous κέντρον
champsa χάμψαι
chord(al χορδή
coccyx κόκκυξ
delphys δελφύς
-yid(ae -yoid
yopsis ὄψις
graph -γραφος

noto- Cont'd
malachius μαλάχιον
melus μέλος
myelitis μυελός -ῖτις
necta νήκτης
-al -id(ae -oid
phylla(n -ous φύλλον
pithecidae πίθηκος
plagioecia πλαγιο- οἶκος
pod(a(l ous ποδ-
podium -ial ποδίον
psyche ψυχή
pterus -id(ae -oid πτερόν
(r)rhizal ῥίζα
rhyncus ῥύγχος
sceles σκελίς
sema σῆμα
stome στόμα
stylopidae στῦλος ὠπ-
thyrid θυρίς
trema -atous τρῆμα
tribe -al -ous τρίβειν
trocha τροχός
tylus τύλος
ungulata
zona ζώνη
noto- νοτο-
bium βίος
doma δῶμα
g(a)e- γαῖα
a(l an ic
gronops γρῶνος ὤψ
pelagia πέλαγος
then- νοτόθεν
ia iid(ae ioid
there -ium θηρίον
-iid(ae -ioid
notomise ἀνατομία
Notropis νῶτον τρόπις
Notus Νότος
noumeite -ίτης
noumenon νοούμενον
-al(ly -ality
-ism -ize -ισμός -ίζειν
nounize -ίζειν
nous νοῦς
nouthetical νουθετικός
Novaculichthys ἰχθύς
novaculite -ίτης
novarsenical ἀρσενικόν
novarseno- ἀρσενικόν
benzol billon
Novatianism -ist -ισμός -ιστής
novelism -ισμός
-ist(ic(ally -ιστής -ιστικός
-ize -ation -ίζειν
novist -ιστής
novoscope -σκόπιον
nubigenous -γενής
nuchalgia ἀλγιά
nuchthemerinal νυχθημέρινος
nucite -ίτης
nuclease διάστασις
nucleinotherapy θεραπεία
nucleo-
albuminuria -ουρία
analysis ἀνάλυσις
analytic ἀναλυτικός
blastidae βλαστός
branch βράγχια
iata iate idae
centrosome κεντρο- σῶμα
chylema χυλός
chyme χυμός
crinus κρίνον
gluco- γλυκύς
protein πρωτεῖον

nucleo- Cont'd
histon ἱστός
hyaloplasm ὑαλο- πλάσμα
idioplasm(a ἰδιο-
id -ο-ειδής
keratin κερατ-
microsoma μικρο- σῶμα
phaga -φαγος
phosphoric φωσφόρος
physes φύσις
plasm(ic πλάσμα
plast(ic πλαστός
protamin(e πρῶτος ἀμμωνιακόν
protein -eid πρωτεῖον
statolith λίθος
therapy θεραπεία
thyminic θύμος
toxin τοξικόν
Nucleolitoida -ίτης -οειδής
nucleolocentrosome κεντρο-
nucleoloid -οειδής σῶμα
Nuculopsis ὄψις
nudibranch βράγχια
ia(l iae ian iata iate
nugilogue λόγος
nullibism -ist -ισμός -ιστής
nullificationist -ιστής
nullipore -ous πόρος
nullism -ize -ισμός -ίζειν
Numenius νουμήνιος
-inae -in(e
numerist -ιστής
Numida νομαδ-
-ia(n -inae -in(e
numism- νόμισμα
arian atist -ιστής
atic(s νομισματικός
al(ly ian
numismato- νομισματο-
graphy -γραφία
logy -ist -λογία -ιστής
numm- νοῦμμος
ary iform ist -ιστής
nummul- νοῦμμος
acea(n ar ated ation idea(n
ite(s -ίτης ine
-ic -id(ae -iform -oid
ospermum σπέρμα
numskullism -ισμός
nuphar(etum in νοῦφαρ
nuptialist -ize -ιστής -ίζειν
nutmeg μόσχος
nuttalliosis -ωσις
nychthemeron -us νυχθήμερον
nyct- νυκτ-
agin(e
ia (iac)eae iaceous
ala νυκταλός
algia -αλγία
alop- νυκτάλωψ
e ia ic s y
amblyopia ἀμβλυωπία
anthes -in -ous ἄνθος
ea eis (Νυκτήις)
elia Νυκτέλιας
emer νυχθήμερος
a id(ae oid on us
harpages -in(e ἅρπαξ
uria -ουρία
nycter- νυκτερ-
eutes νυκτερευτής
is νυκτερίς
ibia (-iid(ae -ioid) βίος
id(ae ides in(e oid
o- νύκτερος
bius pus βίος πούς

nycti- νυκτι-
ardea
bius -iinae -iin(e βιός
cebus κῆβος
-idae -inae -in(e
corax νυκτικόραξ
dromus δρόμος
gamous νυκτίγαμος
master μαστήρ
mene Νυκτιμένη
nasty -ic -ism ναστός ισμός
ornis ὄρνις
-ithinae -ithin(e
pelagic πέλαγος
pithecus πίθηκος
-inae -in(e
saura -ian σαῦρος
tropic -ism τροπ- -ισμός
nycto- νυκτο-
bates βάτης
bius νυκτοβίος
nympha νύμφη
pais παῖς
petus πέτεσθαι
phile -us φίλος
phobia φοβία
phonia φωνή
poris πορεύειν
saurinae σαῦρος
syles συλάειν
therus θήρ
tingis Τίγγις
typhlosis τύφλωσις
nymph(a νύμφη
ae νυμφαία
a (ac)eae aceous etum ites
aeum νύμφαιον
al(es id(ae inae ine is oid)
eal ean νυμφαῖος
ectomy -εκτομία
et id ine ish ly like lin
ic(al icus νυμφικός
Nymphipara -ous νύμφη
nympho- νυμφο-
chrysallis χρυσαλλίς
lepsia -ic -is -y -ληψία
lept(ic νυμφόληπτος
logy -λογία
mania μανία
-iac(al -ic -y -ακός
morpha μορφή
tomy -τομία
Nymphon νυμφών
acea id(ae oid
nymph- νύμφη
oncus osis ὄγκος -ωσις
Nysius -iinae Νυσαῖος
Nyssa νύσσα
Nysson νύσσων
id(ae inae ine oid
-orhynchus ῥύγχος
nystagmus νυσταγμός
-ic -iform -oid
-ograph -γραφος
Nythosauridae νιθός σαῦρος
nyxis νύξις

-o- -o-
oangium ᾠόν ἀγγεῖον
oari- ᾠάριον
algia -αλγία
oncus ὄγκος
oarium -itis ᾠάριον -ῖτις
oario- ᾠάριον
cele κήλη
oario- Cont'd
cyesis κύησις
pathy -ic -πάθεια
phyma φῦμα
rrhexis ῥῆξις
scirrhus σκίρρος
tomy -τομία
oasis -al -itic ὄασις
obconic(al κωνικός
obdeltoid δελτοειδής
obdiplo- διπλόος
stemonous -y στήμων
obe ᾠβά
obe(ah)ism -ισμός
obeimeter μέτρον
Obelia -iac -iad -ion ὀβελός
obelisc- ὀβελίσκος
al arian ine us
obeliscolychny
ὀβελισκολύχνιον
obelisk(oid ὀβελίσκος
obelism ὀβελισμός
obelize ὀβελίζειν
obelus ὀβελός
obituarist(ic -ize -ιστής
-ιστικός -ίζειν
object(ion)ist -ιστής
objectivism -ισμός
-ist(ic -ιστής -ιστικός
object(iv)ize -ation -ίζειν
obligistic -ιστικός
obliquimeter μέτρον
oblivionist -ize -ιστής -ίζειν
oboist -ιστής
obol ὀβολός us
aria ate e et id(ae ite itic oid
obomegoid ὦμέγα -οειδής
obovoid -οειδής
obpyramidal πυραμίς
Obrium ὄβρια
obryze -um ὄβρυζον
obscur(ant)ism -ισμός
obscurantist -ιστής
Observantist -ιστής
observationalism -ισμός
obsoletism -ισμός
obstetricography -γραφία
obstetrist -ιστής
obstructionism -ist -ισμός -ισ-
obstructivism -ισμός τής
obtenebrize -ίζειν
obtrigonal -ate τρίγωνος
obtrusionist -ιστής
obtusilobous λοβός
Ocalea ὠκαλέος
Occamism -ισμός -ίτης
-ist(ic -ite -ιστής -ιστικός
occasionalism -ισμός -ιστής
-ist(ic -ιστικός
Occemyia -yidae ὄγκος μυῖα
occidentalism -ισμός
-ist -ιστής
ize -ation -ίζειν
occipito-
atl(ant)oid Ἀτλαντ-
bregmatic βρέγμα
hyoid ὑοειδής
mastoid μαστοειδής
occipitonuchal ὀνυχ-
otic ὠτ-
pharyngeus φαρυγγ-
sphenoid(al σφηνοειδής
thalamic θάλαμος
occlusometer μέτρον
occultism -ισμός
-ist(ic -ιστής -ιστικός
occupationist -ιστής
ocean Ὠκεανός
ad er et ful ia(n ic(a(n id(es
ium ous us ward(s ways
id(es Ὠκεανίδες wise
ites Ὠκεανῖτις
-id(ae -ides -inae -ine
oceano- Ὠκεανός
grapher -γραφος
-y -ic(al(ly -γραφία
logy -λογία
philous -φιλος
phyte -a -icus φυτόν
ocellicyst(ic κύστις
ochet- ὀχετός
archa ium ἀρχή
ochilus -o- χεῖλος
opsinae ὄψις
Ocheutes ὀχευτής
Ochina ὄχος
Ochlerotatus ὀχληρός τατός
ochlesis -(it)ic ὄχλησις -ῖτις
ochletic ὀχλητικός
ochlo- ὀχλο-
cracy ὀχλοκρατία
-at(y -atic(al(ly
cratoric -κράτωρ
phobia -ist -φοβία
ochlotic ὄχλος -ωτικός
Ochna ὄχνη
-(ac)eae -aceous -ad
Ochodaeus ὄχος ὀδαῖος
ochopetalous ὀχός πέταλον
ocher -re ὤχρα
och(e)r(e)ous -y ὤχρα
ochraceous ὤχρα
ochreish ὤχρα
ochroid ὠχροειδής
Ochroma ὤχρωμα
ochro- ὠχρο-
carpous -us κάρπος
dermatosis δερματ- -ωσις
dermia δέρμα
ite -ίτης
leucous ὠχρόλευκος
lite λίθος
meter μέτρον
myia μυῖα
mys μῦς
nosis -us νόσος
notic νόσος -ωτικός
pyra πῦρ
typhus τύφος
Ochrus ὠχρός
ochthad -ium ὄχθη
ochthe- ὄχθη
bius βίος
nomus νομός
xenus ξένος
ochtho- ὀχθο-
dromus -δρομος
philus -φιλος
phyta φυτόν
Ochyra ὀχυρός
Ocimum -eae -ene ὤκιμον
Ocladias ὀκλαδίας
Ocnera ὀκνηρός
Ocneus ὀκνέειν
Ocnus -odus ὄκνος -ώδης
ocrein ὤχρα
-ocracy -ο-κρατία
octa- ὀκτα-
chord(al ὀκτάχορδος
chronous χρόνος
cnemus -id(ae -oid κνημός
colic ὀκτάκωλος
cosane εἴκοσι
cyanide κύανος
octa- Cont'd
decane decyl δεκ- ὕλη
diene -ol -one δι- -ώνη
drachm(a ὀκτάδραχμος
echos ὀκτάηχος
emeron ὀκταήμερον
eteris -ic -id ὀκταετηρίς
gon(ian al(ly ὀκτάγωνος
gram γράμμα
gynia γυνή
hedron ὀκτάεδρον
-al(ly -ic(al -id -ite -itic
-oid -ous
hydric -ate -o- ὑδρ-
kis- ὀκτάκις
hexadron ἑξα- ἕδρα
merism -al -ous ὀκταμερής
meter ὀκτάμετρος -ισμός
naphthene νάφθα
phonic φωνή
pla ὀκταπλᾶ
podic -y ὀκταπόδης
seme -ic ὀκτάσημος
stich(on ous ὀκτάστιχος
strophic στροφή
style -os ὀκτάστυλος
syllabic(al συλλαβικός
syllable συλλαβή
teuch ὀκτάτευχος
valent
oct- ὀκτώ
actin- ἀκτιν-
al e ia(e ian
ad(ic ὀκτάς
ander -ανδρος
-ria(n -r(i)ous
ane -ol -one -ώνη
antherous ἀνθηρός
anthr- ἄνθραξ
ene ol one
arch(y ἀρχή -αρχία
arinus ἄρρην
aster ἀστήρ
ene enol ine
ite itol -ίτης
octhrac- ὀκτώ ἄνθραξ
ene ol one -ώνη
octibenite -ίτης
octiphonium φωνή
Octob(e)rist -ιστής
octo- ὀκτώ
blast βλαστός
bothrium βοθρίον
-iid(ae -ioid
caetriacontahedron καί
τριάκοντα -έδρον
carbon
cera(ta -(at)ous κέρας
chloride χλωρός
chydroacridin ὑδρο-
cladiscus κλαδίσκος
coralla(n -in(e κοράλλιον
cosi εἴκοσι
cotyloid κοτύλη -οειδής
dactyl(e ous ὀκτωδάκτυλος
decahydrate(d δέκα ὑδρ-
decyl δεκ- ὕλη
dianome διανομή
diploid δίπλοος
drachm(a ὀκτάδραχμος
echos ὀκτάηχος
gamy -γαμία
genarianism -ισμός
glot γλῶττα
gonotes γωνία -ωτης
gynia(n -(i)ous γυνή
hydrated ὑδρ-

octo- Cont'd
kont κοντός
mer(ous al(ia(n
naphthene νάφθα
nem(at)ous νηματ- νῆμα
petalous πέταλον
ploid -πλοος
phyllous -φυλλος
pod(a(n idae ous ὀκτώπους
polar(ity πόλος
pus -ean -idae ὀκτώπους
sane εἴκοσι
some σῶμα
spermous σπέρμα
spore -ous σπόρος
sterigmatic στήριγμα
stichous στίχος
sulphide
syllabical ὀκτάσυλλαβος
syllable συλλαβή
yl ὕλη
zoic ζῷον
oct- ὀκτώ
odon ὀδών
-ont(id(ae inae in(e oid)
ophthalmous ὀφθαλμός
octuple ὀκταπλοῦς
octyl ὀκτώ ὕλη
amin(e ἀμμωνιακόν
ene (en)ic
ocularist oculist(ic -ιστής -ιστικός
oculo-
cephalic κεφαλικός
(cephalo)gyric κεφαλή
gyration γῦρος
metroscope μετρο- -σκόπιον
mycosis μύκης -ωσις
zygomatic ζύγωμα
ocyme ὤκιμον
ocy- ὠκυ-
anthias ἀνθιάς
drome ὠκύδρομος
-inae -ine -us
odinic ὠδῖνος
phaps φάψ
pod- ὠκύπους
a(n e ian id(ae oid(ea(n
urus οὐρά
usa -ουσα
Ocyroe -oidae Ὠκυρόη
Odax -acid(ae -acinae ὀδάξ
-acine -acoid
odaxesmus ὀδαξησμός
odaxetic ὀδαξητικός
ode(let ling man ᾠδή
-ode(s -ώδης ὁδός
odic(ally ᾠδή
ode(i)on odeum ᾠδεῖον
Odinism -ist -ισμός -ιστής
odinite -ίτης
odinopean ὠδινο- ποιεῖν
odism -ize -ισμός -ίζειν
odist ᾠδή -ιστής
Odmalea ὀδμαλέος
odmyl ὀδμή ὕλη
odo- ὀδούς
benus -idae βαίνειν
graph -γραφος
icoileus κοῖλος
logy λογία
odo- ὁδός
meter μέτρον
metry -ical(ly -ous -μετρία
Odoistic -ιστικός
-odon -οδων
Odona -ata -atous ὀδών

odont- ὀδοντ-
agogon ὀδονταγωγόν
agra ὀδοντάγρα
aeus
algia -ic ὀδονταλγία
aspis ἀσπίς
-idae -idid(ae -idoid
atrophia ἀτροφία
erism ἐρισμός
erpeton ἑρπετόν
exesis ἔξεσις
hemodia αἱμωδία
iasis -ίασις
ic ist -ιστής
inoid itis -οειδής -ῖτις
odynia -ωδυνία
olcae -ate -ous ὁλκός
oma -e -ous -ωμα
onomy ὄνομα
ornithes -ic ὄρνιθες
orthosis ὀρθός -ωσις
osteophyte ὀστεο- φυτόν
odonto- ὀδοντο-
bdella βδέλλα
blast(ic oma βλαστός -ωμα
bothrion -itis βοθρίον -ιτις
ceramic κεραμικός
ceras κέρας
cete -i -ous κῆτος
chile χεῖλος
chirurgical χειρουργία
clamis κάλυμμα
clasis κλάσις
clast κλαστός
cnesis κνῆσις
corynus κορύνη
gen γεννᾶν
geny -ic -γένεια
glossa(e γλῶσσα
-al -ate -um
glot γλῶττα
glyph γλύφειν
gnathous -us γνάθος
gram γράμμα
graph -γραφος
(y ic(ally -γραφία
hyperesthesia ὑπέρ-αἰσθησία
id ὀδοντοειδής
lite -lith(us λίθος
lochus λόχος
logy -ic(al(ly -ist -λογία -ιστής
loxia -y λοξός
loxozus λοξός ὄζος
maches ὀδοντομάχης
-id(ae -oid -us
myia μυῖα
necrosis νέκρωσις
neuralgia νεῦρον -αλγία
nosology νόσος -λογία
parallaxis παράλλαξις
pathy -πάθεια
periosteum περιόστεον
phobia -φοβία
phore -a(l -an -φορος
-inae -in(e -ous -us
plast πλαστός
plerosis πλήρωσις
prisis πρῖσις
pteris πτερίς
pteryx -ygid(ae -yoid πτέρυξ
pygia πυγή
pyxis πυξίς
radiograph -γραφος
rhynci -ous ῥύγχος
scelia σκελίς
schism σχίσμα
scope -σκόπιον

odonto- Cont'd
smegma σμῆγμα
steresis στέρησις
stom(at)ous στόμα
techny τέχνη
therapia -y θεραπεία
thrypsis θρύψις
tormae -ic τόρμος
trimma ὀδοντοτρίμμα
tripsis τρῖψις
tryp(h)y τρυπᾶν
odophone φωνή
odor(ifer)ize -ίζειν
odorimeter μέτρον
-metry -μετρία
odoro-
graphy -γραφία
meter μέτρον
scope -σκόπιον
Odozetes ὁδο- ζήτησις
odyl(e ὁδός ὕλη
ic(ally is ism ist ization ize -ισμός -ιστής -ίζειν
odyn- ὀδύνη
acusis ἄκουσις
ephobia -φοβία
erus -id ὀδυνηρός
-odynia -ωδυνία
odyno- ὀδυνο-
lysis λύσις
meter metrical μέτρον
phagia -φαγία
phobia -φοβία
phonia -φωνία
poeia ποιεῖν
Odyssean Ὀδύσσειος
Odyssey Ὀδυσσεύς
oec- οἶκος
anthus ἄνθος
ist οἰκιστής
ium οἰκίον
iomania μανία
oid -οειδής
oeco- οἰκο-
domical οἰκοδομικός
logy -ical -ist -λογία -ιστής
nomus οἰκονόμος
parasite -ism παράσιτός -ισμός
phobia φοβία
ptychoceras πτυχ κέρας
Oectropsis οἰκτρός ὄψις
oecum- οἰκουμένη
ancy enian
oecumenic οἰκουμενικός
al(ly alism ality
oecus οἶκος
oed- οἶδος
aenoderus οἰδαίνειν δέρη
agus ἄγειν
aleo- οἰδαλέος
thrips θρίψ
ema οἴδημα
-(at)ic -atous(ly -ia -utes
ischiidae οἰδίσχειν
oede- οἰδέειν
cnema κνήμη
mera -id(ae -oid μηρός
oedi- οἰδι-
cnem- κνήμη
id(ae inae ine oid us
onychis ὀνυχ-
pus Οἰδίπους
ean -ic -ism -ισμός
-oda -odinae
Oedogonium οἶδος γόνος
-i(ac)eae -iaceous
Oedopeza οἶδος πέζα

oegopsid(a(e οἴγειν ὄψις
Oekiophytes οἰκίον φυτόν
oeloblast βλαστός
oellacherite -ίτης
Oeme οἴμη
Oemona οἰμάειν
oenanth- οἰνάνθη
e eae ic in(e ol
yl ὕλη
ate ic (id)ene ous
oen- οἶνος
(id)in olic olin
oeno- οἰνο-
barometer βάρος
-metric μέτρον
carpal -us καρπός
choe οἰνοχόη
cyan(in κύανος
cyte -ic κύτος
gallic
gen -γενής
glucose γλυκύς
logy -λογία
-ical -ist -ιστής
mancy μαντεία
mania(c μανία -ακός
mel οἰνόμελι
meter μέτρον
philist -φιλια -ιστής
phlygia οἰνόφλυξ
phobist -φοβία -ιστής
phorus οἰνοφόρος
plia πλέως
poetic ποιητικός
tannin
thera οἰνοθήρας
-aceae -aceous
thionic θεῖον
Oenone Οἰνώνη
oenoxidase οἶνος ὀξύς διάστασις
oerstedite -ίτης
oeso- οἰσο-
ceras οἰσο- κέρας
oesophag- οἰσοφάγος
algia -y -αλγία
ectomy -εκτομία
ismus itis -ισμός -ῖτις
odynia -ωδυνία
oesophago- οἰσοφάγος
blast βλαστός
cele κήλη
enterostomy ἔντερον -στομία
malacia μαλακία
mycosis μύκης -ωσις
pathia -y -πάθεια
plasty -πλαστία
plegia -πληγία
rrhagia or -y -ῥαγία
scope -y -ic -σκόπιον -σκοπία
spasm(us σπασμός
stenosis στένωσις
stoma -um -y στόμα
stomiasis στόμα -ίασις
tome -y -τομον -τομία
oesophagus -e οἰσοφάγος
-al -eal -ean -iac -ic
Oestodes οἰστός -ώδης
Oestrelata οἰστρήλατος
oestr- οἶστρος
ian id(ae oid ous us
iasis -ίασις
omania μανία
um(in ual uate uation)
Oesyperus οἰσυπηρός
oesypum οἴσυπος
officerism -ισμός
officialism -ize -ισμός -ίζειν

ogco- ὀγκο-
cephalus κεφαλή
-id(ae -oid -ous
triplax τρίπλαξ
ogdo- ὄγδοος
ad hedral ἕδρα
ogdoastich ὄγδοος στίχος
og(h)am(ic ?ὄγμος
ogmo- ὄγμος
chirus χείρ
cidaris κίδαρις
coma κόμη
rhinus ῥίν
Ogygia Ὠγύγης
-iid(ae -ioid
Ogygian Ὠγύγιος
ohm(am)meter μέτρον
oicos οἶκος
-oid(al -οειδής
Oidematops οἴδηματ- ὤψ
Oides ᾠοειδής
oidio- ᾠόν -ιδιον
mycetes -ic μυκητ-
mycosis μύκης -ωσις
mycotic μύκης -ωτικός
spore(s σπορά
oidium -ioid ᾠόν -ιδιον -οειδής
Oidomorpha οἰδο- μορφή
oigopsid(a(n ae οἴγω ὄψις
oikio- οἰκίον
mania μανία
miasmata μίασμα
oiko- οἰκο-
fugic
logy -λογία
phobia -φοβία
site σῖτος
tropic τροπή
oil(er(y -ily -y *etc.* ?ἔλαιον
Oileus Ὀιλεύς
oilometer μέτρον
oinantho- οἰνάνθη
toxin τοξικόν
oino- oeno-
choos οἰνοχόος
Oistolaimus οἰστο- λαιμός
okenite okonite oktibbehite
-ίτης
oktophyllite ὀκτώ φύλλον
-ol ?ἐλαῖον
Olbodotes ὀλβοδότης
oldhamite -ίτης
oldmaid(en)ism -ισμός
oldworldism -ισμός
ole- ἔλαιον
a aceae aceous ate
aecarpum καρπός
agin- (os)ity ous(ness
am- ἀμμωνιακόν
id(e in
ase διάστασις
aster -r(i)al ἀστήρ
asterol στερεός
fiant fin(e finis iferous in
on(e yl ὕλη
oleander ῥοδοδενδρον
-andra -in(e -ism -ισμός
olecran ὠλέκρανον
arthritis ἀρθρῖτις
arthro- ἀρθρο-
cace -y κάκη
pathy -πάθεια
ial ian ioid on um
Olenecamptus ὠλένη καμπτός
Olenus Ὤλενος
-ellus -idae -idian

oleo- ἔλαιον
balsamic βάλσαμον
butyrometer βούτυρον
calcareous μέτρον
creosote κρέας σωτήρ
cyst κύστις
dipalmitin δι- παλάμη
distearin δι- στέαρ
duct
gen -γενής
graph(er -γραφος
graphy -ic γραφία
id -οειδής
jector
margaric μάργαρος
-iscope -σκόπιον
margarin(e μαργαρίτης
meter μέτρον
nucleoprotein πρωτεῖον
palmitin -ate παλάμη
palmitobutyrin βούτυρον
phosphoric φωσφόρος
pten(e πτηνός
refractometer μέτρον
resin(ous ῥητίνη
saccharum σάκχαρον
stearate & -in(e στέαρ
thorax θώραξ
Olethrius ὀλέθριος
oleum ἔλαιον
-eose -eosity -eous
oleuropein ἔλαιον Εὐρωπαῖη
olfactology -λογία
olfactometer μέτρον
-metry -ic -μετρία
oliban λίβανος
ene ian ol um
oresin -ο- ῥητίνη
Olibrus ὀλιβρός
olig- ὀλιγ-
acanthous ἄκανθα
(a)emia -αιμία
androus -ανδρος
anthous ἄνθος
arch ἀρχή
arch(al ὀλιγάρχης -ίζειν
ism ist ize -ισμός -ιστής
achic(al(ly ὀλιγαρχικός
archy ὀλιγαρχία
articular
(h)ydria ἱδρῶς
ist(e ic(al ὀλιγίστος
odon(idae ὀδών
odont(ous ὀδοντ-
onite ὀλίγον -ίτης
oplites ὀπλίτης
oria ὀλιγορία
ota ὀλιγότης
uresis -ia οὔρησις
uria -ουρία
oligo- ὀλιγο-
amnios ἀμνίον
blennia βλέννος
cara κάρα
cardia καρδία
carpia -ous ὀλιγόκαρπος
cene καινός
cephalic κεφαλή
chaete -a(e -ous χαίτη
chiton χιτών
cholia -χολία
chrome χρῶμα
-(a)emia -αιμία
chrone χρόνος
chronometer χρονο- μέτρον
chylia χυλός
chymia χυμός

oligo- Cont'd
clase κλάσις
copria κόπρος
cottus κόττος
cystic κύστις
cyt- κύτος
h(a)emia -ic -αιμία
osis -ωσις
dacrya δάκρυον
dactylia -y δάκτυλος
dipsia δίψα
dynamic δυναμικός
erythrocythemia ἐρυθρο-
κύτος -αιμία
galactia γαλακτ-
genics γεννᾶν
globulia
glossy γλῶσσα
glottism γλῶττα -ισμός
hemia -αιμία
hydr- ὑδρ-
amnion -ios ἀμνίον
uria -ουρία
kyphus κῦφος
lecithal λέκιθος
leukocyt- λευκο- κύτος
hemia osis -αιμία -ωσις
mania μανία
mastigate μάστιξ
menorrhea μήν -ῥοία
merous -y μέρος
mesomyodous μεσο- μυώδης
metochia -ic μετοχή
morphic μορφή
myoda(e -an -i(an μυώδης
myoid(ean μυώδης
necrospermia νεκρο- σπέρμα
nephria -ous νεφρός
neura νεῦρον
nitrophile -ic -ous νιτρο-
pelic πηλός -φιλος
pepsis -ia πέψις -πεψία
petalous πέταλον
phlebiella φλέβιον
phorous -φορος
phosphaturia φωσφόρος
phrenia -ic φρήν -ουρία
phylla -ous φύλλον
phyric πορφύρα
plasmia πλάσμα
plastic πλαστικός
plastina πλαστός
pn(o)ea πνοῖα
posis πόσις
prothesis -ic -y πρόθεσις
prothetic προθετικός
psammic ψάμμος
psychia -ψυχία
ptyalism πτύαλον -ισμός
pyrene πυρήν
rhizous -ῥιζος
saprobia σαπρο- βίος
semia σημάια
sepalous σκέπη
sialia σίαλον
sideric σίδηρος
siderite σιδηρίτης
spermatic -ism σπερματ-
spermia σπέρμα -ισμός
spermous -ism ὀλιγόσπερ-
sporea(n -eous σπόρος μος
sporidia σπόρος -ιδιον
stemonous στήμων
syllabic -able ὀλιγοσύλλα-
synthetic συνθετικός βος
taxy τάξις
tokous ὀλιγοτόκος

oligo- Cont'd
trichia -osis τριχ- -ωσις
trophia -y -ic ὀλιγοτροφία
tropic -τροπος
xystre ξύστρα
zoospermia ζωο- σπέρμα
olikaguria ὀλιγάκις -ουρία
oliophen φαιν-
Olistherus ὀλισθηρός
-arthrus ἄρθρον
olisthion -ium ὄλισθος
olive ἐλαία
oliv- ἐλαία
a acea(n aceous ary enite
escent etan et(te etoric
(i)id(ae iferous iform il(e
in(e ic itic oid) ite oid
easter αστήρ
inoliodate ἰώδης
inophyre πορφύρα
ollite -ίτης
Oloessa ὀλόεις
-ology -ical -ist(ic -ο-λογία
(-ο-λογικός -ο-λογιστής -ο-
λογιστικός)
olopetalarius ὅλος πέταλον
Olophoeus ὀλοφωίος
olophonia ὅλος φωνή
olpe ὄλπη
Olpidium ὀλπίς
olpyramidal πυραμίς
Olymph- Ὀλυμπ-
iad(ic(al Ὀλυμπιάς
ian Ὀλύμπιας
ism ize ly wise
ic(al(ly Ὀλυμπικός
ieion i(ei)um Ὀλυμπιεῖον
ionic Ὀλυμπιονικός
Olympus Ὄλυμπος
Olynthiac -ian Ὀλυνθιακός
olynthus ὄλυνθος Ὄλυνθος
-oidea(n -οειδής
-oma -atous -atosis -ωμα -ωσις
om- ὦμος
acephalus ἀκέφαλος
adius ὠμάδιος
agra algia ἄγρα -αλγία
ammatus ἅμμα
arthritis ἀρθρῖτις
arthrocacy ἀρθρο- κακή
omal ὅμος
Omaloxenus ὁμαλο- ξένος
omaplatoscopy ὠμοπλάτη
omasitis -ῖτις -σκοπία
ommatidium ὀμματ- -ιδιον
ombrifuge ὄμβρος
ombro- ὀμβρο-
cleistogamy κλειστο- -γα-
graph(ic -γραφος μία
logy -ical -λογία
meter -ric(al μέτρον
phil(e -ic -ous -y -φιλος
phobe -ic -ous -φοβος
phobia -y -φοβιά
phore -φορος
phyte -ic φυτόν
saga σαγή
scope σκόπιον
omega -oid Ὠμέγα -οειδής
omentectomy -εκτομία
omento-
cele κήλη
(spleno)pexy σπλήν -πεξία
plasty -πλαστία
rrhaphy -ῥαφία
tomy -τομία
-ometer -ο-μέτρον

Omias ὠμίας
omicron ὀμικρον
Omiostola ὤμιον στολή
omitis omium ὦμος -ῖτις
Omma -ata ὄμμα
-strephes στρέφειν
-id(ae -oid
ommateum -eal ὀμμάτιον
ommatidium -ial ὄμμα -ιδιον
ommato- ὀμματο-
lampus ὀμματολαμπής
menus μένος
phore -ous -φορος
omni-
arch ἀρχή
formist -ιστής
graph -γραφος
meter μέτρον
scope -σκόπιον
tonic τόνος
omnopon ὄπιον
omo- ὠμο-
clavicular
cotule κοτύλη
crates ὠμοκρατής
cyrius κύριος
hyoid ὑοειδής
eus ean eous
lite λίθος
phaena φαίνειν
phagia ὠμοφαγία
-ic -ist -ous -us
phore -us ὠμοφορος
phorion ὠμοφοριον
phron ὠμόφρων
plata ὠμοπλάτη σκοπία
platoscopy ὠμοπλατη-
plephytum ὀμοπλεκής φυτόν
ptilus πτίλον
sarotes σαρώτης
scylon σκῦλον
sita ὠμόσιτος
soma σῶμα
stegite στέγος -ίτης
sternum -al στέρνον
thyroid θυροειδής
tocia ὠμοτοκία
typhus τύφειν
om- ὦμος
odynia -ωδυνία
oides -eum -οειδής
otes ὠμότης
ompa ὀρθο- μετά παρά
omphac- ὄμφαξ
ine ὀμφάκινος
ite -ίτης
omel ὀμφακόμελι
omphal- ὀμφαλός
aria -ieae -iei(ne ea ia ic
ectomy -εκτομία
elcosis ἕλκωσις
ism itis -ισμός -ῖτις
od- ὀμφαλώδης
e(s ic ium
oma -ωμα
oncus ὄγκος
opter ὀπτήρ
optic ὀπτικός
omphalos -us ὀμφαλός
omphalo- ὀμφαλο-
angiopagus ἀγγειο- πάγος
cele κήλη
chorion χόριον
mancy μαντεία
mesaraic μεσάρειον
mesenteric μεσεντέριον
neurorrhexis νεῦρον ῥῆξις

omphalo- Cont'd
pagus πάγος
phlebitis φλεβ- -ῖτις
phyma φῦμα
psychi -os -ic -ist -ite ψυχή
ptyx πτύξ
rhexis ῥῆξις
rrhagia -ῥαγιά
rrhea -ῥοία
sagda σάγδας
saurus σαῦρος
site σῖτος
skepsis σκέψις
soter -or σωτήρ
spinous
tomy ὀμφαλητομία
tripsy τρῖψις
omphazit(e ὄμφαξ -ίτης
Omphyma ὀμφαλός φῦμα
onager ὄναγρος
Onagra ὀνάγρα
-aceae -aceous -ad -areous
onanism -ισμός
-ist(ic -ιστής -ιστικός
Oncerus ὀγκηρός
oncethmus ὀγκηθμός
Onchidium ὄγκος -ιδιον
-iid(ae -ioid
Onchidoris ὄγκος δορίς
-idid(ae -idoid
oncho- ὀγκο-
cerca -iasis κέρκος -ίασις
cotyle -id(ae -oid κοτύλη
lichas λιχάς
pristis πριστίς
sphere σφαῖρα
Onchodia ὀγκώδης
oncid(ium -ieae ὄγκος
oncin ὄγκος
Oncinopus -idae ὀγκινος
-podid(ae -podoid πούς
onco- ὀγκο-
cephala κεφαλή
ceras -atite κέρας
cerca -iasis κέρκος -ίασις
cladia κλάδος
cottus κόττος
deres δέρις
graph -γραφος
logy -ical -λογία
mera μηρός
meter μέτρον
metry -ic -μετρία
phora -φορος
rhyncus ῥύγχος
sperma σπέρμα
sphere σφαῖρα
spore σπορά
tomy -τομία
tropic τροπή
tylus -id(ae -oid τύλος
onc- ὄγκος
oma ὄγκωμα
omoea ὅμοιος
osis ὄγκωσις
-imeter μέτρον
otus ὀγκωτός
Oncus ὄγκος
Oncylotrachelus ὀγκύλος
onda(*or* o)- τράχηλος
gram γράμμα
graph -γραφος
meter μέτρον
scope -σκόπιον
onegite -ιτης
oneir- ὄνειρος
ic ism -ισμός

oneir- Cont'd
odes ὀνειρώδης
odynia -ωδυνία
oneiro- ὀνειρο-
crisy ὀνειροκρισία
crit(e ὀνειροκρίτης
critic ὀνειροκριτικός
al(ly ism -ics -ισμός
logy -ist λογία -ιστής
mancer mantist ὀνειρόμαν-
mancy μαντεία τις
polist ὀνειροπόλος
pompist ὀνειροπομπός
scopy -ist -σκοπία -ιστής
oneism -ισμός
onimancy ὄνυξ μαντεία
oniomania ὤνιος μανία
onionized -ίζειν
Oniscus ὀνίσκος
-i -id(ae -oid(ea(n
-iform(es
-omorph(a ous μορφή
Onitis ὀνῖτις
onk- ὄγκος
inocele ἰνός κήλη
oid os -οειδής
onlitis -ῖτις
ono- ὀνο-
brychis ὀνοβρυχίς
centaur ὀνοκένταυρος
clea κλείω
crotal ὀνοκρόταλος
gryph γρύψ
hippidium ἱππίδιον
latry λατρεία
logy -λογία
ono- ὄνωνις
cerin(e col
ketone -ώνη
onofrite -ίτης
onoma- ὄνομα
mania μανία
mancy μαντεία
mantic(al
techny -τεχνία
onomastic(al ὀνομαστικός
onomasticon ὀνομαστικόν
onomato- ὀνμοατο-
logy -ist ὀνοματολόγος -ισ-
mancy μαντεία τής
mania μανία
phobia -φοβία
plasm πλάσμα
p(e ὀνοματοποιία
oeia(l oeian y
poeic ὀνοματοποιός
al(ly
poesis ὀνοματοποίησις
poetic(ally poesy
poetic(ally ποιητικός
onomatous ὀνοματ-
onomomancy ὄνομα μαντεία
onomously ὄνομα
Ononis ὄνωνις
-ial -id -in
onopordon ὀνόπορδον
onos ὄνος
onosma -odium ὄνοσμα
Onosterrhus ὀνο- στερρός
ontal ὀντ-
Ontariocrinidae κρίνον
Ontho- ὄνθος
phagus -φαγος
philus -φιλος
onto- ὄντα
cycle -ic -on κύκλος
genal -ic(ally -γενής

onto- Cont'd
genesis γένεσις
genetic(al(ly γενετικός
geny -ist -γένεια -ιστής
gony -γονία
graphy -ic -γραφία
idic ἴδιος
logy -ic(al(ly -λογία
-ism -ist -ize -ισμός -ιστής
nomy -νομία -ίζειν
phyletic φυλετικός
plastids πλαστός
sophy σοφία
trophy -τροφία
onuphin ὄνυξ ὄφις
onycha ὄνυχα
onych- ὀνυχ-
aster ἀστήρ
atrophia -y ἀτροφία
auxis αὔξησις
ia ian ii
in ὀνύχινος
ite(s ὀνυχίτης
itis -ῖτις
ium ὀνύχιον
odus ὀδούς
-ontid(ae -ontoid
oma osis -ωμα -ωσις
onycho- ὀνυχο-
cepon κηπίον
clasis κλάσις
crinidae κρίνον
cryptosis κρύπτειν -ωσις
ctenus κτεν-
glenea γλήνη φος
gram graph γράμμα -γρα-
gryp(h)osis γρύπωσις
id ὀνυχοειδής
lips λίψ
lysis λύσις
malacia μαλακία
mancy μαντεία
myc(*or* k)osis μύκης -ωσις
myia μυῖα
nosis -us νόσος
pathology παθολογική
pathy -ic -πάθεια
phage -φαγος
phagia *or* -y -ist -φαγία -ισ-
phora(n -i -ous -φορος τής
phosis φύω
phyma φῦμα
pterus πτέρον
pterygia πτερύγιον
ptosis πτῶσις
rrhexis ῥῆξις
teuthis τευθίς
-id(ae -oid
trophy -τροφία
onycle ὄνυξ
Onygena -aceae ὄνυξ -γενής
onygophagist ὄνυξ -φαγος
onym(a(l(ly ὄνυμα -ιστής
atic ity ize(r ous y
onyx onyxis ὄνυξ
itis -ῖτις
oo- ὠο-
angium ἀγγεῖον
apogamous ἀπό γάμος
blast(ic βλαστός
blastema βλάστημα
carp καρπός
capt κάπτειν
caryon κάρυον
chlorin χλωρός
chrotus χρώς (χρωτός)
cinesia -κινησία

oo- Cont'd
corys κόρυς
-ythid(ae -ythoid
cyan(in κύανος
cyesis κύησις
cymba -ate κύμβη
cyst(ic κύστις
cyte κύτος
-ase -in διάστασις
demas δέμας
Oodes ᾠώδης
-eocele κήλη
-eopus πούς
-odid(ae -odoid
oo- Cont'd
ecium -ial οἰκίον
-iostome στόμα
gamete γαμέτης
gamy -ous -γαμία
gemma
genesis γένεσις
genetic γενετικός
geny -γένεια
gl(o)ea γλοία
gone -ium -ial γόνος
graph -γραφος
id(al idius ᾠοειδής
-ocephalic κεφαλή
kinesis κίνησις
kinete -ic κινητός
lem(ma λέμμα
lite -ic lith λίθος
litiferous λίθος
logy -ic(al(ly -λογία
-ist -ize -ιστής -ίζειν
lysis λύσις
mancy mantia μαντεία
meter μέτρον
metry -ic -μετρία
mycetes -ous μύκητες
neion νηίς
nucleus
pelma πέλμα
phagy -ous -φαγία
oon- ᾠόν
achatae ἀχάτης
angium ἀγγεῖον
in yle
oophor- ᾠοφόρος
algia auxe -αλγία αὔξη
e ic id in
idangia ἀγγεῖον
idium itis -ιδιον -ῖτις
oma on um -ωμα
oophoraphy ᾠοφόρος -ῥαφία
oophoro- ᾠοφόρος
cytosis κύστις -ωσις
epilepsy ἐπιληψία
hysterectomy ὑστέρα -εκ-
malacia μαλακία τομία
mania μανία
pathia -y -πάθεια
(pelio)pexy πηλίος -πηξία
rrhaphy -ῥαφία
salping- σαλπιγγ-
ectomy -εκτομία
stomy tomy -στομία -τομία
oo- Cont'd
phyte -a -ic φυτόν
plasm(a -ic πλάσμα
plast πλαστός
pod(a(l ποδ-
porphyrin πορφύρα
rhodein(e ῥόδον
scope -ic -σκόπιον
scopy -σκοπία ᾠοσκοπία
some σῶμα

oo- Cont'd
sperm σπέρμα
sphere -ic σφαῖρα
spiroides σπεῖρα
spore σπορά
-a -eae -ic -ous
ange -ium ἀγγεῖον
iferous osis -ωσις
stegite -ic στέγειν -ίτης
stegopod στέγος ποδ-
thecalgia θήκη -αλγία
theca(*or* o)tomy θήκη -τομία
thecocele θήκη κήλη
thectomy θήκη -εκτομία
tocia ᾠοτοκία
tocous -oid(ea(n ᾠοτόκος
type τύπος
xanthin(e ξανθός
zoa(n zooid ζῷον -οειδής
Oops ᾠόν ὤψ
oosite -ίτης
ootid ᾠόν
opacite -ίτης
Opades ὀπαδός
-othrips θρίψ
op- ὠπ-
algia -αλγία
eidoscope εἰδο- -σκοπίον
opal ὀπάλλιος
ed esque ish
esce -ence -ent
in(a e id(ae oid)
ite ize -ίτης -ίζειν
oid -οειδής
otype τύπος
Opazon ὀπάζειν
opegrapha ὀπή γραφή
opeidoscope ὠπ- εἶδος -σκοπος
opera-
log λόγος
mania μανία
meter μέτρον
operatist -ize -ιστής -ίζειν
operize -ίζειν
opesia(l -ula -ule ὀπή
Opetius ὀπήτιον
ophelia ὄφις ἕλος
-ic -iid(ae -ioid
ophelimity ὠφέλιμος
ophi- ὀφι-
ac- ὀφιακός
odontidae ὀδοντ-
an Ὀφιανοί
asis ὀφίασις
astra ἀστήρ
bolus -βολος
calcite -ίτης
cephalus κεφαλή
-id(ae -oid
ceratinae κερατ-
cleid(e κλειδ-
ian ist -ιστής
deres -id(ae -oid δέρη
ophic ὄφις
-ichthys ἰχθύς
-yid(ae -yinae -yoid
ophid- ὀφιδ-
ascaris ἀσκαρίς
ia(n(a (i)arium
ism -ισμός
ium ion ὀφίδιον
iid(ae ioid(ea(n ious
ophidio- ὀφίδιον
batrachia βατραχος
ceras κέρας
deirus δειρή
phobia -φοβία

ophido- ὀφιδ-
batrachian βάτραχος
logy -ist -λογία -ιστής
ophio- ὀφιο-
batrachia βάτραχος
bolus βόλος
caryon κάρυον
cephale -us -id(ae -oid
ὀφιοκέφαλος
coma -idae κόμη
deirus δειρή
derma δέρμα
-atidae -id -oid
dictys δίκτυς
genes ὀφιογενής
glossum γλῶσσα
-(ac)eae -aceous -ales
graphy -γραφία
id ὀφιοειδής
later -λατρης
latry -ous λατρεία
lepis λεπίς
-idid(ae -idoid
lite lithic λίθος
logy -ic(al -ist -λογία
mach ὀφιομάχας
mancy μαντεία
melina μέλος
morph(a(e μορφή
ic ite ous us
myxa -id(ae -oid μύξα
omma ὄμμα
phagous -us ὀφιοφάγος
philism -ist φίλος -ισμός
pluteus -ιστής
pogon(eae πώγων
riza ῥίζα
saur(us -ia(n -idae σαῦρος
scion σκιά
scorodon ὀφιοσκόροδον
staphyle -on ὀφιοσταφύλη
thrix θρίξ
-trichid(ae -oid
toxin -emia τοξικόν -αιμία
xylon -in ξύλον
ophi- ὀφι-
odon ὀδών
ones ὀφιόνεος
on(idae ὀφίων
ouch ὀφιοῦχος
ouride ὀφίουρος
saurus -idae σαῦρος
uchus -id ὀφιοῦχος
ur- ὀφίουρος
a(e an e eae id(a(e ic
(i)oid(ea(n
ocrinus κρίνον
Ophism = Ophitism
ophite(s -ic(al ὀφίτης
Ophite -ic -ism Ὀφῖται -ισμός
ophry- ὀφρυ-
astes ὀφρυάζειν
itis osis -ῖτις -ωσις
on ops ὤψ
scolex -ecidae σκώληξ
ophrydium ὀφρύδιον
-iidae -inae
-iopsis ὄψις
Ophrys(eae ὀφρύς
ophthalm- ὀφθαλμ-
agra ἄγρα
algia -ic -ἀλγία
atrophia -y ἀτροφία
ectomy -εκτομία
encephalon ἐγκέφαλον
ia iac ὀφθαλμία
iater iatric(s ἰατήρ ἰατρικός

ophthalm- Cont'd
ic ὀφθαλμικός
idion ὀφθαλμίδιον
in
ious ὀφθαλμία
ist -ιστής
ite -ic -ίτης
itis -ic -ῖτις
odynia -ώδυνία
ophthalmo- ὀφθαλμο-
blennorrh(o)ea βλέννος-
borus ὀφθαλμοβόρος -ῥοία
cace κάκη
carcinoma καρκίνωμα
cele κήλη
copia κόπος
desmitis δεσμός -ῖτις
diagnosis διάγνωσις
diaphanoscope διαφανής
-σκόπιον
diastimeter διάστημα μέτ-
donesis δόνησις ρον
fundoscope -σκόπιον
graphy -γραφία
gyric γῦρος
leucoscope λευκο- -σκόπιον
lith λίθος
logy -λογία
-ic(al(ly -ist -ιστής
malac(*or* k)ia μαλακιά
melanoma μελαν- -ωμα
meter μέτρον
dynamo- δύναμις
phaco- φακός
stato- στατός
thermo- θερμο-
tono- τονο-
tropo- τρόπος
metroscope μετρο- -σκόπιον
metry -ic(al -μετρία
stato- tono- tropo-
mycosis μύκης -ωσις
my(os)itis μυ- μυός -ῖτις
myotomy μυο- -τομία
neuritis νεῦρον -ῖτις
pathia -y -πάθεια
phantom φάντασμα
phlebotomy φλεβοτομία
phore -ium -ous -φορος
phthisis φθίσις
plasty -πλαστία
plegia -y -ic -πληγία
pod ποδ-
ptoma πτῶμα
ptosis πτῶσις
rrhagia -ῥαγία
rrhea -ῥοία
rrhexis ῥῆξις
saurus σαῦρος
scope -σκόπιον
scopy -σκοπία
-ic(al(ly -ist -ιστής
stasis stat στάσις στατός
theca θήκη
tomy -τομία
toxin τοξικόν
trope τρόπος
xyster ξύστρα
ophthalmus ὀφθαλμός
ophthalmy ὀφθαλμία
ophyophagi ὀφιοφάγος
-opia -ωπία
opi- ὄπιον
ammone ἀμμωνιακόν
ane -ate -in(e
anoyl ὕλη
ase διάστασις

opi- Cont'd
ate ic ive
ism ize -ισμός -ίζειν
opinion(at)ist -ιστής
opio- ὄπιον
logy -λογία
mania μανία -ακός
phagy -ism -φαγία -ισμός
Opis ὦπις
astarte Ἀστάρτη
opisometer ὀπίσω μέτρον
opisth- ὄπισθεν
arsenia ἀρσήν
arthri- ous ἄρθρον
(el)ial ὀπίσθιος
en enar ὀπισθέναρ
encephalon ἐγκέφαλος
en oxys ὀξύς
ias ion ius ὀπίσθιος
opistheno- ὄπισθεν
genesis γένεσις
genetic γενετικός
genic -γενής
opisthio- ὀπίσθιος
basial basilar βάσις
nasal
opistho- ὀπισθο-
basilar βάσις
branch βράγχια
ia iata iate ism -ισμός
centrus ὀπισθόκεντρος
coelia(n -ous κοῖλος
com- ὀπισθόκομος ous
e i id(ae iformes ine oid
ctenodon κτεν- ὀδών us
cyphosis κύφωσις
detic δετός
dome -os -us ὀπισθόδομος
dromous δρόμος
gastric γαστρ-
glossa(l -ate γλῶσσα
glyph(a ia ic ous γλυφή
gnath- γνάθος
id(ae ism oid ous us
goneata -e γονή
graph ὀπισθόγραφος
al ic(al y
gyre -ate -ous γυρός
nema νῆμα
paria παρεία
phallus φαλλός
pneumonic πνεύμων
podium -ial ποδίον
por(e)ia πορεία
pterae -us πτερόν
pulmonate
scyphus σκύφος
somal σῶμα
sphendone ὀπισθοσφενδόνη
tome -τομον
trichum τριχ-
tonic ὀπισθοτονικός
tonos ὀπισθότονος
-us -oid
opisth- Cont'd
odal ὁδός
odont ὀδοντ-
ome -i -ous ὦμος
-id(ae -oid -um
ophthalma ὀφθαλμός
orchis ὄρχις
-iasis -ίασις
ornitho- ὀρνιθο-
pora -inae πόρος
otic -ωτικός
ure -al οὐρά

opium ὄπιον -ιστής -ίτης
ate ism -ist ite -y -ισμός
opo- ὠπ-
cephalus κεφαλή
(di)dymus δίδυμος
opo- ὀπο-
balsam(um ὀποβάλσαμον
deldoc ?δηλ- ?δοχός
hepatoidin ἡπατ- -οειδής
hypophysin ὑπό φῦσις
laxyl ὕλη
lienin
mammin medullin
myza -id(ae -oid μύζα
orchidin ὀρχιδ-
ossein ovariin
panax ὀπόπαναξ
pancreatin παγκρεατ-
prostatin προστάτης
renin suprarenalin
therapeutic θεραπευτικός
therapy θεραπεία
thymin θυμός
thyroidin θυροειδής
opo- ὄπιον
philus phyta -φιλος φυτόν
-opolis -ο-πόλις
oporice ὀπωρικός
oporopolist ὀπωροπώλης
opoterodont(a ὀπότερον ὀδοντ-
opportunism -ισμός
-ist(ic(ally -ιστής -ιστικός
oppositionist oppressionist -ισ-
oppositipetalous πέταλον τής
Opsanus ὤψ ἄνω
opseospermata ὄψεως σπέρμα
-opsia -οψία
opsi- ὀψι-
algia -αλγία
gamy -γαμία
gony ὀψίγονος
math ὀψιμαθής
mathy ὀψιμαθία
Opsimus ὄψιμος
opsinogen(ous ὀψωνεῖν -γενής
opsiometer ὄψις μέτρον
opsiuria ὄψον -ουρία
opsomania(c ὀψομανία
opsonium ὀψώνιον
-iferous -ification -ify
-ic -in -ist -oid
-ize -ation -ίζειν
opsono- ὀψώνιον
logy -λογία
metry -μετρία
pheric φερεῖν
philia -ic -φιλία
therapy θεραπειά
opsony ὀψώνιον
opsophagy ὀψοφαγία
-ist -ize -ιστής -ίζειν
-opsy -οψία
Optaleus ὀπταλέος
optesthesia ὀπτικός -αισθησία
optic ὀπτικός
al(ly ian ist ity
optico- ὀπτικός
chemical χημεία
ciliary cinerea
papillary pupillary
opticon ὀπτικόν
optics ὀπτικά
optience ὀπτικός
optigraph ὀπτός -γραφος
optimism -ισμός
-ist(ic(al(ly -ιστής -ιστικός
-ize -ation -ίζειν

optist ὀπτικός -ιστής
opto- ὀπτός
blast βλαστός
coele -ia κοῖλος
genic -γενής
gram γράμμα
graphy -γραφία
id -οειδής
logy -ist -λογία -ιστής
meninx μῆνιγξ
meter μέτρον
metry -μετρία
-ical ist -ιστής
myometer μυο- μέτρον
phone φωνή
striate
technics τεχνικός
type τύπος
Opuntia Ὀπούς
-i(ac)eae -iacian -iales -ioid
-opy -ωπία
orach(e ἀτράφαξυς
orac(u)list -ize(r -ιστής -ίζειν
oralism ist -ισμός -ιστής
oralize -ation -ίζειν
oralogy -λογία
Orangism -ισμός
-ist -ize -ιστής -ίζειν
orangist -ite -ιστής -ίτης
oranite -ίτης
orarion ὠράριον
oratorianism -ισμός
orator(ian)ize -ίζειν
orbito-
lite(s ic λίθος
pagus πάγος
sphenoid(al σφηνοειδής
stat στατός
tomy -τομία
tympanic τύμπανον
orcacetophenone φαιν- -ώνη
orchardist -ιστής
orch- ὄρχις
aphrin Ἀφροδίτη
ematical ὀρχηματικός
eocele κήλη
eoplasty ὄρχεα -πλαστία
eotomy -τομία
esis -ia ὄρχησις
-ography -γραφία
est- ὀρχηστής
es ia(n iid(ae ioid
orchestic(s ὀρχηστικός
orchester -re ὀρχήστρα
orchestra ὀρχήστρα
-al(ly -an -ate -ation -ic -ina
-omania μανία ion(ette
orchic ὀρχικός
orchi- ὀρχι-
algia -αλγία
chorea χορεία
cithin λέκιθος
ectomy -εκτομία -ωμα
encephaloma ἐγκέφαλον
epididymitis ἐπιδιδυμίς
lytic λυτικός -ιτις
odynia -ωδυνία
oncus ὄγκος
oscheocele ὀσχεο- κήλη
orchid ὄρχις
(ac)eae (ac)ean (ac)eous ales
algia -αλγία eal in
ectomy -εκτομία
ist itis -ιστής -ῖτις
oncus ὄγκος
orchido- ὄρχις
cele κήλη

orchido- Cont'd
celioplasty κοιλία -πλαστία
logy -ist λογία
mania μανία
myeloma μυελός -ωμα
pexy -πηξία
philist -φιλος -ιστής
plasty -πλαστία
ptosis πτῶσις
rrhaphy -ῥαφία
therapy θεραπεία
tomy -τομία
orchio- ὄρχις
cele κήλη
coccus κόκκος
myeloma μυελός -ωμα
neuralgia νεῦρον -αλγία
pexy -πηξία
plasty -πλαστία
rrhaphy -ῥαφία
scirrhus σκίρρος
orchis ὄρχις
-itis -itic -ῖτις
-olytic λυτικός
orchotomy ὀρχοτομία
orcyl ὕλη
Orcynus -ine ὄρκυνος
orderlyism -ισμός
ordinalism -ισμός
ordinaryist -ιστής
oread Ὀρειάς
oreamnos ὄρος ἀμνός
orectic -ive ὀρεκτικός
Orectochilus ὀρεκτός χεῖλος
Oregostoma ὀρέγειν στόμα
orendite -ίτης
ore- ὄρος
odon ὀδών
-ont(id(ae ine oid(ea)
ortyx ὄρτυξ
oreo- ὀρεο-
carya κάρυον
daphne δάφνη
dera δέρη
doxa δόξα
graphy -ic γραφία
lagus λαγῶς
myia μυῖα
phasis -inae -in(e Φᾶσις
scoptes σκώπτης
selin -one ὀρεοσέλινον
soma σῶμα
spiza σπίζα
tragus -ine τράγος
trochilus τροχῖλος
Orestes -ites Ὀρέστης
orexis ὄρεξις
-igenic -in(e -γενής
orgadium -ad ὀργάς
orgado- ὀργάς
cola philus phyta -φιλος φυτόν
organ ὄργανον
acidia al ella ed ette ite ity
less ly on ry ule um y
ic ὀργανικός
al(ly (al)ness
ism ist -ισμός -ιστής
ify -ic -ier
ism(al -ισμός
ist(er ic ship) -ιστής
istrum
ize -ability -able -ate -ation-
(al ist) -er -ίζειν
oid oma -οειδής -ωμα
onym ὄνυμα
al ic(al y

organo- ὀργανο-
aluminium
arsenic ἀρσενικόν
beryllium βήρυλλος
calcium
chordium χορδή
chromium χρῶμα
faction ferric gel
genesis γένεσις
genetic γενετικός
geny -ic -ist -γένεια -ιστής
graphy γραφία
-ic(al -ist -ιστής
leptic(ally ληπτικός
lith λίθος
logy -λογία
-ic(al -ist -ιστής
lyricon λυρικός
magnesium Μαγνησία
mercury motor
metallic μέταλλον
morphic μορφή
nomia -y -ic -νομία
pathy -πάθεια
pexia -y -il -πηξία
phil(e ic -ism -φιλος
phone -ic φωνή
phyly -φυλία
physis φῦσις
plasty -ic -πλαστία
poietical ποιητικός
scopy -σκοπία
sol
therapeutics θεραπευτικός
therapy θεραπεία
trope -ic -ism -y τροπ-
trophic -ism τροφή
orgasm -astic ὀργασμός
orgia -iac -ial -ic ὄργια
orgiasm ὀργιασμός
orgiast ὀργιαστής
orgiastic(al ὀργιαστικός
Orgilus ὀργίλος
orgion ὄργιον
orgiophant ὀργιοφάντης
orgiunette ὄργανον
orgy ὄργια
orgyia -ya(lis ὄργυια
Oribates ὀρειβάτης
-id(ae -oid
orichalc(h ὀρείχαλκον
eous um
oriconic(al κωνικός
oricycle κύκλος
oriellipse -oid ἔλλειψις -οειδής
orientalism -ist -ισμός -ιστής
orient(al)ize -ίζειν
origan(um ὀρίγανον
ene ize y -ίζειν
Origen Ὠριγένης
ism ist(ic ize -ισμός -ιστής
-ιστικός -ίζειν
origin(al)ist -ize -ιστής -ίζειν
orihyperbola -oid ὑπερβολή
-οειδής
orileyite -ίτης
Orimus ὥριμος
orinotherapy ὀρεινός θεραπεία
oriocrystal ὅριον κρύσταλλος
Orion(id Ὠρίων
oripore πόρος -λογία
orismology ὁρισμός
-ic(al(ly -ist -ιστής
orisphere σφαῖρα
oristic ὁριστικός
-osemeiotic σημειωτικός
orkaugite αὐγή -ίτης

Orleanism -ισμός
-ist(ic -ιστής -ιστικός
Ormosia ὅρμος
-in -(in)ine
ornament(al)ism -ισμός
-ist -ize -ιστής -ίζειν
orneo- ὀρνεο-
ascaris ἀσκαρίς
scopic(s -ist -σκοπία -ιστής
Orneodes ὀρνεώδης
-id(ae -oid
ornis ὄρνις
orniscopy ὄρνις -σκοπία
-ic -ist -ιστής
Ornithia ὀρνίθιον
ornith- ὀρνιθ-
ian ὀρνιθίας
ic ὀρνιθικός
ichnite ἴχνος -ίτης
ichnology -λογία
in(e ite -ίτης
ion -ium ὀρνίθιον
ischia(n ἰσχίον
ivorous ol
ornitho- ὀρνιθο-
biography -ical βιογραφία
cephal κεφαλή
ic idae ous us
ceras κέρας
cheir- χείρ
inae odea -ώδης
copro- κοπρο-
lite λίθος
philous -φιλος
delph δελφύς
ia(n ic id ous us
desmus -idae δεσμός
dorus δορός
gaea(n γαῖα
gal(e galum ὀρνιθόγαλον
gamous γάμος
geographic(al γεωγραφικός
id(ic ὀρνιθοειδής
ichnite ἴχνος -ίτης
leucism λευκός -ισμός
lite -ic λίθος
loger ὀρνιθολόγος
logy -ic(al(ly -ist -ize
mancy μαντεία
mantic -ist -ize
melanism μελαν- -ισμός
mimidae μίμος
morphic ὀρνιθόμορφος
myzous μύζειν
paleontologist παλαι- ὄντα
pappi -ic πάππος -λογία
philae -ous -φιλος
phily -ist -ite -φιλία -ίτης
pod(a ous ποδ-
pter πτερόν
a id(ae oid ous us
pteris πτερίς
pus πούς
rhynchus ῥύγχος
-id(ae -oid -ous
saur(ia(n σαῦρος
scelida(e -an σκέλος
scopy -ist -σκοπία
suchidae σοῦχος
tomy -τομία
-ical(ly -ist -ιστής
trophe τροφός
vorous
ornithon ὀρνιθών
ornith- ὀρνιθ-
urae -ous οὐρά
uric οὖρον

ornomancy ὄρνις μαντεία
Ornopsis ὄψις
oro- ὀρο-
banche ὀροβάγχη
-(ac)eae -(ac)eous
bites ὀροβίτης
bus ὄροβος
central κέντρον
dytes δύτης
genesis γένεσις
genetic γενετικός
geny -ic -ous -γένεια
graph -γραφος
graphy -ic(al(ly γραφία
heliograph ἡλιο- -γραφος
hippus -id(ae -oid ἵππος
hydrography -ic(al ὑδρο-
-γραφία
hylion ὕλη
kinase κίνησις διάστασις
logy -λογία
-ical -ist -ιστής
meter μέτρον
metry -ic -μετρία
notus νῶτος
pedium ὀροπέδιον
philus -φιλος
phyt(i)a φυτόν
scoptes σκώπτης
spingus σπίγγος
trechus τρέχειν
oro- ὀρός
diagnosis διάγνωσις
immunity
therapy θεραπεία
Orodus ὄρος ὀδούς
oroide εἶδος
Orontium Ὀρόντης
-iaceae -iaceous -iad
oropharynx -yngeal φάρυγξ
Orophius ὄροφος
-ocrinidae κρίνον
-odontidae ὀδοντ-
orotic ὀρός -ωτικός
orotundism -ισμός
oroxylin ὀξύς ὕλη
orphan ὀρφανός
age cy don er et hood ity ship
ism ize -ισμός -ίζειν y
istes ὀρφανιστής
otrophy ὀρφανοτροφεῖον
-ism -ισμός
orphenin ὀρφανός
Orpheus Ὀρφεύς
-arion -αριον
-ean -eist -eon(ist -ιστής
-eotelest(ae Ὀρφεοτελεστής
-ic Ὀρφικός
al(ly ism -ισμός
-ion Ὀρφεῖον
-ism -ize -ισμός -ίζειν
Orphnebius ὄρφνη βίος
Orphnus ὀρφνός
orrh- ὀρρός
oid ous -οειδής
orrho- ὀρρο-
cyst(is κύστις
diagnosis διάγνωσις
hymenitis ὑμην -ῖτις
logy -λογία
meningitis μηνιγγ- -ῖτις
reaction
rrh(o)ea -ῥοια
therapeutic θεραπευτικός
therapy θεραπεία
orris Ἶρις
Orsilochus Ὀρσίλοχος

orso- ὀρσο-
coma κόμη
dacne ὀρσοδάκνη
pora πόρος
thyre ὀρσοθύρη
Orsonyx ὀρσός ὄνυξ
Ortalis ὀρταλις
-id(ae -idian -oid
orth- ὀρθός (ὀρθ-)
acea al angle
agoriscus ὀρθαγορίσκος
-idae -inae -oid
amphibole ἀμφίβολος
antimonic axial
enchyma ἔγχυμα
ian ius ὄρθιος
ic id(ae ine is
idium -ιδιον
ite -ic -ίτης
odon ὀδών
odont ὀδοντ-
ia ic(s ist -ιστής
ology -ο-λογία
oid -οειδής
onal ose
onychia ὀνυχ-
onyx ὄνυξ
-yc(h)id(ae -ycinae -ycoid
optic ὀπτικός
osis ὄρθωσις
otes ὀρθότης
otic ὄρθωσις -ωτικός
ox- ὀξύς
azin(e ἀ- ζωή
ylene ὕλη
oxytriaene ὀξυ- (τρί)αινα
uria ουρία
ortho- ὀρθο-
acetic acid
antimonic -ate
arsenic -ate ἀρσενικόν
arteriotomy ἀρτηρία -τομία
augite αὐγίτης
axis
baric βαρύς
baridia βᾶρις
basic βάσις
biont(e ic βιοντ-
biosis βίωσις
biotics βιωτικός
blast βλαστός
boric -ate
boulia ὀρθόβουλος
brachy- βραχυ-
cephalic κεφαλικός
bromite βρῶμος -ίτης
carbonic
carpous -us καρπός
center κέντρον
-re -ric -roidal -οειδής
cepal- κεφαλή
ic ous um y
cera(e κέρας
cone κῶνος
ceras κέρας
-an -ata -atid(ae
-atite(s -ic -oid -ίτης
chetae χαίτη
chlorite χλωρός -ίτης
chloro- χλωρο-
phenol salol φαιν-
choanites χοάνη -ίτης
chorea χορεία
chrome χρῶμα
-atic -ism χρωματικός
chrome χρῶμα -ισμός
-atic -ism χρωματικός

ortho- Cont'd
-ize -ation -ίζειν
-ophil -φιλος
chronograph χρονο- -γραφος
cladous κλάδος
clase κλάσις
clastic κλαστός
clema κλῆμα
cnemus κνήμη
coela κοῖλος
coely -ic -ous κοιλία
col κόλλα
cone κῶνος
costa -idae
coumaric cousin
crasia κρᾶσις
cres(al)ol κρέας σώζειν
crinidae κρίνον
cycle κύκλος
cytosis κύτος -ωσις
di- δι-
actin ἀκτιν-
aene (τρί)αινα
azin(e ἀ- ζωή
nitrocresol νιτρο- κρέας
dia- διά σώζειν
gonal διαγώνιος
gram διάγραμμα
graph(y -γραφος -γραφία
dicho(xy)triaene δίχα ὀξυ-
discus δίσκος τρίαινα
dolichocephalic δολιχός
dolops δόλοψ κεφαλικός
dome -atic δόμος
doron ὀρθόδωρον
dox ὀρθόδοξος
(al)ly ality (al)ness
astical ὀρθοδοξαστής
y ὀρθοδοξία -ιστής
ian ical(ly ism ist -ισμός
dromy -ic(s δρομεῖν
epy ὀρθοέπεια
-ic(al(ly -ist(ic -ιστής
form(ic -ιστικός
gamy -ic -ous -γαμία
ganoidei γάνος
genesis γένεσις
genetic γενετικός
genics γενικός
genid -γενής -ίδης
glossy γλῶσσα
gnath- γνάθος
ic ism ous y -ισμός
gneiss
gon(ial al(ly ality ὀρθογώ-
graph -γραφος νιος
er ὀρθόγραφος
ic(al(ly γραφικός
y -γραφία
y ὀρθογραφία
ic(al(ly ist ize -ιστής -ίζειν
heliotropic ἥλιο- -τροπος
helium ἥλιος
hexactin ἑξ ἀκτιν-
hydroxide ὑδρ- ὀξύς
ketonic -ώνη
liposis λίπος -ωσις
logy ὀρθολογία
-er -ian -ical
melic μέλος
meter μέτρον
methylacetanilid μέθυ ὕλη
metopic μέτωπον
metric μέτρον
metry -μετριά
molybdate μόλυβδος
monaene μόνος (τρί)αινα

ortho- Cont'd
morphia -ic -y μορφή
morphosis μόρφωσις
mylacris μυλακρίς
nectid(a(e νηκτός
neura -al -ous νεῦρον
neutrophil(e -φιλος
oxalic ὀξαλίς
p(a)edia παιδεία
-ic(al -ics -ist -y -ιστής
pareia παρεία
percussion
periodic ἰώδης
perus πήρα
pervanadic- ate
phonia -y -ic -φωνία
phoria -φορια
phoric -φορος
phosphate & -oric φωσφόρος
photic φωτ-
photo- φωτο-
taxy tropic τάξις -τροπος
phyllo- φυλλο-
triaene (τρί)αινα
phyre -ic πορφύρα
phyte φυτόν
pinacoid(al πινακοειδής
plastocyte πλαστο- κύτος
plasty -ic -πλαστία ρον
plessimeter πλήσσειν μέτ-
ploceae -eous πλοκή
ploid -πλοος
plumbic -ate
pn(o)ea pny ὀρθόπνοια
-ic(al -ity ὀρθοπνοικός
pod(a ous ποδ-
prax(is y πρᾶξις
prism πρίσμα
pristis πρίστις
propionic πρῶτος πίων
prosopic -ous πρόσωπον
pter πτερόν
a(l an ist oid(ea on ous
ology -ical -ist -λογία
pyramid πυραμίς -ιστής
quinoid -one -οειδής -ώνη
rachic ῥάχυς
(r)rhapha -ous -y ῥαφή
rhombic ῥόμβος
rontgenography -γραφία
rrhinus ῥίν
scope -ic -σκόπιον
scopy -σκοπία
silicic -ate
skia- σκία
graph(ic y -γραφος
γραφικός -γραφία
spermeae -ous σπερμα
stade ὀρθοστάδιον
stannate -ic
state(s ὀρθοστάτης
-ic -ism -ισμός
stereoscope -ic στερεο-
sterni στέρνον -σκόπιον
stethus στῆθος
stibia στιβειά
stichous -y στίχος
stigmat στίγμα
stoechus στοῖχος
stomous στόμα
style στῦλος
substituted
sulphate & -uric
symmetry συμμετρία
ic(al(ly συμμετρικός
tactic τακτός
tast τάσσειν

ortho- Cont'd
telluric -ate
terion ὀρθωτήρ
thecium -ieae θήκη
thiocarbonic θεῖον
toluidine
tomus -τομος
tomy -ic -ous ὀρθοτομία
tone -ic ὀρθότονος
tonesis ὀρθοτόνησις
tonos -us -ic τόνος
triaene τρίαινα
trichoxytriaene τρίχαοξυ-
trichum -aceae τριχ-
triod τριόδους
trop- τροπή
al ic ism ous y -ισμός
type -ous τύπος
typhoid τυφώδης
vanadic -ate
xyloquinone ξύλον
zygous ζυγόν
orthos- ὀρθός
emidin ἐμύς
enchyma ἔγχυμα
ia iid(ae ioid
orthrocene ὀρθρο- καινός
orthros ὄρθρος
anthus ἄνθος
ortygometra ὀρτυγομήτρα
Ortyx ὄρτυξ
-ygan -yginae -ygine
Orychonotus ὀρύχειν νῶτος
orycterope ὀρύκτηρ πούς
-podid(ae -podoid
-us -idae
Oryctes ὀρύκτης
oryctics ὀρυκτικός
orycto- ὀρυκτός
care κάρη
cephalidae κεφαλή
derus δέρη
geology γεω- -λογία
gnostic(al(ly γνωστικός
gnosy γνῶσις
graphy -ic(al(ly -γραφία
logy -λογία
-ical -ist -ιστής
mastax μάσταξ
zoology -ical ζωο- -λογία
Orygocera ὀρυγο- κέρας
orygoma ὄρυγμα
orypan ὄρυζα
Oryssomus ὀρύσσειν
orylic ὀρός ὕλη
Oryssus ὀρύσσειν
-id(ae -oid
Oryx ὄρυξ
-yginae -ygine
Oryza -eae -in ὄρυζα
-anin
-ivorous
-omys μῦς
-opsis ὄψις
-oryctes ὀρύκτης
-id(ae -inae -oid
osamin ἀμμωνιακόν
osazone ἀ- ζωή
osche- ὄσχεον
al itis oma -ῖτις -ωμα
oncus ὄγκος
oscheo- ὄσχεον
carcinoma καρκίνωμα
(hydro)cele (ὑδρο)κήλη
lith λίθος
plasty -ic -πλαστία
Oschophoria ὀσκοφόρια

oscillo- -γραφος
gram graph(ic γράμμα
meter -ry μέτρον -μετρία
phone φωνή
scope σκόπιον
oscurantist -ιστής
Osiandrist -ιστής
Osiris Ὄσιρις
-ian -ide -idean -ify
-osis -ωσις
osite -ίτης
osm- ὀσμή
amin(e ἀμμωνιακόν
anthus ἄνθος
atism -ic -ισμός
azome ζωμός
-atic -atous
erus -idae ὀσμήρης
esis ὄσμησις
esthesia -αἰσθησία
ia iate ic ite
idrosis -ιδρωσις
iridium Ἶρις
osme(or a)terium ὀσμάεσθαι
osmi- ὀσμή -τηριον
amic -ate -ite ἀμμωνιακόν
ous um uret
osmio- ὀσμή
chloride χλωρός
cyanide κύανος
osmo- ὀσμή
cyanic -id κυανός
derma δέρμα
dysphoria δυσφορία
gram γσάμμα
graph -γραφος
lagnia *or* -y λαγνεία
logy -λογία
narcotic ναρκωτικός
nosus νόσος
-ology -λογία
phore -φορος
rrhiza ῥίζα
osmo- ὠσμός
gen(e -γενής
meter μέτρον
metry -ic -μετρία
philic -φιλος
regulator
spores σπορά
osmondite -ίτης
osmos(e is ὠσμός -ωσις
osmyl ὀσμή ὕλη
oso- γλεῦκος
tetraz- τετρ- ἀ- ζωή
ine ole
triazole τρι- ἀ- ζωή
osphr- ὀσφρ-
adion ὀσφράδιον
anter(ia ὀσφραντήριος
esis ὄσφρησις
-iology -ic -λογία
-iometer μέτρον
etic ὀσφρητικός
omenus ὀσφρόμενος
-id(ae -oid
Osphya ὀσφύς
osphy- ὀσφυ-
algia -ic ὀσφυαλγία
arthritis ὀρθρῖτις
itis -ῖτις
ocele κήλη
olax ὦλαξ
omyelitis μυελός -ῖτις
ossagen -γενής
osseoalbumoid -οειδής
osseomucoid μύκης

Ossianism -ize -ισμός -ίζειν
ossiculectomy -εκτομία
ossiculotomy -τομία
ossiphone φωνή
Ostadolepis λεπίς
ost- ὀστέον
agra algia ἄγρα -αλγία
ario- ὀστάριον
phys- φῦσα
an eae i ial
phytum φυτόν
auxein αὔξη
embryon ἔμβρυον
emia -αιμία
empyesis ἐμπύησις
oste- ὀστε-
al
albuminoid -οειδής
algia -αλγία
amoeba ἀμοιβή
anabrosis ἀνάβρωσις
anagenesis ἀναγένεσις
anaphysis ἀνάφυσις
arthrotomy ἀρθρο- -τομία
(e)ctomy -εκτομία
ectopia -y ἔκτοπος
ide -in(e
ite itis -ic -ίτης -ῖτις
odontome ὀδοντ-
odynia -ωδυνία
oid -οειδής
oma -atoid -ωμα
oncus -osis ὄγκος
osis -ωσις
ostrac- ὄστρακον
an i ous
osteo- ὀστεο-
aneury(or i)ism ἀνεύρυσμα
arthritis -ic ἀρθρῖτις
arthro- ἀρθρο-
pathy -ic -πάθεια
tomy -τομία
blast(ic oma βλαστός -ωμα
cachectic καχεκτικός
cachexia -y καχεξία
campsia κάμψις
carcinoma καρκίνωμα
cancer cartilaginous
cele κήλη
cephali -us -oma κεφαλή
chondr- χόνδρος -ωμα
itis oma omatosis ous
-ῖτις -ωμα -ωσις
chondro- χονδρο-
fibroma -ωμα
phyte φυτόν
sarcoma σάρκωμα
clasis -ia κλάσις
clast(y ic κλαστός
colla κόλλα
comma κόμμα
cope -us -ic ὀστεοκόπος
cranium κρανίον
cystoma κύστις -ωμα
dentin(e al
derm δέρμα
a(l (at)ous ia
desmacea δεσμός
diastasis διάστασις
dystrophia δυσ- -τροφία
encephaloma ἐγκέφαλος
enchondroma ἐν χόνδρος
epiphysis ἐπίφυσις
fibrous -oma -ωμα
gangr(a)ena γάγγραινα
gen(e · ic -ous -γενής
genesis -y γένεσις

osteo- Cont'd
genetic γενετικός
geny -γένεια
glossum γλῶσσα
-id(ae -oid(ca(n
graph(y ic -γραφος γραφία
halisteresis ἁλι- στέρησις
hemachromatosis αἷμα
χρωματ- -ωσις
lepis λέπις
-(id)id(ae -idoid
lipochondroma λίπος
χόνδρος -ωμα
lite lith(ical λίθος
loger -λογος
logy ὀστεολογία
-ic(al(ly -ist -ιστής
lysis λύσις
lytic λυτικός
malacia -ial -ic μαλακία
malacosis μαλακός -ωσις
malactic μαλακτικός
manc(*or* t)y μαντεία
mere μέρος
meter -metry -ic(al μέτρον
moeba ἀμοιβή -μετρία
myelon -itis μυελός -ῖτις
necrosis -otic νέκρωσις
-ωτικός
neuralgia νεῦρον -αλγία
palinclasis πάλιν κλάσις
path(y -πάθεια
-ic(ally -ist -ιστής
pedion παιδίον
periosteal -itis περιόστεος
phage -us -φαγος -ῖτις
phlebitis φλεβ- -ῖτις
phone -y φωνή -φωνία
phor(e -φορος
phyma φῦμα
phyte -ic -is φυτόν
plaque
plast πλαστός
plasty -ic -πλαστία
pleura πλευρά
porous πόρος
-osis -otic -ωσις -ωτικός
psathyrosis ψαθυρός
pterygii -ious πτερυγγ-
rrhaphy -ῥαφία
sarcoma -atous σάρκωμα
sarcosis σάρκωσις -ωσις
sclereids -osis σκληρός
scope -y -σκόπιον -σκοπία
septum
spermum σπέρμα
spongioma σπογγιά -ωμα
steatoma στεάτωμα
stixis στίξις
stomous στόμα
suture
syndesmological σύνδεσμος
suture λογικός
synovitis σύν -ῖτις
synthesis σύνθεσις
tabes
telangiectasia τέλος ἀγγεῖον
theca θηκή
thrombosis θρόμβωσις
ἔκτασις
tome -τομος
-oclasis -ia κλάσις
-y -ist -τομία -ιστής
tribe trite τρίβειν
trophy -τροφία
tylus τύλος
tympanic τύμπανον

osteo- Cont'd
zoa(n ζῷον
zoaria ζωάριον
ost- ὀστέον
hexia -y ἕξις
inops ὅστινος ὤψ
itis -ic osis -ῖτις -ωσις
osthol ostruthol
osto- ὀστο-
clast κλαστός
theca ὀστοθήκη
ostrac- ὄστρακον
ea(n eous iid(ae ioid
ion ὀστράκιον
iont(id(ae oid)
ism ὀστρακισμός
ite ὀστρακίτης
itis ὀστρακῖτις
ize ὀστρακίζειν
-able -er
od(e ὀστρακώδης
a al ous
oid(ea on um
ostean- i ous ὀστε-
ostraco- ὀστρακο-
derm ὀστρακόδερμος
al atinus (at)ous i
logy -ical -λογία
phore -i -ous -φορος
pod(a ous ποδ-
there θήρ
ostration ὀστράκιον
ostre- ὄστρεον
a aceous al an id(ae iform oid
a culture -al -ist
ostreo- ὄστρεον
phage -ist -ous -φαγος
toxismus τοξικόν
ostri- ὄστρεον
culture ferous
ostrich στρυθίων
Ostropa -aceae ὄστρακον ὄψις
ostruthin -ol στρουθίον
Ostrya ὀστρύα
Osyris -itin ὄσυρις
-ot(e -ώτης -ότης
ot- ωτ-
acoustic(al on ὠτακουστικός
acust ὠτακουστής
algia -ic -y ὠταλγία
aphone = otophone
arionomus ὠτάριον ὦμος
ary ὠταρός
-ia(n -idea -iid(ae -iinae
-(i)ine -ioid(ea
ectomy -εκτομία
enchyte ὠτεγχύτης
h(a)emat- αἱματ-
oma(tous -ωμα
helcosis ἕλκωσις
hemorrhea αἱμόρροια
hygroma ὑγρός -ωμα
iater ἰατήρ
iatria -y ἰατρεία
iatric(s ἰατρικός
iatrus ἰατρός
ic(odinia ὠτικός δίνη
idea
idium -ial -ιδιον
ina -id(ae -oid
itis -ic -ῖτις
odynia -ωδυνία
ophidium ὀφίδιον
or uria -ουρία
otavite -ίτης
otheo- ὠθέειν
meter μέτρον

otheo- Cont'd
scope -σκόπιον
stethus στῆθος
Othnius ὀθνεῖος
othonne -a ὀθόννα
-otic -ωτικός
otio- ὀτίον
biosis βίωσις
bius βίος
cephala κεφαλή
rhnychus ῥύγχος
-id(ae -inae -in(e -oid
Otion ὀτίον
Otis -idae ὠτίς
-id(id(ae iform oid)
-idiphaps φάψ
-idocephalus κεφαλή
otobite -ίτης
oto- ὠτο-
antritis ἄντρον -ῖτις
blennorrhea βλέννος -ῥοια
catarrh κατάρροος
cephalus κεφαλή
cerebritis -ῖτις
cleisis κλεῖσις
conia(l -ite -ium κονία
corys κόρυς
crane κρανίον
-ium · ial -ic
cyon(inae in(e κύων
cyst(ic κύστις
encephalitis ἐγκέφαλος -ῖτις
ganglion γάγγλιον
genic -ous -γενής
graphy -ical -γραφία
gyps γύψ ρον ἀσθένεια
hemineurasthenia ἡμι- νεῦ-
laryngo- λαρυγγο-
logy -ical -λογία
lite -ic lith(ic λίθος
logy -λογία
-ical(ly -ist -ιστής
massage μάσσειν
morphology μορφή -λογία
(muco)mycosis μύκης -ωσις
myasthenia μυ- ἀσθένεια
myces μύκης
mys μῦς
neur- νεῦρον
algia -αλγία
asthenia ἀσθενεια
necr(on)ectomy νεκρός -εκ-
pathy -ic -πάθεια τομία
pharyngeal φαρυγγ-
phone φωνή
piesis πίεσις
placosoma πλακόεις σῶμα
plana -id(ae -oid πλαν-
plasty -ic -πλαστία
polypus πολύπους
poridae πόρος
porpa(l πόρπη
pyorrh(o)ea πυόρροια
pyosis πύωσις
rhinolaryngology ῥινο-
λαρυγγο- -λογία
rrhagia -ῥαγία
rrh(o)ea(l -ic -ῥοια
salpinx σάλπιγξ
scler(on)ectomy σκληρός
-εκτομία
sclerosis σκλήρωσις
scope -y -ic(al -σκόπιον
sema σῆμα -σκοπία
sphen(oid)al σφην(οειδής
tomy -τομία
triton Τρίτον

oto- Cont'd
typhlonemertes -idae τυφλο Νημερτής
zamites ζαμία -ιτης
zoum ζῶον
otosteon -eal ὠτ- ὀστέον
ototi ὀτοτοῖ
Otrynter ὀτρυντήρ
Ottomanize -ίζειν
Ottomite -ίτης
ottrelite λίθος
Otus ὠτός
oudemian οὐδεμία
Oudenodon οὐδείς ὀδών
-ont(id(ae oid)
oudenology οὐδέν -λογία
Oulastreidae οὖλος ἄστρον
oul- οὖλον
ectomy -εκτομία
(on)itis -ῖτις
oulo- οὐλο-
pholite φωλεός -ίτης
pteryx πτέρυξ
rrhgia -y -ῥαγία
ouranograph(y ὀυρανός -γραφος -γραφία
Ourax οὖραξ
out-
Calvinize -ίζειν
gastronomize γαστρονομία
hector Ἕκτωρ
metaphor μεταφορά
parish παροικία
purple πορφύρα
rhetoric ῥητορική
tyrannize τύραννος
ovalize -ation -ίζειν
ovaloid -οειδής
ovar(i)algia -ic -αλγία
ovariectomy -εκτομία
ovario-
cele κήλη
centesis κέντησις
cyesis κύησις
dysneuria δυσ- νεῦρον
hysterectomy ὑστέρα -εκ-
lysin λύσις τομία
lytic λυτικός
phylly -φυλλία
rrhexis ῥῆξις
salpingectomy σαλπιγγ-
steresis στέρησις -εκτομία
stomy στομία
tome -ic(s -τομος
tomy -ist -τομία -ιστής
ovarism -ισμός
-ist -itis -ιστής -ῖτις
ovato-
cylindraceous κύλινδρος
ellipsoidal ἔλλειψις
ovenchyma ἔγχυμα
over-
agonize capitalize chlorinate critical democracy emphasis emphasize generalize gloss humanize iodized polemical scepticism sentimentalism type zealous womanized
ovi-
chromin χρῶμα
cyst κύστις
genesis γένεσις
genetic γενετικός
genous -γενής
sperm- σπέρμα
ari iduct

ovism -ist(ic -ισμός -ιστής -ιστικός
ovo-
caryon κάρυον
center κέντρον
-re -ral -rum
coccus κόκκος
cylindrical κύλινδρος
cyte κύτος
elliptic ἐλλειπτικός
fibrinogen -γενής
genesis γένεσις
genetic γενετικός
genous -γενής
gone -ium -ic γόνος
lecithin λέκιθος
lemma λέμμα
logy -λογία
-ical -ist -ιστής
lysin λύσις
lytic λυτικός
mucin -oid μύκης
plasm(ic πλάσμα
protein πρωτεῖον
protogen πρωτο- -γενής
pyriform πῦρ
rhomboidal ῥομβοειδής
therapy θεραπεία
viviparism -ισμος
ovoid(al -οειδής
-oconical κῶνος
ovul-
echnius ἐχῖνος
ist ite oid -ιστής -ίτης -οείδής
ogenous -γενής
Owenism -ize -ισμός -ιζειν
Owenist -ite -ιστής -ίτης
ox- ὀξύς
acid ane ate
aldehyde ὕδωρ
anthranol -one ἄνθραξ
arch ἀρχή
oxa- ὀξύς
diazole δι- ἀ- ζωή
methylal μέθυ ὕλη
oxal- ὀξαλίς
acetic
(a)emia -αιμία
alan(tin(e
amide ἀμμωνιακόν
ate -ic -o-
ene ic in(e ite
ethylin(e αἰθήρ ὕλη
hydric -ate ὑδρ-
is id(ac)eae idaceous
methylin(e μέθυ ὕλη
ur- οὖρον
amid(e ἀμμωνιακόν
ate ic
uria -ουρία
yl(e ὕλη
oxali- ὀξαλίς
ferous
leucite λευκός -ίτης
oxalo- ὀξαλίς
nitrate & -ile νίτρον
vinic -ate
oxam- ὀξαλίς ἀμμωνιακόν
ate ic ide (id)in(e o
ethane αἰθήρ
mite yl -ίτης ὕλη
ox- ὀξαλίς
anil-
amid(e
ate ide ine (in)ic
anthracene ἄνθραξ
oxea -eate ὀξέα

ox- ὀξύς
az- ἀ- ζωή
in(e ium
ole
-(id)in(e -(id)one -ium
diazine diazole δι-
ethylin αἰθήρ ὕλη
etone αἰθήρ -ώνη
ide
-ability -able -ant -ate
-ation(al -ative -ator -ic
-ase -ic διάστασις
-igerence
-imetry -μετρία
-ize -ίζειν ment-
-ability -able -ation -er
meionite μείων -ίτης
-o- σις
reduction -ase διάστα-
-one -osis -ώνη -ωσις
-ule -ated -ous
im(e ἀμμωνιακόν
ate ation id(e ido ino
ind- Ἰνδικός
igo irubin ol(e one
iodic ἰώδης
oides -οειδής
ol(in
oleon -eum ὀξέλαιον
onemia -αιμία
onite -ίτης
onium ἀμμωνιακόν
onuria -ουρία
ozone ὀζῶν
Oxfordism -ist -ισμός -ιστής
oxhaverite -ίτης
oximone αὔξιμος
oxo- ὀξο-
bolus βόλος
nitin(e ἀκόνιτον
plecia πλέκειν
oxod- ὀξώδης
ad ion ium
Oxonianize -ίζειν
Oxonolatry λατρεία
oxonic -ate ὀξαλίς
oxy- ὀξυ- κανθος
acantha -in(e -ous ὀξυά-
acetic -ate -one -ώνη
acetophenone φαιν-
acetylene ὕλη -ηνη
acid
ac(o)ia ἀκοή
acrylic ὕλη
adipic
aena -idae -αινα
aesthesia -αισθησία
alcohol
aldehyde ὕδωρ
alkyl ὕλη
amine ammonia ἀμμωνιακόν
amygdalic ἀμυγδαλή
angelic ἄγγελος
anthr- ἄνθραξ
acene anol ἄνθραξ
anthraquinone ἄνθραξ
apatite ἀπάτη
aphia ἀφή
aromatic ἀρωματικός
aster ἀστήρ
az- ἀ- ζωή
elaic ἔλαιον
in(e o- ole
baphon -us ὀξύβαφον
belus βέλος
benzaldehyde ὕδωρ
benzene & -oic

oxy- Cont'd
benzophenone φαιν- -ώνη
benzyl ὕλη
berberine
biazole ἀ- ζωή
blepsia -βλεψία
bromic -ide βρῶμος
-ochloride βρῶμος χλωρός
burserasin
butyria -ic βούτυρον
caffeine calcium caltrop
calumma κάλυμμα
camphor(ic καμφορά
cannabin κάνναβις
caproic
cara κάρα
carbanil carbonic
carburetted
cellulose γλεῦκος
carpous καρπός
cedar ὀξύκεδρος
cephal- ὀξυκέφαλος
ia ic ous y
us id(ae oid
chinolin
chloric χλωρός
-ate -id(e -in -uret
chloro- χλωρο-
cholesterin -ol χολή στερεός
cholin(e χολή
chromatic χρωματικός
chromatin χρωματ-
chromic χρῶμα
cinesia -κινησία
cinnamic κίνναμον
cinnoline
citric κίτρον
clad κλάδος
clymenia κλυμένη
coalgas χάος
cobaltamine ἀμμωνιακόν
coccus κόκκος
coleus κολεός
comenic coniceine
conin(e κώνειον
copaivic coumarin
corynus κορύνη
cottus κόττος
craspedote κράσπεδον
crate ὀξύκρατον
croceum -ean κρόκος
crotonic cuminic
cyanid(e κύανος
cycloid κύκλος -οειδής
cymene κύμινον
cynurine κυν- οὖρον
dactyl(a us δάκτυλος
dendron -um δένδρον
derces ὀξυδερκής
dercical ὀξυδερκικός
desis detic δέσις
di- δι-
act ἀκτίς
amine ἀμμωνιακόν
ketone -ώνη
morphine Μορφεύς
silin(e
dorcical ὀξυδορκικός
drepanus δρεπάνη
ecoia ὀξυηκοία
esthesia -αισθησία
ether -yl αἰθήρ ὕλη
fatty formic
fluorid(e fluoruret
gen -γενής
ant ate ation ator (e)ity
ic(ity iferous ium oid ous

oxy- Cont'd
ase *διάστασις*
ize *-ίζειν*
-able -er ment
ophore *-φορος*
otaxis *τάξις*
otropism *τροπή -ισμός*
geneum *γένειον*
geo- *γεω-*
philus *-φιλος*
phyt(i)a *φυτόν*
geusia *γεῦσις*
glossus *γλῶσσα*
glutaric
gon(ous -(i)al *ὀξυγώνιος*
gyrus *γῦρος*
h(a)ema(*or* o)cyanin *αἷμα αἱμο- κύανος*
h(a)ematin *αἱματ-*
h(a)emoglobin *αἱμο-*
haena -idae *-αινα*
haloid -id(e *ἅλς -οειδής*
hemato- *αἱματο-*
porphyrin *πορφύρα*
heptoic hexoic *ἑπτα ἑξ*
hexact(ine *ἑξ ἀκτιν-*
hexaster *ἑξ ἀστήρ*
hippuric *ἵππος οὖρον*
hydric -ate *ὑδρ-*
hydro- *ὑδρο-*
carbon
cephalus *κεφαλή*
gen *-γενής*
quinone *-ώνη*
iode -ic -ide -ine *ἰώδης*
isocamphor *ἰσο- καμφορά*
juglone
julis *ἴουλος*
kertschenite *-ίτης*
ketone *-ώνη*
klino- *κλινο-*
cephalic *κεφαλικός*
krinin *κρίνειν*
labis *λαβίς*
labrax -acidae *λάβραξ*
lactone *γαλακτ- -ώνη*
laemus *λαιμός*
lalia *λαλία*
lebius -iinae *λέβιος*
lepidine *λεπίς*
leucotin *λευκός*
oxylic *ὀξύς ὕλη*
linoleic luciferin
luminescent- ence
lutidine mandel(ic
mal(on)ic *μᾶλον*
mel *ὀξύμελι*
mesitylene *μεσίτης ὕλη*
meter metric *μέτρον μετρικός*
methylene *μέθυ ὕλη*
moron *ὀξύμωρον*
morphine *Μορφεύς*
muriate(d -ic
myohematin *μυο- αἱματ-*
myristic *μυριστικός*
naphthoic *νάφθα*
narcotin(e *ναρκωτικός*
neurin(e *νεῦρον*
nicotine
nitric -ate *νίτρον*
-ilase -ilese *διάστασις*
-ion *ἰόν*
noticeras *νῶτος κέρας*
octoic *ὀκτω*
odon *ὀδών*
oleic

oxy- Cont'd
omus *ὦμος*
opes -id(ae -oid *ὀξυωπής*
opia *or* -y *ὀξυοπία*
opisthen *ὄπισθεν*
opter *ὀπτήρ*
osis *-ωσις*
osphresia *ὄσφρησις*
osteus *ὀστέον*
paraplastin *παρά πλαστός*
pathia -y -ic *-πάθεια*
pentact *πεντ- ἀκτίς*
petalous *πέταλον*
phen- *φαιν-*
acetin ic ine ol
yl *ὕλη*
ethylamin *αἰθήρ ἀμμωνιακόν*
phil(e ic ous *-φιλος*
phonia -y *ὀξυφωνία*
phor *καμφορά*
phortica *φορτικός*
phosph- *φωσφόρος*
ate azo- *ἀ- ζωή*
phthalic *νάφθα*
phyll(ous *ὀξύφυλλος*
phyre *πορφύρα*
phytes *φυτόν*
picric *πίκρος*
pinine
plasm *πλάσμα*
poda podia *ποδ- -ποδία*
pogon *πώγον*
pomyrmex *ὀξύπους μύρμηξ*
porus *ὀξυπόρος*
pristis *πρίστις*
prolin *πυρρός*
propionic *πρῶτος πίων*
propylene *πρῶτος πίων ὕλη*
prosopus *πρόσωπον*
proteic *πρῶτος*
proteinic *πρωτεῖον*
protsulphonic *πρῶτος*
purine -ase *διάστασις*
pycnos -us *ὀξύπικνος*
pyridin(e pyrone *πῦρ*
pyro- *πυρο-*
tartaric *τάρταρος*
quinaldine quinolin(e
quinaseptol *σεπτικός*
rhamphus *ῥάμφος*
-id(ae -oid
rhynch(a *ὀξύρυγχος*
id(ae oid ous us
(r)rhine -ous *ὀξύρριν*
rrhod(on -ine *ὀξυρρόδινον*
saccharum *ὀξυσάκχαρον*
salicilic salt santonin
sepsin *σῆψις*
sere spirit
spartein(e *σπάρτος*
spore *σπόρος*
stearic *στέαρ*
stilbene *στίλβειν*
stome -ata -(at)ous *στόμα*
strongyle -us -ous *στρόγγυλος*
strychnin(e *στρύχνος*
styloptera *στυλο- πτερόν*
suberic succinic
sulph-
ate id(e ion uret uric
terephthalic *τερέβινθος*
tetract *τετρ- ἀκτίς νάφθα*
teuthis -idae *τευθίς*
thyrea *θυρεός*

oxy- Cont'd
tocia -ic -ous *ὀξυτόκιον*
toluene toluic
tone -ical -ize *ὀξύτονος*
tonesis *ὀξυτόνησις*
tonocera *τονο- κέρας*
toxin *τοξικόν*
triaene *τρίαινα*
tricha *ὀξύτριχος*
-idae -ine -inous
triod *τρι- ὀδούς*
triphillon -um *ὀξυτρίφυλλον*
trope -is *τρόπις*
-idoceras *κέρας*
tropism *τροπή -ισμός*
tylote -ate *τύλος*
ur- *οὐρά*
a ic is ous
iasis *-ίασις*
icide ifuge
opoda *ποδ-*
urea *οὖρον*
us uvitic
valeric vaselin
xylene *ξύλον*
zygonectes *ζυγο- νήκτης*
zymol *ζυμή*
oxyd- *ὀξύς*
aceae ant ation
ase -ic -is *διάστασις*
hydrato- *ὑδρ-*
marialith *Μαρία λίθος*
mejonite *μείων -ίτης*
one *-ώνη*
oxylium *ὀξύς ἰλύς*
-o(*or* y)philus *-φιλος*
-o(*or* y)phyt(i)a *φυτόν*
oxyn *ὀξύς*
Oxyno- *ὀξύνειν*
eid(ae oid
ptilus *πτιλόν*
oxyntic -in *ὀξύνειν*
oxyrygmia *ὀξύς ἐρυγμός*
Oxysactis *ὀξύς ὀκτίς*
oyster *ὄστρεον*
age dom er hood ian ish(ness ize less ling ous y
oz(a)ena *ὄζαινα*
-ic -inae -ous
ozarkite *-ίτης*
ozite *ὄζειν -ίτης*
ozo- *ὀζο-*
benzene
brome *βρῶμος*
cerine cerite(d *κηρός -ίτης*
chrotia *χρωτ-*
gnathus *γνάθος*
meter *μέτρον*
metry -ic *-μετρία*
phene *φαιν-*
ozorthous *ὀρθός*
spongia *σπογγιά*
stomia *στόμα*
troctes *τρώκτης*
type *τύπος*
Ozodes *ὀζώδης*
-eoceras *κέρας*
ozone *ὄζων*
-ate -ation -ator -ic -id(e -iferous -ification -ify -ine -iose -ium less -ous
-ize(r -ation *-ίζειν*
ozono- *ὄζων*
graph(er *-γραφος*
phore *-φορος*
scope -ic *-σκόπιον*

pa *πάππα*
Paccanarist *-ιστής*
pach- *παχύς*
(a)emia *-αιμία*
auchenius *αἰχήν*
dyta *δύτης*
olenus *ὠλένη*
Pachasura *πάχης οὐρά*
Pachnephorus *πάχνη -φορος*
Pachneus *παχνήεις*
pachnolite *πάχνη λίθος*
pachometer *πάχος μέτρον*
pachy- *παχυ-*
ac(*or* k)ria *ἄκρον*
acris *ἄκρις*
(a)emia *-αιμία*
blepharon *βλέφαρον*
-osis *-ωσις*
brachys *βραχύς*
campili -ous *καμπύλος*
cardia -ian *καρδία*
carpous *καρπός*
cephal- *κεφαλή*
a ia y -ic inae in(e ous y
cerapis *κεραφίς*
cerus *κέρας*
chelonus *χελωνός*
chilia *παχυχειλής*
choeromyia *χειρο- μυῖα*
cholia -ic *-χολία*
cladous *κλάδος*
clema *κλῆμα*
cnema *κνήμη*
colpismus *κόλπος -ισμός*
colus *κολῆ*
cormus *κορμός*
craerus *κραῖρα*
cynodontoidae *κυν- ὀδοντ-*
dactyl *παχυδάκτυλος*
e i ous y
derm *παχύδερμος*
a al ata atoid (at)ous(ly ic
atocele *κήλη*
atosis *-ωσις*
dermia -ial *παχυδερμία*
deroserica *δέρις σηρικός*
desmoceras *δεσμο- κέρας*
dinium *δῖνος*
discoides *δισκοειδής*
dissus *δισσός*
domus -id(ae -oid *δόμος*
emia -ic -ous -y *-αιμία*
geneia *γένειον*
genelus
glossa(e *γλῶσσα*
-al -ata -ate -ia -ous
gnatha *γνάθος*
-idae -ous
gonosaurus *γόνος σαῦρος*
gyrus *γῦρος*
haemia -ic -ous *-αιμία*
hematous *αἱματ-*
hymenia -ic *ὑμήν*
hyrax *ὕραξ*
lebias *λεβίας*
(lepto)meningitis *λεπτός μηνιγγ- -ῖτις*
meninx *μῆνιγξ*
meter *μέτρον*
mura *μῦρος*
nema *νῆμα*
odont onyx *ὀδοντ- ὄνυξ*
ophis ornis *ὄφις ὄρνις*
osteus -osis *ὀστέον -ωσις*
ote -ia -ous -us *ὠτ-*
pegma *πῆγμα*
peritonitis *περιτόναιον -ῖτις*

pachy- Cont'd
peza πέζα
phaedusa φαιός Μέδουσα
phallus φαλλός
phyllous παχυφύλλος
phymus φῦμα
pleuritis πλευρά -ῖτις
pod(a ous ποδ-
prosop προσώπον
protasis πρότασις
pterous πτερόν
pus παχύπους
pygus πυγή
rhamphus ῥάμφος
rhizus -ed παχύρριζος
rhynchous παχύρρυγχος
salax σάλαξ
salpingitis σαλπιγγ- -ῖτις
salpingo- σαλπιγγο-
oothecitis ὠοθήκη
ovaritis -ῖτις
saurian -us σαῦρος
scaphidium σκαφίδιον
scelis σκελίς
sceptron σκήπτρον
selis σελίς
soma -ia σῶμα
sternum στέρνον
stichous στίχος
stola στολή
tarsus ταρσός
tene ταινία
teuthidae τευθίς
theca θήκη
therium θηρίον
thrissops θρίσσος ὤψ
tomella τομή
trachelus τράχηλος
tragus τράγος
trichous -ius παχύτριχος
tylus τύλος
vagin(al)itis -ῖτις
pacifism -ισμός
-ist (ic -ιστής -ιστικός
-ize(r -ation -ίζειν
pacinitis -ῖτις
Pactolian Πακτολεός
Pactopus πακτός πούς
paddyism -ισμός
pach- παχύς
yl- παχυλός
is osis us -ωσις
oceras κέρας
yma
ymenia -ic ὑμήν
yno- παχύνειν
sis telus τέλος
ynsis πάχυνσις
yntic παχυντικός
upops ὑπό ὤψ
yte(s -ic παχύτης
Pachysandra παχύς -ανδρος
padelion λέων
Padroadist -ιστής
padronism -ισμός
paean παιάν
paeanism παιανισμός
paeanize παιανίζειν
paed- παιδ-
archy -αρχία
arthrocacy ἀρθρο- κακία
atrophia -y ἀτροφία
erast παιδεραστής
ic(ally παιδεραστικός
y ia ist παιδεραστία -ισ-
eria -ieae -us παιδέρως τής
eumias παίδευμα

paed- Cont'd
eutic(s παιδευτικός
iatric(s ἰατρικός
icterus ἴκτερος
iophobia παιδίον -φοβία
isca παιδίσκη
paedo- παιδο-
baptism βαπτισμός
baptist βαπτιστής
gamy -ous γαμια
genesis γένεσις
genetic γενετικός
logy -ist -λογία
-(ist)ical(ly -ιστής
meter metric μέτρον
morphic -ism μορφή -ισμός
nom παιδονόμος
tribe παιδοτρίβης
trophy παιδοτροφία
-ic -ist -ιστής
paeon παιών
Paeonia -in(e -y παιωνία
paeonic παιωνικός
Paepalosomus παιπάλη σῶμα
paganism -ισμός
-ization -ize(r -ίζειν
Pagano-Christian Χριστιανός
-ism -ize -ισμός -ίζειν
pageism -ισμός
Pagetia παγετός
pagio- πάγιος
ceras κέρας
pod(a ous ποδ-
pagium πάγος
pagodite -ίτης
pago- πάγος
mys μῦς
netta νῆττα
philus -a -φιλος
phyt(i)a -ium φυτόν
plexia -πληξία
scope -σκόπιον
Pagrus -ina -ine πάγρος
Pugurus πάγουρος
-ian -id(ae -idea -ine -oid-
Paictes παίκτης (ea(n
paid(o = p(a)ed(o-
nomos παιδονόμος
tribes παιδοτρίβης
Pagonism -ισμός
Palacrodon παλαιός ἄκρις
palae- παλαι- ὀδών
acrididae ἄκρις
admete ἀδμής
anemology ἀνεμο- -λογία
anthropus ἄνθρωπος
arctic ἀρκτικός
arctomys ἄρκτος μῦς
arctonyx ἄρκτος νύξ
aspis ἀσπίς
aster ἀστήρ
echinus ἐχῖνος
-id(ae -oid(ea(n
ectypology ἔκτυπος λογία
encephalon εγκέφαλον
endyptes ἐν δύπτειν
entomology ἔντομος -λογία
esology εἴσω -λογία
ethnology ἐθνο- -λογία
-ic(al -ist -ιστής
ic
ichthyes -yan -yic ἰχθυ-
ichthyo- ἰχθυο- -λογία
logy -ic(al -ist
mon(id(ae -oid Παλαίμων
oceanography Ὠκεανός
oid -οειδής

palae- Cont'd
ombrology ὀμβρο- -λογία
oniscus ὀνίσκος -γραφαί
-id(ae -oid
onto- ὄντα
graphy -ical -γραφία
logy -λογία
-ic(al(ly -ist -ιστής
ophis -id ὄφις
-ichthys ἰχθύς
opisthacanthus ὄπισθεν
ornis ὄρνις ἄκανθος
-ithidae -inae -ine
-ithology -ical -λογία
oryctes ὀρυκτός
otalith παλαιότατος λίθος
otaria ὠταριον
ura οὐρά
palaeo- παλαιο-
aktology ἀκτή -λογία
albite
alchemical χημεία
American
amictus ἄμικτος
amphibole ἀμφιβολή
anthropic ἄνθρωπος
-ography -γραφία
Asiatic Ἀσιατικός
atavism -istic -ισμός -ιστικός
batrachus βάτραχος
-id(ae -oid
bio- βιο-
geography γεωγραφία
logy -ist -λογία -ιστής
blattina & -ariae
botany βοτάνη
-ic(al -ist -ιστής
buthus βυθός
campa κάμπη
caris -ida καρίς
cene καινός
chenoides χαίνειν πτέρυξ
chiropteryx -ygidae χειρο-
chorology χῶρος -λογία
Christian Χριστιανός
circus κίρκος
cixiidae
climatic -ology κλίμα λογία
cladus κλάδος
cology οἰκο- -λογία
conch(a(e κόγχη
cosmic κόσμος
creusia Κρέουσσα
crina -us κρίνον
-id(ae -oid(ea(n
crystal κρύσταλλος
crystalline κρυστάλλινος
crystic κρύσταλλος
cyclic κυκλικός
cyclus -idae κύκλος
cyon κύων πτερόν
dictyoptera -an δικτυο-
dolerite δολερός -ίτης
drassus δράσσομαι
eremology ἐρῆμος -λογία
ethnic ἐθνικός
ethnology ἐθνο- -λογία
-ic(al -ist -ιστής
fauna -istik -ιστικός
favosites -ίτης
flora -istik -ιστικός
gaea(n γαῖα
gale γαλή
geic γέα
gene -γενής
genesis γένεσις
genetic γενετικός

palaeo- Cont'd
geography γεωγραφία
glaciology -λογία
glandina
glossa γλῶσσα
glyph γλυφή
gnathae -ic γνάθος
graph(er -γραφος
graphy -γραφία
-ic(al(ly -ist -ιστής
hatteria -iid(ae -ioid
hemiptera ἡμι- πτερόν
herpetology -ist ἑρπετόν
-λογία -ιστής
histology ἱστός -λογία
holopus ὅλος πούς
hydrography ὑδρο- -γραφία
hyracidae ὕραξ
ichthyology ἰχθυο- -λογία
-ic(al -ist
kosmology κοσμο- -λογία
lais λάις
latry λατρεία
lepidoptera λεπιδο- πτερόν
leucite λευκός -ίτης
limnology λίμνη -λογία
limulus
lith(y λίθος
ic(al ist oid -ιστής
logy παλαιολογεῖν
-ian -ical -ist -ιστής
machic -us μάχη
mantis -idae μάντις
mastodon μαστός ὀδών
meta μετά
metallic μέταλλον -λογία
meteorology -ical μετέωρος
micromus μικρ- ὦμος
mysis μύσις τής
nemertea(n -in(e -ini Νημερ-
orography ὀρός -γραφία
pachygnatha παχυ- γνάθος
pathology παθολογική
pecten
phaedusa φαιός Μέδουσα
phasianus φασιανός
philist -φιλία -ιστής
phonus φόνος
phycus φῦκος
phyllophora φυλλοφόρος
physiography φυσιο- -γρα-
physiology φυσιολογία φία
picrite πικρός -ίτης
phytology -ical -ist φυτο-
phytic φυτόν -λογία
pinna πίννα
pithecine -i πίθηκος
plain
platyceras πλατυ- κέρας
potamology ποταμός -λογία
prionodon πρίων ὀδών
propithecus πρό πίθηκος
psychism -ic ψυχή -ισμός
pteris πτερίς
ptychology πτυχός λογία
rhynchus ῥύγχος
-id(ae -oid
saur(us ia ii σαῦρος
scylium σκύλιον
selachian -ii σέλαχος
sicus simia
sinopa Σινώπη
solasteridae ἀστήρ
soma σῶμα
sophy -σοφία
spalax σπάλαξ
sphere σφαῖρα

palaeo- Cont'd
spinax σπίνα
spiza σπίζα δυλος
spondylus -id(ae -oid σπόν-
stoma -oxys στόμα ὀξύς
stylic -y στῦλος
tanypeza τανο- πεζός
taxodioxylon ταξώδιον
technic τέχνη ξύλον
teleia τέλειος
teuthis -idae τευθίς
there -ium θηρίον
-ian -iidae -ioid
-iodont ὀδοντ-
thermal -ic θέρμη
thermology θερμο- -λογία
traginae -ine τράγος
tringa τρύγγας
tropical τροπικός
type -ic(al(ly τύπος
typography τυπο- γραφία
-ist -ιστής
volcanic weichselia
vulkanology -λογία
xestina ξεστός
ziphius ζιφίας
zoic(um ζωικός
zoology -ical ζωο- -λογία
pal- παλαῖος
(a)etiology αἰτία -λογία
-ical -ist -ιστής
anthropic ἄνθρωπος
apteryx -ygidae ἀ- πτέρυξ
palaeste παλαιστή
Palaestes παλαιστής
pal(a)estra παλαίστρα
-al -an -inus
palagonite παλαγονία -ίτης
palame -ate παλάμη
Palamedea(e Παλαμήδης
-ean -eid(ae -eoid
Palamite Πάλαμος -ίτης -ισ-
-ism μός
palatalism -ισμός
-ize -ation -ίζειν
palate(myo)graph μυο- -γρα-
palatiglossus γλῶσσα φος
palatinite & -oid -ίτης -οειδής
palatipharyngeus φαρυγγ-
palatist -itis -ιστής -ῖτις
palato-
ethmoidal ἠθμοειδής
glossus -al γλῶσσα
gnathous γνάθος
gram γράμμα
graph(y ic -γραφος -γραφία
meter μέτρον
myograph μυο- -γραφος
pharyngeus -eal φαρυγγ-
plasty -πλαστία
plegia -πληγία
pterygoid πτερυγοειδής
pterygoquadrate πτερυγο-
rrhaphy -ῥαφία
salpingeus σαλπιγγ-
schisis σχίσις
staphylinus σταφυλή
palau Παλλάδος αὖρον
palaver(er παραβολή
ist ment -ιστής
palavitalism παλαιός -ισμός
pale- παλαι-
arctic ἀρκτικός
embolus ἔμβολος
encephalon ἐγκέφαλον
mydops μύδος ὤψ -γραφία
oceanography Ὠκεανός

pale- Cont'd
ocology οἰκο- -λογία
onto- ὄντα
graphy -γραφία
logy -λογία
ornithology ὀρνιθο- -λογία
paleo- παλαιο-
anthropic ἄνθρωπος
-ography -γραφία
Asiatic Ἀσιατικός κός
atavism -istic -ισμός -ιστι-
biology -ist βιο- -λογία -ισ-
botany βοτάνη τής
cene καινός
cerebellum
Christian χριστιανός
cosmic κόσμος
crystal(lic κρύσταλλος
dendrology δένδρον -λογία
-ic -ist
ecology οἰκο- -λογία
ethnic ἐθνικός
ethno- ἐθνο-
grapher -γραφος
logy -ic(al-ist -λογία
fauna flora
gene -γενής
genesis γένεσις
genetic γενετικός
geography γεωγραφία
glyph γλυφή
graph(er -γραφος
graphy- γραφία
-ic(al(ly -ist -ιστής
ichthyology ἰχθυο- λογία
-ic(al -ist
kinetic κινητικός
latry λατρεία
lith(y λίθος
ic(al ist oid -ιστής
logy παλαιολογεῖν
-ian -ical -ist -ιστής
machic μάχη
meteorology μετέωρος
-ical -λογία
pathology παθολογκή
physiology φυσιολογία
physiography φυσιο- -γρα-
physiology φυσιολογία φία
phytic φυτόν
phytology φυτο- λογία
-ical -ist -ιστής
picrite πικρός -ίτης
pithecine -ic πίθηκος
plain
psychism -ic ψυχή -ισμός
psychology -ical ψυχο-
sere strate -λογία
sophy -σοφία
striatum -al
thalamus θάλαμος
there -ium θηρίον
-ian -iidae -(i)oid
-iodont ὀδοντ-
thermal -ic θέρμη
tragine τράγος
tropic τροπή
type -ic(al(ly τύπος
volcanic
zoic ζωικός
zoology -ical ζωο- -λογία
Palermitan Πάνορμος
Palermocrinus Πάνορμος
κρίνον
Palestinian Παλαιστίνη
palestra -al -ian παλαίστρα
-ic(al παλαιστρικός

pal- παλαιός
ecology οἰκο- -λογία
ethnology ἐθνο- -λογία
-ist -ιστής
etiology αἰτία -λογία
eunycteris εὖ νυκτερίς
(h)oplotherium ὅπλα θηρίον
palfrenier -frey(our παρά
pali- πάλι
guana
kinesia κίνησις
lalia λαλία
mnesis μνῆσις
pali(l)logy παλιλλογία
-etic -ετικός
palim- παλιμ-
bacchius -ic παλιμβάκχειος
phrasis φράσις
psest(ic παλίμψηστον
palin- al πάλιν
cosmic κόσμος
drome παλίνδρομος
-ic(al(ly -ist -ιστής
dromia -ic παλινδρομία
gen- λεν-
esia(n -y παλιγγενεσία
esis -ist γένεσις -ιστής
etic(ally γενετικός
y ic ist -γένεια -ιστής
graphia γραφία
ode παλινῳδιά
-ia(l -ist -y -ιστής
odic(al παλινωδικός
orsa ὀρσός
phrasia φράσις
tocy παλιντοκία
ur- Παλίνουρος
ichthys ἰχθύς
id(ae oid(ea
zele ζήλη
pali- πάλι
phrasia φράσις
rrh(o)ea παλίρροια
streptus στρεπτός
strophia στροφή
urus παλίουρος
pallad- Παλλαδ-
am(m)in(e ἀμμωνιακόν
ian(ism ize -ισμός -ίζειν
ic iferous (in)ize
iotype τύπος
ion ium Παλλάδιον
ium(ize (i)ous
odiammine δι-
onitrite νίτρον
palladosammine Παλλάδος
ἀμμωνιακόν
pall- πάλλειν
aesthesia -αισθησία
an(a)esthesia ἀναισθησία
Pallas(ite Παλλάς -ίτης
pallekar παλληκάριον
Pallene Παλλήνη
-id(ae -oid
pallio-
branchiata -iate βράγχια
cardiac καρδιακός
cirrus κίρρος
stratus στρατός
Pallodes πάλλα -ώδης
pallo- πάλλειν
graph(ic -γραφος
metric μέτρον
palmatilobed -ate λοβός
Palmella παλμός
-(ac)eae -aceous -in -oid

palmelodicon πάλλειν
μηλοδικόν
Palmidactyles δάκτυλος
palmito-
distearin δι- στέαρ
oxylic yl ὀξύς ὕλη
palmodic παλμώδης
palmo-
grapher -γραφος
scopy -σκοπιά
spasmus σπασμός
palmus παλμός
Palmyra Παλμύρα
-ene -ian -id(ae -oid
palpabrize -ίζειν
palpatometry -μετρία
palpebritis -ῖτις
palsy παράλυσις
-ical(ness -ification
-ify wort
Paltonium παλτόν
Paltostomopsis παλτόν στόμα
Paltonium παλτόν ὄψις
paltripolitan(ship πόλις
paludism -ισμός
paludo-
philae -φιλος
trochus τροχός
pam- παμ-
bolus βῶλος
borus βορός
phagous παμφάγος
phila πάμφιλος
phobia -φοβία
phract φρακτός
physical(ism φυσικός -ισμός
pilion πιλίον
plegia -y πληγή
prodactylous πρό δάκτυλος
pamperize -ίζειν
pamphlet φίλος
age ary (e)er et ful ic(al less
ism ize -ισμός -ίζειν
pampinocele κήλη
Pan Πάν
pan- παν-
abase -ite παν- βάσις -ίτης
ace -eae πανακής
acea πανάκεια
-ean -eist -ιστής
(a)esthesia -αισθησία
(a)esthetic αἰσθητικός μός
(a)esthetism αἰσθητής -ισ-
African(der(ism -ισμός
agaeus -aeidae πανάγιος
agia παναγία
agiarion παναγιάριον
algebraic
American(ism -ισμός
amomus πανάμωμος
Anglican Anglo-Saxon
anthropism ἄνθρωπος -ισμός
-ological λογία
aphantus ἄφαντος
apospory ἀπό σπορά
aquilon(e πάναξ
archy -ic πάναρχος
arithmology ἀριθμός -λογία
aritium παρωνυχία
arteritis ἀρτηρία -ῖτις
arthritis ἀρθρῖτις
ase πάγκρεας διάστασις
athenaea(n Παναθήναια
athenaic Παναθηναικός
athletic ἀθλητικός
atom(ic ἄτομος
atrophy ἀτροφία

pan- Cont'd
aulon αὐλός
automorphic αὐτο- μορφή
panatrope παν- τροπή
Panax πανακής
pan- παν-
blastic βλαστός
Boeotian Βοιώτιος
Britannic
Buddhism -ist -ισμός -ιστής
carpial πάγκαρπος
Celtic(ism Κελταί -ισμός
chart χάρτης
chord χορδή
chreston -os -us πάγχρησ-
Christian Χριστιανός τος
Christic πάγχριστος
chromatic χρωματικός
chromatize -ation χρωματ-
-ίζειν
chymagogue χύμα ἀγωγός
clarite -ίτης
clastic -ite κλαστός
conciliatory
cosmic κόσμος
-ism -ist -ισμός -ιστής
crastical πάγχρηστος
cratiast παγκρατιαστής
ic παγκρατιαστικός
cration -ium παγκράτιον
-ian -ic(al(ly -ist -ιστής
cratism κρατός -ισμός
pancreas -eadin πάγκρεας
pancreat- πάγκρεας
algia -αλγία
ectomy -ize -εκτομία -ίζειν
emphraxis ἔμφραξις
helcosis ἕλκωσις
ic(al oid
in(e ization ize -ίζειν
ism -ισμός
itis -ic -ῖτις
ize -ation ίζειν
oncus ὄγκος
pancreatico- πάγκρεας
cholecystostomy χολή
κύστις -στομία
duodenal -ostomy -στομία
gastrotomy γαστρο- -τομία
splenci σπλήν
pancreato- πάγκρεας
gen(ic -γενής
geny -γένεια
kinase κιν- διάστασις
lipase λίπος διάστασις
lith λίθος
pathy -πάθεια
rrhagia -ῥαγία
tomy -τομία
pancreatomy πάγκρεας -τομία
pancre- πάγκρεας
ectomy -εκτομία
one
pancreo- πάγκρεας
lytic λυτικός
pathy -τομία
tomy -τομία
pan- Cont'd
cyclop(a)edic κυκλο- παιδεία
daedalian πανδαίδαλος
d(a)emonium -iac δαίμων
dect(ist πανδέκτης -ιστής
deletius πανδελέτειος
demia *or* -y πανδημία
demian -ious πανδήμιος
demic(ity πανδήμος
demonium δαίμων

pan- Cont'd
-iac(al -ial -ian -ic -istic
denominational
dermite Πάνδερμα --ίτης
destruction
diabolism διάβολος
dion Πανδίων
-id(ae -inae -ine -oid
dolichocephalic παν- δολιχο-
κεφαλικός
dora Πανδώρα
-id(ae -ina -ineae -oid
crinidae κρίνον
dynamometer δύναμις
μέτρον
ecclesiastical
ἐκκλησιαστικός -ιστής
egoism egoist ἐγώ -ισμός
egyre -is -y πανήγυρις
-ic(al(ly -ize -on πανηγυρ-
-ism πανηγυρισμός ικός
-ist πανηγυριστής
-ize -er πανηγυρίζειν
electroscope ἤλεκρον
-σκόπιον
entheism ἔνθεος -ισμός
erema πανέρημος
esthesia -etic -αισθησία
eulogism εὐλογία
frivolium gadium
gamia -y -ic -ous(ly -γαμία
gen(e -ic -γενής
genesis γένεσις
genetic(ally γενετικός
genosomes γενο- σῶμα
geometer γεωμετρής
geometry -ical γεωμετρία
German(ic ism y -ισμός
germic -ism -ισμός
gloss πάγγλωσσος
glossia παγγλωσσία
glyphic γλυφή
gnosticism γνωστικοί -ισμός
Gothic
grammatist γραμματιστής
graphic γραφικός
gymnasticon γυμναστικός
(h)agia παναγία
harmonic(a -on ἁρμονικός
harmonion παναρμόνιον
harmony ἁρμωνία
hellenic Πανέλληνες
-ism -ist -ισμός -ιστής
-ion -ium Πανελλήνιον
-ius Πανελλήνιος
hidrosis -ίδρωσις
histophyton ἱστός φυτόν
human
hydrometer ὑδρο- μέτρον
hygrous πάνυγρος
hyper(a)emia ὑπέρ -αιμία
hyster(ocolp)ectomy ὑστέρα
κόλπος -εκτομία
ic(al(ly ful -icky Πανικός
ic πανικόν
icle -ed πῆνος
ichthyophagous ἰχθυοφάγος
ic(on)o- εἰκώνο- φία
graph(y -ic -γραφος -γρα-
idiomorphic ἰδιο- μορφή
ionian Πανίωνες
ionic Ἰωνικός
isc(us Πανίσκος
isic ἴσος
Islam(ic ism -ισμός
Israelitish Ἰσραηλίτης
jandrum

pan- Cont'd
Latinist -ιστής
logism -ical λόγος -ισμός
-istic(al -ιστικός
materialistic -ιστικός
melodicon μελωδικόν
melodion μελωδία
merism μέρος -ισμός
meristic μεριστικός
mixia μῖξις
mnesia -μνησία
myelophthisis μυελο- φθίσις
nationalism -ισμός
neuritis νεῦρον -ῖτις
nomy -νομία
nonian -ic Παννονία
ochia παν- χεία
odic ὁδός
oistic ᾠόν -ιστικός
olcus ὦλξ
olethry πανωλεθρία
omoea πανόμοιος
omph(a)ean πανομφαῖος
opacaceae ὀπᾶιος ἀκή
ophobia -φοβία
ophthalmia ὀφθαλμία
-itis -ῖτις
oplites ὁπλίτης
oply πανοπλία
-ied -ist -ιστής
optes πανόπτης
optic(al πάνοπτος
opticon ὀπτικόν
optosis πτῶσις
oram(a ὅραμα
al ic(al(ly ist -ιστής
organon ὄργανον
orpa -ata -ate -atous ὅρπη
-ian -id(ae -ina -ine -oid
orthodox ὀρθόδοξος
orthodoxy ὀρθοδοξιά
orthoscopic ὀρθο- σκοπεῖν
ost(e)itis ὀστέον -ῖτις
otitis ὠτ- -ῖτις
otype τύπος
pathy -πάθεια
phagin φαγ-
pharmacon -al φάρμακον
phenomenalism φαινόμενον
phobia -φοβία -ισμός
photometric φωτο- μέτρον
pipe Πάν
plasm πλάσμα
plegia -πληγία μός
pneumatism πνευματ- -ισ-
polism πόλις -ισμός
popish πάππα
Presbyterian πρεσβύτερος
Protestant
psychism ψυχή -ισμός
-ic -ist -ιστής
Satanism Σατᾶν -ισμός
Saxon
sciolism -ισμός
sclerosis σκλήρωσις
scopus πάνσκοπος
selene πανσέληνος
semna σεμνός
septum
sinu(s)itis -ῖτις
Slav(ist(ic -ιστής -ιστικός
onian (on)ic (on)ism
smicrus πάνσμικρος
sophy -ic(al(ly πάνσοφος
ism -ist -ισμός -ιστής
sperm σπέρμα -ιστής
atic -ism -ist -ισμός

pan- Cont'd
ic ism ist πάνσπερμος
y ia πανσπερμία
sphygmograph σφυγμός
-γραφος
sporoblast σπορο- βλαστός
stereorama στερεός ὅραμα
symphonicon σύμφωνος
technetheca τέχνη θήκη
technic τεχνικός
technicon τεχνικόν
tele- τηλε-
graph(y -γραφος -γραφία
phone -ic φωνή
teleologism τελειο- -λογία
tellurite -ίτης -ισμός
ter πανθήρα
Teutonic -ism -ισμός
theism θεός -ισμός
-ist(ic(al(ly -ιστής -ιστικος
thelematism θέλημα -ισμός
thelism θέλειν -ισμός
theology -ist θεο- -λογία
theon(ic πάνθειον
-ize -ation -ίζειν
therapist θεραπεία -ιστής
theum -eic πάνθειος
ther(ess ine πάνθηρ
ish lily moth wood
thnetist θνητός -ιστής
tholops ἀνθόλοψ
thytarcha πάνθυτος ἀρχή
turbinate
tylidae τύλος
urge πανοῦργος
-ic πανουργικός
-us -idae
-y πανουργία
urus οὐρά
-id(ae -ine -oid
zoism ζωή -ισμός
zootia -ic -y ζωότος
Pand(a)ean Πᾶν
Pandarctus ἄρκτος
pander Πάνδαρος
age er ess -ισσα
ism ize -ισμός -ίζειν
ly ous ship
pand(o)ura πανδοῦρα
-ate(d -iform
pant- παντ-
achromatic ἀχρώματος
agog(ue ἀγωγός
amorphia ἀμορφία
ancyloblepharon ἀγκυλο-
βλέφαρον
anemone ἀνεμώνη
anencephalia ἀνεγκέφαλος
arbe παντάρβη
archy -ic παναρχία
atrophia ἀτροφία
atrophous ἄτροφος
hodic ὁδός
isocracy ἰσοκρατία
-crat(ic(al ist) -κρατής
od ὁδός
opon ὄπιον
osteus ὀστέον
panta- παντα-
cosm κόσμος
gamy -γαμία
graph(ic(al -γραφος
gruel(ian ion -ιστικός
ism ist(ic(al -ισμός -ιστής
leon Πανταλέων
let(te)s letted
loon(ery ing

panta- Cont'd
morph = pantomorph
phobia -φοβία
scope -ic -σκόπιον
stomata στόμα
type τύπος
panto- παντο- μός
chrome -ic -ism χρῶμα -ισ-
chronometer χρονο- μέτρον
devil διάβολος
dinus δεινός
ganglitis γάγγλιον -ῖτις
gelastic(al γελαστικός
gen(ous -γενής
glossical γλῶσσα
glot(tism γλῶττα -ισμός
graph(er -γραφος
graphy -ic(al(ly -γραφία
iatrical ἰατρικός
lamprus λαμπρός
lestidae λῃστής
lia λεῖος
logy -ic(al -ist -λογία -ιστής
lyta λυτός
mallus μαλλός
mancer μαντεία
meter μέτρον
metry -ic(al -μετρία
mime -us παντόμιμος
-ic(al(ly -ist -ιστής
mimetic μιμητικός
morph(ic παντόμορφος
morphia μορφή
morus παντόμωρος
nyssus νύσσειν
pelagian πέλαγος
phagic -ous παντοφάγος
phagy -ist παντοφαγία
phile -φιλος
phobia παντοφόβος
-ic -ous
planes παντοπλανής
plethora πληθώρη
poeus παντοποιός
pod(a ποδ-
pragmatic πράγμα
pterous -πτερος
scope -ic -σκόπιον
stome στόμα
-ata -ate -atous
stylops -opidae στῦλος ὤψ
tactic τακτός
theria -ian θηρίον
type τύπος
zoikum ζωικός
zootia ζώοτος
pants Παντaλέων
Panyptila πάνυ πτίλον
papa πάπας
phobia -ist -φοβία
prelatical
pap- πάπας
acy ate e ess ey -ισσα
archy -ial -αρχία
icolar -ist -ιστής
ish(er ism -ισμός
ist(ly ry -ιστής
istic(ate al(ly -ιστικός
ize(d -ίζειν
olatry -ous λατρεία
papal πάπας
in(a ity ly ty
ism -ισμός
ist(ic(al -ιστής -ιστικός
ize(r -ation -ίζειν
paper πάπυρος
ed er ful iness y

papeterie πάπυρος
Paphia -ian -iidae Πάφιος
papier(maché πάπυρος
papill-
ectomy -εκτομία
edema οἴδημα
itis -ῖτις
oma -atosis -atous -ωμα
Papilliceras κεράς -ωσις
papillo- -ωμα
adenocystoma ἀδήν κύστις
carcinoma καρκίνωμα
edema οἴδημα
retinitis ῥητίνη -ῖτις
sarcoma σάρκωμα
papiomorphous -μορφος
papoid -οειδής
paposite -ίτης
pap(p)as πάπ(π)ας
pappo- πάππος
cetus κῆτος
saurus σαῦρος
pappus πάππος
-escent -iferous -ose -ous
papuloerythema(tous ἐρύθημα
papuloid -οειδής
papuristite πάπυρος -ίτης
papyr- πάπυρος
aceous al ean ian iferous in
papyrine παπύρινος itious
papyro- πάπυρος
cephalus κέφαλος
cracy -κρατία
graph(y ic -γραφος γραφία
lite λίθος
logy -ical -λογία
phobia -φοβία
polist πωλεῖν -ιστής
tamia -τομία
tint
type -y τύπος -τυπία
xylin ξύλον
papyrus πάπυρος
par- παρ-
abderites Ἀβδηρίτης
acanth- ἄκανθα
oma osis -ωμα -ωσις
onchus ὄγκος
acanthoceras ἀκανθο- κέρας
acetaldehyde ὕδωρ
acme -asis παρακμή
-astic(al παρακμαστικός
aconic ἀκόνιτον
ac(o)usis -ia ἄκουσις
acrostic ἀκροστιχίς
actinopoda ἀκτινο- ποδ-
actis -idae ἄκτις
-ocrinus κρίνον
adenitis ἀδήν -ῖτις
aechmina αἰχμή
aegopis αἰγωπός
(a)enesis παραίνεσις
-ize -ίζειν
(a)enetic(al παραινετικός
agglutination
agite παραγῶν -ίτης
agnostus -idae ἄγνωστος
agoceras παραγῶν κέρας
agoge παραγωγή
-ic(al(ly -ize -ίζειν
agon- παραγῶν
ite -ic ize -ίτης -ίζειν
albumin
aldehyde -ism ὕδωρ -ισμός
aldimin(e ἀμμωνιακόν
algesia -ic -αλγησία
algia -αλγία

par- Cont'd
alious -ian παράλιος
alichthys παράλληλος ἰχθύς
all- παραλλ-
actic(ally παραλλακτικός
agma παραλλάγμα
ax παράλλαξις
allel *etc.* See below.
am ἀμμωνιακόν
ic id(e
idophenol φαιν-
amnesia ἀμνησία
amoiba ἀμοιβή
amphistomum ἀμφίστομος
amusia ἀμουσία
amylum -ene -o ἄμυλον
an(a)esthesia ἀναισθησία
anal
analgesia ἀναλγησία
anatellon παρανατέλλων
andra -ανδρος
aniline
ankerite -ίτης
anthelion ἀντήλιος
anthias ἀνθιάς
anth- παρανθεῖν
ine ite
anthracene ἄνθραξ
aphasia -ic ἀφασία
aphia ἀφή
apophysis ἀπόφυσις
-ial -ical
apsis -idal ἀψίς
apsis ἄψις
aqueduct
arabin Ἀραβικός
arctalia ἄρκτος
arthrema παράρθρημα
arthria ἄρθρον
aspiticeras κέρας
astacus ἀστακός
-id(ae inae -in(e -oid
asteropaeus ἀστεροπαῖος
asthenia -ic ἀσθένεια
atacamite -ίτης
auchenium αὐχήν
aurichalcite χαλκῖτις
axial(ly axin
axon(ic ἄξων
azene ἀ- ζωή
para- παρα-
aceratosis ἀ- κερατ- -ωσις
acetophenolethyl φαιν-
αἰθήρ ὕλη
acetphenetidin φαιν-
amidophenetol ἀμμωνιακόν
anaesthesia ἀναισθησία
analgesia ἀναλγησία
anthracene ἀνθρακ-
appendicitis -ῖτις
ban(ic ate
baptism παραβάπτισμα
-ist παραβαπτιστής
-ization παραβαπτίζειν
basal(e βάσις
basis παράβασις
bates παραβάτης
bayldonite -ίτης
bema -atic παράβημα
benzene berine
biosis βίωσις
biotic βιωτικός
bismuth
blast βλαστός
ic ida oma -ωμα
ble παραβολή
blepsis -ia -y παράβλεψις

para- Cont'd
bleptic
blops παραβλώψ
bola(r(y aster παραβολή
bolanus παράβολος
bole παραβολή
-iform -imber
-ism -ist -ισμός -ιστής
-ize(r -ation -ίζειν
bolic παραβολικός
al(ly alness
bolinopsis βολός ὄψις
bolograph παραβολή
-γραφος
boloid παραβολοειδής
bolus παράβολος
boselaphus βούς ἔλαφος
b(o)ulia -ic βουλή
branchia(l -iate βράγχια
bromalide βρῶμος
bronchium βρόγχια
bux(inid)ine
bysma -ic παράβυσμα
caerius παράκαιρος
calcarin(e callus
camphoric καμφορά
camptorrhinus καμπτός ῥίν
carmin(e
carp(ium ous καρπός
carthamin ἀμμωνιακόν
casein(ate
cathodic κάθοδος
catillocrinus κατίλλω κρίνον
cele κοῖλος
cellulose γλεῦκος
Paracelsian(ism -ισμός
Paracelsist(ic -ιστής -ιστικός
para- Cont'd
centerion -ium
παρακεντητήριον
centesis παρακέντησις
central -ic(al κέντρον
cephalus κεφαλή
ceratosis κερατ- -ωσις
cerebellar
cerithium κεράτιον
chloral- χλωρός ἅλς
ide ose
chloro- χλωρο-
phenol salol φαιν-
cholera χολέρα
cholesterin χολή στερεός
cholia -χολία
chor χώρα
chordal -odes χορδή -ώδης
chroia chroea χροία
chromat- χρωματ-
in ism -ισμος
opsis osis ὄψις -ωσις
chromato- χρωματο-
phorous -φορος
chrome -a χρῶμα
chromis κρόμις -φορος
chromophore -ic χρῶμα
chronism χρόνος -ισμός
-istic -ize -ιστικός -ίζειν
chroous chrose παράχροος
chuteism -ist [L.] -ισμός
-ιστής
chrysodema χρυσο- δέμας
chymosin χυμός
cinesis -ia κίνησις
cinetic κινητικός
citharus κίθαρος
citric κίτρον
clase κλάσις
clepsis κλεψία

para- Cont'd
clete -us παράκλητος
cletice on παρακλητικόν
clinus κλιν-
cnemis -idion κνήμη -ιδιον
c(o)ele -ian κοῖλος
c(o)enesthesia κοινός -αισθησία
colobopsis κολοβ- ὄψις
colon -itis κόλον -ῖτις
colpitis κόλπος -ῖτις
colpium
condylar -oid κόνδυλος
cone -ic -id κῶνος
con(i)ine κώνειον
conscious
cope -ic παρακοπή
copulation corolla
coquimbite -ίτης
coroniceras κορωνίς κέρας
cotyledonary κοτυληδών
coumaric -one -ώνη
creosotic cres(al)ol κρέας
cribrum σωτήρ
crisis κρίνειν
critus κριτός
crystalline κρυστάλλινος
cyan κύανος
ate ic id(e
ogen -γενής
cycadales κυκᾶς
cyclas κύκλας
cyclone κυκλῶν
cyesis κύησις
cymene κύμινον
cyphea κυφός
cyst κύστις
ic is itis ium -ῖτις
cytic κύτος
dactyl(um ar δάκτυλος
datiscetin dental
derm δέρμα
desmus δεσμός
diacostoidea διά -οειδής
diastole παραδιαστολή
diagnosis διάγνωσις
diazin δι- ἀ- ζωή
dichlorobenzene χλωρο-
didymis -al δίδυμος
digitaletin
digm παράδειγμα ικός
atic(al(ly παραδειγματ-
atize παραδειγματίζειν
diorthosis παραδιόρθωσις
diphtherial -ic διφθέρα
diphyllum δι- φύλλον
diplomatic δίπλωμα
dise παράδεισος
-(a)ic(al(ly -(i)al -ian
disea -ean(a παράδεισος
-eid(ae -einae -eine -eoid
disia παράδεισος
-iac(al(ly παραδεισιακός
-ornis ὄρνις
dium
dox παράδοξον icalness
al er ia(l ic(al(ly icality
ides -ian -(id)id(ae -idoid
ism ist -ισμός -ιστής
ornis -ithinae ὄρνις
ure -inae -in(e -us οὐρά
doxo- παραδοξο-
graphical παροδοξογρά-
laimus λαιμός φος
logy or -ia παραδοξολογία
nycteris νυκτερίς
doxy παραδοξία

para- Cont'd
drome -is παραδρομίς
dromia δρόμος
dromic παράδρομος
dunstania
dysentery δυσεντερία
eccrisis ἔκκρισις
enteric ἔντερον
epilepsy ἐπιληψία
equilibrium
esthesia or -is -etic -αισθησία
esthesis αἴσθησις
esthetic αἰσθητικός
fibrin(ogen -γενής
flagellum -ate flocculus -ar
formaldehyde ὕδωρ
fren(e)sie φρένησις
front fuchsin
fumaric function(al
fundulus fusus
galactan -in γαλακτ-
galerus γαλερός
gammacism γάμμα -ισμός
gamy -ic -γαμια
ganglion γάγγλιον
-in(a -ioma -ωμα
gaster γαστήρ
gastral -ic γαστρ-
gastrula(r -ation γαστρ-
gaurotes γαυρότης
gelatose γλεῦκος
gelocus
genesis -ia -ic γένεσις
genetic γενετικός
genic -γενής
germinal
gerontic γεροντικός
geusis -ia -ic γεῦσις
glenal γλήνη
glob(ul)in(uria -ουρία
glossa(l γλῶσσα
-ate -ia -itis -y -ῖτις
gluconic γλυκύς
glycocholic γλυκο- χολικός
gnath γνάθος
ism on ous um us
gneiss
gnosis γνῶσις
gomphosis γόμφωσις
gonatodes γονατώδης
gonimiasis γόνιμος -ιασις
gonismus γόνισμος
gonorrheal γονόρροια
gram(matist παράγραμμα
graph παράγραφος -ιστής
er ic(al(ly ism ist(ical ize
ly y -ισμός -ιστής
-ιστικός -ίζειν
graphia -γραφία
gynous -γυνος
gymnastes γυμναστής
heliode ἥλιος
heliotropic -ism ἡλιο- -τροπος -ισμός
hemoglobin αἱμο-
hepatic -itis ἡπατ- -ῖτις
heteronyx ἑτερ- ὄνυξ
hexapus ἑξα- πούς
hibolites ἴβο- λίθος
hippus ἵππος
homalonotus ὁμαλός νῶτον
hopeite -ίτης
hormone ὅρμων
hyal ὕαλος
hydraspis ὑδρ- ἄσπις
hydroxy- ὑδρ- ὀξυ-
hypnosis ὕπνος -ωσις

para- Cont'd
hypophysis ὑπόφυσις
indene Ἰνδικός
infection -ious
influenzal ἄνισον
iodoxyanisol ἰώδης ὀξυ-
keratosis = paraceratosis
kinesis -ia κίνησις
kinetic κινητικός
labis λαβίς
labrax λάβραξ
lactic -ate γαλακτ-
lalia λαλία
lambdacism λαμβδακισμός
lampsis παράλαμψις
laurionite Λαύριον -ίτης
lepidotus
l(e)ipsis παράλειψις
lepsis -ia -y
lepis λεπίς
-idid(ae -idoid
leprosis -ia λέπρωσις
lerema παραλήρημα
leresis παραλήρησις
lerous παράληρος
lexis -ia -ic λέξις
librotus λιβρός
lichas λιχάς
lichnus λίχνος
linin λίνον μενα
lipomenon -a παραλείπο-
lipsis παράλειψις
lodion κολλώδης
logia -λογία
logian παράλογος
logism -ic(al παραλογισμός
logist παραλογιστής
logistic παραλογιστικός
logize παραλογίζεσθαι
logopsis παράλογος ὄψις
logy -ia παραλογία
lonchurus λόγχη οὐρά
lophia λοφία
luminate & -ite -ίτης
lysin -ol -or λύσις
lysis παράλυσις
lytic(al(ly παραλυτικός
lyze παράλυσις
-ant -ation -er(s ὀδούς
machaerodus μάχαιρα
magnet Μαγνῆτις
ic(al(ly ism -ισμός
mal(e)ic μῆλον
mandelic manus
mastigote μαστιγ-
mastitis μαστός -ῖτις
mastoid(itis μαστοειδής
mecium παραμήκης
-iidae -ina -ine -us
meconic μηκωνικός
mecynostoma μηκύνειν
median στόμα
medoacetophenone φαιν-
melaconite μέλας κόνις -ίτης
melitensis Μελίτη
menia μηνιαῖα κόκκος
meningococcus μηνιγγο-
menispermine μήνη σπέρμα
mera -e -ic μέρος
meridian
mese παραμέση
mesial μέσος
mesoceras μεσο- κέρας
mesus παράμεσος
metaphysical μέτα φυσικά
meter μέτρον
metral -ic(al

para- Cont'd
metrium -ic μήτρα
-ismus -ισμός
-itis -ic -ῖτις
mimia μιμία
mitom(e μίτος
molybdate μόλυβδος
monas -adidae μονάς
monchlorophenol μον- χλωρο- φαιν-
montmorillonite -ίτης
morea μορέα -ισμός
morph(ism -ic -ous μορφή
morphia -in(e Μορφεύς
morphosis παραμορφύειν
mucin μύκης -ωσις
muthetic παραμυθητικός
mutualism -ισμός
myelin μυελός
myoclonus μυο- κλόνος
myopa μύωψ
myosinogen μυός ἶνος -γενής
myotone -ia -us μυο- τόνος
naphthalic νάφθα
-ene -in(e
nasty ναστός
nema -ata(l -atic -e νῆμα
nephros νεφρός
-ic -in -itis -ic -ῖτις
nepionic νήπιος
nete παρανήτη
neural νεῦρον
nitranilin(e νίτρον
nitro- νιτρο-
nitrosophenol φαιν-
noea(c(al παράνοια
noeic noia(c noid(ism
nomia ὄνομα
nomoceras παράνομος κέρας
normal
nucleoprotein πρωτεῖον
nucleus -ear -eate -eic -ein
(ic -eolus
nymph(al παράνυμφος
omphalic ὀμφαλός
operative
orthose ὀρθος
pagurus πάγουρος
-id(ae -oid
pancreatic πάγκρεας
parchites παρ- χαίτη
paresis -etic πάρεσις -ετικός
patagium -ial παταγεῖον
pathy -ia -πάθεια
pectic -in πηκτός
pedesis πέδησις
pegm(a παράπηγμα
pempheris πεμφηρίς
peptone πεπτός
periodate ἰώδης
peritoneal περιτόναιον
pestis
petalum πέταλον
-ifera -oid -ous
paraph παράγραφος
phaenodiscoides φαινο- δισκοειδής
phanolaimus φαίνειν λαιμός
phase -ic -is φάσις
phemia φήμη
phen- φαιν-
etidin(e ylene ὕλη
pherna(l(ia(n παράφερνα
phimosed -osis -otic παρα- φίμωσις -ωτικός
phiomys φαιός μῦς
phobia -φοβια

para- Cont'd
phonia -ic -y παραφωνία
phora -ic παραφορά
phosph- φωσφόρος
ate oric
photo- φωτο-
phyllum φύλλον
tropic -ism -τροπος -ισμός
phragm(al παράφραγμα
phrase -is παράφρασις
-able -er -ia(n -ist -ιστής
phrast(er παραφράστης
ic(al(ly παραφραστικός
phrenesis -ia φρένησις
phrenia φρήν
phrenitis -ic φρενῖτις
phronesis παραφρόνησις
phronia παραφρονία
phrosyne παραφροσύνη
phronima παραφρόνιμος
-id(ae -oid
phyll(i)um φύλλον
opora πόρος
physagone παράφυσις γονή
physical φυσικός
physis παράφυσις
-ate -e(s -iform
phyte -on φυτόν
picoline pineal
piezops πιέζειν ὤψ
pithecus -idae πίθηκος
plagiorchis πλαγι- ὄρχις
plasis παράπλασις
plasm(a ic παράπλασμα
plast ἔμπλαστρον
plastic παράπλαστος
plastin πλαστός χυμα
plectenchyma πλεκτός ἔγ-
plectic παραπληκτικός
plegia παραπληγία
-y -ic -iform
plejapyrin παραπληγία πῦρ
pleromatic
παραπληρωματικός
pleurocrypta πλευρο- κρυπ-
pleura παράπλευρον τός
-on -um -itis -ῖτις
plexia -us παραπληξία
pneumonia πνευμονία
pod(ium παραπόδιον
al ia(l iata iate
polar πόλος
plexy ἀποπληξία
praxia πρᾶξις
proctium -itis πρωκτός -ῖτις
prostatitis προστάτης
prososthenia πρόσω σθένεια
protaspis πρωτ- ἀσπίς
psalis ψαλίς
psettus ψῆττα
psilorhynchus ψιλο- ῥύγχος
psoriasis ψωρίασις
pteron -um -al πτερόν
ptochus πτωχός -μορφος
pycnomorphous πυκνο-
pyramidal πυραμίς
quinonoid -ώνη -οειδής
rachis -idial ῥάχις
radium rectal reflexia
regulin renal
rhotacism ῥωτακίζειν -ισμός
rhythmia ῥυθμός
rosanilin(e rosolic
sacchar- σάκχαρ
ic in one onic -ώνη
ose γλεῦκος
sacral sagittal

para- Cont'd
sageceras σαγη- κέρας
salicyl(ic ὕλη
salpingitis σαλπιγγ- -ῖτις
sang παρασάγγης
sapiolite σήπιον λίθος
saprophytism σαπρο- φυτόν
scaphium σκάφιον
scarlet
scelus σκέλος
-id(ae -oid
scene -ium παρασκήνιον
scepsis σκῆψις
sceuastic παρασκευαστικός
sceuological παρασκευή
sceve παρασκευή -λογία
schematic σχῆμα
schite παρασχιστής
scorpis σκορπίος
secodes σηκώδης
secretion
selene -ic σελήνη
seleuca σελευκίς
semidin(e
sepiolite σηπιον λίθος
septal serum
sicyonis σικυώνη ίζειν
sigmatism(us παρασιγματ-
silicic
sinoidal -οειδής
sipho σίφων
site παράσιτος
-a -al -aster -icidal -icide
-ifer -ism -ize(d -oid
-ισμός -ίζειν -οειδής
sitic(a(l(ly παρασιτικός
sito- παράσιτος
genic -γενής
logy -ical -ist -λογία -ισ-
phobia -φοβία τής
trope τροπή
-ic -ism -y -ισμός
trophism τροφή
soma σῶμα
sorbic
spadia παρασπάειν
spasm παρασπασμός
specific
spelaeum σπήλαιον
spermatozoid σπερματο-
ζῷον -ιδης
sphaerocera σφαιρο- κέρας
sphen σφήν
sphenoid(al σφηνοειδής
sphex σφήξ
squalodon παρα- ὀδών
stannic παρα-
stas παραστάς
stasia παράστασις
stata -ic παρασράται
static παραστατικός
steatosis στεατ- -ωσις
stemon(al στήμων βύλος
stenocrobylus στενο- κρω-
sternum -al στέρνον
sthenia σθένος
stichaster στιχ- ἀστήρ
stichy -στιχία
stigma -atic στίγμα
stremma παράστρεμμα
strophe στροφή
strophiinae στροφεῖον
style στῦλος
suchia -ian σοῦχος
sycites συκίτης
symbiont συμβιῶν
symbiosis συμβίωσις

para- Cont'd
sympathetic συμπαθητικός
synanche παρασυνάγχη
synapsis σύναψις
synaptic -ist συναπτικός
synaxis παρασύναξις
syndesis σύνδεσις
synesis παρασύνεσις
-etic -ετικός
synovitis συν- -ῖτις
synthesis παρασύνθεσις
syntheton -ic παρασύνθετον
syphilis -itic -osis -ῖτις -ωσις
systole συστολή
tactic(al(ly παράταξις
tagma τάγμα
tangential
taracticus ταρακτικός
tarsium -ial τάρσος
tartaric τάρταρον
tartramide ἀμμωνιακόν
taxis παράταξις
tenon τένων
terminal μανιά
tereseomania παρατήρησις
theca -ium θήκη
thelium -iaceae θηλή
thenardite -ίτης
theria -ian θηρίον
thermic θέρμη
thermotropic θερμο- τροπ-
thesin
thesis παράθεσις
thetic -ετικός
thymia θυμός
thyrin -oid(al θυροειδής
-oidectomy -ize -εκτομία
thyroprıva -al -ic θυρεο-
title
toloid(in -οειδής
tolu-
ene idine ol
tomium -ial tomous -τομος
tonia -τονία
tonic(ally παράτονος
tophan φαν-
topiae τόπος
topism τόπος -ισμός
toxin τοξικόν
tracheal τραχεῖα -φορος
trachelophorus τραχηλο-
trachyceras τραχυ- κέρας
tragedia -iate παρατράγῳ-
trans- δος
apical versan
treme τρῆμα
trichosis τρίχωσις
trimma παράτριμμα
tripsis triptic παράτριψις
trium
troch τροχός
trophia -y -ic -τροφία
tropism τροπή -ισμός
tuberculous -osis -ωσις
tungstic -ate
tylopus τυλός πούς
type -ic(al τύπος
typhilitis τυφλός -ῖτις
typhoid τῦφος
typton τύπτειν
umbilical uterine
urethral οὐρήθρα
vaginal -itis -ῖτις
vane
vauxite vivianite -ίτης
vertebral vesical
xanthin(e ξανθός

para- Cont'd
xylene ξύλον
zoa(n zoon ζῷον
zonium παραζώνιον
zygocera ζυγο- κέρας
paraffin-
ize oid -ίζειν -οειδής
paraf(f)le παράγραφος
parakeet Πέτρος
parallel παράλληλος
able arity er less ly wise
geotropism γεω- τροπ-
ism παραλληλισμός
ist(ic -ιστής -ιστικός
ize παραλληλίζειν
-ation -er
odon(tidae ὀδών
odus ὀδούς
paralleli- παράλληλος
nerved -ate -ous
piped παραλληλεπίπεδον
al on(al ous
venous -ose
parallelo- παραλληλο-
drome -ous δρόμος
gram παραλληλόγραμμον
ish m(at)ic(al(ly
graph -γραφος
hedron -έδρον
meter μέτρον
piped = parallelipiped
pora πόρος
somus σῶμα
tropic -ism τροπή -ισμός
type τύπος
parchment Περγαμηνή
arian er ize y
pard πάρδος
al(e πάρδαλις
alote -us -inae παρδαλωτός
anthus ἄνθος
osuchus σοῦχος
Pareia παρειά
saurus σαῦρος
-ia(n -idae -ius
suchus σοῦχος
-eioplitae ὁπλίτης
par- παρ-
eccrisis ἔκκρισις
ectama ἔκταμα
ectasis *or* -ia παρέκτασις
ectropia παρεκτροπή
edaphus ἔδαφος
edrial παρεδρία
edrus -ite πάρεδρος -ίτης
egmenon παρηγμένον
egoric(al παρηγορικός
elcon παρέλκον
electronomy -ic ἤλεκτρον
embole παρεμβολή -νομία
emptosis παρέμπτωσις
encephal- ἐγκέφαλον
ia ic ous us
encephalon παρεγκεφαλίς
-itis -ocele -ῖτις κήλη
enchym(a παρέγχυμα
al(e alium ata atic atitis
atous(ly -eella ous ula
epatitis ἡπατ- -ῖτις
enteral(ly ἔντερον
enthesis παρένθεσις
-ist -ize -ιστής -ίζειν
enthetic(al(ly παρένθετος
eoros παρήορος
epanorthus ἐπ- ἄνορθος
epic(o)ele ἐπί κοιλία
epididymis -al ἐπιδιδυμίς

par- Cont'd
epigastric ἐπιγάστρος
epithymia -ic ἐπιθυμία
epochism ἐποχή -ισμός
erethesis ἐρεθίζειν
ergon al (et)ic y πάρεργον
ergastical ἐργαστικός
esis πάρεσις
-oanalgesia ἀναλγησία
esthesia -αισθησία
ethmoid ἠθμοειδής
etic(ally πάρετος
eunia πάρευνος
exegesis ἐξήγησις
exocoetus ἔξω κοῖτος
hedral πάρεδρος
helion -ium -iacal -ic παρ-
hemoglobin αἱμο- ἥλιον
(h)idrosis -ἱδρωσις
homoeon παρόμοιον
homology -ous ὁμολογία
hormone ὁρμῶν
hydrobia ὑδρο- βίος
hypate παρυπάτη
icelinus Ἴκελος
ichnos ἴχνος
ictops ἴκτις ὤψ
pargasite -ίτης
Parian(ite Παριανός -ίτης
parieto-
mastoid μαστοειδής
sphenoidal σφηνοειδής
splanchnic σπλάγχνα
parish(en -ing παροικία
ional(ly -er(ship
Parisianism -ισμός
-ization -ize -ίζειν
parisite -ίτης
pariso- πάρισος
crinidae κρίνον
logy λογία
parison(al -ic πάρισον
paristhmion παρίσθμιον
-ia -ic -itic -itis -ῖτις
-iotome -τομον
paristyphnin στυφνός
parisyllabic(al συλλαβή
parkerize -ίζειν μός
parliamentar(ian *or* -y)ism -ισ-
Parmelia -iaceae πάρμη
-iaceous -iei -ioid -iine -in
Parmenidean Παρμενίδης
Parnassus Παρνασσός
-ia(n(ism -iidae -iinae -ius
parnel Πέτρος
Parnellism -ite -ισμός -ίτης
par- Cont'd
leiosoecia λεῖος οἶκος
lithium λίθος
oarion -ium ᾠάριον
occipital
och(ian in(er παροικία
ochial παροικία
ism ity ly ness -ισμός
ize -ation -ίζειν
ochetus ὀχετός
ode -iceras πάροδος κέρας
odic(al παροδικός παρῳδικός
odinia ὠδίς
odites παροδίτης
odontid -itis ὀδοντ- -ῖτις
odos πάροδος
ody -iable παρῳδία
-ial -ious -ist(ic(ally -ize
-ιστής -ιστικός -ίζειν
odyn(ia -ωδυνία
oece -ian παροικία

par- Cont'd
oecism πάροικος -ισμός
-ious(ly ness) -ous -us
oecister οἰκιστήρ
oemia -ial παροιμία
oemiac(al παροιμιακός
paroemio- παροιμία
grapher -y -γραφος γραφία
logy -ist -λογία -ιστής
paroissien παροικία
parogen ὀξυ- -γενής
parol(e ist παραβολή -ιστής
par- Cont'd
oligobunis ὀλιγο- βουνός
oliva -ary
omalus παρώμαλος
omoeon παρόμοιον
omologia -y παρομολογία
-etic -ετικός
omphalocele -ic ὀμφαλο-
κήλη
oniria ὄνειρος
onomasia -y παρονομασία
-ial -ian -iastic -αστικός
onomastic(al(ly
onychia παρωνυχία
-i(ac)eae -ial -ietum -ic
onychium ὀνυχ-
onym(y παρώνυμον
ic ization ize ous
oophoron ᾠοφόρον
-ic -itis -ῖτις
ophiocephalus ὀφιο- κεφαλή
ophite ὀφίτης
ophrys ὀφρύς
ophthalmia ὀφθαλμός
-oncus ὄγκος
oplexia = paraplexia
opsis ὄψις παροψίς
optesis παρόπτησις
oral
orasis παρόρασις
orchis -id(ium ὄρχις
oreodon παρορέω ὀδών
orexia ὄρεξις
ortho- ὀρθο-
clase κλάσις
crinus κρίνον
tropism τροπ- -ισμός
paroscope πάρος -σκόπιον
Parosela ψωραλέος
par- Cont'd
osmia -is ὀσμή
osphresis *or* -ia ὄσφρεσις
osteal -ia -ic ὀστεόν
ost(e)itis ὀστεόν -ιτις
ost(e)osis -(e)otic ὀστεόν
-ωσις -ωτικός
otic ὠτ-
parotia -ic παρωτίς
-id(eal ean
ectomy -εκτομία
itis -ic -ῖτις
oncus ὄγκος
parotido- παρωτίς
auricularis
scirrhus σκίρρος
sclerosis σκλήρωσις
parotis παρωτίς
-itic -itis -oid-ιτις -οειδής
par- Cont'd
otosaurus ὠτός σαῦρος
ousia παρουσία
-imania μανία
ovariotomy -τομία
ovarium -ian -itis -ῖτις
ovoid -οειδής

paroxy- παροξυ-
claenus
ethira ἔθειρα
noticeras νῶτον κέρας
stomina στόμα
tone παροξύτονος
-ic -ize -ίζειν
paroxysm παροξυσμός
al(ly (al)ist ic
parrhesia -y παρρησία
parrhesiastic παρρησιαστικός
parricidism -ισμός
parrot Πέτρος
er let ry y
ism ize -ισμός -ίζειν
parsec παράλλαξις
Pars(ee)ism -ισμός
parsley(piert πετρόσιλον
parsonarchy -αρχία
parsonize -ίζειν
parsonolatry λατρεία
-ology -λογία
Partanosaurus σαῦρος
parthembryosperm παρθένος
ἐμβρυο- σπέρμα
parthen- παρθένος
apogamy -ous ἀπό -γαμία
iad ian παρθένιον
ic παρθενικός
ion παρθένια
ism -ισμός
ium παρθένιον
ic (ic)in(e
on Παρθενών
ope Παρθενόπη
-ean -ian -id(ae -ine -inea-
partheno- παρθενο- (n -oid
carpy -ic καρπός
chlorosis χλωρός -ωσις
cissus κίσσος
genesis -ic γένεσις
genetic(ally γενετικός
genitiv(e γένεσις
geny -ic -ous -γένεια
gonidium γόνος -ιδιον
latry λατρεία
logy -λογία
mixis μῖξις
plasty -πλαστία
sperm σπέρμα
spore σπορά
Parthenos παρθένος
Parthian Παρθυαία
parthogenesis παρθένος γενε-
partialism -ισμός σις
-ist(ic -ιστής -ιστικός
partialize participialize -ίζειν
particularism -ισμός
-ist(ic -ιστής -ιστικός
-ize -ation -ίζειν
partigen -γενής
partisanism -ize -ισμός
partridge -er πέρδιξ
partschinite partzite -ίτης
parturiometer μέτρον
partyism -ist -ισμός -ιστής
parulis παρουλίς
parumbilical παρ-
paruria -ic παρ- -ουρία
parusia παρουσία
-iomania μανία
parvenuism -ισμός
paroipsoas -oatic ψόα
Parvirhynchia ῥύγχος
parvis(e παράδεισος
Paryfenus παρυφή
Parygrus πάρυγρος

paryphodrome παρυφή δρόμος
Paryphus παρυφής
pasch(ite πάσχα -ίτης
paschal(ist πασχάλιος -ιστής
pasi- πᾶσι-
graph(y -ic(al γραφία
machus μάχη
phaea πασιφάη
-aeid(ae -aoid
telean Πασίτελης
thoa -oid(ae -ooid θοός
pasma πάσμα
pasoometer μέτρον
Paspalum πάσπαλος
-ism -oid -ισμός
pasque(flower πάσχα
Passalus -ora πάσσαλος
-oecus οἶκος
passalorhync(h)ite Πασσαλο-
ρυγχῖται
passeroid -οειδής
passimeter μέτρον
Passionist -ιστής
passometer μέτρον
pastas παστάς
paste(board πάστη
pastel πάστη
leteer (l)ist -ιστής
paster(er πάστη
pasteurellosis -ωσις
pasteurism -ισμός
-ize(r -ation -ίζειν
pastometer μέτρον
pastophor(us παστοφόρος
ion ium παστοφορεῖον
pastoralism -ισμός
pastor(al)ist -ιστής
pastor(al)ize -ίζειν
pastrelite -ίτης
Patanemys πατάνη ἐμύς
Pataecus Πάταικος
-id(ae -oid
patagium παταγεῖον
-ial -iate
Patarinism -ισμός
Patelliocrinidae κρίνον
patellite -oid(ea -ίτης -οειδής
paten(er πατάνη
patentizing -ίζειν
pateraiti -ίτης
paternalism -ισμός
-istic -ize -ιστικός -ίζειν
patero- πατήρ
phobia -φοβία
sauridae σαῦρος
pathema πάθημα
-atic(ally παθηματικός
-atology -λογιά
pathetic παθητικός
al (al)ly (al)ness ate
pathetism παθητός -ισμός
-ist -ize -ιστής -ίζειν
patheto- παθητικός
genetic γενετικός
-pathia -πάθεια
pathic(ism παθικός -ισμός
path- παθ-
odontia ὀδοντ-
olesia ὤλεσις
patho- παθο-
amine ἀμμωνιακόν
anatomy -ical ἀνατομή
biology βιο- -λογία
-ical -ist -ιστής
bolism μεταβολή -ισμός
chemistry χημεία
formic

patho- Cont'd
gen(e -γενής
genesis -ia -y γένεσις
geny -γένεια
-eity -ic(ity -ous
germ(ic
gnomic(al παθογνωμικός
gnomony παθογνωμονικός
-ic(al
gnostic γνωστικός
gony -γονία
graphy -ical γραφία
logic(al(ly παθολογικός
logico- παθολογικός
anatomical ἀνατομή
clinical κλινικός
histological ἱστο- -λογία
psychological ψυχο-
logy παθολογική -λογία
-ist -ize -ιστής -ίζειν
lysis λύσις
main πτῶμα
mania μανία
metabolism μεταβολή -ισμός
meter μέτρον
metry -μετρία
mimesis μίμησις
mimicry μιμικός
morphism μορφή -ισμός
myotomist μυο- -τομία -ιστής
nomy -ia -νομία
philia -φιλία
phoby -ia -φοβία
phoresis φόρησις
phoric -ous -φορος
poeia poeous παθοποιία
poiesis ποίησις
poietic ποιητικός
psychology ψυχο- -λογία
radiography -γραφία
rontgenography -γραφία
social
pathos πάθος
-pathy -πάθεια
patinize -ίζειν
Patinocrinus κρίνον
patri- πατρι-
arch πατριάρχης
acy al(ly (al)ism ate dom ess ize ship -ατεία -ισσα -ισμός -ίζειν
ic(al(ly πατριαρχικός
y πατριαρχία
ot πατριώτης -ισμός
ess ism less ly ship -ισσα-
ic(al(ly πατριωτικός
patricianism -ισμός
Patripassianism -ist -ισμός
patrist -ιστής
patristic(al(ly -ιστικός
-icalness -icism -ics
patrize -ate -ation πατρίαζειν
patro- πατρο-
cliny -ic -ous κλίνειν
genesis γένεσις
gony -γονία
latry λατρεία
logy -λογία
-ic(al -ist -ιστής
patrollotism -ισμός
patronite -ίτης
patronize(r -ίζειν
-able -ation -ing(ly -λογία
patronomatology πατρ- ὄνομα
patronym πατρώνυμος
ic(al(ly πατρωνυμικός
y πατρωνυμία

patternize -ίζειν
pattisonize -ation -ίζειν
Paul Παῦλος
ianist -ite -ιστής -ίτης
ician(ism Παυλικιανοί
inism -ize -ισμός -ίζειν
inist(ic -ιστής -ιστικός
ism ist(ine -ισμός -ιστής
ite -ίτης
paulocardia παῦλα καρδία
Paulocaris καρίς
paulospore σπορά
Pauloviceras κέρας
pauperism -itic -ισμός -ίτης
pauperize(r -ation -ίζειν
paur- παῦρος
odontidae ὀδοντ-
onychella ὀνυχ-
pauro- παυρο-
metabola -ous μεταβολή
mys μῦς
pod(a ous ποδ-
pus πούς
-odid(ae -odoid
pause παῦσις
-ably -al -ation ful(ly
-less(ly -ment -er -ing(ly
pausimenia παυσι- μήν
pavonize paynize -ίζειν
paysagist -ιστής
paytamin(e ἀμμωνιακόν
peach πέρσικον
en ery let wort y
Peacockism -ize -ισμός -ίζειν
pealite pearlite -ίτης
peasantize -ίζειν
pechy- πηχυ-
agra ἄγρα
ptila πτίλον
pecilo = poikilo-
pecite peckhamite -ίτης
Pecksniff(ian)ism -ισμός
Pecopteris πέκειν πτερίς
-idae -oid
Pecteropus πεκτήρ πούς
pect- πηκτός
ate ic in(ous
in(ase διάστασις
ogen -γενής
ose γλευκός
ose -ic -inase
ostraca(n ous ὄστρακον
pectinibranch βράγχια
ia(n iata iate
pectinirhomb ῥόμβος
pectinite -ίτης
pectis πηκτίς
-ize -able -ation πηκτίς -ίζειν
pecto- πηκτίς
caulus καυλίς
cellulose γλεῦκος
lite -ic λίθος
pectoralgia -αλγία
pectoralist -ιστής
pectoriloquism -ισμός
pectorimyon μυόν
pectorphony -φωνία
Peculiarism -ισμός
peculiarize -ίζειν
ped- παιδ-
agog(ue παιδαγωγός
al (u)ery uish
ic(al(ly ics παιδαγωγικός
(u)ism ist -ισμός -ιστής
y παιδαγωγία
ant παιδαγωγός
ess hood ry -ισσα

ped- Cont'd
ism ize -ισμός -ίζειν
ocracy -κρατία
ocrat(ic -κρατης
antic παιδαγωγός
al (al)ly (al)ness ism
atrophia -y ἀτροφία
erast παιδεραστής
pedalion πηδάλιον
id(ae oid
pedalism -ist -ισμός -ιστής
Pedanus πεδανός
pedatilobate(d λοβός
peddlerism -ισμός
pedesis πήδησις
pedestrianism -ize -ισμός -ίζειν
Pedetes πηδητής
-idae -inae -in(e
pedetic πηδητικός
Pediacus πεδιακός
pediad πεδίας
pediadontia παιδ- ὀδοντ-
-ist -ology -ιστής -λογία
pedi- πεδίον
algia -αλγία
aspis ἀσπίς
astrum -eae ἄστρον
pediatria = pediatria
Pedicellaster ἀστήρ
id(ae oid
pedicterus = paedicterus
pediculophobia -φοβία
pediculosis -ωσις
pedicurism -ist -ισμός -ιστής
pedigrist(ical(ly -ιστής -ιστικός
Pedilus -idae πέδιλον
-anthus ἄνθος
-ophorus -φορος
pedimechan μηχανή
pedimeter μέτρον
pedimetry -ic -μετρία
pedinaxon πεδινός ἄξων
Pedinoblattina πεδῖνος
Pedinus πεδῖνος
Pedioc(a)etes πεδίον οἰκέτης
pedio- πεδίον
coccus κόκκος
hyus ὑός
nomite πεδιονόμος -ίτης
philus -φιλος
phyt(i)a -ium φυτόν
pediodontia = pedodontia
pedion(ite πεδίον -ίτης
pediphalanx φάλαγξ
peditis -ῖτις
pedlarism -ισμός
pedo- παιδο-
baro(macro)meter βάρος μακρο- μέτρον
cracy -κρατία
gamy -γαμία
logy -λογία
mesoblast μεσο- βλαστός
nosology νοσο- -λογία
parthenogenesis παρθενο- γένεσις
philia -ic -φιλία
piezia πιέζειν
tribe τρίβειν
trophy -τροφία
pedo- πέδον
logy -ical -λογία
dynamometer δύναμις μέτρον
graph(y -γραφος -γραφία
mancy μαντεία
meter μέτρον
metry -μετρία

pedo- Cont'd
-ic(al(ly -ician
-ist -ιστής
pleural πλευρά
pedodontia παιδ- ὀδοντ-
-ics -ist -ιστής
Pedonoeces πέδον οἰκέειν
pedonymy -ic παιδ- -ωνυμία
pedotribe = paedotribe
pedotrophy = paedotrophy
Peelism -ite -ισμός -ίτης
Pegantha -idae πηγή ἄνθος
Peganum -ite πήγανον -ίτης
Pegasus Πήγασος
-arian -ean -id(ae -oid
pegma -e πῆγμα
-atite -ic -oid -ίτης
-atize -ation -ίζειν
pego- πηγο-
logy -λογία
mancy μαντεία
my(i)a μυῖα
scapus σκᾶπος
pegumoid -οειδής
Pegylis πηγυλίς
peinotherapy πεῖνα θεραπεία
peirameter πειρά μέτρον
peirastic(al(ly πειραστικός
pelag- πέλαγος
ia(da iidae ius
ial ian ious πελάγιος
ianism -ize -ισμός -ίζειν
ic πελαγικός
ium ad ian ic
ornis ὄρνις
(os)ite -ίτης
pelago- πελαγο-
dyptes δύπτης
nemertes -idae Νημερτής
philus phyta -φιλος φυτόν
saur(us σαῦρος
thuria -iidae θύρα
Pelamys -yd πηλαμύς
Pelargi πελαργός
pelargic πελαργικός
pelargo- πελαργο-
morph(ae ic μορφή
pelargone πελαργός
-ate -ene -enin -ic
-idin -ieae -in -ium
aldehyde ὕδωρ
opsis yl ὄψις ὕλη
Pelasgi Πελασγοί
-ian Πελάσγιος
-ic Πελασγικός
pelecan(us πελεκάν
id(ae iformes ine
oid(es inae in(e -οειδής
Pelecinus πελεκῖνος
-id(ae -oid
-omimus μῖμος
Pelecium πέλεκυς
pelecoid πελεκοειδής
peleco- πελεκο-
discus δίσκος
pselaphus ψήλαφος
pelecus πέλεκος
pelecy- πελεκυ-
ophrya ὀφρύς
pod(a ous ποδ-
stoma στόμα
pelelith(ic λίθος
Pelex Pelicoidea πήληξ
Pelias πελίας
pelican(ry πελεκάν
pelico- πελίκα
chirometresis χείρ μέτρησις

pelico- Cont'd
logy -λογία
meter μέτρον
Pelidna πελιδνός
-oma πελίδνωμα
-opedilon πέδιλον
-ophora -φορος
-ota -idae
pelike πελίκα
pelinite πήλινος
Peliocypas πελιός κυπάς
peliom(a πελίωμα
Pelion(idae Πήλιον
Pelionetta πελιός νῆττα
pelionite Πήλιον -ίτης
peliosis πελίωσις
pelite -ic πηλός -ίτης
Peliusa πελιός
Pellaea πελλός
pellagra ἄγρα
-in -ose -ous
genic -γενής
phobia -φοβία
zein
-ology -ist -λογία -ιστής
-osarium -αριον
Pellibranchia -iata -iate βράγ-
pelma -atic πέλμα χια
-agathis ἀγαθίς
pelmato- πέλμα
gram γράμμα
pora πόρος
pus πούς
zoa(n zoic zoon ζῷον
pel- πηλός
ochthium ὀχθή
ochtho- ὀχθο-
philus -φιλος
phyt(i)a φυτόν
ophis ὄφις
pelo- πηλο-
bates -id(ae -oid βάτης
bius -iid(ae -ioid βίος
chroma χρῶμα
dera δέρη
dryas -yadidae Δρυάς
dytes -id(ae -oid δύτης
genety
genous -γενής
gonus -inae γόνος
h(a)emia -αιμία
lithic λίθος
medusa -id(ae -oid Μέδουσα
mys μῦς
nomus νομός
paeus πηλοποίας
pathy -πάθεια
patis πηλοπατίδες
phile -a -ae -ous -φιλος
phytes φυτόν -γενής
psammogenous ψαμμο-
therapy θεραπεία
pelop- Πέλοψ
id Πελοπίδαι
ium ate ic
onnesian Πελοπόννησος
pelor- πέλωρος
ia(n iate ic
ism ize -ισμός -ίζειν
opsis ὄψις
orrhinus ῥίν
pelt- πέλτη
a inus oid(eus
andra -eae ἀνδρ-
arion πελτάριον
arthropterus ἀρθρο- πτερόν
ast(es πελταστής

pelt- Cont'd
astica πελταστικός
ate -ed -ifid -ion ly
atodigital
idium -iid(ae -ioid -ιδιον
ops ὤψ
peltecleis πέλτη κλείς
pelti- πέλτη
ferous folious form gera
ger(on)ic gerin(e gerous
nervate(d
pelto- πελτο-
caris καρίς
cephalus -idae κεφαλή
chelys -yidae χέλυς
cochlydes κοχλος τήρ
gaster gastrid(ae -oid γασ-
phorum πελτοφόρος
stega στέγη
peluco- πέλυξ
graphy -γραφία
logy -λογία
Pelusium -iac -ian Πελούσιον
pelvi-
cliseometer κλίσις μέτρον
graph(y -γραφος γραφία
lithotomy λιθοτομία
meter μέτρον
metry -μετρία
myon μυόν
peritonitis περιτόναιον -ῖτις
scopy -σκοπία
sternum -al στέρνον
therm θέρμη
tomy -τομία
trochanterian τροχαντήρ
ureteroradiography οὐρητήρ
-γραφία
pelvio-
graphy -γραφία
lithotomy λιθοτομία
plasty -πλαστία
radiography -γραφία
scopy -σκοπία
tomy -τομία
pelvoscopy -σκοπία
pelyc- πέλυξ
algia -αλγία
odus -oid ὀδούς
pelyco- πέλυξ
chirometresis χειρο- μέτ-
gram γράμμα ρησις
graphy -γραφία
logy -λογία
meter μέτρον
metry -μετρία
sauria(n σαῦρος
simia
zona ζώνη
pemmicanize -ation -ίζειν
Pempelia πέμπελος
Pempheris πεμφηρίς
-id(ae -oid
pemphig- πέμφιξ
inae oid ous us
pemphix πέμφιξ
Pemphredon πεμφρηδών
id(ae -inae -oid
Pempsamacra πέμψις μακρός
penae- πηνήιος
id(ae idea(n oid(ean us
penalize -ation -ίζειν
penalogist -λογία -ιστής
pencatite -ίτης
pen = πέντη
dactylism δάκτυλος
decagon δέκα -γωνον

pendulograph -γραφος
Peneian Πηνήιος
Penelope Πηνελόπη
-ean -idae -inae -in(e -ize
pene- πένης
oenanthe οἰνάνθη
silurus σίλουρος
peneseismic σεισμός
penest(es πενέστης
penetrology -λογία
penetrometer μέτρον
penfieldite -ίτης
Penia πενία
Penichroa πενιχρός
penicilliosis -ωσις
penide -iate πενίδιον
penischisis σχίσις
penitis -ῖτις
pennalism -ισμός
penn(in)ite -ίτης
pennol -one πέντη -ώνη
penny -a-linerism -ισμός
penology ποινή -λογία
-ic(al -ist -ιστής
Penopus πήνη πούς
penta- πεντα-
basic βάσις
bromide βρῶμος
camarus καμάρα
capsular carbon
carpellary
ceras κέρας
ceros κέρως
-otid(ae -otina -otoid
chlor(id(e χλωρός
chloro- χλωρο-
chord πεντάχορδος
chromic χρῶμα
coccus κόκκος
compound
contalitre πεντακοντάλιτρος
contodrachm πεντήκοντα
cosane εἴκοσι δραχμή
cosmia κόσμιος
cotyl κοτύλη
crinus κρίνον
-id(ae -in -ite(s -itidae
crita κριτός -oid(ea
cyanic κύανος
cycle -ic κύκλος
cystida κύστις
dactyl(e πενταδάκτυλος
a ate i ism oid ous
deca- δέκα
gon -γωνον
hydrate ὑδρ-
naphthene νάφθα
dec- δεκ-
ane (at)oic ine yl(ic ὕλη
desma δέσμα
diene -one δι- -ώνη
dodecahedron δωδεκάεδρον
drachm(on πεντάδραχμον
erythrite ἐρυθρός -ίτης
fid fluoride
gamist -γαμία -ιστής
glossal γλῶσσα
glot(tical γλῶττα
glucose γλυκύς
gon(on πεντάγωνον
al(ly ary
ohedron -έδρον
ous πεντάγωνος
aster(id(ae oid ἀστήρ
gram(matic πεντάγραμμον
graph(ic -γραφος
gyn(ia(n (i)ous γυνή

penta- Cont'd
haloid -ide ἁλ- -έδρον
hedron -(ic)al -oid -ous
hexahedron -al ἑξάεδρον
hydric -ated ὑδρ-
hydrocalcite ὑδρο- -ίτης
iodide iodo- ἰώδης
lemma λῆμμα
lepton λεπτόν
lobate λοβός
logue πενταλόγιον
logy -ic -λογία
lophodon(t λόφος ὀδών
mere πενταμερής
-a -al -an -id(ae -ism -oid
-ous(ly -us -y
-ocrinus -idae κρίνον
meter πεντάμετρος
metrist -ize -ιστής
methylene μέθυ ὕλη
diamin δι- ἀμμωνιακόν
myron πεντάμυρον
petalous πενταπέταλον
petes πενταπετές
pharmacon πενταφάρμακον
phonic φωνή
phylax φύλαξ
phyletic φυλετικός
phyll(oide)ous πεντάφυλ-
ploid(y -πλοος λος
pody πεντάπους
polis -itan πεντάπολις
pterous πτερόν
pterygii πτερύγιον
ptote πεντάπτωτον
ptych πτυχή
rhoptra ῥόπτρον
sepalous σκέπη
silicate
some -ic σῶμα
spast σπᾶν
spermous σπέρμα
spheric(al σφαῖρα
sterigmatic στήριγμα
stich(ous y πεντάστιχος
sti(g)m στιγμή
stom(e πεντάστομος
a id(ae id(e)a oid(ea ous
style -os στῦλος um us
sulphid -uret
syllab- πεντασύλλαβος
ic(ism le -ισμός
teuch(al πεντάτευχος
thionic -ate θεῖον
toma -τομος
-id(ae -inae -ine -oid(ea(n
tone -ic τόνος
tremite(s -id(ae τρῆμα
triacontane τριάκοντα
vaccine
valent -ence -ency
pent- πεντ-
acantha -ous ἄκανθα
achenium ἀ- χαίνειν
achonium πένταχα
acid acle
acron ἄκρον
acrostic ἀκροστίχιον
act ἀκτίς
a ae idae inal
actaea ἀκτή
actin(e -al -id(a ἀκτιν-
actula ἀκτή
acular
ad(ic(ity πεντάς
adelphous ἀδελφός
akis- πεντακίς

pent- Cont'd
dodecahedron δωδεκά-
al εδρον
aldose γλεῦκος
alpha πένταλφα
ammino- ἀμμωνιακόν
ander -ανδρος
andria(n -(i)ous -ανδρία
ane -ol(id -one -ώνη
angle angular
arch αρχή
arch πένταρχος
archy -ical πενταρχία
arinus ἄρρην
arsic ἄρσις
arthrocis ἀρθρο-
athlete πενταθλητής
athlon πένταθλον
atomic ἄτομος
axial
az- ἀ- ζωή
ane ine ole
pente- πέντη
cont(a- πεντήκοντα αχμον
drachm πεντηκοντάδρ-
arch πεντηκόνταρχος
glossal γλῶσσα
litre πεντηκοντάλιτρον
compound
conter πεντηκοντήρ
conter πεντηκόντηρης
cost(al(s πεντηκοστή
costarion πεντηκοστάριον
coster πεντηκοστήρ
costy(s πεντηκοστύς
decagon δέκα -γωνον
kontalitron πεντηκοντάλιτ-
lateral ρον
reme
elic(an ian Πεντελικός
ene -ηνη
-diacrid -ol δι-
-one -yl -ώνη ὕλη
eres πεντήρης
eteric πεντετηρικός
hemimer πενθημιμερής
al is
horum -aceae ὅρος
ine -ine -yl ὕλη
ite -ol -ίτης
obolus πεντώβολος
oic ol(e on(en)e
onkion πεντώγκιον
ose γλεῦκος
-an -id(e -oid
-azone ἀ- ζωή -ώνη
-uria -ουρία
ox- ὀξύς
azole ide ἀ- ζωή
stemon στήμων
yl(ene ic ὕλη
pen- πένη
thiazole θεῖον ἀ- ζωή
thiophane θεῖον -φανής
triacontane τριάκοντα
Penthe πενθέειν
Penthus -ina πένθος
-imus πένθιμος
pentlandite -ίτης
peonism -ισμός
peony παιωνία
-idin -in(e -ol
peo- πέος
tillomania τίλλειν μανία
tomy -τομία
pep πίπερα
pepastic(al πεπασμός -αστικός

peperine -o πέπερι
Peperomia πέπερι
Peperonota πεπερο- νῶτος
Pephricus πέφρικα
Peplis πεπλίς
peplography πεπλογραφία
peplos -um -us πέπλος
pepo(n(ida -onium πέπων
-ocyathus κύαθος
pepper πέπερι
corn(ish corny er ette
grass ily iness ish mint
pot wood wort y
pepsin(e πέψις
ate ia iferous
hydrochloric ὑδρο- χλωρός
ogen(ous -γενής
pepsis Pepsis πέψις
-orthin ὀρθός
pept- πεπτόν
amin(e ἀμμωνιακόν
arnis
ase διάστασις
enzym ἔνζυμος
ic(al πεπτικός
ician -icity πεπτός
id(e idase διάστασις
idolytic λυτικός
inotoxin τοξικόν
ize(r -ίζειν
-ability -able -ation
oid -οειδής
pepto- πεπτόν
bromeigon βρῶμος
crinin κρίνειν
gaster gastric γαστήρ
gen(y ic ous -γενής -γένεια
hydrochloric ὑδρο- χλωρός
iodeigon ἰώδης
lysis λύσις
mangan Μαγνησία
medullin
nephridium -ia νεφρός -ιδιον
nutrine (o)varin
thyroid(in θυρεοειδής
toxin(e τοξικόν
zym ζύμη
pepton(e πεπτόν
ate ic ification ization ize(r
(a)emia -αιμία oid
uria -ουρία
Pepuzian Πεπούζανοί
Pepuzite Πεπουζῖται
pera- πήρα
dectes δήκτης
meles
-id(ae -ine -oid
nema -idae νῆμα
thereutes θηρευτής
peracephalous ἀκέφαλος
peraeon περαίος
-aepod ποδ-
Peranaster πέραν ἀστήρ
peranosis περαῖνειν -ωσις
peraphyllum περί φύλλον
perarsenate ἀρσενικόν
peratodynia πέρας -ωδυνία
perazine ἀ- ζωή
perbromic -ate -id(e βρῶμος
perbutyric βούτυρον
perc- πέρκη
a(globin
anthias ἀνθιάς
esoces -in(e ἴσοξ
ichthys ἰχθύς ine
id(ae idal iform(es ilia ina(e
oid(ae ea(n ei eous es) us

perc- Cont'd
omorph(ous i(c -μορφος
ophis -id(ae -oid ὄφις
opsis -id(ae -oid ὄψις
perchlor- χλωρός
acetate ate ato- ic
aldehyde ὕδωρ
benzene
ethylic αἰθήρ ὕλη
id(ate ation e)
inate ination uret
methylformate μέθυ ὕλη
oquinone -ώνη
perchromic -ate χρῶμα
Percis περκίς
percno- περκνο-
pter(inae us περκνόπτερος
some σωμα
percrystallization κρύσταλλος
percussionist -ize -ιστής -ίζειν
percylite Περσεύς λίθος
Perdix -icidae πέρδιξ
-icinae -icine -ricide
perduel(l)ism -ισμός
perdynamin δύναμις
pereion περαίων
-eicleis κλείς
-eiopod(ite ποδ- -ίτης
perembryum περί ἔμβρυον
peremptorize -ίζειν
per- πήρα
encephaly ἐγκέφλος
enchyma ἔγχυμα
perennialize -ίζειν
perennibranch βράγχια
ia iata iate
perezone ζώνη
perfectibilism -ist -ισμός -ιστής
perfectionism -ισμός
-ist(ic -ιστής -ιστικός
-ize(r ment -ίζειν
perfectism -ist -ισμός -ιστής
perfectivize -ίζειν
perferricyanic -ide κύανος
perfumist -ιστής
perfunctorize -ίζειν
pergam- Περγαμηνή
ene entaceous eous ian in y
pergenol -γενής
pergraphic(al γραφικός
perhalid(e ἁλ-
perhalogen ἁλο- -γενής
perhydr- ὑδρ-
idase διάστασις
ol oxide oxy- ὀξύς ὀξυ-
perhydro- ὑδρο-
genize -γενής -ίζειν
lytic λυτικός
peri- περι-
achene ἀ- χαίνειν
acinal -ous
actus aktos περίακτος
adenitis ἀδήν -ῖτις
adventitial ampullary
algia -ic -αλγία
alienitis -ῖτις
amygdalitis ἀμυγδάλη -ιτις
anal ἀνδρικός
andra -um -icus ἀνδρ-
angiocholitis ἀγγειο- χολή
angioma ἀγγει- -ωμα
angitis ἀγγεῖον -ῖτις
anth(ium περιανθής
eous eus ial ianus
omania μανία
aortic -itis ἀορτή -ῖτις
apical appendicular -ῖτις

peri- Cont'd
apical appendicular
appendicitis -ῖτις
apt περίαπτον
apticon περίαπτος
aptodes -ώδης
arctic ἀρκτικός
areum Ἄρης
arterial ἀρτηρία
-itis -ic -ῖτις
arthritis ἀρθρῖτις
articular
aster(idae ἀστήρ
astron -um -al ἄστρον
atrial axial axillary
axonal ἄξων
basis περίβασις
blast(ic ula βλαστός
blastesis βλάστησις
blem περίβλημα
blepsis περίβλεψις
bleptus περίβλεπτος
blepusa περιβλέπειν
bolos -us περίβολος
branchial βράγχια
bronchial -iolar βρόγχια
-(iol)itis -ῖτις
brosis περίβρωτος -ωσις
brotus
bulbar βολβός
bursal
c(a)ecal -itis -ῖτις
callus -idae
calycius καλυκ-
calyphe ? κάλυφη
cambium -ial
canalicular capsular
carboxyl ὀξύς ὕλη
card- περικάρδιον
(it)ic itis osis -ῖτις -ωσις
cardi- περικάρδιον
ac(o(phrenic -ακός φρήν
al ic um
ectomy -εκτομία
centesis κέντησις
cardio- περικάρδιον
centesis κέντησις
lysis λύσις
mediastinitis -ῖτις
phrenic φρήν
pleural πλευρά
rrhaphy -ραφία
symphysis σύμφυσις
thyroid θυρεοειδής
tomy -τομία
carp(ium περικάρπιον
ial ic oidal
caulome καυλός
cecitis = pericaecitis
cellular
cementoclasia κλάσις
cementum -al -itis -ῖτις
center -re κέντρον
centron -um -al -ic κέντρον
centricus κεντρικός
cephalic περικεφάλαιος
cephalomeningitis περικεφά-
λαιος μηνιγγ- -ῖτις
cera -id(ae -oid κέρας
cerebral
chaena -aceae χαίνειν
chaete -a -ial χαίτη
-id(ae -ium -ous
chareia περιχαρεία -ῖτις
cholangitis χολή ἀγγεῖον
cholecystitis χολή κύστις
chondrium -ial χονδρος

peri- Cont'd
-itis -itic -oma -ome -ῖτις
chord(al χορδή -ωμα
choresis περιχώρησις
choroidal χοροειδής
chrome χρῶμα
chyle -ous χυλός
chymate χυμός
cladium περικλαδής
clase -is -ite περίκλασις
clasia κλάσις
claustral
clean Περικλῆς
cleites περικλείω
cline -al(ly -ales περικλινής
clinium περίκλινον
clistus περικλείστος
coccium κόκκος
coelous κοῖλος
col(on)itis κόλον -ῖτις
colpa -idae κόλπος -ῖτις
colpitis κόλπος -ῖτις
coma κῶμα
compsus περίκομψος
conch(al itis κόγχη -ῖτις
conodon κῶνος ὀδών
cope -ic περικοπή
coptus περικόπτειν
corneal corollatus cortical
cowperitis coxitis -ῖτις
crane -ium -y περικράνιον
-ial(ly -ics -itis -ῖτις
crocotus κροκωτός
cycle περίκυκλος
-ic -idae -oid
cyclone -ic κυκλῶν
cyon κύων
cystium -ic κύστις
-(omat)itis -ωμα -ῖτις
cytial -ula κύτος
peridectomy περί -εκτομία
Peridei πηρίδιον
peridium πηρίδιον
-ial -iiform -iine -iodei -iole
peridotite -ίτης -iolum
peri- περι-
dendritic δένδρον
dentium -al
dentoclasia κλάσις
deraea -aeus περιδέραιος
derm δέρμα
al ic iose is ium
desm(ium περίδεσμος
ic itis -ῖτις
dexia περιδέξιος
diastole -ic διαστολή
didymis -itis δίδυμος -ῖτις
dinium περιδινής
-iales -iid(ae -ine -ioid
diverticulitis -ῖτις
dodecahedral δωδεκάεδρον
dontia -al -ist ὀδοντ- -ιστής
dontoclasia ὀδοντο- κλάσις
drome -os περίδρομος
ductal
duodenitis -ῖτις
echocrininae ἔχω κρίνον
eges περιηγής
egesis περιήγησις
egetic περιηγητικός
elesis περιείλησις
encephalitis ἐγκέφαλος -ῖτις
-omeningitis μῆνιγξ
enchyma ἔγχυμα
endothelioma ἐνδο- θηλή
endymal ἔνδυμα -ωμα
enteron -ic -itis ἔντερον -ῖτις

peri- Cont'd
ependymal ἐπένδυμα
epithelioma ἐπί θηλή -ωμα
ergates ἐργάτης
ergia -y περιεργία
ergopus ἐργο- πούς
fascicular fibrum -al -ous
fistular foliary
follicular -itis -ῖτις
galacteum -ic γαλαξίας
gamium γάμος
gangliitis γαγγλι- -ῖτις
ganglionic γάγγλιον
gastric -itis γαστρ- -ῖτις
gastrula -ar -ation γαστρ-
gee -eal -ean περίγειον
gemmal
genesis γένεσις
genetic γενετικός
glandular -itis -ῖτις
glial γλία
gloea γλοία
glossitis γλῶσσα -ῖτις
glottic γλῶττα
glottis περιγλωττίς
glyph γλυφή
gnathic γνάθος
gon γωνία
gonadial γονή
gone -ium -(i)al γόνος
graph(e ic περιγραφή
gyne γυνή
-and(r)a -ανδρος
-ial -ium -ous -y
hadromatic ἄδρος μεστός
hammus ἄμμος
helion -ium ἥλιος
-ial -ian
hepatic -itis ἡπατ- -ῖτις
hermenial ἑρμηνεία
hernial -iary
hysteric ὑστέρα
insular intestinal jove
jejunitis -ῖτις
karyon κάρυον
-yoplasm πλάσμα
kephalaia -aion περκεφα-
keratic κερατ- λαία
kronion Κρόνος
labyrinth λαβύρινθος
itis -ῖτις
lampsis λάμψις
lampus -inae περιλάμπειν
laryngeal -itis λαρυγγ-
lecithal λέκιθος
lenticular
leptic περιληπτικός
leptomatic λεπτός μεστός
ligamentous
lob(ul)ar λοβός
logic λογικός
logy -λογία
lopa λώπη
loph λόφος
lymph νύμφη
adenitis ἀδήν -ῖτις
angial -(e)itis ἀγγεῖον
atic ial
lypus περίλυπος
madarous
mastitis μαστός -ῖτις
medullary
melitae -ίτης
meningitis μηνιγγ- -ῖτις
meristem μεριστός
meter(less περίμετρος
metry -al -ic(al(ly

peri- Cont'd
metrium μήτρα
-ial -ic -itic -itis -ῖτις
-osalpingitis σαλπιγγ-
micropylar μικρο- πύλη
monerula -ar μονήρης
morph μορφή
ic ism ous -ισμός
morula -ar μορεά
myelis -itis μυελός -ῖτις
myoendocarditis μυο- ἐνδο-
mysium μῦς καρδία
-ial -(i)itis -ῖτις
perillaldehyde ὕδωρ
perimidine -one ἀμμωνιακόν
perine περίνεον -ώνη
aeum -eal περίναιον
auxesis ἄυξησις
eum ium
perineo- περίνεον
cele κήλη
plasty -ic -πλαστία
rrhaphy -ia -ῥαφία
scrotal
stomy στόμα
synthesis σύνθεσις
tomy -τομία
vaginal vaginorectal
vulvar
peri- περι-
nephrium -(i)al-(it)ic -itis
νεφρός -ιτις
nectarial νέκταρ
neptunium nerve
neurium νεῦρον
-(i)al -itic -itis -ῖτις
nucle(ol)ar
ocular
period περίοδος
eutic περιοδευτής
ic(ity περιοδικός
al(ism ist ize ly ness)
-ισμός -ίζειν
period- περί ἰώδης
ate ic id(e
idase διάστασις
ocasein uret
periodo- περιοδο-
gram γράμμα
graph -γραφος
logy -λογία
scope -σκόπιον
peri- περι-
odontia -ium ὀδοντ-
-al -ist -itis -ῖτις
odonto- ὀδοντο-
clasia κλάσις
logy -λογία
oeci περίοικος
-ians -ic -id
oesophageal -itis οἰσοφάγος
omphalic ὀμφαλός -ῖτις
onychia -ium ὀνυχ-
onyx(is ὄνυξ
oophoric -itis ᾠοφόρον ῖτις
oothecitis ᾠοθήκη
ophthalm- ὀφθαλμός
ia ic itis ium us -ῖτις
ople -ic ὅπλον
opta ὀπτός
optic(on ὀπτικός
optometry ὀπτός -μετρία
oral orbita -al
orb(it)itis -ῖτις
orchitis ὄρχις -ῖτις
orges περιοργής
orisma περιόρισμα

peri- Cont'd
orthocoelous ὀρθο- κοιλία
orycta ὀρυκτός
ost(eum περιόστεον
eal eous
edema οἴδημα
(e)itis (e)oma (e)osis
-ῖτις -ωμα -ωσις
osteo- περιόστεον
alveolar
edema οἴδημα
medullitis -ῖτις
myelitis μυελός -ῖτις
phyte φυτόν
rrhaphy -ῥαφία
ostracum -al ὄστρακον
otic ὠτικός
ovaritis -ιτις
ovular
pachymeningitis παχυ-
μηνιγγ- -ῖτις
pancreatic -itis πάγκρεας
papillary -ῖτις
patetian -ism περιπατητής
ic περιπατητικός -ισμός
al an ate ism
patos -us -ize περίπατος
patus περίπατος -ίζειν
-id(ae -idea(n -oid
penial
pericarditis περικάρδιον
petalous πέταλον -ῖτις
petia -y περιπέτεια
phac(or k)itis φακός -ῖτις
phaericus περιφέρεια
pharyngeal φαρυγγ-
pheraphose περιφέρεια φῶς
pherico- περιφέρεια
terminalis
phero- περιφερο-
central κέντρον
ceptor mittor
neural νεῦρον
phose φῶς
phery περιφέρεια
-ad -al(ly -ial -ic(al(ly
phialoporous φιάλη πόρος
phimosis περιφίμωσις
phlebitis -ic φλεβ- -ῖτις
phloem(atic φλοιός
phor(anth)ium περιφορά
phoria -φορος ἄνθος
phractic περίφρακτος
phragm φράγμα
phrase -is περίφρασις κός
phrast(ic(al(ly περιφραστι-
phraxis -y περίφραξις
phyll(um ia φύλλον
phylla -idae φύλλον
phyllogeny φυλλο- -γένεια
physe -is περίφυσις
planeta πλανήτης
plasm πλάσμα
plast(ic id πλαστός
plegmatic πλέγμα
pleura -itis πλευρά -ῖτις
plexis πλέξις
ploca -eae -in περιπλοκή
plus περίπλους
pneumon- περιπνευμονία
ia itis y -ῖτις
ic(al περιπνευμονικός
pneustic πνευστικός
podium -al πόδιον
polar πόλος
polygonal πολύγωνος
portal

peri- Cont'd
proct(al ic ous πρωκτός
itis -ic -ῖτις
prostatic -itis προστάτης
pter(e περίπτερον
al os ous y
ocrinus κρίνον
ptychus -idae πτυχή
pyema περιπύημα
pylaea(n -ic πύλη
pylephlebitis πύλη φλεβ-
-ῖτις
pyloric πυλωρός
pyrist πῦρ -ιστής
rectal -itis -ῖτις
renal
rhinal ῥίν
salpingitis σαλπιγγ- -ῖτις
salpingoovaritis σαλπιγγο-
salpinx σάλπιγξ -ῖτις
sarc(al ous σάρκος
saturnium
schoechinoidea περίσχεσις
scii -ian περίσκιοι ἐχῖνος
sclerium σκληρός
scope -σκόπιον
-ic(al(ly -ism -ισμός
scyphe σκύφος
sigmoiditis σιγμοειδής -ῖτις
sinuous
sinu(s)itis -ῖτις
siphonia -idae σίφων
som(e σῶμα
a(l atic ial
soreus περισωρεύειν
sperm(al atus ic σπέρμα
atitis -ῖτις
sphalsis περίσφαλσις
spheric(al σφαῖρα
sphinctes σφίγκτος
splanchnic -itis σπλαγχνον
splenic -itic -itis σπλήν -ῖτις
spome(non περισπώμενον
spondylic -itis σπόνδυλος
spore -inium σπορά
-angium -inium ἀγγεῖον
sporium -i(ac)eae σπόρος
-iaceous -iales
perissed -ias περισσός
perisso- περισσο-
dactyl(e δάκτυλος
a ate i ic ous
dont ὀδοντ-
gomphus γόμφος
logy -ical περισσολογία
metra μέτρον
phlebia φλεβ-
ploid -πλοος
syllabic περισσοσύλλαβος
Perissus περισσός
peri- Cont'd
stalith περίστατος λίθος
stalsis περίσταλσις
staltic περισταλτικός
ally -in
staphyl- σταφυλή
ine itis -ῖτις
stasis περίστασις
stedion(iidae στηθίον
stem μεριστός
stemones στήμων
sterion -ia περιστερεών
peristerite- περιστερά -ίτης
peristeroid(eae περιστεροειδής
peristeronic περιστερών
peristero- περιστερο-
morph(ae ic ous μορφή
peristero- Cont'd
phily -φιλία
pod(e ae an ous ποδ-
peri- Cont'd
stethium στῆθος
stole περιστολή
stome -ium -idae στόμα
-a(ta -(i)al -ate -atic -ian
stomoecia στόμα οἰκία
strephic(al περιστρέφειν
strophe περιστροφή
strumous -itis -ῖτις
style περίστυλον
-ar -ium -os -us
stylicus στῦλος
synovial συν-
systole -ic συστολή
tectic τηκτικός
tendineum -itis -ῖτις
tenon τενῶν
testis
tetragonal τετράγωνος
thallium θαλλός
theca -al περιθήκη
thece -ium -ial -ioid θήκη
thelium -ial -ioma θηλή -ωμα
thoracic θωρακ-
thyr(e)oiditis θυρεοειδής
-ῖτης
tomous -τομος
tomy περιτομή
-ist -ize -ιστής -ίζειν
ton- περιτόναιον
(a)eum (a)eal
ealgia -αλγία
ism -ισμός
itis -al -ic -ῖτις
ize -ation -ίζειν
toneo- περιτόναιον
centesis κέντησις
lysis λύσις
pathy -πάθεια
pericardial περικάρδιον
pexy -πηξία
plasty -πλαστία
scope -y -σκόπιον -σκο
tomy -τομία -πία
vaginal
tonsillar -itis -ῖτις
tracheal τραχεία
trachelizus τραχηλίζειν
treme -a -atous τρῆμα
trich(a al ic ous(ly τριχ-
troch(al περίτροχος
trochanteric τροχαντήρ
trochium περιτρόχιον
trochoid τροχός -οειδής
tropal -ous περίτροπος
trope περιτροπή
trophic τροφή
typhlic -itis -itic τυφλόν -ιτις
umbilical ungual
uranium Οὐρανός
ureter- οὐρητήρ
al ic itis -ῖτις
urethral -itis οὐρήθρα
uterin(e
vaginal -itis -ῖτις
vasal vascular -itis
venous ventricular
vertebral vesical
visceral -itis -ῖτις
vitellin(e
xenitis ξένος -ῖτις
xylic -ematic ξύλον
zonium ζώνη
Perittotresis περιττο- τρῆσις
Perkinism -ισμός
-ist(ic -ιστής -ιστικός
Perkinite -ίτης
Perkinize -ίζειν
perlite -ic -ίτης
permagnesic Μαγνησία
permanganic -ate Μαγνησία
permeameter μέτρον
permethylate μέθυ ὕλη
permineralization -ίζειν
permoralize -ίζειν
permolybdic -ate μόλυβδος
permono- μονο-
carbonate sulfuric
phosphoric φωσφόρος
Permosoma σῶμα
permutationist -ιστής
Perna -idae -ite πέρνα
-iphora -φορος
pernitr- νίτρον
ate ide oso-
pero- πηρο-
brachius βραχίων
branch βράγχια
cephalus κεφαλή
chirus χείρ
cormus κορμός
dactylism -us δάκτυλος -ισ-
μός
dicticus δεικτικός
gnathus -inae -in(e γνάθος
medusae -an Μέδουσα
mela -ous -us πηρομηλής
myscus μῦς
pod(a -ous ποδ-
pus πούς
somus σῶμα
spondylia(n σπόνδυλος
perodipus πήρα δίπους
perodynia πηρός -ωδυνία
perofskite -ίτης
period πηρός -οειδής
perone -eal -eus περόνη
-arthrosis ἄρθρον -ωσις
peroneo- περόνη
calcaneus -eal
tarsal tibial
peron(a)eum περόνιον
-ium -ial
Peronia περόνη
perono- περόνη
merus μέρος
myrmex μύρμηξ
spora σπόρος
-aceae -aceous -ales
-(in)eae -oides -ous
trochus τροχός
perosmic -ate ὀσμή
perovskite -ίτης
peroxid(e ὀξύς
ase -is διάστασις
ate atic ation ol o-
peroxite ὀξύς
peroxy- ὀξυ-
chloride χλωρός
diastase διάστασις
gen -γενής
nitrate νίτρον
silicate sulfate
perozonide ὄζων
Perperus πέρπερος
perpetualist -ιστής
persatanize Σατάν -ίζειν
perphosph- φωσφόρος
ate otungstate
perpropionic πρῶτος πίων
perpsammic ψάμμος
Persea -eaceae περσέα
-eulose γλεῦκος
Perseid Περσηΐς
Persepolitan Περσέπολις
Perseus Περσεύς
Persian persiana Περσίς
-ization -ize -ιστής -ίζειν
Persic Περσικός
a aria ary ize ot -ίζειν
persicleis κλείς
persienne περσίς
Persism Περσίζειν -ισμός
personalism -ist -ισμός -ιστής
person(al)ize -ation -ίζειν
perspectartigraph -γραφος
perspectograph(y γραφία
perspectometer μέτρον
perspectoscope -σκόπιον
persulphocyan- κύανος
ate ic hydric ὑδρ-
ogen κυανο- -γενής
persymmetric(al συμμετρικός
pertantalic -ate Τάνταλος
pertetraboric -ate τετρα-
perthio- θεῖον
carbonic -ate
cyanic κύανος
perthite -ic -ίτης
pertitanic Τιτάνες
pertusarioid -οειδής
peruranic Οὐρανός
perureteric -itis περί οὐρητήρ
perylene περί ὕλη -ῖτις
pessimism -ize -ισμός -ίζειν
-ist(ic(al(ly -ιστής -ιστικός
pessoi πεσσός
pesso- πεσσο-
graptis γραπτός
mancy μαντεία
pteryx πτέρυξ
Pestalozzianism -ισμός
pestic(a)emia -emic -αιμία
pestoid -οειδής
petal πέταλον
ase atus ed in(e
ism πεταλισμός
ite less ly
ode(s -ic -y πεταλώδης
odus ὀδούς
-ont(id(ae -ontoid
oid(al eous -οειδής
on ous um y
petali- πέταλον
ferous form gerous
petalo- πεταλο-
bacteria βακτηρία
brissus
cera -ous -κερος
coccus κόκκος
crinidae κρίνον
stemum -ones στήμων
sticha -ous στίχος
trypella τρῦπα
Petasite(s πετασίτης
Petasma πέτασμα
petasus -idae πέτασος
-ospore σπορά
Petaurus πέταυρον
-inae -ine -ite
-ist(a πεταυριστής
-ic -inae -in(e
petechianosis -ωσις
petechioid -οειδής
peter Πέτρος
ish kin ling man
petinine πετεινός
petiotize -ation -ίζειν

petitionist -ιστής
petimaitreism -ισμός
Petrarchism -ισμός
-ist(ical -ιστής -ιστικός
-ize -ίζειν
petr- πέτρα
ad an ary e ical
anthus ἄνθος
ean eity πετραῖος
escent -ence -ency
occipital
ochthium ὄχθη
-ophilus -φιλος
-ophyta φυτόν
od- πετρώδης
ad ium
-ophilus -φιλος
-ophyta φυτόν
ol(eum ἔλαιον euse
atum ean ene eous eur
iferous in(e ist ization
ize -ιστής -ίζειν
eocrat -κρατης
ornis ὄρνις
osum ous
oxolin ὀξύς
petralite πέτρα λίθος
petrel Πέτρος
petri- πέτρα
cola -id(ae -oid -ous
faction factive
fic(ate ation
fy fiable fier
Petrine Πέτρος -ίζειν
-ism -ist -ize -ισμός -ιστής
Petrist Πέτρος -ιστής
petro- πετρο-
basilar βάσις
bium -ieae βίος
blast βλαστός
cellule
chelidon χελιδών
chemical χημεία
crania κρανίον
drome -us δρόμος
fracteur
gale γαλῆ
gen(ic -ous -γενής
genesis γένεσις
geny -γένεια
glyph(y -ic γλυφή
graph(er -γραφος
graphy -ic(al(ly -γραφία
hyoid ὑοειδής
logy -λογία
-ic(al(ly -ist -ιστής
mastoid μαστοειδής
mys μῦς
myzon(id(ae oid μύζων
-ont(ia id(ae oid)
occipitial
pharyng(a)eus φαρυγγ-
phila -ous -us -φιλος
phyta -es φυτόν
pseudes ψευδής
sel- πετροσέλινον
ic ine inum
silex -ceous
sphenoid(al σφηνοειδής
sphere σφαῖρα
squamous -osal
staphylinus σταφυλή
stearin(e στέαρ
sulfol
tympanic τύμπανον
peuc- πεύκη
aea il(e ites yl ὕλη

Peucedanum πευκέδανον
-eae -eous -etum -in(e
pew πόδιον
age dom ful less
pexin(ogen πῆξις -γενής
-pexy -ia -πηξία
Pezetaera πεζ- ἑταῖρος
peziz- πέζις
aceae aceous aeform ales
iform in(e oid ineae
peziza πέζις
xanthine ξάνθος
pezo- πεζο-
graph -γραφος
phaps φάψ
phycta φυκτός
pfropfhebephrenia ἥβη φρήν
Phaca φακή
phace- φακή
corynes κορύνη
mastix μάστιξ
phacel- φάκελος
ia ieae
obarus βάρος
Phacellus φάκελλος
-ate -ias
phac- φακός
iacea iaceous iinae ium us
itis odus -ῖτις ὀδούς
odes φακώδης
opidella ὄπις
ops ὤψ
-op(id(ae inae oid)
otus ὠτ-
phaco- φακο-
(cento)cele κήλη
ch(o)ere -us χοῖρος
-id(ae -inae -in(e -oid
cyst(itis κύστις -ῖτις
ectomy -εκτομία
discaria(n δίσκος
eresis ἔρησις
glaucoma γλαύκωμα
oid(al φακοειδής
oscope -σκόπιον
lite λίθος
malacia μαλακία
metachoresis μεταχώρησις
metecisis μετοίκησις
meter μέτρον
palingenesis πάλιν γένεσις
planesis πλάνησις
sclerosis σκλήρωσις
scope -ic -σκόπιον
scotasmus σκοτασμός
scotoma σκότωμα
therapy θεραπεία
zymase ζύμη διάστασις
Phaea φαιός
Phaeacian φαιακία
Phaedimus φαίδιμός
Phaedranassa φαιδράνασσα
Phaedropus φαιδρωπός
ph(a)eism φαιός
phaen- φαίνειν
-anthery -ous ἀνθηρός
phaeno- φαινο-
biotic βιωτικός
carpous καρπός
coelia -ian κοῖλος
ecology οἰκο- -λογία
gam(ia ic ous γάμος
glyphis γλυφίς
meris φαινομηρίς
pelma πέλμα
type -ically τύπος
zygous ζύγον

Phaenops φαῖνοψ
phae- φαιός
od- -ώδης
aria(n ellum ium
osic osin
phaeo- φαιός
chrome χρῶμα
chrotes χρόος
chrous χρώς
conchia -ian κόγχη
cyst(in(e -ina -inic κύστις
dictyae δίκτυον
didymae δίδυμος
gloea γλοιός
gromia -ian
morpha μορφή
phore -φορος
phragmiae φράγμα
phyceae φύκος
-ean -eous
phyl(l φύλλον
phyte -in φυτόν
plast πλαστός
pus πούς
retin ῥητίνη
sphaeria -ian σφαῖρα
spore -(e)ae -ous σπόρος
thamnion -ieae θαμνίον
zoosporeæ -eous ζωο- σπό-ρος
Phaethon Φαέθων
ian ic(al idae
ichthys ἰχθύς
-ontal(-ic(al -id(ae -oid)
phaeton Φαέθων
eer ette ian ic
phagaena φάγαινα
phaged(a)ena φαγέδαινα
-ic(al φαγεδαινικός
-ism -ous -ισμός
-oma φαγεδαίνωμα
phago- φαγο-
borus βορός
cyte κύτος
-al -ibility -ic(al -in -ism
-ize -ose -osis -ισμός
cyto- κυτο- -ίζειν -ωσις
blast βλαστός
lysis λύσις
lytic λυτικός ρον
dynamometer δύναμις μέτ-
k(or c)aryosis κάρυον -ωσις
logy -λογία
lysis λύσις
lytic λυτικός
mania μανία
phana φανός
plankton πλαγκτόν
pyr- πῦρ
ism(us osis -ισμός -ωσις
strophus στρόφος
therapy θεραπεία
phagont φαγ- ὄντα
-phagous -φαγος
-phagy -φαγία
phagyphany φαγεῖν -φανία
Phaidrometopon φαιδρο-μέτωπον
Phainopepla φαεινός πέπλος
phaiophyll φαιός φύλλον
Phaius φαιός
phako- φακο-
lysis λύσις
meter μέτρον
scope -σκόπιον
Phalacratomus φαλακρός
phalacro- φαλακρο- τομή
corax κόραξ

phalacro- Cont'd
-acid(ae -inae -ine -oid
soma σῶμα
Phalacrus φαλακρός
-osis -ωσις
Phalaece(or i)an Φαλαικεῖος
Phalaena(e φάλαινα
-ian -id(ae -oid
-opsis -idae ὄψις
-optilus πτίλον
phalang- φαλαγγ-
al ar e eal ean ette ial ian ic
ine igrade
arthritis ἀρθρῖτις
ist(a
er idae ina ine
ite φαλαγγίτης
osis φαλαγγωσις
phalang- φαλάγγιον
er e ian id(ae ida(n idea(n
ides iform (i)oid(ea inae
ine ious itis ium
phalango- φαλαγγ-
gonia γωνία
logy -λογία
phalanter- φάλαγξ
e ial ian(ism ism ist(ic y
-ισμός -ιστής -ιστικός
Phalantha φάλανθος
phalanx(ed φάλαγξ
phalara φάλαρα
Phalaris -idae φαλαρίς
Phalarism φαλαρισμός
Phalarodon φάλαρα ὀδών
phalarope -us φαλαρίς πούς
-odid(ae -odoid
phalaro- φάλαρα
tarsa τάρσος φυτόν
phalarsiphytes φάλαγξ ἄρσην
phalera -ate(d φάλαρα
Phaleria φαληριάειν
Phaleris φαληρίς
-idinae -idine
Phaleuc- φαλαικεῖος
iac ian ic
phall- φαλλός
aceae aceous ales
algia -ic -αλγία
aneurysm ἀνεύρισμα
ankylosis ἀγκύλος -ωσις
ephoric φαλληφορία
ic(al φαλλικός
(ic)ism (ic)ist -ισμός -ιστής
iform in itis -ῖτις
odynia -ωδυνία
oid(eae ei -οειδής
oncus ὄγκος
phallo- φαλλο-
bates φαλλοβάτης
campsis κάμψις
carcinoma καρκίνωμα
crypsis κρύψις
plasty -πλαστία
pod ποδ-
rrhagia -ῥαγία
phallus φαλλός
phan- φαν-
acis ἀκίς
aeus φαναῖος
ar φανάριον
ariot Φαναριώτης
phane φαίνειν
-phane -φανής
phaner- φανερός
antherus ὀνθηρός
anthus ἄνθος
i ic ite -ίτης

phaner- Cont'd
odon oid ὀδών -οειδής
on φανερόν
ops osteus ὤψ ὀστέον
phanero- φανερο-
biolite βιο- λίθος
branchiate -a βράγχια
carpae -ous καρπός
cephala -ous κεφαλή
chroeus χροία
codonic κώδων
cotyledoneae κοτυληδών
crystalline κρυστάλλινος
ctena κτεν-
dactyla δάκτυλος
doxa δόξα
gam(ia(n γάμος
gamy -ic -ous -γαμία
genic -γενής
glossa(e γλῶσσα
-al -ate -ous
mania μανία
meric -ous μέρος
phlebia φλεβ-
phyte(s -ion φυτόν
pleuron πλευρόν
pneumona -ous πνεύμων
porous πόρος
ptera -id(ae πτερόν
scope -σκόπιον
zela ζήλη
zoic ζῶον
zonia -iate ζώνη
phanoid φαίνειν -οειδής
Phanomeris φανός μερίς
Phantasis φάντασις
phantascope φαντός -σκόπιον
phantasia -ist φαντασία
Phantasiast φαντασιαστής
ic φαντασιαστικός
phantasm(a φάντασμα
agoria *or* -y ἀγορά
-i(ac)al -ian -ic(al -ist
al(ian -ity -ly
atic(al(ly
ascope -σκόπιον
atography -γραφία
ic(al -ist -ιστής
phantasmo- φαντασμός
genesis γένεσις
genetic(ally γενετικός
gnomy γνώμη
graph -γραφος
logy -ical -λογία
scope -ia -σκόπιον -σκοπία
phantast φανταστός
phantastic φανταστικός
phantasy φαντασία
Phantazoderus φαντάζειν δέρη
phantom(atic φάντασμα
ic ish(ly ist ize(r ry ship y -ιστής -ίζειν
phanto- φάντασμα
plex
scope -σκόπιον
-phany -φαν(ε)ια
phaometer φάος μέτρον
Phaps -apinae -apin(e φάψ
Pharaobaster ἀστήρ
Pharaoh φαραώ
pharaonian -ic(al φαραώ
Pharax φάραγξ
phare φάρος
Pharetrolaimus φαρετρο-
Pharian -idae φάρος λαιμός
Pharetrones φαρετρών

pharisaic φαρισαικός
al(ly alness ism -ισμός
pharisee φαρισαῖος
-(a)ean -ian -ism -ισμός
Pharkidonotus φαρκίς νῶτον
pharmacal φάρμακον
-eutic(al(ly φαρμακευτικός
-eutics φαρμακευτική
-eutist φαρμακευτής
pharmaco- φαρμακο-
diagnosis διάγνωσις
dynamic(al -ics δυναμικός
endocrinology ἐνδο- κρίνον
gnosis -ia -y γνῶσις -λογία
gnosis -ia -y γνῶσις
gnostical(ly -ics γνώστικός
graphy -γραφία
lite λίθος
logy -ia -λογία
-ical(ly -ist -ιστής
mania -iac(al μανία -ακός
mathy -μάθεια
meter μέτρον
morphic μορφή
oryctology ὀρυκτός -λογία
pedia -y -ic(s παιδεία
phobia -φοβία
poeia φαρμακοποιία
-ial -ian -ist -ιστής
poietic(al ποιητικός
pole φαρμακοπώλης
-ic -ist -itan -y -ιστής
posia φαρμακοποσία
siderite σιδηρίτης
theon θεῖον
therapy θεραπεία
pharmacum -on φάρμακον
pharmacy φαρμακεία
-ian -ist -ize -ιστής -ίζειν
pharmako- φαρμακο-
pyrite πυρίτης
Pharnaceum φαρνάκειον
pharo- φάρος
chilus χεῖλος
logy -λογία
macrus μακρός
pharos φάρος φᾶρος
Pharsaphorus φαρσοφόρος
Pharus φάρος
pharyng- φαρυγγ-
algia -ic -αλγία
ea (e)al eus ic
ectomy -εκτομία
emphraxis ἔμφραξις
itis -ic -ῖτις
odynia -ωδυνία
pharyngo- φαρυγγ- -ο-
amygdalitis ἀμυγδαλῆ -ῖτις
branch βράγχια
ia(l iate ii
cele κήλη
epiglottic-idean ἐπιγλωττίς
esophagus οἰσόφαγος
glossus -al γλῶσσα
gnath(i ous γνάθος
graphy -ic -γραφία
hyal ὑοειδής
k(*or* c)eratosis κερατ- -ωσις
laryngeal -itis λαρυγγ- -ῖτις
lepis λεπίς
lith λίθος
logy -ical -λογία
maxillary oral
mycosis μύκης -ωσις
nema νῆμα
(o)esophagus οἰσοφάγος
palatine -us

pharyngo- Cont'd
paralysis παράλυσις
pathia -y -πάθεια
peristole περιστολή
plasty -πλαστία
plegia -y -ic -πληγία
pleural πλευρά
pneusta -al πνευστός
rhinitis ῥιν- -ῖτις
rhinoscopy ῥινο- -σκοπία
rrhagia -ῥαγία
scleroma σκλήρωμα
scope -y -σκόπιον -σκοπία
spasm(us σπασμός
staphylinus σταφυλῖνος
stenia στενός
stenosis στένωσις
stomum στόμα
therapy θεραπεία
tome -y -τομον -τομία
tonsilitis -ῖτις
typhoid τυφώδης
xerosis ξηρός -ωσις
pharynphotoscope φάρυγξ φωτο- -σκόπιον
pharynx φάρυγξ
phasameter φάσις μέτρον
Phascogale φάσκωλος γαλή
-inae -in(e ἄρκτος
Phascolarctos φάσκωλος
-id(ae -inae -in(e -oid
phascolo- φάσκωλος
ictis ἴκτις
mys -yid(ae -yoid μῦς
soma σῶμα
Phascolonus φάσκωλος
Phascum φάσκον
-aceae -aceous -eae
phase -al -ic -less φάσις
phaselin φάσηλος
phasemy φασήολος
Phaseolus φασήολος
-eae -in -ite(s -ous
-senatin
phaseo- φάσηολος
mannite μάννα -ίτης
sapogenin -γενής
phaseometer φάσις μέτρον
phaser -ing φάσις
Phasganocnema φάσγανον κνήμη
-phasia -φασία
Phasianus -i φασιανός
-id(ae -inae -ine -oid
-ella -id(ae -oid
-omorphae -ic μορφή
-urus οὐρά
Phasidus φασιανός εἶδος
phasis φάσις
phasm(a φάσμα
Phasma φάσμα
-id(ae -ina -oid
-omantis μάντις
phasotropy φάσις -τροπία
phassachate φάσσα ἀχάτης
-phasy -φασία
phatagin φαττάγης
phatne φάτνη
phatnoma φάτνωμα
phatno- φάτνιον
rrhagia -ῥαγία
rrhea -ῥοία
Phaula φαῦλος
phaulo- φαυλο-
graphic γραφικός
merinthus μήρινθος
Phausis φαῦσις
pheasant(ry φασιανός

phe- φαίνειν
d(i)uretin διουρητικός
Pheggomisetes φεγγο- μισητής
Phegopteris φηγός πτερίς
Pheidole φειδωλή
phellad -ium φελλεύς
phellandral -ene -ium φελλός
phellem(a φελλός ἀνδρ-
phello- φελλεύς
philous -φιλος
phyta φυτόν
phello- φελλο-
derm(al δέρμα
gen(ic -γενής
genetic γενετικός
plastic(s πλαστική
phelloid φελλός -οειδής
phelonion φελόνιον
phena- φαιν-
cain
codin κώδεια
phenac- φενακ-
ism φενακισμός
ist φενακιστής
ite -ίτης
odus -ontidae ὀδούς
ops ὤψ
phenaco- φενακο-
bius βίος
brycon βρύκειν
coelus κοῖλος
lemur ptygnia
psyche ψυχή
phenakism φενακισμός
phenakistoscope φενακιστής -σκόπιον
phen- φαιν-
acet-
(ol)in(e uric yl οὖρον
acyl(idene idin ὕλη
algin ἄλγος
amide amin ἀμμωνιακόν
amylol ἄμυλον
andyne ?ἀνώδυνος
anthr- ἄνθραξ
ene idin(e ol(in(e
aquinone -ώνη
azine -o- ἀ-ζωή
anthr-
(id)one -ώνη
indene Ἰνδικός
yl(ene ὕλη
antipyrine ἀντι- πυρετός
antriazine ἄνθραξ τρι- ἀ-ζωή
ars- ἀρσενικόν
azine -ic ἀ- ζωή
enamin ἀμμωνιακόν
ine
ate atol
az- ἀ- ζωή
arsine -ic ἀρσενικόν
in(e one -ώνη
onium ἀμμωνιακόν
(o)thionium θεῖον
ox- ὀξύς ἀμμωνιακόν
ime onium
e(ne enyl ὕλη
eserine
ethyl αἰθήρ ὕλη
et αἰθήρ
idin(e -uria -ουρία
ol(e yl ὕλη
hybrid
ic(ate idin
methylol μέθυ ὕλη
miazin ἀ- ζωή
phengite φεγγίτης

Phengodes φεγγώδης
phengophobia φέγγος -φοβία
phenicin(e φοῖνιξ
phenicious φοινίκεος
phenigmus φοινιγμός
phenix(in = phoenix(in
phenodin φοινώδης
pheno- φαινο-
barbital
chron(ic χρόνος
clast κλαστός
co κρέας σωτήρ
coelia κοῖλος
coll κόλλα
creosote κρέας σωτήρ
cryst(ic κρύσταλλος
crystal(lic κρύσταλλος
crystalline κρυστάλλινος
cyanine κύανος
flavin geneserine
gam(ia ic ous γάμος
iodin ἰώδης
phenol φαιν- ἔλαιον
ase διάστασις
ate(d ic id in
anthrone ἄνθραξ -ώνη
carboxylic ὀξύς ὕλη
ization ize oid -ίζειν -οειδής
naphthalein -in(e νάφθα
quinin
sulfonyl ὕλη
sulphonic -ate
uria -ουρία
phenomenon φαινόμενον
-al(ism ist(ic(al(ly ity ization ize) -ic(al -ous
-ism -ize -ισμός -ίζειν
-ist(ic -ιστής -ιστικός
-(en)ology -λογία
-ic(al(ly -ist -ιστής
pheno- φαινο-
lipoid λίπος -οειδής
lysis λύσις
mercazine ἀ- ζωή
methol μέθυ-
morpholine Μορφεύς
naphthacridine νάφθα
quin(one -ώνη
pyrin(e πῦρ
resorcin
rosamine ἀμμωνιακόν
safranin(e
sal(yl ὕλη
scaphium σκάφιον
scopy -σκοπία
selenazine σελήνη ἀ- ζωή
spermy σπέρμα
succin(ate
sulphone -ώνη
phthalein νάφθα
thi- θεῖον
arsine ἀρσενικόν
azine ἀ- ζωή
oxin -onium ὀξύς ἀμμωνιακόν
type -ic(ally τύπος
-phenone φαιν- -ώνη
phenose φαιν-
phenox- φαιν- ὀξύς
arsine -ic ἀρσενικόν
azin(e ἀ- ζωή
-onium ἀμμωνιακόν
ide -in
thin(e θεῖον
-ionium ἀμμωνιακόν
phenoxy- φαιν- ὀξυ-
caffein proprandiol
phenozygous φαινο- ζύγον

phenychinolin φαιν-
phenyl φαιν- ὕλη
acetamid(e ἀμμωνιακόν
acetic -ylene alanin
amin(e ἀμμωνιακόν
ate ation bor(ac)ic
benzamid ἀμμωνιακόν
bromoacetonitril βρωμονίτρον
carbylamin ἀμμωνιακόν
chinaldin chinolin
ene -ηνη
ethyl αἰθήρ ὕλη
alcohol barbituric
amin ἀμμωνιακόν
malomylurea μάλον ὕλη
(ga)lactosazone γαλακτ-γλεῦκος ἀ- ζωή -ώνη
glucoazone γλυκύς
glyc- γλυκύς
in(ol ol(ic ἔλαιον
glyoxylic γλυκύς ὀξύς ὕλη
hydr- ὑδρ-
azine & -one ἀ- ζωή -ώνη
oxylamin ὀξύς ὕλη ἀμμωνιακόν
ia ic on
imide ἀμμωνιακόν
methane μέθυ
methyl(ic μέθυ ὕλη
acetone -ώνη
carbinol quinolin
pyrazol πῦρ ἀ- ζωή
quinaldin sulphuric
oxamic ὀξύς ἀμμωνιακόν
oxid(e ὀξύς
urea οὖρον
urethan οὐρήθρα
pheo- φαιός
chrome χρῶμα
chromoblast βλαστός
phorbin -ide φορβή
Pherecrat- Φερεκράτειος
ean ian ic
Pherma φέρμα
phero- φέρειν
cera κέρας
psophus ψόφος
Pheryphes φερ- ὕφος
phial(e φιάλη
ea ful ide in(e ula
phialo- φιαλο-
coele -ian κοίλη
derm δέρμα
phera φερ-
phloios φλοιός
pore -ic πόρος
Phialura φιάλη οὐρά
Phibalomyia φιβάλεως μυῖα
Phidiac(an Φειδιακός
Phidian Φειδίας
Phigalian Φιγάλεια
phil- φιλ-
acte ἀκτή
adelphia(n(ism Φιλαδελφεία
-ite -ίτης
adelphus φιλάδελφον
adelphy -ian φιλαδελφία
agathes φιλάγαθος
agra φίλαγρος
ampelus φιλάμπελος
ander(er φίλανδρος
anization -ίζειν
anthrope φιλάνθρωπος
-al -ic(al(ly -os
anthropine φιλανθρώπινον
-ism -ist -ισμός -ιστής
anthropy φιλανθρωπία

phil- Cont'd
-ism -ist(ic -ize -ισμός -ιστής -ιστικός -ίζειν
anthus φιλανθής
-id(ae -oid
archaist φιλάρχαιος -ιστής
argyrous φιλάργυρος
argyry -ist φιλαργυρία -ιστής
ately ἀτέλεια
-ic(al(ly -ism -ist(ic -ισμός -ιστής -ιστικός
-omania -iac μανία -ακός
athletic φιλαθλητής
atory φυλακτήριον
autia -y φιλαυτία
ematium φιλημάτιον
enor φιλήνωρ
epitta φιλεῖν
ernus ἔρνος
esia φίλησις
etaerus φιλέταιρος
-obius βιός
eurus εὔροος
harmonic ἁρμονικός
hellene -ic φιλέλλην
-ism -ist -ισμός -ιστής
hippia -ic φιλιππία
hydrus -ous φίλυδρος
hymnic φίλυμνος
iater φιλίατρος
ichthys ἰχθύς
-yid(ae -yoid
ip philip Φίλιππος
ippian Φίλιπποι
ippic(al -ize Φιλιππικός
ippine -o Φίλιππος
ippism -ist(ic Φίλιππος
ippize(r -ate φιλιππίζειν
istean -ee -er Φιλισταῖος
istia -ian Φιλιστία
istine(ly Φιλιστῖνοι
-ian -ic -ism -ish -ize
-phil(e -φιλος
phillilesia φύλλον ἑλίσσειν
phillip(s)ite -ίτης
Phillis Φυλλίς
phillygenin φιλλυρέα -γενής
Phillyrea -in φιλλυρέα
philo- φιλο-
biblian φιλόβιβλος
-ic(al -ist -ιστής
botanic -ist βοτάνη
brutish -ist -ιστής
calus φιλόκαλος
caly -ist φιλοκαλία
catalase κατάλυσις
come -al φιλόκομος
cryptica κρυπτικός
cteanus φιλοκτέανος
ctetes Φιλοκτήτης
cubist φιλόκυβος
cynism -y -ic(al κύων -ισμός
cytase κύτος διάστασις
demic φιλόδημος
dendron φιλόδενδρον
-eae -ist -oid(eae -ιστής
despot φιλοδεσπότης
dina -id(ae -oid δῖνος
dox(ical φιλόδοξος
dramatic -ist δραματ- ικός
epiorcian ἐπιορκία
felist -ιστής
galist γάλα -ιστής
garlic genitive(ness
gastric γαστρικός
graph(ic -γραφος
gynaeic -eity φιλογύναιος

philo- Cont'd
gyny -ist -ous φιλογυνία
hela ἕλος -ιστής
kleptic κλέπτης
lithus λίθος
log(ue φιλόλογος
aster er ian
logic(al(ly φιλολογικός
logy φιλολογία
-ist -ize -ιστής -ίζειν
machus φιλόμαχος
math(ic(al φιλομαθής
mathematic(al μαθηματική
mathy φιλομαθία
mel(a -ian φιλομήλα
melanist μελαν- -ιστής
mene φιλομήλα
muse -ical φιλόμουσος
mycus -id(ae -oid ?μύκης
mystic μυστικός
mythy -ie -ic φιλομυθία
natural
neism νέος -ισμός
nexis -idae νῆξις
Philonian -ic Φίλων
-ism -ist -ize -ισμός -ιστής -ίζειν
philo- φιλο-
noist νόος -ιστής
pater φιλοπάτωρ
patridomania φιλόπατρις
pena ?ποινή μανία
phloeus φλοιός
phyga φυγή
plutary -onic φιλόπλουτος
pogon πώγων
polemic(al φιλοπόλεμος
ponist Φιλόπονος -ιστής
ponites φιλόπονος -ίτης
pornist φιλόπορνος -ιστής
progeneity progenitive(ness
pterus -id(ae -oid πτερόν
phil- φιλ-
onthus -idae ὄνθος
orchidaceous ὀρχιδ-
orea ὄρος
orectus ὀρεκτός
ornithic φιλορνιθία
philo- φιλο-
somatist σῶμα -ιστής
soph(e φιλόσοφος
aster(ing astry ate ation dom ling uncle
eme -a φιλοσόφημα
er (craft ess ling ship)
ic(al(ly ico- -ισσα
ication icide
sopho- φιλοσοφο-
cracy -κρατία
phobia -φοβία
sophy(ship φιλοσοφία
-ism -ist(ry -istic(al -ization -ize(r -ισμός -ιστής -ιστικός -ίζειν
storgy φιλοστοργία
technic(al τεχνικός
-ist -us -ιστής
thalpus θάλπος
thaumaturgic θαυματουργός
theism φιλόθεος
-ist(ic -ιστής -ιστικός
theorist φιλοθέωρος
theosophical θεοσοφία
therm(us φιλόθερμος
thion θεῖον
timy φιλοτιμία
tria φύλλον τρεῖς

philo- Cont'd
xeny -ist φιλοξενία -ιστής
zoic -ism zo(on)ist ζῷον
philoxygenous φιλ- ὀξυ- -γενής
philter(er φίλτρον
philtre -ous -um φίλτρον
Philus φίλος
Philydor φιλ- ὕδωρ
inae in(e
Phylydrum φίλυδρος
-aceae -(ace)ous
Philypnus φίλυπνος
Phimosia φίμωσις
phimosis -osed φίμωσις
-iectomy -εκτομία
phimotic -ωτικός
Phiomys ?φυή μῦς
phip Φίλιππος
phisnomy phiz φυσιογνωμία
phleb- φλεβ-
angioma ἀγγεῖον -ωμα
(arteri)ectasia ἀρτηρία
ectasis -y ἔκτασις
ectomy -εκτομία
ectopia -y ἔκτοπος
emphraxis ἔμφραξις
enteric ἔντερον
-ata -ate -ism -ισμός
epatitis ἡπατ- -ῖτις
in
ismus -ισμός
itis -ic -ῖτις
odium φλεβώδης
oedesis οἴδησις
oidal -οειδής
ophthalmotomy ὀφθαλμός
-τομια
phlebo- φλεβο-
cholosis χωλός -ωσις
genous -γενής
gram γράμμα
graph -γραφος
graphy -ical -γραφία
lite -ic lith(ic λίθος
lithiasis λιθίασις
logy -ical -λογία
metritis μήτρα -ῖτις
morpha μορφή
myomatosis μυ- -ωμα -ωσις
nema νῆμα
pexy πῆξις
rrhage -ia φλεβορραγία
rrhaphy -ῥαφία
rrhexis ῥῆξις
sclerosis σκλήρωσις
-otic -ωτικός
stasis -ia στάσις
stenosis στένωσις
strepsis στρέψις
thrombosis θρόμβωσις
tomania φλεβοτομία μανία
tome φλεβοτόμον
tomic(al(ly φλεβοτομικός
tomus -τομος
tomy φλεβοτομία
-ist -ization -ize -ιστής
-ίζειν
Phlegethontal Φλεγέθων
-ic -ius
phlegm(a φλέγμα
ed less y
agog(ue -al -ic φλεγμαγωγός
asia φλεγμασία
atopyra φλεγματο- πῦρ
atic(al(ly -ly -ness
φλεγματικός
atism atous φλεγματικός

phlegm(a Cont'd
(h)ymenitis ὑμην -ῖτις
mon φλεγμονή
ic oid ous
phlegmo- φλέγμα
pyra πῦρ
rrhagia -ῥαγία
rrhea ῥοία
phlein φλοιός
Phleum(etum φλέως
phlo- φλόος
baphene -ic βαφή
batannin βαφή
Phloea -eid(ae -eoid φλοιός
Phloebium φλοι- βίος
phloem φλοιός
parenchyma παρέγχυμα
phloeodes φλοιώδης
phloeo- φλοιο-
borus βορός
charis -ina -ini χάρις
dalis δαλός
droma δρύμμα
droma δρόμος
glymma γλύμμα
pemon πήμων
phagous -φαγος
phora -ous -φορος
phthorus φθόρος
sinus σίνος
stichus στίχος
trachides τραχύς
tragus τράγος
tribus τρίβος
trogus τρώγειν
trya τρύειν
phloeterma φλοι- τέρμα
phloeum φλοιός
phlogistico- φλογιστόν
zymoid ζύμη
phlogiston(ist φλογιστόν
-ian -ic(al -icate -ication -in
phlogo- φλογο-
cyte -osis κύτος -ωσις
gen(ic ous -γενής
genetic γενετικός
zelotism ζηλωτής -ισμός
phlogopite φλογωπός
phlogosis -ed -in φλόγωσις
phlogotic -ωτικός
phloionic φλοιός
Phlomis φλομίς
phlor- φλοιόσρριζος
acetophenone φαιν- -ώνη
amin(e ἀμμωνιακόν
ate in
etic etin(e αἰθήρ
i(d)zate -zin(e -zinize
ol one ἔλαιον -ώνη
ose yl γλεῦκος ὕλη
phloro- φλοιόρριζος
gluc- γλυκύς
ic id(e in (in)ol ite
Phlox(in worm wort φλόξ
Phlyarus φλύαρος
ologist -λογία -ιστής
phlyct(a)ena(r φλύκταινα
-odes φλυκταινώδης
-oid φλυκταινοειδής
-ophthalmia ὀφθαλμός
ule -a(r -ose (ul)osis
Phlyctinus φλύκταινα
phlyktio- φλυκτίς
plankton πλαγκτόν
phlysoremid φλύσις ῴρημα
phlyzacium -ious φλυζάκιον
-phobe -φοβος

phob- φόβος
anthropy -ανθρωπία
elius ἥλιος
etus φοβητός
ia φοβία
ic ism ist -ισμός -ιστής
Phobian Φοῖβος
phobo- φοβο-
chemo- χημεία
tactic τακτικός
taxis τάξις
phobia -φοβία
photo- φωτο-
taxis τάξις
tropism τροπ- -ισμός
Phobos φόβος
Phocea Φωκαία
Phocian Φωκίς
phoc- φώκη
a acean aceous al id(ae iform
inae in(e oid(ea(n
aena φώκαινα
-ina -in(e
enic -ate -in(e
odon ὀδών
-ont(ia -ontic
omel- μέλας
e ia ous us y
Phoebades Φοιβάς
Phoebe Φοίβη
Phoebus -ean -ium Φοῖβος
phoenic- φοινικ-
(ac)eae aceous ales
antha ἄνθη
ean (e)in
e(*or* i)ous φοινίκεος
ian(ism Φοινίκη
(ian)ize -ισμός -ίζειν
ian ean Φοινίκεος
ismus istic -ισμός -ιστικός
ite iyt le -ίτης
Phoenicercus φοῖνιξ κέρκος
phoenico- φοινικο-
chroite φοινικόχρως
phaes φαινικοφαής
-ainae -ain(e
philus -inae -in(e -φιλος
pter(us φοινικόπτερος
id(ae iformes oid(eae oidean ous
phoenicurous φοινίκουρος
Phoenicus φοινικός
phoenigm φοινιγμός
ph(o)enix(ity -in φοῖνιξ
Pholadomya φωλάς μυ-
-yid(ae -yoid
Pholas φωλάς
-ad(acea ian id(ae idea(n
inea ite oid)
Pholcus -id(ae -oid φολκός
Pholeogryllus φωλέω γρύλλος
pholerite φωλίς -ίτης
pholescope φωνή ἤλεκτρον
Pholeuon φωλεύειν -σκόπιον
pholid- φολιδ-
echinus ἐχῖνος
ichthys ἰχθύς
osis -ωσις
pholido- φολιδο-
chlamys χλαμύς
lite λίθος
pus πούς
pholidote -us φολιδωτός
Pholiota φολίς ὠτ-
Pholis -id(ae -oid φωλίς
pholque φολκός
Phoma -ose φωίς

phon- φων-
aco- ἀκούειν
scope -y -σκόπιον -σκοπία
al ate ation atory e
ascetics φωνασκητής
ascus φωνασκός
autogram αὐτο- γράμμα
autograph(ic(ally αὐτο-
-γραφος
eidoscope -ic εἰδο- -σκόπιον
eme φώνημα
endo(skia)scope ἐνδο- σκιά
esis φώνησις -σκόπιον
esthetic αἰσθητικός
etic(s φωνητικός
al(ly ian
-(ic)ism -(ic)ist -(ic)ization -(ic)ize -ισμός -ιστής -ίζειν
etico- φωνητικός
grammatical γράμμα
hieroglyphic ἱερογλυφικός
ideographic ἰδεο- γραφικός
ic(s ikon
ism -ισμός
opsia -όψία
organon -um ὄργανον
phono- φωνο-
camptic(s καμπτός
card χάρτα
cardio- καρδιο-
gram γράμμα
graphy -γραφία
cinematography κίνημα
dacne δάκνειν
dynamograph δύναμις -γραφος
glyph γλυφή
gram γράμμα
grammatic γραμματικός
gram(m)ic(ally γράμμα
graph(er -γραφος
graphy -γραφία
-ic(al(ly -ist -ιστής
hemin φονο- αἷμα
kinetograph κινητός -γραφος
lite -ic λίθος
logy -er -λογία
-ic(al(ly -ist -ιστής
mania μανία
massage μάσσειν
meter μέτρον
metry -ic -μετρία
mime -ic φωνόμιμος
motor
myoclonus μυο- κλόνος
nosus νόσος
pathia -y -πάθεια
phobia -y -φοβία
phone φωνή
phore -i -ous -φορος
phote φωτ-
photography φωτο- -γραφία
plex πλεκτή
pneumomassage πνεῦμα
pore -ic πόρος μάσσειν
porphyrin πορφύρα
postal
pyrrole πυρρός
rhynchoides ῥύγχος
scope -y -σκόπιον -σκοπία
telemeter τῆλε μέτρον
type -er τύπος
typographic τυπο- γραφικός
typy -ic(al(ly -ist -τυπία
zenograph ξενο- -γραφος
Phoradendron φώρ δένδρον
phorbeia φορβεία

phor- φορός
a id(ae ia
acanthus ἄκανθος
anthium ἄνθος
esis φόρησις
phorbeia φορβεία
-phore (-ic -ous) -φορος
phorminx φόρμιγξ
Phormium φορμίον
phoro- φορός
blast βλαστός
cyte -osis κύτος -ωσις
meter -ry μέτρον -μετρία
plast πλαστός
tone τόνος
zooid ζῷον -οειδής
phoro- φορά
nomia -y -νομία
-ic(ally -ics
scope -σκόπιον
zoon ζῷον
phor- φορός
opt- ὀπτικός
er ometer μέτρον
phorol καμφορά
Phoronis φορωνίς
-idid(ae -idoid
Phororhacus φώρ ῥάκος
Phorticosomus φορτικός σῶμα
Phoryctus φορυκτός
phos- φῶς
acid is ote
ferrin φωσφόρος
gen(e ic ite o- -γενής -ίτης
iron φωσφόρος
muriate -ic
nitric νίτρον
oxyd(able -ate ὀξύς
oxygen(ate ὀξυ- -γενής
phaenus φαιν-
phosph- φωσφόρος
am ἀμμωνιακόν
ic id(e idic ammonium
ane anion ἀν- ἰόν
ate (-ase -ation -ese -ic -id(e
-ization -ize -ol) -ίζειν
ato-
calcium ferric
iodic ἰώδης
meter μέτρον
ptosis πτῶσις
aturia -ic -ουρία
az- ἀ- ζωή
ide ine o-
ergot
ethyl(ic αἰθήρ ὕλη
id(e ite ole
imic -ine ἀμμωνιακόν
ine -ic -ous
onic -ate -ium -o-
ure -et -et(t)ed
uria -ουρία
yl ὕλη
phos- φωσφόρος
phene -yl φαιν ὕλη
tonic γαλακτ-
phospho- φωσφόρος
albumin carnic
chalcite χαλκός
ferrite -ίτης
ferroproteid πρωτεῖον
globulin πρωτεῖον
glucoprotein -eid γλυκύς
glyceric ate γλυκερός
gummite -ίτης
lipin -id(e λίπος
lite λίθος

phospho- Cont'd
logy -λογία
molybdic -ate μόλυβδος
nuclease διάστασις
phyllite φύλλον -ίτης
proteid -ein(e πρωτεῖον
ptomain(e πτῶμα
siderite σιδηρίτης
tage tungstic -ate
tartaric tartrate τάρταρον
uranylite οὐρανός ὕλη -ίτης
vinic wolframic
phosphor(e φωσφόρος
ana ane ate(d eal ent eous
esce escence escent et(ic
et(t)ed ic(al iferous ize
amide ἀμμωνιακόν
enesis ἕνεσις
gummite -ίτης
(h)idrosis -ίδρωσις
ism(us ist -ισμός -ιστής
ite -ic -ίτης
uria -ουρία
yl(ation ὕλη
phosphoro- φωσφόρος
chalcite χαλκός -ίτης
gen(ic -γενής
graph(y ic -γραφος -γραφία
necrosis νεκρός -ωσις
scope -σκόπιον
phosphorus -ous φωσφόρος
phossy φῶς
phot(al e ic(s on φωτ-
phot- φωτ-
algia -αλγία σις
anamorphosis ἀνα- μόρφω-
antitypimeter ἀντίτυπος
μέτρον
augiaphobia φωταυγεία
echy ἔχω -φοβία
eolic αἰόλος
erythrous ἐρυθρός
esthesis αἴσθησις
Photinia -us φωτεινός
Photinian(ism Φωτεινός -ισμός
photism φωτισμός
photistic φωτιστικός
photo φωτο-
photo- φωτο-
acetophenine φαιν-
actinic ἀκτιν-
active -ation -ity
aesthetic αἰσθητικός
algraphy -γραφία
anhydride ἄνυδρος
aquatint
autographic αὐτόγραφος
auxesis αὔξησις
bacterium βακτήριον
bathic βάθος
bia βιός
bibliography βιβλιογραφία
biotic βιωτικός
blast βλαστός
bromide βρῶμος
bromination
calque
campsis κάμψις
catalysis -lyst κατάλυσις
catalytic καταλυτικός
catalyzer κατάλυσις
caustic καυστικός
cautery καυτήριον
-ize -ation καυτηριάζειν
cell cellulose ceptor
cephalic κεφαλή
ceramic(s -ist κεραμικός

photo- Cont'd
chem- χημειά
ical(ly ist(ry
chemigraphy χημεία γραφία
chlorid(e χλωρός
chlorination
chrome -(at)ic -y χρῶμα
chromo- χρῶμα
graphy -γραφία
lithograph λιθο- -γραφος
scope -σκόπιον
type -y τύπος -τυπία
chronograph χρονο- -γραφος
ic(al(ly γραφία
cliny κλίνειν
cl(e)istogamy -ic κλειστός
collo- κολλα -γαμία
graph -γραφος
graphy -ic γραφία
type τύπος
combustion copy
crayon current
cyanide κύανος
decomposition
densitometer μέτρον -ίζειν
depolymerization πολυμερής
dermatic -ism δέρμα -ισμός
dimer διμερής
drama δράμα
-atic(s -ist δραματικός
drome -y δρόμος
dynamic(al -ics δυναμικός
effect
elastic(ity ἐλαστικός
electric(al ity ἤλεκτρον
electron ἤλεκτρον
electro- ἠλεκτρο-
graph -γραφος
lytic λυτικός
motive
type -ing τύπος
element
engrave -ing γράφειν
epinasty ἐπί ναστός
-ic(ally
equilibrium etch(ing
expansion filigrane
fluoroscope -y -σκόπιον
galvanic -σκοπία
galvanograph(y -ic -γραφος
γραφία
gastroscope γαστρο- -σκό-
gelatin πιον
gen(e -γενής
ic(ally icity ize ous
genesis γένεσις
genetic(ally γενετικός
geny -ic(ally -γένεια
glyph(ic γλυφή
ography -γραφία
glyptic γλυπτός
-ography -γραφία
gram γράμμα
meter μέτρον
metry -ic(al -μετρία
grammatical γραμματικός
graph(er able ee -γραφος
grapho- γραφο-
meter μέτρον
phone φωνή
type τύπος
graphy -γραφιά
-ic(al(ly -ist -ize -ιστής
graver γράφειν -ίζειν
-ure -urist -ιστής
gyric γῦρος
haloid -ide ἁλ- -οειδής

photo- Cont'd
harmose ἁρμός
helio- ἡλιο-
graph -γραφος
graphy -ic -γραφία
meter μέτρον
scope -σκόπιον
hematachometer αἷμα ταχύς
hyalo- ὑαλο- μέτρον
graphy -γραφία
type τύπος
hyponasty ὑπό ναστός
-ic(al(ly
inactivation inhibition
ink ἔγκαυστον
intaglio
iodide ἰώδης
ionization ἰόν -ίζειν
isomeric ἰσομερός
-ism -ization -ισμός -ίζειν
kinesis κίνησις
k(or c)inetic κινητός
kinetics κινητικός
lepsy -ληψία
linol
litho- λιθο-
graph(er -γραφος
graphy -ic -γραφία
type τύπος
logy -λογία
-ic(al -ist -ιστής
longitude luminescent -ence
lysis λύσις
lyte -ic λυτός
lytic λυτικός
macrograph μακρο- -γραφος
magnetic -ism Μαγνῆτις
-ograph -γραφος
mania μανία
mapper -ing
mechanics -ical μηχανικός
metal μέταλλον
lograph(y -γραφος -γρα-
meteor μετέωρος φία
ometer μέτρον
meter μέτρον
methemoglobin μετά αἱμο-
metrograph μετρο- -γραφος
metry -μετρία
-ic(al(ly -ician -ist -ιστής
mezzotype τύπος
micro- μικρο-
gram γράμμα
graph(er -γραφος
graphy -ic -γραφία
scope -y -ic -σκόπιον
-σκοπία
morphosis μόρφωσις
nasty -ic ναστός
nectes νήκτης
nepho- νέφος
graph -γραφος
scope -σκόπιον
nosos -us νόσος
oxidation -ive ὀξύς
papyro- παπυρο-
graph(y -γραφος -γραφία
pathy -ic -πάθεια
perceptive
perimeter περίμετρον
periodic περίοδος
phane -φανής
phil(ic ous -φιλος
phobe -ism ous -φοβος
phobia -ic -φοβία
phobophthalmia φοβός
ὀφθαλμία

photo- Cont'd
phone -y -ic φωνή
phore -φορος
phoresis φόρησις
phoretic φορητός
phosphorescent φωσφόρος
phygous φυγή
physical -ist φυσικά
pile
pitometer μέτρον τροπή
plagiotropy -ic πλάγιος
plastography πλαστο- -γρα-
play(er wright φία
pography -topography
polari- πόλος
graph -γραφος
meter μέτρον
polymerization πολυμερής
print(er -ing
process
phot- φωτ-
odynia -ωδυνία
opsia -y -όψία
opto- ὀπτός
meter μέτρον
metry -μετρία
orama ὅραμα
photo- φωτο-
radiometer μέτρον
reaction refractor
reception -ive -or
regression retrogression
relief rocket
salt santonic -in
scope -y -ic -σκόπιον -σκο-
sculpture -al πία
sensibilize -ίζειν
sensitive -ness
sensitize(r -ation -ίζειν
sensory -γραφος
spectroheliograph ἡλιο-
spectroscope -σκόπιον
spectroscopy -ic(al -σκοπία
sphaeria -ium σφαῖρα
sphere -ic σφαῖρα
stable stationary
stat(ic(ally στατός
stereo- στερεο-
gram graph γράμμα
sulphate -γραφος
survey(ing
syntax σύνταξις
synthesis σύνθεσις
synthetic(ally συνθετικός
synthometer σύνθεσις μέτ-
tacho- ταχύς ρον
meter μέτρον
metry -ic(al -μετρία
tactism -ic(ally τακτικός
taxis -y τάξις
tele- τηλε-
graph -γραφος
graphy -ic γραφία
phone -y φωνή
scope -ic -σκόπιον
theodolite θεάομαι ὁδός λίθος
therapeutic(s θεραπευτικός
therapy -ic θεραπεία
thermic θέρμος
thiocyanate θεῖον κυάνος
tint tirage
tonus -ic τόνος
topography -ic(al(ly τοπο-
transparency -γραφία
trichromatic τριχρώματος
trope τροπή
-ic(al(ly -ism -y -ισμός

photo- Cont'd
trophy -τροφία
type -ic(ally -ist -y τύπος
typography -ic τυπο- -γρα-
visual voltaic φία
vitrotype τύπος
xylography ξυλο- -γραφία
xylon -in ξύλον
zinc(o
zincograph -γραφος
zincography -ic(al -γραφία
zincotype -y τύπος
photrum φωτ-
photuria φωτ- -ουρια
Photuris φωτ- οὐρά
Phoxinus φοξῖνος
Phoxomela φοξο- μέλος
phract- φρακτός
amphibia ἀμφίβιος
oporella πόρος
phragm- φράγμα
a atic atospore σπορά
idium -ιδιον
-iothrix θρίξ
iger oid -οειδής
ites -etum φραγμίτης
phragmo- φραγμός
basid βάσις
ceras κέρας
cone -ic κῶνος
cytteres κύτταρος
phora -ous -φορος
plast πλαστός
pora -elia πόρα
siphon σίφων
sphere σφαῖρα
sporeae σπορά
phrase φράσις
-al -er -ical -ify -iness -ing
less man mark monger(er
phraseo- φράσις (-εως) -y
gram γράμμα
graph(y ic -γραφος -γραφία
logy -λογία
-ic(al(ly -ist -ιστής
Phrasterothrips φραστήρ θρίψ
phrator phratral φράτωρ
phratria -y φρατρία
phratri(a)c φρατρι(α)κός
phreatic -us φρέαρ
-ichthys ἰχθύς
phreatophytes φρεατο- φυτόν
phren φρήν
phren- φρεν-
algia -αλγία
apates φρεναπάτης
asthenia ἀσθένεια
esis -ia -iac φρένησις
etic(al(ly φρενιτικός
ness ula
hypnotic ὑπνωτικός
iatric ἰατρικός
ic(s icula icus
ico-
colic κόλον
gastric γαστρικός
hepatic ἡπατ-
splenic σπλήν
tomy -τομία
ism(us -ισμός
itic φρενιτικός
itis -ion φρενῖτις
odynia -ωδυνία
osin(e -(in)ic
osis -ωσις
phreno- φρενο-
blabia φρενοβλάβεια

phreno- Cont'd
cardia καρδία
colic κόλον
-opexy -πηξία
costal
gastric γαστρικός
glottic γλῶττα
gram γράμμα
graph(y -γραφία
hepatic ἡπατικός
hypnotism ὑπνωτικός -ισμός
logy -er -ic(al(ly -λογία
-ist -ize -ιστής -ίζειν
magnetic -ism Μαγνῆτις
mesmerism -ισμός
narcosis νάρκωσις
nomy -νομία
paralysis παράλυσις
pathia -y -ic -πάθεια
pericarditis περικάρδιον-ῖτις
physiognomy -ist φυσιογνω-
μία
plegia -y -πληγία
ptosis πτῶσις
spasm σπασμός
splenic σπλήν
sterin -ol στερεός
type -ic(s τύπος
phrensy -ic φρενῖτις
phrentic
Phreoryctes φρεορύκτης
-id(ae -oid
phretiad -ium φρητίον
-ophilus -φιλος
-ophyta φυτόν
phricasmus φρικασμός
phricto- φρικτός
pathic πάθος
Phrissoma φρίσσειν σῶμα
Phrixometra φριξο- μέτρον
phronema φρόνημα
phronesis φρόνησις
phronetal -ic φρονεῖν
phronetum -ic φρόνημα
phrontist φροντιστής
-terion φροντιστήριον
-ium -y
Phrygana φρύγανα
Phryganea φρύγανον
-eid(ae -eides -eoid
-opsis ὄψις
phrygano- φρυγανο-
philus -φιλος
Phrygian(ize Φρύγιος -ίζειν
Phrynesthis φρύνη ἐσθής
phrynin φρύνη
phryno- φρυνο-
colus κόλος
lysin λύσις
pora πόρος
rhombus ῥόμβος
soma σῶμα
suchus σοῦχος
Phrynus φρῦνος
-id(ae -ida -ides -oid
phthal- νάφθα
acene ἄνθραξ
aldehyde -ic ὕδωρ
am- ἀμμωνιακόν
ic ide idic
an(il(ic anilide
ate ein(e ic
azin(e azone ἀ- ζωή -ώνη
id(e idene idyl ὕλη
im- ἀμμωνιακόν
id(e idine ido
in(e onic

phthal- Cont'd
oxime ὀξύς ἀμμωνιακόν
yl(ene ὕλη
phthalo- νάφθα
perine -one περί -ώνη
phenone φαιν- -ώνη
phthanite φθάνειν
phthartic φθαρτικός
Phthartolatrae φθαρτολάτρης
phth(e)ir- φθείρ
(a)emia -αιμία
iasis φθειρίασις
ichthys ἰχθύς
iophobia -φοβία
ius -iomyiae μυῖα
ophagous -φαγος
phthino- φθινο-
branchii βράγχια
plasm πλάσμα
phthinode & -oid φθινώδης
phthis- φθίσις
ergate ἐργάτης
ic(al ickly φθισικός
in is
phthisio- φθίσις
genesis γένεσις
genetic γενετικός
genic -γενής
logy λογία
mania μανία
phobia φοβία
pneumonia -y πνευμονία
therapeutic(s -ist
θεραπευτικός -ιστής
therapy -ist θεραπεία
phthisoremid φθίσις
phthisozoics φθίειν ζῶον
phthisuria φθίσις -ουρία
phthongal φθόγγος
-ometer μέτρον
Phthonosteres φθόνος
Phthora -acma φθορά ἀκμή
phthore -ic -ine φθορά
phycic -ite φῦκος
Phycis -idae -inae φυκίς
Phycita -id(ae φυκῖτις
-imorpha μορφή
phyco- φυκο-
brya βρύον
bryophytes βρυο- φυτόν
cecidia κηκίς
chrom(e χρῶμα
-aceae -aceous -acetum
chromo- χρῶμα
phyceae -eous φῦκος
protein πρωτεῖον
chrysin χρύσος
cyan(in(e κύανος
cyanogen κυανο- -γενής
domatia δομάτιον
erythrin(e ἐρυθρός
graphy -γραφία
haematin αἱματ-
lichenes λειχήν
logy -λογία
-ical -ist -ιστής
mater μάτηρ
myces μύκης
mycete(s -eae -ous μυκήτες
nomus νομός
phaein(e φαιός
phyta φυτόν
porphyrin πορφύρα
pyrine πῦρ
pyrrhine πυρρός
scope -σκόπιον

phyco- Cont'd
stemones στήμων
xanthin(e ξανθός
phycoma φύκωμα
Phygasia φυγάς
phygo- φυγο-
blastema βλάστημα
galactic γαλακτ-
poda ποδ-
phykenchyma φῦκος ἔγχυμα
phylacist φυλακιστής
phylacogogic φυλαξ ἀγωγός
phylacter(y φυλακτήριον
ed ic(al ian is ium ize
Phylacticus φυλακτικός
phylacto- φυλακτός
carp(al καρπός
l(a)ema λαιμός
-ata -atous
phylarch φύλαρχος
y ic(al φυλαρχία
Phylax φύλαξ
phylaxis -in φύλαξις
phyle -esis -ic φυλή
phylectic(al(ly φυλετικός
phyl- φῦλον
embryo -onic ἔμβρυον
ephebic ἔφηβος
phyletism φυλετισμός
phyll φύλλον
a ic ule
achora ἄχωρ
actinia -ose ἀκτιν-
ade φυλλάς
aescitamin ἀμμωνιακόν
anthus -eae ἄνθος
ary φυλλάριον
aurea
erythrin ἐρυθρός
idia -iid(ae -ioid -ιδιον
idium -ιδιον
-iobranchiate -a βράγχια
iform
in(e φύλλινος
irhoe φυλλορρόος
-oid(ae -ooid
is Φυλλίς
ite(s -ic φυλλίτης
itis φυλλῖτις
ium φῦλλιον
ode -ium φυλλώδης
-ial -ic -in(e)ous -iniation
oid(al eous -οειδής -y
oma φυλλόειν
oma -e -ic φύλλωμα
ornis ὄρνις
ula οὐλή
phyllo- φυλλο-
bioides βίος -οειδής
biology -ic βιο- λογία
blastus βλαστός
bothrium βοθρίον
-iid(ae -ioid
branchia(e βράγχια
-ial -iate
branchus βράγχος
-id(ae -oid
cactus κάκτος
campyli καμπύλος
carid(a(n καρίς
carpous -ic -καρπος
caulon καυλός
ceras κέρας
chromogen χρῶμα -γενής
clad(e κλάδος
-ium -ioid -ous
cladoxylon κλαδο- ξύλον

phyllo- Cont'd
colly κόλλα
crinidae κρίνον
cyanic -in κύανος
cyst(ic κύστις
decta δήκτης
dermia δέρμα
dulcin fuscin
erythrin ἐρυθρός
gen(ous -γενής
genetic γενετικός
glossum γλῶσσα
graptus γραπτός
harpax ἅρπαξ
hemin αἷμα
hemochromogen αἱμο- χρῶ-
lobeae λοβός μα -γενής
maeus Μάιος
mancy φυλλομαντεία
mania μανία
medusa -idae Μέδουσα
metalla μέταλλον
morph(ic ous y μορφή
morphosis μόρφωσις
necrosis νέκρωσις
pertha πέρθειν
phaein φαιός
phaga(n -ous -φαγος
phagist -φαγία -ιστής
phore -ous φυλλοφόρος
phyllin φύλλινος
phyte φυτόν
pod(a(n al iform ous ποδ-
pode -ium πόδιον
pore πόρος
porphyrin πορφύρα
pseuste(s ψεύστης
ptosis πτῶσις
pyrrol(e -idine πυρρός
rhine -a -inae -ine ῥίν
rhize ῥίζα
ropy -ic ῥοπή
scopus -ine -σκοπος
siphony -ic σίφων
some -a -ata σῶμα
sperms σπέρμα
spondyli -ous σπόνδυλος
stachys στάχυς
sticta -ose στικτός
stome -a στόμα
-(at)id(ae -(at)inae -(at)-
in(e -(at)oid -(at)ous
tactic(al τακτικός
taonin ταώνιος
taxis -y τάξις
tillon τίλλειν
tocus φυλλοτόκος
treta τρητός
triaene τρίαινα
type τύπος
xanthin(e ξανθός
xer- ξηρός
a al ated ic inae ize
zooid ζῷον
-phyllous -φυλλος
phylo- φυλο-
blatta
cycle -ic κύκλος
genesis γένεσις
genetic γενετικός
geny -al -ic -ist -γένεια
gerontic γεροντικός
graphy -γραφία
logy -ical -λογία
mylacris μυλακρός
phylon φῦλον
neanic νεανίας

phylo- Cont'd
nepionic νήπιος
patris πατρίς
porphyrin πορφύρα
ptera -ous πτερόν
trophy -τροφία
xanthin ξανθός
phylum φῦλον
phyma φῦμα
cerite κέρας
phora φόρος
raphininae ῥαφίς
phymat- φυματ-
a id(ae oid(a
iasis osis -ίασις -ωσις
ic in oid -οειδής
odes -eus φυματώδης
phymatio- φυμάτιον
derus osis δέρη -ωσις
phymato- φῦμα
ceras κέρας
rrhysin ῥύσις
soma σῶμα
phymo- φῦμα
chrom χρῶμα
lepra λέπρα
phyogemmarium -ian φυή
-phyre πορφύρα
phyri- o- πορφύρα
phyric πορφύρα
phys- φῦσα
a id(ae iform inae oid
agog(ue ἀγωγός
alia(n -iae φυσαλέος
ali- φυσαλλίς
adae form idae
phore -φορος
spore σπορά
alis φυσαλλίς
-idae -in -ite
-ite -odes -ίτης -ώδης
-optera πτερόν
all- φυσαλλίς
iform ization -ίζειν
apoda ποδ-
arum φυσάριον
-aceae -ia
ea φυσάειν
em(a φύσημα
aria(n us
eter(idae φυσητήρ
inae in(e oid(ea oleic
etops φυσητός ὤψ
harmonica ἁρμονικός
iatric(al ἰατρικός
iatrics ἰατρική
physci- φύσκη
a oid on
Physcomitrium -ieae φύσκος μιτρίον
physconia φύσκων
-ic -y
physcophia φύσκων
physi- φυσι-
anthropy -ανθρωπία
merus φυσιάειν μηρός
nosis νόσος
physic φυσική
al(ist ity ly ness)
ian(ary ey ed er
ess lass ly ship)
ism ist -ισμός -ιστής
physico- φυσικός
astronomical ἀστρονομικός
biological βιο- -λογία
chem- χημία
ical(ly ist(ry

physico- Cont'd
genic -γενής
geographical(ly γεωγραφία
intellectual
logic(al logist -λογία
mathematics -ical
μαθηματικός
mechanical μηχανικός
medical
mental miraculous
morph(ic ism μορφή
philosophy -ical φιλοσοφία
physiological φυσιολογία
psychical ψυχικός
theosophical θεοσοφία
theology θεολογία
-ical -ist -ιστής
therapeutic(s θεραπευτικός
therapy θεραπεία
physics φυσική
physicum φυσικός
physio- φυσιο-
chemical χημεία
cracy -κρατια
crat(ic(al κρατεῖν
-ism -ist -ισμός -ιστής
genesis γένεσις
genetic γενετικός
geny -ic -γένεια
gnomic(al(ly -ics
φυσιογνωμικός
gnomonic(al(ly
φυσιογνωμογικός
gnomy φυσιογνωμία
-er -ist(ry -istic -ize
-ιστής -ιστικός -ίζειν
gnostic γνώστης
gnosy γνῶσις
gnotype φυσιογνωμία τύπος
gony -γονία
grapher -γραφος
graphy -ic(al(ly -γραφία
later latry -λατρης λατρεία
lith λίθος
logus φυσιολόγος
logy φυσιολογία
-er -ian -ic(al(ly
-ist -ize -ιστής -ίζειν
medical(ism -ist
metry -ic -μετρία
nomy -νομία
notrace φυσιογνωμία
pathology -ical παθολογική
pathy -ic -πάθεια
philist -φιλος -ιστής
philosoph(er φιλόσοφος
philosophy φιλοσοφία
phyly -φυλία
plastic πλαστικός
psychic ψυχή
psychology -ical ψυχο-
radiogram γράμμα -λογία
scope -y -σκόπιον -σκοπία
sociological -λογία
sophy -ic σοφία
therapy θεραπεία
type -y τύπος -τυπία
zeography ζέω -γραφία
physi- φυσι-
osis φυσίωσις
phora -φορος
theism θεός -ισμός
theistic θεός -ιστικός
urgic -ουργία
-oscope -ic -σκόπιον
physique φυσική
physitism φύσις -ίτης

Physodes φυσώδης
-(al)ic -in -yl ὕλη
physo- φυσο-
calymma κάλυμμα
carpous -us καρπός
cele κήλη
cephalus κεφαλή
clist(i(c ous κλειστός
coelia κοῖλος
coryna κορύνη
crotaphus κρόταφος
derma δέρμα
gastr- γαστρ-
ic ism y -ισμός
gnathus γνάθος
grade -a -ous
h(a)emometra αἱμο- μήτρα
hydrometra ὑδρο- μήτρα
lobium λοβός
loesthus λοῖσθος
metra μήτρα
mycetes μύκης
nect(ae -ous νηκτής
nota νῶτος
phore -φορος
-a(e -an -id(ae -ida -oid
pod(a ποδ-
proctus πρωκτός
pyosalpinx πυο- σάλπιγξ
rhinus ῥίν
spermum σπέρμα
stegia στέγη
sterin στερεός
stigma στίγμα
-al -ia -in(e -inism
stome στόμα
-ata -(at)ous -i
venine
phytadiene φυτόν δι-
phyt- φυτ-
agglutinin
alus φυτάλιος
albumin -ose γλεῦκος
ane anic anol ate
ase διάστασις
aster ἀστήρ
elephas -antinae ἐλέφας
ene -ic
entoscope ἐντός -σκόπιον
eris ἔρις
euma φύτευμα
ic in iform
iphaga(n -ous -φαγος
ium φυτεῖον
ivorous on(ic
oma -ata -ωμα
onymia -ωνυμία
optus -id(ae -oid ὀπτός
-ocecidia κηκίδιον
osis yl -ωσις ὕλη
phyto- φυτο-
benthon βένθος
bezoar
biology -ical βιο- -λογία
blast(ea βλαστός
branchiate βράγχια
cecidia κηκίδιον
chemy -ical -istry χημεία
chlore -in χλωρός
chrome χρῶμα
coenosium κοινός
collite κόλλα -ίτης
colloid κολλώδης
coris -id(ae -oid κόρις
crene -eae κρήνη
cyst κύστις
dectes δήκτης

phyto- Cont'd
derma -ata δέρμα
dichogamy διχο- -γαμία
domatia δωμάτιον
dynamics δυναμικός
ecology οἰκο- -λογία
-ical -ist -ιστής
economy οἰκονομία
flagellata flagellida gelin
gamy -γαμία
gen(y -ic -ous -γενής -γένεια
genesis γένεσις
genetic(al(ly γενετικός
geogenesis γεω- γένεσις
geography γεωγραφία
-er -ic(al(ly
globulin
glyphy -ic γλυφή
gnomy -ical -γνωμία
gnosis γνῶσις
gonidium γονή -ιδιον
graph(er -γραφος
graphy -γραφία
-ic(al -ist -ιστής
haematins αἱματ-
lacca -aceae -aceous -ad -ic
laema λαιμός -in
latry λατρεία
lite lith λίθος
lithology λιθο- λογία
-ical -ist -ιστής
logy -ic(al -ist -λογία
lysis λύσις
mania μανία
mastigoda(n μαστιγ-
mastigopod ποδ-
melan(e μελαν-
melin μέλι
mer μέρος
meter μέτρον
metry -ic -μετρία
monas -adina μονάς
monera μονήρης
morphic μορφή
-ology -λογία
morphosis μόρφωσις
myia -yidae μυῖα
myxaceae μύξα
nomy φυτο- -νομια
pal(a)eontology -ical -ist
παλαιο- ὄντα -λογία -ισ-
parasite παράσιτος τής
patho- παθο-
genic -γενής
logy -λογία
-ic(al -ist -ιστής
phaga(n -ic -ous -φαγος
phagy -φαγία -λογία
phenology -ical φαινο-
phil(e ous -φιλος
phthire -ia(n φθείρ
phthora φθορά
phylo- φυλο-
genetic γενετικός
geny -γένεια
physiology -ical φυσιολογία
plankton πλαγκτόν
plasm πλάσμα
pleuston πλευστικός
precipitin
proterandry πρότερος -αν-
proterogyny -γυνία δρία
psyche ψυχή
pyrrol πυρρός
rhodin ῥοδ-
saurus σαῦρος
-ian -id(ae -oid

phyto- Cont'd
scaphus φυτόσκαφος
scopy -ic -σκοπία
sociology -ical -λογία
sophy σοφία
statics στατικός
steral -in -ol(in στερεός
strote(s στρωτός
synthesis σύνθεσις
taxy τάξις
-onomy -νομία
techny -ic -τεχνία
teratology -ic -ist τερατο-
λογία -ιστής
terosia τέρας
thallea θαλλός
theology θεολογία
toma -τομος
-id(ae -oid -ous
tomy -ist -τομία -ιστής
topographical τοπο- -γραφία
toxin τοξικόν
tribus τρίβειν
trichobezoar τριχο-
trophia -τροφία
vitellin
xylin ξύλον
zoa(n ζῷον
zoid(a zoon zoum
zoaria ζωάριον
zooflagellata ζωο-
Phyxelis φύξηλις
Phyxion φύξιον
pi πῖ
pi(a)arachnoid -itis
ἀραχνοειδής -ῖτις
pialin -y πιαλέος
pianatype τύπος
pianism -ισμός
-ist(ic -ιστής -ιστικός
pianofortist -ιστής
pianograph -γραφος
pianologue λόγος
piantic -ification πιαντικός
piarh(a)emia πῖαρ -αιμία
Piarist -ιστής
piaro- πιαρός
pus ποῦς
rhynchia ῥύγχος
Piarus πιαρός
piaselenole παρά δι- ἀ- σελήνη
piaster -re ἔμπλαστρον
piauzite -ίτης
piaz- πίων ἀ- ζωή
in(e thiole θεῖον
piaz- πιάζειν
omias ὠμίας
orhynchites ῥύγχος -ίτης
piaziodonium παρά δι- ἀ- ζωή
ἰώδης ἀμμωνιακόν
piazza πλατεῖα
-etta -ian less
Picardist -ιστής
Picathartes καθαρτής
pickle ?πικρός
Pickwickianism -ισμός
picnid *etc.* = pycnid *etc.*
picol(in)yl ὕλη
picotite -ίτης
picra πικρά
picr- πικρ-
aconitin(e ἀκόνιτον
adenia ἀδήν
adonidin Ἄδωνις
aena -αινα
amic -ide -ine ἀμμωνιακόν
amnia -ieae θάμνος

picr- Cont'd
asmin πικρασμός
ic ate(d -in -ite
is πικρίς
odus ὀδούς
ol(onic yl ὕλη
osmine πικρ- ὀσμή
picro- πικρο-
carmin(e
chromite χρῶμα -ίτης
clase κλάσις
cleidus κλειδ-
crichtonite -ίτης
crocin κρόκος
crystallization κρύσταλλος
cyanic κύανος
dendron δένδρον
erythrin ἐρυθρός
formal
glycin γλυκύς
ilmenite -ίτης
lappaconitine ἀκόνιτον
lichenin λειχήν
lite λίθος
mel μέλι
merite μέρος -ίτης
nigrosin
nitrate νίτρον λίθος
pharmacolite φαρμακο-
phyll(ite πικρόφυλλος
phylla φύλλον
podophyllin ποδο- φύλλον
pyrin πῦρ
roccelline
rrhiza ῥίζα μέτρον
saccharometer σάκχαρ
sclerotin σκληρότης
thomsonite -ίτης
tic tin τοξικόν
titanite Τιτᾶνες -ίτης
tox- τοξικόν
ic id(e in(e
in(e ic ism) -ισμός
xena ξένος
pictoglyph γλυφή
pictograph -γραφος
y ic(ally -γραφία
pictorialism -ist -ισμός -ιστής
-ize -ation -ίζειν
picturedrome δρόμος
picylene ὕλη
piedmontite -ίτης
pier πέτρα
Pierian Πιερία
Pieris -ian -id(ae Πιερίς
-(id)inae -idine
pierrette Πέτρος
pierrot(ism -ισμός
pies(o- = piez(o-
Piestus πιεστός
-otomus τομή
Pietism -ισμός
-ist(ic(al(ly -ιστής -ιστικός
pietra πέτρα
dura & serena
Pieza πιέζειν
-esthesia -αισθησία
piezo- πιέζω
chem- χημεία
ical istry
cnemus κνήμη
crystallization κρύσταλλος
deres δέρις
electric(ity ἤλεκτρον
electrification
magnetism Μαγνῆτις -ισ-
meter μέτρον μός

piezo- Cont'd
metry -ic -μετρία
trachelus τράχηλος
tropism τροπή -ισμός
pigeongram γράμμα
pigmentolysis -in λύσις
pigmentophage -φαγος
pigmy(weed πυγμαῖος
pilarite -ίτης
pilcrow παράγραφος
Pileopsis -idae ὄψις
pileo- πίλεος
phorus -φορος
rhiza ῥίζα
trichius τρίχιον
pilgrimism -ize -ισμός -ίζειν
pilidion -ium πιλίδιον
Pilinothrix πίλινος θρίξ
pilite πῖλος -ίτης
pillarist -ize -ιστής -ίζειν
pillorize -ation -ίζειν
pilo- πιλο-
bolus -eae βῶλος
carpus καρπός
-(id)ene -(id)in(e
ceras κέρας
crinus κρίνον
cystic κύστις
lite λίθος
pic pyl καρπός ὕλη
taxitic τάξις -ίτης
pilos -os(in)ine πῖλος
pilotism -ισμός
pilpulist(ic -ιστής
pilsenite -ίτης
pimel- πιμελή
ate ea ic ite
epterus πτερόν
-id(ae -inae -ine -oid
itis -ῖτις
ode -us πιμελώδης
-ella -id(ae -inae -ine -oid
oma osis -ωμα -ωσις
orthopnoea ὀρθο- -πνοία
uria yl -ούρία ὕλη
pimelo- πιμελή
mera μηρός
metopon μέτρωπον
pterygium πτερύγιον
pus πούς
rrh(o)ea -ῥοια
Pimephales πιμελή κεφαλή
pimpinelloid -οειδής
Pimpla Πίμπλα
pina- πίναξ
chrom(e y χρῶμα
cyanol κύανος
flavol verdol
kryptol κρυπτός
type τύπος
pinaco- πινακο-
ceras κέρας
cyte -al κύτος
dera δέρη
id(al πινακοειδής
theca thek πινακοθήκη
pinacol πινακ-
ic in(e one yl -ώνη ὕλη
pinak- πινακ-
enchyma ἔγχυμα
id πινακίδιον
iolite πινάκιον λίθος
pinalic πίναξ
Pinarus πιναρός
pinaster ἀστήρ
pinax πίναξ
Pindaric(al Πινδαρικός

Pindarism -ισμός
-ist -ize -ιστής -ίζειν
pinealectomy -εκτομία
pinealism -ισμός
pinenchyma -atous πίναξ ἔγ-
pingpongist -ιστής χυμα
pinguite pinite(s -ίτης
pinionist -ιστής
pinipicrin πικρός
pinkes πίναξ
Pinna πίννα
-aceous -adiform -id(ae
pinnacites πίναξ
Pinnatopora πίννα πόρος
pinnoite -ίτης
pinnothere(s πιννοτήρης
-ian -id(ae -oid
pinocamph- καμφορά
ane oric one -ώνη
pinocarveol -one κάρον
pinocytosis πίνειν κύτος -ωσις
pinoid -οειδής
pinometer πίνειν μέτρον
pinonaldehyde ὕδωρ
pinophanic φαιν-
Pinophilus πίνος -φιλος
Pinostrobus στρόβος
p(e)inotherapy πεῖνα θεραπεία
Pinoxylon ξύλον
Piodes πίων -ώδης
pio- πίων
epithelium ἐπί θηλή
mera μηρός
scope -σκόπιον
pion- πίων
emia -αιμία
ea inae ine us
phila -idae -φιλος
piorthopn(o)ea πίων ὀρθο-
Piotes πιότης -πνοία
pioxemia πίων ὀξύς -αιμία
Piper πίπερι
aceae aceous ales ate eae ic
idein(e ine itious ivorous
ovatin(e
az- ἀ- ζωή
idine in(e inium
idyl ὕλη
ism -ισμός
onal
onyl(ic oin ὕλη
oyl ylene ὕλη
pipettometer μέτρον
Pipiza πιπίζειν
Pipra -id(ae πίπρα
-inae -in(e -oid
pipt- πίπτειν
adenia -ieae ἀδήν
anthus ἄνθος
omeris μερίς
piracy πειρατεία
p(e)irameter πειρᾶν μέτρον
pirate πειράτης
-(e)ry -ess -ism -ize -ous(ly
-ισσα -ισμός -ίζειν
Pirates πειράτης
-inae -ine
piratic(al(ly πειρατικός
pirol πυρρόυλας -ωσις
Piroplasma -osis πλάσμα
pirssonite pisanite -ίτης
pirylene ὕλη
piscatology -λογία
piscatorialist piscicapturist
pisciculturist -ιστής
pisi- πίσος
anax ἄναξ

pisi- Cont'd
form
metacarpal μετακάρπιον
rhynchia ῥύγχος
Pisidium πίσος -ιδιον
-iid(ae -ioid
Pisistratid Πεισιστρατίδαι
piso- πίσος
hamatus uncinatus
lite -ic λίθος
odonophis ὀδών ὄφις
pissasphalt(um πισσάσφαλτος
pisselaeum πίσσα ἔλαιον
pissoceros πισσόκηρος
Pissodes πισσώδης
pistache -io πιστάκια
Pistacia πιστάκη
pistac- πιστάκια
inic (in)olic ite -ίτης
Pistia πιστός
-iaceae -ioideae
pistic πιστικός
pistillidium -ιδιον
pistollody -ωδία
pistilloid -οειδής
pistilo(l)ogy πίστις -λογία
pistle -er ἐπιστολή
pistolgram γράμμα
pistolgraph(y -γραφος -γραφία
pistology πίστις -λογία
pistomesite πιστός μέσον
pitcher(ful βῖκος -ίτης
pitchometer μέτρον
pithanology πιθανολογία
Pithanotes πιθανότης
pithec- πίθηκος
an ia(n iinae iine ioid ulites
anthrop- ἄνθρωπος us
e i ic idae oid us
pitheco- πιθηκο-
lobium λόβιον
logical λογία
metric -μετρία
morphic πιθηκόμορφος
Pithelemur πίθηκος -ισμός
pithiatic -ism πείθειν ἰατός
pithiatric πείθειν ἰατρικός
pithode πίθος ὠδ-
Pithoderes πιθο- δέρις
Pithoegia Πιθοιγία
Pithophora -aceae πιθο- -φορος
pithos πίθος
pitometer μέτρον
pittacal πίττα καλός
pitta(*or* i)cite πίττα -ίτης
Pittism -ite -ισμός -ίτης
pitto- πίττα
notus νῶτος
spore -um σπορά
-aceae -aceous -ad -eae
pittylen πίττα ὕλη
pituitarism -ισμός
pituitrope τροπή
-ic -ism -ισμός
pituitrism -ισμός
Pitylus πίτυλος
-inae -in(e
pityo- πιτυο-
bius βίος
campa πιτυοκάμπη
myrmex μύρμηξ
phthorus φθόρος
pity- πιτυ-
oidolepis -οειδής λεπίς
ophis ὄφις
pityriasis πιτυρίασις
pityroid πιτυροειδής

Pityrosporum πίτυρον σπόρος
pivalic πίναξ
-oin -one -yl -ώνη ὕλη
pixcresol κρέας σώζειν
place πλατεῖα
-able -er -ful -less -ly -man-
(ship -ment -monger
placent-
-itis -oid -oma -ῖτις -οειδής
placento- -ωμα
cytotoxin κυτο- τοξικόν
lysin λύσις
phagy -φαγία
therapy θεραπεία
placo- πλακο-
bdella βδέλλα
branchia βράγχια
-id(ae -oid
cerus κέρας
chelys χέλυς
chromatic χρωματικός
derm δέρμα
al ata atous i id oid
ganoid γάνος
-oidei -oidean
pharynx φάρυγξ
phora(n -ous -φορος
phytes φυτόν
plast πλαστός
saurus σαῦρος
-id(ae -oid
scytus σκῦτος
telia τηλία
placod- πλακώδης
e(s ialine in(e ioid ite ium
iomorph μορφή
Placodus πλακ- ὀδούς
-odont(a ia id(ae oid)
placula -ar -ate πλακ-
Placuna -idae πλακ-
placunt- πλακουντ-
itis oma -ῖτις -ωμα
oides πλακουντοειδής
Placusa πλακοῦς
pladar- πλαδαρός
oma osis -ωμα -ωσις
pladobole(s πλάδος -βολος
Plaesius πλαίσιον
-iomiinae μείων
plaga -ate πλαγά
plagal πλάγιος
plage πλάγος
plagi- πλαγι-
anthus ἄνθος
aulax ἄυλαξ
-acid(ae -acoid
aulos πλαγίαυλος
hedral ἑδρα
odon(t odus ὀδών ὀδούς
onite πλάγιον -ίτης
opisthen ὄπισθεν
plagiarism -ισμός
-ist(ic(ally -ιστής -ιστικός
-ize(r -ation -ίζειν
plagio- πλαγιο-
cephalic κεφαλή
-ism ous -us -y -ισμός
chetae χαίτη
citrite κίτρον -ίτης
clase κλάσις
clastic κλαστός
dera δέρη
clinal κλίνειν
coelus κοῖλος
dromous δρόμος
gonus γῶνος
grammus γραμμή

plagio- Cont'd
graph -γραφος
heliotropism ἥλιο- τροπ-
lepis λεπίς -ισμός
patagium παταγεῖον
photo- φωτο-
taxy τάξις
tropic -ism τροπ- -ισμός
podopsis ποδ- ὄψις
pus πούς
pyga πυγή
saurus σαῦρος
scion σκιά
sternum στέρνον
stome -a(ta -(at)ous στόμα
-i -ic(ae -oid -um
suchus σοῦχος
toma -τομος
tremata τρῆμα
triaene τρίαινα
trochus τροχός
tropism -ic(ally τροπ- -ισμός
tropy -ous τροπή
Plagopterus -inae πτερόν
plaice πλατύς
plakea πλάξ
Planagetes πλαν- ἀγητός
planarthragra πλανάω ἄρθρον
plane πλάτανος ἄγρα
planeometry -μετρία
planerite -ίτης
planerocephalous -κεφαλος
planet πλανήτης
al esimal hood ist less oid(al
ous ule
arium -y -ian -ily -αριον
Planetes πλανήτης
-ic(al icose πλανητικός
planeto- πλανήτης
geny -γένεια
graphy -γραφία
logy -ic -ist -λογία -ιστής
Plangone πλαγγών
plani-
graph -γραφος
meter μέτρον
metry -ic(al -μετρία
petalous πέταλον
sphere σφαῖρα
-ium -al -ic
thorax θώραξ
plankto- πλαγκτο-
graph -γραφος
logy -λογία
pelite πηλός -ίτης
phyte φυτόν
plankton(ic πλαγκτόν
okrit κριτής
-ont ὄντα
plan- πλαν-
odes πλανώδης
omenon πλανομενον
orbite -ίτης
ont πλανής ὄντα
uria -y πλάνος -ουρία
plano- πλανο-
blast(ic βλαστός
cera -id(ae -oid κέρας
coccus κόκκος
conical κωνικός
cylindric(al κύλινδρος
cyte κύτος
dema δέμας
ferrite -ίτης
gamete γαμέτης
graph -γραφος
graphy -ic -ist -γραφία

plano- Cont'd
horizontal ὁρίζων
lite λίθος
meter metry μέτρον -μετρία
parabolic παραβολή
plastid πλαστός
sarcina σαρκ-
some σῶμα
spherical σφαῖρα
spore σπορά
stibes πλανοστιβής
symmetry συμμετρία
plantocracy -κρατία
-plasia πλάσις
plasma πλάσμα
cule haut
some σῶμα
plasm πλάσμα
al(ogen -γενής
(am)eba ἀμοιβή
aphaeresis ἀφαίρεσις
apsis ἅψις
ase διάστασις
atic(al πλασματικός
ation -ive -or -ure
atosis -ωσις
ato- πλασματο-
gennylicae γεννᾶν ὕλη
parous
rrhexis ῥῆξις
some σῶμα
exhidrosis ἐξ -ίδρωσις
ic in(e inic
od- -ώδης
e ial iata iate iation ic ium
odio- ὤδης
carp(ous καρπός
gens -γενής
phor- -φορος
a (ac)eae aceous ales us
odoma -ώδης -ωμα
-ism -ous -y -ισμός
oma -ωμα
on -ον
organ ὄργανον
plasmo- πλάσμα
chyma χυμός
cyte -oma κύτος -ωμα
derma -al δέρμα
desmus δεσμός
dieresis διαίρεσις
ditroblast δι- τροφή βλασ-
gamy -γαμία τός
gen(y -γενής -γένεια
genesis γένεσις
gony -γονία
logy -λογία
lyse lysis λύσις
lyte λυτός
lytic(ally λυτικός
lyze(d -ability -able -ation
metric -μετρία λύσις
nema νῆμα
para
phagy -ism -ous -φαγία
-ισμός
pora πόρος
ptysis -e πτύσις
rrhexis ῥῆξις
schisis σχίσις
some -a σῶμα
sphere σφαῖρα
synagy συνάγειν
tomy -τομία
tropic -ism τροπ- -ισμός
zyme ζύμη
plasome πλασματο- σῶμα

plasson πλάσσων
ellum ity
-plast πλαστός
plaster(er ing y ἔμπλαστρον
plast- πλαστός
ein ilina in(oid
id(e ium
ogenetic γενετικός
ozoa ζῷον
ule -ar -ic
idome δόμος
oid -οειδής
plastic(ity πλαστικός
al(ly (al)ness
plastigmat πλαστικός στίγμα
plastique πλαστικός
plasto- πλαστο-
chondria χονδρίον
cyte -osis κύτος -ωσις
cytop(a)enia κυτο- πενία
dynamia -ic δύναμις
gamy -ic -γαμία
geny -γένεια
graphy πλαστογραφία
graphy -γραφία
logus πλαστολογέειν
mere μέρος
microps μικρ- ὤψ
polypus πολύπους
some σῶμα
tephritis τέφρός -ῖτις
type τύπος
plastron -um -al ἔμπλαστρον
-plasty -πλαστία
plat πλατύς
acanthomys ἄκανθα μῦς
ale-
a id(ae iform inae oid
Platamus πλαταμών
-odes πλαταμώδης
platan(e πλάτανος
aceae (ac)eous ine us
aster(idae ἀστήρ
ist(a πλατανιστής
id(ae oid
plate πλατύς
-en -er(esque ful less let man
plateasm πλατειασμός
plateau πλατύς
lith λίθος
plate- πλατή
geocranus γεω- κράνος
plateia πλατεῖα
plat- πλατύς
(h)elminth ἑλμινθ-
a es ic
eosaurus -idae σαῦρος
ephemera ἐφήμερος
esthes ἐσθής
form(al(ly er ish ism ist(ic
less y) -ισμός ιστής -ισ-
ichthys ἰχθύς τικός
platetrope -y πλάτος τροπή
platiasmus πλατειασμός
platic(ly πλατυκός
platin(um πλατύς
am(m)in(e ἀμμωνιακόν
ate ic ite ous -ίτης
ize -ation -ίζειν
ode oid ὁδίς -οειδής
platini- πλατός
chloric -id χλωρός
ferous
platino- πλατύς
chloric -id χλωρός
cyanic -id(e κύανος
iridium Ἰριδ-

platino- Cont'd
nitrite νίτρον -ίτης
type τύπος
platitudin-
(arian)ism -ισμός
ize(r -ation -ίζειν
platnosphaera σφαῖρα
plato- πλάτος
meter -ry μέτρον -μετρία
Platon- Πλάτων
ea ia(n
ic Πλατωνικός
al(ly alness ian ism
ism -ισμός
ist(ic -ιστής -ιστικός
ize Πλατωνίζειν
-ation -ed -er
plat- πλατύς
ophrys ὀφρύς
opic(olichas ὠπ- λίχας
os(o)-
am(m)in(e ἀμμωνιακόν
osphinae ὀσφύς
platoscope πλατύς -σκόπιον
platter πλατύς
plattnerite -ίτης
plature -ous -us πλατύουρος
platy πλατύς
platy- πλατυ-
amomphus ἄμομφος
an ate
aspistes ἀσπιστής
auchenia πλατυαύχην
axum ἄξων
basic βάσις
brachycephalic -ous βραχυ-
bregm- βρέγμα κεφαλή
ate ete ic
carpous πλατύκαρπος
cephal- πλατυκέφαλος
ic id(ae inae oid(ea(n ous
ceras -oid κέρας us
cerc- πλατύκερκος
idae inae in(e us
cerium κηρίον
cerus πλατύκερως
chamaecephalic χαμαί
chelys χέλυς κεφαλή
chiria χείρ
chora χώρα
clymenia Κλυμένη
cnemia -ic -ism -ium -y
coel- κοῖλος κνήμη
ia(n id(ae ous
coelostoma κοιλο- στόμα
colpus κόλπος
copes κώπη
coria πλατυκορία
coryphe κορυφή
crania -ial -ium κρανίον
crinus κρίνον
-id(ae -ite -oid(ea
cyrtean κυρτός
cyte κύτος
dactyl(e δάκτυλος
a ous us κεφαλή
dolichocephalic -ous δολιχο-
elmia -inthes ἕλμινς
gaster(inae γαστήρ
gastric γαστρ-
genia γένειον
glossal πλατύγλωσσος
-ate -ous -us
gobis κωβιος
gonidium -ia γονή -ίδιον
gonus γόνυ
helminth(a es ἕλμινς

platy- Cont'd
hexacrinus ἑξα- κρίνον
hieric ἱερόν
histrix ὕστριξ
holmus ὅλμος
laemus λαιμός
lekanic λεκάνη
lichas λιχάς
lobate lobeae λοβός
lobium λόβιον
lophus λόφος
machaerota μαχαιρωτός
merella μηρός
meria -y -ic μηρός
mesaticephalic μέσατος
mesocephalic μεσο- κεφαλή
meter μέτρον
mischus -ium μίσχος
monas μονάς
mylacris μυλακρίς
myoid μυ- οειδής
Platunos πλατύνειν
-aspis ἀσπίς
-ite -osum -ίτης
platy- πλατυ-
note πλατύνωτος
-us -a(l
odont ὀδοντ-
omus ὦμος
onychus πλατυώνυχος
-id(ae -oid
ope -ia -ic ὠπ- -ωπία
opuntia Ὀπούντιος
ostoma -o- στόμα
pellic πέλλα
petalous πέταλον
peza -id(ae -oid πέζα
phippic ἐφίππιος
phyllous -in(e πλατύφυλλος
phymus φῦμα
pod(e a ia ous) ποδ-
poecilus ποικίλος
proctus πρωκτός
prosopus πλατυπρόσωπος
psaris ψάρ
psylla -us ψύλλα
-id(ae -oid
ptera -id(ae -oid πτερόν
pterna πτέρνα
pteryx πτέρυξ
-ygid(ae -ygoid
pus πλατύπους
pygous πλατύπυγος
rhynch- πλατύρρυγχος
i inae in(e ites ous us
(r)rhin- πλατύρρις
a(e e i(an ic y
ism oidis -ισμός -οειδής
scapus σκᾶπος
schistae πλατύσχιστος
scope -ic -σκόπιον
platysma -al πλάτυσμα
some -a -ata σῶμα
somus πλατύσωμος
-id(ae -oid
sperm(ic um σπέρμα
stega στέγη
stemon στήμων
stencephalia -ic -ism -y
πλατυστός ἐγκέφαλον
sternae -al πλατύστερνος
sternum -idae στέρνον
stethus στῆθος
stigmat στίγμα
stoma -ous -us πλατύστομος
systrophus συστροφή
troktes τρώκτης

platy- Cont'd
trope τροπή
urous πλατύουρος
xantha ξανθός
plausibleize -ίζειν
playactorism -ισμός
plazolite πλάζω λίθος
pleasurist -ιστής
plebicolist -ιστής
plebeianism -ize -ισμός -ίζειν
plebiscitarianism -ισμός
Plecia πλέκειν
-otus(-inae -in(e) ὠτ-
pleco- πλέκειν
lepidous λεπίς
pter(a(n ous πτερόν
stomus στόμα
plect- πλεκτός
ascineae ἀσκός
enchyma(tous ἔγχυμα
oidea(n -οειδής
-othyris θυρίς
onycha ὀνυχ-
plecto- πλεκτός
branchus βράγχια
comia κόμη
discus δίσκος
gnath(i(an -ic -ous γνάθος
mycetes μυκήτες
nephric(a νεφρός
pter(a ous πτερόν
spondyl(e σπόνδυλος
i ous y
thyris θυρίς
plectr- πλῆκτρον
anthias ἀνθίας
anthus ἄνθος
e ia idium -ιδιον
omus ὦμος
on um
upops ὑπ- ὤψ
plectro- πληκτρο-
frondicularia
genium γένειον
glyphidodon γλυφίς ὀδών
phanes -φανής
phenax φέναξ
phorus πληκτροφόρος
poma πῶμα
pterus πτερόν
-id(ae -inae -in(e -oid
plega- πληγή
ceras derus κέρας δέρη
phonia -φωνία -φορος
Pleganophorus πλήγανον
Plegepoda πληγή ποδ-
-plegia -πληγία
plegometer πληγή μέτρον
Pleiad(e(s ic Πλείας
plei(or j)apyrin πλείων πῦρ
pleinairist ἀήρ -ιστής
pleio- πλείων
bar βάρος
blastus βλαστός
cene καινός
chasium -ial χάσις
chromia χρῶμα
cyclic κύκλος
cytosis κύτος -ωσις
geny -γένεια
masthus μαστός
mastia -ic
mazia μαζός
mere- ous -y μέρος
morphic μορφή
-ism -ous -y -ισμός
petalous -y πέταλον

pleio- Cont'd
phyllous -y φύλλον
pyrenium πυρήν
spermous σπέρμα
sporous -σπορος
taxis -y τάξις
thalamus θάλαμος
tomy -τομία
trachea τραχεία
typy -τυπία
xeny -ξενία
zygous -ζυγος
pleion(ian πλείων
-eiont(ism ὄντα -ισμός
pleisto- πλειστο-
cene -ic καινός
dox δόξα
gyps γύψ
mere μέρος
seismic σεισμός
seist σειστός
plemmirrulate πλημμυρεῖν
plemochoe πλημοχόη ρον
plemyrameter πλήμυρα μέτ-
plenargyrite ἄργυρος -ίτης
plenipotentiarize -ίζειν
plenism -ist -ισμός -ιστής
pleo- πλεο-
chro- χροά
ic ism istic itic ous -ισμός
-ιστικός -ίτης
chromatism -ic χρωματ-
cleis κλείς
coma κόμη
gamy -ic -ous -γαμία
genetic γενετικός
geny -γένεια
mastia μαστός
mazia μαζός
megalomus μεγαλ- ὦμος
morph(ic ous y μορφή
ism ist -ισμός -ιστής
nectic -ite πλεονεκτής
nectria νηκτρίς
phagism φαγ- -ισμός
phyletic φυλητικός
pod(a ate on ποδ-
psidium -ic ?ψίδιον
rhacus ῥάκος
spora -aceae σπορά
trophic τροφή
pleodont πλέως ὀδοντ-
pleon(al ic πλέων
pleon πλέον
asm(us ic(al πλεονασμός
ast(e ic(al(ly πλεόναστος
astero- ἀστερο-
phora -φορος
exia πλεονεξία
osteosis ὀστε- -ωσις
plero- πληρο-
cercoid κέρκος -οειδής
cestod(e cestoid κεστός
morph μορφή -ώδης
phoria -y πληροφορία
pleroma πλήρωμα
-al -atic -e
plerosis πλήρωσις
plerotic πληρωτικός
ples- πλησ-
ictoidae ἴκτις -οειδής
plesi- πλησι-
addax
asmy πλησιασμός
arctomys ἄρκτος μῦς
aster(idae ἀστήρ
oidischia -οειδής ἰσχύς

plesi- Cont'd
ophthalmus ὀφθαλμός
ops opidae ὤψ
opsis ὄψις
plesio- πλησιο-
biosis βίωσις
chelys χέλυς
-yid(ae -yoid
cyonoidae κύων -οειδής
cyprinella κυπρῖνος
lepidotus λεπιδωτός
metacarp- μετακάρπιον
al(ia(n i(an
morph- μορφή
ic ism ous -ισμός
saur(us σαῦρος
i(a(n id(ae oid
schendyla σχένδυλα
siro sticha σιρός στίχα
type τύπος
pless- πλήσσειν
esthesia αἰσθησία
ite -ίτης
plessi- πλήσσειν
graph -γραφος
meter μέτρον
metry -ic -μετρία
plethea -ean πλῆθος
-eoblasteas βλαστός
pletho- πληθο-
bolbina βολβός
genesia γενέσιος
meria μέρος
peltis πέλτη
spongiae σπογγιά
plethora πληθώρη
-etic(al -iness -y
plethoric(al(ly πληθωρικός
plethron -um πλέθρον
plethysmo- πληθυσμός
gram γράμμα
graph -γραφος
graphy -ic(ally -γραφία
pleura πλευρά
centesis κέντησις
pleur- πλευρ-
acanth ἄκανθα
id(ae ini oid us
al(e ic
algia -ic -αλγία
anthous ἄνθος
apophysis -ial ἀπόφυσις
arthron ἄρθρον
aspido- ἀσπιδο-
therium -iidae θηρίον
ecbolic ἐκβολή
embolic ἐμβολή
emphytic ἔμφυτος
enchyma -atic ἔγχυμα
istion ἱστός
isy πλευρῖτις
ite -ic -ίτης
itic(al(ly πλευριτικός
itis πλευρῖτις
-ogenous -γενής
pleuro- πλευρο-
blastic βλαστός
brachia βραχίων
branch(us βράγχια
ia(l iata iate id(ae oid
bronchitis βρόγχος -ῖτις
caris καρίς
carp(i(c ous καρπός
cele κήλη
centesis κέντησις
centrum -al κέντρον
cera -id(ae -oid κέρας

pleuro- Cont'd
cerebral -ῖτις
cholecystitis χολή κύστις
chondrite χόνδρος -ίτης
chord(al χορδή
clysis κλύσις
coccoid -aceous κόκκος
coele κοῖλος
colic κόλον
collesis κόλλησις
conch(a(e κόγχη
crinus κρίνον
cutaneous
cystidae -ia κύστις
deles -id(ae -oid δῆλος
dere(s -a(n -ous δειρή
desmatidae δέσμα
dictyum δίκτυον
discous -us δίσκος
esophageus οἰσοφάγος
genic -ous -γενής
grammous γραμμή
gynous γυνή
gyrate -ous γῦρος
hepatitis ἡπατ- -ῖτις
hoplites ὁπλίτης
lepis λεπίς
-idal -idid(ae -idoid
leura -idae λευρός
lith λίθος
marginal
melus μέλος
monas -adidae μονάς
myax -acid(ae -acoid μύαξ
nautilus ναυτίλος
nect νήκτης
ae eiformes es id(ae inae
ism oid(ea(n
pathia -y -πάθεια
pedal
pericard- περικάρδιον
ial itis -ῖτις
peripneumonia -y περιπνευμονία
periton(a)eum -(a)eal περιτόναιον
phorus -φορος
-ites -ous
phyllidia φύλλον -ίδιον
-iid(ae -ioid
plastic πλαστικός
plegia -πληγία
pneumonia -y -ic πνευμονία
pneumon- πνεύμων
itis olysis -ῖτις λύσις
podium πόδιον
pous πούς
ptera πτερόν
pterygii -ian πτερύγιον
pulmonary
pyesis πύεσις
pygia -ial πυγή
rhizal -eae -(e)ous ῥίζα
rrhagia -ῥαγία
rrh(o)ea -ῥοιά
saurus -idae σαῦρος
scopy -σκοπία
sigma σίγμα
soma -us σῶμα
spasm σπασμός
sperm(ic σπέρμα
spondylia(n σπόνδυλος
spore σπορά
angium ἀγγεῖον
sternum στέρνον
-id(ae -oid
stict(i στικτός
stira στεῖρα
stomellina στόμα

pleuro- Cont'd
tetanus τέτανον
othotonos -ic πλευρόθεν
toma -τομος τόνος
-id(ae -inae -ine -oid
tomaria -τομος
-iid(ae -ioid
tomy -τομία
tonus -ic τόνος
transversalis
tribe -al τρίβειν
trochus τροχός
tropous -τροπος
typhoid τυφώδης
visceral
pleur- πλευρ-
odont(es ὀδοντ-
odynia -y -ic -ωδυνία
on(ea πλευρόν
ichthys ἰχθύς
ophthalm- ὀφθαλμός
ia ic
oste- ὀστε-
al ite on
ostosis ὀστέον -ωσις
otus ὠτ-
um πλευρόν
pleuston πλευστικός
plex- πλῆξις
algia -αλγία
ippus Πλήξιππος
odont ὀδοντ-
ometer μέτρον
plexi- πλῆξις
(chrono)meter χρονο- μέτρον
metry -μετρία
Plicagnathus γνάθος
plicotomy -τομία
Plictolophus λόφος
plinth(os πλίνθος
iform ite less oid us
odermatium δερμάτιον
Plinyism -ισμός
plio- πλείων
batrachus βάτραχος
cene -ic καινός
dolops δόλοψ
hippus ἵππος
loph(us λόφος
id(ae oid(ea
merinae μέρος
merops μέρος ὤψ
phloeinae φλόινος
platycarpus πλατυ- καρπός
-id(ae -oid
saur(us σαῦρος
-ian -id(ae -oid
therme θέρμη
tron ἤλεκτρον
Plistoptychia πλειστο- πτύχιον
plocamo- πλόκαμος
branchia -iate βράγχια
cera κέρας
Plocaria πλόκος
ploce πλοκή
derus δέρη
Ploceus πλοκεύς
-eid(ae -eiform -einae -ein(e
Plocia πλόκιον -eoid
Plociopterus πλόκιος πτερόν
ploco- πλοκο-
carpium καρπός
ceras κέρας
cidaris κίδαρις
compsus κομψός
scelus σκέλος
Ploeosoma πλοῖον σῶμα

-ploid(y -πλοος -οειδής
Ploima -an -ate πλώιμος
Plokamostrophus πλόκαμος στρόφος
plomberite -ίτης
Ploteres -ic πλωτήρ
Plotus -id(ae -oid πλωτός
Plotinian Πλωτῖνος
-ic(al -ism -ist -ize -ισμός -ιστής -ίζειν
plotophytes πλωτός φυτόν
pl(o)usiocracy πλουσιο- -κρατία
plum προῦνον
plumballophane ἀλλοφανής
plumbethyl αἰθήρ ὕλη
plumbichloride χλωρός
plumbiodite ἰώδης -ίτης
plumbion ἰόν
plumbism -ite -ίσμος -ίτης
plumbo-
calcite gummite -ίτης
cuprite κύπρος -ίτης
malachite μαλάχη -ίτης
manganite Μαγνησία
methyl μέθυ ὕλη
niobite Νιόβη -ίτης
resinite stannite -ίτης
stibnite στίβι -ίτης
plumcot προῦνον πραικόκιον
plumist προῦνον -ιστής
plumosite -ίτης
pluralism -ισμός
-ist(ic(ally -ιστής -ιστικός
-ize(r -ation -ίζειν
pluri-
carpellary καρπός
central κέντρον
chromo- χρῶμα
somal σῶμα
gametic γαμέτης
petalous πέταλον
polar πόλος
ploid -πλοος
sporangiate σπορά ἀγγεῖον
sporous -σπορος
plurisy πλευρῖτις
plusi- πλούσιος
a id(ae oid
plusiocracy πλουσιο- -κρατία
Plusiotis πλούσιος ὠτ-
Plutarchian Πλούταρχος
-ic(al(ly
plutarchy πλουτ- αρχία
Plutella πλοῦτος
-id(ae -oid
Pluto Πλούτων
pluto- πλουτο-
cracy crat(ic(al πλουτοκρατία
democracy δημοκρατία
latry λατρεία
logy -ist λογία -ιστής
mania μανία
nomy -νομία
-ic -ist -ιστής
Plutonian Πλουτώνιος
Plutonic Πλούτων
-ical -ism -ist -ize -ισμός -ιστής -ίζειν
plutonium Πλουτώνιον
plutonometamorphism Πλούτων μεταμόρφωσις -ισμός
Plutus Πλοῦτος
pluviameter μέτρον
-metric(al(ly
pluvio-
gram γράμμα
graph -γραφος
graphy -ic(al -γραφία

pluvio- Cont'd
meter μέτρον
metry -ic(al(ly -μετρία
scope -σκόπιον
Plymouthism -ισμός
-ist -ite -ιστής -ίτης
Plynteria Πλυντήρια
pnein πνεία
pneo- πνέω
bio- βιο-
gnosis γνῶσις
mantia -ic(s μαντεία
dynamics δυναμικός
gaster gastric γαστήρ
graph -γραφος
(mano)meter μανός μέτρον
metry -μετρία
phore -φορος
scope -σκόπιον
pneum- πνεῦμα
adenia ἀδήν
apostema ἀπόστημα
arthrosis ἄρθρωσις
ascos ἀσκός
pneuma πνεῦμα
drome -δρομος
gram γράμμα
rox
scope -σκόπιον
telectasis τέλος ἔκτασις
thorax θώραξ
type τύπος
pneumat- πνευματ-
h(a)emia -αιμία
hodium ode ὁδός
ic πνευματικός
al(ly ity o- -ics
inuria -ουρία
ism ist -ισμός -ιστής
itic -ίτης
omphalocele πνευματόμφαλος κήλη
osis -ic πνευμάτωσις
urgy -ουργία
uria -ουρία
pneumato- πνευματο-
cardia καρδία
cele πνευματοκήλη
chemical χημεία
cyst(ic κύστις
dyspn(o)ea δύσπνοια
gen(ic -ous -γενής
genetic γενετικός
gram γράμμα
graph(y -γραφος -γραφία
hydatogenic -ous ὑδατο- -γενής
lit(h)ic λίθος
logy -λογία
-ic(al -ist -ιστής
lysis λύσις
lytic λυτικός
machian πνευματομάχος
-ist -y -ιστής
meter μέτρον
metry -μετρία
morphic μορφή
nomy -νομία
phany -φανια
philosophy φιλοσοφία
phobia -φοβία
phony -ic -φωνία
phore -ous -φορος
pyrist πῦρ -ιστής
(r)rhachis ῥάχις
scope -σκόπιον
tactic τακτικός
taxy τάξις

pneumato- Cont'd
therapeutics θεραπευτικός
therapy θεραπεία
thorax θώραξ
pneume -ic -in πνεῦμα
pneum- πνεῦμα
ectasis ἔκτασις
ectomy -εκτομία
odograph ὁδός -γραφος
pneumo- πνεῦμα
colon κόλον
derma δέρμα
dynamics δυναμικός
empyema ἐμπύημα
galactocele γαλακτο- κήλη
hemo- αἱμο-
pericardium περικάρδιον
thorax θώραξ
hydro- ὑδρο-
metra μήτρα
pericardium περικάρδιον
thorax θώραξ
hypoderma ὑπό δέρμα
kidney
pneumo- πνεύμων
actinomycosis ἀκτινο-
bacillus -in μύκης -ωσις
bacterin βακτήριον
branchia -iata βράγχια
bulbar -ous βολβός
cace κακή
carcinoma καρκίνωμα
cele κήλη
centesis κέντησις
cephalus κεφαλή
chirurgia χειρουργία
coniosis κόνις
cholosis χολή -ωσις
chysis χύσις
coccemia κόκκος -αιμία
coccus -al -ic -ous κόκκος
coniosis κόνις -ωσις
derm(a δέρμα
(at)idae is on(id(ae onoid
edema οἴδημα
enteritis ἔντερον -ῖτις
erysipelas ἐρυσίπελας
gastric γαστρ-
gram γράμμα
graph(y -ic -γραφος -γραφία
laelaps λαῖλαψ
lith(iasis λίθος λιθίασις
logy -ic(al λογία
malacia μαλακία
massage μάσσειν
melanosis μελαν- -ωσις
meter -ry μέτρον -μετρία
metrograph μετρο- -γραφος
mycosis μύκης -ωσις
pneumon- πνεύμων
acacia κακή
algia -αλγία
atelectasis τέλος
ectasis -ia ἔκτασις
ectomy -ἐκτομια
edema οἴδημα
(a)emia -αιμία
ia πνευμονία
ic(a πνευμονικός
itis -ic -ῖτις
odynia -ωδυνία
osis -ωσις
ypostasis ὑπόστασις
pneumono- πνεύμων
cace κακή
carcinoma καρκίνωμα
cele κήλη

pneumono- Cont'd
c(*or* k)entesis κέντησις
chirurgia χειρουργία
chlamyda -ate χλαμυδ-
cirrhosis κιρρός -ωσις.
coniosis κόνις -ωσις
enteritis ἔντερον -ῖτις
erysipelas ἐρυσίπελας
lith(iasis λίθος λιθίασις
melanosis μελαν- -ωσις
mycosis μύκης -ωσις
paludism -ισμός
paralysis παράλυσις
paresis πάρεσις
pathy -πάθεια
pericardial περικάρδιον
pexy -πηξία
phlebitis φλεβ- -ῖτις
phore -ous -φορος
phthisis φθίσις
pome -a -ous πῶμα
(r)rhagia -ῥαγία
rrhaphy -ῥαφία
rrhea -ῥοία
sarcy
therapy θεραπεία
tomy -τομία
pneumony πνευμονία
pneumo- πνεύμων
nosis νόσος
phora -ous -φορος
phthisis φθίσις
phymata φῦμα
physis φύσις
pleuritis πλευρῖτις
protein πρωτεῖον
pyelography πύελος γραφία
rrhagia -ῥαγία
septicemia σηπτικός -αιμια
septicemia σηπτικός -αιμια
serothorax θώραξ
skeleton -al σκελετόν
therapy θεραπεία
thyra θύρα
toc(*or* k) -ous ὠοτόκος
tomy -τομία
toxin τοξικόν
typhoid τυφώδης
typhus τῦφος
typosis τύπος -ωσις
pneumo- πνεῦμα
paludism -ισμός
paresis πάρεσις
pericardium περικάρδιον
-ial -itis -ῖτις
peritoneum περιτόναιον
-eal -itis -ῖτις
pexy -πηξία
pyo- πυο-
pericardium περικάρδιον
thorax θώραξ
rachis ῥάχις
radiography -γραφία
scope -σκόπιον
serosa
statics στατικός
thermomassage θερμο- μάσσειν
thorax θώραξ
uria -ουρία
ventriculi
-ography -γραφία
pneumous πνεύμων
pneupome πνεύμων πῶμα
pneusis πνεῦσις
-iobiognosis βιο- γνῶσις
-ometer μέτρον
Pnictopora -inae πνικτός πόρος

pnigalion πνιγαλιών
pnigophobia πνῖγος -φοβία
pnixis πνῖξις
Pnoepyga πνοή πυγή
pnoium πνοή
Pnyx Πνύξ
Poa -aceae -aceous -ad -ales
Poacites πόα
Poatrephes πόα ἀτρεφής
Pocadium ποκάς -ιστής
pococurant(e)ism -ist -ισμός
-pod(a -ποδος -ποδα
pod- ποδ-
abrus ἁβρός
ager(inae ine ποδαγρός
agericus ποδαγρικός
agra -e ποδάγρα
-al -ism -ous -ισμός
agric(al ποδαγρικός
agrion ποδαγρός
al ial ica
algia ποδαλγία
algus ποδαλγός
alyria Ποδαλείριος
-ieae -in
anencephalia ἀν- ἐγκέφαλος
anipter ποδανιπτήρ
arg(ue us πόδαργος
id(ae inae in(e oid
arthritis ἀρθρῖτις
arthrocace ἀρθρο- κακή
arthrum -al ἄρθρον
asteroid ἀστεροειδής
axineae ἄξων
axon(aceae ia(l ἄξων
edema οἴδημα
elcoma ἕλκωμα
encephalus ἐγκέφαλος
eon ποδεών
etium -iiform
iatry -ist ἰατρεία -ιστής
ion(ops ποδίον ὤψ
ischnus ἰσχνός
ismus ποδισμός
istra ποδίστρα
isus ite -ic ἴσος -ιτης
ium πόδιον
Podilymbus ποδι- κόλυμβος
-podium πόδιον
podo- ποδο-
branch βράγχια
ia iata iate
bromidrosis βρῶμος -ἱδρωσις
carp(us καρπός
eae ic idae ineous ous
cephalous κεφαλή
cnemis -id(ae -oid κνημίς
conus κῶνος
copa -ous κώπη
coryne -idae κορύνη
ctinus κτείς
derm δέρμα
dynamometer δύναμις μέτρον
gram graph γράμμα -γραφος
gyn(e ium γυνή
icus ous us
lasia λάσιος
lithus λίθος
logy -ist -λογία -ιστής
mancy μαντεία
mere μέρος
meter -ry μέτρον -μετρία
pholis φολίς
phyllo- φυλλο-
quercitin
toxin τοξικόν
phyllum φύλλον

podo- Cont'd
-ic -in(e -ous
pter(a ous πτερόν
pteryx πτέρυξ
scaph(er σκάφος
scopy -σκοπία
somata -ous σῶμα
sperm(ium σπέρμα
sphaera -ose σφαῖρα
stemon -ad στημών
-(on)aceae -(on)aceous
sthenic σθένος
stomata -ous στοματ-
syncarpy συν- καρπός
theca -al -us θήκη
trochilitis τροχιλία -ῖτις
zamites ζημία -ιτης
pod- ποδ-
oces ποδώκης
odynia -ωδυνία
okesaurus ποδώκης σαῦρος
ophthalm- ὀφθαλμός
a ata ate atous ia(n ic id(ae ite itic itus oid ous
(o)ur- οὐρά
a(n ellae id(ae oid ous
yperidrosis ὑπέρ -ἱδρωσις
-podous -y -ποδος -ποδία
podsolize -ίζειν
Poebates ποη- βάτης
poecil- ποικιλ-
e ποικίλη
ia iid(ae ioid ποικιλία
iopsis -inae ὄψις
istes -ιστής
ite -ic -ιτης
ictis ἴκτις
oid -οειδής
onym(y ic ὄνυμα
poecilo- ποικιλο-
blast βλαστός
chrus χρώς
cyte -osis κύτος -ωσις
cythemia κύτος -αιμία
cyttaria κύτταρος
dermis δέρμα
dynamous δύναμις
genesis γένεσις
geny -γένεια
gony -γονία
mere μέρος
myrma μύρμηξ
peplus πέπλος
pod(a ous ποδ-
spondylus σπόνδυλος
thermal -ic(al -ous θερμ-
thorax θώραξ
Poecilus ποικίλος
poem ποίημα
et ist ing let
andres -ανδρος
poematic ποιηματικός
Poemenesperus ποιμήν ἕσπερος
Poenopsis ποινή ὄψις
Poephaga -ous -us ποηφάγος
Poephila ποη- -φιλος
poesis poesy ποίησις
poet ποιητής -ισσα
ess hood less ling ly ship
poetaster(ism y ποιητής
poetastry ποιητής
-ess -ic(al -ισσα
poetic -ics ποιητικός
al(ly (al)ness ality ian ism ize -ισμός -ίζειν
poetico- ποιητικός
antiquarian

poetico- Cont'd
architectural ἀρχιτέκτων
grotesque
philosophic φιλοσοφία
poeticule poetito ποιητής
poetize(r -ation ποιητής -ίζειν
poetomachia ποιητο- -μαχία
poetry ποιητής
-ess -ize -less -ισσα -ίζειν
poetum πόα
pogon- πώγων
ia(s πωγωνίας
ephidza ἐφίζειν
iasis πωγώνιον -ίασις
iate πωγωνιάτης
ic us
ichthys ἰχθύς
ion ium πωγώνιον
pogono- πωγωνο-
basis βάσις
chaerus χαίρειν
logy -ist λογία -ιστής
perca πέρκη
pleura πλευρόν
rhynchus -inae -in(e ῥύγχος
scopus σκοπός
tomy -τομια
trophy -τροφία
Pogostemon πώγων στήμων
pogromist -ιστής
-poiesis ποίησις
-poietic ποιητικός
poikilo- = poecilo-
blast βλαστός
cyte -osis κύτος
cythemia κύτος -αιμία
derma δέρμα
dynamic δυναμικός
nymy ποικιλ- -ώνυμία
plastocyte πλαστο- κύτος
sakos σάκος
therm θερμ-
al ic ism -ισμός
poimenic(s ποιμενικός
pointillism -ist -ισμός -ιστής
poiology -ical ποῖος -λογία
poium poion πόα
pol- πολύς
achena ἀ- χαίνειν
anisia ἄνισος
arch(y -αρχία
ical ist -ιστής
polar πόλος
ian ic ily is ity ly ward y
istic ite -ιστικός -ίτης
ize -ίζειν
-ability -able -ation -er
polari- πόλος
(bi)locular
graphic γραφικός
meter μέτρον
metry -ic -μετρία
scope -y -σκόπιον -σκοπία
-ic(ally -ist -ιστής
strobo- στροβός
meter μέτρον
metrograph μετρο- -γραφος
polarograph(ic πόλος -γραφος
pole πόλος
polem- πολεμ-
arch πολέμαρχος
ic(s πολεμικός
al(ly ist -ιστής
ist πολεμιστής
ize πολεμίζειν
ophthalmia ὀφθαλμός

polemo- πολεμο-
cacophthalmia κακός ὀφθαλμός
mania μανία
scope -y -σκόπιον -σκοπία
Polemon πολεμόειν
Polemonium πολεμώνιον
-aceae -aceous -ales
polestar poleward(s πόλος
pol- πολύς
eumita εὔμιτης
exostylus ἔξω στῦλος
polhode πόλος ὁδός
poliad πόλις
poliadic Πολίας
polianite πολιανός -ίτης
polianthea -es πολύς ἄνθος
poliaxial πολύς
police(man(ship πολιτεία
ocracy -κρατία
-ial -ian -ize(r -ίζειν
policlinic πόλις κλινική
policy πολιτεία
policy(holder πολύπτυχον
polimonietum πολεμώνιον
polio- πολιο-
encephalitis ἐγκέφαλον -ῖτις
encephalo- ἐγκέφαλον
(meningo)myelitis μηνιγγο- μυελός -ῖτις
pathy -πάθεια
myelo- μυελο-
encephality ἐγκέφαλον
pathy -πάθεια -ῖτις
neuromere νευρο- μέρος
plasm πλάσμα
ptila πτίλον
-inae -in(e
pyrites πυρίτης
saurus -idae σαῦρος
stola στολή
poliorcetic(s πολιορκητικός
polis -polis πόλις
Polistes πολιστής
-otrema τρῆμα
politarch(ic πολιτάρχης
politian πολιτεία
politic πολιτικός
al(ism ization ize ly ness)
aster -ισμός -ίζειν
ian(ess ism ize) -ισσα -ισ-
ious less ly o μός -ίζειν
ist ize -ιστής -ίζειν
politico- πολιτικός
arithmetical ἀριθμητικός
commercial κός
ecclesiastical ἐκκλησιαστι-
economical οἰκονομικός
ethical ἠθικός
geographical γεωγραφικός
judicial military moral
mania μανία
orthodox ὀρθόδοξος
phobia -φοβία
religious -ionist -ιστής
scientific social
theological θεωλογικός
politics πολιτική
politique
politonality πολύς τόνος
politony πολύς -τονία
polity πολιτεία
-ist -ize -ιστής -ίζειν
Politzerize -ation -ίζειν
polkamania μανία
poll πολλοί
ac(h)- πολλαχή
anthic ἄνθος

poll Cont'd
igenus γεννᾶν
akiuria πολλάκις -ουρία
aplasy πολλαχή πλάσσειν
archy -αρχία
odic ὁδός
pollen-
ize(r -ation -ίζειν
ogenic -osis -γενής -ωσις
pollin-
ize oid(s osis -οειδής
odium -ial ὠδ-
Pollux Πολυδεύκης
-ucite -ίτης
polocyte πόλος κύτος
poloicous πολύς οἶκος
poloid πόλος -οειδής
Polonism -ισμός
Polonize -ation -ίζειν
Polonoceras κέρας
polos πόλος
-otropism τροπ- -ισμός
poltophagy πόλτος -φαγία
poltroonism -ize -ισμός -ίζειν
poly πόλιον
poly- πολυ-
acanthia ἀκάνθιον
acanthid -ous πολυάκανθος
achne ἄχνη
acid
acoustic(s ἀκουστικός
acron -odes ἄκρον ὀδούς
act(ine inal inia ἀκτίς
ad adamite ἀδ- -ίτης
adelph πολυάδελφος
ia(n ite ous -ίτης
aden- ἀδήν
ea ous
itis oma -ῖτις -ωμα
opathy -πάθεια
(omat)osis -ωμα -ωσις
aemia -αιμία
(a)esthesia αἰσθησία
(a)esthetic αἰσθητικός
affectioned
alcohol(ism -ισμός
algesia -αλγησία
althia πολυαλθής
am ?μορφή
amine ἀμμωνιακόν
amylose ἄμυλον γλεῦκος
andrion -ium πολυάνδριον
andry πολυάνδριος
-ia(n -ic -(ian)ism -(i)ous
-ist -ισμός -ιστής
angium ἀγγεῖον
angle angular
anthea -ean πολυάνθεα
anthes πολύανθης
-os -ous -us
anthy ἄνθος
arch ἀρχή
archy πολυαρχία
-(ic)al -ist -ιστής
argite ἀργός -ίτης
argyrite ἀργυρίτης
arinus ἀρρήν
arsenite ἀρσενικόν -ίτης
arteritis ἀρτηρία -ῖτις
arthric -on -ous ἄρθρον
arthritis -ic -ous ἀρθρῖτις
arthro- ἀρθρο-
dactylous δάκτυλος
articular
ascosoecia ἀσκός οἶκος
ase διάστασις
aster ἀστήρ

poly- Cont'd
atomic(ity ἄτομον
autography αὐτο- -γραφία
avitaminosis ἀ- ἀμμωνιακόν
axial axile -ωσις
axon(ic ἄξων
azin azole ἀ- ζωή
bacterium βακτήριον
basic(ity -ite βάσις -ίτης
bathic βάθος
bia πολύβιος
bigamia -y -γαμία
blast(ic us βλαστός
blennia βλέννα
borus πολυβόρος
-inae -in(e
bothris βοθρίον
brachia -us βραχίων
branch βράγχια
ia(n iata iate
bromid(e βρῶμος
buny -ic -ous βουνός
buttoned
camarous καμάρα
caon Πολυκάων
carboxylic ὀξύς ὕλη
cardia καρδία
carpa -on πολύκαρπος
-ic -(ic)ous -idea(n -y
carpellary cellular
caryon κάρυον
centr- κέντρον
al ic id(ae oid us
cephalous πολυκέφαλος
-ic -ist -ιστής
-opora πόρος
ceptor
cera πολύκερως
-id(ae -oid
cesta κεστός
chaete πολυχαίτης
-a -al -an -ous -ιστικός
characteristic χαρακτήρ
chasium -ial χάσις
cheiria χείρ
chloral -id(e χλωρός
cholia -χολία
chord πολύχορδος
choris -ion(ic χόριον
chotomy -ous πολύχοος
-τομία
chrest πολύχρηστος
chresty -ic(al πολυχρηστία
chroism πολύχροος
-ic -ite -ίτης
chrom- χρῶμα
asia atia y
at- πολυχρώματος -ίζειν
e ic ist ize ous -ιστής
atism χρωματισμός
ato- χρωματο-
phil(e ia ic -φιλος
emia πολύχρωμος -αιμία
osomic σῶμα
chronic χρόνος
chronicon χρονικόν
chrus πολύχρως
church κυριακόν
ism ist -ισμός -ιστής
chnous λύχνος
chylia χυλός
ciliate
cinnamic κίνναμον
cistina κίστος
clad(e πολύκλαδος
ida idea(n ose ous y
cleis κλείς

poly- Cont'd
cletan Πολύκλειτος
clinic κλινική
clonia κλόνος
clony -al -us κλών
coccus κόκκος
coelia -ian κοιλία
c(h)oerany πολυκοιρανίη
component
comus πολύκομος
conic κῶνος
cope -id(ae -oid κώπη
coria κόρη
cormic κορμός
cosmites -idae πολύκοσμος
cotylea -ous κοτύλη -ίτης
cotyledon κοτυληδών
ary ous y
cracy -κρατία
crase -ite κρᾶσις
crinus κρίνον
crotism -ic κρότος -ισμός
ctenes -id(ae -oid κτείς
ctesis κτῆσις
cyanide κύανος
cycly -ic πολύκυκλος
opharic
cyesis κύησις
cyrtida -an κυρτός
cyst- κύστις
ic id(ae idea(n in(e ina(n
cyth(a)emia -ic κύτος -αιμία
cyttaria -ian κύτταρος
dacrys πολύδακρυς
dactyl(e πολυδάκτυλος
ism ous us y -ισμός
d(a)emonism πολυδαίμων
-istic -ισμός -ιστικός
datogenol πολύγονον -γενής
datoside γλεῦκος
delphous ἀδελφός
demic δῆμος δήμιος
denominational dental
derces πολυδερκής
derm δέρμα
desmus δέσμος
aster ἀστήρ
-id(ae -oid(ea(n
diabolism διάβολος -ισμός
-ic(al -ist -ιστής
digital dimensional
dipsia πολυδίψιος
disperse -oid -οειδής
doggery
dolops δόλοψ
domous δόμος
dromic δρόμος
ometry -μετρία
drosus πολύδροσος
dymite δίδυμος -ίτης
dynamic δυναμικός
eidism -ic εἶδος -ισμός
electronic ἤλεκτρον
embryony -ate -ic ἔμβρυον
emia -αιμία
enzymatic ἔνζυμος
epic ἔπος
eres πολυήρης
ergus -ic πολύεργος
erg(id)ic ἔργον
ethnic ἔθνος
fenestral florous
foil fold formin
gal- πολύγαλον
a (ac)eae -aceous ate ic
galactia γαλακτ- inae in(e
gam πολύγαμος

poly- Cont'd
ia(n ic(al(ly ous(ly
odioecium -ious δι- οἶκος
gamy πολυγαμία
-ious -ist(ic -ize -ιστής
-ιστικός -ίζειν
ganglionic γάγγλιον
garchy (ὀλιγος) -αρχία
gastria(n -ic(a γαστρ-
gastrophora γαστρο- -φόρος
gastrulation γαστρ-
gen(e eous -γενής
genesis γένεσις
-ic -ist -ιστής
genetic(ally γενετικός
genic -ous -y πολυγενής
-ism -ist(ic -ισμός -ιστής
germ glandular -ιστικός
globulia -y -ism -ισμός
glossary γλῶσσα
glot πολύγλωττος
glott- πολύγλωττος
al ic ish ism ist ize ly ous
-ισμός -ιστής -ίζειν
ology -λογία
glycerol γλυκερός
glycolid γλυκύς
gnotan Πολύγνωτος
gon πολύγωνον
al(ly ar ate ation ic(ally ous
gonatum -eae πολυγόνατον
gonatus γόνυ θαι -ισμός
goneutism -ic πολυγονεῖσ-
gonin πολύγονον
gono- πολυγωνο-
metry -ic -μετρία
poda -ποδα
scope -σκόπιον
gonum πολύγονον
-aceae -aceous -ales -etum
gony γωνία -ic
gordius Γόρδιος
-iid(ae -ioid
gram(mar γράμμα
gram(matic πολύγραμμος
graph(er πολυγράφος
y ic(al πολυγραφία
gyn(ia(n πολυγύναιος
ic(us (i)ous ist y
gyna(*or* e)cial γυναικεῖον
gynaiky
gyral -ia -us πολύγυρος
h(a)emia πολυαιμία
halite ἅλς -ίτης
halogen ἁλο- -γενής
hedron πολύεδρον
-al -ic(al -oid -ous
-ometry -ic -μετρία
(h)idria ἱδρώς
-osis -ίδρωσις
hirma εἱρμός
histor(y ian ic πολυίστωρ
hybrid(ic
hydr- ὑδρ-
amnios ἀμνίον
ia ic uria -ουρία
hydro- ὑδρο-
hymnia Πολύμνια
ideia -eic -eism ἰδέα -ισμός
infection
iodated iodid(e ἰώδης
karic κάρυον
karyocyte κάρυον κύτος
ketide laminated
kont κοντός
krikos κρίκος
lemma λῆμμα

poly- Cont'd
lepis λεπίς
-idetum -idous
leptic ληπτός
linguist -ιστής
lith(ionate λίθος
lithic πολύλιθος
lobus -ular λοβός
logy πολυλογία
lophus λόφος
lychnous λύχνος
magnet Μαγνῆτις
mania μανία
masthus μαστός
mastia -ic -ism -y μαστός
mastiga μαστιγ-
-ate -ina -ote -ous
mastodon(t(id(ae -oid
μαστός ὀδών
math πολυμαθής
mathy -ic -ist πολυμαθία
matype τύπος
mazia μαζός
mechany πολυμηχανία
melia(n πολυμελής
-ious -ous -y
membered
meniscous μηνίσκος
mer πολυμερής
a ia ic(ular id(e ism(us
ization ize(r ous y -ισμός
-ίζειν
osomata -ous σῶμα
metallism μέταλλον -ισμός
metameric μετά μέρος
metasilicate μετά
meter μέτρον
methylene μέθυ ὕλη
metochia -ic μετοχή
micrian μικρός
micro- μικρο-
bial bic βίος
lipomatosis λίπος -ωμα
scope -σκόπιον -ωσις
tome -τομον
mignite μιγνύναι -ίτης
mite -us πολύμιτος
mixia πολυμυξία
-iid(ae -ioid
mixic μῖξις
Polymnia Πολύμνια
polymnite πολύμνιος
moechus μοιχός
molecular
molybdate μόλυβδος
morph πολύμορφος
a ian ic ina(e ism istic ous
y -ισμός -ιστικός
morpho- πολύμορφος
cellular
cyte κύτος
nuclear -eate
morphosis μόρφωσις
myaria(n myerial μυ-
myoclonus μυο- κλόνος
myodae -i(an -ous μυώδης
myoid μυ- -οειδής
myositis μυός -ῖτις
mythy μῦθος
naphthene -ic νάφθα
nary
neme -us νῆμα
-id(ae -iform -oid
nephria -ious νεφρός
nesia -ian -ic νῆσος
neural νεῦρον
-itis -(it)ic -ῖτις

poly- Cont'd
neuris νευρίς
nitro νίτρον
nodal nome -ic
noe noid(ae Πολυνόη
nomial
ism -ist -ισμός -ιστής
nucle-
ar ate(d olar osis otid(e
nym ὄνυμα
odic ᾠδή
odon(t(ia id(ae oid ὀδών
odontal -ia ὀδοντ-
oecism -(i)ous οἶκος
oestrum -ous οἶστρος
ommatous -us πολυόμματος
onomous -y ὄνομα
onychia ὀνυχ-
onym(y πολυώνυμος
al ic ist ous -ιστής
ophthalmia ὀφθαλμία
-us ὀφθαλμός
opia opy -ωπία
opsia opsy ὄψις -όψία
optilus ὀπτίλος
optron -um -οπτρον
orama ὅραμα
orchis ὄρχις
-(id)ism -ισμός
orexia ὄρεξις
organic ὄργανον
orrho- ὀρρός
meningitis μηνιγγ- -ῖτις
menitis ὑμην -ῖτις
menosis ὑμήν -ωσις
ose γλεῦκος
otia otical ὠτ-
ovulatus
oxide ὀξύς
oxymethylene ὀξυ- μέθυ ὕλη
oza ὄζος
pad page
p(us πολύπους
al ary dom ean er id(e ine
ite oid(al ose osis
pantograph παντο- -γραφος
papilloma -ωμα
parasitism παράσιτος -ισμός
paresis πάρεσις
paria πολύπους
-ian -ium -ous -y
pathia -πάθεια
ped
pedates -idae πήδειν
peltidae πέλτη
peptid(e πεπτός
periostitis περιόστεον -ῖτις
perythrin πολύπους ἐρυθρός
petal(ae ous πέταλον
peza πέζα
phagia -y πολυφαγία
ian ic ist -ιστής
phagous πολυφάγος
phalangism φαλαγγ- -ισμός
pharmacon πολυφάρμακον
-al -ia -ist -y -ιστής
phase(r -al φάσις
pheme -us Πολύφημος
-ian ic -id(ae -oid -ous
phenol φαιν-
-oxidase ὀξύς διάστασις
phida φειδός
phloesboian -oic πολύφλοισ-
-oism -ot(atot)ic βος
phobia -φοβία
pholophis φολίς ὄφις
phone -y πολύφωνος

poly- Cont'd
-ian -ic(al -ism -ist -ium -ous -ισμός -ιστής
phore -ous πολυφόρος
phosphate φωσφόρος
phote -al φωτ-
phrades πολυφραδής
phrasia φράσις
phylesis φύλον
phyletic(ally φυλετικός
phylladea φύλλον
phyllous -ine -y πολύφυλ-
-ogeny -γένεια λος
phyodont(ism πολυφυής
pi πολύπους οδοντ-
fer(a ferous form gerous parous
piety pinnate
piosis πίων -ωσις
placid πλακοῦς
placophore πλάξ -φορος
-a(n -ous
plane
planus πλάνος
plasmia πλάσμα
plast πλαστός
ic id(e ina -ωσις
plastocytosis πλαστο- κῦτος
plaxiphora πλάξ -φορος
plectron πλῆκτρον
inae um
plegia -πληγία
pleurus πλευρόν
plocotes πλόκος -οτης
ploid(y -πλοος
pn(o)ea -(o)eic πνοία
pod(e a ous ποδ-
pod(e ium πολυπόδιον
i(ac)eae iaceous ioid y
podia -y πολυποδία
po- πολύπους
medusae -an Μέδουσα
morpha -ic μορφή
stem strite
style -ar στῦλος
tome -τομον
pogon πώγων
ponous πολύπονος
por- πολύπορος
a aceae aceous e ic ite oid ol ose ous us
posia πολυποσία
-ist -ιστής
posthides πόσθη
pragmat- πολυπράγματος
ic(al ism ist y -ισμός-ιστής
pragmon πολυπράγμων
-etic -ic -ist -y -ιστής
pragmosyne -ic πολυπραγ-
prene μοσύνη
prion πρίων
prism(atic πρίσμα
proctus πρωκτός
prothesis -y πρόθεσις
prothetic ὀδοντ-
protodont(ia -id πρωτ-
prunida -an προῦνον
pseudonymous ψευδώνυμος
pstem -stock πολύπους
psychism -ic(al ψυχή -ισμός
pteriocarpus πτερίς καρπός
pterus πολύπτερος
-id(ae -oid(ei
ptote -on πολύπτωτον
ptych πολύπτυχον
ella odon ὀδών
pus πολύπους

poly- Cont'd
pyrene -ous πυρήν
rhipidium ῥιπίδιον
rhizous -a(l πολύρριζος
ricinoleic
rrhaphis ῥαφίς
rrh(o)ea -ῥοία
sacchar- σάκχαρ
id(e ine ose(s γλεῦκος
salicylid(e ὕλη
saprobia -ic σαπρο- βίος
sarcia πολυσαρκία
-ous -osis -ωσις
scelia -us σκέλος
schematist -ic πολυσκημά-
schisis σχίσις τιστος
scope -ic -σκόπιον
semant(ic πολυσήμαντος
semous πολύσημος
sensuous(ness
sepalous σκέπη
septate serial
serositis -ῖτις
sialia σίαλον
sided silicic -ate
siderite σιδηρίτης
sinu(s)itis -ῖτις
siphonia -ic -ous σίφων
soil solv(e)ol
somatous -ic πολυσώματος
soma σῶμα
-ia -itic -us -ίτης
spast πολύσπαστον
sperm(al πολύσπερμος
sperm(at)ous σπέρμα
spermia πολυσπερμία
-ic -ism -y -ισμός
sphenodon σφήν ὀδών
spire σπεῖρα
spondyly σπόνδυλος
sporangium -iate σπορά ἀγγεῖον
spore σπόρος
-ea(n -ed -ic
sporous πολύσπορος
stachyous στάχυς
stat station
stauria -ium -on σταῦρον
stele -ic -ous -y στήλη
stemonous στήμων
stethoscope στῆθος -σκόπιον
stichia στίχος
-oid -ous -um
sticta -us πολύστικτος
stigm στίγμα
atic ous
stom- πολύστομος
a ata (at)idae (at)ous e(a(n eae ella (i)um
stromatic στρῶμα
style -ar -ous πολύστυλος
sulph-
id(e onic uration uret
suspensoid -οειδής
syllab- πολυσύλλαβος
ic(ity -al(ly
ilingual
ism le -ισμός
syllogism συλλογισμός
-istic συλλογιστικός
symmetry συμμετρία
-cial(ly
syndetic(ally συνδετικός
syndeton σύνδετος
synodic συνοδικός
synthesis -ism σύνθεσις
synthetic πολυσύνθετος

poly- Cont'd
al(ly (ic)ism ize -ισμός -ίζειν
syphilide tasted
taxic τάξις
technic πολύτεχνος
al ian um -ics
teles -ite πολυτελής -ίτης
telluride
terpene τερέβινθος
teuthidae τευθίς
thalam- θάλαμος
acea (ace)ous ia(n ic
thallea θαλλός
thecium -ial θήκη
the- πολύθεος
ism ize ous -ισμός -ίζειν
ist(ic(al(ly -ιστής -ιστικός
thelemism θέλημα -ισμός
theleus -ia -ism θηλή
therm θερμ-
thionic -ate θεῖον
tocous πολυτόκος
toky πολυτοκία
tomous -y -τομον -τομία
tone -y -ic τόνος -τονία
tope τόπος
-ian -ic(al -ism -ισμός
tragic τραγικός
treta τρητός
trichia -osis πολύτριχος
tricho- τριχο- -ωσις
phora phyes φόρος φυής
trich(um τριχ-
aceae (ac)eous etum osus
troch(a(l ous τροχός
trophia -y -ic -τροφία
tropic πολύτροπος
-ism -us -ισμός
tungstic -ate
type -age -al τύπος
typic(al τυπικός
uresis οὔρησις
uria -ic -ουρία
valent -ence
vanadate voltine
xene ξένος
-id(ae -oid -us -y
zo- ζῷον
a(l an ic ism oid on(ite um
zoarium -y -ial ζωάριον
zome ζῶμα
zon- ζώνη
al iid(ae ioid ium
zygosis ζύγωσις
poma πῶμα
centrus κέντρον
-id(ae -oid
dasis δασύς
derris δέρρις
tomus -id(ae -oid -τομος
pom- πῶμα
acanthus ἄκανθα
arin(e atic
atias πωματίας
-iid(ae -ioid
-iopsis ὄψις
-id(ae -oid
ato-
branchiate -a βράγχια
chilus χεῖλος
delphis δελφίς
rhin(e -ῥινος
odon ὀδών
otis oxys ὠτ- ὀξύς
ology -λογία
-ic(al(ly -ist -ιστής

pomalology -λογία
pomiculturist -ιστής
pomp πομπή
al atic(al ary less osity oso ous(ly ness)
Pompholyx -ygous πομφόλυξ
pomphus πομφός
Pompilus πομπίλος
-id(ae -oid
ponderize -ίζειν
Ponera -id(ae -oid πονηρά
ponerology πονηρός -λογία
pono- πονο-
gen -γενής
graph -γραφος
palmosis πάλμος -ωσις
phobia -φοβία
ponos πόνος
pontachrome χρῶμα
pontacyl ὕλη
pontamine ἀμμωνιακόν
Pontic Ποντικός
pontimeter μέτρον
pontium πόντος
-ophidian ὀφίδιον
ponto- ποντο-
halicolous ἁλι-
leon λέων
poreia Ποντοπόρεια
-eiid(ae -eioid
pori- πόρος
a id(ae inae in(e oid
Pooecetes πόα οἰκητής
poohpoohist -ιστής
poonahlite -ίτης
poo- ποο-
phagus ποοφάγος
phil(o)us -φιλος
phyte -a -ic φυτόν
spiza σπίζα
poorlawism -ισμός
Popanoceras πόπανον κέρας
pope πάπας
dom hood less like ling ly holy -iness ship
pop- πάπας
ery(phobia -φοβία
ess ian ify -ισσα
ish(ly ishness
ism ize -ισμός -ίζειν
ocrat -κρατής
omastic μάστιξ
popinjay παπαγός
Poposaurus σαῦρος
popularim -ist -ισμός -ιστής
-ize(r -ation -ίζειν
popul(in)ase διάστασις
populism -ισμός
-ist(ic -ιστής -ιστικός
por- πόρος
al e ia
ambionites ἄμβιον -ίτης
androus -ανδρος
encephal- ἐγκέφαλον
ia ic itis on ous us y
enchyma ἔγχυμα
ichthys ἰχθύς
ime πόριμος
ina inin ion
ism(atic(al(ly πόρισμα
istic(al ποριστικός
ite(s -id(ae -oid -ίτης
pori- πόρος
cide -al form
fer(a al an ata ous)
porcelainist -ite -ιστής -ίτης
porcelainize -ation -ίζειν

Porcellanaster ἀστήρ
id(ae oid
porcellanite & -ize -ίτης -ίζειν
Porcellaria πόρκης
poriomania πορεία μανία
porkopolis πόλις
pornerastic πόρνη ἐραστής
porno- πορνο-
cracy -κρατία
crat -κρατής
graph(er πορνογράφος
ic ist y -ιστής
lagnia λαγνεία
poro- πορο-
brissus cottus
crinidae κρίνον
cyte κύτος
gam(y ic ous γάμος -γαμία
logy -λογία
meter μέτρον
mitra μίτρα
mya -yid(ae -yoid μυ-
phyllous -φυλλος
plastic πλαστικός
scope -σκόπιον
sphaerella σφαῖρα
stoma -atous στόμα
tomy type -τομία τύπος
poro- πῶρος
cele κήλη
cephalus κεφαλή
-iasis -osis -ίασις -ωσις
clinus κλιν-
keratosis κερατ- -ωσις
phorus -φορος
por- πόρος
odinic ὠδίς
oids -οειδής
omphalocele ὀμφαλός κήλη
ose -ity -iness
-imeter μέτρον
ous(ly ness
porod- πωρώδης
ic in(e ite itic ous
poroma πώρωμα
poros πῶρος
porosis πώρωσις
porotic -ωτικός
Porpacus πόρπαξ
porpezite -ίτης
porphin πορφύρα
porphyr- πορφυρ-
a aceous eae ic ous
aspis ἀσπίς
ate ation exide
e πορφύρεος
ian(ist Πορφύριος
in(e -ιστής
ogen uria -γενής -ουρία
io πορφυρίων
ioninae ionin(e
isma -us πορφύρεος
ite πορφυρίτης
-al -ic(al(ly
ize -ation -ίζειν
oid(in -οειδής
oxime oxin ὀξύς
uria -ουρία
porphyro- πορφυρο-
gene πορφυρογέννητος
genetic γενετικός
genite πορφυρογέννητος
-ism -ure -us
genitive γεννητός
leucus λευκός
phora -φορος

porphyro- Cont'd
rhynchus ῥύγχος
typhus τῦφος
porphyry πορφυρίτης
Porpita -id(ae -oid πόρπη
portax πόρταξ
portcaustic καυστικός
Porteranthus ἄνθος
Porthetes πορθητής
Portheus πορθεῖν
Porthmornis πορθμός ὄρνις
Porthochelys πορθέω χέλυς
portionist -ize -ιστής -ίζειν
portite -ίτης
portopyaemic πύον -αιμία
portraitist -ιστής
Port-Royalist -ιστής
Portugalism -ισμός
Poseidon(ia Ποσειδῶν
Poseidonian Ποσειδώνιος
Poseidonomya Ποσειδών μυ-
posiomania πόσις μανία
positivism -ize -ισμός -ίζειν
-ist(ic -ιστής -ιστικός
posology ποσο- -λογία
-ical -ist -ize -ιστής -ίζειν
Possibilist -ιστής
post-
Alexandrine Ἀλέξανδρος
allant(o)ic ἀλλαντ-
apoplectic ἀποπληκτικός
apostolic(al ἀποστολικός
arytenoid(eus ἀρυταινοει-
baptismal βάπτισμα δής
Biblical βίβλια
branchial βράγχια
carpotropic καρπο- τροπ-
central(is κέντρον
cephalic κεφαλή
chiasmatic χίασμα
choreic χορεία
choroid χόριον -οειδής
clisere κλίμαξ
condylar κόνδυλος
cosmic κόσμος
cotyledonary κοτυληδών
diastolic διαστολή
dicrotic δίκροτος
diphtheritic διφθέρα
discoidal δισκοειδής
embryonal -ic ἔμβρυον
encephalon ἐγκέφαλον
epileptic ἐπίληπτος
erioristic(ally -ιστικός
eropygal πυγή
(o)esophageal οἰσοφάγος
ethmoid ἠθμοειδής
ganglionic γάγγλιον
glenoid(al γληνοειδής
glottidean γλωττίς
hemiplegic ἡμιπλῆγος
hemorrhage -ic αἱμορραγία
hepatic ἡπατικός
hetero- ἑτερο-
cercal κέρκος
type τύπος
hippocampal ἱππόκαμπος
Homeric Ὁμηρικός
hyoid ὑοειδής
hypnotic ὕπνος
hypophysis ὑπόφυσις
impressionism -ισμός
-ist(ic -ιστής -ιστικός
ischial ἰσχίον
postle ἀπόστολος
mastoid μαστοειδής
meiotic μειωτικός

post- Cont'd
mesenteric μεσεντέριον
Mesozoic μεσο- ζωικός
Miocene μειο- καινός
Mosaic Μωσῆς
Mycenaean Μυκηναῖος
natalist -ιστής
necrotic νεκρός -ωτικός
neural -itic νεῦρον -ῖτις
oesophageal οἰσοφάγος νον
omosternum -al ὦμος στέρ-
Paleozoic παλαιο- ζωικός
paralytic παραλυτικός
pharyngeal φαρυγγ-
plegic πληγή
pliocene πλείων καινός
pneumonic πνεύμων
prophesy προφητεία
pycnotic πύκνωσις -ωτικός
pyramidal πυραμίς
Raphaelite -ίτης
retinal ῥητίνη
rhinal ῥίν
scenium σκηνή
sphenoid(al σφηνοειδής
splenial -ic σπλήν
stigmatal στίγμα
symphysial σύμφυσις
synapsis σύναψις
synaptic συναπτικός
synsacral σύν
syphilitic -ῖτις
systolic συστολή
thoracic θωρακ-
thyroidal θυρεοειδής
tonic τόνος
synizesis συνίζησις
traumatic τραῦμα
trigonal τρίγωνος
trochal τροχός
tympanic τύμπανον
typhoid τυφώδης
varioloid -οειδής
zygapophysis -ial ζυγόν
posth- πόσθη ἀπόφυσις
etomy -ist -τομία -ιστής
ioplasty -ic -πλαστία
itis -ῖτις
olith λίθος
postillism -ize -ισμός -ίζειν
posturist -ιστής
posy πόησις
potam- ποταμ-
ad eae ian ic icolous ites ium
anthodes ἀνθώδης
potamo- ποταμο-
biidae βίος -ίδης
choerus χοῖρος
gale -id(ae -oid γαλῆ
galist γαλή -ιστής
geton ποταμογείτων
aceae aceous etum
graphy -γραφία
logy -ical -ist -λογία -ιστής
meter μέτρον
philous -φιλος
phobia -φοβία
phyta φυτόν
plankton πλαγκτόν
spongiae σπογγιά
potasholigoclase ὀλιγο- κλάσις
potassamid(e ἀμμωνιακόν
amine ammonium
potationist -ιστής
potentialize -ation -ίζειν
potentiometer μέτρον
-metric -μετρία

potentite -ίτης
potentize(r -ίζειν
poterio- ποτηριο-
ceras κέρας
-atid(ae -atoid
crinus κρίνον -ίτης
-inae -ites
phorus ποτηριοφόρος
poterion ποτήριον
-ium -ieae
potetometer ποτής μέτρον
pothecary ἀποθήκη
Pothocithopsis ὄψις
potich(or ck)omania ποτικός
poto- πότος μανία
cytosis κύτος -ωσις
mania μανία
meter μέτρον
tromania τρομο- μανία
tromoparanoea τρομο-
παρανοία
Potomacmaea ἀκμαῖος
pourprite -ίτης
powderize -ίζειν
powellite & -ize -ίτης -ίζειν
powwowism -ισμός
practic πρακτική
practic πρακτικός
ability able(ness ably ant ate
practical πρακτικός um
ism ist ization ize ly ness
-ισμός -ιστής -ίζειν
practice(r -ian πρακτικός
practise -able -er πρακτικός
pract- πρακτικός
itioner(y -al
ive(ly κέρας θηρίον
Praeaceratherium πραι- ἀ-
praecordialgia -αλγία
Praeglyphioceras γλυφή κέρας
Praenestine Πραίνεστε
praetorianism -ισμός
pragmat- πραγματ-
agnosia ἀγνωσία
amnesia ἀμνησία
ic(ism πραγματικός
al(ity ly ness)
ism ize(r -ισμός -ίζειν
ist(ic -ιστής -ιστικός
Praia πραεῖα
prakritize -ίζειν
Pramnian Πράμνος
Praniza πρηνίζειν
-id(ae -oid
Praogena πρᾶος γένος
Praon(etha πρᾶος ἔθος
prase πράσιος
praseo- πράσιος
dymium -ate δίδυμος
lite λίθος
prasi- πράσιος
form(o)lite λίθος
prasin- πράσινος
a e id(ae oid ous
prasites πρασίτης
praso- πρασο-
chrome χρῶμα
coride curis πρασοκουρίς
dymium δίδυμος
lite λίθος
phagous -y -φαγος -φαγία
porella πόρος
prasoid πρασοειδής
Prasona πράσον
pratique πρακτική
Pravitoceras κέρας
Praxillean Πραξίλλειος

praxinoscope πρᾶξις -σκόπιον
praxiology πρᾶξις -λογία
Praxitelean Πραξιτέλειος
pre-
adamite -ic(al -ism -ίτης
agonal -ic ἀγών -ισμός
albuminuric οὖρον
anaphoral ἀναφορά σπέρμα
angiosperm(ous ἀγγειο-
antiseptic ἀντι- σηπτικός
aortic ἀορτή
aseptic ἀ- σηπτικός
ataxic ἀταξία
bacteriologic βακτήριον
branchial βράγχια -λογία
bromidic βρῶμος
bronchial βρόγχια
carcinomatous καρκίνωμα
cardiac καρδία
centrum -al κέντρον
cerebroid -οειδής
cheliceral χηλή κέρας
chloric -ination χλωρός
chordal χορδή
choroid χοροειδής
Christian(ic Χριστιανός
cipit(in)oid -οειδής
cipitinophoric -φορος
cipitogen(oid -γενής
cipitophore -φορος
cisianism -ist -ισμός -ιστής
cisionism -ist -ize -ισμός
-ιστής -ίζειν
clepsydroid κλεψύδρα-οειδής
clisere κλίμαξ
coccygeal κοκκυγ-
condylar -oid κόνδυλος
conize(r -ation -ίζειν
coracoid(al κορακοειδής
cordialgia -αλγία
cosmic κόσμος
cranial κρανίον
critical κριτικός
diastolic διαστολή
dazzite -ίτης
destinarianism -ισμός
destinationist -ιστής
determinism -ισμός
diastolic διαστολή
dicrotic δίκροτος
digastric(us δι- γαστρ-
Dorian Δώριος
dynastic δυναστικός
economic οἰκονομικός
embryo ἔμβρυον
epic ἔπος
epiglottic ἐπιγλωττίς
evolutionist -ιστής
ferentialism-ist -ισμός -ιστής
formism -ist ισμός ιστής
gametospore γαμέτης σπορά
gammation γαμμάτιον
ganglionic γάγγλιον
gastrular γαστρ-
genetic γενετικός
genial γένειον
geological(ly γεω- -λογία
glenoid(al γληνοειδής
glottidean γλωττίς
gonium γονία
Hellenic Ἑλληνικός
hemiplegic ἡμιπληγία
hepaticus ἡπατικός
heterocercal ἑτερο- κέρκος
hexameral ἑξήμαρ
historic(al(ly -ics ἱστορικός
history -ia(n ἱστορία

pre- Cont'd
hydration ὑδρ-
hyoid ὑοειδής
hypophysis ὑπόφυσις
laryngeal λαρυγγ-
laryngoscopic λαρυγγο-
latism -ισμός -σκόπιον
-ist -ize -ιστής -ίζειν
liminarize -ίζειν
lipoid λίπος -οειδής
lithic λίθος
localization -ίζειν
logical(ly λογικός
ludize -ίζειν
maniacal μανία -ακος
megalithic μεγα- λίθος
m(e)iotic μειωτικός
metallic μέταλλον
millenarianism -ισμός
millenialism -ισμός
-ist -ize -ιστής -ίζειν
monarchical μοναρχικός
mycosic μύκης -ωσις
myelocyte μυελο- κύτος
narcotic ναρκωτικός
natalist -ιστής
nephritic νεφρός -ῖτις
neural νεῦρον
optic ὀπτικός
organic -ized ὄργανον -ίζειν
pal(a)eo- παλαιο-
lith(ic zoic λίθος ζωικός
peritoneal περιτόναιον
Petrine Πέτρος
phthisis φθίσις
prostatic προστατής
pyloric πυλωρός
pyramid(al πυραμίς
Raphaelism -istic -ισμός
Raphaelite -ίτης -ιστικός
-ic -ish -ism -ισμός
retina -al ῥητίνη
rhotacistic ῥωτακίζειν -ισ-
τικός
prehnite -ίτης
-ene -ic -iform -ol
Premna -oblatta πρέμνον
pren- πρηνής
anthes ἄνθος
oid -οειδής
olepis λεπίς
Prepopharus πρέπειν φᾶρος
Preptoceras κέρας
presby- πρεσβυ-
ac(o)usia ἄκουσια
atry ἰατρειά
cousis ἄκουσις
ophrenic -o- φρήν
opia -ic -y -ωπία
otic ὠτ-
pithecus πίθηκος
sphacelus σφάκελος
presbyter(e πρεσβύτερος
al ate ess ial(ist ially ism ship
-ισσα -ιστής -ισμός
presbyte πρεσβύτης
-ia -ic -inae
-iatrics ἰατρικός
-ism -ισμός
presbyter πρεσβύτερος
al ate e ess ial(ly ialist ism
ship -ισσα -ιστής -ισμός
ian πρεσβυτέριον
ism ize(d ly -ισμός -ίζειν
ion ium πρεσβυτέριον
presbytero- πρεσβυτέριον
episcopal ἐπίσκοπος

pre- Cont'd
scene σκηνή
scholastic σχολαστικός
sclerosis -otic σκλήρωσις
scriptionist -ιστής -ωτικός
sentation(al)ism -ist -ισμός
sentist -ιστής -ιστής
servatize -ίζειν
sphenoid(al σφηνοειδής
sphygmic σφυγμός
splenial σπληνίον
splenomegalic σπλήν μεγαλ-
pressinervoscopy -σκοπία
prestabilism -ισμός
prester πρηστήρ
preterist -ιστής -ιστής
preternaturalism -ist -ισμός
pre- Cont'd
stomium -ial στόμα
symphysial σύμφυσις
synapsis σύναψις
synaptic συναπτικός
synizetic συνίζησις
synsacral σύν
systole -ic συστολη
thoracic θωρακ-
thyroid(ean (e)al θυροειδής
tone -ic τόνος
torianism -ισμός
trochal τροχός
tympanic τύμπανον
typify τύπος
uremic οὖρον -αιμία
urethritis οὐρήθρα -ῖτις
ventionalist -ιστής
ventology -ist -λογία
vocalized -ίζειν
zoic ζωή
zonal ζώνη ἀπόφυσις
zygapophysis -ial ζυγόν
zygomatic ζύγωμα
zymogen ζύμη -γενής
Priacanthus πρίων ἄκανθα
-id(ae -ina -ine
Priape Πριάπειος
-ean -ian -ic -iform -ish
Priapichthys πρίαπος ἰχθύς
priapism Πριαπισμός
priapitis πρίαπος -ῖτις
priapize Πριαπίζειν
Priapus Πρίαπος
-acea -id(ae -oid(ea(n
-ocephalus κεφαλή
priggism -ισμός
primarize -ίζειν
Primaspis ἀσπίς
primerite μέρος
primever(osid)ase διάστασις
primeverose -ide γλεῦκος
Primianist -ιστής
primordialism -ισμός
primospore σπορά
Prinos -iops πρῖνος ὤψ
prio- πρίειν
bium βίος
lomus λῶμα
priocerous πρίων κέρας
Priodon(t(es -inae πρίων ὀδών
Prion(us πρίων
eae id(ae inae iturus ium
acalus ἀκαλός
ace ἀκή
istius ἱστίον
odes -ώδης
-oceras κέρας
odon ὀδών
-ont(es inae in(e)

Prion(us Cont'd
oid -οειδής
oplus ὅπλον
ops ὤψ
op(id(ae inae in(e oid)
urus οὐρά
priono- πριονο-
belum βῆλον
ceras -us κέρας
delphis δελφίς
dera δέρη
desm δεσμός
acea(n aceous atic
glossa -ate γλῶσσα
merus μηρός
mysis μύσις
pus πούς
rhynchia ῥύγχος
scelia σκέλος
Prionotus πρίων νῶτος
prioristic(ally -ιστικός
Priscellianism -ισμός
-ist -ite -ιστής -ίτης
prism πρίσμα
al atic(al(ly ate(d atico- atid
atine atize ed ic odic
atomonas μονάς oid(al y
optometer ὀπτός μέτρον
osphere σφαῖρα
prisometer πρισής μέτρον
prisoptometer πρίσις οπτός
prist- πρίστης
acanthus ἄκανθα
ancylus ἀγκύλος
aulacus αὖλαξ
igaster γαστήρ
iophorus -φορος
-id(ae -oid
odontus ὀδοντ-
-id(ae -oid
oid -οειδής
Pristerophorus πριστηρο-
Pristis πρίστις -φορος
-id(ae -oid
-imerus μηρός
Pristocera πριστός κέρας
pro- πρό
agglutinoid -οειδής
agonic ἀγών
agosternus προάγειν στέρ-
ailurus αἴλουρος νον
airesis προαίρησις
alizer προαλίζειν
amnion -otic ἀμνίον
amphibia ἀμφίβιος
ampyx -ycus ἄμπυξ
anaphora(l προαναφορά
angiosperm ἀγγειο- σπέρμα
ic ous y
anthesis προάνθησις
anthostrobilus ἀνθο- στρό-
anthropos ἄνθρωπος βιλος
antithrombin ἀντι- θρόμβος
arthri -ous ἄρθρον
arthropoda ἀρθρο- -ποδα
asma πρόᾳσμα
attas
aulion προαύλιον
baptismal βαπτίζειν
basid βάσις
batus προβάτιον
beloceras βέλος κέρας
bion(ta βίον
blem πρόβλημα
-atary -atist -atize -ist(ic
-ιστής -ίζειν -ιστικός
atic(al(ly προβληματικός

pro- Cont'd
blerhinus προβάλλειν ῥίν
bole -istic προβολή
bol- πρόβολος
oides -οειδής
optila πτίλον
boscis προβοσκίς
-aria -ic -ida(e -idate -ide
-idea(n -ideous -id(i)al
-idian -ifera -iferous
-igerous -ised -oid
bothrium βοθρίον
bouleutic προβούλευσις
cardium καρδία
carp(ium καρπός
catalectic καταληκτικός
catalepsis προκατάληψις
catarctic(al προκαταρκτικός
catarxis προκάταρξις
cathedral καθέδρα
celeusmatic προκελευσματ-
cellose γλεῦκος ικός
cephalic κεφαλή
cephalic προκέφαλος
cerapachys κέρας παχύς
cercoid κέρκος -οειδής
cerebrum -al
ceritherium -idae κεράτιον
cerus κέρας
-osaurus σαῦρος
cessionalist -ιστής
chelyna χελύνη
chilous πρόχειλος
chlorite χλωρός
choanite(s χοάνη -ίτης
choma πρόχωμα
chondral χόνδρος
chondriomes χονδρίον
choos πρόχοος
chordal χορδή
choresis προχώρησις
chorion(ic χόριον
choroptera χώρα πτερόν
chosium πρόχωσις
chromatin χρῶμα
chromo- χρῶμα
gen some -γενής σῶμα
chronic πρόχρονος
-ism -ize -ισμός -ίζειν
chymosin χυμός
cladosictis κλάδος ἴκτις
clisis -κλισις
clitic -κλιτικός
cnemial κνήμη
coelia κοιλία
coelian -ous κοῖλος
colophonia(n κολοφών
colpochelys κολπο- χέλυς
compsognathus κομψός
conia κῶνος γνάθος
coracoidal κορακοειδής
cormophyta κορμός φυτόν
cosmopolites κοσμοπολίτης
cranaus κραναός
cris Πρόκρις
cryptic(ally κρυπτικός
probabiliorism -ισμός
probabilism -ist(ic -ize -ισμός
-ιστής -ιστικός -ίζειν
probationism -ist -ισμός -ιστής
procession(al)ist -ιστής
processionize -ίζειν
Procnias Πρόκνη
-iat(id(ae inae in(e)
Procrustes Προκρούστης
-ean(ism -eanize -esian

proct- πρώκτος
acanthus ἄκανθα
agra ἄγρα
algia -y -αλγία
atresia -y ἀτρησία
ectasia -εκτασία
ectomy -εκτομία
encleisis ἐγκλείειν
eurynter εὐρύνειν
itis -ῖτις
od(a)eum -eal ὀδαῖος
odynia -ωδυνία
oncus ὄγκος
ucha -ous -ουχος
procto- πρωκτο-
cele κήλη
clysis κλύσις
cneme -ic κνήμη
coccopexy κόκκυξ -πηξία
colitis κόλον
colonoscopy κόλον -σκοπία
cysto- κύστις
plasty -πλαστία
tome -y -τομον -τομία
elytroplasty ἔλυτρον
logy -λογία -πλαστία
-ic(al -ist -ιστής
lopha λόφος
menia μήν
notus -id(ae -oid νῶτος
paralysis παράλυσις
pexy -πηξία
phanes φαιν-
phobia -y -φοβία
plasty -ic -πλαστία
plegia -πληγία
polypus πολύπους
ptoma πτῶμα
ptosis πτῶσις
rrhagia -ῥαγία
rrhaphy -ῥαφία
rrhea -ῥοια
rrheuma ῥεῦμα
scirrhus σκίρρος
scope -y -ic -σκόπιον -σκο-
sigmoid- σιγμοειδής- πία
-ectomy -itis -εκτομία
spasm(us σπασμός -ῖτις
stenosis στένωσις
stomy στομία
tome -y -τομον -τομία
toreusis τόρευσις
tresia ἀτρησία
trete -us τρητός
trypes -id(ae -oid τρυπᾶν
valveotomy -τομία
proctorize -ation -ίζειν
pro- πρό
cupressocrinus κυπάρρισος
cyon Προκύων κρίνον
ian id(ae iform(ia inae in(e
dector προδέκτωρ oid
deltidium δέλτα -ιδιον
diaene δι- (τρί)αινα
diagnosis διάγνωσις
dialogue διάλογος
dician Πρόδικος
dicyonodon δι- κύων ὀδών
didomus προδίδωμι
-id(ae -oid
prodigalism -ize -ισμός -ίζειν
dimorphomyrmex δι- μορφο-
dioxys δι- ὀξύς μύρμηξ
dissoconch δισσός κόγχη
ditomania μανία
domitidae δόμος
domos πρόδομος

pro- Cont'd
dophytium πρόοδος φυτόν
dotes προδότης
drome πρόδρομος -ous -us
-a(l -atic(ally -ic -ist -os
dromy προδρομία
ectoprocton ἐκτός πρώκτος
edria προεδρία
egumene προηγούμενος
-al -ic(al -ous
electrotermes ἤλεκτρον
em προοίμιον τέρμα
ial(ly iate y
embryo(nic ἔμβρυον
emptosis ἔμπτωσις
encephalon -us ἐγκέφαλον
enzyme ἔνζυμος
eotia = proiotia
epimeron -al ἐπί μηρός
episphales ἐπισφαλής
episternum -al ἐπί στέρνον
erythro- ἐρυθρο-
blast cyte βλαστός κύτος
estrum -ous οἶστρος
ethnic ἐθνικός
eupolyzoon εὖ πολυ- ζῷον
gamete -al -ation γαμέτης
ange -ium ἀγγεῖον
ophyte φυτόν
gamic -ous γάμος
gano- γάνος
chelys χέλυς
saur(ia(n σαῦρος
ganoid γάνος -οειδής
gaster γαστήρ
gastrin γαστρ-
genital
geo- γεω-
esthetic αἰσθητικός
tropic -ism τροπ-
geria γῆρας
glossis προγλωσσίς
glossy γλῶσσα
glottis γλωττίς
-ic -id(ean -idization
gnath- γνάθος
i ic ism ous y -ισμός
ite odes -ίτης -ώδης
gnose -is πρόγνωσις
gnostes προγνώστης
gnostic προγνωστικός
able al(ly ant ate ation
ative ator(y ian on ous
gnostify προγνωστικός
goneate γονή
gonic πρόγονος
gono- πρόγονος
chelys χέλυς
taxis τάξις
zoic ζωικός
gonyleptoides γονυ- λεπτός
gram(me πρόγραμμα
ma mer (m)ist -ιστής
grammatic -ist γράμμα
gymnasium γυμνάσιον
gymnasma προγύμνασμα
gymnosperm(ic ous γυμνο-
halecites σπέρμα
hauericeras κέρας
iogony πρώιος -γονία
iotia πρωιότης
jodin ἰώδης
karyogametisation κάρυον
γαμέτης -ίζειν
keimenon προκείμενον
kinase κινεῖν διάστασις
kinesis κίνησις

pro- Cont'd
holopus ὅλος πούς -ισμός
hydrotropic -ism ὑδρο- τροπ-
hylobates ὑλοβάτης
hyracodon ὑρακ- ὀδών
hysteroceras ὕστερος κέρας
icene πρωί καινός
ictes -inia προίκτης
idonite εἶδω -ίτης
invertase διάστασις
kosmial κόσμος
lecanites λεκάνη -ίτης
lectite προλεκτικός
legomenon προλεγόμενον
-al -ary -ist -ous
lepsis -arian πρόληψις
leptic προληπτικός
al(ly -ics
leuc(*or* k)emia λευκός -αιμία
leukocyte λευκο- κύτος
limnocyon λιμνή κύων
log(ue πρόλογος
os uer (u)ist uize(r us
-ιστής -ίζειν
lycaon λυκάων
lystrosaurus σαῦρος
machos -us πρόμαχος
mammal(ian
mastax μάσταξ
meces -ops προμήκης ὤψ
megaloblast μεγαλο- βλασ-
meristem(atic μεριστός τός
merops μέροψ
-ope(s -opidae -opinae
merycochoerus μερυκο-
metallid(e μέταλλον χοῖρος
metatropic μετά τροπ-
metheus Προμηθεύς
-ea(n -eically
methichthys προμηθής
microps μικρ- ὤψ ἰχθύς
mitosis μίτος -ωσις
mnesia -μνησία
monaene μον- (τρί)αινα
morph μορφή
morphology μορφο- -λογία
-ical(ly -ist -ιστής
muscis προβοσκίς
mycele μύκης ἧλος
-ium -ial
myelocyte μυελός κύτος
myliobates μυλίας βατίς
mystriosuchus μυστριο-
naos πρόναος σοῦχος
naus νάος
nephros -on -ic νεφρός
-idium -idian -ιδιον
iostome στόμα
neusticosaurus νευστικός
niceras κέρας σαῦρος
nomaea προνομαία
nomotherium νομός θηρίον
nothacanthus νόθος ἄκανθος
notum -al νῶτος
-ogrammus γραμμή
nucleus
nymph(al νύμφη
ochotona ὄχος τόνος
ode προῳδος
odophytia πρόοδος φυτόν
oemium προοίμιον
-ion -iac
(o)estrum οἶστρος
oncholaimus ὀγχο- λαιμός
opic ὠπ-
osteon ὀστέον
ostracum -al ὄστρακον

pro- Cont'd
otic(um ὠτ-
pachastrella παχύς ἀστρ-
paedeutic(al -ics παιδευτι-
paedia προπαιδεία κός
palaeochoerus παλαιο-
χοῖρος
palatherium πάλαι θηρίον
palinal πάλιν
parepteron -al πτερόν
productionist -ιστής
profanism -ισμός
-ize -izate -ίζειν
profession(al)ism -ισμός
ist ize -ίζειν
profondometer μέτρον
professorialism -ισμός
profilist -ιστής
profilograph -γραφος
profilometer μέτρον
Progne Πρόκνη
progress(ion)ism -ist -ισμός
progressivism -ist -ιστής
projectilist projectionist
projectoscope -σκόπιον τής
prohibitionism -ist -ισμός -ισ-
proletair(ian)ism -ισμός
proletairianize -ίζειν
proletairiatism -ισμός
prolyl πυρρός ὕλη
Promopalaeaster(idae πρόμος
παλαιός ἀστήρ
Pronoe -oid(ae Προνόη
Pronocera προνο- κέρας
pronometer μέτρον
pronominalize -ίζειν -ίζειν
pronounist -ization -ιστής
propagandism -ist(ic(al(ly -ize
-ισμός -ιστής -ιστικός -ίζειν
prop- πρῶτος πίων
aldehyde ὕδωρ
ane -ol -one -ώνη
-olysis λύσις
argyl ἄργυρος ὕλη
amine ἀμμωνιακόν
ate ic
en(oic ol one) -ώνη
enyl ὕλη
amine ἀμμωνιακόν
ic idene
idene ine inyl ὕλη
iolic -ate
ione (-al -ate -ic -in)
-amid(e ἀμμωνιακόν
-yl ὕλη
phenetidin φαιν-
onal osote
yl ὕλη
acetic -ate -ylene
ate ation benzene ene ic
idene ἀμμωνιακόν
(glucos)amin(e γλεῦκος
propio- πρῶτος πίων
betaine in βῆτα
nitril(e νίτρον
phenone φαιν- -ώνη
pro- πρό
paria(n πρό παρεία
paroxytone προπαροξύτονος
-ic -os -us
pathy -ic προπάθεια
pepsin(e πέψις
peptone -uria πεπτός -ουρία
peri- περί
meristem μεριστός
spome -enon
προπερισπώμενον

pro- Cont'd
stome -a(l περί στόμα
toneal περιτόναιον
phanes προφανής
phase -ic φάσις
phase πρόφασις
phatnic φάτνιον
phecy προφητεία
-iographer -γραφος
-ize monger -ίζειν
phesy προφητεία
-iable -ier
phet προφήτης
ess hood ism ization ize
less ly ry ship -ισσα
-ισμός -ίζειν
ic προφητικός
al(ity (al)ly alness ism o-
ocracy -κρατία
phloem φλοιός
phoraula φόρος αὐλή
phoric προφορικός
photo- φωτο-
tactic τακτικός
taxis τάξις
tropism τροπ- -ισμός
phragm(a φράγμα τικός
phylactic(al(ly προφυλακ-
phylacticon προφυλακτικόν
phylact- προφυλακτικός
odontia -ist ὀδοντ- -ιστής
phylaxis -y προφύλαξις
phyllocrinus φυλλο- κρίνον
phyll(on φύλλον
um atus oid
physeter φυσητήρ
phytogams φυτο- γάμος
pine -ation προπίνειν
pithecus πίθηκος
plasm(ic(s πλάσμα
plasm(a πρόπλασμα
plastic(s προπλάσσειν
πλαστικός
plastid πλαστός
pleopus πλεο- πούς
pleuron -um -al πλευρά
plex(us
pliothecus πλείων θήκη
podium προπόδιος
-ial(e -ial(ia
podus -ite -itic ποδ- -ίτης
polis πρόπολις -ισμός
-isin -ization -ize -ίζειν
polist προπωλέω -ιστής
polymastodon πολυ- μαστός
ὀδών
pomacrus πούς μακρός
pomate πρόπομα
pontic Προποντίς
portheus πορθεῖν
porus -idae πόρος
psiloceras ψιλο- κέρας
pteridophyta πτερίς φυτόν
pterus -odon πτερόν ὀδών
pterygium -ial πτερύγιον
ptoma πρόπτωμα
ptosis πρόπτωσις
ptometer μέτρον
pupa -al
pygidium πυγή -ιδιον
pylaeum προπύλαιον
pylon πρόπυλον
-ite -ic -ization -ίτης
pyrin πῦρ
rachias ῥαχία
rachis -idial ῥάχις στόμα
rastomus -idae πρῶρα

pro- Cont'd
renal
rhinal ῥίν
rodon(idae πρῶρα ὀδών
rrhaphy -ῥαφία
proportion(al)ism -ist -ισμός
propositionist -ιστής -ιστής
prosaicism -ισμός
prosaicomiepic κομικός ἔπος
prosaism -aist -ισμός -ιστής
Proserpine Περσεφόνη
-a -id(ae -oid
prosimetrical μέτρον
pros- προσ-
aerotaxis αἐρο- τάξις
apha προσοφή
artema προσάρτημα
aulius προσαύλειος
cephaladeres
προσκεφάλαιον δέρις
chairlimnetic χαίρειν λίμνη
chemo- χημία
tactic τακτικός
taxis τάξις
colla κόλλα
eliscothon κώθων
elyte προσήλυτος
-ation -er -ess -ism -ist(ic
-ization -ize(r -ισσα
-ισμός -ιστής -ιστικός
embryum ἔμβρυον -ίζειν
encephal(on ic ἐγκέφαγον
enchyma -atous ἔγχυμα
enneahedral -ous ἐννέα
ἕδρα
enthesis ἔνθεσις
epilogism ἐπιλογισμός
ethmoid ἠθμοειδής
euche -a προσευχή
galvanotaxis τάξις
geotropic γεω- τροπ-
heliotropic -ism ἡλιο- -ισμός
hydrotaxis ὑδρο- τάξις
imetrical μέτρον
lambanomenos
προσλαμβανόμενος
lepsis πρόσληψις
neusis πρόσνευσις
odal -us πρόσοδος
odes προσόζειν
odiac(al(ly προσοδιακός
odion προσόδιον
ody προσῳδία
-ial -ian -ic(al(ly
-ist -ιστής
onomasia προσονομασία
osmotaxis ὠσμός τάξις
pro- πρό
sapogenin -γενής
saur(ia(n σαῦρος
olophus λόφος
scalops σκάλωψ
scapula -ar
scenium προσκήνιον
scholium σχολή
sciurus σκίουρος
scolex -ecine σκώληξ
scopus πρόσκοπος
-orrhinus ῥίν
scorpius σκορπίος
scut(ell)um -ar
selachius -ian σέλαχος
selenic σελήνη
serozyme ζύμη
siloxan ὀξύς
siphon σίφων
al ata ate

pro- Cont'd
some -a(l -atic σῶμα
sorus -al
pros- πρόσω
branch(ia βράγχια
-(ial)ism -iata -iate
cephala πρόσωπον κεφαλή
cline κλίνειν
c(o)ele -ia κοῖλος
demic δῆμος
detic δετός
diencephal(on -ic δι- ἐγκέ-
φαλον
gaster γαστήρ
gnathous γνάθος
gyre -ate -ous γῦρος
plasia -y πλάσις
plasm πλάσμα
plasty -ic -πλαστία
plax πλάξ
poetical ποιητικός
pulmonate -a
pyle -ar πύλη
proso- πρόσωπον
pagus πάγος
podiplegia ποδ- -πληγία
prosop- πρόσωπον
algia -ic -αλγία
androphila ἀνδρο- -φιλος
ectasia -εκτασία
is προσωπίς
ite -ίτης
ium ial ius προσωπεῖον
ogmus ὄγμος
oniscus ὀνίσκος
prosopo- προσωπο-
cephala κεφαλή
cera κέρας
conus κῶνος
diaschisis διά σχίσις
graphy -γραφία
latry λατρεία
lepsy -ian προσωποληψία
logy -λογία
-ical -ist -ιστής
meter μέτρον
paralysis παράλυσις
plegia -ic -πληγία
p(o)eia -ey προσωποποιεία
-(o)eial -(o)eic(al
rrheuma ῥεῦμα
schisis σχῖσις
spasm(us σπασμός
sternodynia στέρνον -ωδυνία
thoracopagus θωρακο πάγος
tocia τόκος
pros- προσ-
pelates προσπελάτης
philus προσφιλής
phototaxis φωτο- τάξις
phyodont προσφύω ὀδοντ-
physes φύσις
physis πρόσφυσις χυμα
plectenchyma πλεκτός ἔγ-
syllogism συλλογισμός
pro- πρό
spalax σπάλαξ
sphygmic σφυγμός
spor- σπορά
ange -ium ἀγγεῖον
oid -οειδής
spory πρώιος σπορά
sta Στα
stady στάδιος
prostaden προστάτης ἀδήν
prostanthera -eae ἀνθηρός
prostas προστάς

prostat- προστάτης
a e eria ic(a
algia auxe -αλγία αὔξη
ectomy -εκτομία
elcosis ἕλκωσις
ism itis -ic -ισμός -ῖτις
odynia -ωδυνία
oncus ογκος
prostato- προστάτης
cele κήλη
cirrhus κιρρός
cyst- κύστις
itis otomy -ῖτις -τομία
lith(us λίθος
megaly μεγάλη
meter μέτρον
myomectomy μυ- -ωμα -εκ-
meter μέτρον τομία
parectasis παρέκτασις
rrh(o)ea -ῥοία
scirrhus σκίρρος
tomy -τομία
toxin τοξικόν
vesiculitis -ῖτις
vesical
pro- πρό-
stelic στήλη
stemmate -ic στέμμα
stenus στενός
-oneuridae νεῦρον
sternum πρόστερον
-al -odes -ώδης
sthenic -ops σθενός ὤψ
stoma -al στόμα
stomaion προστομαῖον
stomium προστόμιον
-ial -iate
stomum -us πρόστομος
style -os -ic πρόστυλος
stypus πρόστυπος
syllogism προσυλλογισμός
-istic(al -ιστικός
pros- προσ-
taxia πρόσταξις
theca -al προσθήκη
thema πρόσθεμα
theon thion προσθέων
thermotaxis θερμο- τάξις
thesis πρόσθεσις
thet- πρόσθετος
a ic(ally ics ist -ιστής
thigmotaxis θίγμα τάξις
prosth- πρόσθεν
aphairesis ἀφαίρεσις
-etical -ετικός
arsenia ἀρσήν
encephalon ἐγκέφαλον
ion(ic πρόσθιος
iostomum στόμα
-id(ae -oid
prosthodontia -ist πρόσθετος
prostho- προσθο- ὀδοντ-
branchia βράγχια
lytic λυτικός
pro- πρό
tactic προτακτικός
tacto- πρότακτος
clymenia Κλυμένη
tanytarsus τανυ- τάρσος
tarsus -al τάρσος
tatic(ally προτατικός
taxis τάξις
prot- πρωτ-
aceratherium πρῶτος ἄκερος
acmon ἄκμων θηρίον
actinium ἀκτιν-
agon ἄγον

prot- Cont'd
agonist πρωταγωνιστής
agoreanism Πρωταγόρας
al an ar -ισμός
albin -(in)ate -(in)ic
albumose γλεῦκος
alcyonacea(n ἀλκυόνειον
alcyonaria ἀλκυών
amin(e ἀμμωνιακόν
ammida ἄμμος
amnion -iota ἀμνίον
am(o)eba ἀμοιβή
-an -ic -oid
amphirhin(e ἀμφί ῥιν-
andry -ανδρία
-ic -ism -ous(ly -ισμός
anomalopia ἀνώμαλος -ωπία
anope -ia ἀν- ωπ- -ωπία
anthesis ἄνθησις
anthocyan ἀνθο- κύανος
arch πρωτάρχης
archoides ἀρχοιδής
argentum Aryan
argol ἀργός
arthraster ἄρθρον ἀστήρ
idae inae
ascineae ἀσκός
asis πρότασις
asolanus
aspis ἀσπίς
astacus -ine ἀστακός
aulopsis αὐλός ὄψις
axocrinus ἄξων κρίνον
axonia -ial ἄξων
embryo(nic ἔμβρυον
encephalon ἐγκέφαλον
enchyma ἔγχυμα
encrinus ἐν κρίνον
ephemeroidea ἐφήμερος
prote- Πρωτεύς
a (ac)eae aceous ad ales
an(ly id(a(n idea idea(n
(id)oid iform ina(e ism us
nema νῆμα
prote- πρωτεῖον
ane ate atic
antigen ἀντί -γενής
ase διάστασις
ic id(in
in(aceous ate oid ous)
phobia -φοβία
uria -ουρία
ino- -γενής
chrome -ogen χρῶμα
therapy θεραπεία
ose γλεῦκος
-otherapy θεραπεία
-uria -ουρία
uria -ic -ουρία
protectionism -ισμός
-ist -ize -ιστής -ίζειν
protectograph -γραφος
proteical πρωτεική
pro- πρό
teles -id(ae -oid τέλος
-therium θηρίον
temnodon προτέμνειν ὀδών
tenomus προτείνειν ὦμος
proteo- Πρωτεύς
didelphys δι- δελφύς
lepas -id(ae -oid λεπάς
lite λίθος
morpha(n -ic μορφή
myxa -an μύξα
soma -al σῶμα
proteo- πρωτεῖον
chemotropic χημεία τροπ-

proteo- Cont'd
clastic κλαστικός
fication
gens -γενής
hydro- ὑδρο-
lysis λύσις
lytic λυτικός
lipin λίπος
lysis -e -in λύσις
lytic λυτικός
metabolic -ism μεταβολή
peptic πεπτικός -ισμός
pexy -ic -πηξία
saurus σαῦρος
sere
therapy θεραπεία
synthesis σύνθεσις
toxin τοξικόν
proter- πρότερος
andry -ous(ly -ανδρία
anope ἀν- ὠπ-
anthous ἄνθος
ical ops ὤψ
protero- πρότερος
base βάσις
blastic -ese βλαστός
chersis χερός
glossa -ate γλῶσσα
glyph(a ic ous γλύφειν
gynous -y γυνή
petalous πέταλον
piloceras πῖλος κέρας
pterae πτερόν
saur(us σαῦρος
ia(n id(ae oid
sepalous σκέπη
spongia σπογγιά
suchidae σοῦχος
there -ium θηρίον
-iid(ae -ioid
thesis θέσις
tome -τομον
type(s τύπος
zoic ζωικός
Protestantism -ize(r -ισμός
pro- πρό -ίζειν
tetraceros τετρα- -κερως
tetrad τετρα-
thalamion -ium θάλαμος
thalassoceras θάλασσα
thallium θαλλός κέρας
-atae -ial -ic -iform -in(e
-oid -us γάμος
thallogams *or* -ia θαλλο-
thamnodes θαμνώδης
thesis πρόθεσις
thetic(al(ly προθετικός
thorax -acic θώραξ
-acotheca θήκη
thrombin θρόμβος
-ase διάστασις
thylacinus θύλακος
thymia θυμός
thyron -um πρόθυρον
timesis προτίμησις
tinus προτείνειν
titanotherium Τιτᾶνος
θηρίον
prothonotary πρωτονοτάριος
-ial -ist ship -ιστής
prot- πρωτ-
evangel εὐαγγέλιον
ion ist ium -ιστής
helminth(a ic ἑλμινθ-
homo
hyalosome -a(l ὕαλος σῶμα
hysteron πρωθύστερον

prot- Cont'd
ichnite ἴχνος -ίτης
iode ἰώδης
-id(e -uret
ion ἰόν
protist πρώτιστος
a(n ic oid
protisto- πρώτιστος
graptus γραπτός
logy -ist λογία -ιστής
proto- πρωτο-
abbaty ἀββατία
abbot ἀββᾶς
actinium ἀκτιν-
albumen
alkaloid -οειδής
apostate ἀποστάτης
Arabic 'Αραβικός
architect ἀρχιτέκτων
Aryan
ascineae ἀσκός
Babylonian Βαβυλώνιος
basidiomycetes -ous βάσις
-ιδιον μυκήτες
benthon βένθος
berberine beris
biont βιοντ-
bishop ἐπίσκοπος
blast(ic βλαστός
blastoderm βλαστο- δέρμα
blattiniella blattoidea
botanist βοτάνη -ιστής
boysia
branchiate -a βράγχια
broch(al βρόχος
bromide βρῶμος
busycon βούσυκον
canonical κανονικός
carbide
carbohydrate ὑδρ-
caris -inate
caryon κάρυον
caseose γλεῦκος
catechuic -ualdehyde ὕδωρ
Caucasic Καύκασος
caulome καυλός -ωμα
caulon(idae καυλός
cephalopod κεφαλή ποδ-
Celtic Κελταί
ceras -atidae κέρας
cercal κέρκος
cere κέρας
cerebron -al -um
cerius πρωτοκήριος
chemist(ry χημεία
chlorid(e & -uret χλωρός
chlorophyl(l(ine χλωρο-
φύλλον
chorda(ta -ate χορδή
chrome χρῶμα
-osome σῶμα
chronicler χρονικός
chrysis χρύσις
-ictinae ἴκτις
cimex
cirripedia κιρρός
cladus -ous κλάδος
clastic κλαστός
cneme κνήμη
cocc- κόκκος
aceae aceous al(es idae
oid(eae us
coelom(a κοίλωμα
ata ate ic
col πρωτόκολλον
ar ic ist ize(r -ιστής -ίζειν
collenchyma κόλλα ἔγχυμα

proto- Cont'd
conch(al ial κόγχη
con(ul)e -id κῶνος
Corinthian Κορίνθιος
corm(al κορμός
cranium κρανίον
curarin
cyanid(e κύανος
deacon πρωτοδιάκονος
derm δέρμα
a aceae ieae ium
devil διάβολος
dichobune διχο- βουνός
dinifer(idae δῖνος φέρειν
dipnoan δίπνοος
discineae δίσκος
dochae δοχή
dolium
dome δόμος
Doric Δωρικός
dynastic δυναστικός
Egyptian Αἰγύπτιος
Elamite -ῖτης
elastose ἐλαστός
element
ephippium ἐφίππιον
epiphyte -ic ἐπι φυτόν
erythrocyte ἐρυθρο- κύτος
Etruscan fluorine
foraminifer forester
gala πρωτόγαλα
gamophyta γαμο- φυτόν
gamy -ous -γαμία
gaster gastric γαστήρ
gasteropod γαστηρο- ποδ-
gelatose -γλεῦκος
gen(id(e -γενής
genes πρωτογενής
-al -eous -ic -ist
genesis γένεσις
genetic γενετικός
gin(e γίνεσθαι
globulose γλεῦκος
god
gonidium γονή -ιδιον
gono- γονή
cyte κύτος
plasm πλάσμα
gonos -ous πρωτόγονος
gospel
gram γράμμα
grammoceras γράμμα κέρας
graph -γραφος
Greek Γραικός
groomship
gyny -ous γυνή λος
gyrodactylous γυρο- δάκτυ-
hadrome ἁδρός μεστός
Hellenic Ἑλληνικός τός
hematoblast αἱματο- βλασ-
hemi- ἡμι-
cryptophytes κρυπτός
ptera πτερόν φυτόν
heresiarch αἱρησιάρχης
hippus ἵππος
history -ian -ic ἱστορία
human
hydra ὕδρα
hydrogen ὑδρο- -γενής
ideal ἰδέα
iodid(e ἰώδης
Ionic Ἰωνικός
justiciaryship
karyon κάρυον
kionoceras κίων κέρας
kosin lemur
lampas λαμπάς

proto- Cont'd
lenus πρωτ- ὠλένη
lepidoptera λεπίδος πτερόν
leptome λεπτός μέστωμα
leukocyte λευκός κύτος
lichas λιχάς
lichesteric λειχήν στερεός
limulus
lithic -ite λίθος -ίτης
lithionite λιθίον -ίτης
lithoplasm λιθο- πλάσμα
log(ue y ic λόγος -λογία
loph λόφος
lysis λύσις
magnate Malay
mala -an -ar
mantis μάντις
Mark Matthew
martyr πρωτόμαρτυρ
mecoptera μῆκος πτερόν
Mede Μῆδος
medicus
meristem μεριστός
merit(e ic μέρος -ίτης
meryx μηρυξ
mesal μέσος
metal μέταλλον
metaphrast μεταφράστης
meter μέτρον
metrocyte μητρο- κύτος
microcotyle μικρο- κοτύλη
mist πρωτομύστης
monas -adina μονάς
Mongol mutilla
morph(ic μορφή
mycelium μύκης ἧλος
Mycenean Μυκηναῖος
myces -etaceae μύκης
myosinose μῦς
myxa -oid μύξα
natural
nauplius ναύπλιος
necrodes νεκρώδης
negro neideres
neme νῆμα
-a(l -atal -atoid
nemertini Νημερτής
nephron -os -ic νεφρός
-idium -ιδιον
neuretus νευρ- ἐτός
neuron νεῦρον
novelist -ιστής
nitrate νίτρον
nontronite -ίτης
notary πρωτονοτάριος
-ial -iat ship
notator
nucleate -a nuclein
organism ὄργανον -ισμός
ornithoid ὀρνιθ- -οειδής
palaeaster παλαι- ἀστήρ
palus πρωτόπαλος
papaverine
pap(p)as πρωτοπαπᾶς
paraffin parent
pathia -y πρωτοπάθεια
pathic πάθος
patriarchal πατριάρχης
pattern
pauropus παῦρος πούς
pectin πηκτός
pelecypod πελεκύς ποδ-
pepsia πεψία
perlidae
phloem φλοιός
phocaena φώκαινα
Phoenician Φοινικήιος

proto- Cont'd
phosphide φωσφόρος
phrynus φρύνη
phyceae φύκης
phyll(um in(e φύλλον
phyte -a -ic πρωτόφυτος
-tology -λογία
pilio
plasm(a πλάσμα
al (at)ic ist -ιστής
plast(a ic πρωτόπλαστος
plast(id ine πλαστός
plot
poda -ite -itic ποδ- -ίτης
podium -ial πόδιον
pope παπᾶς
porphyrin πορφύρα
presbyter πρωτοπρεσβύ-
primitive τερος
prism πρίσμα
proteose πρωτεῖον γλεῦκος
protestant
psyche -ic ψυχή ψυχικός
pter(e πτερόν
an i idae ous us
pteridophyta πτεριδο- φυτόν
pterygian πτέρυξ
ptychus πτυχ-
-opsis ὄψις
pyramid πυραμίς
rebel Renaissance
rrhopla ῥόπαλον
sal salt
sclerenchyma σκληρός
scriniary ἔγχυμα
seismograph σεισμός -γρα-
Semitic Σήμ φος
silicic sinner
siphon(ula σίφων
siphonogamic σιφωνο-
siren σειρήν γάμος
social
solanus solution sorex
somite -ic σῶμα -ίτης
spasm σπασμός
spathaire & -arius
πρωτοσπαθάριος
spermatoblast σπερματο-
sphaeric σφαῖρα βλαστός
sphargis
sphyraenidae σφύραινα
spira σπεῖρα
spondyli σπόνδυλος
spongia(n -idae σπογγία
spore σπορ-
sporophyte σποροφυτόν
stapedifera
stega -idae στέχη
stele -ic -y στήλη
stigma στίγμα
stoma -al στόμα
strophes στροφή
style στῦλος
sulphate & -id(e & -uret
sulpuga
symphyla(r σύμφυλος
syngnatha -ous σύν γνάθος
synthetic σύνθετος
syphilis
systematic σύστημα
taxites τάξις -ίτης
tergite -ίτης
thallogamae θαλλο- γάμος
thallus θαλλός
theca -al θήκη
theme θέμα
there -ia(l -ium θηρίον

proto- Cont'd
thorax θώραξ
toxin -oid τοξικόν -οειδής
tracheate -a τραχεῖα
traitor
troch(al τροχός
troph(ic ism y τροφή -ισμός
type -on πρωτότυπον
-al -ic(al(ly -y
-embryo(nic ἔμβρυον
typic τύπος
typographer τυπο- -γραφος
tyrant τύραννος
veratr(id)in(e
vermiculite -ίτης
vertebra(l -ata -ate
vestiary
xylem ξύλον
zeuga -idae ζεῦγος
zeugma ζεῦγμα
zo- ζῷον
a(n (an)al ic ite
acide agglutinin
ary ζωάριον
on(al um
zonea(n -ite ζώνη -ίτης
zoo- ζωο-
cidal
logy -ist -λογία -ιστής
phag(e -φαγος
philous -φιλος
zygote ζυγοτός
proton πρῶτον
Protonopsis Πρωτεύς ὄψις
-id(ae -oid
prot- πρωτ-
octin ὀκτώ
odont(a ὀδοντ-
oecium οἶκος
one -ώνη
onta ὄντα
onym ὄνυμα
opin(e ὄπιον
opsis ὄψις
ornis ὄρνις
-oceras κέρας
oro- ὄρος
hippus ἵππος
saurus -ia(n σαῦρος
orthoptera ὀρθο- πτερόν
ovum
oxid(e ate ize ὀξύς
ungulate -a
ureter οὐρητήρ
yle -in ὕλη
pro- πρό
tome προτομή
tonic τόνος
tox- τοξικόν
(e)oid in ogenin
trachiate -a τραχεῖα
trachodontidae τραχύς
trematе -a τρῆμα ὀδοντ-
treptic(al προτρεπτικός
triaene τρίαινα
trochal -ula τρόχος
tropic -ites τροπ- -ῖτης
trypsin τρῖψις
type -us τύπος
typon πρότυπον
typotheroides τυπο- θηρο-
vampyrus πρό ειδής
proustite -ίτης
Provencalize -ίζειν
proverbialism -ισμός
-ist -ize -ιστής -ίζειν
proverbiology -ist -λογία

provincialism -ισμός
-ist -ize -ιστής -ίζειν
prowazekiasis -ίασις
proxenet(e a προξενητής
proxenus -e πρόξενος
proxeny προξενία
proximo-
ataxia ἀταξία
cephalic κεφαλή
pro- πρό
xylem ξύλον
ymnion ὕμνος
zoic ζωικός
zone -al ζώνη ἀγγεῖον
zoosporange ζωο- σπορ-
zygapophysis ζυγόν
ἀπόφυσις
zygosis ζυγόν -ωσις
zymite προζυμίτης
zymogen ζυμή -γενής
prudentialism -ist -ισμός
prudist -ιστής
prulaurasin προῦνον
prun- προῦνον
ase -in διάστασις
e etin etol iferous iform itrin
icyanin κύανος ol us
oid(ea(n -οειδής
ophracta(n φρακτός
Prussianism -ισμός
-ize(r -ation -ίζειν
prussite -ίτης
Prymnesium πρυμνήσιος
prymno- πρυμνόν
desma δέσμα
pteryx πτέρυξ
rhopala ῥόπαλον
prytaneum πρυτανεῖον
prytan(is -ize πρύτανις
prytany πρυτανεία
Psalidium ψαλίδιον
psalido- ψαλιδο-
coptus κοπτός
crinus κρίνον
dect δήκτης
gnathus γνάθος
psalis ψαλίς
-idura οὐρά
-istoma στόμα
-oid -οειδής
Psalistus ψαλιστός
psall- ψάλλειν
enda oid
psalm ψαλμός
ic less y
ist(er ry -ιστής
ody ψαλμῳδία
-ial -ic(al -ist -ize
ograph ψαλμογράφος
er ist y -ιστής
psalter ψαλτήριον
er ial ian ion ium y
psaltress -ry ψαλτήριον
psaltria -iparus ψάλτρια
psamathad -ium ψάμαθος
-ophilus -φίλος
-ophyta φυτόν
Psammetichus ψαμμήτιχος
psamm- ψάμμος
a etum inae ous
arch ἀρχή
ismus ψαμμισμός
ite -ic ψαμμίτης
odes ψαμμώδης
odontia ὀδοντ-
odus ὀδούς
-ontid(ae -ontoid

psamm- Cont'd
oecus οἶκος
oma -ωμα
ophis ὄφις
-id(ae -inae -in(e
urgical -ουργος
psammo- ψαμμο-
aetus ἀετός
bia -iid(ae -ioid βίος
carcinoma καρκίνωμα
cincla κίγκλος
cryptus κρυπτός
genous -ity -γενής
lithic λίθος
logy -ist -λογία -ιστής
nemata νῆμα
perca πέρκα
phile(s -ous -φιλος
phyte -ia -ic φυτόν
sarcoma σάρκωμα
sere
spiza σπίζα
therapy θεραπεία
Psaris ψάρ
psaro- ψαρός
colius lite κολιός λίθος
Psaronius -ite ψαρός -ίτης
Psaryphis ψαρός ὑφαίνειν
psathur- ψαθυρός
ite ose -ίτης
Psathyrus ψαθυρός
-oceras κέρας
pschent ψχεντ
psectra- ψήκτρα
scelis σκελίς
psectro- ψήκτρα
cephalus κεφαλή
cera κέρας
Psednoblennius ψεδνός
psegmo- ψῆγμα
ptera πτερόν
pselaph- ψηλαφάω
esis -ia ψηλάφησις
idium ψηλαφῶν -ιδιον
ognath(a ous γνάθος
otheca θήκη
us i id(ae oid
pseliumene ψελιουμένη
Pselliodes ψέλλιον -ώδης
Pselliopus ψέλλιον πούς
Psellis ψελλίζειν
psellism(us ψελλισμός
ology -ist -λογία -ιστής
Psen(oceras ψήν κέρας
Psepharobius ψεφαρός βίος
Psephenus -idae ψεφηνός
psephism(a ψήφισμα
psephite -ic ψῆφος -ίτης
Psephodus ψῆφος ὀδούς
Psepholax ψέφος ὦλαξ
Psephologa ψηφολόγος
Psephus ψῆφος
-omancy μαντειά
-urus οὐρά
psett- ψῆττα
a aceous idae inae in(e us
ichthys ἰχθύς
odes -ώδης
-id(ae -oidea(n
pseuch -*etc.* = psych- *etc.*
pseud- ψευδ-
acanthus ἄκανθα
aconin -itin(e ἀκόνιτον
acousis ἄκουσις
acousma ἄκουσμα
acranthic ἄκρος ἄνθος
acromegaly ἀκρο- μεγαλή

pseud- Cont'd
actinomycosis ἀκτινο- μύκης
aesthesia -αισθησία -ωσις
aethria αἰθρία
agnostus ἄγνωστος
agraphia ἀ- γράφειν
albuminuria -ουρία
allosematic ἀλλο- σῆμα
almedia
alopex ἀλώπηξ
ambulacra(l -um
amitosis ἀ- μίτος -ωσις
amnesia ἀμνησία
amoeboid ἀμοιβή -οειδής
amphimeryx ἀμφί μήρυξ
amphora ἀμφορεύς
amygdaloid(al ἀμυγδαλοει-
amygdule ἀμυγδαλέα δής
andry -ανδρία
angina
ankylosis ἀγκύλωσις
annual annulus
anthias ἀνθίας
anthis -ic ἄνθος
aphia ἀφή
aphrophora ἀφρο- -φορος
apogamy ἀπό- -γαμία
aposematic ἀπό σῆμα
apostle -olic ψευδαπόστολος
arachna(e ἀράχνη
arrhenia ἄρρην
arthritis ἀρθρῖτις
arthrosis ἄρθρωσις
astacus ἀστακός
astarte Ἀστάρτη
ataxic ἀταξία
atoll axis -ine
barydia βαρύδιον
echeneis ἐχήνια
echis -ic ἔχες
elephant ἐλέφας
elytron -um ἔλυτρον
embryo -onic ἔμβρυον
emys -yidae ἐμύς
encephalic -us ἐγκέφαλος
endromis ἐνδρομίς
entoptic ἐντός ὀπτικός
epigraph ψευδεπίγραφος
a al ic(al ous y
epiploon -oic ἐπίπλοον
episcop(ac)y ψευδεπίσκοπος
episematic ἐπίσημα
eponymous ψευδεπώνυμος
esthesia -αισθησία
haemal αἷμα
halcyon ἀλκυών
halteres ἁλτῆρες
(h)elminth ἕλμινς
hemipteryx ἡμι- πτέρυξ
holoptic ὅλος ὀπτικός
homonymic ὁμώνυμος
idea ἰδέα
imago -inal ψευδής
inoma ἰν- -ωμα
inulin
iphtheritic διφθέρα
is ism ψευδής -ισμός
isochromatic ἰσο-
χρωματικός
isodomon -um -ous ψευδι-
odont ὀδοντ- σόδομος
oidia ᾠόν -ιδιον
ol
oliva -inae ἐλαία
oniscus ὀνίσκος
-id(ae -oid
onychium ὀνυχ-

pseud- Cont'd
onym(e ψευδώνυμος
al ic ity ous(ly ness) uncle
oothrix ᾠο- θρίξ
operculum -a(r -ate
ophidia(n ὀφίδιον
opsia opsis -οψία ὄψις
optics ὀπτικός
orca
orexia ὄρεξις
organic ὄργανον
orthoceras ὀρθο- κέρας
oscines -in(e osculum
osmia ὀσμή
ova(l ovum
ovary -al -ium
pseudo- ψευδο-
acacia ἀκακία
acid
aconitin(e ἀκόνιτον
acromegaly ἀκρο- μεγαλή
actinomycosis ἀκτινο- μύκης
adiabat(ic ἀδιάβατος -ωσις
adventive
agraphia ἀ- γραφειν
albuminuria -ουρία
alkaloid -οειδής
alveolar angina angle
amoeboid ἀμοιβή -οειδής
anilopyrine πῦρ
ankylosis ἀγκυλωσις
annulus
anorexia ἀν- ὄρεξις
apoplectic ἀποπληκτικός
apoplexy ἀποπληξιά
aposematic ἀπό σῆμα
apostle ἀπόστολος
appendicitis -ῖτις
apraxia ἀπραξία
archaic ἀρχαικός
archaism -aist ἀρχαῖος
-ισμός -ιστής
Aristotelian Ἀριστοτέλειος
arthrosis ἄρθρωσις
articulation
ascetic ἀσκητής
asthma ἄσθμα
asymmetry ἀσυμμετρία
ataxia ἀταξία
autoicous αὐτ- οἶκος
axis bacillus
bacterium βακτήριον
bard baselow
base βάσις
basidium -ia βάσις
beat becquerelia
biatorine
Bible βίβλια
blaps βλαψίς
blepsis -ia βλέψις
boleite -ίτης
bombus
bombyces -ine -ini βόμβυξ
borhyaena βορός ὕαινα
bos
brachium -ial βραχίων
branch(ium βράγχια
-ial -iate
brookite -ίτης
bulb(ar il ous βολβός
calcareous calculi
cambium capillitium
capitulum cardita
carcinoid καρκίνος
carcinoma καρκίνωμα
cardinal carnites -ίτης
carp(ous καρπός

pseudo- Cont'd
cartilaginous cast
Catholic(al καθολικός
ism -ισμός
cellulose γλεῦκος
center κέντρον
centr- κέντρον
i ic(ity ous um
centris κεντρίς
cephalodium κεφαλώδης
cephalus κεφαλή
-ocele κήλη
cepitulum
ceratitis κερατ- -ῖτις
ceratophorous κερατο- -φο-
cercaria κέρκος ρος
cerebrin
ceros -κερως
-id(ae -oid -otidae
chalazion χαλάζιον
chalcedonite χαλκηδών
chama χήμη -ίτης
chancre china
chloride χλωρός
chloritis χλωρῖτις
chorea χορεία
Christ(ology Χριστός -λογία
Christian(ity Χριστιανός
chrom χρῶμα
(a)esthesia -αισθησία
atin e ia
idrosis -ἱδρωσις
osome σῶμα
chromis χρόμις
-ides (id)id(ae (id)oid
chronism χρόνος -ισμός
chronologist χρονολογία
chrysalis χρυσαλλίς -ιστής
chrysolite χρυσο- λίθος
chylous χυλός
cilium citizen
circus κίρκος
cirrhosis κιρρός -ωσις
cladosictis κλάδος ἴκτις
classic(al(ity ism -ισμός
Clementine -γαμία
clistogamy -ous κλειστός
cnemodes κνημώσης
codein κώδεια
coele -ian -ic κοῖλος
coelom(e κόιλωμα
colloid κόλλα -οειδής
coloboma κολόβωμα
columella(r columna
commissure -a(l
concha -oid κόγχη
cone κῶνος
conglomerate
conhydrine κωνεῖον ὑδρ-
conjugation corneous
cormophytes κορμο- φυτόν
cortex costa(te
cotunnite -ίτης
cotyledon κοτυληδών
ae eae
coxalgia -αλγία
crangonyx κραγγών ὄνυξ
cranion κρανίον
cremnops κρημν- ὤψ
creodi κρεώδης
crisis κρίσις
critic(ism κριτικός -ισμός
crocidolite κροκίς λίθος
croup
crystalline κρυσταλλῖνος
cubic(al κυβικός
cuma -id(ae -oid κῦμα

pseudo- Cont'd
cum- κύμινον
(id)ine yl ὕλη
cyclosis κύκλωσις
cyesis κύησις
cylindroid κύλινδρος
cyphella κυφός
cyst κύστις
dacus δάκος
deltidium δέλτα -ιδιον
dementia
dera δέρη
derm δέρμα
deweylite λίθος
diabase διάβασις
diartema δι- ἄρτημα
diastolic διαστολή
dichotomy διχοτομία
dictya δίκτυον
dike
diorite διορίζειν
dipter ψευδοδίπτερος
al(ly on ous
diphtheria -itic διφθέρα
distance -ῖτις
dox(al ψευδόδοξος
doxy ψευδοδοξία
dramatic δραματικός
dysentery δυσεντερία
dystrophy -ous δυσ- τροπή
(o)edema οἴδημα
education
elaters ἐλατήρ
electrolyte ἠλεκτο- λυτός
element
embryonic ἔμβρυον
emphysema ἐμφύσημα
encephalitis ἐγκέφαλον -ῖτις
endometritis ἐνδο- μήτρα
enthusiast ἐνθουσιαστής
ephedrin(e ἐφέδρα
ephemer ἐφήμερος
epinasty ἐπί ναστος
episcopacy ἐπίσκοπος
equality
erysipelas ἐρυσίπελας
erythrin ἐρυθρός
esthesia -αισθησία
eucryptite εὔκρυπτος
evangelism εὐαγγέλιον
evangelist εὐαγγελιστής
exophoria ἔξω -φορία
exposure farcy
favosites fecundation
fertilization -ίζειν
fever fibrin
filaria(n fluctuation
foliaceous form
fouguea fracture fruit
galena γαλήνη
gametange γαμέτης
gamy -γαμία ἀγγεῖον
ganglion γάγγλιον
gaster γαστήρ
gastrula γαστρ-
gaylussite -ίτης
gelocus
general -ic gentility
genus γένος
geogenous γεω- -γενής
geometry γεωμετρία
geus(a)esthesia γεῦσις
geusia γεῦσις -αισθησία
geustia γευστός
geyser ginitzia
glacial glanders globulin
glauconia γλαῦκος

pseudo- Cont'd
glioma γλία -ωμα
glossothyris γλῶσσα θυρίς
glottis γλωττίς
glucosazone ἀ- ζωή
gonococcus γόνος κόκκος
gonorrhea γονόρροια
Gothic granular
graph ψευδογράφος
er ize -ίζειν
grapheme ψευδογράφημα
graphy ψευδογραφία
gryphes γρύψ
gymnit γύμνος -ίτης
gymno- γυμνο-
sperms σπέρμα
gyn(e ous γυνή
gyrate γῦρος
h(a)emal αἷμα
halide ἁλ-
hallucination -ory
halter haustorium
heart
helion ἥλιος
hemo- αἱμο-
globin
ptysis πτύσις
hermaphrodite ἑρμαφρό-
-ism -ισμός διτος
hernia
heterosite ἕτερος -ίτης
heterotopia ἑτερο- τόπος
hexagonal ἑξάγονος
holoptic ὅλος πτύξ
hybridation νέφρος -ωσις
hydronephrosis ὑδρο-
hydrophobia ὑδροφοβία
hymenium ὑμήν
hyoscyamin ὑοσκυάμινος
hypertrophy -ic ὑπέρ -τροφία
icterus ἴκτερος
ileus εἰλεός
impregnation
indole Ἰνδικός
ind(ox)yl ὀξύς ὕλη
influenza
ion ἴόν
Isidore -ian
ism -ισμός
iso- ἰσο-
chromatic χρωματικός
merism μέρος -ισμός
metric -μετρία
topy τόπος
tropy τροπή
jade jadeite -ίτης
jaundice jervine julis
klase κλάσις
labium -ial
lamellibranchia βράγχια
lamina -ated
larix λάριξ
lasius λάσιος
lateral latex
latry ψευδολατρεία
laumontite -ίτης
laven(t)ite -ίτης
legislator
leuc- λευκός
(a)emia -αιμία
emic haemia
leucite λευκός -ίτης
leuco- λευκο-
cite κύτος
cythemia -αιμία
dermis -δερμις
liber

pseudo- Cont'd
libethenite -ίτης
lichen λειχήν
limax λεῖμαξ
lingula
linoptes λινόπτης
liogenys λειο- γένυς
lipoma λίπος -ωμα
literary
lobar λοβός
loger ψευδολόγος
logical(ly ψευδολογικός
logist ψευδολογιστής
logy ψευδολογία
logy -ia -λογία
lops loris lucina lunule
lupus luxation
lymphocyte νύμφη κύτος
lyssa λύσσα
macchia
machla μάχλος
malachite μαλάχη -ίτης
malaria
mallomonas μαλλο- μονάς
mamma mamory
mancy -tic ψευδομαντεία
manganite Μαγνησία -ίτης
mania -iac μανία -ακός
mantis -ist ψευδόμαντις
maqui -ιστης
martyr(dom ψευδομάρτυς
mecynostoma μηκύνω στόμά
megacolon μεγα- κόλον
meionite μείων -ίτης
meiosis μείωσις
melania μελαν-
-iid(ae -ioid -in(e -osis
membrane -ous memory
mendipite -ίτης
meningitis μηνιγγ- -ῖτις
meningocele μηνιγγο- κήλη
menstruation
mer(ism ic y μέρος -ισμός
mesial μέσος
mesoderm μεσο- δέρμα
mesolite μεσο- λίθος
metallic μέταλλον
meta- μετά
merism -ic μέρος -ισμός
plasia πλασις
mica military
mictic μικτόν
mitosis & -otic μίτος -ωσις
mixis μῖξις -ωτικός
mnesia μνῆσις
monacanthus μον- ἄκανθα
monas -adaceae μονάς
monaspis μον- ἀσπις
mono- μονο-
carpous -y καρπός
clinic κλίνειν
cotyledon(ous κοτυληδών
cyclic κυκλικός
gonic -γονία
tropy τροπή
monose μον-
morph(ism μορφή
-ic -ism -ose -osis -ous
morphia -ine Μορφεύς
morpholite μορφο- λίθος
morphytus μορφή φυτόν
morula -ar
Moses Μωσῆς
motor mucin
multiloculate multiseptate
mus ψευδ- ὦμος
mycorrhiza μύκης ῥίζα

pseudo- Cont'd
mycosis μύκης -ωσις
myopia μυ- -ωπία
mythodes μυθώδης
myxoma μύξα -ωμα
narcotic -ism ναρκωτικός -ισμός
navicella(r navicula(r
nemathecium νῆμα θηκιον
neoplasm νεο- πλάσμα
neuroma νεῦρον -ωμα
neuropter(a(n ous νευρο-
nipple πτερόν
nitrol(e -osite νίτρον
nodule nuclein
nucleole -us nucleus
nystagmus νυσταγμός
ochronosis ὠχρός -ωσις
(o)edema οἴδημα
oidischia ἰσχίον
optogram ὀπτός γράμμα
ortho- ὀρθο-
clase κλάσις
rhombic ῥόμβος λακία
osteomalacia ὀστεο- μα-
ozocerite ὄζειν κηρός -ίτης
pallium
para- παρα-
lysis παράλυσις
phrasia φράσις
physes φύσις
plegia παραπληγία
site -ic -ism παράσιτος
parenchyme παρέγχυμα
-a(tous
paresis πάρεσις
parthenogenesis παρθενογένεσις
paresis πάρεσις
pathy -πάθεια
patriot(ic πατριώτης
patron
pecopteris πτερίς
pedicillaria pediform
pedo- παιδο-
genesis γένεσις
genetic γενετικός
pelade pelletierin
pepsin πέψις (?πέψεν)
peptone πεπτός
peridium -ial πηρίδιον
peri- περί
anth ἄνθος
cardial περικάρδιον
odic περίοδος
pneumonia περιπνευμονία
pteron -os -al ψευδοπερίπτερος
stome περιστόμιος
thecium περι θήκη
tonitis περιτοναῖον -ῖτις
perspective
petal πέταλον
peziza πέζις
phaco- φακός
ceras κέρας
pteron πτερόν
phallia φαλλός
phanus φαιν- ποιία
pharmacopian φαρμακο-
phelloid φελλός -οειδής
philanthropy φιλανθρωπία
phillippsia
phillipsite -ίτης
philology φιλολογία
philosophia -ical φιλοσοφία
phlegmon φλεγμονή

pseudo- Cont'd
pholidops φολιδ- ὤψ
phone φωνή θησία
photaesthesia φωτ- -αισ-
photo- φωτο-
metric μετρικός
taxis τάξις
phthisis φθίσις
phyll(idea φύλλον
phyllo- φυλλο-
mimus μῖμος
podous -ποδος
phyllodic φυλλώδης
physostigmin(e φῦσα στίγ-
pigmentation μα
pirssonite -ίτης
pisolite πίσος λίθος
plankton πλαγκτόν
plasm πλάσμα
odium -ώδης
plegia -πληγία
pleuronectes πλευρά νήκτης
pleuston πλευστικός
pneumona πνεύμων
pneumococcus κόκκος
pneumonia πνευμονία
pod(a (i)al ian ic ποδ-
podium πόδιον
-iospore σπορά
poecilia ποικιλία
poetic ποιητικός
politic πολιτικός
polyporus πολυ- πόρος
pore πόρος
-encephaly ἐγκέφαλον
porphyritic πορφυρίτης
possession pregnancy
presentiment
priacanthus πρίων ἄκανθα
priest primitive
proboscis προβοσκίς
proct(ous πρωκτός
prophet ψευδοπροφήτης
ess ic(al -ισσα
prostyle πρόστυλος
psychology ψυχο- -λογία
psyra ψύρα
pterodon πτερόν ὀδών
pterygium πτερύγιον
ptilops πτίλον ὤψ
ophyllum φύλλον
ptosis πτῶσις
punicin pupa(l
pus πούς
pycnidial πυκν- -ιδιον
pyrenium πυρήν
pyrochroeite πυροχρως -ίτης
pyrophyllite πυρο- φύλλον
rabies racemic -ism -ισμός
ramose ramulus ray
raphe ῥαφή
reaction reduction
religious reversal
rhabdite ῥάβδος -ῖτης
rheumatism -ic ῥευματισμός
rhiza ῥίζα
rhombohedral ῥομβο- ἕδρα
romantic
scalpellum scarlatina
scarus σκάρος
schloenbachia
science scientific
sciurus -id(ae -oid σκίουρος
sclerosis σκλήρωσις
scolex σκώληξ
scope -σκόπιον
scopelus σκόπελος

pseudo- Cont'd
scopy -ic(al(ly -σκοπία
scorpion(es σκορπίος
scytalia σκυτάλιον
sematic σῆμα
sensation
septum -ate sessile
siphon(al -uncle σίφων
skeleton σκελετόν
social solaneae solution
soph(er ical ψευδόσοφος
sophy ψευδοσοφία
sperm(ium ic ous σπέρμα
sphere -ical σφαῖρα
-ulite -ic λίθος
spidodera σπιδής δέρη
spiracle
spore -eae σπορά
ange -ium ἀγγεῖον
squamate
stalactical σταλακτικός
stalaktite σταλακτός -ίτης
stauros σταυρός
stele -ic στήλη
stella
stereoscope στερεο- -σκό-
-ic -ism πιον
stigma -atic στίγμα
stipules
stome ψευδόστομα
-a -atous -idae -in(e
-osis -otic -ωσις -ωτικός
stomous ψευδόστομος
stratum μός
stroma -atism στρῶμα -ισ-
strongylosoma στρογγυλοσῶμα
strophanthin στρόφος ἄνθος
strophiole στροφή
structure
struvite -ίτης
suchia σοῦχος
sulphocyanin κύανος
sylvian
symmetry συμμετρία
-ic(al(ly συμμετρικός
synaptic(ula(r συναπτός
syncarp σύν καρπός
syphilis -itic -ίτης
tabes terminal ternary
tetanus τέτανος
tetragonal τετράγονος
tetramera τέτραμερής
-al -ous
textoma -ωμα
thanatus θάνατος
theca -al(ia θήκη
therapy θεραπεία
thersitea θερσίτης
thrill
thryoneus θρύον -ευς
thryptodus θρυπτ- ὀδούς
thylacinus θύλακος
thyrum ψευδόθυρον
topaz τόπαζος
toxin τοξικόν
trachea -eal τραχεῖα
trachoma τράχωμα
tragus τράγος
triakis -id(ae τριάκις
trichin- τρίχινος
iasis osis -ίασις -ωσις
trichophore τριχο- -φορος
trigonal τρίγωνος
trimera(l ous τριμερής
trionyx τρι ὄνυξ
-ychid(ae -ychoid

pseudo- Cont'd
tropin(e Ἄτροπος
tsuga tumor turbinal
turbinolidae
tychius τυχαῖος
type -ic τύπος
typhoid τυφώδης
uniseptate
urete urea uric οὖρον
vacuole vascular
variol variola
velum -ar ventricle
vermicule -us
vessels vicosity
viperae -in(e
vitellus vivipary
volcano -ic
vomer whorl
wavellite -ίτης
wollastonite -ίτης
xanth ξανθός
in(e oma -ωμα
xiphoph(or)on ξιφοφόρος
zonophyllum ζωνο- φύλλον
zooglea ζωο- γλοιός
zygospore ζυγόν σπορά
Pseumatocoris ψεῦμα κόρις
psicaine ψῖ
Psichacro ψιχ- ἄκρον
Psidion ψίζω -ιον
psil- ψιλός
a ad idae ium
acestes ἀκεστής
anthrop- ψιλάνθρωπος
ia ic y
ism ist -ισμός -ιστής
enchus ἔγχος
icolous
iglossa γλῶσσα
ischium ἰσχίον
oma -ωμα
omma ὄμμα
oniscus ὀνίσκος
onyx ὄνυξ
osis ψίλωσις
othron ψίλωθρον
-er -re -(r)in
otic ψιλωτικός
otus ψιλότης
psilo- ψιλο-
bites λοβός -ίτης
cephalus -inae κεφαλή
ceras -an -atite κέρας
cnemis κνημίς
dermata -ous δέρμα
dora δῶρον
laena λαῖνα
logy -λογιά
mastix μάστιξ
melan(e ic ite μελαν- -ίτιης
merus μηρός
notus -idae νῶτος
paedes -ic παιδ-
philus -φιλος
phyton φυτόν
ptera πτερόν
pyga πυγή
rhinus ῥίν
scapha σκάφη
scelis σκελίς
sema σῆμα
solen σωλήν
somata σῶμα
sopher sopy σοφός σοφία
stachys σταχύς
trachelus τράχηλος
psithurism ψιθυρισμός

Psithurus ψίθυρος
psittac(us ψιττακός
  ean eous i id(ae inae in(e ini
    inite ism oid osis ous
    -ισμός -ωσις
  irostra ofulvin(e
  omorphae -ous μορφή
  ula -inae -in(e -us
Psoa ψώειν
psoas -oadic -oatic ψόα
Psocus ψῶχος
  -id(ae -ina -in(e -oid
psodymus ψόα δίδυμος
psoitis ψόα -ῖτις
Psolus -id(ae -oid ψωλός
Psomeles ψωμίζειν
psomo- ψωμο-
  phagia -y -φαγία
  philus -φιλος
Psophia -iid(ae -ioid ψόφος
psor- ψώρα
  a alea in(um ize
  elcosis ἕλκωσις
  enteria -itis ἔντερον
  iasis ψωρίασις
    -ic -iform iatic
  ic ψωρικός
  oid ψωροειδής
  ophthalmia ὀφθαλμία
    -ic -y
psoro- ψωρο-
  comium κομεῖον
  lyma λῦμα
  phora -φορος
  sperm σπέρμα
    iae ial ic iform
    iasis osis -ίασις -ωσις
  zoa ζῷον
Psoroptes -ic ψωρός
psorosis ψώρωσις
psorous ψωρός
psych- ψυχ-
  agog(ue ψυχαγωγός
    ic(al(ly ψυχαγωγικός
  al ψυχή
  alg(al)ia algy -αλγία
  analysis = psychoanalysis
  andric ἀνδρ-
  anopsia ἀν- -οψία
  asthenia -ic ἀσθένεια
  ataxia ἀταξία
  eclampsia ἔκλαμψις
  iater ἰατήρ
  iatry -ia ἰατρία
    -ic(al -ics -ist -ιστής
  ic(s ψυχικός
    al(ly ism ist
  inosis νόσος
  ism ist -ισμός -ιστής
  lampsia λάμψις
  oda -id(ae -oid -ώδης
  odo- ὁδός
    meter -ry μέτρον -μετρία
  odyl ὁδός ὕλη
  onomy ὄνομα
  optic ὀπτικός
  osin
  osis otic ψύχωσις
  otria ψυχώτρια
    -ieae -in
Psyche Ψυχή
psyche ψυχή
  -ean -ian -id(ae -oid
  -eism -ισμός
  -eometry ψυχαῖος -μετρία
psycho- ψυχο-
  algalia ἄλγος

psycho- Cont'd
  analysis -ist ἀνάλυσις -ιστής
    analy(or i)st analyze(r
  analytic(al(ly ἀναλυτικός
  asthenics ἀσθένεια
  biology -ical βιο- -λογία
  blast βλαστός
  catharsis κάθαρσις
  central κέντρον
  chemistry χημεία
  chrome χρῶμα
    -aesthesia -αισθησία
  coma κῶμα
  cortical curative
  dectic ψυχοδαίκτης
  dynamic(s δυναμικός
  dynamism δύναμις -ισμός
  educational
  epilepsy ἐπιληψία
  ethical ἠθικός
  fugal galvanic
  genesis γένεσις
  genetic(al(ly γενετικός
  genia -ic -ous -γενής
  geny -γένεια
  geusic γεῦσις
  gnosis -y γνῶσις
  gnostic γνωστικός
  gonic(al ψυχογονικός
  gony ψυχογονία
  gram γράμμα
  graph(er -γραφος
  graphy -ic -ist -γραφία
  historical ἱστορικός
  hylism -ist ὕλη -ισμός -ιστής
  id ψυχοειδής
  kinesia κίνησις
  kym κῦμα
  lagny λαγνεία
  latry λατρεία
  lepsis -y λῆψις -ληψία
  leptic λεπτός
  log(ue -er -isn λόγος
  logy -λογία
    -ic(al(ly -ics -(ical)ism -ist
      -ization -ize -ιστής -ίζειν
  machy -μαχία
  mancy mantic μαντεία
  mechanics μηχανικός
  meter μέτρον
  metry -μετρία -ίζειν
    -ic(al(ly -ist -ize -ιστής
  monism μον- -ισμός
  moral motor
  morpha -e μορφή
  neural -osis -otic νεῦρον
  neurology νευρο- -λογία
  nomic(s νόμος
  nosema νόσημα
  nosis νόσος
  nosology νόσος -λογία
  optic ὀπτικός
  osmic ὀσμή
  pannychy παννύχιος
    -ian -ism -ist(ic -ite -ισμός
      -ιστής -ιστικός -ίτης
  paresis πάρεσις
  path -παθής
  pathology παθολογική
    -ic(al -ist -ιστής
  pathy -ia -πάθεια
    -ic -ist -osis -ιστής -ωσις
  pedagogic(al παιδαγωγικός
  petal
  phasis φάσις
  phony -ic φωνή
  phore φόρος

psycho- Cont'd
  physic(al ist -ics φυσικός
  physiology φυσιολογία
    -ic(al(ly -ist -ιστής
  plasm(ic πλάσμα
  plege -ic πληγή
  pneumatology πνεῦμα -λο-
  polis πόλις γία
  pomp(os al ous ψυχοπομπός
  pyrism -ist πῦρ -ισμός -ιστής
  reaction reflex
  rhythmia ῥυθμός
  rr(h)agia -y -ic ψυχορραγία
  sarcous σαρκ-
  scope -σκόπιον
  sensory -ial sexual(ity
  sociological -λογία
  somatic σῶμα
  sophy -ist σοφία -ιστής
  stasia -y ψυχοστασία
  static(al(ly -ics στατικός
  technics -ical τεχνικός
  theism θέος -ισμός
  therapeutic θεραπευτικός
    al -ics -ist -ιστής
  therapy θεραπεία
  zoic ζωή
psychro- ψυχρο-
  algia -αλγία
  cleistogamy κλειστός -γαμία
  esthesia -αισθησία
  graph -γραφος
  kliny κλίνειν
  lute(s -ist ψυχρολυτής -ισ-
  master μαστήρ τής
  meter μέτρον
  metry -ic(al -μετρία
  mnestra μνῆστρον
  philic -φιλος
  phobia -y -φοβία
  phore ψυχροφόρος
  phytes φυτόν
  techny τέχνη
  therapy θεραπεία
psychurgy ψυχ- -ουργία
psyc(or k)ter ψυκτήρ
psyctic ψυκτικός
psydracium ψυδράκιον
Psydrus ψυδρός
Psygmatocerus ψῦγμα κέρας
Psygmophyllum ψυγμός φύλ-
  λον
psyll- ψύλλα
  a ic id(ae oid
  aum y ψύλλιον
  ic Ψύλλοι
  iodes ites -ώδης -ίτης
  opa ὠπ-
  ostearyl στέαρ ὕλη
ptaeroxylon πταίρω ξύλον
ptarmic(al πταρμικός
Ptarmica πταρμική
ptarmus πταρμός
Ptelea πτελεά
  -eiform -ein
  -eo(r)rhin(e -ρινος
Ptenidium πτηνός -ιδιον
pteno- πτηνο-
  dera δέρη
  glossa -ate γλῶσσα
  lasia λάσιος
  phillium πτηνόφυλλος
    -ophilus -ophyta -φιλος
  phytia φυτόν φυτόν
  plax -acidae πλάξ
  pleura -al πλευρά
  psila ψιλός

pteno- Cont'd
  thalium πτηνοθαλής
    -ophilus -ophyta -φιλος
      φυτόν
Pteraclis -eidae πτερόν κλείς
pterampelid πτερίς ἄμπελος
pter- πτερόν
  a atus e(al ion on
  acantha ἄκανθα
  anodon ἀνόδους
    -ont(es ia id(ae oid)
  apophysial ἀπόφυσις
  aspis ἀσπίς
    -id(ian id(ae oid)
  aster(id(ae oid ἀστήρ
  ergate ἐργάτης
  ichthyo- ἰχθυο-
    morphi μορφή
  ichthys ἰχθύς
    -yid(ae -yoid
  ia iid(ae ioid
  idium -ιδιον
  inea -einae πτέρινος
ptereosere πτερίς
pteri- πτερίς
  acea tannic
  graphia -y -γραφία
  graphilist γράφειν -ιστής
pterid πτερίς
  eae eous etum
  ichnites ἴχνος -ίτης
  oid oma -οειδής -ωμα
pterido- πτερίς
  graphy -ia -γραφία
  logy -ical -ist -λογία -ιστής
  mania μανία
  pharynx φάρυγξ
  phylla φύλλον
  phyte -a -ic -ous φυτόν
  sperm σπέρμα
    ae al ic ous
    aphyta -ic φυτόν
  telus τέλος
  theca θήκη
pterigynus πτερύγινος
Pteris πτερίς
pterna -algia πτέρνα -αλγία
ptero- πτερο-
  bates βάτης
  bdella βδέλλα
  bothris βοθρίον
  branchia βράγχια
    -iate -ious
  callis κάλλος
  cardiac καρδία
  carpus -in -ous καρπός
  carya καρύα
  caulon -ous καυλός
  cephala κεφαλή
  cera -os -ian κέρας
  chelidon χελιδών
  chilus χεῖλος
  cles -etes -id(ae -oid κλείς
    -omorphae -ic μορφή
  coccus κόκκος
  colus κόλος
  coma κόμη
  coptus κοπτός
  ctenus κτεν-
  cymba -ata -ate κύμβη
  cynes κυν-
  dactyl(e us δάκτυλος
    i ian ic id(ae oid ous
  dicera δίκερας
  dina -idae δῖνος
  dium = pteridium
  genius γένειον

ptero- Cont'd
glanis γλάνις
glossus -al -in(e γλῶσσα
gonus γωνία
gramma γράμμα
grapher -γραφος
-y -ic(al -γραφία
lasia λάσιος
lepis -idae λεπίς
lichas λιχάς
lite λίθος
logy -ic(al -λογία
loma λῶμα
lophia λόφος
morpha μορφή
mys μῦς
nepionites νήπιος
paedes -ic παιδες
pappi πάππος
paria
pe πτερόπους
pegum -al -ous πηγός
phore -a -us πτεροφόρος
-id(ae -inae -oid
phryne φρύνη
phyllum φύλλον
plateae -inae πλατύς
plegistic πληγή
pod(e a(n πτερόπους
podium -ial πόδιον
ptochus πτωκός
-id(ae -oid
poropterus πορο- πτερόν
pus πτερόπους
-odal -odid(ae -odoid -od-
rhine -a -ρινος ous
saur(ia(n -idae σαῦρος
spermum -ous σπέρμα
spondylus σπόνδυλος
spore(s -a σπορά
stichites στίχος -ιτης
stichus στίξ
stigma στίγμα
-al -atic(al
theca -id(ae -oid θήκη
thorax θώραξ
trachea -eacea -eidae τρα-
trichina τρίχινος χεῖα
xanium ξάνιον
zamites ζαμία -ιτης
pter- πτερίς
oid -οειδής
opsida ὄψις
pter- πτερόν
odon ὀδών
oid oma -οειδής -ωμα
omalus ὁμαλός
-idae -inae -ine
on(idia -iidae
(on)ura οὐρά
otus -ic πτερωτός
-oceras κέρας
-pterous -πτερος
pteryg- πτερύγιον
ial iate ion ium
iophore -φορος
ode -a πτερυγώδης
oma πτερύγωμα
ostium ὀστέον
ot- πτερυγωτός
a e idae us
ura -ous οὐρά
pterygo- πτερυγο-
blast βλαστός
branchiate βράγχια
faceting
genea γένος

pterygo- Cont'd
id(eus πτερυγοειδής
al ean
lepis λεπίς
malar mandibular
maxillary
metopinae μέτωπον
palatal -in(e
pharyng- φαρυγγ-
eal ean eus
phore -φορος
podium πόδιον
pous πούς
pteris πτερίς
quadrate
spermous σπέρμα
sphenoid σφηνοειδής
spinous -osus
staphyline -us σταφυλή
stome -ial -ian στόμα
trabecular
pteryl- πτερόν ὕλη
a ium osis -ωσις
ography -ic(al(ly -γραφία
ology -ical -λογία
Pteryx πτέρυξ
ptil- πτίλον
ichthys ἰχθύς
inum ium
odus ὀδούς
osis otis -ωσις ὠτ-
ota πτιλωτός
ptilo- πτιλο-
cercus cerque κέρκος
ceroides κέρας -οειδής
crinus κρίνον
dactyla δάκτυλος
doxa δόξα
genesis γένεσις
gonys γόνυ
-atid(ae -atinae -atin(e
lite λίθος -atoid
mylacris μυλακρίς
paedes -ic παῖδες
phyton φυτόν
pteri πτερόν
rhis ῥίς
sphen σφήν
ptilono- πτίλον
pus -inae πούς
rhynchus ῥύγχος
-idae -inae -in(e
ptisan(ery πτισάνη
Ptocadica πτωχός
ptocho- πτωχο-
cracy -κρατία
gony -γονία
logy -λογία
trophia πτωχοτροφεῖον
Ptolema- Πτολεμαῖος
ean id
ic(al Πτολεμαικός
ism ist -ισμός -ιστής
ptom- πτῶμα
aic atin
aine -ed -ic
-(a)emia -αιμία
-otoxism τοξικόν -ισμός
aphila -φιλος
atopsia -y -οψία
a(to)tropin(e Ἄτροπος
Ptosima πτώσιμος
ptosis -ed -ic πτῶσις
ptotic πτῶσις -ωτικός
ptyal- πτύαλον
a(or o)gog(ue ic ἀγωγός
ectasis ἔκτασις

ptyal- Cont'd
in(ogen -γενής
ism πτυαλισμός
ize πτυαλίζειν
ptyalo- πτύαλον
cele κήλη
genic -γενής
lith λίθος
iasis λιθίασις
rrhea -ῥοία
ptyas πτυάς
ptych- πτύξ
agnostus ἄγνωστος
atractus -id(ae -oid ἄτρακ-
igene -γενής τος
itinae ἰτέα
ode(s πτυχώδης
odus ὀδούς
-ont(id(ae -ontoid
otis ὠτ-
ptycho- πτύξ
carpus καρπός
cheilus χεῖλος
cosmites κοσμός
crinidae κρίνον
deres δέρις
derus δέρος
laemus λαιμός
lepis λεπίς
paria παρεία
phaedousa φαιός Μέδουσα
pleura(l πλευρά
pteris πτερίς
pterygium -ial πτερύγιον
rhynchia ῥύγχος
sperma σπέρμα
sphenodon σφήν ὀδών
thyris θυρίς
zoon ζῷον
Ptyctodus πτυκτός ὀδούς
-ontid(ae -ontoid
ptygmatic -is πτύγμα
Ptygodere -us πτύξ δέρος
Ptylocheles πτίλον χήλη
-id(ae -oid
Ptynx πτύγξ
ptyocrinous πτύον κρίνειν
ptysm- πτύσμα
agog(ue ἀγωγός
ati(or o)schesis ἴσχειν
ptyxis πτύξις
pubetrotomy ἦτρον
pubiotomy -τομία
public(an)ism -ισμός
publicist(ic -ιστής -ιστικός
pubo-
coccygeus -eal κόκκυξ
ischium -i(at)ic ἰσχίον
peritonealis περιτόναιον
prostatic προστατικός
urethral οὐρήθρα
Puccianite puckerite -ιτης
puddingize -ίζειν
pudenohemorrhoidal
αἱμορροίδες
Puercosaurus σαῦρος
puerilism -ize -ισμός -ίζειν
puerperalism -ισμός
pugilism -ισμός
-ist(ic(al(ly -ιστής -ιστικός
pugnastics -αστικός
pulaskite -ιτης
pulegyl ὕλη
Pullmanize -ίζειν
pulmo-
branch(ia(e βράγχια
ial iata iate

pulmo- Cont'd
cardiac καρδία -ακός
cutaneous
gasteropod(a γαστερο
-ποδ-
gastric γαστρ-
hepatic ἡπατικός
meter -ry μέτρον -μετρία
trache- τραχεία
a aria ary ate
zym ζυμή
pulmon-
ectomy itis -εκτομία -ῖτις
ibranchiate -a βράγχια
obranchus -iate
gast(e)ropod(a γαστερο-
γαστρο- -ποδα
pulpalgia -αλγία
pulpectomy -εκτομία
pulpitism -ize -ισμός -ίζειν
pulpitolatry λατρεία
pulpitis -ῖτις
pulpo πολύπους
pulpotomy -τομία
pulsiloge -ium -y λόγιον
pulsilogram γράμμα
pulsi(or o)meter μέτρον
pulverize(r -ίζειν
-able -ate -ation -ator -ed
pulvinoid -οειδής
pulvonoaortic ἀορτή
pumpkinism -ize -ισμός
-ίζειν
punctist -oid -ιστής -οειδής
punctograph -γραφος
punctuationist -ιστής
punctumeter μέτρον
Punic(al Φοῖνιξ
ean eous in
punnigram γράμμα
punnology -λογία
pupigenous -γενής
pupilize -ίζειν
pupillo-
meter μέτρον
metry -μετρία
scopy -σκοπία
statometer στατός μέτρον
puppyism Puranism -ισμός
puraloin ἀλόη
purinemia -ic -αιμία
purinometer μέτρον
purism -ισμός
-ist(ic(al -ιστής -ιστικός
puritanism -ize(r -ισμός -ίζειν
-opapist πάππα -ιστής
purohepatitis ἡπατ- -ῖτις
purple(ly ness πορφύρα
purply -ish
purpur πορφύρα
a aceae acean aceous ate e
eous ic id(ae iform inae
in(e inurous oid ous
ase διάστασις
in(uria -ουρία
purpur- πορφύρεος
eal ean ein eo-
ite ize -ιτης -ίζειν
ogenous -γενής
oxanthin ξανθός
purpuri- πορφύρα
fera -ous
genous -γενής
parous scent
purse βύρσα
-er(ship -ful -less
puruloid -οειδής

Puseyism -ist -ισμός -ιστής
-istic(al -ite -itical -ιστικός
Pusillaster ὀστήρ -ίτης
pussyfootism -ισμός
putrimeter μέτρον
py(a)emia -ic πύον -αιμία
Pyanepsia -ion πυανέψια
Pyanisia πυάνιον
pyarthrosis πύον ἄρθρωσις
pycn- πυκν-
ambates ἀμβάτης
anthemum ἄνθεμον
aspide(ae -ean ἀσπίς
aster ἀστήρ
iaspore σπορά
id(e idia(l idium -ιδιον
idiophore -φορος
idiospore σπορά
is ite ium ial -ίτης
odus ὀδούς
-ont(es i id(ae ini oid(ei)
on opsis ὄψις
osis πύκνωσις
osteus ὀστέον
otic πυκνωτικός
pycno- πυκνο-
aspideae -ean ἀσπιδ-
bela βηλά
cephalous κεφαλή
cerus κέρας
chlorite χλωρός -ίτης
coma κόμη
conidium κόνις -ιδιον
coris κόρις
desma δέσμα
gaster γαστήρ
glypta γλυπτός
gonidium γόνυ -ιδιον
gonum γόνυ (ea(n
-id(a(e -idea(n -ides -oid-
hydrometer ὑδρο- μέτρον
lepas λεπάς
merus μηρός
meter μέτρον
metochia -ic μετοχή
morphic -ous μορφή
notus νῶτος
-id(ae -inae -in(e -oid
phytia φυτόν
pogon πώγων
pyge πυγή
schema σχῆμα
spore σπορά
stachous σταχύς
style πυκνόστυλος
thorax θώραξ
xylic ξύλον
Pyctoderes πυκτο- δέρις
Pydaristes πυδαρίζειν
pyel- πύελος
ectasis -ia ἔκτασις
enephrosis νεφρός -ωσις
itis -ic -ῖτις
pyelo- πύελος
cystitis κύστις -ῖτις
cystostomosis κύστις στόμα
gram γράμμα -ωσις
graph(y -γραφος γραφία
lithotomy λιθοτομία
meter metry μέτρον -μετρία
nephritis νεφρός -ῖτις
nephrosis νεφρός -ωσις
plasty -πλαστία
plication
scopy -σκοπία
tomy -τομία
pyelon πύελος

py- πύον
ecchysis ἔκχυσις
edema οἴδημα
emesis ἔμεσις
emia -ic -id -αιμία
encephalus ἐγκέφαλος
esis πύησις
pyg- πυγ-
aera αἴρειν
pygal(e πυγή
algia -αλγία (πυγ-αλγίας)
arg(ue us πύγαργος
idium πυγίδιον
-ial -iid(ae -ioid
-iphorus -φορος
osteus ὀστέον
urus οὐρά
Pygiopsylla πυγαῖος ψύλλα
pygm(a)ean πυγμαῖος
-aeothrips θρίψ
pygmy Πυγμαῖοι
dom hood ism ship
pygo- πυγο-
branchia βράγχια
-iata -iate -ious
caris καρίς
didymus δίδυμος
melus -es -ian μέλος
page -us πάγος
parasiticus παράσιτος
pe -us πούς
-odid(ae -odoid(ea
pod(es ine ous ποδ-
scelis σκέλος
stolus πυγοστόλος
style -ed στῦλος
pyic -in πύον
pykn- πυκν-
atom ἄτομος
emia -αιμία
pykno- πυκνο-
cardia καρδία
chlorite χλωρός -ίτης
(epi)lepsy ἐπιληψία
hemia -αιμία
phrasia φράσις
sphygmia σφυγμός
pyknotic πυκνωτικός
pyl- πυλ-
a ar e ic on πυλή
agore -as Πυλαγόρας
angium -ial ἀγγεῖον
arus πυλάρτης
emphraxis ἔμφραξις
pyle- πυλή
phleb- φληβ-
ectasis ἔκτασις
itis -ic -ῖτις
thrombosis θρόμβωσις
thrombophlebitis φληβ-
pylo- πυλο-
cyte κύτος
meter μέτρον
phora -φορος
pylor- πυλωρός
algia -αλγία
ectomy -εκτομία
idea(n
istenosis στένωσις
itis -ῖτις
pyloro- πυλωρός
cleisis κλεῖσις
dilator
diosis δίωσις
gastrectomy γαστρ- -εκτομία
plasty -πλαστία
ptosis πτῶσις

pyloro- Cont'd
schesis σχέσις
scirrhus σκιρρός
spasm σπασμός
stenosis στένωσις
stomy στόμα
pylorus -ic πυλωρός
Pylus πύλος
pyo- πυο-
blennorrh(o)ea βλέννος
cele κήλη -ροία
c(o)elia κοιλία
cenosis κένωσις
cephalus κεφαλή
chezia χέζειν
coccus -al -ic κόκκος
colpos -ocele κόλπος κήλη
ctanin(e κτείνειν
culture
cyanic κυαν-
-ase -in -ol διάστασις
cyano- κυανο-
bacterin βακτήριον
genic -γενής
lysin λύσις
cyst(is κύστις
cyte κύτος
derm(at)itis δερματ- -ῖτις
dermatosis -ωσις
dermia -ic δέρμα
diathesis διάθεσις
edema οἴδημα
fecia
genesis γένεσις
genetic γενετικός
genia -γένεια
genic -in -ous -γενής
h(a)emia -ic -αιμία
h(a)emothorax αἱμο- θώραξ
id πυοειδής
labyrinthitis λαβύρινθος
luene -ῖτις
lymph νύμφη
metra -ium -itis μήτρα -ῖτις
nephr- νεφρός
itis -ic -ῖτις
olithiasis λιθίασις
osis otic -ωσις -ωτικός
pyonoma πύον -ωμα
pyophthalmia -itis πυ-ὀφθαλμία -ῖτις
pyo- πυο-
ovarium
pericardium περικάρδιον
-ia -itis -ῖτις
peritoneum -itis, περιτόναιον
phylactic φυλακτικός
physometra φύσα μήτρα
plania πλανός
pneumo- πνεῦμα -ῖτις
cholecystitis χολή κύστις
pericardium περικάρδιον
peritoneum -itis περιτόναιον
thorax θώραξ
po(i)esis πυοποίησις
po(i)etic ποιητικός
ptysis πτύσις
rrhagia -ραγία
rrh(o)ea(l -ροία
rubin
salpingitis σαλπιγγ-
salpingo- σαλπιγγο-
oophoritis ᾠοφόρος -ῖτις
oothecitis ᾠοθήκη
salpinx σάλπιγξ
sapr(a)emia σαπρός -αιμία
scope = pioscope

pyo- Cont'd
septh(a)emia σηπτός
septic(a)emia -ic σηπτικός
seroculture -αιμία
spermia σπέρμα
therapy θεραπεία
thorax θώραξ
toxinemia τοξικόν -αιμία
ureter οὐρητήρ
xanthin -ose ξανθός
pyosis -in πύωσις
pyr πῦρ
pyr- πυρ-
acanth(a -us πυράκανθα
acene ἄνθραξ
acetosalyl ὕλη
acid
acon(it)in(e ἀκόνιτον
alestes πῦρ ληστής
alis πυραλίς
-id(ae -ida(n -idean -idian
-idina -idin(e -iform(ia
allolite ἀλλο- λίθος -oid
aloxin ὀξύς
pyram- πυραμίς
eis ic(al is
id πυραμιδ-
al(e al(ly alis (al)ism (al)-
ist ate(d ize oid(al on y
-ισμός -ιστής -ίζειν
-οειδής
ella -aceae -id(ae -oid
ic πυραμιδικός
al(ly alness
ocephalic κεφαλικός
idion -ίδιον
istomia στόμα
itoma τομή
oid(al πυραμοειδής
pyr- πυρ-
am- ἀμμωνιακόν
idol idon(e ine
an ano- anol
anometer ἀνώ μέτρον
anthr- ἄνθραξ
ene idine (id)one
antimonite -ίτης
antin ἀντί
aphrolith ἀφρός λίθος
arenyte
argillite ἄργιλλος -ίτης
argyrite ἄργυρος -ίτης
austa -idae πυραύστης
azin(e -(in)o- ἀ- ζωή
azole ἀ- ζωή
-idine -(id)one -ium -yl
ectic πυρεκτικός
ee emia -αιμία
ene -ic
pyre -al πυρά -ώνη ὕλη
Pyren Πυρήνη
pyrene -a πυρήν
pyren- πυρήν
aemata -ous αἱματ-
(a)emia -αιμία
arium arius eola
ees (a)ean eite Πυρήνη
estes ic in ous
(id)ium πυρήνιον
od- -ώδης
ean (e)ine eous
ol(ine
opsidian ὄψις
ula -aceae
pyreno- πυρηνο-
carp(ic ous καρπός
chaeta χαίτη

pyreno- Cont'd
id πυρηνοειδής
lichen(es λειχήν
lysis λύσις
mycete(s μυκήτες
-ineae -ous
soma σῶμα
pyr- πυρ-
ergy -εργία
esthema ἔσθημα
esthes ἐσθής
ethrum πύρεθρον
-ic -in(e -ol -onic
pyretic(osis πυρετός -ωσις
pyreto- πυρετο-
aetiology αἰτιολογία
gen(ic -in -ous -γενής
genesia -γενεσία
genesis γένεσις
genetic γενετικός
graphy -ia -γραφία
logy -λογία
lysis λύσις
phorus πυρετοφόρος
typhosis τύφωσις
pyretoid πυρετός -οειδής
pyrexia πύρεξις
-y -ial -ic(al
pyrgeometer πυρ- γεω- μέτρον
Pyrgita πυργίτης
pyrgo- πυργο-
cephaly -ic κεφαλή
cystis κύστις
idal -es πυργοειδής
logist -λογία -ιστής
pyrgom πύργωμα
Pyrgops πύργος ὤψ
pyrheliometer πυρ- ἡλιο-
-metric μέτρον
pyric πῦρ
pyri- πυρι-
bole βολή τος
caustaceae -eous πυρίκαυσ-
chrolite πυρίχρως λίθος
pyrid- πυρρός -ώνη
azin azo- azone izin ἀ- ζωή
ic ein il in(e inium
ino- one yl -ώνη ὕλη
pyrido- πυρρός
phthalan -ide νάφθα
stilbene στίλβειν
pyrilize -ation -ίζειν
pyrimid- πυρρός ἀμμωνιακόν
azole ἀ- ζωή
in(e inium
o- ol one yl -ώνη ὕλη
pyrind(igo πυρρός Ἰνδικός
an ene ole oxyl ὀξύς ὕλη
Pyrischius πυρ- ἰσχίον
pyritegium πυρι-
pyrite πυρίτης
-aceous -es -ic(al -iferous
-ification -ify -ization -ize
-oid -ose -ous -y
pyrito- πυρίτης
bituminous
hedron -al -έδρον,
logy -λογία
pyrium πῦρ πυρρός
pyrixenic πυρι- ξένος
pyro- πυρο-
acetic acid alizaric
antimonic -ate
arsenic -(i)ate ἀρσενικόν
aurite
ballology βάλλειν -λογία
belonite βελόνη -ίτης

pyro- Cont'd
benzoline bitumen(ous
bology πυροβόλος -λογία
boly -ic(al -ist -ιστής
cain
calymma κάλυμμα
camphretic καμφορά
catech-
in (in)ol
inuria -ουρία
cephalus κεφαλή
chemical(ly χημεία
chlore- ite χλωρός -ίτης
cholesteric χολή στέαρ
chroa -oid(ae χρόα
chroite χροιά -ίτης
chromic -ate χρῶμα
chrotite χρωτός -ίτης
cinchonic
citric -ate κίτρνο
clasite κλάσις -ίτης
clastic κλαστός
coll κόλλα
columbate comenic
condensation
cone -ite κῶνος
cresol κρέας σώζειν
crystalline κρυστάλλινος
cusparine
derus -inae δέρη
dextrin(e δεξίτερος
electric(ity ἤλεκτρον
electrification
electrolyte -ic λύτος
engraver γράφειν
fellic ferrin form fuscin
gallic -ate -ein -in(e -ol
gas χάος
gen(ic ous -γενής
genesia -γενεσία
genesis γένεσις
genetic γενετικός
glycerin(e γλυκερός
glucic glycide γλυκύς
gnomic γνώμων
gnostic(s γνωστικός
graph(er -γραφος
graphy γραφία
-ist -(it)ic -ιστής
gravure γράφειν
guaicic -in(e
guanazole ἀ- ζωή
guanite -ίτης
heliometer -ric ἡλιο- μέτρον
japaconitine ἀκόνιτον
kinic
later latry λατρής λατρεία
lignic -ate -(e)ous -ite
lithic λίθος
lithofellic λίθο-
logy -ical -ist λογία -ιστής
luminescence
lusite λοῦσις -ίτης
lysis λύσις
lytic λυτικός
machia πυρομαχεῖν
magnetic Μαγνῆτις
malic -ate
mancy πυρομαντεία
-er mantic
mania(c(al μανία -ακός
maric
meconic -ate μηκωνικός
mecazonic ἀ- ζωή
melane & -ine μελαν-
mellitic -ein μέλιττα
meride μέρος λουργεῖν

pyro- Cont'd
metallurgy -ical μεταλ-
metamorph- μεταμόρφωσις
ic ism -ισμός
meter μέτρον
metry -ic(al(ly -μετρία
morphous -ite μορφή -ίτης
motor
mucamide ἀμμωνιακόν
mucic -ate -ite -onic -ous
mucuric οὖρον
mucyl ὕλη
naphtha νάφθα
nema -(at)aceae νῆμα
nixis νῦξις
nomy -ics -νομία
paraffin pen
pectic πηκτικός
pentylene πεντ- ὕλη
phan(e ite ous -φανής
phile -a -ous -φιλος
phobe -φοβος
phobia -φοβία
phone φωνή
phor(e πυροφόρος
ic ine ous us
phosph- φωσφόρος
amic -ate ἀμμωνιακόν
ate oric orite oryl -ίτης ὕλη
photo- φωτο-
graph(y ic -γραφος γρα-
meter μέτρον φία
phyllite φύλλον -ίτης
-ization -ίζειν
physalite φυσαλλίς
phyte φυτόν
pissite πίσσα
plasmosis πλάσμα -ωσις
puncture quinol
racemic -ate
radioactivity ray
retin(ite ῥητίνη -ίτης
rudite sal -ίτης
schist σχιστός
sclerite σκληρός -ίτης
scope -y -σκόπιον -σκοπία
siderite σιδηρίτης
silver
some σῶμα
-a -atidae -id(ae -iidae -oid
sophy σοφία
sorbic
sphere σφαῖρα
stat(e στατός
stearin στέαρ
stereotype στερεο- τύπος
stibite στίβι -ίτης
stilpnite στιλπνός -ίτης
sulphate & -ite tannic
sulphuric -yl ὕλη
tantalate Τάνταλος
tartaric -(e)ous -ite τάρτα-
tartr- τάρταρος ρος
anil(ic ate
ate ite
imide ἀμμωνιακόν
technic τεχνικός
al(ly ian
techny -ian -ist τεχνή -ιστής
tect -τεκτων
tereb(inth)ic τερέβινθος
theology θεολογία
therium θηρίον
thionium θεῖον ἀμμωνιακόν
toxin τοξικόν
trichus τριχ-
tri(tar)taric τρι- τάρταρος

pyro- Cont'd
tungstic -ate
uranate Οὐρανός
uric οὖρον
vanadic -ate
xanthin(e ξάνθος
xanthogen -γενής
xene -ic -ite ξένος
-olite λίθος
xyle -ic -in(e ξύλον
pyr- πυρ-
odes -in πυρώδης
oleter ὀλετήρ
one πῦρ
-in -ium ἀμμωνιακόν
ope -us πυρωπός
orthite ὀρθός -ίτης
osin(e osol
osis πύρωσις
osmalite ὀσμή
othonid(e ὀθόνη
otic πυρωτικός
ox- ὀξύς
am ἀμμωνιακόν
on(it)ine ἀκόνιτον
onium ἀμμωνιακόν
ozone ὄζων
pyr- πυρρός
oid -οειδής
ol(eic
pyrr- πυρρός
anthracene ἄνθραξ
anthaquinone -ώνη
indole Ἰνδικός
indoquinone -ώνη
ol(enine ic (id)in(e (id)one
yl ὕλη idyl o-)
pyrrh- πυρρός
acita πυρράκης
arsenite ἀρσενικόν
ic Πυρρικός
ic(al πυρρίχη
ic(ius πυρρίχιος
icist πυρριχιστής
ite -ίτης
on- Πύρρων
ean ian ism ist(ic ize
-ισμός -ιστής -ιστικός
opin(e ὄπιον -ίζειν
ot πυρροτής
ine ism ite -ισμός -ίτης
ous
ula -inae -in(e
pyrrho- πυρρο-
arsenite ἀρσενικόν
chrome χρῶμα
corax κόραξ
-acinae -acin(e
coris -id(ae -oid κορίς
lite λίθος
loxia λοξός
pappus πάππος
phyll φύλλον
siderite σιδηρίτης
pyrro- πυρρο-
coline flavine
diazole δι- ἀ- ζωή
phyllin φύλλινος
porphyrin πορφύρα
yl ὕλη
pyrsteradian πυρρός στερεός
pyrurgian πυροεργής
pyruria -ic πυρ- -ουρία
pyrvic -ate -in -o πυρ-
-aldehyde ὕδωρ
-(o)yl ὕλη
pyryl(ene ium πυρ- ὕλη

pysmatic πυσματικός
Pythagoras Πυθαγόρας
-ean(ly Πυθαγόρειος
ism ize -ισμός -ίζειν
-ic Πυθαγορεικός
ally ian ism -ισμός
-ism Πυθαγορισμός
-ist Πυθαγοριστής
-ite -ίτης
-ize(r Πυθαγορίζειν
Pythia Πυθία
Pythiad Πυθιάς
Pythian Πύθιος
-iambic ἴαμβος
Pythic Πυθικός
Pythium -iaceae πύθειν
Pytho- -id(ae -oid Πυθώ
pytho- Πυθο-
ceropsis κηρός ὄψις
ctonos Πυθοκτόνος
genesis γένεσις
genetic γενετικός
genic -ous -γενής
python Πύθων
ess ic issa -ισσα
ic(al Πυθωνικός
ichthys ἰχθύς
id(ae iform oid(ea(n
inae ine -ινος
ism ist -ισμός -ιστής
ize -ίζειν
omorph μορφή
a ic ous
pyuria πύον -ουρία
pyx πυξίς
icola idate(d
idanthera ἀνθηρός
idium πυξίδιον
-iceras κέρας
ie is ol

quack(salver)ism -ισμός
quadmeter μέτρον
quadrant-
anopsia ἀν- -οψία
id -ιδ-
oxide ὀξύς
Quadratirhynchia ῥύγχος
quadratoctahedron ὀκτάεδρον
quadrato-
cubic κύβος
pterygoid πτερυγοειδής
quadri-
basic βάσις
chord χορδή
cone κῶνος
chromosomes χρῶμα σῶμα
cotyledonous κοτυληδών
cresentoid -οειδής
cycle(r -ist κύκλος -ιστής
eremus ἐρῆμος
gamist -γαμία -ιστής
lobate(d λοβός
log(ue -y λόγος -λογία
phyllous -φυλλος
plegia -πληγία
polar πόλος
sacramentalist -ιστής
syllabic(al συλλαβικός
syllable -abus συλλαβή
tactic τακτικός
urate οὖρον
quadro-
hydrate ὑδρ-
pterygoid πτερυγοειδής

quadroxalate ὀξαλίς
quadroxid(e ὀξύς
quadrupedism -ισμός
quadrupole πόλος
quagmirist -ιστής
Quakerism -ισμός
-istical -ιστικός
-ize -ation -ίζειν
qualimeter μέτρον
quanti(*or* o)meter μέτρον
quantize -ation -ίζειν
quantoid -οειδής
quantumize -ίζειν
quarlefoids -οειδής
quartenylic ὕλη
quartisternal στέρνον
quartodecimanism -ισμός
quartospore σπορά
quartzite -ίτης
-itic -itoid -οειδής
quartzophyre -ic πορφύρα
quassite -ίτης
quaternionist -ιστής
quaterphenyl φαιν- ὕλη
quattrocentist -ιστής
quebrach-
amin(e ἀμμωνιακόν
ite -ίτης
Queenist -ite -ιστής -ίτης
quenastite -ίτης
quenstedtite -ίτης
quenuthoracoplasty -πλαστία
quercetamid(e ἀμμωνιακόν
quercetagetol τράγος
quercimeric -itrin μέρος
quercion -ιον
quercite -in(e -ol -ίτης
querism -ist -ισμός -ιστής
Querquedule κερκοῦρος
querulist queryist -ιστής
questionist questrist -ιστής
quetenite -ίτης
quibbleism -ισμός
Quichuist -ιστής
quietism -ize -ισμός -ίζειν
-ist(ic -ιστής -ιστικός
quin-
aldyl ὕλη
algen(e ἀναλγής
am- ἀμμωνιακόν
ia icen(e idin(e ina in(e (icin(e
anisole ἄνισον
aphthol νάφθα
aseptol σηπτικός
azole ἀ- ζωή
-in(e -one -ώνη
quince(wort Κυδώνιος
quincite -ίτης
quin-
cubital(ism κύβος -ισμός
decagon δέκα γωνία
decasyllabic συλλαβικός
decylic δεκ- ὕλη
doline Ἰνδικός
hydrine & -one ὑδρ- -ώνη
idamin(e ἀμμωνιακόν
i(no)metry -μετρία
indole -ine Ἰνδικός
(in)ism -ize -ισμός -ίζειν
inurethane οὖρον αἰθήρ
iretin(e ῥητίνη
isatic -in ἰσάτις
ite -ol -ίτης
ol(yl ὕλη
ovite -ίτης

quin- Cont'd
oxalin(e ὀξαλίς
oxim(e ὀξύς αμμωνιακον
quino-
carbonium ἀμμωνιακόν
chloral χλωρός
dimethan(e δι- μέθυ
gen -γενής
id(al idin(e -οειδής
lepidine λεπίς
logy -ist -λογία -ιστής
methane μέθυ
metry -μετρία
quinone -ώνη
azine ἀ- ζωή
imide imine ἀμμωνιακόν
ization oid -ίζειν -οειδής
yl ὕλη
quino-
phenol φαιν-
phthalone νάφθα -ώνη
propylin πρῶτος πίων ὕλη
pyran -in πῦρ
t(ic *or* id)ine τοξικόν
tinone toxin(e -ώνη
xanthene ξανθος
yl ὕλη
quinqu-
ennialist -ιστής
eremus ἐρῆμος
quinque-
lobate(d λοβός
petaloid πέταλον -οειδής
syllabic συλλαβικός
syllable -συλλαβος
tactic τακρικός
quinsy(wort κυνάγχη
quintessentialize -ίζειν
quintisternal στέρνον
quinto-
cubitalism κύβιτον -ισμός
spore σπορά
quisqueite -ίτης
quixot(ic)ism -ισμός
quixotize -ίζειν
quizzism -ισμός
quotationist -ιστής

rabbi(ship ῥαββί
rabbin ῥαββί
ate -dom ic(al(ly ics ish ism istic(al(ly ite itic ize ship
-ισμός -ιστής -ιστικός -ίτης -ίζειν
rabdoid ῥάβδος -οειδής
Rabelaism -asianism -ισμός
rabigenic -γενής
racemamide ῥάξ ἀμμωνιακόν
racemoid -οειδής
rachi- ῥάχις
agra ἄγρα
al
algia -ic -itis -αλγία -ῖτις
albuminimeter μέτρον
albuminimetry -μετρία
analgesia ἀναλγησία
anectes ῥαχία νήκτης
anesthesia -αναισθησία
callis ῥαχία κάλλος
centesis κέντησις
des -ial -ian dion form
glossa -ate γλῶσσα
graph -γραφος
lla = Rhachilla
lysis λύσις

rachi- Cont'd
nomorphous -us μορφή
odynia -ωδυνία
rachio- ῥάχις
campsis κάμψις
centesis κέντησις
chysis χύσις
cocainization -ίζειν
cyphosis κύφωσις
dont(id(ae ὀδοντ-
meter μέτρον
myelitis μυελός -ῖτις
paralysis παράλυσις
plegia -πληγία
pteris πτερίς
scholioma σχολίωμα
scoliosis σκολίωσις
tome -y -τομον -τομία
rachi- ῥάχις
pagus πάγος
paralysis παράλυσις
phyma φῦμα
rrheuma ῥεῦμα
schisis σχίσις
rachis ῥάχις
agra ἄγρα
schisis σχίσις
rachistovainization ῥάχις -ίζειν
rachitis ῥαχῖτις
-ic -ism -ισμός
rachi- Cont'd
tome -y -τομον -τομία
tomi -ous -τομος
Rachycentron -idae ῥάχις κέντρον
racialism -ισμός
radialize -ation -ίζειν
Radiaspis ἀσπίς
Radiatodonta ὀδοντ-
radiatropism -ic τροπ- -ισμός
radicalism -ισμός
-ize -ation -ίζειν
radicotomy -τομία
radiculalgia -αλγία
radiculectomy -εκτομία
radiculitis -ῖτις
rad(i)ectomy -εκτομία
radiism -ισμός
radio-
actinium ἀκτιν-
activimeter μέτρον
baryt βαρύτης
be βίος
carpal καρπός
chem- χημεία
ical istry
chroism χρόα -ισμός
chrometer χρῶμα μέτρον
chronometer χρονο- μέτρον
cinematograph κίνημα -γραφος
condylar κόνδυλος
dermatitis δερματ- -ῖτις
diagnosis διάγνωσις
-ostics διαγνωστικός
diaphane διαφανής
dontia -ist ὀδοντ- -ιστής
dynamic(s δυναμικός
genol -γενής
goniometer γωνιο- μέτρον
gram γράμμα
graph(er -γραφος
graphy -ic(al(ly -γραφία
hormonic ὁρμῶν
lite(s -id(ae -oid λίθος
logy -λογία
-ic(al(ly -ist -ιστής
meter μέτρον
metry -ic -μετρία

radio- Cont'd
micrometer μικρο- μέτρον
neuritis νεῦρον -ῖτις
pelvimetry -μετρία
phare φάρος
phone -ic(s -y φωνή
photography φωτο- -γραφία
phyllite φύλλον -ίτης
physiology -ical φυσιολογία
plastic πλαστικός
praxis πρᾶξις
pticon ὀπτικόν πία
scope -y -ic -σκόπιον -σκο-
sperm(ic um σπέρμα
stereoscopy στερεο- -σκοπία
symmetrical συμμετρικός
technology τεχνολογία
tele- τηλε-
gram γράμμα
graph -γραφος
graphy -ic -γραφία
phone -y φωνή
teria -τήριον
therapeutic(s θεραπευτικός
therapy θεραπεία
tropic τροπ-
toxemia τοξικόν -αιμία
tron ἤλεκτρον
uranium 'Ουρανός
radiumologist -λογία -ιστής
Radstockiceras κέρας
Raetomya μῦς
railophone φωνή
raimondite -ίτης
Ramaism -aite -ισμός -ίτης
Ramessid(e 'Ραμέσσης
Ramism -ισμός
Ramist(ry ical -ιστής -ιστικός
Randallite ranite -ίτης
ranoid -οειδής
Ranterism -ισμός
rantism ῥαντισμός
rantize ῥαντίζειν
ranunculoid -οειδής
Raphaelism -ισμός
-ite -itism -ίτης
raphal ῥαφή
raphania -y ῥάφανος
Raphanocera ῥαφανο- κέρας
Raphanus ῥάφανος
-eae -(id)in -ol
raphe ῥαφή
raphiankistron ῥαφίς ἀγκισ-
raphid ῥαφίς τρον
e(s ian ines
azin ῥαφίς
ian iid(ae iferous ioidea
raphidiospore ῥαφή ἴδιος
raphido- ῥαφιδο- σπορά
plankton πλαγκτον
rhynchus ῥύγχος
raphi- ῥαφίς
glossa γλῶσσα
graph -γραφος
lite λίθος
oid -οειδής
raphio- ῥαφίς
phoridae -φορος
saurus σαῦρος
raphis -ite ῥαφίς
rascalism -ισμός
rastolyte ῥᾷστος λυτός
rastrite rathite -ίτης
rathymo- ῥαθυμο-
dyta δύτης
scelis σκελίς
Rathymus ῥάθυμος

ratiometer μέτρον
rational ism -ισμός
-ist(ic(al(ly -ιστής -ιστικός
-ize(r -able -ation -ίζειν
rayfiltergraph -γραφος
rayogram γράμμα
rayometer μέτρον
reacetylation & -ize ὕλη -ίζειν
reaction(ary)ism -ισμός
reactionist -ιστής
reaeration ἀήρ
realism -ισμός
realist(ic(ally -ιστής -ιστικός
ize -ίζειν
-ability -able -ably -ation
-ed(ness -er -ing(ly
reanalysis ἀνάλυσις
reauthentication αὐθεντικός
reauthorize -ίζειν
rebaptism(al βαπτισμός
rebaptist βαπτιστής
rebaptize(r -ation βαπτίζειν
rebarbarize -ation βάρβαρος
Rebeccaism -aite -ισμός -ίτης
recapitalize -ίζειν
recapitulationist -ιστής
recarbonize -ίζειν
recarburize(r -ation -ίζειν
recausticize καυστικός
recensionist -ιστής
receptionism -ist -ισμός -ιστής
Rechias ῥηχίη
rechristen Χριστός -ίζειν
rechristianize Χριστιανός
recipiometer μέτρον
recidivism -ισμός
-ist(ic -ιστής -ιστικός
recitalist -ιστής
recitation(al)ist -ιστής
recolonize -ation -ίζειν
recolorization -ίζειν
reconography -γραφία
recrystallize -ation κρύσταλ-
rectalgia -αλγία λος
rectangulometer μέτρον
rectectomy -εκτομία
rectigraph(ic -γραφος
rectilinearism -ization -ισμός
rectipetality πέταλον -ίζειν
Rectirhynchia ῥύγχος
rectischiac ἰσχίον
rectitis -ic -ῖτις
recto-
cele κήλη
coccygeal κοκκυγ-
coccypexy κόκκυξ -πηξία
colitis κόλον -ῖτις
cystotomy κύστις -τομία
phobia -φοβία
(romano)scope -σκόπιον
romanoscopy -σκοπία
sigmoid σιγμοειδής
stenosis στένωσις
stomy -στομία
tome -y -τομον -τομία
recturethral οὐρήθρα
recycle κύκλος
Redemptionist -ιστής
Redemptorist(ine -ιστής
redonite -ίτης
red-tapism -ist -ισμός -ιστής
reductionist -ιστής
reductometrically μετρία
reemphasize ἔμφασις -ίζειν
reenergize ἐνέργεια -ίζειν
reensphere σφαῖρα
reenthrone(ment -ize θρόνος

reepitomize ἐπιτομή -ίζειν
refertilize -ation -ίζειν
reflecto-
meter -ry μέτρον -μετρία
scope -σκόπιον
reflexogenic -ous -γενής
reflexograph -γραφος
reflexology -λογία
reflexometer μέτρον
reflexophil -φιλος
reforestize -ation -ίζειν
reformatist -ιστής
refractionist -ιστής
refractometer μέτρον
refractometry -ic -μετρία
refractoscope -σκόπιον
regalism -ισμός
-ist -ize -ιστής -ιζειν
regenesis γένεσις
regicidism -ισμός
regionalism -ισμός
-ist(ic -ιστής -ιστικός
regma ῥῆγμα
regolith ῥῆγος λίθος
regularize -ation -ίζειν
regulationist -ιστής
reharmonize ἁρμονία -ίζειν
rehumanize rehybridize
rehydrate -ation ὑδρ-
rehydrogenation ὑδρο- -γενής
rehydrolyze ὑδρο- λύσις
rehypothecate -ion -or ὑποθήκη
reincarnationist -ιστής
reinthronize θρόνος -ίζειν
reisomerize ἰσομερής -ίζειν
Reithrodon ῥεῖθρον ὀδών
rejuvenize -ίζειν
relationism -ist -ισμός -ιστής
relatist -ιστής
relativism -ισμός
-ist(ic -ιστής -ιστικός
religionism -ize -ισμός -ίζειν
-ist(ic -ιστής -ιστικός
remagnetize -ation Μαγνῆτις
Rembrandtism -ισμός -ίζειν
remedist -ιστής
rememorize -ίζειν
remetamorphose μεταμόρφω-
remethylate μέθυ ὕλη σις
remingtonite -ίτης
remineralization -ίζειν
remolecularization -ίζειν
remolinite -ίτης
remonetize -ation -ίζειν
Remopleurides πλευρά
remorphize μορφή -ίζειν
renaden ἀδήν
renicardiac καρδία -ακός
reni(*or* o)pericardium -ial
περικάρδιον
renn(in)ogen -γενής
renogastric γαστρ-
renography -γραφιά
renovationist -ιστής
renoxidizement ὀξύς -ίζειν
rensselaerite -ίτης
reobjectivize reovilize
reorganize(r -ation ὄργανον
reoxid- ὀξύς -ίζειν
ation ize(ment
reoxygenize & -ate ὀξυ- -γενής
repaganize(r -ation -ίζειν
repeptize -ation πεπτόν
repetitionist -ιστής
rephlogisticate φλογιστός
rephosphorize -ation φωσφόρος
rephrase φράσις

repolarization πόλος -ίζειν
repolymerize -ation πολυμερής
representationalism -ist -ίζειν
reptilism -oid -ισμός -οειδής
reptonize -ίζειν
republicanism -ισμός
republicanize(r -ation -ίζειν
requisitionist -ιστής
rerevolutionize -ίζειν
reromanize -ation -ίζειν
resacetophenone φαιν- -ώνη
resaurin αὖρον
reservist -ιστής
resiliometer μέτρον
resinite & -ize -ίτης -ίζειν
resinocyst κύστις
resinogenous -γενής
resinoid -οειδής
resinophor(ous -φορος
resinosis -ωσις
resobenzophenone φαιν- -ώνη
resodicarboxylic δι- ὀξύς ὕλη
resolemnize -ίζειν
resolutionist -ιστής
resopyrin(e πῦρ
resorcinism -ισμός
resorcyl(ic ὕλη
aldehyde ὕδωρ
respectabilize -ίζειν
resphere σφαῖρα
respirometer μέτρον
resterilize -ίζειν
restigmatize στίγμα
restituionism -(al)ist -ισμός
restorationism -ist -ισμός
restrictionist -ιστής
resultantometer μέτρον
resurrectionism -ισμός
-ist -ize -ιστής -ίζειν
resynthesize σύνθεσις -ίζειν
resynthetic συνθετικός
retecytolysis κυτο- λύσις
retelegraph τηλε- -γραφος
retene ῥητίνη
-quinone -ώνη
retentionist -ιστής
retepore πόρος
-a -id(ae -oid
rethrone θρόνος
reticulitis -ῖτις
reticulo-
cyte -osis κύτος -ωσις
endothelial ἐνδο- θηλή
plasm πλάσμα
reticulosis -ωσις
retina -al ῥητίνη
lite λιθος
retin- ῥητίνη
aphtha νάφθα
asphaltum ἄσφαλτος
ellite -ίτης
eum ian ic ite ol
ispora σπορά
itis oid -ῖτις -οειδής
retino- ῥητίνη
choroidal χοριοειδής
gen -γενής
papillitis -ῖτις
phora -al -φορος
sciascopy σκία -σκοπία
scope -al -σκόπιον
scopy -σκοπία
-ic(ally -ist -ιστής
spora -ites σπορά -ίτης
retranquil(l)ize -ίζειν
retro-
cardiac καρδία -ακός

retro- Cont'd
catheterism καθετήρ -ισμός
choir chorally χορός
esophageal οἰσοφάγος
gradism gressivism -ισμός
graphy -γραφία
gressionist -ιστής
iridian ἰριδ-
labyrinthine λαβύρινθος
mastoid μαστοειδής
morphosis -ed μόρφωσις
peritoneal(ly περιτόναιον
pharynx -yngeal φάρυγξ
presbyteral πρεσβυτερός
siphonata(e & -ate σίφων
stalsis staltic στάλσις
sternal στέρνον
symphyseal σύμφυσις
tarsal τάρσος
tracheal τραχεία
reunionism -ist(ic -ισμός
-ιστής -ιστικός
reussinite -ίτης
reutilize -ίζειν
revelationist -ιστής
Revalocrinus κρίνον
Revalocystis κύστις
Revalopora πόρος
reverist revisionist -ιστής
revertase διάστασις
revitalize -ation -ίζειν
revivalism -ισμός
-ist(ic -ιστής -ιστικός
-ize -ίζειν
revolutionize(r -ment -ίζειν
rezbanyite -ίτης
Rha ῥᾶ
rhabarb(um ῥᾶ βάρβαρος
-ate -ic -in(e -one -ώνη
rhabd ῥάβδος
al ia ina ous us
ammina -ia ἄμμος
ichnite(s ἴχνος -ίτης
inema νῆμα
ite -ic -iform -ίτης
ium -itis -ῖτις
om(e al ῥάβδωμα
rhabdo- ῥαβδο-
bunus βουνός
carpos καρπός
chondroma χόνδρος -ωμα
coel(e κοῖλος
-ian (id)a(n ous
colpus κολπός
crepid(a κρηπίς
cyst κύστις
drax δράξ
id(al ῥαβδοειδής
lith(ic λίθος
logy -ical -λογία
rhabdom(e al ῥάβδωμα
mancy ῥαβδομαντεία
manty -ic -ist -ιστής
mere μέρος
mesodon(tidae μεσ- ὀδών
myoma μυ- -ωμα
myo- μυο- -ωμα
blastoma βλαστός
chondroma χόνδρος
myxoma μύξα
sarcoma σάρκωμα
nema -id(ae -oid νῆμα
phane -ite -φανής -ίτης
phobia -φοβία
pholis φολίς
phora(n ous -φορος
phyton φυτόν

rhabdo- Cont'd
pleura(e πλευρόν
-id(ae -oid -ous
pod ποδ-
ptilidae πτίλον
sarcoma σάρκωμα
scytus σκῦτος
sebastes σεβαστός
some σῶμα
sophy -σοφία
sphaera sphere σφαῖρα
-eid(ae -eoid(ea
styla στῦλος
rhabd- ῥάβδος
osteus ὀστέον
otum ῥαβδωτός
uchus ῥαβδοῦχος
rhacheola ῥαχίς
Rhachitopis ῥαχίτης ὤψ
Rhacianectes ῥαχία νηκτής
Rhachilla ῥάχις
rhaci- ῥαχίς
algia -ic -itis -αλγία
morphous -μορφος
odes ῥαχιώδης
schisis σχίσις
rhacio- ῥαχίς
myelitis μυελός -ῖτις
tome -i -y -τομον -τομία
rhacis(agra ῥαχίς ἄγρα
rhacitis -ic ῥαχῖτις
Rhacodes ῥακώδης
rhaco- ῥακο-
chilus χεῖλος
gnathus γνάθος
notus νῶτος
phorus φόρος
phyllum φύλλον
pteris πτερίς
rhacoma ῥακόειν -ωμα
Rhactorhynchia ῥακτός ῥύγχος
Rhadalus ῥαδαλός
Rhadamanthus Ῥαδαμάνθος
-ean -ian -ously
Rhadia ῥάδιος
rhadino- ῥαδινός
cerus κέρας
ptera πτερόν
somus σῶμα
Rhadinophis ῥαδινός ὄφις
rhaebo- ῥαιβο-
crania κρανίον
ides ῥαιβοειδής
scelia -is σκέλος σκελίς
sterna στέρνον
Rhaebus -osis ῥαιβός -ωσις
rhaestocythemia ῥαίειν κύτος -αιμία
rhaetizite -ίτης
rhagades ῥαγάς
-iform -iose
-rhage -ia -ῥαγία
rhagio- ῥαγίον
crin κρίνον
morpha μορφή
rhag- ῥάξ
ite on(ate ose
odes ῥαγωδής
ophthalmus ὀφθαλμός
rhago- ῥαγο-
chila χεῖλος
dera δέρη
pteryx πτέρυξ
Rhammatopora ῥάμμα πόρος
rhamn(us ῥάμνος
(ac)eae (ac)eous ad ales egin
etin in ite ol onic
ase διάστασις

rhamn(us Cont'd
azin ἀ- ζωή
icoginal γλεῦκος -γενής
(ic)oside (in)ose γλεῦκος
osyl γλεῦκος ὕλη
rhamno- ῥαμνο-
cathartin καθαρτικός
chrysin χρυσός
citrin κίτρον
diastase διάστασις
fluorin
galactoside γαλακτ-
glucoside γλεῦκος
heptose ἑπτ- γλεῦκος
hex- ἕξ
ite onic ose γλεῦκος
lutin λυτός
mannoside μάννα γλεῦκος
nigrin
sterin στερεός
xanthin(e ξανθός
Rhamnusium Ῥαμνούσιος
rhamph- ῥάμφος
alcyon ἀλκυών
astos ῥαμφάζομαι
-id(ae -inae -oid
ichthys -yid(ae ἰχθύς
rhampho- ῥάμφος
batis βατίς
c(o)elus κήλη erron. κοῖλος
chromis χρόμις
cottus κόττος
-id(ae -inae -oid(ea
dermogenys δέρμα γένυς
don id ὀδών -οειδής
leon λέων
lyssa λύσσα
micron μικρόν
phila -φιλος
rhyncus ῥύγχος
-id(ae -inae -ine -oid
theca -al θήκη
Rhamphosus ῥάμφος
-id(ae -oid
Rhamphus ῥάμφος
Rhanis ῥανίς
Rhantus ῥαντός
r(h)aphania ῥάφανος
rhaphid(ian ῥαφίς
rhaphido- ῥαφιδο-
dera δέρη
gnatha γνάθος
phyllum φύλλον
podus ποδ-
Rhapis ῥαφίς
-idopsis ὄψις
-rhaphy -ῥαφία
rhapontic ῥᾶ Ποντικός
-(ic)in(e
-i(or o)genin -γενής
rhapsode(r ῥαψῳδός
-ism -ist(ic -ισμός -ιστής
-ic(al(ly ῥαψῳδικός -ιστικός
-omancy ῥαψῳδο- μαντεία
-y -ize ῥαψῳδία -ίζειν
Rhapopetalum ῥαπτός πέταλον
rhax ῥάξ
-rh(o)ea -ῥοια
Rhea Ῥέα
Rhea(e -eid(ae -eoid(eae Ῥέα
rheadine ῥοιάς
rhebo- = rhaebo-
crania ides scelia
rhebosis ῥαιβός -ωσις
rhesto- = rhaesto-
Rhechodes ῥηχώδης
rhegma ῥῆγμα

Rhegmoza ῥέγμα ὄζος
Rhegnopteri ῥήγνυμι πτερόν
rheic ῥῆον
rhein(e -(ol)ic ῥῆον
amide ἀμμωνιακόν
rhematic ῥηματικός
rhematology ῥῆμα -λογία
rhembasmus ῥεμβασμός
Rhembus ῥεμβός
rheme ῥῆμα
Rhemist -ιστής
rhenite -ίτης
Rhenocrinus ῥηνο- κρίνον
-idae -ites
rheo- ῥέος or ῥέω
basis βάσις
chord χορδή
cline κλίνη
crat -κρατής
electric ἤλεκτρον
graph -γραφος
meter μέτρον
metry -ic -μετρία
nigrin
nome νόμος
philae -φιλος
phore -ic -φορος
scope -ic -σκόπιον
stat(ic(s στατός
tachygraphy ταχυ- -γραφία
tactic τακτικός
tan
taxis τάξις
tome -τομον
trope -ic -ism τροπ- -ισμός
rheo- ῥῆον
nine tannic
rhesis ῥῆσις
Rhesus Ῥῆσος
rhetor ῥήτωρ
ial ian iously ism -ισμός
rhetoric ῥητορική
al(ly alness ate ation ian(ism ly
rhetorize ῥητορίζειν
rhetory ῥητορεία
Rheum ῥῆον
rheum(a y ῥεῦμα
arthritis ἀρθρῖτις
arthrosis ἄρθρον -ωσις
asan
atalgia -αλγία
atic ῥευματικός
al(ly ness -ics -icy
atism(al atic -ισμός
atitic ῥευματικός -ῖτις
atize -isant ῥευματίζειν
ato- ῥεῦμα
celes celis κήλη κηλίς
pyra πῦρ
atoid(al(ly -οειδής
atosis -ωσις
ides
ophthalmia ὀφθαλμία
rheumic -ate -in ῥῆον
rhexi- ῥηξι-
genetic γενετικός
genous -γενής
rhexis ῥῆξις
-olytic λυτικός
Rhigus -olene ῥῖγος
Rhina(e ῥίνη
rhin- ῥιν-
acanthus -in ἄκανθος
aesthesis -ia αἴσθησις
aesthetics αἰσθητικός
al
algia -in -αλγία

rhin- Cont'd
andrus -ανδρος
antho- ἀνθο-
cyanin κύανος
gen -γενής
anthus -aceae -in ἄνθος
aria -ium ῥινάριον
aspis -oides ἀσπίς
aster ἀστήρ μός
rhincospasm ?ῥέγκειν σπασ-
rhine -al -ous ῥίς(ῥινός)
-rhine -ῥινος
rhin- Cont'd
edema οἴδημα
encephal(on ἐγκέφαλον
a i ia ic ous us
enchysis ἔγχυσις
eurynter εὐρύνειν
ichthys ἰχθύς
ism itis -ισμός -ῖτις
rhinion ῥινίον
-ioglossa γλῶσσα
-iopora πόρος
Rhinesuchus -idae ῥίνη σοῦχος
rhin- Cont'd
ochetus ὀχετός
-id(ae -oid
odon ὀδών
-ont(id(ae -ontoid
odyne -ia ὀδύνη
omalus ὁμαλός
ommectomy ὄμμα -εκτομία
ophis ὄφις
optia ὀπτός
orchilus ὀρχίλος
ortha ὀρθός
otia ὠτ-
rhino ῥινόκερως
rhino- ῥινο-
antritis ἄντρον -ῖτις
batus ῥινόβατος
-id(ae -oid
blennorrhea βλέννος -ῥοία
brachys βραχύς
byon βύειν μία
canthectomy κανθός -εκτο-
carcinoma καρκίνωμα
caris καρίς
cartus κάρτος
caul καυλός
cephalus κεφαλή
ceros ῥινόκερως
-al -ial -ical -(ont)id(ae
-ontina -(ont)in(e -oid
cerot ῥινόκερως (ea(n
ic id(ae iform(ia ine oid
cheiloplasty χεῖλος -πλασ-
chenus χήν τία
chilus χεῖλος
chimaera -idae χίμαιρα
cleisis κλεῖσις
coele -ia(n -ic κοιλία
coeta κοίτη
cola κόλος
crypta κρυπτός
cyllus κυλλός
dacryolith δάκρυον λίθος
derma -idae δέρμα
edema οἴδημα
gale -idae -inae γαλῆ
genous -γενής
lalia λαλία
laryngitis λαρυγγ- -ῖτις
laryngology λαρυγγο-
liparis λιπαρός -λογία
lite lith(ic λίθος
lithiasis λιθίασις

rhino- Cont'd
logy -λογία
-ical -ist -ιστής
lophus λόφος
-id(ae -inae -in(e -oid
macer(id(ae -oid μακρός
manometer μανός μέτρον
metaplasty μετά -πλαστία
meter μέτρον
miosis μείωσις
necrosis νέκρωσις -ῖτις
pharyngeal -itis φαρυγγ-
pharyngo- φαρυγγο-
cele lith κήλη λίθος
pharynx φάρυγξ
phonia -φωνία
phor(e -ium -φορος
phryne -id(ae -oid φρύνη
phylla φύλλον
phyma -atous φῦμα
plast(os πλαστός
plasty -ic -πλαστία
platia πλατύς
plethes πλῆθος
polypus πολύπους
pome(a πῶμα
-astes -atine
ptera πτερόν
pteryx πτέρυξ
reaction
rhynchidius ῥύγχος -ιδιον
rrhagia -ῥαγία
rrhaphy -ῥαφία
rrh(o)ea(l -ῥοία
salpingitis σαλπιγξ -ῖτις
scapha σκάφα
sclerin -oma σκληρός -ωμα
scope -y -ic -σκόπιον -σκο-
scopelus σκόπελος πία
simus σιμός
sphenal σφήν
sporidium σπορά -ιδιον
-iosis -ωσις
stegnosis στήγνωσις
stenosis στένωσις
theca -al θήκη
tmetus τμητός
tragus τράγος
triacis τριάκις
rhipi- ῥιπίς
cephalus κεφαλή
cera -id(ae -oid κέρας
rhipid- ῥιπίς
andrus -ανδρος
ion ium ius ῥιπίδιον
istia(n -ious ἱστίον
ure -a οὐρά
rhipido- ῥιπίς
cera κέρας
cystidae κύστις
glossa γλῶσσα
-al -ata -ate
gorgia γοργός
mellidae & -inae μέλλειν
phorus -id(ae -φορος
ptera -ous πτερόν
pterygia(n πτερύγιον
taxis τάξις
rhipi- ῥιπίς
phorus -id(ae -oid -φορος
pter(a(n -ous πτερόν
Rhips(alis ῥίψ
Rhiptoglossa(e -ate -i ῥιπτός
rhiz- ῥιζ- γλῶσσα
agra ῥιζάγρα
anth(eae ous ἄνθος
antoicous ἀντ- οἶκος

rhiz- Cont'd
e el idium -ιδιον
ic ῥιζικός
in(e
a aceous ia ous
ophylla = rhizophylla
odont(a idae ὀδοντ-
-ontropy -τροπία
-ontrypy τρυπᾶν
odus ὀδούς
oma ome ῥίζωμα
-atic -atose
onic ula
onychium -ial ὀνυχ-
opsis ὄψις
oristic ὁριστός
ote -a -ic ὠτ-
rhiziophysis = rhizophysis
rhizo- ῥιζο-
bia -ic bius βίος
carp(eae καρπός
ean ian ic ous
caul(us καυλός
cephala(n on ous κεφαλή
cholic χολικός
clon κλών
collesy κόλλησις
conin -olein κώνειον
corm κορμός
crinoid -idae -us κρίνον
ctonia -iose κτόνος
dermis -δερμις
flagellate -a
gen(ic -ous -um -γενής
genetic γενετικός
glyphus γλύφειν
id(al eous ῥιζοειδής
lithophytes λιθο- φυτόν
mania μανία
mastigoid μαστιγ-
melic μέλος
monas -adidae μονάς
morph(a μορφή
ic oid ous
mys μῦς
neure νεῦρον
phaga ῥιζοφάγος
-an -ist -ous -ιστής
pertha πέρθειν
philous -φιλος
phor- ῥιζοφόρος
a(ac)eae (ace)ous e etum
phydium -ial φειδός
phyll ῥιζόφυλλος
a aceae (ace)ous
physis φύσις
phyte ῥιζόφυτον
plast πλαστός
pod(a(n ποδ-
al ist ic ous
podium -ial πόδιον
pogon πώγων
poridium πορίδιον
pus πούς
spalax σπάλαξ
stom- στόμα
a(e ata (at)ous e eae ean
ella idae
taxis -y τάξις -ταξία
tetrachis τέτραχα
thamnion θαμνίον
tomy -ist ῥιζοτομία -ιστής
trogus τρώγειν
rhizumenon ῥιζουμενον
rho ῥῶ
rhoad ῥόος
rhod- ῥοδ-

rhod- Cont'd
acene
agen = rodagen
alite alose ῥοδαλός
allin
amin(e ἀμμωνιακόν
ammin(e -ium
an(e -ate -ic -ide -ine
anometric -μετρία
anthe ἄνθος
eine eite ellus -ῖτης
rhodeo- ῥόδεος
hexonic hexose ἕξ γλεῦκος
retin(ol (ol)ic ῥητίνη
tetrose τετρ- γλεῦκος
rhode- ῥόδεος
ina onic ose us γλευκός
rhod- Cont'd
ian Ῥόδος
ic (i)ate iene
im(e ἀμμωνιακόν
inal -ic -ol ῥόδινος
iola ite ium
ol ous uline
onite ῥόδον -ίτης
ope -id(ae -oid Ῥοδόπη
opis opsin -ωπις ὄψις
ora -eae
osochromic χρῶμα
ymeni- ὑμήν
a aceae aceous ales
rhodio- ῥόδεος
chlorid(e χλωρός
Rhodites ῥοδίτης
rhodiz- ῥοδίζειν
ite onate onic
rhodo- ῥοδο-
arsenian ἀρσενικόν
bacteria -iaceae βακτηρία
charis χάρις
chroisite ῥοδόχροος -ίτης
chrome χρῶμα
chrosite ῥοδόχρως -ιτης
cladonic κλαδών
coccus κόκκος
crinus κρίνον
-id(ae -ite -oid
cyte κύτος
daphne ῥοδοδάφνη
dendron ῥοδόδενδρον
etum in ol
derma δέρμα
gen -γενής
genesis γένεσις
hemin αἱμ-
leucus λευκός
lite λίθος
logy -ist -λογία -ιστής
mela -aceae ῥοδάμελι
phane -φανής
phosphite φωσφόρος
phyceae -eous φῦκος
phylactic φυλακτικός
phylaxis φύλαξις
phyll(ite φύλλον
phyllin φύλλινος
phyllous -φυλλος
phyta φυτόν
plast(id πλαστός
porphyrin πορφύρα
retin(ic ῥητίνη
rhiza ῥίζα
sperm σπέρμα
eae in ous
sporeae σπορά
staurotic σταυρός -ωτικός
stethia στῆθος

rhodo- Cont'd
tannic
thamnus θάμνος
tilite τιλός
typos τύπος
xanthin ξανθός
rhodusite 'Ρόδος
-rh(o)ea -ῥοια
rhoeadic -in(e ῥοιάς
rhoeagenin(e ῥοιάς -γενής
Rhoe(*or* oi)cius ῥοικός
Rhoetosaurus σαῦρος
Rhogas ῥωγάς
-ostoma στόμα
rhoium ῥόος
rhomb(ed ῥόμβος
rhomb- ῥόμβος
arsenite ἀρσενικόν
encephalon ἐγκέφαλον
(en)porphyry πορφύρα
eous eus ic
icosi- εἴκοσι
dodecahedron δωδεκάεδρον
oplites ὁπλίτης
ovate
rhombus ῥόμβος
rhombi- ῥόμβος
chirus χείρ
(cub)octahedron ὀκτάεδρον
fer(a i ous
folious form(is
gen(a ous -γενής
rhombo- ῥομβο-
chirus χείρ
clase κλάσις
coele -ia(n -ic κοιλία
dera δέρη
dodecahedral δωδεκάεδρον
ganoid(ea ei γάνος
gen(e a ic ous -γενής
hedron -al(ly -ic -έδρον
oid ῥομβοειδής
al(ly ea es eum eus ovate
pteria πτερόν
rrhinus ῥίν
sternus στέρνον
rhonchus -(i)al ῥόγχος
rhoo- ῥόος
philus phyta -φιλος φυτόν
Rhopaea ῥοπή
rhopal- ῥόπαλον
androthrips ἀνδρο- θρίψ
ic ism ῥοπαλικός
istes ium
izus ῥοπαλίζειν
odon(tus ὀδών ὀδοντ-
ura -id(ae -oid οὐρά
rhopalo- ῥοπαλο-
brachium βραχίων
cera -al -ous κέρας
dina -id(ae -oid δεινός
melus merus μέλος μηρός
nema νῆμα
phora ῥοπαλοφόρος
pleurus πλευρόν
scelis σκελίς
siphum σίφων
styla στῦλος
rhopographer ῥωπογράφος
rhopography ῥωπογραφία
rhoptometer ῥόπτόν μέτρον
rhoptro- ῥόπτρον
centrus κέντρον
meris μερίς
myrmex μύρμηξ
Rhoptrum ῥόπτρον

rhotacism -ize ῥωτακίζειν
-ισμός -ίζειν
rhubarb ῥῆον βάρβαρον
aric (ar)in ative y
rhumb ῥόμβος
Rhus ῥοῦς
rhusma χρῖσμα
rhyacad -ium ῥύαξ
rhyaco- ῥύαξ
bates βάτης
labis λαβίς
lite λίθος
phila -us -φιλος
-id(ae -oid
phyta φυτόν
Rhyephenes ῥυηφενής
Rhygchium ῥυγχίον
rhyme -ist (infl. by ῥυθμος)
rhynch- ῥυγχ-
acis ἀκίς
(a)ea(n ias osia
aena -us ῥύγχαινα
aspis ἀσπίς
eta -idae χαίτη
ites -id(ae -oid -ίτης
odaeum ὀδαῖος
odes -ώδης
odont ὀδοντ-
id(ae oid us
odus ὀδούς
onella -id(ae -oid(ea
opid(ae inae ine oid) ὤπ-
ops ὤψ
ote ὠτ-
-a(l -ous -us
uchus -ουχος
rhyncho- ῥυγχο-
bdella -idae -oidei βδέλλα
cephala κεφαλή
-ia(n -ic -oid -ous
cerithium κεράτιον
ceti -us κῆτος
coele κοῖλος
-a(n -ic -ous -um
coelom(ic κοίλωμα
cyon(id(ae oid κύων
flagellate -a
gnathous γνάθος
lepis λεπίς
lite λίθος
lophus -idae λόφος
nycteris νυκτερίς
phanes φαιν-
phore -φορος
-a(n -ous -us
prion πρίων
psitta ψίττα
saur(us σαῦρος
ia(n id(ae oid
spora -eae -ous σπορά
stome στόμα
tetra τέτρα
treminae τρῆμα
Rhyncolus ῥύγχος κόλος
rhyncosporetum ῥυγχο- σπορά
rhyo- ῥύαξ
crystal κρύσταλλος
lite -ic λίθος
stomaturia στοματ- -ουρία
rhyparia ῥυπαρία
Rhyparida ῥυπαρ- εἶδος
rhyparo- ῥυπαρο-
grapher ῥυπαρογράφος
-ic -ist -y -ιστής
philus -φιλος
somus σῶμα
Rhyparus ῥυπαρός

Rhypasma ῥύπασμα
rhypo- ῥυπο-
bius βίος
chromus χρῶμα
graphy -γραφία
phaga -y -ous -φαγος -φαγία
phobia -φοβία
rhyptic(al ῥυπτικός
id(ae oid us
rhysion -ium ῥύσις
-imeter μέτρον
Rhysipolis ῥυσίπολις
Rhysium ῥύσιον
Rhysophora ῥυσο- -φορος
Rhyssa ῥυσός
Rhyssemus ῥύσσημα
Rhyssodes ῥυσσώδης
-id(ae -oid
Rhyssonotus ῥυσσο- νῶτος
rhythm(us ῥύθμος
ed er less
etic(al ῥυθμητικός
ic(s ῥυθμικός
al(ly (al)ness ity
ist -ιστής
ize ῥυθμίζειν
-able -ation -omenon
rhythmo- ῥυθμο-
meter μέτρον
phone φωνή
poeia ῥυθμοποιία
poetic ποιητικός
therapy θεραπεία
rhythmus ῥυθμός
rhytid- ῥυτιδοειν
actis ἀκτίς
iochasma χάσμα
rhytidome -a ῥυτίδωμα
rhytido- ῥυτιδο-
cephalus κεφαλή
dera deres δέρη δέρις
gnathus γνάθος
lomia λῶμα
nota νῶτος
phloeus ῥυτιδόφλοιος
phora -φορος
rrhinus ῥίν
somus σῶμα
r(h)ytidosis ῥυτίδωσις
Rhytina ῥυτίς
-id(ae -oid
Rhytisma ῥύτισμα
rhyton ῥυτόν
Rhyzaena ῥυζέω -αινα
rhyzo- = rhizo-
biolite βιο- λίθος
ribandism -ist -ισμός -ιστής
ribbonism -ισμός -ιστής
ribite 'Αράβιος -ίτης
ribos 'Αράβιος γλεῦκος
-amine ἀμμωνιακόν
ide
richellite richmondite
richterite rickardite -ίτης
ricinelaidic -ic ἔλαιον
ricinostearolic στέαρ
ricolite λίθος
riebeckite -ίτης
rigorism -ισμός
-ist(ic -ιστής -ιστικός
Rimirhynchia ῥύγχος
ringporous πόρος
rinkite -ίτης
rinkomania(c μανία -ακός
Rinoncus ῥίν ὄγκος
rionite riotist -ίτης -ιστής
rittingerite -ίτης

Ripicera -idae ῥιπίς κέρας
ripidolite λίθος
Ripidura οὐρά
ripienist -ιστής
Ripisoecia οἶκος
ritualism -ize -ισμός -ίζειν
-ist(ic(ally -ιστής -ιστικός
rivalism -ize -ισμός -ίζειν
rivotite roburite -ίτης
rizopatronite ῥιζο- -ίτης
rock-alyssum ἄλυσσον
rock-lychnis λυχνίς
rodagen ῥόδον
Rodocystis ῥοδο- κύστις
rodomontadist -ιστής
ro(e)merite roepperite -ίτης
Roemerocrinus κρίνον
ro(e)ntgeno-
cardiogram καρδιο- γράμμα
graph(y ic -γραφος -γραφία
logy -ic -ist -λογία -ιστής
meter -ry μέτρον -μετρία
scope -σκόπιον
roent(o)gram γράμμα
rogat(ion)ist -ιστής
rolandometer μέτρον
Romaean 'Ρωμαῖος
Romaic -aika 'Ρωμαικός
romanc(eal)ist -ιστής
romancize -ίζειν
Romanism -ισμός
-ist(ic(al -ιστής -ιστικός
-ite -ίτης
-ize -er -ation -ίζειν
romanopexy -πηξία
romanoscope -σκόπιον
romanticism -ize -ισμός -ίζειν
-ist(ic -ιστής -ιστικός
romantist -ιστής
rombergism -ισμός
romeite -ίτης
ro(e)ntgenism -ize -ισμός
ro(e)nt(geno)- -ίζειν
gram γράμμα
graph(y -γραφος -γραφία
scopy -σκοπία
therapy θεραπεία
ropalo = rhopalo-
rosamine ἀμμωνιακόν
rosanthrene ἄνθραξ
roseite rosenbuschite -ίτης
rose(*or* o)lite λίθος
roseloid -οειδής
Rosicrucianism -ize -ισμός
rosind- 'Ινδικός -ίζειν
ol(e ulin(e ulone
Rosminianism -ισμός
rosocyanin(e κύανος
rosophenin(e φαιν-
rosslerite rosterite ίτης
rosthornite -ίτης
rotacism -ize ῥωτακίζειν
rotalite λίθος
rotameter μέτρον
rotascope -σκόπιον
roten(on)one -ώνη
rothoffite -ίτης
rotograph -γραφος
-gravure γράφειν
rotometer μέτρον
Rouman(ic)ize royalize -ίζειν
Rousseauism - ist-ισμός -ιστής
Rousseauite rowlandite -ίτης
roxamine ἀμμωνιακόν
rubatoxan τοξικόν
rubazonic ἀ- ζωή
rubellite -ίτης

rubeoloid -οειδής
ruberythric ἐρυθρός
Rubiaceaecarpum καρπός
rubiphyllin φύλλινος
rubiporphyrin πορφύρα
rubiretin(e ῥητίνη
rubremetine ἔμετος
Rudirhynchia ῥύγχος
rue ῥυτή
ruffianism -ize -ισμός -ίζειν
ruficoccin κόκκος
Rugithyris θυρίς
rumenitis -ῖτις
rumenotomy -τομία
rumocracy -κρατία
rumpfite -ίτης
runographic γραφικός
runology -ist -λογία -ιστής
rupia -ial ῥύπος
-ioid -itic -οειδής -ῖτις
Rupicapra ῥύπος
-inae -in(e
rupo- ῥυπο-
graphy -ical -γραφία
phobia -φοβία
ptereal πτερόν
ruralism -ist -ισμός -ιστής
ruralize -ation -ίζειν
ruskinize -ίζειν
Rustellite -ίτης
Russ(ia(n Ῥῶς
ize -ation -ίζειν
iceras κέρας
irhynchia ῥύγχος
olatrous λατρεία
Russo- Ῥῶς -ιστής
maniac μανία -ακός
phile -ism -ist -φιλος -ισμός
phobe -ism -ist -φοβος
rut- ῥυτή
a (ac)eae aceous al(es ate ic
(a)ecarpine καρπός
inose oside γλεῦκος
ylene ὕλη
rutherfordite -ίτης
rutilite -ίτης
ryacolite = rhyacolite
Rykanes ῥυκάνη
Rymandra ῥυμός -ανδρος
ryncho- = rhyncho-
rytidocarpus ῥυτίς καρπός
r(h)ytidosis ῥυτίδωσις

Sabaism Σαβαῖος -ισμός
-(a)ean(ism
Sabaoth Σαβαώθ
Sabazia Σαβάζιος
sab(b)anon σάβανον
sabbat σάββατον
arian(ism ary -ισμός
ianism -ισμός
ic σαββατικός
al(ly alness
ine ist -ιστής
ism(al σαββατισμός
ize(r -ation σαββατίζειν
Sabbath σάββατον
aism -ισμός
arian ary ine less ly
ism ize -ισμός -ίζειν
Sabeism -ισμός
sabelize -ίζειν
Sabellianism -ize -ισμός -ίζειν
Sabianism -ισμός
sableize -ίζειν

sabulite -ίτης
sac σάκκος
sacc- σάκκος
ammina ἄμμινος
-opsis ὄψις
ate(d atae iferous
iform ine
sacchar- σάκχαρ
aceous an ate(d etin ic id(e
amid ἀμμωνιακόν
ascope -σκόπιον
ase διάστασις
ephidrosis ἐφίδρωσις
iferous ification ifier ify
imeter μέτρον
imetry -ic(al -μετρία
in(e ate(d eish ic ity ol)
ite ize -ation -ίτης -ίζειν
oid(al -οειδής
on(ate e ic)
ose γλεῦκος
-an -uria -ουρία
triose τρι- γλεῦκος
ous um(ic
ulmic -in
saccharo- σάκχαρον
bacillus
biose βιός
butyric βούτυρον
chemotropic χημεία τροπή
colloid κόλλα
galactorrh(o)ea γαλακτο-
genic -γενής -ῥοία
lactonic γαλακτ-
lytic λυτικός ισμό
metabolic -ism μεταβολή
meter -ry μέτρον -μετρία
myces -osis μύκης -ωσις
mycet- μυκητ-
aceae aceous al(es e(s ic
olysis λύσις
phylly -φυλλία
rrh(o)ea -ῥοία
scope -σκόπιον
sacch- σάκχαρ(ον
olactic -ate γαλακτ-
olate
ulmic -ate -in
sacco- σακκο-
branch βράγχια
ia iate inae us
cirrus κίρρος
-id(ae -idea -oid
(co)ma κόμη
crininae κρίνον
glossa(e γλῶσσα
mys -yid(ae μῦς
-yinae -yin(e -yoid(ea(n
pharynx φάρυγξ
-yngid(ae -yngina -yngoid
phore -a -i -us σακκοφόρος
phytes φυτόν
pteryx πτέρυξ
spore(s σπορά
stomus στόμα
saccos σάκκος
saccule -us σάκκος
-ar(ian -ate(d -ation -ina
-inidae -inin(e
sacculo- σάκκος
cochlear utricular
saccus σάκκος
sacerdotalism -ισμός
-ist -ize -ιστής -ίζειν
Sacheverellite -ίτης
sack σάκκος pipe y
cloth en er et ful ing let moth

Sacodes σάκος -ώδης
saco- σακο-
discus δίσκος
glossa(e γλῶσσα
thamnus θάμνος
sacr-
algia -αλγία
ectomy -εκτομία
odynia -ωδυνία
sacrament-
(al)ism arianism -ισμός
(ar)ist ize -ιστής -ίζειν
sacrilegist -ιστής
sacro-
coccygeus -eal κοκκυγ-
cotyloid(ean κοτύλη
coxalgia coxitis -αλγία -ῖτις
coccyx κόκκυξ
ischiac -iad(or t)ic ἰσχίον
perineal περίνεον
sciatic ἰσχίας
tomy -τομία
sactosalpinx σακτός σάλπιγξ
Sadducee Σαδδουκαῖος
-(a)ean -aic(al -eeic -(ee)ism
-eeist -ize -ῖσμός -ιστής
sadism -ισμός -ίζειν
-ist(ic -ιστής -ιστικός
Saenuris σαινουρός
-id(ae -oid
-idomorpha μορφή
safflorite -ίτης
safranophile -φιλος
safroeugenol εὐγενής
sagapen(e um σαγάπηνον
sagaris σάγαρις
Sagebranchus σαγή βράγχιον
sagene -aria σαγήνη
-ichthys ἰχθύς
-ite -itic -ίτης
sageno- σαγηνο-
crinidae & -oidea κρίνον
pteris πτερίς θηρίον
Saghatherium -iidae σαγή
Sagitti(or o)ceras κέρας
sagittocyst κύστις
Sagmarius σάγμα
sagmatorhin(e σάγμα ῥίν
sahlite sailorizing -ίτης -ίζειν
Sainouron σαίνουρος
Saint-Simon(ian)ism -ισμός
-ist -ite -ιστής -ίτης
Saitic Σαιτικός
sakkos σάκκος
salabrose γλεῦκος
salamander σαλαμάνδρα
in ite ship -ίτης
Salamandra σαλαμάνδρα
-ian -ous -y
-id(ae -iform -inae -in(e
-oid(ea(n -oides -οειδής
salamid ἀμμωνιακόν
Salamis -inian Σαλαμίς
salammon- ἀμμωνιακόν
iac(al ite
Salariechthys ἰχθύς
Salax σάλαξ
salaz(in)ic salazolon ἀ- ζωή
Saliasterias σάλος ἀστερίας
salic(in)ase διάστασις
salicyl ὕλη
acetol age al o-
amic -id(e ἀμμωνιακόν
ase διάστασις
ate ato- ic id(e
bromanilid βρῶμος
idene ism -ισμός

salicyl Cont'd
ite ize -ίτης -ίζειν
quinin resorcinol
uric -ate -et
salidroside ἀνδρ- γλεῦκος
saligen- -γενής
in(ase διάστασις
ol yl ὕλη
sali-
meter -ry μέτρον -μετρία
naphthol νάφθα
nitrous νίτρον
salinize -ίζειν
salino-
meter -ry μέτρον -μετρία
oxylon ξύλον
saliphen(in φαιν-
sal(i)pyrin(e πῦρ
saliretin(e ῥητίνη
saliter -re -ral νίτρον
salivolithiasis λιθίασις
salmiac ἀμμωνιακόν
salmite -ίτης
salmonellosis -ωσις
salmonid(ae -ίδης
Salmoperca πέρκη
salnitre -al νίτρον
salocreol κρέας
salometer -ry μέτρον -μετρία
saloonist -ιστής
salophen(e -in φαιν-
salosalicylide ὕλη
salp(a σάλπη
acea(n ian id(ae iform(es oid
Salpiglossis σάλπιγξ γλῶσσα
id (ae idea
Salpinctes σαλπιγκής
salping- σαλπιγγ-
ectomy -εκτομία
emphraxis ἔμφραξις
ian ic ion itic itis -ῖτις
oeca -id(ae -oid οἶκος
otus σαλπιγγωτός
salpingo- σαλπιγγο-
catheterism καθητήρ -ισμός
cele κήλη
cyesis κύησις
maleus nasal
oophor- ὠοφόρος
ectomy -εκτομία
itis -ῖτις
ocele κήλη
oothec- ὠο- θήκη
ectomy -εκτομία
itis -ῖτις
ocele κήλη
ovariotomy -τομία
ovartis -ῖτις
palatal -ine
peritonitis περιτόναιον -ῖτις
pexy -πηξία
pharyngeus -eal φαρυγγ-
pterygoid πτερυγοειδής
rrhaphy -ῥαφία
scope -σκόπιον
staphylin(e us σταφυλή
stenochoria στενός χῶρος
(stoma)tomy στόμα -τομία
stomy -στομία μία
ureterostomy οὐρητήρ -στο-
Salpingus σαλπιγγ-
salpingysterocyesis σαλπιγγ-
ὑστερα κύησις
salpinx σάλπιγξ
-ornis ὄρνις
Saltopus πούς
-osuchus σοῦχος

Salvationism -ist -ισμός -ιστής
salylic ὕλη
salypnone ὕπνος
samandar(id)ine σαλαμάνδρα
Samaritan Σαμαρείτης
ism ish -ισμός
Samaropsis ὄψις
Samarospermum σπέρμα
sambuca σαμβύκη
sambucist σαμβυκιστής
Samian -iot(e Σάμος
samite ἑξάμιτον
Samonyicteris ἴκτερος
Samosatenian Σαμοσατηνός
Samotherium Σάμος θηρίον
Samothracian Σαμοθράκη
sampi σαμπῖ
Sampsaean Σαμψαῖοι
sampsuchine σαμψύχινον
Samsonistic -ιστικός
Samyda -aceae σημύδα
sancosterol στερεός
sanctificationist -ιστής
sanctiloge -y -λογία
sanctology -ist -λογία -ιστής
sandal σάνταλον
tree wood wort
Sandal(ing σανδάλιον
sandalus -opora σάνδαλον πόρος
sandarac(an σανδαράκη
sandbergite -ίτης
Sandemanianism -ισμός
sanders σάνταλον
sandix -yx σάνδιξ
sanguinist -ιστής
sanguinopoietic ποιητικός
Sanhedrim -in συνέδριον
-inic -(in)ist -ιστής
sanid- σανιδ-
aster ἀστήρ
in(e -ic -ite -ίτης
inophyric πορφύρα
odes σανιδώδης
sanitarianism -ist -ισμός -ιστής
sanitationist -ιστής
sanitize Sanscritize -ίζειν
sanocrysin(e χρυσός
sansculottism -ισμός
-ist -ize -ιστής -ίζειν
Sanskritist -ize -ization -ιστής
santal(um σάνταλον -ίζειν
aceae aceous al ate ene es in yl ὕλη
-ene (-ic -ol -one) -ώνη
-onan -ene -ic -ous
-onic σαντονικόν
a id(e in(e
-yl ὕλη αἰθήρ
methylether μέθυ ὕλη
santir -our ψαλτήριον
Santolina λίνον
sanusophone φωνή
Sao Σαώ
Saorstat στατός
Saperda σαπέρδης
Saphanus σαφηνής
saphena -al -ous σαφηνής
saphirol σάπφειρος
Sapholytus σαφής λυτός
sapientize -ίζειν
Sapindus Ἰνδικός
-aceae -aceous -al(es
-oxylon ξύλον
sapiphore -φορος
sapo-
arrenaterin ἄρρην ἀθήρ

sapo- Cont'd
crinin κρίνειν
dermin δέρμα
genin -γενής
meter μέτρον
(na)retin ῥητίνη
toxin τοξικόν
saponite -ίτης
Sapphic(s Σαπφικός
sapphire -ed -ic σάπφειρος
-in(e σαπφείρινος
-a -id(ae -oid
-ite σαπφειρίτης
Sappho -ism -ist Σαπφώ -ισμός -ιστής
sapr- σαπρός
(a)emia -ic -αιμία
anthracon ἄνθραξ
in(e inus ium ol
odontia -in ὀδοντ-
sapro- σαπρο-
bia βίος
biosis βίωσις
dil ?δειλός
gen(ic -ous -γενής
geophytes γεω- φυτόν
harpages ἅρπαξ
legnia λέγνον -ious -ized
-i(ac)eae -iaceous -iales
lite -ic λίθος
myiophilae -ous μυιο- -φιλος
myza -id(ae -oid μύζα
pel(ic -ite -ίτης
phagan -ous -φαγος
phile -ous -φιλος
phyte φυτόν
-al -ic(ally -ism -ισμός
plankton πλαγκτόν
pyra πῦρ
sites σίτησις
stomous -us στόμα
symbiotic συμ- βιωτικός
typhus τῦφος
zoic zoite ζῷον -ίτης
Sapyga σᾶ πυγή
-id(ae -ites -oid
Saracen Σαρακηνός
ian ism ly -ισμός
Saracenic Σαρακηνικός
al an um
sarawakite -ίτης
sarcasm σαρκασμός
(at)ical(ly atize ous -ίζειν
sarcast(ic(al(ly σαρκάζειν
ic(al)ness
sarc- σαρκ-
enchyme -atous ἔγχυμα
ic σαρκικός
obrachiate βραχίων
idium σαρκίδιον
-(i)ornis ὄρνις
in(e ic oid(ea σάρκινος
iophorus σαρκίον -φορος
itis -ῖτις
od- σαρκώδης
al aria e ea es ic ina ous y
olin(e
oma σάρκωμα
-atoid -atosis -atous -ωσις
omphal- σαρκόμφαλον
ocele κήλη
on um us
opside ὄψις
optes κόπτειν
-ic -id(ae -inae -oid
osin(e ic
osis σάρκωσις

sarc- Cont'd
ostosis ὀστέον -ωσις
osyl γλεῦκος ὕλη
otic(al σαρκωτικός
ous
ura οὐρά
ylic ὕλη
sarco- σαρκο-
acid
adenoma ἀδήν -ωμα
basis βάσις
batus -idae βάτος
blast(ic βλαστός
borinae σαρκοβόρος
carcinoma καρκίνωμα
carp καρπός
caul καυλός
cele σαρκοκήλη
cephalus -eae κεφαλή
chromogen χρῶμα -γενής
cinoma καρκίνωμα
col(l(a lin σαρκοκόλλα
coptes κόπτειν
cyst(is κύστις
id(ae idea(n idia(n in oid
cyte κύτος
derm(a δέρμα
dictyum δίκτυον -ωμα
enchondroma ἐν χόνδρος
epiplocele ἐπίπλοον κήλη
epiplomphalus ἐπίπλοον
-ocele κήλη ὄμφαλος
genic -ous -γενής
glia γλία
gnomy γνώμη
gnosis γνῶσις
id(ea ides σαρκοειδής
lactic -ate γαλακτ-
lemma -ic -ous λέμμα
lemur
lite λίθος
lobe λοβός
logy -λογία
-ic(al -ist -ιστής
lysis λύσις
lyte -ic λυτός λυτικός
matrix
melane -in μέλαινα
mere μέρος
myces μύκης
petalum πέταλον
phage -a σαρκοφάγος
-al -an -idae
phagus σαρκοφάγος
-ist -ize -ous -ιστής -ίζειν
phagy σαρκοφαγία
phile -ous -us -φιλος
phyte -eae φυτόν
plasm(a ic πλάσμα
plast(ic πλαστός
poietic ποιητικός
pyodes σαρκοπυώδης
rhamphus ῥάμφος
saurus σαῦρος
sepsis σῆψις
septum
some -a σῶμα
sperm σπέρμα
spongus σπόγγος
spores σπορά -ωσις
sporid(i)a -iosis σπόρος
sporidiotoxin τοξικόν
stemma στέμμα
stigma στίγμα
style στῦλος
testa -al
theca θήκη

sarco- Cont'd
therapeutics θεραπευτικός
therapy θεραπεία
thlasis -ia θλάσις
tome -τομον
sard σάρδιον
achate ἀχάτης
Sardanapalian Σαρδανάπαλος
-ical -ize -ίζειν
sardella σάρδη
Sardian Σαρδιανός
sardiasis Σαρδόνιος -ίασις
sardine -a σαρδήνη
Sardi(or o)nian(ite Σαρδόνιος
sardius σάρδιος
sardoin sardonyx σαρδόνυξ
sardonic(al(ly Σαρδόνιος
sargo(n -ine -us σαργός
Sarisophora σαρισοφόρος
sarissa σάρισσα
sarkical σαρκικός
sarkinite σάρκινος -ίτης
Sarmatian Σαρμάται
saro- σάρον
phorus -φορος
thamnus -ine θάμνος
saros σάρος
sarothro- σάρωτρον
cera κέρας
crepis κρηπίς
Sarothrum -us σάρωτρον
sarraceniad ἀδ-
sarrasin Σαρακηνός
sarrusophone -ist φωνή -ιστής
sarsapogenin -γενής
sarsen Σαρακηνός
et ish ry
sartorite sassolite -ίτης
Satan Σατάν
as Σατανᾶς
ic Σατανικός
al(ly alness
ism ize -ισμός -ίζειν
ist(ic -ιστής -ιστικός
ity ry ship
satano- Σατάν
logy -λογία
perca πέρκη
phany -φαν(ε)ια
phobia -φοβία
satellitosis -ωσις
sathro- σαθρο-
genes -γενής
philous -φιλος
phyta -ia φυτόν
satinist -ize -ιστής -ίζειν
satirism -ist -ισμός -ιστής
satirize(r -ation -ίζειν
satisfactionist -ίζειν
satrap σατράπης
al ate er ess ial ian on
satrapic(al σατραπικός
satrapy σατραπεία
satura Σάτυρος
-esque -isks
Saturnicentric κέντρον
saturnism(us -ισμός
Saturnist -ιστής
saturnite & -ize -ίτης -ίζειν
Saturus σάτυρος
satyr σάτυρος
al esque ess -ισσα
satyra σατύρα
satyriasis σατυρίασις
satyric(al σατυρικός
satyrion -ium σατύριον
satyrisk σατυρίσκος

satyrism σατυρισμός
satyromania(c Σατυρο- μανία
Satyrus σάτυρος -ακός
-id(ae -inae -ine -oid
saucefleme φλέγμα
Saula σαῦλος
saur- σαῦρος
anodon(t(id(ae ἀνόδους
avus ia(n
iasis -ίασις
ichnite(s ἴχνος -ίτης
ichthys -yii -yidae ἰχθύς
iderma δέρμα
iocoprolite κοπρο- λίθος
iosis -ωσις
ischia(n ἰσχίον
odon(t(idae ὀδών
omalus ὁμαλός
ophidia(n ὀφίδιον
opsid(a es (i)an ὄψις
ornia ὄρνις
-ithes -ithic
ous us
ur- οὐρά
(ac)eae (ac)eous ae an ean
us
sauro- σαυρο-
batrachia -ian βάτραχος
cephalus κεφαλή
-id(ae -oid
cetus κῆτος
crotaphous κρόταφος
chore -y χωρεῖν
ctonos σαυροκτόνος
derma δέρμα
dipteridae & -ini δίπτερος
gnathae -ous γνάθος
-ism -ισμός
graphy -γραφία
id(al ea ei σαυροειδής
ichnite(s ἴχνος -ίτης
lophus -inae λόφος
matian Σαυρομάται
phagous -φαγος
philous -y -φιλος
pod(a ous ποδ-
pterygia(n πτερύγιον
thera -inae -in(e θήρ
saury(pike σαῦρος
sausarism -ισμός
saussurite -ic -ίτης
-ization -ize -ίζειν
savagism -ize -ισμός -ίζειν
Saxonism -ize -ισμός -ίζειν
Saxonist -ite -ιστής -ίτης
saxophone -ist φωνή -ιστής
saynite -ίτης
Sayornis ὄρνις
scabiophobia -φοβία
scacchite -ίτης
Scaevola σκαιός
Scalaeoptera σκαλεία? πτερόν
scalene σκαληνός
-ity -ous -us
-ohedron -al -έδρον
-oid(al σκαληνοειδής
-on -um σκαληνόν
Scalibregma σκαλίς βρέγμα
-id(ae -oid
Scalidia Scalitina
scallion Ἀσκάλων
Scalops σκάλοψ
-oposaurus σαῦρος
Scamander Σκάμανδρος
scamato ἐξάμιτον
Scambus σκαμβός
scammonite σκαμμωνίτης

scammony σκαμμωνία
-ial -iate -ic -in -olic -ose
scandal σκάνδαλον
ist led ler
ize(r -ation σκανδαλίζειν
ous(ly ousness
Scanderbeg(ging Ἀλεξάνδρος
Scandinavianism -ισμός
scandiscope -σκόπιον
Scandix -icineae σκάνδιξ
scanning σκάνδαλον
scansionist -ιστής
scantelize -ίζειν
scantlometer μέτρον
Scapanes -us σκαπάνη
-odon ὀδών
scape -el σκᾶπος
scaph- σκάφη
a age
ander -ανδρος
-re -rid(ae -roid
aspis ἀσπίς
ephorus σκαφηφόρος
idium -iidae σκαφίδιον
-opsis ὄψις
ism -ισμός
ite(s -id(ae -oid -ίτης
ium σκάφιον
scaphi- σκαφίς
coelia κοῖλος
coma dema κόμη δέμας
idomorphus μορφή
idurus οὐρά
-inae -ous
notus νῶτος
soma σῶμα
nus σκαφίς
scaphio- σκάφιον
crininae κρίνον
pod(id(ae inae oid ποδ-
pus πούς
rhynchus ῥύγχος
-inae -ine
scapho- σκαφο-
brya βρύον
calcaneal
cephalism κεφαλή -ισμός
-ic -ous -us -y
cerite -ic κέρας -ίτης
cuboid κύβος -οειδής
cuneiform
derus δέρη
dius σκαφίς
gnathite -ic γνάθος -ίτης
hydrocephalus -y ὑδρο-
id σκαφοειδής κεφαλή
al ea es eum itis -ῖτις
lunar(e
pod(a(n ous ποδ-
rhyncus ῥύγχος
trapezium τραπέζιον
scapi- σκᾶπος
form gerous
scapo- σκᾶπος
lite -ization λίθος -ίζειν
megas μέγας
Scapterus σκαπτήρ
scapt- σκαπτός
odon olenus ὀδών ὠλένη
scapto- σκαπτός
bius philus βίος -φιλος
scapul-
acromial ἀκρουμία
algia -y -αλγία
ectomy -εκτομία
imancy -tic μαντεία
odynia -ωδυνία

scapulo-
coracoid κορακοειδής
pexy -πηξία
thoracic θωρακ-
zona ζώνη
Scapus σκᾶπος
scar ἐσχάρα
scarabaeist -ιστής
scarab(aeid)oid -οειδής
scarbroite -ίτης
scarify σκαριφᾶσθαι
-ication -icator -ier
Scariphaeus σκαριφᾶσθαι
Scarites -id σκαρῖτις
scarlatinoid -οειδής
scarpology -λογία
scarred -y σκαριφᾶσθαι
Scartella σκάρτης
Scartichthys ἰχθύς
Scarus -id(ae -ina(e σκάρος
scat- σκατ-
acratia ἀκρατία
emia -αιμία
imus ol(e
oxyl ὀξύς ὕλη
scato- σκατο-
logia -y -ic(al -λογία
mancy μαντεία
manter μάντις
nomus νομός
phag- σκατοφάγος
a e ian ic id(ae (in)ae
oid(ea(n ous us y
scope -y σκόπιον -σκοπία
Scaurus σκαῦρος
scazon(tian tic σκάζων
scel- σκέλος
algia -αλγία
odonta ὀδοντ-
oncus ὄγκος
scele- σκελε-
acantha ἄκανθα
ages σκελεαγής
odia -ώδης
Scelida -es -ate σκελίς
scelido- σκελίς
saur(us σαῦρος
ian id(ae iform oid
there -ium θηρίον
scelo- σκελο-
cambosis -ωσις
physa φῦσα
porus πόρος
rrheuma ῥεῦμα
tyrbe τύρβη
scena σκηνή
-arist -ary
-ario(ist ize -ιστής -ίζειν
scene σκηνή
ful -ish -ist -ery
desmus -etum δεσμός
scenic(al(ly σκηνικός
scenite σκηνίτης
sceno- σκηνο-
graph(er σκηνογράφος
ic(al(ly σκηνογραφικός
graphy σκηνογραφία
nym σκηνή ὄνυμα
pegia σκηνοπηγία
pinus -id(ae σκηνοποιός
Scepasma σκέπασμα
sceptic σκεπτικός
al(ly alness ity ly
ism ize -ισμός -ίζειν
sceptre or -er σκῆπτρον
-al -dom -ed -less -ous -y
sceptrella -iform σκῆπτρον

sceuo- σκευο-
phorion σκευοφόριον
phylacium σκευοφυλάκιον
phylax σκευοφύλαξ
schadon σχάδων
ophane φαν-
schapbackite -ίτης
schediasm σχεδίασμα
Schediastes σχεδιαστής
Schedius σχέδιος
schedo- σχεδο-
centrus κέντρον
philus -iform -φιλος
schedulize -ίζειν
scheelite -ine -ίτης
scheelize -ation -ίζειν
scheererite schefferite -ίτης
Schellingism -ισμός
schema σχῆμα
-atic(al(ly σχηματικός
-atism σχηματισμός
-atist -ιστής
-atize -a σχηματίζειν
schemato- σχηματο-
logetically λόγος
logion σχηματολόγιον
mancy μαντεία
scheme -er -ery σχῆμα
-ist less -ιστής
schene σχοῖνος
scheroma ξηρός -ωμα
schesis σχέσις
schetic(al(ly σχετικός
schias ἰσχιάς
Schidonychus σχίζειν ὀνυχ-
schillerite -ίτης
-ization -ize -ίζειν
schindylesis σχινδύλησις
-etic -ητικός
Schinus σχῖνος
-opsis -idetum ὄψις
schirmerite -ίτης
schisiophone σχίσις φωνή
schism(a σχίσμα
arch -αρχος
atic σχισματικός
al(ly alness ating o-
-ism -ισμός
-ist -ize -ιστής -ίζειν
ato- σχισματο-
branchia(te βράγχια
ic less
obranchiata βράγχια
schist σχιστός
aceous ic ides ify
acanthoporinae ἄκανθα
oid -οειδής πόρος
ose -ity ous
schisto- σχιστός
cephalus κεφαλή
choanites χοάνη -ίτης
c(o)elia -us κοιλία
cormus κορμός
cystis κύστις
cyte -osis κύτος -ωσις
gams -ae γάμος
genia γένειον
glossia γλῶσσα
melia melus μέλος
meter μέτρον
phallus φαλλός
prosopia -us πρόσωπον
rhachia r(h)achis ῥάχις
scope -σκόπιον
soma -ia -us σῶμα
-iasis -ίασις
sphex σφήξ

schisto- Cont'd
stega aceae στέγη
sternia στέρνον
thorax θώραξ
trachelus τράχηλος
schiz- σχίζειν
aea aceae aceous aeoid aeous
anthus ἄνθος e
atrichia τριχ-
axon ἄξων
eopsis ὄψις
ephebocerus ἔφηβος κέρας
odinic ὠδῖνες
odon(t(a ὀδών ὀδοντ-
ont σχίζων
onycha ὀνυχ-
oramma ?ὅραμμα
otus ὠτ-
schizo- σχιζο-
basis βάσις
bolites βολίς -ίτης
brachiella βραχίων
carp(ic ous καρπός
cephaly κεφαλή
cera κέρας
chelus χηλή
choerus χοῖρος
chroal χρόα
clymenia κλυμένη
coele -a -ic -ous κοῖλον
cotyly κοτύλη
cyte -osis κύτος -ωσις
dinic σχίζειν ὠδῖνες
gamy -γαμία
genesis γένεσις
genetic(ally γενετικός
genic -ous -γενής
genius γένειον
gnath(ae ism ous γνάθος
gonia -y -ic -ous -γονία
gregarinea
laenaceae -eous lavella
lite -ic λίθος
lysigenous λύσις -γενής
lytic λυτικός
merous μέρος
mycete(s -ic -ous μυκητ-
mycosis μύκης -ωσις
nemertea(n Νημερτής
-ina -in(e -ini
neura -ites νεῦρον -ίτης
pelmous πέλμα
petalon πέταλον
phallus φαλλός
philus -φιλος
phora -φορος
phrenia -ic -osis φρήν -ωσις
phthirus φθείρ
phyceae -eous φῦκος
phyllum φύλλον
phyte -a(e φυτόν
pleurus πλευρόν
pod(a(l σχιζόπους
idae ous us
porites πόρος -ίτης
proctus πρωκτός
pteris πτερίς
rhinae -al -y ῥίν
siphon(a ate σίφων
somes σῶμα
spermum σπέρμα
spore -eae σπορά
stachyum στάχυς
stele -ic -ous -y στήλη
stoma στόμα
tarsia -ian ταρσός
thecal θήκη

schizo- Cont'd
themia -ic θέμα
tracheal τραχεία
trachelus τράχηλος
trichia -etum τριχ-
trocha -ous τροχός
trypanum -osis τρύπανον
zoite ζῷον -ίτης -ωσις
schnebelite -ίτης
schoen- σχοῖνος
anth σχοίνανθος
asteridae ἀστήρ
e us
icus σχοινικός
ionta σχοινίον
schoeno- σχοινο-
batic σχοινοβατικός
batist σχοινοβατής -ιστής
caulon καυλός
schol- σχολ-
ar σχολή
dom hood ian ity less
like(ly liness ly ship
ism ize -ισμός -ίζειν
arch(ate σχολάρχης
aster σχολαστής
astic σχολαστικός
al(ly ate(d ly
ism izing -ισμός -ίζειν
e ion ium y σχόλιον
iast(ic ing σχολιαστής
iaze σχολιάζειν
ical σχολικός
iographer σχολιογράφος
school σχολή
able age ation boy(dom hood
ism ish) day dom ed ery
fellow(ship ful girl(hood
ism ish ness y) house ing-
(ly keeper less ma'am man
master(hood ism ing ish-
(ness ly ship) mate mis-
tress ric room ward
Schopenhauer(ean)ism -ισμός
schorl(om)ite ὁμός -ίτης
schraufite schreibersite -ίτης
schroetterite schultzite
schungite schwartembergite
Schultzicrinidae κρίνον
schwendenerism -ισμός
schysto- = schisto-
scia ἰσχίον
sciad scias σκιά
Sciadeichthys σκιαδεύς ἰχθύς
Sciades σκιάζειν
Sciadium -iaceae σκιάδειον
sciado- σκιαδο-
phyllum φύλλον
pitys πίτυς
Sciaena σκίαινα
-id(ae -iform(es -inae -oid(ea
Sciaenops σκίαινα ὤψ
scia- σκια-
gram γράμμα
graph(er σκιαγράφος
graphy -ic(al(ly σκιαγραφία
machy σκιαμαχία
metry -μετρια
scia- σκία
philus -φιλος
podes -ous σκιάποδες
pteryx πτερυξ
ra -inae σκιαρός
scope -y -ic -σκόπιον -σκο-
sophy σοφία πια
theric(al(ly σκιαθηρικός
sciatic(a -ical(ly ἰσχιαδικός

sciencist -ιστής
scientism -ize -ισμός -ίζειν
scientist(ic(ally -ιστής -ιστικός
scientolism -ισμός
scieropia σκιερός -ωπια
scilla σκίλλα
-ain -eae -ine
scillitic -in(e σκιλλιτικός
scilli- σκίλλα
diuretin διουρητικός
picrin πικρός
toxin(e τοξικόν
scillo- σκίλλα
cephalous -us κεφαλή
toxin(e τοξικόν
Scimbalium σκιμβάζειν
Scincus σκίγκος (*or* i)an
-id(ae -(id)oid -iform -oide-
Scindapsus σκινδαψός
sciniph σκνίψ
scink scinque σκίγκος
scintillize -ίζειν
scintilla(*or* o)scope -σκόπιον
scintillometer μέτρον
scio- σκιο-
bius βίος
cincla κίγκλος
graphy σκιογραφία
machy σκιομαχία
sciolism -ισμός
-ist(ic -ιστής -ιστικός
mancy mantic μαντεία
philous -φιλος
phyll φύλλον
phyte -a -ia φυτόν
theism θεός -ισμός
theric σκιοθηρικός
scioptic(s σκιά ὀπτικός
sciopticon σκιά ὀπτικόν
scioptric σκιά -οπτρον
Sciot(e Χίος
Scipopus σκίπων πούς
Scirophoria Σκιροφορία
Scirophorion Σκιροφοριών
scirr- σκιρρός
encanthus ἐγκανθίς
oid oma -οειδής -ωμα
ophthalmia ὀφθαλμία
ose osity ous us
scirrho- σκιρρός
blepharoncus βλέφαρον
gastria γαστρ- ὄγκος
sarca σαρκός
Scirtes σκιρτάειν
scirtopod(a -ous σκιρτοπόδης
Scitala Σκίταλος
sciuro- σκίουρος
morph μορφή
a ic inae ine
opterus πτερόν
Sciurus σκίουρος
-id(ae -inae -in(e -oid
sclera -al σκληρός
scler- σκληρ-
adenitis ἀδήν -ῖτις
agogy -ist σκληραγωγία
anth(us eae ium ἄνθος
(at)itis -ῖτις
e σκληρόν
ectasia ἔκτασις
ectome -y -εκτομον -εκτομία
-iridectomy ἰριδ-
ema -ia -ημα
encephalia -y ἐγκέφαλον
enchyme -a -atous ἔγχυμα
erythrin ἐρυθρός
etinite ῥητίνη

scler- Cont'd
ia ieae σκληρία
iasis σκληρίασις
(e)id ified in
iritomy ἶρις -τομία
ite(s -ic -ίτης
iticotomy -ῖτις -τομία
ization -ίζειν
oma σκλήρωμα
onychia ὀνυχ-
ophthalmia σκληροφθαλμία
osteous ὀστέον
ous σκληρός
urus -inae -in(e οὐρά
sclero- σκληρο-
anthin ἄνθος
baris βᾶρις
base -ic(a -is βάσις
blast(ic βλαστός
blastema -ic βλάστημα
brachia(ta -iate βραχίων
cardius σκληροκάρδιος
cataracta καταρράκτης
cauly καυλός
cele κήλη
chiton χιτών
choroiditis χοριοειδής -ῖτις
chroa χρώς
clase -ite κλάσις -ίτης
coccus κόκκος
conjunctival -itis -ῖτις
cornea -eal
crinidae κρίνον
crystalline κρυστάλλινος
cyperaceae κύπειρος
dactylia -y δάκτυλος
derm(a σκληρόδερμος
derm δέρμα
a ata ataceae (at)itis (at)
ous i ia ic ite itic -ῖτις
derris δέρρις -ίτης
erythrin ἐρυθρός
gen(ia -γενής
ic idae oid ous
gnathus γνάθος
gonidia γονή -ιδιον
gummatous
id σκληροειδής
iodin ἰώδης
iritis ἶρις -ῖτις
keratitis κερατ- -ῖτις
keratoiritis κερατο- ἶρις
lytic λυτικός
meninx μῆνιγξ
mere μέρος
meter μέτρον
metric -μετρία
mochlus -idae μοχλός
mucin
mycetae μυκητ-
Scleron σκληρός
notus νῶτος
nyxis νύξις
oophoritis ὠοφόρος -ῖτις
oothecitis ὠο- θήκη
optic ὀπτικός
pariae parei παρειά
pathia -πάθεια
phelloid φελλός
phyllous -y σκληρόφυλλος
phyte φυτόν
podous -ποδος
protein πρωτεῖον
pterus πτερόν
rrhinus ῥίν
sarcoma σάρκωμα
septum

sclero- Cont'd
sclerosis σκλήρωσις
-al -e(d -ic -ing
skeleton -al σκέλετον
soma σῶμα
spathite σπάθη -ίτης
spora -ose σπορά
stenosis στένωσις
stoma -inae -y στόμα
testa
thamnus -idae θάμνος
thrix θρίξ
tome -y -ic -τομον -τομία
trachelus τράχηλος
trichia τριχ-
xanthin ξανθός
zone ζώνη
sclerot- σκληρότης
al e iet (i)oid iose ium
ic(a
ectomy -εκτομία
itis oid -ῖτις -οειδής
ico-
choroiditis χοριοειδής
nyxis νύξις -ῖτις
puncture
tomy -ia -τομία
inia -ial -iose
isectomia -εκτομία
itis -ic -ῖτις
ized -ίζειν
Scogginism -ist -ισμός -ιστής
scolec- σκωληκ-
es id(a iform ina ine
iasis σκωληκίασις
imorphic μορφή
ite itis -ίτης -ῖτις
ophidia(n ὀφίδιον
scoleco- σκωληκο-
brotus -ic σκωληκόβρωτος
id σκωληκοειδής
ectomy itis -εκτομία -ῖτις
lithus λίθος
logy -λογία
morph(a ic μορφή
philus -φιλος
phagous -us σκωληκοφάγος
pteris πτερίς
sporae σπορά
trichum -ose τριχ-
scolectomy σκώληξ -εκτομία
scole- σκώληξ
brotic -βρωτος μία
doc(h)ostomy -δοχος -στο-
scolesis σκολ- -ησις
-imorphic μορφή
scolex σκώληξ
scoleye σχολή
scoli- σκολιός
a id(ae oid
odon ὀδών
oma σκολίωμα
on σκόλιον
osis σκολίωσις
-iometry -μετρία
-ometer μέτρον
otic -ωτικός
scolio- σκολιο-
cystidae κύστις
graptic σκολιόγραπτος
kyphosis κύφωσις
meter μέτρον
mus μῦς
rachitic ῥάχις
tone τόνος
scolite σκολιός -ίτης
Scolithus σκώληξ λίθος

Scolomys σκωλο- μῦς
Scolopax σκολόπαξ
-ac(aceous -id(ae -inae -in(e
-oid(ean -oideae
scolopendra -er σκολοπένδριον
-ella -id(ae -oid
-id(ae -ieae -iform -inae
-in(e -ium -oid
scolopophore σκολοπο- -φορος
scolopsia -ite σκόλοψ
Scolopterus πτερόν
Scolymus σκόλυμος
Scolyptus σκολύπτειν
Scolytus -id(ae -oid
scomber σκόμβρος
esox ἴσοξ
-oc(id(ae inae in(e oid)
id(ae ina(e ine ini
oid(ea es inae)
omorus ὅμορος
-inae -in(e
scombr- σκόμβρος
aphodon ἀπό ὀδών
id(ae idal iform(es inae in(e
oid(ae ea(n es) on
olabrax λάβραξ
ops ὤψ
scommatic(al(ly σκωμματικός
Scopaeus σκωπαῖος
Scopaic Σκώπας
-scope -σκόπιον
scope(less σκοπός
scopeloid σκοπελοειδής
Scopelus σκόπελος -oid
-id(ae -idan -iform -inae -ine
Scopodes σκοπός -ώδης
scopol-
amin(e ἀμμωνιακόν
igenine yl -γενής ὕλη
scopo- σκοπός
logy -λογία
morphinism Μορφεύς -ισμός
phobia -φοβία
phorine -φορος
Scops σκώψ
scoptic(al(ly σκωπτικός
Scopus -id(ae -oid σκιά
-scopy -σκοπία
scoracratia σκῶρ ἀκράτεια
scorbuticism -ισμός
scorbutized -ίζειν
scordinem(i)a σκορδίνημα
scordinismus σκορδινησμός
Scordium σκόρδιον
scoret(a)emia σκῶρ -αιμία
scoria -ium σκωρία
-iac(eous -iated -iation -ification -ifier -ify -iform
scorodite σκόροδον -ίτης
Scorpaena σκόρπαινα
-id(ae -inae -oid(ea(n
-ichthys ἰχθύς
scorpene σκόρπαινα
scorpiac σκορπιακός
Scorpio σκορπίος
-ic -iid -inidae
-id(a ae ea(n) -ion(es
scorpioid σκορπιοειδής
al ea es
scorpion σκορπίος
ist ly oid wort
scorpio- σκορπιο-
locust
teleia τέλειος
Scorpiurus σκορπίουρος
Scotaeus σκοταῖος
Scotasmus σκοτασμός

Scotchism -ισμός
scoteino- σκοτεινο-
graphy -γραφία
scoteography σκότεος
scotia -iaptex σκοτία
scoticaplankton σκοτίος πλαγκτόν
Scotinus σκοτεινός
auges -αὐγή
scotiolite σκοτίος λίθος
Scotism -ize -ισμός -ίζειν
Scotist(ic(al -ιστής -ιστικός
scot- σκοτός
odes σκοτώδης
om- σκότωμα
a atous e ia y
atic σκοτωματικός
ophis ornis ὄφις ὄρνις
scoto- σκοτο-
baenus βαίνειν
bius βίος
chares χαίρειν
derus δέρις
dinia σκοτοδινία
dipnus σκοτόδειπνος
dytes δύτης
ebarus σκοτοιβόρος
gram γράμμα
graph -γραφος
oscope -σκόπιον
y ic -γραφία
meter -ry μέτρον -μετρία
pais παῖς
philus -φιλος
phobia -φοβία
phyta -ia φυτόν
scope -y -σκόπιον -σκοπία
therapy θεραπεία
tropism τροπή -ισμός
Scotticism -ize -ισμός -ίζειν
scoulerite -ίτης
scoundrelism -ισμός
scribbleism -ισμός
scribbleomania μανία
scribism -istical -ισμός -ιστικός
Scriptur(al)ism -ist -ισμός
Scripturalize -ίζειν -ιστής
scovillite -ίτης
scrofuladerma -ia δέρμα
scrofulatuberculosis -ωσις
scrofulism -itic -ισμός -ῖτις
scrofuloderma -ia -ic δέρμα
scrofulophyma φῦμα
scrofulosis -ωσις
scrophularosmin ὀσμή
scrotectomy -εκτομία
scrotitis -ῖτις
scrotocele κήλη
scrupulist -ize -ιστής -ίζειν
scrutinist -ιστής
scrutinize -er -ingly -ίζειν
scullionize -ίζειν
sculptograph -γραφος
sculpturist -ιστής
scurrilize -ίζειν
scutibranch βράγχια
ia(n iata iate
Scutigeromorpha -ous μορφή
scuto- σκυτο-
piloxys πῖλος ὀξύς
pterus πτερόν
Scutoribates ὀρειβάτης
scybala -ous -um σκύβαλον
Scybalicus σκυβαλικτός
Scydmaenus σκύδμαινος
-id(ae -oid
scyelite λίθος

Scylacognathus σκύλαξ γνάθος
Scylla -aea Σκύλλα
-aeid(ae -aeoid
Scyllarus σκύλλαρος
Scyllium σκύλιον
-iid(ae -ioid(ea
-iodont(es idae ὀδοντ-
-iorhinus ῥίνη
-id(ae -oid(ea(n
-ite -itol
scymno- σκυμνο
gnathus γνάθος
saurus σαῦρος
Scymnus σκύμνος
-id(ae -oid -ol
Scypha -ate σκύφος
scyphidium -ιδιον
scyphi- σκύφος
ferous form
phorous -φορος
stome -a -oid -ous στόμα
scypho- σκυφο-
branch(ii βράγχια
crinidae κρίνον
geny -γένεια
id σκυφοειδής
mancy μαντεία
medusae -an -oid Μέδουσα
phore -i -ous -φορος
polyp πολύπους
stome -a στόμα
zoa ζῷον
scyphos -us σκύφος
-ose -ula -ulus
scytale σκυτάλη
-idae -ina -inae -ine -inidae
-ichthys σκυτάλη ἰχθύς
-opus πούς
Scythiac -ian -ized Σκυθία
Scythic(al Σκυθικός
Scythis Σκύθης
Scythism Σκυθισμός
scythro- σκυθρο-
pasmus σκυθροπασμός
pasus σκυθρωπάζειν
Scythrops σκυθρός ὤψ
Scythropus σκυθρωπός
scytinum σκύτινος
scytitis σκύτος -ῖτις
Scytodes -id(ae -oid σκυτώδης
scyto- σκυτο-
blastema βλάστημα
depsic σκυτοδεψικός
dermata -ous δέρμα
monas -adina -adine μονάς
nem- νῆμα atous
a (ac)eae aceous (at)oid
petalaceae -eous πέταλον
siphon(aceous -(ac)eae σίφων
sea-
aster ἀστήρ
dragon δράκων
elephant ἐλέφας
lion λέων
pheasant φαισανός
scape -ist -σκοπος -ιστής
scorpion σκορπίος
serpentism -ισμός
sebamic ἀμμωνιακόν
Se-baptism βαπτισμός
Se-baptist(ic βαπτιστής
Sebasius σέβασις
Sebasmia σεβάσμιος
Sebastes σεβαστός
-inae -ine -odes -oid
-ichthys ἰχθύς
-opsis ὄψις

sebasto- σεβαστο-
lobus λοβός
mania μανία
sebiagogic ἀγωγός
sebo-
lite lith λίθος
rrhagia -ῥαγία
rrh(o)ea -ῥοία
-eal -eic -eid(e -oic
secalintoxin τοξικόν
secessionism -ist -ισμός -ιστής
Sechium σηκός
sechommeter μέτρον
secodont ὀδοντ-
secreta(or o)gogue ἀγωγός
secretodermatosis δέρμα -ωσις
sectar(ian)ism -ισμός
sectarianize -ίζειν
sectarist -ιστής
sectionalism -ισμός
-ization -ize -ίζειν
section(al)ist -ιστής
sectionize -ίζειν
sectioplanography -γραφία
sectism -ist -ισμός -ιστής
sectroid -οειδής
secularism -ισμός
-ist(ic -ιστής -ιστικός
-ize(r -ation -ίζειν
sedimetric(al -μετρία
seditionist -ιστής
sedohept- ἑπτ-
it(ol ose -ίτης γλεῦκος
seductionist -ιστής
seelandite -ίτης
segregationist -ιστής
seicent(o)ist -ιστής
seichometer μέτρον
seignorize -ίζειν
seine -er -ing σαγήνη
seiriasis σειρίασις
seiro- σειρο-
lytic λυτικός
spore -a -ic σπορά
seisesthesia σεῖσις -αισθησία
seism σεισμός
al etic ic(al icity ism -ισμός
(a)esthesia -αισθησία
seis- σεισμός
mantic μαντεία
metrograph μετρο- -γραφος
seismo- σεισμο-
gram γράμμα
graph(er -γραφος
graphy -ic(al -γραφία
logue σεισμολόγιον
-ic(al(ly -ist -y -ιστής
meter μέτρον
metrograph μετρο- -γραφος
metry -ic(al -μετρία
scope -ic -σκόπιον
tectonic τεκτονικός
therapy θεραπεία
tropism τροπή -ισμός
seismon(ast)ic σεισμός
seismotic σεισμός -ωτικός
Seison σείσων
Seiurus σείω οὐρά
-a -inae -in(e
sekos σηκός
selache σέλαχος
-ia(n -ii -oid(ei
-ology -ist -λογία -ιστής
-ostome -i -ous στόμα
-yl ὕλη
selagraph σέλας -γραφος
Selasia σέλας

Selasphorus σελασφόρος
selectionist -ιστής
Selene -ian Σελήνη
selen- σελήνη
aria -iid(ae -ioid
aspis ἀσπίς
azine azol(e ἀ- ζωή
hydric ὑδρ-
iasis -ίασις
ic(i(ate ato- id(e iet in ino -io
iol ion ious ole)
indigo -irubin Ἰνδικός
is σεληνίς
ite σεληνίτης
-ic(al -iferous -ish -ous
ites σεληνίτης
-id(ae -oid
ium -iuret(ed
od ὁδός
odont(a y ὀδοντ-
on- ὤνη
ine o- yl ὕλη
onium ἀμμωνιακόν
ous
oxide yl ὀξύς ὕλη
sulfur tellurium
seleni- σελήνη
dera δέρα
ferous gerous
pedium πεδίον
scope -σκόπιον
seleno- σεληνο-
aldehyde ὕδωρ
bismutite -ίτης
centric κέντρον
cyanic -ate κύανος
cyano- κυανο-
gen -γενής
platinate
diphenylamine δι- φαιν-
ὕλη ἀμμωνιακόν
fluorescein furan
gamia γάμος
graph(er -γραφος
y ic(al(ly ist -γραφία -ιστής
hemoglobin αἱμο-
logy -ical(ly -ist -λογία
mercaptan -ide
naphthene νάφθα
phene -ol φαιν-
phorus φόρος
phosph- φωσφόρος
ate oric -πληξία
plegia plexia -πληγία
pselaphus ψήλαφος
pyr(on)ine πῦρ -ώνη
saccharin(e σάκχαρ
scope -σκόπιον
sulfide -γραφία
topography -ic(al τοπο-
tropic -ism -y τροπή -ισμός
urea οὖρον
xanth- ξανθ-
ene ylium ὕλη
Seleucid(ae Σελευκίδης
-an -ian -ic
Seleucides σελευκίς
selfcentered (ness κέντρον
selfcentral κέντρον
ism ity -ization -ισμός -ίζειν
selfevidentism -ισμός
selfhypnosis ὕπνος -ωσις
selfintoxication τοξικόν
selfism -ισμός
selfrealization -ίζειν
Selinum -ene -enol σέλινον
Selinus Σελινοῦς

Sellosaurus σέλλα σαῦρος
selzogene -γενής
semaio- σημαιο-
phora σημαιοφόρος
stomata στόμα
Semanopterus σῆμα πτερόν
semantics σημαντικός
-ology -λογία
semantron σήμαντρον
semantus σημαντός
semasiology σημασία -λογία
-ical(ly -ist -ιστής
sematic σῆμα
sema- σῆμα
phore -φορος
-etic -ic(al(ly -ist
sphere σφαῖρα
trope τρόπος
semato- σηματο-
graphy -ic -ist -γραφία -ισ-
logy -λογία τής
Semecarpus -ites σημεῖον
semeio- σημειο- καρπός
graphy γραφία
logy -ic(al -ist λογία -ιστής
semeion σημεῖον
semeiosis σημείωσις
semeiotic(al σημειωτικός
semeiotics σημειωτική
semenuria -ουρία
semic σῆμα
semi-
aldehyde ὕδωρ
amplexicaul καυλός
anatropous -al -ic ἀνά τροπή
anthracite ἀνθρακ- -ίτης
apogamy ἀπό -γαμία
architectural ἀρχιτέκτων
atheist ἄθεος -ιστής
automatic -ism αὐτόματος
Augustinianism -ισμός
barbarian βάρβαρος
-ic -ism -ous -ισμός
carbaz- ἀ- ζωή
id in(e one -ώνη
catholicism καθολικός -ισ-
chaotic χάος μός
chemical χημεία
chorus -ic χορός
christianized Χριστιανός
chrome χρῶμα -ίζειν
colloid κολλώδης
comatose κῶμα
crystalline κρυστάλλινος
cubic(al κυβικός
cyclic κυκλικός
cylinder κύλινδρος
cylindraceous
cylindrical κυλινδρικός
diagrammatic διάγραμμα
diameter διάμετρος
diapason διαπασῶν
diapente διάπεντε
diaphanous -eity διαφανής
diatessaron διατεσσάρων
digynous δι- γυνή
ditone δίτονον
dome δῶμα
dramatic δραματικός
ectotrophy ἐκτός -τροφία
ellipse -is -oidal ἔλλειψις
elliptic(al ἐλλειπτικός
Euclidian Εὐκλείδης
finalist -ιστής
fossilized -ίζειν ρης
geometer -rae -rid γεωμέτ-
heterocercal ἑτερο- κέρκος

semi- Cont'd
hexagonal ἑξαγώνιος
historical ἱστορικός
humanized -ίζειν
hyaline ὕαλος
hyperbola -ical ὑπερβολή
hypsodont(y ὕψι ὀδοντ-
lipoid λίπος -οειδής
logical λογικός
magical μαγικός
mesophytic μεσο- φυτόν
metal(lic μέταλλον
metamorphosis μεταμόρφω-
mythical μυθικός σις
narcosis νάρκη -ωσις
nymph νύμφη
seminar-
ianism ize -ισμός -ίζειν
ist(ic -ιστής -ιστικός
seminist -ιστής
semin-
oma uria -ωμα -ουρία
semio- = semeio-
graphy -γραφία
logy -ic(al λογία
notus -idae νῶτος
phorus -us -φορος
ptera πτερόν
tellus
semiotic(s = semeiotic(s
Semiotus σημειωτός
semi- Cont'd
oxamaz- ὀξύς αμμωνιακόν
ἀ- ζωή
ide one -ωνη
oxygenated ὀξυ- -γενής
parabola -ic(al παραβολή
parameter παρά μέτρον
parasitic -ism παράσιτος
Pelagianism -ισμός
petaloid(eus πέταλον -οειδής
phlogisticated φλογιστός
phonotypy φωνο- -τυπία
phosphorescent φωσφόρος
phyllidia -idae φύλλον
plastic πλαστικός
plegia -πληγία
plotus -ina(e πλωτός
polar πόλος
political πολιτικός
porphyritic πορφύρα
pyramidal πυραμίς
Quietism -ist -ισμός -ιστής
rhomb ῥόμβος
rhythm ῥυθμός
Romanism -ισμός
samaroideus -οειδής
saprophytic σαπρο- φυτόν
scenic σκηνή
socialism -ισμός
sphere σφαῖρα
-ic(al -oid(al
stylifera στῦλος
symphyo- συμφυο-
stemonis στήμων
tessaral τέσσαρες
theological θεολογία
Semite Σήμ -ίτης
-ic(ize -ism -ist -ization
-ize -ισμός -ιστής -ίζειν
tone -ic(ally τόνος
trigynus τρι- γυνή
tropical τροπικός
xerophytic ξηρός φυτόν
semno- σεμνο-
cosma κοσμέειν
dema δέμας

semno- Cont'd
pithec(e us πίθηκος
idae inae in(e oid
Seminus σεμνός
semo- σημο-
charista χάρις
stomae -(e)ous στόμα
tilus πτιλόν
sempect συμπαικτής
sempresometer μέτρον
semseyite senaite -ίτης
sene σύνοδος
senilism -ize -ισμός -ίζειν
seniorize -ίζειν
sennapicrin πικρός
senopia -ωπία -ιστής
sensation(al)ism -ist -ισμός
alistic alize -ιστικός -ίζειν
sensibilisinogen -γενής
sensibilize(r -ator -ίζειν
sensism -ist -ισμός -ιστής
-istic -ize -ιστικός -ίζειν
sensitivism -ist -ισμός -ιστής
sensitize(r -ation -ίζειν
sensitometer μέτρον
sensitometry -ic -μετρία
sensoparalysis παράλυσις
sensorimetabolism -ic
μεταβολή -ισμός
sensu(al)ism -ισμός
-ist(ic -ιστής -ιστικός
-ize -ation -ίζειν
sententiolist -ιστής
sentimentalism -ist -ισμός
(al)ize -er -ίζειν -ιστής
sepalody σκέπη -ωδία
sepaloid σκέπη -οειδής
separat(ion)ism -ist -ισμός
-ιστής
separ(at)istic(al -ιστικός
separist -ιστής
sepedon σηπεδών
-(on)ogenesis γένεσις
sepetonous σηπετός
sepia -ian -ic σηπία
Sepia -acea(n σηπία
-arian -ary -(id)aceous -iid-
(ae -ioid(ea(n
Sepiadarium σηπιδάριον
-iid(ae -ioid
Sepidium -idae σηπίδιον
Sepiola σηπία
-id(ae -idea -oid(ea(n
sepion -ium σήπιον
iolite -ic λίθος
sepiophore -a σηπία -φορος
sepiost(aire σήπιον ὀστέον
sepometer σηπο- μέτρον
Seps Sepidae σήψ
-idea -iform
sepsis -in(e σῆψις
-ometer μέτρον
sept- σηπτός
(a)emia -αιμία
ectomy -εκτομία
on ous
septarchy -αρχία
Septembrism -ist -ization
-ize(r -ισμός -ιστής -ίζειν
septi-
branchia(ta -iate βράγχια
chord χορδή
syllable συλλαβή
septic σηπτικός
al(ly in(e ity ize
(a)emia -αιμία
septico- σηπτικός

septico- Cont'd
(a)emia -αιμία
phlebitis φλεβ- -ῖτις
py(a)emia -ic πύον -αιμία
zymoid ζύμη -οειδής
septimachord χορδή
septimetritis σηπτικός μήτρα
septite -ίτης -ίτις
septonate τόνος
septo- σηπτός
diarrhoea διάρροια
genic -γενής
germ maxillary
meter μέτρον
nasal
pyra πῦρ
sporium -iose σπορά
tomy -τομία
septuagenarianism -ισμός
septuagintalist -ιστής
sepulchr(al)ize -ίζειν
sepulchromancy μαντεία
sequentialism -ισμός
Serapis -ias -ic Σέραπις
Serbonian Σερβωνίς
Serbophobe -φοβος
serenize -ίζειν
Seres -ean -ian Σῆρες
serfism -ισμός
serge Σηρικός
serialize -ation -ίζειν
sequestrectomy -εκτομία
sequestrotomy -τομία
serangitis σήραγξ -ῖτις
Serapeion -e(i)um Σεραπεῖον
seraph(im ism Σεραφείμ
seraphic Σεραφικός
alist al(ly (al)ness ism -ισμός
seraphine -a Σεραφείμ
serasorcymes σωρός κῦμα
seric Σηρικός
ate(d ic(eous iceo- in(e
ite -ic -ization -ίτης
tery -ium -τηριον
um ulus us
serico- σηρικο-
carpus καρπός
derus δέρις
stoma -id(ae -oid στόμα
seri- σηρικός
culture -al -ist -ιστής
fic form positor
graph -γραφος
lophus λόφος
meter μέτρον
serin(e σηρικός
seringa(hood -ous σύριγξ
seriocomedy κωμῳδία
seriocomic(al(ly κωμικός
Seriphus σέριφος
sermologus -λογος
sermon(ett)ist -ιστής
sermonize(r -ίζειν
sermonoid -ology -οειδής
seroid -οειδής -λογία
sero-
albuminuria -ουρία
bacterin βακτήριον
chrome χρῶμα
colitis κόλον -ῖτις
cyst(ic κύστις
den ἰώδης
dermat- δέρματ-
itis osis -ῖτις -ωσις
diagnosis διάγνωσις
enteritis ἔντερον -ῖτις
enzyme ἔνζυμος

sero- Cont'd
hemorrhagic αἱμορραγία
hepatitis ἡπατ- -ῖτις
lemma λέμμα
lipase λίπος διάστασις
logy -λογία
-ic(al -ist -ιστής
peritoneum περιτόναιον
physiology φυσιολογία
phyte φυτόν
plastic πλαστός θώραξ
pneumothorax πνεύμων
prognosis πρόγνωσις
prophylaxis προφυλακτικός
saprophyte σαπρο- φυτόν
scopy -σκοπία
sitis -ῖτις
synovitis συν- -ῖτις
therapeutic(al θεραπευτικός
therapy -ist θεραπεία
thorax θώραξ
toxin τοξικόν
zym(e ζύμη
serpentinasbest ἄσβεστος
serpent(in)ize -ation -ίζειν
serpentinoid -οειδής
serpierite -ίτης
serpol(et oid ἕρπυλλον
serpulite -ic -ίτης
Serpulopsis ὄψις
serumtherapy θεραπεία
serumuria -ουρία
Servitianism -ισμός
Servitist -ιστής
servilism -ize -ισμός -ίζειν
sesame σησαμῆ
sesamin(e σησάμινος
sesamitis σήσαμον
Sesamodon σησαμῆ ὀδών
sesamoid σησαμοειδής
(e)al itis -ῖτις
Sesamum -ol σήσαμον
sesamus σήσαμος
Seseli σέσελι
Sesia -iid(ae -iinae -iin(e σής
sesqui-
basic βάσις
camphene καμφορά
chlorid(e χλωρός
citronellene κίτρον
oxid(e ation ized ὀξύς -ίζειν
pedal(ian)ism -ισμός
terpene τερέβινθος
tone τόνος
Sestiad Σηστιάς
seston(ology σηστός λογία
Sestrosphaera σῆστρον
setacyl ὕλη σφαῖρα
Setarches ἀρχός
Sethian Σηθιανοί
Sethic -inian -ite Σήθ
Setophaga -φαγος
-inae -in(e
severite severize -ίτης -ίζειν
sexagenarianism -ισμός
sexagon(al -γωνία
sexiphenyl φαιν- ὕλη
sexism -ισμός
sexisyllabic συλλαβικός
sexisyllable συλλαβή
sexology -λογία
sexualism -ist -ισμός -ιστής
-ize -ally -ation -ίζειν
sexualogy -ical -λογία
seybertite -ίτης
shadowgram γράμμα
graph -γραφος

shadowgraphy -ic -ist γραφία
ist -ιστής -ιστής
Shakerism -ισμός
Shak(e)spe(a)r(ian)ism -ισμός
ize -ίζειν
olater -ry -λατρης λατρεία
ology -λογία
shallowist -ιστής
Shamanism -ισμός
-ist(ic -ite -ize -ιστής
-ιστικός -ίτης -ίζειν
shammatize -ίζειν
Shandeism -ισμός
-yism -yize -ίζειν
Shastasaurus σαῦρος
shekel σίκλος
Shelleyism -ισμός
-olater -ry -λάτρης λατρεία
Shemite Σήμ -ίτης
-ic(ize -ish -ism -ίζειν -ισμός
shepherdism -ize -ισμός -ίζειν
sherardize -ίζειν
shergotite -ίτης
Shintoism -ize -ισμός -ίζειν
-ist(ic -ιστής -ιστικός
shopo-
cracy crat -κρατία -κρατής
shrapnelitis -ῖτις
siagon(a σιαγών
-(on)antritis ἄντρον -ῖτις
ology -λογία
opod ποδ-
sial- σιαλ-
aden(itis ἀδήν -ῖτις
adenoncus ἀδήν ὄγκος
agogue -ic ἀγωγός
aporia ἀπορία
emesis ἔμεσις
ic σιαλικός
ine oid -ινος -οειδής
Sialis σιαλίς
-id(ae -ida(n -oid
sialism(us σιαλισμός
sialisterium σιαλιστήριον
sialith σιαλ- λίθος
sialo- σιαλο-
adenitis ἀδήν -ῖτις
aerophagy ἀερο- -φαγία
ang(i)itis ἀγγεῖον -ῖτις
chous σιαλοχόος
dochitis δοχή -ῖτις
duct(il)itis -ῖτις
genous -γενής
gogue -ic ἀγωγός
lith λίθος
lithiasis λιθίασις
logy -λογία
rrh(o)ea -ροία
schesis σχέσις
semeiology σημειο- -λογία
syrinx σῦριγξ
zemia ζημία
siberite -ίτης
sibyl Σίβυλλα
sibylla Σίβυλλα
-ianist -ic -ine -ism -ισμός
sibyllist(ic Σιβυλλιστής
Sicanian Σικανοί
sicchasia σικχασία
siccimeter -ric μέτρον
Siceliot Σικελιώτης
Sicelomyrmex Σικελός μύρμηξ
Sicily Σικελία
-ian(a -ienne
sicinnis -ian σίκιννις
sicle σίκλος
siculase διάστασις

Siculo- Σικελία
Siculodes Σικελία -ωδης
-id(ae -ina(n -in(e
Sicydium σικύδιον
Sicyonian Σικυώνιος
Sicyos -yoideae σίκυος
Sida -eae -id(ae -oid σίδη
Sidalcea σίδη ἀλκέα
sider- σιδηρ-
actis -id(ae -oid ἀκτίς
aphthite ἄφθιτος
azote -ite ἄζωτος -ίτης
siderealize -ίζειν
eous σιδήρεος
ic ism(us -ισμός
ite -ic σιδηρίτης
itis σιδηρῖτις
onym ὄνυμα
ose ous
osis -ωσις
urgy -ic(al σιδηρουργία
sidero- σιδηρο-
borine calcite
chalcite χαλκός -ίτης
chrome χρῶμα
clepte κλέπτειν
conite κονία -ίτης
crinus κρίνον
dactylus σιδηροδάκτυλος
dot δότης
dromophobia δρόμος -φοβία
ferrite -ίτης
genous -γενής
gnost γνώστης
graph(y -γραφος -γραφία
-ic(al -ist -ite -ιστής
lite lith(ic λίθος
magnetic Μαγνῆτις
mancy μαντεία
melane μελαν-
natr(ol)ite νίτρον -ίτης
phil(ous es -φιλος
phobes -φοβος
phobia -φοβία
phone φωνή
phyllite φυλλίτης
phyre πορφύρα
plasts πλαστός
plesite πλησίος -ίτης
pyrite πυρίτης
scope -σκόπιον
stat(ic στατός
sthene σθένος
til tyl τίλος
xylon ξύλον
Sidonian Σιδώνιος
siegenite -ίτης
Siela σίελον
Sifaite -ίτης
sigillarist(ic -ιστής -ιστικός
sigillographer -γραφος
sigillography -γραφία
siglos σίγλος
sigma σίγμα
graptus γραπτός
spire -al σπεῖρα
sigm- σίγμα
ate atic ation
atism(us -ισμός
atize σιγματίζειν
ato- σιγματο-
phore -a -ous -φορος
atoid σιγματοειδής
ella istes -ιστής
odon(t(es ὀδών ὀδοντ-

sigmoid σιγμοειδής
al(ly
ectomy itis -εκτομία -ῖτις
sigmoido- σιγμοειδής
pexy -πηξία τομία
-εκ-
proctectomy πρωκτός
proctostomy πρωκτός
(recto)stomy -στομία
scope -y -σκοπός -σκοπία
signalism -ισμός
-ist -ize -ιστής -ίζειν
signaturist -ize -ιστής -ίζειν
significatist -ιστής
signorize -ίζειν
Sikhism -ισμός
sikyotic σικύα -ωτικός
silage σιρός
sildonite -ίτης
Silene Σειληνός
-(ac)eae -aceous -al(es
Silen(us Σειληνός
silhouettist -ιστής
siliciceratous κερατ-
silicidize -ation -ίζειν
Silicispongiae σπογγιά
silicite -ization -ίτης -ίζειν
silicize -ίζειν
silico-
arsenide ἀρσενικόν
biolith βιο- λίθος
butane βούτυρον
chloroform χλωρο-
cyanide κύανος
cyanamide ἀμμωνιακόν
ethane αἰθήρ
hexane ἕξ
iodoform ἰώδης
magnesiofluorite Μαγνησία
manganese Μαγνησία
mesoxalic μεσ- ὀξαλίς
methane μέθυ
molybdic -ate μόλυβδος
oxalic -ate ὀξαλίς
pentane πεντ-
phosphate φωσφόρος
propane πρῶτος πίων
propionic
skeleta -al σκελετόν
spongiae σπογγιά
silic-
onamide ἀμμωνιακόν
one onize -ώνη -ίζειν
osis -ωσις
ylene ὕλη
silk σηρικός
en(ly ette ily iness y
sillimanite -ίτης
sillograph σιλλογράφος
er ist -ιστής
sillometer σιλλο- μέτρον
sillyism -ισμός
silo σιρός
silox- ὀξύς
ane ene
siloxyean ὀξυ-
Silpha σίλφη
-al -id(ae -oid
silphium σίλφιον
silpho- σίλφη
logy -ic -λογία
morpha μορφή
silure -us σίλουρος
-ian -id(e -idae -idan -ine
-oid(ea -oidei
silver-
analcite ἄναλκις -ίτης

silver- Cont'd
chabazite χαβάζιος -ίτης
ism ist ize -ισμός -ιστής
silvialite λίθος -ίζειν
Silybum σίλλυβος
silyl ὕλη
sima σιμή
Simalurius σίμαλος οὐρά
Simblum σίμβλον
Simeonite -ίτης
sim- σιμός
enchelys ἔγκελος
-yid(ae -yoid
esthesia -αισθησία
ia iad ial ian iidae iinae
iin(e ioid ious(ness ous
simil(ar)ize -ίζειν
similitudinize -ίζειν
simo- σιμο-
bius βίος
cyon(idae κύων
dactylus δάκτυλος
lestes λῃστής
Simonian(ism Σιμωνιανός
simony Σίμων
-er -iac(al le ly ness re) -ial
-ical(ly -ient(ly -ier -ious
-ism -ist -ite
simo- σιμο-
pelta πέλτη
pithecus πίθηκος
rhyncus ῥύγχος
saur(us ian σαῦρος
simpleton(ian)ism -ισμός
simplicist -ize -ιστής -ίζειν
simplism -ισμός
-ist(ic -ιστής -ιστικός
Sinaean -aic Σιναῖον
Sinaitic Σιναῖτις
sinamin(e σίναπι ἀμμωνιακόν
Sinapis σίναπι
-ate -ic -in(e -ite -olin(e
sinapiscopy σίναπι -σκοπία
sinapism σιναπισμός
-istic -ιστικός
-ize σιναπίζειν
sindon(less σινδών
sinecurism -ist -ισμός -ιστής
Sinesian Sinetic Σίναι
singularism -ist -ισμός -ιστής
singularize -ation -ίζειν
Sinic Σινικός
al ism o- -ισμός
ize -ation -ίζειν
Sinify -ification Σίναι
sinigrin(ase σίναπι διάστασις
Siniperca Σινάι(?) πέρκη
Sinism Σινικός -ισμός
sinistro-
cardia καρδία
gyric -ate γῦρος
styly στῦλος
sinistrosis -ωσις
Sinitic Σίναι -ιτικός
Sinn Feinism -ισμός
sinnography -γραφία
sino- σίνος
caris καρίς
cystis κύστις
dendron δένδρον
phloeus φλοιός
tagus ταγός
therium θηρίον
xylon ξύλον
sino- Σίναι
gram γράμμα
log(ue er -λογος

sino- Cont'd
logy -ical -ist -λογία
phil(e ism -φιλος
Sinon(ism Σίνων -ισμός
Sinoper -ian -ite -le Σινοπίς
Sinopic Σινωπικός
Sintor σίντωρ
sinusitis -ῖτις
sinusoid(al(ly -οειδής
alization -ίζειν
Sinustomia στόμα
sion σίον
Sionite Σίων -ίτης
Siopelus σιωπηλός
siotropism σείω τροπή -ισμός
Sipalus -ocyon σιπαλός κύων
siphilo-
derm(a δέρμα
grapher -y -γραφος -γραφία
Siphneus σιφνεύς
-einae -ein(e
sipho σίφων
coryne κορύνη
rhinal -ian ῥίν
some stoma σῶμα στόμα
siphon σίφων
(ac)eous ales eae eus
age al ed ic less
anth(ae ous ἄνθος
apter(a ous ἄπτερος
aria -iid(ae -ioid
ata ate(d ea et ida
oma ula -ωμα
siphoni- σίφων
a al ata um
fera -ous form
siphono- σιφωνο-
branchiate -a βράγχια
chlamydate χλαμυδ-
cladus κλάδος
-aceae -aceous
dentalium -iid(ae -ioid
gam(a(e γάμος
gamy -ic -ous -γαμία
glyph(e γλυφή
gnathus -id(ae -oid γνάθος
phor- σιφωνοφόρος
a(e al an e id(ae oid ous
phrentis φρήν
phytum φυτόν
plax πλάξ
pod(a ous ποδ-
pore πόρος
rhin(e ian ῥίν
ris ῥίς
some(s soma σῶμα
stele -ic στήλη
stome -a(ta -(at)ous στόμα
thyrid θυρίς
treta τρητός
-acea -id(ae -oid
zooid ζῷον -οειδής
siphoid σίφων -οειδής
siphuncle(d σίφων
siphuncul- σίφων
acea(n aceous ar ata ate(d
id(ae ida iform ina oid(ea
omorpha -ic μορφή us
sipylite Σίπυλος
siraplankton σειρά πλαγκτον
siredon Σειρηδών
siren Σειρήν
aic eal iacal ian ie ize -ίζειν
ia(n id(ae oid Σειρήν
ic(al(ly Σειρηνικός
oid(ea(n ei -οειδής
omelia -us μέλος

Sirex Σειρήν
-icid(ae -icoid(ea
siriasis σειρίασις
Sirius -ian Σείριος
Siro -onidae σιρός
siro- σιρο-
genes -γενής
gonimium γόνιμος
siphon σίφων
-aceous -eae -(on)oid
siser σίσαρον
siserskite -ίτης
sismo- *etc.* = seismo- *etc.*
sisterize -ίζειν
sistrum -oid σεῖστρον
Sistrurus οὐρά
Sisymbrium σισύμβριον
Sisyphean Σισύφειος
Sisiphian Σισύφιος
Sisiphus Σίσοφος
-ism -ist -ισμός -ιστής
sisyra σισύρα
Sisyrinchium -eae σισυριγχίον
Sisyrium σισύρα
-odonta ὀδοντ-
sitarch σιτάρχης
Sitaris σιτάριον
Siteutes σιτευτής
sitiergia σιτίον εἴργειν
sitio- σιτίον
logy -λογία
mania μανία
phobia -φοβία
sito- σιτο-
drepa δρέπω
logy -λογία
mania μανία
phagus σιτοφάγος
phobia -ic -φοβία
stanol -one στερεός -ώνη
stene -one sterol
therapy θεραπεία
toxin -icon -ism τοξικόν
tropism τροπ- -ισμός
Sitones σιτώνη
Sitta σίττη
-ella -idae -inae -ine
Sivaelurus αἴλουρος
Siva- -ισμός
ism istic -ισμός -ιστικός
ite itic -ίτης
pithecus πίθηκος
therium θηρίον
-e -iid(ae -ioid
skamma σκάμμα πλαγκτόν
skaphoplankton σκάφη
skatist -ιστής
skatol -osin σκατός
skatology -ic -λογία
skatophagy -φαγία
skatoxyl ὀξύς ὕλη
skelalgia σκέλος -αλγία
skelet σκελετόν
Skeletodes σκελετώδης
skeleto- σκελετόν
geny -ous -γένεια
graphy -γραφία
logy -λογία
trophic τροφή
skeleton σκελετόν
ess ian ic (on)ization ize(r
less ly tal wise y -ισσα -ίζειν
skele(to)topy -τοπία
skelos σκέλος
skeltonize -ίζειν
skemmatite σκέμμα -ίτης
Skemmatopyge πυγή

skenitis -ῖτις
Skenotoca τόκος
skeocytosis σκαιος κύτος -ωσις
skeptychigene πτυχ- -γενής
skeptic *etc.* = sceptic *etc.*
skeptophylaxis σκεπτικός
sketch σχέδιος φύλαξις
ability able er ily iness ingly
skete σκῆτος ist y
skeuobiomorph(ic σκεῦος βιο-
μορφή
skiadephoros σκιαδηφόρος
skia- σκιά
gram(matic(ally γράμμα
graph(er σκιαγράφος
graphy -ia σκιαγραφία
-ic(al(ly
machy σκιαμαχία
meter μέτρον
metry -μετρία
scope -y -ic -σκοπός -σκοπία
skinflintism -ισμός
skiophyte σκιο- φυτόν
Skirophoria Σκιροφορία
Skirophorion Σκιροφορίον
sklererythrin σκληρός ἐρυθρος
skleropelit πηλός
skleroseptum
skolin σκόλιον
skoliotropic σκολιός τροπ-
skotophilous σκότος -φιλος
skototropism τροπ- -ισμός
skutterudite -ίτης
skylac- σκύλαξ
oides ops -οειδής ὤψ
orhinus ῥίν
osaurus σαῦρος
slander σκάνδαλον
er ful(ly ing(ly ous(ly
slangism -ist -ισμός -ιστής
slanutosterin στερεός
Slav(ic)ize -ίζειν -ιστικός
Slavism -ist(ic -ισμός -ιστής
Slavocracy -κρατία
Slavocrat(ic -κρατης
Slavon(ian *or* ic)ize -ίζειν
Slavonism -ισμός
Slavophil(e ous -φιλος
Slavophobe -ist φόβος -ιστής
slidometer μέτρον
slipshodism -ισμός
slipsloppism -ισμός
sluggardize -ίζειν
smaragd(us ian σμάραγδος
-ochalcite χαλκῖτις
smaragdine σμαράγδινος
smaragdite σμαραγδῖτις
smartism -ισμός
smectic σμηκτικός
smectis -ite σμηκτίς
smegma -atic σμῆγμα
smegmatotheke σμηγματο-
smelite σμήλη -ίτης θήκη
Smeringaspis σμῆριγξ ἀσπίς
Smeringocera κέρας
Smerinthus σμήρινθος
Smicra -onyx σμικρός ὄνυξ
smilax σμῖλαξ
-aceae -aceous -acin(a
Smilepholcia σμίλη φολκός
Smilicerus σμιλι- κέρας
Smilodon σμίλη ὀδών
Sminthurus σμινθος οὐρά
-id(ae -oid
Sminyothrips σμινύη θρίψ
smithsonite -ίτης
Smodicus σμωδικός

Smyrnaean -ian Σμυρναῖος
Smyrnium -ieae σμυρνίον
snak(e)ology -λογία
sniperscope -σκόπιον
snobocracy -κρατία φία
snobgrapher -y -γραφος γρα-
snobologist -λογία -ιστής
Sobas σοβάς
soberize -ίζειν
socialism -ισμός
-ist(ic(ally -ιστής -ιστικός
-ization -ize -ίζειν
societism -ισμός
-ology -λογία
Socin(ian)ism -ισμός
-istic -ize -ιστικός -ίζειν
socio-
cracy -κρατία
crat(ic κράτος
economic οἰκονομικός
genetic γενετικός
geny -γένεια
graphy -γραφία
latry λατρεία
logue λόγος
logy -ic(al(ly -λογία
-ist -ize -ιστής -ίζειν
nomy -ic(s -νομία
phagous -φαγος
static στατός
Socrates Σωκράτης
-ic(al(ly Σωκρατικός
-(ic)ism -ισμός
-ist Σωκρατιστής
-ize Σωκρατίζειν
soda-
glauconite γλαυκός -ίτης
leucite λευκός -ίτης
lite λίθος
sodalist -ιστής
sodamid(e ἀμμωνιακόν
sodammonium
sodasarcolite σαρκο- λίθος
Sodom(ic -y Σόδομα
sodomite Σοδομίτης -ry
-er -ess -ical(ly -icalness -ish
sodophthalyl νάφθα ὕλη
sodyl ὕλη
sojasterol στερεός
solafideanism -ισμός
solanoid -oma -οειδής -ωμα
solarism -ist -ισμός -ιστής
solarize -ation -ίζειν
solarometer μέτρον
Solaster ἀστήρ
-(e)rid(ae -(e)roid
soldierize -ίζειν
solecism σολοικισμός
-ist(ic(al(ly σολοικιστής
-ize(r σολοικίζειν
solemnize(r -ation -ίζειν
solen σωλήν
aceae acea(n aceous
aidy αἰδοῖα
aria -ium σωληνάριον
conchae κόγχη
ella -inae
iaplankton πλαγκτόν
id(ae oid iform
iscus ite ἴσκειν -ίτης
ium ial σωλήνιον
odon(t(id(ae oid ὀδών
opsidae ὤψ
soleno- σωληνο-
conch(a(e ia κόγχη
coris κόρις
cyclus κύκλος

soleno- Cont'd
cyte κύτος
gastra -es γαστρ-
genys γένυς
glyph γλυφή
a ia ic ous
gyne γυνή
id(al(ly σωληνοειδής
mya -yidae μῦς
ptera πτερόν
pus πούς
rrhinus ῥίν
stele -y -ic στήλη
stom- στόμα
a (at)ous e i id(ae oid us
solfaist -ιστής
solfamization -ίζειν
soli-
biblical βίβλια
-icism -ist -ισμός -ιστής
branchiata βράγχια
fidianism -ισμός
ipsiism -ισμός
loquist -ιστής
loquize(r -ingly -ίζειν
taenia ταινία
solid(ar)ism -ist -ισμός -ιστής
solidistic -ιστικός
solips- -ιστικός
ism(al ist(ic -ισμός -ιστής
solist -ιστής
solitudinize -ίζειν
solecal σόλοικος
soloecophanes σολοικοφανής
solograph -γραφος
soloid soloist -οειδής -ιστής
solometer μέτρον
Solomon(ian -ic(al Σολομών
Solon(ian ic ist Σόλων -ιστής
solos σόλος
solubilize -ation -ίζειν
solvatochromism χρῶμα-ισμής
solvolysis -lyze λύσις
soma -al σῶμα
cule
phorus -φορος
plasm πλάσμα
tome -ic -τομον
som- σῶμα
andric ἀνδρ-
asthenia ἀσθένεια
esthesia -αισθησία
esthesis αἴθησις
esthetic αἰσθητικός
ite -al -ic -ίτης
somat- σωματ-
a al ia ose
algia -αλγία
archous ἀρχή
asthenia ἀσθένεια
eria ἔριον
esthetic ἀισθητικός
ic σωματικός
al(ly us
osplanchnic σπλάγχνον
ovisceral
idia σωματίζειν
ism ist -ισμός -ιστής
ium σωμάτιον
odes σωματώδης
somato- σωματο-
blast βλαστός
ceptor
chrome χρῶμα
cyst(ic κύστις
derm δέρμα
didymus δίδυμος

somato- Cont'd
dymia δύειν δίδυμος
etiological αἰτιολογία
genesis γένεσις
genetic γενετικός
gen(ic -γενής
gnosy -γνωσία
graphy -γραφία
id σωματοειδής
logy -λογία
-ic(al(ly -ist -ιστής
pagus πάγος
parallelus παράλληλος
pathic πάθος
phyte(s -ic φυτόν
plasm(a πλάσμα
pleure -a(l -ic πλευρά
psychic(al ψυχικός
psychosis ψύχωσις
splanchnic σπλάγχνον
-opleuric πλευρά
tomy -τομία
tridymus τρίδυμος
tropism -ic(ally τροπ- -ισμός
somervillite -ίτης
sommerophone φωνή
sommite -ίτης
somnambulism -ισμός -ιστής
-ist(ic(ally -ize -ιστικός
somnaphor -φορος -ίζειν
somniloquism -ισμός
-ist -ize -ιστής -ίζειν
somnipathy -ist -πάθεια
somnolism -ize -ισμός -ίζειν
somnopathy -πάθεια
somo- σῶμα
mecus μῆκος
platus πλατύς
psychosis ψύχωσις
sphere σφαῖρα
Sonchus σόγχος
sonnetist -ize -ιστής -ίζειν
sonnetomania μανία
Sonninopora πόρος
sonomaite -ίτης
sonometer μέτρον
son(or)ophone φωνή
Sontiochelys χέλυς λακρίς
Soomylacris σῶς(σοος) μυ-
Sophetim σοφία -ητης
sophia -ian σοφία
sophic(al(ly σοφικός
sophio- σοφία
logy -ic -λογία
meter μέτρον
sophism σόφισμα
sophist σοφιστής
er(ed ress ry
sophistic σοφιστικός
al(ly alness ant ate ation
ative ator ism -ισμός
Sophoclean Σοφόκλειος
sopho- σοφο-
mania μανία
meter μέτρον
more -ic(al(ly σόφισμα
retin(e ῥητίνη μωρός
spagyric σπᾶν ἀγείρειν
Sophron σώφρων
Sophronica σωφρονικός
sophronist σωφρονιστής
sophronize σωφρονίζειν
Sophronorrhinus σώφρων ῥίν
sophrosyne σωφρωσύνη
-sophy -σοφία
sopranist -ιστής
sorcymes σωρός κῦμα
soreuma σώρευμα
soroma -ata
soros σωρός
sorosphaeres σωρός σφαῖρα
sortilegist -ιστής
sorus σωρός
Sostea σωστέος
Sosticus σωστικός
Sosylus Σωσύλος
Sotadean -ic(al Σωτάδης
soterialogy σωτηρία -λογία
soteriology -ic(al σωτήριος
sotero- σωτήρ
cyte logy κύτος λογία
Sothic Σῶθις
Soudanize -ίζειν
sousaphone φωνή
southernism -ize -ισμός -ίζειν
sovereignize -ίζειν
sovietism -ist -ισμός -ιστής
sovietize -ation -ίζειν
soz- σώζειν
al albumin in ol(ic
ura -ous οὐρά
sozo- σώζειν
borol
branchia -iate βράγχια
gen -γενής
iodol(ic ate ἰώδης
spadaite -ίτης
spadici- σπάδιξ
floral florous form
spadix σπάδιξ
-iceous -icose
spado -onic -onism σπάδων
spado σπάθη
spagyr- σπᾶν ἀγείρειν
ical ist -ιστής
Spalax σπάλαξ
-ac(id(ae inae ine oid)
-acopsis ὄψις
-acopsylla ψύλλα
-acopus πούς
-pod(id(ae inae in(e oid
span- σπανός
(a)emia -ic -αιμία
andry -ανδρία
anthus ἄνθος
spangolite λίθος
spanielize Spaniolize -ίζειν
spanio- σπάνιος
litmin
neura νεῦρα
spanipelagic σπανός πέλαγος
spano- σπανο-
menorrhea μηνο- ῥοία
parea παρεία
pn(o)ea πνοῖα
Sparactus σπαράκτης
sparagmite σπάραγμα -ίτης
sparagmus σπαραγμός
Sparasses -ol σπαράσσειν
Sparassodonta ὀδοντ-
Sparaxis σπάραξις
Sparganium -iaceae σπαργάνιον
sparganosis σπαργάνωσις
sparganum σπάργανον
-iaceous -ietum
spargosis σπάργωσις
Sparisoma σπάρος σῶμα
Sparna σπαρνός
sparsioplast πλαστός
Spartacism -ist Σπάρτα
Spartan Σπάρτα -ιζειν
hood ic ism ize ly -ισμός
Spartecerus σπάρτη κέρας
sparteilene σπάρτον
sparteinium
Spartiate Σπαρτιάτης
Spartina -etum σπαρτίνη
Spartium -iod σπάρτον
Sparus -id(ae σπάρος
-idal -inae -ine -oid(ae
spasm(a σπάσμα
adrap
atic(al ed ic
atomancy μαντεία
spasmo- σπασμός
dermia δέρμα
logy -λογία
lygmus λυγμός
phile -ia -ic -φιλος
toxin τοξικόν
spasmod- σπασμώδης
ic(al(ly icalness
ism ist -ισμός -ιστής
ized ous -ίζειν
ology -λογία
spasmus -otin -y σπασμός
spastic σπαστικός
a ally ity
Spatangus σπατάγγης
-id(ae -ida -ina(e -ite
-oid(ea(n -oida(n
spathe σπάθη
-a -aceous -al -ate -bill -ed
-er -ful -ic -iform -ose -ous
spathe- σπαθη-
bothrium βοθρίον
gaster -ric γαστήρ
Spathelia σπάθη
-ell(ul)a -illa
Spathidicerus σπαθίς κέρας
Spathinus σπαθίνης
spathio- σπαθίον
caris καρίς
pyrite πυρίτης
Spathius σπαθίον
Spathochus σπάθη ὀχός
Spathomeles σπαθομήλη
Spathopygus σπαθο- πυγή
spathulatine σπάθη
Spathura σπάθη οὐρά
Spathyema σπάθή
spatialization -ίζειν
spatilomancy μαντεία
spatiology -λογία
spatula -e σπάθη
-ar(y -ate(d -ation -iform
-igerous -ose -ous
-amancy μαντεία
Spatularia -iidae σπάθη
specialism -ισμός -ιστής
-ist(ic -ization -ize -ιστικός
-ίζειν
specificize -ίζειν
specio-
graphy -ical -γραφία
logy -ical -λογία
spectacularism spectatorism
spectralism -ισμός
spectro-
bolo- βολή
graph(ic -γραφος
meter μέτρον
metry -ic -μετρία
chemistry χημεία
chrome χρῶμα -μετρια
colorimeter -ry μέτρον
electric ἤλεκτρον
gram γράμμα
graph -γραφος
graphy -ic(ally -γραφία
spectro- Cont'd
helio- ἡλιο-
gram γράμμα
graph(ic -γραφος
logy -ical(ly -λογία
meter μέτρον
metry -ic -μετρία
microscope μικρο- -σκόπιον
-(ic)al(ly
phone -ic φωνή
photo- φωτο-
electric ἤλεκτρον
graph -γραφος
graphy -ical -γραφία
meter μέτρον
metry -ic(ally -μετρία
polari- πόλος
graph -γραφος
meter μέτρον
scope -σκόπιον
pylometer μέτρον
pyrometer πυρο- μέτρον
radiometer μέτρον
radiometry -ic -μετρία
refractometer μέτρον
scope -σκόπιον
scopy -σκοπία
-ic(al(ly -ist -ιστής
telescope τηλε- -σκόπιον
thermograph θερμο- -γραφος
specularite -ίτης
specul(at)ist -ιστής
speculativism -ισμός
speedometer μέτρον
speirema σπείρημα
speiro- σπειρο-
gonimium γόνιμος
stichies στίχος
spel(a)ean σπήλαιον
spelaeo- σπηλαιο-
logy -ical -ist -λογία -ιστής
myrmex μύρμηξ
phryne φρύνη
Spelerpes ἕρπειν
speluncean -ous σπῆλυγξ
spelunk
Spencer(ian)ism -ισμός
Spencerite -ίτης
spendthriftism -ισμός
speo- σπέος
lepta λεπτός
trechus τρηχύς
tyto τυτώ
speos σπέος
Spercheus Σπερχειός
-opsis ὄψις
sperm(a σπέρμα
sperma- σπέρμα
ceti κῆτος
chromatin χρωματ-
duct nucleinic
gone -ium σπερμαγόνος
phore -φορος
phyte -a -ic φυτόν
podium πόδιον
theca -al θήκη
toxin τοξικόν
sperm- σπερμ-
acoce -ae ἀκωκή
acrasia ἀκρασία
al(ist -ιστής
amoebae ἀμοιβή
angium ἀγγεῖον
arium -y ation ative
ase διάστασις
spermat- σπερματ-
ange -ium ἀγγεῖον

spermat- Cont'd
emphraxis ἔμφραξις
ic(al(ly σπερματικός
id iferous igerous in
io- σπερμάτιον
genous -γενής
phore -φορος
ism σπερματισμός
ist itis -ιστής -ῖτις
ium ial σπερμάτιον
ize σπερματίζειν
oid om -οειδής ᾠον
ovum uria -ουρία
spermato- σπερματο-
al cidal
blast(ic βλαστός
cele κήλη
conidium κόνις -ιδιον
cyst(is -ic κύστις
ectomy -έκτομία
idion itis -ιδιον -ῖτις
cyte -al -ic -ium κύτος
gamete γαμέτης
gemma
genesis γένεσις
genetic γενετικός
genous -γενής
geny -ic -ous -γένεια
gone -ium -ial -ic γονή
gonidium γονή -ιδιον
idium -ιδιον
kalium καλία
kinetic κινητικός
logy -λογία
-ical -ist -ιστής
lysis -in λύσις
lytic λυτικός
mere -ite μέρος -ίτης
pathia -y -πάθεια
philus -φιλος
phobia -φοβία
phore -al -ous -φορος
phyte -a -ic φυτόν
plania πλάνη
plasm(ic πλάσμα
plast πλαστός
podophorum ποδο- -φορος
poietic ποιητικός
rrh(o)ea -ροία
schesis σχέσις
sphaeria σφαῖρα
spore σπορά
strote στρωτός
thamnia θάμνος
theca θήκη
tomy -τομία
toxin τοξικόν
zo- ζῷον
al an ic icide id oid(al on
sperm- Cont'd
duct
ectomy -εκτομία
estes -inae -in(e ἐσθίειν
ic in(e ous um y
idium -ιδιον
ism ist -ισμός -ιστής
odophorum ὁδός -φορος
oon ᾠον
ovary -ian -ium
ule ulum
spermi- σπέρμα
duct ducal
fication gerous
spermio- σπερμεῖον
teleosis τελείωσις
spermo- σπερμο-
blast(ic βλαστός

spermo- Cont'd
carp(ous καρπός
center κέντρον
coccus κόκκος
derm δέρμα
duct gemma
gastrula γαστρ-
gone -ium σπερμογόνος
-iferous -oid -ous
lith λίθος
loger -us σπερμολόγος
logy -ical -ist -λογία
loropexis -y λῶρον πῆξις
lysin λύσις
lytic λυτικός
neuralgia νεῦρον -αλγία
nucleus
phagus σπερμοφάγος
phila -us e -φιλος
-inae -ine
phlebectasia φλεβ- ἔκτασις
phore -ium -um -φορος
phyte -a -ic φυτόν
plasm πλάσμα
podium ποδίον
sphere σφαῖρα
spiza σπίζα
spore σπορά
theca θήκη
toxic -in τοξικόν
type τύπος
sperrylite λίθος
spessartite -ίτης
sphacel(us σφάκελος
a aria ate(d ation ia ic iine
inic oma ous
a(*or* o)derma δέρμα
ism(us σφακελισμός
otoxin τοξικόν
Sphadasmus σφαδασμός
sphaer- σφαιρ-
alcea ἀλκέα
anthus ἄνθος
aphides ?ῥαφίς τόν
aplankton σφαῖρα πλαγκ-
ella -ose eilaria(n
enchyma ἔγχυμα
esthesia -αισθησία
exochus ἐξοχή iales
ia iaceae iacei iaceous iaform
icephalic σφαῖρα κεφαλή
icosma σφαιρικός σῶμα
idium σφαερίδιον
-ia(l -iidae -iinae
ioidaceae σφαῖρα -οειδής
ion σφαιρίον
isterium σφαιριστηρίον
ites -ίτης
ium ius σφαιρίον
id(ae oid
oma σφαίρωμα
-ian -id(ae -oid
onidae σφαιρών
opsis ὄψις
-(ac)eae -(ac)eous -ales
otus σφαιρωτός
ula ule
sphaero- σφαιρο-
bacteria βακτήριον
belum βῆλον
blast(us βλαστός
carpous καρπός
caulus καυλός
cephalous κεφαλή
ceratidae κερατ-
charis χείρειν
chorisis χωρίς

sphaero- Cont'd
cladinidae κλάδος
cobaltite -ίτης
coccus -aceae κόκκος
crinidae κρίνον
dactyl(e us δάκτυλος
derma δέρμα
derus δέρις
gaster -(e)ra γαστήρ
id(ea(n σφαιροειδής
othyris θυρίς
lite -ic λίθος
machy σφαιρομαχία
magnesite Μαγνησία -ίτης
mere μέρος
metopa μέτωπον
morphus -ites μορφή -ίτης
n(a)ema νῆμα
phorus -aceae -φορος
phracta -an φρακτός
phytum φυτόν
placis πλάξ
plast πλαστός
ptera -us πτερόν
pyx πύξ
rrhinus ῥίν
siderite σιδηρίτης
sirian σειρά
some σῶμα
spore σπορά
stilbus -ite στίλβος -ίτης
stylus στῦλος
theca -ose θήκη
therium θηρίον
-ian -iid(ae -ioid
trichium τριχ-
zo- ζῷον
a id(ae on um βράγχος
Sphagebranchus σφαγή
sphagiasmos σφαγιασμός
sphagion -ian σφάγιος
sphagitid(es σφαγῖτις
sphagitis σφαγή -ῖτις
sphagniopratum σφάγνος
sphagno- σφάγνος
logy -ist -λογία -ιστής
philous -φιλος
phytes φυτόν
Sphagnum σφάγνος
-aceae -(ac)eous -ales -ei
-etum -icolous -ion -ose
-osus -ous
Sphagolobus σφαγή λοβός
sphairistic σφαιριστικός
sphalerite σφαλερός -ίτης
sphalero- σφαλερο-
carpium καρπός
porus πόρος
Sphallenum σφάλλειν
sphalm(a σφάλμα
Sphecia σφήξ
-id(ae -ina -oid(ea
spheco- σφηκο-
morpha μορφή
theres θηράν
sphegid(ae -oid(ea σφήξ
spheide σφήξ
sphendone σφενδόνη
sphen- σφήν
aria σφηνάριον
-iopsis ὄψις
aspis ἀσπίς
ethmoid(al ἠθμοειδής
e ic ion
isc- σφηνισκός oid
an idae iformes inae ine
omorph(ae ic μορφή

sphen- Cont'd
occipital
odon(t(i(d(ae oid ὀδών
oeacus οἴαξ
oenas οἰνάς
omite ὁμός -ίτης
onchus ὄγκος
ophrya ὀφρύς
opsida ὄψις
orbital
osis σφήνωσις
otic ὠτ-
-omorpha μορφή
ura οὐρά
spheno- σφηνο-
basilar -ic βάσις
cephal- σφηνόκεφαλος
ia ic ous us y
cercus κέρκος
chloris χλωρίς
clase κλάσις
clymenia Κλυμένη
corynus κορύνη
ethmoid(al ἠθμοειδής
frontal
gnathus γνάθος
gram γράμμα
grapher -γραφος
graphy -ic -ist γραφία -ιστής
id σφηνοειδής
al es eum itis -ῖτις
ido- σφηνοειδής
auricular frontal parietal
malar mandibular
manganite Μαγνῆτις -ίτης
maxillary
merus μέρος
monas -adidae μονάς
occipital orbital
palatine -al parietal
petrosal πέτρος
phalos φάλος
pharyngeus φαρυγγ-
phorus -φορος
phycus φῦκος
phyllum φύλλον
-aceae -aceous -ales
pselaphus ψήλαφος
ptera πτερόν
pteris -eid -oid πτερίς
pterygoid πτερυγοειδής
rhync(h)us ῥύγχος
salpingo- σαλπιγγο-
staphylinus σταφυλή
squamosal squamous
stethus στῆθος
suchus -idae σοῦχος
temporal
thecus θήκη
tresia τρῆσις
tribe τρίβειν
tripsy τρίψις
turbinal -ate
vomerine
zamites ζαμία -ίτης
zygomatic ζύγωμα
sphere σφαῖρα -iform -ify
-able -al(ity -ation less
spher- σφαῖρα
aster ἀστήρ
eometer μέτρον
esthesia -αισθησία
oma -ian -idae σφαίρωμα
oto- ωτ-
cephalus κεφαλή
ule -a -ar -ate
ulite -ic -ize -oid -ίτης

spheric -ics σφαιρικός
(al(ly -alness -ist -ity -le -o-
spheristerion σφαιριστήριον
sphero- σφαιρο-
bacteria -ium βακτήριον
blast βλαστός
conic κῶνος
crystal κρύσταλλος
cylinder κύλινδρος
cylindric κυλινδρικός
dactyl(us δάκτυλος
gastric γαστρ-
genic -γενής
gram graph γράμμα -γραφος
id σφαιροειδής
al(ly es ic(al (ic)ity ing ism
ization ize -ισμός -ίζειν
lith λίθος
logy -λογία
machy σφαιρομαχία
mania -iac μανία -ακός
mere μέρος
meter μέτρον
phyric πορφύρα
polar πόλος
porphyric πορφύρα
quartic
siderite σιδηρίτης
some σῶμα
spermia σπέρμα
spore σπορά
stilbite στίλβειν -ίτης
tetrahedral τετράεδρος
sphery σφαῖρα
spheterize σφετερίζειν
Sphex(ide σφήξ
sphincter σφιγκτήρ
ate ial ic
algia -αλγία
ectomy -εκτομία
ismus -ισμός
sphinctero- σφιγκτήρ
lysis λύσις
plasty -πλαστία
scope -σκόπιον
tomy -τομία
Sphinctodere σφιγκτός δέρη
Sphinctomyrmex σφιγκτήρ μύρμηξ
sphinctriform σφιγκτήρ
sphing- σφιγγ-
al ian ine oin ol
amine ἀμμωνιακόν
ites -idae -ίτης
ure -inae -ine -us
sphingo- σφίγγειν
corse κόρση
meter μέτρον
myelin(ic μυελός
sphingo- σφιγγο-
notus νῶτος
philae -ous -φιλος
sphinsteric σφιγκτήρ
sphinstrate σφιγκτήρ
sphinthariscope -ic -σκόπιον
Sphinx Σφίγξ
-ian -ily -ine -ness
Sphinx σφίγξ
-ing(id(ae iform ina ine ous)
sphodro- σφοδρός
phoxus φοξός
somus σῶμα
Sphodrus -oides σφοδρός
sphragis σφραγίς
-id(e -ite -ίτης
-istes σφραγιστής

sphragis Cont'd
-istic(s σφραγιστικός
-itid σφραγῖτις
Sphrigodes σφριγώδης
sphrigosis σφριγᾶν -ωσις
sphygmanometer σφυγμός μανός μέτρον
sphygmic(a σφυγμικός
sphygmism σφυγμός -ισμός
sphygmo- σφυγμο-
bolo- βολή
gram γράμμα
meter μέτρον
metry -μετρία
cardio- καρδιο-
gram γράμμα
graph -γραφος
scope -σκόπιον
cephalus κεφαλή φος
chronograph χρονο- -γραφος
dyna(mo)meter δύναμις
genin -γενής μέτρον
graph(y ic -γραφος -γραφία
id σφυγμοειδής
logy -λογία
(mano)meter μανός μέτρον
manometroscope μανός μετρο- -σκόπιον
metric μετρία
metro- μετρο-
graph -γραφος
scope -σκόπιον
oscillometer μέτρον
palpation
phone -ic φωνή -γραφος
plethysmograph πληθυσμός
scope -y -σκόπιον -σκοπία
systole συστολή
tono- τονο-
graph -γραφος
meter μέτρον
viscosimetry -μετρία
sphygmodic σφυγμώδης
sphygmus σφυγμός
sphyr- σφυρ-
acus σφυρόν ἀκή
aen- σφύραινα
a id(ae ine oid
ops ὤψ
ectomy σφῦρα -εκτομία
elaton σφυρήλατον
ion ium σφυρόν
na -id(ae -ine -oid
Sphyropicus σφυρο-
sphyrotomy σφυρο- -τομία
sphyximeter σφύξις μέτρον
spiculigenous -γενής
Spiculispongiae σπογγιά
spilado- σπιλαδ-
philus -φιλος
phyta -ia φυτόν
spil- σπίλος
anthes ἄνθος
oma σπίλωμα
ornis ὄρνις
osite -ίτης
otes σπιλωτός
spilite -ίτης
spilo- σπίλος
chalcis χαλκίς
gale γαλῆ
mastax μάσταξ
mena μήνη
micrus μικρός
phora -φορος
plania πλάνος
plaxia πλάξ

spilo- Cont'd
psylla ψύλλα
pyra πῦρ
spilus σπίλος
Spinax σπίνα
-acid(ae -acoid
spin-
algia itis -αλγία -ῖτις
deltoid(eus δελτοειδής
oid -οειδής
spini-
carpous -καρπός
deltoid(eus δελτοειδής
ferite -ίτης
peripheral περιφέρεια
trapezius τράπηζα
spino-
carpous καρπός
glenoid γληνοειδής
neural νεῦρον
peripheral περιφέρεια
saurus -idae σαῦρος
sympathetic συμπαθητικός
Spinozism -ισμός -ίτης
-ist(ic -ite -ιστής -ιστικός
spinthariscope -ic σπινθαρίς -σκόπιον
spinthere σπινθήρ
-ia -ism(us -ισμός
spint(her)ometer μέτρον
spintheropia -ωπία
Spinus σπίνος
spir- σπειρ-
achtha σπειραχθής
aden- ἀδήν
itis oma -ῖτις -ωμα
aea σπειραία
aceae aeic aein aic
al σπεῖρα
e iform ity ize ly oid
ozooid σπεῖρα ζῷον
anthes -ic -y ἄνθος
arsyl ἀρσενικόν ὕλη
ated ation e ed
axon ἄξων
em(e σπείρημα
ic(al icle σπειρικός
idionia ἴδιος
oid -οειδής
orbis ous
ul-
a ar ate e id(ae ite oid
spirantize -ίζειν
spiraster ἀστήρ
spirastrose -a
spiri- σπεῖρα
fer-
acea(n id(ae ine oid ous
form gerous trompe
gnath(a ous γνάθος
Spirillum σπεῖρα
-aceae -aceous -ar -iform
-olysis λύσις
-osis -ωσις
-otropic -ism τροπ- -ισμός
spiritology -λογία
spirit(ual)ism -ισμός
-ist(ic -ize(r -ιστής -ιστικός
spiro- σπειρο- -ίζειν
bacteria βακτηρία
branchia(ta -iate βράγχια
branchiopoda ποδ-
ceras κέρας
chaeta -ales χαίτη
ch(a)ete -al -osis -ωσις
chetalytic λυτικός
chetemia -αιμία

spiro- Cont'd
cheticide -al
chetotic -ωτικός
cheturia -ουρία
cyclane κυκλ-
cyclic κυκλικός
desmus δεσμός
fibrillae
gonimium γόνιμος
graph(is (id)in -γραφος
gyra -ate -etum γῦρος
ism -ισμός
il(ic -ate -ide -ous σπειραία
jector σπειραία
lobeae -ous λοβός
loculine
monas μονάς
nema νῆμα
phase φάσις
phore -φορος
phototropous φωτο- -τροπος
phyton φυτόν
schaudinnia
scope -y -σκόπιον -σκοπία
soma σῶμα
spart σπαρτός
stylinidae στῦλος
ylic -ous ὕλη
zooid ζῷον
spiro-
meter μέτρον
metry -ic(al -μετρία
spithama -aeus σπιθαμή
Spitidiscus δίσκος
Spiza -in(e σπίζα
Spizaetus ἀετός
Spizella -inae -ine
splanchn- σπλαγχν-
apophysis -ial ἀπόφυσις
ectomize -έκτομία -ίζειν
ectopia ἔκτοπος
elmintha ἑλμινθ-
emphraxis ἔμφραξις
esthesia -αισθησία
esthetic αἰσθητικός
eurysma εὐρύς
ic(al ica σπλαγχνικός
odynia -ωδυνία
oid -οειδής
splanchno- σπλαγχνο-
blast βλαστός
cele κήλη
coele κοιλία
derm δέρμα
diastasis διάστασις
grapher -γραφος
graphy -ical -γραφία
lith λίθος
lithiasis λιθίασις
logy -ical -ist -λογία -ιστής
megaly μεγάλη
pathy -ia -πάθεια
pleure -a(l -ic πλευρά
ptosis -ia πτῶσις
sclerosis σκλήρωσις
scopy -σκοπία
skeleton -al σκελετόν
somatic σωματικός
tomy -ical -τομία
tribe τρίβειν
Splanchnum σπλάγχνον
-aceae -aceous
spleen σπλήν
ful(ly ish(ly ishness less
splen- σπλήν wort -y
adenoma ἀδήν -ωμα
(a)emia -αιμία

splen- Cont'd
algia -y -ic -αλγία
atic ative
atrophy -ia ἀτροφία
auxe αὔξη
ceratosis κερατ- -ωσις
cule -us -ar
ectama ἔκταμα
ectasis ἔκτασις
ectomy -εκτομία
-ist -ize -ιστής -ίζειν
ectopy -ia ἔκτοπος
elcosis ἕλκωσις
emphraxis ἔμφραξις
eolus ἔωλος
epatitis ἡπατ- -ῖτις
etic(al(ly ness
etive etize -ίζειν
ial iatic σπληνίον
ic(al icness σπληνικός
icterus ἴκτερος
iferrin ification ify
iform in
itis -ic -ive σπληνῖτις
ium ius σπληνίον
ization σπλήν -ίζειν
odynia -ωδυνία
oid oma -οειδής -ωμα
oncus ὄγκος
(unc)ulus
spleno- σπληνο-
blast βλαστός
cele κήλη
ceratosis κερατ- -ωσις
cleisis κλεῖσις
colic κόλον
cyte κύτος
diagnosis διάγνωσις
graphy -ical -γραφία
hemia -αιμία
hepato- ἡπατο-
megalia *or* -y μεγάλη
keratosis κερατ- -ωσις
laparotomy λαπάρα -τομία
logy -ical -λογία
lymph(atic νύμφη
lysis -in λύσις
malacia μαλακία
medullary
megalia -y μεγάλη
myelo- μυελο-
genic -ous -γενής
malacia μαλακία
nephric νεφρός
nephroptosis πτῶσις
pancreatic πάγκρεας
parectama παρ- ἔκταμα
parectasis παρέκτασις
pathy -πάθεια
pexis -ia -y πῆξις -πηξία
phraxis -ia ἔμφραξις
phrenic φρήν
phthis φθίσις
pneumonia πνευμονία
ptosis -ia πτῶσις
rrhagia -y -ῥαγία
rrhaphy -ῥαφιά
scirrhus σκίρρος
tomy -ical -τομία
toxin τοξικόν
typhoid τυφώδης
spode -ium σποδός
spodio- σπόδιον
myelitis μυελός -ῖτις
phyllite φύλλον -ίτης
spodiosite σπόδιος -ίτης
spodization -or σποδός -ίζειν

spodo- σποδο-
chlamys χλαμύς
chrous -χρως
genic -ous -γενής
mancy mantic μαντεία
phagous -φαγος
phorous -φορος
spodumene -ite σποδούμενος
spondaic(al -iac σπονδειακός
spondee -ean -eus σπονδεῖος
Spondias σπονδιάς
-iaecarpum καρπός
spondiasm σπονδειασμός
spondyl(e σπόνδυλος
algia -αλγία
arthritis ἀρθρῖτις
arthrocace ἀρθρο- κάκη
erpeton ἑρπετόν
exarthrosis ἐξάρθρωσις
is id(ae
itis -ic -ῖτις
ium ioid σπονδύλιον
izema ἴζημα
odynia -ωδυνία
olisthesis ὀλίσθησις
olisthetic ὀλισθητικός
ose ous
osis -ωσις
us id(ae oid
spondylo- σπόνδυλος
cace κάκη
diagnosis διάγνωσις
(di)dymus -ia δίδυμος
pathy -ia -πάθεια
pyosis πύον -ωσις
schisis σχίσις
syndesis σύνδεσις
therapeutics θεραπευτικός
therapy -ist θεραπεία
tomy -τομία
sponge -er σπογγιά
ful less let -oid -ous
Spongia σπογγία
-iae -ian -iaria(n -ida(e
-iid(ae -ioid
spongi- σπογγιά
ary colous culture ferous
form ole olin
Spongilla σπογγιά
-id(ae -ine -oid
spongin σπογγία
blast(ic βλαστός
spongio- σπογγιά
blast βλαστός
carpeae καρπός
cyte κύτος
fibrous
lite -ic λίθος
logy -ist λογία -ιστής
pilin(e πῖλος
plasm(ic πλάσμα
porphyrin πορφύρα
zoon ζῷον
spongiose σπογγιά
-a itis -ity -us -ῖτις
spong- σπογγία
ite -ic -ίτης
odieae σπογγώδης
y ily iness
spongo- σπογγο-
blast βλαστός
clast κλαστός
id(al σπογγοειδής
lith λίθος
logy -ical -ist λογία -ιστής
mere -al μέρος
phyll φύλλον

spongo- Cont'd
pus πούς
sterol στερεός
type τύπος
zoon ζῷον
spookism -ισμός
spookology -ical -λογία
spoonerism -ισμός
spoon(y)ism -ισμός
Sporades Σποράδες
sporadial σποράς
sporadic σποραδικός
al(ly alness ity
sporado- σποράς
ceras κέρας
neure νεῦρον
phytium φυτόν
siderite σιδηρίτης
spor- σπορ-
ange -ium ἀγγεῖον
-ia(l -idium -iferous -ifer-
um -iform -ioid -iole
-iolum
-ism -ite -ισμός -ίτης
angiody ἀγγεῖον -ωδία
angio- ἀγγειο-
genic -γενής
phore -ous -um -φορος
spore σπορά
sporasiderite σπορά σιδηρίτης
spore σπορά
-ation case ling
sporenrest σπορά
sporetia -us σπορητός
sporicide -al σπορά
sporid(ium σπορά -ιδιον
eus iferous igerus iifera iole
iosis -ωσις iolum
spori- σπορά
desm δεσμή
dochium δοχεῖον
fera -ous fication
genous -γενής
parous -ity
phyllary φυλλάριον
sporo- σπορο-
agglutination
antheridic ἀνθηρός
blast βλαστός
bolus -a βόλος
carp(ium eae καρπός
chnus -aceae χνόος
cide
cladium κλάδος
conidium κόνις -ιδιον
cyst(a ic κύστις
cyte κύτος
derm(ium δέρμα
dochium -ial δοχεῖον
duct gemma
gamia -y γάμος -γαμία
gelite -ίτης
gen(ic ous -γενής
genesis γένεσις
geny -γένεια
gone -ium -ic -y γόνος
logical -λογία
logist -ιστής
mycetes μυκήτες
phase φάσις
phila -φιλος
phore -ic -ous -φορος
phyas φυείν
phyl(l(um φύλλον
phyllary φυλλάριον
phyllody φυλλώδης
phyte -ic φυτόν

sporo- Cont'd
plasm(ic πλάσμα
sac σάκκος
some σῶμα
stegium στέγη
strote στρώτος
thalamia θάλαμος
theca θήκη
thrix θρίξ
trichum -osis τριχ- -ωσις
zo- ζῷον
al an ic id oid on
ite -ίτης
-oblast βλαστός
sporongonites σπόρος γόνος
spor- σπορ- -ίτης
ont ὀντ-
ous us
ule-(ar ate ation oid)
uli- (ferous gerous)
genous -γενής -ιστής
spreadeagleism -eist -ισμός
Springericrinus κρίνον
Spyrathus σπύραθος
Spyridia -eae σπυρίδιον
-iocrinidae κρίνον
spyris σπυρίς
Spyroidea(n -οειδής
squalidize -ίζειν
Squaloceti κῆτος
Squalodon ὀδών
-on(t(id(ae oid
Squamirhynchia ῥύγχος
squamody ὁδός
squamoid -οειδής
squamo-
mastoid μαστοειδής
petrosal πέτρος
sphenoid(al σφηνοειδής
tympanic τύμπανον
zygomatic ζύγωμα
squatterarchy -αρχία
squattocracy -cratic κρατία
squill σκίλλα
a ian oid(ea
squillitic σκιλλιτικός
squirearch(y (ic)al -αρχία
squirism -ισμός
squirocracy -κρατία
squirrel σκίουρος
fish ish lian line tail
stabilimeter μέτρον
stabilize(r -ίζειν
-ation -ator
stabiloplast πλαστός
stachy- σταχυ-
chrysum χρυσός
ose γλεῦκος
tarpheta ταρφειός
urus οὐρά
-aceae -aceous
stachyo- σταχυο-
crinus κρίνον
sperms σπέρμα
stoma στόμα
Stachys στάχυς
-ydeae -ydrine
stacte στακτή
stactometer στακτός μέτρον
stad- στάδιον
e ia ic ion ium
stadio- σταδιο-
dromos σταδιοδρόμος
meter μέτρον
nicest σταδιονίκης
Stagirism Στάγειρος -ισμός
Stagirite -ic Σταγειρίτης

stagma *σπάγμα*
-atite -oid *-ίτης -οειδής*
lite *λίθος*
stagnize *-ίζειν*
stagnoplankton *πλαγκτόν*
stagono- *σταγών*
lepidae *λεπίς*
Stahl(ian)ism *-ισμός*
stalact- *σταλακτός*
ic(al *σταλακτικός*
iform
ite(s *-ίτης* **-ious**
-al -ed -ic(al(ly -iform
stalagma *στάλαγμα*
-ite -ic(al(ly *-ίτης*
-on one *σταλαγμός -ώνη*
stalagmo- *σταλαγμός*
meter -ry -ic *μέτρον -μετρία*
scope *-σκόπιον*
soma *σῶμα*
stallite *-ίτης*
stalwartism -ize *-ισμός -ίζειν*
staminalpode *ποδ-*
staminidium *-ιδιον*
staminode -ium -y *-ώδης*
stamnos *στάμνος*
stancarist *-ιστής*
standardism *-ισμός*
standardize(r -ation *-ίζειν*
standpattism *-ισμός*
stanekite *-ίτης*
stanhoscope *-σκόπιον*
stann-
amyl *ἄμυλον ὕλη*
ethyl *αἰθήρ ὕλη*
ite yl *-ίτης ὕλη*
stanno-
lite type *λίθος τύπος*
stapedectomy *-εκτομία*
Staphisagria *σταφὶς ἀγρία*
-iated -ic -in(e
staphyle *σταφυλή*
staphyl- *σταφυλ-*
(a)ematoma *αἱματ- -ωμα*
agra *σταφυλάγρα*
ea aia aceae aceous
ectomy *-εκτομία*
edema *οἴδημα*
ine -us *σταφυλῖνος*
-ic -id(ae -ideous -iform
-ine -oid(ea(n
-opharyngeus *φαρυγγ-*
ion *σταφύλιον*
itis *-ῖτις*
oma *σταφύλωμα*
-atic -atous -y
oncus *ὄγκος*
osis *-ωσις*
staphylo-
angina *ἀνχόνη*
bacterin *βακτήριον*
coccus -al -ia -ic *κόκκος*
-omycosis *μύκης -ωσις*
cystis *κύστις*
dermatitis *δερματ- -ῖτις*
dialysis *διάλυσις*
edema *οἴδημα*
hematoxin *αἷμα τοξικόν*
hemia *-αιμία*
kinase *κινεῖν διάστασις*
leukocydin *λευκο-*
lysin *λύσις*
mycosis *μύκης -ωσις*
pharyngeus *φαρυγγ-*
-orrhaphy *-ῥαφία*
plasmin *πλάσμα*
plasty -ic *-πλαστία*

staphylo- Cont'd
ptosis -ia *πτῶσις*
rrhaphy -ic *-ῥαφία*
schisis *σχίσις* *κόκκος*
streptococcia *στρεπτός*
tome *σταφυλοτόμον*
tomy *-τομία*
toxin *τοξικόν*
Starnoenas *οἰνάς*
-adinae -adine
starolite *λίθος*
stasad -ium *στάσις*
stasi- *στασι-*
arch *στασίαρχος*
basi(or o)phobia *βάσις*
-φοβία
metric *μετρικός*
metry *-μετρία*
morphia -y -ic *μορφή*
phobia *-φοβία*
stasidion *στασίδιον*
stasimon *στάσιμον*
stasimus *στάσιμος*
stasis -e *στάσις*
stassfurtite *-ίτης*
-stat *-στατης*
stat- *στατός*
coulomb farad volt
enchyma *ἔγχυμα*
Stathmepora *στάθμη πόρος*
Stathmodon *σταθμός ὀδών*
stathmo- *σταθμο-*
graph *-γραφος*
notus *νῶτος*
static(al(ly *στατικός*
Statice -eae *στατική*
statico- *στατικός*
dynamic *δυναμικός*
kinetic *κινητικός*
statics *στατική*
Statira *στατήρ*
statism -ist *-ισμός -ιστής*
statistic(s *-ιστικός*
al(ly ian(ly ize
statistology *-λογία*
statize(r -ation *-ίζειν*
stato- *στατός*
blast(ic *βλαστός*
cracy *-κρατία*
cyst *κύστις*
cyte *κύτος*
genesis *γένεσις*
genetic(ally *γενετικός*
geny *-γένεια*
latry *λατρεία*
lith *λίθος*
meter *μέτρον*
plast(s *πλαστός*
rhabd *ῥάβδος*
scope *-σκόπιον*
spermus *σπέρμα*
sphere *σφαῖρα*
spore *σπορά*
statuarism -ist *-ισμός -ιστής*
statuist -uize *-ιστής -ίζειν*
statuomania *μανία*
statuquo(it)ism *-ίτης -ισμός*
statuquoite *-ίτης*
statuvolism -ize *-ισμός -ίζειν*
staur- *σταυρός*
acin *σταυράκιον*
actin(e *ἀκτιν-*
axonia -ial *ἄξων*
i ia iidae os us
idium *σταυρίδιον*
ion *σταυρίον*
omatic *σταύρωμα*

staur- Cont'd
otide *σταυρωτός*
-iferous
stauro- *σταυρο-*
baryte *βαρυτ-*
cleis *κλείς*
gamia -ic *γάμος*
glossicus *γλῶσσα*
latrian *σταυρολάτρης*
latry *λατρεία*
lite lith(ic *λίθος*
logy *-λογία*
medusae -an *Μέδουσα*
microscope *μικρο- -σκόπιον*
phore *σταυροφόρος*
phyll(us *φύλλον*
plegia *-πληγία*
pteris *πτερίς*
pus *πούς*
scope -ic(ally *-σκόπιον*
somes *σῶμα*
sporae *σπορά*
theotokion *σταυροθεοτοκίον*
typus *τύπος*
-id(ae -oid -ous
staxis *στάξις*
steapsin(ogen *στέαρ πέψις*
stear- *στέαρ* *-γενής*
amide *ἀμμωνιακόν*
entin *ἔντερον*
erin -ate *ἔρος*
ate ic iform
in(e ery
ometer *μέτρον*
olipoids *λίπος*
oid ol(ic *-οειδής*
one osis *-ώνη -ωσις*
oxylic *ὀξύς ὕλη*
rrh(o)ea *-ῥοία*
schist *σχιστός*
yl *ὕλη*
stearo- *στέαρ*
chlorhydrin *χλωρός ὑδρ-*
conotum *κόνις*
dermia *δέρμα*
dipalmitin *δι- παλάμη*
elaidic *ἐλαΐς*
lactone *γαλακτ- -ώνη*
laur(et)in sulfonic
ptene *πτηνός*
steat- *στεατ-*
adenoma *ἀδήν -ωμα*
in(um
ites *στεατίτης*
-ic(al -ious
itis ization *-ῖτις -ίζειν*
oma -atous *στεάτωμα*
ornis *ὄρνις*
-ith(ic id(ae in(e oid)
osis *-ωσις*
steato- *στεατο-*
cele *στεατοκήλη*
cryptosis *κρυπτός -ωσις*
gene -ous *-γενής*
lysis *λύσις*
lytic *λυτικός*
meter *μέτρον*
pathic *πάθος*
pyga -ia -ic -ous -y *πυγή*
rrh(o)ea *-ῥοία*
zoon *ζῷον*
Stechados *στοιχάς*
stechiology *στοιχεῖον -λογία*
stegano- *στεγανο-* *φυτόν*
chamaephytium *χαμαί*
cryptophytium *κρυπτός*
gram *γράμμα*

stegano- Cont'd
grapher *-γραφος*
graphy *-γραφία*
-ical -ist *-ιστής*
pus *πούς*
-od(a(n -odes -odous
sticha *στίχος*
steganous *στεγανός*
ophthalmia *ὀφθαλμός*
ata ate (at)ous ia ic
Stegastopsis *στεγαστὶς ὄψις*
Stegerhynchus *στέγη ῥύγχος*
stegium stegmata *στέγη*
stegmonth *στέγειν*
stegnosis *στέγνωσις*
stegnotic *στεγνωτικός*
stego- *στεγο-*
alpheon *Ἀλφειός*
carpi -ic -ous *καρπός*
ceph(al(a us *κεφαλή*
i(a(n id(ae oid ous
ceras *κέρας*
chelys -yidae *χέλυς*
crotaphous *κρόταφος*
gnatha -ous *γνάθος*
lophodon *λοφός ὀδών*
myia *μυῖα*
myrmex *μύρμηξ*
pelta *πέλτη*
ptera -ous *πτερόν*
rrhine *ῥίν*
saur(us *σαῦρος*
ia(n id(ae oid
steg- *στέγη*
odon(t *ὀδών*
oid *-οειδής*
omus *ὀμός*
-osuchus *σοῦχος*
ops urous *ὤψ -ουρος*
steinmannite *-ίτης*
Steironema *στεῖρος νῆμα*
steirosis *στείρωσις*
stele -a -ar *στήλη*
stelechite *στελεχίτης*
stelecho- *στελεχο-*
pus *πούς*
tokea -ean *τόκος*
Steleoneura *στελεόν νεῦρον*
Stelgis *στελγίς*
Stelgidopteryx *πτέρυξ*
stelgistrum *στέλγιστρον*
-ops *ὤψ*
Stelidiocrinidae *στελίδιον*
Stelidota *στηλίς* *κρίνον*
steliteutic *στηλιτευτικός*
stellasterin *στερεός*
stellite *-ίτης* *ποδ-*
Stelmatopoda *στήλη ὄμμα*
stelography *στηλογραφία*
stelolemma *στηλο- λέμμα*
stemapod *στῆμα ποδ-*
stemma *στέμμα*
-atiform -atous
stemmato- *στεμματο-*
deris *δέρις*
pteris *πτερίς*
Stemodia *στήμων*
Stemona *στήμων*
-aceae -aceous
stemon- *στήμων*
-idium *-ιδιον*
-itis -aceae *-ῖτις*
-stemonous *στημόνιος*
sten- *στεν-*
amma *ἅμμα*
arosaurus *ἀρόω σαῦρος*
aspidius *ἀσπίδιον*

sten- Cont'd
aspis ἀσπίς
asteridae ἀστήρ
axis ἄξων
bronchus βρόγχος
ellipsoid ἔλλειψις -οειδής
elmis
elytra -an -ous ἔλυτρον
eosaurus -ian ἠώς σαῦρος
idia ion εἶδος -ιον
ochrus ὠχρός
ol olis
omalus ὁμαλός
omus ὦμος
onaster στενόν ἀστήρ
op(a)eic στενωπεῖον
opsis ὄψις
osis στένωσις
-al -ed -ides
otic -ωτικός
oterous στενώτερος
otis ous ὠτ- ᾠόν
urothrips οὐρά θρίψ
us(a στενός
ygra στενυγρός
steno- στενο-
bathic βάθος
bia βίος
bothrus βόθρος
bregmate -ic βρέγμα
cara κάρα
carabus κάραβος
cardia -iac καρδία -ακός
carpus καρπός
cephal- κεφαλή
ia ic ous us y
cerus κέρας
chila χεῖλος
choria -y -ic στενοχωρία
chrome -y -atic χρῶμα
coenose κοινός
cnema κνήμη
colus κόλος
compressor
coriasis κορή -ίασις
coronine κορώνη
corus κόρος
corynus κορύνη
corys κόρυς
cranial κρανίον
crates κράς
crepis κρηπίς
crotaphy -ia κρόταφος
cyphus κυφός
cysts κύστις
cyttara κύτταρος
dactylus δάκτυλος
derm(a δέρμα
-ata -(at)in(e -atous -inae
derus δέρις
dictyoneura δίκτυον νεῦρον
dontes dus ὀδοντ- ὀδούς
gale γαλῆ
gaster γαστήρ
glossa γλῶσσα
gnathus γνάθος
graph(er -γραφος
graphy γραφία
-ic(al(ly -ist -ιστής
gymnocnemia γυμνο- κνήμη
gyra -id(ae -oid γῦρος
haline ἁλ-
lampra λαμπρός
logy -λογία
lophus λόφος
lysis λύσις
lyte λυτός

steno- Cont'd
mela μέλας
meter μέτρον
morph(us μορφή
mycteria μυκτήρ
mylus μύλος
myrmex μύρμηξ
neurella -idae νεῦρον
notum νῶτος
pelmatus πέλμα
petalous πέταλον
phile -φιλος
phlepsia φλέψ
photic φωτ-
phyllous -ism στενόφυλλος
platys πλατύς
plesictis πλησίος ἴκτις
pneusia -ate πνεῦσις
protome προτομή
psylla ψύλλα
pterus πτερόν
pus στενόπους
-id(ae -idea(n -oid
pygium πυγή
pyra πῦρ
rhopalus ῥόπαλον
rhynchus ῥύγχος
-ia -inae -ine -ous
saurus σαῦρος
scelis σκελίς
sepalous σκέπη
soma σῶμα
sphenus σφήν
sphere σφαῖρα
stegnosis στέγνωσις
stenosis στένωσις
stola στολή
stome -a στόμα -y
-ata -atous -ia -id(ae -oid
synusic συνουσία
taphrum τάφρος
tarsia ταρσός
telegraphy τηλε- -γραφία
therium θηρίον
thermic -al -y θέρμη
thoe -oid(ae -ooid θοή
thorax στενοθώραξ
thrips θρίψ
toka -ous τόκος
tomus -τομος
trachelus στενοτράχηλος
tropic τροπή
type -er τύπος
typy -ic -ist -τυπία -ιστής
Stentor Στέντωρ
id(ae in(e oid onic
stentori- Στεντόρειος
al an(ly ous(ly ousness
stentorophonic(al(ly Στεντορόφωνος
stephane στεφάνη
phoros στεφανηφόρος
stephan- στεφαν-
ion ial ic στεφάνιον
ite ops -ίτης ὤψ
odo- στεφανώδης
phytum φυτόν
ollona ὄλλυμι
os στέφανος
otis στεφανωτίς
oum ᾠόν
stephano- στεφανο-
beryx -ycid(ae
blastus -idae βλαστός
care κάρα
carpus καρπός
cephala κεφαλή

stephano- Cont'd
ceras κέρας
-atid(ae -atoid
contae -an κοντός
crinus κρίνον
deres δέρις φυτόν
dophytum στεφανώδης
phore -us στεφανοφόρος
psylla ψύλλα
rhynchus ῥύγχος
saurus -inae σαῦρος
scope -σκόπιον
spondylus σπόνδυλος
thrips θρίψ
zygomatic ζύγωμα
stephanome στεφανός νόμος
Stephanucha στεφανοῦχος
Stephanus -idae στέφανος
Stephodiplosis στέφος διπλόος
Stephoidea(n -οειδής
Stephomma ὄμμα
steradian στερεός
stercobilinogen -γενής
stercoporphyrin πορφύρα
stercor(a)emia -αιμία
Stercoran(ian)ism -ισμός
Stercor(an)ist -ιστής
Stercorite -ίτης
stercorolith λίθος
stere(gon στερεός γωνία
stere- στερεός
odontaceous ὀδοντ-
oma ὦμος
om(e στερέωμα
atic ic
opsis ὄψις
opticon ὀπτικόν
ornithes -ic ὄρνιθες
otica στερεότης
sol um us
Steremniodes στερεμνιώδης
Steremnius στερέμνιος
stereo- στερεο-
agnosis ἀ- γνῶσις
arthrolysis ἀρθρο- λύσις
auscultation binocular
baris βᾶρις
bate -ic -βάτης
blastula βλαστός
caulic καυλός
centric κεντρικός
chem- χημεία
ical(ly istry
chromatic(ally χρωματικός
chromatize χρωματ- -ίζειν
chrome -y -ic(ally χρῶμα
chromoscope χρῶμα -σκόπιον
clumps cognosy
comparer -ator
configuration
dermus δέρμα
electric ἤλεκτρον
fluoroscopy -σκοπία
gastrula γαστρ-
gennylae γεννᾶν ὕλη
glyph γλυφή
gnathus γνάθος
gnosis -ia γνῶσις
gnostic γνωστικός
gram γράμμα γραφία
graph(y -ic(al(ly -γραφος
hydraulic ὑδραυλικόν
isomer ἰσομερής
ic ide ism ization -ισμός
-ίζειν
lepis λέπις
meric μέρος

stereo- Cont'd
meter μέτρον
metry στερεομετρία
-ic(al(ly στερεομετρικός
micrometer μικρο- μέτρον
mita μίτος
monoscope μονο- -σκόπιον
mould movies
myrmex μύρμηξ
nema -ata νῆμα
neura -al νεῦρον
obstruction
phant(asm)ascope φάντασμα -σκόπιον
phoroscope -φορος
photo- φωτο-
graphy -ic -γραφία
(micro)graph μικρο-
physics φυσικά -γραφος
planigraph -γραφος
planula
plasm(a ic πλάσμα
plasmoceras πλάσμα κέρας
position
pselaphus ψήλαφος
pteris πτερίς
pyrometer πυρο- μέτρον
relation
roentgenograph -γραφος
scope -y -σκόπιον -σκοπία
-ic(al(ly -ism -ist -ισμός
skiagraphy σκιαγραφία
spermous σπέρμα
spondyli -ous -us σπόνδυλος
static(s στατικός
stoma στόμα
taxis τάξις
telemeter τηλε- μέτρον
telescope τηλε- -σκόπιον
tomy -ic(al(ly - ist -τομία
trope -ic -ism τρόπος
type -y τύπος -τυπία
-er(y -ic(ally -ist -ιστής
ster- στερεός
elminth- ελμινθ-
a ic ous
enchyma ἔγχυμα
hydraulic ὑδραυλικόν
ic(al(ly oid
sterigma -atic -um στήριγμα
-atocystis κύστις
sterilifidianism -ισμός
sterilize -ίζειν
-ability -able -ation -ator -er
Steriphus στέριφος
sternbergite -ίτης
stern- στέρνον
a ad al(is inae in(e on um
acanthus ἄκανθα
algia -ic -αλγία
aspis ἀσπίς
-id(a -idid(ae -idoid
aulax αὖλαξ
ebra -al
ias iform
ite -ic -ίτης
odes στερνώδης
odynia -ωδυνία
onuchal ὀνυχ-
oplites ὁπλίτης
oplus ὅπλον
oxi -an -ine ὀξύς
uchus -ουχος
sterno- στερνο-
cera κέρας
chondroscapularis χόνδρος
clavicular(is

sterno- Cont'd
cleidal κλείς
-omastoid(eus μαστοειδής
coelopsis κοιλ- ὄψις
coracoid(eus κορακοειδής
costal(is coxal
dymia -us δίδυμος
facial(is
glossal -us γλῶσσα
goniometer γωνία μέτρον
humeral
hyoid(eus ean ὑοειδής
lophus λόφος
mancy μαντειά
mastic
mastoid(eus μαστοειδής
maxillary -is
pagia -us πάγος
pericardiac -ial περικάρδιον
phorus -φορος
psylla ψύλλα
ptyx πτύξ
-ychid(ae -ychoid
pygus -id(ae -oid πυγή
rhabdite ῥάβδος -ίτης
scapular(is
thaerus -id(ae -oid θαιρός
there θαιρός
thyroid(eus θυρεοειδής
tomis τομή
tracheal(is τραχεία
tribe -al -ous τρίβειν
trypesis τρύπησις
vertebrae
stero- στερεός
meter μέτρον
pus πούς
Steropes Στερόπης
sterraster στερρός ἀστήρ
-ral -rosa -rose
sterrh- στερρός
ad id(ae ium
sterrho- στερρός
philus phyta φίλος φυτόν
sterro- στερρο-
blastula βλαστός
gastrula γαστρ-
lophus λόφος
metal μέταλλον
planula
Stesichorean Στησιχόρειος
stesomy στήσομαι
stetefeldtite -ίτης
stethal στέαρ αἰθήρ
steth- στηθ-
(a)emia -αιμία
arteritis ἀρτηρία -ῖτις
aspis ἀσπίς
endoscope ἐνδο- -σκόπιον
iaeum στηθιαῖος
idium στηθίδιον
stetho- στηθο-
baropsis βᾶρις ὄψις
cardiagraph καρδία -γραφος
catharsis κάθαρσις
chysis χύσις
c(*or* k)yrtograph κυρτός
chysis χύσις -γραφος
goniometer γωνία μέτρον
gram γράμμα
graph(y ic -γραφος -γραφία
mela μέλας
menia μήν
meter μέτρον
metry -ic -μετρία
my(os)itis μυ-(μυος) -ῖτις
pachys παχύς

stetho- Cont'd
paralysis παράλυσις
phone φωνή
phonometer φωνο- μέτρον
polyscope πολυ- -σκόπιον
pristes πρίστις
rrheuma ῥεῦμα
scope -y -σκόπιον -σκοπία
-ic(al(ly -ist -ιστής
spasm σπασμός
Stethon στῆθος
stethylic στηθ- ὕλη
Sthenadelpha σθένος ἀδελφός
sthenia -ic σθένεια
Sthenias σθένιος
stheno- σθενο-
chire χείρ
meter -ry μέτρον -μετρία
pyra πῦρ
sthenosize σθένος -ίζειν
Stibara στιβαρός
stib- στίβι
enyl ethyl ὕλη αἰθήρ
ial(ism -ισμός
ianite -ίτης
iated iatil
ic id ious ium
in(e ic o- yl) ὕλη
lite λίθος
onic ono- -ώνη
onium ἀμμωνιακόν
stibiconite στίβι κόνις -ίτης
stibio- στίβι
bismuthinite -ίτης
columbite domeykite
ferrite luzonite
tantalite Τάνταλος
stibnite στίβι -ίτης
stibogram στίβος γράμμα
stich στίχος
aeus
arion στιχάριον
aster(id(ae oid ἀστήρ
eron στιχηρόν
ic(al(ly στιχικός
id(ium στιχίδιον
sticho- στιχο-
carpus καρπός
chrome χρῶμα
cyrtid(a(n κυρτός
cystidae κύστις
dactyline -ae δάκτυλος
glossa γλῶσσα
logy -λογια
mancy μαντεία
metry -ic(al(ly -μετρία
mythia -ic -y στιχομυθία
tomus τομή
stichos στίχος
stichtite -ίτης
sticke (σφαιρι)στιχή
Sticta -is στικτός
-aic -aurin -eine -iform
sticto- στικτο-
cranius κρανίον
lophus λόφος
mys μῦς
petalous πέταλον
phaula φαῦλος
somus σῶμα
spilus σπίλος
stigma -al στίγμα
phorus φόρος
rhize ῥίζα
rhizome ῥίζωμα
stane -ol -one στερεός
-ώνη

stigma Cont'd
ster- στερεός
ol(in yl ὕλη
typy -ic -τυπία
stigmat στιγματ-
ae al ate(d ea ella
ic(ae al(ly alness) ics
iferous iform
ism ist -ισμός -ιστής
ium στιγματίας
ize -ation στιγματίζειν
oideus -οειδής
ose osis -ωσις
stigmato- στιγματο-
dermia δέρμα
meter μέτρον
mycosis μύκης -ωσις
phorina στιγματοφόρος
spore σπορά
trachelus τράχηλος
stigm- στιγμ-
aria(n -ioid
onose ula
onym ὄνυμα
stigme -ology στιγμή -λογία
Stigmeus στιγμαῖος
stigmo- στιγμός
dera δέρη
myrmex μύρμηξ
Stigonema -eae στίγων
stigonomancy στίγων μαντεία
stilb- στίλβειν
azole -ine ἀ- ζωή
ella ene id in
iscus ite -ισκος -ίτης
stilbo- στιλβο-
mimus μῖμος
nema νῆμα
stilbum στιλβός
Stilodes στίλη -οδης
Stilotherium θηρίον
stilpno- στιλπνός
chloran(e χλωρός
melane μελαν-
siderite σιδηρίτης
stimulism -ισμός
stipendiarist -ιστής
stiphro- στιφρός
myrmex μύρμηξ
stola στολή
thyris θυρίς
Stira(stoma στεῖρα
Stiretrus ἦτρον
Stirodonta ὀδοντ-
stizo- στίζω
cera κέρας
lobium -in λοβός
pus πούς
stedion στηθίον
stlengis στλεγγίς
stoa στοά
stomops στόμα ὤψ
stoastic(al(ly στοαστικός
stodtone τόνος
stoechas στοιχάς
stoic στωικός
al(ness (al)ly ian ity
ism ize -ισμός -ίζειν
stoichedon στοιχηδόν
stoicheio- στοιχειο-
logy -ical -λογία
matic(al στοιχειωματικόι
metry -ical -μετρία
tical στοιχειωτικός
stola stole -(at)ed στολή
Stolephorus στολή φόρος
-id(ae -oid

Stolidorhynchia στολίς ῥύγχος
Stolidotus στολίς ὠτ-
stolonization -ίζειν
stolzite -ίτης
stoma στόμα
-al -an -ate -atal
stomacace -y στομακάκη
stomach στόμαχος
ache(y al ate er ful(ly fulness
less(ness osity ous(ly y
algia -αλγία
ic(ness al(ly στομαχικός
odynia -ωδυνία
oscopy -σκοπία
stomalacia στόμα μαλακία
stom- στόμα
algia -αλγία
apathia ἀπάθεια
aphis ἀφειδής
stoma- στόμα
pod(ous iform ποδ-
pyra πῦρ
tomy -ia -τομία
typhus τῦφος
stomat- στοματ-
algia -αλγία
elcia ἕλκος
ia id(ae oid
ic(al στοματικός
iferous ium ous
itis -ic -ῖτις
oda ode -ώδης
od(a)eum ὀδαῖος
odynia -ωδυνία
ose osis -ωσις
stomato- στοματο-
blast βλαστός
cace κάκη
catharsis κάθαρσις
coelus κοῖλος
crinoidea κρίνον
dendron δένδρον
dysodia δυσωδία
gastric γαστρ-
gnath- γνάθος
graph(ia -γραφος γραφία
logy -ical -ist λογία -ιστής
malacia μαλακία
menia μήν
morphous -μορφος
mycosis μύκης -ωσις
necrosis νέκρωσις
noma νομή
panus
pathy -πάθεια
phora -ous -φορος
plasty -ic -πλαστία
pod(a ous ποδ-
pora -oid πόρος
pterophora πτερόν -φορος
rrhagia -ραγία
rrh(o)ea -ροία
scope -y -σκόπιον -σκοπία
sepsis σῆψις
theca θήκη
thrips θρίψ
tomy -τομία
typhus τῦφος
stom- στόμα
emorrhagia αἱμορραγία
ias στομίας
iatid(ae iatoid
idium -ιδιον
ion στόμιον
is στομίς
ium
od(a)eum -(a)eal ὀδαῖος

stom- Cont'd
odes στομώδης
sclerenchyma σκληρός
oxyd ὀξύς ἔγχυμα
oxys ὀξύς
-idae -yid(ae -yoid
stomo- στομο-
cephalus κεφαλή
chord(al χορδή
eum -(a)eal στόμα ὀδαῖος
des στομώδης
-stomous -στομος
-stomy -στομία
storax στύραξ
Storeosomus στορέννεσθαι σῶμα
Storeus στορεύς
storage στοργή
storiology ἱστωρία -λογία
-ical -ist -ιστής
Storthodontus στόρθη ὀδοντ-
story ἱστωρία
-ial -iation -ied -ier
-iette -ify -ize -ίζειν
stovarsol ἀρσενικόν
strabism(us στραβισμός
al(ly ic(al
ometer μέτρον
ometry -μετρία
straboni στραβός
strabo- στραβο-
meter -ry μέτρον -μετρία
scopus -σκόπιον
tome -y -τομον -τομία
Strabus στραβός
stradametrical μετρικός
strangal- στραγγαλ-
esthesia -αισθησία
ia στραγγαλία
iodes στραγγαλιώδης
strangle στραγγαλίζειν
-able ment -er
strangulate(d -ation
strangullion
strangury -ious στραγγουρία
strap(per ping ?στρόφος
stratameter μέτρον
strat- στρατ-
archy στραταρχία
arithmetry ἀριθμός -μετρία
egetic(al(ly στρατηγητικός
egic στρατηγικός
al(ly ian
egics στρατηγική
egos -us στρατηγός
egy στρατηγία
-ian -ist -ιστής
iote(s -eae στρατιώτης
iotic στρατιωτικός
oid -οειδής
stratigraph -γραφος
stratigraphy γραφία
-ic(al(ly -ist -ιστής
stratio- στράτιος
ceros κερως
mys -yid(ae -yoid μῦς
strato- στρατο-
cracy crat(ic -κρατία -κρατης
graphy -ic(al(ly -γραφία
logy -ical -λογία
pedarch στρατοπεδάρχης
sphere σφαῖρα
Stratnic(al -ian Στρατών
Strawsonizer -ίζειν
streblo- στρεβλο-
cera soma κέρας σῶμα
streblosis στρεβλός -ωσις

stremma στρέμμα
-atograph -γραφος
strepho- στρέφειν
tome -τομον
trichial τριχ-
strepsi- στρεψι-
cere -os στρεψίκερως
las -ainae λᾶς
nema νῆμα
ptera -al -an -ous πτερόν
(r)rhine -al -i ῥίν
tene ταινία
strept- στρεπτ-
anthus ἄνθος
aster astrose -a ἀστήρ
axis -id(ae -oid
icemia -αιμία
i στρεπτός
ophiurae -id ὀφίουρος
strepto- στρεπτο-
angina ἀγχόνη
bacilli
bacteria βακτήριον
branchia -iate βράγχια
carpus καρπός
coccus κόκκος
-al -eae -ic -ous
-(a)emia -αιμία
-icosis -ωσις
-olysin λύσις
cyte κύτος
dajus δαιός
dermatitis δερματ- -ῖτις
labis λαβίς
leukocidin λευκο-
lysin λύσις
mycosis μύκης -ωσις
mytilus μυτίλος
neura -al -ous νεῦρον
pus πούς
septicemia σηπτικός -αιμία
spondylus σπόνδυλος
-ian -ine -ous
spyrilli σπυρίς
static στατικός
stylic(a -ate στῦλος
thrix θρίξ
-icial -icosis -ωσις
toxin τοξικόν
trichal τριχ-
-iasis -osis -ίασις -ωσις
stricturotomy -τομία
Strieremaeus ἐρημαῖος
Striges -ia στριγ-
-id(ae -iformes -inae -in(e
Strigops στριγ- ὤψ
strigovite -ίτης
Striirhynchia ῥύγχος
Stringocephalus στρίγξ
-id(ae -oid κεφαλή
Stringops στρίγξ ὤψ
-opidae -opinae
strio-
graf -γραφος
scope -ic -σκόπιον
spinoneural νεῦρον
Strix στρίξ
strob(ic στρόβος
strobil(us στρόβιλος
a(e aceous ate ation
anthes ἄνθος
iferous iform
ine στροβίλινος
ization -ίζειν
oid στροβιλοειδής
ure -us οὐρά
strobilo- στροβιλο-

strobilo- Cont'd
myces μύκης
phagous -us -φαγος
saura -an σαῦρος
strobo- στρόβος
graph(ic -γραφος
scope -σκόπιον
scopy -ic(al -σκοπία
Stroggylosternum στρογγυλο-
stroma -al στρῶμα στέρνον
poridium πόρος -ιδιον
stromat- στρωματ-
eus στροματεύς
eid(ae eine eoid(es
ic Στρώματα
ic iform
ium στρωμάτιον
oid ous -οειδής
stromato- στρωματο-
cystites κύστις -ίτης
logy -λογία
lysis γύσις
pora πόρος
-id(ae -oid -ous
stromb(us στρόμβος
id(ae iform ine ite oid
Stromboceras στρομβο- κέρας
strombuli- στρόμβος
ferous form
stromeyrite stromnite -ίτης
Strondithyris θυρίς
strongyl- στρογγυλ-
ate e on ote
aspis ἀσπίς
aster ἀστήρ
hexactine ἕξ ἀκτιν-
(oid)osis -οειδής -ωσις
otes στρογγυλότης
oxea -eate ὀξέα
urus οὐρά
strongylo- στρογγυλο-
centrotus κεντρωτός
cephalus κεφαλή
clad κλάδος
crinus κρίνον
gaster γαστήρ
gnathus γνάθος
hexactine ἕξ ἀκτιν-
morphus μορφή
plasmata πλάσμα
pterus πτερόν
rrhinus ῥίν
Strongylus στρόγγυλος
-id(ae -oid(es
stronianite -ίτης
strontites -ic -ίτης
strontiuran οὖρον
strop ?στρόφος
Strophalosia -iinae στρόφαλος
stroph- στροφ-
anthigenin ἄνθος -γενής
antho- ἀνθο-
biase διάστασις
biose γλεῦκος
anthus ἄνθος
-ic -idin -in(e
ic(al(ly ism -ισμός
oid(al -οειδής
ulus
strophe -es στροφή
odonta ὀδοντ-
Strophingia στροφίγγιον
strophiole -ate στρόφιον
Strophionocerus κηρός
stropho- στροφο-
cephalus -y κεφαλή
gastra γαστρ-

stropho- Cont'd
genesis γένεσις
graptus γραπτός
mania μανία
mena -id(ae -oid μήνη
prion πρίων
soma σῶμα
stomatidae στοματ-
styles στῦλος
taxis τάξις
-strote στρωτός
structuralize -ation -ίζειν
structurist -ιστής
struldbrugism -ισμός
strum-
ectomy -εκτομία
itis osis -ῖτις -ωσις
strumpetocracy -κρατία
struthiin στρουθίον
Struthio στρουθίων -iform
-ian -idea -ioid(ea -ious
struthio- στρουθίων
camel(us στρουθοκάμηλος
cephalus στρουθοκέφαλος
laria -iid(ae -ioid ?λάρος
lithus λίθος
pteris πτερίς
Struthion στρουθίων
es id(ae iform(es inae in(e
-ornithes ὄρνιθες oid
Struthopus στρουθόπους
struv(er)ite -ίτης
strychn- στρύχνος
ia ic idine olin(e
ism -ισμός
ine -olic -olone -onic
-omania μανία
Strychnos στρύχνος
stryphnic στρυφνός
studentism -ισμός
Studite Στουδίτης
stupemania μανία
stutzite stuvenite -ίτης
styceric -inol στύραξ γλυκερός
Stychus Στύξ
stycosis -ωσις
Stygia -ius Στύγιος
-ial -ian -icola
Styginidae Στύξ
Stygnobia στυγνο- βίος
Stygogenes Στύξ -γενής
styl- στυλ-
agalmaic -atic ἄγαλμα
amblys ἀμβλύς
aster(acean -id(ae -oid
iderus δέρις ἀστήρ
idium -ιδιον
-eae -iaceae -iaceous
iferous iform in(e ion
iplankton πλαγκτόν
iscus στυλίσκος
oid στυλοειδής
ommata -ous ὀμματ-
-ophora -ous -φορος
ops ὤψ
opid(ae opoid
opized -ation -ίζειν
osteophyted ὀστεο- φυτόν
styled στῦλος
-ephorus -idae -φορος
stylon- στῦλος
ites urus -ίτης οὐρά
Stylosanthes στῦλος ἄνθος
stylist -ιστής
stylistic(s al(ly -ιστικός
stylite(s -ic -ism στυλίτης
stylize -ation -ίζειν

stylo- στυλο-
anthes ἄνθος
bate -a -ion στυλοβάτης
capsa κάψα
ceras -ite κέρας -ίτης
cidaris κίδαρις τυλος
dactylus -id(ae -oid δάκ-
glossus -al γλῶσσα
gnathus γνάθος
gomphus γόμφος
gonidium γονή -ιδιον
graph -γραφος
graphy -ic(al(ly -γραφία
hyal ὕαλος
hyoid(eus -ean ὑοειδής
laryngeus λαρυγγ-
lite -ic lithic λίθος
myloid μύλη
mastoid μαστοειδής
meter metric μέτρον
pharyngeus -eal φαρυγγ-
phorum -φορος
pod(ium ποδ-
ptera πτερόν
pterygium πτερύγιον
somus σῶμα
spore -ous σπορά
staphyline σταφυλή
stegium στέγη
stemon -us στήμων
sti(*or* y)xis στίξις
tegium τέγος
typite τύπος -ίτης
stymatosis στῦμα -ωσις
Stymphalian Στυμφάλιος
stymphalid -ist Στυμφαλίς -ιστής
stype -age στύπη
Styphelia στυφελός
Styphlus στυφλός
styphnic -ate στυφνός
stypium στύπη
Stypodon στύπος ὀδών
stypo- στυπο-
cladius κλάδος
triclida τρι- κλειδ-
trupes τρυπάειν
stypsis στῦψις
stypt- στυπτικός
arnin ol
styptic στυπτικός
al(ness in(e ity ize ness us
styr- στύραξ
ene ol(e olene one
yl(ene ic) ὕλη
styracin(e στυράκινος
styracite -ol στυρακ- -ίτης
Styracosaurus στύρακος σαῦ-
Styrax στύραξ ρος
-ac(ac)eae -acaceous
styridophytus σταυρός εἶδος
styrogallol στύραξ φυτόν
Styx Στύξ
sub-
abdominoperitoneal περιτό-
acromial ἀκρωμία ναιον
aerial(ist -ly ἀέριος -ιστής
alternize -ίζειν
anconeus -eal ἀγκών
antichrist ἀντίχριστος
aponeurotic ἀπονεύρωσις
apostolic ἀπόστολος
arachnoid ἀραχνοειδής
al ean
archesporial ἄρχη σπορά
arctic ἀρκτικός
arytenoid ἀρυτενοειδής

sub- Cont'd
astragaloid ἀστράγαλος
astral ἄ στρον -οειδής
atomic ἄτομος
bacteria βακτήριον
base βάσις
-al ment -ilar κεφαλή
brachycephal(i(c βραχυ-
branchial βράγχια
bromide βρῶμος
bronchial βρόγχιον
byssoid βυσσός -οειδής
calorism -ισμός
capsuloperiosteal περιόστεον
center -ral(ly κέντρον
chela -ate -iform χηλή
chlorid(e χλωρός
chondral χόνδρος
chordal χορδή
chorionic χωρίον
choroid(al χοριοειδής
chronic χρονικός
climax κλίμαξ
coracoid κορακοειδής
costalgia -αλγία
cotyleal κοτύλη
cranial κράνιον
crystal κρύσταλλος
crystalline κρυστάλλινος
cubical κυβικός
cuboidal κύβος -οειδής
cyaneous κύανος
cylindric(al κύλινδρος
deacon(ry ship διάκονος
dean(ery
diaconal diaconate
deltoid(al δελτοειδής
dendroid δένδρον -οειδής
dermal -ic δέρμα
dialect διάλεκτος
diapente διάπεντε
diaphragmatic διάφραγμα
diatessaron διατεσσάρων
dichotomy διχοτομία
-ize -ous(ly -ίζειν
dioecism δι- οἶκος -ισμός
discal δίσκος
discoidal δισκοειδής
distich(ous δίστιχος
dolichocephali δολιχο-
-ic -ism -ous κεφαλή
ectodermal ἐκτο- δέρμα
elaphine ἔλαφος
electron ἤλεκτρον
elliptic(al ἐλλειπτικός
emetic ἐμετικός
encephalon ἐγκέφαλον
endo- ἐνδο-
cardial καρδία
stylar στῦλος
thelium θηλή
(ep)endymal ἐπ- ἔνδυμα
ephedroid ἐφέδρα -οειδής
epidermal -ic ἐπιδερμίς
epiglottic -id ἐπιγλωττίς
epithelial ἐπί θηλή
suber-
amic -ide ἀμμωνιακόν
ize(d -ation -ίζειν
ogenic -γενής
one- yl(ene -ώνη ὕλη
oterpene τερέβινθος
yl(ic ene ὕλη
amine ἀμμωνιακόν
sub-
(o)esophagal οἰσοφάγος
euscalpellum εὐ

sub- Cont'd
ganoid γάνος -οειδής
glenoid γληνοειδής
glossal -itis γλῶσσα -ῖτις
glottic γλῶττα
gyre γῦρος
haemal αἷμα
halide ἁλ-
hedral ἕδρα
hepatic ἡπατ-
hexagonal ἑξάγωνον
hyaline ὕαλος
hyaloid ὑαλοειδής
hydrocalcite ὑδρο- -ίτης
hymenial -ion ὑμήν
hyoid(ean ὑοειδής
icteric ἰκτερικός
iniac ἰνίον
iodid ἰώδης
subjectivism -ize -ισμός -ίζειν
-ist(ic -ιστής -ιστικός
subjectoscope -σκόπιον
sub-
lapsarianism -ισμός
laryngeal λαρυγγ-
lethal λήθη
limize -ίζειν
linguitis -ῖτις
lobule λοβός
lymphemia νύμφη -αιμία
mastoid μαστοειδής
maxill(ar)itis -ῖτις
megacranous μεγα- κρανίον
megaprosopous πρόσωπον
mesaticephalic μέσατος κεφαλή
metamorphic μεταμόρφωσις
meter μέτρον
micro- μικρο-
cephaly -ic κεφαλή
cranous κρανίον
prosopous πρόσωπον
scopic -σκοπία
micron μικρόν
micronic μικρός
missionist -ιστής
morphous μορφή
Mycenean Μυκηναῖος
mytiliform μυτίλος
narcotic ναρκωτικός
necromorphotica νεκρο-
neural νεῦρον μορφή
nitrate νίτρον
notochordal νῶτος χορδή
oceanic Ὠκεανός
optic ὀπτικός -ιστής
ordinationism -ist -ισμός
ostracal -acea(n ὄστρακον
oxidation ὀξύς
paralytic παραλυτικός
pentamera -ous πενταμερής
pentangular πεντ-
pericardial περικάρδιον
pericranial περικράνιον
periosteal(ly περιόστεον
-eocapsular
periphaericus περιφέρεια
peritoabdominal περιτόναιον
peritoneal
peritoneo-
abdominal pelvic
petaloid πέταλον -οειδής
petrosal πέτρος
pharyngeal φαρυγγ-
phosph- φωσφόρος
ate ite oric
photospheric φωτο- σφαῖρα

sub- Cont'd
phratry -ic φρατρία
phrenic φρήν
phylum -ar φῦλον
platy- πλατυ-
cnemia κνήμη
hieric ἱερόν
pleural πλευρά
plinth πλίνθος
podophyllous ποδο- φύλλον
polar πόλος
polygonal πολύγωνος
porphyritic πορφύρεας -ίτης
prostatic προστατικός
pseudoscalpellum ψευδο-
pyramidal πυραμίς
pyrexis πυρέσσειν
rhombic ῥόμβος
rhomboidal ῥομβοειδής
scaphocephaly σκαφο- κεφαλή
scleral σκληρός
sclerotic σκληρώτης
scyphiform σκύφος
selenodont σεληνο- ὀδοντ-
semitone τόνος
sidize(r -ation -ίζειν
sphenoidal σφηνοειδής
sphere -ical(ly σφαῖρα
spheroidal σφαιροειδής
spiral σπεῖρα
splenial σπληνίον
sporal σπορά
stalagmite σταλαγμός -ίτης
stantialism -ισμός
-ist -ize -ιστής -ίζειν
stantivize -ίζειν
sternomastoid στέρνον μαστοειδής
stigmatal στιγματ- -ιστής
stitutionalism -ist -ισμός
stomatic στοματικός
teretherial αἰθήρ
tetanic τετανός
tetramera -ous τετραμερής
thalamus -ic θάλαμος
thermal θερμός
thoracic θωρακ- -ισμός
thyroideus -ism θυροειδής
subtilism -ist -ισμός -ιστής
-ize(r -ation -ίζειν
subtlist -ize -ιστής -ίζειν
sub- Cont'd
tonic τόνος
trapezial τράπεζα
trapezoidal τραπεζοειδής
treasury -er θησαυρός
tremelloid -οειδής
trigonal -ate τρίγωνος
trihedral τρι- ἕδρα
trochanteric τροχαντήρ
trophic τροφή
tropic(al -ics τροπικός
tympan(it)ic τύμπανον
type -ical τύπος
urbanism -ισμός
-ite -ize -ίτης -ίζειν
urethral οὐρήθρα
ventionize vitalized -ίζειν
xerophilous ξηρός -φιλος
zone -al ζωνή
zygomatic ζύγωμα
succagogue ἀγωγός
successionist -ιστής
succhorrh(o)ea -ῥοία
succin- aldehyde ὕδωρ
amic -ate αμμωνιακόν

succin- Cont'd
amyl ὕλη
imid(e ate
(ell)ite -ίτης
onitrile νίτρον
uric οὖρον
yl(ic ὕλη
succisterene στερεός
succory κίχορα
sucholo- χολή
albumin
toxin τοξικόν
Suchospondylia σπόνδυλος
-ian -ous
sucroclastic κλαστός
sucrose -uria γλεῦκος -ουρία
sudanophil(ia ous -φιλος
sudoresis -ησις
sudo(ri)keratosis κερατ- -ωσις
suffragettism -ισμός
suffragism -ist -ισμός -ιστής
suggestionism -ισμός
-ist -ize -ιστής -ίζειν
suicid(al)ism -ισμός
suicidigenous -γενής
suicism -ισμός
suigenetic γενετικός
sulf-
aldehyde ὕδωρ
am- ἀμμωνιακόν ium
ate ic id(e idic ino(l mon-
amyl ἀμμωνιακόν ὕλη
anion ἀν- ἰόν
arsen- ἀρσενικόν
ate ic id ious ite
arsin ἀρσενικόν
arsphenamine φαιν-
atase διάστασις
atite atize -ation -ίτης ίζειν
azid(e azone ἀ- ζωή -ώνη
ethyl αἰθήρ ὕλη
hydr- ὑδρ-
ate ic yl ὕλη
idize -ίζειν
ilimine ἀμμωνιακόν
indigotic -ate Ἰνδικός
indylic -ate Ἰνδικός ὕλη
inyl ὕλη
ion(id(e ἰόν
oxyl ὀξύς ὕλη
sulfo-
arsenic ἀρσενικόν
borite -ίτης
butyric βούτυρον νιακόν
carbamid & -imide αμμω-
carboxylic ὀξύς ὕλη
choelic χολή
cinnamic κίνναμον
cyanic -ate -id κύανος
cyano- κυανο-
acetic -one -ώνη
gen -γενής
gene -γενής
halite ἁλ- -ίτης
isatic ἰσατις
mesitylenic μεσίτης ὕλη
nitrous -(on)ic νίτρον
phosph- φωσφόρος
ate ite oric orous
propionic πρῶτος πίων
pyromucic πυρο-
pyrotartaric τάρταρον
steatite στεατ- -ίτης
urea οὖρον
sulfone -ώνη
-al(ism -ate -ation -ic
amic -ido- -ine ἀμμωνιακόν

sulfone Cont'd
azide ἀ- ζωή
yl ὕλη
Sullimnophora συλ- λιμνο-
sulph- -φορος
aldehyde ὕδωρ
am- ἀμμωνιακόν
ic idate id(e in(e inic inol
ylic -ate ὕλη
anion ἀν- ἰόν
arsen- ἀρσενικόν
(i)ate ic ide ious ite
arsin ἀρσενικόν
arsphenamin φαιν-
atite atization -ίτης -ίζειν
atoscapolite σκᾶπος λίθος
atoxide ὀξύς
atoxygen ὀξυ- -γενής
azid(e ἀ- ζωή -αιμία
emoglobin(emia αἱμο-
ethamic αἰθήρ ἀμμωνια-
ethyl(ate ὕλη κόν
hydric -ate ὑδρ-
ichthyolic ἰχθυ-
imide ἀμμωνιακόν
indigotic -ate Ἰνδικός
iodide ἰώδης
ion(id(e ἰόν
ite(ic -ίτης
methemoglobin μετά αἱμο-
sulpho-
arsenic ἀρσενικόν
bacteria βακτηρια
butyric βούτυρον
chlorid(e χλωρός
chromic χρῶμα
cyan-
ic id(e odide ine uret
cyano- κυανο-
acetic -one -ώνη
gen -γενής
genol -γενής -οειδής
halite & -oid ἁλ- -ίτης
hydric -ate ὑδρ-
hydro- ὑδρο-
id -οειδής
indigotic Ἰνδικός
indylic Ἰνδικός ὕλη
lipin λίπος
sulphon- -ώνη
amid(e ἀμμωνιακόν
ethylmethane αἰθήρ μέθυ
methan μέθυ ὕλη
sulphonephthalein -ώνη νάφθα
sulpho-
paraldehyde παρ- ὕδωρ
phenol φαιν-
phosphoric φωσφόρος
protein -eid πρωτεῖον
pyrin πῦρ
saccharate σάκχαρ
selene -ide σελήνη
steatite στεατ- -ίτης
sulphoxid(e & -ism ὀξύς -ισμός
sulphoxylic ὕλη
sulphurize -ation -ίζειν
sulphur(os)yl ὕλη
sulphurpyrites πυρίτης
sulphydric -ate -yl ὑδρ- ὕλη
sultam γαλακτ- ἀμμωνιακόν
sultanism -ισμός
-ist -ize -ιστής -ίζειν
sultone γαλακτ- -ώνη
sumbulamic ἀμμωνιακόν
summ(ar)ist -ιστής
summarize(r -ation -ίζειν
sumtotalize -ation -ίζειν

sun- *etc.* = syn- *etc.*
Sundacrinus κρίνον
Sunius Σούνιον
Sunnite -ίτης
Suntelia συντέλεια
suoid -οειδής
super-
acromial ἀκρώμιον
aerial ἀέριος
albuminosis -ωσις
angelic ἄγγελος
arctic ἀρκτικός
atmospheric ἀτμο- σφαῖρα
azotation ἄζωτος
carbonize -ation -ίζειν
cathedrically καθέδρα
centrifuge κέντρον
chemical χημεία
chloride χλωρός
chlorination
civilized -ίζειν
critic(al κριτικός
cube κύβος
diabolically διάβολος
dicrotic δίκροτος
dramatic δραματικός
energetic ἐνέργεια
ethical ἠθικός
ethmoidal ἠθμοειδής
ficialism -ισμός
-ist -ize -ιστής -ίζειν
gene -γενής
glottal γλῶττα
gyre γῦρος
heterodyne ἑτερο- δύναμις
hexapoeian ἑξα- ποιεῖν
humanize -ίζειν
laryngeal λαρυγγ-
lethal λήθη
logical λογικός
manism -ισμός
moron μωρός
mystical μυστικός
naturalism -ισμός -ίζειν
-ist(ic -ize -ιστής -ιστικός
organic ὀργανικός
organism ὄργανον -ισμός
oxid(e ated ὀξύς
oxygenated & -ation ὀξυ-
oxid(e ated ὀξύς -γενής
parasite παράσιτος
-ic -ism -ισμός
phosphate φωσφόρος
physical φυσικός
planetary πλανητός
politic(al πολιτικός
Satanize Σατάν -ίζειν
sphenoidal σφηνοειδής
stitionist -ιστής
subtilize(d -ίζειν
sulphurize -ίζειν
thyroidism θυροειδής -ισμος
tonic τόνος
tragical τραγικός
suplagotoxin τοξικόν
supparasitate παράσιτος
supra-
acromial ἀκρώμιον
aerial ἀέριος
arytenoid ἀρυτηνοειδής
branchial βράγχια
choroid(al ea χοριοειδής
cephalic κεφαλικός
conchoidal κογχοειδής
condyloid -ar κόνδυλος
coracoid κορακοειδής
cotyloid κοτυλοειδής

supra- Cont'd
cranial κρανίον
cricoid κρικοειδής
diaphragmatic διάφραγμα
esophageal οἰσοφάγος
ethmoid ἠθμοειδής
glenoid γληνοειδής
glottic -ideus γλῶττα
hepatic ἡπατ-
historical ἱστορικός
hyoid ὑοειδής
lapsarianism -ισμός
mastoid μαστοειδής
mine ἀμμωνιακόν
naturalism -ισμός
-ist(ic -ιστής -ιστικός
neural νεῦρον
perianth περιανθής
pharyngeal φαρυγγ-
pygal πυγή
renaden ἀδήν
renal(a)emia -αιμία
renalysin λύσις
renalopathy -πάθεια
soriferous σωρός
sphenoidal σφηνοειδής
sternal στέρνον
stigmatal στίγμα -οειδής
syntoxoid συν- τοξικόν
thoracic θωρακ-
trochilear τροχιλία
trochlear τροχιλία
tropical τρόπος
tympanal -ic τύμπανον
xiphoid ξιφοειδής
supremist -ιστής
surasophone φωνή
surazotation ἄζωτος
surbase(d -ment βάσις
surdism -ισμός
surdo(*or* i)mutism -ισμός
surgeon(cy -ry -ship χειρουγός
surgery χειρουργία
surgical
surgiology -λογία
suroxid(e -idate ὀξύς
surrealism -ισμός
-ist(ic(ally -ιστής -ιστικός
Surrhizus σύρριζος
sus(o)toxin τοξικόν
suspensoid(al -οειδής
su(s)somus σύν σῶμα
svanbergite -ίτης
swadishism -ισμός
Swarajist -ιστής
Swedenborg(ian)ism -ισμός
Swiftianism -ισμός
Syacium συάκιον
Syagrus σύαγρος
Sybaris -ism -ist Σύβαρις
sybarite Συβαρίτης
-al -an -ish -ism
Sybaritic Συβαριτικός
al(ly an
Sybax σύβαξ
sybotic συβωτικός
sybotism συβώτης -ισμός
sycamine συκάμινος
sycamore συκόμορος
sycephalus syncephalus
sychno- συχνο-
carpus καρπός
dymite δίδυμος -ίτης
sycite συκίτης
syco- συκο-
ceric -yl(ic κηρός ὕλη
mancy μαντεία

syco- Cont'd
phaga συκοφάγος
phancy συκοφαντία
phant συκοφάντης
es ish(ly ly ry
ic(al(ly συκοφαντικός
ism ize -ισμός -ίζειν
omorphus μορφή
retin ῥητίνη
typus -idae τύπος
sycoma σύκωμα
Sycon σῦκον
aria(n ate es id(ae ium oid us
sycose σῦκον γλεῦκος
sycosis -iform σύκωσις
syeneid -ite -itic Συήνη -ίτης
syentognath(i ous ἐντός γνάθος
syepoorite syhedrite -ίτης
sygolliphyton -um σύγκολλος
syllab συλλαβή φυτόν
arium ary -αριον
atim ation e
ic συλλαβικός
al(ly ate ation ness
ification ify
ism ist -ισμός -ιστής
ize συλλαβίζειν
syllable συλλαβή
syllepsis σύλληψις
-(i)ology -λογία
sylleptic(al(ly συλληπτικός
Syllis ψέλλιον
-ian -id(ae -oid
sylloge συλλογή -ιστής
-ism -ist συλλογισμός
-istic(al(ly συλλογιστικός
-ize(r -ation συλλογίζεσθαι
Sylph σίλφη
sylphize sylvanize -ίζειν
sylvanite -ic -ίτης
sylvecarvone κάρον -ώνη
sylveterpin(ol eol τερέβινθος
sylvialite silvialite
sylviculturist -ιστής
sym- συμ- -γραφία
balaeography συμβόλαιον
basis -ic(al(ly σύμβασις
bathocrinites βάθος κρίνον
bion(t συμβῖων -ίτης
bio- συμβιῶν
philes -φιλος
saprophytism σαπρο-
φυτόν -ισμός
trophic τροφή
biosis συμβίωσις
biote(s συμβιωτής
biotic(al(ly συμβιωτικός
biotism συμβιωτ- -ισμός
blepharon βλέφαρον
-opterygium πτερύγιον
-osis -ωσις
blosite -ίτης
symbol σύμβολον
-aeography συμβολαιο-
Symbolia συμβολή γραφία
symbolic συμβολικός
al(ly alness ly -ics
symbolism σύμβολον -ισμός
-ist(ic(al(ly -ιστής -ιστικός
-ization -ize(r -ίζειν
symbolo- συμβολο-
fideisme -ισμός
graphy συμβολογραφία
latry λατρεία
logy -λογία
-ical(ly -ist -ιστής
phobia -φοβία

symbolry σύμβολον
Symbolothyris συμβολή θυρίς
sym- συμ-
borodon(t βορός ὀδών
brachydactylia βραχυ-
δάκτυλος
branch(ia βράγχια
iate idae ii us
center -ral -ry κέντρον
machy συμμαχία
mathetes συμμαθητής
median
mela μέλας
melia(n -us μέλος
merus σύμμηρος
metallism μέταλλον -ισμός
symmetral -oid σύμμετρος
Symmetranthus ἄνθος
symmetricarpus καρπός
symmetro- σύμμετρος
mania phobia μανία φοβία
symmetry συμμετρία
-ial -ian -iated -ic(al ian ity
ly ness) -ious(ly -ist -iza-
tion -ize -ιστής -ίζειν
symmist συμμύστης
symmixis σύμμιξις
symmorph(ic ism σύμμορφος
-oceras κέρας
symmory συμμορία
sympalmograph συμ- πάλμος
-γραφος
sympatheo- συμπαθής
neuritis νεῦρον -ῖτις
sympathetic συμπαθητικός
al(ly ism ity ness us
(et(ic)ectomy -εκτομία
sympathetico- συμπαθητικός
paralytic παραλυτικός
tonia -ic τόνος
sympatheto- συμπαθητικός
blast βλαστός
sympathico- συμπαθητικός
blast βλαστός
neuritis νεῦρον -ῖτις
pathy -πάθεια
tonia -ic -τονία
tripsy τρῖψις
trope -ic τροπος
sympathicus συμπαθητικός
sympatho- συμπαθο-
blast βλαστός
sympathy συμπάθεια
-eal -ic(al(ly -ism -ist -izant
-ize(r -izingly -ισμός
-ιστής -ίζειν
sym- συμ-
patry -ic πάτρα
pauropsylla παυρο- ψύλλα
peda -ae πέδη
pelmous πέλμα
pelus πηλός
pepsis πέψις
peritoneal περιτόναιον
petalous -(e)ae πέταλον
pexis πῆξις
phallangism φαλαγγ- -ισ-
pexis πῆξις μός
phan συμφωνία
phemia σύμφημος
phenomena(l φαινόμενα
phily συμφιλία
-ism -ous -ισμός
phona -ance σύμφωνος
phonesis φώνησις
phonetic φωνητικός
phonia -y συμφωνία

sym- Cont'd
-ial -ic(al -ious(ly -ist -ize
-ιστής -ίζειν
phoniac(al(ly συμφωνιακός
phonous σύμφωνος
phora συμφορά
phoricarpous -us συμφορέω
phorol σύμφορος καρπός
phrattic συμφράττειν
-ism -ισμός τικός
phronistic συμφρονεῖν -ισ-
Symphurus συμφυής οὐρά
symphy- συμφυής
antherous ἀνθηρός
carpous -καρπος
note νῶτον
Symphyla -ous σύμφυλος
Symphyletes συμφυλέτης
symphyllode -ium συμ-
φυλλώδης
symphyllous συμ- φύλλον
-otriaene φυλλο- τρίαινα
symphyo- συμφυής
cephalus κεφαλή
genesis γένεσις
genetic γενετικός
stemonous στήμων
thrips θρίψ
symphysia -is σύμφυσις
-ial -ian -ion -y
-iectomy -εκτομία
symphysio- συμφυσιο-
logy -λογία
rrhaphy -ῥαφία
tome -y -ist -τομον -τομία
rrhaphy -ῥαφία -ιστής
symphyso- σύμφυσις
dactylia δάκτυλος
Symphyta -ic συμφυτός
-ism -ize -ισμός -ίζειν
symphytic(ally συμφυτικός
symphyto- συμφυτός
gyn(o)us γυνή
thelus θηλή
sympieso- συμπίεσις
meter μέτρον
spondyly σπόνδυλος
sympiezo- συμπιέζειν
cera κέρας
meter μέτρον
pus πούς
rhynchus ῥύγχος
scelus σκέλος
sym- συμ-
plasma πλάσμα
plast πλαστός
plectic συμπλεκτικός
plesite πλησίος -ίτης
plocarpus -eae σύμπλοκος
ploce συμπλοκή καρπός
plocos σύμπλοκος
-aceae -aceous -ium
pneuma -atic -ism πνεῦμα
pode -ium ποδ- ποδίον
-ia -ial(ly
polar πόλος
polity συμπολίτης -ισμός
polymorphism πολυ- μορφή
posiacal συμποσιακός
posiarch συμποσίαρχος
posiast(ic συμποσιαστικός
posion συμπόσιον
-ium -ial
potical συμποτικάς
pous σύμπους
presbyter συμπρεσβύτερος
φία

sym- Cont'd
psycho- ψυχο-
graph(er -y γραφος -γρα-
pterura πτερόν οὐρά
pterygium πτερύγιον
symptom σύμπτωμα
(at ize ical less ίζειν
atic(al(ly συμπτωματικός
symptomato- σύμπτωμα
graphy -γραφία
logy -λογία
-ical(ly -ist -ιστής
lytic λυτικός
symptomo- σύμπτωμα
logy -λογία
lytic λυτικός
symptosis σύμπτωσις
sympus σύμπους
syn- σύν
acmy -ic ἀκμή
acral ἀκρός
actic συνακτικός
adelphic -ite -us ἀδελφός
aerema συναίρεμα
(a)eresis συναίρεσις
aesthesis συναίσθησις
-ia -y -αισθησία
aetion συναίτιον
agog(ue συναγωγή
al ian ical uish
(ue)ism (ue)ist -ισμός
-ιστής
agris συναγρίς
airema συναίρεμα
albumose γλεῦκος
aldoxime ὀξύς ἀμμωνιακόν
algia -ic -αλγία
allactic συναλλακτικός
allagmatic(al(ly συναλλαγ-
allaxis ἄλλαξις ματικός
-inae -in(e
al(o)ephe -a συναλοιφή
amoeba ἀμοιβή
anastomosis ἀναστόμωσις
anche συνάγχη
ancia -iid(ae -ioid ἄγχειν
andrium -y ἀνδρ-
androdium ἀνδρώδης
ange -ium -ial -ic ἀγγεῖον
anthema ἀνθημός
antherology ἀνθηρός -λογία
-ical -ist -ιστής
antherus ἀνθηρός
-(e)ae -icus -ous
anthesis ἄνθησις
anthetic ἀνθητικός
anthody ἀνθώδης
anthrene ἄνθραξ κος
anthrin -ose ἀνθηρός γλεῦ-
anthy -ic -(i)ous ἄνθος
anticryptic ἀντί κρυπτός
aphe συναφή
-aeta
-e(i)a συνάφεια
-ipod ποδ-
-obranchus βράγχια
-id(ae -inae -oid
-ymenitis ὑμήν -ῖτις
aphosis συναφίστημι -ωσις
aposematic -(ic)ism ἀπό
σῆμα -ισμός
apse -is σύναψις
apsid(a(n ἀψιδ-
apta -id(ae -oid συναπτός
apt- συναπτός
a id(ae oid us
ase διαστασις

syn- Cont'd
ic(al(ly συναπτικός
ula -ar -ate -um
iole
apte συναπτή
aptene συναπτός ταινία
aptera -ous ἄπτερος
apto- συναπτός
crinus κρίνον
mys μῦς
neura νεῦρον
phleps φλέψ
plus ὅπλον
sauria(n σαῦρος
spermy σπέρμα
thrips θρίψ
arch ἀρχή
archy συναρχία
armoge συναρμογή
armophytus σύναρμος φυτόν
armostes συναρμοστής
arsis σύναρσις
artesis συνάρτησις
artete -ic ἀρτητός
arthrodia -ial(ly ἀρθρωδία
arthrophysis ἀρθρο- φύσις
arthrosis συνάρθρωσις
ascete συνασκητής
ascidiae -ian ἀσκίδιον
aspis ἀσπίς
astry -ia συναστρία
athetic συναθλητής
athroisis συνάθροισις
athroismus συναθροισμός
athrophytum συναθρο- φυ-
augeia συναύγεια τόν
aulia συναυλία
axarion -ium συναξάριον
axarist συναξαριστής
axidea -ean
axis -y σύναξις
branchus βράγχος
-id(ae -oid
cain
calypta συγκαλυπτός
canthus κανθός
carides -ean
carp καρπός
ia ium ous y
carpha κάρφος
caryo- καρυο-
cyte phyte κύτος φυτόν
caryon κάρυον
categorem συγκατηγόρημα
atic(al(ly συγκατηγορη-
ματικός
cathartis καθαρτής
cellite συγκελλίτης
cellus σύγκελλος
celom κοίλωμα
centric κεντρικός
cephalic -us κεφαλή
-ocele κεφαλο- κήλη
cerebrum -al
chilia χεῖλος
chiria -us χείρ
chirocrinus χειρο- κρίνον
chisite σύγχυσις -ίτης
chitic συγχυτικός
chondrosis συγχόνδρωσις
-ial(ly
-osteotomy ὀστέον -τομία
chondrotomy χόνδρος -τομία
choresis συγχώρησις
chorion χόριον
chorology -ic χωρεῖν -λογία
chrism σύγχρισμα

syn- Cont'd
chroa σύγχροος
chrone σύγχρονος
chronism συγχρονισμός
-ismical -ist(ic(al(ly -iza-
tion -ize(r -ισμός -ιστής
-ιστικός -ίζειν
chrono- χρονο-
gamy -γαμία
graph -γραφος
logy -ical -λογία
scope -σκόπιον
chrony σύγχρονος
-al -ic(al(ly -eity -icity
-ous(ly -ousness
chroscope = synchronoscope
chysis -ite σύγχυσις -ίτης
chytic συγχυτικός
chytrium χυτρίον
-iaceae -iaceous
citio- = syncytio-
cladei -ous κλάδος
clase κλάσις
clastic κλαστός
cline συγκλίνειν
-al(ly -ic(al
-ore -ial -ian -ium
clitic -(ic)ism -κλιτικός
clonus -ic κλόνος -ισμός
cope συγκοπή
-al -ate(d -ation -ic -ism
-ist -ization -ize -ισμός
-ιστής -ίζειν
coptic(al συγκοπτικός
coptozus συγκόπτειν
coryne -id(ae -oid κορύνη
cotyledon(s -(on)ous κοτυ-
ληδών
cotyly cotyls κοτύλη
cracy -κρατία
craniate κρανίον
cranterian κραντῆρης
crasis -y σύγκρασις
cretism συγκρητισμός
-ic(al -icism -ion -ist(ic(al
-ισμός -ιστής -ιστικός
cretize συγκρητίζειν
crisis σύγκρισις
crypse κρύψις
cryptic κρυπτικός
crystallization κρύσταλλος
cyanin κύανος
cyte -ial -ium κύτος
cytiolyse -in κύτος λύσις
cytioma -ωμα
cyt(i)otoxin τοξικόν
dactyl(e δάκτυλος
ae i ia ic ism ize(d ous us
dectomy σύνδεσμος -εκτομία
dendrium δένδρον
deresis -ize συντήρησις
desis σύνδεσις ίζειν
desm- σύνδεσμος
ectopia ἔκτοπος
ica συνδεσμικός
itis oma -ῖτις -ωμα
odontoid ὀδοντ- -οειδής
osis otic -ωσις -ωτικός
desmon σύνδεσμος
desmo- σύνδεσμος
graphy -γραφία
logy -λογία
odontoid ὀδοντ- -οειδής
pharyngeus φαρυγγ-
plasty -πλαστία
rrhaphy -ῥαφία
tomy -τομία

syn- Cont'd
detic(al(ly συνδετικός
diagnostic διαγνωστικός
dic(us συνδικός
al(ism ize -ισμός -ίζειν
ist(ic -ιστής -ιστικός
ate -eer -ion -or
didactic διδακτικός -ισμός
dimorphic -ism δι- μορφή
dinium -ial δῖνος
diploid διπλόος -οειδής
dipnomyia δίπνοος μυῖα
drome -ic συνδρομή
duasmus -ian συνδυασμός
dyo- σύνδυο
ceras κέρας
graptus γραπτός
ecdoche -ism συνεκδοχή
-ισμός
ecdochic(al(ly συνεκδοχικός
echia -ism συνέχεια
-(i)ology -ical -λογία
echism -ist συνεχής -ισμός
echorchis ὄρχις -ιστής
echo- συνέχεια
tome -y -τομον -τομία
echtenterotomy συνέχειν
ἔντερον -τομία
ecology -ic(al οἰκο- -λογία
ecology συνέχεια -λογία
ecphonesis συνεκφώνησις
ec(h)thry ἐχθρός
echus = synochus
ectic(al ity συνεκτικός
edrion συνέδριον
-ium -(i)al
edrous σύνεδρος
eidesis συνείδησις
elasma ἔλασμα
ema νῆμα
encephalia -us ἐγκέφαλον
-ocele κήλη
energy ἐνέργεια γνάθος
entognath(i ous ἐντός
epigonic ἐπίγονος
epy συνέπεια
ercticus συνερκτικός
eresis συναίρεσις
ergastic ἐργαστικός
ergetic συνεργητικός
ergid(a -al συνεργεῖν
ergism -us συνεργός -ισμός
-ist(ic(al(ly -ιστής
-ιστικός
ergy -ia -ic(ally συνεργία
erize συναίρεσις -ίζειν
erocrinidae κρίνον
esis σύνεσις -αλγία
esthesialgia συναίσθησις
eta συνετός
ethere(s συνήθης
-inae -in(e
ethnic ἔθνος
gamete γαμέτης
game -us -idae γάμος
gamy -ic(al -ous -γαμία
genese συγγενής
-ia(n -ious
genesis γένεσις
-ioplastic πλαστικός
genetic(s γενετικός
genic -ite συγγενής -ίτης
gignoscism γιγνώσκω -ισ-
gnath(us γνάθος μός
a i id(ae oid ous
gonidium γονή -ιδιον
gonimium γόνιμος

syn- Cont'd
grammae γράμμα
graph συγγραφή
gynous -y -γυνος -γυνία
haploid ἁπλόος -οειδής
harmonic(al ἁρμονία
idrosis -ίδρωσις
izesis συνίζησις
karion karyon κάρυον
karyophyte φυτόν
katathesis συγκατάθεσις
k(*or* c)inesis κίνησις
kinetic κινητικός
ksit = synchysite
nema νῆμα
neurosis συννεύρωσις
nomic σύννομος
ocha σύνοχος
-al -oid -ous -us
oc(h)reate ocil
ococcus κόκκος
od σύνοδος
al(ian ist ly) ary atic
ial ian ist y
odic συνοδικός
al(ly ate
odite -a συνοδίτης
odontomys συνοδοντίς μῦς
odus συνόδους
-ontid(ae -ontoid
oeceosis συνοικείωσις
oecesia συνοικησία
oecia συνοικία
(o)ecious συνοικία
oecism συνοικισμός
oecize συνοικίζειν
oecus σύνοικος
oic(i)ous συνοικία
omosy συνωμοσία
onycha ὀνυχ-
onym συνώνυμος
al(ly ist ity ize -ιστής -ίζειν
onymic(on ally
onymous(ly ness
onymy συνωνυμία
onymatic ὀνοματικός
ophrus σύνοφρυς
ophthalm- ὀφθαλμός
ia us y
ophyty φυτόν
opsis -ize σύνοψις -ίζειν
opsy -οψία
optic(al(ly us συνοπτικός
optist(ic -ιστής -ιστικός
optura σύνοπτος οὐρά
orch(id)ism ὄρχις -ισμός
orhizus ῥίζα
oro- σύνορος
genetic γενετικός
orthographic ὀρθο- -γραφος
oscheos ὄσχεον
osomus σῶμα
osteo- ὀστεο-
graphy -γραφία
logy -λογία
tome -y -τομον -τομία
osteous -(e)osis ὀστε- -ωσις
ostose ostotic ὀστεον -ωτικός
otia -us -ic ὠτ-
oum ᾠόν
ousiacs συνουσία
ovectomy -εκτομία
ovitis -ῖτις
pelmous πέλμα
petalous πέταλον
phoria -φορία
phyllodium φυλλώδης

syn- Cont'd
plast πλαστός
procryptic πρό κρυπτός
rhabdosome ῥάβδος σῶμα
sacrum -al
sarcosis σάρκωσις
sepalous σκέπη
sperm(ous y σπέρμα
sporous σπορά
stigma στίγμα
aticus (at)ous
tactic συντακτικός
al(ly ian -ίτης
tagma -ata -atite σύνταγμα
tan
taphoceras σύνταφος κέρας
tax(is σύνταξις
ian ical ist -ιστής
techne -ic σύντεχνος
tectic(al συντηκτικός
te(cty)copyra πῦρ
tegmodus σύντεγμα ὀδούς
telic συντελικός
tenosis τένων -ωσις
tepalous πέταλον
teresis συντήρησις
teretic(s συντηρητικός
tetrernis συντετραίνειν
texis σύντηξις
thalin σύνθεσις
thease τίθημι διάστασις
theme σύνθημα
thermal θέρμη
thescope σύνθεσις -σκόπιον
thesis σύνθεσις
-ist -ize(r -ιστής -ίζειν
thete συνθέτης
thetic(al(ly -ism συνθετικός
thetism(us συνθετισμός
thetist -ize(r σύνθετος -ισ-
-odus ὀδούς τής -ίζειν
-ograph -γραφος
thlibo- συνθλίβειν
notus νῶτος
rhamphus ῥάμφος
thocus σύνθωκος
thronus σύνθρονος
tome συντομή
tomium σύντομος
tomo- συντομο-
crinus κρίνον
neurum νεῦρον
tomy -ia συντομία
tone -ic -in -ous σύντονος
tono- σύντονος
lydian Λύδιος
ptera πτερόν
tony συντονία
-ic(ally -ism -ισμός
-ization -ize(r -ίζειν
topy -τοπία
tornocrinus τορνός κρίνον
toxoid τοξικόν -οειδής
tractory tractrix
tremata -ous τρῆμα
trierarch(y συντριήαρχος
triploid τρίπλοος -οειδής
tripsis τρῖψις
trope -al -ic -y τροπ-
troph(ic ism y τροφή
trophus σύντροφος
type -ic(ism -ous τύπος
ulosis συνούλωσις
ulotic συνουλωτικός
ura συνουρός
usia -ium συνουσία
-iologic -λογία

syn- Cont'd
usiast συνουσιαστής
xiphosura ξίφος οὐρά
zigia ζυγόν
zoic ζῷον
zoo- ζωο-
chory χωρεῖν
spores σπορά
sypharo- σῦφαρ
pteroidea πτερόν
syphil-
elcosis ἕλκωσις
elcus ἕλκος
idermatous δερματ-
idography -γραφία
idology -λογία
imetry -μετρία
ize(d -ation -ίζειν
oid osis -οειδής -ωσις
oma -atous -ωμα
syph(il)ionthus ἴονθος
syphilize(d -ation -ίζειν
syphilo-
derm(a atous δέρμα
(do)logy -ist -λογία -ιστής
genesis γένεσις
geny -γένεια
grapher -y -γραφος -γραφία
lepsis λῆψις
mania μανία
pathy -πάθεια
phobia -ic -φοβία
phyma φῦμα
psychosis ψύχωσις
tropic τροπή
syphitoxin τοξικόν
Syracusan Συράκουσαι
Syracusian Συρακούσιος
Syriac Συριακός -ίζειν
al ism ist ize -ισμός -ιστής
Syrian(ic -ism -ize Συρία
Syriarch Συρίαρχης
Syriasm -atic Συριακός
syrigmus συριγμός
-ophonia φωνή
syring- συριγγ-
a eae eal enin ia ium
adenous -oma ἀδήν -ωμα
itis -ῖτις
oid oma -οειδής -ωμα
syringe(ful σύριγξ
syringo- συριγγο-
bulbia βολβός
c(o)ele coelia κοιλία
coelomata -ic κοίλωμα
cyst(aden)oma κύστις ἀδήν
dendron δένδρον -ωμα
encephalia ἐγκέφαλον
-omyelia μυελός
grade
meningocele μηνιγγο- κήλη
myelia -ic -us μυελός
myelitis -ῖτις
myelocele κήλη
myon μυών
pora πόρος
thyris θυρίς
tome συριγγοτόμον
tomy -τομία
syrinx σύριγξ τής
Syriologist Σύριος λογία -ισ-
Syriopetalum πέταλον
Syrism Συρίζειν -ισμός
syrma -atic σύρμα
syrmaea συρμαία
syrmaism συρμαισμός
syrtidad -ium συρτιδ-

syrtido- συρτιδ-
philus phyta -φιλος φυτόν
syrtis Σύρτις
syssarcosis -ic συσσάρκωσις
syssiderite συσ- σιδηρίτης
syssitia -ion συσσιτία
systaltic συσταλτικός
Systaltoceras συσταλτέον
Syro- Συρο- κέρας
Arabian Ἀράβιος
Chaldaic Χαλδαικός
-ean Χαλδαῖος
Phoenician Συροφοῖνιξ
Syrphus σύρφος
-ian -id(ae -oid
Syrrhaptes συρράπτειν
-inae -in(e
syrrhizoristic συρριζ- ὁριστής
systasis σύστασις
Systates συστατός
systatic(al -ics συστατικός
systello- συστέλλειν
phytum φυτόν
rrhynchus ῥύγχος
system σύστημα
ed ic(al(ly ist ization ize(r
less oid wise -ιστής -ίζειν
systematic(s συστηματικός
al(ity ly) ian ness
systematism συστηματ-
-ist -ization -ize(r -y -ιστής
-ology -λογία -ίζειν
Systena σύστενος
-ognathus γνάθος
Systoechus σύστοικος
systole συστολή
-ated -ic
systolo- συστολή
cranius κρανίον
meter μέτρον
soma σῶμα
systremma σύστρεμμα
systrophe -ic -ion συστροφή
systyle σύστυλος
systylous -ius -us συσ- στῦλος
syzygiology συζυγίος -λογία
Syzygites συζυγίτης
Syzygops σύζυγος ὤψ
syzygy συζυγία
-ant -etic(ally -iacal -ial -ium
szaboite szaibelyite
szechenylite szmikite -ίτης

tabacism -osis -ισμός -ωσις
tabagism -ισμός
tabellogram γράμμα
tabergite -ίτης
tabetic -ετικός
tabloid -οειδής
tabooism -ist -ισμός -ιστής
taboparalysis παράλυσις
taboparesis πάρεσις
tabophobia -φοβία
Taborite -ίτης
tabularize -ation -ίζειν
tacad ἀδ-
tacheo- ταχε- -ο-
graphy -γραφία
meter μέτρον
metry -ic -μετρία
tach(h)ydrite ταχύς ὑδρ- -ίτης
tachin- ταχινός
a aria(n id(ae inae in(e oid us
oceras κέρας
tachiol ταχυ-

tachistoscope τάχιστος -σκόπιον
tachisurin(e ae ταχύς οὐρά
tacho- τάχος
dometer ὁδός μέτρον
gram γράμμα
graph(y -γραφος -γραφία
meter μέτρον
metry -ic -μετρία
scope -σκόπιον
tachy- ταχυ-
analysis ἀνάλυσις
aphaltite ἄφαλτος -ίτης
baptes βάπτειν
cardia -iac καρδία -ακός
celle κέλλειν
cinetas ταχυκίνητος
diagnosis διάγνωσις
didaxy δίδαξις
drome -ian -ous ταχυδρόμος
dyta δύτης
gen(ic -γενής
genesis γένεσις
genetic γενετικός
gloss- ταχύγλωσσος
a al ate id(ae oid us
gonus γόνος
graph ταχυγράφος
er ic(al ist -ιστής
grapho- ταχυγράφος
meter -ry μέτρον -μετρία
graphy -γραφία
iater ἰατρής
iatria -y ἰατρία
lasma ἐλασμός
lyte -ic λυτός
marptis μάρπτις
meter μέτρον
metry -ic -μετρία
noderus ταχύνειν δέρις
notus νῶτος
petes -idae πέτομαι
phagia -φαγία
phasia -φασία
phemia -φημία
phore -φορος
phrasia φράσις
phrenia φρήν
phylaxis φύλαξις
pn(o)ea -πνοια
porus πορεύειν
pus ταχύπους
rhythmia ῥυθμός
scope -σκόπιον
seism σεισμός
skarthmos σκαρθμός
spore -ous σπορά
systole συστολή
thanatous θάνατος
tomy -τομία
type τύπος
tachys ταχύς
urus -inae οὐρά
Tachyta ταχυτής
Tacitist -ize -ιστής -ίζειν
taciturnist -ιστής
tacnode τακτικός
tactic(al(ly τακτικός
tactic(s τακτική
tactician τακτική
ary -ist -ize -ιστής -ίζειν
tactilogical λογικός
tactometer μέτρον
tactualist -ιστής
tadpolism -ισμός
t(a)enia(cide ταινία
-iada -ian -iata(e -iate

t(a)eniasis ταινία ἴασις
taen(i)idium ταινία -ίδιον
taen(i)i- ταινία
cide form(es fuge
phobia -φοβία
taeniol- ταινία
a ata ate e
taenio- ταινιο-
branchia -iate βράγχια
campsa κάμψα
ceras κέρας
glossa -ate γλῶσσα
lite λίθος
lobus λοβός
myia μυῖα
phyllum φύλλον
psetta ψῆττα
ptera -inae -in(e πτερόν
pteris -idae πτερίς
pygia πυγή
some -i -ous σῶμα
toca τόκος
toxin τοξικόν
taenite ταινία -ίτης
taeno- ταινίειν
dema δέμα
podites ποδ- -ίτης
tafrogenesis γένεσις
tagatose γαλακτ- γλεῦκος
tagilite -ίτης
tagma -atic τάγμα
tagus ταγός
tailorism -ισμός
tailorize -ation -ίζειν
Taipingism -ισμός
taka-
diastase διάστασις
enzyme ἔνζυμος
lipase λίπος διάστασις
maltase διάστασις
saccharase σάκχαρ
sucrase διάστασις
tak(*or* c)osis τήκειν -ωσις
Talaeporia ταλαιπωρία
-iid(ae -ioid
talalgia -αλγία
Talanus τάλας
Talapena τάλας
Talaurinus ταλαύρινος
talbotype τύπος
talcite -ίτης
talcochlorite -ic χλωρός -ίτης
talcite talcoid -ίτης -οειδής
talent(ed -less τάλαντον
talisman τέλεσμα
ic(al ist -ιστής
talitol γαλακτ-
tallingite -ίτης
Talmudism -ize -ισμός -ίζειν
-ist(ic(al -ιστής -ιστικός
talo- γαλακτ-
heptite -ol ἑπτ-
mucic
scaphoid σκαφοειδής
talonic γαλακτ-
tamarugite -ίτης
Tammanize -ίζειν
Tammanyism -ite -ισμός -ίτης
Tanacetum ἀθανασία
-in -one -yl -ώνη ὕλη
-ophorone καμφορά
tanaecium ταναιήκης
Tanagraean -ine Ταναγραῖος
Tanais Ταναίς
-aid(ae -aidea(n -aoid
Tanaos ταναός
aocrinidae κρίνον

Tanarthrus ταναός ἄρθρον
Tanarite -ίτης
tangentometer μέτρον
tangram γράμμα
tanidion tanite -ίδιον -ίτης
tannaspidic ἀσπιδ-
tannergram γράμμα
tanni(n)genic -γενής
tanninaleuronat ἄλευρον
tannoid -οειδής
tanno-
chloral χλωρός
chrom χρῶμα
col κόλλα
creosoform κρέας
meter μέτρον
phore -φορος
thymal θύμον
tannopin ὄπιον
tannyl ὕλη
tansy ἀθανασία
Tantalean Ταντάλειος
Tantalid Ταντα λίδης
tantalize Ταντα λίζειν
-ation -er -ingly -ingness
tantalo- Τάνταλος
niobate Νιόβη
Tantalus Τάνταλος
-ate -ic -iferous -inae -in(e
-ism -ite -ous
tantivyism -ισμός
Tantrism -ist -ισμός -ιστής
tany- τανυ-
arches ἀρχή
carpa καρπός
cerus κέρας
chilus χεῖλος
cnema κνήμη
gaster γαστήρ
gnathus γνάθος
mecus μῆκος
premnodes πρεμνώδης
proctus πρωκτός
rrhinus ῥίν
rrhynchus ῥύγχος
siptera τανυσίπτερος
sphyrus τανύσφυρος
stola στολή
stome -a -ous στόμα
-ata -ate -in(e
Taognathus ταώς γνάθος
Taoism -ισμός
-ist(ic -ιστής -ιστικός
Taonurus ταών οὐρά
tapalpite -ίτης
tape τάπης
Tapeinidium ταπεινός -ίδιον
tapeino- ταπεινός
cephalic -ism -y κεφαλή
Tapes τάπης
tapesium ταπήτιον
tapestry -ester
tapet(e al um
taphephobia ταφή -φοβία
taphian -os τάφος
tapho- ταφο-
phobia -φοβία
xenus ξένος
zous ζῷον
taphr- τάφρος
ad ium
enchyma ἔγχυμα
ia ταφρεία
ia ina inose
taphro- ταφρο-
deres δέρις
philus -φιλος

taphro- Cont'd
phyta φυτόν
soma σῶμα
stomia στόμα
Tapina ταπεινός
tapino- ταπεινο-
cephal- κεφαλή
ic id(ae ism oid us y
phobia -y φοβία
phyma φῦμα
tarsus ταρσός
tapinoma ταπείνωμα
Tapinotus ταπεινός νῶτος
tapinosis ταπέινωσις
tapiolite λίθος
tapirodon(t ὀδών
tapis -iter ταπήτιον
tapism -ist -ισμός -ιστής
tapisser(y ταπήτιον
Tapithotherium θηρίον
tapsimel θάψος μέλι
Taractes ταράκτης
-oporidae πόρος
taragma -ite τάραγμα
taranakite -ίτης
tarand(us ean τάρανδος
-ichthys ἰχθύς
tarant- Τάραντα
ato ella elle
ism(us -ισμός
tarantula Τάραντα
-ar(y -ate -in -ism -(ar)ize
-ous -ισμός -ίζειν
tarapacite -ίτης
tarassis τάραξις
tarax- τάραξις
ac(er)in acum is
asterin -ol στερεός
igen -γενής
ippos -us ταράξιππος
tarbuttite -ίτης
tarconine ναρκωτικός
tarente -ola Τάραντα
Tarentine Ταραντῖνος
Targumist(ic -ιστής -ιστικός
Targumize -ίζειν
tariffism -ize -ισμός -ίζειν
-ist -ite -ιστής -ίτης
Tarltonize -ίζειν
tarnowitzite -ίτης
taroxylic ὀξύς ὕλη
tarpa τάρπη
Tarphius ταρφειός
iosoma σῶμα
Tarretioxylon ξύλον
tarse ταρσός
-al(e -en -ia -ier -ius
tars- ταρσός
adenitis ἀδήν -ῖτις
algia -αλγία
ectomy -εκτομία
ectopy ἔκτοπος
itis -ῖτις
Tarsipes ταρσός
-ed(id(ae -inae -ine -oid)
tarso- ταρσο- τια
cheiloplasty χεῖλος -πλασ-
clasis κλάσις
malacia μαλακία
mela μέλος
metatarsus -al μετά
orbital
phalangeal φαλαγγ-
phlebiopsis φλέβιον ὄψις
phyma φῦμα
plasia πλάσσειν
plasty -πλαστία

tarso- Cont'd
pterus πτερόν
ptosis πτῶσις
rrhaphy -ῥαφία
stenus στενός
tarsal tibial
tomy -τομία
tarsus ταρσός
Tartar(us Τάρταρος
eous eal ean Ταρτάρειος
ian Ταρτάριος
ism -ization -ize -ισμός -ίζειν
ology -λογία
tartar(um τάρταρον
ated eous ic in(ated ish
ization ize ous(ness yl -ίζειν
tartra- τάρταρον ὕλη
methane μέθυ
tartr- τάρταρον
alic -ate
am- ἀμμωνιακόν
ate ic id(e
anilic -ate -ide
ate(d atoferric
azin(e ἀ- ζωή
elic -ate -ite
ethylic -ate αἰθήρ ὕλη
imide ἀμμωνιακόν
on-
amic -ide ἀμμωνιακόν
ate ic
uric οὖρον
yl(urea ὕλη οὖρον
oxalate ὀξαλίς
yl(ic ὕλη
tartro- τάρταρον
bismuthate
methylic -ate μέθυ ὕλη
phen φαιν-
sulfate vinic
tartrous τάρταρον
Tartuf(f)ism -ισμός
taseometer τάσις μέτρον
tasimeter τάσις μέτρον
tasimetry -ic τάσις -μετρία
tasmanite -ίτης
Tartarize -ίζειν
Tatianic -ist Τατιανός -ιστής
tatterdemalianism -ισμός
tattooist -ιστής
tau ταῦ
Tauidion ταῦ -ίδιον
Taurian Ταῦρος
Tauric Ταυρικός
taur- ταῦρος
id iform in(e
ize oma -ίζειν ὦμος
ops ταυρώψ
orgus ὀργή
yl(ic ὕλη
Taurus -id ταῦρος
tauriscite Ταυρίσκος -ίτης
tauro- ταυρο-
bolic ταυροβολικός
bolium -y ταυροβόλος
carbam(in)ic ἀμμωνιακόν
cephalous ταυροκέφαλος
ceras κέρας
cerastes κεράστης
chenocholic χήν χολή
cholic -ate -eic χολή
cholemia -αιμία
col(l(a ταυρόκολλα
latry λατρεία
machy ταυρομαχία
-ia(n -ic
morphous ταυρόμορφος

tauro- Cont'd
serpentine
tagus ταγός
taut- ταὐτό
egory -ical -ηγορία
onym(y ic ταὐτώνυμος
tauto- ταυτο-
baryd βαρύς
chrone -ism -ous χρόνος
baryd βαρύς -ισμός
clin κλίνειν
geneity ταυτογενής
genize -ίζειν
graphical γραφικός
hedral ἕδρα
lite ταυτόμετρος λίθος
logous(ly ταυτολόγος
logy ταυτολογιά
-ic(al(ly -icalness -ism -ist -ize(r -ισμός -ιστής
menial μήν -ίζειν
mer μέρος
al ic ism ize y -ισμός
metric(al ταὐτόμετρος
morphous μορφή
(o)usious -ian ταὐτοούσιος
pathy ταὐτοπάθεια
phony -ic(al ταὐτοφωνία
pody -ic ταὐτοποδία
syllabic συλλαβικός
zonal(ity ζωνή
tavernize -ίζειν
tavistockite -ίτης ἀσπιδ-
Taxaspidea(e -ean τάξις
taxeopod τάξεως ποδ-
a ous y
taxetum τάξος
taxi- ταξι-
arch ταξίαρχος
corn(es ate ous
dermy -al -ic δέρμα
-ist -ize -ιστής -ίζειν
gnomic γνωμή
nomy -ic -ist -νομία -ιστής
tery τέρας
taximeter(ed metric μέτρον
taxis τάξις
-ism -ite -itic -ισμός -ίτης
Taxocrinus τάξος κρίνον
-id(ae -ites -oid(ea
Taxodium τάξος -ώδης
-ieae -iinae
taxodont(a ὀδοντ-
taxoids -οειδής
taxology τάξις -λογία
taxonomy τάξις -νομία
-er -ic(al(ly -ist -ιστής
Taxorchis τάξις ὄρχις
taxorhodin ῥοδ-
Taxus τάξος
taxy τάξις
-taxy -ταξία
Taylorism -ite -ισμός -ίτης
teaism Teaguism -ισμός
Tealliocaris καρίς
tebeprot (e)in πρωτεῖον
technico- τεχνικό-
logy -ical -λογία
philist -φιλος -ιστής
technic(s τεχνικός
al(ly ality alness ian
(al)ism (al)ist (al)ize -ισμός -ιστής -ίζειν
technicon τεχνικόν
techniphone τέχνη φωνή
technique τεχνικός
technism τέχνη -ισμός

Technites τεχνίτης
techno- τεχνο-
causis καῦσις
chemical χημεία
geography -er γεωγραφία
grapher -y -ic -γραφος -γραφία
lithic λίθος
logy τεχνολογία
-ic(al -ist -ιστής
logue -λογος
mechanic μηχανικός
nomy -ic -νομία
techny- -τεχνία
Teckelite -ίτης
tecno- τεκνο-
ctonia τεκνοκτονία
gonia τεκνογονία
logy -λογία
tecn- τέκνον
onomy -ous ὄνομα
onymy -ous -ωνυμία
tecolithus τηκόλιθος
tecoretin τηκο- ῥητίνη
tecosis τήκειν -ωσις
tectibranch βράγχια
-ia(n -iata -iate
tecto- τέκτων
branchi βράγχια
cephaly -ic κεφαλή
chrysin χρυσός
cymba κύμβη
logy -ical -λογία
paratype παρά τύπος
plesiotype πλησίος τύπος
spondyl(i(c -ous σπόνδυλος
type τύπος
tecton τέκτων
a τεκτωνία
archinae τεκτόναρχος
ic(s ist τεκτονικός
teetotalism -ισμός
-ist -ize -ιστής -ίζειν
teetotumism -ize -ισμός
Tegulithyris τέγος θυρίς
teichopsia τεῖχος -οψία
teicho- τειχο-
some σῶμα
scopy τειχοσκοπία
Teinistion τείνειν ἱστίον
teinoscope -σκόπιον μία
teknonymy -ous τέκνον -ώνυ-
teknospore τεκνο- σπορά
tekoretin τηκο- ῥητίνη
tektite -ίτης
Tektonosphaere τηκτός σφαῖρα
tel- τηλ-
acoustic ἀκουστικός
(a)esthesia -αισθησία
aesthetic αἰσθητικός
augis τηλαυγής
auto- αὐτο-
gram γράμμα
graph -γραφος
graphy -ic -ist -γραφία
matics αὐτόματος
ectro- ἤλεκτρον
graph -γραφος
scope -y -σκόπιον -σκοπία
electric ἤλεκτρον
electro- ἤλεκτρον
cardiogram καρδιο- γράμμα
graph -γραφος
scope -σκοπιον
energy -ic ἐνέργεια
engiscope ἐγγός -σκόπιον

tel- Cont'd
ento- ἐντο-
gonidium γονή -ιδιον
spore σπορά
ergy -ic(al(ly -εργία
erpeton ἑρπετόν
-id(ae -oid
erythrin ἐρυθρός
tel- τέλος
angi- ἀγγει-
ectasis -ia -y ἔκτασις
ectatic ectodes -ώδης
(ect)oma ἔκτασις -ωμα
itis osis -ῖτις -ωσις
anthera ἀνθηρός
eclexis ἔκλεξις
encephal(on ἐγκέφαλον
ize -ation -ίζειν
tele- τέλεος
odont(a ὀδοντ-
organic ὄργανον
ost ὀστεόν
ean ei eous
stich στίχος
Telamon Τελαμών
Telchines Τέλχιν
tele- τηλε-
anemograph ἀνεμο- -γραφος
arch τελέαρχος
autogram αὐτο- γράμμα
autograph αὐτόγραφον
barograph βάρος -γραφος
barometer βάρος μέτρον
bolites βολίς -ίτης
bolus τηλεβόλος
cardio- καρδιο-
gram γράμμα
graphy -γραφία
centric κεντρικός
chirograph χειρο- -γραφος
cinesia κίνησις
cryptograph κρυπτο- -γραφος
dactyl δάκτυλος
dapus τηλεδαπός
diastolic διαστολή
dynamic δυναμικός
focal
gnathus γνάθος
gonous -ic -y τηλέγονος
gram γράμμα
ese m(at)ic
graph(er ese -γραφος
gra(pho)phone γραφο- φωνή
graphoscope -σκόπιον
graphy -γραφία
-ic(al(ly -ist -ιστής
hydrobarometer ὑδρο- βάρος μέτρον
iconograph εἰκονο -γραφος
kin κινεῖν
kinesis κίνησις
kinetic κινητικός
lograph λόγος -γραφος
logue λόγος
manometer μανός μέτρον
mechanic(s μηχανικός
mechanism μηχάνη -ισμός
metacarpal μετακάρπιον
meteoro- μετέωρο-
graph -γραφος
graphy -ic -γραφία
meter μέτρον
metro- μετρο-
graph(y ic -γραφος -γραφία
metry -μετρία
-ic(al -ist -ιστής
microscope μικρο- -σκόπιον

tele- Cont'd
mitosis μίτος -ωσις
mnemonike μνημονική
motor negative objective
neuron -ite νεῦρον -ίτης
therapeutics θεραπευτικός
path(y ic(ally -πάθεια
ist ize -ιστής -ίζειν
pathetic παθητικός
phanus τηλεφανής
pheme φήμη
phila τηλέφιλον
phium τηλέφιον
phone φωνή
-er -ic(al(ly -ist -y
phono- φωνο-
graph(y ic -γραφος -γραφία
phorus -φορος
-idae -inae
phote -al -ic -y φωτ-
photo φωτο-
graph(er -γραφος
graphy -ic -γραφία
scopy -σκοπία ξύλον
phragmoxylon φράγμα
plast(id πλαστός
plastic πλαστικός
polariscope πόλος -σκόπιον
positive post
radiography -γραφία
radiophone φωνή
rontgenographic γραφικός
scope τηλεσκόπος
-ic(al(ly -iform -ist -ium -y
scribe scriptor
seism(ic σεισμός
seme σῆμα
somatic σῶμα
spectroscope -σκόπιον
stereo- στερεός
graph(y -γραφος -γραφία
scope -σκόπιον
syphilis
systolic συστολή
therapy θεραπεία
thermo- θερμο- -γραφος
gram graph γράμμα
meter μέτρον
metry -μετρία
topometer τοπο- μέτρον
type -ic τύπος
typograph τυπο- -γραφος
vision write(r
telei- τέλειος
anthous -us ἄνθος
osis τελείωσις
otic τελειωτικός
teleio- τελειο-
chrysalis χρυσαλλίς
phan -φανής
teleo- τέλος
phobia -φοβία
trocha τροχός
teleo- τελεο-
branchia -iate βράγχια
cephal(i ous κεφαλή
ceras κέρας
coma κόμη
cydnus κυδνός
desmacea(n -eous δεσμός
gyrous γῦρος
logy -ic(al(ly -λογία
-ism -ist -ισμός -ιστής
meter = telemeter
mitosis μίτος -ωσις
morph μορφή
phore -φορος

teleo- Cont'd
phyte φυτόν
placophore πλακο- -φορος
ptile πτίλον
rhinus ῥίν
roentgenogram γράμμα
roentgenography γραφία
saur(us σαῦρος
ian id(ae oid
scope -σκόπιον
somi σωμα
stome στόμα
-ate -(at)ous -i -ian
temporal
zoa zoic zoon ζῷον
telesia τελέσια
telesis τέλος -εσις
telesi- τελεσι-
urgic(s τελεσιουργικός
telesm τέλεσμα
atic(al(ly telesmeter
telesterion τελεστήριον
telestic -ial τελεστικός
teleuto- τελευτή
conidium κόνις -ιδιον
form
gonidium γονή -ιδιον
sorus σωρός
spore -ic -iferous σπορά
telfordize -ίζειν
telharmonium -y τηλ- ἁρμονία
telial τέλειος
telic(s τελικός -γραφος
teliconograph τηλ- εἰκονο
telio- τελειο-
chordon χορδή
spore σπορά
stage
telium τέλειος
Tellena τελλίνη
telligraph -γραφος
Tellina τελλίνη
-acea(n -aceous -id(ae -iform
-ite -oid -γραφος
tellograph(ic τηλ- λόγος
telluradiometer μέτρον
tellurhydric ὑδρ-
tellurism -ισμός -ίφειν
-ist -ite -ize -ιστής -ίτης
tellurocyanic κύανος
tellurophenol φαιν-
telmatad -ium τελματ-
Telmatodon ὀδών
telmato- τελματο-
dytes δύτης
logy -ical -λογία
philus phyta -φιλος φυτόν
telo- τέλος
blast(ic βλαστός
branchiata βράγχια
cera κέρας
cinesis -ia κίνησις
dendr(i)on δένδρον
gamae γάμος
gonidium γονή -ιδιον
kinesis κίνησις
lecithal λέκιθος
lemma λέμμα
mitic μίτος
phase -ic φάσις
phragma φράγμα
pore -a πόρος
sporidia σπορά -ιδιον
stoma στόμα
stomiate στόμιον
synapsis σύναψις
synaptic συναπτικός

telo- Cont'd
synaptos συναπτός
syndesis σύνδεσις
tremata -ous τρῆμα
troch(a(l ous τροχός
type τύπος
telo- τηλο-
dynamic δυναμικός
meter μέτρον
tel- τέλος
onism ὄνωμα -ισμός
otism -ισμός
tel- τηλ-
opes τηλωπός
optic ὀπτικός
osmic ὀσμή
pher φέρειν
age man way
ura τηλουρός
telson τέλσον
temenos τέμενος
temn- τέμνειν
aspis ἀσπίς
olectypus ὅλος ἐκ τύπος
ophthalmus ὀφθαλμός
opis ὤψ
otaia ὠτός
temno- τέμνειν
basis βάσις
chila -idae χεῖλος
gomphus γόμφος
laemus λαιμός
plectron πλῆκτρον
pleurus πλευρά
-id(ae -inae -in(e -oid
pterus πτερόν
rhis ῥίς
rhynchus ῥύγχος
scelis σκελίς
spondyli -ous σπόνδυλος
sternus στέρνον
thorax θώραξ
trionyx τρι- ὄνυξ
Tempe -ean Τέμπη
temporalism -ισμός
-ist -ization -ize -ιστής -ίζειν
temporist -ιστής
temporize -ίζειν
-ation -er -ingly ment
temporo-
hyoid ὑοειδής
mastoid μαστοειδής
sphenoid(al σφηνοειδής
zygomatic ζύγωμα
ten- τένων
algia -in -αλγία
ectomy ἐκτομία
odynia -ωδυνία
tenatome τένων -τομον
tendinitis -ῖτις
tend(in)oplasty -πλαστία
tendinotrochanteric τροχαντήρ
tendo-
phony -φωνία
synovitis σύν -ῖτις
tome -y -τομόν -τομία
vaginitis -ῖτις
tenesmus -ic τεινεσμός
tengerite -ίτης
tenial -iasis ταινία -ίασις
teniotoxin ταινία τοξικόν
tennantite -ίτης
Tennyson(ian)ism -ισμός
teno- τένων
desis δέσις
graphy -γραφία
logy -λογία

teno- Cont'd
myoplasty μυο- -πλαστία
myotomy μυο- -τομία
tenon- τένων
ectomy -εκτομία
itis -ῖτις
ometer μέτρον
ostosis ὀστέον -ωσις
tenont- τενοντ-
agra -ἄγρα
itis -ῖτις
odynia -ωδυνία
osteoma ὀστε- -ωμα
tenonto- τενοντο-
graphy -γραφία
lemmitis λέμμα -ῖτις
logy -λογία
(myo)plasty μυο- -πλαστία
myotomy μυο- -τομία
phyma φῦμα
phyte φυτόν
thecitis θήκη -ῖτις
tomy -τομία
trotus τρωτός
teno- τένων
phony -φωνία
phyte φυτόν
plasty -ic -πλαστία
rrhaphy -ῥαφία
suture
syn(ov)itis σύν -ῖτις
tome -τομον
omania -τομία μανία
tomy -ia -τομία
-ist -ize -ιστής -ίζειν
vaginitis -ῖτις
tenorist -ite -ιστής -ίτης
tenositis τένων -ῖτις
tenosteosis τένων ὀστε- -ωσις
tensieudiometric εὔδιος -μετ-
tensiometer μέτρον ρία
tentaculi-
branchiate -a βράγχια
cyst(ic κύστις
tentaculite(s -ίτης
-id(ae -oid
Tenthredo τενθρηδών
-ella -inid(ae -inites -inoidea
-onid(ae -onoid
Tentyria Τέντυρα
tenurist -ιστής
tephr- τεφρός
aea τεφραῖος
eus
ite -ic -oid -ίτης
odornis τεφρώδης ὄρνις
osia -al -in -ius
osis τέφρωσις
ylometer ὕλη μέτρον
tephramancy τέφρα μαντεία
tephro- τεφρο-
chlaena χλαῖνα
coma κόμη
cyon κύων
ite -ίτης
malacia μαλακία
mancy mantia μαντεία
myelitis μυελός -ῖτις
terabdella τερεῖν βδέλλα
ter- τερεβινθος
aconic ἀκόνιτον
acrylic ὕλη
Teramocerus τεράμων κέρας
teramorphous τέρας μορφή
Terapous τέρας πούς
teras τέρας
Terastiozoon τεράστιος ζῷον

terat- τερατ-
a ical ism τέρατα -ισμός
odia τερατωδία
oid osis -οειδής -ωσις
oma -atous -ωμα
ornis ὄρνις
terato- τερατο-
blastoma βλαστός -ωμα
genesis γένεσις
genetic γενετικός
genic -ous -γενής
geny -γένεια
lite λίθος
logy -λογία
-ic(al -ist -ιστής
nympha νύμφη
phobia -φοβιά
pus τερατωπός
scopy -σκοπία
tercentenarize -ίζειν
terchlorid χλωρός
terebate τερέβινθος
Terebellum τετράπλευρον
tereb(enth)ene -ic τερέβινθος
terebentic
terebic τερέβινθος
-ilene -il(en)ic -inic
terebinth(us τερέβινθος
aceae aceous en ial ian ic ious
terebinthin(e τερέβινθος
a ate ism ous
terebrachesis βραχύς
terecamphene τερέβινθος
καμφορά
Teredo -us τερηδών
-ops ὤψ
terenite -ίτης νάφθα
terenaphthal- τερέβινθος
al ate ic onic
aldehyde -ic ὕδωρ
amide ἀμμωνιακόν
yl ὕλη ταλον
teresantal- τερέβινθος σάν-
ane ic ol
teretism τερέτισμα
Teretruis -ina τερέτριον
tergispermous σπέρμα
tergorhabdite ῥάβδος -ίτης
terma -atic τέρμα
termagantism -ισμός
terminad τέρμα
terminism -ize -ισμός -ίζειν
-ist(ic -ιστής -ιστικός
terminology -λογία
-ical(ly -ist -ιστής
termite(s -ίτης
-ic -id(ae -in(e -oid
-ophagous -φαγος
-ophile -ous -φιλος
teroxid ὀξύς
terp- τερέβινθος
acid adiene anol
ene(less
-ism -oid -ισμός -οειδής
-oresin
entic
enyl(ic ὕλη
amine ἀμμωνιακόν
ilene -ol
terphenyl φαιν- ὕλη
terpin τερέβινθος
ene enol eol(ate ol(ene oid yl
Terpnissa τερπνός
terpodion τέρπειν ᾠδή
terpometer τέρπειν μέτρον
Terpsichore Τερψιχόρη
-eal(ly -ean

terpsiphone τέρψις φωνή
terrasphere σφαῖρα
terrestrialism -ize -ισμός -ίζειν
territorialism -ισμός
-ist -ization -ize -ιστής -ίζειν
terrorism -ite -ισμός -ίτης
-ist(ic(al -ιστής -ιστικός
-ize(r -ation -ίζειν
Tersomius σῶμα
tertiarism -ισμός
tertiospore σπορά
Tertocymba κύμβη
Tertrema τρῆμα -ιστής
Tertullianism -ist -ισμός
teschemacherite teschenite
tessar τέσσαρες -ίτης
ace act ἀκή ἀκτίς
omma ὄμμα
tessara- τεσσαρα-
decad δεκας λαβος
decasyllabon δεκα- -συλ-
glot γλῶττα
kost τεσσαρακοστή
phthong φθογγος
tonic τόνος
tessarescaedecahedron
τεσσαρεσκαιδεκάεδρον
tessellite -ίτης
tessera τέσσερα
-aic -al -arian -arious -ate
-atomic ἄτομος
tesser- τέσσερες
act ἀκτίς
oceras κέρας
odon ὀδών
testaceo-
graphy -γραφία
logy -ical -λογιά
theology θεολογία
testaden ἀδήν
testamentize -ίζειν
testectomy -εκτομία
testibrachium -ial βραχίων
testiiodyl ἰώδης ὕλη
testimonialize(r -ation -ίζειν
testitis -ῖτις
tetania τέτανος
tetanic(al(ly τετανικός
tetanigenous τέτανος -γενής
tetano- τετανο-
cannabin(e κάνναβις
id τετανοειδής
lysin λύσις
meter μέτρον
motor
phil(ic -φιλος
phleps φλέψ
spasmin σπασμός
toxin(e τοξικόν
tetanothrum τετάνωθρον
tetany -us τέτανος
-iform -illa -in(e -ism -izant
-ization -ize -oid -ισμός
-ίζειν -οειδής
tetanthrene τέταρτος ἄνθραξ
tetarcone κῶνος
tetart- τέταρτος
ahydrated ὑδρ-
anopia ἀν- -ωπία
anopsia ἀν- -οψία
oid -οειδής
tetartemorion τεταρτημόριον
tetarto- τεταρτο-
cone -oid κῶνος
hedron -εδρον μός
-al(ly -ic(al(ly -ism -y -ισ-
hexagonal ἑξάγωνον

tetarto- Cont'd
phyia φυή
prismatic πρίσμα
pyramid πυραμίς
symmetry -ic(al συμμετρία
systematic σύστημα
tethelin τεθηλῦος
tetracene τέταρτος ἄνθραξ
Tethyae τήθυον
-ydes -yonidea
Tethys Τηθύς
-ya -yid(ae -yoid
Tetillopsis ὄψις
tetr- τετρ-
acanthous ἄκανθα
acid
acron ἄκρον
act ἀκτίς
actine -a(l -ose ἀκτιν-
-ell-
id(ae ida(n in(e
tetra- τετρα-
amylose ἄμυλον γλεῦκος
basic βάσις
belodon βέλος ὀδών
blastic -us βλαστός
boric -ate
bothynus βόθυνος
brach(y τετράβραχος
brachius βραχίων
branch(ia(ta -iate βράγχια
bromide βρῶμος
bromo fluorescin
camara -ous καμάρα
carbonimid(e ἀμμωνιακόν
carboxylic ὀξύς ὕλη
carpellary καρπός
caulodon καυλός ὀδών
ceras -a κέρας
cerata -(at)ous τετράκερως
ceratium κεράτιον
ceratops κερατ- ὤψ
ceratothrips κερατο- θρίψ
ch(a)enium χαίνειν
chaetae χαίτη
-eae -ina -ous
chirus τετράχειρ
chlorid(e χλωρός
chlormethane μέθυ
chlor(o)ethane χλωρο-
αἰθήρ
chord(on al τετράχορδον
chromatic χρωματικός
chromic -ist χρῶμα
chronous τετράχρονος
clade κλάδος
-ina -in(e -ose -ous
clasite κλάσις -ίτης
clone κλών
coccous -us κόκκος
colon -ic τετράκωλον
coral(la -allin(e κοράλλιον
cosane εἴκοσι
cotyl(ean τετρακότυλος
crepid κρηπίς
crotic κρότος
cyclic κυκλικός
cystida κύστις
tetracho- τέτραχα
carpium καρπός
tomy -ous -τομία
tetractomy τέτρακις -τομία
tetractys(m τετρακτύς
-ocrinus κρίνον
tetra- Cont'd
dactyl(e τετραδάκτυλος
-ity -ous -y

tetra- Cont'd
dec- δεκ-
-ane -(en)oic -(in)ene
-(en)yl -ylic -ylene ὕλη
deca- δέκα
naphthene -ic νάφθα
pod(a(n -ous ποδ-
deme δημος
denous τετρ- ἀδήν
dia τετράδιον
diapason διαπασών
diploid δίπλοος
don ὀδών
drachm τετράδραχμον
a on al -ίτης
dymous -ite τετραδύμος
dynam- δύναμις
ia(n (i)ous
tetrad τετραδ-
archy τετραδαρχία
ite τετραδίτης
ium τετραδεῖον
ogenesis γένεσις
tetra- Cont'd
edron -al τετραέδρον
eteris -id τετραετηρίς
fluorid foliate foli(o)us
galacturonic γαλακτ- οὖρον
gamelia(n γαμήλιος
gamy τετραγαμία
genic -ous -γενής
glenes γλήνη
glot(tic(al γλῶττα
glucosan γλεῦκος
gnath(ian τετράγναθος
gon τετράγωνον
al(ly alness el
gonia τετραγωνία ἀγγεῖον
gonid(ang)ium γονή -ιδιον
gonism τετραγωνισμός
-ist(ic(al -ιστής -ιστικός
gonites τετράγωνος -ίτης
gono- τετραγωνο-
derus δέρις
pterus -inae πτερόν
schema σχῆμα
gon- τετράγωνος
ops ὤψ
ous um us
urus -id(ae -oid οὐρά
gophosphite τετράγωνος
φωσφόρος
gram τετράγραμμον
grammaton τετραγράμμα-
-ical -onic τον
graptus γραπτός
gyn(ia(n -(i)ous γυνή
gyropus γυρο- πούς
hedron τετράεδρον
-al(ly -ic(al -id -ite -oid
hexacontane ἑξήκοντα
hexahedron -al ἑξάεδρον
hexosan ἕξ γλεῦκος
hydric -ated ὑδρ-
hydro- ὑδρο-
benzoic
gen -γενής
naphthalene νάφθα
hydroxide ὑδρ- ὀξύς
icosic -ane εἴκοσι
iodide iodo- ἰώδης
kaidekahedron τετρακαι-
δεκα- -έδρον
kis- τετράκις
azo- ἀ- ζωή
kont κοντός
leioclone λεῖος κλών

tetra- Cont'd
lemma λῆμμα
lobus λοβός
logue λόγος
logy -ic(al τετραλογία
lophus -odon(t λόφος ὀδών
masthus μασθός
mastia μαστός
mastigate μαστιγ-
mastigote
mazia μαζός
meles μέλος
mer- τετραμερής -ισμός
a al alia(n e ic ism ous
metaphosphate μετά φωσ-
istelic τετραμερής στήλη
meryx μήρυξ φόρος
meter τετράμετρος
methide μέθυ
methyl μέθυ ὕλη
ene enic
benzene putrescin
endiamin δι- αμμωνιακόν
mitus -iasis μίτος -ίασις
morium μορίον
morph τετράμορφον
ic ism ous -ισμός
myrmeclone μυρμηκία κλών
nephric νεφρός
neura νεῦρον
nitro- -ol νίτρον
nomial
nuclear nucleate
nucleotide -ase διάστασις
nychus ὄνυξ
-id(ae -inae -ine
tetrao τετράων
-on(id(ae inae in(e oid)
omorphae μορφή
-onychus -idae ὀνυχ-
perdix πέρδιξ
phasis φάσις
tetra- τέτρα
odes -ώδης
odion τετρῳδιον
odon(t(id(ae oid(ea(n ὀδών
ommatus ὀμματ-
opes ὤψ
otus ὠτός
peptide πεπτόν
petalous -ose πέταλον
phalangarchia
τετραφαλαγγαρχία
phalangeate φαλαγγ-
pharamacon -um -al τετρα-
φάρμακον
phenol φαιν-
phleba φλέψ
phony -φωνία
phosph- φωσφόρος
ate orus -ide
phthol -ene νάφθα
phyletic φυλετικός
phyline φυλή
phyllidea(n φύλλον
phyllous -us φύλλον
pinene
pla τετραπλᾶ
plegia -πληγία
pleura(l -on τετράπλευρον
pleurodon πλευρόν ὀδών
plocaulous τετραπλόος
καυλός
ploid(y plous τετραπλόος
pneumona πνεύμων
-es -ian -ous
pod(a ous τετραποδ-

tetra- Cont'd
ichnite(s ἴχνος -ίτης
ology -λογία
pody -ic τετραποδία
polar πόλος
polis -itan τετράπολις
pous τετράπους
prionidian πρίων
propionate πρῶτος πίων
prostyle πρόστυλος
psilus ψιλός
pter(an ous τετράπτερος
pteryx πτέρυξ
ptote τετράπτωτος
ptych τετράπτυχος
pus τετράπους
pylon τετράπυλον
pyramid πυραμίς
pyrenous πυρήν
questrous
rhoptra ῥόπτρον
rhynchia -us ῥύγχος
-id(ae -oid
saccharid(e σάκχαρ
salicylic ὕλη
scelus τετρασκελής
schistic σχιστός
selenodont σελήνη ὀδοντ-
seme -ic τετράσημος
sepalous σκέπη
sil(ic)ane
skele(s -ion τετρασκελής
somic σῶμα
spaston -σπαστος
spermal -(at)ous σπέρμα
spheric(al σφαῖρα
spor- σπορά
a aceous e
ange -ium ἀγγεῖον
iferous ine ous
ophyte φυτόν
sterigmatic στήριγμα
stich τετράστιχον
al ic ism -ισμός
stichous -iasis τετραστιχός
sticta στικτός -ίασις
stigm στίγμα
stoma στόμα
stoon τετράστοον
style -ic -ous τετράστυλος
sulphide λαβος
syllable -ic(al τετρασύλ-
symmetry συμμετρία
syncrasy σύγκρασις
thecal θήκη
theism -eite θέος -ισμός
thecal θήκη -ίτης
thian(e thio- θεῖον
thionic -ate θεῖον
toma τομή
tone -on τετράτονον
top τόπος
tri(a)contane τριάκοντα
trichomonas τριχο- μονάς
triploid τριπλόος -οειδής
vaccine
valent -ence -ency
zomal ζῶμα
zooid ζῷον -οειδής
zygopleura ζυγόν πλευρά
tetr- τετρ-
aldane alidine alol
alone alyl -ώνη ὕλη
amic -in(e ἀμμωνιακόν
ammine -o-
ander -ανδρος
andria(n -(i)ous -ανδρία

tetr- Cont'd
ane ant
anophthalmus ὀφθαλμός
anthr- ἄνθραξ
imide ἀμμωνιακόν
aptative
arch(ate τετράρχης
archic(al τετραρχικός
archy τετραρχία
arinus ἄρρην
arpages ἁρπάγη
aster ἀστήρ
atomic ἄτομος
axial axile
axon(ia(n id(a ἄξων
az- ἀ- ζωή
ene in(e o- ole olium one yl
-ήνη -ώνη ὕλη
azotic ἄζωτος
-ize -ization -ίζειν
tetr- τετρ-
emimeral ἡμιμερής
evangelium ἐναγγέλιον
ic inic
iodide ἰώδης
isus ἴσος
ita- τέτρα τρίτος
ite -ol -ίτης
izus τρίζειν
obolon τετρώβολον
ode ὁδός
odon(ic in ὀδών
-ont(id(ae -ontoid
odo- ὀδών
pentose πεντ- γλεῦκος
toxin τοξικόν
ol(ic
olaldehyde ὕδωρ
onal onic -ώνη
onerythrin(e ἐρυθρός
onin ὀδών
onychia ὀνυχ-
onymal ὄνυμα
ops ὤψ
ose γλεῦκος
otus ὠτός
oxalate ὀξαλίς
oxid(e oxy- ὀξύς ὀξυ-
yl(ate ene (en)ic ὕλη
amine ἀμμωνιακόν
dermatitis δερματ- -ῖτις
Tettigonia τεττιγονία
-ian -iid(ae
tettix τέττιξ
Teuchomerus τευχο- μηρός
Teucrian Τεῦκρος
Teucrium -in τεύκριον
Teuthis τευθίς
-idid(ae -idoid(ea(n
teuthology -ist -λογία
Teuthophrys ὀφρύς
Teuthredella ῥέδη
Teuthredinites ῥέδη -ίτης
teutlose τεῦτλον γλεῦκος
Teuto-
latry λατρεία
mania -iac μανία -ακός
phil(e -φιλος
phobe -ia -ism -φοβος φοβία
Teuton(ic)ism -ισμός
Teutonist -ization -ize -ιστής
Teutono- -ίζειν
mania μανία
phobe -ia -φοβος -φοβία
textevangelium εὐαγγέλιον
textilist -ιστής
textoblastic βλαστός

textoma -ωμα
textometer μήτηρ
textualism -ist -ισμός
textu(al)ist -ιστής
Thackerayite -ίτης
thalackerite -ίτης
thalam- θάλαμος
encephal(on ic ἐγκέφαλον
i ia ic ium us
iflorae -al -ous
ite θαλαμίτης
thalame- θαλάμη
phoros -us -φορος
thalamo- θαλαμο-
c(o)ele κοιλία
cortical crural
cyathus κύαθος
lenticular mammillary
peduncular tegumental
phora -φορος
thalassa- θάλασσα
droma δρόμος
thalass- θαλασσ-
arachna ἀράχνη
arctos -ine ἄρκτος
ia(n ieae ic(al in
ian θαλάσσιος
in- oid(ea(n
a ian id(ae idan idea(n
thalassi- θαλασσι-
arch(y -αρχης ἀρχία
colla κόλλα
-id(ae -ida(n -oid
cola
drome δρόμος
thalassiophyte -a -ous
θαλάσσιος φυτόν
thalasso- θαλασσο-
(a)etus ἀετός
bius βίος
cetus κῆτος
chelys χέλυς
cracy θαλασσοκρατία
crat(y
crinus κρίνον
grapher θαλασσογράφος
-ic(al -v
meter metrician μέτρον
philus -a -ous -φιλος
phobia -φοβία
phyte -a φυτόν
phryne φρύνη
plankton πλαγκτόν
therapy θεραπεία
thalatto- θαλαττο-
cracy craty -κρατία
genous -γενής
logy -λογία
Thaleichthys θάλεια ἰχθύς
thalenite -ίτης γος
thalerophagous θαλερο- -φα-
Thalesia -ian Θάλης
Thalia Θάλεια
-iacea(n -ian
Thalictrum -ine θάλικτρον
thalite θάλεια -ίτης
thalleo- sere θαλλός
quin(ine quinoline
thall- θαλλός ous us
ate ea ene ic in(e (i)ous ium
estus ἠστός
idium -ιδιον
iferous iform
ine -ization -ίζειν
is ite -ίτης
odal odic -ώδης
oid(al ome -οειδής -ωμα

thallo- θαλλο-
chlore χλωρός
chrysis χρυσίς
crinidae κρίνον
gam(ae ous γάμος
gen(ic -ous -γενής
gonidium γονή -ιδιον
lepodes λεπώδης
phori θαλλοφόρος
phyte -a -ic φυτόν
placentodes πλακουντώδης
ptera πτερόν
strote στρωτός
thamnodes θαμνώδης
thalpo- θάλπος
phila -φιλος
tasimeter τάσις μέτρον
Thalycra θαλυκρός
Thambus θάμβος
-otricha τριχ-
thamn- θαμν-
astraea -aeidae Ἀστραία
idium ium -ιδιον θαμνίον
iscus θαμνίσκος
olic
ophis ὄφις
urgus -ουργος
thamno- θαμνο-
bia βίος
blast(us βλαστός
phile -φιλος
-a -ina(e -in(e -us
thamuria θαμύς -ουρια
Thanasimus θανάσιμος
thanat- θάνατος
ic θανατικός
ism ist -ισμός -ιστής
oid -οειδής
ophidia(n ὀφίδιον
-ial -iologist -λογία
opsis -ia -y ὄψις -οψία
osis θανάτωσις
thanato- θανατο-
biologic βιο- -λογία
gnomonic γνωμονικός
grapher -y -γραφος -γραφία
logy -λογία
-ical -ist -ιστής
mania μανία
mantic μαντεία
meter μέτρον
phobia -φοβία
typhus τῦφος
Thapsia -ic θαψία
Thapsus -ium θάψος
tharandite -ίτης
Thargelia Θαργήλια
Thargelion Θαργηλιών
Tharsus θάρσος
thauma- θαῦμα
cera κέρας
ceratopus κερατο- πούς
glossa γλῶσσα
thaumantian Θαύμας
thaumasite θαυμάσιος
Thaumasus θαυμάζειν
-ocerus κέρας
thaumast- θαυμαστός
odus ὀδούς
thaumasto- θαυμαστός
caris καρίς
cheles -id(ae -oid χήλη
cladius κλάδος
merus μηρός
thaumato- θαυματο-
genesis γένεσις
genetic γενετικός

thaumato- Cont'd
genic -ous -γενής
geny -ist -γένεια
graphy -γραφία
latry λατρεία
logy -λογία
rhynchus ῥύγχος
thrips θρίψ
trope -ic(al -y τροπ-
thaumaturge θαυματουργός
-ic(al -ics -us
thaumaturgy θαυματουργιά
-ia -ic(al -ism -ist -ize
-ισμός -ιστής -ίζειν
theacylon θε- ὕλη
thealgia θε- -αλγία
theandric(al θεανδρικός
theangeline θεάγγελις
Theano Θεανώ
theanthropo- θεάνθρωπος
logy -λογία
phagy -φαγία
sophy σοφιά
theanthropos θεάνθρωπος
-ic(al -ism -ist -ισμός -ιστής
theanthropy θεανθρωπία
thearchic θεαρχικός
thearchy θεαρχία
theater(ian θέατρον
theatre θέατρον
dom ful less wards wise
theatric(able θεατρικός
ism ize -ισμός -ίζειν
theatrical θεατρικός
ism ist ity ization ize ly ness
theatrize θεατρίζειν
theatro- θεατρο-
chora χῶρα
cracy θεατροκατία
graph -γραφος
mania -iac μανία -ακός
phil(e -φιλος
phobia -φοβία
phone φωνή
polis πόλις
scope -σκόπιον
thebaia Θῆβαι
Thebaic(in(e Θηβαικός
Thebaid Θηβαίς
theba- Θῆβαι
codine κώδεια
in(e ol one -ώνη
ism -ισμός
Theban Θῆβαι
thebaizone Θῆβαι ὄζειν -ώνη
thebenine -ol -one Θῆβαι -ώνη
thebolactic -ate γαλακτ-
theca -al θήκη
cerus κέρας
phore -φορος
sporal -ed -ous σπορά
thec- θήκη
ate -a -us
idion -ial -ιδιον
id(ium -ιδιον (i)oid
ae ea eid(ae eoid iidae
itis ize -ῖτις -ῖζειν
ium θηκίον
odont(es ia ὀδοντ-
-osaurus -ian σαῦρος
oid(ea -οειδής
theci- θήκη
ferous form gerous
theco- θήκη
bathra βάθρα
cyathus κύαθος
cystidae κύστις

theco- Cont'd
dactyl(e us ous δάκτυλος
glossa -ae -ate γλῶσσα
medusa Μέδουσα
phora -φορος
some σῶμα
-ata -ate -atous
spore(d -al -ous σπορά
stegnosis στέγνωσις
stenosis στένωσις
stome -ous στόμα
theileriasis -ίασις
the(in)ism theaism -ισμός
theism θέος -ισμός
-ist(ic(al(ly -ιστής -ιστικός
theke θήκη
thel- θηλή
algia asis -αλγία -ασις
itis -ῖτις
odus oncus ὀδούς ὄγκος
thelem- θέλημα
atic ite -ατικός -ίτης
Thelephora -us θηλή -φορος
-(ac)eae -(ac)eous -oid
Thelgetrum θέλγητρον
thelo- θηλή
rrhagia -ῥαγία
trema τρῆμα
-aceae -atoid -atous
Thephusa Θέλπουσα
-ian -id(ae -oid
thely- θηλυ-
asceta ἀσκητός
blast(ic βλαστός
caryotic κάρυον
cum θηλυκόν
drias θηλυδρίας
gen(ous -γενής
gonum θηλυγόνον
-aceae -aceous
karion κάρυον
kinin κινεῖν
mitra θηλυμιτρής
phonus -φονος ?θηλυ-
φόνος
-id(ae -idea(n -oid
phrynus φρῦνος
phthoric φθορά
plasm πλάσμα
plasty -πλαστία
stasin στάσις
tocia -y θηλυτοκία
tocous tokous θηλυτόκος
tonic τόνος
tropin τρόπος
thema -atist θέμα -ιστής
thematic(al(ly θεματικός
thematism θεματισμός
theme θέμα
-less -er -ster
Themis Θέμις
Themistian θεμίστιος
Themus θέμα
thenar -en θέναρ
ocrinidae κρίνον
thenardite -ίτης
Theneopsis ὄψις
thenoyl θεῖον φαιν- ὕλη
theo- θεο-
anthropomorphic -ism
ἀνθρωπόμορφος
astrological ἀστρολογία
broma βρῶμα
-ic -in(e -inus -ose
centric κεντρικός
christic θεόχριστος
collectivist -ιστής

theo- Cont'd
cracy θεοκρατία
crat(ic(al(ly -ist -ιστής
crasy -ical θεοκρασία
critean Θεόκριτος
ctony -ic θεοκτονία
cyrtis κυρτός
-id(ae -ida -oid
democracy δημοκρατία
dicy -(a)ea -ean δίκη
didact θεοδίδακτος
ditan Θεόδοτος
dosian Θεοδόσιος
dolite -ic θεάομαι δῆλος
-magnetometer Μαγνῆτις
μέτρον
dotian(ism Θεόδοτος -ισμός
drama δράμα
dy θε- -ωδία
form
geological γεω- -λογία
gnostic γνωστικός
gonist θεόγονος -ιστής
gony θεογονία
-ic(al -ism -ist -ite -ισμός
-ιστής -ίτης
human
ktony -ic θεοκτονία
lactin γαλακτ-
latry θεολατρία
lepsy θεοληψία
leptic θεοληπτικός
log(ue θεολόγος
al aster astric ate er
logic(al(ly θεολογικός
-ician -ico- -ics
logium θεολογεῖον
logo- θεολόγος
inquisitorial jurist
log(o)umenon θεολογού-
logy θεολογία μενον
-ian -ism -ist -ization
-ize(r -ισμός -ιστής
-ίζειν
machy -ist θεομαχία
magic(al μαγικός
-ician -ics
mammonist -ιστής
mania(c) θεομανία -ακός
mancy mantic θεομαντεία
mastix μάστιξ
maton αὐτόματον
metry -μετρία
micrist μικρός -ιστής
misanthropist μισάνθρωπος
monism μον- -ισμός
morphic θεόμορφος
-ism -ize -ισμός -ίζειν
mythologer μυθολόγος
mythology μυθολογία
nomy -νομία τής
panphilist παν- -φιλος -ισ-
pantism παντ- -ισμός
paschite θεοπασχίτης
-ally -ic -ism -ist -ισμός
-ιστής
pathy -(et)ic θεοπάθεια
phagy -ite -ous -φαγία
phany θεοφανεία -ίτης
-ia -ic -ism -ous -ισμός
philanthrope φιλάνθρωπος
philanthropy φιλανθρωπία
-ic(al -ism -ist -ισμός
phile -ist θεοφιλής -ιστής
philosophic φιλοσοφία
phobia -ist -φοβία -ιστής
phoric -ous θεοφόρος

theo- Cont'd
phrasta Θεόφραστος
-aceae -aceous
phronian Θεοφρόνιος
phyllin(e φύλλον
physical φυσικός
plegia -πληγία
pneust(ed θεόπνευστος
pneusty -ia(n -ic
θεοπνευστία
politics -ician πολιτικός
polity πολιτεία
psychism ψυχή -ισμός
theor θεορός
theorbist -ιστής
theorem θεώρημα
atic(al(ly θεωρηματικός
-ist -ιστής
ic ist -ιστής
theoretic(al(ly θεωρητικός
-ician -ico- -ics
theoria θεωρία
theoric(al(ly -ician θεωρική
theoric θεωρικός
theoricon θεωρικόν
theory θεωρία
-ism -ist -ization -ize(r
-ισμός -ιστής -ίζειν
theosis θέωσις
theo- θεο-
scopy -ic(al(ly -σκοπία
soph(er θεόσοφος
sopheme σόφισμα
sophy θεοσοφία
-ic(al(ly -ico- -ism -ist-
(ic(al -ize -ισμός -ιστής
-ιστικός -ίζειν
taurine θεόταυρος
techny -al -ic -ist τέχνη
teleology -ical τελειο -
theca θήκη -λογία
therapy θεραπεία
tokion θεοτόκιον
tokos -y θεότοκος
ther- θήρ
theralite θηρᾶν λίθος
therapeusis θεραπεύειν
Therapeutae θεραπευταί
-ism -ist -ισμός -ιστής
therapeutic(s θεραπευτική
therapeutic(al(ly θεραπευτικός
theraphose θηράφιον
-a(e -id(ae -oid
Therapon θεράπων
id(ae oid
therapy θεραπεία
-ic -in -ist -ιστής
Theraspida θέραψ ἀσπίς
Therates θηρατής
Thercladodes θήρ κλαδώδης
theriology -ist θέρειν λογία
Thereva θηρεύειν -ιστής
-id(ae -oid
theriac θηριακή
a al(ity le
therial θήρ
theri- θηρι- -ισμός
anthropic -ism ἄνθρωπος
odont(a ia ὀδοντ-
theriatric(s θήρ ἰατρικός
Thericlean Θηρίκλειος
Theridion θηρίδιον
-iid(ae -ioid -ium
Theridomys θηρίδιον μῦς
-yid(ae -yoid
Therina θηρίον
theriodic θηριωδία

therio- θηριο-
latry λατρεία
logic(al -λογία
mancy μαντεία
maniac μανία -ακός
mimicry μιμικός
morphic -ous θηριόμορφος
morphosis μόρφωσις
plectes πλεκτός
pod ποδ-
suchus σοῦχος
theism θεός -ισμός
therapy θεραπεία
tomy -τομία
trophical τροφικός
zoic ζῷον
therium -ion -ius θήριον
therm(ae θέρμαι
therm- θερμ-
acogenesis γένεσις
ad ium
aerotherapy ἀερο- θεραπεία
(a)esthesia -αισθησία
-iometer μέτρον
al(ity ization ly) -ίζειν
algesia -ἀλγησία
ammeter μέτρον
an(a)esthesia ἀναισθησία
analgesia ἀναλγησία
antic θερμαντικός
antidote ἀντίδοτον
atology -ic -λογία
el(a)eometer ἔλαιον μέτρον
esia -iid(ae -ioid
etrograph = thermometrograph
ic(al(ly ifugin(e in
idor δῶρον
ion(ic(s it(e ἰόν -ίτης
od ὁδός
odin θερμώδης
ol(eometer μέτρον
on θερμόν
opsis ὄψις
os(baena βαίνειν
osis -ωσις
otic(s θερμωτικός
al(ly -ology -λογία
thermo- θερμο-
(a)esthesia -αισθησία
algesia -ἀλγησία
aluminic
ammeter μέτρον
an(a)esthesia ἀναισθησία
analytical ἀναλυτικός
aqueous
barograph βάρος -γραφος
barometer βάρος μέτρον
battery call cell
calcite -ίτης
cautery καυτήριον
-ectomy -εκτομία
centrifuge κέντρον
chaotic χάος
chem- χημεία
ic(al(ly ist(ry
chroic -ism χροά -ισμός
chromism χρῶμα -ισμός
chroology χροά -λογία
c(h)rosis -e -y χρῶσις
cleistogamy κλειστός -γαμία
cline κλίνειν
coagulation couple current
diffusion
dromic δρόμος
dynamic(s δυναμικός
al(ly ian ist -ιστής

thermo- Cont'd
dynamist δύναμις -ιστής
dynamometer μέτρον
elastic ἐλαστικός
electr- ἤλεκτρον
ic(al(ly icity on(ization
electro- ἤλεκτρον
meter μέτρον
motive
osmotic ὠσμός -ωτικός
scope -σκόπιον
element excitory
expansive focal
galvanometer μέτρον
gauge
gen(ic ous -γενής
genesis γένεσις
genetic γενετικός
geny -γένεια
geography -ical γεωγραφία
gram γράμμα φία
graph(y -ic -γραφος -γρα-
hydro- ὑδρο-
logy meter -λογία μέτρον
hygro- ὑγρο- -σκόπιον
graph scope -γραφος
hyper- ὑπέρ
(a)esthesia -αισθησία
algesia -ἀλγησία σία
hyp(o)esthesia ὑπό -αισθη-
hypsometer ὑψο- μέτρον
id θερμοειδής
inhibitory junction
isopleth ἰσοπληθής
kinematics κινηματ-
kinetic κινητικός
labile -ity
lamp λαμπάς -σκόπιον
laryngoscope λαρυγγο-
logy -ical -λογία
luminescent -ence
lyse lysis λύσις
lytic λυτικός -ισμός
magnetic -ism Μαγνῆτις
manometer μανο- μέτρον
massage μάσσειν
meion μείων
metamorphic μεταμόρφωσις
-ism -ισμός
meter -ric(al(ly μέτρον
metrograph μετρο- -γραφος
metry -μετρία
motive motor multiple -ier
nasty ναστός
natrite νίτρον -ίτης
negative neutrality
neurosis νεῦρον -ωσις
nosus νόσος
osmotic ὠσμός
pair palpation penetration
pegology πήγη -λογία
phagy -φαγία
phil(e ic ous -φιλος
phobia -φοβία
phobous -φοβος
phone φωνή
phore -φορος
phosporescence φωσφόρος
phyllite φύλλον -ίτης
pile
plastic πλαστικός
plegia -πληγία
pleion πλείων
podium πόδιον
polion θερμοπώλιον
-ium -ite -ίτης
pn(o)ea -(o)eic -πνοία

thermo- Cont'd
positive
pot(e θερμοπότης
potis θερμοπότις
precipitin -φορος
psychrophorous ψυχρο-
radiometer μέτρον
radiotherapy θεραπεία
reduction regulator
scope -ic(al(ly -σκόπιον
siphon(ic σίφων
stabile -ity stable
stat(ic(ally -ics στατός
steresis στέρησις
synthesis σύνθεσις
systaltic -ism συσταλτικός
tactic τακτικός
tank
taxis -ic τάξις
telephone τηλε- φωνή
tensile tension
terion -τηριον
therapy -eia θεραπεία
tonometer τονο- μέτρον
tonus τόνος
toxin toxy τοξικόν
tracheotomy τραχεῖα -τομία
tropic -ism τροπή -ισμός
type -y -ic τύπος -τυπία
unstable viscosity voltaic
thero- θηρο-
cephalia(n κεφαλή
crotaphous κρόταφος
dont(ia θήρ ὀδοντ-
id θηροειδής
latry λατρεία
logy -ic(al -ist λογία
megatherm μεγα- θερμ-
mesotherm μεσο- θερμ-
mora(n -ous μωρός
morph(a ic ous μορφή
morphia -ic -ism
θηρομορφία -ισμός
morphological μορφο- λογία
thero- θέρος
drymium δρυμός
phyllous φύλλον
phyte φυτόν
pod(a ous ποδ-
saur(i(a(n σαῦρος
Thersitean Θερσίτης
-eidae -ical
thesaur(us θησαυρός
arial ary er y
ize θησαυρίζειν σαῦρος
Thescelosaurus θέσκελος
Thesean Θήσειος
Theseid Θησηίς
Theseion -e(i)um Θησεῖον
thesis -ial -icle θέσις
Thesium -ieae Θησεῖον
thesmo- θεσμο-
philist φίλος -ιστής
phoria θεσμοφόρια
-ian -ic -ion
thete(s θεσμοθέτης
thesocyte θέσις κύτος
Thespesia -ius θεσπέσιος
-iopsyllus ψύλλος
Thespian Θέσπις
Thessal(on)ian Θεσσαλία
theta θῆτα
thete θητ-
thetic(al(ly -ics θετικός
Theticus θητικός
Thetidicrinus θῆτα δι- κρίνον
thetin(e θεῖον αἰθήρ

Thetis Θέτις
theurgic(al(ly θεουργικός
theurgy -ist θεουργία -ιστής
Thia -iid(ae -ioid Θεία
thi- θεῖον alol
acetate acetic acid al aldin(e
am- ἀμμωνιακόν
id(e in(e
anthrene ἄνθραξ
az- ἀ- ζωή ine
ane ime in(e inic ol ol(id)-
enol -one -yl -ώνη ὕλη
genol -γενής
thias- θιασ-
arch θιασάρχης
ite θιασίτης
os us θίασος
ophila -φιλος
ote θιασώτης
Thierychinus ἐχῖνος
thigmesthesia θίγμα -αισθη-
thigmo- θίγμα σία
cyte κύτος
morphosis μόρφωσις
tactic(ally τακτικός
taxis τάξις
tropic -ism τροπ- -ισμός
thilaren thilaven θεῖον
thin- θιν-
ad icolous ium
thino- θιν-
badistes βαδιστής
batis βάτης
bius βίος
charis χάρις
corus κόρυς
-id(ae -ine -oid
dromus δρόμος
lite λίθος
philus -φιλος
phyta φυτόν
pinus πεινάειν
thio- θεῖον
acetic acetal acid
albumose alcohol
aldehyde ὕδωρ
amide amino- ἀμμωνιακόν
propionic πρῶτος πίων
aniline
antimonic -ate -ite -ious
arsenic ἀρσενικόν
-(i)ate -ite -ious
auric
bacteria βακτήριον
camph καμφορά
carb-
amic -ate -ide ἀμμωνιακόν
aniliade
azide ἀ- ζωή
onic -ate νιακόν
onyl(amine ὕλη αμμω-
carmine catechin
chloride χλωρός
chrom- χρῶμα
an ite one ous -ώνη
chronic coumarin
coll κόλλα
cyanic -ate -ide κύανος
cyano- κυανο-
gen -γενής
metry -ic -μετρία
diazine diazole δι- ἀ- ζωή
ether -oxid αἰθήρ ὀξύς
ethyl- αἰθήρ ὕλη
amine ἀμμωνιακόν
form(ic ate
flav(an)one flavine -ώνη

thio- Cont'd
gen(e ic ol -γενής
glycol γλυκύς
hydantoin ὕδωρ ἀλλαντ-
indigo -oid Ἰνδικός
indole
indoxyl ὀξύς ὕλη
ketone -ώνη
lactic γαλακτ-
naphth- νάφθα
ene isatin -ήνη ἰσάτις
thi- θεῖον
odin ἰώδης
ol(in(e olic
onium ἀμμωνιακόν
ox- ὀξύς
ane ene in(e one
idans
ylene ὕλη
oxy- ὀξυ-
diphenylamin
oz- ὄζων
in on(e onide
ur- οὖρον
am ἀμμωνιακόν
thion- θεῖον
al ation eine essal ic in(e ol
amin αμμωνιακόν
chlorid χλωρός
uric -ate οὖρον
yl ὕλη
thio- θεῖον
oxindole ὀξύς Ἰνδικός
ph- φαιν-
ane ene(-ic -ine -ol)
anthrene ἄνθραξ
phil(ic -φιλος
phosgene φῶς -γενής
phosph- φωσφόρος
ate oric oryl ὕλη
pinol platinic -ate
polypeptide πολυ- πεπτόν
pyr- πῦρ
an in(e one onine -ώνη
resorcin(ol
rhodaceous ῥόδον
salicylic ὕλη
salt sap(i)ol savonal
sebate stannic -ate
sinamin(e ἀμμωνιακόν
sulph(or)ate sulphuric -ous
thrix θρίξ
tol(u)ene tungstic -ate
triazole τρι- ἀ- ζωή
urea οὖρον
xanth- ξανθός
ene enol one ylium -ώνη
ὕλη
Thiornis θίς ὄρνις
Thlaspi -ieae θλάσπι
Thlibops θλίβειν ὤψ
thlipsis θλῖψις
-encephalous -us ἐγκέφαλος
thnetopsychism θνητόψυχος
-itae θνητοψυχῖται
Tholemys θολός ἐμύς
tholo- θολο-
bate βατός
ite -ίτης
pora πόρος
spyris σπυρίς
-id(ae -ida -oid
tholos -us θόλος
thomaite -ίτης
Thomaean Θωμᾶς
Thomas(ing ite Θωμᾶς
aster ἀστήρ

Thomism Θωμᾶς -ισμός
-ist(ic(al -isticate -ite
-ιστικός -ίτης
Thomisus θωμίσσειν
-id(ae -oid
Thomomys θωμός μῦς
thomsenolite λίθος
Thomson(ian)ism -ισμός
thomsonite -ίτης
thooid θώς -οειδής
Thoostoma θοός στόμα
thorac- θωρακ-
abdominal al
acromial ἀκρώμιον
algia -αλγία
aorta ἀορτή
ectomy -εκτομία
etron -al ἦτρον
ic(a al i θωρακικός
ico- θωρακικός
abdominal acromial
humeral(is lumbar
odyne -ia ὀδύνη -ωδυνία
ostraca(n -ous ὄστρακον
thoraci- θωρακ-
form spinal
pod(a ous ποδ-
thoraco- θωρακο-
acromial ἀκρώμιον
bronchotomy βρόγχια
-τομία
celoschisis κοιλία σχίσις
centesis κέντησις
cyllosis κύλλωσις
cyrtosis κύρτωσις
dephus ἀδελφός
didymus δίδυμος
gastro- γαστρο-
schisis σχίσις
graph -γραφος
melus μέλος
meter μέτρον
metry -μετρία
myodynia μυ- -ωδυνία
pagous -us πάγος
pathy -ia -πάθεια
phorus φόρος -πλαστία
(pneumo)plasty πνεύμων
poridae πόρος
schisis σχίσις πία
scope -ia -y -σκόπιον -σκο-
stenosis στένωσις
stomy στόμα
theca θήκη
tomy -τομία
thorax θώραξ
thoriagram γράμμα
thorianite thorite -ίτης
Thorictes θωρηκτής
-id(ae -oid -us
thornwalditis -ῖτις
Thorodia θορώδης
thos Thous θώς
Thracian Θράκιος
Thraco- Θρακο-
thranite -ic θρανίτης
Thranius θρανίον
Thrasaetus θρασ- ἀετός
Thraso Θράσων
thrasonic(al(ly
thrasonism -ισμός
-ist -ize -ιστής -ίζειν
thrasy- θρασυ-
aetus ἀετός
goeus γυῖον
thraulite θραῦλος λίθος
Thraustocolus θραυστός κόλος

thremmatology θρέμμα -λογία
threne -os θρῆνος
Threnetes θρηνητής
threnetic(a(l θρηνητικός
threnode -y θρηνῳδία
-ial -ic(al -ist -ιστής
threno- θρηνο-
dyta δύτης
lais λαίς
thriambics θριαμβικός
threnys θρῆνυς
threo- ?έρυθρος
-eonic -eose γλεῦκος
threpsis -ology θρέψις -λογία
threptic θρεπτικός
Thresherodiscus δίσκος
Threskiornis θρησκεία ὄρνις
thridace -ium θρίδαξ
Thrinax θρίναξ
Thrincopyge θρινκός πυγή
Thrips -ipid(ae -ipoid θρίψ
Thriptera θρίψ πτερόν
Thrissops θρίσσα ὤψ
throm- θρόμβος
ballosis βάλλειν -ωσις
thromb- θρόμβος
ase διάστασις
ectomy -εκτομία
igenes -γενής
in us
osis -ed -in θρόμβωσις
otic -ωτικός
thrombo- θρομβο-
angiitis ἀγγει- -ῖτις
arteritis ἀρτηρία -ῖτις
cyst(is κύστις
cyte -osis κύτος -ωσις
cytobarin κυτο- βαρύς
gen(ic -γενής
id θρομβοειδής
k(*or* c)inase κινεῖν διάστασις
kinesis κίνησις
lite λίθος -ῖτις
lymphangeitis νύμφη ἀγγει-
lytic λυτικός
penia -y πενία
philia -φιλία
phlebitis φλεβ- -ῖτις
plastic -in πλαστός
sinusitis -ῖτις
stasis στάσις -ωτικός
zyme ζύμη
throne θρόνος
-al -ed dom -ization -ize less
let ly ship ward -ίζειν
Thronistes θρονιστής
Throscus -id(ae -oid θρώσκειν
Thryallis θρυαλλίς
Thryothorus θρύον
thrypsis θρύψις
thrypt- θρύπτειν
aeodon ὀδών
odus ὀδούς
thuggism -ισμός
thuj- θυία
ane etic
opsis yl ὄψις ὕλη
thuja- θυία
ketone -ic -ώνη
menth- μίνθα
ene ol one yl -ώνη ὕλη
thujo- θυία
rhodine ῥόδον
Thule -ite -ium Θούλη -ίτης
Thunnus -inae -in(e θύννος
thurible θύος
thuribulum -ar

thurible Cont'd
thurifer(ous
thurify -icate -ication
thuringite -ίτης
Thuringocrinus κρίνον
Thursophyton θύρσος φυτόν
thus θύος
Thuya -ite θυία -ίτης
thuy- θυία
ene in(e ol one
igenin -γενής
opis ὄψις
Thyestean -es Θυέστειος
Thyiactes θυίας
thy(i)ad θυιαδ-
thyine θύινος
thylac- θυλακ-
ella -ελλα
(i)itis θυλάκιον -ῖτις
in(e θύλακος
inae in(e us
ites θυλακίτης
odon ὀδών
hylaco- θυλακο-
deres δέρις λέων
leo(nid(ae -inae -in(e -oid
sternus στέρνον
there -ium -ian θηρίον
Thylactus θύλακος
thyloiodine ἰώδης
thym- θύμον
acetin ate e ene
apion ἄπιον
egol etum
hydroquinone ὑδρο- -ώνη
ic(ic ine inic
oil(ate ic ol)
amide ἀμμωνιακόν
ol(ate ic ize) -ίζειν
oloform
ol(sulfo)phthalein νάφθα
otal otol ous y
oxol oxy- ὀξύς ὀξυ-
thym- θύμος
amine ἀμμωνιακόν
ectomy -ize -εκτομία
elcosis ἕλκωσις
ic in(ic
icolymphatic νύμφη
ion iosis θύμιον -ωσις
itis oma -ῖτις -ωμα
otic -ate -ide -inic
thym- θυμ- (θύω)
iama θυμίαμα
iatechny -τεχνία
iasio- θυμίασις
techny -τεχνία
iaterion θυμιατήριον
Thymallus θύμαλλος
-id(ae -oid
Thymulaea(les θυμελαία
-aceae -aceous
Thymele θυμέλη
-ic(al θυμελικός
thymetic θυμός
thymo- θύμον
form
menth- μίνθα
ene ol one -ώνη
quin(hydr)one ὑδρ- -ώνη
thymo- θύμος
chrom χρῶμα
cyte κύτος
glandol kesis
lysis -in λύσις
lytic λυτικός
nucleic privic -ous

thymo- Cont'd
toxic -in τοξικόν
trope -ic -ism προπ- -ισμός
thymo- θυμο-
logy -λογία
pathy -πάθεια
psyche ψυχή
thymus θύμον
yl(ic ὕλη
amine αμμωνιακόν
thymus θύμος
ectomy -εκτομία
nucleic tod
Thynnus -idae -in(e θύννος
thyr- θυρεοειδής
aden ἀδήν
asthenia ἀσθένεια
ein in
oncus ὄγκος
oxin ὀξύς
oxyindol ὀξυ- Ἰνδικός
thyreo- θυρεο-
adenitis ἀδήν -ῖτις
antitoxin ἀντί τοξικόν
cele κήλη
cephalus κεφαλή
coris κόρις
globulin
iodin ἰώδης
itis -ῖτις
lytic λυτικός
pharyngeal φαρυγγ-
phora φόρος
phyma φῦμα
proteid -ein πρωτεῖον
pterus πτερόν
soma σῶμα
tomy -τομία
toxic -in τοξικόν
xenus ξένος
thyreoid(in θυρεοειδής
ectomy -εκτομία
itis otomy -ῖτις τομία
Thyreus -eal -eosis θυρεός
thyridium θυριδ-
Thyridopteryx πτέρυξ
Thyris θυρίς
-id id ae -ina -oid
thyro- θυρεοειδής
adenitis ἀδήν -ῖτις
antitoxin ἀντί τοξικόν
aplasia ἀ- πλάσις
arytenoid ἀρυτηνοειδής
cele κήλη -τομία
chondrotomy χονδρο-
colloid κολλώδης
cricoid κρικοειδής
cricotomy -τομία
epiglottic ἐπιγλωττίς
-idean -ideus
fissure glandin globulin
genic -ous -γενής
glossal γλῶσσα
glottideus γλωττίς
hyal ὕαλος
hyoid(eus ean ὑοειδής
intoxication τοξικόν
iodin(e in ἰώδης
laryngeal λαρυγγ-
lingual
lysin lytic λύσις λυτικός
nucleoalbumin palatine
penia πενία
pharyngean φαρυγγ-
phyma φῦμα
privia -al -ic -ous
proteid -ein πρωτεῖον

thyro- Cont'd
ptosis πτῶσις
terapy θεραπεία
tome -y -τομον -τομία
toxic -in τοξικόν
toxicosis -ωσις
trope -ic -ism τροπή -ισμός
thyroid θυρεοειδής
al ea eal ean ectin in less
ectomy -ize -εκτομία -ίζειν
ism -ισμός
itis ization -ῖτις -ίζειν
iotomy -τομία
thyron θυρών
eum θυρωνεῖον
thyrs- θύρσος
oid(al θυρσοειδής
os us ula
thursi- θύρσος
ferous florous form
thyrso- θυρσο-
cephalic κεφαλή
tarsa τάρσος
thysano- θυσανο-
carpus καρπός
crinus κρίνον
croce κρόκη
gnathus γνάθος
poda -ous ποδ-
pter(a(n ous πτερόν
soma σῶμα
testa
teuthis -id(ae -oid τευθίς
Thysanotus θύσανος ὠτός
Thysanura θύσανος οὐρά
-(i)an -id -iform -ous
-imorphous -μορφος
Thysia θυσία
thysiastery θυσιαστήριον
tiar(a -(a)ed τιάρα
Tiarechinus ἐχῖνος
Tiarella
tibialgia -αλγία
tibiaperoneal περόνη
tibiatarsus -al ταρσός
tibio-
metatarsal μετά ταρσός
peroneal περόνη
scaphoid σκαφοειδής
tarsus -al ταρσός
ticho- τειχο-
drome -a -inae -in(e δρόμος
(r)rhine ῥίν
ticket-of-leavism -ισμός
tictology τίκτειν -λογία
tidology -ical -λογία
tidyism -ισμός
tiemannite -ίτης
tiffany(ite θεοφανία -ίτης
tiger τίγρις
antic ette hood ish(ly ishness
ism kin ling ly ness ocious y
tiglic -ate -ine -inic τῖλος
tigress τίγρις
-idia -in(e -ish
Tigrisoma σῶμα
tigroid τιγροειδής
tigrology τιγρο- -λογία
tigrolysis τιγροειδής λύσις
tigrolytic τιγροειδής λυτικός
tigrone τίγρις
tilasite -ίτης
Tilgidopsis ὄψις
Tillus τίλλειν
-icera κέρας
-odont(a ia idae ὀδοντ-
-omorpha μορφή

Tillus Cont'd
-otherium θηρίον
-iid(ae -ioid
tilma -us τίλμα τιλμός
tiltometer μέτρον
timarchy -a τιμαρχία
-omela μέλας
timariot -ωτης
Timaspis τιμ- ἀσπίς
timbester τύμπανον
timbre τύμπανον
-el(lar-er
timbro- τύμπανον
logy -λογία
mania(n -ist μανία -ιστής
phily -ic -ism -ist -φιλία
Timiobius τιμιο- βίος
timist -ιστής
timocracy τιμοκρατία
timocratic(al τιμοκρατικός
Timonian Τίμων -ίζειν
-ism -ist -ize -ισμός -ιστής
timoro- τιμωρός
cidaris κίδαρις
crinus κρίνον
phyllum φύλλον
Timorus τιμωρός
echinidae ἐχῖνος
timothy Τιμόθεος
timpano τύμπανον
Tinamomorphae -ic μορφή
tincalconite κονία -ίτης
tingnoid -οειδής
tinguaite -ίτης
tino- τείνειν
ceras κέρας
-atid(ae -atine -atoid
leucite λευκός
phyllus φύλλον
porus -inae πόρος
spora -eae σπορά
tarsus ταρσός τής
tintinnabulism -ist -ισμός -ισ-
tintometer μέτρον
tintometry -ic -μετρία
tintype τύπος
tiodin θεῖον ἰώδης
tiphad -ium τῖφος
Tiphia τίφη
tipho- τῖφος
philus phyta -φιλος φυτόν
tirad -ium τείρειν
tisical(ness tisick φθίσις
Tisiphone Τισιφόνη
Titaena τιταίνειν
Titan Τιτάν
esque ess ian -ισσα
ic(al(ly Τιτανικός
ichthys ἰχθύς
ism ites -ισμός -ίτης
oides -οειδής
titan(ium Τιτᾶνες
ate ation ian
augite αὐγή -ίτης
biotite βιοτός -ίτης
eisenglimmer κλινο-
hydroclinohumite ὑδρο-
ic(o(hydric ὑδρ-
olivine
iferous ioferric (i)ous
ite -ic -ίτης
melanite μελαν- -ίτης
ox(ide ὀξύς
yl ὕλη
titano- Τιτᾶνες
cyanide κύανος
ferrite fluorid(e silicate

titano- Cont'd
magnetite Μαγνῆτις
morphite μορφή -ίτης
titano- Τιτανο-
baris βᾶρις
later -λατρης
latry λατρεία
lepas λεπάς
machy Τιτανομαχία
mys μῦς
saur(us σαῦρος
there -ium θηρίον -ioid
-ian -iid(ae -iinae -iin(e
theriomys θηριο- μῦς
titanos τίτανος
Tithonian Τιθωνός
tithonic(ity Τιθωνός
-ized -ization -ίζειν
tithono- Τιθωνός
graph -γραφος τής
graphy -ic -ist -γραφία -ισ-
meter type μέτρον τύπος
tithymal τιθύμαλος
titlonym ὄνυμα
titoxin τοξικόν
titrimetry -ic -μετρία
Tityra -inae -in(e τίτυρος
Tityre-tu Tityrus Τίτυρος
Tlepolemus τληπόλεμος
tmema τμῆμα
tmesis τμῆσις
-idera δέρη
-iphorus -φορος
-isternus στέρνον
-orrhinus ῥίν
tmetic τμητικός
toadyism -ισμός
tobaccoism -ite -ισμός -ίτης
tobacconist -ize -ιστής -ίζειν
tobaccophil(e -φιλος
tobogganist -ιστής
tocanalgin τόκος ἀν- ἄλγος
toco- τοκο- ρον
dynamometer δύναμις μέτ-
genetic γενετικός
gony -γονία
graph -γραφος
logy -ical -ist -λογία -ιστής
mania μανία
meter μέτρον
tocornalite -ίτης
tocus -osin τόκος
toddyize -ίζειν
Togocyamus κύαμος
toichography τοιχογραφία
tokocyte τοκο- κύτος
tolaylamine ὕλη ἀμμωνιακόν
tolerationism -ist -ισμός -ιστής
tolerism -ισμός
tolipyrin πῦρ
toloxy- ὀξυ-
Tolstoyism -ist -ισμός -ιστής
tolu-
aldehyde ὕδωρ
amide ἀμμωνιακόν
endiamin δι- ἀμμωνιακόν
furazin ἀ- ζωή
furoxan ὀξύς
hydroquinone ὑδρο- -ώνη
indazine Ἰνδικός ἀ- ζωή
lepidine λεπιδ-
naphth- νάφθα
azine ol ἀ- ζωή
nitrile νίτρον
oxyl ὀξύς ὕλη
perazine ἀ- ζωή
phenazine φαιν- ἀ- ζωή

tolu- Cont'd
phenone φαιν- -ώνη
quinhydrone ὑδρ- -ώνη
quinomethan(e μέθυ
quinone -ώνη
resazine ἀ- ζωή
stilbazine στίλβειν ἀ- ζωή
thi- θεῖον
azole enone ἀ- ζωή -ώνη
tolyl(ic ene ὕλη
amine ἀμμωνιακόν
tolyp- τολύπη
eutes τολυπεύειν
-inae -in(e
ite -ίτης
osporium σπορά
othrix θρίξ
otrichetum τριχ-
Tolyphus τολύπη
tolypyrin πῦρ
Tom Θωμᾶς
boy(ade ful ish(ness ism)
cat fool(ery ish(ness) ling
noddy ship
Tomarus τόμαρος
tomb τύμβος
ic less let stone
tombazite -ίτης
-tome -τομον
tome τόμος
cide ful let
tomial -ium τομός
tomice -us τομικός
-osaurus σαῦρος
tomi- τομή
ange ἀγγεῖον
ogone γόνος
parous
stoma -idae στόμα
Tommy(hood Θωμᾶς
tomo- τομο-
branchia βράγχια
cephalus κεφαλή
derus δέρις
glossa γλῶσσα
gnathus γνάθος
mania μανία
pteris -id(ae -oid πτερόν
pterus πτερόν
tocia -τοκία
Tomoxia τομός ὀξύς
tomtit Θωμᾶς
-tomy -ia -τομία
ton τόνος
ton- τόνος
al(ist ity ly) -ιστής
alite -ίτης
aphasia ἀφασία
arion τονάριον
esis inervin
tone(less(ness τόνος
-ed -er -ist -ιστής
tonic τονικός
al(ly ity ize -ίζειν
tonico- τονικός
balsamic stimulant
clonic κλόνος
tonitru(*or* o)phobia -φοβία
tono- τονο-
bole(s βολή
clonic κλόνος
desmus δεσμός
gram γράμμα
graph(y -ic -γραφος -γραφία
meter metry -ic μέτρον
mitter -μετρία
phant -φάντης

tono- Cont'd
plast πλαστός
scope -σκόπιον
tactic τακτικός
taxis τάξις
technic τεχνικός
tropism τροπή -ισμός
tonosis τόνωσις
tonsil(l)ectomy -εκτομία
-ectome -τομον
tonsil(l)itis -ic -ῖτις
tonsil(lo)lith λίθος
tonsilloscope -σκόπιον
tonsillotome -y -τομον -τομια
tonsillotyphoid τυφώδης
top- τοπ-
(a)esthesia -αισθησία
algia -αλγία
arch(ical τοπάρχης
archy -ia τοπαρχία
onym ὄνυμα
al ic(al ist -ιστής
onymy -ωνυμία
topaz τόπαζος
a ine y
ion τοπάζιον
olite λίθος
toperism -ισμός
tophyperidrosis ὑπέρ -ἱδρωσις
topia τόπια
-iaria(n -iarist -iarius -iary
topic τοπικός
-ica -ical(ly -icality -ics
topo- τοπο-
algia -αλγία
anesthesia ἀναισθησία
chemical χημεία
chemo- χημεία
tactic taxis τακτικός τάξις
gnosis γνῶσις
graph -γραφος
graphic τοπογραφικός
al(ly -ics
omythical μυθικός
grapher τοπογράφος
-ist -ize -ιστής -ίζειν
graphy τοπογραφία
-ometric μετρικός
latry λατρεία
logy -λογία
-ic(al(ly -ist -ιστής
morph μορφή
narcosis νάρκωσις
neura -al -osis νεῦρον -ωσις
phobia -φοβία
phone φωνή
phototaxis φωτο- τάξις
phylaxis φύλαξις
politan πολίτης
scopus -σκοπος
tactic taxis τακτικός τάξις
thermesthesiometer θερμ-
αἰσθησι- μέτρον
tropism -y τροπή -ισμός
type -ic(al τύπος
topsy-turvyism -ισμός
-ist -ize -ιστής -ίζειν
toramin ἀμμωνιακόν
torbanite torbernite
torbite -ίτης
Tordylium τορδύλιον
Toretocnemus τορητός κνήμη
toreumato- τόρευμα
graphy logy -γραφία -λογία
toreutes τορευτής
-ic τορευτικός
-ics τορευτική

toriloid -οειδής
tormodont τόρμος ὀδοντ-
Tornaria(n τόρνος
Torneuma τόρνευμα
Torneutes τορνευτής
tornhexactine τόρνος ἕξ ἀκτιν-
torno- τορνο-
ceratea κερατ-
dinium δῖνος
doxa δόξα
graphy -γραφία
tornote τορνωτός
Tornus -al τόρνος
toroid(al -οειδής
Torosaurus τορός σαῦρος
torpedoism -ist -ισμός -ιστής
torsi(o)meter μέτρον
torticone κῶνος
toruloid -οειδής
Toryism -ισμός
-istic -ize -ιστικός -ίζειν
Toryna τορύνη
totaigite -ίτης
totalize(r -ation -ator -ίζειν
totemism -ite -ισμός -ίτης
-ist(ic -ιστής -ιστικός
tourism -ισμός
-ist(ry -istic -ιστής -ιστικός
tourmalinite & -ize -ίτης -ίζειν
tox- τοξικόν
(a)emia -ic -αιμία
albumic -in -ose
amin(e ἀμμωνιακόν
an(a)emia ἀναιμία
ascaris ἀσκαρίς
enzyme ἔνζυμος
idium εἶδος
toxarch τοξάρχης
toxaspire -al τόξον σπεῖρα
toxeutes τοξευτής
toxic τοξικόν
(a)emia -αιμία
al(ly ant ate ation ity
oid osis -οειδής -ωσις
ophis -idia ὄφις
toxico- τοξικόν
dendrum -ic -ol -on δένδρον
derma -ia δέρμα
-(at)itis -atosis -ῖτις -ωσις
genic -γενής
h(a)emia -ic hemy -αιμία
logy -ical(ly -ist -λογία
-ιστής
maine πτῶμα
mania μανία
mucin
pathy -ic -πάθεια
phagy -ous -φαγία
phobia -φοβία
phylaxin φύλαξις
sozin σώζειν
traumatic τραυματικός
Toxicum τοξικός
toxi- τοξικόν
campa -idae κάμπη
cide ferous
derma -ic -itis δέρμα
gene -one -γενής -ώνη
gnomic γνώμη
haemia -αιμία
infection -ious
meter μέτρον
mucin
peptone πεπτόν
phagus -φαγος
phobia -iac -φοβία
phoric -φορος

toxi- Cont'd
tabellae tuberculid
therapy θεραπεία
Toxifera τοξ-
toxin(e τοξικόν
(a)emia osis -αιμία -ωσις
an ic icide
toxis τοξικόν -ις
toxius τόξον
toxo- τοξικόν
alexin ἀλέξειν
genin -γενής
globulin inan
infection mucin
lecithid -in λέκιθος
pept- πεπτόν
ide ine one -ώνη
pexic πῆξις
phil(ous -φιλος
phore -ic -ous -φορος
phylaxin φύλαξις
protein πρωτεῖον
sozin σώζειν
toxo- τοξο-
campa κάμπη
-id(ae -oid
cara chelys κάρα χέλυς
glossa -ate γλῶσσα
logy -λογία
nema notus νῆμα νῶτος
phil- -φιλος
ism ite itic y -ισμός -ίτης
plasma πλάσμα
prion πρίων
rrhinus ῥίν
scelus σκελίς
Toxodon τοξ- ὀδών
-ont(a ia id(ae oid)
toxoid τοξικόν -οειδής
toxon τόξον
toxon τοξικόν
oid osis -οειδής -ωσις
Toxotes τοξοτής
-id(ae -oid -us
Toxylon τόξον ξύλον
toxynon τοξικόν
trabecularism -ισμός
trachea τραχεῖα
ectasy ἔκτασις
trache- τραχεῖα
agra algia ἄγρα -αλγία
al(is an aria(n ary ata ate
id(e idal olar ole ome
trach(e)itis τραχεῖα -ῖτις
trachel τράχηλος
agra ἄγρα
alis ate
ectomy -ia -εκτομία
-opexy -πηξία
(h)ematoma αἱματ- -ωμα
ia(n iate ida(n idae ides
ipod(a(n ous ποδ-
ism(us τραχηλισμός
ium itis -ῖτις
ius iid(ae ioid
izus τραχηλίζειν
odynia -ωδυνία
trachelo- τραχηλο-
acromial(is ἀκρώμιον
brachys βραχύς
branchia -iate βράγχια
bregmatic βρέγμα
cele κήλη
cerca -id(ae -oid κέρκος
clavicular(is
cyllosis κύλλωσις
cyphosis κύφωσις

trachelo- Cont'd
cyrtosis κύρτωσις
cystitis κύστις -ῖτις
(lo)gy -ist -λογία -ιστής
lingual
lychnus λύχνος
mastoid(eus μαστοειδής
myitis μυ- -ῖτις
occipital(is
pexia -y -πηξία
phanes -φανης
phora -φορος
phyllum φύλλον
-id(ae -oid
plasty -πλαστία
rrhaphy -ῥαφία
sauria -us σαῦρος
scapular
schisis σχίσις
spermum σπέρμα
stenus στενύς -ῥαφία
syringorrhaphy συριγγο-
tomy -τομία
Trachelus τράχηλος
trachenchyma τραχεῖα ἔγχυμα
tracheo- τραχεῖα
aerocele ἀερο- κήλη
branchia βράγχια -ῖτις
bronchial -itis βρόγχια
bronchoscopy βρόγχος
cele κήλη -σκοπία
esophageal οἰσοφάγος
fissure
fistulization -ίζειν
laryngeal λαρυγγ-
-otomy -τομία
oesophageal οἰσοφάγος
pathia -y -πάθεια
pexy -πηξία
pharyngeal φαρυγγ-
phone φωνή
-ae -es -in(e -ous
phonesis φώνησις
phony -φωνία
phyma φῦμα
plasty -πλαστία
pyosis πύον -ωσις
pyra πῦρ
rrhagia -ῥαγία
schisis σχίσις
scopic -ist -σκοπία -ιστής
stenosis στένωσις
stomy -στομία
tome -y -τομον -τομία
-ist -ize -ιστής -ίζειν
trach- τραχύς
ichthy- ἰχθυ-
idae oides
idermis δέρμα
inotus -inae νῶτος
inus -id(ae -oid(ea oidei
-ocephalus κεφαλή
odon(t(id(ae oid ὀδών
oma -atous τράχωμα
onurus οὐρά
urops τράχουρος ὤφ
trachitis τραχεῖα -ῖτις
tracho- τραχύς
dema δέμας
medusae -an Μέδουσα
peplus πέπλος
rheite ῥειν -ῖτης
trachy- τραχυ-
acanthid ἄκανθα
andesite -ίτης
aphthona ἄφθονος
basalt

trachy- Cont'd
carpous -us καρπός
cephalus κεφαλή
ceras -atinae κέρας
chromatic χρωματικός
comus κόμη
deras δέρας
deres δέρις
dermochelys δέρμα χέλυς
dolerite δολερός -ίτης
glossa -ate γλῶσσα
kele κήλη
lichas λιχάς
lobium λοβός
medusae -an Μέδουσα
mene μήνη
merus μηρός
nema νῆμα
-atidae -id(ae -oid
note -us νῶτος
ostracus ὄστρακον
pachys παχύς
phloeosoma φλοιο- σῶμα
pholis φολίς
phonia -ous φωνή
poma πῶμα
pora πόρος
psammia ψάμμος
psamnia ψαμνίον
pterus -id(ae -oid πτερόν
pyrgula πύργος
rhyncus -inae ῥύγχος
rhyolite ῥεῖν λίθος
scelis σκελίς
schistis σχιστός
soma σῶμα
spermous σπέρμα
stola στόλη
stome -ata -atous στόμα
thela θηλή
tila usa τίλος -ουσα
trachyte -ic -oid τραχύτης
Tractarianism -ize -ισμός
Tractism -ite -ισμός -ίτης
tractorism -ισμός
-ist -ize -ιστής -ίζειν
tradesunionism -ist -ισμός
tradiometer σέτρον -ιστής
tradition(al)ism -ist -ισμός
traditionalistic -ιστικός
traditionize -ίζειν
Traducianism -ισμός
-ist(ic -ιστής -ιστικός
traductionist -ιστής
tragacanth(a in(e τραγάκανθα
tragal(ism τράγος -ισμός
tragasol τραγάκανθα
tragedical τραγῳδικός
tragedy τραγῳδία -ious(ly '
-ial -ian(ess -ienne -ietta
-ist -ization -ize -ιστής -ίζειν
tragelaph(us τραγέλαφος
inae in(e πώλης
tragematopolist τραγηματο-
tragic(ize ly ness, τραγικός
al(ity ly ness)
tragi- τραγικός'
comedy -ian -ietta κωμῳδία
comic(ity -al(ly κωμικός
comi- κωμικός'
operatical pastoral
tragico- τραγικός
heroicomic ἡρωικός κωμικός
tragicus τράγος
Tragidion τραγίζειν
tragion -ium τράγιον
Tragiscus τραγίσκος

trago- τραγο-
cephala κεφαλή
cerus κέρας
desmoceras δεσμο- κέρας
drama δράμα
maschalia μασχαλή
pan τραγόπαν
phonia -y -φωνία
podia ποδ-
pogon τραγοπώγων
pus τράγος ὤψ
pus τραγόπους
soma σῶμα
Tragops τράγος ὤψ
tragule -us τράγος
-id(ae -ina(e -ine -oid(ea(n
tragus τράγος
traitorism -ize -ισμός -ίζειν
traitorology -λογία
Trallian Τραλλιανός
Tranes τρανής
Tranestoma στόμα
trano- τρανο-
peltoides πέλτη
peltoxenos πελτο- ξένος
tranquilize(r -ation -ίζειν
trans-
acherontic 'Αχέρων
atlant- 'Ατλαντ-
al ic(ally (i)an ism
cendentalism -ισμός
-ist(ic -ize -ιστής -ιστικός
condomoscopy -σκοπία
condyloid κονδύλη
crystalline κρυστάλλινος
dermic δέρμα
dialect διάλεκτος
etherean αἰθέριος
ferography -γραφία
fer(r)otype τύπος
form(ation)ist -ιστής
formism -istic -ισμός -ιστικός
fusionist -ιστής
humanize -ation -ίζειν
ischiac ἰσχίον -ακός
isthmian ἴσθμιος
itionist -ιστής
localization -ίζειν
migrationism -ist -ισμός
missionist -ιστής -ιστής
morphism μορφή -ισμός
peritoneal περιτόναιον
pleural πλευρά
polar πόλος
portase διάστασις
portationist -ιστής
substantialism -ισμός
-ist -ization -ize -ιστής -ίζειν
substantiation(al)ist -ιστής
substantiationite -ίτης
thalamic θάλαμος
thermia θέρμη
thoracotomy θωρακο- -τομία
vaalite -ίτης
versectomy -εκτομία
versourethralis οὐρήθρα
vestitism -ισμός
Trapelus τραπελός
trapeza τράπεζα
trapeze -ist τραπέζιον
Trapezidera τράπεζα δέρη
trapezitae τραπεζῖται
trapezium τραπέζιον
-ate -et(te -ia -ial -ian -iform
trapezo- τραπεζο- -ius
hedron -al -εδρον

trapezo- Cont'd
id)al τραπεζοειής
ium iform
phoros -on τραπεζοφόρος
ptera πτερόν (-ον)
Traphecocorynus τράφηξ
Trappist(ine -ιστής κορύνη
trappoid -οειδής
Traskite -ίτης
traulism τραυλισμός
trauma τραῦμα
tropic -ism τροπ- -ισμός
traum- τραῦμα
asthenia ἀσθένεια
atic(ally τραυματικός
at- τραυματ-
in ism ize ol osis -ισμός
-ίζειν -ωσις
traumato- τραυματο-
cace κάκη
comium -κομεῖον
logy -λογία
nesis νῆσις
pathy -πάθεια
pn(o)ea πνοία
pyra πῦρ
saprosis σαπρός -ωσις
tactic τακτικός
taxis -y τάξις
travelog(ue λόγος
treacle -iness -y θηριακή
treasonist -ιστής
treasure θησαυρός
-able(ness -er(ship -er -ess
less -ous trove -y(ship
treatyist -ιστής
trecentist(a -ιστής
Trech(ic)us τρέχειν
trechmannite -ίτης
trechometer τρέχειν μέτρον
tregadyne μέγα δύναμις
tregerg μέγα ἔργον
tregohm μέγα
trehalase διάστασις
Trema(lith τρῆμα λίθος
trem- τρῆμα
andra -ανδρος
-(ac)eae -aceous
arctos ἄρκτος
atis ex
atod(e τρηματώδης
a es oid(ea
octopus ὀκτώπους
-odid(ae -odoid
ops ὤψ
tremato- τρῆμα
notus νῶτος
pora πόρος
psidae ὄψις
saurus -idae σαῦρος
suchus σοῦχος
tremelloid -οειδής
tremo- τρῆμα
gnoster γνωστήρ
schizodina σχίζειν
tremo- τρέμειν
gram graph γράμμα -γραφος
phobia -φοβία
tremolite -ic -ίτης
Trentist -ιστής
trepan τρύπανον
ation ize ner ning -ίζειν
trepha -ination -ine τρύπανον
trepo- τρέπειν
nema νῆμα
-iasis -osis -ίασις -ωσις
-icide -al

trepo- Cont'd
sella σέλλα
stomata -ous στοματ-
Treron(id(ae τρήρων
-inae -in(e -oid
tretenterate -a τρητός ἔντερον
Tretonea
Tretosternon -inae στέρνον
tria- τρια-
crin- κρίνον
idae ites
deme δῆμος
gonal -γωνία
log(ue λόγος
toma τομή
tri- τρι-
acanthus ἄκανθα
-id(ae -oid
-odes -inae ἀκανθώδης
acanus ἄκανος
ace ἀκή
acet- ate ic in
amid(e αμμωνιακόν
on(alk)amine
achaenium ἀ- χαίνειν
acid
acis -iae ἀκίς
acrorhize -ae ἀκρόρριζος
acrus ἄκρος
act(inal ine ἀκτιν-
adelphia -ous ἀδελφός
adenum ἀδήν
triacont- τριακοντ-
ad τριακοντάς
ane
archy τριακονταρχία
er τριακοντήρης
yl(ene ὕλη
triaconta- τριακοντα-
eterid τριακονταετηρίς
hedron -al -έδρον
triad τριαδ-
ic(al(ly τριαδικός
ism ist -ισμός -ιστής
triaena τρίαινα
-e -osa -ose
triaeno- τριαινο-
pholis φολίς
strongyle στρογγύλος
style στῦλος
tyle τύλη
triakaidekaphobia τριακαιδεκα
triakis- τριάκις φοβία
octahedron -al ὀκτάεδρον
tetrahedron -al τέτρα -έδρον
trialism -ist -ισμός -ιστής
tri- τρι-
alate allylamin ὕλη
amid(e ἀμμωνιακόν
amin(e ammino- ammon-
ammatus ἄμμα ium
amylose ἄμυλον γλεῦκος
ander -ἄνδρος
andria(n -(i)ous -ανδρία
anguloid annulate
antelope ἀνθόλοψ
anthema ἄνθημα
anthous ἄνθος
anthrimide ἄνθραξ ἀμμω-
aps(id)al ἄψις νιακόν
arachin ἄραχος
arch(ate τρίαρχος
arch(ist ἀρχή -ιστής
archy τριαρχία
arctic ἀρκτικός
arinus ἄρρην
arthrus ἄρθρον

trias Triassic τριάς
triasso- τριάς
caris καρίς
chelys χέλυς
lestes λῄστης
psyche ψυχή
psylla ψύλλα
tri- τρι-
aster ἀστήρ
atomic ἄτομος
axon(ia(n id ἄξων
az- ἀ- ζωή
ane ene in(e
elain ἀ- ζωή ἔλαιον
ol(e ἀ- ζωή
ic (id)ine o- ol one yl -ώνη
azo- ἀ- ζωή ὕλη
ate benzene -ic
bade -ism -y τριβαδ- -ισμός
ballus τριβαλλοί
basic(ity βάσις
behenin
benzoin -amide ἀμμωνιακόν
blastus -ic βλαστός
blemma βλέμμα
tribalism -ist -ισμός -ιστής
tribium τριβή
tribo- τρίβειν
electric ἤλεκτρον
fluorescent -ence
luminescent -ence
luminoscope -σκόπιον
meter μέτρον
phosphorescent -ence φωσ-
phosphoroscope φωσφόρος
tribo- τρίβος -σκοπος
nema νῆμα
stethus στῆθος
tropis τρόπις
tribolium τρίβολος
-ocara κάρα
-oceratidae κερατ-
tribon τρίβων
Tribonyx τρίβος ὄνυξ
tri- τρι-
brach(ys ic us τρίβραχυς
brach(ial ius βραχίων
brachys βραχύς
bracteate
brom- βρῶμος
aloin ide inated νάφθα
(beta)naphthol βῆτα
cannabinol κάνναβις
hydrin ὑδρ-
methane μέθυ
phenol -yl φαιν- ὕλη
resorcin salol
bromobenzene βρωμο-
bulus -oid τρίβολος
butyrin βούτυρον
-(in)ase διάστασις
capr(o)in caprylin ὕλη
capsular
carb-
alylic ὕλη
imid(e ἀμμωνιακόν
oxylic -ate ὀξύς ὕλη
carinate -ίτης
carpellary & -ite καρπός
carpous καρπός
caudate cellular
central -eity κέντρον
cephal τρικέφαλος
ic ous us
opora -inae πόρος
ceratops τρικέρατος ὤψ
cercomonas κερκο- μονάς

tri- Cont'd
cerion -ium τρικήριον
cerotin
Trica τριχ-
trich- τριχ-
actia ἀκτίς
(a)esthesia -αισθησία
angia ἀγγει-
angiectasis -ia ἔκτασις
as(inae τριχάς
asaurus τρίχα σαῦρος
aspis ἀσπίς
atrophia ἀτροφία
auxe -is αὔξη
echus ἔχειν
-id(ae -ina -in(e -oid(ea(n
-odont ὀδοντ-
eops τριχῇ ὤψ
ia iaceae idae ius
iasis τριχίασις
iaspiphenga ἀσπίς φέγγος
idium -ιδιον
iform illum
ina τρίχινος
-al -atous -id(ae -iferous
-oid
in- τρίχινος
a al atous ella -idae
(ell)iasis -ίασις
(ell)osis -ωσις
i(*or* o)scope -σκόπιον
itis osis -ῖτις -ωσις
ize -ation -ίζειν
ophobia -φοβία
otic ous -ωτικός
io- τριχίας
campus κάμπη
dera δέρη
soma σῶμα
is τριχίς
ismus τριχισμός
ite -ic itis -ίτης -ῖτις
iure -us τριχίας οὐρά
-id(ae -iform(es -oid
od- τριχώδης
a al es
angeitis ἀγγει- -ῖτις
arteriitis ἀρτηρία
ophlebitis φλεβ- -ῖτις
odont(id(ae oid ὀδοντ-
oma -e -ic τρίχωμα
-atosis -atous -ωσις
phyte φυτόν
onyx oon ὄνυξ ᾠόν
osis τρίχωσις
oton τριχωτός
uris -iasis οὐρά -ίασις
tri- τρι-
chalcite χαλκός -ίτης
chasium δικάζειν
chilia -ieae τρίχειλος
chlor- χλωρός
acetic ate ic id(e inated
aldehyde ὕδωρ
ethane ethylene αἰθήρ ὕλη
hydrin ὑδρ-
(nitro)methane νιτρο- μέθυ
chloro- χλωρο-
ethylene αἰθήρ ὕλη
lactic γαλακτ- ὕλη
methylchloroformate μέθυ
propane πρῶτος πίων
trivinyl ὕλη
tricho- τρίχα
tricho- τριχο-
(a)esthesia -αισθησία

tricho- Cont'd
bacteria βακτήριον
-inae -ium
bezoar
blast βλαστός
branchia βράγχια
-ial -iata -iate
cardia καρδία
carpous καρπός
cephala -us κεφαλή
-id(ae -oid
cephaliasis -ίασις
cera -id(ae -oid κέρας
chlamys χλαμύς
cladus -ose κλάδος
clasis -ia κλάσις
cnemus κνήμη
cosmetes κοσμητής
cryptomania κρυπτός μανία
cryptosis κρυπτός -ωσις
cyst(ic κύστις
dectes δήκτης
deres δέρις
derma δέρμα
desma δέσμα
dragma δράγμα
dyschroia δύσχροια
epithelioma ἐπί θηλή -ωμα
esthesiometer αἴσθησις
μέτρον -ωμα
fibroacanthoma ἄκανθα
fibroepithelioma ἐπί θηλή
gen(ous -γενής -ωμα
gloss- γλῶσσα
idae inae ine us
gnathus γνάθος
gomphus γόμφος
gonium γονή
gramma -inae γράμμα
gyne -ial -ic γυνή
helix ἕλιξ
hyalin ὕαλος
id τριχοειδής
labion -iodes τριχολάβιον
labis τριχολαβίς -ώδης
lepis λεπίς
lith λίθος -ιστής
logy -ia -ical -ist -λογία
loma λῶμα
mallus τριχόμαλλος
manes -oid τριχομανές
mania μανία
mesia μέσος
monas μονάς
-adid (ae -adoid
-iasis -ίασις
mycetes -osis μυκήτες -ωσις
mycosis μύκης -ωσις
mycterus μυκτήρ
-idae -inae -ine -oid
nocard-
iasis iosis -ίασις -ωσις
nosis -us νόσος
notus -id(ae -oid νῶτος
pathophobia παθο- -φοβία
pathy -ic -πάθεια
phagy -ia -φαγία
phobia -φοβία
phocin(e ae φωκή
phore -φορος
-ic -ous -etum -um -us
phya φυή
phyllous τριχόφυλλος
phyte -on φυτόν
-ic -in -osis -ωσις
plankton πλαγκτόν
plax -acid(ae -acoid πλάξ

tricho- Cont'd
podus ποδ-
poliosis πολίωσις
pselaphus ψήλαφος
psetta ψῆττα
psylla ψύλλα
pter(a(n ous πτερόν
pterygia(n πτερύγιον
pteryx πτέρυξ
-ygid(ae -ygoid
ptile -ar -osis πτίλον -ωσις
rrhexis ῥῆξις
rrhexomania μανία
rrh(o)ea -ῥοία
santhes ἄνθος
schisis σχίσις
schiza σχίζα
scolices σκώληξ
scopy -σκοπία
soma -ata -atous σῶμα
sphaeria σφαῖρα
sporange σπορά ἀγγεῖον
-ium -ial
sporon -um σπορά
sporosis -ωσις
stema στῆμα
steresis στέρησις
sternum στέρνον
stetha στῆθος
stiria στεῖρα
stola στολή
stomata -ous στοματ-
stomum στόμα
strongylus στρογγύλος
syphilis -osis -ωσις
thallic θαλλός
theca θήκη
thecium θηκίον
thorax θώραξ
tillomania τίλλειν μανία
tomy τρίχα -τομία
-ic -ism -ist -ize -ous(ly
-ισμός -ιστής -ίζειν
toxin τοξικόν
triaene -a τρίχα τρίαινα
trophy -τροφία
tropis -id(ae -oid τρόπις
tri- τρι-
chord τρίχορδος
chroic -oism -ous τρίχροος
chromatic χρωματικός
-ism -ist -ισμός -ιστής
chrome -ic -ate χρῶμα
chromosomal σῶμα
chronous τρίχρονος
clad(a -id(a -idea κλάδος
clasite κλάσις -ίτης
cleidus κλειδ-
clinic -ate κλίνειν
-ohedric ἕδρα
clinium τρικλῖνιον
-ial -iary
-iarch -αρχης
cnemus κνήμη
coccous -ose κόκκος
colon -ic τρίκωλον
component
condyla κονδύλη
conodon(t(a κῶνος ὀδών
-id(ae -oid -y
consonantalism -ισμός
corhynchia κόρη ῥύγχος
cornute
coryphean κορυφαῖος
corythodes κόρυθος -ώδης
cosane -ic εἴκοσι
cosmites κόσμος -ίτης

tri- Cont'd
cosyl(ic εἴκοσι ὕλη
cotyl(ous κοτύλη
cotyledonous -y κοτυληδών
crania κρανίον
crepidius κρηπίς
cresol κρέας σωτήρ
amin ἀμμωνιακόν
crotic -ism -ous τρίκροτος
ctenotomus κτενο- τομή
-a -id(ae -oid
cube κύβος
cyanic -ate κύανος
cyanogen κυανο- -γενής
cycl- κύκλος
al ene enic ic ol
cycle -er -ist κύκλος -ιστής
cyclo- κυκλο-
octane ὀκτώ
cycly -ic κύκλος
cyrtida(n κυρτός
dacna τρίδακνος
-acea(n -id(ae -oid
dactyl(a ous τριδάκτυλος
d(a)emonism δαίμων -ισμός
daily
dec- δεκ-
ane (at)oic ene
ammine ἀμμωνιακόν
atylene ὕλη
yl(ene ic ὕλη
deca- δέκα
hydrated ὑδρ-
molybdate μόλυβδος
naphthenic νάφθα
dentize -ίζειν
der δειρή
dermic -oma δέρμα -ωμα
diametral διάμετρος
diapason διαπασῶν
dodecahedral δωδεκάεδρον
drachm τρίδραχμων
dymus -ite τρίδυμος -ίτης
dynamous δύναμις
elaidin ἔλαιον
elasmus ἔλασμα
elcon ἕλκειν
encephalus ἐγκέφαλος
entoma ἔντομος
entoxide ὀξύς
erarch(al τριήραρχος
erarchic(al τριηραρχικός
erarchy τριηραρχία
erucin
eteric τριετηρικός
al an -ics
ethyl(ic αἰθήρ ὕλη
amin(e ἀμμωνιακόν
stibin στίβι
fluormethane μέθυ
folianol fol(it)in
foliosis -ωσις
formin -oxime ὀξύς ἀμμω-
fulmin νιακόν
gamous τρίγαμος
gamy -ist τριγαμία -ιστής
gastric γαστρ-
gener
genic γένος
Trigla τρίγλη
-id(ae -oid(ea(n
-ops -opsis ὤψ ὄψις
tri- Cont'd
glenus γλήνη
glochin -id -inin τριγλώχις
glot γλῶττα
glucose -an γλεῦκος

tri- Cont'd
glycerid(e γλυκερός
glycolamidic γλυκύς αμμω-
glyph τρίγλυφος νιακόν
al ed ic(al
goneut- γονεύειν
ic ism -ισμός
trigon(on um τρίγωνον
al(ly ate e
ia(cea(n iid(ae ioid
ic(al τριγωνικός
id ite itis -ίτης -ῖτις
trigon(ous τρίγωνος
a el es on
alys -(y)id(ae -yoid ἅλως
aspis ἀσπίς
ella -in(e -ite(s
odont ὀδοντ-
oęcia οἶκος
ops urus ὤψ οὐρά
trigono- τριγωνο-
carpum -us καρπός
cephale -us κεφαλή
-ic -ous -y
cerus -us κέρας
cuneate
desmus δεσμός
dodecahedron δωδεκάεδρον
genium γένειον
gnatha γνάθος
id(al τριγωνοειδής
martus μάρτυς
meter μέτρον
metry -μετρία
-ic(al(ly -ician
peltastes πελταστής
peplus πέπλος
phallus φαλλός
phylla φύλλον
pleurus πλευρόν
pselaphus ψήλαφος
pus πούς
rrhinus ῥίν
scelis σκελίς
scorpio σκορπίος
scuta σκῦτος
stomum στόμα
tarbus τάρβος
toma τομή
type τύπος
tri- Cont'd
gram(mmic γράμμα
grammatic -ism -ισμός
graph(y ic γραφή -γραφία
gyn(e ia(n ic (i)ous γυνή
gyra γῦρος
hedron -al -έδρον
hemeral τριήμερος
hemimer(is al ἡμι- μέρος
hemiobol τριημιωβόλιον
hemiolia τριημιολία
hemitone -ion τριημιτόνιον
hexahedral ἑξάεδρος
hexosan ἕξ γλεῦκος
hybrid(ism -ισμός
hydr- υδρ-
ate(d ic ide ol
hydrocalcite ὑδρο- -ίτης
hydrogen ὑδρο- -γενής
hydroxy- ὑδρ- ὀξυ-
hypostatic ὑποστατικός
icosane εἴκοσι
indole Ἰνδικός
iniodymus ἰνίον δίδυμος
iod(o- iodid(e ἰώδης
iodomethane μέθυ
iothyris ἰόν θυρίς

tri- Cont'd
ketone ketopurin -ώνη
labe -λαβον
laurin lignocerin
lemma λῆμμα
linol(e)in -enin
literalism -ισμός
lith(on ic τρίλιθον
lithium λίθος
lob- λοβός
ate(d ation e(d ous
ite -a(e -ic -ίτης
oceras κέρας
urus οὐρά
logical λογικός
logue λόγος
logy τριλογία
-ic(al -ist -ιστής
lophous τριλόφος
-odon(t ὀδών
-omylacris μυλακρίς
machy -μαχία
mannose μάννα γλεῦκος
mastiga(*or* o)te μαστιγ-
mastix μάστιξ
-ygid(ae -ygoid
melic τριμελής
mellitic membral
menon τρίμηνον
-ornis τρίμηνος ὄρνις
mer(ous τριμερής
a(n e ella ic ide y
esure -us οὐρά
ite -ίτης
ize -ation -ίζειν
meristele -ic μέρος στήλη
mero- τριμερής
ceras κέρας
cystis κύστις
phrys ὀφρύς
rhachis -id(ae -oid ῥάχις
mesic μέσος
mesitic μεσίτης -ισμός
metallic -ism μέταλλον
metaphosphate μετά φωσ-
meter τρίμετρος φόρος
methyl(ic ene μέθυ ὕλη
amin(e ἀμμωνιακόν
endiamine δι-
enimine ὕλη
ethylane & -ene αἰθήρ
pyridin πῦρ
stibin στίβι
metric(al μετρικός
microps μικρ- ὤψ
modal(ity
monoecism -ious μον- οἶκος
modal(ity -ισμός
monthly
morph τρίμορφος
ic ism ous y -ισμός
morphine Μορφεύς
mytis μύτις
Trinacria Τρινακρία
-ian -ite -ίτης
Tring(a eae τρύγγος
id(ae inae ine oid(es
Trinitarianism -ize -ισμός
tri- τρι- -ίζειν
negative
neural -ic νεῦρον
neurocephala νευρο- κεφαλή
nitr- νίτρον
ate ation id(e in ol
nitro- νιτρο-
benzene benzol carbolic
cellulose γλεῦκος

tri-Cont'd
glycerin γλυκερός
methane μέθυ
naphthalene νάφθα
phenol φαιν-
resorcinol
toluene toluol
xylene xylol ξύλον
nol νίτρον
nomial(ly
ism ist -ισμός -ιστής
nomy -νομία
nophenon νίτρον φαιν-
nuclear -eoides -οειδής
trinopticon τριν- ὀπτικόν
tri- τρι-
obol(us on ar(y τριώβολον
ocean(e
ocephalus = tricephalus
octahedral ὀκτάεδρος
octile ὀκτώ
ocular
od τρίοδος
ode ὁδός
ode odion τρίῳδιον
odites τριοδίτης
odon(t(es ὀδών
id(ae oid(ea(n oidei
odontophorus ὀδοντο- -φορος
oecia -ous οἶκος
-ism -ious(ly -ισμός
olefin(e olein onal
onyx ὄνυξ
-ychid(ae -ychoid(ea(n
onym(al τριώνυμος
opa -idae ὀπή -ισμός
orchis -id -(id)ism ὄρχις
orophus ὄροφος
orthogonal ὀρθογώνιος
ose γλεῦκος
osteum ὀστέον
otonol τόνος
ox- ὀξύς
ane id(e in ole ys
oxy- ὀξυ-
anthracene ἄνθραξ
anthraquinone -ώνη
benzophenon φαιν-
methylene μέθυ ὕλη
purin
ozonide ὄζων
paschal πασχάλιος
peptide πεπτόν τής
personalism -ist -ισμός -ισ-
petalous πέταλον
-oid(eous -ose
phane τριφανής
pharmacum τριφάρμακον
phase(r -ic φάσις
phasia τριφάσιος
phen- in φαιν-
amin ἀμμωνιακόν
etol αἰθήρ (ὕλη)
pheno- φαιν-
quinone -ώνη
phenyl φαιν- ὕλη
albumin
amin(e ἀμμωνιακόν
ated carbinol ene
methane methyl μέθυ ὕλη
rosaniline
stibinsulphid στίβι
phleps φλέψ
phony -φωνία
phosgene φῶς -γενής
phosphonucleis φωσφόρος
phragium φράγμα

tri- Cont'd
phthemia τρίφθος -αιμία
phthong(al τρίφθογγος
phyletic φυλετικός
phylin(e τρίφυλος
phylite -ίτης
phyllome φύλλωμα
phyllous -us τρίφυλλος
physite φύσις -ίτης
plasy -ian -ic τριπλάσιος
plax τρίπλαξ
plegia -πληγία
tripl- τριπλόος
ite -ίτης
onychus ὀνυχ-
opia -y -ωπία
triple τριπλόος
-ed -et fold ness
triplo- τριπλόος
blastic(a βλαστός
caulous -escent καυλός
clase κλάσις
id(ity ite y, -οειδής -ίτης
pus πούς
-idae -odid(ae -odoid
stichous στίχος
toma τομή
tri- τρι-
pod τρίπους
(i)al ian ic(al
pody τριποδία
polar πόλος
Tripoli Τρίπολις
-ine -itane -ite -ίτης
-polith λίθος
tripos τρίπους
plankton πλαγκτόν
trippist -ιστής
trippkeite -ίτης
positive
tri- τρι-
potassium
prosthomerous πρόσθεν μέρος
propionin πρῶτος πίων
prosopus τριπρόσωπος
prostyle πρόστυλος
psacum psis τρῖψις
pterous πτερόν
phthong(al τρίφθογγος
ptote τρίπτωτα
ptych(on τρίπτυχος
-ic(h -yca -yque
tripudist -ιστής
tripuhyite -ίτης
tri- τρι-
pus τρίπους
pylaea(n πύλή
pylum πυλών
pyramid(al πυραμιδ-
pyrenous πυρήν
pyrrole πυρρός
quinoyl ὕλη
rhombohedral ῥομβο- -έδρος
rhomboidal ῥομβοειδής
ricinolein
rrhabda ῥάβδος
rrhachis ῥάχις
tris- τρισ-
agion -ios -ium τρισάγιον
azo- azoxy- ἀ- ζωή ὀξυ-
diapason διαπασών
kaideka- τρισκαίδεκα
phobia -φοβία
megist τρισμέγιστος
ian ic us
nitrate νίτρον

tris- Cont'd
octahedron -al ὀκτάεδρον
tetrahedron -al τετρα-
Trismus -oid τρισμός
trisso- τρισσο-
chyta χυτός
pelopia πέλωψ
tri- τρι-
sacchar- σάκχαρ
id(e ose γλεῦκος
salt
schism σχίσμα
schiza σκίζα
seme -ic τρίσημος
sil(ic)ane sodium
skele -es -is -ion τρισκελής
some -ic σῶμα
sophista σοφιστής
spast(on τρίσπαστος
spermous -um σπέρμα
splanchnia σπλάγχνα
-ic -itis -ῖτις
spondylus σφονδύλος
sporic -ous σπορά
stachy σταχυ-
cera κέρας
stearin -ate στέαρ
sterigmatic στήριγμα
stich(ic -ous τρίστιχος
stichia τριστιχία
sti(g)m στίγμα
stigmatic -ose στίγμα
stoma -um στόμα
-eae -ean -id(ae -oid
stychius τρίστιχος
stylous στῦλος
syllab- τρισύλλαβος
ic(al(ly le
ism ize -ισμός -ίζειν
syncotyledonous συν- κοτυλήδών
syncotyle συν- κοτύλη
triste(or i)mania μανία
trit- τριτ-
a(mercuride
aeophys τριταιοφυής
agonist τριταγωνιστής
anopia ἀν- -ωπία
anopsia ἀν- -οψία
archy -αρχία
encephalon ἐγκέφαλον
hemimeral ἡμιμερής
opin(e ὄπιον
ovum oxid(e ὀξύς
urus οὐρά
yl(ene ic ὕλη
hybrid ὑδρ-
tri- τρι-
tane -ic -ol μέθυ
taph τάφος
teleia τέλειος
temnodon τέμνειν ὀδών
terosilicate τρίτερος?
terpene τερέβινθος
theism τρίθεος -ισμός
-istic(al -ιστής -ιστικός
theite τριθείτης
theocracy θεοκρατία
thi- θεῖον
ane enyl in ὕλη ὕδωρ
odoformaldehyd ἰώδης
onic -ate
thio- θεῖον
aldehyde ὕδωρ
phosphate φωσφόρος
thrinax θρίναξ
triticeoglossus γλῶσσα

triticism -oid -ισμός -οειδής
trito- τριτο-
cere -acone κέρας κῶνος
cerebrum -on -al
chirognathite χειρο- γνάθος
chorite χωρεῖν -ίτης
cone -id κῶνος
cosmia κόσμος
dynamea δύναμις
macrus μακρός
mesal μέσος
toxin(e τοξικόν
vertebra -al
zooid ζῷον -οειδής
triton Τρίτων
ess ic ize ly
ia (i)id(ae (i)oid
imanzilia
tri- τρι-
toma -ite τρίτομος
-ophasma φάσμα
ton
tone -ous -us τρίτονος
triacontane τριάκοντα
tylodon(tid(ae toid τύλος ὀδών
uret οὖρον
uris οὐρά
-idaceae -idaceous -idales
xeny -ξενία
zomal ῥίζωμα
zygous -ζυγος
trivialism -ισμός
-ist -ize -ιστής -ίζειν
Trixagus τριξός ἄγειν
troch- τροχ-
acea(n al ate id(ae
aic(al(ity τροχαικός
alus τροχαλός
-onota νῶτος
-opod(a ous ποδ-
-opteron πτερόν
anter τροχαντήρ
-(er)ian -eric -in(e
e τροχός
ameter μέτρον
ee(ize τροχαῖος -ίζειν
eidoscope εἶδος -σκόπιον
elminth ἑλμινθ-
iferous iform
il(e us τροχίλος
id(ae (id)in(e idist inae
in(ian ium oid
isk τροχίσκος
iscate iscus
ite -ic -ίτης
iter(ian
lea -eate τροχιλία
-ear(iform is y)
oic ol
orizocardia ὀρίζων καρδία
trocho- τροχο-
blast βλαστός
cardia καρδία
carpa καρπός
cephalia -y -ic κεφαλή
ceracone κέρας κῶνος
ceras κέρας
-an -atid(ae -atoid
coelome -ata κοίλωμα
cyst- κύστις
idae ites oides
dendron -aceae -oides δένδρον
id τροχοειδής
al(ly es eus
lites λίθος
meter μέτρον
nema νῆμα

trocho- Cont'd
phore -a -φορος
pora πόρος
saurus σαῦρος
soma σῶμα
sphaera -e -ic(al σφαῖρα
suchus σοῦχος
therium θηρίον
toma -τομος
turbella
zoa zoic zoon ζῷον
trochus τροχός
troctolite τρωκτός λίθος
trogerite -ίτης
Troglichthys τρώγλη ἰχθύς
troglo- τρωγλο-
chaetus χαίτη
dyte τρωγλοδύτης
-al -an -ish -ism -ισμός
dytes τρωγλοδύτης
-id(ae -inae -ine -oid
dytic(a(l τρωγλοδυτικός
phila -φιλος
Troglops τρώγλη ὤψ
trogo- τρώγειν
dendron δένδρον
derma δέρμα
lemur
phloeus φλοιός
sita -id(ae -oid σῖτος
xylon ξύλον
Trogodes τρώξ -ώδης
Trogon τρώγων
es id(ae ine oid(ean
ophis -id(ae -oid ὄφις
Trogus τρώγειν
Troic Τρωικός
troilite -ίτης
troilus Τρωΐλος
Trojan Τρώιος
trolleite -ίτης
trolleyize -ίζειν
trombid- τρωμβώδης
iasis iosis -ίασις -ωσις
Trombidium τρωμβώδης
-ea(n -iid(ae -ina -ioid(ea(n
trombonist -ιστής
tromo- τρομο-
mania μανία
meter μέτρον
metry -ic(al -μετρία
ptera πτερόν
trona νίτρον
tron(e τρυτάνη
age (ag)er man
troostite -ic -ίτης
Troostoblastus βλαστός
-id(ae -oid
Tropaeolum τρόπαιον
-aceae -aceous -in(e
tropaeum τρόπαιον
-aion -(a)eal
tropal τρόπος -ώνη
tropan(e -ol -one Ἄτροπος
troparion -y τροπάριον
Tropaxis τρόπος
-trope -al τρόπος
trope τρόπος
tropeic τρόπις
tropein(e tropen(e Ἄτροπος
tropesis τροπή
tropetry τρόπος
troph- τροφή
(o)edema οἴδημα
ema αἷμα
esy -ial
ic(al(ly icity τροφικός

troph- Cont'd
ilegic
ism -ισμός
trophi -al τροφός
trophime -ous τρόφιμος
trophis τροφός
tropho- τροφο-
blast(ic oma βλαστός -ωμα
calyx κάλυξ
chromidia χρῶμα
chromatin χρωματ-
cyte κύτος
derm δέρμα
disk δίσκος
dynamics δυναμικός
gon(e γόνος
lecithus -al λέκιθος
logy -λογία
nema νῆμα
neurosis νεῦρον -ωσις
neurotic -ωτικός
nosis -us νόσος
nucleus
pathy -πάθεια
phore -ic -ous τροφοφόρος
phyll φύλλον
phyte φυτόν
plasm(ic πλάσμα
plast πλαστός
pollen
some -al σῶμα
sperm(ium σπέρμα
sphere σφαῖρα
spongia σπογγία
-ial -ian -ium
spore -osome σπορά σῶμα
taxis τάξις
therapy θεραπεία
tonus τόνος
tropic -ism τροπ- -ισμός
zoite zooid ζῷον -ίτης
-οειδής
Trophonian Τροφώνιος
-trophy -τροφία
trophy τρόπαιον τροφή
tropic(al(ly -alize τροπικός
alia -ian -ίζειν
opolitan πολίτης
Tropidia -ial τροπιδ-
tropidin(e Ἄτροπος
tropido- τρόπις
baris βᾶρις
caulus καυλός
dema δέμας
deres δέρις
gaster γαστήρ
lepis λεπίς
leptus -inae λεπτός
notus νῶτος
phorus φόρος
pterus πτερόν
rhinus ῥίν
rhynchia rhyncus ῥύγχος
scaphula σκάφος
soma σῶμα
sterni -al στέρνον
tropigenine Ἄτροπος -γενής
tropilene Ἄτροπος
tropilidine
tropin(e -one -ώνη
tropi- τρόπις
gnorimus γνώριμος
phlepsia φλέψ
sternus στέρνον
tropio- τρόπις
caris -id(ae -oid κάρις
rhynchus ῥύγχος

tropis τρόπις
tropism τρόπος -ισμός
-ist(ic(ally -ιστής -ιστικός
Tropites -id(ae -oid τρόπις
tropo- τροπή -ίτης
meter μέτρον
tropo- τρόπις
calymma κάλυμμα
tropo- τροπικός
drymium δρυμός
phil(ous -φιλος
phyll φύλλον
phyte -ic φυτόν
tropo- τρόπος
pause παῦσις
sphere σφαῖρα
stereoscope στερεο- -σκόπιον
tropology τροπολογία
-ic(al(ly τροπολογικός
-ize -ίζειν
tropotentry τροπή
-tropous -τροπος
troptometer τρόπος μέτρον
tropyl Ἄτροπος ὕλη
trotol -yl τρι- νίτρον ὕλη
Trotomma τρωτός ὄμμα
troubadourism -ist -ισμός -ιστής
trout τρώκτης
trowlesworthite -ίτης
Trox τρώξ
truantism -ισμός
truism(atic -ισμός
truistic(al -ιστικός
truma τρῦμα
truncheonist -ιστής
truncoconical κῶνος
Truncülariopsis ὄψις
Trupheopygus τρυφή πυγή
tryblia τρύβλιον
-idium -aceae -ιδιον
Trycherus τρυχηρός
Trygon(id(ae oid τρυγών
Tryma τρῦμα
Trymodera τρύμη δέρη
trypa τρῦπα
flavine τρύπανον
trypan(on τρύπανον
id(e idius osan
ophis ὄφις
trypano- τρυπανο-
cide -al
lysis λύσις
lytic λυτικός
plasma πλάσμα
rhynchus ῥύγχος
san
some -a σῶμα
-acide -al -ata -ate -ic -id(e
-atosis -iasis -ωσις -ίασις
stoma στόμα
tryparsamid(e τρύπανον
ἀρσενικόν ἀμμωνιακόν
trypasafrol τρύπανον
trypase τρῖψις διάστασις
Trypematella τρύπημα
trypesis τρύπησις
Trypeta -es τρυπητής
-id(ae -inae -in(e
Trypethelium τρυπᾶν θηλή
-iaceae -ioid
Tryphactothrips τρύφαξ θρίψ
Trypherus τρυφερός
trypiate τρῦπα
trypo- τρῦπα
chete χαίτη
dendron δένδρον

trypo- Cont'd
naeus ναίειν
pitys πίτυς
trypo- τρύπανον
castellanelleae
trypo- τρυπᾶν
graph(ic ize -γραφος -ίζειν
xylon -us ξύλον
tryps- τρῖψις
ase διάστασις
in(ized -ίζειν
(in)ogen -γενής
trypt- τρύειν πεπτόν
amine ἀμμωνιακόν
ophol φαιν-
trypt- τριπτός
ase διάστασις
ic one -ώνη
onemia -ώνη -αιμία
trypto- τριπτός
gen(e -γενής
lysis λύσις
phan φαν-
Trysibius τρυσίβιος
Tryssus τρυσσός
Tsarist -ιστής
tscheffkinite tschermigite -ίτης
tubarsyl ἀρσενικόν ὕλη
tubectomy -εκτομία
tubercul-
igenous -γενής
(ar)ize -ation -ίζειν
itis oid(in -ῖτις -οειδής
oma osis -ωμα -ωσις
tuberculo-
cele κήλη
derma δέρμα
fibroid -osis -οειδής -ωσις
mania μανία
myces μύκης
nastin ναστός
opsinic ὀψωνεῖν
phobia -φοβία
plasmin πλάσμα
protein πρωτεῖον
samine ἀμμωνιακόν
therapy θεραπεία
tox(oid)in τοξικόν -οειδής
trophic τροφή
tropic τρόπος
tuberoid -οειδής
tubipore -a πόρος
-aceae -acean -aceous -id(ae
-ite
Tubithyris θυρίς
tubo-
adnexopexy πῆξις
peritoneal περιτόναιον
rrhea -ροια
stoma -aceae στόμα
toxin τοξικόν
tympanal τύμπανον
tubuli-
branch βράγχια
ian iata iate
pore -a -id(ae -oid πόρος
tubulo-
cyst κύστις
dermoid δέρμα -οειδής
tuism -istic -ισμός -ιστικός
tular(a)emia -αιμία
tulipomania -iac μανία -ακός
tulo- τύλος
phorites -φορος -ίτης
stoma -aceae στόμα
tune -er τόνος
-(e)able -ly -ness

tune Cont'd
ful(ly ness less(ly ness
-ist -ιστής
tungst(en)ite -ίτης
tungsto-
cyanic κύανος
phosphoric φωσφόρος
Tupistra τυπάς
Tupperism -ισμός
turacoporphyrin πορφύρεος
turbidimeter μέτρον
turbidimetry -ic -μετρία
turbinectomy -εκτομία
turbinotome -y -τομον -τομία
Turcism Τουρκοί -ισμός
Turco- Τουρκο-
logist -λογία -ιστής
mania μανία
phil(e -ism -φιλος -ισμός
phobe -ist -φοβος -ιστής
pole Τουρκόπουλος
turfite -ίτης
turfophilae -φιλος
turgite -ίτης
turgoid -οειδής
turgometer μέτρον
turgometry -μετρία -ίζειν
Turkism -ize Τουρκοί -ισμός
Turnerism -ize -ισμός
turnerite -ίτης
turnicomorph(ae ic μορφή
turnipology -ist -λογία -ιστής
turpentine τερέβινθος
-ic -ous -y
turpentole turps
turpinite -ίτης
Turrilepas λεπάς
turrilite λίθος
-icone κῶνος
-es -id(ae -oid
Tursiops ὤψ
turtledoveism -ισμός
turtlize -ίζειν
Tuscanism -ize -ισμός -ίζειν
tutiorism -ist -ισμός -ιστής
tutorism -ισμός
-ization -ize -ίζειν
twinism -ισμός
tych- e ea τύχη
aeus τυχαῖος
asm -ασμός
astics -ism -αστικός
ism istic -ισμός -ιστικός
ius Τυχίος
tycho- τύχη
limnetic λίμνη γένεσις
parthenogenesis παρθενο-
pelagic πέλαγος
plankton πλαγκτόν
potamic ποταμός
Tycoonism -ισμός
tyl- τύλος
arus on ose
enchus ἔγχος
hexactine ἐξ ἀκτιν-
ion τυλεῖον
odes τυλώδης
oma -us τύλωμα
osis τύλωσις
otic -ωτικός
tyl- ὕλη
calcin marin
lithin λίθος
Tylerism -ize -ισμός -ίζειν
tylo- τυλο-
cerus κέρας
clad κλάδος

tylo- Cont'd
dendron δένδρον
deres δέρις
is τυλόεις
notus νῶτος
phora -in -φορος
pod(a ous ποδ-
pora πόρος
pterus πτερόν
saurus σαῦρος
style -ar -ote στῦλος
tarsus ταρσός
Tylosurus τύλος οὐρά
tylote -ate τυλωτός
-oxea -eate ὀξύς
Tylus -id(ae -oid τύλος
tymp τύμπανον
tympan τύμπανον
al ia iform um
ectomy -εκτομία
ic(al ity τυμπανικός
ichord(al χορδή
ion τυμπάνιον
ism τυμπανισμός
istria τυμπανίστρια
it- τυμπανίτης
es ic(al is
ize τυμπανίζειν
uchus -ουχος
tympano- τυμπανο-
cervical Eustachian
hyal ὕαλος
hyoidal ὑαλοειδής
id τυμπανοειδής
malleal mandibular
mastoid(itis μαστοειδής
occipital -ῖτις
periotic περί ὠτ-
phonia -y -φωνία
phorus -φορος
somatosis σωματ- -ωσις
squamosal
stapedial temporal
tomy -τομία
tympany -ous τυμπανίας
Tyndallize -ation -ίζειν
Tyndarides -ae Τυνδαρίδης
Tyntlastes τύντλος
type τύπος
-al -er ful fy less setter
typ- τύπος write(r
acanthid ἄκανθα
archical -αρχία
embryo ἔμβρυον
typh- τύφη
a aceae aceous etum
aeid(ae aeoid aeus
typh- τῦφος
aceae aea oin onia onium ose
ous ula us
(a)emia -αιμία
ase διάστασις
ia ic ization -ίζειν
ine inia
is id(ae oid
odial τυφώδης
oid(al ette τυφώδης
osis -ωσις
typhl- τυφλόν
atonia -y ἀτονία
ectasis ἔκτασις
ectomy -εκτομία
ichthys τυφλός ἰχθύς
itis -ic -ῖτις
oid -οειδής
on τυφλόν
ope(s ὤψ

typhl- Cont'd
ophthalmi(c ὀφθαλμός
ops ὤψ
opid(ae opoid(ea(n
osis τύφλωσις
typhlo- τυφλο-
albuminuria -ουρία
bius βίος
cele κήλη
dicliditis δικλίς -ῖτις
empyema ἐμπύημα
(en)teritis ἔντερον -ῖτις
gobius
graph -γραφος
hepatitis ἡπατ- -ῖτις
lexia λέξις
lithiasis λιθίασις
logy -λογία
molge
myrmex μύρμηξ
pexia -y -πηξία
porus πόρος
proctus πρωκτός
sole -ar σωλήν
stenosis στένωσις
stomy στόμα
symbranchus συμ- βράγχος
tomy -τομία
trechus τρέχειν -στομία
ureterostomy οὐρητήρ
typho- τυφο-
adynamic ἀ- δύναμις
bacillosis -ωσις
bacterin βακτήριον
bia βίος
chiton χιτών
deictor δεικνύμι
ean Τυφωεύς
genic -γενής
hemia -αιμία
lumbricosis -ωσις
lysin λύσις
malaria -ial
mania τυφομανία
paludism -ισμός
phor -φορος
pneumonia πνευμονία
protein πρωτεῖον
remittent rubeloid
sepsis σῆψις
toxin(e τοξικόν
Typhon Τυφῶν
ian Τυφώνιος
ic Τυφωνικός
typic τυπικός
al(ity ally alness
typicon -um τυπικόν
typ- τύπος
ification ifier ify
ism ist -ισμός -ιστής
odontia ὀδοντ-
onym(al ic ὄνυμα
orama ὅραμα
typo- τυπο-
cosmy κόσμος
crat(ic -κρατης
etching
graph(er -γραφος
graphy -ia -γραφία
-ic(al(ly -ist -ize -ιστής
gravure γράφειν -ίζειν
lite λίθος
lithography λιθο- -γραφία
logy -ic(al -λογία
-ist -ize(r -ιστής -ίζειν
mania μανία
meter -ry μέτρον -μετρία

typo- Cont'd
phil -φιλος
phorus -φορος
photograph φωτο- -γραφος
radiography -γραφία
scope -σκόπιον
scribe script
tele- τηλε-
graph(y -γραφος -γραφία
therium θηρίον
-iid(ae -ioid
thetae theter θετήρ
typtology τύπτειν -λογία
-ical -ist -ιστής
tyramin τυρός ἀμμωνιακόν
tyrandise τύραννος
tyrann- τύραννος
ess ial ious ish ity ισσα
ic(al(ly ness τυραννικός
icide -al
is τυραννίς
iscus ism -ίσκος -ισμός
ize(r τυραννίζειν
ous(ly ness
ula -in(e -us
tyranno- τυραννο-
ctonic τυραννοκτόνος
phobia φοβία
saurus σαῦρος
Tyrannus τύραννος
-id(ae -inae -ine -oid(ean
tyranny τυραννία -oideae
tyrant τύραννος
ess ly ry ship -ισσα
Tyrian Τύριος
tyrite -ίτης
tyr- τυρός
atol ein
emesis ἔμεσις
eusis τύρευσις
iasis oid -ίασις -οειδής
oma τύρωμα
-atosis -atous -ωσις
onism -ισμός
osis oxin -ωσις ὀξύς
tyro- τυρο-
borus βορός
genous -γενής
glyphus Τυρογλύφος
-id(ae -inae -in(e
leucin λευκός
mancy μαντεία
phagus -φαγος
thrix θρίξ
tox- τοξικόν
icon in(e ism -ισμός
lite -ίτης
tyros- τυρός
al ol yl ὕλη
amine ἀμμωνιακόν
in(e -ινος
ase διάστασις
uria -ουρία
Tyrrhenaria Τυρρηνός
Tyrrhene -ian Τυρρηνοί
Tyrtaean Τυρταῖος
tysonite -ίτης
Tytthonyx τυτθός ὄνυξ
Tziganologue -ist λόγος -ιστής

uarthritis οὖρον ἀρθρῖτις
uaterium οὖς ἀτηρία
ubiquism -uist -ισμός -ιστής
ubiquit(arian)ism -ισμός
ubiquitist -ιστής

Udamina οὐδαμινός
Udeteros οὐδέτερος
udometer -metric μέτρον
uglyography -ize -γραφία
Uintacyonidae κύων -ίζειν
uintathere θηρίον
-ium -iidae
Ulaema ὕλη αἷμα
ul- οὖλον
(a)emorrhagia αἱμορραγία
aganactesis ἀγανάκτησις
algia -αλγία
atrophia -y ἀτροφία
etic itis -ῖτις
oncus ὄγκος
osis -ωσις
ul- οὐλή
ectomy -εκτομία
erythema ἐρύθημα
etomy -τομία
oid otic -οειδής -ωτικός
ulexite -ίτης
ulexogenol -γενής
ulexoside γλεῦκος
ullmannite -ίτης
ulnocondylar κόνδυλος
ulnometacarpal μετακάρπιον
Ulodes οὖλος -ώδης
ulo- ὀυλο-
cace κακή
carcinoma καρκίνωμα
centra κέντρον
cerus οὐλόκερως
chaetes χαίτη
dendron -oid δένδρον
dermatitis δέρμα -ῖτις
glossitis γλῶσσα -ῖτις
menes οὐλόμενος
notus νῶτος
phocine -ae φώκη
ptera πτερόν
rrhagy -ia -ῥαγία
rrh(o)ea -ῥοιά
somus σῶμα
thrix θρίξ
triches τριχ-
-aceae -acean -aceous
trichi -an -ous τριχ-
ultra-
agnostic ἄγνωστος
atomic ἄτομος
basic βάσις κέφαλος
brachycephalic -y βραχυ-
centenarianism -ισμός
centrifuge κέντρον
cosmopolitan κοσμοπολίτης
critical κριτικός
crepidarianism -ισμός
crepidizing -ίζειν
dolichocephalic -y δολιχο-
-κεφαλος
democratic δημοκρατία
despotic δεσπότης
fidianism -ισμός
galactic Γαλαξίας
gangetic Γάγγης
gaseous χάος τικός
ism ist(ic -ισμός -ιστής -ισ-
micro- μικρο-
be βίος
crystal κρύσταλλος
meter μέτρον -σκοπία
scope -y -ic(al -σκόπιον
micron μικρόν
montanism -ισμός
-ist -ize -ιστής -ίζειν
nominalistic -ιστικός

ultra- **Cont'd**
parallel παράλληλος
pauline Παῦλος
phosphate φωσφόρος
photomicrograph φωτο-
μικρσ- -γραφος
physical φυσικός
planetary πλανήτης
porosity πόρος
positivistic -ιστικός
prophylaxis πρό φύλαξις
protestantism -ισμός
purist -ιστής
romanticist -ιστής
symphonic σύμφωνος
theological θεολογία
toxon τοξικόν
tropical τροπικός
umbelloid -οειδής
umbilicanism -ισμός πία
umbrascope -y -σκόπιον -σκο-
unacademic ἀκαδημεικός
unaesthetic αἰσθητικός
unalcoholized -ίζειν
un-Americanize -ίζειν
unanalytic(al ἀναλυτικός
unanatomizable ἀνατομή
unanchor ἄγχυρα -ίζειν
unanchylosed ἀγχύλωσις
unanimalized -ίζειν
unapologetic ἀπολογητικός
unapostatized ἀποστάτης
unapostolic(al(ly ἀπόστολος
unarchitectural ἀρχιτέκτων
unastronomical ἀστρονομία
unauthentic αὐθεντικός
al(ly ity ness
unauthorized(ly -ίζειν
unazotized ἄζωτος -ίζειν
unbaptize(d βαπτίζειν
unbarbarize βάρβαρος -ίζειν
unbowdlerize -ίζειν
uncanonic κανωνικός
al(ly alness
uncanonize(d -ίζειν
uncarboxylated ὀξύς ὕλη
uncatalogued κατάλογος
uncathedraled καθέδρα
uncatechized κατήχησις
uncatholic καθολικός
(al)ness ize -ίζειν
uncentre(d κέντρον
uncharacter(ed χαρακτήρ
istic(ally ized -ιστικός -ίζειν
unchemicalled χημεία
uncholeric χολερικός
unchorded χορδή
unchristen(ed Χριστιανός
unchristian Χριστιανός
ity ize(d like ly ness
unchristlike(ness Χριστός
unchristly -iness Χριστός
unchronicled χρονικός
unchronological(ly χρονολογία
unchurch(like ly κυριακόν
uncialize -ίζειν
uncicatrized -ίζειν
uncinariasis -ίασις
uncinariosis -ωσις
uncivilizable -ίζειν
uncivilizate & -ation -ίζειν
uncivilized(ness -ίζειν
unclergiable κληρικός
unclerical(ly κληρικός
unclerklike κληρικός
uncritical(ly κριτικός
uncriticized -able -ingly

uncrystallized κρύσταλλος
-ability -able -ίζειν
uncynical(ly κυνικός
undecadiene δι-
undecagon γωνία
undecanaphthene -ic νάφθα
undecenyl ὕλη
undecyl ὕλη
ene (en)ic o- -ίζειν
undemagnetizable Μαγνῆτις
undemocratic(ally δημοκρατία
under-
basal βάσις
capitalized -ίζειν
oxidize ὀξύς -ίζειν
school σχολή
tune type τόνος τύπος
undespotic δεσπότης
undiagnosed διάγνωσις
undiaphanous διαφανής
undramatic(al(ly δραματικός
undulationist -ιστής
unduloid -οειδής
uneclipsed ἔκλειψις
uneconomical(ness οἰκονομικός
unelectrify ἤλεκτρον
unelectrized -ίζειν
unemphatic(al(ly ἐμφατικός
unempirically ἔμπειρος
unenergetic ἐνεργητικός
unentomological ἔντομα
-λογία
unepiscopal(ly ἐπίσκοπος
unepitaphed ἐπιτάφιος
unetherial αἰθήρ
unethical(ness ἠθικός
uneuphonious εὔφωνος
unevangelized εὐαγγέλιον
unfamiliarized unfertilized un-
fossilized ungalvanized un-
gentlemanize -ίζειν
ungeographical γεωγραφία
ungeometric(al(ly γεωμετρία
ungrammared γράμμα
ungrammatic γραμματικός
al(ly alness
un-Greek Γραικός
ungulite -ίτης
unharmony ἁρμονία
-ic -ious(ly -ize -ίζειν
unheroic ἡροικός
unhistoric(al(ly ἱστορικός
unhumanize -ίζειν
uni-
basal βάσις
branchiate βράγχια
carpellate καρπός
central κέντρον
clinal κλίνειν
cycle -ist κύκλος -ιστής
cotyledonous κοτυληδών
dactylous δάκτυλος
embryonic -atus ἔμβρυον
form(al)ization -ίζειν
formal(*or* it)ize -ίζειν
formitarianism -ισμός
lobar -ate(d -ular λοβός
oid -οειδής
petalous -πεταλος
phase -er φάσις
phonous φωνή
polar ποόλς
porous πόρος
sorous σωρός
stylist στῦλος -ιστής
telegraphic τηλε- γραφία
tri(valent τρι-

uni- **Cont'd**
trope -τροπος
typic τύπος
versalism -ισμός
-ist(ic -ization -ize -ιστής
-ιστικός -ίζειν
versitarianism -ισμός
versitize -ίζειν -ιστής
versology -ical -ist -λογία
unidealism ἰδέα -ισμός
unidiomatic ἰδίωμα
unintellectualism -ισμός
unionism -ισμός
-ist(ic -ite -ize(d -oid -ιστής
-ιστικός -ῖτης -ίζειν -οει-
unitarianism -ize -ισμός -δής
unitarist -ιστής
unitize -ίζειν
unlegalized unlocalized -ίζειν
unliturgized λειτουργία -ίζειν
unlycanthropize λυκάνθρωπος
unlyrical(ly λυρικός
unmacadamized -ίζειν
unmagnetic Μαγνῆτις
unmartyr(ed μάρτυρ
unmaterialized -ίζειν
unmathematical μαθηματικός
unmechanic(al(ly μηχανικός
unmechanize μηχάνη -ίζειν
unmediatized -ίζειν
unmelodized μελῳδία -ίζειν
unmetallic -ized μέταλλον
-ίζειν
unmetamorphosed μεταμόρ-
φωσις
unmetaphorical μεταφορά
unmetaphysic(al μετά φυσικά
unmethodical(ly μέθοδος
unmethodized -ίζειν
unmetrical μετρικός
unmissionized -ίζειν
unmodernized -ίζειν
unmonopolize μονοπωλία
unmoralize -ίζειν
unmusical(ly ness μουσικός
unmysterious -y μυστήριον
unmystical μυστικός
unmystified μυστήριον
unnaturalism -ist -ισμός -ιστής
unnaturalize -able -ίζειν
unneutralized -ίζειν -ίζειν
unnitrogenized νίτρον -γενής
unorgan- ὄργανον
izable ized(ness -ίζειν
unorthodox ὀρθόδοξος
unorthodoxy ὀρθοδοξία
unorthographically ὀρθογραφία
unoxidized ὀξύς -ίζειν
unoxygenated ὀξυ- -γενής
unparadise παράδεισος
unparagonized -ίζειν
unparallel παραλλήλος
able ed(ly (ed)ness
unparalyzed παράλυσις
unparaphrased παράφρασις
unparasitized παράσιτος
unpatriarchal πατριάρχης
unpatriot πατριότης
ic(ally ism ized -ισμός -ίζειν
unpatronized -ίζειν
unpauperized -ίζειν
unpedantic παιδαγωγός
unperoxidizable ὀξύς -ίζειν
unphenylated φαιν- ὕλη
unphilanthropic
φιλανθρωπικός
unphilosopher φιλόσοφος

unphilosophic φιλοσοφικός
al(ly alness
unphilosophize φιλοσοφία
unphilological φιλολογία
unphonetic(ness φωνητικός
unphrased φράσις
unphysical(ly φυσικός
unphysiological φυσιολογία
unpoetic ποιητικός
al(ly alness
unpoetized ποιητής -ίζειν
unpolarized -able πόλος -ίζειν
unpolitic(ly ness πολιτικός
unpolitical
unpope πάπας
unpopularize -ίζειν
unpracticable(ness πρακτικός
unpractical(ity -ly -ness
unpractised -able(ness
unpragmatic πραγματικός
unprophetic(al(ly προφήτης
unproselyte προσήλυτος
unprotestantize -ίζειν
unrealize -er -ίζειν
unrevolutionized -ίζειν
unrhetorical ῥητωρικός
unrhythmic(al ῥυθμός
unromanized -ίζειν
unromanticized -ίζειν
unroyalist -ιστής
unsceptre σκῆπτρον
unscholar(like -ly σχολή
unscholastic σχολαστικός
unschool(ed σχολή
unscrutinized -ing(ly -ίζειν
unsectarianism -ize -ισμός
unsecularize(d unsensitized
unsensualize unsentimentalize
unsolemnized -ίζειν
unsophisticate(d(ness σοφισ-
unsophistification τικός
unspecialized -ίζειν
unspiritualize(d -ίζειν
unstigmatized στιγματίζειν
unstoic στοικός
unsubsidized unsubstantialize
unsulphurize -ίζειν
unsymmetric(al συμμετρικός
unsymmetry -ized συμμετρία
unsympathetic(ally συμπαθητ-
unsympathy συμπαθεία ικός
-ized(-ability -able -ing(ly
unsyntactical συντακτικός
unsystematic συστηματικός
al(ly -ίζειν
unsystematized -able σύστημα
untechnical(ly τεχνικός
untheological θεολογία
untheoretic(al θεωρητικός
untheorizing θεωρία -ίζειν
unthrone -ing θρόνος
untomb(ed τύμβος
untone(d -ality τόνος
untragic(al τραγικός
untranquilize(d -ίζειν
untrophied τροπαῖον
untruism -ισμός
untune τόνος
-able(ness -ably -ed ful(ly
unvitriolized fulness
unvocalized unvolat(il)ize(d
unvulcanized unvulgarize(d
unzoned ζώνη -ίζειν
uohyal ὑοειδής ὕαλος
uorrhagia ὑοειδής -ῥαγία
upaethral -ic ὕπαιθρος
Upeneus ὑπήνη

upheavalist -ιστής
upsiloid ὗψιλόν -οειδής
upsilon ὗψιλόν
ism -ized -ισμός -ίζειν
upstartism -ισμός
ur- οὖρον
achus οὐραχός
-al -ovesical
acil al(ine alium
acrasia ἀκρασία
acratia ἀκρατία
(a)emia -αιμία
agogue ἀγωγός
am- ἀμμωνιακόν
ido il(ic in(o
analysis ἀνάλυσις
aroma ἄρωμα
arthritis ἀρθρῖτις
ase -ol διάστασις
at- e ic
(a)emia oma -αιμία -ωμα
osis uria -ωσις -ουρία
ato-
lysis lytic λύσις λυτικός
azin(e azol(e ἀ- ζωή
ur- οὐρά
acanthus ἄκανθα
aea aeum οὐραῖον
aeus οὐραῖος
agus οὐραγός
aspis ἀσπίς
aster(ellidae ἀστήρ
auges αὐγή
enchelidae ἔγχελυς
ura- οὐρά
leptus λεπτός
lichas λιχάς
pteryx πτέρυξ
-ygid(ae -ygoid
uraconite Οὐρανός κονία -ίτης
ural-
ite -ic -ίτης
ize -ation -ίζειν
orthite ὀρθ- -ίτης
uran- Οὐρανός
asteridae ἀστήρ
ate ato-
atemnite ἀτέμνειν -ίτης
chalcite χαλκός -ίτης
conise κόνις
ia(n iid(ae ioid Οὐρανία
iate ic(al ics Οὐρανός
icentric κεντρικός
idea idin iferous in(in
inite -ίτης
ion οὐράνιος
isconitis οὐρανίσκος -ῖτις
isco- οὐρανίσκος
chasma χάσμα
plasty -πλαστία
rrhaphy -ia -ῥαφία
iscus οὐρανίσκος
ite -ic -ίτης
ium(glass
niobite Νιόβη -ίτης
urano- οὐρανο-
ammonic ἀμμωνιακόν
centrodon κέντρον ὀδών
chalcite χαλκός -ίτης
circite κίρκος -ίτης
cyanin -osis κύανος -ωσις
cyanogen κυανο- -γενής
gnosy -γνωσία
graphy οὐρανογραφία
-er -ic(al -ist -ιστής
latry λατρεία
lite lith λίθος

urano- Cont'd
loger logy -λογος -λογία
mania μανία
metry -ia -ical -μετρία
molybdate μόλυβδος
niobite Νιόβη -ίτης
pathy -πάθεια
phane -φανής
photography φωτο- -γραφία
photometer φωτο- μέτρον
phyllite φύλλον -ίτης
pilite πῖλος -ίτης
pissite πίσσα -ίτης
plasty -ic -πλαστία
plegia -πληγία
rr(h)aphy -ia -ῥαφία
schisis σχίσις
schism σχίσμα
scope -y -σκόπιον -σκοπία
scopus οὐρανοσκόπος
-ian -id(ae -inae -oid(ea(n
spathite σπάθη -ίτης
sphaerite σφαῖρα -ίτης
spinite σπίνος -ίτης
staphylo- σταφυλή
plasty -πλαστία
rrhaphy -ῥαφία
stomato- στοματο-
scope -y -σκόπιον -σκοπία
tantalite Τάνταλος -ίτης
thallite θαλλός -ίτης
theism θεός -ισμός
thorite -ίτης
til(e τίλος
uran- Οὐρανός
oso-
ammonic ἀμμωνιακόν
potassic uranic
ous us
spath σπάθη
yl(ic ὕλη
urarize -ίζειν
urbanism -ist -ισμός -ιστής
-ite -ization -ize -ίτης -ίζειν
urcaulome καυλός
urdite -ίτης
urea -eal οὖρον
urea- οὖρον
bromin βρῶμος
genetic γενετικός
genic -γενής
meter -ry μέτρον -μετρία
nitrate νίτρον
oxalate ὀξαλίς
ur- οὖρον
ecchysis ἔκχυσις
edema οἴδημα
elcosis ἕλκωσις
emia -αιμία
-ide -igenic -γενής
erythrin ἐρυθρός
esin ete
ure- οὖρον
ase διάστασις
cidin ic id(e ido- in ol
urechitoxin τοξικόν
uredinoid -οειδής
uredinologist -λογία -ιστής
uredinospore σπορά
uredogonidium γονή -ιδιον
uredosorus σωρός
uredospore σπορά
-ic -iferous -ous
ureilite λίθος
ureo- οὖρον
carbonic -ate
genesis γένεσις

ureo- Cont'd
meter -ry μέτρον -μετρία
rrhea -ῥοιά
secretory
uresis οὔρησις
-i(a)esthesia -αισθησία
ureter οὐρητήρ
-(er)al -eric
-(er)algia -αλγία
cysto- κύστις
scope -σκόπιον
stomy -στομία
ectasis -ia ἔκτασις
ectomy -εκτομία
itis -ῖτις
uretero- οὐρητήρ
cele κήλη
cervical
colostomy κῶλον -στομία
cyst- κύστις σις
anastomosis ἀναστόμω-
cysto- κύστις
(neo)stomy νεο- -στομία
scope -σκόπιον
dialysis διάλυσις
enteric ἔντερον
-ostomy -στομία
genital intestinal
graphy -γραφία
lith(ic(us λίθος
lithiasis λιθίασις
lithotomy λιθοτομία
lysis λύσις
neo- νεο- μία
cystostomy κύστις -στο-
pyelostomy πυελο-
nephrectomy νεφρός -εκτο-
phlegma φλέγμα μία
phlegmasia φλεγμασία
plasty -πλαστία μία
proctostomy πρωκτός -στο-
pyelitis πύελος -ῖτις
pyelo- πύελος
graphy -γραφία
(neo)stomy νεο- -στομία
nephritis νεφρός -ῖτις
pyosis πύωσις
rectostomy -στομία
rrhagia -ῥαγία
rr(h)aphy -ῥαφία
salpingostomy σαλπιγγο-
sigmoidostomy σιγμοειδής
-στομία
stegnosis στέγνωσις
stenoma στένωμα
stenosis στένωσις
stoma -osis -y στόμα -ωσις
thromboides θρομβοειδής
tomy -τομία
trigono- τρίγωνος
enterostomy ἐντερο-
-στομία
sigmoidostomy σιγμοειδής
ureteral -ostomy -στομία
uterine vaginal vesical
urethan(e -ize οὖρον αἰθήρ
urethra οὐρήθρα -ίζειν
graph -γραφος
meter μέτρον
scope -σκόπιον
tome -τομον
urethr- οὐρήθρα
al
algia -αλγία
atresia ἀτρησία
ectomy -εκτομία
emphraxis ἔμφραξις

urethr- Cont'd
eurynter εὐρύνειν
ism -ισμός
itis -ic -ῖτις
urethro- οὐρήθρα ῥοία
blennorrh(o)ea βλέννος
bulbar βολβός
cele κήλη
cystitis κύστις -ιτις
genital φος
gram graph γράμμα -γρα-
meter metric μέτρον
penile
perineal περίνεον
-eoscrotal
phraxis φράσσειν
phyma φῦμα
plasty -ic -πλαστία
prostatic προστατής
rectal
rrhagia -ῥαγία
rrhaphy -ῥαφία
rrh(o)ea -ῥοία
scope -σκόπιον
scopy -ic(al -σκοπία
sexual
spasm σπασμός
staxis στάξις
stenosis στένωσις
stomy -στομία
tome -y -τομον -τομία
vaginal vesical
ur- οὖρον
ethylan(e = methylurethane
etic οὐρητικός
et(id)ine ette ian
ic
(acid)(a)emia -ic -αιμία
aciduria -ουρία
ase διάστασις
edin
ico-
lysis lytic λύσις λυτικός
meter μέτρον
ide idin(e
(h)idrosis -ἱδρωσις
indigo Ἰνδικός
itis -ῖτις
-uria -ουρία
uri- οὖρον
(a)esthesis αἴσθησις
tone τόνος
urin-
(a)emia -αιμία
alist -ιστής
alysis ἀνάλυσις
oma -ωμα
urine-mucoid -οειδής
urino-
bilinogen -γενής
cryoscopy κρύος -σκοπία
glucosometer γλυκύς μέτρον
logy -ist -λογία -ιστής
mancy μαντεία
meter μέτρον
metry -ic -μετρία
porphyrin πορφύρα
pyknometer πυκνο- μέτρον
scope -σκόπιον
scopy -ic -ist -σκοπία -ιστής
ur- οὖρον
ite -ίτης
odaeum ὁδαῖος
odon ὀδών
odynia -ωδυνία
ol
onology = urology

ur- Cont'd
oscheocele ὀσχεο- κήλη
osis -ωσις
ox- ὀξύς
anate anic in
oxa- ὀξαλίς
meter μέτρον
rhodin(ic ῥόδινος
rh(o)ea -ῥοία
ur- οὐρά
omphalus ὀμφαλός
osteon ὀστέον
oxys ὀξύς
uro- οὐρά
aetos ἀετός
cardiac καρδιακός
centrus κέντρον
cerus κέρας
-ata -id(ae -oid
chord(a(l ate χορδή
chroa χρόα
cichla cissa κιχλή κίσσα
conger cyon κύων
del- δῆλος
a(e e(s (i)an ous
galba
glena γλήνη
hyal ὑοειδής
lepis λεπίς
lestes λῃστής
lophus -inae λόφος
mastix μάστιξ
melus μέλος
mere -ic μέρος
myces μύκης
nema νῆμα
patagium πάταγος
peltis πέλτη
-id(ae -oid(ea(n
phycis φυκίς
plates πλατύς
-id(ae -oid(ea(n
pod(a(l ποδ-
psile -us ψιλός
pterygius πτερύγιον
pygium -i(al οὐροπύγιον
pyloric πυλωρός
sacrum -al serrial
salpinx σάλπιγξ
som- σῶμα
atic e ite itic
sternite στέρνον -ίτης
sthene -ic σθένος
style -ar στῦλος
thyreus θυρεός
trichus τριχ-
uro- οὐρο-
acidometer μέτρον
ammoniac ἀμμωνιακόν
azotometer ἄζωτος μέτρον
bacillus
benzoic -oate
bilin
-(a)emia -αιμία
-icterus ἴκτερος
igen -γενής
bilinogen -γενής
-emia -uria -αιμία -ουρία
bilinoid(in -οειδής
bilinuria -ουρία
bromalic βρῶμος
canic -in(ic
cele κήλη
cheras χέρας
chesia χέζειν
chloralic χλωρ-
chrome -ogen χρῶμα -γενής

uro- Cont'd
citral κίτρον
clepsia κλεψία
col Κολχίς
crisis -ia κρίσις
criterion κριτήριον
cyanin -ogen κύανος -γενής
cyst(is ic itis κύστις -ῖτις
dactylus δάκτυλος
dera δέρη
dialysis διάλυσις
dochium δοχεῖον
dolichus δόλιχος
edema οἴδημα
erythric -in(e ἐρυθρός
flavin fuscin
fuscohematin αἱματ-
gaster -tric γαστήρ
genin -ous -γενής
genital -ary
glaucin(e γλαυκός
gon -ene -ol
graphy γραφία
gravimeter μέτρον
h(a)ematin(e αἱματ-
hemato- αἱματο-
nephrosis νεφρός -ωσις
porphyrin πορφύρα
hypertensin ὑπέρ
hypotensine ὑπό
k(*or* c)inetic κινητικός
lagnia λαγνεῖα
leucic -inic λευκός
lite lith(ic λίθος
lithiasis λιθίασις
lithology λιθο- -λογία
log λόγος
logy -ical -ist -λογία -ιστής
lutein
mancy μαντεία
mantia -ical
melanin μελαν-
meter μέτρον
nephrosis νεφρός -ωσις
neutrin
pachylus παχυλός
ph(a)ein φαιός
phanic -ous -φανής
pherin φέρειν
phile -φιλος μέτρον
phosphometer φωσφόρος
phthisis φθίσις
pittin(e πίττα
plania πλανάω
plata πλατύς
po(i)esis ποίησις
poietic ποιητικός
porphyrin πορφύρα
psammus ψάμμος
psylla ψύλλα
pterus -an πτερόν
purgol
pyometer πυο- μέτρον
reaction
rhodin -ogen ῥόδινος -γενής
rhythmography ῥυθμο-
-γραφία
rosein -ogen -γενής
rrhagia -ῥαγία
rrhoea -ῥοιά
rubin
rubrohematin αἱματ-
saccharometry σάκχαρ
sacin sanol -μετρία
schesis σχέσις
scope -σκόπιον
scopy -ic -ist -σκοπία -ιστής

uro- Cont'd
semiology σεμεῖον -λογία
sepsis -in σῆψις
septic σηπτός
sexual spectrin
spermum σπέρμα
stealite -lith στέαρ λίθος
stege -al -ite στέγη
theobromin(e θεο- βρῶμα
thrips θρίψ
toxia -y -ic(ity -in τοξικόν
tropin(e τροπή
ureter οὐρητήρ
xanthin(ic ξανθός
xiphus ξίφος
zema ζέμα
urpethite -ίτης
ursid(ae ursoid -ίδης -οειδής
usneoid -οειδής
utah(l)ite -ίτης λίθος
uter-
algia -αλγία
amin ἀμμωνιακόν
ectomy -εκτομία
ismus itis -ισμός -ῖτις
utero-
cele κήλη
cystostomy κύστις -στομία
lith λίθος
logy -ist -λογία -ιστής
mania μανία
meter μέτρον
pexy -πηξία
phlegmasia φλεγμασία
phyte φυτόν
sclerosis σκλήρωσις
scope -σκόπιον
tome -y -τομον -τομία
tonic τονικός
utilitarianism -ισμός
-ist -ize -ιστής -ίζειν
utilize(r -ation- ίζειν
-able
Utopia οὐ τόπος
-iaize -iast -ical -ism -ist(ic
-ίζειν -ισμός -ιστής -ιστι-
Utopian οὐ τόπος κός
ism ist ize(r -ισμός -ιστής
utraquism -uist -ισμός -ιστής
utriculitis -ῖτις
utriculoid -οειδής
utriculoplasty -πλαστία
uvanite uvarovite -ίτης
uveitis -ῖτις
uveoplasty -πλαστία
uvula(*or* o)ptosis πτῶσις
uvula(*or* o)tome -y -τομον
uvulitis -ῖτις -τομία

vaalite vacalite -ίτης
vacationist -ιστής
vaccigenous -γενής
vaccin(ation)ist -ιστής
vacciniculturist -ιστής
vaccinize -ation -ίζειν
vaccinoid -οειδής
vaccino-
gen(ic ous -γενής
style στῦλος
therapeutics θεραπευτικός
therapy θεραπεῖα
vacuist -ιστής
vacuolize -ation -ίζειν
vacuometer μέτρον
vacuumize -ίζειν

vagabondism -ize(r -ισμός
vagarist -ιστής
vagin(al)ectomy -εκτομία
vagin(al)itis -ῖτις
vaginapexy -πηξία
vaginismus -ισμός
vaginodynia -ωδυνία
vagino-
cele κήλη
ceras κέρας
meter μέτρον
mycosis μύκης -ωσις
pexy -πηξία
plasty -πλαστία
scope -σκόπιον
tome -y -τομον -τομία
vagitis -ῖτις
vago-
lysis λύσις
mimetic μιμητικός
sympathetic συμπαθητικός
tomy -τομία
tonia -y -ic -τονία
trope -ic -ism τροπή -ισμός
vagrantism -ize -ισμός -ίζειν
valencianite -ίτης
Valentinianism -ισμός
valentinite -ίτης
valeram- ἀμμωνιακόν
id(e idine
Valerianodes -ώδης
valero-
nitrile νίτρον
phenone φαιν- -ώνη
thienone θεῖον -ώνη
valeroxyl ὀξύς ὕλη
valeryl(ene ὕλη
Valesian Οὐαλήσιοι
valetism -ισμός
valetudinarianism -ισμός
valetudinarist -ιστής
valgoid valoid -οειδής
Vallatotheca θήκη
valonia βαλάνια
-iaceae -iaceous
valorize -ation -ίζειν
valv(ul)otomy -τομία
valvulitis -ῖτις
valyl(e -ene ὕλη
vampirism -ize -ισμός -ίζειν
vanad(in)ite -ίτης
vanadiolite λίθος
vanadiumism -ισμός
vanadozon ὄζων
vanadyl ὕλη τικός
vandalism -istic -ισμός -ισ-
vandalize -ation -ίζειν
Vandemonianism -ισμός
Vanessa -inae -oid Φάνης
vangel(ist εὐαγγέλιον
vanillism -ισμός
vanillonitrile νίτρον
vanill(o)yl ὕλη
vanitarianism -ισμός
vapidism -ισμός
vapocresolin κρέας σωτήρ
vapography -γραφία
vaporimeter μέτρον
vaporize(r -ίζειν
-able -ation
vaporograph(ic -γραφος
Varanops ὤψ
Varanosaurus σαῦρος
variationist -ιστής
varicelloid -οειδής
varico-
blepharon βλέφαρον

varico- Cont'd
cele(ectomy κήλη -εκτομία
tomy -τομία
varicomphalus ὀμφαλός
varicoid -osis -οειδής -ωσις
variograph -γραφος
variolarioid -οειδής
variolite -ic -ίτης
-ism -ization -ισμός -ίζειν
variolization -ίζειν
varioloid -οειδής
variometer μέτρον
variscite varviscite -ίτης
variscope -σκόπιον
Vascocrinidae κρίνον
Vasconaster ἀστήρ
vascularize -ation -ίζειν
vasculitis -ῖτις
vasculogenesis γένεσις
vasectomy -ize -εκτομία -ίζειν
vaseline ἔλαιον
vasite vasitis -ίτης -ῖτις
vaso- -στομία
epididymostomy ἐπιδιδυμίς
ganglion γάγγλιον
gen -γενής
hypertonic ὑπέρ τονικός
hypotonic ὑπό τονικός
neurosis νεῦρον -ωσις
paresis πάρεσις
peritoneal περιτόναιον
spasm σπασμός
spastic σπαστικός
stomy -στομία
thion θεῖον
thrombin θρόμβος
tomy -τομία
tonic τονικός
tribe τρίβειν
trophic τροφή
vesiculectomy -εκτομία
Vassacyon κύων
vassalism -ize -ισμός -ίζειν
vastonin τόνος
Vaticanism -ist -ισμός -ιστής
Vaticanize -ation -ίζειν
vaudevillist -ιστής
Vaudism vaudooism -ισμός
vauquelinite -ίτης
Vedaism -ισμός
Vedantism -ist -ισμός -ιστής
Vedism -ist -ισμός -ιστής
vegetablize -ίζειν
veget(arian)ism -ισμός
vegetist -izing -ιστής -ίζειν
vegetometer μέτρον
Vehmist -ιστής
velocimeter μέτρον
velocipedestrianism -ισμός
velocipedist -ιστής
velo-
drome δρόμος
graph -γραφος
meter μέτρον
synthesis σύνθεσις
venalization -ίζειν
venanzite venasquite -ίτης
vendettist -ιστής
vener(ial)ist -ιστής
venereo-
logy -ist -λογία -ιστής
phobia -φοβία
venerupite -ίτης
venisonized -ίζειν
Venizelist -ιστής
venodine ἰώδης
venomize -ation -ίζειν

veno- -στομία
peritoneostomy περιτόναιον
sclerosis σκλήρωσις
venostomy -στομία
ventriculite -ic -ίτης
ventriculo-
cordectomy -εκτομία
graphy -γραφία
scopy -σκοπία
ventriloquism -ισμός -ίζειν
-ist(ic -ize -ιστής -ιστικός
ventrimeson -(i)al μέσος
ventripyramid πυραμιδ-
ventro-
cystorrhaphy κύστις -ῥαφία
hysteropexy ὑστέρα -πηξία
myel μυελός
nudibranchiate βράγχια
podal ποδ-
ptosis -ia πτῶσις
scopy -σκοπία
tomy -τομία
Venturist -ιστής
Vepresiphyllum φύλλον
verascope -σκόπιον
veratr-
aldehyde ὕδωρ
inized ize -ίζειν
oidin(e -οειδής
ophenone φαιν- ώνη
(o)yl ὕλη
ylamine ὕλη ἀμμωνιακόν
ylidene ὕλη
verbalism -ist -ισμός -ιστής
verbalize -ation -ίζειν
verbascose γλεῦκος
verbasterol στερεός
verbomania(c μανία -ακός
verdalite λίθος
vergerism -ισμός
veriscope -σκόπιον
ver(it)ism -ισμός
-ist(ic -ιστής -ιστικός
vermeology -ist -λογία -ιστής
vermiculist -ite -ιστής -ίτης
vermilionize -ίζειν
vernalize -ίζειν
verminology -λογία
vernacularism -ισμός
vernacularize -ation -ίζειν
veronica Βερονίκη
-ella(-id(ae oid)
verosterol στερεός
verrucosis -ωσις
Verschoorist -ιστής
versionist -ize -ιστής -ίζειν
verslibrist(e -ιστής
vertebrectomy -εκτομία
Vertebriceras κέρας
vertebro-
arterial ἀρτηρία
chondral χόνδρος
didymia δίδυμος
dymus δίδυμος
sternal στέρνον
vertibasality βάσις
verticalism -ισμός
verticillaster -astrate ἀστήρ
vertimeter μέτρον
verumontanitis -ῖτις
vesico-
cele κήλη
clysis κλύσις
prostatic προστάτης
sigmoid σιγμοειδής
-ostomy -στομία
tomy -τομία

vesico- Cont'd
urachal οὐραχός
ureteral οὐρητήρ
urethral οὐρήθρα
vesiculectomy -εκτομία
vesiculitis -ῖτις
vesiculo-
bronchial βρόγχια
gram γράμμα
graphy -γραφία
tomy -τομία
tympan(it)ic τύμπανον
vespertilionize -ίζειν
vestibulitis -ῖτις
vestibulotomy -τομία
vestibulourethral οὐρήθρα
vestralization -ίζειν
vestryism -ize -ισμός -ίζειν
vesuvianite -ίτης
veszelyite -ίτης
veteranize -ίζειν
veterinarianism -ισμός
vetivenyl ὕλη
vetoism -ισμός
-ist(ic(al -ιστής -ιστικός
vial φιαλη
viagram γράμμα
viagraph -γραφος
viameter μέτρον
viatecture τέκτων
viatometer μέτρον
vibraphone φωνή
vibrioid -οειδής
vibro-
gen -γενής
graph -γραφος
masseur μάσσειν
meter μέτρον
phone φωνή
scope -ic -σκόπιον
therapeutics θεραπευτικός
vicarianism -ισμός
viveregalize -ίζειν
vicianose γλεῦκος
vicinism -ist -ισμός -ιστής
victimize -er -ίζειν
-able -ation
Victorianism -ize -ισμός -ίζειν
Victoriaster ἀστήρ
Victoriceras κέρας
Vidrioceras κέρας
vietinghofite -ίτης
vigilambulism -ισμός
vigilist vignettist -ιστής
vigorist -ite -ize -ιστής -ίτης
villianize -er -ίζειν -ίζειν
villiaumite -ίτης
vill(i)oma -ωμα
villositis -ῖτις
vinaconic ἀκόνιτον
vincetoxin -icum τοξικόν
vinegarist -ιστής
vinologist -λογία -ιστής
vinometer μέτρον
vinyl(ic idene ὕλη
-amine ἀμμωνιακόν
violaite -ῖτης
violamine ἀμμωνιακόν
violanthr- ἄνθραξ
ene one -ήνη -ώνη
violinism -ist -ισμός -ιστής
violist -ite -ιστής -ίτης
violoncellist -ιστής
violonimine -ώνη ἀμμωνιακόν
violuric οὖρον
violutoside γλεῦκος
Virgilianism -ισμός

viridite -ize -ization -ίτης
virogen -γενής -ίζειν
viroid -οειδής
virusemia -αιμία
visceralgia -αλγία
visceralism -ισμός ιον
viscerapericard(i)al περικάρδ-
visceri(or o)cardium -iac καρ-
viscero- δία -ακός
peritoneal περιτόναιον
pleural πλευρόν
ptosis πτῶσις
skeletal σκελετόν
trophic τροφή
viscoid(al -οειδής
visco-
gen -γενής
meter metry μέτρον -μετρία
saccharase σάκχαρ
διάστασις
stagonometer σταγονο-
μέτρον
viscosimeter μέτρον
viscosimetry -ic -μετρία
Vishnuism -ισμός
-u(v)ite -ίτης
visibilize -ίζειν
visionist -ιστής
visometer μέτρον
vistascope -σκόπιον
visualism -ist -ισμός -ιστής
visualize(r -ation -ίζειν
visuognosis γνῶσις
visuopsychic ψυχικός
vitaletiscope -σκόπιον
vitalism -ισμός
-ist(ic -ιστής -ιστικός
ize(r -ation -ίζειν
vita-
graph -γραφος
path -παθης
pathy -ic -πάθεια
phone φωνή
scope -ic -σκόπιον
sterol στερεός
vitamin(e ἀμμωνιακόν
ic ize -ίζειν
vitellase διάστασις
vitellogen(e ous -γενής
vitellophag -φαγος
vitellophagocyte φαγο- κύτος
Viticocarpum καρπός
viticultur(al)ist -ιστής
vitiligoidea -οειδής
Vitilocarpum καρπός
vitodynamic δυναμικός
Vitoxylon ξύλον
vitraillist -ιστής
vitreocapsulitis -ῖτις
vitreoelectric ἤλεκτρον
vitreograph -γραφος
vitriolite -ίτης
vitriolize(r -ίζειν
-able -ation
vitrite -ίτης
vitrophyre -ic πορφύρα
vitrotype τύπος
Vitruvianism -ισμός
vivianite -ίτης
vivianized -ίζειν
vivisectionist -ιστής
vivosphere σφαῖρα
vocabularize -ίζειν
vocabulist -ιστής
vocalism -ισμός
-ist(ic -ιστής -ιστικός
-ize(r -ation -ίζειν

vociferize -ίζειν
vogesite voglianite
voigtite volborthite -ίτης
Volapukist -ιστής
volatilize(r -ίζειν
-able -ation
volatize -ation -ίζειν
volborthite -ίτης
volcanism -ισμός
-ist -ite -ιστής -ίτης
-ize -ation -ίζειν τής
-ology -ical -ist -λογία -ισ-
volemite volgerite -ίτης
volemulose γλεῦκος
voltagramme γράμμα
voltagraphy -γραφία
Voltair(ian)ism -ισμός
Voltairianize -ίζειν
volta-
electric(ity ἤλεκτρον
electrometer -tric μέτρον
electromotive
ism ite ization -ισμός -ίτης
meter μέτρον -ίζειν
volt(am)meter μέτρον
voltite voltize -ίτης -ίζειν
voltzite -ίτης
volume-
bolometer -tric βολή μέτρον
sphygmobolometer σφυγμο-
colorimetric -μετρία
volume(no)scope -σκόπιον
volumo-
meter μέτρον
metry -ical -μετρία
volumeter -μέτρον
volumetry -ic(al(ly -μετρία
volumist -ιστής -ιστής
voluntar(y)ism -ist -ισμός
voluntaristic -ιστικός
volunteerism -ισμός
volvulosis -ωσις
Vomeraster ἀστήρ
voodooism -ισμός
voraulite λίθος
vorticism -ist -ισμός -ιστής
Vosekocrinus -idae κρίνον
vot(ar)ist -ιστής
votograph -γραφος
votometer μέτρον
voupristi βούπριστις
vowelism -ισμός
-ist -ize -ιστής -ίζειν
vuerometer μέτρον
vulcanism -ist -ισμός -ιστής
vulcanite -ίτης
vulcanize(r -ίζειν
-able -ate -ation
vulcanoid -οειδής
vulcanology -λογία
-ical -ist -ιστής
vulgarism -ist -ισμός -ιστής
-ize(r -ation -ίζειν
vulpicidism vulpinism -ισμός
vulpinite vulsinite -ίτης
vulturism -izing -ισμός -ίζειν
vulvitis -ιτις

Wagner(ian)ism -ισμός
Wagnericeras κέρας
Wagnerist -ιστής
-ite -ize -ίτης -ίζειν
Wahabiism -ite -ισμός
walchowite warwickite -ίτης
wallcampimeter μέτρον

wantonize -ίζειν
warriorism -ισμός
water-
calorimeter μέτρον
cycle κύκλος
horizon ὁρίζων
hyacinth ὑάκινθος
nymph νύμφη
pheasant φαισανός
phone φωνή
sapphire σάπφειρος
telescope τηλε- -σκόπιον
thermometer θερμο- μέτρον
weathercycle κύκλος
wegotism -ισμός
Weismannism -ισμός
Weissermeliceras κέρας
weissite -ίτης
weltmeirism Wertherism wer-
wolfism -ισμός -ίζειν
Wesleyanism -ized -ισμός
westernize -ation -ίζειν
westfalite -ίτης
whartonitis -ῖτις
Whiggarchy -αρχία
Whiggism -ize -ισμός -ίζειν
Whiggological -λογία
Whigocracy -κρατία
Whiteocrinus κρίνον
whole silk ὁλοσηρικός
wickelkamazite κάμαξ -ίτης
willemite -ίτης
william(s)ite -ίτης
Wolfianism -ισμός
womanism -ist -ισμός -ιστής
-ize(r -ation -ίζειν
wormatic -ατικός
wurtzilite -ίτης

xalostocite ζάλη ὠκύς
Xanioptera ξάνιον πτερόν
xanorphica Ὀρφευς
xanth- ξανθ-
(a)ematin αἱματ-
alin(e
amid(e ἀμμωνιακόν
ane anol arin
arpyia ἅρπυια
arsenite ἀρσενικόν -ίτης
ate ation
eic ein(e elene
elasma -ic -oidea ἔλασμα
ellus erine
ene -ol -one -ώνη
ia ian ic id(e
ichthys ἰχθύς
idium -ιδιον
in(e in(e ium)
inoxydase ὀξύς διάστασις
inuria -ουρία
ione θεῖον -ώνη
-ium ἀμμωνιακόν
iosite -ίτης
ippe Ξανθίππη
ispa
ite -ane ituria -ίτης -ουρία
ium iuria -ουρία
odes -ώδης
odont(ous ὀδοντ-
oma -ωμα
-atosis -atous -ωσις
one -es -ia
onium ἀμμωνιακόν
opia -ωπία
opsia -y -in -οψία

xanth- Cont'd
ornis ὄρνις
orthite ὀρθ- -ίτης
ose osine ous
osis -ωσις
oxanil ὀξαλίς
ura οὐρά
uria -ουριά
ydric -ol ὑδρ-
yl(ate ic ium) ὕλη
Xantho ξανθός
xantho- ξανθο-
arsenite ἀρσενικόν -ίτης
bilirubin -(in)ic
butyric βούτυρον
carpous καρπός
carthaminic ἀμμανιακόν
cephalus κεφαλή
ceras κέρας
chelidonic χελιδόνιον
chelus χηλή
chlorus χλωρός
chro- ξανθόχροος
a i ic id oid ous us
chroia -oism χροιά -ισμός
chrome -ia χρῶμα
chymus χυμός
cobalt
comic κομή
con(e -ite κόνις -ίτης
creat(in)in(e κρεατ-
cyanopia -y κυαν -ωπία
cyanopsia -y κυαν- -οψία
cycla κύκλος
cystin κύστις
derma -ia δέρμα
eriodol ἐριο- δίκτυον
gallol globulin
gen(ic ate -γενής
amide ἀμμωνιακόν
gramma γράμμα
humol
hydric ὑδρ-
kreatinin κρεατ-
kyanopy κυαν- -ωπία
lestes λῃστής
leucite λευκός -ίτης
leucophore λευκο- -φορος
linus -iform σταφυλῖνος
lite(s λίθος
melanoi -ous μελαν-
meter μέτρον
methylic μέθυ ὕλη
microl μικρ-
myia μυῖα
pathia -y -πάθεια
phaea φαιός
phane -ic -φανης
phenic φαιν-
phose φῶς
phyl(l(ins φύλλον
idrine ὑδρ-
ine ite ous -ίτης
phyus ξανθοφυής
picrin(e picrite πικρός
plasty -πλαστία
plectes πλήκτης
pous πούς
protein -(ein)ic πρωτεῖον
psydracia ψύδραξ
psylla ψύλλα
ptera -in πτερόν
puccin(e
purpurin πορθύρα
pygia pygus πυγή
pyrites πυρίτης
pyrrole- πυρρός

xantho- Cont'd
rhamnin(e ῥάμνος
rhynchus ῥύγχος
roccelline
rrhiza ῥίζα
(r)rhoea -ῥοία
sarcoma σάσκωμα
selenonium σεληv- ἀμμω-
siderin σιδηρος νιακόν
siderite σιδηρῖτις
sirex σειρήν
soma σῶμα
spermous σπέρμα
sterin -ol στερεός
succinic
syntomogaster συντομο-
taenia ταινία γαστήρ
tannic
thopia θωπεία
titanic τιτᾶνος
toxic -in τοξικόν
trametin
ura οὐρά
uric οὖρον
xyl(on um ξύλον
(ac)eae (ac)eous ene in oin
Xanthyris ξανθός θυρίς
xeinian ξεινειον
xen- ξεν-
acanthine -i ἄκανθα
acodon ἀκή ὀδών
acris ἄκρις
agogue -y ξεναγωγός
altica
archa ἀρχή
archi -ous ἄρχος
arthra -al -ous ἄρθρον
autogamy αὐτο- -γαμία
elasia -y ξενηλασία
embole ἐμβολή σπέρμα
embryosperm ἔμβρυον
enthesis ἔνθεσις
ia ial ξενία
ian ξένιος
ichthys -yinae ἰχθύς
icus -id(ae -oid ξενικός
iophyte φυτόν
isma ξένισμα
istius ἰστίον
ium ξένιον
ization ξενίζειν
ocys odus ὠκύς ὀδούς
ome -i -ous ὦμος
omma ὄμμα
on ξένον
onychus ὀνυχ-
ophthalmia -ic ὀφθαλμία
ops ornis ὤψ ὄρνις
os ξένος
otis -ωτις
urus -inae -ine ὀυρά
xeno- ξενο-
biosis βίωσις
carpy καρπός
cerus κέρας
chaetina χαίτη
cheirus χείρ
chelys χέλυς
choerus χοῖρος
chroma χρῶμα
cic(h)la κίχλη
coccus κόκκος
cratean -ic Ξενοκράτης
crepis κρηπίς
crinus -id(ae -oid κρίνον
cryst κρύσταλλος
dacnis δάκνειν

xeno- Cont'd
derm(a us δέρμα
(at)inae ina ine
dochy- -ium ξενοδοχεῖον
-ae -eion -eum -ial
dochae δοχή
docky ξενοδοχία
dorus Ζενόδωρος
endosperm ἐνδο- σπέρμα
gamy -ic -ous -γαμία
genesis γένεσις
genetic γενετικός
genous -ite -γενής -ίτης
geny -ic -γένεια
gloeus γλοιός
glossy γλῶσσα
lepidichthys λεπιδ- ἰχθύς
lite lith λίθος
mania -iac μανία -ακός
menia μηναῖα
micrus μικρός
morpha -ic μορφή
morphosis μόρφωσις
myia μυῖα
myrum μύρον
mystax μύσταξ -ισμός
parasite -ism παράσιτος
pelta πέλτη
peltis πέλτη
-id(ae -inae -in(e -oid
phanean Ζενοφάνης
philism -φιλος -ισμός
phobia -y -ic -φοβία
phonia -φωνία
phontean -ian -ic Ζενοφῶν
phora(n -φορος
-us -id(ae -oid
phya phyes ξενοφυής
plasm(a πλάσμα
poda -ποδα
pous πούς
-odid(ae -odoid
psylla ψύλλα
pterus πτερόν
pterygii -ian πτερύγιον
pus πούς
rhina -id(ae -oid ῥίν
rhipis ῥιπίς
rhynchus ῥύγχος
saurus σαῦρος
-id (ae -oid
scelis σκελίς
stegium στέγη
stethus στῆθος
stira στεῖρα
strongylus στρογγύλος
tachina ταχινός
theca θήκη
time -ite τιμή -ίτης
tingis Τίγγις
Xenydrium ξενύδριον
xenyl(ic enic ξένον ὕλη
xer- ξηρ-
ad -αδ-
ampelinus ἄμπελος
ansis ξήρανσις
anthemum ἄνθεμον
antic ξηραντικός
aphium ξηράφιον
arch ἀρχή
as ξηρός
ase διάστασις
asia -ium ξηρασία
erpes ἕρπης
ibole(s -βολος
ium ξήριον
odes ξηρώδης

xer- Cont'd
oma -atous -ωμα
onic -ate
onthobius ὄνθος βίος
ophthalmia ξηροφθαλμία
-os -us -y
osis ξήρωσις
otes -ic -ine ξηρότης
xero- ξηρο-
bates βάτης
chastic chasy χάσις
cleistogamy κλειστός
cline κλίνη -γαμία
collyrium ξηροκολλούριον
derma -ia δέρμα
-(at)ic -atous
desmus δεσμός
drymium δρυμός
form
geophytes γεω- φυτόν
hylad -ium ὕλη
hylo- ὑλο-
philus phyta -φιλος φυτόν
lite λίθος
menia μηναῖα
morphosis μόρφωσις
morphy -ic μορφή
mycteria μυκτήρ
myron -um ξηρόμυρον
phagia -y ξηροφαγία
phil(e ous y -φιλος
phobous -φοβος
phorbium φορβή
phygus φυγή
phyllum φύλλον -ισμός
phyte -ia -ic -ism φυτόν
poad poium πόα
podium πόδιον
poo- ποά
philus phyta -φιλος φυτόν
ptera -πτερα
pteridetum πτεριδ-
sere -ion -ium
static στατικός
stoma -ia στόμα
tactic τακτικός
thamnium θάμνος
therm(ic ous θέρμος
therous θέρος
tocia -τοκία
tribia ξηροτριβία
tripsis τρῖψις
tropic -ism τροπή -ισμός
Xerus ξηρός
Xestia -us ξεστός
xesto- ξεστός
bium βίος
coris κόρις
gaster γαστήρ
notus νῶτος
phanes φάνης
psylla ψύλλα
termopsis τέρμα ὄψις
xesturgy ξεστουργία
Xesurus ξέσις οὐρά
xilinous ξύλινος
Xinidium ξεῖνος -ιδιον
xiph- ξιφ-
agrostis ἄγρωστις
dyme δίδυμος
ias ξιφιάς ioid
iad(idae iid(ae iiform(es in
icera -id(ae κέρας
idion(tidae ξιφίδιον
idio- ξιφίδιον
pterus πτερόν
rhynchus ῥύγχος

xiph- Cont'd
idium ξιφίδιον
ihumeralis
iplastron -al ἔμπλαστρον
ister(inae ξιφιστήρ
isternum -al στέρνον
istes ξιφιστης
i(s)ura -an οὐρά
ius ξιφιός
odon(t(id(ae oid ὀδών
odontus ὀδοντ-
odynia -ωδυνία
onite(s Ζιφωνία -ίτης
os ur- ξίφος οὐρά
a(n e id(ae oid ous
ura -ous οὐρά
ydria -iidae ξιφύδριον
xipho- ξιφο-
cera -id(ae -oid κέρας
colaptes κολαπτήρ
costal
didymus δίδυμος
dyme δίδυμος
id ξιφοειδής
al an es ian itis -ιτις
limnobia λιμνο- βίος
myrmex μύρμηξ
notus νῶτος
pagus -ic -ous πάγος
otomy -τομία
phorus ξιφοφόρος
phyllous -φυλλος
plastron -al ἔμπλαστρον
psylla ψύλλα
rhamphus ῥάμφος
rhynchus ῥύγχος
scelis σκελίς
soma σῶμα
sternum -al στέρνον
teuthis τευθίς
trygon τρυγών
xoanon -ic ξόανον
-odera δέρη
xonotlite -ίτης
Xuthia ξουθός
Xya ξύειν
Xyalaspis ξυάλη ἀσπίς
Xyalophora ξυάλη φόρος
Xyela -inae ξυήλη
xyl- ξυλ-
aldehyde ὕδωρ
aloe(s ξυλαλόη
amid(e ἀμμωνιακόν
an(ase διάστασις
anthrax ἄνθραξ
aria -iaceae ξυλάριον
ate
eborus ξυληβόρος
em -ημα
ene -ic -in -ol -one -ώνη
enimine ἀμμωνιακόν
enobacillin
enyl(amine ὕλη ἀμμωνιακόν
ergates ἐργάτης
estia ἐσθίειν
etic etinus
eutes ξυλεύς
harmonica ἁρμονικά
ia ic
idic -ate -in(e -ino-
-amine ἀμμωνιακόν
il(ic
ina -id(ae -oid ξύλινος
inades ξύλινος ἄδος
indein Ἰνδικός
inus ium
ita ξυλίτης

xyl- Cont'd
ite -ic -ol -one -ίτης
odes -ium ξυλώδης
ol(e ine ite
oma -ωμα
onic -ite ξύλον
onychus ὀνυχ-
opal ὀπάλλιος
orcin(ol
organum ὄργανον
oryctes ὀρύκτης
ose -ide -one γλεῦκος
-a(or i)mine ἀμμωνιακόν
osteus -ein ὀστέον
ota -ωτης
yl(ene ic ὕλη
amine ἀμμωνιακόν
xylo- ξυλο- μον
balsame -um ξυλοβάλσα-
bius βίος
carp(ous καρπός
cassia ξυλοκασσία
charis χάρις
chlore -al(al)ic χλωρός
-alose γλεῦκος
chrome χρῶμα
cinnamon ξυλοκιννάμον
cleptes κλέπτης
copa -id(ae -us -κοπος
cryptite κρυπτός -ιτης
ctonus κτένειν
dryas δρυάς
gen -γενής
giodine
glutaric τάρταρον
glyphy ξυλογλύφος
graph(er us -γραφος
graphy γραφία
-ic(al(ly -ist -ιστής
hexos- ἑξ γλεῦκος
amine -ic αμμωνιακόν
hydroquinone ὑδρο- -ώνη
id(in(e ξυλοειδής
ketose γλεῦκος
laemus λαιμός
logy -ist -λογία -ιστής
melum μῆλον
meter μέτρον
miges ξυλομιγής
mimus μῖμος
myces μύκης
nemus νέμειν
nitrile νίτρον
pemon πήμων
pertha πέρθειν
phag- ξυλοφάγος
a(n e i id(ae ides oid ous us
phane -φανής
phasia φάσις
philus -an -i -ous -φιλος
phone -ic φωνή
phory ξυλοφορία
phyta φυτόν
pia -ieae picros πίκρος
pinus πεινάειν
plastic πλαστός
podium πόδιον
polist ξυλοπώλης -ιστής
psaronius ψαρωνίος
pyrography πυρο- -γραφία
quinitrole νίτρον
quinol -one -ώνη
retin(e ine ite ῥητίνη
rrhiza ῥίζα
sistron σεῖστρον
stega ξυλοστεγής
stroma -atoid στρῶμα

xylo- Cont'd
styptic στυπτικός
systron σεῖστρον
teles τέλος
terus τερεῖν
therapy θεραπεία
til(e τίλος
tomy -ic -ist -ous -τομία
-ιστής
tribus τρίβειν
trogi τρώγειν
trypes τρυπᾶν φία
typography -ic τυπο- -γρα-
yl ὕλη
Xynoeciae ξυνός οἶκος
Xynomyrmex ξυνο- μύρμης
xyr- ξυρόν
auchen αὐχήν
ichthys -yinae ἰχθύς
is ξυρίς
id(aceae aceous al(es eae)
ospasm σπασμός
ula
xysma ξῦσμα
xyst ξυστός
a os us
aema αἷμα
arch ξυσταρχής
er ξυστήρ
es ξύστης
icus ξυστικός
is ξυστίς
on ξυστόν
xystr- ξῦστρον
eurus osus εὐρύς
oplites ξύστρα ὁπλίτης
xystro- ξυστρο-
cera ξύστρα κέρας
oidal ξυστροειδής
perca πέρκη
pus πόυς

yachtist -ιστής
Yahooism -ισμός
Yahv(*or* w)ism -ισμός
-ist(ic -ιστής -ιστικός
Yankeedoodleism -ισμός
Yankeeism -ize -ισμός -ίζειν
yanolite ἴανθος λίθος
yawmeter μέτρον
Yemenite yenite -ίτης
-yl ὕλη
Yogism -ισμός
Yorkshireism -ισμός
Yorkist -ιστής
yotacism -ize ἰωτακισμός
-ίζειν
youngladyism -ισμός
yperite -ίτης
ypomnema ὑπόμνημα
Yponomeuta ὑπονομεύειν
-id(ae -oid
ypsilo- ῦ ψιλόν
lopus λόφος
stethus στῆθος
Ypsilon -iform ῦ ψιλόν
Ypsistoceras ὑψιστο- κέρας
ytterbite yttrialite -ίτης
yttro-
cerite columbite -ίτης
crasite κρᾶσις -ίτης
gummite ilmenite -ίτης
tantalite Τάνταλος
titanite Τιτάνος -ίτης
Yunx ἴυγξ

z- = s-
Zabrus -idae ζαβρός
za- ζα-
glossus γλῶσσα ὀδοντ-
lambdodont(a λάμβδα
lophus λόφος
melodia μελῳδία
nycteris νυκτερίς
photias φωτ-
phrenitis φρήν -ῖτις
phrentis -idae
prora -idae πρῷρα
pteryx πτέρυξ
pus πούς
-od(id(ae inae ine oid)
trachis -idae
trephus ζατρεφής
zal- ζάλη
embius ἔμβιος
ieutes ἁλιευτής
ocys ὠκύς
opyr πῦρ
ypnus ὕπνος
zam- ζαμία
ia ieae ioid ites -ίτης
iostrobus στρόβος
Zanclean Ζάγκλη
Zagclus ζάγκλον
-id(ae -oid
-odon ὀδών
-ontid(ae -ontoid
-ognatha γνάθος
-ophorus -φορος
-ostomus στόμα
Zaniolepis ζάνιον λεπίς
zantho- = xantho-
zany(ism Ἰωάννες -ισμός
Zarathustr(ian)ism -ισμός
zaratite -ίτης
zarnich ἀρσενικόν
ze- ζειά
a an in
bromal βρῶμος
ism(us -ισμός
ist(ic -ιστής -ιστικός
ose γλεῦκος
zeagonite ζεῖν ἄγονος -ίτης
zeal ζῆλος
ator -rice -rix ζηλοῦν
ful ist less (ous)ness ous(ly y
ot(al ry) ζηλωτής
ic(al ζηλωτικός
ism ist -ισμός -ιστής
zebr(a)oid -οειδής
zed(land ζῆτα
zeilanite -ίτης
zeino- ζειά
lysis lytic λύσις λυτικός
zelant -ator ζῆλος
Zele ζηλή
Zelotypa ζηλότυπος
zelotypia -ic -ist ζηλοτυπία
Zelotes ζηλωτής -ιστής
Zelotocoris ζηλωτός κόρις
Zemiagrammus ζημία ἄγραμ-
zemism -ισμός μος
zemstvoist -ιστής
Zenaidura οὐρά
Zendicism -ισμός
zendist -ιστής
zenkerism -ισμός
zeno- Ζηνο-
biosis βίωσις
critically κρατός
graphy -ic(al -γραφία
Zenonian Ζήνων
-ic -ism -ισμός

Zenopsis ὄψις
zenotropism τροπή -ισμός
zeo- ζέειν
lite -ic -iform λίθος
litize -ation -ίζειν
morph(i μορφή
phyllite φύλλον -ίτης
scope -σκόπιον
zepharovichite -ίτης
zephyr ζέφυρος
ean et ian ine less
anth(es ἄνθος
Zephyrus Ζέφυρος
zeppelinite -ίτης
Zerene ζηραίνειν
-id(ae -inae -oid
zerograph -γραφος
zero- ξηρο-
lite λίθος
ptera πτερόν
thermous θερμός
zest(ful(ly σχιστός
Zestis ζεστός
-icelus Ἴκελος
-idium -ιδιον
zesto- ζεστο-
causis καῦσις
cautery καυτήριον
zeta -icula δίαιτα
zeta -acism -aic ζῆτα -ισμός
zetetic ζητητικός
ally -ics -icus
Zetophloeus ζητέειν φλοιός
zeuctocoelomic ζευκτός κοί-
-ata -atous λωμα
zeugite ζεῦγος -ίτης
Zeugite ζευγίτης
Zeuglodon ζεύγλη ὀδών
-ont(a ia id(ae oid)
zeugma -atic(ally ζεῦγμα
-atolepas λεπάς
zeugo- ζεῦγος
branchia -iata βράγχια
phora -φορος
zeugonyx ζεῦγος ὄνυξ
zeunerite -ίτης -ίτης
zeuphyllite ζεῦξις φύλλον
Zeus Ζεύς
-enidae -eninae -enoid
Zeuxis Ζεῦξις
-ian -ism -ισμός
zeuxite ζεύξις -ίτης
Zeuzera ζεύγνυμι
-ian -idae
zeylanite zietrisikite -ίτης
Zigzagiceratidae κερατ-
zimphen(e φαιν-
zincalism -ισμός
zinc-
aluminite dibraunite
(ken)ite -ίτης
ode oid ὁδός -οειδής
perhydrol ὑδρ-
poroplast πόρος πλαστός
zinco-
calcite -ίτης
graph(er -γραφος
graphy -ic(al γραφία
id -οειδής
lysis -lyte λύσις λυτός
polar πόλος
pyrin πῦρ -ίτης
rhodocrosite ῥοδόχροος
type τύπος
Zindikite -ίτης
Zingan(*or* r)ology -ist λογία
Zindikite -ίτης -ιστής

zinzerone ζιγγίβερις -ώνη
Zinziber ζιγγίβερις
(ac)eae aceous ene enol one
Zion Σειών -ώνη
er less ism ist ite ward
-ισμός -ιστής -ίτης
Ziphius ξίφιος
-ian -iidae -iiform -iinae
-iin(e -ioid
-iodelphis δέλφις
zippeite zirconite -ίτης
zirc(or k)ite -ίτης
zirconoid -οειδής
zirconpyroxenes πυρο- ξένος
zirconpyroxenes πυρο- ξένος
zirconyl ὕλη
zirkelite -ίτης
zither *etc.* = cither *etc.*
zigany -ia ζιγάνιον
zizypha -eae -us ζίζυφον
zo- ζω-
adula
allospore ἀλλο- σπορά
amylin ἄμυλον
androspore ἀνδρο- σπορά
anthacea(n ἄνθος
anth- ἄνθος oid us
aria(n id(ae idan idea inae
anthodeme -ic ἀνθο- δέμα
anthropy -ia -ic -ἀνθρωπία
arces ζωαρκής
-id(ae -inae -oid
arium -ial ζωάριον
zodiac(al ζῳδιακός
zodio- ζῳδιο-
grapher -γραφος
philous -φιλος
zoe- ζωή
a(l form
hemera ἡμέρα
optroscope ὄπτρον -σκόπιον
praxiscope πρᾶξις
trope -ic τροπή
zo- ζω-
esite etic -ίτης -ητικός
ether(ic αἰθήρ
graphus ζωγράφος
iatria ἰατρεία
iatric(a -ics ἰατρικός
ic ζωικός
id(e
iodin ἰώδης
ism ist(ic -ισμός -ιστής -ιστικός
zoid ζῷον
iospore σπορά
ogamae -ic -(o)us -y γάμος
ophilae -ous -y -φιλος
Zoilus Ζωΐλος
-ean -ism -ist -itical -ous
zoisite -ization -ίτης -ίζειν
Zolaism -ισμός -ίζειν
-ist(ic -ize -ιστής -ιστικός
Zollvereinist -ιστής
Zombrus ζόμβρος
zomidin ζωμός
zomo- ζωμο-
therapeutic(s θεραπευτικός
therapy θεραπεία
zona -al(ity -ally ζώνη
-(a)esthesia -αισθησία
-ar ζωνάριον
-aria -ic -iid(ae -ioid
-arious ary ate ation
zone ζώνη
-ed -ic -ing -less -let
zoni- ζώνη

zoni- Cont'd
discus δίσκος
ferous fugal petal
Zoniomyia ζωνιο- μυῖα
zonite(s ζωνίτης
-id(ae -inae -oid
Zonitis ζωνίτις
zono- ζωνο-
chares χάρις
chlorite χλωρός -ίτης
ciliate
id ζωνοειδής
limnetic λίμνη
phone φωνή
phyllum φύλλον
placental(ia πλακεντ-
pterus πτερόν
ptilus πτίλον
skeleton σκελετόν
trichia τριχ-
zonule ζώνη
-a -ar -ate -et -itis -ῖτις
zonure -us ζώνη οὐρά
-id(ae -inae -oid
zo- ζω-
oecium -ial οἶκος
ophthalmus ὀφθαλμός
opsia -οψία
osis otic -ωσις -ωτικός
osmosis ὠσμός -ωσις
zoo ζωο-
zoo- ζωο-
amylin -on ἄμυλον
biology βιο- -λογία
biotic -ism βιωτός -ισμός
blast βλαστός
capsa κάψα
carp καρπός
caulon καυλός
cecidia κηκιδ-
centric κεντρικός
chemy χημεία
-ical -istry
chlorella χλωρός
chore -ic -ous -y χωρεῖν
climatology κλίμα -λογία
coenocyte κοινός κύτος
cosmius κόσμιος
cracy cratic -κρατία
culture -al current
cyst(ic κύστις
cytium -ial κύτος
dermic δέρμα
dendrium -ial δένδρον
domatia δωμάτιον
dynamic(s δυναμικός
erastia ἐραστής
erythrin(e ἐρυθρός
fulvin
gamete γαμέτης
gamy -ae -ous -γαμία γάμος
gen(e ic ous y ζωογενής
genesis γένεσις
genite -γενής -ίτης
geographer γεωγράφος
geography γεωγραφία
-ic(al(ly
geology γεω- -λογία
-ical -ist -ιστής
gl(o)ea -eic -eoid γλοιός
gon- γόνος
angia ἀγγεῖον
idium -ιδιον
-angium ἀγγεῖον
gonous ζωογόνος
gony -ic ζωογονία
graft

zoo- Cont'd
graph(er ζωογράφος
graphy -γραφία
-ic(al(ly -ist -ιστής
gyroscope γυρο- -σκόπιον
id(al ζῳοειδής
iogamous γάμος
iophilous -φιλος
lagnia λαγνεία
later -λατρης
latry -ia -ous λατρεία
lite -ic lith(ic λίθος
logy -λογία
-er -ic(al(ly -ico-
-ist -ize -ιστής -ίζειν
magnetic -ism Μαγνῆτις
mancy μαντεία -ισμός
mania μανία
mantic -ist μαντεία -ιστής
maric
mechanics -ical μηχανικός
melanin μελαν-
metry -ic -μετρία
mimetic μιμητικός
mimic μιμικός
monera μονήρης
morph ζῳόμορφος
ic ism ize y -ισμός -ίζειν
morphosis μόρφωσις
mythic μυθικός
zoon ζῷον
al ic id(e ist -ιστής
erythrin ἐρυθρός
ite -ic otic -ίτης -ωτικός
zoo- ζωο-
nomy -ia -νομία
-ic(al -ist -ιστής
nose nosis νόσος
-ology -ist -λογία -ιστής
organic ὄργανον -λογία
palaeontology παλαι- ὀντο-
pantheon πάνθειον
parasite -ic παράσιτος
pathology -ist παθολογική
pathy -πάθεια -ιστής
pery -al -ist πειρᾶν
phaga(n -ous ζωοφάγος
pharmacy φαρμακεία
phile -ae -φιλος
-ism -ist -ite -ous -y
-ισμός -ιστής -ίτης
philia -ic -ism -φιλία
phobia -φοβία
phobous -φοβος
phorous -ic ζῳοφόρος
physiology φυσιολογία
physics -ical φυσικά
phyte -on ζωόφυτον
-a -al -aria(n -ic(al -ish
-ist -oid
phyto- ζωόφυτον
graphy -γραφία τής
logy -ical -ist -λογία -ισ-
plankton πλαγκτόν
plasm πλάσμα
plasty -ic -πλαστία
prax- πρᾶξις
i(no)scope -σκόπιον
ography -ical -γραφία
precipitin
psychology ψυχο- -λογία
-ical -ist -ιστής
reme ῥεῦμα
scopy -ic -σκοπία
sematic σῆμα
sophy σοφία
sperm(ium atic σπέρμα

zoo- Cont'd
sphere σφαῖρα
sporange σπορά ἀγγεῖον
-ial -ium
-iophore -φορος
spore σπορά
-eae -ic -iferous -ous
sporocyst σπορά κύστις
sterol στερεός
taxy τάξις
techny -τεχνία
-ic(al -ics
thapsis θάψω
theca -al θήκη
thecium -ial θηκίον
theism θεός -ισμός
-ist(ic -ιστής -ιστικός
therapy -ia θεραπεία
thome θωμός
toca ζωοτόκον
-ology -λογία
tomy -τομία
-ic(al(ly -ist -ιστής
toxin τοξικόν
trope τροπή
trophy -ic ζωοτροφία
-otoxism τοξικόν -ισμός
type -ic τύπος
xanthia -ella -in ξανθός
zygo- ζυγο-
sphere σφαῖρα
spore σπορά
Zopherus ζοφερός
-omantis μάντις
Zophius ζόφευς
zopho- ζοφο-
bas βαίνειν
crinidae κρίνον
Zophorus -ic ζῳφόρος
Zophosis ζόφωσις
zopissa ζώπισσα
zorgite -ίτης ἀστήρ
Zoroaster(id(ae -oid ζωρο-
Zoroastrian Ζωροάστρης
ism ize
-ic -ism -ισμός -ίζειν
Zoroides ζωρός -οειδής
Zosmerus -id(ae -oid ζῶσμα
zoster ζωστήρ
a eae etum iform oid
ius ζωστήριος
ops ὤψ
-opinae -opin(e
zotheca ζωθήκη
Zuleborites ξυληβόρος -ίτης
Zuluize -ίζειν
zum- *etc.* = zym- *etc.*
zunyite -ίτης
Zuphium ζωύφιον
zurlite zwieselite -ίτης
Zwinglianism -ist -ισμός -ιστής
zyg- ζυγ-
adenus -ine ζυγάδην
adinic ζυγάδην
-eine -in -one
adite ζυγάδην -ίτης
aena ζύγαινα -oid
-id(ae -idan -in(e -odes
al
antrum ἄντρον
apophysis -ial ἀπόφυσις
artus -id(ae -ida -oid
ion -ιον
ite ζυγίτης
nema νῆμα
-(ac)eae -aceous -etum -in
odon(t ὀδών ὀδοντ-

zyg- Cont'd
oma(tic(us ζύγωμα
omatico- ζύγωμα
auricular(is facial
frontal maxillary
orbital temporal
sphenoid σφηνοειδής
omaturus ζῦγωμα οὐρά
on(ium ζυγόν
ophiurae -an ὀφίουρος
ops ὤψ
osis ζύγωσις
ote -ic -oid ζυγωτός
-oblast βλαστός
-omere μέρος
zygo- ζυγο-
berychia
bolba βολβός
-idae -inae
branch βράγχια
ia iata iate
cardiac καρδία
cera κέρας
cyte κύτος
dactyl δάκτυλος
a ae i ic ism ous -ισμός
gamae γάμος
genesis γένεσις
genic -γενής
gomphia γομφός
gonium γόνος
gramma γράμμα

zygo- Cont'd
ite -ίτης
labialis
lestes λῃστής
lytic λυτικός
maxillare -y
morphy μορφή
-ic -ism -ous -ισμός
mycete(s -ous μυκῆτες
nectes νήκτης
nema νῆμα
neure -ous -y νεῦρον
pachynema παχυ- νῆμα
petalum πέταλον
phyceae -eous φῦκος
phyllum φύλλον
-(ac)eae -aceous
phyte -ic φυτόν
plast πλαστός
pleura -al πλευρά
ptera -id(es πτερόν
pteris -id(ean -oid πτερίς
saurus σαῦρος
sella
selmis -idae σελμίς
soma -es σῶμα
sperm σπέρμα
sphene -al σφήν
sphere σφαῖρα
spila σπίλη
spiris ?σπεῖρα
-id(ae -ida -oid

zygo- Cont'd
spondyline σπόνδυλος
spore -eae -ic σπορά
-ange -ium ἀγγεῖον
-ophore -φορος
stat(ical ζυγοστάτης
style στῦλος
tactism τακτός -ισμός
taxis τάξις
tene ταινία
thrips θρίψ
trocha -ous τροχός
zoospore ζωο- σπορά
zygous -ζυγος
zylo- *etc.* = xylo- *etc.*
zyme ζύμη
-ad -ase -asic -asis -ate -eoid
-ic -in(e -inized
zymetology ζύμη -λογία
zymite ζυμίτης
zymo- ζύμη
casein excitator
cyte κύτος
gen(e ic ous -γενής
genesis γένεσις
genetic γενετικός
gluconic -ate γλυκύς
haptic ἁπτικός
haptor ἅπτειν
hexose ἕξ γλεῦκος
hydrolysis ὑδρα- λύσις
labile

zymo- Cont'd
logy λογία
-ic(al -ist -ιστής
lysis lytic λύσις λυτικός
meter μέτρον
nema νῆμα
-atosis -ωσις
phore -ic -ous -φορος
phosphate -ese φωσφόρος
phyte φυτόν
plastic πλαστός
scope -σκόπιον
stable
sthenic σθένος
technics -ic(al τεχνικός
technology -ist τεχνολογία
techny -τεχνία
toxic τοξικόν
zoida ζω-
zym- ζύμη
oid -οειδής
ome -in ζύμωμα
osi(o)meter ὅσος μέτρον
osis ζύμωσις
-i(o)meter μέτρον
otic(ally ζυμωτικός
urgy -ουργία
zyth- ζῦθος
epsary ἕψειν
ia(ceae os um us
ozymase ζύμη διάστασις
Zyxomma ζεῦξις ὄμμα

AUTHORS CITED WITH ILLUSTRATIVE WORDS

Authors are herein cited chiefly according to Liddell & Scott (8th edition) and Sophocles (1900). Their names in the text primarily authenticate the rarer words. In other instances they indicate either the first user of the word or, more frequently, the authority from whom its use in later writers was presumably derived. The dates supplied are approximate *floruit* dates. A few illustrative words have been listed here proportionately to the total number cited. A dagger indicates citation for fifteen words or more; an asterisk citation for a hundred or more. In still larger numbers the chief authors cited are, in order: Aristotle (467), Hippocrates (331), Dioscorides (274), Galen (259), Plato (215), Herodotus (193), Plutarch (181), and Theophrastus (164).

Achill(es Tat(ius
Astron. ? 250 A.D.
ἀντίσκιον

Achill(es Tat(ius
Lit. ? 500 A.D.
πρωτομύστης

Actuarius
Med. 1300 A.D.
ἱμάντωσις

Adam(antius
Physiog. 350 A.D.
Ἰουδαιστής
ψευδεπίσκοπος

Ael(ianus
Zool. 120 A.D.
ἑτερόμορφος
ἰχνευτικός
καλαμοδύτης
σίλουρος

Aeschin(es
Orator 345 B.C.
Ἀρεοπαγίτης
ὀψοφαγία

† **Aesch(ylus**
Dram. 480 B.C.
ἀναρχία
ὀνειρόμαντις
παροιμία
συλλαβή
ψευδώνυμος

Aet(ius
Med. 500 A.D.
ἁλοηδάριον
μεταλλικός

Afric(anus
Eccl. 220 A.D.
δευτερογαμία

Alcae(us Comicus
Dram. 380 B.C.
κορίαννον

Alciphro
Lit. ? 300 A.D.
Σοκρατίζειν

Alcman
Lit. 650 B.C.
ἑλίχρυσος

Alex(ander of A(lexandria
Eccl. 325 A.D.
Σατανικός

Alex(ander Aphr(odisiensis
Phil. 220 A.D.
φλεγματικός

Alex(ander Trall(ianus
Med. 570 A.D.
ὀλιγοτροφία
προῦνον
τυμπανικός

Alexis, Comicus
350 B.C.
μονοπάθεια

Alex(ius Comn(enus
Law 1100 A.D.
νομοκάνων

Anacr(eon
Lyricus 540 B.C.
κότταβος
λυρικός

Anast(asius Sinaita
Eccl. 600 A.D.
Μονοφυσίτης

Andoc(ides
Orator 415 B.C.
Ἐλευσίνιον

Anna Comn(ena
Hist. 1100 A.D.
περίγειον

Anth(ologia P(alatina
(epigrammatists)
θεόμορφος
κλινικός
ταὐτολόγος

Antiph(anes
Dram. 380 B.C.
βιβλιογράφος

Aphthon(ius
Rhet. ? 2400 A.D.
παραφραστικός

Apocr(ypha of N.T.
λεόπαρδος
Συριάρχης

Apollod(orus
Myth. ? 50 A.D.
ἑκατόγχειρες
Ἐνδυμίων

Apollon(ius Dyscolus
Gram. 140 A.D.
ἑτερόκλιτος
ὀρθοτόνησις
παραγωγή
παρασύνθετον
σύλληψις

Apollon(ius Pergaeus
Geom. 220 B.C.
ἔλλειψις
ὑπερβολή

Ap(ollonius Rh(odius
Lit. 200 B.C.
Ἁμαδρυάς
Σποράδες
Στυμφαλίς

App(ianus
Hist. 140 A.D.
παλαιολογεῖν

Araros
Dram. 375 B.C.
παράσιτος

Arat(us Epicus
Phys. 270 B.C.
ὀφιοῦχος
Προκύων
ταῦρος

Arcad(ius
Gram. ? 350 A.D.
ὑπερδισύλλαβος

Archestratus
apud Ath. 400 B.C.
γαστρολογία

Archim(edes
Geom. 250 B.C.
κεντροβαρικά
σφαιροειδές
χιλιάγωνος

Aretae(us
Med. ? 100 A.D.
πύησις
σάρκωσις
σατυρίασις

Aristeas (Judaeus
de LXX ? 200 B.C.
χρυσογραφία

Aristid(es Q(uintilianus
Mus. ? 200 A.D.
ἀντιστροφός
βραδυκινησία
διασταλτικός
διατονικόν
δωδεκάσημος

† **Ar(istophanes**
Dram. 425 B.C.
δημαγωγικός
δρᾶμα
ἐγκώμιον
πάστη
σπογγιά
Συβαριτικός
τραγικός
τραγῳδία

* **Arist(otle**
Phil. 345 B.C.
ἀνάλυσις
ἀνατομή
ἀντίθεσις
ἀξίωμα
ἀπάθεια
ἀτροφία
διχοτομία
ἐμπειρικός
ἐνέργεια
ἔντομα
ἐπιτομή
ζωόφυτον
ἠθικά
κατηγορία
κολεόπτερος
κομήτης
κριτικός
κυκλικός
κωμῳδιά
μαθηματική
μεθοδικά
μετρικά
μηχανικά
μονοπωλία
νομαδικός
οἰσοφάγος
ὀπτικά
ὀργανικός
ὁρίζων
παθητικός
παράλληλος
παρῳδία
περιφέρεια
ποιητικός
πλανήτης
πόλος
πολύγωνον
πρόλογος
συλλογισμός
σύμβολον
συμπάθεια
συνώνυμον
τετράπτερα
ὕλη
φυσικά
φυσιολογία
ψυχικός

Aristox(enus
Mus. 350 B.C.
διαστηματικός
καταπύκνωσις

Arr(ianus
Hist. 160 A.D.
ὑδροφόβος
ὑποθετικός

Artem(idorus Daldianus
on dreams 160 A.D.
ἀναγραμματισμός
ἀστραγαλόμαντις

Artemid(orus Tarsensis
Lit. 50 A.D.
δυσεργασία
ζυγοστάτης

†**Ath(anasius**
Eccl. ? 350 A.D.
ἀρχιεπίσκοπος
βαπτιστήριον
θαυματουργός
μοναστήριον

†**Ath(en(aeus**
Gram. 220 A.D.
ἀντίφρασις
μετονομασία
ἰσομερής
παραγραφή

Athenaeus
Mech. ? 200 B.C.
μηχανουργία
ὑδραυλικόν

A(ulus Gell(ius
Gram. 140 A.D.
μιμίαμβοι
συγχρονισμός

Auson(ius
Lit. 350 A.D.
λογοδαιδαλία

Basil(us
Eccl. 380 A.D.
θεοφανία
μοναστικός
ὁμοουσιαστής
φαρισαικός

Byz(antine
γενετικός
(Schol. Dion. P.)
εἰρηναρχία
(Pseudo-Dion.)
ἐκκλησιάρχης
(Ptoch.)
κοινοβιάρχης
(Horol.)

Cael(ius Aur(elianus
Med. 350 A.D.
ἀμαρθρῖτις
τενοντάγρα

Cael(ius Cont'd
ὑδατισμός
χειραψία
Caesarius
Eccl. 380 A.D.
ἱερογράφος
τριθεία
Call(imachus
Epicus 260 B.C.
'Αμάλθεια
'Αχερόντειος
εὐτοκία
Cassian(us
Eccl. 440 A.D.
συγκελλίτης
Cassius
Med. ? 250 A.D.
ἀσφυξία
Cedr(enus
Eccl. 1050 A.D.
ἀλεκτορομαντεία
Celsus
Med. 30 A.D.
ξηροφθαλμία
ὑδροφοβία
Cerul(arius
Eccl. 1060 A.D.
προζυμίτης
† Cicero
Lit. 50 B.C.
'Ακαδημεικός
ἀπόλογος
ἀρχέτυπον
κατάληψις
μιμικός
μισογυνεία
περιπατητικαί
σχόλιον
† Clem(ens Al(exandrinus
Theol. 200 A.D.
αἱρετικός
ἀστρολογία
διαβολικός
ἐκκλησιαστικός
ἐσωτερικά
ἑτερόδοξος
ἰδιωματικός
κοσμογένεια
μάρτυρ
ὁμιλία
συγχρονίζειν
Clem(ens R(omanus
Eccl. 90 A.D.
λαικός
Const. Eccl. Council
2d Oec. 381 A.D.
Τετραδῖται
C(orpus I(nscriptionum
τετράπυλον
Cosmas Indicopleustes
Eccl. 550 A.D.
δίφυλλος
Cratinus
Dram. 450 B.C.
ἀνεμώνη
ποίημα
Critias
Lit. 400 B.C.
δακτυλιογλύφος
Ctes(ias
Hist. 400 B.C.
παντάρβη
Cyprian(us
Eccl. 250 A.D.
κληρικός
σχισματικός

Cyrill(us
Eccl. 440 A.D.
αὖξις
Εὐχῖται
ῥαβδομαντεία
Damasc(ius
Phil. 530 A.D.
εἰκονοκλάστης
Μονοθεληταί
Dem(etrius Phal(ereus
Rhet. 320 B.C.
ἐπανάληψις
χωλίαμβος
Democritus
Phil. 430 B.C.
ἀμφίβιος
† Dem(osthenes
Orator 350 B.C.
κλῖμαξ
πρόγραμμα
τυραννίζειν
φιλομήλα
† Diod(orus Sic(ulus
Hist. 10 B.C.
ἔτυμον
ἱερογλυφικός
καμηλοπάρδαλις
περίστυλον
φύλλωμα
χρυσόλιθος
† Diog(enes L(aertius
Biog. ? 200 A.D.
ἐκλεκτικοί
θέμα
κοσμογραφία
κοσμοπολίτης
φαρμακοποιία
φωνητικός
Diomed(es
Gram. ? 400 A.D.
πολυσύνδετον
Dio(n C(assius
Hist. 180 A.D.
αὐταρχία
ἀψίς
κρυστάλλινος
Dion(ysius Ar(eopagita
Eccl. ? 500 A.D.
αὐτοκρατικός
ἱεραρχία
† Dion(ysius H(alicarnassensis
Hist. 30 B.C.
ἀκροστιχίς
ἀνακόλουθος
ἀντιστροφή
ἀποστροφή
ἀρχαισμός
διάλεκτος
διθυραμβικός
ἐλεγειακός
ἐπικός
ἐτυμολογία
εὐφωνία
ἰδίωμα
ἱστορικός
μονοσύλλαβος
παρονομασία
περίφρασις
πολυσύλλαβος
προθετικός
προσωποποιία
σπονδεῖος
ταὐτολογία
* Diosc(orides
Med. c. 100 A.D.
ἀκακία

* Diosc(orides Cont'd
ἀλόη
ἀμβροσία
ἀντίδοτον
αὐτοψία
βιβλιογραφία
βοτανική
γεντιανή
γεράνιον
δραστικός
ἔνεμα
ζιγγίβερις
ἰάσμινον
'Ινδικόν
καστόριον
κοράλλιον
κωλικός
νάφθα
ὄπιον
πιστάκια
πυρίτης
ῥευματισμός
στομαχικός
στυπτικός
συκόμορος
ὑδροφοβικός
χολερικός
χρυσάνθεμον
† Drac(o Stratonicensis
Gram. ? 140 A.D.
ἀόριστος
ἄρσις
δίφθογγος
πεντάμετρος
συλλαβικός
Eccl(iastical
διοίκησις (Const.)
εἰκονομαχία
μοναχός (Athan.)
Empedocles
Phil. 440 B.C.
κλεψύδρα
Epich(armus
Dram. 470 B.C.
ἀλφηστής
δεκάλιτρον
Epict(etus
Phil. 90 A.D.
ἐγχειρίδιον
φρενητικός
† Epiph(anius
Eccl. 400 A.D.
ἀναχωρητής
ἀπόκρυφα
Δαλματική
δογματισμός
ἐπακτή
πρωτόμαρτυρ
Eratosthenes
Librarian 240 B.C.
φιλόλογος
Erotian(us
Gram. 60 A.D.
ξυστροειδής
Etym(ologicum Mag(num
Dict. 970 A.D.
κατασταγμός
Euchol(ogion
Gr. prayer book
στασίδιον
Euclid(es
Geom. 300 B.C.
θεώρημα
ὀκτάεδρον
πρίσμα
σφαιρικά

Eudoc(ia 1070 A.D.
ἰαμβογράφος
Euphor(io
Gram. 220 B.C.
σαμβυκιστής
Euphro
Dram. 280 B.C.
δίχορδον
† Eur(ipides
Dram. 440 B.C.
ἀφασία
βλασφημία
γυμνάσιον
τρίγλυφος
† Eus(ebius
Eccl. 315 A.D.
ἀλληγοριστής
Γιγαντικός
δογματιστής
ἑξαπλᾶ
παροικία
τετράγραμμον
ψαλμῳδία
† Eust(athius
Gram. 1100 A.D.
ἀστερίσκος
ἐγκλιτικός
ἐλλειπτικός
εὐφημισμός
παραλληλισμός
περιφραστικός
σχολιαστής
τοπογραφικός
Eustrat(ius
Phil. ? 1100 A.D.
ἡγουμενία
* Galen(us
Med. 165 A.D.
ἀδενοειδής
ἀνατομικός
ἀνεύρευσμα
ἀσθματικός
ἀφορισμός
γάγγραινα
γλωττίς
γονόρροια
διαγνωστική
δόσις
δυσπεψία
ἔκζεμα
ἔμπλαστρον
ἠθμοειδής
ἡμικρανία
θεραπευτικός
θυρεοειδής
ἰσχίον
καθετήρ
ληθαργία
ναρκωτικός
ναυσία
οὐρητήρ
παθολογική
παρέγχυμα
περικράνιον
πληθωρικός
προφυλακτικός
πυλωρός
πύωσις
σαρδήνη
σάρκωμα
σκελετόν
σκεπτικός
στραβισμός
στυλοειδής
συστολή
τριχίασις

* Galen(us Cont'd
ὑοιδής
ὑποχονδριακός
φλεβοτομία
χυλός
Gaza (Theodorus)
1430 A.D.
ἀοριστικός
Genes(ius
Eccl. 950 A.D.
Σαρακηνικός
Geop(onica
Agric. ? 900 A.D.
σησαμῆ
Gloss(ary (Varro)
κάπων
Gramm(arians
χαύλιος
χέρας
Greg(orius Naz(ianzenus
Theol. 360 A.D.
ἐπιφάνια
πατριαρχικός
Greg(orius Nyss(enus
Eccl. 370 A.D.
παραλογία
συμβιωτικός
Hanno
Geog. tr. 350 B.C.
γορίλλα
Harpocr(atio
Gram. ? 200 A.D.
νεβρισμός
Heliodorus
Lit. 300 A.D.
μιξέλλην
† Heph(aestio
Gram. 150 A.D.
ἀκαταλήκτος
'Αλκαικός
δίμετρος
Σαπφικός
Herm(as, Visions of
Eccl. c. 150 A.D.
ἀποστάτης
Hermog(enes
Rhet. 170 A.D.
παράφρασις
παρένθεσις
Hero
Mech. ? 200 B.C.
ὁδόμετρον
Herodian(us
Gram. 160 A. D.
δηλητήριος
σαρκασμός
* Herod(otus
Hist. 440 B.C.
ἀρχιτέκτων
αὐτόνομος
γεωμετρία
δημοκρατία
ἐμπόριον
ἱστορία
κολοσσός
κροκόδειλος
μηχανή
μοναρχία
μονόλιθος
μουσική
νίτρον
παιδαγωγός
πάνθηρ
περίμετρον
ποιητής
σπλήν

* **Herod**(otus Cont'd
σχολή
τετράποδα
φθίσις
φλέγμα
† **Hesiod**(us
Epicus ? 800 B.C.
Ἀρκτοῦρος
πανέλληνες
χάος
χάσμα
† **Hesych**(ius
Dict. ? 500 A.D.
κατηχίζειν
νεκρομαντεία
Hieron(ymus
Eccl. 420 A.D.
ἀρχιδιάκονος
Hipparch(us
Astron. 150 B.C.
ζωδιακός
Hippiatr(ica
Vet. ? —
δυσπνοικός
κλυσμός
* **Hipp**(ocrates
Med. 430 B.C.
αἱμορραγία
ἀκρώμιον
ἀποπληξία
ἀρθρῖτις
ἀρτηρία
ἆσθμα
ἀστρονομία
βούτυρον
γυμναστικός
διάρροια
ἐντροπία
ἐπιγλωττίς
ἐπιδερμίς
ἐπιληψία
ἐρυσίπελας
θεραπεία
καθαρτικόν
καρκίνωμα
κατάρροος
κρίσις
κῶμα
ληθαργικός
λιθίασις
μελαγχολία
ὄγκος
ὀφθαλμία
παροξυσμός
περίνεον
περιτόναιον
πρόγνωσις
πῦρ
ῥεῦμα
σκλήρωμα
τέτανος
τῦφος
ὑποχόνδρια
ὑστερικός
φαρμακεία
χειρουργία
χολέρα
Hippol(ytus
Eccl. 220 A.D.
Νοητιανοί
Hippon(ax
Poet. 550 B.C.
θαργήλια
H(ymni **Hom**(erici
ἠχώ
κιθαριστής

Homer(us
Epicus ? 900 B.C.
See *Iliad*, *Odyssey*
Horol(ogion
προκείμενον
Iambl(icus
Phil. 300 A.D.
Ἀττικιστής
Ignat(ius
Eccl. 115 A.D.
ἀγγελικός
ἀποστολικός
εὐχαριστία
* **Il**(iad
δαίμων
δράκων
ἥρως
Insc(riptions
ἀναθύρωσις
ἀρτάβη
νομογράφος
ξυστάρχης
Iren(aeus
Eccl. A.D. 180
ἀλφάβητος
ἀντίτυπον
γνωστικοί
ἐξορκισμός
εὐαγγελικός
σχίσμα
Isid(ore **Hispalensis**
Gram. 640 A.D.
πυρομαντεία
χιλιασταί
Isidore Pelusiota
Eccl. 435 A.D.
θεοπασχῖται
ψαλμικός
* **Isocr**(ates
Orator 380 B.C.
γενεαλογία
δημαγωγός
μεγαλοψυχία
μεταφορά
παλινῳδία
παραβολή
ποιητικός
ῥητορικός
φιλανθρωπία
J(oannes **Alex**(andrinus
Gram. 500 A.D.
παροξύτονος
Jo(annes **Chrys**(ostomus
Eccl. 400 A.D.
πολύγυρος
χειραλγία
Jo(annes **Gaz**(aeus
500 A.D.
λεξικός
Jo(annes **Lyd**(us
Secular 520 A.D.
λεξικογράφος
ψυχογονικός
Jo(annes **Malal**(as
Secular ? 580 A.D.
Ῥωμαικά
τρίλιθον
Joseph(us
Hist. 70 A.D.
Ἑβραΐζειν
θεοκρατία
ἱστοριογραφία
Jul(ius **Rufin**(us
epigrammatist
παθοποιία

Just(inus **M**(artyr
Eccl. 150 A.D.
δραματουργός
ἐξορκίζειν
Justinian(us
Imperator 565 A.D.
πρωτόκολλον
Laod(icenum
Concilium 347 A.D.
ψευδομάρτυς
Leo(**Philosophus**
Imperator 900 A.D.
πένταρχος
Leo Medicus
καμφορά
Leont(ius
Eccl. 610 A.D.
θεάνθρωπος
† **Longinus**
Rhet. 250 A.D.
ἀλληγορία
δακτυλικός
ἐπαναφορά
μονότονος
πανάκεια
† **Luc**(ianus
Sophist 160 A.D.
ἀμεθύστινος
διαγνωστικός
δίστιχος
δραματουργία
ἐσωτερικός
παντόμιμος
παρασιτικός
συμβολικός
ὑποκριτικός
Lucret(ius
Poet. 50 B.C.
ὁμοιομέρεια
Lucill(ius
Epigrammatist ? 70 A.D.
ἀποχή
Lyc(ophron
Poet. 270 B.C.
πολύγλωττος
Lys(ias
Orator 410 B.C.
τριηραρχία
Mal: See **Jo. Malal.**
Manass(es
Hist. 1150 A.D.
παχύφυλλος
Manetho
Hist. 300 B.C.
πρωτάρχης
πυροεργής
Marcian(us
Geog. 400 A.D.
Σαρακηνός
M(arcus **Anton**(inus
Imperator 160 A.D.
βιωτική
Math(ematici **Vet**(eres
ὑδραυλικός
Menaea
Byz. month books
συναξάριον
Menand(er
Dram. 320 B.C.
Ἀρκαδικός
μισογύνης
Method(ius
Eccl. 300 A.D.
ὀρθόδοξος
Mod(ern **Gr**(eek
ἐλαστικός

Modern Gr(eek Cont'd
καλλζούνιον
μυριολόγι
Moschio
Med. ? 110 A.D.
καταληπτικός
Musaeus
Gram. ? B.C.
νυκτίγαμος
Mus(ici **Vet**(eres
τετράτονον
ὑποσυναφή
† **N**(ovum**T**(estamentum
ἀπόστολος
βαπτίζειν
διάκονος
ἔκστασις
εὐαγγέλιον
Ἰησοῦς Χριστός
κατηχούμενος
νεόφυτος
παραβολή
προφητεία
Nic(ander
Phys. 160 B.C.
λιθάργυρος
πολυάνθεα
Nycet(us **Byz**(ant.
Eccl. 890 A.D.
ὑλακτισμός
Nicet(us **Eug**(enianus
Poet. ? 1175 A.D.
συμποσιαστικός
Nicol(aus **D**(amascenus
Hist. 20 B.C.
Μιθριδατικόν
Nicom(achus **Gerasinus**
Math. ? 100 A.D.
ἑπτάγωνος
ὀκτάγωνος
σχηματικός
Nil(us
Eccl. 420 A.D.
κανονάρχης
τριφάρμακον
Nonn(us
Poet. ? 500 A.D.
Διονυσιακά
† **Od**(yssey
ἅρπυιαι
Ἄτλας
Ἠλύσιον
νηπενθής
ὀρφανός
πολύπους
ὕμνος
Old Dict(ionaries
14 words all in Liddell & Scott 1858 and earlier, except παθολογία (Bailey 1730).
Op(pianus **Apamensis**
Phys. 200 A.D.
σκίουρος
† **Orig**(enes
Theol. 230 A.D.
δοξολογία
θεολογία
κανονικός
κοιμητήριον
πεντάτευχος
Πλατωνίζειν
τετραπλᾶ
Oribasius (**Orisb.**)
Med. 360 A.D.
ἔμπασμα

Orphica
Πυθοκτόνος
Pallad(ius
Eccl. 420 A.D.
ἀντίφωνον
ἐρημίτης
καμίσιον
Pamphil(us
Eccl. 307 A.D.
συμπαθητικός
Pandects
παράφερνα
Papp(us
Math. ? 380 A.D.
περιτρόχιον
Patrol(ogia **Gr**(aeca
Διφυσῖται (Timotheus Aelurus 535 A.D.)
† **Paul**(us **Aeg**(ineta
Med. 650 A.D.
ἀγκύλωσις
λιθοτομία
λυκανθρωπία
σφιγκτήρ
† **Paus**(anias **Periegeta**
Archaeol. 180 A.D.
Ἐλευσινία
Νάρκισσος
Petron(ius
Lit. ? 60 A.D.
τρικλινιάρχης
Phavor(inus
Poet. ? A.D.
παρασύνθεσις
Pherecr(ates
Dram. 430 B.C.
στροφή
ὑπερβολαῖον
† **Philo Judaeus**
Eccl. 40 A.D.
ἄρθρωσις
πολυγαμία
προφητικός
χαρακτηρίζειν
Philyllius
Comicus 390 B.C.
ἀναλφάβητος
† **Phot**(ius
Dict. 850 A.D.
ἀφοριστικός
κατηχητικός
λεξικόν
μικρόκοσμος
Phryn(ichus
Gram. 180 A.D.
ξεναγωγός
στύπη
†**Pindar**(us
Lyricus 490 B.C.
ἀθλητής
αἴνιγμα
εὐλογία
πένταθλον
στάδιον
συμπόσιον
* **Plato**
Phil. 380 B.C.
ἀναισθησία
ἀριθμητική
ἀρχαιολογία
ἀστρονομικός
ἀτλαντικός
αὐτοκρατεία
γένεσις
γραμματική
γυμνασία

*** Plato** Cont'd
διαλεκτική
διάλογος
διάμετρος
διαπασών
δόγμα
εἰρωνεία
ἐνθουσιασμός
εὐφημία
ἡμισφαίριον
ἡρωικός
θεραπευτική
θρηνῳδία
ἰδέα
κέντρον
κοσμητική
κριτήριον
κυβικός
μέθοδος
μελῳδία
μετεωρολογία
μισανθρωπία
μυθολογία
οἰκονομία
ὀρχήστρα
παιδαγωγία
παράδοξος
πλαστικός
πολιτική
πόρος
πρόβλημα
ῥητορική
σατυρικός
συμμετρία
σύμπτωμα
συμφωνία
σύνθεσις
σύστημα
σχίσις
τεχνικός
τύπος
ὑπόθεσις
ὑποτείνουσα
φαντασία
φιλοσοφία

Plat(o Com(icus
Dram. 425 B.C.
δασύπρωκτος
στῦμα

† Pliny
Naturalist 75 A.D.
ἐγκαυστική
ἐγκυκλοπαιδεία
κίνναμον
στίβι
τοπάζιον

Plotinus
Phil. 240 A.D.
κεντροειδής
μνεμονευτικός

*** Plut(arch(us**
Biog. 80 A.D.
ἀναλογία
ἀντιπάθεια
αὐτόγραφος
γεωγραφία
διάπεντη
δίπλωμα
ἐλεφαντίασις
ἐξηγητικά
ἐπεισόδιον
ἡπατικός
καλλιγραφία
κοσμογονία
κυκλοειδής
κύλινδρος
ὀρνιθολόγος

*** Plut(arch(us** Cont'd
παλίμψηστον
περιοδικός
πνευμονία
πολύεδρον
πολυφωνία
πρωταγωνιστής
στόμαχος
συγκοπή
σύνταξις
συστηματικός
σφαιρικός
τεχνολογία
ὑφέν
φιλολογία
χρονικά

† Poll(ux
Archaeol. 180 A.D.
γλυπτικός
κλειτορίς
ὀρθοδοξία
ποδαλγία
συμμετρικός

Polyaen(us
Hist. 160 A.D.
πεντηκοντήρης

† Polyb(ius
Hist. 170 B.C.
βιβλιοθήκη
ἐθνικός
ἐνεργητικός
θεωρία
καταστροφή
μεθοδικός
πανικόν
πειρατής
χωρογραφία

Porph(yrius Tyrus
Phil. 260 A.D.
θεόσοφος
σημειωτικός

Porph(yrogenitus
Eccl. 950 A.D.
ἀντίπασχα
πρωτοσπαθάριος

Priscian(us
Gram. 470 A.D.
ἐξάπτωτος
πεντάπτωτον

† Procl(us
Phil. 450 A.D.
μετεμψύχωσις
τοπογραφία
χρηστομάθεια

Psell(us
Eccl. 1050 A.D.
συνοψίζειν
ψαλμογράφος

Ps. Demetr(ius Phaler-eus
Hist. 320 B.C.
ἐμφατικός

Ptoch(oprodromus
Poet. 1150 A.D.
χειρονόμος

†Ptol(emaeus
Geog. Math. 140 A.D.
ἀπόγειον
ἀστρολάβον
ἔκκεντρος
ἐποχή
ἰδιοσυγκρασία
ἱερογλύφος
κλιμακτηρικός

Pythagoras
Phil. 530 B.C.
φιλόσοφος

† Quintil(ianus
Rhetor 80 A.D.
δογματικός
μετωνυμία
μονοτονία
ὀνοματοποιία

Quintus Smyr(naeus
Epicus ? 390 A.D.
Λαοκόων

Rufus(Ephesius
Med. 100 A.D.
ἀνθέλιξ

Salmas(ius
in Solinus
σάνταλον

Sappho
Lyrica 610 B.C.
Ἄδωνις
μύρρα

Schol(ia, esp. of Ar.
ἀναχρονισμός
ἐπίλογος
προπερισπώμενον

Seneca
Phil. 70 A.D.
λυχνόβιος

† Sept(uagint
ἄγγελος
ἀνάθεμα
ἀστρολόγος
βασιλίσκος
διάβολος
λιτανεία
πατριάρχης
Σάββατον
ὑποκριτής
ψαλμός

† Sext(us Emp(iricus
Phil. 200 A.D.
ἀδιαφορία
αἰτιολογία
ἀντιθετικός
ἀξιωματικός
ὀρθογραφία
χαρακτηριστικός

Simon(ides
Lyricus 525 B.C.
τριγλώχιν

Socr(ates
Eccl. 440 A.D.
δίπτυχα

Solinus
Gram. 240 A.D.
ὑπναλέη

Solom(onis
Eccl. ?
πένταλφα

Solon
Lyricus 590 B.C.
Ἀττικός

† Soph(ocles
Dram. 460 B.C.
δυνάστης

Sophronius
Eccl. 640 A.D.
θεοπάθεια

Sosip(ater
Comicus 200 B.C.
ἀρχιτεκτονική

Sotad(es
Comicus ? B.C.
δικότυλος

Soz(omenus
Hist. Eccl. 450 A.D.
ἀρχίμαγος

Steph(anus Diac(onus
Eccl. 800 A.D.
ὁσιομάρτυρ

Steph(anus B(yzantius
Geog. 400 A.D.
Κάνωπος

Stesich(orus
Lyricus 610 B.C.
τρίγαμος

Stob(aeus
Poet. 450 A.D.
φυσιογνωμία

*** Strabo**
Geog. 20 B.C.
ἀμφιθέατρον
ἀνθρωπόμορφος
ἀντίποδες
αὐτογενής
εἰκονογραφία
κακοφωνία
κρύσταλλος
νεκρόπολις
ὁμογένεια
πανηγυριστής
Πλατωνικός
ῥινόκερως
σιδηρίτης
στωικός
τραπεζοειδής
ὑμενόπτερος
φιλόβιβλος
ψευδοδοξία

Stud(ites, Theodorus
Secular 830 A.D.
νοταρικόν

† Suid(as
Dict. 1000 A.D.
δίλημμα
καλλιγραφικός
ὀνοματοποίησις
τροφεῖον

Symm(achus
Eccl. 200 A.D.
ὑμνολογία

Syncell(us, Georgius
Secular 800 A.D.
ἰχθυόμορφος

Synes(ius
Alchemist ? 400 A.D.
κυλινδρικός
ὑδροσκόπιον

Terent(ius M(aurus
Gram. a. 200 A.D.
συνάφεια

Tertull(ianus
Eccl. 220 A.D.
αὐθεντικός
εἰρηνικόν

† Theocr(itus
Poet. 280 B.C.
ἄκανθος
βουκολικός
ἐπιθαλάμιος
ἡρωίνη
κάκτος

Theod(oretus
Eccl. 460 A.D.
Ἐνθουσιασταί

Theod(orus Hyrtac(enus
Eccl. 1320 A.D.
Ἑρμαικοί

Theod(orus Prodromus
Poet. 1125 A.D.
ὀνειροκριτική

Theod(orus Studita
Eccl. 800 A.D.
ὀρθοτομία

Tehoodt(ion
Eccl. ? 200 A.D.
σκωληκίασις

Theol(ogumena Ar(ith-meticae
τετράεδρον

Theoph(ilus Antiochenus
Eccl. 180 A.D.
μονογαμία

*** Theophr(astus**
Phil. 320 B.C.
ἀκόνιτον
ἀχάτης
βάλσαμον
βλάστημα
καρδάμωμον
κιχώρη
κρίνον
λειχήν
νάρδος
παράλυσις
φλοιόρριζος
σκαμμωνία
σκίλλα
σμίλαξ
στρύχνος
συμβιῶν
τραγάκανθα

Theopomp(us
Med. ? 330 B.C.
τρικλίνιον

† Thuc(ydides
Hist. 420 B.C.
ἀπολογία
ἀριστοκρατία
αὐτονομία
βαρβαρικός
δημιουργός
δυναστεία
ὀλιγαρχικός
ὀστρακίζειν
πανοπλία
πεντηκοστύς
πολιτικός

Tim(aeus Loc(rus
Phil. ? 250 A.D.
παιδευτικός

Tim(otheus Presb(yter
Eccl. 535 A.D.
Θεοφανία

Tryph(o
Gram. c. 1 A.D.
ἀντονομασία
ἔμφασις

Tzetz(es, Joannes
Gram. 1150 A.D.
γοῦνα
Ῥῶς

Varro, M. Terentius
Gram. Hist. 40 B.C.
ἐτυμολόγος
κλιμακτήρ

Veget(ius
Mil. 380 A.D.
στενοκορίασις

Xenocr(ates
Med. 50 A.D.
ὀξέλαιον

† Vitruv(ius
Arch. 10 B.C.
ἀμφιπρόστυλος
ἀστράγαλος
διαγώνιος
ἐπισκήνιον
Καρυάτιδες
μετόπη
πλίνθος

† **Xen(ophon**
Hist. 400 A.D.
ἀπόφθεγμα
γραμματικός
γυμναστής

† **Xen(ophon** Cont'd
δεσποτικός
διάδημα
ἡγεμονία

† **Xen(ophon** Cont'd
θρόνος
μετρόπολις
παράδεισος

† **Xen(ophon** Cont'd
στρατήγημα
τακτικά
χορηγικός

Zonar(as, Joannes
Dict. 1120 A.D.
σπαδωνισμός

GREEK TERMINAL ELEMENTS FREQUENTLY REPRESENTED IN ENGLISH

-αγρα
-αδος
-αιμία
-αινα
-αισθησία
-ακανθος
-ακος
-αλγησία
-αλγία
-ανδρες
-ανδρία
-ανδρος
-ανθημον
-ανθος
-ανθρωπία
-ανος
-αριον
-άρχης
-αρχία
-ας
-ασις
-ασμα
-ασμός
-αστής
-αστία
-αστικός
-ατεία
-ατικός
-αυχην

-βατης
-βλεψία
-βουλία

-γαμία
-γαμος
-γένεια
-γενεσία
-γενεσις
-γενής
-γλωσσία
-γλωσσος
-γλωττος
-γνωμία
-γνωσία
-γνωσις
-γονία
-γραμμον
-γραφία
-γραφον
-γραφος
-γυνία
-γυνος
-γωνον
-γωνος

-δακτυλος
-δάφνη
-δενδρον
-δερμία
-δερμις
-δοξία
-δοξος
-δυμος
-δυναμία
-δυναμος

-εγχυμα
-εδρον
-εια
-ειον
-εκτομία
-εργία
-εσις
-ετικός
-ευνία
-ευς

-ζυγος

-ηγορία
-ημα
-ήνη
-ησία
-ησις
-ητής
-ητικός

-θανασία
-θεν
-θηκη
-θηνία
-θηρ
-θυμία

-ίασις
-ίδες
-ίδης
-ίδιον
-ιδρωσις
-ίζειν
-ικά
-ική
-ικόν
-ικός
-ινά
-ινή
-ινος
-ιον
-ισία
-ισκός
-ισμός
-ισσα
-ιστής
-ιστικός
-ίτης
-ιτικός
-ῖτις

-κακη
-καρδία
-καρπον
-καρπος
-κερας
-κερως
-κεφαλος
-κηλη
-κινησία
-κινησις
-κλαδος
-κλασμα
-κλάστης
-κλισις
-κλιτικός
-κοκκος
-κολλα
-κομεῖον
-κοτυλος
-κρατής
-κρατία
-κρατικός
-κράτωρ
-κτονος

-λαβον
-λατρεία
-λάτρης
-ληψία
-λιθον
-λογία
-λογικός

-μα
-μάθεια
-μαθής
-μαχία
-μέρεια
-μερής
-μετρία
-μετρον
-μνησία
-μορφία
-μορφος

-νευρωσις
-νοια
-νομία
-νοσος

-ξενία
-ξενος
-ξυλον

-ογκος
-οδης
-ο-ειδής
-ομφαλος
-οπτρον
-ορνις
-οστρακος
-ουλκία
-ουργία
-ουργος
-ουρία
-ουσα
-ουχος
-οφθαλμία

-πάθεια
-παθης
-παιδεία
-πεψία
-πηγία
-πλανία
-πλαστία
-πληγία
-πληξία
-πλοος
-πνοία
-ποδία
-πόδιον
-πολις
-πορος
-πραγία
-πραξία
-προσωπος
-πτερα
-πτερίς
-πτερος
-πτυχος
-πτωσία
-πτωσις

-ῥαγία
-ῥαφία
-ῥῆξις
-ῥιζος
-ῥοια
-ῥυθμία

-σθένεια
-σις
-σκοπία
-σκοπιον
-σοφία
-σπασμός
-σπαστικός
-σπαστον
-στασία
-στιχία
-στιχος
-στομία
-στομος
-στυλον
-στυλος
-συλλαβία
-σφυξία
-σχισις

-ταξία
-τεχνία
-τηρ
-τηριον
-τόκεια
-τομία
-τομον
-τομος
-τονία
-τοπία
-τροπία
-τροπος
-τροφία
-τυπία

-ὑδρία
-υτης
-υτικός

-φαγία
-φαγος
-φαής
-φανής
-φανία
-φαντης
-φαντικός
-φασία
-φημία
-φιλής
-φαλία
-φιλος
-φοβία
-φορία
-φυλλία
-φυλλος
-φωνία
-φωνος

-χαιτα
-χθονος
-χλωρος
-χολία
-χροος
-χημία

-ψυχία

-ώδης
-ωδία
-ωδυνία
-ωμα
-ώνη
-ωνυμία
-ωνυμος
-ωπία
-ῶπις
-ωσις
-ώτης
-ωτικός
-ωτος

KEY TO PART II

The arrangement of Greek words and combining forms in Part II is strictly alphabetical. Each has listed under it, with certain exceptions, the chief English words and combining forms to which it has given rise. (See the key prefixed to Part I.) English words of highly specialized usage are distinguished by labels in italics, indicating the subjects in which they ordinarily occur. The Greek headings are followed by words offering a brief clue to their meaning unless the correspondence of sense in the Greek original and the chief English derivatives provides its own explanation. In such instances ordinarily, and especially when the Greek word is rare, reference to an author or lexicon provides instead a clue to its probable origin. (See the list of Authors Cited With Illustrative Words on page i.)

TABLE OF ABBREVIATIONS OF ARTS AND SCIENCES.

(Many other departments of learning are recorded which did not require abbreviation. Abbreviations are sometimes combined; as, *Cl. Ant.*, Classical Antiquities; *Eccl. Hist.*, Ecclesiastical History. But in general where two or more occur, the term is used in diverse fields of knowledge. The labels are intended to imply, not that a term is used exclusively as indicated, but only primarily. In some instances the label has been omitted to save space and may be found under another Greek element in the given term by reference first to the English-Greek section. The order of separate labels is alphabetical.)

Aero. Aeronautics
Agric. Agriculture
Amphib. Amphibia
Anal. Analysis, Analytic
Anat. Anatomy
Annel. Annelida
Ant. Antiquities
Anthrop. Anthropology
Anthropom. Anthropometry
App. Apparatus
Arach. Arachnology
Arch. Architecture
Archaeol. Archaeology
Arthrop. Arthropoda
Ascid. Ascidia
Astrol. Astrology
Astron. Astronomy
Ath. Athenian
Austral. Australian

Bact. Bacteriology
Batrach. Batrachia
Biochem. Biochemistry
Biol. Biology
Bot. Botany
Bry. Bryozoa

Cal. Calendars
Ch. Church
Chem. Chemistry
Chr. Christian
Cl. Classical
Climatol. Climatology
Coel. Coelenterata
Comb. Combining Form
Comp. Comparative
Conch. Conchology
Craniol. Craniology
Craniom. Craniometry
Crit. Criticism
Crust. Crustaceology
Cryst. Crystallography
Cytol. Cytology

Dent. Dentistry
Diag. Diagnosis (*Med.*)
Dial. Dialect.
Diet. Dietetics

Eccl. Ecclesiastical
Echin. Echinodermology
Ecol. Ecology
Educ. Education
Elec. Electricity
Emb(ryol. Embryology
Engin. Engineering
Ent. Entomology
Ethnol. Ethnology
Expl. Explosives

Fest. Festivals
Foram. Foraminifera

Gastrop. Gastropoda
Gen. Genetics
Geog. Geography
Geom. Geometry
Gov(t. Government
Gr. Greek
Gram. Grammar
Gynec. Gynecology

Helm. Helminthology
Her. Heraldry
Herp. Herpetology
Hist. History
Histol. Histology

Ich. Ichthyology
Impl. Implements
Ind. Industrial
Inorg. Inorganic

L. Latin
Lit. Literature

Malac. Malacology
Mam. Mammalogy
Mat. Med. Materia Medica
Math. Mathematics
Marsup. Marsupialia
Meas. Measures
Mech. Mechanics
Med. Medicine
Metal. Metallurgy
Metaph. Metaphysics
Meteor. Meteorology
Micros. Microscopy
Mil. Military
Min. Mineralogy
Mol. Mollusca
Mus. Music
Mycol. Mycology
Myriap. Myriapoda
Myth. Mythology

Naut. Nautical
Nav. Naval
Navig. Navigation
Neurol. Neurology
Numism. Numismatics

Obs. Obsolete
Obstet. Obstetrics
Oceanog. Oceanography
Odontog. Odontography
Ophth. Ophthalmology
Org. Organic
Ornith. Ornithology

Pal. Paleontology
Pal. Bot. Paleobotany
Paleog. Paleography
Path. Pathology
Pelec. Pelecypoda
Petrog. Petrography
Petrol. Petrology
Pharm. Pharmacy
Phil. Philosophy
Philol. Philology
Phon. Phonetics
Photochem. Photochemistry
Photog. Photography
Phrenol. Phrenology
Phys. Physics
Physiog. Physiography
Physiol. Physiology
Phytogeog. Phytogeography
Phytopath. Phytopathology
Pol. Politics
Porif. Porifera
Print. Printing
Prop. Proprietary
Pros. Prosody
Prot. Protozoology
Psa. Psychoanalysis
Ps. Path. Psychopathology
Psych. Psychology
Psychophys. Psychophysics
Pulm. Pulmonata

Radiol. Radiolaria
Rel. Religion, Religious
Rem. Remedies
Rhet. Rhetoric
Rhizop. Rhizopoda
Rom. Roman

Sc. Science, Scientific
Sculp. Sculpture
Soc. Societies
Sociol. Sociology
Spong. Spongia
Spor. Sporozoa
Surg. Surgery, Surgical
Surv. Surveying

Teleg. Telegraphy
Terat. Teratology
Theol. Theology
Ther. Therapy
Thermodynam. Thermodynamics
T.N. Trade Name
Tox. Toxicology
Turbel. Turbellaria

Vet. Veterinary

Zoogeog. Zoogeography
Zool. Zoology
Zooph. Zoophytology.

ἀ- = ἀν- not. Used before consonants except *h*. For combinations with *z*, see ζωή.
Abama *Bot.*
abasia -ic *Path.*
abio- *Biol.*
chemistry genesia genesis(t genetic(al(ly genist genous geny logic(al logy narce physiology trophic trophy
abion
abionergy *Physiol.*
abiosis abiotic *Biol.*
abiuret *Chem.*
ablastemic *Biol.*
ablastous -ic *Biol.*
Ablastozoa *Biol.*
Abothrophera *Herp.*
abrachia -ius *Terat.*
abrachio-
cephalia -us *Terat.*
Abrachyglossum *Ent.*
Abranchia *Zool.*
-ial(ism -ian -iata -iate -ious
Abranchioceras *Ich.*
abrastol *Chem. Pharm.*
abrazite -ic *Min.*
Abroma *Bot.*
acacanthrax
acalculia *Ps. Path.*
acalyc- *Bot.*
al(is ine inous ulate
Acalypterae *Zool.*
Acalyptratae -ate *Zool.*
Acalyptris *Ent.*
acanonical
acapnia (l *Biochem.*
acardia -iacus *Terat.*
acardiac -ius *Anat.*
Acardines -ate *Conch.*
acardio- *Med.*
hemia neuria trophia
acarp(el)ous *Bot.*
acarpotropic *Bot.*
acatallactic
acatamathesia *Ps. Path.*
acataphasia -y *Ps. Path.*
acataposis *Path.*
acatastasis *Ps. Path.*
acategorical *Logic*
acathectic *Path.*
acathistus
acatholic
acenesthesia *Ps. Path.*
acentric
acentronic *Bot.*
Acerata *Zool.*
acerato-
basis *Ent.*
branchii *Ich.*
phorous
aceratosis *Anat.*
ach(a)enium *Bot.*
ach(a)enocarp *Bot.*
Achaenodon *Pal.*
Achaeta -ous *Helm.*
Achaetops *Ornith.*
Achaetothorax *Ent.*
achalasia *Physiol.*
Achascophytum *Bot.*
ach(e)ilous -ary *Bot.*
ach(e)ilia -ous *Terat.*
ach(e)iria -iac -ous -us
Achelata *Crust.*
-ate -ia -(i)id(ae -ioid
achenium *Bot.*
-e -ial -odium
achetinous *Zool.*
achlamydate *Conch.*
Achlamydeae -eous *Bot.*
achlor(o)hydria *Chem.*
achloroph y l l(a c e) o u s
achloropsia *Ophth.*
achlythrophytum *Bot.*
acholuria *Physiol.*
achondrite *Meteor.*
achondroplasia *Path.*
achondroplastic *Path.*
achordal -ate *Anat.*
Achordata *Zool.*
achoresis *Path.*
Achorutes *Ent.*
achrematite
achroacyte *Anat.*
achroacytosis *Path.*
achroin *Nat. Med.*
achroma -asia *Path.*
achromatophil(e *Bot. Biochem.*
achronism
achylia -ous *Path.*
acladiosis -iotic *Path.*
acl(e)idian *Anat.*
acleitocardia *Path.*
aclinal
aclythrophytum *Bot.*
acnemia *Path.*
Acochlides *Conch.*
acoelom- *Zool.*
ata ate (at)ous i
aconative *Psych.*
acondylose -ous*Anat.Bot.*
acone *Zool.*
Acopa *Ascid.*
acorea *Terat.*
acormus *Terat.*
acosmism -ist(ic *Phil.*
Acotylea *Zool.*
acotyledon(ous *Bot.*
acracy *Pol.*
acr(o)agnosis *Neurol.*
acrania -ius -y *Terat.*
Acrania *Ich.*
acranial *Anat.*
acraniate *Surg.*
Acraspeda -ota -ote
acreophagy -ist
acrepid *Spong.*
acritical *Path.*
acrosazone *Org. Chem.*
acrotism -ic *Path.*
Acrotus -idae *Ich.*
Actenobranchii *Ich.*
acyanoblepsia *or* -y *Path.*
acyanophoric *Bot.*
acyanopsia *Path.*
acyclic *Bot. Chem.*
acyesis -etic *Med.*
Acyon *Pal.*
acyprinoid *Zoogeog.*
acystia *Terat.*
acystinervia *Path.*
acystineuria *Path.*
Acystosporea *Spor.*
Acystosporidia *Prot.*
acytotoxin *Chem.*
Adacna *Conch.*
-id(ae -ida -oid
adactyl(e -ous *Zool.*
adactylia -ism *Terat.*
Adapis *Mam.*
-id(ae -oid
Adapisorex *Mam.*
-icid(ae -icoid
adendr(it)ic *Cytol.*
adermia *Physiol.*
adermogenesis *Physiol.*
adespotic
adevism
adiabolist
adiactinic *Optics*
adiadochokinesia
adiagnostic *Petrog.*
adiaphanous
adiaphon(on *Music*
adiathermal -ic *Phys.*
adiathermanic -ous -cy
adiathetic *Med.*
Adiathlipsis *Ent.*
adichogamy -ous *Bot.*
Adimerus -idae *Ent.*
adiscalis *Bot.*
Adiscota *Ent.*
Adocus *Herp.*
-id(ae -oid
adolode *Arts*
adoxy *Theol.*
adynamic(al *Phys.*
Agalena *Arach.*
-id(ae -oid
agalorrhea *Gynec.*
agamete *Biol.*
aganglionic *Anat.*
Agastria *Zool.*
-eae -ic
agastro- *Path.*
nervia neuria
Agelenidae *Arach.*
agenesia *Physiol.*
agenesis -ic *Physiol.*
agenetic *Physiol.*
Agenia *Ent.*
agennesis -ic *Ethnol.*
agennesis & -etic *Physiol.*
agenosomia & -us *Terat.*
agenus *Bot.*
ageometrical
ageotropic *Bot.*
ageusia *Path.*
aglaukopsia *Ophth.*
Aglenus *Ent.*
aglobulia -ism *Path.*
aglucon(e *Org. Chem.*
aglumaceous *Bot.*
Aglycyderes *Ent.*
-id (ae -oid
aglycon(e *Org. Chem.*
Agnatha *Conch. Zool.*
Agnathi *Ent.*
agnathia & -us *Terat.*
agnathic *or* -ous *Zool.*
agnomical
agomph- *Dent.*
iasis ious osis
Agonomalus *Ich.*
Agonopsis *Ich.*
Agonus *Ich.*
-id(ae -inae -oid
agrammatical
agraphia -y -ic *Path.*
Agraphis *Bot.*
agyn- *Bot.*
arious -ary -ic -ous
agyrate *Bot.*
agyria *Terat.*
aheliotropic *Bot.*
a(h)ypnia *Path.*
Akaryota *Biol.*
akaryote *Bot.*
akatamathesia *Ps. Path.*
akatanoesis *Ps. Path.*
akathisia *Ps. Path.*
akeratophorous *Zool.*
akene -ium *Bot.*
akinesis *Bot. Path.*
akinetic
akosmism
akreophagy -ist
alalia -ic *Path.*
aldazin(e *Chem.*
alecithal *Biol.*
Aleiodes *Ent.*
Alepas *Cirripoda*
Alepidosaurus *Ich.*
-id(ae -ina -oid
Alepisaurus *Ich.*
-id(ae -oid
Alepocephalus *Ich.*
-id(ae -oid
Aleposaurus -idae *Ich.*
Aleposomus *Ich.*
aleucaemia *Path.*
aleuk(a)emia *Path.*
alexia *Path.*
aliturgic(al *Eccl.*
alochia *Gynec.*
alogic (al(ly
alymphia *Path.*
amacrine *Anat.*
amanous
amasesis *Med.*
amaterialistic
amazia *Terat.*
Ameiurus *Ich.*
amelia & -us *Terat.*
ameloblast *Embryol.*
amenia *Gynec.*
amenorrh(o)ea(l -eic
amentia *Ps. Path.*
amerisia *Ps. Path.*
amerism -istic *Biol.*
Amerosporae *Biol.*
amesial
ametabolism *Zool.*
ametallous
ametamorphosis*Ps.Path.*
ametaneutrophil(e *Chem.*
amethodical(ly
amethodist
ametria -ous *Terat.*
ametrohemia *Physiol.*
amianthinopsy *Ophth.*
amicrobic *Path.*
amicron(e *Phys.*
amicronic *Bot. Chem.*
amicronucleate *Bot.*
amicroscopic *Phys.*
Amicrurae *Helm.*
amimetic *Zool.*
amimia *Ps. Path.*
amitosis *Cytol.*
amitotic(ally
Amiurus *Ich.*
amixis *Biol.*
amnemonic *Ps. Path.*
amoral
amoralis -ia *Ps. Path.*
amorphinism *Med.*
Amyaria(n *Conch.*
amyasthenia -ic *Med.*
Amycterus *Ent.*
-id(ae -oid
amyelencephalia *Terat.*
-ic -ous
amyrin *Chem.*
Amyris *Bot.*
amyxia *Med.*
amyxorrhea *Med.*
anarcotin(e *Chem.*
anastigmat(ic *Ophth.*
Anazoturia
Anectaria *Bot.*
aneroid *Elec. Meteor.*
aneroidograph *Meteor.*
aneuria -ic *Path.*
aneurilemma *Med.*
anitrogenous *Chem.*
anocithesia *Surg.*
anoesis *Psych.*
anomia *Ps. Path.*
anomic
Anoplagonus *Ich.*
anoso- *Med.*
diagnosis
diaphoria
anucleate
Apanteles *Ent.*
aparaphysate *Bot.*
aparathyr(e)osis *Med.*
apathism *Med.*
apaulogamy -ic *Bot.*
apedioscope
apellous *Surg.*
Apeltes *Ich.*
-inae -ine
apepsinia *Med.*
apeptic *Path.*
aperiodic(al(ly *Phys.*
aperispermic *or* -ous *Bot.*
aperistalsis *Med.*
Apetala(e *Bot.*
-oid -ose -ous(ness -y
aphacia -ic -ous *Terat.*
aphagia *Med.*
Aphalara -inae *Ent.*
Aphaneramma *Pal.*
Aphaneri *Biol.*
aphanimere *Bot.*
Apharyngea *Helm.*
apharyngeal *Zool.*
aphemesthesia *Ps. Path.*
aphemia -ic *Path.*
aphenoscope
aphonic -ous *Philol.*
aphose *Ophth.*
aphotic *Phytogeog.*
Aphotistes *Bot.*
aphoto-
metric *Optics Zool.*
tactic *Biol.*
taxis *Biol.*
tropic -ism *Bot.*
aphrasia *Path.*
aphrenia *Ps. Path.*
aphronesia *Ps. Path.*
aphthenxia *Path.*
Aphthoroblattina *Pal.*
aphylactic *Med.*
aphylaxis *Med.*
aphyric
aphyllopodous *Bot.*
apilary *Bot.*
Aphyllopteris *Pal.*
Aplacophora(n -ous
aplanatism -ic(ally
aplasia *Path.*
aplasmic
Apleuri *Ich.*
apneumia *Terat.*
apn(o)ea -al -ic *Path.*
apolar *Anat. Phys.*
apolarity *Math.*
Apolites *Ent.*
Apomatostoma *Conch.*
aponal *Prop. Rem.*
apone *Mat. Med.*
aponi(*or* e)a -ic *Med.*
aponoe(*or* i)a *Ps. Path.*
aposia *Med.*
aposthia *Terat.*
aprophoria *Path.*
Aprocta -ous *Helm.*
aproctia -ous *Terat.*
Aprosphyma *Malac.*
Aproterodont *Herp.*
Apsilus *Ich.*
apsithyria *Ps. Path.*
apsychia *or* -y *Path.*
apsychical *Psych.*
Apternodus *Pal.*
Apterygota -ism -ous

apteryx *Ornith.*
aptosochromatism
Aptychus *Conch. Pal.*
apulmonic
Apygia *Brachiopoda*
apyetous *Med.*
apyknomorphous *Cytol.*
apyonin *Ophth.*
apyous *Med.*
Apyrenaemata -ous *Zool.*
apyrenous *Bot.*
apyrine *Prot.*
areflexia *Med.*
aregenerative *Terat.*
ar(h)inencephalia -us
arhinia *Terat.*
Arhizophytes *Bot.*
Ar(r)hizae -al -ous *Bot.*
arhythmic *Physiol.*
Arrhynchia *Turbel.*
asaprol *Pharm.*
Aschiza *Ent.*
aschizopod(a -ous *Crust.*
asecretory
aseismatic
asemasia *Ps. Path.*
asepsin(e *Pharm.*
asepsis *Path.*
aseptate
aseptic *Surg.*
  al(ly ism ity ize
aseptify *Surg.*
asept- *Mat. Med.*
  in(ol ol(in ule
asexual
  ity ization ize ly
asialia *Med.*
asiderite *Geol. Med.*
asiderosis *Med.*
asincronogonism *Bot.*
asiphon- *Conch.*
  acea ata ate ea ia iata iate ida
asiphonogam *Bot.*
askeletal
asocial
asoma *Terat.*
asomatic *Bot.*
asomatophyte *Bot.*
asonia *Path.*
aspermatism -ic -ous
asph(a)erinia *Physiol.*
aspheric *Optics*
aspheterism -ize *Econ.*
aspermic *Zool.*
asporo-
  cystea *Bot.*
  genic -ous *Bot.*
  mycetes *Fungi*
asporous *Bot.*
asporulate *Bot.*
asteat- *Path.*
  odes osis
astegorrhine *Craniom.*
astely -ic *Bot.*
asteno- *Combin.*
  gnathus *Pal.*
  sphere *Geol.*
  thura *Malac.*
astereocognosy *Ps. Path.*
astereognosis *Ps. Path.*
asternal *Anat.*
asternia *Med.*
Astichomyia *Ent.*
astichous *Biol.*
astigm- *Ophth. & Optics*
  agraph atic(al(ly ation (at)ism atizer (at)-ometer ia ic ometry (at)oscope atoscopy
Astigmat(ic)ae *Bot.*
Astilbe *Bot.*
astoichiometric *Chem.*
Astomata -ous *Protozoa*
astom(at)ous *or* -atal
astomia *Terat.*

astrophe -y *Bot.*
asyllabia *Gram. Ps. Path.*
asyllabical
asymblasty *Bot.*
asymbolia *Ps. Path.*
asymbolic
asymphynote *Conch.*
asynchronism
asynchronous
asynclitism *Obstet.*
Asyncritus *Pal.*
asynergia -y -ic *Path.*
asyngamia -y -ic *Bot.*
asynodia *Med.*
asynovia *Med.*
asynthetic *Bot.*
asyntrophy *Med.*
asystematic *Med.*
asystole -ic -ism *Path.*
asyzygetic *Math.*
atatchite *Geol.*
ataxite *Petrog.*
ataxi(*or* o)nomic *Bot.*
ataxoadynamia *Med.*
atechnic(al
atechny
ategminous -y *Bot.*
ateleological
atemporal
athalamous *Bot.*
athalline *Bot.*
Athecae *Herp.*
  -ata -ate -ous
atheciferous
athelia *Terat.*
atheology
  -ian -ical(ly
Atheriog(a)ea(n *Zoogeog.*
athermal
athermanous -cy *Phys.*
athermosystaltic *Med.*
athiorhodaceous *Bot.*
Athorybia -iidae *Prot.*
athrepsia *Path.*
athreptic *Path.*
athymism(us *Med.*
Athymodictya *Pal.*
athyr- *Path.*
  ea (e)osis ia
Athyrisma *Pal.*
Athyris *Zool.*
  -id(ae -oid
Athyrium *Bot.*
athyroid *Path.*
  ation ea emia ism
atonality *Music*
atophan *Pharm.*
atopognosis *or* -ia
atoxic *Med.*
atoxogen *Chem. Med.*
atoxyl(ic -ate *Chem. Med.*
Atracheata -eate *Crust.*
Atrachia *Conch.*
Atremata *Conch.*
atrepsy *Tumors*
atreptic *Tumors*
Atrimitra *Pal.*
atrocha(l -ous *Helm.*
Atrophytes *Fungi*
Atrypa *Conch.*
  -id(ae -oid
attypic(al(ly *Biol.*
Atylus *Crust.*
  -id(ae -oid
avenous
avolitional
axanthopsia *Ophth.*
azygomatous *Anat.*
azygospore *Bot.*
azymic -ous *Med.*
centraphose *Ophth.*
centroasymmetric *Chem.*
chinaseptol *Chem.*
cupriaseptol *Chem.*
diach(a)enium *Bot.*
epiachene *Bot.*

Euryapteryx *Ornith.*
Genyatremus *Ich.*
hemiageusia *Med.*
hypoachene *Bot.*
Interatherium -iidae *Pal.*
logagraphia *Ps. Path.*
Megaladapis -idae *Pal.*
meroacrania *Med.*
monoavitaminosis *Chem.*
neuronagenesis *Med.*
paraaceratosis *Med.*
pentachenium *Bot.*
periachene *Bot.*
piaselenole *Org. Chem.*
polachena *Bot.*
polyavitaminosis *Chem.*
preaseptic *Med.*
pseud(o)agraphia
stereoagnosis *Path.*
stylagalmaic -aric *Arch.*
thyroaplasia *Med.*
triachaenium *Bot.*
ἀβακίσκος = L. tessera
abaciscus
ἀβακο- comb. of ἄβαξ
Abacocrinidae *Pal.*
ἄβαξ = L. abacus
Abacola *Crust.*
  id(ae -oid
abacus
Leptabacia *Pal.*
ἀβάπτιστον (Galen)
abaptiston -um *Surg.*
ἀβασάνιστος unquestioned
Abasanistus *Ent.*
ἄβατον Neut. of ἄβατος
abaton *Gr. Temples*
ἄβατος inaccessible
Abatobius *Arach.*
Abatoleon *Ent.*
ἀββᾶς an abbot
abbacy
abbot
  cy ric ship
archabbot
ἀββατία
protoabbaty
Ἀβδηρίτης Fr. Ἄβδηρα a city of Thrace
Abderite
Abderites *Pal.*
Parabderites *Pal.*
Ἀβιγάιλ
  abigail(ship
ἀβλεννής without mucus
Athlennes *Ich.*
ἀβλέφαρος without eyelids
ablepharous *Biol. & Med.*
  -i -ia -on -us
ἀβλεψία blindness
ablepsia *or* -y
-ablepsia *Med.*
  chion hemi niph
ableptical(ly
hemiablepsy
ἀβουλία (Herod.)
ab(o)ulia *Ps. Path.*
abulic *Ps. Path.*
ἄβουλος irresolute
ab(o)ulomania *Ps. Path.*
ἀβραμίς (-ίδος) (Oppian.)
Abramis *Ich.*
  -idina(e -idine
α-β-ρ-α-ξ-α-ς mystic letters totalling the days of the year
abrasax *Gems*
abraxas *Gems*
ἁβρο- Comb. of ἅβρος
abrocome -a *Mam.*

habro-
  cerus *Ent.*
  come -a *Mam.*
  lepistra *Ent.*
  mania *Path.*
  neme -a *Helm.*
  nemic -iasis *Path.*
  phora *Ent.*
  phyes *Ent.*
  pus *Ent.*
  thrix *Zool.*
ἁβρός graceful
abrin *Org. Chem.*
Abronia *Bot.*
Abrus *Bot.*
Anabrus *Bot.*
antiabric -in *Tox.*
Podabrus *Ent.*
ἀβρότονον (Theophr.)
abrotanum -oid *Bot.*
abrotin(e *Org. Chem.*
ἁβρύνειν wax wanton
Habryna *Ent.*
ἄβυσσος unfathomed
abysm -al(ly
abyss
  al ic us
hypabyssal *Petrog.*
ἀγαθίδιον Dim. of ἀγαθίς
Agathidium *Ent.*
ἀγαθίς a ball of thread
Agathis *Bot.*
-agathis *Ent.*
  Lab Pelm
ἀγαθο- Comb. of ἀγαθός
agatho-
  d(a)emon(ic *Gr. Rel.*
  kako (*or* caco) logical
  logy -ical *Ethics*
  poietic *Ethics*
ἀγαθός good
Agathaumas *Herp. Pal.*
  -id(ae -oid
Agathiceratea -inae *Pal.*
agathin *Pharm.*
agathism -ist *Phil.*
Agathosma *Bot.*
ἀγαλακτία want of milk
agalactia *Path.*
agalaxy *Path.*
ἀγάλακτος without milk
agalactous *Med.*
ἀγάλλοχον bitter aloe
agalloch(um *Bot.*
ἄγαλμα honor, a gift to honor
agalma *Dyes (T. N.) Gr. Ant. Law Sculpture*
agalmatolite *Min.*
Agalmidae *Acal.*
Agalmopsis *Coel.*
ἀγάμητος = ἄγαμος
agametospore *Bot.*
agametes
ἀγαμία celibacy
agamy *Sociol.*
ἄγαμος unmarried
Agamae -ic(ally *Bot.*
agamandroecism *Bot.*
agamic(ally *Biol.*
agamist *Sociol.*
agamo-
  bium *Biol.*
  filaria *Helm.*
  genesis *Biol.*
  genetic(al(ly *Biol.*
  gony *Biol.*
  gynaecism *Bot.*
  gynomonoecism *Bot.*
  hermaphroditism
  hypnospore *Bot.*
  monoecia *Bot.*
  phyta *Bot.*

agamo- Cont'd.
  spore *Bot.*
  tropic *Bot.*
agamoid(ea(n *Herp.*
agamont *Biol.*
agamous *Biol.*
ἄγαν very
Agaphelus *Mam.*
  -inae -ine
ἀγανάκτησις irritation
ulaganactesis *Med.*
ἀγαπάειν to love
Dendragapus *Ornith.*
ἀγάπη love
Agapanthus *Bot.*
agapasm
agapasticism
agape *Eccl.*
Agapemone *Rel. Soc.*
  -ian -ist -ite
Agapornis *Ornith.*
ἀγαπηταί Pl. of ἀγαπητός
agapetae -i *Eccl. Hist.*
ἀγαπητός beloved
Agapetidae *Ent.*
ἀγαρικόν (Diosc.)
agaric *Bot. Chem.*
Agaricia *Corals*
agaricic *Org. Chem.*
agaricin(e -ic *Pharm.*
Agaricophilus *Ent.*
Agaricus *Bot.*
  -aceae -aceous -acive -ales -icola -idae -iform -ini -oid
ἀγαστός admirable
Agastopsylla *Ent.*
ἀγάων adoring
Agaon(idae *Ent.*
ἀγγαρεία post service.
angaria *Law*
  -iate -iation
ἀγγειο- Comb. of ἀγγεῖον
allantoidoangiopagus
anangio- *Med.*
  plasia plasm plastic
angeosere *Bot.*
angio-
  ataxia *Med.*
  blast(ic *Embryol.*
  cardio-
    kinetic *Med.*
    pathy *Path.*
  carditis *Path.*
  carp *Bot.*
    ian ic ous
  cavernous *Path.*
  c(*or* k)eratoma *Path.*
  cholecystitis *Path.*
  cholitis *Path.*
  chondroma *Tumors*
  clast *Surg. App.*
  crine -osis *Path.*
  cycad *Pal. Bot.*
  cyst *Embryol.*
  dermatitis *Path.*
  dystrophia *Gynec.*
  elephantiasis *Med.*
  fibroma *Path.*
  gamae *Bot.*
  genesis *Embryol.*
  genic *Embryol.*
  geny *Embryol.*
  glioma *Tumors*
  gliomatosis *Tumors*
  gliosis *Tumors*
  graph *Physiol.*
  graphy *Anat. Meas.*
  hyalinosis *Med.*
  hypertonia *Med.*
  hypotonia *Med.*
  keratosis *Path.*
  kinesis *Physiol.*
  kinetic *Physiol.*

angio- Cont'd.
leucitis *Path.*
lipoma *Tumors*
lith(ic *Path.*
logy *Anat.*
lymphitis *Tumors*
lymphoma *Tumors*
malacia *Path.*
meter *Med. App.*
monospermous *Bot.*
myocardiac *Med.*
myoma *Tumors*
myosarcoma *Tumors*
neoplasm *Path.*
neurectomy *Surg.*
neuro(o)edema *Path.*
neurosis *Path.*
neurotic *Path.*
neurotomy *Surg.*
noma *Path.*
pancreatitis *Path.*
paralysis *Path.*
paralytic *Path.*
paresis *Path.*
pathy *Path.*
plasty *Surg.*
poietic *Med.*
pressure *Surg.*
rhigosis *Med.*
rrhaphy *Surg.*
rrhexis *Path.*
sarcoma *Tumors*
sclerosis *Path.*
scope *Biol. App.*
sialitis *Path.*
spasm *Path.*
spastic *Path.*
sperm *Bot.*
ae al atous ic ous y
sporae -ea -ous *Bot.*
stenosis *Path.*
sthenia *Path.*
stomata *Conch. Herp.*
-atous -ous
strophy *Surg.*
telectasis -ia *Path.*
tenic *Path.*
tome *Surg. App.*
tomy *Surg.*
tonic *Med.*
tribe *Surg.*
tripsis *Surg.*
trophic *Physiol.*
-angiosperms *Bot.*
archi hemi pro
cheiloangioscopy *Med.*
chiloangioscope *Med.*
cholangio- *Surg.*
(gastro)stomy tomy
h(a)ematangio- *Path.*
nosos nosus
hemiangio- *Bot.*
carpic carpous
hepatocholangio- *Surg.*
cystoduodenostomy
enterostomy
gastrostomy
lymphangio- *Med. Surg.*
endotheli(oblast)oma
fibroma
itis logy
phlebitis plasty
sarcoma tomy
omphalangio-
pagus *Obstet.*
periangiocholitis *Path.*
preangiosperm(ous *Bot.*
proangiosperm *Bot.*
ic ous y
sporangio- *Bot.*
genic
phore-ous -um
spore
ἀγγεῖον a receptacle
anangian -ioid(a *Annel.*

anangioid *Anat.*
-iotic -ious
ang(e)itis *Path.*
-angeitis *Path.*
chol end lymph perilymph thrombolymph trichod
-angiitis *Path.*
endo lymph sialo tel thrombo
-angitis *Path.*
chol duodenochol(e) end(metro)lymph myx perichol peri(lymph) sialo
angi-
antheous *Bot.*
asthenia *Med.*
ectasis -ia *Path.*
ectatic *Med.*
ectopia *Path.*
emphraxis *Path.*
enchyma *Histol.*
oid *Med.*
olum *Fungi*
angioma
-atosis -atous
-angioma *Tumors*
cerato chondr chyl fibro h(a)em h(a)ematolymph kerato lymph myelolymph phleb peri phleb tel
angiosis *Path.*
angiotitis *Path.*
-angium *Bot.*
anther Cen gennyl goni(d) hyster Poly sperm(at) syn zoogonid
anisogametangous *Bot.*
antheridangia *Bot.*
antisporangism *Bot.*
aplanosporangia *Bot.*
Cenangiaceae *Bot.*
cholangioitis *Path.*
diodange -ium *Bot. Zool.*
endangium *Path.*
endolymphangial *Anat.*
enterangiemphraxia *Med.*
euangiotic *Physiol.*
exang(e)ia *Path.*
gametange -ium *Biol.*
-gametangium *Bot.*
andro aplano gyno iso pro
gasterangiemphraxis
gonangiectomy *Surg.*
gonangium -ial *Zooph.*
hemangiomatosis *Tumor*
Hemiangiaspermae *Bot.*
homosporangic *Bot.*
hydrangea
-(ac)eae -aceous -ead
hydrangin -enol *Chem.*
isogametangial *Bot.*
lithangiuria *Path.*
lymphangi-
al *Anat.*
ectasis *or* -ia *Path.*
ectatic *Path.*
ectodes *Path.*
omatous *Path.*
otis *Path.*
macrodiodange *Bot.*
microdiodange *Bot.*
monangic *Bot.*
neurangiosis *Path.*
o(o *or* on)angium *Biol.*
oophoridangia *Bot.*
osteotelangiectasia
perilymphangial *Anat.*
pylangium -ial *Anat.*
spermatange *Bot.*
sporange -ium *Bot.*
-ia(l -iate -idium -iferous -iferum -iform

sporange Cont'd.
-iody -iole -iolum -ism
-sporange *Bot.*
hypno macro mega(zoo) meio micro oo pro(zoo) pseudo tetra tricho zoo zygo
-sporangial *Bot.*
carpo exo intra tricho zoo
-sporangiate *Bot.*
ambi amphi bi diplo eu lepto macro micro mono pluri poly
-sporangiophore *Bot.*
macro micro zoo
sporangite *Geol.*
-sporangium *Bot.*
andro anthero carpo clino dictyo epi eu gymno gyno hetero homo hypno hypo lepto macro(aplano) mega micro mono oo peri pleuro poly pro pseudo tetra(d) tricho zoo zygo
synange -ial -ic *Bot.*
synangic *Anat.*
synangium *Zool.*
telangi- *Med.*
ectasis -ia -y
ectatic
ectodes
ectoma
osis
tomiange *Bot.*
trichangia *Anat.*
zoogonangia *Bot.*
ἀγγειώδης hollow
Angioda *Mam.*
ἀγγελικός (Ignat.)
angelactic *Org. Chem.*
angelic
al(ly alness als ize ly
angelica
Angelical *Eccl. Hist.*
Angelican *Painting*
angelicic *Org. Chem.*
angelico *Bot.*
angelique
Archangelica *Bot.*
disangelical
superangelic
ἀγγελο- Comb. of ἄγγελος
angelo-
cracy graphy latry logy ic(al phany phone phony
ἄγγελος (Sept.)
angel
age dom esque eyes hood ification ify ize ot ry ship
angelate *Chem.*
angelin *or* -im *Bot.*
Angelinocrinus *Pal.*
angelo *Zool.*
angelon(ia *Bot.*
Angelus *Eccl.*
Michelangelism
oxyangelic
ἄγγος a vessel
Euheterangium *Pal.*
Heterangium *Pal.*
Lipangopaludina *Pal.*
myxangoitis *Path.*
ἀγγούριον a watermelon
Anguria *Bot.*
ἄγειν to conduct
agometer *Elec.*
-agus *Ent.*
Oid Trix
electragy -ist

ἀγείρειν to collect
semispagyrist
spagiric(al
spagirist *Alchemy*
ἀγελαῖος gregarious
Agelaeus *Ornith.*
-a(e)inae -aeine
ἀγέλαστος gloomy
agelast(ic
ἀγέλη a herd
Agelacrinus *Echin. Pal.*
-idae -ites -oid
ἀγευστία fasting
ageustia *Path.*
hemiageustia *Med.*
ἀγή beach
agad *Phytogeog.*
agalite & lith *Min.*
ἀγηρασία eternal youth
agerasia -y
ἀγήρατον (Diosc.)
Ageratum *Bot.*
ἀγητός admirable
Planagetes *Ent.*
ἁγίασμα hallowed thing
hagiasma *Gr. Ch.*
ἁγιαστήριον a sanctuary
agiasterium *Arch.*
hagiasterium *Gr. Ch.*
ἁγιο- Comb. of ἅγιος
agiosymandron *or* -um
hagio-
cracy
later
latry -ous
logy -ic(al -ist
mania
phobia
politan
romance
samantron
scope -ic *Arch.*
sidere -on *Gr. Ch.*
therapy
type
ἁγιόγραφα Sacred Books
hagiograph
al er ic(al ist y
Hagiographa
ἅγιος holy
hagiarchy
hagiheroical
hagionym
ἁγιοταφίτης
hagiotaphites *Gr. Ch.*
ἁγιώτατος very holy
hagiotat *Obs.*
ἀγκή the bent arm
Ancecerite *Crust.*
ἀγκιστροειδής hooklike
ancistroid
ἄγκιστρον a fish hook
Agkistrodon *Zool.*
Ancistris *Ent.*
Ancistrocladus *Bot.*
-(ac)eae -aceous
Ancistrodon *Herp.*
Ancistrus -oid *Ich.*
diancister *Spong.*
Hemiancistrus *Ich.*
iriankistrium *Surg.*
raphiankistron *Surg.*
ἄγκος a hollow
ancium *Phytogeog.*
anco- *Phytogeog.*
cola philus phyta
Heptanchus *Ich.*
ἀγκυλο- Comb. of ἀγκύλος
Agchylostoma *Helm.*
ancylo-
ceras *Conch.*
-atid(ae -atoid
cladus *Bot.*

ancylo- Cont'd.
cnemis *Ent.*
dactyla *Mam. Pal.*
mele *Surg.*
pod(a -ous *Mam. Pal.*
stomiasis *Path.*
stomum *Helm.*
-a -e
therium -iid(ae *Pal.*
ankylo-
blepharon *Path.*
ch(e)ilia *Path.*
c(*or* k)olpos *Gynec.*
dactylia *Med.*
glossia & -us *Path.*
mele *Surg. App.*
phobia *Ps. Path.*
poietic *Med.*
proctia *Path.*
saurus -idae *Pal.*
stoma -um *Zool.*
stomiasis *Path.*
tome -us *Surg. App.*
tomy *Surg.*
coxankylometer *App.*
inankyloglossia *Med.*
pantancyloblepharum
ἀγκύλος crooked
ancylite *Min.*
ancyloid
Ancylus *Conch.*
-id(ae -inae -oid
angle, angular, etc. From L. *angulus*, which was formerly derived from Greek.
ankylite *Min.*
ankylotia *Path.*
ankylarethria *Med.*
calcio-ancylite
Neurancylus *Pal.*
Pristancylus *Ent.*
ἀγκύλωσις stiffening of the joints
ankylose(d
ankylosis *Anat. Path. Zool.*
-ankylosis *Path.*
gnath phall pseud(o)
ankylotic
gnathancylosis
unanchylosed
Ἄγκυρα Ancyra
Ancyrene *Eccl. & Hist.*
ἄγκυρα anchor
anchor
able age ate ed hold less
Anchorastomacea *Bot.*
Anchoroceracea *Crust.*
ancora *Echin.*
ancoral
Ancorella *Crust.*
-id(ae -oid
ancred -ée -y *Her.*
ankyrism *Surg.*
equianchorate
inequianchorate
unanchor
ἀγκυροειδής (Galen)
anc(*or* k)yroid *Anat.*
ἄγκων a bend, elbow
Ancodon *Mam. Pal.*
Ancodus *Mam. Pal.*
ancon *Arch.*
Ancona *Art Fowls*
anconagra *Path.*
ancon(e *Anat.*
-ad -(e)al -eous -(o)eus
anconitis *Path.*
ancony *Mech.*
subanconeal -eus *Anat.*
ἀγκωνοειδής curved
anconoid *Anat.*

'Αγλαΐα brightness
Aglaia *Myth.*
ἀγλαο- Comb. of ἀγλαός
aglao-
nema *Bot.*
phemia
spora *Fungi*
ἀγλαός splendid
Aglaspina *Pal.*
Aglaspis -idae *Arthrop.*
"Αγλαυρος Dau. of Cecrops
Aglaura -inae *Ent. Helm. Hydroids Zool.*
ἄγλαυρος = ἀγλαός
aglaurite *Min.*
ἄγλυφος unhewn
Aglypha -odont(i)a *Herp.*
ἄγλωσσος tongueless
Aglossa *Conch. Herp.*
aglossal -ate *Anat. Zool.*
aglossia -us *Terat.*
aglossostoma -ia *Terat.*
ἄγμα a fragment
agmatology *Surg.*
ἀγμός a fracture
neuragmia *Med.*
'Αγνοηταί (Damasc.)
Agnoetae *Eccl. Hist.*
-e -ism
Agnoitae -es *Eccl. Hist.*
ἀγνοιᾶ ignorance
agnoea *Path.*
agnoiology *Phil.*
ἀγνοέω be ignorant
agnolite *Min.*
ἄγνος a fish (Ath.)
Dactylagnus *Ich.*
ἀγνωσία ignorance
agnosia -y *Path.*
-agnosia *Ps. Path.*
log pragmat
ἄγνωστος unknowable
agnostic
al(ly ism -ics
Agnostus *Crust. Pal.*
-id(ae -oid
-agnostus *Pal.*
Dich Dipl Hyp Lei Par Pseud Ptych
cryptoagnostic
ultraagnostic
ἄγνωτος = ἄγνωστος
Agnotherium *Pal.*
agnoto-
benzaldehyde *Chem.*
zoic *Geol.*
ἀγόμφιος without grinders
Agomphia -ian *Zool.*
ἄγον P. pr. of ἄγειν
protagon *Chem.*
ἄγονος unfruitful
?Bothragonus *Ich.*
zeagonite *Min.*
'Αγονυκλῖται (Damasc.)
Agonyclitae -es *Hist.*
ἀγορά place of assembly
agora *Gr. Ant.*
agoraphobe -ia *Ps. Path.*
Agorophiidae *Pal.*
fantasmagoria *or* -y
-ial -ic(al -ist
phantasmagoria *or* y
-iacal -ial -ian -ic(al -ist
ἀγορανόμος market clerk
agoranome -us *Gr. Ant.*
ἄγρα seizure
-agra *Path.*
ancon arteri arthr cardi cephal cheir cleid cleis coeli cox dent
-agra Cont'd.
derm(at gloss glott gon(at gony ischi mel melit ment mentul om ophthalm ost pechy pell planarthr proct rachi r(h)achis trachel
agremia *Path.*
melitagria -ous *Path.*
mentagraphyte *Bot.*
pellagra *Path.*
-in -ose -ous
pellagragenic
pellagraphobia
pellagrazein *Tox.*
pellagrology -ist *Path.*
pellagrosarium
ἀγράμματος unlettered
agrammatica *Ps. Path.*
agrammatism -ist *Path.*
ἄγραμμος not on the line
Zemiagrammus *Ich.*
ἄγραυλος
living outdoors
Agrauleum *Gr. Ant.*
Agraulos *Trilobites*
ἄγραφα things unwritten
Agrapha *Chr. Rel.*
ἀργεμώνη poppy (Diosc.)
Agrimonia *Bot.*
agrimony *Bot.*
ἀγρεύς a hunter
Micragris *Ent.*
ἀγρηνόν a netlike robe
agrenon *Gr. Ant.*
ἀγριο- Comb. of ἄγριος
agrio-
blepis *Ent.*
cetus *Pal.*
choerus *Pal.*
-idae -inae -ine
crinidae *Pal.*
logy *Ethnol.*
-ical -ist
nympha *Ent.*
pus *Ich.*
-odid(ae -odoid
thymia *Ps. Path.*
typus -idae *Ich.*
ἄγριος wild, savage
agria *Path.*
Agrion *Ent.*
id(ae ina oid
Coryphagrion *Ent.*
ἀγριότης wildness
Agriotes *Ent.*
egriot *Bot.* (*Obs.*)
ἀγρο- Comb. of ἀγρός
agro-
geology -ical *Agric.*
logy *Bot.*
mania *Ps. Path.*
myza -id(ae *Ent.*
philus *Phytogeog.*
phyta *Phytogeog.*
pyretum *Bot.*
pyron -um *Bot.*
stemma *Bot.*
sterol *Org. Chem.*
techny *Agric.*
ἀγρόνομος rural
agronome *Agric.*
agronomy
-ial -ic(s -ical -ist
geoagronomic *Geol.*
ἀγρός field
agrad *Bot.*
Agrilus *Bot.*
agrium *Phytogeog.*
nitragin *Agric.* (*T. N.*)
ἀγρυπνία sleeplessness
agrypnia *Path.*
ἄγρυπνος sleepless
agrypnocoma *Med.*
agrypnotic *Med.*
ἀγρυπνώδης (Hipp.)
agrypnode *Med.*
ἄγρωστις couch-grass
Agrostis *Bot.*
-agrostis *Bot.*
Calam Er Xiph
agrosto- *Bot.*
graphy -er -ic(al
logy -ic(al -ist
calamagrost(id)etum *Bot.*
ἀγρωτής wild
Agrotis *Ent.*
ἄγυνος wifeless
Agynian *Eccl. Hist.*
ἀγύρτης a beggar
Agyrtes *Ent.*
ἀγχ- Stem of ἄγχειν
anch-
archa *Ent.*
ippodous *Mam. Pal.*
-odontid(ae -odontoid
ippus *Pal.*
omomys *Pal.*
ἄγχειν to choke
anchoic *Chem.*
anchoote *Chem.*
angophrasia *Ps. Path.*
Deratanchus *Ent.*
Hexanchus *Ich.*
-id(ae -oid
Hyaenanche *Bot.*
hyenanchin *Org. Chem.*
Synancia *Ich.*
-iid(ae -ioid
ἀγχόνη a throttling
angina *Med.*
-al -oid -ose -ous
anginophobia *Ps. Path.*
staphyloangina *Med.*
streptoangina *Med.*
ἄγχουσα = ἔγχουσα
Anchusa *Bot.*
anchusic -in(e *Chem.*
ἄγχι near
anchi-
ceratops *Pal.*
saurus *Herp. Pal.*
-id(ae -oid
there *Mam. Pal.*
-iid(ae -ioid(ea -ium
ἀγχίλωψ (Galen)
anchilops *Path.*
ἀγωγή a course
agoge *Gr. Mus.*
agogics *Gr. Mus.*
ἀγωγός a leading. Often a terminal as in χολαγωγός
-agog *Med.*
copr emmen ethn galact hol hypn pant phys ptyal ptysm ur
-agogic *Med.*
chlor emmen helminth hypn phylaco ptyal sebi sial
-agogue *Med.*
antichol antisial copr dacry emmen ethn galact helminth hol hypn lact lymph melan men panchym pant phys ptyal ptysm secret sial succ ur
dacryagogatresia *Med.*
demonagogue
emmenagogology *Med.*
galactogog(ue *Med.*
melanagogal *Med.*
ptyalogog(ue -ic *Med.*
secretogogue *Med.*
sialogogue -ic *Med.*
ἀγών assembly
agon *Gr. Ant.*
chiragon
preagonal -ic *Med.*
proagonic *Path.*
ἀγωνάρχης judge of a contest
agonarch *Gr. Ant.*
ἀγῶνες Pl. of ἀγών
agones *Gr. Ant.*
ἀγωνία anguish
agoniadin *Chem.*
agony -al -ious
ἀγωνίζεσθαι to contend
agonize
-ant -ed(ly -er -ing(ly
coagonize
overagonize
ἀγώνισμα a contest
agonism
ἀγωνιστής a contender
agonist *Eccl. Gr. Ant.*
er es
agonistarch *Gr. Ant.*
ἀγωνιστική (Plato)
agonistics
ἀγωνιστικός (Arist.)
agonistic(al(ly *Gr. Ant.*
ἀγωνο- Comb. of ἄγωνος
agono-
derus *Ent.*
stomus -a -inae *Ich.*
trechus *Ent.*
xena *Ent.*
ἀγωνοθέτης judge of contests
agonothet *Gr. Athl.*
agonothete -ic *Gr. Hist.*
ἄγωνος without an angle
agone -ic *Phys.*
-ἀδ Stem of -ἀς, feminine suffix
-ad Chiefly *Bot.*
acanth act ag alism als amath anem angiocyc anon aral art artocarp dendr drim driod ec hel hydr hyl(od) laur limn magnoli malpighi mes nom sarraceni tac *etc.*
-adae Chiefly *Zool.*
Arc Artemi Asteri Cerithi Chitr *etc.*
-ade
dodecade *etc.*
-ades *Zool.*
Xylin *etc.*
Christiad
entad *Anat. Zool.*
frankeniad
Jeremiad
joulad *Elec.*
limnad *Zool.*
ia iaceae iidae
polyad *Chem.*
ἀδαμαντ- Stem of ἀδάμας
adamant
ean in ive
adamantoid *Crystal.*
ἀδαμάντινος of adamant
adamantine
adamantinoma *Path.*
ἀδαμαντο- Comb. of ἀδάμας
adamanto-
blast *Cytol. Dent.*
blastoma *Path.*
ἀδάμας adamant
adamite *Abrasives* (*T.N.*)
diamond
iferous ize wise
ἀδάματος unconquered
Adamatornis *Ornith.*
ἀδάρκης froth
adarca
adarce *Earths*
adarsi
ἄδδην to satiety
addephagia *Med.*
ἀδελφο- Comb. of ἀδελφός
adelpho-
gamy *Anthrop. Bot.*
lite *Min.*
phagy *Bot.*
taxy *Biol.*
ἀδελφός brother
Adelphia *Bot.*
-iae -ic -ous
adelphia *Terat.*
-adelphia *Bot.*
di mon poly tri
Adelphian *Eccl. Hist.*
adelphiarchal *Ethnol.*
-adelphus *Terat.*
cen coeli der heter ile(*or* i) ischi syn
amadelphous *Zool.*
Christadelphian(ism
diadelph(ian ic ous *Bot.*
diadelphite *Min.*
endadelphos *Terat.*
heteradelphy *Bot.*
monadelph *Bot.*
ian ic on us
monadelph(ia *Mam.*
pentadelphous *Bot.*
polydelphian -ous *Bot.*
Sthenadelpha *Ent.*
synadelphic *Bot. Zool.*
synadelphite *Min.*
thora(co)delphus *Terat.*
Triadelphia -ous *Bot.*
ἀδενο- Comb. of ἀδήν
adeno-
blast *Cytol.*
calyx *Bot.*
cancroid *Path.*
carcinoma -atous *Med.*
cele *Path.*
cellulitis *Med.*
cheirapsology
ch(e)irus *Helm.*
chondroma *Tumors*
chondrosarcoma
chrome *Mat. Med.*
cyst *Tumors*
ic oma(tous
dactylus *Zool.*
fibroma *Tumors*
fibrosis *Physiol.*
grapher -y -ic(al *Anat*
hypersthenia *Path.*
oliomyofibroma
lipoma *Tumors*
lipomatosis *Tumors*
logaditis *Ophth.*
logy -ical *Anat.*
lymphitis *Path.*
lymphocele *Path.*
lymphoma *Path.*
malacia *Path.*
menyngeal *Path.*
mycosis *Path.*
myofibroma *Path.*
myometritis *Path.*
myoma *Tumors*
myositis *Path.*
myxoma *Tumors*
myxosarcoma *Tumors*
neure *Neurol.*
pathy *Path.*
petaly *Bot.*
pharyngitis *Path.*
phlegmon *Path.*
phore -ous *Bot.*
phorous *Anat.*
phyllous *Bot.*
phyma *Tumors*

adeno- Cont'd.
podous *Bot.*
sarcoma *Tumors*
sarcorhabdomyoma
scirrhus *Path.*
sclerosis *Path.*
stemonous *Bot.*
stoma *Bot.*
tome *Surg. App.*
tomy ic(al *Surg.*
typhus *Path.*
cystadenosarcoma *Path.*
dacryadenoscirrhus *Path.*
enteradeno- *Med.*
graphy logy
hemadenology *Med.*
lymphadeno- *Med.*
leukopoiesis pathy
papilladenocystoma
polyadenopathy *Med.*
ἀδενοειδής (Galen)
adenoid(al *Anat.*
ectomy *Surg.*
itis *Path.*
ἄδεσμος unfettered
Adesma -acea *Conch.*
adesmy *Bot.*
ἄδετος unbound
adeto-
coccyx *Ornith.*
pneusia -iate *Echin.*
pneustic *Echin.*
ἀδηλο- Comb. of ἄδηλος
adelo-
bolus *Arach.*
branchia *Pulm.*
cephalous *Zool.*
cer(at)ous *Ent.*
chorda *Zool.*
codonic *Zooph.*
derm(at)ous *Biol.*
gamicae *Bot.*
morphic *or* -ous *Biol.*
plectron *Ent.*
pneumon(a *Conch.*
pod(e *Zool.*
saurus *Pal.*
siphonia -ic *Conch.*
tropis *Ent.*
ἄδηλος not seen or known
Adela -id(ae -oid *Ent.*
adel-
arthra *Ent.*
arthrosomata -ous
aster *Bot.*
idium *Pal.*
ite *Min.*
ome *Bot.*
Carpadelus -ium *Bot.*
fluoradelite *Min.*
ἀδήν a gland (Hipp.)
-aden *Anat. & Med.*
enter hem hepar lymph medull prost ren sial supraren test thyr
aden-
algia *or* -y *Path.*
anthera *Bot.*
apogon *Ich.*
ase *Biochem.*
asthenia *Path.*
ectomy *Surg.*
ectopia *Path.*
emphraxis *Path.*
adenia *Path.*
-adenia *Path.*
centr fibro heter hypo lymph poly
-adenia *Bot.*
Dipl Gymn Lept Mes Picr Pipt
adeniform *Med.*
adenin(e *Biochem.*
adenitis *Path.*

-adenitis *Path.*
blenn blepharo broncho dacry(o) der enter gastr hidr(o(s) hydr(o) hyposial lymph maschal mast myx par peri(lymph) poly scler sial(o) spir tars thyr(e)o
adenization *Path.*
adenodynia *Path.*
adenoma *Tumors*
adenomat- *Tumors*
oid ome osis ous
-adenoma *Tumors*
blepharo chondro chorio cylindro cyst cystomyxo fibro heter hidro(s) hydr(o) lymph(o) myx(o) nephr poly sarco spir splen steat syring (cyst)
adenoncus *Path.*
-adenoncus *Path.*
der sial
adenophthalmia *Ophth.*
adenose *Anat.*
adenosin(e *Biochem.*
adenosis *Path.*
-adenosis *Path.*
hyper irid lymph
adenous *Anat.*
-adenous
macr poly syring tetr
adenyl(ic *Chem.*
chlorosarcolymphadeny
dacryadenalgia *Med.*
heteradenic *Histol.*
Lampadena *Ich.*
Leptadenieae *Bot.*
lymphaden- *Med.*
ectasis hypertrophy ism oid omatosis omatous
Piptadenicae *Bot.*
pneumadenia *Zooph.*
Triadenum *Bot.*
ᾅδης Attic for Ἅιδης
Hadean
Hadena -idae *Ent.*
Hadenoecus *Ent.*
Hadentomoidea *Pal.*
Hades *Ent. Terat. Myth.*
ἀδηφαγία gluttony
adephagia *Med.*
ἀδηφάγος gluttonous
Adephaga -an -ous *Ent.*
Geadephaga -ous *Ent.*
Hydradephaga -an -ous
ἀδιάβατος impassible
adiabat(ic(ally *Phys.*
pseudoadiabat(ic *Meteor.*
ἀδίαντον maidenhair
Adiantum -iform *Bot.*
ἀδιαπνευστία (Galen)
adiapneustia -ic *Path.*
ἀδιάφορα Pl. of ἀδιάφορος
adiaphora *Ethics Theol.*
-al -ism -ist(ic -ite -on
ἀδιαφόρησις = ἀδιαφορία
adiaphoresis *Path.*
ἀδιαφορητικός
adiaphoretic *Path.*
ἀδιαφορία indifference
adiaphoria *or* -y *Path.*
adiaphoracy
ἀδιάφορος indifferent
adiaphorous *Chem. Ethics Med. Theol.*
ἀδινός thronging
Adinida(n *Prot.*
adinole *Petrol.*
Adinops *Ich.*

ἄδιψον Neut. of ἄδιψος
adipson *Med.*
ἄδιψος not thirsting
adipsia *Med.*
-ic -ous -y
hydroadipsia *Path.*
ἀδμητός unwedded
Admete *Conch.*
-acea -id(ae -oid
Palaeadmete *Pal.*
ἀδόκιμος spurious
Adocimus *Ent.*
ἄδοξος without glory
Adoxa *Bot.*
-aceae -aceous
adoxography
Ἀδριατικός (Diod. Sic.)
Adriatic *Geog. Ethnol.*
ἁδρο- Comb. of ἁδρός
hadro-
bregmus *Ent.*
centric *Bot.*
cerus *Ent.*
gnathus *Ent.*
mastix *Ent.*
merus -ina -ine *Ent.*
mestome *Bot.*
pithecus *Pal.*
pterus *Ich.*
pus *Ent.*
rhynchus *Pal.*
rrhinus *Ent.*
saur(us *Herp. Pal.*
id(ae inae oid
scelus *Ent.*
toma *Ent.*
ἁδρός thick, ripe
adronal *Solvents* (*T. N.*)
exohadromatic *Bot.*
Hadracantha *Ent.*
Hadraspis *Ent.*
hadrome -al *Bot.*
hadromase *Org. Chem.*
hadromin(e *Org. Chem.*
Hadrus *Ent.*
perihadromatic *Bot.*
protohadrome *Bot.*
ἁδροτής ripeness
Hadrotes *Ent.*
ἀδυναμία (Hipp.)
adynamia *Med.*
-ic(al -on -um -y
-adynamia
ataxi(*or* o) neuro
-adynamic
gastro neuro typho
adynamogyny *Bot.*
ἄδυτον innermost shrine
adyton -um *Gr. Temples*
Ἀδώνια the mourning for Adonis
Adonia *Cl. Ant.*
Ἀδωναί Lord
Adonist *Hebr. Rel.*
Ἀδώνιδος for the Adonia
adonide
Ἀδώνιος of Adonis
Adonean -ian -ic
Ἄδωνις (Sappho)
adon- *Org. Chem.*
idin(e in ite itol
Adonis *Bot. Myth.*
adonize
picradonin *Mat. Med.*
ἀεί for aye
aeipathy *Path.*
aianthous *Bot.*
Aiphytia -ium *Phytogeog.*
Aydendron *Bot.*
ἀείζωον (Theophr.)
Aizoon *Bot.*
-aceae -aceous
ἀειθαλής evergreen

aithalium *Phytogeog.*
aithalophilus *Phytogeog.*
Aithalophyta *Phytogeog.*
ἀείφυλλος evergreen
aiphyllium *Phytogeog.*
aiphyllophilus *Phytogeog.*
Aiphyllophyta *Phytogeog.*
ἀελλο- Comb. of ἄελλα
storm wind
aelophilous *Bot.*
ἀέριος (Euripides)
aerial
ity ly ness
aerial *Radio*
nitroaer- *Chem.*
eous ial ian ious
subaerial ist ly
superaerial
supraaerial

ἀερο- Comb. of ἀήρ
aero-
batics *Aviation*
be(s *Biol.*
-ia(n -ic(ally -ious ium
biont *Biol.*
bioscope *Med.*
biosis -biotic(ally *Biol.*
boat
branchia -iate *Arach.*
bus
carpy *Bot.*
cele *Tumors*
chir *Med.*
clinoscope *Phys.*
club
colia *Med.*
colpos *Med.*
coniscope *Phys.*
craft
curve *Aviation*
cyst *Bot.*
cystoscope *Med. App.*
cystoscopy *Med.*
densimeter *Phys.*
dermectasia *Surg.*
diaphanometer *Phys.*
diaphthoroscope *Phys.*
donetics *Aviation*
drome *Aviation*
dromic(s *Aviation*
dromometer *Aviation*
ductor *Obstet.*
dynamic(s *Phys.*
filter *Sewage*
foil *Aeronautics*
form
gam *Bot.*
gen *Bact.*
gene *Fuels* (*T. N.*)
genesis *Med.*
genic *Med.*
gnosy *Phys.*
gram graph *Teleg.*
graphy *Geog.*
-er -ic(al(ly
gun *Mil.*
hydro-
dynamic *Phys.*
plane *Aviation*
pathy *Ther.*
therapy *Ther.*
hydrous *Min. Phys.*
hypsometer *Phys.*
ist *Aeronautics*
lite -ic *Meteor.*
lithology *Astron.*
mancy -er
maniac
mantic
marine
mechanic(al -ics *Phys.*
meter *Aeronautics*
metry -ic *Phys.*

aero- Cont'd.
microbe *Med.*
morphosis *Bot.*
motor *Aviation*
nat
naut
ic(s ical ism
nef *Aero.*
pathy *Path.*
permeable *Bot.*
peritonia *Med.*
phagia *Med.*
phane *Fabrics*
philae *Bot.*
philous *Biol.*
phobia -y -ic *Med.*
phone -ics -y *Phys.*
phore -ous *Med.*
photography *Photog.*
physics -ical *Phys.*
phyte *Bot.*
plana *Pal.*
plane -ist *Aviation*
plethysmograph
pleuria *Path.*
pleustic *Aviation*
porotomy *Surg.*
pyle *Bot.*
scepsis *or* -y *Zool.*
scope -ic(ally *Meteor.*
scopy *Meteor.*
sialophagy *Physiol.*
sider(ol)ite *Meteors*
sphere *Geol.*
spirantia *Crust.*
spiza *Ornith.*
squad *Mil.*
stat *Aero.*
static(al -ics *Phys.*
station
steam (engine
taxis tactic *Bact.*
technic(al
therapeutics *Ther.*
therapy *Ther.*
thermal *Ther.*
thermotherapy
tonometer *Med. App.*
tonometric *Med.*
tropic -ism *Bot.*
tympanal *Med.*
urethroscope
urethroscopy *Med.*
xyl *Bot.*
airo-
form *Pharm.* (*T. N.*)
gen *Pharm.*
graptus *Pal.*
hydrogen *Chem.*
meter *Arts*
anaerosis *Obstet.*
anaeroxidase *Biochem.*
anaerobe *Bact.*
-es -ia(n -ic(al(ly -ious -ism -ium
anaero-
biont *Bact.*
biosis *Biol.*
biotic(ally *Biol.*
myces *Bact.*
phyte *Bot.*
plasty-ic *Med.*
apaerotaxis *Bot.*
h(a)emat(o)aerometer
hydraeroperitoneum
hydroaeroplane
macroaerophilous *Bot.*
micraeroxyl *Bot.*
microaero-
philous -ic *Bot.*
tonometer *Biochem.*
nonaerobiotic
prosaerotaxis *Bot.*
sialoaerophagy *Physiol.*
thermaerotherapy *Ther.*
tracheoaerocele *Med.*

ἀεροβατεῖν to walk the air
aerobate *Humorous*
ἀεροειδής airlike
aeroides *Min.*
aeroidotropism *Bot.*
ἀέρος Gen. of ἀήρ
aerosite *Min.*
aerosol *Phys. Chem.*
ἀεροσκοπία (Schol. Il.)
aeroscopy Meteor.
Ἀέτιος (Athan.)
Aetian *Eccl. Hist.*
ἀετίτης eagle-stone
aetites *Petrog.*
ἀετο- Comb. of ἀετός
aeto-
batus *Ich.*
-id(ae -inae -oid
morph *Ornith.*
ae ic ous
saurus *Herp. Pal.*
-ia(n -id(ae -oid
ἀετός eagle
aetos *Gr. Ch.*
-aetus *Ornith.*
Circ Micr Nis Psammo Spiz Thalasso Thras Uro
ἀζαλέος parched
azalea
azalein(e *Org. Chem.*
ἄζειν to parch
Azolla *Bot.*
ἄζυγος unwedded
Azygethus *Myriap.*
azygo-
branch *Conch.*
ia iata iate
cera *Ent.*
sperm *Fungi*
spore(s *Fungi*
azygous(ly
hemiazygos *Anat.*
ἄζυμα unleavened bread
azym(e *Eccl. Hist.*
ἀζυμίτης user of ἄζυμα
azymite *Eccl. Hist.*
ἄζωνος not local
azonal *Phytogeog.*
-ation -ic
methazonic *Chem.*
ἀήθης uncommon
aetheogam ic ous *Bot.*
ἀήρ lower air, haze
aer-
asthenia *Ps. Path.*
elatometer *Phys.*
enchym(a(tous *Bot.*
enter(o)ectasia *Path.*
e(*or* i)ous
h(a)emoctonia *Med.*
ial *Radio*
ides *Bot.*
orthometer *Phys.*
osis *Physiol.*
ozol *Med.*
teriversion *Surg.*
teriverter *Surg. App.*
tryckosis *Bact.*
upsometer
air
able craft drome foil iferous ified ily iness ish man(ship minded-(ness ol phobia plane planist pump raid sac ship sick(ness some tight(ly ward(s way woman worthy(-iness) y *etc.*
aerolite *Alloy* (*T.N.*)
anaerosis *Obstet.*
anaeroxidase *Biochem.*

bioaeration *Sewage*
deaerator *Engin.*
de-air
hydroaeric *Path.*
hydroairplane
plein-airist *Art*
reaeration *Engin.*
ἀθαλής not verdant
Athalia *Bot.*
Ἀθαμάντιος of Athamas
Athamanta *Bot.*
athamantin *Org. Chem.*
ἀθανασία immortality
athanasia -y
tanacet- *Org. Chem.*
in one yl
Tanacetum *Bot.*
tansy
Ἀθανάσιος Athanasius
Athanasian *Theol.*
ism ist
ἀθανατισμός (Diod.)
athanatism
ἀθαυμασ(τ)ία insensibility to wonder
athaumasia *Psych.*
ἄθεος godless
atheism -eist
-eize(r -eous
atheistic
al(ly (al)ness
atheodicy *Phil.*
antiatheism -eist
semiatheist
ἀθερίνη a smelt (Arist.)
Atherina *Ich.*
-id(ae -idan -ine -oid
Atherinella *Ich.*
Atherinops *Ich.*
Atherinopsis *Ich.*
ἄθερμος without warmth
athermic *Mech. Med.*
athermous *Phys.*
ἄθεστος inexorable
Athestia *Ent.*
ἀθετεῖν to set aside
athetize *Crit.*
ἀθέτησις rejection
athetesis *Crit.*
ἄθετος not fixed
athetoid *Med.*
athetosis -ic *Med.*
-athetosis *Med.*
choreo hemi mon
Esatheta *Zool.* (*?Ent.*)
Ἀθηνᾶ Attic for Ἀθήνη
Athena *Gr. Myth.*
Ἀθήναιον (Herod.)
Athen(a)eum *Temple*
Ἀθηναῖος (Iliad)
Athenian
Ἀθήνη (Homer)
Athene *Myth.*
Micrathene *Ornith.*
ἀθήρ awn of grain
Athera *Bot.*
Atherestes *Ich.*
Athericera(n -ous *Ent.*
athero-
sperma -aceae *Bot.*
spermin(e *Chem.*
Atherura -c -us *Mam.*
ἀθήρη porridge
atheroosis *Path.*
ἀθήρωμα (Galen)
atheroma -e *Tumors*
athero- *Tumors*
necrosis sclerosis
blepharoatheroma
ἀθλητης (Pindar)
athlete
athletehood

athletism
ἀθλητικός (Arist.)
athletic
al(ly ism -ics
panathletic
ἀθλο- Comb. of ἆθλον
Athlostola *Ent.*
ἀθλοθέτης prize awarder
athlothete *Gr. Ant.*
ἆθλον a contest
decathlon *Athletics*
hexathlon *Athletics*
ἀθραγένη (Theophr.)
Atragene *Bot.*
ἀθρόος crowded
Athrodon *Pal.*
ἀθυμιά despondency
athymia -y -ic *Path.*
ἄθυρος without door
Athyrella *Pal.*
Αἰάντεια Feast for Ajax
Aianteia *Gr. Fest.*
ἀιγ- Stem of αἴξ goat
Aega -id(ae -oid *Crust.*
Aigophthalmus *Malac.*
ἄιγαρος wild goat
Aegagropilae *Algae*
aegagropile
aegagre *or* -us
egagropilus
Αἰγαίων a Giant
Aegaeonichthys *Ich.*
-ine -yinae
αἴγειρος black poplar
Aegirus *Gastropods*
αἰγι- Comb. of αἴξ goat
aegi-
ceras *Bot.*
crania *Cl. Arch.*
αἰγιαλός seashore
Aegialites *Ent. Ornith.*
-id(ae -oid
Aegialophilus (*Ornith.*
aigialium *Phytogeog.*
aigialo- *Phytogeog.*
philus phyta
αἰγίδιον a kid
Ceraegidion *Ent.*
αἰγίθαλ(λ)ος titmouse
Aegithalus *Ornith.*
-inae -ine
αἴγιθος ?the bunting
Aegithognathae *Ornith.*
isin -ous
αἰγίλωψ wild oats, an ulcer
Aegilops *Bot.*
(a)egilops -opic(al *Ophth.*
Αἴγινα Aegina
Aegina *Zooph.*
-id(ae -oid
Αἰγινήτης
Aeginetan -ic *Art. Hist.*
αἰγίοθος = αἴγιθος
Aegiothus *Ornith.*
Αἰγίπαν (Plutarch)
Aegipan *Ent. Myth.*
αἰγίς shield of Zeus
Aegis *Myth & Art*
αἴγλη radiance
Aegle *Bot.*
Aeglea *Crust.*
-eid(ae -eoid
Aeglina *Crust.*
-id(ae -oid
αἰγο- Comb. of αἴξ goat
aego-
bronchophony *Path.*
ceras *Conch.*
-atid(ae -atoid
lytoceras *Malac.*
phonia -y -ic *Path.*

aego- Cont'd.
phonous *Music*
podium *Bot.*
ego-
bronchophony *Diag.*
phony -ic *Path.*
Ἀιγύπτιος of Egypt
Aegyptiacum *Vet.*
Copt(ic
Egyptiacal
Egyptian ism ize
gipsify
gips(i)ology -ist
gipsy
dom ism moth ry
Giptian
Neo-Egyptian
proto-Egyptian
Αἴγυπτος Egypt
Egyptic(ity -ize
Egyptolog(ue
Egyptology
-er -ic(al -ist
αἰγωπός goat-eyed
Paraegopis *Malac.*
αἰδοῖα genitals
aedoeo-
cephalus *Terat.*
graphy *Med.*
logy *Med.*
ptosis -ia *Path.*
scopy *Med.*
tomy *Surg.*
aidoitis *Path.*
edeitis *Path.*
edeology *Med.*
solenoidy *Bot.*
αἴθαλος smoke, soot
aethalium -ioid *Bot.*
Aethalops *Mam.*
Aethalura *Ent.*
αἰθαλώδης sooty
Aethalodes *Mam.*
αἰθέριον Neut. of αἰθέριος
(a)etherion *Chem.*
αἰθέριος (Euripides)
aethereal
Aetheria *Conch.*
-iid(ae -ioid
aetherin *Org. Chem.*
electroetherial
ethere(*or* i)al
ism ity ization ize ly ness
Etheria *Conch.*
-iid(ae -ioid
etherian -(e)ous
metethereal -ial *Psych.*
subteretherial
transetherean
unetherial
αιθερο- Comb. of αἰθήρ
ethero-
bacillin *Tox.*
gel *Phys. Chem.*
graphy
mania *Path.*
meter *Med. App.*
sol *Phys. Chem.*
αἰθήρ the upper air
acetophenetide *Chem.*
acetphetidin(e *Chem.*
aether
aethocaine *Pharm.* (*T.N.*)
aethon
amethenic *Chem.*
azethenoid *Org. Chem.*
azoxyphenetole *Chem.*
bengophenetide *Chem.*
bromethylene *Chem.*
carbethoxy *Org. Chem.*
chloralurethan *Mat. Med.*
cyanethin(e *Chem.*
dichlor(di)ethylsulphide
dichlor(o)ethylarsin

dichlormethylether
diethene -ic *Chem.*
dietheroscope *Meteor.*
diethyl *Chem.*
diethylamin(e *Chem.*
diphenylethanolone
eserethol(e *Org. Chem.*
ethal
ethaldehyde *Chem.*
ethamide *Chem.*
ethane *Chem.*
-al -esal -oid -ol -oyl
ethanolysis *Org. Chem.*
ethene *Org. Chem.*
-ic -oid(al -yl
ether
al ean ic(al ous
ether- *Chem.*
ate ene in(e ol(ate sol
etheriform
etherify -fication *Chem.*
etherism *Med.*
etherize(r -ation *Med.*
ethid(e -(id)in(e *Chem.*
ethinyl *Org. Chem.*
ethionic *Chem.*
ethocaine *Pharm.* (*T.N.*)
ethoxalyl *Org. Chem.*
ethoxid(e -yl *Chem.*
ethoxy- -caffein(e *Chem.*
ethydene *Chem.*
ethyl *Chem.*
al amid(e amine ate(d ation chlorurethan hydrocuprein ic idene in iodoacetate sulphuric tartaric
dichlorarsin *War Gas*
ene *Chem.*
-diamin(e -ic -imid
-imin(e -oid
ism *Tox.*
morphin *Mat. Med.*
phenylcarbamate
urethan *Mat. Med.*
geneserethole -ium *Chem.*
guaethol
hemiether *Org. Chem.*
homophenetole *Chem.*
imidoether *Chem.*
iodoethane *Chem.*
iodoethylformin *Med.*
isethionic -ate *Chem.*
kronethyl *Mat. Med.*
lethal *Chem.*
leucinethylester
malamethane *Chem.*
methethyl *Mat. Med.*
methylethyl(acetic *Chem.*
methylurethane *Chem.*
monethyl(ic *Chem.*
mono-ethylamin *Chem.*
mono-ethylenic
morphinbromethylate
othyl *Chem.*
oxalethylin(e *Chem.*
oxamethane *Chem.*
oxethylin *Mat. Med.*
oxyether
oxyethyl
oxyphenylethylamin
paraacetophenolethyl
perchlorethylic
phenethyl *Org. Chem.*
phenetidin(e *Org. Chem.*
phenetidinuria Med.
phenetole *Org. Chem.*
phenetyl *Org. Chem.*
phenylethyl-
alcohol *Mat. Med.*
amin *Chem.*
barbituric *Prop. Rem.*
malonylurea *Prop. Rem*
malonylurea
phosphethyl(ic *Chem.*
plumbethyl *Chem.*

quininurethane
silicoethane *Org. Chem.*
stannethyl
stethal *Chem.*
stibethyl *Chem.*
sulfethyl *Chem.*
sulphethyl(ate
sulphethamic
sulphonethylmethane
tartrethylic -ate *Chem.*
tetrachlor(o)ethane
thetin(e *Chem.*
thioether (oxid *Chem.*
thioethylamin *Chem.*
trichlorethane *Mat. Med.*
trichlor(o)ethylene
triethyl *Chem.*
amin(e ic stibin
trimethylethylane
trimethylethylene
triphenetol *Chem.*
urethan(e -ize *Biochem.*
zoether(ic
αἴθινος burning
Aethina *Ent.*
Αἰθιοπικός (Herod.)
Ethiopic
Αἰθίοψ (Homer)
Aethiop(ian
Aethiopomyia *Ent.*
(a)ethiops *Old Chem.*
Ethiop(ian(ism
ethiopification *Med.*
leucaethiop ia ic(s
Anthrop. Ethnol.
αἰθός fiery
aetho-
chroi *Ethnol.*
gen *Chem.*
kirrin *Chem.*
lepis *Pal.*
αἴθουσα corridor
aithousa *Arch.*
αἴθουσα P. pr. of αἴθειν
to burn
Æthusa *Bot.*
aethusin(e *Tox.*
αἰθρία open air
Pseudaethria *Ent.*
αἰθριο- Comb. of αἰθρία
aethrio-
scope *Meteor*
stoma *Ent.*
αἴθυια ?a gull
Aythya *Ornith.*
αἰκία injury
aecia *Fungi*
Aecidiomycetes
aec(id)io- *Fungi*
form spore stage
aec(id)ium -ial
aecioid *Bot.*
aecioteliospore *Bot.*
αἴλουρος a cat
aelur-
avus *Pal.*
odon *Mam.*
aeluro-
cyon *Pal.*
gnathus *Herp.*
phobia *Ps. Path.*
pus -oda -odous *Mam.*
Ae(*or* ai)lurus *Mam.*
-id(ae -oid(ea(n
-aelurus *Mam. Pal.*
Arch Cyn Din Pro Siv
ailouro = aelouro-
phile phobia pus
Cynaelurinae *Mam.*
Diaelurodon *Pal.*
Dinaelurictis *Pal.*
elurophobia *Ps. Path.*
Halaelurus *Ich.*

ictalure -us *Ich.*
-inae -ine
αἱμ- Comb. of αἷμα
acethemine *Biochem.*
aerh(a)emoctonia *Med.*
amphileuc(*or k*)emic
antihemagglutinin
arsenohemol *Mat. Med.*
autohemic *Med.*
autohemopsonin
bacteriohemagglutinin
brom(o)hemol *Mat. Med.*
coproh(a)emin *Biochem.*
cuprohemol *Mat. Med.*
dermah(a)emal *Physiol.*
etiohemin *Biochem.*
ferrohemol *Mat. Med.*
haem-
anthus *Bot.*
aria *Bot.*
oncus *Helm.*
opsis *Zool.*
ulon *Ich.*
-(on)id(ae -(on)oid
h(a)em-
achat(a)e *Min.*
ad *Anat.*
agglutination -ive
agglutinin *Biochem.*
al *Anat. Zool.*
albumen *Pharm.*
alopia *Path.*
alum *Biochem.*
amoeba -idae *Prot.*
angioma *Path.*
apophysis -e(*or* i)al
arthrus -osis *Path.*
ase *Biochem.*
autogram *Med.*
autograph(y -ic *Med.*
erythrin *Physiol.*
ic *Physiol.*
in *Biochem.*
ol *Biochem. Pharm.*
opsonin *Bact.*
ophthalmia *Path.*
optic
hem-
aden *Anat.*
adenology *Med.*
amebiasis *Path.*
analysis *Med.*
anthine *Org. Chem.*
asthenosis *Med.*
atropin *Prop. Rem.*
elytrometra *Gynec.*
endothelioma *Tumors*
erythrin *Biochem.*
idoporphyrin *Biochem.*
idrosis *Path.*
in *Chem.*
inal *Mat. Med.*
inium *Biochem.*
inoporphyrin *Biochem.*
olarsenic
opsis *Annel.*
oxometer *Med. App.*
heterohemagglutinin
hydrargoiodohemol
interh(a)emal *Anat.*
iodoh(a)emol *Biochem.*
isohemagglutinate -ion
mercuroiodohemol
mesohemin *Biochem.*
phyllohemin *Biochem.*
phonohemin *Biochem.*
pseudhaemal *Zool.*
pseudoh(a)emal *Zool.*
rhodohemin *Biochem.*
subhaemal

αἷμα blood
Arisaema *Bot.*
haema-
dipsa *Zool.*
ovoidagates *Min.*

h(a)ema-
barometer *Med. App.*
chromatosis *Path.*
chrome *Biochem.*
chrosis *Path.*
cyanin *Biochem.*
cyte *Physiol.*
cytometer *Med. App.*
cytozoon *Med.*
drometer *Med. App.*
drometry *Med.*
dromo- *Med.*
graph meter metry
dynamic(s *Med.*
dyna(mo) meter *Med.*
fibrite *Min.*
leucin *Physiol.*
phein *Biochem.*
pod(ous *Zool.*
poiesis *Physiol.*
poietic *Physiol.*
scopy *Med.*
spectroscope *Med. App.*
static(al -ics *Med.*
tachometer *Med. App.*
tachometry *Med.*
therapy *Med.*
therm(al -ous *Zool.*
thorax *Path.*
tonic *Med.*
toxic *Path.*
toxin *Biochem.*
hema-
boloids *Diet.*
cite
coelom
dynamometry *Med.*
facient *Med.*
fecia *Med.*
formyl *Mat. Med.*
ph(a)eism *Med.*
phobia *Psych.*
photograph
strontium *Staining*
pium *Zool.*
tone *Prop. Rem.*
urochrome *Pigments*
hemetabole *Physiol.*
hypoema *Med.*
microhemazoite *Prot.*
osteohemachromatosis
oxyh(a)emacyanin *Chem.*
photohematachometer
staphylohematoxin
trophema *Gynec.*
ulaema *Ich.*
Xystaema *Ich.*
αἱμαγωγός (Diosc.)
h(a)emagogue- ic *Med.*
αἱμάς (-άδος) blood-
stream
hemadostenosis *Med.*
αἱματ- Stem of αἷμα
anematize *Med.*
Apyrenaemata -ous *Zool.*
copratin *Biochem.*
craniohematoncus *Path.*
dehematize *Med.*
-ematoma *Tumors*
cephal(h)(a) dur episi-
oha mening(a) oth(a)
staphyl(a) trachel(h)
h(a)emat-
aerometer *Med. App.*
al *Anat.*
angionosus -os *Path.*
aria *Zool.*
ate *Chem.*
aulics
ein(e *Chem.*
emesis *Path.*
emetic *Path.*
encephabon *Path.*
(h)idrosis *Path.*

h(a)emat- Cont'd.
id *Anat.*
imeter *Med. App.*
imetry *Med.*
in(e -ic *Biochem.*
inometer *Med. App.*
inometric
inuria *Path.*
oin *Biochem.*
olin *Biochem.*
oma -atous *Tumors*
omphalocele *Path.*
opsis *Ent.*
ornis *Ornith.*
ose osin *Biochem.*
uresis *Path.*
uria -ic
-haematin *Biochem.*
actinio cholo cyan entero histo myo oxy phyto uro xanth
-haematine *Biochem.*
cyan uro
-hematin *Biochem.*
actinio bromo chlor- (cruoro) chole cholo cyan entero histo iodo meso myo oxy(myo) phyco uro(fusco rubro) xanth
-hematine *Biochem.*
cyan uro
hemat-
alloscopy *Med.*
apostasis *Med.*
apostema *Med.*
apostema *Med.*
eikon *Med.*
einol *Biochem.*
eric -in *Biochem.*
inemia *Med.*
ino- *Med.*
inogen *Med.*
oscheocele *Med.*
osteon *Med.*
ous *Med.*
hemati- *Med. Surg.*
schesis schetic
icteroh(a)ematuria -ic
oth(a)ematomatous
pachyhematous *Med.*
Pyrenaemata -ous *Zool.*
αἱματικός (Arist.)
h(a)ematic(s *Med.*
h(a)ematicum *Biochem.*
αἱμάτινος of blood
haematine *Obs.*
h(a)ematinon(e *Arts*
h(a)ematinum
αἱματίτης (Theophr.)
h(a)ematite *Min.*
-ic(al -ogelit
hydroh(a)ematite *Min.*
αἱματο- Comb. of αἷμα
anhematolytic *Biochem.*
cephal(h)ematocele
copratoporphyrin
enhematospore *Med.*
haemato-
branchia -iate *Zool.*
chroos *Bot.*
coccus *Bot.*
gnomíst
philine -a -ic *Mam.*
staphis *Bot.*
zoa(n zoic *Biol.*
h(a)emato-
bic bious *Biol.*
bium *Bact.*
blast(ic *Embryol.*
cathartic *Med.*
cele *Path.*
chezia *Path.*
chlorin *Biochem.*

h(a)emato- Cont'd.
chromatosis *Physiol.*
chrome *Algae*
chyluria *Path.*
c(o)elia *Path.*
colpus *Gynec.*
crit(e *Physiol.*
crya -al *Biol. Zool.*
crystallin(e *Biochem.*
cyanin *Biochem.*
cyst(is *Path.*
cyte *Physiol.*
cyto- *Med.*
blast lysis meter zoon
cyturia *Path.*
dynamics
dyna(mo)meter
dyscrasia *Path.*
gastric
gelit(e *Min.*
gen(ic ous *Chem. Med.*
genesis *Physiol.*
genetic *Physiol.*
glob(ul)in *Biochem.*
globinuria *Path.*
graphy
hidrosis *Path.*
kolpos
krit
lite *Min.*
logy -ia -ical -ist *Biol.*
lymphangioma *Tumors*
lysis lytic *Biochem.*
mania *Psych.*
meter *Med. App.*
metra *Path.*
myelia -itis *Path.*
myelopore *Path.*
nephrosis *Path.*
pathology *Med.*
pe *Zool.*
pedesis *Path.*
pericardium *Path.*
phagous *Ent. Path.*
philia -ic *Path.*
phobia *Psych.*
phyte *Bact.*
plania *Path.*
plast(ic *Anat. Emb.*
porphyrin *Biochem.*
porphyrinuria *Path.*
porphyroidin *Biochem.*
pus *Ornith.*
-pod(-id(ae -inae -oid)
r(h)achis *Path.*
rrh(o)ea *Path.*
salpinx *Path.*
scope *Med. App.*
scopy *Med.*
sepsis *Path.*
spectroscope *Med. App.*
spectroscopy *Med.*
stibiite *Min.*
therapy *Ther.*
therm(a(l -ous *Zool.*
thorax *Path.*
toxic *Path.*
tympanum *Path.*
xylic *Org. Chem.*
-in(e -inic
xylon -um *Bot.*
zoon *Path. Zool.*
zymotic
hemato-
aerometer *Med. App.*
catharsis *Med.*
cephalus *Obstet.*
chrosis *Path.*
diarrhea *Path.*
dystrophy *Med.*
gonia *Cytol.*
histon *Physiol.*
hyaloid *Physiol.*
lith *Med.*
manometer *Med. App.*
manty *Med.*
mediastinum *Med.*

hemato- Cont'd.
metry *Med.*
mole *Med.*
monas *Prot.*
pan *Prop. Rem.*
peritoneum *Med.*
pexis -in *Med.*
phage -ia -y *Biol.*
phore
pneic *Physiol.*
poietin *Physiol.*
posia *Ther.*
postema *Path.*
pota *Ent.*
pyrrolid(in)ic
sac *Ich.*
spermatocele *Med.*
spermia *Med.*
spherinemia *Med.*
sporidia *Zool.*
static *Med.*
thyroidin *Prop. Rem.*
toxin *Tox.*
trachelos *Gynec.*
zemia *Med.*
zymosis *Med.*
hexahydrohemato-porphyrin *Chem.*
histohematogenous
hydrohematonephrosis
neuroh(a)ematology
oxyhematoporphyrin
protohematoblast
urohematonephrosis

αἱματοειδής blood-red
h(a)ematoid *Path.*
h(a)ematoidin(e
luteoh(a)ematoidin

αἱματοποίησις (Theophil.)
h(a)ematopoiesis
-hematopoiesis *Med.*
an dy

αἱματοποιητικός (Galen)
h(a)ematopoietic *Med.*

αἱματοχαρής delighting in blood
Haematochares *Ent.*

αἱματώδης blood-red
Haematodes *Ent.*

αἱμάτωσις (Galen)
anh(a)ematosis *Path.*
h(a)ematosis *Physiol.*

-αιμία as in ἀναιμία
-aemia
aleuc bacter(i) poly
-aemic
pachy portopy
-(a)emia
aceton acid adrenal aleuk alloxur ammon(i) anencephal anhydr anox anthrac autotox bacill cac carbon chlor chol cholester coll copr cystin diplococc dys ec(to)-tox embol encephal erythr eu galact glyc-(os) glyk h(a)emoglobin hydr hyp hyper(glyc glycos nitr pyr uric) hypoleuk ichor in isch keton leuc leuk limn lip lith lymph melan melit metr myel necr neur nitr olig oligochrom oxal pach(y) panhyper pepton pestic phth-(e)ir pneumon pseudoleuc(*or* k) ptomain py pyosapr pyoseptic pyren sapr scoret sept-

-(a)emia Cont'd.
(ic-(o(py span splen stercor steth streptococc suprarenal tox-(ic) toxin tular typh ur(at) uric(acid) urin urobilin
-(a)emic
cac chol copr hydr hyper isch leuc limn lith melan neur py pyoseptic sapr septic span tox ur(ic)
dermoh(a)emal
-emia
adrenalin agr alkal aminoacid anoxy athyroid autoseptic azot bilirubin calc carboxyhemoglobin carotin cephal chlorid chloroleuk chlorur chol cholesterol chyl colitox deshydr diacet diastas dyso epinephrin ferment fibr(in) gonococc gonotox hematin hematospherin hepatotox histamin hydrotheion (ammon) hypacid hyper(adrenal alon aminoacid azot bilirubin carbamid cholesterin cholesterol chrom hemoglobin inos lip(oid ox phosphat) hypo(adrenal alon aminoacid calc chlor cholester(ol chrom glyc inos lymph) indican inos irid lecithin lem leukomain levulos lipoid lipoxid lymphoblast lymphoidotox lymphosarcoleuk lymphotox lys meningococc meth(a)emoglobin metryper microb mucin myeloblast myoisch myx nephr olig ophiotox ost oxon pion piox pneumococc pneumoseptic poly-(chrom) proleuc(*or* k) purin pyc(*or* k)n pyotoxin pyr radiotox scat spirochet streptic streptoseptic sublymph sulphemoglobin taurochol triphth trypton urobilinogen virus
-emic
anox gluc pachy pestic preur pseudoleuc purin
-haemia
lipo pachy toxi
-h(a)emia
achroicyt anencephalo cac carbo dermo diar(r) ebert galacto glu(*or* y)co gono hepato hydro hydro-oligocyt ichorr leucocyt lip macrocyt microcyt myco myelocyt nephro noso oligocyt pelo piar pneumat polycyt pyo(sept) toxico
-h(a)emic
cac hydro leucocyt oligocyt pyo toxico polycyt
-hemia
acardio achreocyt

-hemia Cont'd.
ametro chole derma(t) erythrocyt hypercyt hyperythrocyt hypo leip leuc leukocyt lymphocyt meth(a)emoglobin microbio mycet oligoerythrocyt oligo oligoleukocyt poec(*or* k)ilocyt poly pseudoleucocyt pykno rh(a)-estocyt spleno staphylo typho
leukemoid *Med.*
pachyemous -y *Path.*
pachyhaemous *Path.*
pyemid *Path.*
toxicohemy *Path.*
uremide *Med.*
uremigenic *Med.*

αἱμο- Comb. of αἷμα
autohemoagglutination
cephalohemometer *Med.*
cholohemothorax *Med.*
dehemoglobinize *Med.*
desmohemoblast *Cytol.*
electrohemostasis *Med.*
enh(a)emospore *Med.*
erythremomelalgia *Med.*
exohemophylaxis *Med.*
haemo-
dipsa *Zool.*
dorum *Bot.*
konion
pheic -ein *Biochem.*
phila *Ornith.*
sporid(ia(n *Bact. Path.*
zoin *Biochem.*
h(a)emo-
agglutinin -ation
chromatosis *Med.*
chrome *Physiol.*
chromogen *Biochem.*
chromometer *Med.*
chromometry *Med.*
coele *Biol.*
coelic *Biol. Phys.*
coelom(a *Embryol.*
conion *Bact.*
coniosis *Path.*
crystallin *Biochem.*
cyanin(e *Biochem.*
cyte *Physiol.*
cyto- *Med.*
lysis meter tripsis
doraceae -aceous *Bot.*
dromograph(y
dro(mo)meter *Med.*
dynamic(s
dyna(mo)meter *Med.*
erythrin *Physiol.*
ferrin -um *Biochem.*
flagellate(s *Prot.*
fuscin *Biochem.*
gallol *Biochem.*
gaster *Path.*
genesis *Physiol.*
genetic *Physiol.*
globin(ate(d *Biochem.*
globin(a)emia *Path.*
globiniferous *Biol.*
globino- *Med.*
cholia meter metry
globinous *Zool.*
globinuria -ic *Path.*
globulin *Biochem.*
gregarina -idae *Prot.*
lutein *Pigments*
lymph(atic *Physiol.*
lymphocytotoxin *Tox.*
lysis -in *Biochem.*
lytic(ally *Biochem.*
lyze -ability -able
manometer *Med. App.*
mediastinum *Path.*

h(a)emo- Cont'd.
meter *Med. App.*
metra *Gynec.*
opsonin *Bact.*
pathology *Med.*
pericardium *Path.*
peritoneum *Path.*
phile -iac *Med.*
philia -ic *Path.*
phobia *Psych.*
plasmodium *Bact.*
plastic *Embryol.*
pneumothorax *Path.*
poiesis *Physiol.*
poietic *Physiol.*
ptysis -ic(al *Path.*
pyrrol(e *Biochem.*
(r)r(h)odin *Biochem.*
salpinx *Path.*
scope
scopy *Med.*
siderin *Biochem.*
siderosis *Path.*
spasia *Med.*
spastic *Med.*
sporidium *Cytol.*
stasis -ia *Med.*
stat *Med. Surg.*
static(s *Med.*
tachometer *Med. App.*
tachometry *Med.*
thorax *Path.*
toxis -ic -in *Path.*
trophy *Physiol.*
tropic *Biochem. Med.*
-haemoglobin *Biochem.*
carbo cyano met oxy
-hemoglobin *Biochem.*
carbo carboxy cat cyan(met cyano kat met oxy par(a) photomet pseudo seleno
-h(a)emolysin *Biochem.*
anti autohemo bacteriohemo isohemo
-h(a)emolysis *Med.*
autohemo cythemo isohemo methemo
-h(a)emolytic *Med.*
anti autohemo cythemo isohemo
hemo-
alkalimeter *Med. App.*
bilinuria *Med.*
blast *Anat.*
chromoprotein *Chem.*
clasia clastic *Med.*
clasis *Biochem.*
coccidium *Cytol.*
cryoscopy *Med.*
cyto- *Med.*
blast genesis logy zoon
diagnosis *Med.*
digestion *Biol.*
dystrophy *Path.*
ferrogen *Mat. Med.*
genia -ic *Med.*
globic *Pigments*
globino- *Biochem.*
genic genous lysis pepsia philia philic
gram *Med.*
koniosis *Med.*
leukocyte -ic *Anat.*
lipase *Biochem.*
lith *Med.*
logy *Med.*
lysinogen *Biochem.*
lysoid *Biochem.*
lysophilic *Biochem.*
lyzation *Biochem.*
metry *Med.*
nephrosis *Med.*
pathy *Path.*
pexis -in *Med.*
phage *Cytol.*

hemo- Cont'd.
phagocyte -ic *Cytol.*
phagocytosis *Cytol.*
philus *Bact.*
phoric *Anat.*
photograph *Med. App.*
phyllin *Biochem.*
plastin *Prop. Rem.*
pneumopericardium
poietin *Biochem.*
porphyrin *Biochem.*
precipitin *Biochem.*
proctia *Med.*
protein *Biochem.*
proteus *Prot.*
pyrrol(id)ine *Chem.*
quinin *Mat. Med.*
quininic *Org. Chem.*
rachis *Med.*
rrheumascope
sozin *Med.*
spast *Med.*
spermia *Med.*
statin *Mat. Med.*
sterol *Mat. Med.*
stix *Med. App.*
styptic *Med.*
texis *Path.*
therapeutics *Ther.*
therapy *Ther.*
thymia *Ps. Path.*
tropin *Biochem.*
tympanum *Med.*
zoon *Med.*
homohemotherapy *Ther.*
hydroh(a)emostate
hydroh(a)emothorax
hygremometry *Med.*
hyperhemiglobin- *Path.*
emia uria
macroh(a)emozoite
meth(a)emoglobin- *Path*
(h)emia uria
methemoglobinization
meth(a)emoglobulin
oxyh(a)emocyanin
phyllohemochromogen
physoh(a)emometra
pneumohemo- *Path.*
pericardium thorax
pseudohemoptysis *Med.*
pyoh(a)emothorax *Path.*
sulph(met)emoglobin
sulphemoglobinemia

αἱμοειδής = αἱματοειδής
h(a)emoid *Physiol.*

αἱμορραγία (Hipp.)
bronchohemorrhagia
h(a)emorrhage *Path.*
-ia -in -ious -y
-hemorrhage
entero metro post
h(a)emorrhaphila
hemorrhagenic
hemorrhagiparous
nephraemorrhagia
stomemorrhagia
ul(a)emorrhagia

αἱμορραγικός (Hipp.)
h(a)emorrhagic(ally
-hemorrhagic
ant(i) fibro ictero post sero

αἱμόρροια (Hipp.)
dacryoh(a)emorrh(o)ea
h(a)emorrh(o)ea *Path.*
othemorrhea *Path.*

αἱμορροίδες (Hipp.)
emero(i)ds
h(a)emorrhoid(s -oidal
hemorrhoidectomy *Surg.*
metr(a)emorroids
pudendohemorrhoidal

αἱμόρρυσις = αἱμόρροια
-emorrhysis *Med.*
adi(a) dydi eudi hyperdi
αἱμοφόβος fearing blood
haemophobous
αἱμωδία (Hipp.)
odonthemodia *Dent.*
αἱμώνιος blood-red
haemony
-αινα Fem. adj. terminal fr. masc. in -ων
-aena
Leptaena -oid(ea *Pal.*
Leucaena *Bot.*
Oxy(h)aena -idae *Mam.*
αἴνιγμα (-ατος) (Pindar)
aenigma = enigma
aenigmatite *Min.*
egma *Humorous*
enigma
Enigmatherium *Pal.*
enigmographer -y
enigmology
Enigmonia *Pal.*
enimme *Music*
Enygmatostrobus *Pal.*
αἰνιγματίζειν (Genes.)
enigmatize -ation
αἰνιγματικός (Old dicts.)
enigmatic
al(ly alness
αἰνιγματιστής (Sept.)
enigmatist
αἰνιγματώδης (Aesch.)
Aenigmatodes -idae *Pal.*
αἶνοι the Lauds
ainoi *Gr. Ch.*
αἰνός = δεινός (Iliad)
ainalite *Min.*
Aenocyon *Pal.*
Αἰολικός (Theocr.)
Aeolic *Geog. Philol.*
hypo(a)eolic *Music*
Αἰόλιος (Plutarch)
hypo(a)eolian *Music*
Αἰολίς (Hesiod)
aeolism *Philol.*
αἰολο- Comb. of αἰόλος
aeolotropy *Phys.*
-ic -ism
aiolobranchiata *Cnch.*
eolotropy -ic *Phys.*
αἰόλος quick-moving
aeolian *Bot.*
Aeolis *Conch.*
-(id)id(ae -idinae -idoid
hypoaeolic *Metal.*
photeolic *Bot.*
Αἰόλος God of winds
aelipi(*or* y)le *Arts*
aeoline -a *Music*
aeolist(ic *Humorous*
aeolodi(c)on *Music*
aeolo- *Music*
melodion pantalon phon
aeolsklavier *Music*
αἰπός a height
Aipotropus *Arach.*
αἰπύκερως high-horned
Aepyceros *Zool.*
αἰπύς tall
Aepopsis *Ent.*
Aeprumnus *Zool.*
Aepyornis *Ornith. Pal.*
-ithid(ae -ithoid
Aepys *Ent.*
αἴρειν to raise
Pygaera *Ent.*

αἱρεσιάρχης (Eus.)
heresiarch(y
protoheresiarch
αἱρεσιμάχος (Philo)
heresimach
αἱρεσιο-Comb. of αἵρεσις
heresio-
grapher graphy
loger logy -ist
αἵρεσις choice; sect
archheresy
cryptoheresy -ic
heresy
αἱρετίζειν choose (Sept.)
heretize -ation
αἱρετικός (Clem. Alex.)
archheretic
heretic
al(ly alness ate ation
ator ize
heretification
αἰσάλων a hawk (Arist.)
aesalon *Ornith.*
Aesalus *Ent.*
-id(ae -oid
αἰσθάνεσθαι to perceive
aesthacyte *Cytol.*
aesthiology
a)esthophysiology
αἴσθημα perception
aesthematology
-αισθησία as in ἀναισθησία
anocithesia *Surg.*
aisthesia
-aesthesia
allach cin cosm geo hemihyper hemihypo hypercrys hypn pseudophot psychochrom pseud
-(a)esthesia
acr aeropar all(o) bathy cac chrom c(o)-en cry dys en hemipar hyp hyper kin macro metall(o) monopar morph oxy pan par poly pseudochrom pseudogeus rhin seism tel therm(o) thermohyper top trich(o) zon rhin seism tel therm(o) thermohyder top trich(o) zon
-(a)esthesic
hyp hyper
-esthesia
acanth acen acou anakat aphem arthr bathyhyp bathyhyper brady caum cheirokin heter hypercen hypercry hypergeus hypertherm hypocen meropar metryper my odontohyper opt osm pall parac(o)en pies(*or* z) pless pseud(o) psychro seis sim som sph(a)er splanchn strangal thermohyp(o) thigm
αἴσθησις sensation
aesthesin *Biochem.*
aesthesio- *Med.*
gen(y -ic
graphy
logy
mania
meter metry -ic
neurosis
aesthesis *Med.*

-(a)esthesis *Med.*
alg cac coen hyper hypn kin par uresi uri
aesthesodic *Physiol.*
cac(a)esthenic *Med.*
c(o)enesthopathia *Path.*
ergoesthesiograph *Med.*
esthesin *Biochem.*
esthesio- *Med.*
odic
neure -osis
physiology
scopy
-esthesiometer
bar(a) baroelectro kin therm(a) topotherm tricho
-esthesis
chem phot som
esthodic *Physiol.*
kinesi(a)estheometer
rhinaesthesis *Med.*
αἰσθητής perceiver
(a)esthete -al
-(a)esthete *Conch.*
megal micro
-aesthete *Conch.*
megaloímicro
hyper(a)esthete
αἰσθητικός perceptive
acoinaesthetic *Vet.*
aesthetic(s
-al(ly -ian -ism -ist -ize
apogeoaesthetic *Bot.*
archaesthetic -ism *Phil.*
articulokinesthetic*Psych.*
call(a)esthetic(al -ics
cheirokinesthetic *Psych.*
dys(a)esthetic *Med.*
ethicoaesthetic
glossoc(*or* k)inesthetic
graphokinesthetic *Psych.*
hyperaesthetic
hypoesthetic
in(a)esthetic
kin(a)esthetic *Psych.*
metesthetic -ism *Phil.*
monesthetic *Psych.*
pan(a)esthetic *Psych.*
par(a)esthetic *Psych.*
phonesthetic *Music*
photoaesthetic
poly(a)esthetic
progeoesthetic *Bot.*
rhinaesthetics
somatesthetic *Med.*
somesthetic *Psych.*
splanchnesthetic *Physiol.*
telaesthetic *Psychics*
unaesthetic
αἰσθητός perceptible
aesthetology
aesthetophore *Biol.*
anesthic(*or* k)inesia
anesthol -yl *Mat. Med.*
anesthone *Prop. Rem.*
anestil *Mat. Med.*
archaesthetism *Phil.*
pan(a)esthetism
ἄιστος unseen
aistopod(a -ous *Herp.*
αἰσχρο- Comb. of αἰσχρός
aeschro-
cnemis *Ent.*
lalia *Ps. Path.*
latreia *Crit.*
aischrolatreia
eschrolalia
αἰσχρός ugly
Aeschna *Ent.*
-id(ae -oid
Αἰσχύλειος (Schol. Il.)

Aeschylean *Lit.*
αἰσχύνη shame; disgrace
Aeschynanthus *Bot.*
(a)eschynite *Min.*
αἰσχυνόμενος modest
Aeschynomene -ous *Bot.*
Αἰσωπικός
Aesopic *Lit.*
Αἰσώπιος of Aesop
Aesopian *Lit.*
αἴτησις rogation
aitesis *Gr. Ch.*
αἰτιατικός causal
aetiatic
αἰτιο- Comb. of αἴτιον a cause
aetio-
genous -ic *Bot.*
phyllin *Biochem.*
porphyrin *Biochem.*
aitio-
morphosis *Bot.*
morphous
nasty -ic *Bot.*
nomy -ic *Bot.*
tropic -ism *Bot.*
etiotropic *Med.*
αἰτιολογία (Sext. Emp.)
etiology -ic(al -ist
nosetiology *Path.*
pal(a)etiology
-ical -ist
pyretoetiology *Med.*
somatetiological *Med.*
αἰτιολογικός Superl. in Diog. L.
aetiological(ly *Med. Phil.*
aitiologic *Geol.*
anaetiological
αἰτιολόγος (Old dicts.)
aetiologist *Med. Phil.*
aetiologue
Αἰτναῖος (Aesch.)
Etnean *Geog.*
etnite *Chem.*
αἰχμη a spear
Paraechmina *Pal.*
αἰχμο- Comb. of αἰχμή
aichmophobia *Ps. Path.*
αἰχμοφόρος spearman
Aechmophorus *Ornith.*
αἰών an age or era
(a)eon ic ist
aeonolog(u)e
Aeonium *Bot.*
aion = aeon
aiophyllous *Bot.*
αἰώνιος eternal (Plato)
(a)eonial *or* -ian
aionial
'Ακαδημεικός(via Cicero)
academic
ian ism -ics
academical
ism ly -ics
interacademic
unacademic
'Ακαδήμια Athenian gymnasium named from Academus
academe
-ial -ian -ism -ist -ize
academy
ἀκαθαρσία impurity
acatharsia -y *Med.*
ἀκάθιστος standing
ak(*or* c)athistos *Gr. Ch.*
ἄκαινα a ten-foot rod
acaena *Measures*
ἄκαιρος unseasonable
Acaeroplastes *Crust.*

ἀκακία (Diosc.)
acacatechin -ol *Chem.*
acac- *Org. Chem.*
etin iin in(e
acacia
pseudoacacia *Bot.*
ἄκακος not bad
acac-
anthrax *Path.*
ophidia *Herp.*
ἀκαλήφη (Arist.)
acaleph(e *Coel.*
a(n ae oid
ἀκαλλής without charms
Acallurothrips *Ent.*
ἀκαλός peaceful
Prionacalus *Ent.*
ἀκαλύφη (Theophr.)
Acalypha *Bot.*
akalypha
ἀκαμψία inflexibility
acampsy -ia *Physiol.*
ἄκανθα a thorn
acantha *Anat. Zool.*
-acantha *Ent.*
Gastro Gony Hadr Heter Pent Pter Scele
acantha *Bot.*
-aceae -aceous -ad
acanthacryson *Ent.*
acanth-
arcus *Ich.*
aria(n *Radiol.*
aster(inae *Echin.*
ellin *Org. Chem.*
ephyra *Crust.*
-id(ae -oid
erpestes *Pal.*
esthesia *Neurol.*
ia iidae *Ent.*
ichthyosis *Path.*
in *Prot.*
ine -ic *Chem.*
istius *Ich.*
ite *Min.*
oid
oma *Path.*
on *Bot.*
ophis *Herp.*
-id(ae -oid
opous *Zool.*
osis *Path.*
ous
urus *Ich.*
-id(ae -inae -oid
-acanthus *Ich.*
Amph Aster Atop Cephal Coel Crypt Cten Dec Dipl Enne Gnath Hol Idi Mal Myl Myri Not Pleur Pri Pronot Pseudomon Pseudopri Tri
-acanthus *Pal.*
Chir Ecbain Gyr Palaeopisth Phor Prist
-acanthus *Ent.*
Mast Met Proct Pseud Stern Ur
-acanthus *Bot.*
Myri Pom Rhino
amphacanthid(ae *Ich.*
Aulacantha -id(ae *Radiol.*
aulacanthous *Bot.*
autacanthid *Echin.*
Byssanthoides *Pal.*
cephalacanth- *Ich.*
id(ae oid
Chondracanthus *Crust.*
-id(ae -oid
coelacanth *Ich.*
i id(ae ine ini oid(ae oidei ous
diacanthous *Bot.*

Diphyacantha *Ich.*
diplacanthid(a *Echin.*
diplacanth- *Ich.*
id(ae oid
gastroacanthid(ae *Ent.*
gelanthum *Pharm.*
gnathacanth- *Ich.*
id ae oid
Gymnocanthus
Hamacantha -inae
heteracanth *Anat.*
heteracanth(i ous *Ich.*
hexacanth(ous *Zool.*
Holacanthinae *Ich.*
homacanth(i *Ich.*
hyperacanthosis *Path.*
idiacanthid(ae *Ich.*
Machaerakanthus *Ich.*
malacanthid *Ich.*
ae -ine -oid
metacanth- *Ent.*
id(ae oid
myriacanthid *Bot.*
ae -oid -ous
myriacanthous *Ich.*
notacanth *Ich.*
id(ae ine oid ous
oligacanthous *Bot.*
paracanth- *Path.*
oma osis
paracanthoncus *Helm.*
pentacanthous *Bot.*
pleuracanth *Ich.*
id(ae ini oid
priacanth *Ich.*
id(ae ina ine
rhinacanthin *Org. Chem.*
tetracanthous *Bot. Zool.*
trachyacanthid *Ich.*
triacanthid ae -oid *Ich.*
trichofibroacanthoma
typacanthid *Echin.*
xenacanthine -i *Ich.*
ἀκανθίας a shark (Arist.)
acanthias *Ich.*
ἀκάνθινος of thorns
acanthine -ous *Bot.*
ἀκάνθιον Dim. of ἄκανθα
ac(*or* k)anthion *Craniol.*
Asteracanthion -iidae
Polyacanthia *Ent.*
ἀκανθίς the goldfinch
Acanthis *Ornith.*
Acanthisittidae *Ornith.*
ἀκανθο- Comb. of ἄκανθα
acantho-
batis *Ich. Pal.*
bdella *Helm.*
-id(ae -oid
branchiata *Conch.*
camaria *Ent.*
carpous *Bot.*
casis *Ent.*
cephala *Helm.*
-an -i -ous
cephaliasis *Path.*
cephalus -ina *Ent.*
ceras -atidac *Pal.*
chactodon *Ich.*
cheilonema *Helm.*
chiasmid(ae -oid *Prot.*
cladia *Helm.*
-id(ae -oid
cladous *Bot.*
clinus *Ich.*
-id(ae -oid
conops *Ent.*
cottus *Ich.*
cybium *Ich.*
cyclus *Crust.*
-id(ae -oid
cyst *Helm.*
doris *Conch.*
-id(inae idine
drillus *Helm.*

acantho- Cont'd.
-id(ae -oid
ganoidei -ean *Ich. Pal.*
glossus *Pal.*
labrus *Ich.*
limon *Bot.*
logy -ical *Biol.*
loncha *Prot.*
-id(ae -ida -oid
lysis *Med.*
lytoceras *Malac.*
meridae *Ent.*
metra *Prot.*
-ae -an -ea(n -id(ae
-ida(n -oid -ous
myites *Ent. Pal.*
mys *Zool.*
nema *Pal.*
neura *Ent.*
pelvis *Anat.*
pelyx *Anat.*
pharynx *Helm.*
pholidae *Pal.*
phract *Prot.*
ae a(n ida ous
plurella *Pal.*
pod(a -(i)ous *Ent.*
podious *Bot.*
pomatous *Bot.*
pore *Pal.*
psylla *Ent.*
ptere -an -i *Ich.*
pterous *Zool.*
pterygii *Ich.*
-ia(n -ious
pupa *Pal.*
rhina *Pal.*
rhini *Zool.*
rhyncia *Pal.*
rhyncus *Ornith.*
sauridae *Prot.*
spenote *Echin.*
sphere *Bot.*
stauridae *Prot.*
stigma *Fungi*
stracion *Ich.*
telson *Crust. Pal.*
-id(ae -oid
teuthis *Pal.*
theca *or* -i *Arach.*
trypa -ella -ina *Pal.*
zooid *Helm.*
Diacanthopora -inae *Pal.*
Paracanthocera *Ent.*
Platacanthomys -yinae
Schistacanthoporinae

ἀκανθοβόλος (Paul. Aeg.)
acanthobole -us *Surg.*
ἄκανθος (Theocr.)
acanth(us *Arch.*
acanthus *Bot.*
ἀκανθοφόρος bearing thorns
Acanthophora *Ent.*
acanthophore -ous
ἀκανθώδης prickly
Acanthodes *Ich.*
-ea -ean -ei -ian -id(ae
-ini -oid(ea(n
Cryptacanthodes *Ich.*
-id(ae -oid
Triacanthodes -inae
ἄκανος thistle head
acana(*or* o)ceous *Bot.*
Acanellidae *Zooph.*
Triacanus *Ent.*
ἀκάρδιος without heart
(hemi)acardius *Terat.*
ἄκαρι a mite (Arist.)
Acari -us *Arach.*
-ia(n -id(a(n -idea(n
-iform -ina -ine -oid
acariasis *Path.*
acaricide

acarinosis *Path.*
acaro-
cecidium *Bot.*
dermatitis *Path.*
domation *Bot.*
ides *Bot.*
logy -ist *Zool.*
phenax *Arach.*
philous *Bot.*
phobia *Ps. Path.*
phyta -ic -ism *Bot.*
toxic *Ther.*
hydracarine -a *Arach.*
ἀκατάληκτος (Heph.)
acatalectic *Pros.*
ἀκατάληπτος (Sext. Emp.)
acataleptic *Med. Phil.*
ἀκαταληψία (Sext. Emp.)
acatalepsy -ia *Med. Phil.*
ἀκαταστασία instability
acatastasia *Ps. Path.*
ἀκαταστατός unstable
acatastatic *Ps. Path.*
ἄκατος a boat
Acatochaeta *Ent.*
ἄκαυλος without stalk
acaulous *Bot.*
-es -escence -escent
-ine -ose -osia
'Ακελδαμά
Ac(*or* k)eldama *Bible*
ἄκεντρος stingless; not central
acentro-
gobius
pus *Ent.*
acentrous
ἄκεος Gen. of ἄκος
aceo- *Med.*
gnosia
logy -ic
ἄκερος hornless (Arist.)
Acera *Zool.*
-an -ous
Aceratherium *Pal.*
-aceratherium *Pal.*
Epi Prac
acerellatous *Bot.*
aceride *Arts*
Acerina *Ich.*
-inae -ine
ἀκεστής a healer
Psilacestes *Ent.*
ἀκεστός healing
aces(t)odyne *Ther.*
acestoma *Path.*
ἀκέφαλος headless
acephal *Zool.*
a(n aea ate
Acephali *Eccl. Hist.*
-ian -ist -ite
acephalia *Terat.*
-ic -ism
acephaline -a *Prot.*
acephalo-
cyst(ic *Zool.*
phora(n -ous *Zool.*
acephalo- *Terat.*
brachia -ius
cardia -ius
ch(e)iria -us
gaster ia
podia -ius
(r)rhachia
stomia -us
thoracia thorax
thorus
acephalous *Bot. Rhet. Zool.*
acephalus *Terat.*
-acephalus *Terat.*
hemi myl

peracephalous *Terat.*
ἀκή a point
-ace *Geom.*
hept hex tessar tri
aciphyllus *Bot.*
Acomys *Conch.*
acospore *Bot.*
akanticone *Min.*
nostacoid *Biol.*
Panopacaceae *Pal. Bot.*
prionace *Ich.*
Sphyracus *Ent.*
Xenacodon *Pal.*
ἀκηδία indifference
acedia *Psych. & Med.*
acedy -iast
ἀκιδνός feeble
Akidnognathus *Pal.*
ἀκιδωτός pointed
acidotus *Bot.*
ἀκινησία quiescence
akinesia -ic *Path.*
ἀκίνητος motionless
Acineta *Prot.*
-ae -an -aria(n -ic
-id(ae -iform -ina(n
-oid
akinete(s -ic *Bot.*
akinetogenesis *Biol.*
akinetone *Pharm.*
ἀκίς (ἴδος) barb; bandage
Acichelys *Herp.*
-id (ae -oid
Acidaspis *Crust. Pal.*
-idae -idid(ae -idoid
acidology *Surg.*
acidosteophyte *Physiol.*
-acis *Ent.*
Entom Macromer
Phan Rhynch
aciurgy *Surg.*
akido-
galvanocautery *Med.*
peirastic *Med.*
Entomacodon *Mam.*
Homacodon(tidae *Pal.*
lyssacine -a *Spong.*
Triacis(iae *Ich.*
ἀκκισμός prudery
accismus *Rhet.*
ἄκλαστος unbroken
aclastic *Optics*
ἄκλειστος not closed
acl(e)istous *Crystal.*
ἀκλινής unswerving
aclinic *Geog.*
ἀκμαῖος at the height
Acmaea *Conch.*
-id(ae -oid
Acmaeodera *Ent.*
Acmaeodon *Pal.*
Acmaeolaimus *Helm.*
entacmaeous *Zool.*
epacmaic
Potomacmaea *Malac.*
ἀκμή the top point
acme -(at)ic
acmite (augite *Min.*
acmitetrachyte *Min.*
ak(*or* ch)mite *Min.*
diacmic *Biol.*
epacme *Biol.*
heteracmy *Bot.*
menacme *Gynec.*
monacmic *Bot.*
Phthoracma *Ent.*
synacmy -ic *Bot.*
ἀκμόνιον Dim. of ἄκμων
Acmoniodus *Ich.*
ἄκμων anvil; eagle
acmonoid *Craniol.*
Protacmon *Pal.*

ἀκνημος (Plutarch)
acnemia *Path.*
ἄκνηστις backbone
acnestis *Anat.*
ἀκοή hearing
oxyaco(i)a *Otol.*
ἄκοιλος not hollow
Acoela -ous *Helm.*
ἀκοίμηται sleepless
Ac(o)emetae *or* -i
Akoimetoi *Eccl. Hist.*
ἀκοίτης bedfellow
Acoetes *Helm.*
-id(ae -oid
ἀκολουθία ritual form
akolouthia *Gr. Ch.*
ἀκόλουθος follower
acolothist *Eccl.*
Acolothus *Ent.*
acoluth(ite *Eccl.*
acolyte(ship *Eccl.*
Acolytes *Bot.*
acolyth(e *Eccl.*
ate ical ist
ἄκομος bald
acomous -ia
ἄκομψος unadorned
Acompsosaurus *Pal.*
ἀκόνη hone
entaconid *Dent.*
ἀκόνιτον (Theophr.)
aceconic *Chem.*
-aconate *Chem.*
citr glut it mes
aconic *Chem.*
-ate -ella -ellin -in(e
-aconic *Chem.*
citr crot glut it mes
par ter vin
-aconin
lyc methybenz pseud
pyr
-aconine *Org. Chem.*
benz japbenz jesoanis
lyc pyr
aconite
-al -ate -ia -ic -in(e -ina
-aconitin *Org. Chem.*
ap bikh is(o) lapp lyc
picr pseud(o) pyr
-aconitine *Org. Chem.*
bikh ind is(o) jap jes
lapp lyc picr picrolapp
pseud(o) pyr pyrojap
Aconitum *Bot.*
aticonic *Org. Chem.*
citraconimide
isaconitic
ita- *Org. Chem.*
malic
lappaconitic
mesaconite
oxonitin(e
pyroxon(it)ine
ἀκοντίας a serpent
Acontias *Herp.*
-iadae -iid(ae -ioid
ἀκόντιον javelin
Acontia *Zooph.*
acontium *Archaeol.*
ἄκοπον restorative (Galen)
acopon *Med.*
ἄκοπος refreshing (Hipp.)
acopic *Med.*
ἄκοπρος absence of feces
acoprous -osis *Med.*
ἀκορία desire for drink
acoria *Med.*
ἄκορος sweet flag (Diosc.)
acorin *Chem.*
Acorus *Bot.*

ἄκος cure
Acocephalus *Ent.*
acognosia -is *Med.*
acoin *Mat. Med.*
acoinaesthetic *Mat. Med.*
acology -ic *Med.*
autacoid *Biochem.*
Micracosmeryx *Ent.*
-ακος Adj. suffix **-κο-** after α, used chiefly with words ending in *-ia* or *-y*
-ac(al
amniac *Anat.*
anthelminac *Path.*
Antheristiac *Gr. Ant.*
antidemoniac
antisimoniacal
aphasiac *Path.*
cacod(a)emoniac
celeriac
Cluniac *Eccl. Hist.*
codiniac
coffiac
cyclothymiac *Ps. Path.*
dandiacal
dysuriac *Med.*
echolaliac *Ps. Path.*
Egyptiacal
encyclop(a)ediac(al
endoceliac *Med.*
enthusiac *Obs.*
gangliac
Genesiac(al *Bible*
goniac *Craniom.*
h(a)emophiliac *Med.*
hebephreniac *Path.*
hemiplegiac *Path.*
heterophasiac *Path.*
hippomaniacally
hydrophobiac *Path.*
hypospadiac *Path.*
hysteriac(ism *Psych.*
-iac(al
iniac *Anat.*
maniac
al(ly y
-maniac
Anglo antho Celto decalco diato dipso ego eleuthero ergo eroto ethno Gallo Germano grapho hydro klepto logo megalo -melo mesmero metro micro mono morphia mytho narco negro nympho oeno opio opso pharmaco philatelo pseudo pyro rinko Russo satyro sphero Teuto theatro theo therio tulipo verbo xeno
-maniacal
anti dipso hydro klepto macro megalo metro mono narco nympho pharmaco pre pyro
melancholiac
Messiacal
neuralgiac *Path.*
neurastheniac *Path.*
pand(a)emoniac
paranoeac(al *Ps. Path.*
parheliac *Meteor.*
phantasmagoriacal
-phobiac
Anglo ergo negro toxi
phrenesiac
scoriac(eous
sireniacal
syzygiacal
ἀκοσμία disorder
acosmia -ic -y *Med.*

ἀκούειν to hear
acoasma *Neurol.*
acou-
esthesia *Neurol.*
lalion *Med. App.*
meter *Psych. App.*
metry *Psych.*
phone *Elec. Med. App.*
acouo-
meter phone
akoulation *Med. App.*
phonaco- *Med.*
scope scopy
ἄκουσις hearing
-acousia *Med.*
brady dys echo par presby
-acusia *Med.*
ambly an hemian hyp(er) par presby
-acousis
dipl dys
-acusis
ambly an dipl hyp(er) odyn par presby pseud
acous- *Med.*
(i)meter metry
anakusis *Path.*
ἄκουσμα a thing heard
acousma *Ps. Path.*
acousmata
acousmatagnosis
acousmatamnesia
dysacousma *Med.*
pseudacousma *Psych.*
ἀκουσματικός (Clem. A.)
acousmatic *Gr. Phil.*
ἀκουστής auditor
Craspedacusta *Zool.*
ἀκουστικός (Arist.)
acoustic
al(ly ian -ics
-acoustic
di ent is magneto micr poly tel
aconstico-
lateral
meter *Psych. App.*
acousticon *Med. App.*
-acoustics
di poly
microcoustic
ἀκουστός audible
acoustometer *Arts.*
ἀκουτίζειν to make to hear
acoutometer *Med. App.*
ἄκρα Fem. of ἄκρος
megalac(*or* k)ria *Path.*
ἀκραῖα extremities
Acraea *Ent.*
-aeides -aeinae
ἀκρασία bad mixture
acrasia -ial -y *Med.*
Acrasia *Bot.*
-iaceae -iales
-acrasia *Med.*
copr galact scor sperm ur
ἀκρατής feeble
acraturesis *Physiol.*
ἀκρατία debility (Hipp.)
acratia *Path.*
-acratia
gon scor scat ur
ἄκρατος pure
Acratoenus *Pal.*
acratopega
ἀκρίβεια exactness
acrib(e)ia -y
ἀκριβο- Comb. of ἀκριβής exact
acribometer *Meas. App.*
ἀκριβολόγα precise in argument

Acribologa *Ent.*
ἀκρίδιον Dim. of ἀκρίς
Acridium *Ent.*
-ian -iid(ae -ioid(ea -idae -ii
ἀκριδο- Comb. of ἀκρίς
Acridothares *Ent.*
ἀκριδοφάγος locust eater
acridophagous -us
ἀκρίς locust
Dinacrida *Ent.*
Gearidacris *Helm.*?
Pachyacris *Ent.*
Palaeacrididae *Ent.*
Xenacris *Ent.*
ἄκρις hill-top
Epacris *Bot.*
-id(aceae -idaceous
ἀκρισία (Hipp.)
acrisia *or* -y *Path.*
ἀκριτο- Comb. of ἄκριτος
acrito-
chromacy *Optics*
chromatic *Optics*
ἄκριτος unjudged
acrite -a(n *Prot.*
Acritus *Ent.*
ἀκρο- Comb. of ἄκρος
acro-
(a)esthesia *Psych.*
agnosis *Neurol.*
an(a)esthesia *Psych.*
arthritis *Path.*
asphyxia *Path.*
ataxia *Path.*
basis *Ent.*
blast(ic *Embryol.*
blastesis *Bot.*
brya -ous *Bot.*
carp(i -ous *Bot.*
cecidium *Phytopath.*
cephalia -y *Craniol.*
cephalic -ous *Ethnol.*
cephalus -ine *Ornith.*
cera -id(ae -oid *Ent.*
chilus *Chubs.*
chlamydeal *Bot.*
chord(us *Herp.*
id(ae oid
chordaninae *Pal.*
chordiuratidae *Pal.*
choreutes *Ent.*
c(*or* k)inesis -etic *Path.*
cinus *Ent.*
clinium *Bot.*
comia *Bot.*
conidium *Bot.*
contracture *Physiol.*
coracoid *Ornith.*
crinus *Echin.*
-id(ae -oid
cyanosis *Physiol.*
cyon *Pal.*
cyst *Zooph.*
dactylum *Ornith.*
dectes *Ent.*
delphis *Pal.*
dermatitis *Path.*
drome -ous *Bot.*
fugal *Bot.*
gamy -ous *Bot.*
ganglion *Helm.*
gen(ic ous(ly *Bot.*
gnosis *Neurol.*
gonel *Bot.*
gonidium *Bot.*
graphy *Arts*
gynae -ous *Bot.*
gyratus *Bot.*
kinesis -ia *Physiol.*
lichas *Pal.*
lith(ian ic *Sculp.*
log(ue *Philol.*
logy *Philol.*
-ic(al(ly -ism

acro- Cont'd.
lusia *Pal.*
mania *Ps. Path.*
mastitis *Path.*
megalia *Path.*
-y -ic -ous
merostich *Lit.*
meter *Chem.*
micria *Path.*
monogrammatic *Pros.*
myodi *Ornith.*
-ian -ic -ous
myotonia *or* -us *Med.*
narcotic *Med.*
neurosis *Path.*
notus -ine *Ent. Mam.*
pachy *Path.*
par(a)ethesia *Path.*
paralysis *Path.*
pathy -ology *Path.*
petal(ly *Bot.*
phalli *Helm.*
philus *Phytogeog.*
phobia *Psych.*
phonetic *Philol.*
phony -ic *Philol.*
photodynia *Path.*
phymus *Ent.*
phyta -ia *Phytogeog.*
podium *Art. Zool.*
poma *Ich.*
-id(ae -oid)
pora *Zool.*
rhabdus *Ich. Pal.*
rrhagus *Zooph.*
sarc(um *Bot.*
saurus *Pal.*
scopic *Bot.*
soma *Arach.*
some *Cytol.*
speira *Fungi*
spermeae *Bot.*
sphacelus *Path.*
sphalia *Ent.*
sphenosyndactylia
spire *Arts. Bot.*
spore-ous *Bot.*
stalagmus *Fungi*
sternum *Ent.*
stichum -oid *Bot.*
tarsium -ial *Ornith.*
teuthis *Pal.*
thecal *Bot.*
thelinae *Pal.*
thrips *Ent.*
thymion *Path.*
tomous *Min.*
tonous *Bot.*
treta -id(ae *Ich.*
tritacea(n -aceous *Pal.*
trophoneurosis *Path.*
tropism *Bot.*
akrocephalic
Anacrogynae -ous *Bot.*
anacromyodian *Ornith.*
catacromyodian *Ornith.*
diacromyodian -ous
Hypacrosaurus *Pal.*
Monacrorhizae -e *Bot.*
pseud(o)acromegaly

ἀκρόαμα a thing heard
acroama *Cl. Ant. Phil.*
ἀκροαματικός (Plut.)
acroamatic *Phil.*
al(ly -ics
ἀκρόασις hearing
acroasis *Lit.*
anacroasia *Med.*
ἀκροατικός (Arist.)
acroatic(s *Phil.*
ἀκρόβατος walking on tiptoe
acrobacy
acrobat
ic(al(ly ics ism

ἀκροβυστία prepuce
acrobystiolith *Path.*
acrobystitis *Path.*
Ἀκροκεραύνια
Acroceraunia(n *Geog.*
ἄκρον limb, summit
acragnosis *Neurol.*
acral *Med.*
Acronurus -idae *Ich.*
acronus *Bot.*
acrostealgia *Path.*
pachyac(*or* k)ria *Med.*
pentacron *Geom.*
Polyacrodes *Pal.*
polyacron *Geom.*
Psichacro *Ent.*
tetracron *Geom.*
ἀκρονύκτιος at even
Acronycta *Ent.*
acronyctous *Astron.*
ἀκρόνυχος at even
achronic(al(ly *Astron.*
acronyc(h) *Astron.*
al(ly
ἀκρόπολις citadel
acropolis -itan
ἀκροποσθία the prepuce
acroposthitis *Path.*
ἀκρόρριζος not rooting deeply
triacrorrhize -ae *Bot.*
ἄκρος apex
acr-
amphibrya -ous *Bot.*
andry *Bot.*
anthi -ous *Mosses*
ecboli *Gastrop.*
ecbolic *Zool.*
embolic *Zool.*
odont(a -ism *Zool.*
odus *Pal.*
odynia *Path.*
omphalus *Path.*
onyches *Ent.*
onyx *Path.*
ophthalma -ous *Conch.*
opis *Ent.*
osaster *Pal.*
uroteuthis *Malac. Pal.*
akrite (akrit) *Alloys*
Entomacrodus *Ich.*
euacranthic *Bot.*
Palacrodon *Pal.*
pseudacranthic *Bot.*
synacral *Crystal Geom.*
Triacrus *Ent.*
ἀκροστιχίς (Dion. H.)
acrostic(h
al(ly ic ism
paracrostic
pentacrostic
ἀκροστόλιον gunwale
acrostolium *Arch.*
ἀκροτελεύτιον fag end
acroteleutic *Eccl.*
ἀκρότης extremity
acrotic *Path.*
ἀκροχειρισμός
acroch(e)irismus *Gr. Ant.*
ἀκροχορδών (Hipp.)
acrochordon *Path.*
akrochordite *Min.*
ἀκρώμιον (Hipp.)
-acromial *Anat.*
bis coraco crani(o) met scapul sub super supra trachelo thorac(ico) thoraco
acromio-
clavicular coracoid deltoideus humeral hyoid scapular sternal thoracic trapezius
acromion -ial *Anat.*
metacromion *Mam*|

tracheloacromialis *Anat.*
ἀκρωτήριον (Plut.)
acroterion *Arch.*
-(i)al -ium
Ἀκταίων (Euripides)
Acteon *Myth.*
Acteon *Conch.*
-id(ae -oid
Actonella *Conch.*
-d(ae -idan
ἀκτέα (Theophr.)
Actaea *Bot.*
ἀκτή rocky coast
actad *Phytogeog.*
acto- *Phytogeog.*
philus phtya
palaeoaktology *Geol.*
pentactaea *Biol.*
pentactula
Philacte
Ἀκτία Actian games
Actiad *Gr. Ant.*
ἀκτιν- Stem of ἀκτίς
abactinal(ly *Zool.*
actinal(ly *Radiata*
Actinaria(n *Prot. Zooph.*
actine *Phys. Spong.*
Actinelida(n *Prot.*
-actin *Spong.*
di hept hex mon orthodi orthohex pent staur
-actinal *Spong.*
di hex mon oct pent poly tetr tri
-actine *Spong.*
di disco hept hex microdi mon oct oxyhex pent poly staur strongyl(o)hex tetr tornhex tri tylhex
-actinic *Zool.*
desm di liss lys
-actinic *Phys.*
adi in is photo
actinenchyma *Bot.*
Actinia *Zooph.*
-iadae -id(ae -iid(ae -iidea -ioid
actinian *Zooph.*
Actiniaria(n *Prot.*
actinic *Phys.*
al(ly ism ity
Actinidia *Bot.*
actiniferous *Chem.*
actiniform *Zool.*
actinine *Zool.*
actinio-
chrome *Chem.*
h(a)ematin *Biochem.*
morpha *Zooph.*
actinism *Phys.*
Actinistia(n -ious *Ich.*
actinium *Chem.*
Actinizoa(n *Zooph.*
Actinodon *Pal.*
Actinomma *Radiol.*
actinon *Chem.*
actinophryd *Bot.*
Actinophrys *Prot.*
-yan -yd -yid(ae -yina -yoid
actinost *Ich.*
actinula *Optics*
centractinate *Anat.*
Cnemidactinidae *Pal.*
diactinism *Optics*
dynactinometer *Mech.*
exactinio *Chem.*
Gonactinia -iidae *Zoöl.*
Hexactinella *Spong.*
-id(ae -ida(n -ine
Hexactinia -iae -ian
Hydractinia *Zooph.*
-ian -iid(ae -ioidea(n
inequiactinate

isoactinate
Limnactinia *Zooph.*
Monoactinae *Spong.*
monactinellid *Spong.*
a(n inae ine
multiactinate *Spong.*
Octactinia(n -iae *Zooph.*
pentactinid(a *Spong.*
Phyllactinia -ose *Bot.*
Polyactinia *Spong.*
prot(o)actinium *Chem.*
radioactinium *Chem.*
Tetractina -ose *Spong.*
tetractinell- *Spong.*
id(ae ida(n in(e
ἀκτινο- Comb. of ἀκτίς
actino-
bacillosis *Vet.*
blast *Spong.*
blatta *Pal.*
branch(ia *Coel.*
carp(ic -ous *Bot.*
cephalus -idae *Zool.*
ceras *Conch.*
-at(id(ae oid)
ch(e)iri -ous *Ich.*
chemistry
cladothrix *Bact.*
congestion *Tox.*
crinus *Echin. Pal.*
-id(ae -inae -ite -oid
cutitis *Path.*
desminae *Pal.*
diastase *Org. Chem.*
dictyon *Pal.*
drome -ous *Bot.*
electric(ity *Phys.*
gaster *Starfish*
gram *Bot.*
graph *Bot.*
graphema *Med. App.*
graphy -ic *Bot.*
lite -ic *Min.*
log(ue *Biol.*
logy -ist -ous *Phys.*
lyte -ic *Chem.*
mere -ic *Zool.*
meris *Bot.*
meter *Phys.*
metry -ic(al *Phys.*
morphic -ous *Bot.*
morphy
myces *Fungi*
-elial -etes -etic
mycosis -otic *Path.*
mycotin *Bact.*
myxidia *Parasites*
nema *Fungi Helm.*
neuritis *Path.*
phone -ic *Phys.*
phor *Med. App.*
phore -ous *Ich.*
phytosis *Path.*
poda *Echin.*
pora *Pal.*
praxis *Med.*
pteri(an -ous *Ich.*
pterygia *Ich.*
-ian -ii -ious
scopic *Photochem.*
scopy *Med.*
scyphia *Zooph.*
soma some *Actinozoa*
sphaerium *Rhizop.*
stele *Bot.*
stereoscopy *Med.*
stome -ous *Bot.*
stroma *Hydrozoa*
stromella *Pal.*
therapeutic *Ther.*
therapy *Ther.*
trichium *Anat. Ich.*
trocha *Embryol. Helm.*
tropic *Biol.*
uranium *Chem.*
zoa(l -an -on *Zool.*

Paractinopoda *Zoöl.*
pneumoactinomycosis
pseud(o)actinomycosis
ἀκτινοειδής like rays
actinoid(a -ea *Zool.*
ἀκτινωτός rayed
actinote *Min.*
Blastactinota *Biol.*
Ἄκτιον = ἀκτή
Actian *Gr. Ant.*
ἀκτίς beam, ray
-act *Spong.*
di discohex hex mon oxydi oxyhex oxypent oxytetr poly tetr tri
-actis *Zool.*
Arachn Cnemid Eo Epipar Hali Heter Lepid Oxy Phytid Sider
Chaenactis *Bot.*
Dodecactinae *Zool.*
Hydractomma *Zooph.*
lecanact(is *Lichens*
idaceae idaceous
Melanactes *Ent.*
Pentacta(e -idae *Echin.*
tessa(*or* e)ract *Math.*
Trihactia *Ent.*
ἀκυρολογία (Dion. H.)
acurology *Rhet.*
acyrology *Rhet.*
-ical(ly
ἀκωκή point, edge
Acoc(*or* k)anthera *Bot.*
acocantherin *Tox.*
spermacoce -ae *Bot.*
ἄκωλος without limbs
acolous
ἄκων unwilling
aconuresis *Physiol.*
ἄκων (-οντος) javelin
acon *Arts*
akontite *Min.*
Monacon *Ent.*
ἀλ- Stem of ἅλς
aphthalose *Min.*
Dipsahalidiotis *Pal.*
Enhalus -id *Bot.*
euryhaline *Biol. Phys.*
exanthalose *Min.*
Halaelurus *Ich.*
halakone *Med.*
halarch *Bot.*
halate *Chem.*
halazone *Mat. Med.*
halhydration *Chem.*
halid(e *Chem.*
-halid *Chem.*
di per
-halide *Chem.*
auro di hydro keto meso mono oxy per photo pseudo sub
halidaceae -eous *Min.*
halion *Bot.*
Halis *Conch.*
-iid(ae -ioid
halite *Min.*
-halite *Min.*
crypto exant hypo keramo poly sulfo
halitkainit *Min.*
hallimeter -metric
Halodon *Pal.*
haloid(ite
-haloid
mono oxy photo sulpho
Haloniscus *Crust.*
halurgy -ist
hyperalonemia *Med.*
hypoalonemia *Med.*
isohaline *Geog.*

hypohalous *Chem.*
lipalian *Bot.*
Nectalia -idae
parachloralide ose
pontohalicolous *Bot.*
stenohaline *Bot.*
Ἀλάβανδα city of Caria
manganalmandine *Min.*
ἀλαβάρχης taxgatherer
alabarch(es *Cl. Ant.*
ἀλάβαστος alabaster box
alabastos *Gr. Ant. Min.*
ἀλαβαστρίτης alabaster
alabastrites *Rom. Ant.*
ἀλάβαστρον alabaster box
alabastron -um *Archaeol.*
ἀλάβαστρος (Sept.)
alabaster *Min.*
alabastrian *Min.*
alabastrine *Min.*
alabastrus *Gr. Ant.*
ἄλαλος speechless
alalus *Anthropol.*
ἀλαός not seeing
h(a)emalopia *Path.*
Ἀλαρόδιοι (Herod.)
Aearodian *Hist.*
Ἀλάστωρ the avenging deity (Aesch.)
Alastor *Lit. Myth.*
ἀλάτινος made of salt
halatinous
ἀλγεῖν to suffer
algetic *Path.*
ἄλγεος Gen. of ἄλγος
algeoscopy *Med.*
algio- *Med.*
glandular metabol motor muscular vascular
ἀλγηδών pain
algedo *Path.*
ἄλγησις sense of pain
algesia -ic *Med.*
-algesia *Med.*
asph cry haph (hemi)-hyp hyper(cry therm) par poly therm thermo(hyper)
algesi(chrono)meter -ric
defecalalgesiophobia
hyperalgesis & -etic
paralgesic
-αλγία as in κεφαλαλγία
-algia *Path.*
acromel acroste aden akar an apodemi append(ic) arthr brachi bubon caus cerebr ch(e)ir chil chiropod cholecyst chondr cines coccyg c(o)eli coeliomy col(on) colp cost cox cyst dacryaden dacrycyst dent(in) derm(at) diaphragm(at) didym dors enceli encephal enter epars epicondyl epigastr erythr(em)omel erythroprosop esophag gast(e)r genyantr gingiv gloss glott gnath gon(y) hemi hemiop hepat heterophor hier hyp hypn hyster ir(id) ischi kerat kines(i) laryng mamm mast mastoid maz megal mel melos mer merocox metatars metopantr metr my myel myoceli myos nephr

-algia Cont'd.
neurogastr nost not nuch nyct oario oesoph om oophor oothec op ophthalm opsi orchi(d) ost(e) ovar(i) pancreat pant par pector pedi pelyc peri peritone phall pharyng phot pleur plex pneumon pr(a)ecordi proct prosop prostat pseudocox psych psychro ptern pulp pyg pylor radicul r(h)achi rect rheumat rhin sacr sacrocox scapul scel skel somat sphincter spin splen spondyl stern stomach stom(at) subcost syn synesthesi tal tars ten thorac tibi top(o) trache ul uret(er urethr uter viscer
-algic *Path.*
an anticephal ant(i)odont arthr autodont cox hepat hyp hyster ischi my nephr nost not ophthalm ovar(i) peri phall pharyng pleur prosop r(h)achi splen stern syn
-algy *Path.*
aden cox enter gast(e)r gloss hyster nephr nost oesoph proct psych scapul splen
neuralgia *Path.*
-iac -ic -y
-neuralgia
arthro cysto hysterico ischio myo odonto orchio osteo oto prosopo spermo
antineuralgic *Ther.*
ἀλγηδών sense of pain
algedonic(s *Psych.*
ἄλγος pain
alg-
(a)esthesis *Med.*
anesthesia *Med.*
-algin *Pharm.*
ex iod nik phen rhin ten
alginoid *Pharm.*
alginuresis *Path.*
algo-
chronometer *Med. App.*
cyan *Biochem.*
genesia *Ps. Path.*
genic *Med.* -in *Chem.*
lagnia *Ps. Path.*
lichenes *Bot.*
logy -ical -ist *Bot.*
meter *Med. App.*
metry -ic(al(ly *Med.*
philia -y -ist *Ps. Path.*
phobia *Neurol.*
psychalia *Ps. Path.*
antalgic *Ther.*
antipyralgos *Prop. Rem.*
exalgine *Pharm.*
febralgene *Mat. Med.*
gastralgokenosis *Med.*
psych(o)algalia *Ps. Path.*
r(h)achialgitis *Path.*
thealgia
ἀλέα heat
isalea *Meteor.*
ἀλειπτήριον sudatory
aleipterion *Arch.*
ἀλειπτικός (Plut.)
aleiptic
ἀλειπτός anointed
aliptic *Ointments*

ἄλειπτρον box of ointment
aleiptron *Gr. Ch.*
ἀλείφατος Gen. of ἄλειφαρ unguent
alicyclic *Chem.*
aliphatic *Org. Chem.*
ἀλεκτορίς Fem. of ἀλέκτωρ
Alectorides *Ornith.*
-idine
ἀλεκτορο- Comb. of ἀλέκτωρ
alectoro-
machy
morph(ae -ous *Ornith.*
podes -ous *Ornith.*
ἀλεκτορομαντεία (Cedr.)
alectoromancy
ἀλεκτρυο- Comb. of ἀλεκτρυών
alectryo-
machy
mancy
ἀλεκτρυών a cock
Alectrurus *Ornith.*
-inae -ine -ous
alectryon
Alectryonia *Conch.*
alectryonology
ἀλέκτωρ a cock
Alector *Ornith.*
Alectoria -ioid *Bot.*
alectorian *Charms*
Alectoroenas *Ornith.*
Eremalector *Ornith.*
Ἀλεξανδρία (Strabo)
Alexandrian
Alexandrianism *Phil.*
Ἀλεξανδρινός (Diog. L.)
Alexandrine
Alexandrinism *Theol.*
post-Alexandrine
Ἀλεξανδριστής (Plut.)
Alexandrist *Phil.*
Ἀλέξανδρος (Plut.)
alexanders *Bot.*
Alexandrian -ine
alexandrite *Min.*
alisanders *Bot.*
Scanderbeg(ging
ἀλέξειν to ward off
alexic *Med.*
alexin(ic *Biochem.*
alexo-
cyte *Med.*
fixagen *Physiol.*
fix(ag)in *Chem.*
Nealexia *Pal.*
toxalexin *Bact.*
ἀλεξητήριον (Hipp.)
alexitery *Med.*
-ial -ium
ἀλεξητήριος defensive
alexiteric(al
ἀλεξι- Comb. of ἀλέξειν
alexipyretic *Med.*
ἀλεξίκακον (Iliad)
alexicacon -kakon
ἀλεξιφάρμακον (Plato)
alexipharmac *Med.*
al -ic(al on um
ἀλεός empty
Aleochara -ini *Ent.*
Aleocharopsis *Pal.*
ἀλεπίδωτος scaleless
alepidote *Ich.*
ἄλεπις without scales
Lycodalepis *Ich.*
ἀλετός a grinding
Aletodus *Pal.*
Aletomeryx *Pal.*
ἀλετρίς corn-grinder
Aletris *Bot.*

ἀλευρίτης wheaten
Aleurites *Bot.*
aleuritic *Org. Chem.*
ἀλευρο- Comb. of ἄλευρον
aleuro-
mancy *Augury*
meter *Ind. Chem.*
nat(e *Bot. Chem.*
scope *Ind. Chem.*
ἄλευρον flour
aleurone -ic
tanninaleuronat *Med.*
ἀλευρώδης like flour
Aleurodes *Ent.*
-id(ae -iform -oid
ἀλήθεια truth
alethiology *Logic*
ἀληθής true
alethorama *Cinema*
ἀληθο- Comb. of ἀληθής
aletho-
meter
pteris *Pal Bot.*
scope *Optics*
megalethoscope
ἀλητής wanderer
aletocyte *Cytol.*
aletophyte(s *Phytogeog.*
Aletornis *Ornith.*
ἀλθαία (Theophr.)
Althaea *Bot.*
alth(a)ein(e *Org. Chem.*
ἁλι- Comb. of ἅλς
hali-
actis *Zooph.*
bios biotic *Biol.*
choerus *Zool.*
chondria *Spong.*
-iae -iid(ae -(i)oid
-ina -ine
chores *Ich.*
core *Mam.*
-id(ae -oid(ea(n
current
graphy
ichthyotoxin *Tox.*
limnic *Biol. Geog.*
meda -eae -idae *Bot.*
meter metry -ic
omma -atidae *Zool.*
otis -id(ae -oid *Conch.*
physema *Prot.*
-ata -id(ae -oid
plana *Ornith.*
plankton *Biol. Zool.*
sarca *Spong.*
-idae -ina -ine
sauria(n *Herp.* -us *Pal.*
scoleina *Annel.*
seris -ites *Bot.*
stase *Oceanog.*
stemma -atidae *Zool.*
steresis -etic *Path.*
therium *Mam.*
-iid(ae -ioid
Halymenia -ieae *Algae*
menites *Algae Pal.*
seris -eae *Bot.*
osteohalisteresis *Path.*
ἁλιά assembly
-ale *Bot.*
-alia(n *Zoogeog.*
Antarct(ic Arct Bass
alomeristic *Bot.*
ἁλιάετος sea eagle
Haliaetus *Ornith.*
ἁλίδρομος running over the sea
halidrome *Ornith.*
-a -ina
ἁλιευτής fisher
halieut-
aea ella *Ich.*
ichthys -yinae *Ich.*

Zalieutes *Ich.*
ἁλιευτική fishing (Plato)
halieutics
ἁλιευτικός (Xen.)
halieutic(al(ly
ἅλιμος marine
alima *Crust.*
Halimochirurgus -id(ae -oid *Ich.*
halimous
Halimus *Bot.*
ἀλίνδειν to roam
Alindria *Ent.*
ἅλινος of salt
halinous
ἁλιο- Comb. of ἅλς
halio-
grapher graphy
trema *Helm.*
ἀλιπής not greasy
alipite *Min.*
ἁλίπλους a seaman
Haliplus *Ent.*
-id(ae -oid
ἄλισμα plantain (Diosc.)
Alisma *Bot.*
-aceae -aceous -ad -al-(es -oid
Alismaphyllum *Bot.*
alismin *Mat. Med.*
Ἀλκαικός (Heph.)
Alcaic(s *Pros.*
ἀλκέα (Diosc.)
-alcea *Bot.*
Sid Sphaer
ἄλκη the elk
Alce(s *Mam.*
-id(ae -ine
Alcecoris *Ent.*
Alcelaphus -inae -ine
ἀλκι- Comb. of ἀλκή strength
Alciope *Helm.*
-ea(n -id(ae -oid
ἄλκιμος strong
analcime *Min.*
Ἀλκίππη Dau. of Ares
Alcippe *Crust.*
-id(ae -oid
Ἀλκμαιονίδαι (Herod.)
Alcmaeonid(ae *Hist.*
ἀλκυόνειον bastard-sponge, the halcyon's nest.
Alcyonacea(n *Zooph.*
Alcyonaria(n *Zooph.*
Alcyoniomorpha
Alcyonium *Zooph.*
-(i)id(ae -ite -(i)oid
halcyoneum *Zool.*
Halcyonium -oid(a
Protalcyonacea(n *Coel.*
Protalcyonaria *Coel.*
Ἀλκυόνη (Iliad)
Alcyone *Astron. Myth. Ornith.*
ἀλκυών kingfisher (*Il.*)
alcyon *Ornith.*
Alcyones *Ornith.*
-ic -iform -ine
Alcyonidium *Helm.*
-iid(ae -ioid
halcedonian
Halcyoides *Ornith.*
halcyon(arian
Jacamaralcyon *Ornith.*
Pseudhalcyon *Ornith.*
Rhamphalcyon *Ornith.*
ἀλλαγή change
Allagecrinus -idae
allagite *Min.*

allago- *Bot.*
philous
phyllous
stemon(ous
apallagin *Mat. Med.*
ἄλλαγμα that exchanged
anallagmatic *Math.*
ἀλλακτικός changeable
allactite *Min.*
ἀλλαντ- Stem of ἀλλᾶς
allant-
iasis *Path.*
ois *Comp. Anat.*
oxaidin *Chem.*
oxanic *Chem.*
amnioallantoic *Anat.*
anallantoic *Anat.*
dialuric -ate *Chem.*
hydrant-
ate oic oin
hydrindantin *Org. Chem.*
isodialuric *Chem.*
methylhydantoin *Chem.*
oxalantin(e
postallantic -oic
thiohydantoin *Org. Chem.*
ἀλλάντιον Dim. of ἀλλᾶς
Allantion *Prot.*
ἀλλαντο- Comb. of ἀλλᾶς
allanto-
ate ic in(ase *Chem.*
chorion *Embryol.*
cystis *Prot.*
spora *Pal.*
sporae *Fungi*
toxicum *Tox.*
ἀλλαντοειδής (Soran.)
allantoid *Anat.*
al *Comp. Anat.*
ea(n ian *Zool.*
-allantoid *Anat.*
meg mes micr
allantoido-
angiopagus *Terat.*
Anallantoidea(n *Zool.*
ἀλλᾶντος Gen. of ἀλλᾶς
Lantana *Bot.*
lantanin(e *Org. Chem.*
lantanuric
ἄλλαξεις exchange
morphallaxis
Synallaxis *Ornith.*
-inae -in(e
ἀλλᾶς sausage
allox- *Chem. & Med.*
an(ate anic antin in
ur(a)emia *Path.*
ur(an)ic *Chem.*
uria -ic *Med.*
alloxy- *Chem.*
proteic
alluranic *Chem.*
ἀλλάσσειν to vary
allassotonic *Bot.*
centrallasite *Min.*
ἀλλαχῆ elsewhere
allachaesthesia *Psych.*
ἅλλεσθαι to spring, leap
Allocaurus *Pal.*
Hallomenus *Zool.*
ἀλληγορεῖν (Plut.)
allegorism -istic
allegorize(r -ation
ἀλληγορία (Longinus)
allegory
ἀλληγορικός (Longinus)
allegoric
al(ly alness
ἀλληγοριστής (Eus.)
allegorist(er
ἀλληλο- Comb. of ἀλλήλων reciprocally

allelo-
morph(ic ism *Biol.*
potency *Biol.*
sitism *Bot.*
taxis *Embryol.*
tropic *Org. Chem.*
tropy *Phys.*
tropism *Chem.*
hypallelomorph(ic *Biol.*
ἀλληλούια (Sept.)
alleluia(h)
alleluiatic
ἀλλο- Comb. of ἄλλος
allo-
(a)esthesia *Neurol.*
autogamy -ous *Bot.*
caffein(e *Chem.*
carpy *Bot.*
charopsis *Pal.*
ch(e)iria *Path. Psych.*
chetia chezia *Med.*
chiral(ly *Path.*
chlorophyll *Bot. Chem.*
chroism *Med.*
chromasia *Med.*
chromatic *Phys.*
chthonous *Bot.*
cinesia *Med.*
cinnamic *Chem.*
clase -ite *Min.*
colloid *Chem.*
crotism -ic *Psa.*
crotonic *Chem.*
cryptic *Biol.*
desma -idae *Pal.*
desmus *Pal.*
gamete *Bot.*
gametism -ic(ally *Biol.*
genetic
glossy *Geol.*
gonite *Petrog.*
graph *Law*
gromia *Zool.*
isomerism *Chem.*
kinesis *Med.*
kinetic *Med.*
lalia -ic *Ps. Path.*
lepidotus *Pal.*
maleic *Chem.*
merism-ous *Chem.*
meryx *Pal.*
metron *Bot.*
mepropia *Ophth.*
morph *Min.*
ic ism ite
morphura *Ent.*
mucic *Org. Chem.*
mycterus *Ich.*
palladium *Min.*
path(y *Med.*
(et)ic(ally ist
pelagic *Biol.*
phytoid *Bot.*
plasia *Histol.*
plasmatic *Biol.*
plast(ic *Biol.*
plasty *Surg.*
posus *Conch.*
-id(ae -oid
psochus *Ent.*
psychic *Psych.*
psychosis *Ps. Path.*
pterites *Pal.*
rhina *Ent.*
rhyncus *Pal.*
(r)rhythmia-ic *Path.*
sematic *Zool.*
seps *Ent.*
some *Cytol.*
somus *Zool.*
sperm *Embryol.*
sphaerocera *Ent.*
spore *Bot.*
telluric *Chem.*
theism
thele *Arach.*

allo- Cont'd.
theria(n *Mam. Pal.*
therm *Biol.*
toxin *Chem.*
trophy -ic *Bot. Physiol.*
trupes *Ent.*
typic *Bot.*
zooid *Zool.*
zygote *Bot.*
autallogamy *or* -ia -ous
chondralloplasia *Physiol.*
enallostega *Anat. Zool.*
Hallopora -inae *Pal.*
Hallopus
-pod(a id(ae oid ous)
hallotype
hematalloscopy *Med.*
isallobar(ic *Meteor.*
isallotherm *Meteor.*
pseudallosematic
pyrallolite *Min.*
zoallospore *Bot.*
ἀλλογενής of another race
allogene *Bot.*
allogeneous -eity *Biol.*
allogenic *Geol.*
ἀλλοδαπός foreign
Allodapus *Ent.*
ἀλλοειδής of other form
Alloidea(n *Mam.*
ἄλλοθι in a strange land
allothi- *Geol.*
gene
genetic(ally
genic -ous
morphic
allothogenic -ous
ἀλλοιο- Comb. of ἀλλοῖος
alloeo-
genesis *Biol.*
gony *Biol.*
alloio-
coela *Helm.*
raphium *Pal.*
alloolysis *Bot.*
ἀλλοῖος different
alloeorgan *Biol.*
ἀλλοιόστροφος (Heph.)
alloeostropha *Pros.*
ἀλλοίωσις mental aberration
alloeosis *Med.*
ἀλλοιωτικός (Arist.)
alloeotic *Med.*
ἀλλόκοτος miscreate
Allocota *Ent.*
ἄλλος another; different
all-
(a)esthesia *Psych.*
autogamia *Bot.*
ecbola *Ent.*
epigamic *Biol.*
ergenic *Biochem.*
ergia -y -ic *Med.*
iogenesis *Biol.*
odon *Pal.*
onic *Org. Chem.*
onym -ous *Lit.*
orisma *Pal. Pelec.*
ose *Org. Chem.*
urus *Ich.*
anallergic *Med.*
isoallyl *Chem.*
ἀλλοτρι- Stem of ἀλλότριος
allotri-
odontia *Dent.*
uria *Path.*
ἀλλοτριο- Comb. of ἀλλότριος
allotrio-
geustia *Med.*
lith *Path.*

allotrio- Cont'd.
morphic *Geol.*
phagy *Path.*
ἀλλότριος strange
allotrious *Math.*
allotrylic *Min.*
ἀλλοτροπία variety
allotropy *Chem.*
-ism -ist -ize
ἀλλότροπος in otherwise
allotrope *Chem.*
-ic(al(ly -icity
allotropous *Bot. Ent.*
ἀλλοφανής appearing otherwise
allophane -oids *Min.*
allophanic *Chem.*
-amid -ate -yl
-allophane *Min.*
ferri ferro hyalo plumb
ἀλλόφυλος of another tribe
allophyle *Ethnol. Philol.*
-ian -ic -ous
Allophylus *Bot.*
ἀλλόχροος changed in color
allochroite *Min.*
allochrous -oic *Bot.*
ἅλμα a leap; palpitation
halma
halmatogenesis *Biol.*
Halmaturus -idae -ous
Halmarhiphus *Pal.*
Halmaselus *Pal.*
ἁλμυρός salty
halmyrolysis *Geol.*
ἁλο- Comb. of ἅλς
alomancy
anhalochromy *Org. Chem.*
cathalochromy *Chem.*
dehalogenize *Chem.*
dihalo- *Chem.*
gen(o-
halo-
alkyl *Org. Chem.*
amine *Org. Chem.*
bates *Ent.*
bia -ic *Pal.*
bion *Bot.*
bios biotic *Biol. Oceanog.*
chloa(e *Algae*
chromism *Chem.*
chromy *Chem. Dyes*
cynthiidae *Ascid.*
cypris -id(ae -oid
cypselus *Ich.*
drome *Ornith.*
-id(ae -inae -oid
drymium *Bot.*
gen *Chem.*
ate(d ation ato- ia imetry ize o- oid ous
graphy
hydrin(e *Org. Chem.*
hydrocarbon *Chem.*
limnetic *Bot.*
logy
mancy
meter
nate *Bot.*
nereid *Bot.*
nomus *Ent.*
phil(e ic ism
philous *Bot.*
phobe -ous *Bot.*
phyte *Bot.*
-a -ia -ic -ism
plankton *Biol. Zool.*
psyche -idae *Zool.*
ragis *Bot.*
-eae -(id *or* in)aceae -idaceous
sauropsis *Ich.*

halo- Cont'd.
saurus *Ich.*
-ian -id(ae -oid
scope
sel *Chem.*
sere *Bot.*
sphaera *Radiol.*
steresis steretic *Path.*
techny -ic
trichine & -ite *Min.*
xylin(e *Arts*
wax *Chem.* (*T. N.*)
hydrohalogen(ide *Chem.*
hypsalograph
Methalocrinus *Pal.*
monohalogen *Chem.*
perhalogen *Chem.*
polyhalogen *Chem.*
Ἄλογοι (Epiph.)
Alogi -ian *Eccl. Hist.*
ἄλογος without speech
alogia -y *Path.*
alogism
alogotrophia -y *Path.*
ἀλόη (Diosc.)
Aloe *Bot.*
root wood
aloed
alo(e)emodin *Chem.*
aloes *Med.*
aloetic(al *Med.*
aloetin *Org. Chem.*
aloid
aloin(e
-aloin *Org. Chem.*
homonat pur
alorc(in)ic *Chem.*
aloxanthin(e *Chem.*
ἀλοηδάριον (Aet.)
aloedary -ium *Med.*
ἄλοξ = αὖλαξ
Alokistocare *Pal.*
ἁλουργής sea purple
alurgite *Min.*
ἄλοχος bedfellow
Heteralocha *Ornith.*
ἅλς salt
Halodon *Pal.*
ἀλσίνη (Diosc.)
Alsine *Bot.*
-aceae -aceous
ἀλσο- Comb. of ἄλσος
also- *Phytogeog.*
cola phila philus phyta
ἄλσος grove
alsad -ium *Phytogeog.*
ἁλτῆρες weights used in leaping
Halter(ia -iidae *Ent.*
halteres
Halterium *Bact.*
-idae -idid(ae
pseudhalteres
ἁλτικός good at leaping
Alticus *Ich.*
Haltica -idae *Ent.*
Halticoptera *Ent.*
Halticoris -idae *Ent.*
Halticosaurus *Pal.*
ἄλυπον (Diosc.)
alypum *Herbs*
ἄλυπος painless
alypus *Herbs*
ἁλυσιδωτός wrought like a chain
Halysidota *Ent.*
ἅλυσις a chain
Alysia *Ent. Ich.*
alysseide *Geom.*
Halysites *Zooph.*
-id(ae -inae -oid
ἀλυσμός disquiet (Hipp.)
alysm *Path.*

ἄλυσσον (Diosc.)
alysson -um *Bot.*
rock-alyssum
ἀλυτάρχης police chief
alytarch *Gr. Games*
ἀλυτο- Comb. of ἄλυτος
Alytopistes *Ent.*
ἄλυτος not to be loosed
Alytes *Batrach.*
-id -oid
ἄλφα the letter α
alpha
alpha-
eigon *Prop. Rem.*
eucain *Mat. Med.*
eunol *Mat. Med.*
iodin *Chem.*
leucocyte *Cytol.*
sol *Prop. Rem.*
alphol *Chem. Mat. Med.*
alphozone *Chem.*
ἀλφάβητος (Iren.)
alphabet
arian ic(s ical(ly iform ism ist ization ize(r
analphabetic(al *Phon.*
Ἀλφειός (Iliad)
Alphean *Geog.*
Alpheus *Crust.*
-eid(ae -eoid
Stegoalpheon *Crust.*
ἀλφηστής (Epich.)
Alphestes *Ich.*
ἀλφιτο- Comb. of ἄλφιτον
alphito-
bius *Ent.*
mancy *Augury*
morphous *Bot.*
ἄλφιτον barley meal
alphitit *Geol.*
ἀλφός a dull-white leprosy
alphos -us *Path.*
alphosis *Path.*
ἀλφώδης leprous (Galen)
alphoid *Path.*
Ἁλῶα harvest home
Haloa *Gr. Fest.*
Ἀλωάδαι (Diod. S.)
Aloadae *Myth.*
ἁλωνία = ἅλως
Halonia -ial *Pal. Bot.*
ἁλώνιον Dim of ἅλων = ἅλως
anhalamine *Org. Chem.*
anhalin(e *Org. Chem.*
anhalon(id)in(e *Chem.*
Anhalonium *Bot.*
ἀλωπεκ- Stem of ἀλώπηξ
alopec-
odon *Pal.*
oid *Zool.*
opsis *Herp.*
alopeco- *Pal.*
gnathus rinus
ἀλωπεκῆ a foxskin
alopeke *Gr. Ant.*
ἀλωπεκία fox mange
alopecia *Path.*
alopecist *Med.*
ἀλωπεκίας (Arist.)
alopecian *Ich.*
Alop(ec)ias *Ich.*
-iid(ae -ioid
ἀλωπέκουρος (Theophr.)
Alopecurus *Bot.*
ἀλώπηξ a fox
-alopex *Mam.*
Lyc Pseud
ἅλως a threshing floor; disc
enhalo

halo
heterali(c)us *Terat.*
Trigonalys *Ent.*
-(y)id(ae -yoid
ἅμα at the same time
Ama
amacratic *Photog.*
amadelphous *Zoöl.*
amarthritis *Path.*
amasthenic *Photog.*
Hamacantha -inae *Spong.*
hamacratic
hamarchy
hamathionic *Chem.*
Ἁμαδρυάδες (Ath.)
Hamadryad(es *Myth.*
Ἁμαδρυάς (Ap. Rh.)
Hamadryas -ad *Ent. Herp. Zool.*
Ἀμαζών (Iliad)
Amazon
ian(ism ism
amazonite *Min.*
amazon(i)omachia
Ἀμαζωνικός (Plut.)
Amazonical
ἄμαθος sandy soil
amathad -ium *Phytogeog.*
amathicolous
amatho- *Phytogeog.*
colus philus phyta
Amathobius *Ent.*
Ἀμάλθεια (Call.)
Amalthea *Myth.*
Amaltheus *Conch.*
-eid(ae -eoid
ἀμαλός soft
amalic *Chem.*
ἀμαμηλίς (Hipp.)
hamamel(id)in *Mat. Med.*
Hamamelidoxylon *Pal.*
Hamamelis *Bot. Pharm.*
-(id)aceae -idaceous -ideae
hamamelitannin *Chem.*
ἀμανῖται a certain fungus
Amanita *Fungi*
amanitin(e *Org. Chem.*
Amanitopsis *Fungi*
amanitotoxin *Tox.*
ἁμαξο- Comb. of ἅμαξα wagon
amaxophobia *Ps. Path.*
ἀμάρα a trench
Amara *Ent.*
ἀμάρακος (Theophr.)
amaracus *Bot.*
lupamaric *Org. Chem.*
ἀμαράντινος (N. T.)
amaranthin(e
ἀμάραντος
amarant(h *Bot.*
amaranth-
aceae aceous ad al oid us
amarantite *Min.*
ἀμαρθρῖτις (Caelius)
hamarthritis *Path.*
ἁμαρτία defect
hamartia *Histol.*
hamartigeny *Theol.*
hamartiology -ist *Theol.*
hamartite *Min.*
hamarto(blasto)ma *Tumors.*
Ἀμαρυλλίς (-ίδος) (Theocr.)
amaryllid *Bot.*
(ac)eae (ac)eous
Amaryllis *Bot. Lit.*
ἀμαστός without breasts
Amasta *Zool.*

amastia -y *Anat.*
ἀμαυρός dim, obscure
Haplamaurus *Ent.*
ἀμαύρωσις (Galen)
amaurosis *Path.*
-amaurosis *Path.*
hemi mer molybd
amaurotic *Path.*
ἀμβάτης a rider
Pycnambates *Ent.*
ἄμβιξ a cup
alembic(al ate
ἀμβλυ- Comb. of ἀμβλύς
ambly-
acusia *Med.*
aphia *Path.*
castor *Pal.*
cephalus *Ent. Herp.*
-id(ae -oid
chromasia *Chem.*
chromatic *Cytol.*
corypha(e *Ent.*
dactyla *Mam. Pal.*
geustia *Med.*
gobius *Ich. Pal.*
odon *Pal.*
oplites *Ich.*
opsis *Ich.*
-id(ae -oid
peza *Pal.*
pod (a *Mam. Pal.*
-ia -ous
pomacentrus *Ich.*
pterus *Ich.*
rhinae *Pal.*
rhiza *Mam. Pal.*
rhyncus *Herp.*
soma -us *Moles*
stegietum *Bot.*
stegite *Min.*
stome *Herp.*
-a -id(ae
therium *Mam.*
-iid(ae -ioid
Ambystoma *Herp.*
-atidae -e -id(ae -oid
Catamblyrhynchus
-id(ae *Orinth.*
Neamblysomus *Mam.*
ἀμβλυγώνιος obtuse-angled
amblygon *Geom.*
amblygon(i)al *Geom.*
ambligonite *Min.*
natramblygonite *Min.*
natronamblyonit *Min.*
ἀμβλυο- Comb. of ἀμβλύς
amblyo-
carpous *Bot.*
scope *Optics*
ἀμβλύς dulled, obtuse
ambl-
odon *Ich.*
onyx *Pal.*
oplites *Ich.*
amblo-
carpous -us *Bot.*
ctonus *Mam.*
-id(ae -oid
therium *Mam.*
-iid(ae -ioid
Conamblys *Ent.*
Stylamblys *Crust.*
ἀμβλυχειλής round-lipped
Amblych(e)ila *Ent.*
ἀμβλυωπία (Hipp.)
-amblyopia *Ophth.*
arg hemi nyct
amblyopiatrics
argamblyopia *Ophth.*
ἀμβλυωπός dim-sighted
amblyop- *Ich.*
idae ina(e

ἄμβλωσις abortion (Arist.)
amblosis *Med.*
ἀμβλωτικός (Galen)
amblotic *Med.*
ἀμβολή = ἀναβολή
ambolic *Med.*
ἀμβροσία (Od.); *Bot.* (Diosc.)
ambrosia
-iac(us -ial(ly -ian -iate
Ambrosiaceae *Bot.*
-iaceous *Bot.*
ἄμβροτος immortal
alembroth *Alch.*
Ambrose *Names*
ambrotype *Photog.*
ἄμβων a rising ground
ambo(n *Anat. Eccl.*
Ambocoelia *Conch.*
ambon *Anat.*
Ambonychia -iidae *Conch.*
Clitambonites *Conch.*
Porambonites *Brachiop.*
ἀμεθύστινος (Luc.)
amethystine
amethystinus *Colors*
ἀμέθυστος (Sept.)
amethyst
amethysteus *Colors*
ἀμελής careless
amelectic
ἀμέριμνον (Pliny)
Amerimnon *Bot.*
ἀμετάβολος unchangeable
Ametabola *Ent.*
-ia(n -ic -ous
ametabolon *Zool.*
ἄμετρος irregular
ametrometer *Ophth.*
ametrope -ia -ic *Ophth.*
ἄμη a mattock
Amecystis *Echin.*
Ametretus *Pal.*
ἀμήχανος incapable
kyesamechania *Biol.*
ἀμία a tunny (Arist.)
Amia *Ich.*
Amia *Ich.*
-i(a)dae -idan -iid(ae -ioid(ae -oidea(n -oidini
Amiichthys *Ich.*
ἀμίαντος (Diosc.)
amiant(h us *Min.*
iform ine (in)ite oid(al
ἄμικτος not migled
amiktogenesis *Biol.*
Palaeoamictus *Pal.*
ἀμιξία want of intercourse
amixia *Biol.*
ἄμιτρος without girdle
Amitra *Ich.*
Amitrichthys *Ich.*
ἀμμα a mother
amma *Eccl.*
ἅμμα a band
amma *Med.*
Aphaneramma *Pal.*
chrysamm(in)ic *Chem.*
clepsammia
Diammatophora *Ent.*
hammato- *Ent.*
chaerus derus
Hammatopsis *Pal.*
Omammatus *Ent.*
Stenamma *Ent.*
Triammatus *Ent.*
ἄμμι (Diosc.)
Ammi *Bot.*
aceae aceous

ἄμμινος sandy
Saccammina *Pal.*
Saccamminopsis *Pal.*
ἄμμιον cinnabar (Diosc.)
ammiolite *Min.*
ἀμμίτης sandstone (Pliny)
ammite(s *Min.*
ἀμμο- Comb. of ἄμμος
ammo-
bium *Bot.*
chares *Helm.*
-id(ae -idea -oid
c(o)ete(s *Ich.*
-id(ae -iform -oid
crypta *Ich.*
dromus *Ent. Ornith.*
myia *Ent.*
myrma *Ent.*
phila -etum -ous *Bot.*
philous *Zool.*
phyta *Bot.*
thea *Crust.*
-eid(ae -eoid
therapy *Ther.*
trypane *Annel.*
ἀμμοδύτης sand burrower
ammodyte *Bot. Herp.*
ammodyte *Ich.*
-es -id(ae -ina -ini -oid-(ea
Ammodytes *Phytogeog.*
ἄμμος or ἄμμος sand
ammochthad -ium
Aphaneramma *Pal.*
Metammida *Pal.*
Monohammus *Pal.*
Perihammus *Ent.*
Protammida *Pal.*
rhabdamina -ia
ἀμμόχρυσος a gem (Pliny)
ammochryse
hammochrysos *Min.*
Ἄμμων
ammon *Zool.*
ammonal *Trade*
Ammonea *Conch.*
-ean -oid(ea(n
ammonite *Pal.*
-ic -iticone
Ammonite *Bible*
-ess -ish
Ammonites *Conch.*
-id(ae -iferous -iform -oid(ea(n
Epammonites *Pal.*
mercurammonite *Min.*
Ἀμμώνιος (Plut.)
Ammonian *Phil.*
Ἀμμωνιακόν rock salt
acetaminol *Org. Chem.*
acetimidyl *Org. Chem.*
acetparamidosalol *Chem.*
acidaminuria *Physiol.*
aldime *Org. Chem.*
-am *Chem.*
lact(az) mel pyrox sult thiur
-amate
aspar carb ethylphenylcarb is mel methylox osmi ox pyrophosph sulf tartr
amatol *Expl.*
amic *Chem.*
-amic *Chem.*
acet(o)hydrox aspar benzohydrox camphor carb carp carth chelid(on) chit comen en formohydrox glut hexos hydrox is lactur mel male malon

-amic Cont'd.
naphth osmi ox oxamohydrox par phenylox phosph phthal picr pyrophosph salicyl seb suber succin sulf(on) sulph(eth) sumbul tartr(on) taurocarb tetr thiocarb
amid(e *Chem.*
ate(d ation id(e in(e ize
-amid *Chem.*
acet alkal allophan argent aspar benz butyr carb chloral (form) chlor cinnam citr coumar croton cyan cyanur(tri di(acet acyl benz cyan(o)di form) dicyanodi ethyl hydr hydroxyazocarb hydroxylcarb is keto lact mal metacet mon ole oxal(ur) oxanil par phenylacet phenylbenz phosph potass propion quercet saccharsal salicyl sod sulf sulfocarb sulph(on) tartr thi thiocarb tri-(acet pars valer xanth xyl
-amide *Chem.*
acet acryl adip alkal anise argent benz brom butyr capro capryl carb carbodiphenyl carbox chlor-(al) cinchonin cinnam citr coumar croton cyan cyanur(tri di-(acet acyl benz cyan(o)di form) dicyanodi eth(yl fagar fluor form fumar furfuryl gall glycin glycol glyoxyl hexasulph hippur hydr hydrobenz hydroxyazocarb hydroxyl(carb) iod is(o) keto lact mal(on) mandel methyl mon naphth(al nicotin nitr nitro(benz sulf) ole ox oxal(ur) oxanil par paratartr phen phenylacet phosph(or) phthal picr potass propion quercet racem rhein salicyl silicocyan silicon sod stear suber sulf sulph-(on) tartr(on) terephthal thi(o) thiocarb thymoil tolu tri (acet pars) triamminobenz valer xanth xanthogen xyl
-amidic *Chem.*
dicarb phthal sulf triglycol
-amidin *Chem.*
acet butyr carb chair cinch conchair cusc cyan glu(*or* y)cocy lact nitr ox quin
-amidine *Chem.*
acet benz butyr chair chlor cinch conchair cusc cyan glucocy lact nitr ox quin
amido- *Chem.*
acetic antipyrin azobenzene azobenzyl cephalin gen(e myelin naphthol phosphoric pyrin(e

-amido *Chem.*
carb dec di mon(o) ox sulfon ur
amidol *Chem.*
amidoplast(id *Bot.*
amidox- *Chem.*
alyl im(e yl
amin(e *Chem.*
ate ation ic oid ol
-amin *Chem.*
aceton alk allyl amyl arsphen aspidos atrop aur carb carth chair chitos chol chondros chrys cinchon cobalt coc cod coff col columb conchair conquin cor corycav cres cusc cyclobutyl cyclohexyl cyclomethyl desyl diaceton dialkyl di diazo dibenzyl dichlor diethyl dimethyl diphenyl dipropyl dit echit emet erg(ot) erodi ethylenedi evodi form glucocy glut glycocy glycos heptyl hexamethylen (e) (di)-(tetr) hexyl hist hydr(oxyl) hydronaphthyl iris is isoamyl isomel isoscopol lep lip mel methyl(ur) mon monoethyl naphthyl neoarsphen nitr(o) nonyl nucleoprot octyl ole os osm ox oxyphenylethy pallald paracarth patho payt pentamethylendi pept phen(ars) phenyl (carbyl ethyl hydroxyl) phlor phyllaescit platin platos propyl(glucos) prot quebrach quin (id) rhod scopol sin sulph(arsphen) tetr tetramethylendi thi thionyl thiosin thioxydiphenyl toluendi tor tox tri(allyl cresol methyl, phenyl), triamminoethyl tyr ur uter vit xylohexos
-amine *Chem.*
aceton adren ald alk(yl allyl amyl anhal anthr apoquin argent arsphen atrop aur benz camphyl capryl carb-(in) carbyl carth carv-(acr)yl caryl chair chloro chol cholesteryl chondros chrys cinchon cobalt coc cod coff col columb conchair conquin cor corycav cres cusc cyclobutyl cyclohexyl cyclomethyl cyst desyl diaceton dialkyl di diazo dibenzyl dichlor diethyl dimethyl diphenyl dipropyl dit echit emet ergot erodi ethyl ethylenedi evodi fencholen ferri form fusc gad galactos gall genoscopol geranyl glucocy glucos glut halo heptyl hexamethylen(e (tetr) hex hexyl hist hydr(ind) hydroxyl ion ipec iris is iso(amyl mel nitr

propyl scopol) lep lyxohexos lyxos mel methen methyl(ur) mon naphth(al) naphthyl(endi) nitr(o) nitroso nonyl nucleoprot octyl osm ox oxy(cobalt di pallad patho payt pept phenoros phenyl phlor picr platin platos poly pont potass propargyl propenyl propyl(glucos) prot pyr quebrach quin(id) rhod ribos ros rox scopol selenodiphenyl sin sphing suberyl sulfo sulph(arsphen) supr terpenyl tetr tetryl thi thiocarbyl thioethyl thiosin thym(yl) tolacyl tolyl tox tri(aceton(alk methyl(endi phen(yl) triammino(benz & ethyl) trypt tuberculos tyros valer veratryl vinyl viol vit xylenyl xylid xylo(hexos) xylyl
-aminic *Chem.*
carb chondros galactos glucos glut hexos lyxohexos nitr sulph taurocarb xylohexos
amino- *Chem.*
acetic azobenzene azotoluol form gen(e genesis glutarick lipin lysis lytic myelin valeric
amino- *Med.*
acidemia aciduria
-amino *Chem.*
carb chondros dimethyl hydrox mon nitr sulf sulph
aminosuria *Med.*
ammel- *Chem.*
id in(e
-ammin *Chem.*
chrys pallad platin platos rhod
ammine *Chem.*
-ammine *Chem.*
chrom chrys dec di hex metal mon pallad(os) platin platos rhod tetr triamminodec
-ammino- *Chem.*
dec dodec hex metal mon pent tetr tri
ammonia
-iac(al -iacum -iate(d -ic(al -id(e -ite
ammonia-
meter phone
ammoni- *Chem.*
fication fy uret(ed
ammoni- *Med.*
(a)emia rrhea uria
ammoniaco- *Chem.*
ammoniater *Agric.*
ammonion *Chem.*
ammonioplatinic *Chem.*
ammonium *Chem.*
-ammonium *Chem.*
cupro ferro hex hexamethylenetetr metal phosph potass sulf triammino
ammono- *Chem.*
acid base basic lysis lytic lyze
ammonobacteria *Bot.*
amvis *Chem.*
-amyl *Chem.*
carb hydrox ox succin sulf
anthrapyrimidone *Chem.*
arsphenaminize *Med.*
benzimidazo- *Org. Chem.*
benziminazole *Org. Chem*
benziminazole *Org. Chem.*
bisimmonium *Org. Chem.*
cyclammone *Org. Chem.*
deamidize *Chem.*
deamin-
ase ate(iz)ation ize
desamino- *Chem.*
gluten protein
diamid(benzo)phenol
diaminuria *Path.*
diammon- *Chem.*
ation ium
diimonium *Chem.*
dopa *Biochem.*
endimo- *Org. Chem.*
enimic -ization *Chem.*
ergotaminin(e *Org. Chem.*
glutimic *Biochem.*
glyoximic *Org. Chem.*
hexammoniate *Chem.*
histaminemia *Med.*
hydrazulmin(e *Chem.*
hydrothioammonemia
hydroximic -ate *Chem.*
hydroxy-
aminopropionic *Med.*
ammonia *Chem.*
hydroxylamin- *Chem.*
ate(d ation
hyper-
acidaminuria *Med.*
aminoacidemia *Med.*
carbamidemia *Med.*
hypoaminoacidemia *Med*
ichthammon *Mat. Med.*
-imid *Chem.*
azo benz carbon chlor(al) cyan diacet dianthr di ethylen isat lact nitr phthal succin tetracarbon tricarb
imidazo- *Org. Chem.*
imidazol *Org. Chem.*
(id)ine ol one yl
-imidazol *Org. Chem.*
benzaz benzobis
-imidazole *Org. Chem.*
acenaphth anthr benzaz benzobia gluc naphth pyr
-imide *Chem.*
ald alkal anthr azo benz bor camphor carb carbodi carbon chlor(al) citracon cyan diacet dianthr di diphenylen glutar homphthal isat ket lact leucin male(in) mell(it) naphthal nitr phenyl phthal purotartr quinon salicyl succin sulfocarb sulph tartr tetracarbon tetranthr trianthr tricarb
-imidic *Chem.*
acet benz carbon
-imidin *Chem.*
benzodipyr pyr
-imidine *Chem.*
aceper anthrapyr benzodipyr per phthal pyr
imidiod *Mat. Med.*
imido- *Chem.*
acid carbonic ether gen sulfonate sulfonic xanthide
-imido *Chem.*
hydrox phthal pyr
-imin *Chem.*
coumar diazo ethylen gad parald
iminazole *Org. Chem.*
-imine *Chem.*
ald bis coumar diazo ethylen gad ket (hexa)-methylen nitr parald phosphin quinon xylen xylos
imino- *Chem.*
azole ester hydrin pyrin quinol sulfide
-imino *Chem.*
bis chlor diazo hydrox nitr
lactin *Org. Chem.*
ization one
melam- *Chem.*
azine ethane
monaminuria *Med.*
monammino- *Chem.*
di(&mono) phosphatid
monoavitaminosis *Chem.*
naphthamein(e *Dyes*
nitramite *Expl.*
-onium *Chem.*
ars cerothi cerox chlor chrom coerox coerthi cupre hydr(az ox) im iod neutr nitr ox phenaz phenaz(o)thi phenazox phenothiox phenoxaz phenoxthi piaziod pyrothi pyr(ox) quinocarb selen sodamin stib tellur thi xanth(i) xanthoselen
opiammone *Chem.*
oxamethane *Org. Chem.*
oxamonitrile *Org. Chem.*
-oxim *Chem.*
acet az quin
oxim(e *Chem.*
-ate -ation -ino-
-oxime *Chem.*
acet az carv diaz formald hydraz isat lact mono nitros phenaz phthal quin synald triamminoform
oxonite *Trade*
oxyammonia *Chem.*
paraamidophenetol
paramidophenol *Chem.*
perimidone *Org. Chem.*
phosphamidic *Org. Chem.*
phosphimic *Org. Chem.*
polyavitaminosis *Chem.*
pyramidol *Dyes Photog.*
pyramidon(e *Chem.*
pyrimid- *Org. Chem.*
inium ol one yl
quinamia -icin(e *Chem.*
rhodamminium *Chem.*
rhodim(e *Org. Chem.*
salammoniac(al
salammonite *Min.*
salmiac
semioxamaz- *Org. Chem.*
ide one
succinamidate *Chem.*
sulfaminol *Chem.*
sulpham- *Chem.*
idate inol ylate ylic
thioamminopropionic
uran(os)oammonic *Chem.*
uroammoniac *Med.*
vitaminicize *Biochem.*
ἀμνησιά forgetfulness
acousmatamnesia *Path.*
amnesia -iac -ic *Ps. Path.*
amnesin *Prop. Rem.*
ataxiamnesic *Med.*
-amnesia *Ps. Path.*
crypta crypto(an) hyp log par pragmat pseud
catamnesis *Med.*
ἀμνηστία (Plut.)
amnestia -ic -y *Ps. Path.*
amnesty
ἀμνίον fetal membrane
amnio-
allantoic *Anat.*
chorial *Embryol.*
mancy *Augury*
rrh(o)ea *Embryol.*
tome *Surg. App.*
amnion *Anat.*
-iac -ic less -os -otic
amnion *Zool.*
-iata -iate -iota -iote -iotic
amn(iot)itis *Path.*
Anamnia *Zool.*
-iata -ionic -iota -iote -iotic
hydramnion -ios *Path.*
hypamnion -ios *Med.*
Leptamnium *Bot.*
oligoamnios *Med.*
oligohydramnion -ios
polyhydramnios *Gynec.*
proamnion -iotic
protamnion *Biol.*
Protamniota *Zool.*
ἀμνός a lamb
Oreamnos *Mam.*
ἀμοιβαῖος interchanging
Amoebaea *Prot.*
amoeb(a)eum -(a)ean
ἀμοιβή change
amebacide -al *Med.*
Amebae *Prot.*
-ean -id -ina
amebiasis *Path.*
amebo(*or* a) diastase
Amebo(*or* i)dont *Zool.*
ameboididity *Med.*
ameboidism *Neurol.*
am(o)eba *Cytol. Zool.*
-an -ic -idae -iform -oid(ea(n -ous -ula *Med.*: -iasis -icide -ism -uria
am(o)ebo-
cyte *Path.*
geniae *Prot.*
sporidia *Zool.*
amoebian
amoebocyto-
genesis *Cytol.*
genous *Path.*
Amaebula *Bot.*
archam(o)eba *Biol.*
autam(o)eba *Zool.*
Cancriamoeba *Path.*
cytameba *Cytol.*
Endam(o)eba *Prot.*
endamebiasis *Path.*
Entam(o)eba *Prot.*
entam(o)ebiasis *Path.*
H(a)emamoeba *Prot.*
h(a)emam(o)ebiasis
Iodamoeba *Prot.*
Mastigamoeba-idae *Prot.*
mesam(o)eboid *Cytol.*
myam(o)eba *Cytol.*
myx(o)amoeba(e *Fungi*
neuram(o)eba *Anat. Cytol.*
neuram(o)ebimeter
neuroamebiasis *Path.*
oste(o)amoeba *Cytol.*
Paramoeba *Prot.*
plasm(am)eba *Prot.*
protam(o)eba *Prot.*
-an -ic -oid
pseud(o)amoeboid
spermamoebae *Bot.*
synamoeba *Biol. Prot.*
ἀμοργή olive lees
amurca *Soap making*
ἀμορφία shapelessness
amorphia -y *Med.*
cardiamorphia
pantamorphia *Terat.*
ἄμορφος formless
Amorpha *Bot.*
amorphic
amorphism -ia *Crystal. Pol.*
amorphism *Med.*
amorpho- *Bot.*
phallus phyte
amorphose
amorphous (ly -ness
Amorphozoa *Zool.*
-oary -oic -oous
amorphus *Terat.*
Platyamorphus *Ent.*
ἀμόρφωτος not formed
amorphotae *Astron.*
ἀμουσία want of harmony
amusia *Med.*
paramusia *Med.*
ἄμουσος rude
Amousus *Pal.*
ἀμπελίς (-ίδος) a vine; a bird
ampelid *Bot.*
(ac)eae (ac)eous
Ampelis *Ornith.*
-id(ae -oid
Ampeliscidae *Crust.*
-id -oid
Micrampelis *Bot.*
pterampelid *Bot.*
ἀμπέλινος of the vine
xerampelinus *Colors*
ἀμπελῖτις (Strabo)
ampelite *Min.*
ἀμπελίων a bird (Opp.)
ampelio *Ornith.*
ἀμπελο- Comb. of ἄμπελος
ampelo-
glypter *Ent.*
graphy -ist *Bot.*
sicyos *Bot.*
therapy *Ther.*
ἄμπελος a vine (Od.)
ampelops(id)in *Mat. Med. Org. Chem.*
Ampelopsis *Bot.*
Cissampelos *Bot.*
ἄμπυξ a fillet
ampyx *Gr. Ant.*
Proampycus *Arach.*
Proampyx *Pal.*
ἀμυγδάλη almond
almond ine y
amandin *Org. Chem.*
amandine *Trade*
amydala *Anat. Bot. Zool.*
-ate -iform -oid
amygdalectomy *Surg.*
amygdalic *Chem.*
-ate -in -(in)ase
amygdalitis *Path.*
amygdaluvular *Anat.*
amygdophenin *Pharm.*
oxyamygdalic
periamygdalitis *Path.*
pharyngoamygdalitis
ἀμυγδάλινος (Xen.)
amydaline
ἀμυγδαλο- Comb. of ἀμυγδάλη
amygdalo-
glossus *Anat.*
lith *Geol.*
pathy *Path.*
phyllum *Zooph. Pal.*

amygdalo- Cont'd
thripsis *Surg.*
tome *Surg. App.*
tomy *Surg.*
ἀμυγδαλοειδής (Diosc.)
amydaloid(al *Petrog.*
pseudamygdaloid(al
ἀμύγδαλον = ἀμυγδάλη
amygdaliferous *Petrog.*
amygdule *Petrog.*
pseudamygdule *Petrog.*
ἀμύγδαλος = ἀμυγδάλη
Amygdalus *Bot.*
-aceae -aceous -ineous
ἀμυδρός indistinct
Amydraulax *Ent.*
ἀμύελος without marrow
amyelencephalia -ic -ous
amyelia *Terat.*
-ic -ous -us
amyelinic *Anat.*
amyelotrophy *Path.*
'Αμυκλαῖος (Xen.)
Amyclean *Myth.*
ἀμυκτικός provocative
amyctic *Med.*
ἄμυλον fine meal
amenyl *Chem.*
amethenic *Chem.*
amidin(e *Chem.*
amoxy- *Org. Chem.*
amyl *Chem.*
aceous amin(e an ase ate ene enization enol ic idene iferous in(e
amyl- *Med.*
(a)emia ism
amyl-
ites *Bot.*
oid(al
oidosis *Histol.*
oin *Chem.*
ome *Bot.*
on *Chem.*
opsin *Biochem.*
ose *Chem.*
um
uria *Med.*
zyme *Prop. Rem.*
amylo-
bacter(ium *Bact.*
cellulose *Chem.*
clastic *Bot. Biochem.*
coagulose *Chem.*
dextrin(e -ase *Chem.*
dyspepsia *Med.*
erythrin *Chem.*
form *Mat. Med.*
gen(ic *Chem.*
genesis *Bot. Chem.*
hydrolist *Chem.*
hydrolysis *Chem.*
leucite(s *Bot.*
lysis *Chem.*
lytic *Chem.*
meter *Ind. Chem.*
pectin *Biochem.*
phagia *Med.*
phylly *Bot.*
plast *Bot.*
ic id(e
statolith *Bot.*
synthesis *Bot. Chem.*
type *Photog.*
-amyl *Chem.*
chlor di(iso) hydr iso
-amylose *Org. Chem.*
di hexa poly tetra tri
amytal *Pharm.* (*T. N.*)
antiamylase *Biochem.*
auxoamylase *Biochem.*
azoamyly *Med.*
chloramylite *Chem.*
diamyl(ene *Chem.*
dyszooamylia *Physiol.*
hydramyl *Mat. Med.*
iodamylformol *Med.*
iodoamylum *Mat. Med.*
isoamyl *Chem.*
amin(e ate ene idene
lerpamyloum *Bot.*
metamylene *Chem.*
paramylum *Chem.*
-ene -o-
phenamylol *Chem.*
zo(o)amylin *Biochem.*
ἀμύνειν to ward off
Amynodon *Mam. Pal.*
-ont(id(ae -ontoid
amynology -ic *Med.*
Metamynodon *Pal.*
ἄμυος wanting muscle
amyo- *Med.*
cardia
stasia
stenia -ic
taxia *or* -y
tonia
trophy -ia -ic
amyous *Anat.*
ἀμυχή a scratch
amychophobia *Ps. Path.*
ἀμφ- Comb. of ἀμφί
amph-
acanthus -id(ae *Ich.*
amphotero-
diplopia *Ophth.*
anthium *Bot.*
arete *Helm.*
-ea -id(ae -oid
arkyochrome *Neurol.*
eclexis *Sociol.*
ἀμφί on both sides, around
Acramphibrya -ous *Bot.*
amphi-
arkyochrome *Cytol. Neurol.*
arthroidial *Anat.*
arthrosis *Anat. Echin.*
aster *Biol. Spong.*
bdella *Helm.*
-id(ae -oid
biotica *Zool.*
blastic -ula *Embryol.*
blestritis *Ophth.*
brya -yous *Bot.*
chelydia(n *Herp. Pal.*
chiromys *Pal.*
chroic -itic *Chem.*
chromatic *Chem.*
chromatism *Bot.*
chrome -y *Bot.*
clinous *Bot.*
condyla -ian -ous
cotyledon *Bot.*
crania *Path.*
creatin *Physiol.*
creatinin(e *Chem.*
cribral *Bot.*
crinus *Pal.*
crossus *Ent.*
cryptophytes *Bot.*
ctene -ia *Helm.*
-ia -id(ae -oid
cyllis *Ent.*
cyon *Mam. Pal.*
-id(a idae oid
cytula *Embryol.*
depula *Embryol.*
desma *Conch.*
-id(ae -oid
diarthrosis -oidal *Anat.*
disc(us disk *Spong.*
discophora(n *Spong.*
dolops *Pal.*
erotic -ism *Psa.*
g(a)ea(n *Zoogeog.*
gaeus -eal *Bot.*
gam(al ous *Bot.*
amphi- Cont'd
gaster *Bot.*
gastria -ium
gastrula *Embryol.*
gen *Bot. Old. Chem.*
gene *Min.*
genia *Biachiopoda*
genesis *Biol.*
genetic *Biol.*
gnathodont- *Herp.*
id(ae oid
gonel *Bot.*
gony *Biol.*
-ia -ic -ous
gonium *Bot.*
gory
gouri -ic
gynous *Bot.*
haplostele *Bot.*
karyon *Cytol.*
lectella *Pal.*
lepsis *Biol.*
leptus *Infusoria*
leuc(*or* k)emic *Med.*
lichas *Pal.*
lina *Helm.*
-id(ae -oid
lochus *Crust.*
-id(ae -oid
lonche *Radiol.*
mesodichotricene
microbian *Biol.*
mixis *Biol.*
monas -adidae *Infus.*
monerula *Embryol.*
morph(ae -ic *Ornith.*
morphic *Geol.*
morula *Embryol.*
nereid *Bot.*
nesian *Geog.*
neura -ous *Helm.*
nome -ae *Helm.*
-id(ae -oid
nucleus *Cytol.*
odont *Ent.*
oecious *Ich.*
ont *Coccidia*
ox *Spong.*
oxus *Ich.*
-ides -(id)id(ae -inae -oid
peptone *Physiol.*
peras *Conch.*
-id(ae -oid
phloic *Bot.*
phyllosiphony *Bot.*
phyte(s *Bot.*
platyan *Anat.*
pneust(a -ea -ic *Ich.*
pnous *Ich.*
-oid(ae -ooid
pod(e -a *Crust.*
-al -an -iform -ous
porus *Helm.*
-id(ae -oid
prion *Ich.*
protostela *Bot.*
proviverra *Pal.*
psammus *Pal.*
pyleae -ean *Prot.*
pyrenin *Biol.*
rhina -ine *Zool.*
sarca *Bot.*
saurus *Herp.*
-id(ae -oid
sile -id(ae -oid *Ich.*
smela *Surg. App.*
sorex *Pal.*
sorus *Bot.*
spermium -ous *Bot.*
sphaeria *Fungi*
-iaceae
spira *Helm.*
sporangiate *Bot.*
spore *Fungi*
-al -ic -ous
amphi- Cont'd.
stegina *Foram.*
stichus *Ich.*
stomatic -ous *Bot.*
strongyle *Spong.*
stylar *Arch.*
styly-ic *Comp. Anat.*
syncotyly *Bot.*
tactism *Bot.*
tene *Cytol.*
thalite *Min.*
thecium -ial *Bot.*
there -ium *Mam.*
-iid(ae -ioid
thoe *Crust.*
toky -al -ous *Biol.*
ton *Spong.*
triaene -ic *Spong.*
trichous *Bot.*
tridera *Spong.*
trisyncotyl *Bot.*
trocha(l *Helm.*
tropal *or* -ous *Bot.*
trophy -ic *Bot.*
tropic *Med.*
tropis *Prot.*
tyle *Spong.*
type *Photog.*
typy *Biol.*
uma -id(ae -oid *Herp.*
ura -id(ae -oid *Echin.*
vasal *Bot.*
vorous *Biol.*
zoa -oid(ae *Ent.*
arch(i)amphiaster
autamphinereid *Bot.*
craniamphitomy *Surg.*
cricamphityle *Spong.*
dicamphitriaena *Spong.*
dichamphitriene *Spong.*
neuramphipetalic *Bot.*
protamphirhin(e *Biol.*
Pseudamphimeryx *Pal.*
ἀμφίβιον Neut. of ἀμφίβιος
Amphibia -ion *Zool.*
-e -ial -ian -ium
Amphibichnite *Pal.*
Amphibichthys -ydae
amphibio-
lite lith *Pal.*
logy -ical(ly *Zool.*
amphibion *Aviation*
Amphibitherion *Ent.*
Euamphibia *Pal.*
Lissamphibia(n *Echin.*
Phractamphibia *Herp.*
Proamphibia *Zool.*
ἀμφίβιος (Democritus)
amphibious (ly ness
ἀμφίβληστρον a net
amphiblestritis *Ophth.*
ἀμφιβολία ambiguity
amphibolia *Med.*
-ic(al -ine -ous
amphiboly *Logic*
-e -ic(al -ism -ous
ἀμφιβολος doubtful
amphiballus -um *Eccl.*
Amphibola(e *Conch.*
-id(ae -oid(ae
amphibole *Min.*
-ic -iferous -ine -ite -itic -ization -oid
-amphibole *Min.*
clino glauc orth palaeo
amphibolic *or* -ous
amphibology *Logic*
-ical(ly -ism
amphibolostylous *Bot.*
Amphibolura *Ornith.*
ἀμφίβραχυς (Dion. H.)
amphibrach(ys *Pros.*
ἀμφιγενής of doubtful gender
amphigenite *Petrol.*
ἀμφίδετος bound all round
amphidetic(ally *Conch.*
ἀμφίδοζος doubtful
Amphidozotherium *Pal.*
ἀμφιδρομία (Ar.)
amphidromia *Gr. Fest.*
ἀμφιθέατρον (Strabo)
amphitheater(ed
amphitheatre -al
amphitheatric(al(ly
ἀμφίθηκτος two-edged
amphithect *Biol.*
ἀμφίθυρον a curtain at the door of the sanctuary
amphithura -y *Eccl.*
ἀμφίκαρπος with fruit all round
Amphicarpa *Bot.*
-ea -ic -ium -ous
amphicarpogenous
hemiamphicarpous *Bot.*
ἀμφίκερως two-horned
Amphicerus *Ent. Pal.*
ἀμφίκοιλος quite hollow
Amphic(o)elia *Herp. Pal.*
-ian -ous
ἀμφίκομος with hair all round
amphicome -a *Anat.*
'Αμφικτυονία (Dem.)
amphictyony *Gr. Hist.*
'Αμφικτυονικός (Dem.)
amphictyonic *Gr. Hist.*
'Αμφικτύονες (Herod.)
amphictyon(ian *Gr. Hist.*
ἀμφίκυρτος curved on each side
amphicyrtic
amphicy(*or* u)rtous
ἀμφιλογία dispute
amphilogism *or* -y *Rhet.*
ἀμφίλογος disputable
amphilogite *Min.*
ἀμφίμακρος (Drac.)
amphimacer *Pros.*
ἀμφιπρόστυλος (Vitruv.)
amphiprostyle -ar *Arch.*
ἀμφίσβαινα -ar serpent going forward or backward
amphisbaena *Myth.*
Amphisbaena *Herp.*
ia(n -ic -id(ae-oid(ea (n -oida(ea -ous
ἀμφίσκιος throwing a shadow both ways
amphiscii -ians *Geog.*
ἀμφίστομος with double mouth
amphistomiasis *Path.*
Amphistomum *Helm.*
-a -id(ae -oid -ous
Paramphistomum *Helm.*
'Αμφιτρίτη Wf. of Poseidon
Amphitrite *Annel. Myth.*
'Αμφιτρύων (Iliad)
Amphitryon *Myth. Zool.*
'Αμφίων (Od.)
Amphion -ic *Myth.*
Amphion *Crust.*
-id(ae -oid
ἀμφοδάρχης chief officer of a street
amphodarch *Gr. Ant.*
ἀμφορεαφόρος carrying water pitchers

Neoamphorophora *Ent.*
ἀμφορεύς a jar with narrow neck.
amphora *Archaeol. Bot.*
-al -ic -ous
amphoric *Med*
amphori-
loquy *Path.*
phony -ia *Path.*
Chrysamphora *Bot.*
Heliamphora *Bot.*
pseudamphora *Gr. Ant.*
ἀμφορίσκος Dim. of ἀμφορεύς
amphoriskos *Gr. Ant.*
ἀμφότερος Compar. of ἄμφω
amphamphotero-
-diplopia *Ophth.*
amphoteric *Chem.*
-ism -ite -ous
amphotero-
diplopia *Ophth.*
genic *Petrog.*
toky *Embryol.*
ἄμφω both
amphid(e *Old Chem.*
ampho-
chrom(at)ophil *Chem.*
delite *Min.*
diplopia *Ophth.*
genic -ous *Petrog.*
lyte *Phys. Chem.*
peptone *Biochem.*
phil(ic -ous *Cytol.*
toky *Embryol.*
tropin *Mat. Med.*
Amphomoea *Conch.*
ἄμφωτις a two-handled pail
amphotis *Gr. Ant. Ent.*
ἄμωμον (Theophr.)
Amomum *Bot.*
-al(es -e -eous
ἀν- not
an-
abrus *Ent.*
acidity *Path.*
acroasia *Med.*
acrogynae -ous *Bot.*
acromyodian *Ornith.*
acusis *or* -ia *Path.*
cyclus *Bot.*
adenia *Path.*
aerobe *Bact.*
-es -ia(n -ic(al(ly
-ious -ism -ium
aero-
biont *Bact.*
biosis *Biol.*
biotic(ally *Biol.*
myces *Bact.*
phyte *Bot.*
plasty -ic *Med.*
aerosis *Ob. Stet.*
aeroxidase *Biochem.*
aetiological
akusis = anacusis
alcine *Min.*
algia -ic -in *Med.*
allagmatic *Math.*
allantoic -oidea(n *Zool.*
allergic *Med.*
alphabetic(al *Phon.*
amnia *Zool.*
-iata -ionic -iota
-iote -iotic
anabasia *Med.*
anaphylaxis *Med.*
anastasia *Med.*
andr(ari)ous *Bot.*
andrious *Sociol.*
angian *Annel.*
angioid *Anat.*
-iotic -ious

an- Cont'd.
angioida *Zool.*
angular
antherous -ate *Bot.*
antherum *Bot.*
anthous *Bot.*
anthropism *Bot.*
aphia *Med.*
aphrodisia(c *Path.*
aptic *Med.*
aptomorphus *Zool.*
-id(ae -oid
arcestes -ean -ian *Pal.*
arthro-
dactylous *Bot.*
pod(a -ous *Zool.*
pteri -ous *Ich.*
aryan *Ethnol. Philol.*
aspidea(n *Conch.*
asthenic *Med.*
astigmat(ic *Ophth.*
autotomic
axile *Spong.*
axone *Biol.*
azoturia *Path.*
cerata *Zool.*
echinoplacid *Echin.*
ectasin *Biochem.*
ectobranchiate *Echin.*
elytrops *Herp.*
-op(-id(ae -oid(ea-(n)
elytrous *Ent.*
ematize *Med.*
empeiria *Ps. Path.*
encephal(oh)(a)emia
encephalotrophia -ic
energia
entera -ous
eosinophilia *Staining*
ephebic *Physiol.*
epia *Path.*
epiploic *Anat.*
epitedius *Pal.*
epithymia *Path.*
erethisia *Path.*
ergates *Ent.*
ergetus *Pal.*
ergia -y -ic *Physiol.*
erythro- *Med.*
cyte plasia plastic
regenerative
erythropsia -y *Ophth.*
ethical *Sociol.*
h(a)ematosis *Path.*
hal- *Org. Chem.*
aminein(eon(id)in(e
halonium *Bot.*
haphia = aphia
harmonic(al *Math.*
hedonia *Psych.*
hedron -al *Petrog.*
helcocephalon *Pal.*
hematolysis *Biochem.*
hematopoiesis *Med.*
hepatogenic *Path.*
hiatic -ous *Anat.*
histous -ic *Anat.*
homalophlebia *Pal.*
hydr(a)emia *Path.*
hydromyelia *Path.*
hydrosis -otic *Path.*
hypnosis *Med.*
ianthinopsy *Ophth.*
iconic *Gr. Ant.*
ideus -ian *Terat.*
idiomatic(al *Gram.*
iridia *Ophth.*
ischuria *Path.*
isochromatic *Ophth.*
isomeric *Chem.*
isomerous *Bot. Zool.*
isometric *Crystal.*
isotrope *Biol. Phys.*
-al -e -ic(ity -ical(ly
-ism -ous -y

an- Cont'd.
isuria *Med.*
ochlesia *Med.*
odmia *Med.*
oestrum -ous *Mam.*
ommatoptera *Ent.*
omphalous *Terat.*
onychia *Terat.*
onyx *Crust. Mam.*
ophthalmus *Ent.*
opia *Terat.*
opisthographic *Print.*
opla *Helm.*
-an -ea -ous
oplocurius *Ent.*
opsia -y *Ophth.*
orchia *Terat.*
-(id)ism -ous -us
ornithopora *Pal.*
orogenetic *Geol.*
orth- *Min.*
ic ite itic
orthaster(inae *Pal.*
orthic *Math.*
ortho- *Combin.*
clase *Min.*
graphy -ic(al(ly
photic *Phys. Chem.*
orthopia *Ophth.*
orthose *Min.*
orthosite *Petrol.*
orthura *Ornith.*
osphrasia *Med.*
osphresia -y *Med.*
ostosis *Path.*
ostraca(n *Crust.*
ota *Zool.*
otia -us *Terat.*
ovarism *Med.*
ox(a)emia -ic *Path.*
oxy(h)(a)emia *Path.*
oxolu(*or* y)in *Biochem.*
oxybiotic *Biochem.*
ura(n -ous *Herp.*
urida -idida *Ent.*
uresis -etic *Path.*
uria -y -ic *Path.*
ypnia *Med.*
Archanodon(ta *Conch.*
cellosan *Org. Chem.*
chloranodyne *Mat. Med.*
cryptoanamnesia *Psych.*
deuteranope -ia *Ps. Phys.*
Eoammanodon *Pal.*
epanodont(a *Herp.*
equianharmonic(ally
hemianacusia *Med.*
hemianop(s)ia -ic *Ophth.*
hemianoptic *Ophth.*
mannan(ase *Chem.*
natronanorthite *Min.*
nephranuria *Path.*
protanope -a *Path.*
proteranope *Path.*
pseudoanorexia *Med.*
psychanopsia
quadrantanopsia *Ophth.*
tetartanop(s)ia *Ophth.*
tocanalgin *Mat. Med.*
tritanop(s)ia *Ophth.*
ἄνα king
Anacithara *Malac.*
ἀνά up, upwards
ana *Med.*
ana-
biont *Bot.*
card *Bot.*
iaceae iaceous ian ic
ine ism
cardiac
cardic -ate *Org. Chem.*
charis *Bot.*
chlorhydria *Path.*
chorism *Lit.*
chromasis *Cytol.*
chromatic *Med.*

ana- Cont'd.
chromatism
chronic(al(ly -ous(ly
clasimeter *Ophth.*
clinal *Phys. Geog.*
clinotropism *Bot.*
colpodes *Ent.*
cotadidymus *Terat.*
crotic -ism *Med.*
diaene *Spong.*
dicrotic -ism *Med.*
didymus *Terat.*
dipsia -ic *Path.*
gaster *Helm.*
gerontic *Biol.*
katesthesia *Med.*
kinesis *Biochem.*
kinetic *Biochem.*
kinetomere -ic *Biochem*
lophic *Craniom.*
metadromous *Bot.*
monaene *Spong.*
naphylaxis *Med.*
neanic *Biol.*
nepiastic *Biol.*
nepionic *Biol.*
nym *Lit.*
paganize
pepsia *Med.*
phase *Cytol. Psych.*
phasis *Bot. Cytol.*
phoresis *Med.*
phoria *Ophth.*
phylactic *Med.*
-ia -in -ize
phylacto- *Biochem.*
gen(ic
genesis
toxin
phylatoxin & -is
phylaxis *Med.*
phylembryonic *Biol.*
phylodiagnosis *Med.*
phyte *Bot.*
phytosis *Path.*
planatic *Optics*
plasma *Protozoa*
plasmosis *Path.*
plastia *Cytol.*
pophysis -ial *Anat.*
poretic *Bot.*
pteris *Pal.*
pterygotes *Ent.*
-ism -ous
ptotic *Philol.*
rhizophyte *Bot.*
rhynchus *Ornith.*
sarca -ous *Bot. Path.*
schisma *Pal.*
schistic *Bot. Cytol.*
scope *Photog.*
sorium *Biol.*
spadia(s *Terat.*
stalsis *Physiol.*
stomus *Ornith.*
-(at)inae -e -ine
taximorphosis *Terat.*
therapeusis *Med.*
topism *Art*
toxic *Med.*
toxin *Biochem.*
triaene *Spong.*
tricrotic -ism *Med.*
tropal -ous *Bot.*
trophic *Ther.*
tropia *Ophth.*
typic -ose *Bot.*
anelectrode *Elec.*
anelectrotonus -ic(ally
anhalochromy *Chem.*
antianaphylactin
antianaphylaxis *Med.*
catan(a)dromous *Zool.*
hemianatropous *Bot.*
interanode *Elec.*
metanaphytosis *Bot.*

photanamorphosis *Optics*
semianatropic *Bot.*
-al-ous
ἀναβαθμοί certain antiphonic troparia
anabathmoi *Gr. Ch.*
ἀνάβαθρον a pulpit
anabather -rum *Eccl.*
ἀναβαίνειν to mount
Anab(a)ena *Algae*
anabamous *Ich.*
ἀναβαπτίζειν rebaptize
anabaptize *Eccl.*
ἀναβαπτισμός rebaptizing
Anabaptism *Eccl. Hist.*
-ist(ic(al(ly -istry
ἀναβάς Imper. of ἀναβαίνειν
Anabas *Ich.*
-bantid(ae -bantoid
ἀνάβασις a going up
ananabasia *Med.*
anabasis *Hist. Old Med.*
Anabasis -etum *Bot.*
ἀναβάτης a rider
Anabates *Ornith.*
-idae -inae
ἀναβατικός growing hotter (Galen)
anabatic *Med. Meteor.*
ἀναβατόν leavened bread
anabata *Eccl.*
ἀναβίωσις a reviving
anabiosis *Med.*
anabiotic *Med.*
ἀναβλέπειν to look up
Anableps -epina *Ich.*
ἀναβολή a thing thrown up
anabole *Med.*
anabolergy
anabolin *Biochem.*
anabolism *Biol.*
-ic -istic
anabolite *Bot.*
hyperanabolism -ic
ἀνάβρωσις (Galen)
anabrosis *Path.*
osteanabrosis *Med.*
ἀναβρωτικός corrosive
anabrotic *Path.*
ἀναγαλλίς (Diosc.)
Anagallis *Bot.*
ἀναγέννησις regeneration
anagen(n)esis *Biol.*
anagenetic *Biol.*
-anagenesis
neur oste
ἀνάγκη constraint
Ananchytes *Echin.*
-chytid(ae -chytoid
ἀναγκο- Comb. of ἀνάγκη
Ananchothuria *Echin.*
ἀνάγλυπτος = ἀνάγλυφος
anaglyptic(al -ics *Art*
anaglypto-
graph(y -ic
anaglypton
ἀναγλυφή (Strabo)
anaglyphy *Art*
-ic(s -ical
coelanaglyphic *Art*
ἀνάγλυφος wrought in low relief
anaglyph *Art*
anaglyphoscope *Photog.*
ἀναγνώρισις recognition
anagnorisis *Crit.*

ἀνάγνωσις recognition
anagnosasthenia *Path.*
anagnosis *Lit.*
ἀνάγνωσμα text, lesson
anagnosma *Gr. Ch.*
ἀναγνώστης lector
anagnost(es *Eccl.*
-ian -ic
ἀνάγραμμα (Dicts.)
anagram *Lit.*
atic(al(ly
chronanagram
ἀναγραμματίζειν (Dicts.)
anagrammatize *Lit.*
ἀναγραμματισμός (Artem.)
anagrammatism -ist *Lit.*
ἀναγραφή an inscribing
anagraph(y
ἀνάγυρις (Diosc.)
anagyrin(e *Pharm.*
Anagyris *Bot.*
ἀναγωγή a lifting up
anagoge -y
anagogetical
ant(an)agoge *Rhet.*
ἀναγωγικός mystical
anagogics -ic(al(ly
ἀνάδημα a head band
anadem(e *Poetic*
ἀναδίπλωσις repetition
anadiplosis *Rhet.*
ἀνάδρομος running up
anadrom (ous *Ich.*
anadromous *Bot.*
ἀναζυμόειν to leaven
anazyme *Mat. Med.*
ἀνάθεμα a curse (Sept.)
anathema *Eccl.*
-atic(al(ly
anathemize -ation
ἀναθεματίζειν (Sept.)
anathetmatize(r -ation
deanahematize
ἀναθεματισμός (Orig.)
anathematism *Eccl.*
ἀνάθεσις a putting off
anathesis *Philol.*
ἀνάθημα a votive offering
anathema -e *Gr. Rel.*
ἀναθύρωσις (Inscript.)
anathyrosis *Gr. Arch.*
ἀναίματος drained of blood
an(a)ematosis *Path.*
ἀναιμία want of blood
an(a)emia *Path.*
-iac -ial -ic
-anemia *Path.*
chlor(o) ictero leuk metr tox
ἄναιμος bloodless
An(a)emaria *Zool.*
an(a)emotrophy *Med.*
ἀναιρέτης a destroyer
anaereta *Astrol.* (*obs.*)
Anaeretes *Ornith.*
ἀναιρετικός destructive
an(a)eretic(us *Astrol. Bot. Med.*
anaretic(al *Astrol.*
ἀναισθησία (Plato)
acroan(a)esthesia *Psych.*
an(a)esthesia *Med.*
-anaesthesia
cin hemi(thermo)
-an(a)esthesia
acro ard electro hemipar mono pall par therm(o)

-anesthesia
alg bathy cry kin mon narco rachi topo
an(a)esthesiant *Med.*
an(a)esthesimeter *Med.*
an(a)esthesin(e *Pharm.*
anesthesio- *Med.*
logy phore -ic
deanesthesiant *Med.*
hemianaesthesia -ic *Path.*
ἀναίσθητος unfeeling
an(a)esthetic(ally *Med.*
an(a)esthetist *Med.*
an(a)esthetize(r -ation
anestheto- *Med.*
meter
spasm
hypnoanesthetic *Med.*
ἀνακάθαρσις clearing up
anacatharsis *Med.*
ἀνακαθαρτικός (Diosc.)
anacathartic *Med.*
ἀνακαίνωσις a renewal
anacenosis
ἀνάκαλυψις uncovering
anacalypsis
ἀνάκαμψις reflection
anacampsis *Phys.*
anacamptic(al(ly -ics
anacamptometer *Med.*
ἀνάκανθος without spine
anacanth *Ich.*
i ine ini inous us
ἀνάκαρ upwards
anacarista *Music*
ἀνακεφαλαιόω to sum up
anacephalize *Rhet.*
ἀνακεφαλαίωσις (Dion. H.)
anacephalaeosis *Rhet.*
ἀνακίνησις swinging of the arms
-anakinesis -ia *Med.*
hyp hyper
ἀνακλᾶν to bend back
anaclodont(a *Conch.*
ἀνάκλασις a bending back
anaclasis *Pros. Surg.*
ἀνάκλαστος bent back
anaclastic(s *Anat. Optics Pros.*
ἀνάκλητος recalled to service
anaclete
ἀνάκλισις a reclining
anaclisis *Med.*
ἀνακοίνωσις communication
anacoenosis *Rhet.*
ἀνακολουθία (Eus.)
anacoluthia *Gram. Rhet.*
ἀνακόλουθον (Diog.)
anacoluthon *Gram. Rhet.*
-ic(ally
ἀνακομιδή recovery
anakomide *Gr. Ch.*
'Ανακρεόντειος (Diomed.)
Anacreontic(ally
anacreontics *Pros.*
ἀνάκρισις (Xen.)
anacrisis *Gr. Law*
ἀνάκρουσις (Herm.)
anacrusis *Pros.*
ἀνακρουστικός (Plut.)
anacrustic(ally *Pros.*
ἀνάλαβος scapulary
analabos *Gr. Ch.*
ἀναλγής painless
analgen(e *Pharm.*

Analges *Ornith.*
-id(ae -oid
analgin *Mat. Med.*
quinalgen(e *Mat. Med.*
tocanalgin *Mat. Med.*
ἀναλγησία painlessness
analgecist *Med.*
analgesia *Med.*
-ic -in -ol
-analgesia *Med.*
hemi par(eso) rachi therm(o)
hypnoanalgesic *Med.*
ἀνάλγητος without pain
analgetic *Med.*
ἀνάλεκτα fragments that fall from the table
analect(a *Lit.*
analectic *Lit.*
ἀνάλημμα a sling; a sundial
analemma *Astron. Geom.*
ἀναληπτικός restorative
analeptic(al *Med.*
analeptol *Mat. Med.*
ἀνάλψις restoration; ascension
analepsia -is -y *Path.*
analepsis *Gr. Ch.*
ἄναλκις feeble
analcadite *Min.*
Analcipus *Ornith.*
analcite *Petrog.*
analcitite *Petrog.*
silveranalcite *Min.*
ἀναλόγ(ε)ιον a reading desk
analogion -ium *Eccl.*
ἀναλογία (Plut.)
analogy
-ist -ize
ἀναλογικός proportional
analogic
al(ly alness
ἀναλογισμός a course of reasoning
analogism *Logic Med.*
ἀναλογιστικός (Sext. Emp.)
analogistic
ἀνάλογον analogously
analogon
ἀνάλογος conformable
analog(ue
al(ly ate ous(ly ousness
disanalogal -ous
ἀνάλυσις (Arist.)
analysis
analysor *Neurol.*
analyst
analyze
-ability -able(ness
-ation -er
autoanalysis *Ps. Path.*
cryptanalyst
electroanalysis
hemanalysis *Med.*
macroanalysis *Anal.*
microanalysis
nucleoanalysis *Med.*
psych(o)analysis(t *Ther.*
psych(o)analy(*or* i)st
psych(o)analyze(r
re-analysis *Chem. Anal.*
tachyanalysis *Geol.*
uranalysis *Med.*
urinalysis
ἀναλυτικά (Arist.)
analytics
ἀναλυτικός (Arist.)
analytic(al(ly
electroanalytic
microanalytical *Chem.*
nucleoanalytic *Med.*

psychoanalytic(al(ly
thermoanalytical *Chem.*
unanalytic(al
ἀναλφάβητος (Phillylius)
analphabet(e
ἀνάλωσις wasting
myelanalosis *Med.*
ἀνάμεσος in the midst
anamesite -ic *Petrog.*
anamesoid *Geol.*
ἀνάμνησις recollection
anamnesis *or* -ia *Med. Phil. Psych. Rhet.*
ἀναμνηστικός recalling with ease (Arist.)
anamnestic
ἀναμόρφωσις a forming anew
anamorphosis *Biol. Bot. Optics*
-ic -ism
-ose -osy -ote -ous
anamorphoscope
ἀναμφίασις want of raiment
anamphiasis *Gr. Ch.*
ἀνανδρία (Hipp.)
anandria *Med.*
ἄναξ master
Cynomyonax *Mam.*
Empidonax *Ornith.*
Pisianax *Ent.*
'Αναξαγόρας (Plato)
Anaxagorean -ize *Phil.*
'Αναξίμανδρος (Plut.)
Anaximandrian(ism
ἀνάξιος unworthy
Anaxion(idae *Pal.*
ἀναξυρίδες trousers
anaxyrides *Gr. Dress*
ἀναπαιστικός (Dion. H.)
anap(a)estic(al(ly *Pros.*
monanap(a)estic *Pros.*
ἀνάπαιστος (Arist.)
anap(a)est *Pros.*
ἀναπειρᾶσθαι try again
anapeiratic *Path.*
ἀνάπλασις remodelling
anaplasis -ia *Biol. Path.*
ἀνάπλαστος plastic
anaplast *Bot.*
anaplasty -ic *Surg.*
dermanaplasty *Surg.*
ἀναπλήρωσις a filling up
anaplerosis *Surg.*
anaplerotic *Surg.*
ἀναπνοή respiration
anapn(o)ea -oic *Med.*
anapno-
graph meter
ἀναπόδεικτος indemonstrable (Arist.)
anapod(e)ictic(al(ly
ἀνάπτυκτος openable
anaptyctic(al *Phon.*
ἀνάπτυξις an unfolding
anaptyxis *Phon.*
ἀνάπτυχος openable
anaptychus *Conch.*
-idea(n
ἀναργυροί itinerant physicians
anargyroi *Gr. Ch.*
ἄναρθρος not articulated; inarticulate
Anarthri -ous *Ich.*
anarthria -ic *Med.*
anarthrous(ly ness *Gram.*
anarthrous *Zool.*
ἀνάριθμος without number

anarithmia *Ps. Path.*
anarithmoscope
ἀνάρρηχις a breaking up; hemorrhage
anarrhexis *Med.*
ἀναρριχάομαι to climb up
Anarrhichas *Ich.*
-adid(ae -adini -adoid
Anarrhichthys *Ich.*
-yinae
ἀνάρσιος incongruous
Anarsia *Ent.*
ἀναρχία (Aeschylus)
anarchy
-ial -ic(al(ly -ism -ist(ic -ize
antianarchic
antianarchist
hyperanarchy
ἄναρχος without a head
anarch(al
Anarchocrinus *Pal.*
ἀνάσεισμα a shaking up and down (Dion. H.)
anaseismic *Seismol.*
ἄνασσα queen, lady (Od.)
Callianassa *Crust.*
-id(ae -oid
Lysianassa *Crust.*
-id(ae -oid
ἀνασταλτικός "contracting"
anastaltic *Med.*
ἀναστάσιμον resurrection
anastasimon *Gr. Ch.*
'Αναστάσιος Gr. emperor
Anastasian *Law*
ἀνάστασις resurrection
ananastasia *Med.*
anastasis *Eccl. Med.*
ἀνάστατος made to stand
anastate *Biol.*
anastatic *Print.*
Anastatica *Bot.*
ἀναστολή (Orisb.)
anastole *Med.*
ἀναστομόειν to open
anastomat *Med. App.*
ἀναστόμωσις an opening
anabranch *Physiogeog.*
anastomosis *Anat. Surg.*
-ant -e
-anastomosis *Surg.*
entero gastro(entero) nephrocyst syn ureterocyst
ἀναστομωτικός (Diosc.)
anastomotic(a *Surg.*
ἄναστρος without stars
anastrous *Astron.*
ἀναστροφή an upsetting; reversion of accent; repetition
anastrophe -y *Gram. Rhet.*
Anastrophia *Moll.*
-anastrophe *Path.*
cardi metr
ἀνάτασις extension
anatase *Min.*
ἀν(α)τείνειν to stretch up or out.
antenna
-al -ary -ate -iferous -iform
Antennaria *Bot.*
Antennarius *Ich.*
-iid(ae -ioid
Antennata *Zool.*

antennule *Zool.*
-a -ar -ary
ἀνάτηξις a thawing
anatexis *Geol.*
ἀνατοκισμός compound interest
anatocism *Law.*
ἀνατολή the quarter of sunrise
Anatolian *Geog.*
ἀνατολικός eastern
Anatolic *Geog.*
ἀνατομή dissection (Arist.)
anatomy
-ism -ist -ization -ize(r
-anatomy
andr micr patho
atomy *Old Med.*
notamy notomise *Dial.*
unanatomizable
ἀνατομικός (Galen)
anatomic(al(ly
anatomico- *Med.*
biological pathological physiological patho-(logico)anatomical
ἀνατρεπτικός (Plato)
anatreptic *Logic*
ἀνάτρεψις a turning upside down
anatrepsis *Ent.*
ἀνάτριπτος rubbed up or used in rubbing (Diosc.)
anatriptic *Med.*
ἀνάτριψις rubbing
anatripsis *Med.*
anatripsology *Med.*
ἀναυδία speechlessness
anaudia *Path.*
ἀναφαλαντίασις (Arist.)
anaphalantiasis *Path.*
anaphalantis
ἀναφορά ascension; reference; offering
anaphora -al *Astrol. Eccl. Rhet.*
preanaphoral
ἀναφορικός referring
anaphorical *Gram.*
ἀναφροδισία
anaphrodisia *Path.*
ἀναφρόδιτος (Plutarch)
anaphroditic *Biol.*
anaphroditous *Path.*
ἀνάφυσις an upspringing
osteanaphysis *Physiol.*
ἀναχρονίζειν (Schol. Eur.)
anachronize
ἀναχρονισμός (Schol. Aesch.)
anachronism(atical
ἀναχώρησις a retiring
anachoresis *Bot.*
ἀναχωρητής one who has retired from the world (Epiph.)
anachoret -ist -ite
anchoret ish ism
anchorist
anchorite -ess -ism
ἀναχωρητικός (Epict.)
anachoretical *obs.*
anchorete(*or* i)c(al *Eccl.*
ἀνδρ- Stem of ἀνήρ
agamandroecism *Bot.*
anandria *Med.*
anandrarious *Bot.*
anandrious *Sociol.*
andr-
anatomy *Med.*

andr- Cont'd.
eclexis *Biol.*
oecium -ial -y *Bot.*
ol *Org. Chem.*
-ander *Bot.*
dec di dodec enne hept hex icos micr nan(n) oct pent tetr tri
-andra *Bot.*
Aphel Calli Cyphom Daphn Dichoris Icon Lept Lom Nect Nei Pachys Pelt Peri(gyn Rym Sol Trem
-andria(n *Bot.*
dec di dodec enne hept hex icos oct pent tetr tri
-andrious *Bot.*
hept oct pent tetr tri
-andrium *Bot.*
clin phell syn
-andrus *Ent.*
Hapl Rhin Rhipid
daphnandrin(e *Chem.*
epiandrium *Arach.*
Heterandria *Ich.*
hexandric *Bot.*
leptandrin(e *Chem.*
Lomandreae *Bot.*
micrandre *Bot.*
Neoheterandria *Ich.*
Parandra *Ent.*
Peltandreae *Bot.*
periandrum *Bot.*
perygynanda *Bot.*
phellandrium *Chem.*
-al -ene
salidroside *Org. Chem.*
scaphander *or* -re *Conch.*
-andrid(ae -android
solandrine *Org. Chem.*
Tremandr(ac)eae-aceous
ἀνδρ(ε)ία manhood
Hoplandria *Ent.*
ἀνδρεῖος manly
Andrioporidae -inae *Pal.*
-ανδρες Comb. of ἀνήρ
Poemandres *Lit. Hist.*
ἀνδρήιον a public hall
andreion *Gr. Ant.*
-ανδρία Comb. of ἀνήρ
-andry *Bot.*
acr ap ecoproter heter hex homoe met phytoproter prot(er) pseud span syn
apandria *Ps. Path.*
ergatandry *Ent.*
ἀνδριάς image
andriantometry *Sculpture*
Andrias *Pal.*
ἀνδρικός masculine
periandricus *Bot.*
protandric -ism *Bot. Zool.*
psychandric
somandric
ἀνδρο- Comb. of ἀνήρ
andro-
centric *Phil.*
cephalous *Art.*
cephalum *Bot.*
clinium *Bot.*
conia *Ent.*
conidium *Biol.*
cracy cratic *Pal.*
cyte *Cytol.*
di(o)ecium *Bot.*
-ious -ism
dynamic -ous *Bot.*
galactozemia *Physiol.*
gametangium *Bot.*
gamete *Bot.*
gametophore *Bot.*

andro- Cont'd.
gamic *Bot.*
genesis *Bot. Genetics*
genetic *Biol.*
genous *Biol.*
gone *Bot. Cytol.*
gonidium *Bot. Cytol.*
grapholic *Org. Chem.*
graph(ol)ide *Chem.*
logy
mania *Psych.*
metra *Echin.*
mon(o)ecism -ous *Bot*
morphosis *Bot.*
morphous *Bot.*
petal *Bot.*
petalar -ous *Bot.*
phile *Bot.*
phobia *Med.*
phore -ous -um *Bot. Zooph.*
phyl(l *Bot.*
phyte *Bot.*
plasm(ic *Cytol.*
pleogamy *Bot.*
pogon *Bot.*
rhopy *Biol.*
sporangium *Bot.*
spore *Bot.*
tauric
tomous *Bot.*
tomy *Anat.*
zoogonidia *Bot.*
-androspore *Bot.*
iso macro zo
cladoandrogonidium
ergatandromorph(ic -ism
gynandromorph *Bot.*
idioandrosporous *Bot.*
Prosopandrophila *Ent.*
Rhopalandrothrips *Ent.*
ἀνδρόγυνος hermaphrodite
androgyn(e *Biol.*
al(ly eity ic ism oid os ous us y
androgynary *Bot.*
androgyniflorus *Bot.*
ἀνδροειδής like a man
android(al
androides
ἀνδροκτόνος man-slaying
Androctonus *Ent.*
-id(ae
ἀνδροληψία (*Dem.*)
androlepsia -y *Gr. Law.*
Ανδρομέδα (or -έδη) (Herod.)
Andromed(e *or* a *Astron.*
Andromeda *Bot. Myth.*
Andromedid *Astron.*
andromedotoxin *Tox.*
andrometoxim *Tox.*
Ἄνδρος Andrus (Herod.)
Androite *Geog.*
ἀνδρός Gen. of ἀνήρ
androus *Bot.*
-ανδρος Comb. of ἀνήρ
-androus *Bot.*
an anis ap dec di dodec endec enne ergat heaut hendec hept heter hex homoe icos macr micr nan oct olig pent por prot(er) tetr tri
proterandrousness *Bot. Zool.*
ἀνδρόσακες (Diosc.)
androsace *Bot.*
ἀνδρόσαιμον (Diosc.)
androsaemifolium *Bot.*
androsin *Org. Chem.*
ἀνδρόσφιγξ man sphinx
androsphinx *Art.*
Ἀνδροφάγι (Herod.)
androphagi

ἀνδροφάγος (Odyssey)
androphagous -us
ἀνδροφόνος man-slaying
androphonomania *Ps. Path.*
ἀνδρώδης
synandrodium *Bot.*
Ailurophis Rept. Z
ἀνδρών men's apartment
andron *Arch.*
ἀνδρωνίτις = ἀνδρών
andronitis *Arch.*
ἀνεγκέφαλος without brain
-anencephalia *Terat.*
not pant pod
anencephalous *Terat.*
-i -ia -ic -oid -ous -us -y
hydranencephaly *Path.*
ἀνείμων unclad
Anemia *Ferns*
ἀνέκδοτος unpublished
anecdote
-a -age -al -arian -ed -ic(al(ly -ist -ive
ἀνεμο- Comb. of ἄνεμος
anemo-
barometer *Phys.*
biagraph *Meteor.*
chord *Music*
chore -ous -y *Bot.*
cinemograph *Meteor.*
clinograph *Meteor.*
cracy *Humorous*
entophily *Bot.*
gamae -ous *Bot.*
gram *Meteor.*
graph(y *Meteor.*
-ic(ally
lite *Min.*
logy -ic(al *Meteor.*
meter *Meteor.*
metric(al(ly *Meteor.*
metrograph(ic(ally *Meteor.*
metry -ist
pathy *Ther.*
phile -ous -y *Bot.*
phobe -ae -ous *Bot.*
phobia *Med.*
phyte *Bot.*
scope *Meteor.*
sporae *Bot.*
taxis *Med.*
tropism *Biol. Med.*
clinoanemometer *Meteor.*
microanemometry
palaeanemology *Geol.*
teleanemograph *Meteor.*
ἄνεμος wind
anem- *Bot.*
ad ious ium osis
anemonal
isanemone *Meteor.*
pantanemone *Mech.*
Ἀνεμουσα
anemousite *Min.*
ἀνεμώδης windy
anemodium *Phytogeog.*
anemodo- *Phytogeog.*
philus phyta
ἀνεμώνη (Cratin.)
anemone *or* -y -eous
anemonic *Org. Chem.*
-in(e -inic -ol(ic
Anemonella *Bot.*
anemonism *Tox.*
isoanemonia *Chem.*
ἀνεπιγραφος without title
anepigraphic -ous *Numis*
ἄνεσις relaxation
an(a)esin *Mat. Med.*
anesis *or* -ia *Path.*
anesis *Music*

ἀνετικός relaxing
anetic *Med.*
ἀνετός relaxed
anetodermia *Med.*
ἄνευ without
aneuploid(y *Bot.*
Allopodagrion *Ent.*
ἄνευρος nerveless
-aneuria *Path.*
cardi gastr
ἀνεύρυσμα (Galen)
aneury(*or* i)sm *Tumors*
al(ly atic
aneurysmectomy *Surg.*
aneurysmo- *Surg.*
plasty rrhaphy tomy
endoaneurysmorrhaphy
metraneurism *Path.*
osteaneury(*or* i)sm *Path.*
phallaneurysm *Path.*
ἄνηθον = ἄνισον
anet
aneth- *Org. Chem.*
ated ene ol(e
Anethum *Bot.*
metanethole *Org. Chem.*
ἀνήρ man
Callianira *Zooph.*
-id(ae -oid
ἀνθ- Comb. of ἀντί
anth-
ion *Photog.* (*T. N.*)
odon *Herp.*
ἀνθέλιξ (Rufus)
ant(i)helix *Anat.*
antihelicine *Anat.*
ἀνθέμιον = ἄνθος
anthemion *Arch.*
ἀνθεμίς = ἄνθος
anthemia -y *Bot.*
anthemic *Org. Chem.*
-ene -idine -ol
Anthemis -ic ideous *Bot.*
anthesterin -ol *Chem.*
Calanthemis *Ent.*
ἄνθεμον = ἄνθος
-anthemum *Bot.*
Archi Heli Leuc Limn Mai Mesembry Pycn Xer
argyranthemous *Bot.*
ἀνθέρικος asphodel
Anthericum *Bot.*
Ἀνθεστήρια
Anthesteria(c *Ath. Fest.*
Ἀνθεστεριών Feb.–March
Anthesterion *Gr. Cal.*
ἄνθη bloom
Calanthe *Bot.*
Colonanthes *Ent.*
Coryphantha *Bot.*
Haplanthe *Bot.*
Phoenicantha *Bot.*
Rhodanthe *Bot.*
ἀνθηδών flowery one
Ant(h)edon *Echin.*
id(ae -oid
ἀνθήλη downy plume
anthela *Bot.*
ἀνθήλιος = ἀντήλιος
anthelia -ion *Optics*
ant(h)elios *Astron.*
paranthelion
-ανθημα as in ἐξάνθημα
-anthem *Path.*
en end
-anthema *Path.*
eis en erythr syn tri
enanthematous *Path.*
ἀνθηρο- Comb. of ἀνθηρός

anthero- *Bot.*
blast cyst genous mania phore phylly sporangium zoa z(o)oid(al
synantherology *Bot.*
-ical -ist
ἀνθηρός flowery
acocantherin *Org. Chem.*
anantherum -ate *Bot.*
anther *Bot.*
al ed ine less oid
-anthera *Bot.*
Acid Acoc(*or* k) Aden Altern Heter Hymen Prost Pyxid Tel
antherangium *Bot.*
antheridangia *Bot.*
antheridium *Bot.*
-ia(l -ian -ic -iophore
antheriferous *Bot.*
antheriform *Bot.*
antherous *Bot.*
-antherous *Bot.*
an chasm clist dec eleuther gyn heter is oct phaen symphy syn
-anthery *Bot.*
chasm cleist crypt heter phaen
biantheriferous *Bot.*
Cylindrantherae *Bot.*
Hypantherus *Ent.*
inantherate *Bot.*
isanther(ic *Zoogeog.*
phanerantherus *Bot.*
Prostanthereae *Bot.*
sporoantheridic *Bot.*
Synanther(e)ae -(ic)us
synanthrin -ose *Chem.*
-ανθης Comb. of ἄνθος
-anthes
Achyr Cheil Ilys Ixon Kalos Lachn Limin Meny Nemop Nyct Poli Pren Spil Strobil Stylo(s) Trichos Zephyr
ἄνθησις flowering
anthesis *Bot.*
-anthesis *Bot.*
met prot syn
enanthesis *Med.*
ἀνθητικός blossoming
synanthetic *Bot.*
ἀνθιάς a sea fish (Arist.)
Anthias *Ich.*
-anthias *Ich.*
Dactyl Hemi Ocy Par Perc Plectr Pseud
ἀνθικός flower-like
Anthicus *Ent.*
-id(ae -oid
ἀνθο- Comb. of ἄνθος
antho-
bia(n *Ent.*
blastus *Echin.*
branchia -iate *Conch.*
carp(ium -ic -ous *Bot.*
carpologic *Bot.*
caulus *Fungi*
cephalous
ceros *Pot.*
cerote *Bot.*
-aceae -ales -oid
chaera *Ornith.*
chlorin *Pigments*
clinium *Bot.*
codium *Bot.*
coris *Ent.*
-id(ae -oid
cyan(e *Chem.*
-idin -ine
cyathus *Fungi*
gamae *Bot.*

antho- Cont'd.
genesis *Ent.*
genetic *Ent.*
gonel *Bot.*
graphy *Bot.*
kirrin *Org. Chem.*
kyan *Chem.*
leucin(e *Pigments*
lite *Geol.*
logic(al *Bot.*
lysis lyza *Bot.*
mania -iac *Path.*
medusa(e *Zool.*
-an -id(ae
morphidae
myia *Ent.*
-yiid(ae -yoid
myza *Ent.*
-idae -ides
myza *Ornith.*
phaein *Pigments*
phagous
phila -ian -ous *Ent.*
phobia
phyllite -ic *Min.*
physa *Infus.*
phyte -a *Bot.*
plankton *Bot.*
poma *Polyps*
ptila -idae *Zooph.*
ptosis *Bot.*
siderite *Min.*
soma *Crust.*
-id(ae -oid
sperm(um -ae *Bot.*
stele *Polyps*
stoma -ella *Fungi*
strobilus -oid *Bot.*
taxis -y *Bot.*
tropism *Bot.*
xanthin(e *Biochem.*
xanthum *Bot.*
zoon *Zooph.*
-oa(n -oic -oid
zymase *Bot. Chem.*
Chiranthodendreae *Bot.*
chydenanthogenin *Chem.*
Comanthocrinus *Pal.*
eisenanthophyllit *Min.*
euanthostrobilus *Bot.*
ferroanthophyllite *Min.*
magnesioanthophyllite
proanthostrobilus *Bot.*
protanthocyan *Chem.*
rhinanthocyanin *Chem.*
rhinanthogen *Path.*
strophanthobiase *Chem.*
strophanthobiose *Chem.*
zoanthodeme-ic *Zooph.*
Ἀνθολογίαι
anthology
-ical -ist
ἀνθόλοψ (Eust.?)
antelope
-ian -idae -inae -oid
Antilocapra *Mam.*
-id(ae -inae -ine -oid
Antilope *Mam.*
-idae -inae -ine -oid
caprantilopine *Zool.*
Pantholops *Zool.*
triantelope *Austral.*
ἀνθονόμος "feeding on flowers"
Anthonomus *Ent.*
ἀνθορισμός (Hermog.)
anthorism(us *Rhet.*
-ανθος Comb. of ἄνθος
-anthous *Bot.*
acr ai an anticlin argyr asymmetr cen cephal chlor chrys clad crypt cycl ep epicarp gymn hapax hebe hemer hyster is lasi leuc mon

-anthous Cont'd.
myri nyct olig pleur proter rhiz siphon telei tri
ἄνθος a flower
Acranthi *Mosses*
Anthenea *Echin.*
-eid(ae -oid
Anthenocrinidae *Pal.*
-anthic *Org. Chem.*
cheir di heli stroph
-anthin *Org. Chem.*
alox calyc cephal chyden coryn heli ilex lepr mel meny nere nyct (pseudo)stroph rhin sclero
-anthine *Org. Chem.*
alox calyc cephal coryn di hem meny micr stroph
-anthium *Bot.*
amph clin coen hyp mel (peri)phor scler
anthocology *Bot.*
anthoecium *Bot.*
anthoecologist *Bot.*
Anthribus -id(ae -oid *Ent*
Anthura -id(ae -oid
Anthurium -us *Bot.*
Anthus *Ornith.*
-id(ae -inae -ine
-anthus *Bot.*
Aeschyn Agap Bry Calyc Centr Cephal Ceri Cheil Cheir Chimon Chion Chlor Clad Cli Cordai Cycl Desm Di Eri Gal Haem Heli Is Lasi Lin Lisi Lor Lyper Meli Misc Oec Orthros Osm Pard Pedil Phaner Phyll Pipt Plagi Plectr Proter Rhin Schiz Scler Span Sphaer Strept Stroph Symmetr Telei
-anthy *Bot.*
cen chlor ephemer hemer poly syn
calicanth *Bot.*
aceae aceous
cephalanthein *Org. Chem.*
cereanthid(ea *Bot.*
Ceriantheae -ean *Zooph.*
cerianthid(ae -oid *Bot.*
chloranth *Bot.*
aceae aceous
combertanthites *Pal.*
Cunantha -inae *Bot.*
cyclanth- *Bot.*
aceae aceous ales
disconanth(ae ous *Zooph.*
Eranthis *Bot.*
eu(acr)anthis *Bot.*
fluoranthene *Org. Chem.*
Helianthoidea(n *Zooph.*
Helianthon *Bot.*
-aceous -(id)eae -ine -oid(ean -oideae
Hermaphroditanthae
Hexanthus *Ich.*
hydranth *Zooph.*
Hymenantheae *Bot.*
hypanthial *Bot.*
Hyperantha *Ent.*
Ilyanthus *Herp.*
-id(ae -oid
Ixonantheae *Bot.*
Leprantha *Bot.*
liminanth *Bot.*
aceae aceous
Lisantheae *Bot.*
loranth *Bot.*
aceae aceous ad

loranthyl *Org. Chem.*
melanth *Bot.*
aceae aceous
melantin *Org. Chem.*
Menyanthaceae -eous
Pegantha -idae *Bot.*
Petranthus *Ornith.*
Polianthea *Bot.*
pollac(h)anthic *Bot.*
pseud(acr)anthic *Bot.*
pseudanthis *Bot.*
pseudoperianth *Bot.*
Rhinanthaceae *Bot.*
rhizanth(eae *Bot.*
scleranth(eae *Bot.*
siphonanth(ae *Zooph.*
strophanthidin *Chem.*
strophanthigenin *Chem.*
synanthic -ious *Bot.*
zephyranth *Bot.*
Zoanthacea (n *Bot.*
Zoanthus *Zooph.*
-aria(n -id(ae -idan -idea -inae -oid
ἀνθοφόρος (Theophr.)
Anthophora -idae *Ent.*
Anthophorabia *Ent.*
anthophore *Bot.*
-ous -um
ἀνθρακ- Stem of ἄνθραξ
-acene *Org. Chem.*
fluor hydrind octhr phthal tethr
anthrac- *Path.*
(a)emia ia ic iform nosis
anthracene *Chem. Tox.*
-anthracene *Org. Chem.*
ars dioxy hydrind hydro ind methyl monochlor ox(y) par(a) pyrr trioxy
anthraceniferous *Chem.*
anthraciferous *Geol.*
anthracin *Chem.*
anthracnose *Phytopath.*
anthraconene *Chem.*
anthraconite *Min.*
Anthracosia *Conch.*
iodanthrak *Mat. Med.*
lithanthracic
octhracenol -one *Chem.*
sapranthracon *Petrog.*
ἀνθρακίτης coallike
anthracite *Geol.*
-ic -iferous -ism -ization -ous
semianthracite
ἀνθρακο- Comb. of ἄνθραξ
anthraco-
hyus *Pal.*
kali *Pharm.*
keryx *Pal.*
lite lithic *Geol.*
mancy *Augury*
martus *Ent.*
meter metric *Chem.*
necrosis *Histol.*
nectes *Crust. Pal.*
neilo *Pal.*
phausia *Pal.*
porella *Pal.*
saurus *Herp. Pal.*
-id(ae -oid
there -ium *Mam. Pal.*
-ida -iid(ae -ioid(ea-(n -oidea
typy *Arts*
xene *Resins*
xenite *Min.*
ἀνθρακοειδής like coal
anthracoid *Geol. Path.*
ἀνθράκωσις (Paul. Aeg.)
anthracosis *Path.*

anthracotic
ἄνθραξ charcoal
aceanthra- *Chem.*
quinoxaline quinone
aceanthr(yl)ene *Chem.*
acetanthranil *Biochem.*
anthr- *Chem.*
acridone acryl amine azene ene imidazole imide indan indole isothiazole oic ol one oxanic oxazine yl
anthra- *Bot.*
criny geny
anthra- *Chem.*
chrysone(s flavic flavone fuchsone gallol hydroquinone phenol phenone purpurin(e purpurate pyr(im)idine pyr(im)idone pyrrole quinonazine quinone quinonyl robin rufin sol thiazole xylon
anthracarid(ae -oid
anthragenesis *Geol.*
anthragenetic *Geol.*
anthran- *Org. Chem.*
il(ic ilate ilo- ol one (o)yl
Anthrapalaemon *Crust.*
-anthraquinone *Chem.*
bi hydrind naphth oxy phen pyrr trioxy
anthrax *Path.*
-anthrac *Path.*
cac gloss
anthraxolite *Min.*
-anthrene *Chem.*
ace ars benz(odi) cynam flav ind isat naphth(odi) oct phen pyr ros tetr thi thioph viol
-anthrimide *Org. Chem.*
di tetr tri
-anthrone *Org. Chem.*
benz di(benz naphth) heli isat naphthodi ox phen(ol) pyr viol
cyanthrol *Dyes Org. Chem.*
dibenzanthronyl *Dyes*
homoanthr- *Org. Chem.*
anilic oxanic
lithanthrax *Coal*
naphthanthroxanic *Chem.*
octanthrenone
ox(y)anthranol *Chem.*
phenanthr- *Org. Chem.*
azine azino- iden(e idone indene ol(in(e yl(ene
phenantriazine *Chem.*
pyranthr- *Org. Chem.*
(id)ine (id)one
xylanthrax *Coal*
ἀνθρήνη hornet (Arist.)
Andrena *Ent.*
-id(ae -oid
Anthrenus *Ent.*
ἀνθρίσκος chervil (Poll.)
Anthriscus *Bot.*
-ανθρωπία Comb. of ἄνθρωπος
boanthropy
ceroanthropy *Ps. Path.*
crinanthropy -ist
galeanthropy
phobanthropy
physianthropy
ἀνθρωπικός human (Plato)

anthropic(al *Anthrop. Bot. Geol.*
extraanthropic *Med.*
ἀνθρωπισμός humanity
ananthropism
ἀνθρωπο- Comb. of ἄνθρωπος
anthropo-
biology -ical
centric(ism
centrism
choloidanic *Biochem.*
chore -ous *Bot.*
climatology -ist
cosmic
desoxycholic *Biochem.*
doxic
genesis *Anthrop.*
genetic *Anthrop.*
geny *Anthrop.*
-ic -ist -ous
geography
-er -ic(al
graphy *Anthrop.*
lite lith(ic
mancy -mantic -ist
metry -ic(s -ical(ly -ist
morphosis
nomy -ical -ics
phile -ous *Bot.*
phobia *Ps. Path.*
physiography
physite
phyte *Bot.*
pithecus *Mam.*
psychism -ic *Phil.*
scopy
sociology -ist
somatology
sophy -ist
teleology -ical
theism *Hist. Rel.*
tomy -ical -ist *Anat.*
toxin *Tox.*
zoic *Geol.*
zoomorphic
antianthropocentric
pal(a)eoanthropography
ἀνθρωπόγλωττος speaking articulately
anthropoglot *Zool.*
ἀνθρωπογονία (Joseph.)
anthropogony
ἀνθρωποειδής (Herod)
anthropoid(al
Anthropoidea(n -es
anthropoidometry
ἀνθρωπολατρεία
anthropolatry -ic
ἀνθρωπολόγος Speaking of man (Arist.)
anthropology
-ic(al(ly -ist
dendranthropology
pananthropological
'Ανθρωπομορφῖται (Hieron.)
anthropomorphite *Theol.*
-ic(al -ism -ize
ἀνθρωπόμορφος (Strabo)
anthropomorph(a *Mam.*
anthropomorph- *Lit. Theol.*
ic(al(ly ist ism ize ization ous(ly
anthropomorphology -ical(ly theist
antianthropomorphism
deanthropomorphic ism ization ize
theoanthropomorphic -ism
ἀνθρωποπάθεια a having human feelings (Eus.)
anthropopathy *Theol.*
-ia -ic(al(ly -ism -ite

ἄνθρωπος man
anthro-
geographer
photoscope *Photog.*
podus *Pal.*
anthropid(ae *Mam.*
anthropinism -istic *Geol.*
anthropism -istic *Phil.*
Anthropops *Pal.*
enanthrope *Path.*
Eoanthropus *Ethnol.*
exanthrope *Path.*
micranthropos
Palaeanthropus *Pal.*
palanthropic *Geol.*
pal(a)eoanthropic
pananthropism
Pithecanthropus *Mam.*
-e -i(c -idae -oid
Proanthropos *Pal.*
therianthropic -ism
zoanthropia -ic -y
ἀνθρωπουργός making men
anthropurgic
ἀνθρωποφαγία (Arist.)
anthropophagy
-ism -ist(ic -ite -ize(r
ἀνθρωποφυής of man's nature
anthropophuism -uistic
ἀνθυλλίς a plant (Diosc.)
Anthyllis *Bot.*
ἀνθώδης flowery
anthodium *Bot.*
Homoianthoides *Pal.*
hypanthodium *Bot.*
Potamanthodes *Ent.*
synanthody *Bot.*
ἀνίλλειν to shrink up
Leptanilla *Ent.*
ἀνίατος incurable (Hipp.)
anhiatous -ic *Med.*
ἀνιόν Neut. p. pr. of ἀνιέναι to go up
anion(ic *Phys. Chem.*
-anion
acet carb chlor hydrosulph nitr sulf(*or* ph)
ἀνισο- Comb. of ἄνισος
aniso-
branchia -iata -iate
bryous *Bot.*
carpic -ous *Bot.*
ceraea *Ent.*
ceratidae *Pal. Anem.*
cercal *Ich.*
chaetodon *Ich.*
chela -e *Spong.*
chromia *Med.*
cnemic *Coel.*
coria *Ophth.*
cotyledonous *Bot.*
cotyly *Bot.*
cycle *Mil.*
cytosis *Cytol.*
dactyl(e *Mam.*
a i ic ous
dynamous *Bot.*
gametangous *Bot.*
gamete *Bot.*
gamy -ous *Biol.*
gnathism -ous *Zool.*
gonous *Bot.*
gynous *Bot.*
hologamy *Biol.*
hypercytosis *Cytol.*
hypocytosis *Cytol.*
kont *Bot.*
leukocytosis *Physiol.*
lobus *Protozoa*
melia *Anat.*
merogamy *Bot.*
metropia -e -ic *Ophth.*
morphy *Bot.*

aniso- Cont'd.
myaria(n *Conch.*
nema -idae *Infus.*
normocytosis *Cytol.*
notus *Arach. Pal.*
petalous *Bot.*
phylly -ous *Bot.*
phytes *Bot.*
pleura(l -ous *Conch.*
pod(a(l ous *Crust.*
pogonous *Ornith.*
ptera *Ent.*
pterous *Bot.*
pteryx *Ent.*
pyge *Pal.*
rhampus *Pal.*
scapha *Ent.*
schist *Pal.*
sepalous *Bot.*
spore *Radiol.*
stemonous *Bot.*
sthenic *Anat.*
stichous *Bot.*
stomous *Bot.*
styly *Bot.*
tonic *Physiol.*
tremus *Ich.*
epanisognathism -ousé
hypanisognathism
hyperanisogamy *Bot.*
medianansophylly *Bot.*
ἄνισον
anise
acetanis(id)ide *Chem.*
anis- *Chem.*
al ic idin(e il(ic oic oin ol olin(e
anisado
anisate -atus *Bot.*
anise -al
aniseamide *Chem.*
anisoyl *Org. Chem.*
anisum *Pharm.*
anisyl(idene *Org. Chem.*
benzaniside *Org. Chem.*
benzanisoin *Org. Chem.*
chrysanisic *Chem.*
cuminanisoin *Org. Chem.*
desoxyanisin *Chem.*
dianisidin(e *Chem.*
hydroanisoin *Chem.*
jesoanisaconic *Org. Chem.*
nitranisic *Chem.*
-ide -idine -ol(e *Chem.*
nitroanisol
paraiodoxyanisol *Med.*
quinanisole *Org. Chem.*
ἄνισος unequal
anis-
androus *Bot.*
odont *Herp.*
opia *Ophth.*
ophia *Ent.*
ops *Ent.*
ota *Ent.*
Ceratanisus *Ent.*
Polanisia *Bot.*
ἀνόδοντος toothless
Anodon(t(a *Conch.*
Anodontidae *Conch.*
anodontia *Dent.*
Pteranodon(t(es *Herp.*
Pteranodontia *Herp.*
-id(ae -oid
Sauranodon(t(id(ae
sauranodontoid *Herp.*
ἄνοδος a way up
anodal -ic *Bot.*
anode -al -ic(ally *Elec.*
anodic *Med.*
lithanode
ἀνοήμων without understanding
Anoema *Mam.*

ἀνοησία want of understanding
anoesia *Ps. Path.*
ἀνόητος not thought of
anoetic *Psych.*
ἄνοια folly
anoea *Path.*
anoia *Ps. Path.*
ἀνοικτ- Stem of ἀνοίγειν to open
metranoikter *Surg. App.*
ἄνοιξις opening
anoixis *Gr. Ch.*
ἀνομία lawlessness
anomy
ἀνομο- Comb. of ἄνομος
anomo-
branchiate -a *Crust.*
carella *Pal.*
carpous *Bot.*
cephalous *Craniom.*
cladine -a *Spong.*
dromy *Bot.*
phyllous *Bot.*
poda -ous *Herp.*
rrhomboid(al *Crystal.*
spermous *Bot.*
ἀνόμοιος unlike
Anom(o)ean(ism *Eccl.*
Anomia *Conch.*
-iaceae -iid(ae -ioid
anom(o)eomery *Phil.*
ἄνομος lawless
Anomatheca *Bot.*
anomite *Min. Mol. Pal.*
anomodont(a ia *Herp.*
Anom(o)ura *Crust.*
-al -an -e -ous
ἄνοος without understanding
Anoos *Ornith.*
ἄνοπλος unarmed
Anoplagonus *Ich.*
Anoplia(n *Spong.*
anoplo-
gaster *Ich.*
gnathus -idae *Ent.*
morpha *Ent.*
nemertean -ini *Helm.*
phora
poma *Ich.*
-id(ae -oid
rhynchus *Helm.*
theca *Brachiopods*
therium *Mam. Pal.*
-e -iid(ae -ioid(ea -oid
anoplous *Spong.*
Anoplura *Ent.*
-an -iform -ous
ἀνόργανος without organs
anorgana *Biol.*
-ic -ism
anorgano- *Biol.*
gnosy graphy logy
ἀνόρεκτος without apetite
anorectic -ous *Path.*
ἀνορεξία want of apetite
anorexia -y *Path.*
ἄνορθος erect
Epanorthus *Pal.*
-id(ae
Parepanorthus *Pal.*
-ανος Suffix as in στέφανος
The Latin -anus is regularly used.
ἄνοσμος without smell
anosmatic *Zool.*
anosmia -ic *Path.*
hemianosmia *Path.*

ἀνόφθαλμος without eyes
anophthalmia *Terat.*
-ian -os -us
ἀντ- Comb. of ἀντί
ant-
acid acrid *Ther.*
adiform *Ich.*
agoge
algic *Ther.*
alkal(ine *Ther.*
ambulacral *Zool.*
aphrodisiac(al *Med.*
aphroditic *Med.*
apology
apoplectic *Ther.*
archism -ist(ic(al -y
arctalia(n *Zoogeog.*
ares -ian *Astron.*
arthritic *Ther.*
articular *Ich.*
asthenic *Ther.*
asthmatic *Ther.*
atrophic *Ther.*
echinomys *Marsup.*
emesin *Prop. Rem.*
emetic *Ther.*
ephialtic *Ther.*
helminiac -itic *Path.*
helmint (h) ic *Path.*
helotic *Med.*
hemorrhagic *Ther.*
herpetic *Med.*
hydropic *Ther.*
hypnotic *Ther.*
hypochondriac *Ther.*
hypophora *Rhet.*
hysteric *Ther.*
inion *Craniom.*
-iad -ial -inal
odontalgic *Dent.*
odyne *Mat. Med.*
ophthalmic *Ophth.*
onym *Philol.*
orbital *Anat.*
orchis *Bot.*
orgastic *Med.*
osandrian *Eccl. Hist.*
ozone *Chem.*
ozonite *Min.*
pyrantin *Mat. Med.*
rhizantoicous *Bot.*
ἀνταγωνία adversity
antagony -al
ἀνταγωνίζεσθαι dispute
antagonize(r -ation
ἀνταγώνισμα a struggle with another
antagonism
ἀνταγωνιστής a competitor
antagonist(ic(al(ly
'Ανταῖος (Pindar)
Antaean *Gr. Myth.*
ἀντανάκλασις (Quintil.)
antanaclasis *Rhet.*
ἀνταπόδοσις requital
antapodosis
ἀνταποχή acknowledgment of debt
antapocha *Law*
ἀνταρκτικός (Arist.)
antarctic
al(ly -ica
Antarct(ic)alia(n
Antarctog(a)ea(n
subantarctic *Phytogeog.*
ἀντήλιος opposite the sun
antelios *Astron.*
ἀντί opposite, instead
akanticone *Min.*
amidoantipyrin *Chem.*
anti

anti-
abric *Tox.*
abrasion
adiaphorist
aircraft
album- *Chem.*
ate id ose
alcoholism -ic -ist
amboceptor *Chem.*
American
amusement
amylase *Biochem.*
anaphylaxis *Med.*
anarchic -ist
Anglican *Eccl.*
angular
annexationist
anthropocentric
anthropomorphism
anti- *Biochem.*
body enzyme toxin
apex *Astron.*
aphrodisiac *Med.*
apoplectic *Ther.*
apostle
aquatic
archia -i -ous *Ich.*
Arian *Eccl.*
arin
aristocrat(ic
Arminian(ism *Eccl.*
arsenin *Biochem.*
arthrin *T.N.*
arthritic *Ther.*
ascetic
asthmatic *Ther.*
astronomical
atheism -ist
Athenian
attrition
autolysin
Babylonianism *Eccl.*
bacterial -ian *Ther.*
bacteriolytic *Ther.*
ballooner
balm
bank
Bartholomew
basilicon -an *Pol.*
becchic *Ther.*
benzenepyrine *T.N.*
biblic(al
bibliolatry
bigot(ry
bilious *Ther.*
bill(ite *Pol.*
biont *Biol.*
biosis -otic *Biol.*
Birmingham
bishop
blennorrhagic *Ther.*
blue
body *Biochem.*
Bohemian
Bonapartist *Pol.*
bothropic *Ther.*
breakage
British
bromic *Med.*
bubonic *Ther.*
Burgess *Rel. Sects.*
Burgher
cachectic *Ther.*
calligraphic
Calvinism -ist(ic
capital
carnivorous
catalase *Biochem.*
catali(*or* y)st *Chem.*
catalyzer *Chem.*
catalytie *Chem.*
cataphylactic *Med.*
catarrhal *Ther.*
cathode *Elec.*
Catholic
causod(*or* t)ic *Ther.*

anti- Cont'd.
caustic *Math.*
cephalalgic *Ther.*
ceremonial(ist
ceremonian
chemism *Bot.*
chlor *Ind. Chem.*
in(e istic
chloren *Prop. Rem.*
chlorotic *Ther.*
cholagogic *Med.*
cholerin *Mat. Med.*
choromanic *Ther.*
chorus *Drama*
christian
ism ity ize ly
chrome *Pigments*
chronism -ical(ly
church
chymosin *Chem.*
civism -ic *Pol.*
classicist
clastic *Math.*
clergy -clerical
climax *Rhet.*
coagulant -ating *Chem.*
clinal *Anat. Bot.*
clinanthous *Bot.*
cline *Geol.*
-al -ic(al -orium
clogging
cogitative
coherer *Teleg.*
colic *Ther.*
combination
comet
comment
commercial
constitutional
contagion -ious *Ther.*
convulsive *Ther.*
cor *Anat. Vet.*
Corn-Law *Eng. Hist.*
corrosion -ive *Chem.*
corset
cosine *Math.*
cosmetic
council
court(ier
Covenanter
creatinin *Biochem.*
creation -or
creep(er -ing *Mech.*
crisis *Med.*
critic(al
critique
crochet
crotin *Tox.* ;
cryptic *Biol. Phil.*
cyathus *Helm.*
cyclic
cyclone -ic(al(ly
Cyrillian *Eccl.*
cytolysin *Med.*
cytost *Biochem.*
cytotoxin *Med.*
dancing
Darwinian(ism
decalogue
deity
democratic(al
demoniac
denominational
detonant -ating *Expl.*
diabetic -in *Ther.*
diastase *Ther.*
dimorphism *Bot.*
dinic(al
diphtherin
diphtheritic(on
disestablishmentarian-
ism
diuretic *Biochem.*
divine
division
domestic

anti- Cont'd.
dorcas *Mam.*
Dreyfusard *Pol.*
dromic *Neurol.*
dromy *Bot.*
-al -e -ous
duke
dumping
dynamic *Med.*
dyscratic *Ther.*
dysenteric(um *Ther.*
dysury -ic *Ther.*
ecclesiastical
education
emetic *Ther.*
emperor
endotoxic -in *Biochem.*
English
enthusiastic
enzyme *Biochem.*
ephialtic *Med.*
episcopal -ist
erysipelas
evangelical
expansionist *Pol.*
extreme -ist
face
faction
fanatic
fat
febrile -in(e *Ther.*
federal -ism -ist *Pol.*
felon(y
ferment(ative
feudal
fire
flatulent
foreign
fouler -ing
frat
freethinker
freeze -ing
friction
frost
fungoid *Ther.*
galactic *Astron. Med.*
Gallic
Gallican(ism *Eccl.*
gaster *Ent.*
gen(e -ic *Biochem.*
gen(t)ophil *Biochem.*
geny *Biochem.*
German
glycoxalase *Biochem.*
god
gonon *Bot.*
gonorrheic *Ther.*
grammatical
gropelos *Dress*
guggler *or* gurgler
hemaglutinin *Biochem.*
hemicranin *Prop. Rem.*
h(a)emolysin -lytic
hectic
helix *Anat.*
hemorrhagic *Med.*
hero
heterolysin *Biochem.*
heterophylly *Bot.*
hormone *Biochem.*
hydrophobic *Ther.*
hydropic -in *Ther.*
hydrotic *Ther.*
hygienic *Med.*
hyloist *Phil.*
hypnotic *Med.*
hypo *Photog.*
hypochondriac *Ther.*
hypophora *Rhet.*
hysteric *Med.*
icteric *Ther.*
imperialism -ist(ic *Pol.*
incrustator *Ind. Chem.*
isolin *Cytol.*
itis *Vet.*
Jacobin(ism *Pol. Hist.*

anti- Cont'd.
Jesuit
Judaic
kamnia *Prop. Rem.*
kataphylactic *Ther.*
kataphylaxis *Ther.*
kathode
kenotoxin *Biochem.*
keto- *Biochem.*
gen genesis genetic
genic plastic
kinase *Biochem.*
kinesis *Biol.*
king
knock(ing *Fuels*
laborist
lactase *Biochem.*
lactoserum *Ther.*
lapsarian
league
Lecompton *Pol. Hist.*
lethargic *Med.*
leucocidin *Tox.*
leucotoxin *Med.*
leveling
libration *Phys.*
lipase lipoid *Biochem.*
liquor
lithic *Ther.*
liturgical *Eccl.*
l(o)emic *Ther.*
logarithm *Math.*
logic(al
loquy -ist
lottery
luetic *Ther.*
lynching
ly(*or* u)sin *Med.*
lypyrin *Mat. Med.*
lysis *Biochem.*
lyssic *Ther.*
lytic *Ther.*
macassar *Furniture*
machine *Pol.*
magistratical
malarial *Ther.*
Malthusian *Pol. Econ.*
maniacal
Marian *Eccl. Hist.*
martyr
mask(er *Drama*
mason(ry -ic
masque(r *Drama*
masquerade
melancholic
mension *or* -ium
mephitic *Ther.*
mere *Biol.*
-ic -ism -on -ous
meria *Gram.*
meric *Geom.*
merger
Messiah
metabole *Rhet.*
meter *Optics*
method
metrically
metropia -ic *Ophth.*
miasmatic *Ther.*
microbic -in *Ther.*
migraine *Prop. Rem.*
militarism
ministerial
minsion *Gr. Ch.*
mission(ary
mnemonic *Psych.*
model
monarchic(al(ly
monarchy -ial -ist
Mongolian
monopoly -ist
monsoon
moral(ism -ist
mycotic *Chem.*
mythic(al
narcotic -in *Ther.*

anti- Cont'd.
national
natural
Nebraska *Pol. Hist.*
negro(ism
nephritic *Ther.*
nepotic
nervine
neuralgic *Med.*
neuritic *Ther.*
neuronist *Anat.*
neurotoxin *Tox.*
neutral
Nic(a)ean *Eccl. Hist.*
Nicene *Eccl. Hist.*
node *Phys.*
nom- *Eccl. Hist.*
ian(ism ic(al ism ist
nonnin *Chem.*
nosine *Med.*
odont *Zool.*
odontalgic *Dent.*
ontological
ophidic *Ther.*
ophthalmic *Biochem.*
opium(ist *Med.*
opsonin *Biochem.*
optimist
organ *Med.*
orgastic *Med.*
orthodox
oxidant -ation *Chem.*
oxidase *Biochem.*
oxidizer -ing *Chem.*
oxygen(ic *Biochem.*
p(a)edobaptism *Hist.*
pap-
acy al ist(ical
parabema *Arch.*
parallel(ogram *Geom.*
paralytic(al *Ther.*
parasitic -in *Med.*
parastata *Anat.*
parastatitis *Anat.*
parliamental
Parnellite *Pol. Hist.*
part
pathacea(n *Bot.*
patharia(n *Zooph.*
pathidea(n *Zooph.*
patriarch *Eccl.*
patriotic
Paul(ine *Eccl.*
pedal
peduncular *Bot.*
Pelagian *Eccl. Hist.*
pepsin *Biochem.*
pepton(e *Biochem.*
pericoelous *Ornith.*
periodic *Ther.*
periostin *Prop. Rem.*
peristalsis *Physiol.*
peristaltic *Physiol.*
peronosporin *Med.*
perthite *Min.*
pestilential
petalous *Bot.*
phagin *Bact.*
phagocytic *Med.*
pharmic *Med.*
phase *Chem.*
philippizing
phlogistic -ian -on
phogistin *Prop. Rem.*
phonetic *Music Philol.*
photogenic *Chem.*
phrynolysin *Tox.*
phthisic(al *Ther.*
phthisin *Mat. Med.*
phymin *Mat. Med.*
physic(al *Phys.*
physis
phytic -ous *Bot.*
phytosin *Mat. Med.*
planet *Optics.*
plastic *Med.*

anti- Cont'd.
plateau *Oceanog.*
platelet *Med.*
pleion *Bot. Meteor.*
plethoric *Med.*
pleuritic *Med.*
pnein *Biochem.*
pneumin *Biochem.*
pneumococcic *Med.*
pneumotoxin *Tox.*
podagric(al *Ther.*
podagron *Mat. Med.*
poison
pole
polemist
political
polo *Bot.*
polyneuritic *Biochem.*
pool
pope -ery
popular
position
potential *Math.*
poverty
prelatical
prestidigitation
priest
primer -ing *Mech.*
prism *Optics*
prostatic -ate *Med.*
prostatitis *Path.*
protease *Biochem.*
prothrombin *Biochem.*
prudential
pruritic *Ther.*
psoric *Ther.*
puritan
putrefaction -ive
putrescent
pyic *Med.*
pyogenic *Med.*
pyonin *Mat. Med.*
pyralgos *Prop. Rem.*
pyresis -etic *Ther.*
pyrin(e *Mat. Med.*
pyrinomania *Ps. Path.*
pyrotic *Ther.*
quartan
rabic *Med.*
racer *Mech.*
radial
radiating
radical
rattler
realism *Phil.*
reformer -ing
religion
religious
remonstrant *Eccl. Hist.*
rent(ism er *Econ. Pol.*
restoration
revolutionist
rhachitic(ally *Ther.*
rheumatic -in -ol *Ther.*
ricin *Chem.*
ritual
romance
royal(ist
rrheoscope *Psych.*
Sabbatarian *Rel.*
sacerdotal
saloon
scarp
school
scientific
sclerosin *Mat. Med.*
scol(et)ic *Ther.*
scorbutic(al *Ther.*
scriptural
scrofulous *Ther.*
Semite -ic(ally -ism
sepalous *Bot.*
sepsis -in *Med.*
septic *Med.*
-al(ly -iform -in -ism
-ist -ize -ol

anti- Cont'd.
serum
Shemite -ic -ism
siala(*or* o)gog(ue *Med.*
sialic
siccative
sideric *Chem.*
silverite
simoniacal
sine *Math.*
siphonal *Conch.*
skid
slavery(ism
social(ity
socialist(ic
solar *Astron.*
soma *Arach.*
sophist
soporific *Med.*
space *Math.*
spadix *Conch.*
spasmin *Mat. Med.*
spasmodic *Med.*
spectroscopic *Optics*
spermotoxin *Med.*
spermy *Med.*
spirochetic *Med.*
splenetic *Ther.*
sporangism *Bot.*
squama -ic *Zool.*
stalsis *Physiol.*
staphylococcic *Med.*
staphylolysin *Biochem.*
stimulant
strephon *Logic*
streptococcal -ic -in
strumatic -ous *Ther.*
submarine
sudoral -ific *Med.*
sun *Phys.*
symmetry *Bot.*
synod
syphilitic *Ther.*
tangent
tartaric
tegula *Zool.*
teleology *Phil.*
temperance
tetanic -in *Med.*
tetanolysin *Bact.*
tetraizin *Mat. Med.*
thalian
theism -eist(ic(al(ly
thenar *Anat.*
theological
thermic(s -in(e *Med.*
thermolin *Prop. Rem.*
thrombic -in *Med.*
thyroidin *Mat. Med.*
tobacco
tonic *Med.*
toxic -in(e
toxigen *Med.*
trade *Meteor.*
Trinitarian(ism *Theol.*
tripsin *Med.*
triptic *Med.*
trismus *Med.*
trochanter *Zool.*
tropal -ic(al -ous *Bot.*
trope *Zool.*
tropin *Biochem.*
trophy *Biol.*
trust
tuberculous -otic *Med.*
twilight *Meteor.*
typhoid *Ther.*
tyrosinase *Biochem.*
unionist
uratic *Med.*
urease *Biochem.*
utilitarian
vaccin-
ation(ist ator ist
variolous
venene -in(e *Biochem.*

anti- Cont'd.
venenian *Med.*
venereal *Ther.*
venomous *Med.*
vermicular *Med.*
vibrational
vivisection(ist
warlike
wit
xerophthalmic *Chem.*
zym(ot)ic *Med.*
-antibody *Biochem.*
auto met
-antigen *Biochem.*
cocto entero prote
-antipyrin *Chem. Med.*
chlor dichloral iod iso- (nitroso) methyl mono- chlor
-antitoxin *Chem. Med.*
auto endo thyr(e)o
autoanticoherer *Elec.*
autoanticomplement
cryptantigenic *Biochem.*
diplantidian *Astron.*
geanticline -al *Geol.*
iconantidyptic *Optics*
iodantifebrin *Mat. Med.*
neoantiluetin *Chem. Med.*
nonantigenic *Biochem.*
phenantipyrine *Chem.*
preantiseptic *Med.*
proantithrombin *Chem.*
synanticryptic *Biol. Phil.*
ἀντιάς tonsil
antiaditis *Path.*
antiotomy *Surg.*
ἀντιβάκχειος (Terent.)
antibacchius -ic *Pros.*
Ἀντίγονος Antigonus
Antigonia -idae *Ich.*
ἀντιγραφή plea
antigraph(y *Law*
ἀντίγραφον transcript
dysantigraphia *Ps. Path.*
ἀντιδάκτυλος anapaest
antidactyl *Pros.*
Ἀντιδικομαριανῖται (Epiph.)
Antidicomarian(ite *Eccl.*
ἀντίδοτον (Diosc.)
antidote
-al(ly -arium -ary -ical- (ly -ism
thermantidote
ἀντίδωρον the blessed bread
antidoron *Gr. Ch.*
ἀντίθεσις (Arist.)
antithesis *Logic Rhet.*
-ist(ic -ize(r
ἀντιθετικός (Sext. Emp.)
antithetic(al(ly *Logic Rhet.*
ἀντίθετον an antithesis
antithet(on *Rhet.*
ἀντίθημα
antithema *Gr. Arch.*
ἀντικάρδιον (Poll.)
anticardium -iac *Anat.*
ἀντικνήμιον (Arist.)
anticnemion *Anat.*
ἀντιλεγόμενα the doubtful books of the N. T.
antilegomena *Eccl. Hist.*
ἀντιληπτικός (Plutarch)
antileptic *Med.*
ἀντίληψις reciprocation
antilepsis *Med.*
ἀντιλόβιον (Poll.)
antilobium *Anat.*
ἀντιλογία contradiction
antilogia *Med.*

antilogy *Logic*
ἀντίλογος reverse
antilogous -ue *Elec.*
ἀντιμετάθεσις counterchange
antimetathesis *Rhet.*
antimetathetic *Rhet.*
ἀντίμορος corresponding
antimoros *Gr. Arch.*
ἀντινομία a legal ambiguity
antinomy *Law Logic*
-e -ic(al
Ἀντινόος Hadrian's youth
Antinous *Astron.*
ἀντίος opposite
antiopelmous *Ornith.*
Ἀντίοχος Antioch
antioch *Med.*
Antiochene *Eccl. Hist.*
Antiochian(ism *Eccl. Hist.*
ἀντιπάθεια (Plutarch)
antipathy
-etic(al(ly -eticalness
-ic -ist -ize -ous
ἀντιπαθές a black coral (Diosc.)
Antipathes(ia(n *Zooph.*
Antipathian -idae *Zooph.*
ἀντιπαραγραφή
antiparagraphe *Gr. Law*
ἀντίπασχα (Porph.)
antipasch *Eccl.*
ἀντιπερίστασις reciprocal replacement
antiperistasis *Psych. Rhet.*
antiperistatic(al(ly
ἀντίποδες Pl. of ἀντιπούς with the feet opposite (Strabo)
antipodal *Bot. Geog. Math.*
antipodes
-ean -ic(al -ism -ist
ἀντίπτωσις (Schol. Eur.)
antiptosis *Gram.*
ἀντίρριννον (Theophr.)
Antirrhinum *Bot.*
ἀντίσκιον whose shadow is cast in an opposite direction (Achill. Tat.)
antiscii -ian(s
(contr)antiscion *Astrol.*
ἀντίσπασις (Hipp.)
antispasis *Path.*
ἀντισπαστικός (Arist.) (Heph.)
antispastic *Med. & Pros.*
ἀντίσπαστος (Drac.)
antispast(us *Anc. Pros.*
ἀντίστασις (Hermog.)
antistasis *Rhet.*
ἀντιστροφή (Dion. H.)
antistrophe *Rhet.*
-al -ic(ally -ize
ἀντιστροφός (Aristid. Q.)
antistrophon *Rhet.*
Ἀντιτάκται (Clem. A.)
Antitactae *or* -es *Eccl. Hist.*
ἀντίτραγος (Aretae.)
antitragus *Anat.*
-al -ic(us
ἀντιτυπία (Dion. H.)
(aut)antitypy *Metaph.*
ἀντίτυπον image (Iren.)

antitype *Biol. Theol.*
-al -ic(al(ly -ous
photantitypimeter *Phys.*
ἀντίφρασις (Athen.)
antiphrasis *Rhet.*
ἀντιφραστικός (as adv. Eudoc.)
antiphrastic(al(ly *Rhet.*
ἀντίφωνον (Pallad.)
anthem(wise
antiphon *Eccl.*
al(ly ar(y e er etic ic(al(ly on y
ἀντίχειρ thumb (Plut.)
anticheir *Anat.*
anticherotonus *Med.*
ἀντίχθων (Arist.)
antichthon *Pythag. Phil.*
ἀντίχρησις (Pseudo-Tryph.)
antichresis *Byz. Law*
antichretic *Byz. Law*
ἀντιχριστιανός
antichristian *Bible*
ἀντίχριστος (N.T.)
Antichrist *Bible*
subantichrist
ἀντλία a ship's hold
Antlia *Astron.*
anthia -iate *Zool.*
Anthiata
ἄντοικοι (Plutarch)
antoeci *Cl. Ant.*
ant(o)ecian(s
ἀντονομασία (Tryph.)
antonomasia -y *Rhet.*
antonomastic(al(ly
ἀντρο- Comb. of ἄντρον
antro-
cele *Path.*
nasal *Anat.*
phore *Surg.*
phose *Ophth.*
phyum *Bot.*
scope *Med. App.*
scopy *Med.*
Antrostomus *Ornith.*
tome *Surg. App.*
tomy *Surg.*
tympanic *Anat.*
tympanitis *Path.*
zoous *Zool.*
atticoantrotomy *Surg.*
ἄντρον a cave
antral
-antralgia *Path.*
geny metop
antrectomy *Surg.*
antritis *Path.*
-antritis *Path.*
geny metop oto prosop rhino siag(on)
antrum *Anat.*
antrum *Anat.*
geny hyp metop zyg
ἄντυξ chariot roll
antyx *Gr. Ant.*
ἄνυδρος waterless
anhydr- *Chem.*
ate ation ic id(e idization ization ize ose ous
anhydrite *Min.*
-anhydride *Chem.*
chlor di(azo) eso photo
anhydro-
biotite *Min.*
brasilic *Org. Chem.*
chromic
colloid *Chem.*
gitaligenin *Org. Chem.*
gitation *Org. Chem.*
glucose *Org. Chem.*

anhydro- Cont'd.
kainite *Org. Chem.*
muscovite *Min.*
dianhydro- *Chem.*
ferroanhydric *Chem.*
metanhydrite *Min.*
ἄνω upward
ano-
bium *Ent.*
carpous *Bot.*
cathartic *Med.*
chromasia *Biochem.*
cladous *Bot.*
derm *Bot.*
gen(e ic *Bot.*
genic *Petrol.*
lyte -ic *Phys. Chem.*
morphites *Pal.*
opsia *Ophth.*
phoria *Ophth.*
phyte -a *Bot.*
stoma *Gastrop.*
stominae *Ich.*
tropia *Ophth.*
Opsanus *Ich.*
pyranometer *Phys.*
ἀνωδυνία (Plutarch)
anodynia *Med.*
ἀνώδυνος allaying pain
anodyne *Med.*
-in -ous
chlor(an)odyne *Mat. Med.*
phenandyne *Mat. Med.*
ἀνωμαλία irregularity
anomaly
isanomaly
ἀνώμαλος irregular
anomal *Gram.*
anomal-
a(e idae *Conch. Ent.*
ism ist(ic(al(ly *Philol.*
oecious *Bot.*
onyx *Ent.*
opia *Ophth.*
ops *Ich.*
opid(ae opoid
ure -us *Mam.*
-id(ae -oid
anomali-
florous *Bot.*
ped(e pod *Ornith.*
anomalo-
cephalus *Med.*
cladina *Spong.*
crinus *Echin.*
-id(ae -oid
cystidae -ites *Pal.*
desmacea(n -ous *Conch.*
filicites *Pal.*
florous *Bot.*
fusus *Pal.*
gonatae -ous *Ornith.*
pteryx *Pal.*
rhiza *Zooph.*
scope *Ophth.*
sipho *Pal.*
trophy *Med.*
anomalogy *Med.*
Anomalon *Ent.*
anomalous(ly -ness
Anomalurus -e -(id(ae -oid *Mam.*
anomalus *Anat.*
basanomelan *Min.*
deuteranomalopsis *Ophth.*
isanomal(ous *Meteor.*
protanomalopia *Ophth.*
ἄνωμος shoulderless
Anomaspis *Pal.*
Anomocystis *Pal.*
ἀνώνυμος without name

anonym *Lit. Zool.*
al e (os)ity
anonyma *Anat.*
anonymous(ly ness
anonymuncule *Lit.*
ἀνωφελής hurtful
anophele(s -inae *Ent.*
anophelicide *Med.*
anophelifuge *Med.*
anopheline *Med.*
anophelism *Med.*
ἀνώφορος bearing upward
anophorite *Min.*
ἄξια value
chronaxia *Elec.*
chronaximeter *Med. App.*
ἀξεστός uncouth
Axestomys *Pal.*
ἀξίνη axe-head
Axinella -id(ae *Spong.*
axiniform
-axinite *Min.*
ferro magnesium mangan(a)
ἀξινο- Comb. of ἀξίνη
axino-
metry *Math.*
ἀξινομαντεία (Pliny)
axinomancy
ἀξιο- Comb. of ἄξιος worthy
axio-
lite -ic *Petrol.*
meter *Naut. App.*
podium *Zool.*
scotic *Photog.*
ἀξιόλογος notable
axiological
ἀξιοπιστία (Diod.)
axiopisty
ἀξιόπιστος trustworthy
axiopistical *Obs.*
ἀξίωμα (Arist.)
axiom
axiomatization
ἀξιωματικός (Sext. Emp.)
axiomatic(al(ly
ἄξυρος uncut
Axyra *Ent.*
Axyrostola *Ent.*
ἄξων axis
anaxone -ia(n *Biol.*
axode *Math.*
axo-
dendrite *Anat.*
fugal *Neurol.*
gamy -ic *Bot.*
lemma *Neurol.*
lysis *Neurol.*
meter metric *Ophth.*
neme
neure -on *Neurol.*
petal *Anat.*
phyte *Bot.*
plasm *Neurol.*
podium *Prot.*
spermous *Bot.*
spongium *Spong.*
tomous *Crystal.*
axon(e al *Anat.*
axon-
ia(l *Biol.*
ost *Ich.*
-axon *Med.*
dendr di in neur schiz
-axon *Spong.*
di hex pedin poly spir tetr tri
axono-
lipa -ous *Pal.*
meter *Med. App.*

axono- Cont'd.
metry -ic *Math.*
phora -ous *Pal.*
phyte *Bot.*
Cyathaxonia *Zooph.*
-idae -iid(ae -ioid
centraxonia(l *Biol*
diaxonal *Neurol. Sponges*
endaxoneuron *Neurol.*
gymnaxony *Bot.*
Heptaxodon *Pal.*
heteraxon *Pal.*
Homaxonia(l -ic *Morph.*
mesaxonic *Biol.*
monaxon(a *Sponges*
-(i)al -id(a(n -idae
monaxonic *Biol.*
paraxon(ic *Zoöl.*
periaxonal *Anat.*
Platyaxum *Pal.*
Podaxineae *Bot.*
Podaxon(aceae *Fungi*
Podaxonia(l *Zoöl.*
polyaxonic *Neurol.*
Protaxocrinus *Pal.*
Protaxonia(l *Morph.*
stauraxonia(l *Biol.*
Tetraxonia(n -id(a *Spong.*
Triaxonia(n -id *Spong.*
ἀοριστικός (Gaza)
aoristic(ally *Gram.*
ἀόριστος (Drac.)
aorist *Gram.*
ἄοσμος without smell
aosmic *Med.*
ἀορτή (Arist.)
aorta(l -ic *Anat.*
aortarctia *Physiol.*
ectasis -ia *Med.*
-aortic *Anat.*
end lumbo peri pre pulvono
aortico- *Anat.*
renal
aortism(us *Med.*
aortitis *Path.*
-aortitis *Path.*
end(o) mes peri
aorto-
lith *Med.*
malacia *Med.*
ptosis *or* -ia *Med.*
rrhaphy *Surg.*
stenosis *Med.*
tomy *Surg.*
thoracaorta *Anat.*
ἀπ- Comb. of ἀπό
ap-
aconitin *Tox.*
aerotaxis *Bot.*
allagin *Mat. Med.*
andria *Ps. Path.*
andry -ous *Bot.*
arthrodial *Anat. Surg.*
arthrosis *Anat. Surg.*
astron *Astron.*
atropin *Tox.*
enteric *Anat.*
haptotropism *Bot.*
helion -ian *Astron.*
heliotoprism *Bot.*
-ic(ally
hercotropism *Bot.*
hydrotaxis *Bot.*
hydrotropic -ism *Bot.*
obsidian *Petrol.*
osmotaxis *Bot. Chem.*
ἀπαγωγή (Arist.)
apagoge *Logic Math.*
-ic(al(ly -y
ἀπαγωγός diverting
hypnagogue *Med.*
hypnapagogic
ἀπάθεια (Arist.)

apathy
-etic(al(ly -ist(al -istical -ize
stomapathia *Path.*
ἀπαθής not sensing
apathic
ἀπαλο- Comb. of ἀπαλός
hapalo-
chrus *Ent.*
crex *Ent.*
dectes *Pal.*
derma *Ornith.*
pteroidea *Pal.*
ptyx *Crust.*
rhynchus *Helm.*
ἀπαλός soft, tender
Hapale -id(ae -oid *Mam.*
hapalonychia *Path.*
Hapalonychus *Ent.*
hapalote & -otis *Ent.*
Hapalus *Ent.*
ἀπανθρωπία (Hipp.)
apanthropy -ia *Psych.*
ἅπαξ once
apagynous *Bot.*
hapaxanthic -ous *Bot.*
ἀπάρθρωσις (Galen)
aparthrosis *Anat.*
-odial
ἀπαρίθμησις recounting
aparithmesis *Logic Rhet.*
ἀπάτη guile
apate-
mys -ydiae *Pal.*
odus *Pal.*
apatite *Min.*
-apatite *Min.*
cal carbonate chlor cupro fluor(mangan) hydro (hydr)oxy mangan
apato-
bolbina *Pal.*
chilina *Pal.*
saurus *Herp. Pal.*
Apatornis *Ornith. Pal.*
ἀπατηλός deceitful
Apatela(e *Ent.*
apatelite *Min.*
ἀπατητικός fraudulent
apatetic *Zoöl.*
Apateticus *Ent.*
'Απατούρια
Apaturia *Gr. Fest.*
ἀπεικασία representation
apicasy
ἀπείκασμα copy (Plato)
apicasm
ἀπειρία infinity (Arist.)
apeiry *Geom.*
ἄπειρον boundless
apeiron *Phil.*
ἀπέχειν to avoid
metrapectic *Med.*
ἀπεψία indigestion
apepsia *or* -y *Path.*
ἀπήνη a cart, chariot
apena *Gr. Ant.*
ἀπίθανος incredible
Apithanus *Pal.*
ἀπινής clean
apinoid *Med.*
ἀπιοειδής pear-shaped
apioid(al *Geom.*
ἄπιον a pear
apio-
crinus *Echin.*
-id(ae -ite -oid
merus -inae *Ent.*
Apion(inae *Ent.*
Thymapion *Ent.*

ἄπιος distant (Il.)
apio-
cera -idae *Ent.*
soma *Prot.*
sporium *Fungi*
Apios *Bot.*
Ἆπις (Herodotus)
Apis *Egypt. Myth.*
ἄπιστος not trusty
Apistes *Ich.*
ἀπίων not fat
Apionichthys *Ich.*
ἀπλανής fixed
aplano- *Bot.*
gametangium
gamete
plastid
sporangia
spore
-aplanospore
macro micro
macroaplano-
sporangium *Bot.*
ἀπλάνητος that cannot err
aplanetic *Optics*
ἄπλαστος not moulded
aplastic
ἀπλο- Comb. of ἀπλόος
aplo-
cheilus *Ich.*
coela *Helm.*
dinotus -inae *Ich.*
lepideous *Mosses*
pappus *Bot.*
peristomatous *Bot.*
rhinus *Ent.*
taxene *Org. Chem.*
tomy *Surg.*
dihaplophase *Bot.*
haplo-
annellida *Helm.*
bacteria -inae *Bact.*
biont *Bot.*
biotic *Bot.*
cardia -iac *Zool.*
caulous -escent *Bot.*
cephalopora *Pal.*
cerus -ine *Zool.*
cheilus *Ich.*
chila *Ent.*
chiton *Ich.*
id(ae oid
chlamydeous *Bot.*
chromosomes *Bot.*
cnemia *Ent.*
coccus *Prot.*
coela *Helm.*
conus *Pal.*
crinus -idae -oid *Zool.*
cyemate *Embryol.*
cyta *Prot.*
cyte -ic *Bot.*
dema *Ent.*
derm(at)itis *Path.*
derus *Ent.*
dinotus -inae *Ich.*
gamy -ic *Cytol.*
genesis *Bot.*
geneus *Bot.*
glossa *Ent.*
gonidium *Algae*
gonimium *Algae*
graphiaceae *Fungi*
graphy
hedral *Crystal.*
laeneae *Bot.*
laly *Phil.*
lepideous *Bot.*
logy *Phil.*
lophus *Ent.*
meristele -ic *Bot.*
meryx *Pal.*
mitosis *Bot.*
morpha -ic -ous *Ornith.*

haplo- Cont'd.
mycetes -ous *Mycol.*
mylus *Pal.*
pappus *Bot.*
pathy *Med.*
peristomous *Bot.*
petalous *Bot.*
peza *Ent.*
phase *Bot. Cytol.*
phonae -ous *Ornith.*
poda *Pal.*
phyll *Bot.*
podea(n *Crust.*
pus *Ent.*
rhacus *Arach.*
scelis *Ent.*
scleridae *Spong.*
scope -ic *Ps. Phys.*
siphonia -iate *Herp.*
spore *Bot.*
sporidia -ium *Bact.*
stele *Bot.*
stemma *Bot.*
stemonous *Bot.*
stephanous *Bot.*
stethops *Ent.*
stethus *Ent.*
stichous *Bot.*
thorax *Ent.*
thrips *Ent.*
trachelus *Ent.*
trechus *Ent.*
type -ic *Bot.*
voluta *Pal.*
xylic *Bot.*
ἁπλόος single, simple
amphihaplostele *Bot.*
aplite -ic *Petrog.*
Aplodon *Conch.*
Aplodontia -iidae *Mam.*
aplome *Min.*
dihaploid *Bot.*
Haplamaurus *Ent.*
Haplandrus *Ent.*
haplanthe *Bot.*
Haplidia *Ent.*
haplite -ic *Min.*
Haplodes *Ent.*
Haplodon *Mam.*
-ont(ia (i)id(ae (i)oid)
haplodonty *Anat.*
haploid(y *Bot. Cytol.*
haplome -i -ous *Ich.*
haplome -a *Min.*
Haplonycha *Ent.*
haplopia *Ophth.*
Haplopsis *Ent.*
Metoponaplos *Ent.*
synhaploid *Bot.*
ἁπλοτομία an incision
haplotomy *Surg.*
ἀπλυσίας a gray sponge
Aplysia *Conch.*
-iacea -iadae -iid(ae -ioid(ea
aplysiopurpurin *Chem.*
ἀπνεύματος not blown into
apneumatic *Path. Phil.*
apneumatosis *Path.*
ἀπνεύμων without breath
Apneumona *Echin.*
-es -ous
ἄπνευστος breathless
Apneusta *Conch.*
apneustic *Ent.*
ἀπό- from, away
apo-
atropin *Chem.*
biosis -otic *Physiol.*
blast *Embryol.*
blastic *Bot.*
bletes *Ent.*
caffeine
camphane *Org. Chem.*

apo- Cont'd.
carp ous y *Bot.*
center *Biol.*
centric(ally ity
centron -um
ceras
cheilichthys *Ich.*
chemotaxis *Bot.*
chromatic -ism *Optics*
codein(e *Chem.*
comemeter -metry
coptic *Surg.*
crenic *Chem.*
cyanine *Org. Chem.*
cyte -y *Bot.*
cytial *Biol.*
deme *or* -a *Zool.*
-ata(l -atous
dete *Polyps.*
diabolosis
embryony *Embryol.*
galacteum -ic *Astron.*
galvanotaxis *Bot.*
gamy *Biol. Bot.*
-ic -ous(ly
geny -ous
geoaesthetic *Bot.*
geotropism -ic(ally *Bot.*
gestation *Bot.*
glucic *Chem.*
gyny *Physiol.*
harmine *Org. Chem.*
hyal *Ornith.*
hydrotropic *Bot.*
Jove *Astron.*
metabolism *Zool.*
micti(c)al *Bot.*
mixis -ictic *Biol.*
morphin(e *Biol.*
ia ina
myelin *Biochem.*
petalous *Bot.*
phony *Philol.*
phorometer *Chem.*
phototactic *Bot.*
phototaxis *Bot.*
phyllite *Min.*
phyllous *Bot.*
phylactic *Ther.*
phylaxis *Ther.*
phytes -ial *Bot.*
plasmia *Med.*
plasmodial *Bot.*
plastidy *Bot.*
plastogamous
pyle *Spong.*
quinamin(e *Biochem.*
rachial *Bot.*
retin *Chem.*
r(h)ein(e *Org. Chem.*
rhyolite *Petrog.*
rrhoea *Med.*
saturn(ium *Astron.*
schist *Bot.*
sematic(ally *Zool.*
sepalous *Bot.*
sperms *Bot.*
sphaeria *Bot.*
sphaeriose *Phytopath.*
sporogony *Bot.*
spory -ous *Bot.*
strophion *Bot.*
strophization *Bot.*
taximorphosis *Bot.*
thanasia *Med.*
them(e a *Geom. Pharm.*
thermotaxis *Bot.*
theter *Surg. App.*
thigmotaxis *Bot.*
toxin *Biochem.*
tripsis *Ophth.*
tropiac *Gr. Med.*
typic *Biol.*
typose *Bot.*
zymase *Biochem.*

-apogamy *Bot.*
eu parthen pseud semi
-apophyte *Bot.*
chrom leimon
-apophytes *Bot.*
Ergasi ken
diaposematism *Biol.*
euapospory *Bot.*
euporphin *Mat. Med.*
homoapocamphoric
ilioaponeurotic *Anat.*
panapospory *Bot.*
parthenapogamous *Bot.*
pseudaposematic *Biol. Phil.*
pseudoaposematic *Biol.*
Scombraphodon *Pal.*
synaposematic -(ic)ism
ἀποβάτης a leaper from horse to horse
apobates *Gr. Ant.*
ἀποβατικός (Suid.)
apobatic *Bot.*
ἀπόγειον (Ptol.)
apogee *Astron.*
-a(e)ic -eal -ean -eic
ἀπόγραφον a copy (Dion. H.)
apograph(al
ἀποδ- Stem of ἄπους
apod(e *Zool.*
Apoda *Zool.*
-al -an -on
Apodes *Zool, esp. Ich.*
-al -an -on
Apodia *Echin.*
apodial *Bot.*
Apodichthys *Ich.*
Apodina *Conch.*
apodogynous *Bot.*
apodous
ἀποδεικτικός (Arist.)
apod(e)ictic(al(ly *Phil.*
ἀπόδειξις (Arist.)
apod(e)ixis *Logic*
ἀπόδειπνον after-supper
apodeipnon *Eccl.*
ἀποδέρειν to skin
Apoderoceras *Pal.*
ἀπόδερμα a hide stripped off
apoderm *Ent.*
ἀποδημία journey
apodemialgia *Ps. Path.*
ἀποδία want of feet
apodia *Terat.*
ἀποδίωξις expulsion
apodioxis *Rhet.*
ἀπόδοσις a giving back
apodosis *Gram. Gr. Ch.*
ἀποδυτήριον (Xen.)
apodyterium *Gr. Athl.*
ἀπόζεμα a decoction
apozem(e a *Med.*
ἀπόθεσις disposition
apothesine *Mat. Med.*
apothesis *Arch. Eccl. Surg.*
apozemical
ἀποθέωσις deification
apotheose -ize
apotheosis
ἀποθήκη storehouse
apothec(al
apothecary(ship
apothece -ium -ial *Bot.*
pothecary
ἀποικία a colony
apoichia
ἄποικος abroad
apoikogenic *Embryol.*

ἄποιος without attribute
apoious
ἀποκάθαρσις cleansing
apocatharsis *Med.*
ἀποκαθαρτικός (Diosc.)
apocathartic *Med.*
ἀποκαλυπτικός (Clem. Al.)
apocalyptic
al(ly ism
ἀποκάλυψις revelation
apocalyps(e
apocalypt(ist
ἀποκατάστασις recovery
apocatastasis *Astron.* (Plato), *Med.* (Aretae.), *Theol.* (Iren.)
ἀποκαταστατικός (Philo)
apocatastatic *Astron. Med. Theol.*
ἀπόκλεισις a shutting out
enteroapokleisis *Surg.*
ἀποκολοκύντωσις (Dio C.)
apocolocyntosis
ἀποκοπή (Arist.)
apocope *Gram. Surg.*
-ate(d -ation -ic
ἀπόκρεως carnival
apokreos *Gr. Ch.*
ἀποκρισιάριος messenger
apocrisiary -ius *Eccl.*
ἀπόκριτος chosen
Apocrita *Ent.*
ἀποκρουστικός dispellant
apocrustic *Med.*
ἀπόκρυφα (Epiph.)
Apocrypha *Eccl.*
-al(ist -ate -ical -on -ous
apocrypha *Lit.*
-al(ly -alness
ἀπόκυνον dogbane (Diosc.)
apocyn- *Org. Chem.*
amarin (e)in
Apocynum *Bot.*
-aceae -(ac)eous
cymar- *Org. Chem.*
ic in ose
cymarigenin
ἀπολαυστικός given to enjoyment (Arist.)
apolaust(ic(ism *Psych.*
ἀπολέγειν to pick out
apolegamic *Biol.*
Ἀπολλιναριανοί (Greg. Naz.)
Apollinarian *Eccl. Hist.*
ism ist
Ἀπολλύων (N.T.)
Apollyon(ist
Ἀπόλλων in acc. Ἀπόλλω
Apollo *Astron. Ent. Gr. Myth. Sculpture*
-inarian -ine -inic ship
Apollonic -istic
apollonicon *Music.*
Ἀπολλώνια
Apollonia *Gr. Fest.*
Ἀπολλώνιος (Pindar)
Apollonian
Apollonize
Ἀπολλώνιος a Greek writer
Apollonian -ic *Math.*
ἀπολογητικός (Arist.)
apologetic(al(ly
apologetics

unapologetic
ἀπολογία (Thuc.)
antapology
apologia
apology
-er -ete -ic(al -ist -ize(r
ἀπόλογος (Cicero)
apolog(ue *Lit.*
ἀπόλυσις a loosening; dismissal
apolysin *Mat. Med.*
apolysis *Gr. Ch.*
ἀπολυτίκιον a concluding troparion
apolytikion *Gr. Ch.*
ἀπονεύρωσις (Galen)
aponeurosis *Anat.*
-itis iy
aponeuroso- *Med.*
graphy logy tome -y
aponeurotic *Med.*
-aponeurotic *Med.*
ischio sub
ἄπονος idle
aponogeton *Bot.*
aceae aceous
dyaponotocy *Obstet.*
ἀποξεῖν to scrape off
apoxemena *Med.*
apoxesis *Med.*
ἀποξυόμενος scraping
Apoxyomenos *Gr. Ant.*
ἀποπεμπτικός valedictory
apopemptic *Lit.*
ἀποπληκτικός (Arist.)
apoplectic(al(ly *Path.*
-apoplectic
ant(i) post pseudo
ἀπόπληκτος (Hipp.)
apoplectiform *Med.*
apoplectoid *Med.*
ἀποπληξία (Hipp.)
apoplexy *or* -ia *Path.*
-apoplexy
myel par pseudo
ἀπόπτυγμα drapery
apopteggma *Gr. Dress*
ἀπόρημα (Plato)
aporem(e *Rhet.*
ἀπορητικός dubitative
aporetic(al *Phil.*
ἀπορία doubt, straits
aporia *Logic Path. Rhet.*
aporioneurosis *Ps. Path.*
apory
sialaporia *Med.*
ἄπορος without passage
aporo-
branchia *Zool.*
-ian -iata -iate
gamy -ous *Bot.*
poda *Zool.*
aporose -a *Zooph.*
Centraporia *Zool.*
ἀπόρραις "murox"
Aporrhais *Conch.*
-aid(ae -aoid
ἀπόρρηγμα a fragment
aporrhegma *Biochem.*
ἀπόρρυσις a flowing from
Aporrhysa *Spong.*
ἀποσήπομαι lose by rotting
aposepidin *Chem.*
ἀποσιτία (Hipp.)
apositia *or* -y *Path.*
ἀποσιτικός (Hipp.)
apositic *Path.*
ἀποσιώπησις (Quintil.)
aposiopesis *Rhet.*
aposiope(s)tic

ἀπόσταξις drippings
apostaxis *Bot. Path.*
ἀποστασία (Sept.)
apostacy *or* -asy
ἀπόστασις suppuration
apostasis *Bot. Path.*
-apostasis
derm hemat nephr
ἀποστάτης (Herm.)
apostate *Eccl.*
-ism -ize
archapostate
protoapostate
unapostatized
ἀποστατικός (Orig.)
apostatic(al *Eccl.*
ἀπόστημα (Hipp.)
-apostema *Med.*
galact hemat pneum
apostem(e *Med.*
apostemate -ous *Med.*
hematopostema *Med.*
ἀποστηματικός (Orsib.)
apostematic *Med.*
ἀπόστιχον a troparion at close of vespers
apostichon *Gr. Ch.*
ἀποστολικός (Ignat.)
apostolic
al(ly alness ism ity
Apostolici *Eccl. Hist.*
apostolics
postapostolic(al
subapostolic
unapostolic(al(ly
ἀπόστολος (N.T.)
antiapostle
apostle
hood ship
apostolate
apostoless
apostoli *Civil Law*
apostoline
apostolize
archapostle
postle
pseudoapostle
ἀποστροφή (Dion. H.)
apostrophe *Rhet.*
-al -ic -ied -ism -ize -y
ἀπόστροφος (Draco)
apostrophe *Gram.*
'Αποτακτικοί (Epiph.)
Apotactic(al
Apotactici *Eccl. Hist.*
'Αποτακτῖται (Basil)
Apotactite *Eccl. Hist.*
ἀποτέλεσμα influence of the stars (Plut.)
apotelesm *Astrol.*
ἀποτελεσματικός (Ptol.)
apotelesmatic(al *Astrol. Theol.*
ἀποτομή a segment
apotome *or* -y *Math.*
ἀποτρέψις aversion (Hipp.)
apotrepsis *Path.*
ἀποτρόπαιος averting evil
apotropaic *Gr. Ant.*
-aeon -aion
ἀποτροπή a turning away
apotropic -ism *Bot.*
ἀπότροπος turned away
apotropous *Bot.*
ἄπους without feet
apus *Terat.*
Apus *Astron. Ornith.*
Apus *Crust.*
-odid(ae -odoid
Lycapus *Ich.*
-odid(ae

ἀποφαντικός (Arist.)
apophantic *Logic*
ἀπόφασις denial
apophasis *Rhet.*
ἀποφατικός negative
apophatic *Rhet.*
ἀπόφθεγμα (Xen.)
apophthegm
atist atize
Apophthegma *Pal.*
apothem
ἀποφθεγματικός (Plut.)
apo(ph)thegmatic(al(ly
ἀποφλεγματίζειν (Diosc.)
apophlegmatizant *Med.*
ἀποφλεγματικός (Galen)
apophlegmatic(al *Med.*
ἀποφλεγματισμός (Galen)
apophlegmatism *Med.*
ἀποφυγή (Vitruv.)
apophyge -is *Gr. Arch.*
ἀπόφυσις (Hipp.)
-apophysial *Anat.*
cat di ent ep gon h(a)em hydr hyper interzyg met neur par pleur postzyg prezyg pter splanchn zyg
apophysis *Arch. Bot. Geol.*
apophysis *Anat.*
-al -ary -ate -e -eal -ial
-apophysis *Anat.*
an cat cnem di ent ep gon h(a)em hydr hyper met neur par pleur postzyg prezyg prozyg splanchn zyg
apophysitis *Path.*
diapophysical *Anat.*
exapophysatus *Bot.*
metapophyse *Anat.*
parapophysical *Anat.*
ἀποχή quittance (Lucill.)
apocha *Law.*
ἄπρακτος doing nothing
apractic *Ps. Path.*
Apractocleidus *Pal.*
ἀπράξία non-action
apraxia -ic *Ps. Path.*
-apraxia
hemi pseudo
ἀπροσεξία heedlessness
aprosexia *Ps. Path.*
ἀπρόσμικτος solitary
Aprosmictus *Ornith.*
ἀπρόσωπος faceless
aprosopia -ous *Terat,*
ἅπτειν to possess
alcapton(ic -uria *Path.*
alkaptochrome *Biochem.*
alkapton *Biochem.*
Anaptomorphus *Mam.*
-id(ae -oid
aphaptotropism *Bot.*
Diaptosauria(n *Pal.*
haptere -on *Algae*
haptine
hapto-
chlaena *Malac.*
dysphoria
gen(ic *Biochem.*
morphism *Bot.*
phil(e *Bact.*
phor(e -ic -ous *Chem.*
phorica *Med.*
poda *Pal.*
taxis *Bot.*
tropism *Bot.*
zymohaptor *Biochem.*

ἄπτερος wingless
Aptera *Zool.*
-al -an -ous
apteral *Arch.*
apterium *Ornith.*
-ial -ion -oid
apteroid *Aviation*
Apteros *Gr. Ant.*
apterous *Bot.*
Apterura *Crust.*
Aptornis *Ornith.*
Delphinapterus *Mam.*
-inae -ine
Gnathaptera -ous *Ent.*
siphonapter(a -ous *Ent.*
Synaptera -ous *Ent.*
ἀπτέρυγος wingless
Apteryges *Ornith.*
-ia(n -id(ae -inae -oid
Apterygogenea *Ent.*
Palapteryg- *Ornith.*
idae inae ine
ἀπτήν (-ῆνος) wingless
Aptenodytes *Ornith.*
-id(ae -oid
ἀπτικός adj. from ἀπτός
anaptic *Med.*
haptic(al -ics *Psych.*
mitaptic *Cytol.*
zymohaptic *Biochem.*
ἀπτός subject to the sense of touch
Haptoncus *Ent.*
ἀπτύαλος without spittle
aptyalia -ism(us *Path.*
ἄπτωτος indeclinable
aptote *Gram.*
aptotic *Philol.*
ἀπυρεξία (Galen)
apyrexia(l -y *Path.*
ἀπύρετος (Hipp.)
apyretic *Med.*
ἄπυρος fireless
apyrite *Arts*
apyro-
genetic *Med.*
genic *Med.*
type *Print.*
apyrous
ἀπώγων beardless
Apogon *Ich.*
id(ae ina
'Αραβάρχης (Joseph.)
arabarch *Cl. Ant.*
'Αραβία (Herodotus)
Arabia *or* -y
-ian(ize
'Αραβικός (Plut.)
Arabic
al(ly ism ize
Arabici *Eccl. Hist.*
proto-Arabic
'Αράβιος Arabian (Herod.)
arab- *Org Chem.*
an in(e inose inosic ite itol onic
arabinochloralose *Med.*
arabinosuria *Med.*
galactoarab- *Org. Chem.*
an(e inose
metarabic -ate -in *Chem.*
pararabin *Org. Chem.*
ribite *Org. Chem.*
ribosamine *Org. Chem.*
riboside *Org. Chem.*
Syro-Arabian
ἄραδος rumbling
Aradus *Ent.*
-id(ae -oid
ἀραιός lean; not dense
ar(a)eometer *Phys.*

ar(a)eometry -ic(al(ly
ar(a)eopicnometer *Phys.*
ar(a)eosystyle *Arch.*
Arainae *Ornith.*
araiocardia *Med.*
ἀραιόστυλος (Vitruv.)
araeostyle *Arch.*
ἀραιωτικός (Diosc.)
ar(a)eotic *Med.*
ἀρακίδος Gen. of ἀρακίς
arachid(on)ic *Chem.*
ἀρακίς (Galen)
arachic -in(ic *Org. Chem.*
Arachis *Bot.*
conarachin *Biochem.*
triarachin *Org. Chem.*
'Αραμαῖος
Aram(a)ean(ism
Aramaic(ize
'Aram(a)ism
Aramaize
ἀράχνειος of a spider
arachnean
ἀράχνη a spider
arachnactis *Zool.*
Arachne *Gr. Myth.*
arachnid *Zool.*
a(e an -oid(ea(n ous
arachnidium -ial *Zool.*
Arachnites *Bot.*
arachnitis *Path.*
arachnopia *Anat.*
Autarachnae *Arach.*
basiarachnitis *Path.*
duroarachnitis *Path.*
Echinarachnius
Kustarachnae *Pal.*
Pseudarachne -ae
Thalassarachna
ἀράχνιον Dim. of ἀράχνη
Melarachnica *Ent.*
ἀραχνο- Comb. of ἀράχνη
antiarachnolysin *Tox.*
arachno-
campa *Ent.*
dactylia *Med.*
lasma *Pal.*
leter *Ent.*
logy *Zool.*
-ical -ist
lysin *Tox.*
phagous
poda *Crust.*
rhinitis *Path.*
thera *Ornith.*
-inae -ine
ἀραχνοειδής (Galen)
arachnoid *Anat. Bot.*
al eus ism itis
basiarachnoiditis *Path.*
intraarachnoid *Anat.*
pi(a)arachnoid *Anat.*
pi(a)arachnoiditis *Path.*
subarachnoid(al ean
"Αραψ (Strabo)
Arab
arabesque *Arch. Music*
Arabis *Bot.*
Arabism -ist *Philol.*
Arabize
Arabo- *Arch.*
Byzantine Tedesco
'Αρβάκης (Xen., Strabo)
Arbaces *Hist. Lit.*
Arbaces *Echin.*
-ia(dae -id(ae -ioid
ἄρβηλος a rounded knife
arbelon
ἀργᾶς shining
Argas *Arach.*
(ant)id(ae (ant)oid
ἄργεμα = ἄργεμον
argema *Path. Zool.*
ἄργεμον a white ulcer

argemon *Path.*
ἀργεμώνη a poppy (Diosc.)
Argemone *Bot.*
argemony
ἀργής bright
Arges *Ich.*
-id(ae -oid
-arges *Pal.*
Cerat Crasped Eu Hemi Lip
ἀργία inactivity
hepatargy -ia *Med.*
ἄργιλλος white clay
argil *Min.*
argill- *Geol.*
aceous iferous oid ose ous
argillite -ic *Petrog.*
-argyllite
hydr pyr
argillo *Trade*
argillo- *Geol.*
arenaceous calcareous calcite ferruginous magnesian phyre
calcareoargillaceous
polyargite *Min.*
'Αργιοπή a nymph
Argiope *Crust.*
'Αργολικός (Plutarch)
Argolic *Geog.*
ἀργο- Comb. of ἀργός passive
argo-
taxis *Bot.*
zoum *Pal.*
'Αργολίς (-ίδος) (Herod.)
Argolian *Geog.*
Argolid *Geog.*
ἀργόν Neut. of ἀργός passive
argon *Chem.*
metargon *Chem.*
'Αργοναύτης
Argonaut(ic *Myth.*
argonaut(a *Conch.*
id(ae oid
ἀργός white
argenus *Biochem.*
argin- *Biochem.*
ase in(e
ἀργός passive
argamblyopia *Ophth.*
"Αργος Argos
Argulus *Ich.*
-id(ae -inae -ine -oid
-id(ae -inae -ine -oid
Argus *Myth. Ornith.*
Argus-eyed
Argusianus *Ent.*
ἀργυράσπιδες silver-shielded
argyraspid(es *Gr. Mil.*
ἀργύρεος silvered
Lepargyrea *Bot.*
ἀργυρικός of silver
argyric *Chem.*
ἀργυρίτης of silver
argyrite *Min.*
-argyrite *Min.*
arsenomi brom cer cuproid(o) hyp iod iod(o)hydr mi plen poly pyr
bromyrite *Min.*
ἀργυρο- Comb. of ἄργυρος
argyro-
cephalous
ceratite *Min.*
chlamys *Ent.*
cnemis *Ent.*
metra *Echin.*

argyro- Cont'd.
neta *Arach.*
pelecus -inae
phyllous *Bot.*
pyrite *Min.*
somus *Ich.*
ἄργυρος silver
alargan *Alloys* (*T.N.*)
argonin *Chem.*
argyr-
aesin *Chem.*
anth(em) ous *Bot.*
ol (*T.N.*)
ose *Min.*
ia *Med.*
-iasis -in -ism -ized -osis
argyrythrose *Min.*
collargol *Chem.*
decargyrus *Numism.*
dipropylargyl(ate *Chem.*
ichthargan *Chem.*
ichthargol *Mat. Med.*
iodargyr *Mat. Med.*
iodyrite *Min.*
lepargylic *Chem.*
levulargyre *Mat. Med.*
lysargin *Mat. Med.*
Mimargyra *Ent.*
propargyl *Org. Chem.*
amine ate ic
protargol *Chem* (*T.N.*)
ἀργυρώδης rich in silver
argyrodite *Min.*
"Αργω fr. ἀργός swift
Argean *Astron. Hist. Myth.*
Argo-oan *Astron. Hist. Myth.*
Argonian *Astron.*
ἄρδειν to sprinkle
Ardella *Lichens*
ardion -ium *Bot.*
ἄρδις arrow point
ardisia -iad *Bot.*
'Αρέθουσα a nymph
Areth(o)usa *Bot. Geog. Myth. Zool.*
Arethusina *Arthrop.*
"Αρειος fr. "Αρης
Arean *Astron.*
Arius *Ich.*
-iina(e -iine -ioid
'Αρεο- Comb. of "Αρειος
areo-
centric *Astron.*
grapher *Astron.*
graphy -ic(al(ly
logy
-ic(al(ly -ist *Astron.*
psammus *Pal.*
tectonics *Mil.*
trachelus *Crust.*
'Αρεοπαγίτης (Aeschin.)
Areopagite
'Αρειόπαγος (Lob. Phryn.)
Areopagist
Areopagus
'Αρεοπαγιτικός (Strabo)
Areopagitic(al
ἀρεταλογία (Sept.)
aretology *Phil.* (*Obs.*)
ἀρετή excellence
Ampharete *Helm.*
-ea -id(ae -oid
Arete *Lit.*
aretaics *Phil.*
"Αρης = L. Mars
Antares -ian *Astron.*
Ares *Astron. Myth.*
periareum *Astron.*
ἀρθρέμβολα (Galen)
arthrembolus *Surg.*

ἀρθριτικός (Hipp.)
arthritic(al *Path.*
arthriticin(e *Mat. Med.*
-arthritic
holo meta osteo poly
neuroarthritism *Path.*
polyarthritous *Path.*
ἀρθρῖτις gout (Hipp.)
ant(i)arthritic *Ther.*
arthrifuge *Ther.*
arthritis *Path.*
-ide -ism
-arthritis *Path.*
acro am chir cleid cox dys en gastro holo hyposiagon medullo mon navicul olecran om osphy osteo pan peri phalang pod poly pseud rheum spondyl u ur
ἀρθρο- Comb. of ἄρθρον
Adelarthrosomata -ous
anarthropod(a -ous *Zool.*
Anarthropteri -ous *Ich.*
Archarthropterus *Ent.*
arthro-
bacterium *Bot.*
branch(ia *Crust.*
cace *Path.*
cacology *Path.*
cele *Med.*
chondritis *Path.*
clasia *Med.*
clema *Protozoa*
clisis *Med.*
crina *Echin.*
dactylous *Bot.*
derm *Zool.*
desis *or* -ia *Surg.*
dira(n -ous *Ich. Pal.*
empyema *Path.*
empyesis *Path.*
gastra(n -es *Arach.*
genous *Med.*
gnatha *Ich. Pal.*
gonin *Prop. Rem.*
graphy *Anat.*
gryposis *Path.*
lite *Geol.*
lith *Path.*
lithiasis *Path.*
logy *Anat. Signs*
lycosa *Arach.*
meningitis *Path.*
mere -ic *Zool.*
meter *Med. App.*
metry *Med.*
mysis *Crust.*
neuralgia *Path.*
pathology *Med.*
pathy -ic *Path.*
phallus *Ich.*
phragm *Anat.*
phyma *Path.*
phyte *Med.*
plasty -ic *Surg.*
pleure *or* -a *Crust. Pal.*
pod *Zool.*
-a(l -an -ous
poma(ta -atous *Conch.*
pteropsis *Ent.*
pterus *Ent.*
-id(ae -oid -ous
pyosis *Path.*
rachinae *Pal.*
rheumatism *Path.*
spore *Bact. Bot.*
-ic -ous
sterigma *Surg.*
stome *Zool.*
stomy *Surg.*
stylus -idae *Bryozoa*
synovitis *Path.*
tome *Surg. App.*
tomy *Surg.*

arthro- Cont'd.
tropic *Med.*
typhoid *Path.*
xesis *Surg.*
zoa -ic *Zool.*
-arthrocace *Path.*
chondr cox gon olecran pod spondyl
-arthrocacy *Path.*
olecran om paed
-arthrodactylous *Bot.*
an di mon poly
-arthropathy *Path.*
cox neur olecran osteo
diarthromere -ic *Anat.*
Diarthropus *Crust.*
gonarthro-
meningitis *Path.*
tomy *Surg.*
Hectarthropus *Crust.*
-idae -odid(ae -odoid
oste(o)arthrotomy
osteoarthropathic
Peltarthropterus *Ent.*
Pentarthrocis *Ent.*
Proarthropoda *Pal.*
stereoarthrolysis *Surg.*
synarthrophysis *Med.*
ἄρθρον a joint
Adelarthra *Ent.*
antiarthrin *T.N.*
arthr-
agra *Path.*
al *Anat.*
algia -ic *Path.*
asteridae & -inae *Pal.*
ectomy *Surg.*
empyesis *Med.*
esthesia *Med.*
ium *Ent.*
odynia -ic *Path.*
on *Anat.*
oncus *Path.*
osteitis *Path.*
osteopedic *Anat.*
ostraca(n -ous *Crust.*
ous
bradyarthria *Path.*
Condylarthra(n -ous
diarthric *Anat.*
Diplarthra -ous *Mam.*
diplarthry *or* ism -ous
dysarthria -ic *Path.*
Elachistarthron *Ent.*
Ennearthron *Ent.*
entarthrotic *Anat.*
Gymnarthrus *Pal.*
h(a)emarthrus -osis
Hectarthrum *Ent.*
hydrarthrus *Path.*
Hysterarthron *Ent.*
Ischnarthron *Ent.*
loxarthron(us *Med.*
monarthric(al *Anat.*
Nomarthra(l *Mam.*
Olistherarthrus *Ent.*
Opistharthri -ous *Ich.*
pararthria *Path.*
planarthragia *Path.*
pleurarthron
podarthral *Ornith.*
podarthrum *Ornith.*
polyarthric *Med.*
polyarthron *Ent.*
polyarthrous *Zool.*
Proarthri -ous *Ich.*
Protarthraster *Pal.*
idae inae
Tanarthrus *Ent.*
Triarthrus *Crust.*
Xenarthra(l -ous *Ent. Ich.*
xenarthral *Mam.*
ἀρθρωδία (Galen)
arthrodia *Anat.*
-ial -ic

-arthrodia
en ginglym(o) syn
-arthrodial
amphi cycl di en syn
synarthrodially
ἄρθρωσις a jointing
arthrosis *or* -ia *Anat. Path.*
-arthrosis
ab amphi cochle condyl cycl cylindr dys hemi hydr ne(o) peron pneum pseud(o) py rheum
ἄρθω, error for ἄρδω
Arthonia *Bot.*
arthon(i)oid *Bot.*
arthoniomorphic *Bot.*
ἀριήλ hero
Ariel *Astron. Myth.*
ἀριθμητική (Plato)
arithmetic
al(ly ian ize
arithmetico-
geometrical
arithmetize(r -ation
contrarithmetical
politicoarithmetical
ἀριθμός number
anarithmia *Ps. Path.*
arith-
machine -ist
mancy
mantical
mechanical
mic
arithmo- *Combin.*
cracy cratic
gram graph(y
logy -cial
mancy
mania
mechanics
meter
planimeter
type
autarith *Mech.*
delogarize *Math.*
logarism *Obs.*
logarithm *Math.*
al (et)ic(al(ly
-logarithm *Math.*
anti co meso
logarith(mo)mancy
logarithmotechny
panarithmology
stratarithmetry *Mil.*
'Αριμασποί (Herod.)
Arimasp(ian *Archaeol. Myth.*
-άριον Dim. suffix
-aria(n Usually fr. L.
-arion
-arium Usually fr. L.
Cnidaria(n *Zooph.*
orpharion *Music*
"Αριος an Alexandrian presbyter
Arian *Theol.*
ism istic(al ize(r
ἄρις arum (Galen)
Arisaema *Bot.*
ἀρισταρχία Byz.
aristarchy *Pol.*
'Αρίσταρχος an Alexandrian grammarian
Aristarch(ian *Rhet.*
'Αρίστιππος (Xen.)
Aristippus *Obs.*
ἀριστερός left (hand)
aristostylous *Bot.*
Megaristerus *Ent.*

ἀριστο- Comb. of ἄριστος
aristo-
chin *Org. Chem.*
(chin)cona *Org. Chem.*
cystidae & -ites
democracy
democratical
gen *Photog.*
saurus *Herp. Pal.*
type *Photog.*
ἀριστοκρατ- stem
antiaristocrat
aristocrat
-an ism ize
ἀριστοκρατία (Thuc.)
aristocracy
chrysoaristocracy
ἀριστοκρατικός (Plato)
antiaristocratic
aristocratic
al(ly alness ism ness
monarchico-
aristocratical
ἀριστολοχία (Theophr.)
Aristolochia *Bot.*
-iaceae -iaceous -iales
aristolochine *Org. Chem.*
ἄριστον luncheon
aristology
-ical ist
ἄριστος best, noblest
aristol(ic *Chem. Surg.*
'Αριστοτέλειος (Cicero)
Aristotelean
Aristotelian(ism
Aristotelism -ize
pseudo-Aristotelian
'Αριστοτελικός (Luc.)
Aristotelic(al
'Αριστοφάνειος (Dion. H.)
Aristophanic *Lit.*
'Αρίων a Lesbian poet
Arion *Conch.*
id(ae inae oid
'Αρκαδία (Iliad)
Arcadia
-ian(ism -ianly
Arcadianism *Hist. Lit.*
'Αρκαδικός (Menand.)
Arcadic
ἄρκευθος (Theophr.)
Arceuthobium *Bot.*
ἀρκτικός (Arist.)
arctic
ian ize ward
Arctica *Pelec.*
Arcticoceras *Malac.*
Arctictreta *Pal.*
-arctic *Ecol. Geog.*
enne hol ne(o) pal(a)e peri super tri
Nearctica
ἄρκτιον a plant (Diosc.)
Arctium *Bot.*
ἀρκτο- Comb. of ἄρκτος
arcto-
cebus *Mam.*
cephalus *Mam.*
ceratinae *Pal.*
cyon *Mam. Pal.*
-id(ae -oid
dendron *Pal.*
gaea *Zoogeog.*
-aeal -aean -aeic
gnathus *Pal.*
mys *Mam.*
-yinae -yine
pithecus -ini *Zool.*
staphylos -us -etum
stylops *Pal.*
suchus *Pal.*
therium *Pal.*

arktogene *Geol.*
Dinarctotherium *Pal.*
cynarctomachy
Palaearctomys *Pal.*
Plesiarctomys *Pal.*
ἄρκτος the bear; the North; Ursa Major
Arctalia(n *Zoogeog.*
arctalpine *Bot.*
Arctamerican *Zoogeog.*
Arctatlantis *Zoogeog.*
Arctia -ian *Ent.*
-iid(ae -iinae -ioid
Arctitis *Mam.*
-idinae -idine
Arctirenia *Zoogeog.*
Arctisca(n *Arach.*
Arctiscon *Arach.*
-id(ae -oid
Arctops *Pal.*
Arctopsis *Crust.*
Arctos *Astron.*
Arctotis
Cynarctus *Pal.*
Hyaenarctos *Mam. Pal.*
-idae -inae -ine
Indarctos *Pal.*
Palaearctonyx *Pal.*
Pandarctus *Zoöl.*
Pararctalia(n *Zoogeog.*
Phascolarctos *Mam.*
-id(ae -inae -in(e -oid
Thalassarctos -ine *Mam.*
Themarctos *Mam.*
Ἀρκτοῦρος (Hesiod)
Arcturus -ian *Astron.*
Arcturus *Crust.*
-id(ae -oid
ἄρκυς net
amph(i)arkyo-
-chrome *Cytol. Neurol.*
Arcys *Arach.*
-yid(ae -yoid
arkyo-
chroma *Neurol.*
stichochrome *Neurol.*
enarkyochrome *Neurol.*
ἅρμαλα a wild rue (Diosc.)
harmala *Bot.*
harmalin(e *Org. Chem.*
harmel *Bot.*
harmin(e -ic *Org. Chem.*
harmol(ic *Org. Chem.*
ἁρμάμαξα covered wagon
harmamaxa *Gr. Ant.*
ἁρμάτιον Dim. of ἅρμα a chariot
Harmatelia *Ent.*
Ἀρμενιακός (Strabo)
Armeniac *Obs.*
Armeniaca *Bot.*
-aceous *Bot.*
Ἀρμενικός
Armenic
Ἀρμένιος (Herod.)
Armenian(ize
Armenioid *Anthrop.*
ἁρμο- Comb. of ἁρμός
harmo-
gaster *Ent.*
phorus *Ent.*
tome *Min.*
-ic -ite
ἁρμογή junction
harmoge *Obs.*
ἁρμόζειν to join
harmozone *Physiol.*
ἁρμονία orig., a means of joining
disharmony
-ism -ize
epharmony -ic -ism *Ecol.*
harmonia
-iacal -ial -ian
harmonichord *Music*
Harmonite *Eccl. Hist.*
harmonograph
harmonometer
harmony
-ist(ic -ization -ize(r
inharmony
panharmony
reharmonize
telharmony
unharmony -ize
ἁρμονικά music (Plato)
harmonica *Music*
-harmonica
pan phys xyl
ἁρμονικόν Neut. of ἁρμονικός
harmonicon
pamharmonicon *Music*
ἁρμονική (Arist.)
harmonics *Music*
ἁρμονικός musical; suitable
harmonic
al(ly alness ian ism
-harmonic(al *Math.*
an equi(an) syn
-harmonic
contra dis eu in pan phil un
-harmonical
contra dis in
-harmonically
contra equi(an)
ἁρμόνιον Neut. of ἁρμόνιος
harmonean
harmonium(ist *Music*
telharmonium
ἁρμόνιος orig., fitting
disharmonious
harmonious(ly -ness
inharmonious(ly -ness
unharmonious(ly
ἁρμός a joining
hydroharmose *Bot.*
kaliharmotom
photoharmose *Bot.*
ἅρμοσις adapting
epharmosis & -otic *Ecol.*
harmosis *Bot.*
ἁρμοστής (Thuc.)
harmost(y *Gr. Pol.*
Metharmostis *Ent.*
ἁρμόσυνος = ἁρμοστής
harmosyn *Obs.*
ἀρνίον Dim. of ἀρνός
Arnioceratoides *Malac.*
ἀρνο- Comb. of ἀρνάς sheep
arno-
glossus *Ich.*
gnathus *Pal.*
ἄρον wake-robin (Arist.)
aral(es *Bot.* (*Obs.*)
Araceae -eous *Bot.*
Aralia *Bot.*
-iaceae -iaceous -iad
Araliaecarpum *Pal.*
Araliopsiodes *Pal.*
aroid *Bot.*
eae eous es
Arum *Bot.*
ἀρόω plow, sow
Stenarosaurus *Pal.*
ἁρπαγη a hook
Harpagifer *Ich.*
id(ae oid
Harpago -idae *Ent.*
Harpagodes *Zool.*
harpagon
harpagophytum *Bot.*
Tetrapages *Ent.*
ἁρπακτήρ a robber
Harpacterus *Ent.*
harpactor(ides *Ent.*
ἁρπακτικός thievish
Harpacticus *Crust.*
-id(ae -oid
ἁρπαλέος greedy
Harpales -us *Ent.*
-idae -inae -ine
ἅρπαξ (-αγος) robber
-harpages *Ornith*
Hemero Necro Nyct Sapro
Harpagornis *Ornith*
Harpax *Pal.*
Phylloharpax *Ent.*
ἅρπη hook
Diploharpus *Ent.*
Eoharpes *Pal.*
harpe *Ent. Myth.*
harpid(ae -oid *Conch.*
Harpina *Ent.*
Harpiphorus *Ent.*
?harpoon(er eer
Harporhyncus *Ornith.*
Harposcelis *Ent.*
Harpostomus *Ent.*
Mesopanorpa *Pal.*
ἅρπυιαι (Od.)
harpy *Myth.*
Harpyia *Ornith. Zool.*
Xantharpyia *Mam.*
ἄρραφος seamless
araph(or)ostic *Dress.*
arr(h)aphostic
ἀρρενο- Comb. of ἄρρην
arrheno-
karyon *Cytol.*
plasm *Biol.*
ἀρρενοτόκος bearing males
arr(h)enotokous -y *Biol.*
ἀρρεψιά absence of bias
arrepsia *Psych.*
ἀρρήμων silent
Arrhemon(inae *Ornith.*
Buarrhemon *Ornith.*
ἄρρην male
arheol *Prop. Rem.*
-arinus *Bot.*
dec di dodec enne hept hex mon oct pent poly tetr tri
arrhenite *Min.*
arrhenoid *Embryol.*
holarrhenin(e *Tox.*
pseudarrhenia *Med.*
sapoarrenaterin *Chem.*
ἄρρητος inexpressible
Arretotherium *Pal.*
Ἀρρηφορία (Schol. Ar.)
arr(h)ephoria *Gr. Fest.*
Ἀρρηφόροι (Paus.)
arrephori *Gr. Ritual*
arr(h)ephore *Gr. Ritual*
ἄρριν noseless
Arrhina -ine *Ich. Pal.*
arrhinencephalia *Terat.*
arrhinia *Terat.*
ἄρριζος not rooted
a(r)rhizous -al *Bot.*
ἀρρυθμία (Plato)
arrhythmia -y *Path.Pros.*
ἄρρυθμος without rhythm
arrhythmous *Med.*
-ic(al(ly
ἀρσενικόν yellow orpiment (not arsenic)
antiarsenin *Biochem.*
armangite
ars-
anilic *Org. Chem.*
anthracene *Chem.*
anthrene -ic *Chem.*
phenamin(e -ize *Med.*
yl(ene *Org. Chem.*
arsedin(e *Chem.*
arsen- *Chem.*
ate ation dimethyl et(t)ed iate(d id(e idine ious ium (i)uret (i)uret(t)ed ole olidine ous oxid(e yl
-arsenate *Chem.*
chloro fluo line met methyl ortho pyro sulf(*or* ph) thio
arsenhemol *Mat. Med.*
arseniasis *Tox.*
-arseniate *Chem.*
bin pyro sulph thio
-arsenic *Chem.*
hemol met molybdo organo ortho pyro sulf(o) sulph(o) thio
arsenic
al ate (al)ism (al)ize
arsenicite *Min.*
arsenicophagy
arseniferous
arsenillo *T.N.*
arsenio- *Min.*
ardennite pleite siderite
arsenionization *Ther.*
-arsenious *Chem.*
met sulf(*or* ph) thio
arsenism *Tox.*
arsenite *Min.*
-arsenite *Chem. Min.*
chondr poly pyrrh(o) rhomb sulf(*or* ph) thio xanth(o)
arsenoid *T.N.*
arsenopolybasit *Min.*
arsensulfurite *Min.*
arsepedine *Org. Chem.*
arsin(e -ic *Chem.*
-arsin *Chem.*
alc benz chlorovinyldichlor dichloroethyl dichlorodivinylchloro dimethyl diphenylchlor diphenylcyan erythr ethyldichlor methyldichlor sulf(*or* ph)
-arsine *Chem.*
alc(*or* k) benz dimethyl phen (az) phen (o)thi phenox sulph
-arsinic *Chem.*
benz hippur methyl phenaz phenox
arsin(os)o- *Org. Chem.*
arsinosolvin(e *Pharm.*
arson- *Org. Chem.*
ate ation ic(ate ium o-
arsotropin *Mat. Med.*
benzarsinous *Org. Chem.*
chalcoarsenian *Min.*
chloroarsenian *Min.*
dearsenicize
diarsenolized *Mat. Med.*
iodarsyl *Mat. Med.*
monarsone *Mat. Med.*
neoarsphenamin *Med.*
neoarsycodyl
neodiarenol *Mat. Med.*
beosalvarsan
novarsenical *Pharm.*
novarseno- *Mat. Med.*
benzol billon
phenarsazine -ic *Chem.*
phenarsenamin *Med.*
silicoarsenide *Chem.*
stovarsol *Pharm.* (*T.N.*)
sulfarsenid *Chem.*
sulfarsphenamine (*T.N.*)
sulfilimine *Org. Chem.*
sulpharsenide *Chem.*
sulpharsphenamin
tryparsamid(e *Pharm.*
tubarsyl *Mat. Med.*
zarnich
ἀρσενο- Comb. of ἄρσην
arseno-
azo *Org. Chem.*
benzene *Org. Chem.*
benzoic *Org. Chem.*
billon
bismite *Min.*
blast *Biol.*
crocite *Min.*
ferrite *Min.*
furan *Org. Chem.*
gen *Mat. Med.*
h(a)emol *Mat. Med.*
hydrol *Mat. Med.*
lamprite *Min.*
lite *Min.*
melan *Min.*
miargyrite *Min.*
molybdate *Chem.*
phagy *Med.*
phene -ol *Org. Chem.*
phenylene *Org. Chem.*
phenylglucin *Med.*
pyrite *Min.*
stilite *Min.*
tellurite *Min.*
therapy *Ther.*
ἄρσην male
Mesarsenia(n *Conch.*
monarsenous *Biol.*
Opistharsenia *Conch.*
phalarsiphytes *Bot.*
Prostharsenia *Conch.*
Ἀρσινόη Dau. of Ptolemy I
arsinoitherium *Pal.*
ἆρσις lifting; *Pros.* (Draco)
arsis *Pros.*
pentarsic *Pros.*
ἀρτάβη (Inscr.)
artaba *Egypt. Meas.*
ἄρταμος a butcher
Artamus *Ornith.*
-id(ae -oid
Ἄρτεμις (Od.)
Artemis *Gr. Myth. Zool.*
Arthemis *Bot.*
ἀρτεμισία (Arist.)
Artemisia -ietum *Bot.*
artemisic -in *Org. Chem.*
desmotropo- *Org. Chem.*
artemisin
Ἀρτεμίσιον (Herod.)
Artemision *Temples*
ἄρτημα something hanging
Artemia *Crust.*
-iadae -iid(ae -ioid
Pseudodiartema *Pal.*
ἀρτηρία artery (Hipp.)
arteria *Med.*
arteri- *Med.*
agra arctia ectasis ostosis version vertar
arterial
ization ize ly
-arterial *Anat.*
cardio end ep hyp mitro musculo peri vertebro
arteriasis *Path.*
arterin *Biochem.*
arteriole -a *Anat.*

-arteritic *Path.*
end mes peri
arteritis *Path.*
-arteritis *Path.*
end endo(peri) ep mes pan peri poly steth thrombo trichod
artery
-iose -ious
endarterium *Anat.*
phlebarteriectasia *Path.*
ἀρτηριακός (Galen)
arteriac *Obs.*
arteriacal
ἀρτηριο- Comb. of ἀρτηρία
arterio-
capillary *Anat.*
coccygeal *Anat.*
fibrosis *Path.*
genesis *Physiol.*
gram *Med. App.*
graphy *Anat.*
lith *Path.*
logy *Anat.*
malacia *Path.*
malacosis *Path.*
meter *Med. App.*
myometosis *Physiol.*
necrosis *Path.*
pathy *Path.*
phlebotomy *Surg.*
plania *Med.*
plasty *Surg.*
pressor *Ther.*
rrhaphy *Surg.*
rhexis *Med.*
sclerosis -otic *Path.*
spasm *Med.*
stenosis *Med.*
strepsis *Surg.*
tome *Surg. App.*
venous *Anat.*
ἀρτηριοτομία (Galen)
arteriotomy *Surg.*
-arteriotomy
dy ortho
ἄρτι exactly
Articephala *Ent.*
ἀρτιο- Comb. of ἄρτιος
artio-
dactyl *Zool.*
a(n ata e
ploid(y *Bot.*
ἄρτιος even, complete
artiad *Chem. Zool.*
artiphyllous *Bot.*
ἀρτο- Comb. of ἄρτος
arto-
carp *Bot.*
ad eae (e)ous us
later latry
phagous
poles *Crust.*
type -y *Arts*
ἀρτοκλασία breaking of bread
artoklasia *Gr. Ch.*
ἄρτος loaf
artolin *Chem.*
encephalartos *Bot.*
Hyperoartia(n *Ich.*
-ii -ious
ἀρτότυρος bread and cheese
artotyrite *Eccl.*
ἀρτοφόριον a bread basket
artophorion *Gr. Ch.*
ἀρύβαλλος a purse
aryballos -us *Gr. Ant.*
aryballoid
ἄρυγγος Dor. of ἥρυγγος goat's beard

aruncus -oid *Bot.*
ἀρυταινοειδής (Galen)
arytenectomy *Vet.*
arytenoepiglottic *Anat.*
-idean -ideus
arytenoid *Anat.*
al eus itis
-arytenoid *Anat.*
crico inter post sub supra thyro
-arytenoideus
crico post
ἀρχ- Stem of ἀρχός leader
arch-
aesthetic -(ic)ism
agitator
am(o)eba *Biol.*
amphiaster *Embryol.*
angelica *Bot.*
apostate
apostle
architect
arthropterus *Ent.*
artist
aster *Echin.*
id(ae oid
beadle
Brahman
buffoon
butler
chamberlain
chancellor
chanter
chaplain
charlatan
cheater
chief
chemic
chlamydeous *Bot.*
consoler
conspirator
corrupter
corsair
count
cozener
Christianity
criminal
critic
cupbearer
dean(ery
deceiver
demon
depredator
despot
devil
diocese -an
dissembler
disturber
druid
ducal
duchess
duchy
duke(dom
earl
elminth(es -ic *Helm.*
elon *Pal.*
emperor
encephala -ic *Mam.*
enteron *Bot.*
father
felon
fiend
flamen
foe
fool
friend
genethliac
governor
helenis *Geol.*
heresy
humbug
hypocrite
informer
knave
leader

arch- Cont'd.
liar
lute
magician
magirist
marshal
master(y
minister
oplites *Ich.*
papist
pastor
patriarch
philosopher
piece
pillar
pirate
player
poet
politician
pontiff
prelate -ic(al
presbyter(y
priest(hood ship
primate
prince
prophet
protestant
protopope
puritan
rebel
regent
robber
rogue
ruler
sacrificator
saint
satrap
scoundrel
see
shepherd
sin
spy
steward
synagog
tempter
thief
treasurer
type
tyrant
vagabond
vestryman
villain(y
wife
ἀρχάγγελος (N.T.)
archangel
ic(al ship
ἀρχαγός primary
archagics *Pol.*
ἀρχαΐζειν (Dion. H.)
archaize(r
ἀρχαικός primitive
Arch(a)eic *Geol.*
archaic
al(ly ism
pseudoarchaic
ἀρχαιο- Comb. of ἀρχαῖος
archaeo-
ceti *Mam.*
chelys *Pal.*
chronology
cidaris *Echin.*
-id(ae -oid(ea
cryptolaria *Pal.*
ctonus *Pal.*
cyathus *Mam.*
-idae -inae
cyclic *Geol.*
cyte *Embryol.*
delphis *Mam.*
geology
hippus *Pal.*
hyracidae *Pal.*
lafoea *Pal.*
lagus *Pal.*

archaeo- Cont'd.
lemuridae *Pal.*
lithic *Archaeol.*
mene *Pal.*
meta *Pal.*
morphic *Petrog.*
myrmex *Ent.*
nycteris -idae *Pal.*
phasma *Pal.*
phytes *Bot.*
pithecidae *Mam. Pal.*
pitys *Pal.*
plax *Crust.*
psychism *Psych.*
pteropus *Pal.*
pterys *Bot.*
pteryx *Ornith. Pal.*
-ygid(ae -ygoid
ptilites *Pal.*
siren *Pal.*
stoma *Zool.*
-ata -atous -e
suchus *Pal.*
therium *Pal.*
tiphe *Pal.*
zoic *Geol.*
zonites *Gastropoda*
zoon *Pal.*
archeo-
kinetic *Neurol.*
lith(ic *Archaeol.*
stome -a(tous *Biol.*
ἀρχαιογράφος (Dicts.)
archaeography -ic(al
ἀρχαιοειδής (Dem. Phal.)
archaeoid
ἀρχαιολογία (Plato)
arch(a)eology -ist
ἀρχαιολογικός (Strabo)
arch(a)eologic(al(ly
ἀρχαιολόγος antiquary
archaeologer
arch(a)eologian
arch(a)eologue
ἀρχαιόνομος old-fashioned
arch(a)eonomous *Zool.*
ἀρχαῖος ancient
Arch(a)ean *Geol.*
archae-
craniate *Zool.*
id *Geol.*
macroceza *Pal.*
oniscidae *Pal.*
ontology -ical
ornithes *Pal.*
otolithus *Pal.*
Archaelurus *Mam. Pal.*
archaeus *Phil.*
archaist(ic
archeus-eal *Gr. Phil.*
Eparch(a)ean *Geol.*
pseudoarchaist
ἀρχαισμός (Dion. H.)
archaism
pseudoarchaism
ἀρχάριος a novice
archarios *Gr. Ch.*
ἀρχε- Var. of ἀρχι-
arche-
centric(ity *Biol.*
nema *Cryptogams*
pyon *Med.*
sperm(ae *Bot.*
spore *Bot.*
-ial -ium
subarchesporial *Bot.*
ἀρχέγονος primal
archegonium *Bot.*
-ial -iata(e -iate -iophore
archigonocyte *Cytol.*
archigonous *Bot.*
-ic -y

ἀρχεῖον a public office
archeion *Gr. Ant.*
archive -ist
ἀρχέτυπον
archetype *Biol. Num. Phil.*
-al(ly -ic(al
archetypist *Print.*
ἀρχή beginning
antarchism *Pol.*
-ist(ic(al
-arch *Bot.*
centr cycl di end epipoly hal hex hydr lith mes mesotri mon multidi oct olig oxy pent poly psamm syn tri xer
-archa *Ent.*
Anch Asaph Crypt Ochet Panthyt Xen
Archanodonta *Conch.*
arche *Gr. Phil.*
arche-
biosis biotic *Biol.*
genesis *Biol.*
logy
mitra *Ent.*
sphera *Bot.*
menarche -y *Gynec.*
misarchism -ist
omniarch
somatarchous *Cytol.*
Tanyarches *Ent.*
triarchist *Bot.*
ἀρχηγός founder, chief
Archegosaurus *Herp. Pal.*
-ia(n -id(ae -oid
ἀρχι- Comb. of ἀρχος
archi-
amphiaster *Embryol.*
angiosperms *Bot.*
annelid(a(n *Helm.*
anthemon *Bot.*
benthos -al *Geog.*
blast(ic ula *Emb.*
blastoma *Tumors*
boreis *Geol.*
buteo *Zoöl.*
carp(ic *Bot.*
center *Biol.*
centric(ity
cercy -al *Ich.*
cerebrum *Zool.*
chaetopoda *Zool.*
chlamydeae -eous *Bot.*
clistogamous *Bot.*
coele *Zool.*
craniate *Zool.*
cyte ula *Embryol.*
depula *Embryol.*
desmus -id(ae -oid *Ent.*
diskodon *Mam.*
galenis *Geol.*
gastrula *Embryol.*
genesis *Biol.*
goniophore *Bot.*
gymnosperms *Bot.*
gymnosporae *Bot.*
karyon *Embryol.*
lichens *Bot.*
lithic *Geol.*
lute *Music*
martyr
mo(ne)rula *Embryol.*
morphic
mycetes *Fungi*
mylacris -idae *Ent.*
myza *Ent.*
nephron -os -ic *Emb.*
neuron
notis *Geol.*
pallium *Anat.*
panospa *Pal.*

archi- Cont'd.
pelago -ian -ic *Geog.*
pithecus *Pal.*
plasm *Biol.*
plast *Biol.*
polypoda(n -ous *Ent.*
presbyter(ial *Eccl.*
proctum *Bot.*
ptera *Ent.*
pterygium -ial *Biol.*
sauria(n *Herp. Pal.*
some *Biol.*
sperm(ae *Bot. Emb.*
sphere *Bot.*
spore *Bot.*
stoma *Bot.*
stome *Embryol.*
strept *Bot.*
teuthis *Cephal.*
tonerre *Mil.*
troch *Embryol.*
type
typographer *Print.*
ulus -id(ae -oid *Ent.*
zoic *Zool.*
-αρχια as in μοναρχία
-archy *Govt.*
ant bi cannon crypt demon di dodec dy esquire gyn(a)ec gyn hagi ham hecat hept hero heter hex homoeo hopl hydr hyper iatr krit lam oct paed pap parson plut pol poll polyg sept squatter squire thalass trit Whigg
dyarchical *Govt.*
gerontarchical
heptarchic(al *Govt.*
heptarchist *Govt.*
neurarchy *Neurol.*
polyarchical *Govt.*
polyarchist *Govt.*
squirearch (ic)al *Govt.*
typarchical
ἀρχίατρος (Aretae.)
archiater
ἀρχιδιάκονος (Hieron.)
archdeacon
ate ess ry ship
archidiaconal -ate
ἀρχιδιδάσκαλος (Eust.)
archididascalos -us
ἀρχίδιον Dim. of ἀρχή
archidium *Bot.*
-iaceae
megarchidium *Bot.*
ἀρχιεπίσκοπος (Athan.)
archbishop
ess ric ry
archiepiscopy *Eccl.*
-acy -al(ity -ate
ἀρχιερατεία (Athan.)
archieracy *Eccl.*
ἀρχιερεύς (Herod.)
archiereus *Eccl.*
ἀρχιευνοῦχος (Sept.)
archeunuch
ἀρχικός (Arist.)
archical *Obs.*
climatarchic *Obs.*
Ἀρχιλλόχειος (Heph.)
Archilochian *Lit. Pros.*
ἀρχίμαγος (Soz.)
archimage -us
ἀρχιμανδρίτης (Epiph.)
archimandrite *Eccl.*
-ate
Ἀρχιμήδης (Strabo)
Archimedean *Hist. Phil.*
Archimedes *Pal.*

ἀρχίμιμος chief comedian
archimime *Cl. Drama*
Ἄρχιππος Nom. prop.
archippus *Ent.*
ἀρχισυνάγογος (N.T.)
archisynagogue *Obs.*
ἀρχιτεκτονική (Sosip.)
architectonics
ἀρχιτεκτονικός (Plato)
architectonic(al(ly
-architectonic *Histol.*
cyto myo
ἀρχιτέκτων (Herod.)
archarchitect
archarchitect
architect
ive ress proto-
Architectoma -idae
-architectural
poetico semi un
architecture
-al(ly -ist -ization -ize
ἀρχο- Comb. of ἀρχός
archo-
cele *Path.*
cleistogamy -ous *Bot.*
cysto(colpo)syrinx
helia *Pal.*
lithic *Archaeol.*
logy *Phil.*
plasm(a -ic *Cytol.*
ptoma *Path.*
ptosis *Path.*
rrhea *Med.*
rrhagia *Path.*
sargus
some *Biol.*
stegnosis *Med.*
stenosis *Path.*
zoic *Pal.*
ἀρχοειδής first
Protarchoides *Ent.*
ἀρχοντικός of an archon
archontic *Gr. Ant.*
ἀρχός leader; rectum
Acantharcus *Ich.*
adelphiarchal *Ethnol.*
agonistarch *Cl. Ant.*
amphodarch *Gr. Ant.*
amphodarch *Gr. Ant.*
Antiarcha -i -ous *Ich.*
-arch
Archistes *Ich.*
architis *Path.*
basilarchia *Ent.*
Centrarchis *Ich.*
-id(ae -in(ae -ine -oid
Centrarchites *Pal.*
Crossarchus *Mam.*
-inae -ine
cryptarch *Gov.*
demonarch
diocesiarch
duarch *Pal.*
Dysarchus *Ent.*
Elattarchus *Ich.*
eleutherarch
exilarch *Hist.*
geranarchus
Gymnarchus *Ich.*
-id(ae -oid
heptarch(al
hieraciarch *Bot.*
Hydrarchus *Pal.*
Letharchus *Ich.*
matriarch *Ethnol. Psych.*
-al(ism -alist -ate -y
Myiarchus *Ornith.*
polarch
schismarch
Setarches *Ich.*
thalassiarch
triclinarch
Xenarchi -ous *Ich.*

ἄρχων (Thuc.)
archon (ship *Gr. Ant.*
archont(ia *Mam.*
archontal -ate *Gr. Ant.*
ἄρωμα spice
aralkyl(idene *Org. Chem.*
aroma -atous
Aromachelys -ynina
arom(at)in *Mat. Med.*
aromite *Min.*
aroph *Obs.*
uraroma *Med.*
ἀρωματίζειν (Diosc.)
aromatize
-ate -ation -er
dearomatize
ἀρωματικός (Arist.)
alkaryl *Org. Chem.*
aromatic
al(ly (al)ness
-aromatic
hydro (hydr)oxy
aroxyl *Org. Chem.*
aryl *Org. Chem.*
ate ide ido-
ἀρωματίτης (Diosc.)
aromatite(s *Gems*
ἀρωματοφόρος (Arist.)
aromatophor(e *Chem.*
-άς Nom. of the patronymic suffix -d- after stems in a
-as *Bot.*
ἄσαρκος without flesh
Asarcopus *Ent.*
ἄσαρον (Diosc.)
asar- *Org. Chem.*
in ite on(e onic yl
asaraba(c)ca
asaresinotannol *Chem.*
Asarum -al(es *Bot.*
ἀσάρωτον unswept
asarotum *Arch.*
ἀσάφεια uncertainty
asaphia *Path.*
ἀσαφής dim
Asaphes -id(ae *Ent.*
Asapharca *Ent.*
Asapheneura *Pal.*
Asaphopsis *Pal.*
Asaphus *Pal.*
-id(a -inae
ἀσαφο- Comb. of ἀσαφής
asapho-
ceras *Malac.*
crinus *Echin. Pal.*
glossy *Geol.*
ἄσβεστος
asbestolith
asbestos *Fabrics Min.*
-ic -iform -ine -inite -inize -oid(al -ous -us
lefkasbestos *Min.*
microasbestos *Min.*
serpentinasbest *Min.*
ἀσβόλη soot
asbolan -ite *Min.*
asbolin(e *Chem.*
ἄσημος without mark
asem *Egypt. Archaeol.*
asemia *Path.*
ἄσηπτος not liable to decay
Asepta
ἀσθένεια weakness
asthenia -y *Path.*
-asthenia *Med. Psych.*
aden aer amy anagnos angi cardi cerebr chem encephal endocrin erg gangli gast(e)r hemineur hyper hysteroneur log my myel

-asthenia Cont'd.
myoneur myx neur neurotroph oto(hemi)-neur otomy par phren psych som(at) thyr traum
asthenometer *Med. App.*
hemasthenosis *Med.*
hyperastheny *Path.*
neurastheny -iac
ἀσθενής weak
asthen-
odonta *Conch.*
oid
opia -ic *Path.*
oxia *Med.*
urus *Ornith.*
Lichnasthenus *Ent.*
ἀσθενικός (Arist.)
asthenic(al
-asthenic *Med. Psych.*
amy an ant cerebr endocrin my neur par psych
neurasthenical(ly
psychoasthenics *Ps.Path.*
ἀσθενο- Comb. of ἀσθενής
astheno-
cormus *Pal.*
logy *Med.*
meter *Med. App.*
podes *Ent.*
sphere
ἆσθμα (Hipp.)
asthma *Path.*
-asthma
aceton cor pseudo
asthma(*or* o)lysin *Prop. Rem.*
Asthmatos *Infus.*
asthmogenic *Med.*
ἀσθματικός (Galen)
ant(i)asthmatic
asthmatic(al(ly
-ασια fr. -σια, fem. suffix of action after α stems
aphanasia *Med.*
apothanasia *Med.*
-asia -y
atheromasia *Path.*
-chromasia
ambly ano dys hyper meta poly *etc.*
dysergasia *Neurol.*
dyspermasia *Med.*
dysthanasia *Path.*
enhypostasia *Theol.*
Ἀσία (Pindar)
Asia *Geog. Myth.*
Eurasia
Ἀσιανός (Thuc.)
Asian(ic ism
Eurasian
Ἀσιάρχης (Strabo)
asiarch *Rom. Govt.*
Ἀσιατικός (Strabo)
Asiatic
al(ly an ism ization ize
-Asiatic
Europ(a)eo Greco pal-(a)eo
Asiatize
ἀσινής harmless
Asinea(n *Herp.*
-ασις fr. -σις fem. suffix of action after α stems
anachromasis *Cytol.*
-ase *Chem.*
-asis
diask(*or* c)euasis *Rhet.*
metasomasis *Geol.*
ἀσιτία (Hipp.)
asitia *Path.*

ἀσκαλαβώτης (Arist.)
Ascalabotes *Herp.*
-a(e -oides
ἀσκάλαφος a bird (Arist.)
Ascalaphus *Ent.*
-id(ae -oid
Ἀσκάλιον
scallion
ἀσκαλώπαξ (Arist.)
Ascalopax *Ornith.*
ἀσκαρίς (-ίδος) an intestinal worm (Hipp.)
ascar(id)iasis *Path.*
ascaricide *Med.*
ascaridic *Org. Chem.*
ascaridol(e *Org. Chem.*
ascariosis *Path.*
Ascaris *Helm.*
-id(ae -oid
-ascaris *Helm.*
Ophid Orneo Tox
ascaron *Tox.*
ascaryl *Org. Chem.*
askaron *Biochem.*
ἀσκελής without legs
Ascelichthys *Ich.*
ἄσκησις asceticism
ascesis *Ethics*
ἀσκητήριον a hermitage
ascetery *Eccl.*
ἀσκητικος
antiascetic
ascetic(al(ly
asceticism *Ethics Theol.*
pseudoascetic
ἀσκητός curiously wrought
Thelyasceta *Ent.*
epiascidium *Bot.*
hypoascidium *Bot.*
Monascidiae -ian *Ascid.*
Synascidiae -ian *Ascid.*
ἀσκίδιον Dim. of ἀσκός
Ascidia *Zool.*
-iacea(e -iacean -iadae -iae -ian -iarium -iate -icola -icolidae -icolous -iferous -iid(ae -iiform -ioid(ea -ioida
ascidio-
logy *Zool.*
zoa(n -oid
ascidium -iatus *Bot.*
Chthonascidiae *Ascid.*
ἄσκιος without shadow
ascii -ian(s
Ἀσκιτάι
Ascitans *Eccl. Hist.*
ἀσκίτης (Galen)
ascites -ic(al *Path.*
Ἀσκληπεῖον (Luc.)
Asclepeion *or* -ium *Temples*
Ἀσκληπιάδειος (Heph.)
Asclepiadean -ic *Pros.*
Ἀσκληπιάδης (Iliad)
Asclepiad(ae *Gr. Ant.*
ἀσκληπιάς (-άδος) (Diosc.)
asclepiad *Bot.*
(ac)eae (ac)eous
asclepiadin *Org. Chem. Mat. Med.*
asclepiadology *Bot.*
Asclepias *Bot.*
Ἀσκληπιεῖον (Polyb.)
Asklepieion *Temple*
Ἀσκληπιός Aesculapius
Aesculapian *Med.*
Asclepian *Gr. Rel.*
asclep(id)ian *Prop. Rem.*
Asklepioceras *Pal.*

ἀσκο- Comb. of ἀσκὸς
asco-
bacterium *Bact.*
bolus -(ac)eae *Fungi*
carp(ic *Bot.*
ceras *Conch.*
-atid(ae -atoid
chyta *Fungi*
chytose *Phytopath.*
coccus *Bact.*
corticium *Fungi*
-iaceae
crinus *Pal.*
cyst *Bot.*
cytidae *Pal.*
genic -ous *Bot.*
glossa(n *Conch.*
gonidium *Bot.*
gone -ium -ial *Bot.*
lichenes *Lichens*
mycetes *Fungi*
-al -ous
myzon *Crust.*
-ontid(ae -ontoid
phora *Helm.*
phore *Bot.*
-ic -ous
physes *Bot.*
spore *Bot.*
-a -ic -ous
teuthis *Malac.*
thoracida *Crust.*
-id(ae -idan
zoa(n zoic *Ascid.*

ἀσκός a bag
ascan *Fungi*
ascellus *Fungi*
asciferous *Bot.*
ascigerous *Bot.*
ascon(es -idae *Spong.*
ascula *Spong.*
ascus *Archaeol. Bot.*
askos *Archaeol.*
Carpoasci -ous *Fungi*
Euasceae -ales *Fungi*
Ex(o)ascus *Fungi*
-aceae -ales -ous
Gymnoascus *Fungi*
Hemiasci -ales -ineae
Leucascus -idae *Spong.*
Plectascineae *Fungi*
pneumascas *Med.*
Polyascosoecia *Pal.*
Prot(o)ascineae *Fungi*

ἄσκυφος cupless
ascyphous *Bot.*

ἀσκώλια the second day of the rural Dionysia
ascolia *Gr. Ant.*

ἄσκωμα leather padding
ascoma *Bot.*

-ασμα fr. -ματ- suffix of result of action following stems in -ασ-
acoasma *Neurol.*
eyasma *Gynec.*
crythrasma *Path.*

ἀσματογράφος a writer of hymns
asmatography

-άσμος fr. -μο- suffix of action after stems in -ασ-
-asm *Suffix*
hylasmus *Obs.*
hypochondriasm
leuc(*or* k)asmus *Path.*

ἀσπάλαθος (Theophr.)
Aspalathus *Bot.*

ἀσπάλαξ mole
Aspalax *Zool.*
-acidae -acinae
aspalosoma *Terat.*

ἀσπάραγος asparagus
asparacemic *Org. Chem.*
asparag- *Org. Chem.*
ic in(e (in)ate inic inous ose
asparagus
asparamic -ate -id
asparol(in *Mat. Med.*
aspartic -ate *Org. Chem.*
homoasparagine *Chem.*
isoasparagin(e *Chem.*

ἀσπάσιος welcome
Aspasia *Bot.*
aspasiolite *Min.*

ἀσπασμός salutation
aspasmos *Gr. Ch.*

ἄσπερμος seedless
aspermia -ous *Path.*
aspermous *Bot.*

ἀσπιδ- Stem of ἀσπίς
Aspidacyclina *Pal.*
Aspidaeglina *Pal.*
aspide *Obs.*
-aspidea(n *Conch.*
An Cephal Not
-aspideae -ean *Ornith.*
Eud Ex Hol Pycn(o) Tax
Aspidestes *Pal.*
Aspidistra *Bot.*
aspidosamin *Mat. Med.*
aspidosine *Org. Chem.*
Aspidostraca *Crust.*
chrysoaspid *Gr. Ant.*
diaspid *Spong.*
pycnaspide *Ornith.*
tannaspidic *Chem.*
Taxaspidea *Ornith.*

ἀσπιδής = σπιδής "broad"
aspidelite *Min.*

ἀσπίδιον Dim. of ἀσπίς
albaspidin *Org. Chem.*
aspidiaria *Pal. Bot.*
aspidin *Tox.*
aspidinol *Org. Chem.*
Aspidiotus
Aspidium *Bot.*
Centrinaspidia *Ent.*
Stenaspidius *Ent.*

ἀσπιδίσκος a boss
Aspidisca -idae *Infus.*

ἀσπιδο- Comb. of ἀσπίς
aspido-
branchia *Conch.*
-iata -iate
cephali *Ich. Pal.*
ceras -atidae *Pal.*
ch(e)irote -ae *Echin.*
cotylea
diadema *Echin.*
-atid(ae -atoid
ganoidei *Ich.*
gaster *Helm.*
glossa
lite lith *Min.*
nectes *Turtles*
phora *Brachiopoda*
-oides -us
rhynchus *Ich.*
-id(ae -oid
saurus *Pal.*
-idae -inae
soma *Pal.*
sperma *Bot.*
sperm(at)ine *Chem.*
spermotype *Bot.*
thoracidae *Pal.*
thrips *Ent.*
Pleuraspido-
therium -iidae *Mam.*

ἄσπιλος spotless
Aspila *Ent.*

ἀσπίς a shield; asp
Aglaspina *Pal.*
Aglaspis -idae *Arthrop.*
asp
ic ine ish
aspis *Ent.*
-aspis *Crust.*
Acid Campyl Chalar Cyph Hemi
-aspis *Ent.*
Baridi Chion Cordyl Cothon Dia Din Echin Epectin Gan Hadr Heter Lepidosteth Mytil Not Pedi Platyn Porphyr Rhin Smering Sten Steth Strongyl Syn Temn Tim Trich Trigon Xyal
-aspis *Herp.*
Atract Dendr Hydr Stern
-aspis *Ich.*
Cephal Cyath Drepan Odont Palae Pter Ur
-aspis *Pal.*
Acid Anom Didym Hemigyr Leon Men Mir Parahydr Prim Pseudomon Radi Scaph Sphen
Aspisoma Ent.
Hyboaspis *Arach.*
Metaprotaspis *Zool.*
notaspis *Embryol.*
(Para)protaspis *Tril.*
Rhynchaspis *Ornith.*
Selenaspis *Zool.*
Trichiaspiphenga *Ent.*

ἀσπιστής a warrior
Platyaspistes *Ent.*

ἄσπλαγχνος without heart
Asplanchna *Helm.*
-ic -id(ae -oid

ἄσπληνον spleen wort
Asplenium *Fungi*
-ieae -ioid

ἀσσάριον Dim. of L. as
assarion -y *Coins*

'Ασσύριος (Theocr.)
Assyrian(ize
Assyr(i)oid
Assyriology
-ical -ist -ue
Assyro- *Combin.*
-Aramean -Babylonian

ἀστακός lobster, crayfish
astaco- *Crust.*
lite
morph(a ous
Astacus *Crust.*
-ian -id(ae -idea -ina -ine -ini -ite -oid(ea(n
Parastacus *Crust.*
-id(ae -inae -in(e -oid
Protastacus -ine *Biol.*
Pseudastacus *Crust. Pal.*

ἀστάνδης a courier
Astandes *Pal.*

'Αστάρτη (Luc.)
Astarte *Myth.*
Astarte *Conch.*
-ian -id(ae -oid
Opisastarte *Pal.*
Pseudastarte *Pal.*

ἀστασία unsteadiness
Astasia -iid(ae *Infus.*
astasia *Path.*

ἄστατος unstable
astatic *Phys.*
al(ly ism
astatitize(r *Phys.*

ἀστεισμός witty saying
asteism *Rhet.*

ἀστερίας starred
Asterias *Echin.*
-iadae -ialite -id(a(e -idea(n -idian -iid(ae -ina -inid(ae -inoid -ioid(ea
asteriated *Gems*
Saliasterias *Echin.*

ἀστέριον Neut. of ἀστέριος
asterion *Anat.*
Asterionella *Diatoms*

ἀστέριος starry
asteria *Gems Starfish*
asterial
Euasteriae *Zool.*
interasteric *Anat.*

ἀστερίσκος (Eust.)
asteriscus *Ich.*
asterisk *Gram. Fr. Ch.*

ἀστερισμός (Ptol.)
asterism(al *Astron.*

ἀστερίτης (Phot.)
asterite(s *Gems*

ἀστερο- Comb. of ἀστήρ
astero-
cystida(e *Pal.*
dactylus -idae *Amphib.*
ite *Min.*
lepis *Ich.*
-(id)id(ae -(id)oid
lithology
phora -ous *Spong.*
phyllite(s *Pal. Bot.*
spondyli *Ich.*
-ic -ous
xylon *Pal.*
zoa(n *Echin.*
Hexasterophora -ous
Pileonasterophora *Pal.*

ἀστεροειδής starlike
asteroid(al *Astron. Bot.*
asteroid *Echin.*
a(l ea(n
interasteroidal
podasteroid *Anat.*

ἀστεροπαῖος the lightener
Parasteropaeus *Ent.*

ἀστήρ star
apiaster *Ornith.*
Arthrasteridae & -inae
aster *Biol. Bot. Spong.* etc.
-aster *Biol.*
amphi arch(i)amphi cycl cyt(o) di kary mon tetr tri
-aster *Bot.*
adel Cotone Ge Hellebor Leuc lupin ole pin poly verticill
Aster *Bot.*
aceae aceous ales idion ile oid
-aster *Echin.*
Acanth Aphel Arch Clype Cod(on) Echin Edri Goni Heli Kampyl Korethr Leiostoml Parastich Pedicel Pentagon Peran Porcellan Pter Sol Stich Zoro
-aster *Pal.*
Acro Anorth Antill Aphel Arnaud Austral Bel Blavis Bore Bothri Cal Caractac Clarke Coac Cod(on) Devon Dicty Douvill Dys Echinodisc Gazell Girvan Gloss Hikel Ind

-aster Cont'd.
Koehler Lepid Liostom Luteti Mauritan Mesopalae Micr Mitr Monophor Nipon Onych Pharaob Platan Plesi Polydesm Promopalae Protarthr Protopalae Pusill Stenon Thomas Vascon Victori Vomer
-aster *Spong.*
ampli chi discoct discohex echi ect eu graphiohex hex oct oxy(hex) plesi pycn Sanid sea- sphaerohex spher spir strept strongyl
aster-
acanthion -iidae
acanthus *Ich. Pal.*
ol *Trade*
asteroma *Fungi*
ophrys *Herp.*
-ydid(ae -ydoid
osteus *Ich.*
-eid(ae -eoid
astericetum *Bot.*
asterium -in *Org. Chem.*
biasterial -ic *Craniol.*
biastrionic *Craniol.*
Calliasterella *Pal.*
Compsasteridae *Pal.*
diastral *Biol.*
Eucrinasteridae *Biol.*
Euasteroidea(n *Echin.*
Gymnasteria *Echin.*
-id(ae -oid
hemiaster *Zool.*
Hemiasterinae *Pal.*
Hudsonasteridae *Pal.*
Monasteridae *Pal.*
Monopalaeasteridae *Pal.*
oleastral -ial *Bot.*
Ophiastra *Echin.*
palaeaster *Ich.*
Palaeosolasteridae *Pal.*
periaster *Astron.*
Periasteridae *Pal.*
rhinaster *Zool.*
Schoenasteridae *Pal.*
spirastrose -a *Spong.*
Stenasteridae *Pal.*
streptastrose -a *Spong.*
Uranasteridae *Pal.*
Urasterellidae *Pal.*
verticillastrate *Bot.*

-αστης as in δυναστής fr. -της after verbs in -αζω
acediast
-ast
demoniast
elegiast
encyclopediast
epithalamiast
gymnasiast
heter(o)onsiast *Eccl.Hist.*
hypochondriast
metousiast

-αστία or -αστεία as in δυναστεία
gerontasty -ic *Pal.*

-αστικός as in δυναστικός
-astic
antonomastic(al(ly *Rhet.*
antorgastic *Med.*
elephantiastic
hygrochastic *Bot.*
hylastic(ally
paronomasiastic
paronomastic(al(ly
pepastic(al *Med.*
pugnastics

ἄστομος mouthless
Astoma -ea *Zool.*
ἄστοχος missing the mark
astochite *Min.*
ἀστραγαλίζοντες
astragalizont(es *Gr. Games*
ἀστραγαλίζων
astragalizon *Gr. Games*
ἀστραγαλόμαντις (Artem.)
astragalomancy
ἀστράγαλος ankle bone; a die; a moulding (Vitruv.)
astragal(us *Anat. Arch. Mil. etc.*
-ar *Anat.* -ectomy *Surg.* -oid *Anat.*
astragalo- *Anat.*
calcaneum (-eal -ean) central crural navicular scaphoid tibial
astragaloplane *Joinery*
Astragalus *Bot.*
astragiromancy *Augury*
calcaneoastragalar -oid *Anat.*
subastragaloid *Anat.*
Ἀστραία Dau. of Themis
Antignastraea *Pal.*
Astr(a)ea *Astron. Myth.*
Astraea *Zooph.*
-acea(n -an -eid(ae -eiform -eoid
Thamnastraea -aeidae *Pal.*
ἀστραῖος starry
astr(a)ean
ἀστραπο- Comb. of ἀστραπή lighting
astrapo-
phobia *Ps. Path.*
therium -iidae *Pal.*
ἄστριον Dim. of ἀστήρ
astrion *Obs.*
ἀστρο- Comb. of ἄστρον
astro-
alchemy -ist
blast *Cytol.*
blepus *Ich.*
caryum *Bot.*
center *Cytol.*
chemist(ry *Astron.*
chronological *Astron.*
cinetic *Cytol.*
cladinae *Pal.*
c(o)ele *Cytol.*
crinidae
cyte *Histol.*
cytoma *Tumors*
fel
geny *Astron.*
gnosy *Astron.*
gony -ic *Astron.*
graphy -ic *Astron.*
ite *Gems Geol.*
kinetic *Cytol.*
latry *Hist. Rel.*
larva *Echin.*
lemma *Porifera*
lite *Min.*
lithology *Meteors*
loph(id)idae *Prot.*
lytes *Ich.*
magical *Augury*
meteorology *Meteor.*
-ical -ist
meter *Astron. App.*
metry -ical *Astron.*
myelon *Bot.*
pecten *Echin.*
-inid(ae -inoid

astro- Cont'd.
phanometer
phil(e
phobia
photography -ic *Astron.*
photometer *Astron.*
photometry -ical *Astron.*
phyllite *Min.*
physics *Astron.*
-ical -ist -ize
phyton *Echin.*
-(on)id(ae -(on)oid
rhiza *Prot.*
-idae -idea(n
sclerid *Bot.*
scope -y *Astron.*
spectral *Astron.*
spectroscopic
sphere *Cytol.*
static *Cytol.*
theology
zoon *Echin.*
chlorastrolite *Min.*
Lysastrosoma *Echin.*
ἀστροειδής starlike
astroid *Geom. Her.*
ἀστρολάβον (Ptolemy)
astrolabe *Astron. Mech.*
-ical -y
ἀστρολάτρης Byz.
astrolater *Hist. Rel.*
ἀστρολογία (Clem. Al.)
astrology
-ian -ize -ous
ἀστρολογικός (Iren.)
astrologic(al(ly -ics
chemicoastrological
magastrological
theoastrological
ἀστρολόγος (Sept.)
astrolog(ue *Obs.*
astrologer
astrologaster
ἀστρομαντεία (Diod.)
astromancy -er
magastromancy -er
magastromantic
ἀστρομαντική (Diod.)
astromantic
ἄστρον a star
apastron *Astron.*
Aspidistra *Bot.*
astral(ly *Biol. Geol. Occult. etc.*
astralin(e *Ind. Chem.*
astralite *Glass*
astreated
astriferous
astrigerous
astrol *Biochem.*
astrolin *Mat. Med.*
astroma *Tumors*
Astronesthes *Ich.*
-id(ae -oid
Astrophiura *Echin.*
-id(ae -oid
disaster
disastrous(ly ness
echinastrin *Chem.*
euastrose -a *Spong.*
Geastrum *Bot.*
Hippastrum -eae *Bot.*
Lonsdaleiastra *Pal.*
Malvastrum *Bot.*
Qulastreidae *Pal.*
Pediastrum -eae *Algae*
periastron -al -um *Astron.*
Propachastrella *Pal.*
subastral
ἀστρονομία (Hipp.)
astronomy
-ian -ist -ize

ἀστρονομικός (Plato)
astronomic al(ly -ics
-astronomical
anti physico un
ἀστρονόμος (Plato)
astronomer
ἀστροσκοπία Byz.
astroscopy *Astron.*
ἀστροφόρος bearing stars
Astrophora(n *Spong.*
ἄστυ city
astyclinic *Med.*
Astycoryphe *Pal.*
ephebasty -ic *Pal.*
ἄστυλος without pillar
astylar -ic *Arch.*
Astylospongia
ἀσύγκριτος not to be compared
asyncrital
ἄσυλον a refuge
asylum
ἀσυμμετρία (Plato)
asymmetry
pseudoasymmetry
ἀσυμμετρικός
asymmetric(al(ly
ἀσύμμετρος (Xen.)
asymmetranthous *Bot.*
asymmetrocarpous *Bot.*
Asymmetron *Zool.*
asymmetrous -al
ἀσύμπτωτος not fitting
asymptote *Geom.*
-al -ic(al(ly
ἀσύμφυλος not akin
Asympholomyrmex *Pal.*
ἀσυμφωνία (Plato)
asymphony
ἀσυνάρτητος inconsistent
asynartete -ic *Pros.*
ἀσύνδετον (Arist.)
asyndeton *Gram. Rhet.*
-etic(ally
ἀσύνεργος not affording help
hemiasynergia *Med.*
ἀσυνεσία stupidity
asynesia *Path.*
ἀσύντακτος not arrayed
asyntactic *Gram.*
ἀσφάλεια stability
asphaline
ἄσφαλτος (Herod.)
asphalt
ene er ic ite os um us
asphalto-
genic *Chem.*
type *Photog.*
melanasphalt *Min.*
retinasphalt(um *Min.*
ἄσφι own
asphalgesia *Psych.*
ἀσφόδελος king's spear
asphodel
ian ine
Asphodelus *Bot.*
daffa(*or* o)dilly
daffa(*or* y)downdilly
daffodil
ἄσφυκτος without pulsation
asphyctic *or* -ous *Path.*
ἀσφυξία (Cassius)
acroasphyxia *Path.*
asphyxia *Path.*
-ial -iant -iate -iation -iative -iater -ied
ἀσχήμων misshapen
Aschemonia *Pal.*

ἄσχιστος undivided
aschistic *Geol. Petrol.*
ἀσώματος incorporeal
asomatous
Ἀσωπός a river god
Asopia
Asopidae *Ent.*
Asopus *Myth.*
ἄτακτος irregular
atactic *Gram. Med.*
atactiform
atacto-
crinus *Pal.*
desmic *Bot.*
stele -ic -y *Bot.*
ἀταξία irregularity
ataxaphasia *Path.*
ataxia or -y *Path.*
-ic -iform
-ataxia *Path.*
acro angio cardi di hemi heredo neur proximo pseudo psych
-ataxy
hemi neur
ataxiadynamia *Med.*
ataxiagram
ataxiagraph *Psychophys.*
ataxiamnesic *Med.*
ataxiaphasia *Med.*
Ataxioceratidae *Pal.*
atax(i)ophemia *Med.*
atax(i)ophobia *Ps. Path.*
pseudataxic *Path.*
ἀταραξία composure
ataraxia -y *Psych.*
ἀταρβής fearless
Atarbodes *Ent.*
-ατεία as in ἐργατεία
-acy
abbacy
diplomacy
episcopacy
ἀτεκνία childlessness
ateknia
ἀτέλεια incompleteness
atelia *Med.*
atel(e)iosis *Med.*
myatelia *Med.*
philatelomania(c
philately
-ic(al(ly -ism -ist(ic
ἀτέλεστος unfinished
atelestite *Min.*
ἀτελής without end
atelectasis *Path.*
atelectatic *Path.*
atelene *Crystal.*
ateleo-
cephalous *Ich.*
logical
pus -podid(ae -podoid
ateleiosis *Bot.*
ateleost(ei eous *Ich.*
ateleiotic *Bot.*
Ateles *Mam.*
ateline *Min.*
atelite *Min.*
atelo-
cardia *Terat.*
cephalous *Terat.*
ch(e)ilia *Terat.*
ch(e)iria -ous *Terat.*
dinium *Prot.*
encephalia *Terat.*
glossia *Terat.*
gnathia *Terat.*
mitic *Cytol.*
myelia *Terat.*
podia *Terat.*
prosopia *Terat.*
(r)rachidia *Terat.*
stomata *Zoöl.*
stomia *Terat.*

Atelornis *Ornith.*
chromatelopsia *Ophth.*
ἀτέμνειν not to cut
uranatemnite *Min.*
ἀτενής strained
Atenophthalmus *Ent.*
ἀτευχής unarmed
Ateuchus *Ent.*
ἀτηρία mischief
uaterium *Otol.*
Ἀτθίς Attic
Athis *Ornith.*
-ατικός fr. -ικός after stems in -ατ-
antiperistatic(al(ly *Rhet.*
antiuratic *Med.*
-atic *Suffix.*
caumatic *Med.*
charismatic *Eccl.*
cytostromatic *Cytol.*
dichasiatic
ecbatic *Rhet.*
endolymphatic *Anat.*
enneatic(al
epidermatic
epiphenomenatical
genethliatic
hemiprismatic *Crystal.*
hippodromatic
horizontalizatic
hypochondriatic(al(ly
idiosyncratic(al(ly
iliopsoatic *Anat.*
ismatic(al -ness
lymphangiectatic *Path.*
lymphatic(al
melismatic(s *Music*
metastatic(al(ly *Med.*
Mithratic
mydriatic *Ophth.*
wormatic
ἀτιμία loss of civil rights
atimy *Gr. Ant.*
Ἀτλαντ- Stem. of Ἄτλας
Atlanta -acea(n *Conch.*
atlantad -al *Anat.*
atlantid(ae *Conch. Ethnol.*
occipitoatlantal
transatlantal
Ἀτλάντειος (Eur.)
Atlante(*or* i)an
Ἄτλαντες Pl. of Ἄτλας (Vitruv.)
atlantes *Arch.*
Ἀτλαντίδες
Atlantides *Astron. Myth.*
ἀτλαντικός (Plato)
Atlantic
transatlantic
ally (i)an ism
Ἀτλαντίς (Plato)
Arctatlantis *Zoogeog.*
Atlantis
Mesatlantes -ic *Oceanog.*
Ἄτλας (-αντος) (Od.)
atlantid(ae *Conch. Ethnol.*
atlanto-
axial *Anat.*
didymus *Terat.*
epistropheal *Terat.*
mastoid *Terat.*
Mediterranean
occipital *Anat.*
odontoid *Anat.*
saur(us *Herp. Pal.*
-id(ae -oid
atlantoid *Conch.*
Atlas *Ent. Geog. Myth.*
atlas *Anat. Arch. Print.*
atlasite *Min.*
atlo- *Anat.*
axoid odontoid

atloid(ean *Anat.*
atloido- *Anat.*
axoid occipital
ἀτμίς (-ιδος) = ἀτμός
atmid-
albumin -ose *Chem.*
iatry *Ther.*
atmido- *Meteor.*
meter metry
scope
meter metry scope
ἀτμο- Comb. of ἀτμός
atmo-
c(*or* k)ausis *Surg.*
cauterization *Surg.*
cautery *Med. App.*
genic *Petrol.*
graph *Med. App.*
logy -ic(al -ist *Phys.*
lysis *Chem.*
lyze(r -lyzation
meter *Meteor.*
metrohygrometer
metry -ic *Meteor.*
sphere -ic(s -ical(ly
-ization -ology
extraatmospheric
hydroatmospheric
superatmospheric *Phys.*
ἀτμός air, vapor
atmetry -ic
atmiatry -ics *Ther.*
atmic
atmos *Meas.*
atmosteon -eal *Ornith.*
isoatmic *Meteor.*
ἀτοκία barrenness
atocia *Path.*
ἄτοκος childless
atokous -al *Biol.*
ἄτολμος spiritless
Atolmodytes *Ornith.*
ἄτομος indivisible
atom
atic iferous ism ist(ic-(al(ly
ization ize(r y
atomechanics *Phys.*
Atomiacoma *Prot.*
atomic
al(ly ian ism ity ule
-atomic *Chem.*
bi di equi hept heter hex hom infra inter intr(a) mon oct pan pent poly sub tesser tetr tri ultra
atomics *Phys. Chem.*
Atomogynia *Bot.*
heteroatom *Chem.*
monatomism -icity
panatom *Phys.*
polyatomicity
pyknatom *Phys.*
ἀτονία enervation
-atonia *or* -y *Med.*
gastro metr my nephr typhl
ἄτονος relaxed; without accent
atonic *Path. Phil. Pros.*
-ia -ied -icity -y
ἄτοπος out of place
Atopacantha *Ich.*
atopo-
cnema *Ent.*
menorrhea *Path.*
phrictis *Ent.*
sauridae *Pal.*
ἄτρακτος spindle; arrow
Atractaspis *Herp.*
-idid(ae -idoid
atractenchyma *Histol.*
Ptychatractus *Conch.*
-id(ae -oid

ἀτρακτυλίς a plant used for spindles
atractyl- *Org. Chem.*
ene ic igenin iretin ol one
ἀτράφαξυς orach
Atriplex *Bot.*
orach(e *Plants*
ἀτράχηλος without neck
Atrachelia -iate *Ent.*
atrachelia *Terat.*
ἀτρεμία a keeping still
atremia *Path.*
ἀτρεφής wasting
Poatrephes *Pal.*
ἀτρησία
atresia *Path.*
-(et)ic -ial
-atresia
colp dacryagog hedr proct urethr
proctatresy *Path.*
proctotresia *Surg.*
ἄτρητος not perforated
atreto- *Med.*
blepharia cysia gastria rrhinia
atretopsia *Med.*
atreturethria *Med.*
ἄτριχος hairless
Atricha *Prot. Zool.*
Atrichia -iidae *Ornith.*
atrichia -osis *Path.*
Atrichornis *Ornith.*
-ithid(ae -ithoid
atrichous *Bact. Bot.*
Ἄτροπος a Fate
atrinal *Trade*
atrolactic *Chem.*
Atropa *Bot.*
-(ace)ous -al
atropamin(e *Chem.*
Atropas *Ent.*
atropic *Chem.*
-atropic *Chem.*
chrys hydr is
Atropidae
atropin(e *Chem. Med.*
-ia -ina -(in)ism -(in)-ization -(in)ize -one -yl
-atropin
ap(o) euc hem hom methyl nor ptom
-atropine
gen hom nor ptom
atrosin(e *Chem. Pigments*
homatropia *Chem.*
isatropylcocain *Med.*
nortrop- *Org. Chem.*
ane ene idine
nortropinon *Biochem.*
trop- *Org. Chem.*
an(e anol anone -ein(e en(e (id)in(e igenine ilene ilidine inone yl
-tropein
acetyl lactyl
-tropin
arso pseudo
-tropine
nor pseudo ptomato
ἀτροφία want of food; atrophy
-atrophia *Med.*
cardi cyst derm(at) emet gastr(o) hepat mast metr myel neur neurode odont onych ophthalm paed pant ped splen trich ul
-atrophic *Med.*
ant encephal neur
atrophy *Biol. Path.*
-ia -iated -ic -ous

-atrophy *Med.*
cardi cyst derm encephal geront hemi hepat mast mer metr my(o) neur(on) neurode onych ophthalm paed pan(t) ped splen ul
ἄτροφος unfed
atrophedema *Path.*
atropho-
derma -atosis *Path.*
dermia *Path.*
pantatrophous *Path.*
ἀτρύγετος unfruitful
atrygia *Bot.*
autatrygia *Bot.*
ἄττα father
Atta *Ent.*
ἀτταγᾶς ?partridge
Attagas -ides *Ornith.*
ἀτταγήν ?a grouse
Attagen(us inae *Ornith.*
ἀττακος a locust
attacolite *Min.*
Attacus *Ent.*
'Ατταλικός (Strabo)
attalica *Costume*
Ἄτταλος (Strabo)
Attalea *Palms*
Attalid(ae *Hist.*
ἀττέλαβος a locust
Attelabus *Ent.*
-id(ae -inae -oid
'Αττικίζειν (Plato)
Atticize *Hist. Philol.*
'Αττικισμός (Cicero)
Atticism *Hist. Philol.*
'Αττικιστής (Iambl.)
Atticist *Philol.*
'Αττικός (Solon)
Attic *Arch. Geog. Philol.*
al an
Neo-Attic
ἄτυπος of no type (Galen)
atypic(al(ly
Atypus -inae *Arach.*
atypy
αὖ besides
augnathus *Terat.*
αὐαντικός wasted
auantic *Med.*
αὐγασμός a glittering
Augasmus *Ent.*
'Αυγείας (Luc.)
Augean *Myth.*
αὐγή radiance
auge *Petrol.*
augelite *Petrol.*
Augolychna *Ent.*
Scotinauges *Ent.*
Urauges *Ornith.*
αὐγίτης (Pliny)
augite -ic *Min.*
-augite *Min.*
acmite aegirine clino klin(o) leuc ork ortho titan
augitite *Petrol.*
augito- *Petrol.*
phyre -ic
porphyric
αὐθεντικός (Tertull.)
authentic
al (al)ly (al)ness ate ation ator ity
inauthentic(ity
reauthentication
unauthentic
al(ly ity ness

αὐθιγενής native
authigene
authigenous -(et)ic *Geol.*
αὐλακο- Comb. of αὖλαξ
aulaco-
carpous *Bot.*
centrum *Ent.*
cephalus *Ich.*
ceras *Cephal.*
porus *Arach.*
teuthis *Pal.*
Megaulacobothrus
αὐλακώδης like a furrow
aulacode -us *Zool.*
ἄυλαξ a furrow
aulacanthous *Bot.*
Aulacostracopora *Pal.*
-aulax *Ent.*
Amydr Dis Hyp Stern
Cryptaulax *Zool.*
Goniaulax *Prot.*
Plagiaulax *Mam.*
-acid(ae -acoid
Pristaulacus *Ent.*
αὐλή courtyard
Aula *Anat. Arch. Prot.*
Aulacantha -id(ae *Prot.*
aularian -ary *Univ.*
aulatela *Anat.*
auliplexus *Anat.*
choraula *Eccl.*
Prophoraula *Ent.*
αὐλητής flute player
aulete(s *Gr. Ant. Music*
αὐλητικός (Plato)
auletic *Gr. Music*
αὐλητρίς a flute girl
auletrio *Gr. Ant.*
αὐλικός (Polyb.)
aulic
al ism
hygraulic *Obs.*
interaulic
megaulic(a *Zool.*
micraulic(a *Zool.*
monaulic *Zool.*
αὐλο- Comb. of αὐλός
aulo-
cerium *Pal.*
gamae *Bot.*
helia *Pal.*
lamoides *Helm.*
phallus *Ich.*
phyte *Bot.*
pore -idae *Corals*
rhynchus *Ich.*
-id(ae -oid
soma *Porifera*
sphaera -idae *Prot.*
steges *Brachiopoda*
stoma *Ich.*
-atidae -id(ae -idan -oid(ea(n -us
αὐλός a flute or oboe
Aulodonta *Pal.*
Aulopea *Pal.*
aulos *Music*
Auluroidea *Pal.*
chordaulodion *Music*
panaulon *Phys.*
Protaulopsis *Pal.*
αὐλών a hollow
Aulonium *Ent.*
αὐξάνειν to grow
auxano-
gram
graphy -ic *Bact.*
logy *Biol.*
meter *Bot. App.*
cholauxanol *Prop. Rem.*
αὔξειν to increase
auxite *Min.*
αὔξη = αὔξησις
-auxe *Med.*
clitorid col dermat en-

-auxe Cont'd.
cephal enter hept mast metr myel nephr oophor prostat splen trich
auxosis *Bot.*
nephrauxy *Med.*
ostauxin *Mat. Med.*
αὔξησις increase
auxesis *Math. Med. Rhet.*
-auxesis *Bot.*
ect end heter photo
-auxesis *Med.*
hyper irid perin
geoheterauxesism *Bot.*
αὐξητής increaser
auxetophone *Mech.*
αὐξητικός (Arist.)
auxetic(al(ly *Math. Rhet.*
αὐξι- Comb. of αὔξειν
auxilytic *Med.*
auxiometer *Med.*
αὔξιμος promoting growth
auximone(s *Ecol.*
oximone *Biochem.*
ἄυξις = αὔξη (Cyrill.)
-auxis *Med.*
onych trich
αὔξις (Arist.)
Auxis *Ich.*
αὐξο- Comb. of αὔξειν
auxo-
amylase *Biochem.*
blast *Bot.*
body *Biochem.*
cardia *Med.*
chromatic *Dyes*
chrome -ous *Chem.*
chromic -ism *Dyes*
cyte *Cytol.*
flore *Chem.*
gluc *Chem.*
graph(ic *Phys.*
hormone *Biochem.*
logy *Zool.*
meter *Optics*
spireme *Cytol.*
spore -ous *Bot.*
substance *Biochem.*
tonic *Plant Physiol.*
urease *Biochem.*
αὔρα wind
aura *Elect. Gr. Myth. Old Phys. Meteor. Path. Theos.*
aural -ic
αὐρο- Comb. of αὔρα
aurophore *Zooph.*
αὖρον gold
aurotype *Photog.*
bromauric *Chem.*
brom(o)aurate *Chem.*
chloroaurate *Chem.*
cresaurin *Dyes Chem.*
diaurid(e *Chem.*
iodaurate *Chem.*
palau *Alloys* (*T.N.*)
resaurin *Org. Chem.*
ἀυστηρός harsh; severe
austere
ly ness -ity
Melanauster *Ent.*
αὐτ- Comb. of αὐτός
aut-
acanthid *Echin.*
acoid *Biochem.*
(a)esthesy
allogamia *Bot.*
allogamy -ous *Bot.*
am(o)eba *Zool.*
amphinereid *Bot.*
antitypy *Metaph.*
arachnae *Arach.*
arith *Mech.*

aut- Cont'd.
atrygia *Bot.*
echoscope *Med. App.*
ecology *Ecol.*
embryosperm *Bot.*
emesia *Physiol.*
endosperm *Bot.*
ephaptimenon *Bot.*
ergy
euform *Bot.*
ism ist(ic *Psych.*
odontalgic
odyne *Mat. Med.*
oecism *Biol.*
-ic i(i)ous
oecology -ic *Ecol.*
oicous *Bot.*
onomasy *Rhet.*
onym *Ethnol. Lit. Philol.*
oxid- *Chem. Cytol.*
ation ator izable ize(r
oxycatalysis *Biochem.*
cladantoicous -osis *Bot.*
goniautoecious *Bot.*
gonioautoeciasis *Bot.*
gonioautoec(i)ous *Bot.*
pseudoautoicous *Bot.*
αὐτάρκεια (Plato)
autarchy *Phil.*
αὐτάρκης independent
autarch *Phil.*
αὐταρχία (Dion C.)
autarchy *Pol.*
αὐτο- Comb. of αὐτός
allautogamia *Bot.*
alloautogamy -ous *Bot.*
anautotomic
antiautolysin *Path.*
auto
boat bus car(ette car-ist ist carriage truck
auto-
abstract
active -ation *Chem.*
agglutination *Physiol.*
alkylation *Chem.*
allogamy -ous *Bot.*
analysis *Ps. Path.*
antibody *Physiol.*
anticoherer *Elec.*
anticompliment
antitoxin *Biochem.*
audible *Med.*
basidiomycetes -ous
basidium -ii *Bot.*
biography
-al -er -ic(al(ly -ist
biology *Bot.*
blast *Biol.*
bolide *Mech.*
bolites *Cytol.*
carpotropic *Bot.*
carpy *Bot.*
-ian -ic-ious
catalepsy *Path.*
catalysis *Phys. Chem.*
catalytic(ally *Phys. Chem.*
catheterism *Med.*
cephali -ic -ous *Eccl. Hist.*
chemical *Chem.*
cholecystectomy *Med.*
chore -ic -y *Ecol.*
chrome -y *Photog.*
chronograph *Phys. App.*
chronology -ic *Bot.*
cinesis or -ia *Physiol.*
cinetic *Physiol.*
clasis *Med.*
clastic *Geol.*
clave *Med. App.*
clave(d *Bot.*

auto- Cont'd.
coherer *Elec.*
colony *Bot.*
combustion -ible
condensation *Org. Chem. Phys.*
conduction *Elec. Phys.*
convection *Meteor.*
converter *Elec.*
cop(y)ist *Photog.*
dermalium *Spong.*
dermic *Med.*
destruction *Med.*
detector
detus *Annelida*
diagnosis *Path.*
diagnostic
diagrammatic
drainage *Med.*
drome
dynamic *Mech.*
dyne *Mat. Med.*
echolalia *Med.*
epigraph
epilation *Med.*
erotic -(ic)ism *Psa.*
erythrophagocytosis
excitation *Phys. Chem.*
facture
fecundation
fermentation *Biochen*
fundoscope *Ophth.*
gamy -ic -ous *Bot.*
gastralium *Spong.*
gauge
gene *Dyes*
generator *Chem.*
genesis *Biol. Path.*
genetic(ally *Biol. Phys. Geog.*
genetics *Bot.*
genotypic *Bot.*
genus *Morphol.*
geny *Biol.*
glyph *Photog.*
gnosis *Psa.*
gnostic *Psa.*
graft(ing *Med.*
gram
gravure
harp *Music*
hemic *Med.*
hemo- *Biochem.*
agglutinin
lysis -in
lytic
therapy
hemopsonin *Chem.*
hybridization *Bot.*
infection *Med.*
infusion *Med.*
inhibited *Phys. Chem.*
inoculability *Med.*
inoculable *Med.*
inoculation *Med.*
intoxicant -ation
irrigation -or *Bot.*
isolysin *Biochem.*
kinesis
kinetic(al *Psych.*
laryngoscope -y *Med.*
latry
lavage *Med.*
lesion *Med.*
lichas *Arach.*
limnetic
logical *Philol.*
logous *Anat.*
logy -ist
luminescent -ence
lysate *Physiol.*
lysis -in *Biochem.*
lytic *Biochem.*
lytus *Helm.*
lyze -ate *Biochem.*
manual *Railroads*

auto- Cont'd.
metamorphosis *Geol.*
meter metry -ic
mixis *Bot. Cytol.*
mixte *Mech.*
mnesia *Psych.*
mobile
-ism -ist -ity -ize
mors *Prop. Dis.*
motive
motor
mysophobia *Ps. Path.*
nephrectomy *Med.*
nephrotoxin *Med.*
nereid *Bot.*
neurotoxin *Biochem.*
nitridation *Chem.*
noetic
nomin *Biochem.*
nyctitropic *Bot.*
nyctonastic *Bot.*
objective
ophthalmoscope -y
orthotropous *Bot.*
oxidation *Biochem.*
oxidize -able *Biochem.*
parasitism *Bot.*
pathography *Med.*
pathy -ic *Path. Psych.*
pelagic *Biol.*
pepsia *Path.*
phagi -ae -ous *Ornith.*
phagy
philous *Bot.*
phoby *Ps. Path.*
phon(e *Music*
phonia *or* -y *Med.*
-ic -ous
phonometry *Med.*
photograph
phya *Spong.*
phyllogeny *Bot.*
phyte -ic *Bot.*
phytograph(y *Bot.*
pisty
plagiarism
plasmotherapy *Ther.*
plast *Emb. Geol.*
plastic *Biol. Geol.*
plasty *Surg.*
plate
pneumatic
poisonous
polygraph
pore *Zool.*
potamic *Algae.*
precipitin *Physiol. Chem.*
print
progressive *Phys. Chem.*
protection *Biochem.*
proteolysis *Biochem.*
psorin
psyche *Psych.*
psychic(al
psychorhythmia *Med.*
psychosis *Ps. Path.*
quadricycle
racemization *Chem.*
radiograph
reduction *Chem.*
regulation
reinfusion *Med.*
retardation *Phys. Chem.*
rrhaphy *Surg.*
sauri *Zool.*
scoliotropous *Bot.*
scope *Ophth. Psych.*
scopy -ic *Ophth. Psych.*
sensitized -ation *Med.*
septicemia *Med.*
sero- *Med.*
bacterin
diagnosis

auto- Cont'd.
pathy
salvarsan
therapy
serous *Med.*
serum *Med.*
sight
skeleton
some *Cytol. Genetics Bot.*
sorption
soteric
spermotoxin *Biochem.*
spore *Bot.*
spray
stability *Mech.*
stage
standardization
starter
stethoscope *Med. App.*
suggestion *Ps. Path.*
-ibility -ive
suggestionist
symbiontic *Bot.*
telegraph *Teleg.*
telic *Phil. Psych.*
temnon -ic -ous *Biol.*
theism -ist
therapy *Ther.*
tomy *Biol.*
-ic -ize -ous
topnosia *Ps. Path.*
tox- *Tox.*
(a)emia ic(ation ic-ity icosis ide in is
transformer *Elec.*
transfusion *Med.*
transplant(ation *Surg.*
trepanation *Tumors*
trophy -ic *Bot.*
tropic -ism *Bot.*
tropis *Ent.*
tuberculin *Med.*
ization
type -ic -y *Photog.*
typhization *Med.*
typography *Print.*
urine *Med.*
vaccine -ation *Med.*
valve *Elec.*
xenous -y
zooid *Zooph.*
dermatoautoplasty *Surg.*
h(a)emauto- *Med.*
gram graph(y -ic
hemiautophyte *Bot.*
heteroautoplasty *Surg.*
panautomorphic
phonautogram
phonautograph(ic -ally
polyautography
telautogram
telautograph -ic -ist -y
αὐτογενής (Stob.)
autogenous *Biol. Med. Metal.*
-eal -eous -ic ly
αὐτογόνος = αὐτογενής
autogony *Biol.*
αὐτόγραφος (Plut.)
autograph
al ic(al(ly ist ize(r y
autographism *Med.*
autographometer *Surv.*
photoautographic
αὐτοδίδακτος (Od.)
autodidact(ic
αὐτοκινησία (Procl.)
autokinesy
αὐτοκρατεία (Def. Plato)
autocracy *Med. Pol.*
αὐτοκρατής absolute
autocrat
al(ly rice rix ship

αὐτοκρατικός (Dion. Areop.)
autocratic(al(ly
αὐτοκρατορικός (Dion. H.)
autocratoric(al
αὐτοκράτωρ (Thuc.)
autocrator
αὐτομαθής (Plut.)
automath
αὐτοματίζειν (Arist.)
automatize
αὐτοματο- Comb. of αὐτόματος
automatograph *Med. Ap*
automatograph *Med.*
αὐτόματον Neut. of αὐτόματος
automaton
heteromaton
theomaton
αὐτόματος self-moving
automacy
automat
automat-
al ary ate ism ist ous
automatic
al(ly ity
chainomatic *Chem. Phys.*
semiautomatic -ism *Bot.*
telautomatics
αὐτόμολος going unbid
automolite *Min.*
αὐτόμορφος self-formed
automorph(ous *Geol.*
automorphic(ally -ous
automorphism *Math. Psych.*
αὐτονομία (Thuc.)
autonomy
-ia(al(ly -ism -ist(ic ize
myautonomy *Neurol.*
αὐτόνομος (Herod.)
autonomian
autonomous *Bot.*
autonomous(ly
ous -ly
αὐτοπτικός like an eye witness
autoptic
al(ly ity
αὐτός self; same
See αὐτ, αὐτο-
αὐτόσιτος bringing one's own food: said of parasites
autosite -ic *Biol.*
autosite -arius *Terat.*
αὐτόστυλος on natural columns
autostylic
-ism -y *Zool.*
αὐτοσχεδιάζειν to do extempore (Plato)
autoschediaze
αὐτοσχεδίασμα
autoschediasm
αὐτοσχεδιαστικός (Arist.)
autoschediastic(al(ly
αὐτουργία (Polyb.)
auturgy
αὐτοφόνος self-slaying
autophonomania *Med.*
αὐτοφυής self-grown
autophys
αὐτόχθων (Herod.)
autochthon(es
al ic ism ist ous(ly
αὐτοψία a seeing with one's own eyes (Diosc.)
autopsy *Anat., Path., etc.*
-ia -ic(al(ly

αὐχήν throat (Iliad)
Auchenia *Zool.*
auchenium *Ornith.*
Auchenorhyncha(n -i -ous *Ent.*
Brachauchenius *Pal.*
cystauchenectomy *Surg.*
cystauchenites *Path.*
macrauchen(e -ia -iform -iid(ae -ioid *Mam.*
Pachauchenius *Ent.*
parauchenium *Ornith.*
Xyrauchen
ἀφαίρεσις a taking away
aph(a)eresis -ia *Gram. Med.*
plasmaph(a)eresis *Med.*
ἀφαιρετικός (Clem. Al.)
aph(a)eretic(ally
ἀφαιρετόν taken away
aphaereton *Math.*
ἄφαλτος springing off
tachyaphaltite *Min.*
ἀφανής obscure
aphanasia
Aphanapteryx *Ornith. Pal.*
aphanesite *Min.*
aphaneura
Aphani(*or* o)ptera -ous
aphanistic *Crystal.*
aphanite *Petrol.*
-ic -ism
aphano-
cyclae *Bot.*
lemur *Pal.*
martus *Pal.*
phyre *Petrog.*
stoma *Helm.*
-id(ae -oid
zygous *Zool.*
Aphapteryx *Ornith.*
calc(o)aphanite *Petrog.*
Decataphanes *Ent.*
Gnathaphanus *Ent.*
Illaphanus *Ent.*
ἀφανίζειν obliterate
Aphanizomenon *Bot.*
ἄφαντος blotted out
Aphantotropis *Ent.*
Panaphantus *Ent.*
ἀφασία speechlessness
aphasia *or* -y -ic *Path.*
-aphasia
atax(i) log par ton
ἀφεγγής obscure
aphenge(*or* o)scope
ἀφειδής lavish
aphidi-
phagi -ous
vorous
aphido-
logist phagous vorous
?Aphis *Ent.*
-(id)id(ae -(id)ides -id-ian -iinae -ious -ius
ἀφελής simple, smooth
Agaphelus *Mam.*
-inae -ine
Aphelandra *Bot.*
Aphelaster *Echin. Pal.*
aphelexia
Apheliscus *Mam. Pal.*
Aphelops *Mam. Pal.*
Apheloscyta *Ent.*
Epiaphelops *Pal.*
ἄφεσις a letting go
aphesis *Gr. Athl. Philol.*
ἀφέστιος far from home
aphestic
ἀφετής (Ptol.)
apheta *Astrol.*
-ic(al(ly

ἀφετικός disposed to let go (Clem. Al.)
aphetic(al(ly *Philol.*
aphetism -ize *Philol.*
ἀφή touch
aphephobia *Ps. Path.*
-aphia *Med.*
ambly an(h) dys hyper oxy para pseud
diaphemetric *Ps. Phys.*
dysaphe *Path.*
haphalgesia *Path.*
haphephobia
hyperaphic *Med.*
ἄφθα ulceration (Hipp.)
aphtha *Path.*
-oid -ous
Aphthamonas *Biol.*
Aphthaphytes *Fungi*
Ἀφθαρτοδοκηταί (Leont.)
Aphthartodocetae *Eccl. Hist.*
-ic -ism
ἄφθαρτος uncorrupted
aphthartal
ἄφθιτος unchangeable
aphthalose *Min.*
aphthitalite *Min.*
aphthite *Alloys*
sideraphthite *Metal.*
ἄφθογγος voiceless
aphthong(al *Philol.*
aphthongia *Path.*
ἄφθονος abundant
aphthonite *Min.*
Trachyaphthona *Ent.*
ἀφιλάνθρωπος (Plut.)
aphilanthropy
ἄφλαστον (Iliad)
aphlaston *Archaeol.*
aplustre *Archaeol.*
Aplustrum *Conch.*
-id(ae -oid
ἄφλεβος veinless
Aphlebiae -ioids *Bot.*
ἀφλόγιστος (Arist.)
aphlogistic
ἄφνος wealth
aphnology *Econ.*
ἄφοδος departure
Aphodiocopris *Ent.*
Aphododeridae *Ich.*
aphodus *Spong.*
-al -ian -iidae -ius
ἀφορία barrenness
aphoria
ἀφορισμός (Galen)
aphorism *Lit.*
atic er ic(al ing ist ize(r
ἀφοριστικός (Phot.)
aphoristic(al(ly *Lit.*
ἄφορος barren
Aphoruridae *Ent.*
ἄφρακτος unfortified
aphract(a *Cl. Ant.*
ἀφρίζειν to foam
Aphriza *Ornith.*
-id(ae -oid
aphrizite *Min.*
ἀφρο- Comb. of ἀφρός
aphro-
meter *Chem. Anal.*
metric *Chem. Anal.*
nitre *Chem.*
phila *Ent.*
phyllum *Zooph.*
siderite *Min.*
thoraca(n -ida *Prot.*
pyraphrolith *Min.*
Ἀφροδίσια (Hipp.) (Xen.)

Aphrodisia *Gr. Fest.*
-ian -istic
aphrodisia *Med.*
hyperaphrodisia
ἀφροδισιακός sexual
anaphrodisiac *Med.*
antaphrodisiac(al
antiaphrodisiac
aphrodisiac(al
Ἀφροδίσιον (Xen.)
Aphrodision *Temples*
Ἀφροδισιός
aphrodisin *Prop. Rem.*
Ἀφροδίτη = L. Venus
antaphroditic *Med.*
Aphrodite *Ent. Myth.*
Aphrodite *Helm.*
-(ac)ea(n -id(ae -oid
aphroditic -ous
orchaphrin *Prop. Rem.*
ἀφρός foam
Aphralysia *Pal.*
aphrite *Min.*
aphrodite *Min.*
blennaphrosin *Mat. Med.*
ἀφροφόρος foaming
Aphrophora *Ent.*
-ida -idinae
Pseudaphrophora *Ent.*
ἀφρώδης foamy
aphrodascin *Chem.*
Aphre(*or* o)doderus *Ich.*
-id(ae -oid
ἄφρων senseless
Ceraphron(inae *Ent.*
ἀφυή ?the anchovy
Aphuelepis *Pal.*
ἄφυλλος leafless
aphyllous *Bot.*
-ae -on -ose -y
ἀφωνία speechlessness
aphonia *Path.*
-ic -ous -y
Ἀχαιμένης (Herod.)
Achaemenian *Hist.*
Ἀχαιμενίδαι (Herod.)
Achaemenidae *Hist.*
ἀχαιμενίς (Pliny)
Achimenes *Bot.*
Ἀχαιός (Iliad)
Ach(a)ean *Hist.*
ἀχάλινος unbridled
Achalinopsis *Herp.*
ἀχάτης (Theophr.)
Achatina *Conch.*
-id(ae -oid
Achatinella *Conch.*
-id(ae -oid
agate
-iferous -iform -ine -ize -oid -y
cerogate *Min.*
dendrachate *Min.*
h(a)emachate -ae *Min.*
haemaovoidagates *Min.*
oonachatae *Min.*
phassachate *Min.*
sardachate *Min.*
ἄχειρος without hands
Gymnachirus *Ich.*
Ἀχέρων (Odyssey)
Acheron *Myth.*
Acheronian
Acherontemys *Pal.*
Ἀχερόντειος (Call.)
Acherontia *Ent.*
Acherontic(al *Myth.*
transacherontic
ἀχέτα singing
Acheta *Ent.*
-idae -ina
Ἀχίλλειος of Achilles; *Bot.* (Theophr.)

Achillea *Bot.*
Achillean
achilleic *Chem.*
achillein(e *Chem.*
achilletin *Chem.*
Ἀχιλλεύς (Iliad)
achillodynia *Path.*
achillo-
rrhaphy *Surg.*
(teno)tomy *Surg.*
ἀχλύς a mist
achlusite *Min.*
Achlyomyia *Ent.*
achlys *Path.*
ἄχνη froth, chaff
Hydrachna *Ent.*
-id(ae -oid
neurachne *Bot.*
polyachne *Spong.*
ἀχολία (Plut.)
acholia -ic *Path.*
ἄχολος lacking gall
acholous *Path.*
ἀχράς a wild pear
Achradocera *Ent.*
Eoachras *Pal.*
ἄχροιος = ἄχροος
achreocythemia *Physiol.*
achroio-
cyth(a)emia *Path.*
ἄχροος colorless
achro-
anthes *Bot.*
dextrin *Org. Chem.*
glucogen *Chem.*
ite *Min.*
ous
achroo-
amyloid *Path.*
cyst *Bot.*
dextrin(e -ase *Biochem.*
glycogen *Chem.*
Achrus *Ent.*
ἀχρωμάτιστος uncolored
achromatistous *Physiol.*
ἀχρώματος colorless
achromat *Optics*
ic(ally icity ism izable ization ize
achromatic(ally *Biol. Music*
achromatin *Biochem.*
achromato-
cyte *Cytol.*
lysis *Path.*
achromatopsia -y *Path.*
achromatosis *Path.*
achromatous *Path.*
achromaturia *Path.*
hemiachromatopsis -ia
pantachromatic *Med.*
ἄχρωμος colorless
achromacyte *Anat.*
achromia -ic *Med.*
achromo-
derma *Physiol.*
philous *Staining*
trichia *Physiol.*
achromous
ἄχυμος juiceless
achymia *Physiol.*
-osis -ous
ἄχυρα Pl. of ἄχυρον
Achyranthes *Bot.*
ἀχυρο- Comb. of ἄχυρον
achyro-
phyton -um *Bot.*
stola *Ent.*
ἄχυρον chaff
Achyrodon *Pal.*
ἀχώρ dandruff
achor *Med.*
Achorion *Fungi*
Phyllacora *Fungi*

ἄψεκτος blameless
Apsectus *Ent.*
ἀψευδής sincere
Apseudes *Crust.*
-id(ae -oid
ἀψίνθιον (Hipp.)
absinth(e
ial ian iate)d ism
absinthic *Org. Chem.*
-ate -iin -in(e -ol(e
absinthium *Bot.*
eucalyps-
intene inthe intic
ἀψινθίτης (Diosc.)
absinthites *Med.*
ἀψίς (-ιδος) loop; wheel; apse (Dion. C.)
apse *Arch. Eccl. Math.*
apse -idal(ly *Astron.*
apsidiole
Apsidocrinus *Pal.*
apsis = apse
-apsis *Biol.*
kary mit plasm
Diapsis -id(a(n *Zool.*
Euhapsis *Pal.*
hapsidopore *Pal.*
karyaptic *Biol.*
monapsal *Arch.*
parapsis -idal *Ent.*
synapsid(a(n *Herp.*
triaps(id)al *Arch.*

Βαβυλών (Herod.)
ante-Babylonish
Babylon
ic(al(ly ish ism ite ize
βαβυλώνιος (Arr.)
anti-Babylonianism *Eccl.*
Babylonian
Neo-Babylonian
proto-Babylonian
βαδίζων walking
Eubadizon *Ent.*
βαδιστής runner
Thinobadistes *Pal.*
βάδος a walk
Badogliopora -ina *Pal.*
βαθμο- Comb. of βαθμός
bathmo-
ceras *Conch.*
-atid(ae -atoid
genesis *Biol.*
tropic -ism *Biol.*
βαθμός threshold
bathmic -ism *Biol.*
bathmodont *Zool.*
βάθος depth
bathetic *Lit.*
bathic *Oceanog.*
bathism
batho-
chrome *Dyes*
-(at)ic -ation
flore -ic *Chem.*
lite -ic lith(ic *Geol.*
meter *Arts*
phobia *Ps. Path.*
bathos -otic *Lit.*
eurybathic *Biol.*
isothermobath(ic *Geog.*
photobathic *Geol.*
polybathic *Zool.*
stenobathic *Zool.*
Symbathocrinites *Pal.*
βάθρα = βαθμός
-bathra *Ent.*
Cylico Delto Theco
βαθυ- Comb. of βαθύς
bathy-
(a)esthesia *Physiol.*
anesthesia *Physiol.*

bathy- Cont'd.
batrachus *Ich.*
bial *or* -ic *Biol.*
buis -ian *Zool.*
cardia *Anat.*
chrome *Dyes*
clupea -eid(ae *Ich.*
coelia *Pal.*
current *Oceanog.*
ergue *Mam.*
-idae -inae -us
gadus *Ich.*
genys *Pal.*
glyptus *Pal.*
graphic(al *Oceanog.*
hyperesthesia *Med.*
hypesthesia *Med.*
laginus -inae *Ich.*
limnetic *Ecol.*
lite *or* lith -ic *Geol.*
macrops *Ich.*
master *Ich.*
-id(ae -oid
meter *Oceanog.*
metry -ic(al(ly
myzon *Ich.*
pelagic *Biol.*
philus *Bot.*
phon *Music*
phyta -ium *Phytogeog.*
pterois -oidae *Ich.*
saurus *Ich.*
seism *Seismol.*
stoma *Ich.*
syphon *Pal.*
thrissa *Ich.*
-id(ae -oid
trochus *Pal.*
hemibathybial *Zoogeog.*
hypsobathymetric
βαθύκολπος deep-bosomed
bathucolpian -ic *Lit.*
bathycolpian *Lit.*
βάθυσμα excavation
bathysmal *Ocean.*
βαθύς deep
Bathericrinus *Pal.*
bathyssal
βαίνειν to move on
baeno- *Arthrop.*
mere pod some
Carcinobaena *Ent.*
Eubaena *Pal.*
Geobaenus *Ent.*
Hesperobaenus *Ent.*
Odobenus -idae *Ent.*
Scotobaenus *Ent.*
Thermosbaena *Crust.*
βαιός little
baeomycetoid *Bot.*
Elytrobaeus *Ent.*
βαίτυλος a meteoric stone
baetulus *Cl. Ant.*
baetyl(us ic *Cl. Ant.*
βάκκαρις a plant (Ar.)
Baccharis -oid *Bot.*
βακτήριον or βακτηρία a staff
antibacterial -iam *Ther.*
antibacteriolytic *Ther.*
-bacter
Amylo Azoto Glyco Nitro
bacteraemia *Med.*
bacteria
-iaceae -iaceous -iad -ial -ian -ic -ides -idium
-bacteria
Ammono Azoto Chlamydo Cocco Dezazoto Deproteo Desmo Desulpho Diplo Ectothio Endothio Erythro

-bacteria Cont'd.
Eu Ferro Glia(*or* o) Gymno Haplo Mega Meso Micro Mono Myxo Nitro(so) Petalo Rhodo Sph(a)ero Spiro Strepto Sub Sulpho Thio Tricho
bacteriafluorescin
bacteri-
aemia *Med.*
cholia *Med.*
cide -al -in
form
oid *Bot.*
opsonic -in
osis *Path.*
ous
uria *Path.*
-bacterin
autosero pneumo pyocyano sero staphylo typho
bacterin(e -ation *Ther.*
bacterio-
agglutinin
blast
cidin
hemolysin
logy -ic(al(ly -ist
lysis -in lytic
lyze lysant
opsonic -in
pathology
phage -ia -ic -y
phobia *Med.*
plasmin
precipitin
protein *Biochem.*
purpurin *Pigments*
scopy -ic(al(ly -ist
solvent
stasis stat(ic
therapeutic
therapy
toxic -in
tropic -in
trypsin
bacteritic
Bacterium -oid *Bot.*
-bacterium
Amylo Arthro Asco Calymmato Chromo Cocco Coryne Filo Glyco Helico Helo Macro Micro Myco Photo Poly Pseudo Sphero Tricho
bacteroid(es -al
bacto-
form *Prop. Rem.*
peptone *Prop. Rem.*
enterobacteriotherapy
Exothiobacteriaceae
monobacterial
prebacteriologic
βάκτρον a cudgel
Bactris *Bot.*
Bactrites *Pal.*
-id(ae -oid
bactriticone *Moll.*
Bactrocrinidae *Pal.*
Eubactrus *Ent.*
Βάκχαι
Bacchae *Myth.*
βακχειακός = βακχεῖος
bacchiac *Pros.*
βακχεῖος (Dion. H.)
antibacchius -ic *Pros.*
bacchius *Pros.*
Βάκχη a bacchante
Baccha *Ent.*
Βακχικός = Βακχεῖος
bacchic(al
Βάκχος Dionysus

bacchanal
ia ian(ism ianly ism ization ize
bacchant(e ic
Bacchus *Myth.*
debacchate -ion
βαλανάγρα (Herod.)
balanagra *Gr. Impl.*
βαλανεῖον bath
balaneion *Gr. Arch.*
balneo-
graphy
logy -ic(al -ist
technics
therapeutics
therapy -ia
βαλάνια Pl. of βάλανος
valonia *Bot.*
-iaceae -iaceous
βαλανίτης acorn-shaped
balanite *Pal.*
Balanites *Bot.*
Balanitocarpum *Pal.*
βαλανο- Comb. of βάλανος
balano-
blennorrhea *Path.*
cele *Path.*
chlamyditis *Path.*
glossus *Helm.*
-id(ae -oid
phora *Bot.*
-aceae -aceous -eae
phorin *Org. Chem.*
plasty *Surg.*
posthitis *Path.*
rrhagia *Path.*
taenia *Helm.*
βαλανοειδής like an acorn
balanoid(ea *Crust.*
βάλανος an acorn
balanic *Anat.*
balaniferous *Bot.*
Balaninus *Col.*
balanism *Med.*
balanitis *Path.*
Balanops *Bot.*
idaceae ales
balanos *Gr. Impl.*
Balanus -id(ae *Crust.*
Chrysobalanus *Bot.*
Eobalanus *Pal.*
βαλαντίδιον Dim. of βαλλάντιον a pouch
balantidiasis *Path.*
Balantidiopsis *Prot.*
balantidiosis *Path.*
Balantidium *Prot.*
βαλαύστιον pomegranate flower (Arist.)
balausta -ine -ion *Bot.*
baluster(ed
balustrade(d -ing
βαλβίς a goal
balbis *Gr. Athl.*
Βαλιαρεῖς
Balearic -ian *Geog.*
βάλλειν to throw
ballista
ballistic *Mil. Phys.*
ally ian -ics
ballistite *Chem.*
ballistophobia *Med.*
baloptikon *Sc. App.*
cataballitive
electroballistic(s
pyroballology *Mil.*
thromballosis *Med.*
βαλλισμός jumping
ballism(us *Med.*
hemiballism *Med.*
βαλλωτή (Diosc.)
Ballota *Bot.*

βαλσαμίνη (Diosc.)
balsamina *or* e *Bot.*
-aceae -aceous
βάλσαμον (Theophr.)
antibalm
balm
balsam(ation
Balsamea *Bot.*
-eaceae -eaceous
balsamic
al(ly ness
balsamiferous
balsamitic(ness
balsamito *Mat. Med.*
balsamize
balsamo- *Bot.*
dendron rhize
balsamous -y
balsamum
carpobalsamum *Chem.*
oleobalsamic *Mat. Med.*
βάλτη a swamp
Eubalta *Arach.*
βᾶμα = βῆμα
Abama *Bot.*
βαναυσικός fr. βάναυσος mechanical
banausic *Mech.*
βάπτειν to dip
baptizenin *Chem.*
baptin *Chem.*
bapto- *Pal.*
pora saurus
Baptornis *Pal.*
Tachybaptes *Ornith.*
βαπτίζειν (N.T.)
baptize
-able -ation -ee -ment -er
misbaptize
rebaptize(r -ation
unbaptize(d
βάπτισις a dipping
Baptisia *Bot.*
baptisin *Chem.*
baptisol *Org. Chem.*
baptitoxin(e *Chem. Med.*
βάπτισμα (N.T.)
antebaptismal
Antip(a)edobaptism
baptism(al(ly
Paedobaptism *Eccl.*
postbaptismal
probaptismal
rebaptism(al
Sebaptism *Eccl.*
βαπτιστής one that dips
Antip(a)edobaptist
Baptist(ic(al(ly
Hemerobaptist
holobaptist
Paedobaptist
rebaptist
Se-baptist
βαπτιστήριον (Athan.)
baptistery
βαπτός dyed
Baptanodon *Pal.*
Baptobaris *Ent.*
Eubaptus *Ent.*
βάραθρον a pit
Barathrodemus *Ich.*
barathron -um
βαρβαρίζειν to speak or act as a barbarian
barbarize -ation
βαρβαρικός (Thuc.)
barbaric(al(ly
βαρβαρισμός (Arist.)
barbarism *Philol.*
βάρβαρος foreign
Barbara *Ent.*
Barbaresque
barbarian(ism -ize
barbarious(ness

barbarism
barbarity
barbarocracy
Barbarothia
barbarous(ly ness
cebarbarize -ation
disbarbarize
rebarbarize -ation
rhabarb(um *Bot.*
rhabarbaric *Org. Chem.*
-ate -in(e -one
semibarbarian
-ic -ism -ous
unbarbarize
βάρβιτον (Dion. H.)
barbiton *Mus.*
isobarbituric *Chem.*
βάρβιτος lyre(Anacreon)
barbitos *Music*
βάρδιστος very slow
Bardistopus *Ent.*
βαρεῖα Fem. of βαρύς
barie *Phys.*
βᾶρις (-ιδος) a flat-bottomed Egyptian boat
Baridiaspis *Ent.*
-baris *Ent.*
Bapto Crypto Cymato Sclero Stereo Titano Tropido
bark *Naut.*
Orthobarida *Ent.*
Stethobaropsis *Ent.*
Βαρνάβας (Eus.)
Barnabito *Eccl. Hist.*
βάρος weight
anemobarometer *Phys.*
barad *Phys.*
bar(a)esthesio- *Physiol.*
meter metric
baragnosis *Ps. Path.*
baranilin(e *Chem.*
baro-
cyclono- *Meteor.*
meter scope
electroesthesiometer
gnosis *Psych.*
gram *Meteor.*
graph(ic *Meteor.*
gyroscope *Mech.*
lite *Min.*
logy *Phys.*
macrometer *Meteor.*
meter *Meteor.*
metrograph(y *Meteor.*
metry -ic(al(ly *Meteor.*
motor
nomy
scope -ic(al(ly *Phys.*
selenite *Min.*
taxis *Bot. Physiol.*
thermo- *Meteor.*
(hygro)graph meter
tropism *Ther.*
centibar *Phys.*
chronobarometer *Horol.*
enobarometer *Chem.*
h(a)emabarometer *Med.*
hydrobarometer
hypobaropathy *Path.*
hypobarometer -metric
isallobar(ic *Meteor.*
manobarometer *Phys.*
megabar(y -ic *Phys.*
meiobar *Meteor.*
mesobar(ic *Meteor.*
microbaro- *Meteor.*
gram graph
millibar *Phys.*
oenobarometer -ric
pedabaro(macro)meter *Med. App.*
Phacelobarus *Ent.*
pleiobar *Metoer.*

telebaro-
graph meter
telehydrobarometer
thermobaro- *Phys.*
graph meter
βαρυ- Comb. of βαρύς
bary-
biotite *Min.*
brotes *Crust.*
-id(ae -oid
center -ric *Math.*
crinus -idae *Pal.*
encephalia *Psych.*
glossia *Med.*
lalia *Med.*
lite *Min.*
mactra *Pal.*
mochtha *Ent.*
morphosis *Biol.*
phonia -ic -ous -y *Path.*
rhynchus *Ornith.*
silite *Min.*
sphere *Geol.*
therium -iidae *Pal.*
theulandit *Min.*
trope *Mech.*
βαρύδιον Dim. of βαρύς
Pseudbarydia
βαρυηκοΐα (Hipp.)
bary(e)coia *Med.*
βαρύς heavy
anglesobarite *Min.*
baric *Chem. Phys.*
bariohitchcockite *Min.*
barite -ic *Min.*
baritenor
barium *Chem.*
baros -us *Chem.*
Barosma *Bot.*
camphor
barosmin *Org. Chem.*
baruria *Path.*
celestobarite *Min.*
citobarium *Med.*
Dactylobarus *Ent.*
fluorbaryt *Min.*
homobaric
nitrobarite *Min.*
orthobaric *Phys.*
radiobaryt *Min.*
tautobaryd *Math.*
thrombocytobarin *Chem.*
βαρυτ- Stem of βαρύς
baryta *Chem.*
-es -ic -iferous -ine
baryta -orthoclase *Min.*
barytes -ine *Min.*
barythemia *Path.*
baryto- *Min.*
calcite celestite phyllite
βαρύτονος deep-sounding
barytone *Gram. Mus.*
βάς P. pr. of βαίνειν
Zophobas *Ent.*
βάσανος the touch-stone
basanite *Petrol.*
Microbasanus *Ent.*
βασίδιον, or βάσις + -ιδιον
Autobasidiomycetes -ous
Autobasidium -ii *Bot.*
basid(ial *Bot.*
basidio- *Bot.*
genetic gonidium lichenes mycete(s mycetous phore rhizae spore sporous
basidium *Bot.*
ectobasidium *Bot.*
endobasidium *Bot.*
Eubasidii -ieae *Zool.*
Exobasidium *Fungi*
-iaceae -ial(es

Hemibasidiomycetes
-ous *Bot.*
hemibasidium *Bot.*
-ii -iales
phragmobasid *Fungi*
probasid *Fungi*
Protobasidiomycetes
-ous *Fungi*
protobasidium *Fungi*
Pseudobasidia *Ent.*
pseudobasidium *Bot.*
Βασιλειδιανοί (Athan.)
Basilidian(i ism *Eccl. Hist.*
βασίλειος kingly
basileolatry
βασιλεύς a king
Basilarchia *Ent.*
Basilosaurus *Pal.*
-id(ae
βασιλεύτερος Compar. adj. from βασιλεύς
basileuterous *Ornith.*
βασιλική (Vitruv.)
basilica *Arch.*
-al -an(ism
βασιλικόν (Alex. Trall.)
basilicon *Med.*
(Arist.)
antibasilicon -an *Pal.*
basil *Bot.*
basilic
βασίλιννα = βασίλισσα
basilinna *Gr. Ant.*
βασιλίς a queen
Basilemys *Pal.*
βασιλίσκος (Sept.)
basiliscine *Her.*
Basiliscus -an
basilisk(ian
βασίλισσα a queen
basilissa *Gr. Ant.*
βάσις base; orig., steps
abasia -ic *Path.*
Aceratobasis *Ent.*
acrobasis *Ent.*
ammonobase -ic *Chem.*
arsenpolybasit *Min.*
basanomelan *Min.*
base
ball board less(ness *etc.*
basecphysis *Zool.*
baseology *Philol.*
baseost *Ich.*
basi-
alveolar *Craniom.*
arachn(oid)itis *Path.*
brachial *Zool.*
bracteolate *Bot.*
branchial *Zool.*
branchiostegal *Ich.*
bregmatic *Anat.*
caryoplastin *Biol.*
cerite *Crust.*
chromatin *Biol.*
chromiole *Cytol.*
cranial *Craniom.*
cytoparaplastin *Cytol.*
digital(e *Anat.*
dorsal(e *Anat. Zool.*
emphytic *Zool.*
facial *Anat.*
fixed *Bot.*
fugal(ly *Bot.*
gamous -y *Bot.*
genic -ous *Chem.*
glossus *Anat.*
gnathite *Zool.*
gynium *Bot.*
hyal *Anat. Zool.*
hyoid(al *Anat. Zool.*
lateral *Anat.*
lemma *Anat.*
lysis lyst *Obstet.*
nerves *Bot.*

basi- Cont'd.
occipital *Anat.*
ophthalma *Conch.*
ophthalmite *Crust.*
otic *Embryol.*
parachromatin *Cytol.*
petal *Bot.*
phobia *Ps. Path.*
phyll *Bot.*
plast *Bot.*
podite -ic *Zool.*
podium *Zool.*
pterygium *Ich.*
-ial -oid
radial *Zool.*
rhinal *Anat.*
rostral *Ornith.*
scopic *Bot.*
solute *Bot.*
sphenoid(al *Anat.*
stoma *Pal.*
sylvian *Anat.*
temporal *Zool.*
thecal *Bot.*
tonus *Bot.*
ventral(e *Anat. Zool.*
basic
basicity *Chem.*
basid(ial *Bot.*
basify -ication -ier
basilad -ar *Anat.*
basio-
ceratochondroglossus
tribe *Surg.*
tripsis -y *Surg.*
basion *Craniom.*
basis
baso-
bismutite *Min.*
genous
metachromophil *Chem.*
phil(e *Cytol.*
-ia -ic -ious
phobia *Med.*
basoid *Dyes*
Basommatophora *Conch.*
basyl(ous *Chem.*
bibasic *Chem.*
catabasial *Anthrop.*
circumbasal
cylindrobasiostemon *Bot.*
diabasic(ity *Chem.*
dysbasia *Med.*
epibasal *Bot.*
euthybasid *Bot.*
gnathobase -ic *Zool.*
goniobasis *Zool.*
gynobase -eous -ic *Bot.*
hexabasic *Chem.*
holobasid *Fungi*
hyobasioglossus *Anat.*
hypobasal *Bot.*
hysterobase *Petrol.*
infrabasal *Pal.*
internobasal *Ent.*
isobase *Geol.*
isobasial *Craniom.*
juxtabasal
karyobasis *Cytol.*
leucobase *Arts Chem.*
macrobasis *Ent.*
megabasite *Min.*
microbasis *Bot.*
monobasic(ity *Chem.*
monobasis -ic *Biol.*
nasobasal *Anat.*
nasobasilar *Craniom.*
opisthobasial *Anat.*
opisthobasilar *Craniom.*
orthobasic *Crystal.*
panabase -ite *Min.*
parabasal(e *Crin.*
pentabasic *Chem.*
petrobasilar *Anat.*
platybasic *Craniom.*
pogonobasis *Ent.*

polybasic(ity *Chem.*
polybasite *Min.*
proterobase *Petrol.*
pseudobase *Chem.*
quadribasic *Chem.*
rheobasis *Neurol.*
sarcobasis *Bot.*
Schizobasis *Pal.*
sclerobase -ic(a *Zooph.*
sclerobasis
sesquibasic *Chem.*
sphenobasic *Anat.*
sphenobasilar *Anat.*
stasibasi(*or* o)phobia *Ps. Path.*
subbase -al -ilar ment
surbase(d ment
Temnobasis *Ent.*
tetrabasic *Chem.*
tribasic(ity *Chem.*
ultrabasic *Petrog.*
underbasal *Crin.*
unibasal
verticibasality *Bot.*
βασσαρίς (-ίδος) fox; a Thracian bacchanal
bassarid *Gr. Myth.*
Bassaris *Mam.*
-idid(ae -idoid -iscus
βατήρ starting point
bater *Gr. Athl.*
-βατης as in στυλοβάτης
aerobatics
ectobatic *Anat. Neurol.*
hypnobate -ia *Psych.*
stereobate -ic *Arch.*
tholobate *Arch.*
βάτης one that treads
-bates *Ent.*
Halo Hydro Ilyo Limno Nycto Poe Ptero Rhyaco
Chersobatae *Herp. Ich.*
Cormobates *Ornith.*
Dryobates *Ornith.*
Hydrobata -idae *Ornith.*
Pelobates -id(ae -oid
Promyliobates *Ich. Pal.*
Xerobates *Zool.*
βάτινος of the bush (Galen)
Calobatinus *Ent.*
βατίς a ray
Acanthobatis *Ich. Pal.*
Batis *Bot.*
-id(ac)eae -idaceous
Batis *Ich.*
-oid(ei -oidean
Ceratobatis *Ich.*
Dasybatis *Ich.*
-id(ae -inae -oid
Kalobatippus *Pal.*
Myliobatis *Ich.*
-id(ae -in(e -oid
Narcobatis *Ich.*
-id(ac -oid
Rhomphobatis *Ich.*
Thinobatis *Ent.*
βάτος a bramble
batology *Bot.*
-ical -ist
Sarcobatus -idae *Bot.*
βάτος a fish, ? = βάτις
Actobatus *Ich.*
-id(ae -inae -oid
Batocrinus -inae *Pal.*
Batostomellina *Pal.*
Dasybatus *Ich.*
Helibatus *Ent.*
Narcobatus *Ich.*
βατός "height"
batonoma *Tumors*
batophobia *Ps. Path.*
batoreometer *Elec.*

βατράχειος Adj. of βάτραχος
Batrachia *Herp.*
-ian -iate
Chelonobatrachia *Herp.*
ichthyobatrachian *Zool.*
Oph(id)iobatrachia
ophidobatrachian *Herp.*
Saurobatrachia(n *Herp.*
βατραχίτης a green stone
batrachite *Petrog.*
βατραχο- Comb. of βάτραχος
batracho-
erpetomachia
lite *Pal.*
phagous
phobia *Med.*
plasty *Surg.*
pora *Pal.*
spermum -eae *Bot.*
stomous -us *Ornith.*
suchus *Pal.*
βατραχομυομαχία
Batrachomyomachia *or* -y *Lit.*
βάτραχος a frog
batrachietum *Bot.*
batrach-
ophidia(n ii *Herp.*
opsis -ida *Herp.*
Batrachus *Ich.*
-id(ae -oid(es -oididae
-oideae
-batrachus
Bathy Hylaeo Megalo Montse(i)cho Palaeo Plio
batracin *Tox.*
βατταρισμός stuttering
battarism (us *Med.*
βαττολογία idle talk
battology
-ical -ist -ize
βαφή dyeing, fr. βάπτειν
Baphia *Bot.*
baphic *Org. Chem.*
baphinitin -one *Chem.*
phlobaphene -ic *Chem.*
phlobatannin *Org. Chem.*
βδέλλα a leech
Bdella *Arach.*
-ia -id(ae -ides -inae
-bdella *Helm.*
Acantho Amphi Cryo Herpo Macro Malaco Nemato Odonto Placo Ptero Rhyncho
bdelloid(a *Helm.*
ea(n ina
bdellepithecium *Med.*
Bdellura -idae *Helm.*
Branchellion *Helm.*
-iid(ae -ioid
Gnathobdella -id(ae
Ichthyobdella -id(ae
terabdella *Med. App.*
βδέλλιον (Diosc.)
bdellium *Resins*
βδελλο- Comb. of βδέλλα
bdello-
meter *Med.*
morpha *Helm.*
stoma *Ich.*
-(at)id(ae -oid
tomy *Med.*
βδόλος stench
Galeobdolon *Zool.*
βεβαιωτής a surety
Bebaiotes *Ent.*
βέλεμνον a dart
belemnite *Noll. Pal.*
-ella -es -ic -id(ae
-oid(ea

belemno-
camox
crinus -idae *Echin.*
teuthis -idae *Moll.*
Kophobelemnon -idae
βελλερφῶν (-ῶντος) (Il.)
Bellerophon *Moll.*
-ontid(ae -ontoid
βελόνη a needle
Belinuropsis *Pal.*
Belinurus *Crust.*
-id(ae -oid
Belone -id(ae *Ich.*
belonephobia *Ps. Path.*
belonesite *Min.*
Belonesox *Ich.*
belonite *Petrog.*
belonoid *Anat.*
Belonorhynchus *Pal.*
-id(ae -oid
belonspherite
pyrobelonite *Min.*
βελονίς Dim. of βελόνη
Belonisculus *Arach.*
βέλος a dart
Belaster *Pal.*
Belis *Bot.*
Beloceraten *Pal.*
Belodon *Herp.*
-ont(id(ae -ontoid
beloid
Beloidea *Radiol.*
belomancy
Beloptera *Conch.*
-id(ae -oid
belopteron *Anat.*
Belosepia *Moll.*
-id(ae -oid
Conobelus *Pal.*
Mastacembalus *Ich.*
-id(ae -oid
Nannobelus *Pal.*
Oxybelus *Ent.*
Probeloceras *Pal.*
Tetrabelodon *Herp.*
βέμβιξ (-ικος) a buzzing insect
Bembex *Ent.*
-ecidae -ecides -eciles -ecinae -ecinus -ecites -idiade -idiidae -idiides idionidae -idium -idula
bembine *Ent.*
Bembix *Moll.*
βεμβράς anchovy
Bembradion *Ich.*
βένθος the deep of the sea
archibenthal *Geog.*
archibenthos *Zoogeog.*
bentho-
cometes *Ich.*
desmus *Ich.*
saurus -id(ae *Ich.*
benthos *Oceanog.*
-al -(on)ic
epibenthic -os *Biol. Zool.*
eurybenthic *Biol.*
hemibenth(on)ic *Zool.*
holobenthic *Zool.*
hypobenthos -(on(ic *Biol.*
mesobenthos -ic *Biol.*
phytobenthon *Biol.*
protobenthon *Biol.*
βερεκύνθιος Phrygian
Berecynthian *Geog.*
βερενίκη Fem. var. of φερένικος victorious
Berenice *Zool.*
-ea -eae -etta -idae
Βερόη Aleppo (Strabo)
Beroe *Zooph.*
-id(ae -oid

Βερονίκη
veronica
Veronicella *Conch.*
-id(ae -oid
βηλά sandals
Pycnobela *Ent.*
βηλόθυρον a curtain hanging at a door
belothyron *Gr. Ch.*
βῆλον = L. velum
-belum *Arach.*
Bothro Priono Sphaero
βηλός threshold
Cheirobelus *Malac.*
βῆμα step, seat, pedestal
antiparabema *Arch.*
bema *Gr. Ant.* & *Gr. Ch.*
βηματιστής one who measures by paces
bematist *Gr. Ant.*
βήξ a dough (Hipp.)
cynobex *Med.*
lithobexis *Path.*
βήρυλλος a sea-green jewel
beryl *Min.*
berylline
beryllium *Chem.*
-ia -(on)ate
berylloid *Crystal.*
beryllonite *Min.*
besiclometer *Ophth.*
organoberyllium *Chem.*
βῆτα the letter β
beta *Alph.*
beta-
albumosease *Biochem.*
eigon *Mat. Med.*
eucain *Mat. Med.*
eunol *Mat. Med.*
sulphopyrin *Mat. Med.*
belite *Min.*
butyrobetain(e *Chem.*
diiodobetanaphthol
propiobetaine *Org. Chem.*
tribrombetanaphthol
βηχ- Stem of βήξ
bechol *Prop. Rem.*
βηχικός (Hipp.)
antibechic *Ther.*
bechic(al *Med.*
βία force
anemobiagraph *Meteor.*
biastrepsis *Bot.*
βίαιος forced
biaiometamorphosis *Bot.*
βίβλια the Scriptures
antibiblic
Bible
Biblic
al(ly ality ism ist ize
biblicopsychological
Biblism -ist *Eccl.*
post-Biblical
pseudo-Bible
solibiblical -ism
solibiblist
βιβλιο- Comb. of βίβλιον
antibibliolatry
biblio-
chresis chrestic
clasm clast
genesis
gnost(ic(al iconoclast
gony
klepsis klept
kelptomania
later
latry -ist -ous
lite *Petrol.*
logy -ical -ist
mancy -ery
mane -y
-iac(al -ian -(ian)-

hiblio- Cont'd.
ism -ist
pegy -ic -ist(al -istic(al
phagy -ic -ist
phil(e -ic -ous
phily -ism -ist(ic
phoby
poesy
soph
taph(ion
thetic *Libraries*
βιβλιογραφία the writing of books
bibliography
-al -ic(al(ly -ist -ize
biobibliographical
photobibliography
βιβλιογράφος a writer of books
bibliograph(er
βιβλιοθήκη (Polybius)
bibliothec(e
a al arian ary
βίβλιον a book, orig. a strip of bark
lithobiblion *Geol.*
βιβλιοπώλης a bookseller
bibliopole
-ar -ery -ic(al(ly
bibliopoly
-ism -ist(ic
βίβλος bark, a book
biblus
gymnobiblism
-ical -ist
βικίδιον Dim. of βῖκος
Bicidiopsis *Zooph.*
βῖκος a wine-jar
Bicocca -idae *Infus.*
Bicosocca *Infus.*
bikos *Gr. Ant.*
pitcher(ful
βιο- Comb. of βίος
abio-
chemistry genesia
genesis(t genetic(al(ly
genist genous geny
logy(-ic(al) narce
physiology trophy(-ic)
aerobioscope *Med.*
anatom(ic)obiological
anthropobiology -ical
autobiology *Bot.*
bio-
aeration *Sewage*
assay *Med.*
bibliographical
biographical
blast(ic
blastology
catalysis
catalyst -yzer
cellate *Ent.*
character *Bot.*
chemic *Chem.*
al -ics -y
chemist(ry
chore *Phytogeog.*
chronic *Bot.*
citin *Med.*
climatology *Ecol.*
coenology -ic *Bot.*
c(o)enosis *Biol.*
coenosium *Bot.*
colloid(al *Chem.*
community *Bot.*
crystal
(cyto)culture *Chem.*
cytoneurology *Neurol.*
dendry
diapason *Music*
dynamic(s -ical
electric *Biol. Elec.*
energesis *Biol.*
energ(et)ics *Biol.*

bio- Cont'd.
gamia *Biol.*
gen *Biochem.*
ase ation ic ous
genesis(t *Biol.*
genetic(al(ly *Biol.*
geny -ist *Biol.*
geograph(y
er ic(al(ly
globin *Prop. Rem.*
gnosis -y *Biol.*
graph(er ee
kinetics *Biol.*
lite *Geog.*
lith *Petrog.*
logos *Biol.*
logy
-ia(n -ic(al(ly -ism -ist -ize
luminous -escence
lysis lytic *Biol.*
magnetic -ism
medicine
metric(s
al(ly ian ist
metry
molecule -ar *Chem.*
mone -ad *Cytol.*
more
morph
ic otic(a
necrosis *Histol.*
nomic(al(ly -ics *Biol.*
nomy -ist *Biol.*
nosis *Path.*
nuclein *Biochem.*
phagism *Bot.*
phagous
phene *Org. Chem.*
philous
-ism -ist
phor(e -ic -id *Biol.*
phores *Bot.*
photophone *Mech.*
physicochemical
physics
physiography -ic(al
physiology -ical -ist
phyte *Bot.*
pisolite *Geol.*
plasia *Physiol.*
plasm(at)ic *Biol.*
plasmin(ogen *Cytol.*
plast(ic *Cytol.*
psychic(al
psychology -ical -ist
pyoculture *Med.*
pyrobole *Min.*
rontgenography
scope -ic -y *Med.*
sociology -ic *Bot.*
sphere -ic *Bot.*
static(al -ics *Biol.*
statistics
sterin *Biochem.*
sulphol *Mat. Med.*
taxy *Biol.*
tome *Biol.*
tomy *Surg.*
tonic(s *Physiol.*
toxin *Med.*
tripsis *Physiol.*
type -ic *Biol.*
varial *Bot.*
xylus *Ent.*
caustobiolith *Geol.*
chemicobiology -ic
cryptobiolite *Geol.*
cytobiology *Cytol.*
electrobiology *Biol.*
-ical -ist
electrobioscopy *Biol.*
Eubiodectes *Pal.*
geobiology -ic
homobiophorid *Biol.*
idiobiology *Biol.*

isobiogenetic *Biol.*
liptobiolith *Geol.*
macrobiocarpy *Bot.*
macrobiostemonous
microbiohemia *Path.*
microbiology -ical -ist
microbiophobia *Med.*
microbioscope
Microbiotheria *Pal.*
-ian -iidae -ium
neobiologist
neurobiotaxis *Cytol.*
palaeobiogeogrpahy
pal(a)eobiology -ist *Bot.*
pathobiology *Path.*
-ical -ist
phanerobiolite *Geol.*
phyllobiology -ic *Bot.*
physicobiological
phytobiology -ical
pneobio-
gnosis
mantia ric(s
pneusiobiognosis *Med.*
psychobiology -ical
rhyzobiolite *Geol.*
silicobiolith *Geol.*
skeuobiomorph(ic *Art.*
thanatobiologic
zoobiology
βιογραφία (Photius)
autobiography
-al -er -ic(al(ly -ist
biobiographical
biography
-ic(al(ly -ist -ize
ornithobiography -ical
βιοντ- P. pr. stem of βιοῦν
autosymbiontic *Bot.*
-biont *Biol. Bot.*
aero ana anaero anti diplo geo haplo holo meta ortho proto
-biontic
diplo ortho
bionto-
gene *Geol.*
logy *Biol.*
heterosymbiont *Bot.*
intrabiontic *Bot.*
macrosymbiont *Bot.*
microsymbiont *Bot.*
orthobionte *Pal.*
parasymbiont *Bot.*
probionta *Biol.*
βίος life
abiuret *Chem.*
aerobe *Biol.*
-es -ia(n -ic(ally -ious -ium
aeromicrobe *Med.*
agamobium *Biol.*
amicrobic *Path.*
amphimicrobian *Biol.*
anaerobe *Bact.*
-es -ia(n -ic(al(ly -ious -ism -ium
anobium *Ent.*
Anthophorabia *Parasites*
antimicrobic *Ther.*
antimicrobin *Med.*
bathybial -ic *Biol.*
bathybius -ian *Zool.*
-bia *Ent.*
Antho Calopteno Cordylo Dermato Ecto Hedo Necro Nycteri Steno Stygno Thamno Typho Xipholimno
biomes *Bot.*
biopsy *Psych.*
biorgan *Biol.*
bios *Biol.*
biosan *Chem.*

biosin -on *Med.*
-biose *Chem.*
cello celtro gentio gluco hexa(*or* o) lacto malto
-bium *Bot.*
Amno Arceutho dendro gamo halo homo
-bius *Arach.*
Abato Lopho Simo Timio Typhlo
-bius *Ent.*
Alphito Amatho Cacco Chloe Clito Eugnampto Euro Hemero Hydno Hydro Hylo Ily(o) Lacco Larico Limne Limono Litho Microxylo Mimo Nemo Neorhizo Nesolago Nothorhizo Noti Ochthe Orphne Otio Pelo Philetaero Pityo Psepharo Rhizo Rhypo Scapto Scio Scoto Thalasso Thino Xylo
cellobioside *Org. Chem.*
Ceuthobia *Zool.*
dendrobe *Bot.*
dermatobiosis *Path.*
Donacobius *Ornith.*
Gebia -idae *Crust.*
-iid(ae -ioid
gentiobiase *Biochem.*
gentiopic(*or* k)rin *Chem.*
geobios *Biol.*
h(a)ematobic -bious *Biol*
h(a)ematobium *Bact.*
hali(*or* o)bios *Biol.*
Halobia -ic *Pal.*
Helobiae -bious *Bot.*
hemibathybial *Ecol.*
Hydrobia *Conch.*
-iid(ae -ioid
katharobia *Bot.*
lactobionic *Org. Chem.*
Lathrobium *Ent.*
-iidae -iformes
Mesosaprobia *Bot.*
microbe *Biol.*
-al -ial -ian -ic -ious -ion -ium
microbemia *Path.*
microbicide -al -in *Med.*
microbionation *Med.*
microbiosis -otic *Med.*
microbism *Med. Path.*
monobium *Biol.*
monomicrobic *Path.*
Myiobium *Prot.*
Myxobia *Biol.*
necrobiosis & -otic *Path.*
Notobium *Ent.*
Nycterobius *Pal.*
Nyctibius *Ornith.*
-iinae -iin(e
Oligosaprobia *Bot.*
otiobiosis *Path.*
Parhydrobia *Pal.*
Petrobium -ieae *Bot.*
Phenacobius *Ich.*
Phloebium *Ent.*
Photobia *Fungi*
Phyllobioides *Ent.*
polymicrobial -ic *Med.*
Polysaprobia -ic *Bot.*
Potamobiidae *Crust.*
Priobium *Ent.*
Psammobia *Conch.*
-iid(ae -ioid
radiobe *Biol.*
Rhizobia -ic *Bact.*
Saprobia *Bot.*
ultramicrobe *Biol.*
Xestobium *Ent.*

βιοτή life
biota *Zoogeog.*
βιοτός = βίος
-biotite *Min.*
anhydro calcio titan
βιοῦν to live
Clubiona *Arach.*
-id(ae -oid(ae

βίττακος = ψίττακος
Bittacomorpha *Ent.*
bittacus *Ent.*

βιῶν P. pr. of βιοῦν
abion
abionergy
bion(ic *Biol.*
bionergy *Biol.*
eccaleobion *Obs.*
geobin *Phytogeog.*
halobion *Bot.*
monobion *Biol.*
neurobion *Neurol.*
probion *Biol.*

βίωσις act of living
biosis *Biol.*
-biosis *Biol.*
a aero anaero anoxy anti apo arche clepto colaco enantio hydro klepto meta micro necro ortho para phasio sapro xeno zeno
colacobiosic *Ent.*
enantiobiosistic *Biol.*

βιωτική (M. Anton.)
biotics *Biol.*
orthobiotics

βιωτικός pert. to life
Amphibiotica *Zool.*
biotic(al *Biol.*
-biotic
a aero anaero anoxy anti apo arche crypto dimorpho endo epi hali(*or* o) haplo hemiendo mesendo meta micro necro nonaero nonphyto para phaeno photo zoo
-biotically
aero anaero meta

βιωτός to be lived
biotogeny *Geol.*
lithobiotism -ic *Crystal.*
zoobiotism *Biol.*

βλαβερός noxious
Blabera *Ent.*

βλαισός bandy-legged
blaesitas *Med.*

βλάξ stupid
Dendroblax *Ent.*

βλάπτειν to damage
Dendroblaptus *Ent.*

βλαπτικός hurtful
Blapticoxenus *Ent.*

βλάστημα a sprout (Theophr.)
ablastemic *Biol.*
blastema *Bot.*
-al -atic -ic
cytoblastema *Cytol.*
-al -(at)ous -ic
epiblastema *Bot.*
meneblastema *Lichens*
mesoblastema -ic *Biol.*
Oöblastema *Algae Cytol.*
phygoblastema *Lichens*
scleroblastema -ic
scytoblastema *Embryol.*

βλάστησις sprouting
blastesis *Bot.*
-blastesis *Bot.*
acro dia epi meso mono peri

βλαστο- Comb. of βλαστός
ablastozoa *Biol.*
blasto-
carpous *Bot.*
cele *Embryol.*
cerine *Mam.*
cheme *Zool.*
chore *Phytogeog.*
chyle *Embryol.*
coelia *Bot.*
coele -ic -oma *Embryol.*
colla *Bot.*
cyst *Embryol.*
cystinx
cystis -idae *Pal.*
derm(a *Embryol.*
derm(a *Embryol.*
al ata (at)ic
disk *Embryol.*
gen(ic *Bot.*
genesis *Biol.*
genetic *Biol.*
geny -ic *Biol.*
graphy -ia *Bot.*
kinesis *Embryol.*
kinetic *Embryol.*
kinetic *Embryol.*
lysis *Biol.*
mania *Bot.*
mere -ic *Embryol.*
merotomy
myces *Fungi*
-ete(s -etic -etoid -etous -osis
neuropore *Embryol.*
phaga *Ent.*
phore -al -ic
phthoria -ic *Embryol.*
phyllum *Embryol.*
phyly *Biol.*
polypidae
pore *Bot.*
pore -al -ic *Embryol.*
sphaera *Embryol.*
sphere -ic *Embryol.*
stroma *Embryol.*
style -ar *Zooph.*
tomy *Embryol.*
zoa zo(o)id *Zool.*
endothelioblastocyte cytosis *Med.*
protoblastoderm

βλαστός sprout; germ (Arist.)
ablastous *Biol.*
actinoblast *Spong.*
adamantoblastoma
Anthoblastus *Echin.*
asymblasty *Bot.*
blast *Biol.*
-blast *Anat.*
coeno (o)esophago galacto giganto(chromo) hemo(cyto) poecilo
-blast *Bact.*
bacterio desmohemo erythro leuco normo
-blast *Biol.*
arseno auto bio cyto ento entostho gono homohistio hypo nemato sarco sperm(at)o spong(i)o stato thely zygoto
-blast *Bot.*
anthero auxo brachy(o) cardio crypto cysto cytio epi eremo geo gonimo gono herpo hypo kata krypto macro meta ortho photo phyto sclero sph(a)ero sporo thamno tricho
-blast *Cytol.*
adeno adamanto astro chondro chromo clasmato deutospermato entomeso eosino eremo erythro fibro histo idio ino karyo leuko(cyto) lympho(megalo) macro(erythro leuko normo(chromo) mega melano mesecto micro(leuco myelo) mucino myelo myo neuro odonto opto osteo poikilo proerythro promegalo proto(hemato spermato) spleno stomato zoo
-blast *Dent.*
adamanto emaillo odonto
-blast *Embryol.*
aero amelo angio apo archi cemento chromato coelo(meso) cysto desmo ecto(meso) endo epi ganglio geno granulo h(a)emato hetero holo lecitho mero mesentero meso (hypo) nephro octo oelo oo para pedomeso peri phagocyto pheochromo plasmoditropho poly splanchno sympatheto sympath(ic)o telo trocho tropho
Blastactinota *Biol.*
Blastea *Biol.*
-ead(ae -eid(ae
blastea -ean *Bot.*
blastelasma *Emb.*
blasteniospore *Bot.*
Blasteroidea
-blastic *Biol.*
a ento gono hypo mono sarco sperm(at)o stato tetra thely triplo
-blastic *Bot.*
apo dicho enantio epi homo hypo pleuro sclero
-blastic *Cytol.*
erythro fibro lympho mega myo neuro odonto osteo texto
-blastic *Embryol.*
aero amelo amphi angio archi coelo di diplo disco ecto endo epi geno h(a)emato hetero holo mero meso oo pan para peri poly proto telo tropho
blastid(ae
blastidia *Cytol.*
blastidium *Crystal.*
blastidule *Bot.*
blastin *Med.*
blastoid(ea(n *Echin.*
blastoma *Tumors*
-atoid -atosis
-blastoma *Tumors*
archi chondro endothelio epithelio erythro fibro glio hamarto l(e)iomyo lipo lymphangioendothelio lympho melano myelo myxo neuro odonto osteo para rhabdomyo terato tropho
blastous *Bot.*
blastula *Embryol.*
-ar -ation -e
-blastula *Embryol.*
amphi archi coelo di disco peri stereo sterro
-blastus *Bot.*
arrhizo dy gymno hypo nemo phyllo pleio poly tetra thamno tri
calicoblast
Calyptoblastea *Zooph.*
-ean -ic
ceratoblast *Spong.*
chorioblastosis *Path.*
Clavaeblastus *Pal.*
cnidoblast *Zooph.*
Coeloblasteae *Algae*
coeloblastule *Emb.*
coenoblastic *Anat.*
Cystoblastidae *Pal.*
cytoblast *Prot.*
Diploblastica *Zool.*
el(a)eoblast(ic *Ascid.*
Eleutheroblastea -ic
embryoblastanon *Bot.*
enantioblastous *Bot.*
epiblastanus *Bot.*
erythroblastic *Bact.*
erythroblastosis *Path.*
erythrocytoblast *Med.*
gonoblastid *Zooph.*
ial ion ium
Gramatoblastidae *Pal.*
Gymnoblast(a)ea *Zooph.*
-ic -ous
h(a)ematocytoblast *Med.*
hedrioblast *Zool.*
heteroblasty -ically
holoblastically *Emb.*
hyperblastosis *Med.*
lemmoblastic *Histol.*
leucoblastic *Bact.*
lymphoblastemia
lymphoblastosis
macroblast *Path.*
megablast(ic *Path.*
meroblastically *Emb.*
myeloblastemia *Cytol.*
neoblastic *Zool.*
normoblastic *Bact.*
Nucleoblastidae *Conch.*
optoblast *Neurol.*
pansporoblast *Prot.*
Parablastida *Pal.*
petroblast
phoroblast *Histol.*
phytoblastea *Bot.*
planoblast(ic *Zool.*
pletheoblasteas *Bot.*
proteroblastic -ese *Geol.*
psychoblast
pterygoblast *Ich.*
sarcoblast(ic *Prot.*
scleroblast(ic *Zool.*
somatoblast *Zool.*
sponginblast(ic *Spong.*
sporozoitoblast
Stephanoblastidae *Pal.*
triblastic *Zool.*
Triploblastica *Biol.*
Troostoblastus *Echin.*
-id(ae -oid
trophoblast(ic *Path.*

βλασφημεῖν (Plato)
blaspheme
-ation -atory -er(ess
blasphemous -ly -ness

βλασφημία (Euripides)
blasphemy

βλάψις damage
Pseudoblaps *Ent.*

βλέμμα a glance
blemmatrope *Ophth.*
Hexablemma *Arach.*
triblemma

βλέννος mucus
antiblennorrhagic *Ther.*

blenn-
adenitis *Path.*
aphrosin *Mat. Med.*
elytria *Path.*
emesis *Path.*
emetic *Path.*
enteria -y *Path.*
enteritis *Path.*
ophthalmia *Path.*
uria *Path.*
ymenitis *Path.*
Blennicottus *Ich.*
Blennius *Ich.*
-iid(ae -iiform(es -iinae -ioid(ea(n -ioidei
blennoid *Path.*
blenno-
genic -ous *Path.*
metritis *Path.*
(r)rhagia -ic *Path.*
rrh(o)ea(l *Path.*
stasin(e *Pharm.*
stasis static *Path.*
thorax *Path.*
-blennorrh(o)ea *Path.*
balano broncho dacryo(cysto) gastro gono ophthalmo oto pyo rhino urethro
blenny *Ich.*
blenol *Mat. Med.*
blenorrhol *Mat. Med.*
Hypsoblennius *Ich.*
oligoblennia *Path.*
polyblennia *Path.*
βλέπειν to look
Agrioblepis *Ent.*
βλεπτικός fr. βλέπειν
ableptical(ly *Physiol.*
βλεφαρίς an eyelash
Blepharis *Crust.*
Eublepharis *Herp.*
-id(ae -oid(ea(n
βλεφαρο- Comb. of βλέφαρον
blepharo-
adenitis adenoma atheroma
cera *Ent.*
chalasia *Med.*
chromidrosis *Path.*
cl(e)isis *Path.*
clonus *Path.*
diastasis *Anat.*
pachynsis *Med.*
phimosis *Path.*
plast(oid *Bot.*
plasty -ic *Path.*
platypus *Ent.*
plegia *Path.*
ptosis *Path.*
rrhaphy *Path.*
spasm *Path.*
sphincterotomy *Surg.*
stat *Surg.*
stenosis *Path.*
symphysis *Path.*
synechia *Path.*
tomy *Surg.*
symblepharo-
pterygium *Ophth.*
βλέφαρον an eyelid
atretoblepharia *Med.*
blephar- *Path.*
adenitis al ism itic itis
blephara -ic *Bot.*
blephar-
oncus *Tumors*
ophryplasty *Surg.*
ophthalmia -ic *Path.*
-blepharon *Med.*
ankylo corneo euro hydro micro pachy sym varico
hygroblepharic *Anat.*
microblepharia -ism -y
pachyblepharosis *Path.*
pantancyloblepharum
scirrhoblepharoncus
symblepharosis *Path.*
-βλεψία Comb. of βλέψις
acyanoblepsia -y *Path.*
monoblepsia *Path.*
oxyblepsia *Physiol.*
pseudoblepsia *Physiol.*
βλέψις sight
blepsopathy -ia *Med.*
Leucoblepsis *Ent.*
Microblepsis *Ent.*
monoblepsis *Path.*
pseudoblepsis *Path.*
βλῆμα coverlet
blematogen *Bot.*
endoblem *Bot.*
βλητός stricken
Apobletes *Ent.*
βλῆχνον a fern (Diosc.)
blechnoid *Ferns*
βλίτον (Theophr.)
Blitum *Bot.*
βο- Comb. of βοῦς
bo-
oid(ea *Mam.*
opia *Med.*
Hyoboops *Pal.*
Βοανεργές
Boanerges
-ism -y
βοάνθρωπος (Tzetz.)
boanthropy
βοήθημα remedy (Hipp.)
boethema *Med.*
βοηθητικός serviceable
boethetic *Med.*
βοθρίον Dim. of βόθρος
Bothriaster *Echin.*
bothrio-
cephalin *Biochem.*
cephalus *Helm.*
-id(ae -oid
cidaris *Echin.*
lepis *Ich.*
spila *Ent.*
Bothriodon *Pal.*
Bothrion *Ent.*
bothrithorax *Parasites*
bothrium *Helm.*
-bothrium *Helm.*
Didymo Diphyllo Echino Eu Octo Phyllo Spathe
Dibothriocephalus
Dibothrium *Helm.*
-ian -idiata -iidae
odontobothrion -itis
Probothrium *Ich.*
βόθρις = βόθρος
-bothris *Ent.*
Chryso Poly Ptero
βοθρο- Comb. of βόθρος
Abothrophera *Herp.*
bothro-
belum *Arach.*
cara *Ich.*
craspedote
dendron *Pal. Bot.*
gnathus *Ent.*
phera *Herp.*
βόθρος a pit, trough
antibothropic *Ther.*
bothr-
agonus *Ich.*
emys *Pal.*
-ydid(ae -ydoid
enchyma *Bot.*
bothridium *Zool.*
bothropic *Chem. Phys.*
bothros *Gr. Ritual*
Cyclobothra *Bot.*
Gamobothridae *Zool.*
Lachnabothra *Ent.*
Megaulacobothrus *Zool.*
Stenobothrus *Ent.*
βόθυνος = βόθρος
Tetrabothynus *Ent.*
Βοιωτάρχης (Herod.)
Boeotarch *Gr. Govt.*
Βοιωτικός (Diod.)
Boeotic
Βιώτιος fr. Βοιωτία
Boeotian
pan-Boeotian
βολαῖος violent
Metabolaea *Ent.*
βολβίνη a white kind of βολβός (Theophr.)
-bolbina *Pal.*
Apato Chilo Di Mastigo Pletho
βολβός a bulbous root
bolbo-
crinus *Pal.*
nema *Helm.*
bulb
ed iferous iform il ine ing itis ose ous ule y
bulbilla *Zooph.*
bulbo-
capnine *Chem.*
cavernous -us *Anat.*
codium *Bot.*
nuclear *Anat.*
phyllum *Bot.*
urethral *Med.*
bulbus *Anat.*
caulobulb *Bot.*
epibulbar *Ophth.*
ischiobulbar *Anat.*
isocorybulbin(e *Chem.*
peribulbar *Anat.*
pneumobulbar -ous *Anat.*
pseudobulb(ous -il *Bot.*
pseudobulbar *Path.*
syringobulbia *Path.*
urethrobulbar *Anat.*
Zygobolba *Pal.*
-idae -inae
βολβώδης bulblike
bulbodium *Bot.*
βολή a throw, stroke
-bole(s -ae *Bot.*
Edo Plado Tono Xeri
isobolism *Neurol.*
pyribole *Min.*
sporobola *Bot.*
βολίς (-ίδοσ) a missile
autobolide *Mech.*
autobolites *Cytol.*
bolide *Meteor.*
heterobolites *Bot.*
schizobolites *Org. Chem.*
telebolites *Org. Chem.*
βόλιτον cow dung
Bolitolaemus *Ent.*
βολο- Comb. of βόλος
bolo-
chore *Phytogeog.*
chrous *Phytogeog.*
graph *Meteor.*
ic(ally y
meter -ric *Phys.*
saurus *Herp.*
-id(ae -oid
Eubolocera *Zooph.*
spectrobolo-
graph(ic
meter metry -ic
sphygmobolo- *Med.*
gram meter metry
volume(sphygmo)bolometer
βόλος a cast with a net
Adelobolus *Arach.*
Monobolina *Pal.*
Myxobolus -idae *Mycol.*
Ophibolus *Herp.*
Ophiobolus *Fungi*
Oxobolus *Arach.*
Parabolinopsis *Pal.*
Sporobolus *Bot.*
βόμβος a booming, humming
Bombornis *Ornith.*
bombus *Path.*
Bombus -inae *Ent.*
βομβυλιός a bumble-bee
Bombylius *Ent.*
-iid(ae -ioid(ea -ious
βόμβυξ (-υκος) a silkworm
bombast
er ic(al(ly ry
Bombax *Bot.*
-aceae -aceous
bombazet
bombazine
bombicisterin -ol *Chem.*
Bombyx *Ent.*
-yc(icae ina ine inous oid) -yform
Pseudobombyces *Ent.*
-ine -ini
βόνασ(σ)ος the wild ox
Bonas(s)us *Mam.*
βοο- Comb. of βοῦς
Booponus *Ent.*
Βορβορῖται (Epiph.)
Borborite *Eccl. Hist.*
βορβορυγμός (Hipp.)
borborym(us *Path.*
Βορεάδης son of Boreas
Boread *Myth.*
Βορέας the north wind
boreal(ize
borean
Boreaster *Pal.*
Βορεῖος northern
Boreogadus *Ich.*
Boreomelon *Pal.*
Boreosomus *Pal.*
Boreus *Ent.*
Βορηϊάδης = Βορεάδης
Boreiad *Myth.*
Βορηΐς = Βορεάς
archiboreis *Geol.*
βορο- Comb. of βορός
boro-
cyon *Pal.*
mys *Pal.*
phaga *Ent.*
βορός gluttonous
Borhyaena *Pal.*
-borus *Ent.*
Carpho Hypo Lito Pam Phloeo
Caryoborus *Ent.*
Ictioborus *Pal.*
Phagoborus *Ich.*
Pseudoborhyaena *Pal.*
Symborodon(t *Pal.*
Tyroborus *Arach.*
βοσκάς (-άδος) a small duck
boscades *Ornith.*
βόσκειν to feed
Hypobosca *Ent.*
βοσκός feeder (on herbs)
Boskoi *Eccl. Hist.*
βοστρυχίτης (Pliny)
bostrychite *Gems*
βόστρυχος a ringlet; a winged insect
Bostrychus *Ent.*
-id(ae
Bostryx *Bot.*
-ychoid(al
βοτανη grass, fodder
-botanist
geo neo pal(a)eo philo proto
botano-
logy -er -ical
mancy
phaga *Mam.*
botany
-ism -ist -ize(r
-botany
ethno geo neo pal(a)eo
βοτανική (Diosc.)
botanics
βοτανικός (Plutarch)
botanic(al(ly
-botanic
ethno geo pal(a)eo philo
-botanical
ethno geo medico neo pal(a)eo
βοτρυῖτις calamine (Galen)
botrytic *Bot.*
Botrytis *Fungi*
metrobotrytes *Gynec.*
βοτρυο- Comb. of βοτρυς
botryo-
cymose *Bot.*
gen(ite *Min.*
lite *Min.*
myces *Bot.*
mycoma *Tumors*
mycosis & -otic *Vet.*
pterid(ae *Ferns*
sporium *Bot.*
therapy *Med.*
βοτρυοειδής (Diosc.)
botryoid(al(ly *Min.*
dibotryoid *Bot.*
βότρυς a cluster of grapes
botrycymose *Bot.*
Botrydium *Bot.*
-iaceae -iaceous
Botryllus *Protozoa*
-aceae -id(ae -oid(ea(n
botry(s -y ose *Bot.*
cymobotrys -yose *Bot.*
Eriobotryn *Bot.*
βότρυχος = βόστρυχος
Botrychium *Bot.*
βου- Comb. of βοῦς
boulinikon *OilCloth*
bu-
arrhemon *Ornith.*
cardia *Med.*
centaur *Hist. Myth.*
cnemia *Path.*
dorcas *Mam.*
-inae -ine
metopon *Ent.*
phaga *Ornith.*
-id(ae -inae -ine -oid -us
phan(it)ine *Org. Chem.*
phthalmia *Med.*
-ic -ous
phthalmium -us *Bot.*
βούβαλις African antelope
bubal *Mam.*
Bubalichthys *Ich.*
-inae -ine
bubaline *Mam.*
bubalis *Mam.*
Bubalornis *Mam.*
Bubalus *Mam.*
βουβών the groin; a bubo
antibubonic *Ther.*
bubo *Path.*
bubonalgia *Path.*
bubonic *Path.*
bubonocele *Path.*
cysto- hystero-

βούγλωσσος (Pliny)
bugloss
βουδύτης the wagtail
budytes *Ornith.*
βουκέφαλος bull-headed
Bucephaloptera *Ent.*
bucephalus *Zool.*
βούκερως ox-horned
Buceros *Ornith.*
-otid(ae -otinae -otine -otoid
Bucorvus *Ornith.*
-inae -ine
βουκολιαστής (Theocr.)
bucoliast *Lit.*
βουκολικός (Theocr.)
bucolic(al(ly
βουκόλος a herdsman
bucolan
bucolism
βουκράνιον an ox-head
bucrane -ium *Art.*
βουλεία councillorship
?Bouleia *Arach.*
βουλευτήριον the senate or senate house
bouleterion *Gr. Ant.*
βουλευτής a senator
bouleutai *Gr. Antiq.*
βουλευτικός (Xen.)
bouleutic
βουλή a council
boule *Gr. Ant.*
βούλησις intention
bulesis *Psych.*
-βουλία, as in ἀβουλία
-boulia *Psych.*
dys hyper hypo para
-bulia *Psych.*
hyper hypo para
parab(o)ulic
βουλιμία hunger
bulimia *Path.*
-ic -ous -y
βουλιμιακός
bulimiac *Path.*
βούλιμος = βουλιμία
Bulimulus *Conch.*
id(ae -oid
Bulimus *Conch.*
-id(ae-iform -oid
βούμαστος a vine
Bumastinae *Pal.*
bumastus *Bot.*
βουμελία an ash (Theophr.)
Bumelia *Bot.*
βουναία of the hill
Bunaia *Arach. Pal.*
βούνιον ? earth-nut (Diosc.)
bunium *Bot.*
βουνο- Comb. of βουνός
buno-
chalis *Arach.*
hyrax *Pal.*
lophodont *Odont.*
phorus *Pal.*
selenodont *Odont.*
theria(n *Mam.*
βουνός a hill
bunodont(a *Odont.*
Dibunodon *Pal.*
Dichobunus *Mam.*
-id(ae -oid
Hyperdichobune *Pal.*
Paroligobunis *Pal.*
polybunous -ic -y *Anat.*
Protodichobune *Pal.*
Rhabdobunus *Pal.*
βουνώδης hilly
Bunodes *Crust.*
-id(ae -oid
Bunodomorpha *Pal.*

βούπλευρος (Nic. Th.)
bupleural -ol *Org. Chem.*
Bupleurum *Bot.*
βουπλήξ an ox-goad
Buplex *Ent.*
βούπρηστις a poisonous beetle
Buprestis *Ent.*
-id(ae -idan -oid
voupristi
βούπρῳρος ox-faced
Buprorus *Crust.*
-id(ae -oid
βοῦς ox
Boselaphus *Mam.*
?Bovichthys *Ich.*
-yid(ae -yoid
Ictobus *Ich.*
-inae -ine
Paraboselaphus *Pal.*
βουστροφηδόν turning like oxen in ploughing
boustrophedon(ic
βούστροφος ploughed by oxen
boustrophic
βούσυκον a large fig
Protobusycon *Pal.*
βουτιστής
boutistis *Gr. Ch.*
βούτομος flowering rush
Butomus *Bot.*
-aceae -aceous -ad
βουτυρο- Comb. of βούτυρον
butyro- *Org. Chem.*
betane *Org. Chem.*
lactone *Org. Chem.*
mel *Med.*
meter
nitrile
phenone
scope
thienone
tolone
toluide
lactobutyrometer
oleobutyrometer
βούτυρον (Hipp.)
but- *Org. Chem.*
adiene alanine anal ane anol(ed -ene enol en(o)yl eny esin ic in(e
butter
aceous cup fish in(e nut oil wort y
butyl *Org. Chem.*
ation ic ine mercaptan
butylhypnal *Mat. Med.*
butyn *Prop. Rem.*
butyr- *Org. Chem.*
aceous acetate al aldehyde amide amidin(e anilide ate ellite ic in(ase ite oin oid one ous(ness
buzylene *Org. Chem.*
carb(o)isobutoxy
carbobutoxy
chlorbutanol *Mat. Med.*
cyclobut- *Org. Chem.*
adiene ane anol anone ene enone ylamin(e
diisobutyl(glycolic
dibutyl
acetone
carbonoxid
dibutyr-
ate in
isobutane
isobutyl(ene
isobutyric -ate
monobutyrin
nitrobutyric

oleopalmitobutyrin
oxybutyria -ic *Med.*
perbutyric
saccharobutyric *Med.*
silicobutane
sulfobutyric
sulphobutyric
tributyrin -(in)ase *Chem.*
trichlorbutylalcohol
xanthobutyric
βουφόνια
Bouphonia *Gr. Fest.*
βοώτης Arcturus (Od.)
Bootes *Astron.*
βραβεῖον a prize in the games
Brab(e)ium *Bot.*
βραγχι- Comb. of βράγχια
branchi- *Zool.*
colous fera ferous form hyal
branchioma *Tumors*
Branchipus *Crust.*
-podid(ae -podoid
branchireme *Crust.*
branchiure *Crust.*
-a(n -ous
βράγχια gills; pl. of βράγχιον a fin
Abranchia *Zool.*
-ial(ism -ian -iata -iate -ious
actinobranch(ia *Zool.*
Aerobranchia(te *Arach.*
anectobranchiate *Echin.*
-branch *Conch.*
azygo cirri ctenidio cteno di eulamelli fili hydro lamelli monopleuro nucleo nudi opistho pectini poly proso scuti tecti tetra tubuli zygo
-branch *Crust.*
arthro mastigo pleuro podo
Branchellion *Helm.*
-iid(ae -ioid
branchia *Zool.*
-iac -ial -iata -iated
-branchia *Conch.*
Adelo Aniso Antho Aporo Aspido Azygo Cerato Cerco Cirri Clado Crypto(di) Ctenidio Cteno Cyclo Derm(at)o Di Dicrano Ecto Ento Eulamelli Fili Fimbri Gymno Haemato Hydro Lamelli Monopleuro Neuro Noto Nudi Opistho Para Pectini Pelli Placo Plocamo Poly Proso Pseudolamelli Ptero Pulmo Pygo Schismato Scuti Septi Spiro Stripto Tecti Teleo Tetra Trachelo Zeugo Zygo
-branchia *Crust.*
Arthro Homo Mastigo Phyllo Pleuro Podo Tricho
branchial *Zool.*
-branchial *Anat.*
epi hyo hyper hypo infero peri post sub supra
branchial *Zool.*
basi cerato cerco epi extra holo hypo infra inter mastigo meso meta nudi para

branchia! Cont'd.
pharyngo phyllo pleuro pre pseudo pulmo
branchian *Conch.*
aporo monopleuro nudi pectini poly scuti tecti tubuli
-branchiata *Crust.*
Anemo Dendro Fibri Lemini Pleuro Tricho
-branchiata *Conch.*
Acantho Aiolo Aniso Aporo Aspido Azygo Cerco Cirri Crypto(di) Ctenidio Cteno Cyclo Derm(at)o Di Dicrano Ecto Endo Eulamelli Fili Fimbri Gymno Hydro Lamelli Monopleuro Neuro Noto Nucleo Nudi Opistho Pallio Pectini Pelli Phanero Phyllidio Poly Pomato Proso Proto Pulmo Pulmoni Pygo Schismo Scuti Septi Siphono Spiro Tecti Telo Tetra Tubuli Zeugo Zygo
-branchiate *Conch.*
aniso antho aporo aspido azygo cerato cerco cirri clado crypto(di) ctenidio cteno cyclo derm(at)o di dicrano ecto ento fili fimbri gymno haemato hydro lamelli monopleuro neuro noto nucleo nudi opistho pallio para pectini pelli phanero phyllidio plocamo poly pomato proso proto ptero pulmo pulmoni(*or* o) pygo schismato scuti septi siphono spiro strepto tecti teteo tetra trachelo tubuli zeugo zygo
-branchiate *Crust.*
anemo dendro fibri homo lemini phyllo phyto pleuro podo pterygo tricho
-branchiate *Ich.*
elasmo eleuthero folio hemo labyrinthi lopho marsipo micro mono pharyngo pseudo sym
-branchii *Ich.*
Acerato Acteno Elasmo Eleuthero Hemo Labyrinth Lopho Pharyngo Phthino Scypho Sym
caducibranch *Herp.*
ia iata iate
Capitibranchia *Helm.*
-iata -iate
Caryobranchia *Zool.*
Cephalobranchia *Helm.*
-iata -iate
Ciliobranchiata -e *Helm.*
Cryptobranchiate -e *Herp.*
Dactyliobranchia
-iata -iate *Ascid.*
demibranch
dibranchious *Conch.*
dorsibranch *Helm.*
ia iata iate
elasmobranch(ia(n *Ich.*
Elatobranchia *Zool.*
epibranchiale *Ich.*
foliobranch *Ich.*

hemobranch *Ich.*
Heptabranchias *Ich.*
Heterobranchia -iate
holobranch(ia -iate -ious
hypobranchia *Anat. Ich.*
Hypobranchia(ea *Conch.*
-iaid(ae -iaoid
ignotobranchiate *Zool.*
imbranch
inferobranch(ia(n -iata -iate *Zool.*
interbranch *Zool.*
labyrinthibranch *Ich.*
Lipobranchia -iate
lophobranch(ia(n *Ich.*
-iata -ous
macrobranchia(te *Biol.*
marsipobranch *Ich.*
ia(n iata
microbranchia *Anthrop.*
Microbranchius *Ich.*
notobranchious *Conch.*
Nudibranchiae *Conch.*
opisthobranchism *Conch.*
perennibranch *Herp.*
ia iata iate
perobranch
pharyngobranch(ia *Ich.*
Phyllobranchiae *Crust.*
Placobranchia *Conch.*
-id(ae -oid
Pneumobranchia -iata
prosobranch(ial)ism
Prosthobranchia
pseudobranch(ia *Ich.*
Pterobranchia(te *Helm.*
pterobranchious *Conch. Helm.*
pulmobranch *Biol.*
Pulmobranchiae *Conch.*
pulmonobranchous
Saccobranchia *Ascid.*
-iate -ious
scyphobranch *Ich.*
Solibranchiata *Ich.*
Sozobranchia(te *Herp.*
symbranch(ia *Ich.*
Taeniobranchia(ta *Ascid.*
Tectobranchi *Ich.*
Tentaculibranchiata -e *Helm.*
Tomobranchia *Zool.*
Tracheobranchia *Ent.*
trichobranchian *Crust.*
unibranchiate
ventronudibranchiate
βραγχιο- = βραγχι-
abranchioceres *Ich.*
basibranchiostegal *Ich.*
branchio-
anal *Zool.*
cardiac *Zool.*
gasteropod(a(n -ous
genous *Med.*
mere -ic -ism *Embryol.*
palatal *Conch.*
pallial *Conch.*
parietal *Conch.*
plax *Pal.*
pneusta *Conch.*
pnoa(n -ic *Crust.*
pode *Crust.*
-a(n -idae -ous
pulmonata -ate *Arach.*
pus *Crust.*
saurus *Pal.*
-ia(n -id(ae -oid
stege *Ich.*
-al -an -i -ite -ous
stome *Ich.*
-a -atidae -atous
-id(ae -oid
toca -ous *Zool.*
treme
troch(al *Helm.*
Spirobranchiopoda

βράγχος = βράγχια
Brancoceras *Malac.*
Chilobranchus *Ich.*
-id(ae -ina -oid
cryptobranch(us *Herp.*
-id(ae -oid
Dermatobranchus *Conch.*
-id(ae -oid
Dibranchus *Ich.*
Histiobranchus *Ich.*
menobranch(us *Herp.*
-id(ae -oid
Nucleobranchidae *Mol.*
Phyllobranchus *Conch.*
-id(ae -oid
Plectobranchus *Ich.*
Pleurobranchus *Conch.*
-id(ae -oid
Saccobranchus *Ich.*
Sagebranchus
Sphagebranchus *Ich.*
symbranch(us -idae *Ich.*
Synaphobranchus *Ich.*
-id(ae -ina -oid
Synbranchus *Ich.*
-id(ae -oid
Typhlosymbranchus *Ich.*
βραδυ- Comb. of βραδύς
brady-
acousia *Med.*
arthria *Path.*
brachium *Pal.*
cardia *Path.*
crote -ic *Med.*
crotin *Prop. Rem.*
cypris *Crust.*
diastalsis *Med.*
diastole *or* ia *Med.*
esthesia *Med.*
fibrin *Chem.*
lalia *Path.*
lecithal *Embryol.*
lemur *Pal.*
lexia *Med.*
nosus *Med.*
peptic *Path.*
phagia *Med.*
phasia *Path.*
phemia *Med.*
phrasia *Path.*
saurus *Pal.*
schist *Cytol.*
seism -al -ic(al -ism
spermatism *Path.*
sphygmia *Med.*
spore -ous *Bot.*
stalsis *Med.*
tocia *Obstet.*
trophic *Path.*
uria *Path.*
βραδύγλωσσος slow of tongue
bradyglossia *Med.*
βραδυήκοος hard of hearing
bradyecoia *Med.*
βραδύκαρπος (Theophr.)
bradycarpic *Bot.*
βραδυκινησία (Aristid.)
bradyk(*or* c)inesia *Med.*
βραδυκινητός (Galen)
bradykinetic *Med.*
βραδυλογία (Poll.)
bradylogia *Med.*
βραδυπεψία (Galen)
bradypepsia -y *Med.*
βραδύπνοος (Aretaeus)
bradypn(o)ea *Med.*
βραδύπους (-ποδος) slow of foot
bradypod(e *Mam.*
a id(ae inae ine oid us
βραδύς slow; late
bradolyte *Phys. Chem.*
myobrad(y)ia *Med.*

βράζειν to boil
abrazite -ic *Min.*
βράκανα wild herbs
Bracanastrepha *Ent.*
βραστός boiling
abrastol *Chem. Pharm.*
βράχιστος Superl. of βραχύς
brachisthode *Geog.*
brachistocephalic *or* -ous
-i -y
brachistochrone *Mech.*
-ic -ous
βράχεα shallows
Nestobrachia *Crust.*
βραχίων the arm
abrachia *Terat.*
abrachiocephalia -us
Abrachioerinus- *Pal.*
acephalobrachia- *Terat.*
basibrachial *Zool.*
brachialgia *Med.*
Brachidium *Zool.*
brachio-
cephala *Zool.*
cephalic *Anat.*
coele *Zool.*
cyllosis *Anat.*
ganoid(ei -ean *Ich.*
laria *Echin.*
pod(e -a -ist -ous *Zool.*
rhachidian *Anat.*
tomy *Surg.*
Brachionichthys *Ich.*
-yinae -yine
Brachionus *Rotifera*
-id(ae -oid
Brachiopidae *Pal.*
-brachium *Ent.*
Hetero Iso Rhopalo
-brachium *Pal.*
Brady Dolicho Erpeto
-brachius *Terat.*
a acephalo mono pero poly tetra tri
Eubrachiosaurus *Pal.*
faciobrachial
Lipobrachia -iate *Echin.*
macrobrachia
Metopobrachia *Ent.*
Microbrachidae *Pal.*
Monobrachiocrinus *Pal.*
myelobrachium *Anat.*
Nanobrachium *Ich.*
Pleurobrachia *Zool.*
polybrachia- *Terat.*
pseudobrachium -ial *Ich.*
Sarcicobrachiata *Zool.*
Schizobrachiella *Pal.*
Scherobrachia -iata -iate
testibrachium -ial *Anat.*
tribrach(ial *Archaeol.*
βραχυ- Comb. of βραχύς
Abrachyglossum *Ent.*
brachy-
axis *Crystal.*
campsa *Pal.*
cardia *Path.*
catalectic *Pros.*
cephal(i -ic -ism -y
cephalus -idae -inae
cera(l -ous *Ent.*
ceratops *Pal.*
cercic *Zool.* & *Anthrop.*
champsa *Pal.*
chimous *Bot.*
cladous *Bot.*
cnemic *Anthrop.*
cranial *Anthrop.*
dactylia y -ism *Anat.*
dactylous *Anat. Bot.*
deuterus *Ich.*
diagonal *Crystal.*
diastematherium *Pal.*

brachy- Cont'd.
dome -al -atic *Crystal.*
ellipsoid *Anthrop.*
elytra -ous *Ent.*
facial *Med.*
form *Bot.*
genys *Ich.*
glossa *Ent.*
gnata *Pal.*
gnatha *Pal.*
gnathia -ism -ous
gnathus *Pal.*
gramma *Ent.*
grapher
graphy -ic(al
hieric *Anat.*
homonoca *Ent.*
hypsicephalic *Craniol.*
lebias *Pal.*
meiosis -otic *Cytol.*
merus -idae *Ent.*
metopus *Anat.*
metropia *or* -y -ic *Med.*
nema *Bot.*
oblast *Bot.*
(o)dont -ism -y *Zool.*
ome *Sponges*
ophidium *Herp.*
opsis -inae *Ich.*
ostracon *Pal.*
oura(l *Crust.*
oxylon *Pal.*
pentagonoides
phalangia *Anat.*
phyllous *Bot.*
phyllum -oideae *Bot.*
phymus *Ent.*
pinacoid(al *Crystal.*
pleural *Trilobites*
podes *Ornith.*
-ine -ium -ous
prism *Crystal.*
protoma *Pal.*
pteryx -yginae -ygine
pus *Conch. Ent.Ornith.*
pyramid *Crystal.*
rhamphus *Ornith.*
rhinodon *Pal.*
rhomboides *Anthrop.*
rhynchus -inae *Ent.*
sclerid *Bot.*
somes *Bot.*
staphyline *Craniom.*
stegia *Bot.*
steles *Bot.*
steliniae -ian *Zooph.*
stola *Ent.*
stoma -ata -(ā)tous
stylous *Bot.*
tarsi *Zool.*
teles *Monkeys*
theroxerochimous *Bot.*
therous *Bot.*
tmema *Bryol.*
tremidae *Pal.*
trycherus *Ent.*
typous *Min.*
ura(l -an *Crust.*
uranic *Anat.*
ure -i -ous -us *Mam. Ornith.*
urothrips *Ent.*
xerochimoux *Bot.*
hyperbrachycephal(ic -y
hyperbrachyuranic
hypsibrachycephali -ic -ism -ous *Craniom. Ethnol.*
neobrachyglossum *Ent.*
orthobrachycephalic
platybrachycephalic -ous
subbrachycephal(i -ic
symbrachydactylia *Med.*
ultrabrachycephaly -ic
βραχύβιος short-lived

brachybio-
stemonous *Bot.*
stigmatic -ous *Bot.*
brachybioty
βραχυλογία brevity in language
brachylogy *Rhet.*
βραχύπτερος (Arist.)
Brachyptera *Ent.*
Brachypterae -es -i
brachypterous
βραχύς short
brach-
auchenius *Pal.*
elytra -ous *Ent.*
Bracheoporidae *Pal.*
Brachinus *Ent.*
-idae -inae
brachyscome *Bot.*
brachysm -ytic
Brachystius *Ich.*
Helobrachidae *Pal.*
Holobrachys *Ent.*
Pachybrachys *Ent.*
Rhinobrachys *Ent.*
terebrachesis *Surg.*
Trachelobrachys *Ent.*
Tribrachys *Ent.*
βραχυσκελής short-legged
Brachyscelides *Ent.*
βραχύτης shortness
Cylicobrachytus *Helm.*
βραχυχρόνιος brief
brachychronic *Path.*
βρέγμα front of the head
bregma *Anat.*
Bregmaceros *Ich.*
-otid(ae -otoid
bregmatic *Anat.*
-bregmatic *Anat.*
auriculo basi meso nasi occipito platy steno trachelo
Hadrobregmus *Ent.*
platybregma(*or* e) te
Scalibregma *Helm.*
-id(ae -oid
stenobregmate *Craniom.*
βρένθος a water bird
Brenthus *Ent.*
-ian -id(ae -oid
βρεφικός childish
brephic *Biol.*
βρεφο- Comb. of βρέφος
Brepholoxa *Ent.*
βρέφος a babe
brephalos *Crust.*
βρεφοτροφεῖον
brephotrophia *Med.*
βρέχειν to wet
Brechites *Conch.*
-id(ae -oid
βρεχμός = βρέγμα
brechma *Anat.*
βριᾶν to strengthen
isobrious -iatus *Bot.*
Βριάρεως one of the giants
Briarean *Myth.*
brierium *Zooph.*
-eidae -idae
βριαρο- Comb. of βριαρός strong
briaro-
crinidae *Pal.*
stoma *Ent.*
βρίζειν to nod
Briza *Bot.*
βρῖθος weight
britholite *Min.*
βρόγχια the bronchial tubes

bronchadenitis *Path.*
bronchia *Anat.*
-ial(ly -ic
-bronchial
extra intra naso peri pre sub tracheo vesiculo
bronchi-
arctia *Med.*
desmus *Anat.*
ectasis -ia -ic *Path.*
ectatic
san *Mat. Med.*
septicin *Med.*
bronchio-
cele *Med.*
crisis *Med.*
genic *Path.*
spasm *Path.*
stenosis *Path.*
bronchiol(us *Anat.*
ectasis itis
bronchitis -ic *Path.*
-bronchitis
endo fibro meso peri pleuro tracheo
bronchium *Anat.*
-bronchium *Ornith.*
ecto ento meso para
bronchol *Prop. Rem.*
peribronchiolar *Anat.*
-itis *Path.*
βρογχο- Comb. of βρόγχος
aegobronchophony *Path.*
broncho- *Path.*
adenitis
blenorrhea
carcinia
cavernous
cephalitis
constriction -or
dilatation
dilator
esophagoscopy
hemorrhagia
lith
moniliasis
motor
mycosis
oidiosis
pathy
phony
-ic -ism
plasty *Surg.*
plegia
(pleuro)pneumonia
pulmonary *Anat.*
rrhagia
rrhea
scope *Med. App.*
scopy
spasm
spirochetosis
stenosis
tetany
tome *Surg. App.*
tomy -ist *Surg.*
tracheal *Anat.*
typhoid
vesicular *Anat.*
egobronchophony *Diag.*
thoracobronchotomy
tracheobronchoscopy
βρογχοκήλη (Paul. Aeg.)
bronchocele *Path.*
βρόγχος the windpipe
bronchismus *Path.*
bronchus *Anat.*
Stenbronchus *Ent.*
Βρόμιος a name of Bacchus
Bromian *Gr. Ant.*
βρόμος (Theophr.)
Bromus *Bot.*

βροντεῖον a machine for stage thunder
bronteum *or* -eion *Gr. Antiq.*
βροντή thunder
brontesis *Bot.*
Brontops *Pal.*
Brontornis *Pal.*
homobront *Meteor.*
isobront(on *Meteor.*
Βρόντης Thunderer
Brontes *Ich.*
Bronteus *Crust.*
-id(ae -oid
βροντο- Comb. of βροντή
bronto-
gram *Pal.*
graph *Phys.*
lith *Meteor.*
meter *Phys.*
phloeus *Ent.*
saurus *Pal.*
there -ium *Pal.*
-iid(ae -ioid
zoum *Pal.*
βροντολόγιον the thunder diviner, —a book
brontology
βροτός mortal
brotion -ium *Bot.*
broto-
chore *Bot.*
mys *Pal.*
βρότος gore
Brotula *Crust.*
-id(ae -iform -oid
Brotulophis *Ich.*
Brotulophis *Ich.*
-id(ae -idia -idid -idoid -oid
βροῦχος a wingless locust
Bruchomyia *Ent.*
Bruchus *Ent.*
-ian -id(ae -oid
βρόχος a snare, mesh
brochi(do)drome -ous
brocho-
cystis *Pal.*
dora *Ich.*
peltis *Arach.*
pleurus *Pal.*
deutobrochal *Embryol.*
Macrobrochus *Pal.*
protobroch *Cytol.*
protobrochal *Gynec.*
βρυγμός a gnashing
brygmus *Path.*
βρύκειν to eat greedily
Brycon *Ich.*
hemibrycon *Ich.*
Phenacobrycon *Ich.*
βρύξ the depth of the sea
Embryx *Ich.*
βρυο- Comb. of βρύον
bryo-
cyte -ic -ole *Cytol.*
gam *Bot.*
logy -ical -ist
philopsis *Ent.*
phyllum *Bot.*
phyma *Ent.*
phyte -a -ic *Bot.*
phytogeographic *Bot.*
zoa *Polyzoa*
-an -id -on -um
Phycobryophytes *Bot.*
βρύον moss
Acramphibrya -ous *Bot.*
Acrobrya -ous *Bot.*
Amphibrya -ous *Bot.*
anisobrya *Bot.*
Bryaceae *Bot.*
-aceous -ales

Bryanthus *Bot.*
bryoma *Mosses*
Bryum *Bot.*
Desmobrya -yoid *Bot.*
Dinobryon *Infus.*
idae inae
Eremobrya *Bot.*
-yoid -yous
isobryous *Bot.*
Leucobryum *Bot.*
Phycobrya *Bot.*
Scaphobrya *Ferns*
βρύσσος a kind of sea-urchin
bryssophilus *Bot.*
Echinobrissus -idae *Zool.*
βρύχιος from the depth of the sea
Eubrychius *Ent.*
βρῶμα (-ατος) food
Abroma *Bot.*
broma *Med.*
bromatol *Prop. Rem.*
bromato-
graphy *Med.*
logy -ist *Med.*
toxin -ism *Med.*
Hippobroma *Bot.*
myrmecobromous *Bot.*
Theobroma *Bot.*
-ic -inus
theobromic -in(e *Chem.*
theobromose *Mat. Med.*
urotheobromin(e *Chem.*
βρωμο- Comb. of βρῶμος
bromo- *Chem.*
acetate acetic aceton alburin aurate benzoate benzoic borate cresol cyanide chloralum cyanogen form hematin hydrin ketone lecithin picrin platinate platinic thymol
caffein *Prop. Rem.*
carpine *Prop. Rem.*
chinal *Mat. Med.*
coll *Mat. Med.*
derma *Med.*
formin *Mat. Med.*
formism *Tox.*
gelatin(e *Photog.*
glidin *Prop. Rem.*
hemol *Prop. Rem.*
iodide *Chem. Photog.*
iodism *Med.*
iodized *Photog.*
lithia *Prop. Rem.*
mangan *Med.*
mania *Med.*
menorrhea *Med.*
metry -ic(al *Chem. Anal.*
phenol *Ointments*
phor *Mat. Med.*
pn(o)ea *Med.*
pyrin *Prop. Rem.*
seltzer *Prop. Rem.*
sin *Mat. Med.*
soda *Prop. Rem.*
thymin *Med.*
dibromo- *Chem.*
benzene gallic ketone
epibromohydrin *Chem.*
hydrobromoplatinic *Inorg. Chem.*
nitrobromoform
oxybromochloride
phenylbromo-
acetonitril *War Gas*
tetrabromo- *Org. Chem.*
tribromo- *Chem.*
benzene

βρῶμος a smell, stink
acetobromal *Pharm.* (T.N.)
antibromic *Med.*
brom- *Chem.*
acetone al(ide alin aloin amide anil ate aurate auric benzine ethylene hydrate hydric ic id(e idion ion in(e inate ination inism ite ol
bromalb- *Mat. Med.*
acid in umin
bromargyrite *Min.*
bromatacamite *Min.*
bromatherapy *Ther.*
bromatology
brome *Chem.*
bromeigon *Mat. Med.*
brometone *Mat. Med.*
-bromid *Chem.*
acetyl chlor deca deuto di(hydro) hexa hydro per poly tetra tri
-bromide *Chem.*
auri benzo chlor deca di(hydro) fluo hexa hydro(per) iodo keto mono oxy penta per poly proto sub tetra tri
bromidia *Prop. Rem.*
bromidiom *Slang*
bromidrosiphobia *Path.*
bromidrosis *Physiol.*
bromil *Mat. Med.*
brominol *Mat. Med.*
bromipin *Mat. Med.*
bromism *Path.*
bromize(r -ation *Chem. Med.*
bromoil *Photog.* (*T.N.*)
bromol
bromolein *Oils*
bromural *Mat. Med.*
bromyrite *Min.*
carbro *Photog.* (*T.N.*)
carbromal *Prop. Rem.*
chlorbrom (T.N.)
debrominate -ation
dibrom- *Chem.*
acetaldehyde acetic in
epibromhydrin *Chem.*
gallobromol *Mat. Med.*
gelatinobromid(e *Photog.*
hexabromo- *Chem.*
hydrobromic -ate *Chem.*
hypobromous -ite *Chem.*
iodobromite *Min.*
iodotheobromin *Med.*
monobrom- *Chem.*
acetanilid acetic ated camphor derivative inated ination phenol ized o-
morphinbromethylate *Mat. Med.*
mucobromic *Chem.*
orthobromite *Min.*
oxybromic
ozobrome *Photog.*
parabromalide *Chem.*
peptobromeigon *Med.*
perbromate -ic *Chem.*
photobromination *Chem.*
photobromide *Chem.*
podobromidrosis *Med.*
prebromidic *Med.*
salicylbromanilid *Prop. Rem.*
tetrabromfluorescin
tribrom- *Chem.*
aloin betanaphthol cannabinol hydrin- inated methane naph-

tribrom- Cont'd.
thol phenol- phenyl resorcin salol
ureabromin *Mat. Med.*
urobromalic *Biochem.*
zebromal *Mat. Med.*
βρώσιμος eatable
Brosimum *Bot.*
βρῶσις eating, corrosion
enterobrosis *or* -ia *Med.*
gastrobrosis *Path.*
peribrosis *Path.*
βρωστήρ = βρωτήρ
Cladobrostis *Ent.*
βρωτήρ eating
Broter *Ent.*
βρωτός to be eaten
Barybrotes *Crust.*
-id(ae -oid
Hylobrotus *Ent.*
βύειν to stuff
rhinobyon *Med.*
Βυζάντιον Byzantium
bezant *Coins*
-ed -ee -y
bezantee *Arch.*
Byzantin(e
esque ism ize
βύθιος sunken
Neobythites *Ent.*
βυθός depth
bythium *Chem.*
Megalobythus *Ent.*
Palaeobuthus *Pal.*
βυκάνη a trumpet
Bucania *Conch.*
βύνη malt
bynedestin *Chem.*
bynin *Chem.*
bynogen *Prop. Rem.*
βύρσα a hide
bursopathy *Path.*
byrsopoid *Anthrop.*
Byrsops *Ent.*
-opid(ae -opoid
purse
-er(ship ful less
βύσμα a plug
bysmalith *Geol.*
βύσσινος of βύσσος
byssin(e *Textiles*
byssinoid *Mol.*
byssinosis *Path.*
βύσσος a fine yellowish flax
Byssacanthoides *Pal.*
byssaceous *Arts*
byssal *Mol.*
Byssifera -ous *Mol.*
bysso-
causis *Med.*
genous *Moll.*
lite *Min.*
phthisis *Med.*
byssus *Arts*
hyperbyssal
subbyssoid *Bot.*
βωλίτης a fungus (Geop.)
Boletus *Bot.*
-iaceae -aceous -ic -oid
βῶλος a clod, lump
bole *Geol. Arts*
hemaboloids *Diet.*
Pambolus *Ent.*
Pilobolus -eae *Fungi*
βωμολόχος a buffoon
Bomolochus *Crust.*
-id(ae -oid

Γαγάτης fr. Γάγης in Lycia
gagates
jet
Γάγγης the Ganges
(ultra)gangetic
γαγγλι- Comb. of γάγγλιον
gangli-
ac al ar ate form ous
asthenia *Med.*
ectomy *Surg.*
itis oid oma *Path.*
-gangliate -a *Zool.*
Diplo Hetero Homo
-gangliitis *Path.*
neuro peri
monoganglial
paraganglioma
γαγγλιο- Comb. of γάγγλιον
ganglio-
blast *Embryol.*
cyte *Cytol.*
form
globule
nervous *Anat.*
neura(l *Zool.*
neuri -on *Neurol.*
neuroma *Tumors*
plexus *Anat.*
γάγγλιον a tumor under the skin
acroganglion *Helm.*
deganglionate & -ize
ganglion
a ary ated ic(a less
-ganglion
cerebro neuro oto para pseudo vaso
-ganglionic
a cerebro heter inter mono multi peri poly post pre
ganglion-
ectomy *Surg.*
itis *Path.*
opathy -ic *Path.*
-ganglitis *Path.*
myelo panto
multiganglionate *Anat.*
paraganglin(a *Mat. Med.*
γάγγραινα an eating sore (Galen)
gangrene *Path.*
-ate iescent -osis -ous
osteogangr(a)ena *Path.*
γάδος a fish
gad- *Chem.*
amine imin(e inic oleinic uin(e uol
gadic
Gadinae -iid(ae -in(e -ioid *Ich.*
Gadopsis -id(ae -oid *Ich.*
gaduhiston *Med. Zool.*
Gadus -id(ae -ine -ini -oid(ea(n -oides *Ich.*
-gadus *Ich.*
Bathy Boreo Congro Oxy
γάζα treasure
Gazacrinidae *Pal.*
?gazette -ist
?gazetteer
age ish ship
gazzetta *Coins*
γαῖα land, earth
amphigaeus -aeic *Bot.*
-g(a)ea(n *Zoogeog.*
Afro Amphi Anglo Antarcto Arcto Atherio Caeno Dendro Eo Eury Indo Neo Neso Noto Ornitho Palaeo

-g(a)eic *Zoogeog.*
Afro Arcto Neo Noto
arctog(a)eal *Zoogeog.*
Austrogaea(n *Ethnol.*
gaidic *Chem.*
notog(a)eal *Zoogeog.*

γαῖσον a javelin
gaesum *Mil.*

γάλα milk
agalorrhea *Gynec.*
cacogalia *Path.*
dysgalia *Path.*
galahept- *Org. Chem.*
ite itol onic ose
galalith
Galanthus *Bot.*
galaoctose *Org. Chem.*
galapectite *Min.*
Galax(ia *Bot.*
Galega *Bot.*
galegin -ol *Mat. Med.*
galochrous *Bot.*
neogala *Gynec. Obstet.*
philogalist

γαλακτ- Stem of γάλα
acetogalactol *Org. Chem.*
caprogalactone *Chem.*
cerebrogalactose *Chem.*
crotolactonic *Org. Chem.*
cryolac *Anal. Chem.*
dilact(yl)ic *Org. Chem.*
galact-
acrasia *Gynec.*
(a)enia h(a)emia *Path.*
agog(ue *Med.*
an ase *Biochem.*
apostema *Path.*
(h)idrosis *Path.*
ia *Bot.*
ide in *Org. Chem.*
ischia
oma *Path.*
onic -ate *Chem.*
ose *Org. Chem.*
-amin(e -aminic
-azone -id(ae -ido-
-one -uria
uria *Path.*
uronic *Org. Chem.*
-galactia *Path.*
caco dys ischio oligo
poly
glutolactonic *Biochem.*
hyperlactation *Med.*
lact-
acadogen *Biochem.*
aciduria *Med.*
ac(*or* k)onium *Med.*
al *Org. Chem.*
am(id(e amin(e *Chem.*
ase *Chem.*
azam -one *Org. Chem.*
igenic -ous
im(id(e -ization -one
lase *Chem.*
nization *Org. Chem.*
phrys *Ich.*
riscometer
sazone *Org. Chem.*
suria *Chem.*
xime *Org. Chem.*
picrin *Mat. Med.*
uramic
yl *Org. Chem.*
yltropein *Mat. Med.*
-lactate *Org. Chem.*
para saccho sarco
thebo
-lactic *Org. Chem.*
para saccho sarco the-
bo theo trichloro
-lactone *Org. Chem.*
az crotono dictamno
divalo lauro oxystearo

-lactose *Org. Chem.*
iso neo
mycogalactan -in *Chem.*
paragalactan -in *Chem.*
phenyl(ga)lactosazone
phostonic *Org. Chem.*
rhamnogalactoside
Org. Chem.
saccharolactonic *Chem.*
sultam *Org. Chem.*
sultone
tagatose *Org. Chem.*
talitol *Org. Chem.*
taloheptite- ol *Chem.*
talomucic *Org. Chem.*
talonic
taloscaphoid
tetragalacturonic
theolactin *Mat. Med.*

γαλακτίας (Ptol.)
apogalacteum *Astron.*
galactic *Astron.*
-galactic
anti apo extra peri
ultra
perigalacteum *Astron.*

γαλακτικός milky
angelactic *Chem.*
galactic *Med.*
-galactic
caco ischio phygo

γαλακτίτης (Diosc.)
galactite *Chem. Min.*

γαλακτο- Comb. of γάλα
androgalactozemia
galacto-
arabane *Org. Chem.*
arabinose
blast *Anat.*
cele *Path.*
chiloides *Malac. Pal.*
chloral *Mat. Med.*
chloralic -ose *Chem.*
coccus *Bact.*
dendron *Bot.*
densimeter
genous *Gynec.*
gogue *Med.*
h(a)emia *Path.*
heptonic *Org. Chem.*
lipin(e *Org. Chem.*
lysis *Biochem.*
lytic *Biochem.*
metasaccharic -in
metastasis *Path.*
meter
metry *Anal. Chem.*
pathy *Med.*
phlebitis *Path.*
phlysis *Med.*
phlebitis *Path.*
phlysis *Med.*
phthysis *Path.*
phygous *Gynec.*
plania *Path.*
poiesis *Path.*
po(i)etic *Med.*
pyra *Path.*
pyretus -os -ic *Path.*
raffinase *Chem.*
rrh(o)ea *Path.*
(*or* i)schesis *Path.*
scope
stasis -ia *Gynec.*
therapy *Ther.*
toxin -icon *Chem.*
toxism(us *Tox.*
trophy *Diet.*
zymase *Biochem.*
zyme *Path.*
lacto-
bionic biose *Chem.*
butyrometer
cele *Path.*
cholin(e *Chem.*

lacto- Cont'd.
chrome *Chem.*
crit(e *Arts*
densimeter
gogue
meter metry -ic
naphthol *Mat. Med.*
nitrile *Org. Chem.*
pepsin(e *Org. Chem.*
phen(in(e *Org. Chem.*
phosphate *Org. Chem.*
phosphoric *Org. Chem.*
picrin *Org. Chem.*
proteid -ein *Org. Chem.*
rrhea *Gynec.*
scope
thermometer
toxin *Chem.*
vegetarian *Diet.*
viscometer
pneumogalactocele
saccharogalactorrh(o)ea

γαλακτοειδής (Plut.)
galactoid

γαλακτοποσία (Hipp.)
galactoposia *Med.*

γαλακτοφάγος (Sext. Emp.)
galactophagous -ist

γαλακτοφόρος
galactophore -ous *Anat.*
-itis *Path.*

γαλάκτωσις (Theophr.)
galactosis *Physiol.*

γάλαξ a shellfish
Homogalax *Pal.*

γαλαξίας the milky way; (Galen) a fish
Galaxias *Ich.*
-idian -iid(ae -ioid
galaxy -ian *Astron.*

Γαλάτεια a Nereid
galatea *Fabrics*
Galathea *Crust.*
-eid(ae -eoid
Galatheides *Pal.*

γάλγαλ Fr. Hebrew
galgal *Archaeol.*

γαλεο- Comb. of γαλῆ
galeo-
bdolon *Zool.*
cerdo *Zool.*
philia
phobia
pithecus *Mam.*
-id(ae -ine -oid
rhinus *Ich.*
-id(ae -inae -oid
saurus *Pal.*
-id(ae -oid
scoptes *Ornith.*
therium *Pal.*

γαλεοειδής of the shark kind
galeoid *Ich.*

γαλερός cheerful
Paragalerus *Pal.*

γαλεώδης = γαλεοειδής
Galeodes *Arach.*
-ea -id(ae -oid

γαλῆ cat
-gale *Mam.*
Ch(e)iro Cyno Geo
Hemi Phaseo Potamo
Rhino Spilo
-gale *Pal.*
Palaeo Steno
galeanthropy *Ps. Path.*
galechirus *Pal.*
Galega *Bot.*
galegin -ol *Mat. Med.*
Galei -id(ae -idan -iform
Galeichthys *Ich.*
Galemys -yinae *Zool.*

Galeomma *Conch.*
-atidae -id(ae -oid
Galeops *Pal.*
Galeopsis *Bot.*
Galepus *Pal.*
Galestes *Pal.*
galet Galeus *Zool.*
Galictis *Zool.*
potamogalist

γαλήνη lead ore
Agalena *Arach.*
-id(ae -oid
galena *Med.*
galena *Min.*
-ic(al -ite -oid
galeniferous *Min.*
galeno-
bismutite *Min.*
ceratite *Min.*
chemist

γαληνός calm
archigalenis *Geol.*

Γαληνός a physician of Pergamus
Galen
-ian ic(al ism ist ite

γαλιδεύς a young weasel or kitten
Galidea
Galidia *Mam.*
-iinae -ine
Galidictis *Mam.*
-iinae -ine

Γαλιλαῖος (N.T.)
Galil(a)ean

γάλιον bedstraw
Galium *Bot.*

γαμέτης spouse
allogametism -ic(ally
androgametophore *Bot.*
anisogametangous *Bot.*
gametange -ium *Biol.*
-gametange
pro pseudo
-gametangium *Bot.*
andro aplano gyno iso
pro
gamete *Biol.*
-al -ic(al(ly
-gamete *Biol.*
a allo andro aniso
aplano coeno diplo
gyno hetero iso(micro)
macro mega(plano)
micro oo plano pro
(karyo) spermato syn
zoo
-gametic *Biol.*
allo di hetero homo
pluri
gameto-
cyst *Bot.*
cyte *Cytol.*
genesis *Biol.*
genic -ous *Biol.*
geny *Biol.*
gonidium *Bot.*
gonium *Bot.*
nucleus *Bot.*
phagia *Bot.*
phore *Bot.*
phyll *Bot.*
phyte -ic *Bot.*
plasm *Bot.*
zoospore *Bot.*
gynogametophore *Bot.*
heterogametism *Bot.*
isogametangial *Bot.*
isoplanogametes *Algae*
karyogametes *Bot.*
macrogametocyte *Cytol.*
microgametocyte *Cytol.*
microgametophyte -ic
pregametospore *Bot.*
progametal -ation *Bot.*

progametophyte *Bot.*
prokaryogametisation

γαμέτις a wife
Gametis *Ent.*

γαμήλιος nuptial
Monogameliae -ian *Zool.*
Tetrogamelia(e -ian

-γαμία Comb. of γάμος
adelphogamy *Anthrop.*
allantogamia *Bot.*
apogamously *Biol.*
all(o)autogamia *Bot.*
bigamy
-ist -ous(ly
biogamia *Biol.*
ethnogamy -ic
exogamy -(it)ic
-gamy *Bot.* (*or Biol.*)
acro adicho allo(auto)
andropleo aniso(holo)
apaulo apo aporo
archocleisto aut(o)-
allo auto axo basi caco
carpo chalazo chasmo-
(cleisto) chromidio
cleisto crypto cyto di-
ameso dicho (di)echo-
dicho ditopo endo-
(caryo) entomo ephy-
dro eripleo euapo euiso
exocaryo exoiso gei-
tono gnesio gymno
gynopleo haplo hemi-
cl(e)isto herco hetero-
(dicho) heteromeso
homodicho homo ho-
moio(*or* oeo) hy-
brido hydrocl(e)isto
hylo hyper(aniso) hy-
phydro hypoo iso(holo
mero) karyo macro
malaco mero meso mi-
cro mycho mondicho
notho oligocleisto oo
ortho paedo para par-
thenapo pedo phanero
photocleisto proto-
clisto phyto(dicho)
plasmo plasto pleo
poro proto pseudapo
pseudo(clisto) psy-
chrocleisto schizo
semiapo siphono sporo
synchrono syn thermo-
cleisto xenauto xeno
xerocleisto zoido zoo
hierogamy -ic *Gr. Ant.*
hologamy *Genetics*
mixogamy -ous *Ich.*
neogamy -ous *Zool.*
neurogamia *Med.*
nothogamia *Bot.*
octogamy
pangamia -y
-ic -ous(ly
pantogamy
pentagamist
polybigamia -y
quadrigamist
selenogamia
zoidogamic *Bot.*

γαμικός (Plato)
agamic(ally *Biol. Bot.*
gamic
Gamicae *Algae*
isogamic *Biol.*
Ephydrogamicae *Bot.*
Hyphydrogamicae *Bot.*

γάμμα the letter γ
gamma
gammacism(us *Physiol.*
gammation *Comp. Anat.*
gamut
paragammacism *Phon.*

γαμμάδιον = γαμμάτιον
gammadion *Eccl.*
γαμμάτιον Dim. of γάμμα
gammation *Eccl.*
Pregammation *Ich.*

γαμο- Comb. of γάμος
agamo-
bium *Biol.*
filaria *Helm.*
genesis *Biol.*
genetic(al(ly *Biol.*
gony *Biol.*
gynaecism *Bot.*
gynomonoecism *Bot.*
hermaphroditism *Bot.*
monoecia *Bot.*
phyta *Bot.*
spore *Bot.*
tropic *Bot.*
eugamophyte *Bot.*
gamo-
bium *Biol.*
bothridae *Zool.*
centres *Bot.*
desmic -y *Bot.*
gastrous *Bot.*
gemmie *Bot.*
genesis *Biol.*
genetic(al(ly *Biol.*
genic *Cytol.*
gony *Bot.*
olepis *Bot.*
machia *Embryol.*
mania *Bot. Path.*
meristele -ic *Bot.*
mery *Bot.*
mites *Bot.*
morphism
petalae -ous *Bot.*
phagia *or* -y
phyllous *Bot.*
phyte *Bot.*
sepalous *Bot.*
somes *Bot.*
sperms *Bot.*
sporae *Bot.*
stele -ic -y *Bot.*
tropic -ism *Bot.*
hemigamotropous *Bot.*
metagamophyte *Bot.*
Protogamophyta *Bot.*

γάμος marriage
agamont *Biol.*
agamandroecism *Bot.*
Cleistogamia *Helm.*
cleistogamically *Bot.*
cryptogam *Bot.*
ae ia(n ic ist ous
dichogamism *Biol.*
-gam *Bot.*
acro aero aetho amphi asiphono bryo carpo chalazo crypto hybrido phanero ph(a)eno poro siphono thallo
-gamae *Bot.*
A Anemo Angio Antho Aulo Cormo Gymno Lirio Protothallo Schisto Siphono Telo Thallo Zoido Zoo Zygo
gametropic *Bot.*
-gamic *Bot.* (*or Biol.*)
aetho allepi andro anticrypto apaulo apole apo auto axo basi caryo chalazo chasmo(cleisto) cleisto dicho endo geitono haplo hemicl(e)isto herco hetero holo hyphydro karyo mero ortho para phanero photoclisto plasto pleo

gametropic Cont'd.
poro (proto)siphono stauro syn xeno
gamoecia *Bot.*
gamoid *Bot.*
gamont *Biol.*
-gamous *Bot.*
acro adicho aetho allo(auto) amphi anemo aniso apo(plasto) aporo archiclisto archocleisto aut(o)allo auto basi chalazo chasmo(cleisto) cleisto crypto diameso endo exo geitono hemi hemicl(e)isto hemiolo herco hetero holo homo homoi(*or* oeo) hyper iso neo nondicho oo ornitho ortho paedo parthenapo ph(a)eno phanero pleo poro proto pseudoclisto siphono thallo xeno zoido zoo zooidio
-gams *Bot.*
Hydro Prophyto Prothallo Schisto
Heterogamus *Ent.*
idiogamist *Med.*
isogame *Prot.*
Naregamia *Bot.*
naregamin(e *Org. Chem.*
perigamium *Bot.*
Ph(a)enogamia(n *Bot.*
Phanerogamia(n *Bot.*
progamic -ous *Embryol.*
Prothallogamia *Bot.*
Siphonogama *Bot.*
Sporogamia *Bot.*
Staurogamia *Bot.*
syngame *Bot.*
syngamical *Embryol.*
Syngamus -idae *Helm.*
Zoidogamus *Bot.*

γαμψός crooked
gampsodactylia *Anat.*
γαμψώνυξ (-υχος) with crooked talons
Gampsonyx *Crust.*
-ychid(ae -ychoid
Gampsonyx *Ornith.*
-yches

γανάειν to shine
Ganaspis *Ent.*
γάνος sheen
Ganocephala(n -i -ous
ganodentin(e *Chem.*
ganodont(a *Mam.*
Ganodus *Ich.*
ganoid *Ich.*
al ea(n ei ian
-ganoid(ei ean *Ich.*
Acantho Aspido brachio chondro cyclo eu hyo lepido placo rhombo
ganois(e *Ich.*
ganophyllite *Min.*
Hemiganus *Pal.*
Orthoganoidei *Pal.*
Proganochelys *Pal.*
proganoid *Ich.*
proganosaur(ia(n *Herp.*
Rhomboganoidea *Ich.*
subganoid *Ich.*

Γανυμήδης
catamite -ed -ing
Ganymede *Myth.*
γάνωμα luster
ganomalite *Min.*
γάνωσις varnishing
ganosis *Sculpture*

γαργαρίζειν to gargle
gargarism -ize *Med.*
γάρον a caviare
garum *Cl. Ant.*

γαστερο- Comb. of γαστήρ
branchigasteropod(a(n -ous *Conch.*
gastero-
coma *Echin.*
-id(ae -inae -oid
lichenes *Bot.*
mycetes -ous *Mycol.*
pegmata *Conch.*
pelecus *Ich.*
philus *Ent.*
pod *Conch.*
a(n idae ous
podophora *Zool.*
pteron *Conch.*
-id(ae -oid
pterophora *Conch.*
pterygii *Ich.*
stomum *Helm.*
-atidae -id(ae -oid
thalameae *Lichens*
theca(l *Ent.*
tricha(n -ous *Helm.*
zoa zooid *Zooph.*
protogasteropod
pulmonogast(e)ropod(a

γαστήρ stomach
Actinogaster *Starfish*
Aphaenogaster *Pal.*
Eugaster *Zool.*
Eugasterella *Pal.*
-gaster *Anat. Terat.*
acephalo bi chylo macro meso meta pepto
-gaster *Bot.*
amphi hymeno myxo
-gaster *Crust.*
Lopho *Pelto*
-gaster *Embryol.*
cephalo meso pneo pro proto uro
-gaster *Ent.*
anti Coelo Erio Eury Harmo Helco Holontho Lagyno Leiolampro Lepto Liochryso Micro Neospathe Platy Spathe Sphaero Steno Strongylo Tany Xanthosyntomo Xesto
-gaster *Helm.*
Ana Aspido Monili Mono Tropido
-gaster *Ich.*
Anoplo Canthi Cholo Cotto Cymato Lepado Neodiplo Pristi
h(a)emogaster *Path.*
Microgastura *Ent.*
Neosporogaster *Arach.*
paragaster *Zool.*
gaster
algia *Path.*
asthenia *Path.*
(angi)emphraxis *Med.*
hysterotomy *Surg.*
ic
in *Mat. Med.*
osteus *Ich.*
-eid(ae -eiform(es
-einae -eoid(ea
uption *Ent.*
pseudogaster *Spong.*
Pycnogaster *Porif.*
Sphaerogaster -ra *Arach.*

γαστρ-Stem of γαστήρ
Agastreae -ia -ic *Zool.*
amphigastrium -ia *Bot.*
Arthrogastra(n -es *Arach*
Arthrogastra(n -es

autogastralium *Spong.*
coelogastrule *Biol.*
Dasygastrae *Ent.*
Dendrogastraea(n *Conch.*
digastrous -us *Anat.*
endogastrectomy *Surg.*
engastration
engastrius *Terat.*
gamogastrous *Bot.*
gastr-
algia *or* -y *Med.*
acantha -id(ae *Ent.*
adenitis *Path.*
aea *Evolution*
-(a)ead(a(e -(a)eaform -(a)eal
aeades *Spong.*
aeum *Ornith.*
al *Anat.*
alium *Spong.*
lgokenosis *Med.*
aneuria *Med.*
asthenia *Path.*
atrophia *Med.*
ea *Bot.*
echmia(n *Herp.*
ectasis *or* -ia *Med.*
ectomy *Surg.*
elcosis *Path.*
patitis *Path.*
in *Biochem.*
ine *Mat. Med.*
itis -ic *Path.*
odynia *Path.*
on *Prop. Rem.*
osis *Path.*
osteus *Ich.*
-eidae -eiform(es
oxia *Med.*
oxynsis *Med.*
ula *Embryol.*
-ar -ate(d -ation
ura(n -ous *Crust.*
us *Ent.*
-gastria
acephalo atreto lipo macro me(galo) micro scirrho
-gastritis *Path.*
endo entero eso exo myco peri
-gastrula *Biol.*
amphi archi coelo disco exo holo lepto mero meta para peri pseudo spermo stereo sterro
hemigastrectomy *Surg.*
hologastrular *Embryol.*
Hydrogastrum -eae
hypogastral(e *Spong.*
Leptogastrella *Helm.*
lipogastrism *Embryol.*
-osis -otic
lipogastry *Spong.*
lophogastrid(ae -oid
mesogastrium -al -y *Anat. Embryol.*
metagastral *Anat.*
moniligastrid(ae -oid
methogastrosis *Path.*
Myxogastres *Bot.*
-ic -ous
neurogastralgia *Path.*
paragastral -ic *Zool.*
paragastrular -ation
perigastrular -ation
physogastrism *Path.*
physogastry -ic -ism *Ent.*
polygastria(n
polygastrulation
predigastrular *Biol.*
predigastrus *Anat.*
progastrin *Biochem.*
pylorogastrectomy *Surg.*
Solenogastra -es *Conch.*
Strophogastra *Ent.*

γαστρι- Comb. of γαστήρ
gastri-
colous *Bact.*
loquy
-(i)al -ism -ist -ous
margarism -y
γαστρίδιον Dim. of γαστήρ
gastridium *Bot. Zool.*
γαστρικός (?Inferred fr. L. gastricus)
endogastrical(ly
entogastrically
gastric(ism
-gastric *Med.*
caco chylo dermo di endo ento exo h(a)emato hepato intra intro lieno meningo meso meta mono nephro neuro opistho pepto peri phenico philo phreno platy pneo pneumo poly predi pseudo pulmo reno stomato tri uro
gastricin *Prop. Rem.*
mesogastric *Crust.*
Polygastrica *Zool.*
spherogastric *Ent.*
γαστριμαργία (Hipp.)
gastrimargy -ism
γαστρίον a sausage
Gastrioceratea *Pal.*

γαστρο- Comb. of γαστήρ
agastro- *Path.*
nervia neuria
ectogastrocnemius *Anat.*
electrogastrogram *Med.*
enterogastrocele *Med.*
entogastrocnemius *Anat.*
esophagogastroscopy
gastro-
adenitis *Path.*
adynamic *Med.*
albumorrhea *Physiol.*
anastomosis *Surg.*
arthritis *Path.*
atonia *Med.*
atrophia *Med.*
blennorrhea *Med.*
brosis *Path.*
campyli *Pal.*
cele *Path.*
centrous *Zool.*
cephalitis *Path.*
chaena *Conch.*
-id(ae -oid
chene -ite
chronorrhea *Med.*
cnemius -ial -ian *Anat.*
coele *Embryol.*
coelus *Ent.*
colic
colitis *Path.*
coloptosis *Med.*
colostomy *Surg.*
colotomy *Surg.*
colpotomy *Surg.*
cystis -ic *Embryol.*
dela *Infus.*
dialysis *Path.*
diaphane -y *Med.*
diaphanoscopy *Med.*
didymus *Terat.*
disc(us *Embryol.*
duodenal -itis *Path.*
duodeno-
scopy *Med.*
stomy *Surg.*
elytrotomy *Surg.*
enteralgia *Path.*
enteric *Anat.*
enteritis -ic *Path.*

gastro- Cont'd.
entero- *Med. Surg.*
anastomosis
colitis
(colo)stomy
logy -ical -ist
plasty
ptosis
tomy
epiploic *Anat.*
esophageal *Anat.*
esophagitis *Path.*
esophagostomy
faradization *Ther.*
gastrostomy *Surg.*
gen *Prop. Rem.*
genic *Med.*
genital *Zool.*
graph *Med.*
helcosis *Path.*
hepatic -itis *Path.*
hydrorrhea *Med.*
hyperneuria *Path.*
hypertonic *Med.*
hysterectomy *Surg.*
hystero- *Surg.*
pexy rrhaphy tomy
ileal *Anat.*
intestinal *Anat.*
jejunal *Anat.*
jejunostomy *Surg.*
kateixia *Med.*
kinesograph *Med.*
later latrous
lepidotidae *Pal.*
lienal *Anat.*
lith(us *Path.*
lithiasis *Path.*
lobin *Org. Chem.*
lobium *Bot.*
lysis *Surg.*
lytic *Biochem.*
malac(*or* x)ia *Path.*
mancy
margue *Zool.*
megaly *Med.*
melus *Terat.*
menia *Path.*
meningitis *Path.*
metrotomy *Obstet.*
myces *Bot.*
mycetes *Bot.*
mycosis *Path.*
myth *Obs.*
myxin *Prop. Rem.*
myxorrhea *Med.*
nasty *Bot.*
nephritis *Path.*
nesteostomy *Surg.*
nosos *Path.*
omental
pacha *Ent.*
pancreatic -itis *Path.*
paralysis *Path.*
paresis *Med.*
parietal
pathy -ic *Path.*
periodynia *Path.*
pexy *Surg.*
phile -ium -ist -ite
philus *Ent.*
phore *Surg. App.*
phrenic *Anat.*
phthisis *Path.*
physema *Spong.*
plasty *Surg.*
plegia *Path.*
pleuritis *Path.*
plication *Surg.*
pneumatic *Anat.*
pneumonic *Anat.*
pod(a(n -ous *Conch.*
pore *Zool.*
psetta *Ich.*
ptosis -ia *Path.*
pulmonary *Anat.*

gastro- Cont'd.
pyloric -ectomy *Surg.*
radiculitis *Path.*
rhopalus *Ent.*
rrhagia *Surg.*
rrhaphy *Surg.*
rrh(o)ea *Path.*
salpingotomy *Surg.*
san *Chem.*
schisis *Path.*
scirrhus *Path.*
scope *Med. App.*
scopy -ic *Med.*
soph(er -y
spasm *Med.*
splenic *Anat.*
staxis *Med.*
stege -al *Zool.*
stenosis *Path.*
stogavage *Med.*
stolavage *Med.*
stoma *Med.*
stomus *Ich.*
stomy -ize -osis *Surg.*
succorrh(o)ea *Path.*
theca(l *Ent.*
thoracic *Anat.*
thoracopagus *Terat.*
thyrid *Pal.*
tome *Surg. App.*
tomy -ic *Surg.*
toxic -in *Biochem.*
trachelotomy *Surg.*
trichoa(n ous *Helm.*
trocha(l *Helm.*
trypes *Ent.*
tubotomy *Surg.*
tympanites *Path.*
vascular *Biol.*
zooid *Zool.*
-gastrostomy *Surg.*
cholangio cholecyst(o) esophago hepatico hepatocholangio laparo
-gastrotomy *Surg.*
celio laparo pancreatico
hysterogastrorrhaphy
laparogastroscopy
photogastroscope
Polygastrophora *Helm.*
thoracogastro- *Terat.*
didymus schisis

γαστροειδής (Plut.)
gastroid

γαστρολογία a book for gourmets (Archestratus)
gastrology
-er -ical -ist

γαστρονομία = γαστρολογία
gastronomancy
gastronome -er
gastronomy
-ic(al(ly -ous
hippogastronomy
outgastronomize

γαστρορραφία (Galen)
gastrorrhaphy *Surg.*

γάτος cat
gatophobia

γαυλός a round vessel
Ceratogaulus *Pal.*
Epigaulus *Pal.*
Mylagaulodon *Pal.*

γαυρότης ferocity
Paragaurotes *Ent.*

Γέεννα (N. T.)
Gehenna -ical

γεῖσον cornice, coping
geison *Arch.*

γεῖσσον = γεῖσον
geisso-
loma -aceae -aceous

geisso- Cont'd.
rhiza *Bot.*
saura -ous *Zool.*
spermin(e *Chem.*
spermum *Bot.*
Gissocrinus *Pal.*

γείτων neighbor
aponogeton *Bot.*
aceae aceous
geitonembryosperm *Bot.*
geitonogamy -ic -ous
Gitocrangon *Pal.*

γελάσιμος laughable
Gelasimus *Crust.*

γελασῖνος dimples
Gelasinophorus *Porif.*

γελαστικός risible
gelastic
pantogelastic(al

γέλως laughter
dacrygelosis *Path.*
gelo-
chelidon
genic
scopy
therapy

γελωτο- Comb. of γέλως
geloto-
meter
scopy
therapy

γενάρχης (Lycophron)
genarch(a(ship

γενέα birth
geneogenous *Med.*

γενεαλογία (Isocrates)
genealogy
-ist -ize(r

γενεαλογικός (Polyb.)
genealogic(al(ly

γενεαλόγος (Dion. H.)
genealogue -er

γενεάρχης = γενάρχης
genearch

γενεθλιακός pertaining to a birthday
archgenethliac *Astrol.*
genethliac
a al(ly ism on
genethliacs

γενεθλιαλογία (Joseph.)
genethlialogy

γενεθλιαλογικός (Orig.)
genethlialogic(al

γενεθλιολογία
genethliology

γενέθλιος pertaining to birth
genethl(iat)ic

-γεν(ε)ία Fr. -γεν- as in -γενής and -ία as in ἀνδρογένεια
abiogeny -ist *Biol.*
aesthesiogeny -ic
angiogeny *Embryol.*
anthrageny *Bot.*
anthropogeny *Anthrop.*
-ic -ist -ous
antigeny -ic *Biol.*
apogeny -ous
astrogeny *Astron.*
autogeny *Biol.*
autophyllogeny *Bot.*
biogeny -ist -ous *Biol.*
biotogeny *Geol.*
blastogeny *Biol.*
cenogeny *Biol.*
chondrogeny *Physiol.*
cleistogeny *Bot.*
cormo(phylo)geny *Biol.*
cosmogeny
cryogeny
crystallogeny -ic(al
dichogeny *Biol.*
digeny *Bot.*

dissogeny *Biol.*
dynamogeny
ectrogeny -ic *Med.*
electrogeny
embryogeny -ic *Embryol.*
endogeny *Anthrop. Biol.*
epeirogeny -ic *Geol.*
ethnogeny -ic
exogeny -ic -ous(ly *Biol.*
gelatigeny
-geny *Suffix*
geogeny -ic -ous
geomorphogeny *Geol.*
-ic -ist
glycogeny *Biochem.*
hamartigeny *Theol.*
henogeny *Biol.*
histogeny
homogeny -ic *Bot.*
hylogeny *Biol.*
hymenogeny *Phys.*
hyper(o)dontogeny
hyperosteogeny -ic
hypnogeny -ic -ous
hysterogeny *Med.*
ideogeny
kenogeny -ic *Biol.*
lithogeny *Biol. Path.*
metallogenic *Min.*
metallogeny *Geol.*
microcrystallogeny
miscegenist
monogeny -ist(ic
morphogeny *Biol.*
myelinogeny *Histol.*
myclogeny -ic -ous *Histol.*
mythogeny
nomogeny -ist -ous *Phil.*
nosogeny -ic *Med.*
odontogeny -ic *Anat.*
ontogeny -ist *Biol.*
oogeny
organogeny -ic -ist
orogeny -ic *Geol.*
osteogeny *Physiol.*
palingeny -ic -ist *Biol.*
pancreatogeny
parthenogeny -ic -ous
pathogeny -eity -ic(ity -ous
peptogeny
periphyllogeny *Bot.*
petrogeny *Petrog.*
photogeny -ic(ally
phylogeny -al -ic -ist
physiogeny -ic *Biol.*
phytogeny *Biol.*
phytophylogeny *Bot.*
planetogeny
plasmogeny *Biol.*
plastogeny *Bot.*
pleiogeny *Bot.*
pleogeny *Bot.*
poecilogeny *Biol.*
polyphyllogeny *Bot.*
psychogeny -ia *Path.*
pyogenia
scyphogeny *Bot.*
skeletogeny -ous
sociogeny
spermatogeny -ic -ous
sporogeny *Cytol.*
statogeny *Biol.*
syphilogeny
teratogeny
thaumatogeny -ist
thermogeny
xenogeny -ic *Biol.*

γενειο- Comb. of γένειον
genio-
glossus -al *Anat.*
hyoglossus -al *Anat.*
hyoid(eus -ean *Anat.*
hyus *Pal.*
latry
plasty *Surg.*

γένειον the chin
-genia *Ent.*
A Eccopto Hypsilo Platy Schisto
genion *Craniom.*
-genius *Ent.*
Cardio Crypto Eury Lisso Mitra Ptero Schizo
microgenia *Anat.*
oxygeneum *Ich.*
Pachygeneia *Ent.*
Plectrogenium *Ich.*
pregenial *Anat.*
Trigonogenium *Ent.*

-γενεσία Comb. of γένεσις as in ἀειγενεσια
-genesia
a abio chondro dys para patho pyr(et)o
-genesy
litho macro mono patho

γενέσιος = γενέθλιος
Plethogenesia *Ent.*

γένεσις source; origination (Plato)
agenesic *Physiol.*
anthogenesis *Ent.*
anthropogenesis
armagenesis *Pal.*
biogenesist *Biol.*
c(o)enogenesic *Biol.*
criminogenesis
dynamogenesis
dysgenesic *Path.*
electrogenesis
epigenesist
etheogenesis *Prot.*
eugenesis -ic
fantasmogenesis
geneagenesis
Genesis *Bible*
-iac(al -itic
genesis -ial -ic
-genesis *Bot.*
amylo andro chromo ergo etho gameto geo haplo holo megasporo mono onto patro phylo phyto(geo) plasmo symphyo syn tachy zygo
-genesis *Biol.*
abio agamo akineto allio alloeo amikto amphi ana arche(*or* i) auto bathmo biblio bio blasto caeno cata centro chrono c(o)eno di(pleuro) diplo dysmero ecto embryo emphyto endo epi(strepho) eumero gam(et)o heno hetero(partheno) hom(oe)o homopartheno hylo iso(partheno) keno kymato mero meta morpho neo onto opistheno organo ortho palin pan para parth(en)o patro peri phylo physio plasmo poecilo proto pseudopartheno pseudopedo schizo spermato sporo stato syn tachy tychopartheno xeno zoo
-genesis *Chem. & Geol.*
amino amylo anaphylacto anthra antiketo chemico cholestero crystallo cyano dia epi gluconeo glyco(neo) hormono hypo keto

-genesis Cont'd.
litho melano metallo oro para petrolo pyro rhodo tafro zymo
-genesis *Genetics*
andro gyno miscen pal(a)eo somato
-genesis *Med.*
adermo aero a amoebocyto angio arterio auto caco carcino cephalo chondro chromo cysto cyto(histo) diplo dysonto dysosteo epi erythro exo h(a)em(at)o hemocyto histo hygio hyper hypno hypnosi idio ino kako karyo leuc(*or* k)ocyto lipo lyso mnemo myel(in)o myo neuro(patho) noso oo osteo ovi ovo patho phacopalin photo phthysio ptilo pyo pyr(et)o seped-(on)o stropho syphilo therm(ac)o ureo vasculo
kinetogenesis
mythogenesis
neuronagenesis *Med.*
paidogenesis *Zool.*
palingenesist *Biol.*
paragenesic *Biol. Min.*
parthenogenesic *Biol.*
parthenogenetiv(e *Biol.*
pedoparthenogenesis
phantasmogenesis
polygenesis -ic -ist
psychogenesis
regenesis
syngenesioplastic *Surg.*
γενετικός Byz.
abiogenetical(ly *Biol.*
agamogenetical(ly *Biol.*
allogenetic
allothiogenetically
anthogenetic *Ent.*
anthropogenetic
biogenetics -ical
calorigenetic
cambiogenetic
cenogenetically *Biol.*
cosmogenetic
Digenetica *Zool.*
dynamogenetic
electrogenetic
epigenetical(ly
fantasmogenetic(ally
gamogenetical(ly
geneagenetic
genetic *Biol. Med.*
al(ly ian ist
genetico- *Path.*
pathy phobia
genetics
-genetic *Biol.*
abio agamo amphi ana andro bio blasto c(a)eno cata centro cyto di(pleuro) diplo dysmero embryo epi eumero exo gamo gyno hetero homo isobio keno mero meta mono morpho neo oo opistheno ortho ovi ovo pal(a)eo palin para partheno peri phylo physio plastido pre proto somato spermato stato syn toco xeno zymo
-genetic *Bot.*
auto basidio ceno dia ephebo geo hetero
-genetic Cont'd.
homo iso meristo myceto ortho phello phyllo phylo phyto(phylo) pleo rhizo schizo symphyo syn
-genetic *Chem.*
antiketo chromo cyano crystallo fibrino glyco keto lyso zymo
-genetic *Geol.*
allothi anoro anthra cata climato dia epeiro epi exo litho metallo oro pneumato pyro syn(oro)
-genetic *Med.*
a apyro cephalo cholo chondro cretino crypto diabeto endo epithelio eu fibro h(a)em(at)o histo ictero kerato lipo musce myel(in)o myo neuro noso osteo pal-(a)eo path(et)o phlogo phthisio pyo pyreto rhexi terato urea
homogenetic(al *Biol.*
hydatopyrogenetic
hypergenetic
hypnogenetic
hypogenetic
hysterogenetic *Petrol.*
ideogenetic
intergenetic
kenogenetically *Biol.*
metagenetically *Biol.*
miscegenetic
Monogenetica *Zool.*
ontogenetic(al(ly
organogenetic
paedogenetic *Zool.*
palingenetically
pangenetic(ally
paragenetic *Min.*
parthenogenetically
phantasmogenetic(ally
photogenetic(ally
phylogenetical(ly
phytogenetical(ly
polygenetic(ally
porphyrogenetic
pseudopedogenetic *Zool.*
psychogenetic(al(ly
pythogenetic
schizogenetically
sociogenetic
statogenetically
suigenetic
syngenetic *Zool.*
syngenetics *Bot.*
tachygenetic
thaumatogenetic
thermogenetic
-γενής adjective terminal fr. -γεν- in γεννᾶν, γένος
abiogenous *Biol.*
achroglucogen *Chem.*
achrooglycogen *Chem.*
acrogen(ic ous(ly *Bot.*
acylogen *Org. Chem.*
adipogenic -ous *Physiol.*
adnexoorganogenic *Med.*
aerogen *Bact.*
aerogene *Fuels* (*T. N.*)
aerogenic *Med.*
aescigenin *Chem.*
aesthesiogen
aethogen *Chem.*
aetiogenic *Bot.*
aggentinogen
agglutinogen(ic ous
agglutogenic *Biochem.*
airogen *Pharm.* (*T.N.*)
airohydrogen *Chem.*
aitogenic -ous *Bot.*
albuminogenous
alcargen *Chem.*
alcogene *Chem.*
alkaligen(ous *Chem.*
alkylogen *Chem.*
allergen(ic *Biochem.*
allothigene *Geol.*
allothi(*or* o)genic -ous
alpigene *Phytogeog.*
alunogen(ite *Min.*
amidogen *Chem*
amidogene *Expl.*
amebocytogenous *Path.*
aminogen(e *Dyes* (*T.N.*)
amphicarpogenous *Bot.*
amphigen(ous *Bot. Chem.*
amphigene -ic *Min.*
amphogenic -ous *Petrog.*
amphoterogenic *Petrog.*
amylogen(ic *Chem.*
anaphylactogen(ic
androgenous *Biol.*
anemogen *Phys.*
angiogenic *Embryol.*
anhepatogenic *Path.*
anitrogenous *Chem.*
anogen(e -ic *Bot.*
anogenic *Petrol.*
antherogenous *Bot.*
antigen(e *Biochem.*
antiketogen(ic *Biochem.*
antioxygen(ic *Chem.*
antiphotogenic *Chem.*
antipyogenic *Med.*
antitoxigen *Med.*
apigenin
apoikogenic *Embryol.*
apyogenous *Med.*
apyrogenic *Med.*
aristogen *Photog.*
arktogene *Geol.*
arsenogen *Mat. Med.*
arthrogenous *Med.*
ascogenic -ous *Bot.*
asphaltogenic *Chem.*
asporogenic -ous *Bot.*
asthmogenic *Med.*
atmogenic *Petrol.*
atoxogen *Mat. Med.*
atractyligenin *Org. Chem.*
aucubigenin *Org. Chem.*
atuogene *Dyes* (*T.N.*)
azogen(e *Dyes* (*T.N.*)
bacilligenic *Med.*
bacillogenous *Med.*
bacteriogenic -ous *Med.*
baptigenin *Chem.*
basigenous -ic *Chem.*
basogenous
bassorinogenous *Bot.*
betainogen *Chem.*
bigenous
biogen *Biol.*
ation ic ous
biogenase *Biochem.*
biontogene *Geol.*
bioplasminogen *Cytol.*
blastogen(ic *Biol. Bot.*
blematogen *Bot.*
blennogenic -ous *Path.*
botryogen(ite *Min.*
branchiogenous *Med.*
bromocyanogen *Chem.*
bronchiogenic *Path.*
bryogenin *Org. Chem.*
bynogen *T.N.*
byssogenous *Moll.*
cacogenic(s *Med.*
calorigenic
calyptrogen *Bot.*
camphogen *Chem.*
caprigenous *Zool.*
capsuli(*or* o)genous *Zool.*
carbonigenous
cardiogenic
carnogen *Mat. Med.*
carpogenium *Bot.*
-ic -ous
caryozymogen *Chem.*
caseinogen *Pharm.*
caseogenous *Med.*
castelagenin *Org. Chem.*
cathartogenic -in *Chem.*
catogenic
cauligenous *Bot.*
caulo(phyllo)sapogenin *Org. Chem.*
cenogenic *Biol.*
centrogen *Anat.*
centrogenic -ous *Biol.*
ceratogenous *Anat.*
chaogenous
chernogens *Bot.*
chiratogenin *Chem.*
chitinogenous *Chem.*
chlorocruorochromogen
chlorogen- *Chem.*
ate ic in(e
chlorophylligenous *Bot.*
chlorophyllogen *Chem.*
cholerigenous *Med.*
cholesterogenic *Biochem.*
chologen *Mat. Med.*
chondri(*or* o)gen(ous
chondrinogen *Histol.*
chromatogen(ous
chromogen(e *Chem.*
ic ous
chrysogen *Chem.*
chydenanthogen *Chem.*
chymogene *Biochem.*
chymosinogen *Biochem.*
cinogenic *Org. Chem.*
cladogenous *Bot.*
clastogene *Petrog.*
cleistogen(e -ous *Bot.*
cnidogenous *Zool.*
coccigenic *Bact.*
coccogenous *Med.*
coctoantigen *Biochem.*
coleogen *Bot.*
collagen *Biochem.*
ase ic ous
colloidogen *Biochem.*
collogen(ic ous *Chem.*
contactogonous *Geol.*
cormogen(ae ous *Bot.*
cosmogenic
costogenic *Med.*
cotogenin *Chem.*
crinogenic
cryogen *Med. Phys.*
cryogenic -in *Chem. Med.*
cryptantigenic *Biochem.*
cryptogenic *or* -ous *Med.*
cultigen(a *Bot.*
cyanogen *Chem.*
cyclogen *Bot.*
cyclogenous *Geom.*
cylindrogenic *Bot.*
cymarigenin
cymogene *Chem.*
cystogen(ous
cytogenic -ous *Cytol.*
degragene *Org. Chem.*
dehalogenize *Chem.*
dehydrogenase *Biochem.*
dehydrogenate(d *Chem.*
dehydrogenize(r -ation
demogenic *Sociol.*
dermacalyptrogen *Bot.*
derm(at)ogen *Bot.*
dermogen *T.N.*
desmogen(ous *Bot.*
deuterogenic *Geol.*
deut(o)hydroguret *Chem.*
deutoplasmigenous
deutoplasmogen *Emb.*
deoxygen- *Chem.*
ate (iz)ation ize
diabetogenic -ous *Med.*
diagenic -ism
diamidogen *Chem.*
dictyogen(ae -ous *Bot.*
dicyanogen *Chem.*
digenous *Biol.*
digitaligenin *Org. Chem.*
digitogenic -in *Org. Chem.*
digitoxigenin *Chem.*
dihalogen(o- *Chem.*
diisatogen *Chem.*
diogenal *Mat. Med.*
dioxogen *Chem.*
dioxygen *Org. Chem.*
diphosgene *War Gas*
diphygenic *Embryol.*
diplogenic
disoxygenate -ation
dixgenic *Org. Chem.*
dormigene *Mat. Med.*
dynamogen(ic ous(ly
dysgenic(s *Eugenics*
dysgeogenous *Agric.*
endogen(ae *Bot.*
endogenic -ous *Med.*
endogenous(ly *Biol. Bot.*
enteroantigen *Biochem.*
enterogenic -ism *Biol.*
enterogenous *Med.*
entogenous
entomogenous *Mycol.*
epeirogenic *Bot.*
epigenist *Biol.*
epigenous *Bot.*
echinochromogen *Chem.*
ectogenic *Biol. Bot.*
ectogenous *Bact. Biol.*
eikonogen *Chem.*
electrogenic
electropyrogenic
emphytogenous *Bot.*
epileptogenic -ous *Path.*
erogenic(s -ous
erotogenic *Med.*
erythrogen *Chem.*
erythrogenic *Physiol.*
escigenin *Chem.*
eugeogenous *Geol.*
euxanthogen *Org. Chem.*
exogen(ae ic ous(ly *Bot.*
exogenite *Geol.*
exogenous *Anat.*
fermentogen *Chem.*
ferratogen *Physiol.*
ferricyanogen *Chem.*
fibrinogen(ic ous *Chem.*
fibrogen
filmogen *Pharm.*
fluorescigenic -ous
fluorogen *Org. Chem.*
galactogenous *Gynec.*
gamogenic *Cytol.*
gasogen(e ic ous *Chem.*
gastrogen *Prop. Rem.*
gastrogenic *Med.*
gelatigen(e ic ous
gelogenic
-gen *Biol. Chem. etc.*
gen(e *Biol. Genetics*
geneogenous *Med.*
-genic
genin *Org. Chem.*
-genous
gentiogenin
germigenous
germogen
git(al)igenin *Org. Chem.*
gitogenic -in *Org. Chem.*
gitoxygenin *Org. Chem.*
globuligenic
glycogen *Biochem.*
al ase ic ous
glycogeno- *Biochem.*
lysis lytic
goitri(*or* o)genous *Med.*
gonidiogenous
gonogenic *Biol.*

gymnogen(ous *Bot.*
gymnogene *Ornith.*
gynecogenic *Bot.*
h(a)ematogen(ic ous
h(a)emochromogen
halogen *Chem.*
ate(d ation ato- ia ize o- oid ous
halogenimetry *Chem.*
haplogeneus *Bot.*
haptogen(ic *Biochem.*
hederagic *Org. Chem.*
hederagenic *Org. Chem.*
-in -olic -one -onic
hederagonic *Org. Chem.*
helixigenin *Chem.*
hematinogen *Med.*
hemichlorogenic *Chem.*
hemoferrogen *Mat. Med.*
hemoglobinogenic *or* -ous
hemolysinogen *Biochem.*
hemorrhagenic *Med.*
hepatogenic -ous *Physiol.*
Hermogene(*or* i)an *Phil.*
hesthogenous *Ornith.*
hexacyanogen *Org. Chem.*
hiptagenic -in *Org. Chem.*
histiogenic *Med.*
histogenic -ous *Histol.*
histogenol *Mat. Med.*
histohematogenous *Med.*
homogen *Biol. Bot. Ethnol.*
homosaligenin *Org. Chem*
hormonogenic *Biochem.*
humigenic *Chem.*
humogen *Agric.*
hyalogen *Biochem.*
hydatogenic -ous *Geol. Petrog.*
hydatopyrogenic
hydrogen *Chem.*
ase ate ation ator etted id iferous ite ium ization ize oid ous uret(ed
hydrogenic *Geol.*
hydrogenite *Ind. Chem.*
hydroguret -et(t)ed
hydrohalogen(ide *Chem.*
hydronitrogen *Chem.*
hydrooxygen *Chem.*
hydropigenous *Med.*
hyperglycogenolysis
hypernitrogenous
hyperoxygen- *Chem.*
ate(d ation ized
hyphogenic -ous *Med.*
hypocarpogenous *Bot.*
hypogene -ic -ous *Geol.*
hypogenous *Bot.*
hysteroepileptogenic *or* -ous *Ps. Path.*
hysterogenic -ous *Med.*
hysterolysigenous *Bot.*
iconogen *Photog.*
icterogen(ic *Med.*
ideagenous
ideogenous *Psych.*
idiogenite
ignigenous *Geol.*
iliogenic *Petrol.*
imidogen *Chem.*
immunogenic *Med.*
indogen(e id(e *Chem.*
indologenous *Biochem.*
indigogen(e *Chem.*
infusorigen *Prot.*
inogen(ic -ous *Histol.*
iodocyanogen *Chem.*
iodoeugenol *Mat. Med.*
iodoformagen *Mat. Med.*
iodoformogen *Chem.*
iodovasogen *Mat. Med.*
ionogen(ic *Phys. Chem.*
irigenin *Chem.*

isatogen(ic *Chem.*
isocyanogen *Chem.*
isodynamogenic
isogen *Anthrop. Cartog. Geom.*
isomorphogen(ic
kaligenous *Chem.*
karyogen *Org. Chem.*
karyogenic *Cytol.*
katigen *Dyes* (*T.N.*)
katoikogenic *Biol.*
keratogenous *Med.*
kerogen *Org. Chem.*
ketogenic *Biochem.*
kinetogenic *Med.*
knismogenic *Path.*
kryogen(e *Dyes*
kryogenin
lacrymogenic *Chem.War.*
lactacidogen *Biochem.*
lactigenic -ous
lethargogenic *Med.*
libidogen *Med.*
lienomyelogenous *Med.*
lipochromogen *Chem.*
lipogenic -ous *Path.*
lipogenin *Ointments*
liquidogenic -ous *Chem.*
lithogen *Trade*
lithogenous *Biol.*
lucigen(ous *Optics*
lupigenin(e *Chem.*
lymphogenic-ous *Anat.*
lysigenic -ous(ly *Bot.*
lysinogen *Biochem.*
lysogen(ic *Biochem.*
madreporigenous *Zooph.*
magmatogenous *Geol.*
malari(a)genous
marigenous
martigenous
melanogen *Biochem.*
melassigenic *Arts.*
mellogen *Chem.*
membranogenic *Biochem.*
meridiogene *Geol.*
merogenic *Biol.*
mesobilirubinogen
mesobiliviolinogen
mesogenous *Fungi*
mesoporphyrinogen
metagene *Geol.*
metagenic *Biol.*
metamorphogenous *Geol.*
microgene *Bot.*
micronitrogen *Chem. Anal.*
monocyanogen
monogen *Chem.*
monogene *Geol.*
monogenism -ic -ous
monogenist *Anthrop.*
monohalogen *Chem.*
monohydrogen *Chem.*
morphigenine *Org. Chem.*
morphogenic *Biol*
morphogenous *Bot.*
mucigen(ous *Chem.*
mucinogen *Physiol.*
mycetogenic -ous
myogen *Chem.*
myogenic -ous *Med.*
myosinogen *Biochem.*
naphthogene *Dyes*
naphthogeny *Fuels*
necrogenic -ous
nekrogene *Geol.*
nematogen(e *Embryol.*
a ic ous
neogen *Chem.*
neogenic *Alloys*
neomorphogenous *Bot.*
nepheligenous
nephrogenic -ous *Physiol.*
neurogen(ic -ous *Neurol.*
nitratoxygen

nitrogen
ation eous ic iferous ization ize ous
nonantigenic *Biochem.*
nonpyogenic
nubigenous
oenogen *Chem.*
oleogen *Ointments*
ontogenal -ic(ally *Biol.*
Onygena -aceae *Fungi*
opisthenogenic *Biol.*
opsinogen(ous *Biochem.*
optogenic *Cytol. Ent.*
orexigenic *Physiol.*
orexigenin(e *Chem.*
orogenous *Bot.*
orthogenid *Anat. Geom.*
osmogen(e *Embryol.*
ossagen *Mat. Med.*
osteogen(e -ic -ous *Chem.*
otogenic -ous
ovi(*or* o)genous *Biol.*
ovofibrinogen *Chem.*
ovoprotogen *Biochem.*
ovulogenous *Biol.*
oxygen
ant ate ation ator (e)ity ic(ity iferous ium oid ous
oxygenase *Biochem.*
oxygenize(r -able -ment
oxygenophore *Mech.*
oxygenotaxis
oxygenotropism
oxyhydrogen *Chem.*
Pal(a)eogene *Geol.*
pancreatogen(ic *Med.*
pangen(e -ic *Biol.*
pantogen *Chem.*
pantogenous *Crystal. Phytogeog.*
paracyanogen
parafibrinogen *Chem.*
paragenic *Min.*
paramyosinogen *Chem.*
partigen *Biochem.*
pathogen(e *Bact.*
pectinogen *Biochem.*
pellagragenic *Path.*
pelogenous -ety *Bot.*
pelopsammogenous *Bot.*
pepsinogen(ous *Physiol.*
peptogen(ic -ous *Chem.*
pergenol *Mat. Med.*
perhalogen *Chem.*
perhydrogenize *Chem.*
peroxygen *Chem.*
persulphocyanogen
perthiogen *Chem.*
petrogen *Min.*
petrogenic *Chem. Geol. Min. Petrog.*
petrogenous *Med.*
pexinogen *Biochem.*
phanerogenic *Petrog.*
phaseosapogenin *Chem.*
phellogen(ic *Bot.*
phen(o)geneserine *Chem.*
phillygenin *Chem.*
philoxygenous
phlebogenous *Physiol.*
phlogogen(ic -ous *Med.*
phosgen(e -ic *Chem.*
phosgenite *Min.*
phosgeno- *Org. Chem.*
phosoxygen(ate *Chem.*
phosphorogen(ic *Chem.*
photogen *Oils T.N. Zool.*
photogene *Optics*
photogenic(ally ity ize
photogenous *Biol.*
phthisiogenic *Med.*
phycocyanogen *Chem.*
phyllochromogen
phyllogen(ous *Bot.*
phyllohemochromogen

physicogenic *Med.*
phytogen(ous *Bot.*
phytogenic *Petrol.*
phytopathogenic
plasmatogen *Biochem.*
plasmodiogens *Cytol.*
plasmogen *Biol.*
pleuritogenous *Path.*
pleurogenic -ous *Path.*
pleurogenous *Bot.*
pneumato-
gen(ic ous *Geol.*
hydatogen(ic ous
pollenogenic *Med.*
polydatogenol *Chem.*
polygen *Chem.*
polygene *Geol. Petrol.*
polygeneous
polygenist *Anthrop.*
polyhalogen *Chem.*
ponogen *Neurol.*
porphyrinogen *Biochem.*
precipitogen *Biochem.*
precipitogenoid *Chem.*
prezymogen *Cytol.*
prochromogen *Biochem.*
prosapogenin *Org. Chem.*
proteantigen *Biochem.*
proteidogenous *Biochem.*
proteinochromogen
proteogens *Mat. Med.*
protogen *Med.*
protogenid(e *Chem.*
protohydrogen *Chem.*
protoxogenin *Biochem.*
prozymogen *Biochem.*
psammogenous -ity *Bot.*
pseudogeogenous *Bot.*
psychogenic -ous *Med.*
ptyalinogen *Chem.*
ptyalogenic *Med.*
ptychigene *Geol.*
pupigenous
purpurigenous
purpurogenous *Arts*
pyocyanogenic *Bact.*
pyogenic -ous *Med.*
pyogenin *Path.*
pyretogen *Biochem.*
pyretogenic -ous *Med.*
pyretogenin *Path.*
pyrogen *Elec. Med.*
pyrogenic -ous *Geol. Path.*
pyroxanthogen *Chem.*
pythogenic -ous
quinogen *Chem.*
rabigenic *Path.*
radiogenol *Mat. Med.*
reflexogenic -ous *Path.*
rehydrogenation *Chem.*
renn(in)ogen *Biochem.*
reoxygenate
reoxygenize
retinogen
resinogenous *Bot. Chem.*
rhamnicogenol *Chem.*
rhaponti(*or* o)genin
rhexigenous *Histol.*
rhinanthogen *Path.*
rhinogenous *Path.*
rhizogen(ic -ous *Bot.*
rhizogenum *Algae*
rhodogen *Org. Chem.*
rhoeagenin(e *Org. Chem.*
rhombigen(a ous *Emb.*
rhombogen(e *Helm.*
a ic ous
saccharogenic
saligenin -ol -yl *Chem.*
saligeninase *Biochem.*
sapogenin *Chem.*
saprogen(ic -ous *Bact.*
saprogenous *Bot.*
sarcochromogen *Chem.*
sarcogenic -ous *Physiol.*

sarsapogenin *Chem.*
schizogenic -ous *Bot.*
schizolysigenous *Bot.*
schlerogen(ia *Bot.*
schlerogenic -ous *Physiol. Zool.*
schlerogenous *Ich.*
-idae -oid
scopoligenine *Org. Chem.*
selenocyanogen *Chem.*
selzogene
semioxygenated *Chem.*
sensibilisinogen *Chem.*
septogenic *Med.*
sialogenous *Med.*
siderogenous *Med.*
skepptychigene *Geol.*
somatogen *Bot.*
somatogenic *Biol.*
sozogen
spermat(i)ogenous *Bot.*
spherogenic *Bot.*
sphygmogenin *Mat. Med.*
spiculigenous *Zool.*
splenomyelogenic -ous
spodogenic -ous *Path.*
sporangiogenic *Bot.*
sporigenous
sporogen(ic -ous *Bot.*
sporuligenous *Bot.*
steapsinogen *Biochem.*
steatogene -ous *Med.*
stercobilinogen *Biochem.*
strophanthigenin *Chem.*
suberogenic *Bot.*
suicidigenous
sulfocyanogen *Chem.*
sulfogene *T.N. Dyes*
sulphatoxygen *Chem.*
sulphocyanogen *Chem.*
sulphogene *T.N. Dyes*
sulphogenol *Chem.*
supergene *Geol.*
superoxygenated -ation
tachygen(ic *Biol.*
tannigen *Pharm.*
tanningenic *Chem.*
taraxigen *Med.*
teratogenic -ous *Med.*
tetanigenous *Med.*
tetragenic -ous *Bact.*
tetrahydrogen *Chem.*
thalattogenous *Geol.*
thallogen(ic -ous *Bot.*
thaumatogenic -ous
thelygen *Med.* (*T.N.*)
thelygenous *Bot.*
thermogenics *Phys.*
thermogen(ic -ous
thermogenic *Bot.*
thigenol *Mat. Med.*
thiocyanogen *Chem.*
thiogen(e *Dyes.*
thiogenic -ol *Pharm.*
thiophosgene *Org. Chem.*
Thrombigenes *Ent.*
thrombogen(ic *Chem.*
thuyigenin *Chem.*
thuyone *Chem.*
thyrogenic -ous *Anat.*
toxicogenic *Med.*
toxigene *Geol.*
toxigenone *Org. Chem.*
toxogenin *Biochem.*
trichogen(ous *Med.*
tricyanogen *Org. Chem.*
trigenic *Chem.*
trihydrogen *Chem.*
triphosgene *Org. Chem.*
tropigenine *Org. Chem.*
tryps(in)ogen *Biochem.*
tuberculigenous *Med.*
typhogenic *Path.*
tyrogenous
ulexogenol *Org. Chem.*
unnitrogenized

unoxygenated
uranocyanogen *Pigments*
ureagenic *Biochem.*
uremigenic *Med.*
ur(in)obilinogen *Med.*
urobilinogen- *Med.*
emia uria
urochromogen *Biochem.*
urocyanogen *Chem.*
urogenin -ous *Med.*
urorhodinogen
ururoseinogen *Chem.*
vaccigenous *Med.*
vaccinogen(ic -ous *Med.*
vasogen
vibrogen *Bot.*
virogen *Diet.*
vitellogen(e ous *Chem.*
xanthogen *Chem.*
amide ate ic
xenogenite *Geol.*
xenogenous *Path.*
xylogen *Chem.*
zoogenite *Petrog.*
zygogenic *Bot.*
zymogen(e *Biol. Chem.*
ic ous

γεννᾶν to beget
agenosomia -us *Terat.*
gennyleion *Bot.*
-angium -ozooid
hemogenia -ic *Med.*
odontogen *Dent.*
oligogenics *Med.*
Plasmatogennylicae *Bot.*
pollachigenus *Bot.*
Stereogennylae *Bot.*

γέννησις a producing
agennesis -ic *Ethnol. Physiol.*

γεννητικός
agennetic *Physiol.*

γένος race, kind
agenus *Bot.*
Am(o)ebogeniae *Prot.*
Amphigenia *Brach.*
Apterogenea *Ent.*
autogenotypic *Bot.*
Calyptrothalamogena
Chiogenes *Bot.*
Coralligena -ous *Zooph.*
deutogenotypic
Digenea -eous *Helm.*
digenite *Min.*
Endodermogena *Bot.*
Esthogena *Ent.*
gen-
atropine *Org. Chem.*
eclexis *Sociol.*
ecology -ical *Bot.*
epistasis -y
epistatic
eser- *Org. Chem.*
ethole -ium
ine
olene oline
hyoscyamine
geno-
blast(ic *Embryol.*
dermatosis *Path.*
different *Bot.*
holotype *Biol.*
lectotype *Biol.*
phene *Bot.*
plast(ic *Bot.*
scopolamine *Chem.*
siris *Bot.*
species *Bot.*
strychnine
syntype *Biol.*
type *Biol.*
-ic(al -ist
type -ical *Bot.*
genos *Gr. Hist.*
Hydrogenomonas *Bact.*
isogenotypic *Bot.*

Melongena *Conch.*
-id(ae -oid
Mixogenus *Ent.*
monogenodifferent
Nesogena -es *Ent.*
noogenism *Biol. Psych.*
orthogenics *Eugenics*
Pachygenelus *Pal.*
pangenosomes *Bot.*
Praogena *Ent.*
pseudogenus *Biol.*
Pterygogenea *Ent.*
Sathrogenes *Ent.*
Sirogenes *Ent.*
Stygogenes *Ich.*

γεντιανή (Diosc.)
Γέντιος a king of Illyria
gentian
-aceae -aceous -al(es
-eae -ella
gentianic *Chem.*
-in(e -ose
gentiano-
phil(ous *Staining*
phobic -ous *Staining*
gentio- *Org. Chem.*
biase biose genin picrin
gentis-
aldehyde *Org. Chem.*
ate ic in *Chem.*

γένυς the under jaw
Bathygenys *Pal.*
Brachygenys *Ich.*
Coelogenys *Mam.*
Geniates *Ent.*
geno-
clonius *Ent.*
geny-
antralgia *Med.*
antrum -itis *Path.*
atremus *Ich.*
chiloplasty *Surg.*
ornis *Ornith. Pal.*
pterus *Ich.*
genyo-
cerus *Ent.*
dectes *Pal.*
nemus *Ich.*
plasty *Surg.*
schiza *Ent.*
Genys *Ornith.*
gonydeal -ial *Ornith.*
gonys *Ornith.*
Lipogenys -yid(ae *Ich.*
Pseudoliogenys *Ent.*
Rhamphodermogenys
Solenogenys *Ent.*

γεραιο- Comb. of γεραιός
ger(a)eology
geriopsychosis *Ps. Path.*

γεραιός old
Geraeopsis *Ent.*
Glyptogeraeus *Ent.*
Linogeraeus *Ent.*

γεράνιον (Diosc.)
cyclogeran- *Org. Chem.*
ic iol(ene yl
geran- *Org. Chem.*
ic iene iine iol(ene
geranium
-iaceae -iaceous -ial(es
geranyl *Org. Chem.*
-acetate -amine
geronic *Org. Chem.*
isogeranic *Org. Chem.*

γερανο- Comb. of γέρανος
gerano-
morph(ae -ic *Ornith.*
myia *Ent.*
saurus *Pal.*

γέρανος a crane
geranarchus

Geran(o)aetus *Ornith.*
Gerani *Ornith.*
Gerania -us *Ent.*
gerano- *Ent.*
myia (r)rhinus
Gypogeranus -idae

γεροντ- Stem of γέρων
anagerontic *Biol.*
geront-
al *Med.*
archical
asty -ic *Pal.*
atrophy
in(e *Biochem.*
ism
opia *Ophth.*

γέροντες the Elders
gerontes *Gr. Ant.*

γεροντικόν a book commemorating anchorets
gerontic(*or* k) on *Gr. Ch.*

γεροντικός
gerontic
parageronitc *Biol.*
phylogerontic *Biol.*

γεροντο- Comb. of γέρων
geronto-
cracy
g(a)eous *Phytogeog.*
logy *Med.*

γεροντοκομεῖον
gerontocomia *Med.*

γερουσία Senate
ger(o)usia *Gr. Pol.*

γέρρον a shield
gerrho-
notus -idae *Zool.*
saurus *Herp.*
-id(ae -oid
Gerris -idae *Ent.*

γέρων an old man
gerontoxon *Med.*

γεῦσις sense of taste
Eugeusis *Ent.*
-geusia *Med.*
a caco dy hemi hyper
hypo oxy para pseudo
hemiageusia *Med.*
hypergeusaesthesia
parageusis -ic
pseudogeus(a)esthesia
psychogeusic

γευστ- as in γευστός to be tasted
-geustia *Med.*
a allotrio ambly pseudo

γέφυρα a bridge
gephyr-
(a)ea(n -eoid *Helm.*
ella *Arach.*
ia(n *Zool.*
r(h)ina -e *Zool.*

γεφυρο- Comb. of γέφυρα
gephyro-
ceras -atea *Pal.*
cercal -y *Ich.*
neura *Ent.*
phobia
phora *Pal.*
stegus *Pal.*

γεω- Comb. of γῆ
apogeoaesthetic *Bot.*
apogeotropic(ally *Bot.*
degeomorphization *Geol.*
geo-
aesthesia *Bot.*
agronomic *Geol.*
baenus *Ent.*
biology -ic
bion *Phytogeog.*
biont *Bot.*
bios *Biol.*

geo- Cont'd
blast *Bot.*
botany -ic(al -ist
calyx -ycal *Bot.*
carpy -ic *Bot.*
centric(al(ly *Astron. Phil.*
centricism *Phil.*
ceric *Org. Chem.*
cerite *Min.*
chemism *Chem. Geol. Phys.*
-ical -ist (ry
chrone -y -ic *Geol.*
chronolgoy *Geol.*
cichla -in(e *Ornith.*
coccyx *Ornith.*
cores *Ent.*
-inae -isae -yzes
coronium *Astron. Chem.*
cratic *Geol.*
cronite *Min.*
cryptophyte *Bot.*
cyclic
cyclus *Bact.*
desmus *Zool.*
diatropism *Bot.*
dromus -ica(n *Ent.*
dynamic(al -ics
emyda -ina *Zool.*
ethnic
fault *Geol.*
form
gale *Mam.*
-id(ae -inae -oid
genesis *Bot.*
genetic *Bot.*
geny -ic -ous
glossum -aceae *Fungi*
glyphic *Geol.*
gnosis -y -st *Geol.*
gnost(ic(al(ly
gnostic *Bot.*
gony -ic(al
gram *Geol.*
heterauxecism *Bot.*
hydrology -ist
isotherm *Climatol.*
latry
logy -er -ian -ic(al(ly
-ician -ist -ize
lyte *Min.*
magnetic -ist
manc(*or* t)y
-ce(r -t(ic(al(ly
mys *Mam.*
-yid(ae -yinae -yine
-yoid
nasty *Bot.*
navigation
nyctinastic *Bot.*
nyctitropic *Bot.*
parallelotropic -ism
phagia -y *Med.*
-ism -ist -ous
phagus *Ich.*
phaps *Ornith.*
-apid(ae -apoid
philae -ous -y *Bot.*
philus *Conch.*
-a(n -ian -id(ae -inae
-oid -ous
phone *Mil. App.*
physics -ical -icist
physiognomy
phyte -a -es -ia -ic *Bot.*
pinus
plagiotropism *Bot.*
plana -id(ae -oid *Helm.*
polar *Astron.*
political
retic
saurus *Pal.*
scaptus *Ent.*
scolex -icid(ae -icoid

geo- Cont'd
scopus *Ent.*
scopy -ic
selenic
sere *Bot.*
sphere *Phys. Geog.*
sitta *Ornith.*
spiza *Ornith.*
static(s
strate *Bot.*
strophic *Meteor.*
strophism *Bot.*
syncline -al *Geol.*
tactic(ally *Bot.*
taxis *or* -y *Bot.*
tec(h)tonic
teuthis *Pal.*
thermal -ic
thermometer -metric
thlypis -eae *Ornith.*
tome *Bot.*
tonus -ic *Plant Physiol.*
tortism *Bot.*
tragia *Med.*
triton *Zool.*
trophy *Bot.*
tropism -y -ic(ally
trygon *Ornith.*
trypes -id(ae -inae *Ent.*
xyl *Bot.*
-geogenous
dys eu pseudo
-geology -ical
agro archaeo hydro
micro zoo
-geophytes *Bot.*
eu hetero oxy sapro
xero
-geotropic *Bot.*
a apo dia pro pros
geotropism *Bot.*
apo dia epi klino parallel pro
Hygrogeophila *Bot.*
isogeotherm(al ic
melangeophilus *Bot.*
Melangeophyta -ia *Bot.*
microgeologist
microgeoxyl *Bot.*
oryctogeology
oxygeo- *Phytogeog.*
philus phyte phytia
phytogeogenesis
Plategeocranus *Pal.*
pregeological(ly
progeoesthetic *Bot.*
pyrgeometer *Phys.*
theogeological
zoogeologist

γεωγραφία (Plut.)
geography -ize
-geography
anthropo bio ethno
histo noso palaeobio
pal(a)eo phyto techno
thermo zoo

γεωγραφικός (Strabo)
geographic
al(ly -ics
-geographic
anthropo bio bryophoto ornitho phyto
zoo
-geographical
anthropo bio ethno
ornitho physico phyto
politico thermo un zoo
-geographically
bio ethno physico phyto zoo

γεωγράφος (Strabo)
biogeograph
geographer
anthro(po)- bio ethno-
phyto- techno- zoo-

γεωδαισία (Arist.)
geodesy
-ia -ian -ic(al -ist
geodetic
al(ly ian -ics
γεώδης earthy
geode *Geol.*
-al -ic -iferous -ist -ize(d
Geodephaga -ous *Ent.*
geodete
Geodia -iidae *Spong.*
hypogeody *Mech.*
γεωμέτρης (Plato)
geometer
Geometra *Ent.*
-id(ae -ideous -iform -ina -ine -oid(ea(n
hemigeometer *Ent.*
pangeometer *Math.*
semigeometer *Ent.*
Semigeometrae -id *Ent.*
γεωμετρία (Herod.)
gematria -ic(al (& γραμματεια Fr.)
geometry -(i)al -ian -ize
hypergeometry *Math.*
metageometry *Math.*
pangeometry *Math.*
pseudogeometry
γεωμετρικός (Plato)
ageometric
arithmeticogeometrical
contrageometric
geometric(al(ly -ian -ize
geometrography -ic
hypergeometric(al
metageometrician
metageometrical
ungeometric(al(ly
γεωνόμος colonist
Geonoma *Bot.*
geonomy -ic(al
γεωπονία tillage
geopony
γεωπονικός
geoponic
al(ity ist -ics
γεωργικός (Ar.)
georgic(al
Γεώργιος George
george
Georgian
γεωργός a husbandman
georgic
γῆ earth (Iliad)
diageic *Bot.*
Geadephaga -ous *Ent.*
epigeic *Bot.*
geal
geanticline -al *Geol.*
gearksutite *Min.*
Geaster -astrum *Bot.*
Gebia *Crust.*
-idae -iid(ae -ioid
Gecarcinus *Crust.*
-ian -id(ae -oid
Gecinus *Ornith.*
Gehydrophila *Conch.*
-ian -ous
geic -in(e *Chem.*
geisotherm(al *Meteor.* or *Phys. Geog.*
geite *Geol.*
geoid(al
geomalism -ic -y *Biol.*
georama
Georhycus *Zool.*
-idae -ina(e
Georissus *Ent.*
-id(ae -oid
geoside *Org. Chem.*
geotic
gerontog(a)eous

hypocarpogean *Bot.*
neogeic *Phytogeog.*
palaeogeic *Geol.*
γηθόσυνος joyful
Gethosynus *Ent.*
γήιος earthy
meligeion *Path.*
γηλεχής sleeping on the earth
Gelechia -iid(ae *Ent.*
γηραλέος aged
Geralius *Ent.*
γῆρας (-ατος) old age
Gerablattina *Ent.*
Gerarulus *Pal.*
gerastian
geratic
geratology -ic -ist -ous
geriatrics *Med.*
progeria *Biol.*
γηρο- Comb. of γῆρας
gero-
derm(i)a *Med.*
marasmus *Path.*
morphism *Path.*
γηροκομία care of the aged
gerocomia -ical -y
γηρυγόνη born of sound
Gerygone *Ornith.*
Γηρυών a Giant
Geryon *Myth.*
Geryonia *Zooph.*
-iid(ae -ioid
γήτης a husbandman
Geta *Ent.*
Γιγαντ- Stem of Γίγας
giant
esque ess hood ish ism ize like ly ry ship
gigant-
al icidal icide ine ism ize
Gigantornis *Pal.*
Gigantostraca(n -ous
Γιγάντειος (Luc.)
gigantean -esque
Γιγαντικός (Eus.)
gigantic
al(ly ness
Γιγαντο- Comb. of Γίγας
giganto-
blast *Cytol.*
chromoblast *Cytol.*
cyte *Cytol.*
gonia *Pal.*
lite *Min.*
logy -ical
monas *Prot.*
rhynchus *Helm.*
scelus *Pal.*
soma *Anat.*
termes *Pal.*
-gigantosoma *Anat.*
hyper hypo
Γιγαντομαχία (Plato)
gigantomachia -y
γίγαρτον grapestone
Gigartina *Bot.*
-aceae -aceous
Γίγας a giant
Bassogigas *Ich.*
gyascutus
γιγγλυμο- Comb. of γίγγλυμος
ginglymo-
arthrodia *Anat.*
cladus *Ent.*
stoma *Ich.*
-atidae -id(ae -inae -oid
γιγλυμοειδής (Hipp.)

ginglymoid(al *Anat.*
γίγγλυμος a hinge joint
ginglyform
ginglymus -ate *Anat.*
γιγγλυμώδης (Arist.)
Ginglymodi -(i)an *Ich.*
γίγγρας a flute or fife
gingras -ina *Gr. Music*
γιγνώσκειν to perceive
syngignoscism *Psych.*
γιν- as in γί(γ)νομαι to be produced
protogin(e *Petrol.*
γλάνις a fish (Arist.)
Glanencheli -ian -ous *Ich.*
Glanistomi -ous *Ich.*
glanis -idian *Ich.*
Pteroglanis *Ich.*
γλαρίς (-ίδος) a chisel
Glaridacris *Helm.*
Glaridorrhinus *Ent.*
γλαύκιον a plant juice
Glaucion -ium *Bot.*
γλαυκο- Comb. of γλαυκός
glauco-
chroite *Min.*
crinus *Pal.*
dot(ite *Min.*
dymium *Chem.*
gonidium *Lichens*
hydroellagic *Chem.*
lepis *Ich. Pal.*
lite *Min.*
meter
mya *Conch.*
-yid(ae -yoid
phane *Min.*
phanic *Org. Chem.*
phyllin *Biochem.*
picrin *Chem.*
porphyrin *Biochem.*
pyrite *Min.*
saurus *Pal.*
lithioglaucophan *Min.*
Γλαυκονόμη a Nereid
Glauconome *Myth. Zool.*
γλαυκός green
aglaukopsia *Ophth.*
erioglaucin(e *Chem.*
glaucamphiboles *Min.*
glaucic -in(e *Chem.*
glaucid(ae -oid *Conch.*
Glauconia -iidae *Zool.*
glauconiferous *Min.*
glauconite -ic *Min.*
glauconit -ization *Geol.*
glaucosuria *Path.*
glaucous
Glaucus *Ich.*
manganglauconite *Min.*
Pseudoglauconia *Pal.*
sodaglauconite *Min.*
uroglaucin(e *Chem.*
γλαυκώδης of the owl kind
Glaucodes *Arach.*
γλαύκωμα a cataract causing a dull gray gleam
glaucoma *Ophth.*
-atic -atose -atous
phacoglaucoma
γλαυκῶπις with gleaming eyes
Glaucopis *Ornith.*
-inae -ine
γλαύκωσις (Hipp.)
glaucosis *Path.*
γλαυκώψ = γλαυκῶπις
Glaucops *Ent.*
γλαύξ the owl; the milk-vetch
Cryptoglaux *Ornith.*

Glaucidium *Ornith.*
Glaux *Bot.*
γλαφυρός hollow
Glaphyromyrmex *Pal.*
Glaphyronyx *Ent.*
Glaphyrophiton *Pal.*
Glaphyrus *Ent.*
γλευκο- Comb. of γλεῦκος
achroglucogen *Chem.*
gluco- *Chem.*
albumin -ose
azone
biose
cheirolin
chloralic
cyam(id)in(e
decite -ol
deconic
decose
gallic -in
h(a)emia *Path.*
hept-
ite ol onic ose
kinin
lignose
metastasis
meter
neogenesis
phenetidin
proteid -eose
protocatechuic
stactous -y *Bot.*
sucrase
syringic
thionic
vanillic -in(e
xylose
nucleoglucoprotein
phenylglucoazone
phosphogluco-
proteid protein
γλεῦκος must; sweetness
biosan *Chem.*
-biose *Org. Chem.*
cello celtro galacto gentio malto manno strophantho
cellobioside *Org. Chem.*
cellosan *Org. Chem.*
-cellulose *Chem.*
dinitro hydro meta nitro(hydro) oxy para pecto trinitro
chondros- *Org. Chem.*
amin(e -ic -o-(in)ic
dihexosan *Org. Chem.*
feculose *Starch*
fructos- *Org. Chem.*
azine (az)one ide
fructosuria *Path.*
fucosan *Org. Chem.*
galacto- *Org. Chem.*
arabinose
chloralose
galactos- *Org. Chem.*
amin(e -ic
azone
id(e ido-
one
uria
glucal *Org. Chem.*
glucimidazole
glucin(e *Chem.*
a ate ic
gluciphore *Anal. Chem.*
glucon- *Org. Chem.*
ate ic -o
glucos- *Org. Chem.*
amin(e aminic ate azone ic in(e one um yl
-glucose *Org. Chem.*
anhydro chondri(*or* o) dextro levulo nitro neo oeno penta stearo tri

glucosid *Org. Chem.*
al asi ic o-
glucosimeter
glucosuria -ic *Path.*
glucuron(ic ate *Chem.*
-heptose *Org. Chem.*
gulo manno rhamno sedo
hexahexosan *Org. Chem.*
hexos- *Org. Chem.*
am(in)ic an azon(e id(e
-hexose *Org. Chem.*
aldo keto rhamno rhodeo zymo
hypoglucoxanthine
isolactose *Org. Chem.*
isomaltose *Org. Chem.*
levulos-
azone emia uria
lichosan *Org. Chem.*
lyxohexosamine -ic
lyxosamine
maltos- *Org. Chem.*
an azone id one uria
manneotetrose
mannochloralose
mannosan
mannotriose
metasaccharopentose
-ose *Biochem.*
cyt gelatin lecithin myosin ze
-ose *Chem.*
dextr di poly prote tetr teuth
-ose *Org. Chem.*
acr album ald all altr arabin caroubin cellul cellux crystall cygn cymar diamyl digital epifuc epirhode ery-thr(ul) form fruct fuc galact galaoct galt gel-atin gluc glut glycer heder hept hexaamyl hex(ald) id ket lact laminari levul lyx malt mann mannet meth mon oct pectin pent perseul phlor primever procell raffin rhamn rhamnin rhode rib ru-tin sacchar salabn sorb stachy sucr syc syn-anthr tragat thre tri verbasc vician volemul xyl
osotetrazine & -one
osotriazole
myoalbumose *Biochem.*
neolactose *Org. Chem.*
nitrodextrose *Mat. Med.*
nitrosazon *Org. Chem.*
-oside *Org. Chem.*
ald asperul aucub ge gluc glycol hex ket lyx malt melilot pent polydat primever rhamnic rhamn rib rut salidr ulex violut xyl
paragelatose *Chem.*
pentaldose *Org. Chem.*
pentos- *Org. Chem.*
an azone id(e oid
pentosuria -ic *Med.*
phenyl(ga)lactosazone
polyamylose *Org. Chem.*
propylglucosamin(e
protalbumose *Bot. Chem.*
protogelatose *Chem.*
pseudocellulose *Bot.*
pseudoglucosazone
rhamnicogenol
rhamno- -oside
galact gluc mann
rhamnosyl *Org. Chem.*

rhodeotetrose *Org. Chem.*
ribosamine *Org. Chem.*
saccharosan *Org. Chem.*
saccharosuria *Path.*
-saccharose *Org. Chem.*
di para poly tri
saccharotriose
sarcosin(e ic *Chem.*
sarcosyl *Biochem.*
sucrosuria *Med.*
tetraamylose *Org. Chem.*
tetraglucosan *Org. Chem.*
tetrahexosan *Org. Chem.*
tetrodopentose *Chem.*
triamylose *Org. Chem.*
trihexosan *Org. Chem.*
trimannose *Org. Chem.*
urinoglucosometer *Med.*
xylochloralose *Chem.*
xylohexosamine -ic
xyloketose *Org. Chem.*
xylos-
amine imine one

γλήνη the pupil of the eye; the socket of a joint
Euglena -oid *Bot.*
Euglena *Prot.*
-id(ae -oid(ea(n
glenitis *Path.*
paraglenal *Ich.*
Uroglena *Prot.*
γληνο- Comb. of γλήνη
gleno-
chrysa *Ent.*
sema *Ent.*
spora *Fungi*
sporosis *Path.*
γληνοειδής like the socket of a joint (Galen)
glenohumeral *Anat.*
glenoid(al *Anat.*
-glenoid *Anat.*
bi infra post pre spino sub supra
-glenoidal
post pre
Glenoides *Ent.*
glenovertebral *Anat.*
γλῆνος (-εος) eyeball
Aglenus *Ent.*
Glenus *Ent.*
Homoglenus *Ent.*
Onychoglenea *Ent.*
Tetraglenes *Ent.*
Triglenus *Ent.*

γλήχων pennyroyal
Glec(h)oma *Bot.*

γλία glue
angiogli(omat)osis
Badogliopora -ina *Pal.*
-glia *Anat.*
ecto(neuro) fibro ino myo neuro sarco
glia -al *Anat.*
glia-
bacteria *Bact.*
coccus *Bact.*
cyte *Histol.*
gliadin(e -ose *Biochem.*
glio-
bacteria *Bact.*
blastoma *Tumors*
coccus *Bact.*
myoma *Tumors*
myxoma *Tumors*
neuroma *Tumors*
sarcoma *Tumors*
-glioma *Tumors*
crypto fibro myxo neuro pseudo
glioma *Tumors*
-atosis -atous
gliosa *Anat.*
gliosis *Path.*
neuroglia *Anat.*
-iac -ial -iar -ic
periglial *Med.*

γλίσχρος gluey
glischria *Path.*
glischrin *Biochem.*
ruria *Path.*

γλοία = γλία
gloea(l *Biochem.*

γλοιο- Comb. of γλοιός
gloeo-
capsa -oid *Bot.*
capsin(e *Chem.*
captomorpha *Pal.*
carpous *Bot.*
lichenes *Lichens*
phyte *Bot.*
soma *Ent.*
spore(s-ium *Phytogeog.*
gloiocarp(us *Bot.*
γλοιός gluten
Mesogloea(l *Bot.*
Mesogloea *Spong.*
-aceae -aceous
microzoogloea *Bot.*
oogl(o)ea
perigloea *Prot.*
Phaeogloea *Prot.*
pseudozooglea *Bact.*
Xenogloeus *Ent.*
zoogl(o)ea *Bact.*

γλουτός buttock
ectoglutaeus -aeal *Anat.*
entoglutaeus -aeal -eal
glut(a)eus *Anat.*
-(a)eal -(a)ean
gluteo- *Anat.*
femoral
inguinal
perineal
glutitis *Path.*
glutoid *Mat. Med.*

γλυκερο- Comb. of γλυκερός
glycero-
degras *Arts*
formal *Chem.*
gel *Phys. Chem.*
gelatin *Arts Pharm.*
phosph- *Chem.*
ase ate atic oric
plasma *Mat. Med.*
γλυκερός = γλυκύς
acetoglyceral *Org. Chem.*
boroglycer- *Chem.*
ate ic ide in(e
deglycerin(ize
deglycerolation *Chem. Soaps*
diglycer- *Org. Chem.*
id(e in ol
diiodoglycerin *Chem.*
dinitroglycerin *Expl.*
glonoin *Pharm.*
glycer- *Chem.*
ate ic id(e
Glycera -id(ae *Helm.*
glyceraldehyde *Chem.*
glyceretamate *Chem.*
Glyceria *Bot.*
glycerin(e
ate ation ize(d
glycerinophosphoric
glycerinum *Pharm.*
glycerite *Med.*
glycerize -in(e *Chem.*
glycerol(e *Chem. Pharm.*
ate ize
glycerose *Chem.*
glyceryl *Chem.*
glyconin *Pharm.*
iodoglycerin *Mat. Med.*
nitroglycerin(e
nitroglycerol *Org. Chem.*
phosphoglyceric -ate
polyglycerol *Org. Chem.*
pyroglycerin(e *Chem.*
stycerinol *Chem.*
triglycerid(e *Chem.*
trinitroglycerin *Chem.*

γλυκο- Comb. of γλυκύς
achrooglycogen *Chem.*
glyco-
aldehyde *Chem.*
bacter(ium *Bact.*
chol- *Chem.*
ate (e)ic onic
coll *Chem.*
cyam(id)in *Chem.*
cyanin *Biochem.*
drupose *Bot.*
formal *Chem.*
gelatin *Chem.*
gen *Biochem.*
al ase ic ous
genesis *Biochem.*
genetic *Biochem.*
genolysis *Biochem.*
genolytic *Biochem.*
geny *Biochem.*
h(a)emia *Path.*
in(e *Biochem.*
leucin *Biochem.*
leucyte *Zool.*
lignose *Bot.*
lipin *Biochem.*
lysis *Biochem.*
lytic *Biochem.*
metabolic -ism *Chem.*
neogenesis *Biochem.*
nucleoproteid -ein
pexis -ic *Biochem.*
phenol *Biochem.*
philia *Med.*
phospholipin *Biochem.*
polyuria *Path.*
protein *Biochem.*
ptyalism *Med.*
rrhachia *Med.*
rrhea *Med.*
secretory *Biochem.*
solvol *Med.*
thymolin(e *Pharm.*
hyperglyco- *Med.*
genolysis plasmia rrhachia
hyoglyco-
cholic -ate *Chem.*
desoxycholic *Biochem.*
paraglycocholic *Chem.*

γλυκυ- Comb. of γλυκύς
glycy-
meris *Conch.*
-id(ae -oid
phagia
phyllin *Chem.*

γλυκύρριζα (Diosc.)
glycyrrhetic -in *Chem.*
Glycyrrhiza *Bot.*
glycyrrhizic -in(e
licorice liquorice
γλυκύς sweet
acetoglucal *Org. Chem.*
acetonglycosuria *Tox.*
acetylglycin *Chem.*
aglu(*or* y)con(e *Chem.*
Aglycyderes *Ent.*
-id(ae -oid
antiglycoxalase *Biochem.*
apoglucic *Chem.*
arsenophenylglycin *Med.*
auxogluc *Chem.*
cupriglycolate *Chem.*
cycloglycylglycin(e
diglycin(e *Org. Chem.*
diglycollic *Chem.*
diglyoxaline *Chem.*
diisobutylglycolic *Chem.*
eryglucin *Chem.*
gluc- = glyc- *Chem.*
glusid(e *Chem.*
glyc- *Chem.*
(a)emia *Path.*
ase *Biochem.*
asine *Prop. Rem.*
el(a)eum *Pharm.*
ia *Ent.*
ic *Chem.*
id(e -ic -ol -yl *Ent.*
Glycine *Bot.*
glycin(e *Chem.*
amide ation in
glycinonitrile *Org. Chem.*
Glyciphagus *Ent.*
glycium *Chem.*
glycol *Org. Chem.*
aldehyde amide ate ic id(e in(e o- oside
glycoluric -il *Biochem.*
glycolyl(urea *Biochem.*
glycone *Med.*
glycos(a)emia *Path.*
glycosal *Mat. Med.*
glycosamin *Biochem.*
glycose *Org. Chem.*
-ic -id(e -in(e
glycosometer
glycosuria -ic *Path.*
glycuresis *Med.*
glycuronic -ate *Biochem.*
glycuronuria *Path.*
glycyl *Chem.*
glycin tryptophan
glyk(a)emia *Med.*
glykaolin *Mat. Med.*
glyox- *Chem.*
al iline ime imic
glyoxal- *Chem.*
ase ic in(e idine one
glyoxyl *Org. Chem.*
amide ase
hyper-
glyc(a)emia -ic *Path.*
glyci(*or* y)stia *Med.*
glycosemia *Path.*
glycosuria *Path.*
hypoglucemic *Med.*
hypoglycemia *Med.*
indigly(*or* u)cin *Chem.*
lycetol *Chem.*
mediglycin *Soaps*
methylglyoxal(id)in *Mat. Med.*
myxoglucan *Biochem.*
paragluconic *Chem.*
phenylglycin(ol *Chem.*
phenylglycol(ic *Chem.*
phenylglyoxylic *Chem.*
phloroglucic -id(e -in(ol -ite -ol *Chem.*
picroglycion *Chem.*
polyglycolid *Chem.*
pyroglucic
pyroglycide
thioglycol *Chem.*
triglycolamidic *Chem.*
zymogluconate *Biochem.*
zymogluconic *Chem.*

Γλυκώνειος (Heph.)
Glyconian -ic *Pros.*

γλύμμα an engraved figure
Glymma *Ent.*
-glymma *Ent.*
Meta- Phloeo-

γλυπτήρ a chisel
Ampeloglypter *Ent.*
γλυπτική sculpture
glyptics
γλυπτικός (Poll.)
glyptic(ian
-glyptic
dactylio hiero photo

γλυπτός carved
Bathyglyptus *Pal.*
Epiglypta *Malac.*
Glypta *Zool.*
glypto-
cardia
cephalus *Ich.*
crinus -idae *Pal.*
cystidea *Pal.*
dipterine -i *Ich.*
Glyptodon *Mam.*
-odont(-id(ae -ine -oid)
geraeus *Ent.*
graph(er
graphy(ic
lepis *Pal.*
lith *Archaeol. Geol.*
logy -ical -ist
lopus *Ent.*
pomus *Pal.*
Glyptorthis *Pal.*
saurus *Herp.*
-id(ae -oid
scorpius *Pal.*
theca thek *Arts*
therium *Pal.*
Glyptus *Ent.*
photoglyptography
Pycnoglypta *Ent.*

γλύφανος knife, chisel
Glyphina *Ent.*
γλύφειν to carve
Glyphioceras *Conch. Pal.*
glypho-
ceratid(ae -oid *Conch.*
lecine *Bot.*
stethus *Ent.*
Marmaroglypha *Ent.*
odontoglyph *Dent. App.*
proteroglyph(a -ic -ous
Rhizoglyphus *Ent.*

γλυφεύς a carver
Glypheus *Ent.*
γλυφή carving
autoglyph *Photog.*
Diglyphosema *Ent.*
Euglypha -idae *Zool.*
galvanoglyph(y -ic
glyph *Arch. Archaeol.*
glyphaea *Arts*
Glyphoea *Pal.*
Glyphodes *Ent.*
glyphograph(er
glyphography -ic
hemiglyph *Arch.*
Heteroglyphaea *Pal.*
ideoglyph
interglyph *Arch.*
opisthoglyph *Herp.*
a ia ic ous
pal(a)eoglyph
periglyph *Arch.*
petroglyph(ic -y
phonoglyph
photoglyph(ic
photoglyphography
phytoglyphy -ic
pictoglyph *Art*
Praeglyphioceras *Pal.*
siphonoglyph(e *Zooph.*
solenoglyph *Herp.*
a ia ic ous
stereoglyph

γλυφιδ- Stem of γλυφίς
Glyphideae *Lichens*
Glyphidodon *Ich.*
-odontes -odontidae
Glyphidops *Ent.*
Plectroglyphidodon *Ich.*

γλυφικός for carving
diglyphic *Anat. Zool.*
chemiglyphic *Engrav.*
geoglyphic *Geol.*
glyphic
monoglyphic *Zool.*
panglyphic

γλυφίς arrow notch or groove
Glyphipteryx -ygidae
Glyphisodon -ia
Myoglyphis *Ent.*
Phaenoglyphis *Ent.*
γλῶσσα the tongue
Abrachyglossum *Ent.*
Acanthoglossus *Pal.*
Aglossa *Conch. Herp.*
aglossal -ate *Anat. Zool.*
Arnoglossus *Ich.*
Ascoglossa(n *Conch.*
Balanoglossus *Helm.*
-id(ae -oid
cheiloglossa *Crust.*
Cheiroglossa *Bot.*
Cynoglossum *Bot.*
Dactyloglossa -ate
Diploglossa -ate *Herp.*
Diploglossata *Ent.*
Discoglossus *Herp.*
-id(ae -oid(ea
Docoglossa(n -ate *Conch.*
Dolichoglossus *Zool.*
echinoglossa -al *Conch.*
elephaglossum
entoglossal *Ich.*
entoglossum -al *Ornith.*
Eriglossa -ate *Herp.*
euglossate *Ent.*
Exoglossops *Ich.*
Exoglossum -inae -ine
Geoglossum -aceae *Bot.*
gloss(er -ator(ial -ist
Glossa -ata -ate -ina -ium *Ent.*
glossa -al *Anat.*
gloss-
agra *Path.*
algia *or* -y *Path.*
anthrax *Path. Zool.*
aster *Pal.*
ecolite *Min.*
ectomy *Surg.*
ic *Phon.*
itis -ic *Path.*
odus *Pal.*
odynia *Path.*
oncus *Med.*
Glossiphonia *Zool.*
Glossiptila -ina *Ornith.*
Glossus *Conch.*
-id(ae -oid
-glossa *Ent.*
Aspido Brachy Cneo Haplo Lino Macro Meizo Nano Nemo Psili Rahpi Steno Sticho Thauma Tomo
-glossal *Anat.*
a cerato chondro genio(hyo) hemi hyo hypo palato para penta penteconta pharyngo stermo stylo sub thyro
-glossitis *Path.*
gingivo hemi hypo para peri sub ulo
-glossus *Anat.*
amygdalo ankylo basi-(ceratochondro) cerato chondro genio(hyo) hyo(basio) kerato mylo palati(*or* o) pharyngo sterno stylo triticeo
gloze -er -ingly
Gymnoglossa -ate *Conch.*
Hamiglossa -ate *Conch.*
heteroglossa *Zool.*
Hippoglossus -ina(e *Ich.*
hydroglossa *Tumors*
Ioglossus *Ich.*
kioglossate
leioglossate
Leptoglossa(l -ate *Herp.*
Leptoglossus *Ent.*
Leuroglossus *Ich.*
Lipoglossa(e -ate *Zool.*
macroglossate *Zool.*
Macroglossus -in(ae -ine
Macroglossini *Ent.*
Microglussus -a -ia -idae -in(ae -ine -oid *Ornith.*
misgloze
myloglosse *Anat.*
Myriaglossa *Conch.*
nemoglossate -a *Ent.*
Neobrachyglossum *Ent.*
Odontoglossa -ae -al -ate
Odontoglossum *Bot.*
Ophioglossum -aceae -aceous -ales -eae *Bot.*
Opisthoglossa -al -ate
Osteoglossum *Ich.*
-id(ae -oid(ea(n
overgloss
Oxyglossus *Ent. Herp. Ornith.*
Pachyglossa(e *Herp.*
-al -ata -ate -ous
Palaeoglossa *Pal.*
pantoglossical
paraglossa -ate *Anat.*
Phaneroglossa(e -al -ate
phaneroglossous *Zool.*
Phylloglossum *Bot.*
Prionoglossa(te *Conch.*
Proteroglossa(te *Herp.*
Ptenoglossa(te *Conch.*
pteroglossal *Ornith.*
Pteroglossus -in(e *Ent. Ornith.*
rachiglossa(te *Conch.*
Rhinioglossa *Conch.*
Rhipidoglossa(l -ata -ate *Conch.*
Rhiptoglossa(e -ate -i *Herp.*
Sac(c)oglossa(e *Conch.*
Salpiglossis -id(ae *Bot.*
Stauroglossicus *Ent.*
Taenioglossa(te *Conch.*
Thecoglossa(e -ate *Herp.*
Toxoglossa(te *Conch.*
Trachyglossa(te *Conch.*
Trichoglossus *Ornith.*
-idae -inae -ine
Zaglossus *Mam.*
γλωσσάριον Dim. of γλῶσσα
polyglossary
glossary
-ial(ly -ian -ist -ize
γλῶσσημα the subject of a gloss
glossema *Crit.*
-γλωσσία Comb. of γλῶσσα as in ἀλλογλωσσία
-glossia *Med.*
ankylo atelo bary in-ankylo macro megalo melano micro pachy para schisto tricho
-glossy *Geol.*
allo asapho hemi hetero holo oligo para pro xeno
orthoglossy
γλωσσο- Comb. of γλῶσσα
glosso-
carcinoma *Path.*
cele *Path.*
c(*or* k)inesthetic
coma *Med.*
dynamometer *Med.*
epiglottic -id(ean
graph *Mech.*
hyal *Anat.*
glosso- Cont'd
labial *Anat.*
labiopharyngeal *Anat.*
lalia *or* -y -ist
laryngeal *Anat.*
lepti *Zool.*
liga *Zool.*
logy -ical -ist
lysis *Path.*
machicall *Obs.*
mantia *Med.*
meter *Agric.*
nomy *Philol.*
palatine -us *Anat.*
pathy *Path.*
petrae *Pal.*
phaga -inae -ine *Mam.*
pharyngeum -eus -eal
phora -ous *Conch.*
phyton -ia *Bot.*
plasty *Surg.*
plegia *Path.*
pode -ium -ial *Bot.*
poridae *Zool.*
pteris *Bot.*
ptila -inae -ine *Ornith.*
ptosis *Path.*
pyrosis *Med.*
rrhaphy *Surg.*
scopy *or* -ia *Med.*
spasm *Med.*
steresis *Surg.*
theca *Ent.*
therium *Pal.*
tilt *Med. App.*
tomy *Surg.*
trichia *Med.*
type *Phon.*
labioglosso- *Anat.*
laryngeal
pharyngeal
Pseudoglossothyris *Pal.*
γλωσσογράφος glossar-ist
glossograph
er ical y
γλωσσοειδής (Diosc.)
glossoid
γλωσσοκομεῖον
glossocomium -ion
γλωσσόκομον (Galen)
glossocomon *Surg.*
γλῶττα = γλῶσσα
-glot
bi hepta hexa octo tetra tri
glott- *Path.*
agra algia itis
glottal
glottalite *Min.*
glottosis *Path.*
odontoglot *Bot.*
oligoglottism *Ling.*
pantoglot(tism
superglottal *Anat.*
γλωττικός
glottic(al
-glottic *Anat.*
infra peri phreno sub supra tetra
-glottical
penta tetra
idioglottic *Psych.*
γλωττίς (Galen); a bird (Arist.)
glottis -id(ean *Anat.*
Glottis -idia *Ornith.*
glottiscope *Surg.*
interproglottidal *Zool.*
Hemiglottides -ean
postglottidean *Anat.*
preglottidean
proglottic -idean *Anat.*
proglottid -is *Helm.*
proglottidization *Biol.*
pseudoglottis *Anat.*
thyroglottideus
supraglottideus *Anat.*
γλωττο- Comb. of γλῶττα
glotto-
gonic *Philol.*
logy -ical -ist *Philol.*
γλωχίς a barb
Glochiceras *Conch. Pal.*
glochidium *Bot. Conch.*
-ate -ean -eous -ial -ian -iate -ious
Glochinorrhinus *Ent.*
Glochionodon *Pal.*
glochis *Bot.*
γνάθος the jaw
Aegithognathae *Ornith*
-ism -ous
Aelurognathus *Herp.*
Agnatha *Conch. Zool.*
Agnathi *Ent.*
agnathia *Terat.*
agnathic -ous *Anat. Zool.*
Amphignathodon *Herp.*
-ontid(ae -ontoid
anisognathism -ous *Zool.*
Arthrognatha *Ich. Pal.*
atelognathia *Terat.*
basignathite *Zool.*
Brachygnat(h)a *Pal.*
brachygnathia -ism
carpognathite *Anat.*
chaetognath *Helm.*
a(n i ous
chauliognathous *Ent.*
cheilognathopalatoschisis
chilognath(a(n *Ent.*
-iform -omorphous -ous
Compsognatha *Herp.*
-id(ae -oid -ous -us
Copanognathus *Ich.*
coxognathite *Comp. Anat.*
Grossognathidae *Pal.*
Cynidiognathus *Herp.*
Cystignathus *Herp.*
-id(ae -oid
Dactylognatha *Arach. Ent.*
dactylognathite *Crust.*
Desmognathae *Ornith.*
-ism -ous
Desmognathus *Herp.*
-id(ae -oid
Dromaeognathae *Pal.*
-i -ism -ous
Elasmognatha -ous -us
Eleutherognathi *Ich.*
endognath(ion -al *Crust.*
Entognathi *Ent.*
epanisognathism -ous
epignath *Crust.*
epignathism -ous -us
Erignathus *Zool.*
eurygnathism -ic *Antrhop. Med.*
Eventognathi -ous *Ich.*
Exochnata *Ent.*
exognathion *Anat.*
exognathite *Crust.*
gnath-
al
algia *Path.*
anacanthus *Ich.*
-id(ae -oid
ank(*or* c)ylosis *Path.*
aphanus *Ent.*
aptera -ous *Ent.*
ia iid(ae ite *Zool.*
idium *Anat. Ornith.*
ion ism *Craniom.*
itis *Path.*
odon *Conch. Ornith.*
odont(ia *Pal.*
odus *Ent. Ich.*
odynia *Med.*
oxys *Ent.*
ymenus *Ent.*
gnatho-
base -ic *Zool.*
bdellae -ida(e *Zool.*
cephalus *Terat.*
chilarium *Ent.*
crinites *Pal.*
crinoidea *Pal.*
dynamometer *Med.*
meter *Craniom.*
phora -ous *Conch.*
plasty *Surg.*
pod(a -ite -ous *Crust.*
rhynchia *Pal.*
schisis
stegite *Crust.*
stome *Zool.*
-a -ata -ate -atous -i -ous
theca *Ornith.*
-gnathous *Anthrop.*
brachy chamelo eury-(pro) hyperortho iso macro mega meso micro opistho ortho palato pro proso rhyncho
-gnathus *Ent.*
Anoplo Bothrio Chiaso Cyrto Ecteno Hadro Idio Neolino Ozo Physo Psalido Rhaco Rhytido Sclero Spheno Steno Strongylo Systeno Thysano Tricho
-gnathus *Pal.*
Akidno Alopeco Arcto Arno Asteno Brachy Cyno Delphino Dino Hyaeno Ic(h)tido Lyco Moscho Plica Procompso Scylaco Scymno Stylo Tao Tele Tomo
-gnathus *Terat.*
a au chielo(palato) di myo para
Goniognatha -ous *Conch.*
hemignathous -us *Ornith.*
heterognath(i ous *Ich.*
Holognatha -ous *Conch.*
Hople(*or* o)gnathus *Ich.*
-id(ae -oid
Hyalognathus *Ich.*
hypanisognathism -ous *Zool.*
hyperorthognathy -ic
hypognathism -ous *Ornith. Terat.*
ischiognathite *Crust.*
isognathism *Odontog.*
Leiognathus *Ich.*
-id(ae -oid
Liognathus *Ich.*
Lyognatha *Zool.*
Machaerognathus *Ich.*
macrognathia -ic -ism
Menognatha -ous *Ent.*
merognathite *Crystal. Zool.*
mesognathia -ic -ion -ism -y *Craniom.*
Metagnatha -ism -ous
Micrognathae *Arach.*
micrognathia -ic -ism
Micrognathophora *Ent.*
nasoprognathic -ism
nematognath(i -ous *Ich.*
Neognathae -ic *Ornith.*
odontognathous *Conch.*
Odontognathus *Ich.*
opisthognathism

Opisthognathus *Ich.*
-id(ae -oid
orthognathic -ism -y
oxygnathous *Conch.*
Pachygnatha -idae -ous
Palaeognathae -ic
Palaeopachygnatha *Pal.*
paragnath(on -um -us *Crust. Helm.*
paragnathism -ous
perignathic *Anat.*
Perognathus -in(ae -ine
pharyngognath(i -ous
plectognath(i -ian -ic -ous *Ich.*
Prognathi *Ethnol.*
prognathism *Craniom. Zool.*
-ic -ous -y
prognathite *Crust.*
Prognathodes *Ich.*
prognathous *Bot.*
Protosyngnatha -ous
pselaphognath(a -ous
Rhaphidognatha *Ent.*
Saurognathae -ism -ous
scaphognathite -ic *Crust.*
schizognath(ae -ism -ous
Siphonognathus *Ich.*
-id(ae -oid
spirignath(a -ous *Ent.*
Stegognatha -ous *Conch.*
Stereognathus *Mam.*
stomatognath *Zool.*
syentognath(i -ous
synentognath(i -ous *Ich.*
syngnath(a -i -ous *Ich.*
Syngnathus -id(ae -oid
Tanygnathus *Ornith.*
Trigonognatha *Ent.*
tritochirognathite *Crust.*
Zanclognatha *Ent.*

γνάθων full-mouth
Gnatho *Ent.*

Γνάθων a character in Terence
gnathonic
al(ly
gnathonism -ize

γναμπτός bent; pliant
Eugnamptidae *Pal.*
Eugnamptobius *Ent.*
Eugnamptus *Ent.*
Gnamptodon *Ent.*
Gnamptorhynchus

γναφάλιον a downy plant
Gnaphalium -ioid *Bot.*

γναφαλώδης soft as wool (Diosc.)
Gnaphalodes *Ent.*

γνάφος the prickly teasel
Gnaphon *Ent.*

γνήσιος legitimate
gnesiogamy *Bot.*

γνοφερός murky
Gnophria *Ent.*

γνόφος dusk
Gnophota *Ent.*

γνύπετος falling on the knee
Gnypetosoma *Ent.*

γνώμη design; pl. maxims
agnomical
chirognomy -ic -ist
craniognome -ic
gnome -ist
gnomographer
haematognomist
metallognomy
phantasmognomy
phytognomy -ical
pyrognomic *Phys.*
sarcognomy *Psych.*
taxignomic *Bot.*
toxignomic *Tox.*

γνωμικός dealing in maxims
gnomic(al(ly

γνωμολογία (Plato)
gnomologig -ic(al -ist

γνωμονική (Vitruv.)
gnomonics

γνωμονικός skilled in judging
gnomonic(al(ly
-gnomonic *Diag.*
idio noso thanato

γνώμων indicator
cyesiognomon *Med.*
gnome -ium
-ed -ide -ish
gnomon(ist
Gnomonia -iaceae *Fungi*
gnomonology -ical(ly

γνώριμος well known
Gnorimus *Ent.*
Tropignorimus *Ent.*

γνωριστής wizard
Eugnoristus *Ent.*

-γνωσία Comb. of γνῶσις, as in ἀγνωσία
-gnosia
ac(e)o atopo autotopo pharmaco stereo
-gnosy
aero anorgano astro bio geo hydro hylo nephelo orycto pharmaco physio psycho somato urano

γνῶσις (-εως) a knowing
brognosis *Biol.*
cosmognosis
craniognosis
geognosis -ist *Geol.*
gnoseology -ia *Phil.*
gnosia *Psych.*
gnosiology -ical
gnosis
-gnosis *Med. Psych.*
aco acousmata acr(o)a acro astero atopo audito auto bara baro cyesio para psycho sarco stereo(a) topo visuo
nephelognosis
pharmacognosis *Bot.*
phytognosis *Bot.*
pneobiognosis
pneusiobiognosis *Med. Jur.*

γνωστήρ one that knows
Tremognoster *Zool.*

γνώστης a diviner
bibliognost
geognost
siderognost *Elec.*

γνωστική the faculty of knowing
metagnostics *Phil.*
pharmacognostics
pyrognostics *Min.*

γνωστικοί (Iren.)
gnosticism -ize(r
Gnostics

γνωστικός good at knowing
-gnostic
auto biblio cardio ch(e)iro geo mero meta orycto patho physio psycho pyro stereo theo
gnostic(ity al(ly
-gnostical
biblio geo orycto pharmaco
-gnostically
geo orycto pharmaco
-gnosticism
mero meta pan

γνωστός known
gnostology *Phil.*
Gnostus *Ent.*
-id(ae -oid
-gnostus *Pal.*
Mesa Meta Mia

γογγρο- Comb. of γόγγρος
gongro-
pelma *Ent.*
sera -oid *Bot.*

γόγγρος a conger ell (Arist.); an excrescence on trees (Theophr.)
conger
gymnogongrous *Bot.*
Leptoconger *Ich.*

γογγυλο- Comb. of γογγύλος
gongylo-
nema *Helm.*
spermeae *Bot.*

γογγύλος round; a knuckle
Gongylus *Bot. Ent.*

γογγυλώδης roundish
gongylodes *Bot.*

γοερός wailing
Goera -ius *Ent.*

γόης wizard, cheat
Goes *Ent.*

γοητεία witchcraft
goety -ia

γοητής
Goetae

γομφίασις toothache
(a)gomphiasis *Dent.*

γομφίος a grinder tooth
agomphious *Dent.*

γομφο- Comb. of γόμφος
gompho-
carpous *Bot.*
ceras -atite *Pal.*
cythere *Crust.*
gomphodont *Zool.*
lite *Geol.*
lobium *Bot.*

γόμφος a fastening
Gomphus -inae *Spong.*
-gomphus *Ent.*
Desmo Perisso Stylo Temno Tricho
heterogomph *Zool.*
homogomph *Zool.*
Zygogomphia *Zool.*

γόμφωσις (Galen)
gomphosis *Anat. Zool.*
-gomphosis *Med.*
a en para

γονατ- Stem of γόνυ
-gonatae -ous *Ornith.*
Anomalo Homalo
gonatagra *Path.*

γονατο- Comb. of γόνυ
gonato-
cele *Tumors*
pus -ides

γονατώδης with joints
Gonatodes *Herp.*
Paragonatodes *Herp.*

γονεύειν to beget
-goneutic -ism *Ent.*
di mono tri

γονεύς progenitor
goneoclinic *Biol.*

γονή offspring, seed
androzoogonidia *Bot.*
archigoniophore *Bot.*
arthrogonin *Prop. Rem.*
carpogonial *Bot.*
Centrogonidae *Zool.*
Coccogoneae -ales *Algae*
Coenogoniaceae *Lichens*
coregonin(e *Biochem.*
elytrogona
epigonal *Embryol.*
eugonidia *Lichens*
frontogonial *Anat.*
Gigantogonia *Pal.*
-gon *Biol. Bot.*
carpo hormo kentro tropho
gonacratia *Med.*
gonad(ic -(i)al *Biol.*
gonadectomy *Surg.*
gonadopause *Physiol.*
gonadotrope -ic -ism
gonaduct *Anat.*
gonangiectomy *Surg.*
-gone *Biol. Bot.*
andro asco carpo cocco coeno diodo epi hetero homo hormo myco myelo nemato oo ovo paraphysa peri spermato sporo tomio tropho
gone-
cyst(is *Anat. Biol.*
cystitis *Path.*
cystolith *Med.*
cystopyosis *Med.*
poiesis *Physiol.*
poietic *Physiol.*
-gonel *Bot.*
acro aero amphi antho
gonel(et *Bot.*
gonia *Cytol.*
gonic *Med.*
gones *Bot.*
gonid *Biol. Bot.*
ial ic iferous ioid iose
gonidema *Bot.*
gonidio- *Bot.*
genous phore phyll spore
gonidium *Biol. Bot.*
-gonidium *Biol. Bot.*
acro andro asco basidio carpo chlamydo chloro chryso clado(andro gyno) collo endo gameto gyno(zoo) haplo lepto macro(zoo) megalo megazoo meso metro micro(zoo) partheno phyto platy proto pycno spermato stylo syn telento teleuto telo tetra uredo zoo
-gonium *Biol. Bot.*
amphi asco cocco endo epi erythro gameto hormo lympho meso mono myelo oedo oo ovo peri spermato sporo tricho zygo
-gonous *Biol. Bot. Physiol.*
aniso ceno disso hetero homoo hormo iso
-gonously *Bot.*
hetero homo
heterogonism *Bot.*
Hormogoneae -ales *Algae*
hypergonadism *Med.*
hypogonadism *Med.*
isogonaduct *Zool.*
isogonism *Biol.*
karyogonad *Cytol.*
mesogonion *Zool.*
microgonid(ial *Fungi*
Mitrogona *Ent.*
mycogonose *Bot.*
nephrogonaduct *Zool.*
Oedogoneae *Algae*
-aceae -aceous
oogonial *Cytol.*
opisthogoneate -a *Ent.*
perigonadial *Biol.*
perigonal *Bot.*
-ial -iarius
platygonidia *Bot.*
progoneate *Myriap.*
sclerogonidia *Bot.*
spermatogonial *Bot.*
Sporogonites *Pal.*
tetragonidangium
thallogonidion *Lichens*
zoogon(id)angium *Bot.*

-γονία Comb. of γονή as in ἀγαθογονία
agamogony *Biol. Bot.*
alloeogony *Biol.*
amphigony *Biol.*
-ia -ic -ous
anthropogony *Anthrop.*
aposporogony *Bot.*
archigony *Biol.*
astrogony -ic *Astron.*
bibliogony
dissogony *Physiol.*
embryogony
gamogony *Bot.*
geogony -ic(al
hematogonia *Cytol.*
heterogony *Bot.*
hippogony
homogony *Biol.*
hydropneumogony *Med.*
hylogony
merogony -ically *Bot.*
merogony -ic *Embryol.*
monogony -ic -ous *Biol.*
monosporogony *Mycol.*
mythogony -ic
ontogony *Biol.*
pathogony
patrogony
physiogony
plasmogony *Biol.*
poecilogony *Biol.*
pregonium *Craniom.*
proiogony *Biol.*
pseudomonogonic *Biol.*
ptochogony
schizogony -ia -ic -ous
tocogony *Biol.*
sporogony *Bot.*

γονικός (*Arist.*)
glottogonic *Philol.*
-gonic *Bact. Biol.*
dys eu holo iso myelo ovo spermato sporo

γόνιμος generative
gonimium *Lichens*
-ic -on -ous
-gonimium *Bot.*
haplo hormo siro sp(e)iro syn
gonimo- *Lichens*
blast lobe
-gonimus *Helm.*
Cotylo Meso Meta
-gonimus *Lichens*
chloro chryso
mesogonimicus *Bot.*
paragonimiasis *Path.*
paragonismus *Zool.*

γονο- Comb. of γόνος
Digonopora -ous *Helm.*
Diplogonoporus *Helm.*
gono-
blast(ic *Biol.*
blastid(ium -ial -ion
blennorrhea *Path.*
cace *Path.*
calyx -yces -ycine
chorism *Biol.*
al ist(ic us

gono- Cont'd
cide *Med.*
clines *Bot.*
cocc- *Bact.*
al emia ic ide in oid us
coccocide *Mat. Med.*
coele *Biol.*
cyst *Bot. Helm.*
cyte *Embryol.*
dendron *Zooph.*
drepanum *Arach.*
duct *Biol.*
genic *Biol.*
h(a)emia *Path.*
hyphema *Bot.*
lobus *Bot.*
mere -y *Cytol.*
nephrotome *Embryol.*
palpon *Zool.*
phore *Bot. Physiol. Zooph.*
-ic -ous -us
plasm *Bot.*
plax *Crust.*
-acid(ae -acoid
pod *Crust.*
poietic *Anat. Zool.*
pore *Zool.*
ptera -idae *Ent.*
rhynchus *Ich.*
-id(ae -oid
some -al *Zooph.*
sph(a)erium *Bot.*
sphere
stoma -inae *Ich.*
style *Zool.*
stylus -aceae *Bot.*
tactic *Bot.*
taxis *Bot.*
telma *Pal.*
thallium *Bot.*
theca -al *Zooph.*
tokont *Cytol.*
tome *Embryol.*
toxemia *Path.*
toxin *Chem.*
trophism *Bot.*
tropic -ism *Bot.*
Monogonopora *Helm.*
-ic -ous
Pachygonosaurus *Pal.*
protogonocyte *Cytol.*
protogonoplasm *Cytol.*
pseudogonococcus *Bact.*
γονόρροια (Galen)
antigonorrheic *Ther.*
gonal *Prop. Rem.*
gonorrh(o)ea(l -(o)ean
paragonorrheal *Path.*
pseudogonorrhea *Med.*
γόνος = γονή
asincronogonism *Bot.*
gon-
actinia -idae *Zool.*
angium -ial *Zooph.*
apophysis -ial *Ent.*
ocheme *Zooph.*
oecium *Helm.*
goni-
angium *Bot.*
autoecious *Bot.*
gyrogonite(s *Bot. Pal.*
oogonial *Bot.*
Pelogonus -inae
Tachygonus *Ent.*
γόνυ the knee
Agonomolus *Ich.*
Agonopsis *Ich.*
Agonus *Ich.*
-id(ae -inae -oid
Anoplagonus *Ich.*
Antigonon *Bot.*
Eriogonum *Bot.*
Erythrogonys *Ornith.*
Eurygona -i -inae *Ent.*

gon-
agra *Path.*
algia *Path.*
arthritis *Path.*
arthrocace *Path.*
arthromeningitis *Path.*
arthrotomy *Surg.*
(e)itis *Path.*
gonodactylus
gony-
acantha *Ent.*
agra *Path.*
algia *Path.*
campsis *Med.*
crotesis *Med.*
ectyposis *Med.*
leptes -id(ae -oid
ocele *Path.*
oncus *Path.*
theca *Ent.*
hypogon(ae *Bot.*
Platygonus
polygonatus *Bot.*
Progonyleptoides *Arach.*
Ptilogonys -atid(ae -atinae -atin(e -atoid
pycnogonid(a(e -ea(n -es
Pycnogonum -oid(ea(n
γονυκλισία genuflexion
gonuklisia *Gr. Ch.*
Γοργόνειος (Aesch.)
gorgonean
Γοργόνειον
gorgoneion -eum *Arch. Myth.*
γοργός grim
Rhipidogorgia *Polyzoa*
Γοργώ the Gorgon (Il.)
demigorgon
gorgoic *Biochem.*
gorgon *Myth.*
Gorgon(acea *Zooph.*
Gorgonello -id(ae *Zooph.*
gorgonesque
Gorgonia *Zooph.*
-iacea(e -iacean -iaceous -iadae -ian -(i)id-(ae -ioid
gorgonin *Chem.*
gorgonize
gorgono-
cephalus *Zool.*
Gorgonopsia *Pal.*
Gorgosaurus *Pal.*
iodogorgoic *Biochem.*
Γόρδιος a king of Phrygia
Gordian
Gordiichthys *Ich.*
Gordius *Helm.*
-iaceae(n -iaceous -iid-(ae -ioid(ea
Polygordius *Helm.*
-iid(ae -ioid
γορίλλα (Hanno)
gorilla
gorilline *Zool.*
Γορτύνα (Strabo)
Gortyna *Ent.*
γοῦνα (Tzetz.)
gown(sman
Γραικίζειν (Hdn.)
Grecize
Γραικός (Arist.)
fenugreek
Graecophalangium
Grecan(ic -ize *Obs.*
Grecian(ize
Grecism -ist
Greco-
Asiatic Bactrian Latin Phoenician Roman Turkish
latry

Greco- Cont'c
phil(e
stasis *Archaeol.*
grecque
Greek
ery ess ish ism
neo-Greek
proto-Greek
un-Greek
γράμμα drawing, writing
actinogram *Phys.*
aerogram *Teleg.*
anemogram *Meteor.*
antiparallelogram *Geom.*
arithmogram
arteriogram *Med. App.*
ataxiagram
autogram
auxanogram
barogram *Meteor.*
bicardiogram *Med.*
brevigram
brontogram *Pal.*
cablegram(mic
cardia(*or* o)gram*Med*
cardiosphygmogram
cartogram
centigram(me
cephalogram *Anthrop.*
ceraunogram
cholecystogram *Med.*
chromogram *Photog.*
chronogram
matic(al(ly matist mic
chronophotogram
coronogram *Photog.*
cryptogram(mic
cryptogrammatist(ic(al
cystogram *Med. App.*
dactylogram
decagram(me
decigram(me
dextrocardiogram *Med.*
digram
diplogram *Med.*
dittogram
dygogram *Naut.*
eikosiheptagram
electro- *Med.*
cardiogram
gastrogram
gram
metrogram
phonogram
engram(mic *Histol. Psych.*
enterogram *Med.*
equigrammolar *Chem.*
ergogram *Ps. Phys.*
fluigram(me
geogram *Geol.*
-gram
gram(me
gramary(e
grammalog(ue
grammapheny
grammole *Meas.*
gramophone
h(a)emautogram *Med.*
hectogram(me
heliogram
hemogram *Med.*
hierogram
ichnogram
ideogram *Graphics*
inductogram *Med.*
isogram *Graphics Math.*
kilogram(me
meter metric(al
kinetogram
kymogram *Med.*
lettergram *Teleg.*
levocardiogram *Med.*
limnogram
lithogram

logogram(matic
magnetogram
Marconigram
mare(o)gram
marigram *Meteor.*
mechanogram *Med.*
megagram(me *Meas.*
metagram *Lit.*
meteogram *Meteor.*
meteorogram
metergram
microbarogram *Meteor.*
microgram(me *Phys.*
microphotogram
microthermogram
milligram(me -age *Meas.*
molugram *Phys. Chem.*
moriogram *Min.*
myocardia(*or* io) gram
myogram
myriagram(me *Meas.*
neogrammarian
nephogram
neurogram *Psych.*
nomogram *Chem. Math.*
octagram *Geom.*
odontogram *Deut.*
onda(*or* o) gram *Elec.*
onychogram *Med. App.*
optogram
oscillogram *Elec.*
osmogram *Physiol. Psych.*
palatogram *Med.*
pelmatogram
pelycogram *Med.*
periodogram
phlebogram
phonautogram
phonocardiogram *Med.*
phonogram(mic(ally
photogram(meter
photogrammetry -ic(al
photomicrogram
photostereogram *Photog.*
phraseogram
phrenogram
physioradiogram
pigeongram
pistolgram
plethysmogram *Med.*
pluviogram
pneumagram
pneumatogram
pneumogram
podogram *Med. App.*
polygrammar
programmatic -ist
protogram
pseudoptogram *Ophth.*
psychogram
pulsilogram *Med. App.*
punnigram
pyelogram *Med. App.*
radiogram
radiotelegram
rayogram *Physics Photog.*
roentgenocardiogram
roent(o)gram *Radiog.*
ro(e)ntgenogram
ro(e)ntgram
sciagram *etc.* = skiagram
scotogram *Photog.*
seismogram
shadowgram *Med. App.*
Sinogram
skiagram(matic(ally
spectrogram
spectroheliogram
sphenogram
spherogram *Math.*
sphygmobologram *Med.*
sphygmocardiogram
steganogram
stereogram

stethogram
stibogram
tabellogram *Statistics*
tachogram
tangram
tannergram
telautogram
teleautogram
telecardiogram
telegram(ese
telegramm(at)ic
telelectrocardogram
teleoroentgenogram
telethermogram
thermogram
thoriagram *Photog.*
tonogram *Physiol.*
tremogram
trigram(matism
trigramm(at)ic
urethrogram *Med. App.*
vesiculogram *Photog.*
vicgram
voltagramme *Elec. App.*
γράμματα Pl. of γράμμα
grammates *Obs.*
γραμματική (Plato)
glamour
grammar
ian(ism less
grammatics
ungrammared
γραμματιστής a schoolmaster
grammatist(ical
misogrammatist
pangrammatist
γραμματικός (Xen.)
acromonogrammatic
agrammatical
antigrammatical
dysgrammatical
grammatic
al(ly alness aster atim ism ize
ingrammatical -ism
phonogrammatic
photogrammatical
ungrammatic
(al(ly alness
γραμματο- Comb. of γράμμα
grammato-
latry
mya
phore *Zool.*
phyllum *Bot.*
γραμμή a line
Brachygramma *Ent.*
Cryptogramma *Bot.*
Diagramma *Ich.*
Ectinogramma *Ent.*
Ernogrammus *Ich.*
Gramma -inae *Ich.*
Grammaria -idae *Zool.*
grammatite *Min.*
Grammiates *Ich.*
Grammysia *Conch.*
-iid(ae -ioid(ea
gymnogram(me *Bot.*
gymnogrammene *Chem.*
Ithygrammodon *Pal.*
Melanogrammus *Ich.*
Melogramma -ataceae
Plagiogrammus *Ich.*
pleurogrammous *Ich.*
Prontogrammus *Ich.*
Pterogramma *Ent.*
Syngrammae *Bot.*
Trichogramma -inae *Ent.*
Xanthogramma *Ent.*
Zygogramma *Herp.*
γραμμικός linear
Grammicolepis -idid(ae
grammicus *Bot. Ent.*

γραμμο- Comb. of γραμμή
grammo-
petalous *Bot.*
phorus *Ent.*
Protogrammoceras *Pal.*

γραπτός painted
Grapta *Ent.*
-graptis *Ent.*
Malaco Pesso
grapto-
dera *Ent.*
lite(s -ic
lith(ic
lithus -ida(e -ina *Pal.*
litoidea *Pal.*
loid(ea(n *Pal.*
mancy
Graptospongia *Pal.*
theca *Pal.*
-graptus *Pal.*
Cacto Climaco Coeno Crypto Dicho Dictyo Diplo Eta Gladio Lasio Mastigo Mono Nano Phyllo Protisto Sigma Stropho Syndyo Tetra

γράφειν to write
actinographema *Med.*
andrographolic *Chem.*
andrograph(ol)ide *Chem.*
binograph(ic *Photog.*
dermographism
graphio-
crinidae *Pal.*
hexaster *Spong.*
logy -ical -ist
graphiola *Fungi*
graphite
-ic -ite -ization -ize
-oid(al
graphiure(s *Pal. Zool.*
Graphiurus *Zool.*
graphon *Chem.*
graphonym *Bot. Zool.*
-gravure
helio litho(photo) photo pyro roto typo
Haplographiaceae *Fungi*
photograver -urist
sterigraphilist *Bot.*
γραφεῖον a graving tool
graft
age ed er
γραφή drawing
graph *Math.*
Opegrapha *Lichens*
trigraph

-γραφία Fr. γράφειν, as in γεωγραφια
acrography *Print.*
actinography -ic *Phys.*
adenograph -ic(al *Anat.*
adoxography
aeodoeography *Anat.*
aerography -ic(al(lu *Geol. Teleg.*
aerophotography
aesthesiography *Physiol.*
agitographia *Ps. Path.*
agraphia *or* -y -ic *Path.*
agrostography -ic(al *Bot.*
algraphy -ic *Print.*
aluminography -ic *Print.*
ampelography -ist *Bot.*
anaglyptography -ic *Art*
anemography *Meteor.*
angelography
angiography *Anat.*
anorganography *Biol.*
anorthography -ic(al(ly
anthography *Bot.*
anthropography
anthropophysiography
aponeurography *Anat.*
archaeography
areography -ic(al(ly
arithmography
arteriography *Anat.*
arthrography *Anat.*
astrography -ic *Astron.*
astrophotography -ic
aurigraphy *Engrav.*
autohistoradiography
autopathography *Med.*
autophytography *Bot.*
autotypography *Print.*
auxanography *Bact.*
balneography *Ther.*
barometrography
binography *Photog.*
biophysiography -ic(al
biorontgenography *Med.*
blastography *or* -ia *Bot.*
bolography *Meteor.*
brachygraphy -ic(al
brom(at)ography *Med.*
cacography -ic(al
calcography -ic(al
cardia(*or* o)graphy -ic
caricography
carpography *Bot.*
cartography -ic(al(ly -ist
castrography
cataphotography
cathodography *Phys.*
celidography *Astron.*
cephalography *Anat.*
ceramography -ic
chalcography *Engrav.*
-ic(al -ist
chartography -ic(al(ly
-ist
chelonography *Zool.*
chemigraphy -ic *Print.*
cholecystography *Med.*
choledography *Med.*
chondrography -ic *Anat.*
chore(o)graphy -ic(al(ly
choriography
Christianography
chromatography *Colors*
chromo-
chalcography -ic
collography -ic *Photog.*
lithography -ic *Photog.*
photography *Photog.*
xylography *Print.*
chronophotography -ic
chrysography
chthonography
cinematography -ic(al(ly
climatography -ical
clinography *Med.*
collography -ic
cometography -ical
cosmophonography
craniography
crematography
criminography
crypography -al -ic(al
-ist
crystallography -ic(al(ly
cyclography
cynography
cysto(photo)graphy
dactyl(i)ography -ic
demography -ic(ally
demonography
dendrography
dermatography -ia -ism
dermography
desmography
diacrisiography *Med.*
diplography -ic(al(ly
dittography -ic
dysgraphia *Neurol.*
ecclesiography
echographia *Ps. Path.*
ectypography -ic
effluviography *Photog.*
electro-
cardiography -ic *Med.*
graphy -ic
myography *Med.*
photomicrography
telegraphy
embryography -ic
encephalography *Med.*
engraphia *or* -y *Psych.*
-ic(ally
enteradenography *Med.*
enterography *Anat.*
entomography -ic
epidemiography -ist
etherography
ethnotechnography
ethnography -ic(al(ly -ist
ethography *Anthrop.*
etymography
eucalyptography *Bot.*
fantasmatography
fetography *Gynec.*
fluori(*or* o)graphy
galvanography -ic
gelatinography *Photog.*
geometrography -ic
glyphography -ic
glyptography -ic
-graphy *Suffix*
gypsography *Art*
h(a)ematography
h(a)emautography -ic
h(a)emodromography
hali(*or* o)graphy
haliography
haplography
heliography -ic(al
heliotypography *Photog.*
heliozincography *Photog.*
hemophotograph *Med.*
hepatography *Med.*
heresiography
herpetography *Med.*
heterography -ic(al
histography -ic(al(ly
homalography -ic
homography -ic *Geom.*
horography
horologiography -ic
hyalography
hydrography -ic(al(ly
hydrophytography
hyetography -ic(al
hymenography
hypnography
hypsography -ic(al *Geog.*
ichnography -ic(al(ly
ichthyography -ic
iconomatography
ideography -ic(al(ly -ics
idiomography *Philol.*
ileography
inorganography
ipsographic = hypsographic
isography -ic(al(ly
isophotography *Photog.*
kalotypography
kapnography -ic *Arts*
keraunography -ic
kinetography -ic
laryngography *Med.*
lemography *Med.*
lexigraphy -ic(al(ly -ist
lichenography -ic(al -ist
lignography
limitographic
linography *Photog.*
lipography
litho-
chromatography -ic
chronography
chrysography
graphy -ic(al(ly -ize
photography
logagraphia
logismography
loimography *Med.*
luminography *Photog.*
lymphography *Anat.*
macrography -ic
macrophotography
manigraphy *Path.*
mechanography -ic -ist
mecography
medicotopographical
megalograph(y ia *Arch. Drawing*
megaphotography -ic
metallithography
metallography -ic(al -ist
meteorography(y -ic(al
metrophotography -ic
micro-
cinematography
cosmography
crystallography
graphy -ic(al(ly -ist
kinematography
metallography
photography -ic(ally
physiography
radiography *Physics*
mim(e)ography
miniography
mogigraphy -ia -ic *Med.*
mogography -ic *Med.*
monography -ic(al(ly -ist
morphography -ic(al(ly
motography *Cinema*
multiphotography
museography -ist
musicography
myography -ic(al(ly -ist
myrmecography -ist *Ent.*
nazography
neography -ic
nephrography *Anat.*
neurography
nomography -ic *Math.*
nosochonography *Path.*
nosography -ic(al(ly
numismatography
obstetricography
oceanography -ic(al(ly
odontography -ic(ally
odorography *Odors*
oleography -ic *Mech.*
ontography -ic
ophiography
ophthalmography
optography
orchesography
oreography -ic
organography -ic(al -ist *Biol. Music*
orography -ic(al(ly
orohydrography -ic(al
ortho-
diagraphy *Med.*
rontgenography *Med.*
skiagraphic *Photog.*
skiagraphy *Med.*
oryctography -ic(al(ly
osteography -ic
otography -ical
ouranography
pal(a)e-
oceanography *Geol.*
ontography -ic(al
pal(a)eo-
anthropography
graphy -ic(al(ly -ist
hydrography *Geol.*
orography *Geol.*
physiography
typography -ist
palatography -ic
palethnographical
palingraphia *Path.*
panic(on)ography -ic
pantelegraphy
pantography -ic(al(ly
papyrography -ic
paragraphia *Path.*
paroemiography *Rhet.*
pasigraph(y -ic(al
pathography -ical
pathoradiography *Med.*
pathorontgenography
pedography
pelucography
pelvio(radio)graphy
pelvi(ureteroradio)-graphy *Med.*
pelycography *Med.*
perepectography
petrography -ic(al(ly
phantasmatography
pharmacography
pharyngography -ic
phlebography -ical
phoneticoideographic
phono-
cardiography *Med.*
cinematography
graphy -ic(al(ly -ist
photography *Med.*
typographic
phosphorography -ic
photo-
algraphy *Photog.*
chemigraphy
chromography
chronography -ic(al(ly
collography -ic *Photog.*
galvanography -ic
glyphography
glyptography
graphy -ic(al(ly -ist
-ize
heliography -ic
hyalography
lithography -ic
metallography
micrography -ic
papyrography
plastography
telegraphy -ic
topography -ic(al(ly
typography -ic
xylography
zincography -ic(al
photopography
phraseography -ic
phrenography
phycography
phylography *Ethnol.*
physiography -ic(al(ly
physiogeography *Geog.*
phytography -ic(al-ist
phytotopographical
pictography -ic(ally
pistolgraphy
planetography
planography -ic -ist
plastography *Modeling*
plethysmography -ic(ally
pluviography -ic(al
pneumatography
pneumo-
graphy -ic
pyelography *Med.*
radiography *Med.*
ventriculography
polyautography
potamography
prosopography
pseud(o)agraphia *Ps. Path.*
psychography -ic -ist
pteridography -ia
pterography -ic(al
pterylography -ic(al(ly
pyelography *Med.*
pyretography -ia *Med.*
pyrography -ic -ist -itic

pyrophotography -ic
radio-
graphy -ic(al(ly *Phys.*
photography
telegraphy -ic
reconography *Mil.*
renography *Radiog.*
retrography
rheotachygraphy *Psych.*
rhypography *Arts*
ro(e)ntgenography -ic *Physics Photog.*
ro(e)ntgraphy
rupography -ical *Sealing Wax*
saurography
scoteinography
scoteography
scotography -ic
sectioplanography *Eng.*
seismography -ic(al
selenography -ic(al(ly -ist
selenotopography -ic(al
sematography -ic -ist
sem(e)iography *Med.*
shadowgraphy -ic -ist
siderography -ic(al -ist
sigillography -ical
sinnography
siphilography
skeletography
snobography
sociography
somatography
speciegraphy -ical
speciography -ical
spectrography -ic(ally
spectrophotography -ical
sphenography -ic -ist
sphygmography -ic *Med.*
splanchnography -ical
splenography -ical
steganography -ical -ist
stenography -ic(al(ly -ist
stenotelegraphy
stereo-
graphy -ic(al(ly
photography -ic
typography
stethography -ic
stomatographia *Anat.*
stratigraphy -ic(al(ly -ist
stratography -ic(al(ly
stylography -ic(al(ly
symbalaeography
sympsychography
symptomatography
syndesmography
synosteography
syphilidography
syphilography
tacheography
tachography *Med.*
tachygraphy
technography -ic
telautography -ic -ist
tele-
cardiography *Med.*
graphy -ic(al(ly -ist
meteorography -ic
metrography -ic
phonography -ic
photography -ic
radiography *Radiog.*
(o)roentgenography
rontgenographic *Phys.*
stereography
tenography
tenontography
testaceography *Zool.*
thanatography
thaumatography
thermography -ic
tithonography -ic -ist
tonography -ic
toreumatography
tornography *Meteor.*
transferography
trigraphy -ic
typo-
graphy -ia -ic(al(ly -ist -ize
lithography -ic
radiography
telegraphy
uglyography -ize
unitelegraphic
uranophotography
ureterography *Radiog.*
ureteropyelography
urography *Radiog.*
urorhythmography *Med.*
vapography
ventriculography *Photog.*
vesiculography *Radiog.*
voltagraphy
xylography -ic(al(ly -ist
xylopyrography
xylotypography -ic
zenography -ic(al *Astron.*
zincography -ic(al
zoo-
graphy -ic(al(ly -ist
phylography
praxography -ical

γραφικός (Plato)
anopisthographic *Print.*
bathygraphic(al *Oceanog.*
cablegraphic
clinographic *Crystal.*
equigraphic
eugraphic
finigraphic
florigraphic
fluorigraphic
graphic
al(ly al)ness -ics
gyrographic *Chem.*
ipsographic
isoceraunographic
mineragraphic(ally *Min.*
motorgraphic *Med.*
nomographic *Chem.*
pangraphic
pergraphical(ly
phaulographic
polarigraphic *Phys.*
runographic
tautographic

γραφίς (-ιδος) = γραφεῖον
Agraphis *Bot.*
Graphidurus *Ent.*
Graphis *Lichens*
-idaceae -idaceous
-ideine
Spirographis *Helm.*

γραφο- Comb. of γράφος
grapho-
kinesthetic *Psych.*
lite *Petrog.*
litha -id(ae -oid *Ent.*
logy -ical -ist
mania -iac *Psych.*
meter *Math.*
metric(al -ics *Math.*
motor *Med.*
phone -ic
rrhea *Ps. Path.*
rrhinus *Ent.*
scope
spasm *Path.*
static(al -ics
tone *Engrav.*
type -ic
micrographophone
photographo-
meter phone
telegra(pho)phone
telegraphoscope

-γραφος Fr. γραφειν
accelerograph
actinograph *Phys.*
addressograph
adenographer *Anat.*
aerograph(er *Teleg.*
aeroplethysmograph
agraph
agrostographer *Bot.*
allograph *Law*
altigraph *Phys.*
anaglyptograph(ic *Art.*
anapnograph *Med.*
aneroidograph *Meteor.*
anemo- *Meteor.*
biagraph
cinemograph
clinograph
graph(ic(ally
metrograph(ic(ally
angiograph *Psysiol.*
animatograph *Cinema*
architypographer *Print.*
arcograph *Arts*
areograph *Astron.*
arithmograph
astigmagraph *Ophth.*
ataxiagraph *Ps. Phys.*
atmograph *Med. App.*
autochronograph *Phys.*
automatograph
autophotograph
autophytograph *Bot.*
autopolygraph
autoradiograph
autotelegraph
auxograph(ic *Phys.*
baro- *Meteor.*
graph(ic
metrograph
thermo(hygro)graph
biograph(er -ee
blottograph
bolograph(ic(ally
brachygrapher
brontograph *Phys.*
cacographer
calamographer
calcographer
calculagraph
calendographer
caliographer
campylograph
cardia(*or* o)graph *Med.*
cardiopneumograph
cardiosphygmograph
caricographer
carteneograph
cartograph(er
cathodograph *Phys.*
cecograph
centigraph
cephalograph *Anthrop.*
ceraunograph
celidographer *Astron.*
chalcograph(er *Engrav.*
chartographer
chemicograph *Chem.*
chemigraph(er *Print.*
chionograph *Meteor.*
chore(o)graph(er
chromatograph *Optics*
chromo-
collograph *Photog.*
cyclograph *Print.*
graph
lithograph(er *Photog.*
photo(litho)graph
xylograph *Print.*
chronophotograph
chronosphygmograph
chrysograph
cinematograph(er
cinematomicrograph *Micros. Photog.*
cinemograph
cineograph
climatograph
clinograph(ic
clonograph *Med. App.*
collograph
comediographer
cometographer *Astron.*
comptograph
conchoidograph *Arch.*
conicograph
copygraph
corona(*or* o)graph
craniograph(er
crescograph *Bot. App.*
cryptograph(er
crystallographer
crystograph *Art.*
curvograph
cyclograph(er
cylindrograph *Photog.*
cymagraph
cymograph(ic
cyperographer
cyrtograph *Med.*
dactyliographer
declinograph
demonographer
demographer
densograph *Phys.*
dermatograph *Med.*
detectagraph *Elec.*
diabetograph *Med. App.*
diaphanograph
dicta(or o)graph
Didachographer *Eccl.*
digraph(ic
diplograph *Arts*
dittograph
dromograph
duograph *Photoeng.*
dupligraph
dygograph
dynagraph *Mech.*
dynamograph(ic
ecograph *Bot.*
ectasiograph *Anal. Chem.*
ecterograph *Med.*
eidograph
electro-
cardiograph
chronograph(ic
graph
motograph
phonograph
tellurograph
typograph(ic
ellipsograph
ellipticograph
embryograph(er
enterograph *Med. App.*
ergoesthesiograph *Med.*
ergograph(ic
evaporigraph
flammentachygraph
fluirograph
galvanograph
gastrograph *Med.*
gastrokinesograph *Med.*
glossograph *Mech.*
glyphograph(er
glyptograph(er
gnomographer
goniograph
-graph *Suffix*
gyrograph *Arts*
h(a)emadromograph
h(a)emautograph
h(a)emodromograph
haliographer
harmonograph
hectograph(ic
helicograph
heliograph(er
hemaphotograph
heresiographer
heterographer
hexametrographer
histographer
hodograph(ic(ally *Math. Seismol.*
horograph(er
horologiographer -ian
hyalograph(er
hydrograph(er -ally
hydrometrograph
hydrosphygmograph
hyeto(metro)graph
hygrograph
hyperbolograph
hypsalograph
hysterographium *Fungi*
ichnograph
ichthyographer
ideograph *Graphics*
idolograph(ic(al
inclinograph
instantograph
integraph *Math.*
ionograph
isograph *Graphics*
isometrograph *Mech. Draw.*
kaleidograph *Optics*
kammatograph *Photog.*
keraunograph
kinematograph(ic(al
kineograph *Photog.*
kinesigraph *Photog.*
kinetograph(er
kleidograph *Arts*
kromarograph
kunchangraph
kymograph(ic -ion *Med.*
labiograph
laryngograph
lichenographer
lignograph
limnograph
lineograph
lithograph(er
loimographer *Med.*
loxodograph *Elec.*
lucigraph
luxograph
macro-
graph
photograph *Photog.*
seismograph
magneto-
graph(ic
phonograph
telegraph
manigraph
manograph *Mech.*
Marconigraph
mare(o)graph(ic
marigraph(ic *Meteor.*
mechanograph *Med.*
megalograph *Drawing*
melanochalcographer
melodiograph
melograph(ic *Music*
mesograph
metagraph *Craniom.*
metallograph(er
meteograph *Meteor.*
meteore(*or* o)graph
metrograph(er
metzograph *Photog.*
mezzograph
micro-
barograph *Meteor.*
cinematograph *Cinema*
graph(er
graphophone
metallographer
pantograph
phonograph
photograph
seismo(metro)graph
milli(*or* e)ograph
mimeograph

miniograph
mirograph
monograph(er -ous
morphographer
motograph(ic
multigraph *T.N.*
museographer
musicographer
mutograph *Photog.*
myocardia(*or* io) graph
myograph(er -ion
myrmecographer
necrographer
neograph
nephograph
noctograph
nocturnograph
noematachograph *Psych.*
nomograph *Chem. Math.*
nosographer
notograph *Terat.*
nystagmograph *Ophth.*
oceanographer
odograph
odontograph *Mech.*
odontoradiograph *Dent.*
oleograph(er *Mech.*
ombrograph(ic
omnigraph
oncograph *Surg.*
ondagraph
ondograph *Elec.*
onychograph
oograph
optigraph
orograph
oroheliograph *Photog.*
orthochronograph
orthodiagraph
orthograph
orthoskiagraph *Med.*
oscillograph(ic *Elec.*
osmograph *Phys.*
osteographer
ozonograph(er
palategraph *Med. App.*
palate(o)myograph
palatograph
paleoethnographer
pal(a)eograph(er
pallograph(ic
palmographer *Bot.*
panic(on)ograph *Arts*
pansphygmograph *Med.*
pantagraph(ic(al
pantelegraph
pantograph(er *Med.*
papyrograph
parabolograph *Mech.*
parallelograph *Math.*
paroemiographer *Rhet.*
pedograph
pelvigraph
pendulograph
pentagraph(ic
periodograph *Meteorol.*
perspectartigraph
perspectograph
petrograph(er
pezograph
phantasmograph
philograph(ic *Topog.*
phlebograph
phonautograph(ic(ally
phono-
dynamograph
graph(er
kinetograph
zenograph
phosphorograph
photo-
chromolithograph
chronograph
collograph *Photog.*
electrograph *Meteor.*
galvanograph

photo- Cont'd
graph(able -ee -er
heliograph
lithograph(er
macrograph *Photog.*
magnetograph
metallograph
metrograph *Oceanog.*
micrograph(er
nephograph
papyrograph
polargraph
spectroheliograph
stereograph *Photog.*
telegraph
zincograph
phraseograph
phrenograph
physiographer
phytograph(er *Bot.*
pianograph
pictograph
pistolgraph
plagiograph *Math.*
planigraph
planktograph
planograph
plessigraph *Med.*
plethysmograph(ic(ally
pluviograph
pneograph
pneum(at)ograph
pneumodograph *Med.*
pneumometrograph
podograph *Med. App.*
polaristrobometrograph
polarograph(ic *Phys.*
polypantograph
ponograph *Med. App.*
profilograph
propheciographer
protectograph
protograph
protoseismograph
prototypographer
psychograph(er
Psychrograph *Bot.*
pterographer
punctograph *Med. App.*
pyelograph *Med. App.*
pyrograph(er
pyrophotograph
rachigraph *Med.*
radiocinematograph
radiograph(er
radiotelegraph
raphigraph *Arts*
rayfiltergraph *Photog.*
rectigraph(ic *Optics*
reflexograph
retelegraph
rheograph *Elec.*
roentgenograph
ro(e)ntgenograph
ro(e)ntgraph
rorograph *Photog.*
scotograph *Photog.*
scotographoscope
sculptograph
seismetrograph
seismograph(er
seismometrograph
selenograph(er
serigraph *Textiles*
shadowgraph *Bot.*
Photog. Physics
siderograph(ite *Engrav.*
sigillographer
siphilographer
snobographer
solograph *Photog.*
spectro-
bolograph(ic *Phys.*
graph *Phys.*

spectro- Cont'd
heliograph(ic *Phys.*
photograph
spectropolarigraph
thermograph *Physics*
sphenographer
spherograph *Naut.*
sphygmo-
cardiograph *Med.*
chronograph
graph
sphygmometrograph
plethysmograph
tonograph
spirograph *Mech. Med.*
spirograph(id)in *Chem.*
splanchnographer
stathmograph
steganographer
stenograph(er
stereo-
graph
photo(micro)graph
planigraph *Phys.*
roentgenograph
typographer
stethocardiograph *Med.*
stethoc(*or* k)yrtograph
stethograph
stomatograph *Bot.*
stratigrapher
stremmatograph
striograf *Physics*
strobograph(ic *Physics*
stylograph
sympalmograph *Phys.*
sympsychograph(er
synchronograph
synorthographic
synthetograph
syphilographer
tachograph
technographer
telautograph
tele-
anemograph
autograph
barograph
chirograph
cryptograph
graph(er
iconograph
meteorograph
phonograph
photograph
stereograph
thermograph
typograph
tel(el)ectrograph
telelograph
teliconograph
telligraph *Hist.*
tellograph(ic
thanatographer
theatrograph
thermo-
barograph *Phys.*
graph
hygrograph
metrograph
thoracograph *Med. App.*
tithonograph *Photog.*
tocograph *Med. App.*
tonograph *Physiol.*
topograph
tremograph
trypograph(ic -ize
typhlograph
typograph(er
typophotograph
typotelegraph
ultraphotomicrograph
uranograph
urethragraph
urethrograph *Med. App.*
vaporograph(ic

variograph
velograph
viagraph
vibrograph
vitagraph
vitreograph
votograph
xylograph(er
Xylographus *Ent.*
zerograph
zincograph(er
zodiographer
γραψαῖος a crab
Grapsus *Crust.*
-id(ae -oid(ea(n
γρηγορέω (Arist.)
Gregoriura *Pal.*
γρῖπος = γρῖφος
Gripoptera *Ent.*
γρῖφος a fishing basket; a riddle
griphite *Min.*
gripho-
pithecus *Pal.*
sternus *Ent.*
saurus *Ent.*
logograph(ic *Ent.*
γρομφάς an old sow
Gromphas *Ent.*
γρῦ a morsel, jot
gry
gryochrome *Neurol.*
γρύδιον Corr. of δακρύδιον scammony
diagrydium *Obs.*
γρύζειν to grumble
Grystes *Ich.*
γρύλλος a cricket
choerogryl *Hyrax.*
gryllus *Gr. Gems*
Gryllus *Ent.*
-id(ae -ina -ine -oid
Pholeogryllus *Ent.*
γρυπάνιος bowed by age
grypanian *Ornith.*
γρυπός curved
Grypidius *Ent.*
grypo- *Pal.*
blattina
ceras
Gryponyx
saurus
suchus
therium
Grypus -ina(e -ine
γρυπότης hookedness
Homalogrypota *Ent.*
γρύπωσις a crooking
arthrogryposis *Path.*
dactylogryposis *Med.*
gryp(h)osis *Med.*
onychogryp(h)osis *Med.*
γρύψ (γρυπός) (Herod.)
griffin *Myth. Ornith.*
age esque ish ism
Gryphaea *Pal.*
gryphite
hippogriff(in *Myth.*
onogryph *Archaeol.*
Pseudogryphes *Ornith.*
γρώνη a cavern
Aronias *Ich.*
γρῶνος cavernous
Gronophora *Ent.*
Gronops *Ent.*
Notogronops *Ent.*
γύαλον a hollow
Gyalecta *Lichens*
-iform -ine -oid
Gyalostoma *Ent.*
γύγης a water bird
Gygis -id *Ornith.*
γυιο- Comb. of γυῖον

Guioperus *Ent.*
γυῖον a limb
Thrasygoeus *Ent.*
γυῖος lame
diaguios *Gram.*
γυμνασία (Plato)
gymnasy
γυμνασιαρχία (Xen.)
gymnasiarchy
γυμνασίαρχος (Dem.)
gymnasiarch
γυμνάσιον (Eur.)
gymnasium
-ial -iast -ic
progymnasium
γυμναστής (Xen.)
chirogymnast *Mus. App.*
gymnast
gymnastes *Gr. Athl.*
Paragymnastes *Ent.*
γυμναστική (Plato)
gymnastics
mechanogymnastics
γυμναστικόν Neut. of γυμναστικός
pangymnasticon *Mech.*
γυμναστικός (Hipp.)
gymnastic
al(ly ize
γυμνήτις naked
Gymnetis -idae *Ent.*
γυμνικός of or for gymnastic exercises
gymnic(s -ical
γυμνο- Comb. of γυμνός
Archigymnosporae *Bot.*
archigymnosperms *Bot.*
gymneosere *Bot.*
gymno-
ascus *Fungi*
bacteria *Bact.*
biblism -ical -ist
blast(a)ea -ic -ous
blastus *Bot.*
branchia -iata -iate
canthus *Ich.*
carpic(us -ous *Bot.*
caulus *Helm.*
cephalus *Ich. Ornith.*
cerata -ous *Ent.*
cerithium *Pal.*
chila -inae *Ent.*
chlorites *Bot.*
citta *Ornith.*
cladus *Bot.*
copa -ous *Helm.*
cydads *Bot.*
cyte -a -ode *Cytol.*
derus -inae *Ornith.*
gamae gamy *Bot.*
gen(ous *Bot.*
gene *Ornith.*
glossa -ate *Conch.*
gongrous *Bot.*
gram(me *Bot.*
grammene *Org. Chem.*
gynous *Bot.*
gyps *Ornith.*
laemata -ous *Helm.*
loma -idae *Ent.*
mera -ous *Crust.*
myxa(n -ine -on *Prot.*
notus -i -ous *Ich.*
paedes -ic *Ornith.*
phobia *Ps. Path.*
phryxe *Ent.*
phylla(n -ous *Crust.*
phyllous *Bot.*
plast *Biol.*
plastid *Bot.*
poda -ous *Conch.*
podal *Bot.*
polyspermous *Obs.*
psittacus *Ornith.*
ptera -ous *Ent.*

gymno- Cont'd
rinus *Ornith.*
-a(l -inae -ine
sarda *Ich.*
solen *Pal.*
some *Conch.*
-ata -(at)ous
soph(ical
sophy *Phil.*
sperm *Bot.*
ae al (at)ous ia ic ism y
sporangium *Fungi*
spore -ous *Bot.*
sporidia *Bact.*
stomacea(n *Biol.*
stomata -ous *Biol.*
stomous *Mosses*
symplast *Bot.*
tetraspermous *Bot.*
thorax *Ich.*
toc(*or* k)a -ous *Zooph.*
trimoid *Bot.*
zoida -al *Infus.*
hemigymnocarpous *Bot.*
hologymnocarpous *Bot.*
Metagymnospermae *Bot.*
progymnosperm(ic ous
pseudogymnosperms
Stenogymnocnemia *Ent.*
Γυμνοπαιδίαι
gymnopaedia(e *Gr. Ant.*
γυμνοπαιδική a dance of naked boys
gymnopaedic *Gr. Ant.*
γυμνός naked
gymn-
achirus *Ich.*
adenia *Bot.*
anthous *Bot.*
archus -id(ae -oid *Ich.*
arthrus *Pal.*
asteria -id(ae -oid
axony *Bot.*
eleotris *Ich.*
elis -inae *Ich.*
ema *Bot.*
emic *Org. Chem.*
entome *Pal.*
etron *Ent.*
etrous *Zool.*
ite *Min.*
ocidium *Mosses*
ode *Zool.*
odinium *Bot.*
odon *Ich.*
-ont(-es -id(ae -oid)
ophiona *Zool.*
ophthalmus *Zooph.*
-ata -ate -atous -ic -idae
oplea(n *Crust.*
ops *Ornith.*
ure *Mam.*
-a -inae -ine
pseudogymnit *Min.*
Γυμνοσοφισταί (Arist.)
gymnosophist
γυμνότης nakedness
gymnote -us *Ich.*
-id(ae -oid
γυμνόχρους having the body naked
Gymnochroa *Zool.*
γυναικ- Stem of γυνή
gyn(a)ecarchy
γυναικεῖον the harem
agamogynaecism *Bot.*
gyn(a)ece(*or* i)um *Arch.*
Gynae(*or* oe)ceum *Bot.*
-gynae(*or* oe)cial *Bot.*
mono poly
polygynaiky *Bot.*
γυναικεῖος feminine
gyn(a)ecian

γυναικικός womanish
gyn(a)ecic
γυναικίτης the woman's place (in church)
gynaikites *Gr. Ch.*
γυναικο- Comb. of γυνή
gynaeco-
cosmos
gyn(a)eco-
coenic
latry
logy -ical -ist
mastia -y *Physiol.*
pathy -ic *Med.*
phore *Zool.*
-al -ic -ous
gyneco-
centric *Sociol.*
genic *Bot.*
mastia *or* -y -ism *Med.*
mazia *Med.*
γυναικοκρατία dominion of women
gyn(a)ecocracy
gyn(a)ecocrat(ic(al
γυναικομανία (Ath.)
gyn(a)ecomania
γυναικόμορφος in woman's shape
gyn(a)ecomorphous *Biol.*
γυναικονόμος (Arist.)
gynaeconomos *Gr. Pol.*
γυναικωνῖτις the women's place in the temple
gyn(a)econitis *Gr. Ch.*
γύναιον Dim. of γυνή
gyn(a)eo-
-cracy -later -latry
γύνανδρος of doubtful sex
gynander *Bot.*
Gynandria -ian -ous *Bot.*
gynandrism *Biol.*
gynandroid *Med.*
gynandro-
cratic *Sociol.*
morph *Biol.*
-ic -ism -ous -y
morphus *Ent.*
gynandrophore *Bot.*
spore -ous *Bot.*
γυνή woman
agamogynomonoecism
agynary -ious *Bot.*
basigynium *Bot.*
Chorizogynopora *Helm.*
cladogynogonidium
epigyne -ium *Arach.*
epigynophorius *Bot.*
ergatogyne -ic *Ent.*
gunethics
-gyn *Bot.*
deca di dodeca hepta hexa hypo mono penta podo tetra tri
-gynae *Bot.*
acro anacro hypo iso
gyn(a)eclexis *Biol.*
gyn(a)er(h)opy *Biol.*
gynantherous *Bot.*
gynapteryx *Ent.*
gynarchy
gynatresia *Gynec.*
-gyne *Bot.*
Coelobo Coelo Mitra peri podo tricho tri
gyne-
cratic
phobia *Med.*
type *Zool.*
gynecology *Bot.*
gynerium *Bot.*
gynesin(e *Biochem.*
gynethusia *Archaeol.*
-gynia *Bot.*
Atomo Deca Di Do-

-gynia *Bot.* Cont'd
deca Ennea Hepta Hexa Mono (epi hypo) Octa(*or* o) Penta Tetra Tri
-gynian *Bot.*
deca di dodeca endeca ennea hepta hexa mono octo penta tetra tri
gyniatry -ics *Gynec.*
-gynic *Bot.*
a hypo tricho
gynics
-gynicus *Bot.*
epi hemisyn podo
-gynious *Bot.*
di hepta hexa mono octo penta tetra tri
gynixus *Bot.*
gyn(o)ecium -y *Bot.*
gyno-
base -ic -eous *Bot.*
card- *Biochem.*
ase ate ic in(e
cardia *Bot.*
cracy
cyanauridzarin *Mat. Med.*
dimorphism *Bot.*
dioecism -ious(ly *Bot.*
gametangium *Bot.*
gamete *Bot.*
gametophore *Bot.*
genesis *Biol.*
genetic *Biol.*
gonidium *Bot.*
monoecism -ious *Bot.*
phagite
philian
phore -ic *Bot. Zool.*
phylly *Bot.*
phyte *Bot.*
plasm(ic *Bot. Emb.*
plastic *Surg.*
pleogamy *Bot.*
sporangium *Bot.*
spore *Bot. Emb.*
stegium *Bot.*
stemium *Bot.*
style *Zool.*
tegium *Bot.*
zoogonidium *Bot.*
gynoval *Mat. Med.*
gynura *Bot.*
Heterogyna -al *Ent.*
isogynospore *Bot.*
macrogyn(e *Ent.*
macrogynospore *Bot.*
microgyne *Ent.*
mitragynine *Org. Chem.*
monogynist *Bot.*
perigynand(r)a *Bot.*
perigynium -ial *Bot.*
podogynium -us *Bot.*
pseudogyn *Lit.*
pseudogyne *Ent.*
seolenogyne
Symphytogynus *Bot.*
trichogynial *Bot.*
-γυνια Comb. of γυνή as in ἀνδρογυνία
apogyny *Physiol.*
-gyny *Bot.*
adynamo ecoprotero epi hypo meta mono peri (phyto)protero proto syn
monogyny *Anthrop.*
proterogyny *Zool.*
progyny *Zool.*
pseudogyny *Ent.*
γύννις a womanish man
Argynnis *Bot.*
Gynis *Ent.*

-γυνος Comb. of γυνή, as in ἀνδρόγυνος
-gynous *Zool.*
ergato protero proto pseudo
-gynous *Bot.*
a acro amphi anacro aniso apa apodo deca di dodeca endeca ennea epi exo gymno hebe hendeca hepta hetero hexa hypo idio iso mono octo para penta peri pleuro podo protero proto semidi semitri symphyto syn tetra tri
γυπαίετος vulture
Gypaetus -idae *Ornith.*
γυρεύειν to run round in a circle
Gyretes *Ent.*
γυρῖνος tadpole
Eugyrinus *Pal.*
Gyrinichthys *Ich.*
Gyrinus -id(ae -oid *Ent.*
γύριος circular
Gyriosomus *Ent.*
γυρο- Comb. of γῦρος
barogyroscope *Mech.*
gyro-
car
ceracone *Pal.*
ceras *Conch.*
-an -at(-id(ae -ite -itic -oid)
chrome *Cytol.*
cochlea *Malac.*
compass *Elec.*
coryna *Zool.*
cotyle -idae *Zool.*
cystidae *Pal.*
dactylus *Helm.*
-id(ae -oid
gonite(s *Bot.*
graph *Arts*
graphic *Chem.*
hedral *Crystal.*
lepis *Pal.*
lite *Min.*
lith *Bot. Min.*
magnetic *Phys.*
mancy
mele *Med.*
meter
mitra *Fungi*
phaena *Ent.*
phora -aceae -ic *Bot.*
phoric *Org. Chem.*
pigeon *Arts*
plane *Arts*
psoriasis *Path.*
pter *Arts*
scope -ic *Arts*
spasm *Med.*
stachys *Bot.*
stat(ic(ally -ics
stoma *Malac.*
theca *Bot.*
trope *Elec.*
vagi vagues *Eccl. Hist.*
-gyropus *Ent.*
Hetero Macro Mono Tetra
Protogyrodactylus *Helm.*
zoogyroscope
γυροειδής round
gyroidal -ly *Cryst. Opt.*
γῦρος a circle
agyrate *Bot.*
agyria *Terat.*
cephalogyric *Med.*
circumgyration
-al -ate -atory
dextrogyrate -ous

dextrogyratory *Org. Chem. Optics*
dextrogyre *Phys.*
Eugyrichnites *Pal.*
Exogyra *Pal.*
Felixigyra *Pal.*
Goniatogyra *Pal.*
gyra *Costume*
Gyracanthus *Pal.*
gyral(ly -ant
gyrate -ation(al -atory
gyre
Gyrencephala -ate -ous
gyrencephalic *Comp. Anat.*
?gyria(*or* o)lone *Chem.*
Gyrodus *Pal.*
gyroma *Bot. Tumors*
gyron(wise *Her.*
gyronn(ett)y *Her.*
gyrose *Bot.*
gyrous
gyrus *Anat.*
helicogyrate *Bot.*
Hemigyraspis *Pal.*
Homalogyra *Conch.*
-id(ae -oid
homogyrous *Org. Chem.*
intergyral
intragyral
isogyre -ic *Optics*
isogyrous *Bot.*
Laeogyra *Pal.*
levogyre -ate -ation -ous
meiogyrous *Bot.*
Mepygyrinae *Pal.*
mesogyrous -ate *Conch.*
microgyria *Anat.*
miogyrous *Bot.*
multigyrate
oculocephalogyric *Ophth.*
oculogyric -ation *Ophth.*
ophthalmogyric *Ophth.*
opistogyre -ate -ous *Mol.*
oxygyrus *Bot.*
Oxygyrus *Mol.*
pachygyrus *Bot.*
photogyric
pleurogyrate -ous *Bot.*
prosogyre -ate -ous *Zool.*
pseudogyrate *Bot.*
sinistrogyric -ate
Spirogyra -ate *Algae*
Stenogyra -id(ae -oid
subgyre *Anat.*
supergyre *Anat.*
teleogyrous *Ornith.*
Trigyra *Pal.*
γύρωσις an encircling
Gyrosia *Ent.*
γύψ (γυπός) vulture
Gymnogyps *Ornith.*
Gypogeranus -idae
Gypohierax -acinae
Gyponychus *Ent.*
Gyps *Ornith.*
Gypsornis *Pal.*
Otogyps *Ornith.*
Pleistogyps *Pal.*
γύψος chalk; gypsum
gypsite *Min.*
gypskemper *Geol.*
gypso-
graphy *Art*
phila -es -ous *Bot.*
phyta -ia *Bot.*
plast
gypsum
-eous -iferous -ify -ine -ous
γωνία corner, angle
allogonite *Petrog.*
Cephalogonia *Ent.*
Coregonus *Ich.*
-idae -inae -ine -oid

digonal *Crystal.*
digonous *Bot.*
ditrigonially
Dorygonus *Ent.*
dygogram -graph *Naut.*
Gonepteryx *Ent.*
Gonia *Ent.*
goniac *Craniom.*
Goniaster(id(ae -oid
goniatite(s *Conch.*
 -ic -id(ae -inula -oid; (ea(n
Goniatogyra *Pal.*
?Goniaulax *Prot.*
goniodont(es -idae *Ich.*
gonion *Craniom.*
Goniozus *Ent.*
Goniurus *Pal.*
-gony *Suffix*
herogony
hypergon *Photog.*
intergonial *Anat.*
Mesogonistius *Ich.*
Notemigonus *Ich.*
Octogonotes *Ent.*
Phalangogonia *Ent.*
Plagiogonus *Ent.*
polygony
pterogonus *Bot.*

γωνιο- Comb. of γωνία
gonio-
 autoeciasis *Bryol.*
 autoec(i)ous *Bot.*
 basis *Zool.*
 cephalus *Pal.*
 clinic *Bot.*
 clymenia *Pal.*
 concha *Malac.*
 craniometry *Craniom.*
 cyst *Bot.*
 cytium *Bot.*
 doris -(id)idae *Zool.*
 gnatha -ous *Conch.*
 graph
 lepidoti *Ich.*
 meter
 metry -ic(al(ly
 neurum *Ent.*
 pholio *Herp.*
 -idid(ae -idoid
 phora *Pal.*
 phyllum *Pal.*
 plectrus *Ich.*
 pteris *Bot.*
 rhynchus *Pal.*
 scope *Med. App.*
 soma *Herp.*
 stat
 stoma -inae *Ich.*
 stomata
 symphyseal *Craniom.*
 theca *Bot.*
 thyris *Pal.*
 tropous *Bot.*
 zyogmatic *Craniom.*
-goniometer
 electro radio sterno stetho

γωνιοειδής angular
gonioid *Crystal. Math.*
γωνιώδης angular
Goniodes *Ent.*

-γωνον as in πεντάγωνον
-gon *Geom.*
 deca duodeca (h)endeca myria non pendeca penta(*or* e)deca peri quindeca sexa stere

-γωνος as in πεντάγωνος
-gonal
 coortho deca (h)endeca sexa tria
-gonally
 deca

δαγυς a puppet
Nesodagys *Malac.*

Δαγών Dagon
Dagnoceras *Pal.*

δαδο- Comb. of δαίς
dado-
 cerus *Ent.*
 xylon *Pal. Bot.*

δᾳδοῦχος torch bearer
dadouchos *Gr. Ant.*
daduchus *Gr. Ant.*

δᾳδοφόρος a torch bearing
dadophorus *Cl. Archaeol.*

Δάιδαλος (Iliad)
d(a)edal(ian -ous
Daedalea(n *Bot.*
daedalenchyma *Bot.*
daedaloid
Daedalus *Gr. Myth.*
 -ean -ian -ist

δαίειν to divide
Daeodon *Pal.*
Dayiceras *Pal.*
proctod(a)eum -eal
rhynchodaeum *Helm.*

δαίκτωρ a slayer
Daector *Ich.*

δαιμονιακός (Tertull.)
demoniac
 al(ly ism
pand(a)emoniac(al

δαιμονιασμός (Orig.)
demoniasm

δαιμονίζεσθαι (N.T.)
demonize -able -ation

δαιμονικός (Plut.)
demonic(al
heliodaemonic
pand(a)emonic

δαιμόνιον (Herod.)
daimonion *Psychol.*
demoniast(ic

δαιμόνιος (Herod.)
demonial(ity
demonian(ism

δαιμονο- Comb. of δαίμων
demono- cracy
 grapher graphy
 later latriacal
 latr(i)ous(ly
 latory
 logy
 -ic(al(ly -ist
 magy mancy
 mania -iac
 nomy -ist
 pathy
 phobia
 sopher

δαίμων (Iliad)
adaemonist
agatho(d)aemon(ic *Gr. Rel.*
antidemoniac
archdemon
calodemonial *Obs.*
daimon
 (ian ic y
Daimonelix *Pal.*
daimonology
demon
 -agogue -arch(y -ess -iculture -ifuge -ish -ism -ist
demonurgy -ist
demonymic
demophil(ism
pand(a)emonium
 -ial -ian -isty
trid(a)emonism

δαιος destructive
Dajus -idae
Streptodajus *Crust.*

δαίς a pine torch
daides *Gr. Ritual*

δάκνειν to bite
Adacna *Conch.*
 -id(ae -ida -oid
Cacodacnus *Ent.*
Dacne *Ent.*
Dacnis *Ornith.*
 -id(-idae -inae -ine)
Phonodacne *Ent.*
Xenodacnis *Ornith.*

δάκος a biting animal
Carpodacus *Ornith.*
Dacochelys *Herp.*
Dacoderus *Ent.*
Dacosaurus *Herp.*
Dacus *Ent.*
Pseudodacus *Ent.*

δάκρυ a tear
dacry-
 adenalgia *Med.*
 adenitis *Path.*
 adenoscirrhus *Path.*
 agoge atresia *Med.*
 cystalgia *Med.*
 elcosis *Med.*
 gelosis *Path.*
 oideus *Bot.*
 olin *Chem.*
 oma *Path.*
 on *Craniom.*
 ops *Path.*
 uria *Med.*

δακρύδιον Dim. of δάκρυ
dacr(yd)ene *Org. Chem.*
dacryd *Bot.*
Dacrydium *Bot.*

δακρυο- Comb. of δάκρυον
dacryo-
 adenitis *Path.*
 blennorrhea *Path.*
 cele *Path.*
 cyst *Anat.*
 cystitis *Path.*
 cystitoma *Ophth.*
dacryocysto- *Ophth.*
 blennorrhea cele ptosis rhinostomy syringotomy tome tomy
 h(a)emorrh(o)ea *Path.*
 helcosis *Path.*
 lite lith(iasis *Path.*
 myces *Mycol.*
 mycetales -inae *Mycol.*
 pora *Pal.*
 pyorrhea *Med.*
 pyosis *Med.*
 rrhea *Med.*
 solenitis *Ophth.*
 stenosis *Path.*
 syrinx *Surg.*
rhinodacryolith *Med.*

δάκρυον = δάκρυ
bidacryc *Anthrop.*
oligodacrya *Path.*

δακτυλήθρα a finger sheath
Dactylethra -idae *Herp.*

δακτυλικός (Longinus)
dactylic(ally

δακτυλιο- Comb. of δακτύλιος
dactylio-
 branchia -iata -iate
 glyptic
 grapher
 graphy -ic
 logy
 mancy

δακτυλιογλυφία (Plato)
dactylioglyphy
 -ic -ist

δακτυλιογλύφος (Critias)
dactylioglyph

δακτυλιοθήκη (Pliny)
dactyliotheca *Cl. Ant.*

δακτύλιος ring, amulet
dactylion -ium *Surg.*
dactylios *Gr. Jewelry*

δακτυλίς (Pliny)
dactylis *Bot.*

δακτυλο- Comb. of δάκτυλος
dactylo-
 barus *Ent.*
 glossa -ate *Conch.*
 gnatha *Arach.*
 gnathite *Crust.*
 gram graphy
 gryposis *Med.*
 logy
 lysis *Path.*
 megaly *Path.*
 metra *Zool.*
 myia *Ent.*
 mys *Zool.*
 nomy
 patagium *Zool.*
 podite *Crust.*
 pore *Zool.*
 -a -ic -idae
 pterus *Ich.*
 -id(ae -oid(ea(n -ous
 pus *Malac.*
 rhiza *Phytopath.*
 saurus *Pal.*
 scopus *Ich.*
 -id(ae -oid
 scopy
 simus *Ent.*
 spasm *Med.*
 sterna(l *Herp.*
 symphysis *Med.*
 teuthis *Pal.*
 theca *Ornith.*
 zooid *Zooph.*
epidactyloscope *Sc. App.*

δακτυλοδόχμη (Poll.)
dactylodochme *Cl. Meas.*

δακτυλοειδής (Ath.)
dactyloid
Dactyloida -ites *Pal.*

Δάκτυλοι (Strabo)
Dactyli *Myth.*

δακτυλοκαμψόδυνος
dactylocampsodynia

-δακτυλος as in τετραδάκτυλος
-dactylous *Bot.*
 (an)arthro brachy diarthro holo macro monarthro polyarthro
-dacylous *Ornith.*
 albo desmo eleuthero hetero iso lepto pampro syn zygo
-dactylous *Anat.*
 brachy di hexa megalo micro
-dactylous *Zool.*
 deca disco hemi perisso uni

δάκτυλος a finger
acrodactylum *Ornith.*
adactyl(e *Zool.*
adactylism *Terat.*
adenodactylus *Zool.*
Amblydactyla *Mam.Pal.*
Ancylodactyla *Mam.Pal.*
artiodactyl(e *Zool.*
 -a(n -ata
Asterodactylus -idae
bidactyl
brachydactyl -ism *Anat.*
Cainodactylus *Herp.*
Chariodactylus *Ent.*
Cladodactyla *Echin.*
ctenodactyl(e *Mam.*
 -inae -ine -us
-dactylia *Med. Terat.*
 a acrosphenosyn ankylo arachno brachy campto ectro gampso hyper megalo micro oligo sclero symbrachy symphyso syn
-dactyly *Med. Terat.*
 clino ectro hyper oligo sclero
dactyl *Pros. Zool.*
Dactylagnus *Ich.*
Dactylanthias *Ich.*
dactylate *Anat.*
dactylet
Dactylifera *Helm.*
dactyline -us *Bot.*
dactylist
dactylitis *Path.*
Dactylius *Helm. Med.*
dactylose *Bot.*
dactylous *Anat. Zool.*
Dactylozodes *Ent.*
dactylus *Zool.*
Dactyolepis *Pal.*
date *Plants*
Desmodactyli *Ornith.*
didactyl(ism *Anat.*
discodactyl(e *Zool.*
Discodactyla *Morphol.*
Discodactyli *Herp.*
dodecadactylitis *Path.*
dodecdactylon *or* -us
ectrodactylism *Terat.*
ectrosyndactyly *Anat.*
eleutherodactyl(i *Ornith.*
Eomyelodactylus *Pal.*
fissidactyl(e *Anat.*
gonodactylus
Gyrodactylus -id(ae -oid
hemidactyl(e -us *Herp. Zool.*
heterodactyl(e -ae -i
Heterodactylus *Herp.*
hexadactylism -ic *Anat. Biol.*
holodactylic *Pros.*
hypodactylum *Ornith.*
Idiodactylae *Ornith.*
Isodactyli *Ornith.*
leptodactyl(e -i *Ornith.*
Lysodactylae *Ornith.*
macrodactyl(a -i *Ent.*
Macrodactyli *Ornith.*
Monodactylus *Ent.*
megalodactylism *Med.*
megalosyndactyly *Med.*
microdactyl(e -ism -y
monodactyl(e ic *Pros.*
Nanodactylus *Ent.*
oxydactyl(a *Batrach.*
Oxydactylus *Pal.*
Palmidactyles *Ornith.*
paradactyl(um -ar
pendactylism
perissodactyl(e -a -ate -i -ic *Zool.*
perodactylias -ism *Terat.*
Phanerodactyla *Ornith.*
platydactyl(e -a -ous -us
Protogyrodactylus *Helm.*
pterodactyl(e -i(an -ic -id(ae -oid -ous -us
Ptilodactyla *Ent.*
Simodactylus *Ent.*
Sphaerodactylus *Herp.*
spherodactyl(e *Ornith.*
spherodactyl(us *Herp.*
Stenodactylus *Ent.*
Stichodactyline -ae
Stylodactylus *Crust.*
 -id(ae -oid

syndactyl(e -ae -i -ia -ic -ism -ize(d -ous -us *Ornith. Terat.*
teledactyl *Med. App.*
thecodactyl(e -ous -us
Urodactylus *Ent.*
zygodactyl(ic -ism
Zygodactyla Acalephe
Zygodactylae -i *Ornith.*
δακτυλωτός with finger-like handles
Dactylotus *Ent.*
Δαλματική (Epiph.)
Dalmasiceras *Malac.*?
dalmatic *Eccl.*
δαλός brand, beacon
Phloeodalis *Ent.*
δάμαλις a heifer
damalic *Org. Chem.*
Damalichthys *Pal.*
Damalis(cus -iscoid *Zool.*
damaluric *Org. Chem.*
Hydrodamalis -idae *Mam. Zool.*
Δαμαρέτειος (Diod. S.)
damareteion *Numis.*
Δαμασκός (Strabo)
Damascene *Arts Geog.*
damascene -er *Furniture*
damascenic -in(e *Chem.*
damascus *Arts*
damask
 een in(e
damasqueenery -ie
damassin
Δάμασος Damasus
Damasus *Ent.*
δαμαστής a subduer
Damaster *Ent.*
Δαμοκλῆς (Polyb.)
Damoclean *Cl. Ant.*
Δαναΐδες Pl. of Δαναΐς
Danaid(ean *Myth.*
danaide *Mech.*
Δαναΐς Dau. of Danaus
danaidin *Org. Chem.*
danain(e
Danais *Bot.*
Δαναός Danaus
Danaus -id(ae *Ent.*
δάπεδον floor, ground
Dapedium *Zool.*
Dapedius *Ich.*
Hemidapedonta *Pal.*
Hyper(o)dapedon *Pal.*
δάπις carpet
Adapis *Mam.*
 -id(ae -oid
Adapisorex *Mam.*
 -icid(ae -icoid
Megaladapis -idae *Mam. Pal.*
Plesiadapidae *Mam.*
δάπτειν to devour, rend
Daptus *Ent.*
δάπτης a bloodsucker
Carpodaptes *Mam.*
daption -ium *Ornith.*
Daptonema *Helm.*
δάπτρια Fem. of δάπτης
Daptrius *Ornith.*
Δαρδάνιος Trojan (Il.)
Dardan(ian *Cl. Ant.*
dardanium
Δαρεικός (Herod.)
daric *Numis.*
δάρσις (Galen)
darsis *Surg.*
δαρτός skinned
dartos *Anat.*
 -oic -oid

δάσκιλλος a fish (Arist.)
Dascyllus *Ent.*
 -id(ae -oid
Dascyllus *Ich.*
δάσος forest
dasetherapy *Ther.*
δασυ- Comb. of δασύς
dasy-
 batis *Ich.*
 -id(ae -inae -oid -us
 caris *Crust.*
 cladous *Bot.*
 cottus *Ich.*
 dema *Ent.*
 errus *Ent.*
 gastrae *Ent.*
 lyrion *Bot.*
 mastix *Ent.*
 meter
 nema *Helm.*
 opa *Ent.*
 ornis *Ornith.*
 paedes *Ornith.*
 -al -ic
 peltis *Herp.*
 -id(ae -inae -oid
 phyllous *Bot.*
 psaltria *Ent.*
 ptyx *Myriapoda*
 rhamphomyia *Zool.*
 rhamphus *Ornith.*
 scopelus *Ich.*
 scypa *Fungi*
 stoma *Bot.*
 ure -us *Mam.*
 -id(ae -inae -ine -oid
 uromorphia *Mam.*
δασύπους a hair
Dasypus *Mam.*
 -ode -odid(ae -odinae -odine -odoid
δασύπρωκτος (Plat. Com.)
Dasyprocta *Mam.*
 -id(ae -inae -ine -oid
δασύπυγος (Theocr.)
dasypygal *Zool.*
δάσυς shaggy
dasistoma *Bot.*
Dasornis *Pal.*
Dasyus *Ent.*
Macrodasys *Ent.*
pomadasis
δασύτης hairiness
Dasytes *Ent. Mam.*
Dasytoxystropus *Ent.*
δατεῖσθαι to divide
datolite *Min.*
Δατισμός a speaking like Δατίς, the Median general at Marathon
Datism
δαῦκος a parsnip or carrot
daucin(e) *Org. Chem.*
daucol *Org. Chem.*
Daucus *Bot.*
dauke
Δαυλιάς a woman of Δαυλίς, epithet of Philomela and of Procne
Daulias *Ornith.*
δαυλός shaggy
Daulotypus *Ent.*
Δαφναῖος (Nonn.)
Daphnean
δάφνη the bay tree
Daphnandra *Bot.*
daphnandrin(e *Chem.*
daphne *Gr. Ch.*
Daphne *Bot.*
 -aceae -al(es -alan
daphnetic -in *Chem.*

Dghnia *Crust.*
 -iacea(n -iaceous -iad-(ae -(i)id(ae -ioid(ea(n
daphnin(e *Chem.*
daphnism *Tox.*
daphnite *Min.*
daphnomancy
daphnolin(e *Org. Chem.*
daphnomancy
Lyncodaphnia *Crust.*
 -id(ae -oid
oreodaphne *Bot.*
Δάφνη (Paus.)
Daphne *Gr. Myth.*
Δαφνηφορία (Phot.)
Daphnephoria *Gr. Ant.*
δαφνοειδής (Hipp.)
daphnoid
δαφοινός tawny; bloody
Daphaenodon *Pal.*
δέησις an asking; need
deesis
δεῖγμα a pattern
Epideigma *Pal.*
δεικνύναι to show
hygrodeik *Meteor.*
δεικτικός direct
deictic(al(ly *Logic*
Perodicticus *Mam.*
typhodeictor *Meteor.*
δείλη afternoon
Chordeiles *Ornith.*
Dilephila *Ent.*
δειλός craven
Dila *Ent.*
δεῖμα a terror
Dima *Ent.*
Δειμός a son of Mars
Deimos *Astron.*
δεῖν to bind
gonidema *Bot.*
δεινο- Comb. of δεινός
deino-
 cephalia *Pal.*
 suchus *Pal.*
dino-
 bolus *Pal.*
 bryon *Infus.*
 cephala *Pal.*
 ceras *Pal.*
 -ata -ate -atous
 charis -idae *Helm.*
 cochlea *Malac.*
 perca *Ich.*
 physisacuta *Prot.*
 rrhopala *Ent.*
 saur(ia(n *Pal.*
 there -ium *Mam.*
 -ia(n -iid(ae -ioid
Nedinoptera *Ent.*
δεινός dire, terrible
Chelodina -e(s *Herp.*
Deinodontidae *Pal.*
din-
 aelurus -ictis *Pal.*
 arctotherium *Pal.*
 elops *Pal.*
 ergate *Ent.*
 ichthys *Ich.*
 -yid(ae -yoid
 ictis *Pal.*
 ophis *Zool.*
 ops *Ent.*
 ornis *Ornith.*
 -ith(es i ic id(ae ine oid(ean oideae)
Pantodinus *Ent.*
δεῖνος a round vessel
deinos *Archaeol.*
δεινωπός fierce-eyed
Dinopis *Arach.*
 -id(ae -oid
δειπνοσοφιστής (Ath.)

deipnosophist
 ic ism *Gr. Ant.*
δεῖπνον dinner
Homoeodipnis *Ent.*
δειράς(-άδος) a ridge of hills
Diradias *Ich.*
δειρή neck
Arthrodira(n -ous *Ich. Pal.*
Cryptodira *Herp.*
 -ae -an -ous
dirina *Bot.*
 -aceae -ean -oid
Dirochelys -yidae
Dolichodira *Herp.*
Leptodirus *Ent.*
Oph(id)iodeirus *Pal.*
Trider *Spong.*
δεκ- Comb. of δέκα
cyclopentadecane *Chem.*
dec-
 acanthous *Ich.*
 al- *Org. Chem.*
 ene ol
 ammine -o- *Chem.*
 ane -al -ol *Org. Chem.*
 ander *Bot.*
 andria(n -ous
 angular
 antherous *Bot.*
 aquo- *Inorg. Chem.*
 are *Meas.*
 argyrus *Numis.*
 arinus *Bot.*
 astis *Pal.*
 athlon *Sports*
 ation
 ene -ol -ne *Org. Chem.*
 ine -yl *Org. Chem.*
 oate *Org. Chem.*
 ylyl *Org. Chem.*
didecahedral *Crystal.*
enndecane
glucodec- *Org. Chem.*
 ite itol onic ose
heptadec- *Org. Chem.*
 ane yl(ic ylene
hexadec- *Org. Chem.*
 ane oic yl(ic ylene
hexdecyl(ic *Org. Chem.*
nonadecoic *Org. Chem.*
nondecane -oic *Chem.*
octodec- *Org. Chem.*
 ane yl
pentadec- *Org. Chem.*
 ane (at)oic ine yl(ic)
quindecylic *Chem.*
tetradec-
 ane atyl ene(-oic yl) -inene -oic yl(ic ene)
tridec- *Chem.*
 ammine ane (at)oic (at)ylene ene yl(ic)
δέκα ten
deca-
 bromid(e *Chem.*
 carbon *Chem.*
 cere -a *Conch.*
 -ata -ate -atous
 crenidia *Zool.*
 cyclene *Org. Chem.*
 dactylous *Zool.*
 di *Fr. Cal.*
 dianone *Math.*
 diene *Org. Chem.*
 don *Ich.*
 fid
 gon(al(ly
 grade
 gram(me
 gyn(ia(n -ous *Bot.*
 hedron -al
 hydrate(d *Chem.*
 hydronaphthalene

deca- Cont'd
 let
 litre *Meas.*
 lobate
 meral -ous *Bot.*
 meron(ic *Lit.*
 methylene *Org. Chem.*
 meter *Meas.*
 naphthene -ic *Chem.*
 partite *Biol.*
 petalous *Bot.*
 phyllous *Bot.*
 ploid *Bot.*
 pod(a(n -al -ous *Crust.*
 podiform *Ent.*
 pterygii -ian -ious *Ich.*
 pterus *Ich.*
 semic
 sepalous *Bot.*
 spermal -ous *Bot.*
 stere *Meas.*
 stich
 syllabic
 syllable
 toma *Ent.*
 volt *Elec.*
dekasome *Bot.*
heptadeca- *Org. Chem.*
 colophenic hydrated
hexadeca- *Org. Chem.*
 colophenic d(i)ine hydrated
hexadecahedroid *Math.*
octodecahydrate(d
pen(ta)decagon *Geom.*
pentadeca- *Org. Chem.*
 hydrate naphthenic
pentedecagon
quindecagon
quindecasyllabic
tessaradecasyllabon
tetradeca-
 naphthene -ic *Chem.*
 pod(a(n -ous *Crust.*
trideca- *Chem.*
 hydrated molybdate naphthenic
δεκαδ- Stem of δεκάς
decad
 al(ly ation
decade
 ary ist
duodecade
heptadecad *Music*
tessaradecad
δεκαδραχμος
decadrachm(a
δεκαδικός (Greg. Naz.)
decadic
δεκάλιτρον (Epich.)
decalitron *Num.*
δεκάλογος (Ptol.)
antidecalogue
decalog(ue
decalogist
δεκανικόν an ecclesiastical prison
dekanikion *Gr. Ch.*
δεκανός (Galen)
decan(us *Astrol.*
δεκάρχης (Herod.)
decarch *Gr. Pol.*
δεκαρχία (Xen.)
decarchy *Gr. Pol.*
δεκάς(-άδος) a decad
Decadocrinus *Echin.*
 -id(ae -inae -oid
δεκάστυλος (Vitruv.)
decastyle *Arch.*
δέκατος tenth
 Decataphanes *Ent.*
 decatoic *Chem.*
 decatyl(ene *Org. Chem.*
δεκάχορδος (Sept.)

decachord *Music*
δεκτός acceptable
Chiodecton(aceae *Bot.*
δελεάζειν to bait
Deleaster *Ent.*
δέλτα the letter Δ
delta *Anat. Geog. Gram.*
deltafication
deltaic deltal
Deltamyia *Pal.*
deltapurpurin(e *Dyes*
deltation *Topog.*
Deltentosteus *Zool.*
Delthyris *Pal.*
delthyrium -ial *Conch.*
deltic
deltidium -ial *Zool.*
Deltistes *Ich.*
deltruxinic *Org. Chem.*
Didelta *Helm.*
Lophodelta *Ent.*
prodeltidium *Embryol. Mol.*
pseudodeltidium
δελτάριον a small writing tablet
deltarium *Conch.*
δελτο- Comb. of δέλτα
delto- *Combin.*
bathra *Ent.*
hedron *Crystal.*
δελτοειδής triangular
acromiodeltoideus *Anat.*
clavodeltoid(eus *Anat.*
deltoid(al *Anat. Bot. Ent. Math.*
deltoides -eus *Anat.*
obdeltoid *Biol.*
spinideltoid(eus *Anat.*
subdeltoid(al *Anat.*
δέλφαξ a young pig
Delphax *Ent.*
Δελφικός (Soph.)
Delphic
δελφίν = δελφίς
delphin-
apterus *Mam.*
-inae -ine
ate ic ine *Chem.*
avus *Pal.*
ite *Min.*
ula *Conch.*
-id(ae -oid
Delphinus *Mam.*
-idae -inae -ine -oid-(ea(n
δελφίνιον (Diosc.)
delphin- *Org. Chem.*
ia idin(ium in(e inium ol
Delphinium -ic *Bot.*
Δελφίνιος Epithet of Apollo
Delphinia(n
δελφινο- Comb. of δελφίς
delphino- *Pal.*
ceti
gnathus
saurus
δελφινοειδής (Diosc.)
delphinoidin(e *Zool.*
δελφίς a dolphin
dauphin(e ess
Delphin *Hist.*
delphin(ic *Chem.*
delphin *Ich.*
Delphis *Gr. Ant. Mam.*
-delphis *Zool.*
Acro Archaeo Cyrto Di Eurhino Loncho Pomato Priono Ziphio
delphisin(e *Chem.*
dolphin(et
Δελφοί (H. Hom.)

Delphi -ian *Geog.*
δελφύς womb (Hipp.)
didelph(ia(n -ic *Mam.*
Didelphys *Mam.*
-yid(ae -yoid
Eo(di)delphys *Pal.*
Ideodidelphus *Pal.*
Mallodelphys
monodelph(ia(n -ic -ous
Notodelphyopsis *Crust.*
Notodelphys *Mam.*
Notodelphys *Crust.*
-yid(ae -yoid
ornithodelph(us *Mam.*
ia(n ic id ous
Proteodidelphys *Pal.*
δέμα (-ατος) a band
Dematophora *Mycol.*
δέμας body
apodeme *Zool.*
-a(l -ata(l -atous -ia -us
Callidemum *Ent.*
Cyclodema *Pal.*
-dema *Ent.*
Dasy Demo Haplo Parachryso Plano Taeno Tracho Tropido
Demas *Ent.*
Lispodemus *Ent.*
Oedemas *Ent.*
triademe *Biol.*
zoanthodeme -ic *Zooph.*
δεμάτιον Dim. of δέμα
Dematium *Bot.*
-eae -ei -iaceae -iaceous -ioid
δέμνιον bedstead; bedding
Didemonum *Ascid.*
-id(ae -oid
δενδρικός (Theophr.)
dendric *Anat. Neurol.*
δενδρίον Dim. of δένδρον
Dendriothamnodes *Bot.*
Eudendrium *Zool.*
syndendrium *Zooph.*
telodendrion *Neurol.*
zoodendrium -ial *Infus.*
δενδρίτης of a tree
adendritic *Cytol.*
dendrite *Biol. Min.*
-ic(al(ly -iform
axodendrite *Anat.*
cylindrodendrite *Neurol.*
cytodendrite *Cytol.*
peridendritic *Anat.*
δενδρο- Comb. of δένδρον
dendro-
be bium *Bot.*
blaptus *Ent.*
blax *Ent.*
branchiata -iate *Conch.*
calamus *Bot.*
cellus *Ent.*
ceratina -ine *Spong.*
ch(e)irote -ae -ous
chelidon *Ornith.*
chemical
chemistry
cinclopa *Ornith.*
citta *Ornith.*
clastic
coel(e *Helm.*
-a(n -ida -ous -um
coelomata *Spong.*
-(at)ic
cola *Phytogeog.*
colaptae *or* -es *Ornith.*
-id(ae -inae -ine -oid
cometes -idae *Infus.*
copus *Bot.*
coris *Ent.*
crinites *Pal.*
ctonus *Ent.*

dendro- Cont'd
cygna *Ornith.*
cystidae *Pal.*
cystoides *Pal.*
dentin(e *Anat.*
gaea(n *Zoogeog.*
gastracea(n *Conch.*
graphy
heliophallic *Phil. Rel.*
hyrax *Zool.*
lagus *Zool.*
latry
lite *Geol.*
logy
-ical -ist -ous
meter
mys *Mam.*
-yinae -yine
nereides *Helm.*
notus *Conch.*
-id(ae -oid
perdix *Ornith.*
phaonia *Ent.*
phil(ous
phyta *Phytogeog.*
psychosis
pupa *Conch.*
saura *Zool.*
scirtus *Ent.*
sinus *Ent.*
soma -idae *Infus.*
soter *Ent.*
spiza *Ornith.*
style *Anat. Zool.*
trogus *Ent.*
trophe
zoum *Pal.*
paleodendrology
-ic -ist
δενδροβατεῖν to climb trees
Dendrobates *Herp.*
-id(ae -oid
δενδροειδής (Diosc.)
dendroid(al
Dendroides *Ent.*
Dendroidea *Pal.*
subdendroid *Bot.*
δένδρον a tree
acinodendrus *Bot.*
adendric *Cytol.*
aromadendral -ene *Chem.*
biodendry
Chiranthodendreae *Bot.*
Coelodendrum *Radiol.*
Coralliodendron *Prot.*
dendr-
achate *Min.*
ad ium *Phytogeog.*
agapus *Ornith.*
al
anthropology
aspis *Herp.*
-idid(ae -idoid
axon *Neurol.*
erpeton *Herp.*
iform
odus -ont *Pal.*
oeca -idae *Ornith.*
olene *Org. Chem.*
ophis *Herp.*
-id(ae -inae -ine -oid
ortyx *Ornith.*
-dendrin *Org. Chem.*
aroma chondro leuco lirio
dendron *Anat.*
-dendron *Bot.*
Arcto Ay Balsamo Bothro Calamo Calo Chondro Cinnamo Clero Dictyo Elaeo Erio Fremonto Galacto Hebra Lepido Leuca Lirio Lithophyllo Me-

-dendron Cont'd
lano Mohro Myzo Oxy Phora Picro Syringo Toxico Trocho Tylo Ulo
-dendron *Ent.*
Noso Sino Trogo Trypo
Epidendron *Bot.*
-al -ic(al
gonadendron *Infus. Zooph.*
Lithodendron(inae *Zool.*
neurodendron *Cytol.*
stomatodendron *Zooph.*
telodendron *Neruol.*
toxicodendric -ol *Chem.*
Trochodendroides *Pal.*
δενδροπήμων blasting trees
Dendropemon *Ent.*
δενδρώδης (Arist.)
dendrodic
δεξιο- Comb. of δεξιός
dexio-
cardia *Physiol.*
trope
-ic(ally -ism -ous
δεξιός on the right
Dexia -iidae *Ent.*
δεξιτερός the right
achrodextrin *Org. Chem.*
achroodextrin(e -ase
amylodextrin(e -ase
dystrophodextrin *Chem.*
leucodextrin(e *Biochem.*
leukodextrin *Org. Chem.*
pyrodextrin(e *Biochem.*
δέον (-οντος) obligation
deontology
-ical -ist
δέος fear
Deocrinus *Pal.*
δέπας a chalice
depea *Bot.*
depula *Embryol.*
amphi- disco-
δεραιο- Comb. of δέραιον
Deraeocapsus *Ent.*
δέραιον collar
deraeum *Ornith.*
δέρας (-ατος) = δέρος
Derasophilus *Ent.*
Deratanchus *Ent.*
Trachyderas *Ent.*
Δερβή a city (Strabo)
Derbe *Ent.*
-idae -idian
δέρη the neck
Aphoderidae *Ich.*
Aphre (*or* o) doderus *Ich.*
-id (ae -oid
Chlamydodera *Ornith.*
Choristodera -an *Herp.*
der-
adelphus *Terat.*
adenitis *Path.*
adenoncus *Path.*
(an)encephalia -us
encephalocele *Path.*
ichthys -yidae *Zool.*
odontus *Ent.*
-id(ae -oid
-dera *Ent.*
Acmaeo Calypto Cyatho Cymato Distypi Emmallo Grapto Mecyno Meliso Oreo Pinaco Plagio Priono Pseudo Pteno Rhago Rhaphido Rhombo Rhytido Stigmo Tmesi Trapezi Trichio Trymo Uro Xoano

Dere *Ent.*
dere-
lomus *Ent.*
podichthys -yidae *Ich.*
taphrus *Ent.*
-deres *Ent.*
Aglycy Leptyno Mecysmo Onco Ophi Piezo Pitho Proscephala Ptycho Pycto Rhytido Stephano Taphro Thylaco Trachy Tricho Tropido Tylo
dero-
di(di)dymus *Terat.*
lytoceras *Pal.*
mecus *Ent.*
platus *Ent.*
ptyus *Ornith.*
stichus *Ent.*
stomum -id(ae -oid
treme -a *Herp.*
-ata -ate -atous
-derus *Ent.*
Agono Chauno Chelo Cheno Conto Craspedo Daco Dilobo Dolicho Hammato Haplo Lageno Mega Merismo Oedaeno Orycto Phantazo Phymatio Plega Ploce Scapho Scoto Serico Sphaero Stemmato Steno Styli Tachyno Tetragono Tomo
Gymnoderus -inae
l(e)iodere -a *Herp.*
Leptodera *Ich.*
Melanderella *Pal.*
Pachyderoserica *Ent.*
Pelodera *Helm.*
pleurodere(s -an -ous
Pseudoaspidodera *Helm.*
Ptychoderus *Herp.*
ptygodere -us *Herp.*
Pyroderus -inae *Ornith.*
Selenidera *Ornith.*
Sphinctodere *Ent.*
Δερκίτις (Ar.)
Dercitis *Ich.*
-id(ae -oid
δέρκομαι to behold
Euderces *Ent.*
δέρος skin
deric *Bact. Embryol.*
ecderon(ic *Anat.*
enderon(ic *Anat.*
δέρμα skin, hide, bark
aerodermectasia *Path.*
blastoderm *Embryol.*
a al ata (at)ic
anoderm *Bot.*
arthroderm *Zool.*
autodermalium *Spong.*
azodermin *Mat. Med.*
bidermoma *Path.*
canceroderm *Path.*
chaetoderm *Conch.*
a ata (at)id(ae oid ous
Conchoderma *Crust.*
cyt(i)oderm *Cytol.*
derm(a
ad al(ly alia
-derm *Bot.*
endo exo hypo phialo
derm-
agra *Path.*
alaxia *Path.*
algia *Path.*
anaplasty *Surg.*
apostasis *Path.*
articular(e *Anat.*
atrophia -y *Path.*

-derma Cont'd
epenthesis *Surg.*
estes *Ent.*
-id(ae -inae -ine -oid
oid
oidectomy *Surg.*
ol(ia *Mat. Med. Trade*
ostosis *Path.*
-derma *Med.*
acrosclero atropho bromo cerato chylo crico cyano gero hygro hyponomo iodo kerato leuco lio melano pneumo(hypo) poikilo pyo sauri(*or* o) sclero scrofula(*or* o) siphilo sphacela(*or* o) syphilo toxi(co) tuberculo xantho xero
derma-
calyptrogen *Bot.*
cellulitis *Path.*
centor *Ent.*
centroxenus *Med. Zool.*
h(a)emal -ia *Physiol.*
lichus *Ent.*
metropathism *Diag.*
myiasis *Path.*
neural
nyssus *Ent.*
skeleton *Comp. Anat.*
synovitis *Path.*
tome -ic *Surg.*
dermale *Spong.*
dermic *Anat. Med.*
-dermic
auto hetero intra lepto leuco melano mono musculo pyo sclero scrofulo sub toxi trans tri xero zoo
dermis
dermitis *Path.*
-dermitis
haplo myceto myco neuro pyo sclero toxi(co)
diaderm *Embryol.*
didermoma *Tumors*
Discoderminae *Pal.*
echinoderm *Echin.*
a(l aria ate ous
ectoderm(al -ic -oidal *Biol. Embryol.*
endermic(ally -ism -osis
endoderm *Biol. Bot. Emb.*
(al ic oid
endomesoderm *Embryol.*
entoderm(al -ic *Embryol.*
epiendodermal *Bot.*
esoderm *Bot.*
eudermol *Trade*
exoderm *Ent.*
heloderm *Herp.*
a atidae atoid(ea(n atous id(ae oid
Heteroderm(eae *Algae*
Homoderma -atous -idae
Hyaloderma *Parif. Pal.*
hypoderm(a *Bot.*
Hypoderma *Ent. Zool.*
hypodermal
hypodermale -ium
hypodermic(al(ly
hypodermosis *Vet.*
ichthyotaxidermy
Idioderma *Ent.*
lasioderma
Leiodermaria(n *Bot.*
leptodermous *Bot.*
Liodermia -atidae *Zool.*
loph(i)oderm(ic *Ich.*
lophodermium *Fungi*
malacoderm *Ent.*
malacoderm *Zooph.*
ata (at)ous
malacoderm(i(dae *Ent.*
megaderm *Mam.*
a ata (at)idae (at)inae id in(e oid
mesentoderm *Embryol.*
mesoderm *Zool.*
al(ia(n ic
metaderma *Bot.*
metraderm *Helm.*
microderm *Bot.*
mucoderm *Med.*
mycetoderm *Fungi*
a atoid ic
mycoderm *Bact. Fungi*
a atoid atous ic
neodermin *Ointments*
neuroderm(al *Embryol.*
Ophioderma *Echin.*
atidae id oid
Osmoderma *Ent.*
osteoderm(a(l *Herp. Mam.*
osteodermous *Med.*
paraderm *Emb. Ent.*
periderm(al ic *Bot. Zooph.*
peridermiose *Phytopath.*
Peridermium *Fungi*
phelloderm(al *Bot.*
Phyllodermia *Porif.*
Physoderma *Fungi Phytopath.*
phytoderma *Fungi*
placoderm *Ich.*
al ata atous i id oid
plasmoderma(l *Bot.*
pneumoderm(a (at)idae
Pneumodermon *Conch.*
id(ae oid
pododerm *Anat. Zool.*
polyderm *Bot.*
protoblastoderm
protoderm *Histol.*
Protodermium *Fungi*
-aceae -ieae
protodermastate *Bot.*
pseudoderm *Spong.*
pseudomesoderm *Cytol.*
Rhinoderma -idae *Batr.*
Rhododerma *Malac.*
sapodermin *Mat. Med.*
sarcoderm(a *Bot.*
scleroderm *Conch.*
a ata (at)ous ic
scleroderm(ataceae
scleroderm(i(c *Ich.*
sclerodermite -ic *Arthrop.*
siphiloderm *Path.*
somatoderm *Embryol.*
spermoderm *Bot.*
Sphaeroderma *Ent.*
splanchnoderm *Emb.*
sporoderm(ium *Bot.*
stenoderm(a *Mam.*
ata (at)in(e atous inea
Stereodermus *Ent.*
sub(ecto)dermal *Med.*
taxiderm
al ic ist ize y
Trichoderma *Fungi*
tridermoma *Tumors*
Trogoderma *Ent.*
trophoderm *Embryol.*
tubulodermoid *Path.*
Xenoderm(us *Herp.*
a (at)inae ina ine

δερματ- Stem of δέρμα
dermat-
agra *Path.*
algia *Path.*
atrophia *Med.*
auxe *Med.*
emys *Herp.*
dermat- Cont'd
-ydid(ae -ydinae
-ydoid
hemia *Med.*
ician
itis *Path.*
odynia *Path.*
oid
ol *Chem.*
oma *Tumors*
opsy *Biol.*
optic
osiophobia
osis *Anat. Path.*
yloma *Tumors*
-dermatitis *Path.*
acaro acro angio erythro haplo kerato myco myringo neuro pyo radio sclero sero staphylo strepto tetryl toxico ulo
-dermatosis *Path.*
atropho chromo geno hyper meta neuro ochro pyo secreto sero toxico
-dermatous *Biol. Med.*
adelo helco hetero leio leuco osteo syphili (*or* o) xero
hypodermat- *Fungi*
aceae ic(ally
leptodermatous *Bot.*
photodermatism *Path.*
phytodermata *Path.*
Psilodermata -ous *Herp.*
Sclerodermata -ous *Herp.*
Scytodermata -ous
δερματικός of or like skin
dermatic
endermatic
photodermatic
xerodermatic
δερμάτινος of skin
dermatine
δερμάτιον Dim. of δέρμα
dermatioid *Bot.*
Plinthodermatium *Pal.*
δερματο- Comb. of δέρμα
dermato-
autoplasty *Surg.*
bia *Ent.*
biasis *Med.*
branchia -us *Conch.*
-iata -iate -id(ae -oid
calyptrogen *Bot.*
cele *Med.*
celidosis *Med.*
cellulitis *Path.*
center *Med. Zool.*
coccus *Bact.*
coniosis *Med.*
cyst *Path.*
gen *Bot.*
graph *Med. App.*
graphy -ia -ism *Med.*
heteroplasty *Surg.*
laimus *Helm.*
lepis *Ich.*
logy -ical -ist *Med.*
lysis *Path.*
mere *Embryol.*
mucomyositis *Path.*
myces *Bot. Med.*
mycosis *Path.*
myoma *Tumors*
myositis *Path.*
neural *Anat.*
neuria *Path.*
neurology *Neurol.*
neurosis *Path.*
nosis *Path.*
pathology *Path.*
pathophobia *Path.*
pathy -ia -ic *Path.*
dermato- Cont'd
phili *Ent.*
philiasis *Med.*
phobia *Ps. Path.*
phone -y
physa *Arach.*
phyte -ic *Mycol.*
photosis *Path.*
plasm *Bot. Med.*
plasty -ic *Surg.*
pnoa *Conch.*
polyneuritis *Path.*
ptere *Ent.*
-a(n -ous
rrhagia *Med.*
(r)rhea *Path.*
sclerosis *Path.*
scopic *Zool.*
some(s *Cytol.*
stethus *Ich.*
stroma *Pal.*
syphilis *Path.*
therapy *Ther.*
thlasia *Ps. Path.*
tome *Embryol. Surg.*
tyloma *Path.*
tylosis *Path.*
xerasia *Path.*
zoa(n
zoiasis *Path.*
zoonosus *Path.*
hyperdermatoclysis *Med.*
karyodermatoplast *Bot.*
δερματώδης like skin
Dermatodes *Ent.*
-δερμια Comb. fr. δέρμα, as in παχυδερμία
-dermia *Med.*
a acanthokerato achromo acrosclero aneto atropho cerato chalaz(*or* st)o erythro gero kerato leio lepto leuco lympho melano myxo ochro osteo sclero scrofula(*or* o) spasmo stearo stigmato toxico xantho xero
homodermy -ic *Biol.*
-δερμις Comb. fr. δέρμα, as in ἐπιδερμίς
-dermis *Bot.*
carpo chloroti endo exo (pseudo)leuco meso peri poecilo rhizo trachi
Pneumodermis
δερμο- Comb. of δέρμα
adermogenesis *Physiol.*
dermo-
blast *Embryol.*
branchia -iata -iate
calyptrogen *Bot.*
chelys -id(ae -oid *Herp.*
chrome *Print.*
coccus *Bact.*
cornutals *Pal.*
cybe *Bot.*
cybin *Org. Chem.*
cyma *or* -us *Terat.*
gastric *Physiol.*
gen *Prop.*
graphism
graphy
h(a)emia -al *Physiol.*
humeral(is *Physiol.*
logy
lysis *Med.*
muscular *Physiol.*
mycosis *Path.*
neural *Anat.*
neurosis *Neurol.*
nosology *Path.*
osseous
ossify -fication
dermo- Cont'd
parietals *Pal.*
pathy -ic
phlebitis *Path.*
physa
phyte *Path.*
plast *Bot.*
plasty *Bot.*
pterygian -ii *Ich.*
rhynci -ous *Ornith.*
rrhytis *Ent.*
sclerite *Zooph.*
skeleton -al
squamosals *Pal.*
stenosis *Med.*
symplast *Bot.*
synovitis *Path.*
syphilis *Path.*
syphilopathy *Path.*
tensor *Anat.*
tomy *Surg.*
trich(ium *Zool.*
tropic *Med.*
endodermo- *Bot.*
gens phyton
hypodermoclisis *Med.*
Rhamphodermogenys
Trachydermochelys *Pal.*
δερμόπτερος (Arist.)
Dermoptera(n -ous *Ent.*
dermoptere -i *Ich.*
Dermopteri *Mam.*
dermopterous *Anat.*
δέρρις skin
derrid *Org. Chem.*
Derris *Bot.*
Pomaderris *Bot.*
Scleroderris *Fungi*
δέρτρον the caul
Dertrotheca *Ornith.*
dertrum -on *Ornith.*
δέσις binding
arthrodesis -ia *Surg.*
Eudesicrinidae *Pal.*
fasciodesis *Surg.*
iri(do)desis *Surg.*
iridosis *Surg.*
oxydesis & -etic *Med.*
tenodesis *Surg.*
δέσμα = δεσμός
Allodesma -idae *Pelec.*
Anomalodesmacea(n -ous *Conch.*
cytodesma *Histol.*
Amphidesma *Conch.*
-id(ae -oid
desma *Anat.*
desmachyme *Spong.*
-atous -ic
Desmacidon(idae *Spong.*
desmactinic *Zoöl.*
desmacyte *Spong.*
Desmediaperioecia *Pal.*
lithodesma *Zoöl.*
Lyrodesma *Pal.*
mesodesm *Bot.*
Mesodesma *Conch.*
-atidae -id(ae -oid
Pentadesma *Bot.*
plasmodesma -ic *Cytol*
Pleurodesmatidae *Pal.*
Pycnodesma *Pal.*
Trichodesma *Ent.*
δεσματ- Stem of δέσμα
desmat-
ippus *Pal.*
odon *Pal.*
urgia *Surg.*
δεσματο- Comb. of δέσμα
desmato-
chelys -yidae *Pal.*
choerus *Pal.*
phoca *Pal.*

desmato- Cont'd
suchus -ia -idae *Herp. Pal.*
δεσμή bundle, package
atactodesmic *Bot.*
Dismanthus *Bot.*
Desmeplagioceia *Pal.*
metadesmine *Min.*
sporidesm *Bot.*
δέσμιος binding, bound
Desmia -iidae *Ent.*
Desmiospermeae *Bot.*
prymnodesmia *Echin.*
δεσμίς(-ίδος) = δεσμή
desmid *Bot.*
i(ac)eae iaceous iales ian
desmidiology -ist
desmidocarp *Bot.*
δεσμο- Comb. of δεσμός
colpodesmorraphia *Surg.*
desmo-
bacteria *Biol.*
brya -oid *Bot.*
ceratidae *Pal.*
chondria *Cytol.*
cyte *Histol.*
cytoma *Tumors*
dactyli -ous *Ornith.*
gen(ous *Bot.*
gnathae *Ornith.*
-ism -ous
gnathus *Herp.*
-id(ae -oid
gomphus *Ent.*
graphy
hemoblast *Bact.*
logy *Anat. Surg.*
lysis *Biochem.*
myaria(n *Ascid.*
neoplasm *Histol.*
nosology
pathology
pathy *Path.*
pelmous *Ornith.*
pexia *Surg.*
plankton *Biol.*
plastic *Med.*
pyknosis *Surg.*
rrhexis *Path.*
scolex *Helm.*
-ic(id(ae -icoid
spondylus *Pal.*
stichi -ous *Echin.*
stylidae *Pal.*
teuthis *Conch.*
-id(ae -oid
thoraca(n *Conch.*
tomy *Surg.*
tropism *or* -y -ic *Chem.*
tropoartemisin *Chem.*
troposantonin *Chem.*
troposantonosis
Eudesmoscolex *Herp.*
Pachydesmoceras *Malac.*
Tragodesmoceras *Malac.*
δεσμός band, ligament
Actinodesminae *Pal.*
Allodesmus *Pal.*
Archidesmus *Ent. Pal.*
Benthodesmus *Ich.*
bronchidesmus *Anat.*
Catapyrgodesmus
centrodesmus -ose *Cytol.*
cyclodesmic *Bot.*
desmectasis -ia *Med.*
Desmemys *Pal.*
desmepithelium *Anat.*
desmergate *Ent.*
desmic *Spong.*
desmine *Min.*
desmitis *Path.*
Desmodidae *Mam.*
Desmodium *Bot.*

Desmodus *Conch. Mam.*
-ont(es -id(ae -oid)
desmodynia *Path.*
desmoid *Anat.*
desmolase *Biochem.*
desmon
Desmoncus *Bot.*
desmosis *Path.*
desmosite *Petrog.*
desmous *Path.*
dialydesmy *Bot.*
dictyodesmic *Ferns*
epidesmin *Min.*
eudalene *Org. Chem.*
eudesmin -ene *Org. Chem.*
eudesmol *Mat. Med.*
gamodesmy -ic
Geodesmus *Zoöl.*
Hemidesmus *Bot.*
heterodesmic *Bot.*
heterodesmotic *Anat.*
homodesmis *Bot.*
homodesmotic *Anat.*
Lissodesmus *Myriap.*
Lygodesmia *Bot.*
Microdesmus *Ich.*
monodesmic *Bot.*
mycodesmoid *Zoöl.*
ophthalmodesmitis *Opth.*
Ornithodesmus -idae *Pal.*
Osteodesmacea *Mol.*
paradesmus *Cytol.*
plasmodesmus *Cytol.*
Polydesmaster *Pal.*
Polydesmus *Ent.*
-id(ae -oid(ea(n
prionodesm- *Conch.*
-acea(n -aceous -atic
Scenedesmus -etum *Bot.*
Spirodesmus *Pal.*
Teleodesmacea *Conch.*
-acean -aceous
Tonodesmus *Arach.*
Trigonodesmus *Ent.*
Xerodesmus *Arach.*
δέσμωμα a fetter
desmoma *Spong.*
δεσπότης (Herod.)
archdespot
despot
ism ist ize
despotes *Gr. Ch.*
despotocracy
δεσποτικόν Neut. of δεσποτικός
despoticon *Eccl.*
δεσποτικός (Xen.)
adespotic
despotic
al(ly ly ness
ultradespotic
undespotic
δετή a fagot
apodete *Polyp.*
δετός bound, fr. δέω
Autodetus *Annel.*
Carpodetus *Bot.*
opisthodetic *Mol.*
prosodetic *Med.*
δευτεραγωνιστής (Hesych.)
deuteragonist *Gr. Drama*
δευτέριον afterbirth
deuterion *Med.*
δευτερο- Comb. of δεύτερος
deutero-
albumose *Biochem.*
canonical *Theol.*
caseose *Biochem.*
cerebrum *Ent.*
cladus *Spong.*
col
cone -i(d *Anat.*

deutero- Cont'd
conidium *Biol.*
dome *Crystal.*
elastose *Biochem.*
fibrinose *Biochem.*
fraction *Biochem.*
gelatose *Biochem.*
genic *Geol.*
globulose *Biochem.*
Isaiah
lichas *Pal.*
mesal *Ent.*
myosinose *Biochem.*
Nicene
nomy
-ic(al -ist(ic
pathia *or* -y -ic *Path.*
plasm(a *Physiol.*
prism *Crystal.*
proteose
saurus -ian *Pal.*
scopia *or* -y -ic
stoma *Zoöl.*
-ata -atous
strophy *Phyllotaxy*
systematic
tocia *Biol.*
toky -ous *Biol.*
toxin *Chem.*
zoic *Geol.*
zooid
δευτερογαμία (Afric.)
deuterogamy -ist
Δευτερονόμιον (Sept.)
Deuteronomy
-ic(al -ist(ic
δεύτερος second
Brachydeuterus *Ich.*
centrodeutoplasm *Cytol.*
deut-
encephalon -ic *Anat.*
hyalosome *Cytol.*
hydroguret *Chem.*
iodid *Chem.*
ovum *Embryol.*
oxi(*or* y)d(e *Chem.*
deuter-
anomalopsis *Ophth.*
anope -ia *Ps. Phys.*
opin *Chem.*
deutipara *Gynec.*
deuto-
brochal *Embryol.*
bromid *Chem.*
cerebrum *Ent.*
chlorid *Chem.*
genotypic *Morph.*
hydroguret *Chem.*
malae -al -ar *Anat.*
merite *Prot.*
nephron -ic *Physiol.*
plasmic *Bot.*
plasm(ic *Embryol.*
plasmigenous *Embryol.*
plasmogen *Embryol.*
plastic
psyche *Craniol.*
sclerous *Anat. Physiol.*
scolex *Zool.*
somite *Ent.*
spermatoblast *Cytol.*
sulphuret
tergite *Ent.*
vertebra(l *Anat.*
xylem *Bot.*
δέφω to soften
dephophore *Leather*
δέψω to knead
deps- *Org. Chem.*
an(e ene ide
Δηίφονος a seer of Apollonia
Deiphoninae *Pal.*

δήκτης a biter (some attrib. to δέκτης a receiver)
Carpodectes *Ornith.*
-decta *Ent.*
Choro Phyllo Phyta
Dectes *Ent.*
-dectes *Ent.*
Aero Tricho
-dectes *Pal.*
Eubio Genyo Hapalo Notho Para
Diadectes *Herp.*
-id(ae -oid(es
Diadectosauria *Pal.*
Eudectus *Ent.*
Ichthyodectidae *Pal.*
Mixodectes *Mam.*
-id(ae -oid
psalidodect *Dent. Mam.*
δηκτικός pungent
demodectic *Path.*
δηλητήριος (Hdn.)
deleterious(ly ness
deletery -ial
δηλο- Comb. of δῆλος
delo-
lepis *Ich.*
morphic -ous *Biol.*
nurops *Ent.*
pterus *Ent.*
yala *Ent.*
δῆλος evident
enterodelous *Anat.*
Gastrodela *Infus.*
theodelite *Obs.*
theodolite -ic
-magnetometer
Pleurodeles *Herp.*
-id(ae -oid
urodele -a(e -es *Herp.*
-an -ian -ous
δημαγωγικός (Ar.)
demagogic(al
δημαγωγός (Isocr.)
demagog(ue
uery (u)ism uize y
δημαρχιά (Dem.)
demarchy *Gr. Ant.*
δήμαρχος (Ar.)
demarch *Gr. Ant.*
δημηγορικός (Xen.)
demegoric *Rhet.*
Δημήτηρ (Iliad)
Demeter *Myth.*
δημιουργικός (Plato)
demiurgic(al(ly
δημιουργός skilled worker; *Phil.* (Plato); *Pol.* (Thuc.)
demiurge -us
-eous -ism
δημο- Comb. of δῆμος
demo-
centric
dectic *Path.*
dema *Ent.*
dex *Arach.*
-icid(ae -icoid
genic *Sociol.*
grapher
graphy -ic(ally *Phil.*
later
logy -ical
δημοειδής vulgar
demoid *Pal.*
δημοκρατία (Herod.)
democracy
-democracy
aristo over pluto theo
δημοκρατίζειν as *v.i.*
democratize -ation
δημοκρατικός (Plato)

antidemocratic(al
aristodemocratical
democrat
ian ifiable ism ist
democratic(al(ly
ultrademocratic
undemocratic(ally
Δημοκρίτειος (Arist.)
Democritean -ic(al
δῆμος district; populace
Barathrodemus *Ich.*
deme *Biol. Gr. Gov.*
demos *Gr. Ant.*
Demospongiae -ian *Zool.*
Encuclodema *Pal.*
isodemic
monaddeme *Biol.*
polydemic(s *Phytogeog.*
prosodemic *Path.*
tetrademe *Biol.*
δημός fat
myodemia *Med.*
Δημοσθένειος (Longinus)
Demosthenian -ean
Δημοσθενικός (Dion. H.)
Demosthenic
δημότης a commoner
demot *Gr. Pol.*
Demotina *Ent.*
demotist
δημοτικός popular
demotic
demotici *Sociol.*
demotics *Sociol.*
demotikon *Gr. Epig.*
eodemotic
δημώδης common
Demodes *Ent.*
δηναιός long-lived
Denaea *Ich.*
δηνάριον
dinar *Numis.*
δήξ a worm in wood
Demodex *Arach.*
-icid(ae -icoid
δῆξις a biting
lyssodexis *Med.*
δηρο- Comb. of δηρός too long
Derocephalus *Ent.*
δι- Comb. of δίς twice
acenaphthoxdiazole
acetylenediurein *Chem.*
Adimerus -idae *Ent.*
aegirine -diopside *Min.*
anadiaene *Spong.*
anadicrotic -ism *Med.*
androdioecium *Bot.*
-ious -ism
androdimorphism *Bot.*
Aplodinotus -inae *Ich.*
arsendimethyl *Chem.*
azodiphenyl *Chem.*
benzdioxin(e -oxole
benzodi- *Org. Chem.*
anthrax azin(e azol(e oxin(e oxole pyrimidin(e pyrrol(e thian thiole thiolene thiylium
benzodindene *Org. Chem.*
benzoselenodiazole
benzothiodiazol(e
butadiene *Org. Chem.*
carbodi- *Org. Chem.*
anil imide nicotinic phenylamide tolil
carbodiogmus *Path.*
Carydiopora *Pal.*
catadicrotic -ism *Physiol.*
chlorovinyldichloroarsin
choladiene -ic *Org. Chem.*
chrysodiphenic *Chem.*

Cryptodibranchia *Conch.*
-iata -iate
cryptopidiol *Org. Chem.*
cyclo- *Org. Chem.*
butadiene
diolefinsulfid(e
heptadien(on)e
hexadiene
-ol -one -yl
octadiene
pentadiene
decadiene
di-
(omitting here words with Greek medial or terminal elements)
acetic -ate -in *Chem.*
acid *Chem.*
aldan(e -ic *Chem.*
alin *Org. Chem.*
anilin(e *Dyes*
articular *Med.*
benzol *Org. Chem.*
caelus *Ent.*
carbonic -ate *Chem.*
carpellary *Bot.*
ceraea *Ent.*
diurnal
en *Abbrev.*
formin *Org. Chem.*
gallic *Org. Chem.*
graph(ic
mercury -ic *Chem.*
mol *Mat. Med.*
molecular
nicotinic *Org. Chem.*
nucleated *Chem.*
oform *Mat. Med.*
olein *Org. Chem.*
ordinal
partite
partition
picolinic *Org. Chem.*
planar *Geom.*
plex *Teleg.*
plumbic -ion *Chem.*
potassium -ic *Chem.*
prene *Org. Chem.*
primary *Chem.*
pyre -ite *Min.*
quin- *Org. Chem.*
icin idin(e
silic- *Inorg. Chem.*
(ic)ane id(e o-
sodium -ic *Chem.*
stannic -ion *Chem.*
sulphate(d *Chem.*
sulphur- *Chem.*
et ic y
tertiary *Chem.*
valence -y *Chem.*
valent *Chem.*
dodecadiene *Org. Chem.*
dopa *Biochem.*
Eodichroma *Pal.*
Eodidelphys *Pal.*
Eodiplurina *Pal.*
Eodiscus -idae *Pal.*
epidiphyllum *Bot.*
ethyldichlorarsin *War Gas*
ethylenedismin(e *Chem.*
eudipleural *Bot. Morph.*
faradiol *Org. Chem.*
fluordiopside *Min.*
furodiazole *Min.*
gynodimorphism *Bot.*
gynodioecism -ious(ly
Haplodinotus -inae *Ich.*
heptadi- *Org. Chem.*
ene enol enic ine
heterodistylous -y *Bot.*
hexadecadiene -diine
hexadi- *Org. Chem.*
ene enol enic enone ine
hexamethylendiamine
horadimorphism *Chem.*
hydroxydimethylpyrone
iododichloride *Org. Chem*
iododichloride *Chem.*
Ideodidelphys *Pal.*
indiazene *Org. Chem.*
isodialuric *Chem.*
isodiazo- *Chem.*
isodipyriden(e *Chem.*
magnesium-diopside
menthadiene *Org. Chem.*
merodypnopinac- *Chem.*
olene olin(e one
mesodisilicic -ate *Chem.*
metadiazin *Chem.*
methyldichlorarsin *War Gas*
miazin *Org. Chem.*
miazthiol(e *Org. Chem.*
microdiactine *Spong.*
microdiaene *Spong.*
monaminodiphosphatid
monodichlamydeous *Bot.*
monoicodimorphic *Bot.*
multidiarch *Bot.*
naphthodianthrene & -one
naphthylenediamine
neodiarsenol *Mat. Med.*
neoditrema *Ich.*
nitrosodimethylaniline
nonadiene *Org. Chem.*
octadiene -ol -one *Chem.*
oleodipalmitin *Chem.*
oleodistearin *Org. Chem.*
orthodi-
actin *Spong.*
aene *Spong.*
azin(e *Chem.*
nitrocresol *Mat. Med.*
oxadiazole *Org. Chem.*
oxdiazine & ole *Chem.*
oxydi-
act *Spong.*
ketone
morphine
silin(e *Chem.*
palladodiammine *Chem.*
palmitodistearin *Chem.*
paradiazin *Chem.*
paradichlorobenzene
paradiphyllum *Bot.*
pentadiene *Chem.*
pentadienone *Org. Chem.*
pentamethyendiamin
pentediacid *Chem.*
photodimer *Photochem.*
phytadiene *Org. Chem.*
piaselanole *Org. Chem.*
piaziodonium *Org. Chem.*
plasmoditrophoblast
polygamodioecium -ious
predigastric -us *Anat.*
prodiaene *Spong.*
Prodicyonodon *Pal.*
Prodimorphomyrmex
Prodioxys *Ent.*
prosodiencephal(on -ic
Proteodidelphys *Pal.*
Pseudodiartema *Pal.*
pyrrodiazole *Chem.*
quinodimethan(e *Chem.*
resodicarboxylic *Chem.*
selenodiphenylamine
semidigynous *Bot.*
stearodipalmitin *Chem.*
subdioecism *Bot.*
syndimorphic -ism *Bot.*
terpadiene *Org. Chem.*
Thetidicrinus *Pal.*
thiodiazine & ole *Chem.*
thioxydiphenylamin
toluendiamin *Mat. Med.*
Trichodiodon *Ich.*
trimethylendiamine
undecadiene *Org. Chem.*
zinc-dibraunite *Min.*
διά through
adiactinic *Optics*
adi(a)emorrhysis *Med.*
brachydiastalsis *Med.*
di-
acoustics
ancister -tron *Spong.*
aphemetric *Ps. Phys.*
apophysis *Anat.*
-ial -ical
aposematism *Biol.*
arthrodial
arthromere -ic *Anat.*
aspis -inae *Ent.*
odophyte *Bot.*
osmose -is *Bot.*
osmosis & -otic
dia-
blastesis *Lichens*
boleite *Min.*
calorimeter *Phys.*
cathode -ic *Optics*
catholicon *Med.*
caustic *Math. Med.*
chronic
chyma *Bot.*
clinal *Geol.*
clinery *Bot.*
codion *or* -ium *Med.*
c(o)ele -ia *Anat.*
coelosis *Zool.*
cranterian -ic *Zool.*
dectes *Herp. Pal.*
-id(ae -oid(ea
dectosauria *Pal.*
derm *Embryol.*
geic *Geol.*
genesis *Geol.*
genetic *Bot. Geol.*
genic -ism
geotropic -ism *Bot.*
gramma *Ich.*
grydium *Obs.*
guios *Gram.*
heliotropic -ism *Biol.*
hydric *Phys.*
kinesis *Cytol.*
kinetic *Biol.*
magnet
-ic(ally -ism -ization
magnetometer
mesogamy -ous *Bot.*
morphin *Mat. Med.*
nodal
palma *Med.*
paraffin *Mat. Med.*
pause *Embryol.*
ped *Math.*
pedesis -etic *Path.*
penidion *Obs.*
pensia *Bot.*
-iaceae -iaceous -iad
phone *Music*
phote *Bot.*
photo- *Combin.*
scope
taxis *Bot.*
tropic -ism *Bot.*
phus *Ich.*
phylla *Ent.*
phyllous *Bot.*
plastic *Med.*
plexus *Anat.*
porthe *Bot.*
positive *Photog.*
prune *Pharm.*
pupillary *Psych.*
purin(e *Org. Chem.*
pus *Ent.*
pyle *Surg.*
schistic *Petrog.*
sclerotic *Psych.*
scope *Med. App.*
scordium *Med.*
senna *Pharm.*
sorcymes *Biochem.*
stalsis *Physiol.*
staltic *Med.*
staminous *Bot.*
stereomer(ic *Chem.*
stoma -atic *Zool.*
strome *Geol.*
synthesis
terma *Anat.*
thermal -ic -ous
thermo-
meter
tropic -ism *Bot.*
thermy *or* -ia *Med.*
tmesis *Biol.*
tropic -ism *Bot.*
tryma *Pal.*
tylus *Ent.*
zenithal
zonal *Anat.*
dysdiemorrhysis *Med.*
endodiascope -y *Med.*
epidiascope
eudiemorrhysis *Med.*
geodiatropism *Bot.*
hendiadys *Rhet.*
hydrodiascope *Ophth.*
hyperdiemorrhysis
orthodiagraph(y *Med.*
Paradiacostoidea *Herp.*
prosopodiaschisis *Surg.*
διαβάς P. pr. of διαβαίνεω to stride
diabantachronnyn
diabantite *Min.*
διάβασις a passage
diabase -ic *Geol.*
diabasis
Diabasis *Ent.*
epidiabase *Petrog.*
metadiabase *Petrog.*
pseudodiabase *Petrog.*
διαβατήρια offerings made at a crossing
diabaterial
διαβατικός penetrating
isodiabetic *Phys.*
διαβήτης diabetes; orig. a compass, as striding; see διαβάς
antidiabetic -in *Ther.*
diabetes *Path.*
-ic(al -ico -ics -id
diabeteserin *Mat. Med.*
diabetin(e *T.N.*
diabeto- *Med.*
genetic genic genous graph meter
διαβολικός (Clem. A.)
diabolic
al(ly ness
superdiabolically
διάβολος orig., a slanderer; (Sept.)
adiabolist
apodiabolosis
archdevil
daredevil(ism
devil
dom er ess et hood ish(ly ishness ism ize ment ry skip try
diablerie
diablerist *Art.*
diablotin
diabolarch(y
diabolatry -ism
diabolepsy -leptic
diaboliad
diabolifuge
diabolify -fication
diabolish
diabolism -ist -ize
diabolo
diab(ol)ology -ical
Diabolonian
diabolus
monodiabolism
pandiabolism
pantodevil
polydiabolism
-ic(al -ist
protodevil
διάβρωσις (Aretae.)
diabrosis *Path.*
διαβρωτικός corrosive
diabrotic *Path.*
diabrotic(a *Ent.*
διάγειν to carry over
diagometer *Elec.*
διαγλύφειν to engrave
diaglyph(ic *Art*
διάγνωσις distinguishing
diagnose -able
diagnosis *Bot. Med.*
diagnost
-diagnosis *Med.*
anaphylo anoso auto- (sero) bacterio chrom cyto electro gelo hemo histo immuno irido leuko neuro ophthalmo oro orrho para pharmaco pro radio sero spleno spondylo tachy (*Geol.*)
undiagnosed
διαγνωστική a title ascribed to a treatise by Galen
diagnostics *Med.*
διαγνωστικός (Lucian)
adiagnostic *Petrog.*
autodiagnostic *Path.*
diagnostic *Biol. Med.*
ally ate ation ian um
eudiagnostic
radiodiagnostics *Med.*
syndiagnostic *Biol.*
διάγραμμα a figure
autodiagrammatic
diagram
(mat)ic(al(ly matize
diagrammeter
orthodiagram *Med. App.*
semidiagrammatic
διαγραφή a marking off by lines
diagraph (ic(al -ics
διαγώνιος (Vitruv.)
brachydiagonal *Crystal.*
clinodiagonal *Min.*
diagonal
ic ity ize ly
equidiagonal
macrodiagonal *Geom.*
orthodiagonal *Crystal.*
διάδεξις = διαδοχή
diadexis *Path.*
διάδημα (Xen.)
Aspidodiadema *Echin.*
-atid(ae -atoid
diadem
Diadema *Echin.* (*Crust. Ent.*)
-atid(ae -atoid(ea(n
Diademidae *Ent.*
Diademoida *Zool.*
Diademoidemina *Zool.*
Diademomyia *Ent.*
Diadophis *Herp.*
endiadem
indiadem
διάδοσις an evacuation
diadosis *Med.*
διαδούμενος binding around
Diadoumenos *Gr. Ant.*
diadumenous *Gr. Ant.*

Diadumenus *Gr. Ant.*
διαδοχή succession
diadoche *Med.*
διάδοχος succeeding
adiadochokinesia *Ps. Path.*
Diadochi *Hist.*
diadochin
diadochite *Min.*
dysdiadochokinesia *Med.*
geldiadochite *Min.*
διάδρομος wandering
diadrom(e *Obs.*
diadromous *Bot.*
διαζεύγνυμι to be disjoined
diazi- *Combin. in Pal.*
ceras pora
διαζευκτικός (Diog. L.)
diazeuctic *Music*
διάζευξις (Plut.) the disjunction of two tetrachords
diazeuxis *Gr. Music*
hyperdiazeuxis *Gr. Music*
hypodiazeuxis *Gr. Music*
διάζομαι to begin the web
Diazus *Ent.*
διάζωμα cornice, frieze
diazoma *Arch.*
διαζωστήρ (Poll.)
diazoster *Anat.*
διαθερμαίνειν to warm through
adiathermal -ic *Phys.*
adiathermancy *Phys.*
adiathermanic -ous *Phys.*
diathermance -y
diathermaneity -osity
diathermanism -ous
nondiathermanous
διάθεσις disposition
adiathetic *Med.*
diathesin *Mat. Med.*
diathesis -ic(ally *Med.*
pyodiathesis
διαθλίβειν to break in pieces
Adiathlipsis *Ent.*
διάθυρα (Vitruv.)
diathyra *Gr. Arch.*
διαιρέειν to divide
Diaresilia(n *Bot.*
Dieresilia(n *Zool.*
διαίρεσις division
cytodieresis *Cytol.*
di(a)eresis
plasmodieresis *Bot.*
διαιρετικός (Arist.)
cytodieretic *Cytol.*
di(a)eretic
δίαιτα mode of life; diet (Hipp.)
diet
al arian ary er ic(al ian ine ist
dietotherapeutics
dietotherapy
zeta *Gr. Ant.*
zeticula *Gr. Ant.*
διαιτητής an umpire
diaetetae *Gr. Ant.*
διαιτητική (Hipp).
dietetics *Med.*
διαιτητικός
diatetic
al(ly ist
διακαινήσιμος Easter Week
diakainesimos *Gr. Ch.*
διάκαυσις use of cautery

diacausis *Med.*
διάκενος hollow
diacenous *Phys.*
διακλᾶν to break in twain
diaclase *Geol.*
diaclasis -ite *Min.*
diaclast *Surg.*
diaclastic *Geol.*
disdiaclasis *Optics*
disdiaclast(ic *Anat.*
διακονία = διακονικόν
diaconia *Eccl.*
διακονικά the bidding prayer
diaconica -ics *Eccl.*
διακονικόν the deacon's place
diakonikon *Gr. Ch.*
or diaconicon -um
διάκονος (N.T.)
deacon
al ate ess hood ry ship
diaconal -ate *Eccl.*
diacre
subdeacon(ry ship
subdean(ery
subdiaconal -ate
διακοπή a gash
diacope *Gram. Surg.*
διακρίνειν to separate
diacrinous *Anat.*
διάκρισις separation
Diacrisia *Ent.*
diacrisiography *Med.*
diacrisis *Path.*
διακριτικός (Plato)
diacritic(al(ly
διαλέγειν to pick out
Dialeges *Ent.*
διαλεκτική (Plato)
dialectic(s
ian ism
διαλεκτικός (Plato)
dialectic(al(ly
διάλεκτος (Dion. H.)
dialect
al(ly ality ize
dialectologer
dialectology -ical -ist
subdialect
transdialect
διάλιθος set with precious stones
Dialithus *Ent.*
διαλλαγή difference
diallage *Rhet.*
diallage *Min.*
-ic -ite -oid -on
διάλληλον = διάλληλος
diallelon *Logic*
διάλληλος argument in a circle (Sext. Emp.)
diallel *Bot.*
diallelus -ous *Logic*
διαλογή "selection"
calciodiallogite *Min.*
dial(l)ogite *Min.*
luodiallogite *Min.*
διαλογίζεσθαι to argue
dialogize
διαλογικός (Dem. Phal.)
dialogic(al(ly
διαλογισμός (Plato)
dialogism
διαλογιστικός (Plut.)
dialogistic(al(ly
necrodialogistical
διάλογος (Plato)
dialog(ue
dialogist
dialogous
prodialogue

διαλύειν to disband
dialy-
carpel *Bot.*
carpic-ous *Bot.*
desmy *Bot.*
neurosis *Path.*
neury -ous *Path.*
petalae -ous *Bot.*
phyllous *Bot.*
sepalous *Bot.*
staminous *Bot.*
stely -ic *Bot.*
διάλυσις dissolution
dialysis
-dialysis *Med.*
corectome core(tome) cyclo electro encephalo gastro histo iridectomeso irido iridome(so) litho staphylo uretero uro
dialyze *Chem.*
-able -ate -ation -ator -er
electrodialyze(r *Chem.*
nondialyzable *Chem.*
διαλυτικός (Hipp.)
dialytic(ally *Mat. Med.*
histodialytic *Path.*
lithodialytic *Surg.*
διάλυτον = ἀσύνδετον
dialyton *Rhet.*
διάλυτος dissolved
mesodilyte *Min.*
διάμβουλον
diamboulon *Gr. Ch.*
διαμετρικός
diametric(al(ly
isodiametric(al *Bot. Crystal.*
διάμετρος (Plato)
diameter
diametral(ly
monodiametral *Math.*
semidiameter
tridiametral
διαμόρων from mulberries
diamoron *Old Pharm.*
διαμόρφωσις (Plut.)
diamorphosis *Crystal.*
διαμότωσις (Orisbas.)
diamotosis *Surg.*
διάνδιχα two ways
Diandichus *Ent.*
διανοητικός intellectual
dianoetic(al(ly *Logic*
διάνοια intelligence
dianoialogy -ical *Phil.*
διανομή distribution
decadianome *Math.*
dianome *Math.*
octodianome *Math.*
διάπασμα a scented powder
diapasm
διαπασῶν (Plato)
diapase -on
-diapason *Music*
bis dis hyper hypo semi tetra tri tris
electrodiapason
διάπεντε (Plut.)
diapente *Music*
-diapente
epi hemi hyper hypo semi sub
διαπήδησις an oozing through the tissues (Hipp.)
diapedesis &-etic *Path.*
διάπλασις the setting of a limb (Galen)

diaplasis -ic *Surg.*
διαπνοή perspiration (Galen)
diapnoe -oic *Path.*
diapnotic *Path.*
διαπόρησις perplexity
diaporesis *Rhet.*
διαπρό right through
Diaprosomus *Ent.*
διαπύησις suppuration
diapyesis *Path.*
διαπυητικός (Galen)
diapyetic *Path.*
διάρθρωσις (Arist.)
amphidiarthrodial *Anat.*
amphidiarthrosis *Anat.*
diarthrosis *Anat. Ent.*
διαρρεῖν to flow through
diar(a)emia *Path.*
diarrhaemia *Vet.*
διάρροδον of roses (Galen)
diarhodon
διάρροια (Hipp.)
diarrh(o)ea *Med.*
-(o)eal -(o)eic -(o)etic
hematodiarrhea *Path.*
logodiarrhea
septodiarrhoea *Med.*
Διάσια (Ar.)
diasia *Ath. Fest.*
διασκευάζειν to revise
diask(*or* c)euasis *Rhet.*
διασκευαστής reviser
diaskenast *Rhet.*
διάσπασις a tearing asunder
diaspasis *Bot.*
διασπαρακτός torn to pieces
Diasparactus *Pal.*
διασπορά dispersion
diaspora *Eccl. Hist.*
diasp(o)re *Min.*
diasporite *Min.*
diasporo-
gelite *Min.*
meter *Arts*
διάσπρος pure white
diaper(ing
endiaper
διάστασις separation
-ase *Biochem. Org. Chem.*
aden aldeh(yd) aldehydr allantoin amygdal(in) amyl antiamyl antityrosin antiure arbut argin auxoamyl auxoure biogen butyrin carbolig carboxyl case catechol cell chlorophyll choler cholester chym coal coisomer collagen connectiv coreduct cryost cynar cyst cyt cytocoagul deamin dehydr(at) dehydrogen desmol dismut echidn ectopept elastin endotrypt erept eskul ferr fructosucr galact galactoraffin gaulther gluc glucosid glucosucr glutin glucerophosphat glioxa(*or* y)l gynocard hadrom h(a)em hemicellut hex hist(id) hydrol inul invert iodur isat isomer ketonaldehydemut ketoreduct kin

-ase Cont'd
lacc lact(ol) lecith(in) lichen lin lip(oid) lucifer malt mannan manninotri melezit mucin myrosin nucle ole opi oxid oxidoreduct oxyd oxygen oxynitril oxypurin pan pect(in) pectosin pept(id) perhydrid periodid phenol philocatal phosphat phosphonucle phyt plasm poly popul(in) primever(osid) proinvert prote prun purpur pyocyan revert sacchar salic(in) salicyl saligenin sicul sinigrin sperm sulfat synapt synthe takamalt takasucr tetranucleotid thromb transport trehal tributyr(in) tryp(t) typh tyrosin ur(e) uric vitell xer xylan zym
-biase *Biochem.*
cello gentio meli strophantho
-cytase *Biochem.*
macro micro oo philo
-dextrinase
achroo amylo
diasta(*or* o) for *Textiles* (*T.N.*)
diastalin *Mat. Med.*
diastase -ic *Chem.*
-diastase *Biochem.*
actino ameba(*or* o) anti lipo peroxy rhamno taka
diastasemia *Med.*
diastasimetry *Chem.*
diastasis *Path.*
-diastasis *Med.*
blepharo core myelo myo osteo splanchno
diastimeter *Chem.*
glucasine *Prop. Rem.*
-kinase *Biochem.*
entero eu oro pancreato pro staphylo thrombo
-lipase *Biochem.*
anti entero hemo pancreato sero taka
lipaseidin(e *Bot.*
lipasuria *Path.*
-oxidase *Chem.*
en(do) (o)en indophenol per polyphenol xanthino
oxydases *Bot.*
oxydasis -ic *Biochem.*
phosphatese *Biochem.*
-protease *Biochem.*
anti coli ecto leuc(*or* k)o lympho
-saccharase *Org. Chem.*
di taka visco
urasol *Chem.*
-zymase *Chem.*
antho apo co galacto lecimicro lecitho moro nephro phaco zytho
zymasic *Biochem.*
διασταλτικός (Aristid.)
diastaltic *Mus.*
διαστατικός separative
diastatic(al(ly *Biochem.*
διάστατος split up
diastatite *Min.*
Diastatotropis *Ent.*
Diastopora *Helm.*
-id(ae -oid

Eudiastatus *Pal.*
διαστέλλειν to expand
Diastellopterus *Ent.*
διάστημα an interval
Brachydiastematherium
diastem(a *Music*
diastema *Cytol. Zool.*
diastemato- *Med.*
crania myelia pyelia
ophthalmodiastimeter
διαστηματικός (Aristox.)
diastematic *Anat. Mus. Zool.*
διαστολεύς an instrument for opening sores
Diastoleus *Ent.*
διαστολή dilatation
bradydiastole *or* -ia *Med. Physiol.*
corodiastole *Ophth.*
diastole *or* -y -ic *Gram. Physiol. Pros.*
Diastolinus *Ent.*
-diastolic *Physiol.*
holo mero meso post pre pseudo tele
diastoloscope *Optics*
hyperdiastole *Physiol.*
διαστροφή distortion
diastrophe -ic -ism *Geol.*
διάστροφος distorted
Diastrophus *Ent.*
διάστυλος (Vitruv.)
diastyle *Arch.*
Diastylis *Crust.*
-id(ae -oid
διασυρμός ridicule
diasyrm *Rhet.*
διάσχισις a cleft
diaschisis *Neurol.*
διάσχισμα
diaschisma *Path.*
διάτασις dilatation
diatasis *Surg.*
διατείνειν to stretch
Diatinostoma *Pal.*
διατεσσάρων (Plut.)
diatessaron *Music*
-diatessaron *Music*
epi hyper hypo semi sub
διατμέειν to evaporate
Diatmetus *Ent.*
διάτομος = διχότομος
diatom(a *Bot.*
aceae acean aceoid aceous ean iferous in(e ist ite ous
diatomaniac
diatomoscope
diatomphile *Bot.*
διατονικόν (Aristid.)
diatonic(al(ly *Music*
διάτονος -ον (Dion. H.)
diatonous -ism *Music*
διατριβή occasion for dwelling on a subject (Arist.)
diatribe -ist
διατρυπᾶν to pierce
diatrype -aceae *Mycol.*
διατύπωσις (Longinus)
diatyposis *Rhet.*
διάυλος a double course
diaulic *Gr. Ant.*
diaulos *Music*
διαφαίνειν to show through
Diaphanella *Malac.*
διαφανής transparent
adiaphanous

aerodiaphanometer
centradiaphanes *Path.*
diaphane *Anat. Art.*
diaphaneity
diaphanic
diaphanous(ly ness
diaphano-
graph
meter
metry -ic *Chem. Med.*
pterites *Zool.*
pteroidea *Pal.*
scope *Photog.*
scopy
soma *Pal.*
type *Photog.*
diaphant *Med.*
electrodiaphane -y *Med.*
gastrodiaphane -y *Med.*
gastrodiaphanoscopy
ophthalmodiaphanoscope *Ophth.*
radiodiaphane *Radiog.*
semidiaphanous -eity
undiaphanous
διαφέρειν to carry across
diapherin *Chem.*
diaphery *Bot.*
διαφθείρειν to destroy
diaphth- *Chem.*
erin ol
διαφθορά blight, destruction
aerodiaphthoroscope
διαφόρησις perspiration
diaphoresis *Med.*
-diaphoresis
eu hemi
διαφορητικός (Galen)
diaphoretic(al *Med.*
διαφορία difference
anosodiaphoria *Med.*
διάφορος different
diaphoric *Math.*
diaphorite *Min.*
Diaphorus *Ent.*
hemerodiaphorous *Bot.*
isodiaphore *Meteor.*
διάφραγμα (Plato)
costodiaphragmitis *Path.*
diaphragm(a *Anat. Bot. Conch. Mech.*
al atic(ally
(at)algia *Path.*
(at)itis *Path.*
(at)ocele *Path.*
odynia *Path.*
-diaphragmatic
infra sub supra
διάφυσις a growing through
diaphysary *Anat.*
diaphysis -ial *Anat. Bot.*
diaphysitis *Path.*
διαφωνία (Plato)
diaphony *Music*
διάφωνον
adiaphon(on *Music*
διάφωνος dissonant
diaphonic(al
diaphonics
διαχάλασις (Hipp.)
diachalasis *Med.*
διαχάσκειν to yawn
diachastic
διάχυλος very juicy
diachylon -um *Med.*
διαχωρέειν to pass through
diachorial
διαχώρημα (Hipp.)
diachorema *Med.*
διαχώρησις (Arist.)

diachoresis *Med.*
διαχωρητικός (Hipp.)
diachoretic
διάψαλμα = Selah
diapsalm *Hist. Music*
δίβαμος on two legs
Dibamus *Herp.*
-id(ae -oid
διβολία a garment doubled and thrown over the shoulders
Dibolia *Ent.*
δίβραχυς of two shorts
dibrach(ys *Pros.*
διγαμιά a second marriage (Tertull.)
digamy -ist
δίγαμμα the letter F
digamma *Gram.*
-ate(d -ic
δίγαμος twice married
digamous
δίγλυφος (Greg. Nyss.)
diglyph *Arch.*
δίγλωσσος double-tongued
Diglossa *Ornith.*
-an -inae -ine
diglossia *Terat.*
diglossism -ist
diglossy *Geol.*
δίγλωττος = δίγλωσσος
diglot
diglottic
diglottism -ist
δίγνωμος of two minds
Dignomus *Ent.*
διδακτικός apt at teaching (Philo)
didactic
al(ly ian ism ity
didactics
syndidactic
διδακτός taught
didactive
δίδαξις instruction
tachydidaxy *Educ.*
διδασκαλία (Plato)
didascaly *Gr. Drama*
διδασκαλίαι (Arist.)
didascaliae *Gr. Drama*
διδασκαλική (Plato)
didascalics
διδασκαλικός (Plato)
didascalic
διδάσκαλος a teacher
didascalar
didascalos
διδαχή doctrine (Eus.)
Didache -ist *Eccl.*
didachographer
δίδραχμον (Sept.)
didrachm(on a *Num.*
Διδυμαῖον (Plut.)
Didymaeum *Gr. Temples*
Διδύμεια
Didymaea *Gr. Fest.*
διδυμο- Comb. of δίδυμος
didymo-
bothrium *Helm.*
clone *Spong.*
helix *Bact.*
lite lith *Min.*
sporae *Fungi*
zoon(idae *Helm.*
δίδυμος a twin
didotomy
didymalgia *Path.*
Didymaspis *Pal.*
didymate(d

didymiferous *Min.*
didymim *Chem. Med.*
Didymist -ite
didymite *Min.*
didymitis *Path.*
didymium *Chem.*
didymodynia *Med.*
didymoid *Bot. Zool.*
Didymonycha *Ent.*
Didymops *Ent.*
didymous *Bot. Zool.*
didymus *Anat.*
-didymus *Terat.*
ana(cata) atlanto cata cranio crypto dero gastro hetero hypogastro ischio laparomono mio opo pygo somato spondylo thoraco(gastro) vertebro xipho
-dymia *Terat.*
cephalo ischio somato spondylo sterno vertebro
-dymium *Chem.*
glauco neo pras(e)o
-dymus *Terat.*
cephalo dero mio opo pso spondylo sterno triinio
epididymite *Min.*
eudidymite *Min.*
Hyalodidymae *Bot.*
neodidymium *Chem.*
paradidymis -ial *Biol.*
perididymis *Anat.*
perididymitis *Path.*
Phaeodidymae *Fungi*
polydymite *Min.*
praseodymate *Chem.*
sychnodymite *Min.*
xiph(o)dyme *Terat.*
Δίδω (Strabo)
dido
didonia(l *Geom.*
διεζευγμένων
diezeugmenon *Music*
διέκτασις a stretching
diectasis *Pros.*
διέξοδος a way out
Diexodus *Pal.*
δίεσις a discharge; a semitone
Diesia *Ent.*
diesis *Music Print.*
διήγησις (Plato)
diegesis *Rhet.*
διήρης
dieres *Gr. Naval Arch.*
διθελής with two volitions
dithelism -ite *Theol.*
διθυραμβικός (Dion. H.)
διθύραμβος (Pindar)
dithyrambic *Pros.*
dithyramb(us ist
δίθυρος with two doors
dithyra
Dithyracaris *Pal.*
dithyrous *Mech.*
δίιαμβος (Heph.)
diiamb(us *Pros.*
Δι(ι)σωτήριον
diisoteria *Gr. Ant.*
δικαιολογιά (Arist.)
dicaeology *Rhet.*
δίκαιος just, perfect
Dicaeum *Ornith.*
-aeid(ae -aeoid
dikaios *Gr. Ch.*
δικαστήριον court
dicastery *Gr. Ant.*
δικαστής a judge

dicast *Law*
δικαστικός (Xen.)
dicastic *Gr. Ant.*
δίκελλα a mattock
Dicellacephalus *Pal.*
dicellate -a *Zool.*
Dikellocephalus
δίκεντρος with two stings
Dicentra *Bot.*
dicentrin(e *Org. Chem.*
δίκερας (-ατος) a double horn
Dicerus -atidae *Pal.*
Diceratops *Pal.*
Diceratosaurus *Pal.*
Pterodicera *Ent.*
δίκερως two-horned
Dicereopygus *Ent.*
dicerous
δικέφαλος two-headed
dicephalism -ous -us
δίκη justice
atheodicy *Phil.*
ethnodicy
theodic(a)ea *Phil.*
theodicean
theodicy *Phil.*
δικήριον
dicerion *Eccl.*
δικλίδες folding doors
Diclidia *Ent.*
dicliditis *Path.*
typhodicliditis *Path.*
δικόνδυλος double-knuckled (Arist.)
Dicondylus *Ent.*
-ia(n -ic
δικότυλος (Sotad.)
dicotyl(ae -ous *Bot.*
Dicotyles *Mam.*
-id(ae -iform(ia -inae -ine -oid -ous
δίκραιος forked
Dicraeodon *Ent.*
Dicraeosaurus *Herp.*
Dikraeosaurus *Pal.*
δίκρανος two-headed
Dicrania *Ent.*
dicrano-
branchia *Conch.*
-iata -iate
ceras *Anat.*
cnemus *Ent.*
phyma *Ent.*
pleura -ous *Herp.*
pteris *Bot.*
Dicranoncus *Ent.*
Dicranum *Bot.*
-aceae -aceous -oid
δίκροος bifurcate
dicr-
olene *Ich.*
ostonyx
urus *Ornith.*
-id(ae -inae -oid
dicro-
chile *Ent.*
c(o)eliasis *Path.*
coelium *Helm.*
mita *Ich.*
myocrinus *Pal.*
δίκροτος beating double
dicrotic -ism -ous
-dicrotic *Physiol.*
hyper hypo post pre super
dicrotus *Gr. Naval Arch.*
hyperdicrotous -ism
hypodicrotous
katadicrotism
Δικταῖος (Callim.)
Dictaean *Geog.*

δίκταμνος (Diosc.)
dictamnin(e *Org. Chem.*
dictamnolactone *Chem.*
Dictamnus *Bot.*
dittander *Bot.*
dittany *Bot.*

δικτός thrown
Dictomyia *Ent.*

δικτυο- Comb. of δίκτυον
dictyo-
calamites *Pal.*
ceratina *Spong.*
conus *Protozoa*
cysta -idae *Zool.*
dendron *Pal.*
desmic *Ferns*
drome -ous *Bot.*
gen(ae -ous *Bot.*
graptus *Pal.*
merostelic *Ferns*
myia *Ent.*
nema *Pal.*
phloios *Pal.*
phora -ida *Ent.*
phyllum *Pal. Bot.*
phyton *Pal.*
pora *Coel.*
ptera(n *Ent.*
pteris *Bot.*
pyge *Ich. Pal.*
siphon *Bot.*
spongia -idae *Zool.*
sporae *Mycol.*
sporangium *Bot.*
stele -ic -y *Bot.*
xylon *Pal. Bot.*
hydrodictiotomy *Ophth.*
Palaeodictyoptera (n *Ent.*
Stenodictyoneura *Pal.*

δίκτυον a net
Actinodictyon *Pal.*
Athymodictya *Pal.*
Ceriodictyon *Pal.*
Clathrodictyon *Corals*
Cystodictya -yonidae
Dictyaster *Pal.*
dictydin *Chem.*
Dictydium *Bot.*
Dictyna -id(ae *Arach.*
dictyoid *Fungi*
dictyoma *Tumors*
dictyonal *Spong.*
-ina -ine
Dictysomorphus *Ent.*
eriodictyol *Org. Chem.*
eriodictyon *Bot.*
homoeriodictyol *Chem.*
Hoplodictya *Ent.*
Hyalodictyae *Fungi*
Hydrodictyon(eae *Bact. Bot.*
hymenodictyin *Chem.*
Hymenodictyon *Bot.*
hymenodictyonin(e
Ileodictyon *Fungi*
isodictyal
Phaeodictyae *Bot.*
pleurodictyum
Pseudodictya *Ent.*
sarcodictyum *Prot.*
xanthoeriodiol *Org. Chem.*

δίκτυς (Herodotus)
Ophiodictys *Echin.*

δικτυωτός reticulate
dictyot- *Bot.*
(ac)eae aceous ales
dictyotic *Zool.*

δίκυκλος two-wheeled
dicycle -ist
dicyclic *Chem. Echin.*
dicycly -ic *Bot.*

δίκωλος with two clauses
dicolon(ic *Pros.*

δίλημμα (Suid.)
dilemma
-atic(al(ly -ic -ist

διλογία repetition
dilogy -ical

δίλοφος double-crested
diloph(ous *Sponges*

διμερής bipartite
Dimera(n -ous *Ent.*
dimere *Spong.*
Dimerellidae *Pal.*
dimeric *or* -ous -ism *Bot.*
dimeristele -ic *Bot.*
dimero-
somata -ous *Arach. Ent.*
sporium *Bot.*
dimery

δίμετρος (Heph.)
dimeter *Pros.*

δίμορφος two-formed
dimorph(a *Ent.*
Dimorpha *Ornith.*
dimorphic
dimorphism *Bot. Crystal. Philol. Zool.*
dimorphite *Min.*
Dimorphodon *Pal.*
dimorpho-
biotic *Med.*
ceratidae *Pal.*
Dimorphomyrmex *Pal.*
stylis *Crust.*
dimorphy -ous *Bot.*
isodimorphism *Crystal.*
-ic -ous

Δινδυμηνή Epithet of Cybele
dindumene
Dindumenidae *Pal.*

δινητός whirled round
Dinetus *Ent.*

δίνη = δῖνος
Leptodinae *Pal.*
oticodinia *Path.*

δῖνος a whirling
antidinic(al *Med.*
Atelodinium *Protozoa*
Dinarpis *Ent.*
dinic(al *Med.*
Dinidorites *Pal.*
Dinifera -ida -idous *Prot.*
Dinilysia *Pal.*
dino-
crinus *Pal.*
cystis *Pal.*
flagellata -ate *Infus.*
gnathus *Pal.*
huys *Pal.*
math *Path.*
philus *Zool.*
-ea -idae
prora *Ent.*
dinus *Path.*
Endodinium *Prot.*
Nematodinium *Prot.*
Pachydinium *Prot.*
Philodina *Helm.*
-id(ae -oid
Protodinifer(idae *Prot.*
Pterodina -idae *Zool.*
Rhopalodina *Echin.*
-id(ae -oid
Torodinium *Prot.*

δ(ε)ῖνος a goblet
dinos *Archaeol.*

δίξοος forked
Dixa -id(ae *Ent.*

Διογένης (Diog. L.)
Diogena *Orth.*
Diogenes(crab *Crust.*
Diogenescup
Diogenic(al(ly
Diogenidium *Crust.*
Diogenize
Diogenodonta *Zool.*

δίοδος passage
diodange -ium *Bot.*
diode *Bot. Elec.*
diodo- *Bot.*
gone phytes
heterodiody *Bot.*
isodiode -y *Bot.*
macrodiode -ange *Bot.*
microdiode -ange *Bot.*

διοιδεία
dioidia *Bot.*

διοίκησις (Eccl.)
archdiocese -an *Eccl.*
diocese -al -an *Eccl.*
diocesiarch *Eccl.*

Διομήδης (Il.)
Diomed(es *Myth.*
Diomedea *Ornith.*
-einae -eine -id(ae -(e)oid

Διονυσία
Dionysia(n *Ath. Fest.*

Διονυσιακά (Nonnus)
Dionysiacs

Διονυσιακός (Arist.)
Dionysiac(al(ly

Διόνυσος
Dionysian *Eccl.*

διοξειῶν (Plut.)
dioxia *Music*

διοπτεύειν to see into
dioptase -ite *Min.*

διοπτήρ = διόπτρα
diopter *Math.*

διόπτρα = διαστολεύς
dioptra -al
dioptrate *Ent.*
dioptron *Surg.*
dioptry *Surg.*

διοπτρικά (Plut.)
catadioptrics
dioptrics *Optics*

διοπτρικός (Strabo)
catadioptric(al *Phys.*
dioptric(al(ly *Phys.*
dioptro- *Ophth.*
meter metry scopy

διορᾶν to see through
diorama -ic

διόρθωσις amendment
diorthosis

διορθωτικός corrective
diorthotic
myopodiorthoticon

διορίζειν to distinguish
diorite -ic *Geol.*
-diorite *Petrol.*
grano hemi meta pseudo

διορισμός distinction
diorism *Math.*

διοριστικός (Sext. Emp.)
dioristic(al(ly

δίορος a divider
Diorus *Ent.*

διορυκτής a digger
Dioryctus *Ent.*

Διός Gen. of Δίς
Diosma *Bot.*

Διοσκορίδης
Dioscorea *Bot.*
-eaceae -eaceous
dioscorein -in(e *Chem.*

Διόσκουροι (Herod.)
Dioscuri -ian *Myth.*

διόσπυρος (Theophr.)
Diospyros *Bot.*
-aceae -ales

διότι since
dioti *Obs.*

Διοτρέφης cherished by Zeus (Il.)
dioterephetically
diotrephes
-ian -ic(ly -ist

διουρητικός (Hipp.)
antidiuretic *Biochem.*
diuretic *Med.*
al(ly alness
diuretin *Trade*
phed(i)uretin *Mat. Med.*
scillidiuretin *Org. Chem.*

διουρεῖν to pass urine
diuresis *Path.*
diurism *Path.*
hyperdiuresis *Path.*

Διόφαντος
Diophantine *Math.*

διπλάζειν to double
diplazium *Bot.*

δίπλαξ a double-folded mantle
Diplax *Ent.*
diplax *Gr. Dress*

διπλασιασμός (Eust.)
diplasiasmus *Gram. Rhet.*

διπλάσιον double
diplasic *Pros.*
ion *Music*
disdiplasion

διπλῇ twice over
diple *Palaeog.*

διπλάσιος double
diplasy *Bot.*

διπλήσιος double
Diplesioceras *Malac. Pal.*
Diplesion *Ich.*

διπλο- Comb. of διπλόος
diplo-
albuminuria *Med.*
bacillus
bacteria *Bact.*
biont(ic *Bot.*
blastic *Embryol.*
blastica *Zool.*
cardia *Med.*
cardiac *Physiol.*
caulescent *Bot.*
caulia *Pal.*
cephalia *Terat.*
-ous -us -y
chaetes *Pal.*
chlamydeae -eous *Bot.*
choanitic *Zool.*
cocc(a)emia *Path.*
coccal -ic *Med.*
coccus -oid *Bact.*
conical *Geom.*
conus *Radiol.*
coria
cyte -ic *Cytol.*
docus -odontidae *Pal.*
doxy
gamete *Cytol.*
gangliata -iate *Zool.*
genesis *Biol. Terat.*
genetic *Biol.*
genic
glossa -ate *Herp.*
glossata *Ent.*
gonoporus *Helm.*
gram *Med. App.*
graph *Arts*
graphy -ic(al(ly
graptus *Pal.*
harpus *Ent.*
hedron -al *Geom.*
ite *Min.*
lepariae *Ent.*
lophus *Pal.*
mellituria *Med.*
morpha -ic *Zooph.*
myelia *Terat.*
diplo- Cont'd
mystus *Ich.*
-id(ae -oid
nasty *Bot.*
nephra *Ent.*
nephridium *Anat. Zool.*
neura *Zool.*
neural *Anat.*
nympha *Zool.*
peristomi *Bot.*
-ic -ous
phase *Bot. Cytol.*
phoneus *Ornith.*
phonia *Path.*
phyll *Bot. Ecol.*
physa *Zool.*
placula(r -ate *Biol.*
pnoi *Ich.*
pod(a -ic -ous *Ent.*
pore -ita -ite *Zool.*
prion(tidae *Ich.*
ptera *Ent.*
-idae -oidea
pterus *Ornith.*
-inae -ine -ous
pterotesta *Pal.*
pteryga -ous *Ent.*
sal *Mat. Med.*
scope *Ophth.*
som(at)ia *Terat.*
some *Cytol.*
somus *Ascid.*
-id(ae -oid
sphene -al *Pal.*
spire *Conch.*
spirellinae *Pal.*
spondyli *Ich.*
-ic -ism -ous -y
sporangiate *Bot.*
spore *Bot.*
stemony -ous *Bot.*
stenopora *Pal.*
stephanous *Bot.*
stic *Bot.*
stichous *Bot. Zool.*
stix *Ent.*
streptococcus *Path.*
stylus *Pal.*
syntheme *Rhet.*
tegis -ium *Bot.*
tene *Cytol.*
teratology *Terat.*
thecta *Ent.*
tmema *Bot.*
tropis *Ent.*
trypina *Pal.*
xylic -oid -ous *Bot.*
zona *Ent.*
zoon *Zool.*
Neodiplogaster *Helm.*
obdiplostemonous -y *Bot.*

διπλόη a fold
diploe -o(et)ic *Anat. Bot.*

διπλοΐδιον Dim. of διπλοΐς
diploidion *Gr. Ant.*

διπλοΐς a cloak
diplois *Gr. Ant.*

διπλόος double
dipl-
acanthid(a *Echin.*
acanthus *Ich.*
-id(ae -oid
ac(o)usia *Psych.*
adenia *Bot.*
agnostus *Pal.*
antidian *Astron.*
arthra -ous *Mam.*
arthry *or* -ism -ous
eidoscope *Astron.*
odal *Zool.*
odia *Mycol.*
odus *Ich.*
-onta -ontidae
oid(al *Biol. Crystal.*

-diploid
di octo syn tetra
diplopia -y -ic *Ophth.*
-diplopia *Ophth.*
(amph)amphotero am-pho mono
diplopiometer *Ophth.*
δίπλωμα (Plut.)
diploma
diplomacy
diplomat
ic(al(ly ico ics ism ist ize
diplomatology
paradiplomatic
δίπλωσις a compounding of words
diplosis *Alchemy*
Stephodiplosis *Ent.*
δίπνοος with two breathing apertures (Galen)
Dipnoa *Herp.*
-oan -oid -oous
Dipnoi *Ich.*
protodipnoan *Ich.*
Syndipnomyia *Ent.*
διποδ- Stem. of δίπους
dipode *Zool.*
dipodic *Pros.*
Dipodomys *Mam.*
-yian -yinae -yine
l(a)emodipod(a(n *Crust.*
l(a)emodipodous -iform
διποδία (Longinus)
dipody *Pros.*
Διπόλ(ε)ια (Ar.)
Di(i)pol(e)ia *Ath. Fest.*
δίπους two-footed
Dipus *Mam.*
-odid(ae -odine -odoid
διπρόσωπος two-faced
diprosopia *Terat.*
diprosopus *Terat.*
δίπτερον Neut. of δίπτερος
dipteron
δίπτερος with two wings
Ch(e)ilodipterus *Ich.*
-id(ae -oid
Ctenodipterini *Ich.*
-idae -inae -ine
Diptera *Zool.*
diptero-
carp
carpal *Org. Chem.*
carpone *Org. Chem.*
carpophyllum *Pal.*
cecidium
logy -ical -ist *Ent.*
phora *Pal.*
dipteroid(ei *Ich.*
dipteros *Arch.*
dipterous *Bot. Ent.*
Dipterus *Ich.*
glyptodipterine -i *Ich.*
Saurodipteridae & -ini
δίπτυχα (Socr.)
diptych(s
δίπτωτος (Apoll.)
diptote *Gram.*
δίπυλον (Polybius)
dipylon *Arch.*
διπύρηνος (Galen)
dipyrenous *Bot.*
Διρκαῖος of Dirce
Dircaea *Bot. Ent.*
Dirc(a)ean *Gr. Ant.*
Δίρκη (Pindar)
Dirca *Bot.*
δίσημος (Aristid.)
diseme -ic *Pros.*

δίς doubly, twice
dis-
acrone *Chem.*
acryl *Chem.*
aulax *Ent.*
azo- *Chem.*
chromatopsy
diaclasis *Optics*
diaclastic *Anat.*
diapason *Music*
diplasion
dodecahedroid *Math.*
epholcia *Ent.*
hexacontahedroid
ippus *Ent.*
ommatus *Ent.*
ophrys *Ent.*
orygma *Ent.*
phosphate *Chem.*
sorophidae *Pal.*
phenoid
symmetry -ic(al(ly
temnostoma *Malac.*
toc(*or* k)ia *Gynec.*
trix *Path.*
trophy *Bot.*
typsidera *Ent.*
dypnone *Org. Chem.*
dypnopinacol *Org. Chem.*
-ene -in -one
δισκο- Comb. of δίσκος
disco-
blastic -ula *Emb.*
campyli -ous *Zool.*
carp(ium -ous *Bot.*
cellular *Ent.*
centrus *Ent.*
cephal(i -ous *Ich.*
cytis *Zool.*
cytula *Emb.*
dactyl(a *Morph.*
dactyle
dactyli *Herp.*
dactylous
depula *Emb.*
derminae *Pal.*
gastrula *Emb.*
glossus *Herp.*
-id(ae -oid(ea
helix *Zool.*
hexact(ine *Spong.*
hexaster *Spong.*
lichen(es *Bot.*
lith *Bot. Geol.*
loma *Ent.*
medusa *Zooph.*
-ae -an -oid
mo(ne)rula *Emb.*
myces *Med. Mycol.*
mycete(s -ous *Mycol.*
mycosis *Path.*
nect(ae -ous *Zooph.*
peripheral
placenta(l -ation
alia(n *Mam.*
plankton *Biol.*
planula *Emb.*
plasm *Physiol.*
poda -ous *Conch.*
podium *Bot.*
porella -idae *Zool.*
pyge *Ich.*
rhabd *Spong.*
soma *Zooph.*
-(at)idae
sphinctes *Pal.*
stomata -ous *Prot.*
tarbus *Pal.*
δισκοβόλος disk-thrower
discobole *Ich.*
-i -ic -ous
discobolos -us *Cl. Ant.*
δισκοειδής quoit-shaped
discoid(al
Discoida *Zool.*

Discoidea -es *Echin.*
Discoideae -ean *Zooph.*
Holcodiscoides *Malac.*
Lytodiscoides *Helm.*
metadiscoidal *Emb.*
Pachydiscoides *Malac.*
Paraphaenodiscoides
postdiscoidal *Ent.*
subdiscoidal *Ent.*
δίσκος a quoit; a disk
adiscalis *Bot.*
Adiscota *Ent.*
amphidisc(us *Spong.*
amphidisk *Spong.*
Archidiskodon *Mam.*
blastodisk *Emb.*
Cephalodiscus -idae *Zool.*
Cladodiscus *Ent.*
Coccodiscus -idae *Prot.*
Coscinodiscus *Prot.*
Ctenodiscus *Echin.*
Cyclodiscaria(n *Prot.*
dais
discachatae *Min.*
discal
Discalia -idae *Zool.*
disci-
ferous form gerous
Discida *Infus.*
discin *Chem.*
Discina *Conch.*
-aceae -id(ae -isca -oid
discitis *Path.*
discoctaster *Spong.*
disconanth(ae -ous
disconula *Zool.*
discous *Bot.*
discus
-discus *Pal.*
Eo Lebeto Micro Plecto Pleuro Spiti Thresh-ero Zoni
dish
cloth clout faced ful rag washer water
disk(less
diskos *Gr. Ch.*
Echinodiscaster *Pal.*
Entodiscalis *Bot.*
Eupachydiscus *Malac.*
gastrodisc(us *Emb.*
interdiscal *Ent.*
Megalodiscus *Helm.*
meridisk *Bot.*
Orthodiscus *Porif.*
Pelecodiscus *Malac.*
Phacodiscaria -ian *Prot.*
pleurodiscous *Bot.*
Protodiscineae *Fungi*
Sacodiscus *Crust.*
subdiscal *Ent.*
trophodisk *Emb.*
δισκοφόρος
Amphidiscophora(n
discophore *Zooph.*
-a(n -ae -ous
δισσο- Comb. of δισσός
disso-
conch *Biol.*
geny *Biol.*
gonous *Physiol.*
gony *Physiol.*
phyte -ic *Bot.*
psalis *Pal.*
pygus *Ent.*
sternus *Ent.*
prodissoconch *Zool.*
δισσός double
Pachydissus *Ent.*
δίστεγος of two stories
distegous *Anat. Ich.*
διστιχία (Galen)
distichia *Ophth.*
δίστιχος (Lucian)
distich *Pros.*

distichal *Echin.*
distichiasis *Ophth. Terat.*
distichic *Bot.*
disticho-
cera *Ent.*
pora -idae *Zool.*
Distichodus *Ich.*
-odontinae
Distichopora -idae *Zool.*
distichous(ly
interdistichal
mondistich
subdistich(ous
δίστομος double-mouthed
distom- *Path.*
atosis ia iasis
distome *Helm.*
-a -atidae -atous -ea(n -eae -ian -id(ae -oid
δισυλλαβία (Schol. Ar.)
dissyllabism
δισσύλλαβος (Dion. H.)
dissyllabic
dissyllabify -ication
dissyllabize
dissyllable
δισχιδής cloven-footed
Dischidia *Bot.*
δισώματος (Diod.)
disomatous
δίσωμος for δισώματος
disomus *Terat.*
διτόκος (Anacreon)
ditokous *Zool.*
δίτονον (Plutarch)
ditone *Musci*
demi- hemi- hyper- hypo- semi-
hyperditonos *Music*
διτρόχαιος (Heph.)
ditrochaeus *Pros.*
ditrochee -ean
διττο- Comb. of διττός
ditto-
gram graph(y
graphic logy
διττός Attic for δισσός
dittobolo *Numis.*
δίτυλος with two humps
Ditylus *Ent.*
διφθέρα "membrane"
antidiphtherin -itic *Ther.*
diphtheria *Path.*
-ial -ian -ic(al -in -itic(al(ly -itis -oid(al
diphtheriolysin *Med.*
diphtherotoxin *Med.*
paradiphtherial -ic *Path.*
postdiphtheritic *Path.*
pseudi(*or* o)diphtheritic
pseudodiphtheria *Path.*
διφθογγίζειν
diphthongize -ation
δίφθογγος (Drac.)
diphthong
al(ly alize ation ia ic ous
δίφορος a chariot
Diphora *Ent.*
διφρηλάτης a charioteer
diphrelatic
δίφρος a seat
diphros *Archaeol. Gr. Ch.*
διφροφόρος (Ar.)
diphrophoros *Gr. Ant.*
διφυής of double nature
Diphucephala *Ent.*
diphy-
acantha *Ich.*
cerce -y -al *Ich.*
genic *Embryol.*
odont(ism *Anat.*

diphy- Cont'd
phyllum *Zooph.*
zooid *Zool.*
Diphyes -id(ae -oid
heterodiphycercal *Ich.*
Διφυσῖται (Patrol. Gr.)
diphysite -ism *Theol.*
Diphysitae *Eccl. Hist.*
δίφυλλος of two leaves (Cosmas)
Diphylla *Zool.*
-id(ae -idea(n
Diphyllidia -iid(ae *Zool.*
diphyllo-
borhtium *Helm.*
cera *Ent.*
Diphyllodes *Ornith.*
diphyllous *Bot.*
διχ- Stem of δίχα
dicamphitriaena *Spong.*
dich-
agnostus *Pal.*
amphitriene *Spong.*
illus *Ent.*
odon(t(id(ae *Mam.*
-ontoid
ogmus *Ent.*
omma *Zool.*
optic *Zool.*
ost *Ich.*
otic *Music*
oxytriaene *Spong.*
δίχα apart; two ways
dicha-
petalum *Bot.*
-aceae -aceous
stasis
διχάς the half, middle
dichas *Meas.*
δίχασις half
dichasium *Bot.*
-ial -iatic
trichasium *Bot.*
διχαστής a divider
dichastic
δίχηλος cloven-hoofed
Dichelest(h)ium *Crust.*
-iid(ae -ioid
Dichelonycha *Ent.*
διχίτων with two tunics
Dichitonida *Conch.*
διχο- Comb. of δίχα
dicho-
blastic *Bot.*
bunus *Mam.*
-e -id(ae -oid
caltrop *Spong.*
carpism -ous *Bot.*
dynamic -ous *Bot.*
gamic -ism *Biol.*
gamy *Biol.*
geny *Biol.*
graptus *Pal.*
leon *Ent.*
lophus -idae *Ornith.*
phyllotriaene *Spong.*
podium -ial *Bot.*
pterous *Ent.*
stasy
triaene -ic *Spong.*
trider *Spong.*
typic *Bot.*
typy *Bot.*
-dichobune *Pal.*
Hyper Proto
-dichogous *Bot.*
a non
-dichogamy *Bot.*
a (di)eco hetero homo non phyto
-dichotriaene *Spong.*
amphimeso micro ortho
δίχορδον (Euphro.)
dichord *Music*

διχόρειος (Longinus)
dichoree -eus *Pros.*
διχοστατέειν to stand apart
Dichostates *Ent.*
διχοτομία (Arist.)
dichotomy *Astron. Biol. Logic*
-al -ic(ally -ist(ic -ization -ize
pseudodichotomy *Bot.*
subdichotomy
-ize -ous(ly
διχοτόμος cut in half
Dichotomoceras *Pal.*
dichotomous(ly
δίχρονος (Sext. Emp.)
dichronous *Pros.*
δίχροος two-colored
dichroic
-oism -oous
dichroin *Chem. Phys.*
dichroistic *Optics*
dichroite -ic *Min.*
dichroscope -ic *Crystal. Optics*
δίψα thirst
anadipsia -ic *Path.*
dipsosis *Path.*
Haema(*or* o)dipsa *Zool.*
oligodipsia *Path.*
δίψας a serpent
Dipsalidictis *Pal.*
dipsas *Myth.*
Dipsas *Herp.*
-idae -inae -ine
δίψακος teasel (Diosc.)
Dipsaconia *Ent.*
Dipsacus *Bot.*
-(ac)eae -(ac)eous
δίψησις a longing
dipsesis *Path.*
διψητικός (Diosc.)
dipsetic *Path.*
διψο- Comb. of δίψος = δίψα
dipso-
mania -iac(al *Path.*
pathy *Med.*
saurus *Zool.*
therapy *Ther.*
διωβελία (Xen.)
diobely *Gr. Ant.*
διώβολον (Ar.)
diobol(on *Num.*
διώκτης a pursuer
Myodioctes *Ornith.*
Διώνη Mo. of Venus
Dionaea *Bot. Ent.*
Dione *Astron. Myth.*
Dionideidae *Pal.*
διώνυμος of two names
dionym(al
διῶρυξ a trench
Diorygomerus *Ent.*
διωρυχή a digging through
Dioryche *Ent.*
δίωσις a pushing asunder
pylorodiosis *Surg.*
δίωτος two-eared
diota *Cl. Ant.*
diotic *Physiol.*
Diotocardia *Zool.*
δνόφος darkness
eudnophite *Min.*
δόγμα (Plato)
dogma
dogmaolatry
dogmatory
δογματίζειν (Diog. L.)
dedogmatize
dogmatize(r -ation
heterodogmatize
δογματικός (Quintil.)
dogmatic
al(ly alness ian ism
dogmatic(al)s
δογματισμός (Epiph.)
dogmatism
δογματιστής (Eus.)
dogmatist
δογματολογιά (Sext. Emp.)
dogmatology
δογματοποιία (Eus.)
dogmatopoeic *Phil.*
δοθιήν a boil (Hipp.)
Dothidia *Bot.*
-eaceae -iaceous -iales
dothien(esia *Path.*
dothienenteria *Path.*
dothi(en)enteritis *Path.*
δοῖδυξ (-υκος) a pestle
Doedicurus *Pal.*
Δοκηταί (Clem. A.)
Docetae *Eccl. Hist.*
-ic(ally -ism -ist(ic -ize
δοκιμασία a scrutiny
docimasia -(ac)y
δοκιμαστής an assayer
Docimastes -ic *Ornith.*
δοκιμαστικός (Epict.)
docimastic(al
δοκιμή a test
docimology
δόκιμος tested
Dokimocephalus *Arach.*
Eudocimus *Ent. Ornith.*
δοκός a beam; a bar
Adocus *Herp.*
-id(ae -oid
Diplodocus -idae *Pal.*
doco-
glossa(n -ate *Conch.*
ptere -i -ous *Ich.*
δολερός deceptive
dolerin(e *Petrog.*
dolerite -ic *Petrog.*
dolerophanite *Min.*
Dolerus *Ent.*
-dolerite *Petrog.*
grano pal(a)eo trachy
δολιο- Comb. of δόλιος
dolio-
myia *Ent.*
vertebra *Pal.*
δόλιος deceitful
Doliops *Ent.*
Dolirhynchops *Pal.*
δολιχ- Stem of δολιχός long
dolich-
ellipsoid *Anthrop.*
onyx *Ornith.*
otis *Zool.*
δολιχαίων long-lived
Dolicaon *Ent.*
δολιχό- Comb. of δολιχός
dolicho-
brachium *Pal.*
cephal(ic *Craniol.*
-ism -ous -us -y
cera -ous *Ent.*
cercic *Anthrop.*
c(*or* k)nemic *Anat.*
derus *Ent.*
dira *Herp.*
facial *Anthropom.*
glossus *Zool.*
hieric
lec(*or* k)anic
mastix *Ent.*
metopinae *Pal.*
dolicho- Cont'd
nema *Cytol.*
pellic *Anthropom.*
pelvic *Anthropom.*
prosopous *Anthropom.*
prosops *Pal.*
rhinus *Pal.*
saurus *Herp.*
-ia(n -id(ae -oid
sigmoid *Anat.*
soma *Pal.*
stenomelia *Med.*
stylous *Bot.*
thrips *Ent.*
tmema *Bryol.*
uranic *Craniol.*
-dolichocephalic
hyper hypsi ortho pan platy sub ultra
-dolichocephaly
hyper hypsi ultra
hyperdolichopellic
hypsidolichocephalism
platydolichocephalous
subdolichocephali -ism -ous *Craniom.*
δολιχοδρόμος (Xen.)
dolichodromos *Gr. Athl.*
δολιχόπους
Dolichopus *Ent.*
-pod(-id(ae -oid -ous)
δόλιχος a kidney bean; the long course in racing
Dolicholus *Bot.*
Dolichos -osis *Bot.*
dolichos *Gr. Athl.*
Dolichus *Ent.*
Urodolichus *Ent.*
δολίχουρος (Drac.)
dolichurus -ic *Pros.*
δολομήδης crafty
Dolomedes -ine *Arach.*
δόλος a bait; wile
adolode *Arts*
δόλοψ one in ambush
Dolops *Ent.*
-dolops *Pal.*
Amphi Ortho Plio Poly Pseudo
δόλωμα a trick
Doloma *Ent.*
δόμος a house
plastidome *Bot.*
δονακο- Comb. of δόναξ
Donacobius *Ornith.*
δόναξ a reed
Donacia *Ent.*
-iid(ae -iinae
donaciform *Zool.*
Donax *Conch.*
-acid(ae -acoid
δόνησις tremor
-donesis *Ophth.*
irido ophthalmo
δονητός shaken
aerodonetics
δόξα opinion; lustre
anthropodoxic
-doxa *Bot.*
Chiono *Oreo.*
-doxa *Ent.*
Phanero Ptilo Torno
doxy
δοξαστιχόν a troparion
doxastichon *Gr. Ch.*
δοξαστικός conjecturing
doxastic
-δοξια as in ὀρθοδοξία
-doxy
a diplo neo
δοξολογία (Orig.)
doxology -ical -ize
-δοξος as in ὀρθόδοξος
-dox
neo pleisto
δορά a hide
Brochodora *Pal.*
doraphobia *Ps. Path.*
Dorasomus *Ent.*
Homalodora *Pal.*
Ischnodora *Ent.*
Leptodora -id(ae *Crust.*
δορκάς roe; gazelle
Antidorcas *Mam.*
Budorcas *Mam.*
-inae -ine
Dorcabune *Pal.*
Dorcadion *Ent.*
Dorcas *Mam.*
dorcastry *Eccl.*
Dorcatherium *Mam.*
Dorcopsis
δόρξ = δορκάς
Dorx *Ent.*
δορός a wallet
Ornithodorus *Ent.*
δόρυ(-ατος) a stem, shaft
Dinidorites *Pal.*
dor *Spong.*
Doratonotus *Ich.*
Dorichthys *Ich.*
Dorosoma *Ich.*
-(at)id(ae -oid
dory-
crinus *Pal.*
gonus *Ent.*
ichthus *Ich.*
laemus
pterus *Ich.*
-id(ae -oid
pygella *Pal.*
rhamphus -inae *Ich.*
sthenes *Ent.*
ichthyodorulite *Pal.*
δορυφόρος spearman
Doryphora *Ent.*
doryphorin(e *Org. Chem.*
doryphoros -us *Gr. Ant.*
doryphory *Astrol.*
δόσις (Galen)
dose -age
dosimeter
-metric(ian
-metry -ist
dos(i)ology
δοτήρ a giver
glaucodot(ite *Min.*
siderodot *Min.*
δουλ(ε)ία service, work
d(o)ulia *Eccl.*
hyperdulia -ic(al -y
iconodule -ic -ist -y
idolodulia
Δουλίχιον (Il.)
Dulichia *Crust.*
-idae -iid(ae -ina -ioid
Dulichium *Ent. Geog.*
δουλοκρατία (Joseph.)
d(o)ulocracy
δοῦλος a slave
Dules *Ich.*
dulotic *Ent.*
Dulus *Ornith.*
-id(ae -inae -ine
δούρειος of planks
Dyrosauridae *Pal.*
δοχεῖον holder
spori(*or* o)dochium
urodochium *Med.*
δοχή "succession"
-dochae *Phytogeog.*
cyrio hepe proto xeno
-doche *Phytogeog.*
hepo
sialodochitis *Path.*
sporodochial
δοχμή a span
dochme *Meas.*
δοχμιακός (Heph.)
dochmiac(al *Pros.*
δόχμιος aslant
dochmiasis *Path.*
dochmiosis *Path.*
Dochmiocera *Ent.*
dochmius *Pros.*
Dochmius *Helm.*
δράβη a cress (Diosc.)
Draba *Bot.*
δράγμα a sheaf
dragma *Sponges*
trichodragma *Sponges*
δράκαινα Fem. of δράκων
Dracaena *Bot.*
δρακόντιον a plant (Theophr.); a tapeworm
dracontiasis *Path.*
Dracontium *Bot.*
δρακόντειος (Eur.)
dracontian
δρακοντο- Comb. of δράκων
draconto-
myia *Ent.*
δράκων a dragon (Il.)
dracin(e
dracina *Chem.*
Draco *Astron. Zool.*
dracoalban *Anat. Chem.*
dracon- *Zool.*
es ia ii ina oides
draconic(al(ly
draconin *Chem.*
draconites *Myth.*
dracon(i)tic *Astron.*
dracunculus *Bot. Zool.*
dragon
dragon
(n)ade ess et head ish ism ize
dragoon age er
seadragon
Δράκων Draco (Arist.)
Draconian(ism
δρᾶμα a play (Ar.); action on the stage (Arist.)
cinemelodrama
drama
dramatism -ist
dramatize(r -able -ation
duodrama
melodram(a -e
atic(al(ly atism atist atize -ic
mimodrama
monodrama -e -atist
philodramatist
photodrama -atist
theodrama
tragodrama
δραματικός (Arist.)
dramatic(s al(ly
-dramatic
hippo lyrico melo mono musico philo photo pseudo semi super un
photodramatics
undramatical(ly
δραματουργία (Luc.)
dramaturgy -ic(al -ist
δραματουργός (Justin. M.)
dramaturge
δράξ a handful
drax *Sponges*
rhabdodrax *Sponges*
δραπέτης a runaway
Drapetes *Ent.*
drapetomania *Ps. Path.*

δράσσομαι to grasp
Drassus *Arach.*
-id(ae -oid(ae
Microdrassus *Arach.*
Palaeodrassus *Pal.*
δραστήριος vigorous
Drasterius *Ent.*
δραστικός (Diosc.)
drastic(ally
?hydrast- *Org. Chem.*
-eine -ic -(in)in(e
-inum -onic
?Hydrastis *Bot.*
δραχμή (Herod.)
drachma -al *Num.*
dodeca- pentaconto-
dram
drinker seller shop
drammage
δρεπάνη a sickle
Drepanaspis *Ich.*
Drepane *Ich.*
-ia -id(ae
Oxydrepanus *Ent.*
δρεπάνιον Dim. of δρέπανον
drepanium *Bot.*
δρεπανίς (Arist.)
Drepanis *Ornith.*
-id(-id(ae -inae -in(e)
-in(e -oid
δρεπανο- Comb. of δρέπανον
drepano-
cerus *Ent.*
cladous *Bot.*
crinus *Pal.*
ptera *Ent.*
δρεπανοειδής (Thuc.)
drepanoid
δρέπανον a scythe
Drepanellina(e *Pal.*
drepanidium *Prot.*
drepaniform
Gonodrepanum *Arach.*
δρέπειν to pluck
Sitodrepa *Ent.*
δρῖλος ? = πόσθη *or* L. verpus
Drilus *Ent.*
Eclipsidrilus *Helm.*
-id(ae -oid
Megalidrili -ic -ous
Microdrili *Helm.*
δριμύς pungent
drimad -ium *Phytogeog.*
drimin -ol *Chem.*
Drimostoma *Ent.*
drimyphilus *Phytogeog.*
Drimyphyta *Phytogeog.*
Drimys *Bot.*
δρίος a thicket
driodad -ium *Phytogeog.*
helodrad -ium *Phytogeog.*
helohydrad *Phytogeog.*
δρομαῖος fleet, swift
Dromaecnemis *Ent.*
dromaeo-
gnathae *Pal.*
-i -ism -ous
pappi -ous *Ornith.*
saurus *Pal.*
Dromaeus *Ornith.*
-aeid(ae -aeinae -aeoid
-aedidae -aiidae
δρομάς (-άδος) running
Droma(s *Ornith.*
-adid(ae -adoid -idae
Dromasauria *Pal.*
Droma(*or* o)theriidae
drome *Ornith.*
dromedare -ian *Obs.*
dromedary -ist
dryodrome -as *Ornith.*

δρομίας a kind of fish
Dromia *Crust.*
-iaceae -iadae -iid(ae
-ioid
δρομικός (Plato)
dromic(al
Dromic *Ent.*
Dromicia *Zool.*
Dromicosaurus *Pal.*
thermodromic
δρομο- Comb. of δρόμος
dromo-
graph
mania *Ps. Path.*
meryx *Pal.*
meter metry
scope
therium *Mam.*
-iid(ae -ioid
dromotropic -ism *Bot. Neurol.*
siderodromophobia
δρόμος a race (course)
aerodrome -ics
airdrome
Ammodromus *Ent. Ornith.*
antidromal *Bot.*
antidromic *Neurol.*
autodrome
catadrome -ous *Ich.*
catan(a)dromous *Zool.*
Choreodromia *Ent.*
crystallodrome
didromic *Bot.*
drome *Aero.*
-drome *Bot.*
acro actino anti brochi(do) campto campylo cheilo craspedo dictyo hypho parallelo paryphy ticho
dromon *Navig.*
Dromornis *Ornith.*
-ornith(-id(ae -oid)
dromos *Archaeol.*
-dromous *Bot.*
acro actino anameta anti brochido campto campylo cata(meta) cheilo craspedo dictyo emprostho endocata exocata hemero hetero hypho meta opistho parallelo plagio
-dromy *Bot.*
anomo anti di hetero
Geodromus -ica(n *Ent.*
h(a)emadrometer -metry
h(a)emadromo- *Med.*
graph meter metry
h(a)emodro(mo)meter
h(a)emodromograph(y
halodrome *Ornith.*
-id(ae -inae -oid
heterodrome *Physiol.*
hydrodrome -ica(n *Ent.*
hyperdromic *Bot.*
isodrome *Meteor. Naval*
kinodrome
Metriodromus *Pal.*
monodrome -ic -y *Math.*
motordrome
Nyctidromus *Ornith.*
Ochthodromus *Ornith.*
Paradromia *Crust.*
Phloeodroma *Ent.*
photodrome -y *Phys.*
picturedrome
pneumadrome
polydrometry *Math.*
polydromic *Math.*
thalassidrome -a *Ornith.*
Thinodromus *Ent.*
Tichodroma -inae -in(e
velodrome

δροσερός dewy
Drosera *Bot.*
-aceae -aceous
droserin *Mat. Med.*
δροσο- Comb. of δρόσος dew
droso-
chrus *Ent.*
meter
phila *Ent.*
phore
phyle *Bot.*
Microdrosophila *Ent.*
Δρυάς (-άδος) (Plut.)
Chalcodrya *Ent.*
dryad *Bot. Myth. Zool.*
Dryades *Ent.*
dryadetum *Bot.*
dryadic *Myth.*
Dryas *Bot.*
Herpetodryas *Herp.*
Larodryas *Ent.*
Pelodryadidae
Xylodryas *Ent.*
δρύινος oaken
Dryinus *Ent. Herp.*
δρυμο- Comb. of δρυμός
drymo-
dytops *Ornith.*
hippus *Pal.*
mys *Zool.*
phytes *Bot.*
δρυμός coppice
Drymoeca *Ornith.*
-drymium *Bot.*
halo hygro thero tropo xero
hygrodrimium *Bot.*
δρυμώδης woody
Drymodes *Bot.*
δρυο- Comb. of δρῦς
dryo-
bates *Ornith.*
copus *Ornith.*
dromas -e *Ornith.*
lestes -idae *Pal.*
myrmex *Pal.*
phantin *Bot.*
phthorus *Ent.*
pithecus *Pal.*
scopus *Ornith.*
δρυοβάλανος an acorn
Dryobalanops *Bot.*
δρυοκοίτης dweller on oaks
Dryocoetes *Ent.*
δρυοπτερίς (Diosc.)
Dryopteris *Bot. Pal.*
-ideae -oid
δρύοψ a woodpecker
Dryops *Ent.*
δρύππα an olive overripe
drupathet *Bot.*
drupe *Bot.*
-aceae -aceous -al -el(et -eole -etum -iferous
drupose *Chem.*
δρύπτειν to strip
Drypta -idae *Ent.*
Dryptosaurus *Pal.*
δρῦς the oak
dryite *Pal.*
Drynaria *Bot.*
Dryophis *Herp.*
-idae -(id)inae -ine
δρυτόμος a woodcutter
Drytomomys *Mam.*
δρῶπαξ (Galen)
dropax *Mat. Med.*
δυ- Stem and comb. of δύο
dy-
blastus *Lichens*
clesium

dy- Cont'd
phone *Music*
ptychosteus *Pal.*
δυαδικός (Plut.)
dyadic(s
δυάκις twice
dyakis- *Crystal.*
dodecahedron -al
hexacontahedron
δυαρχία (Athan.)
duarch(y -ical *Pol.*
δυάς (δυάδος) two (Plato)
dyad
dyadocyte
Δυναμένη a Nereid
Dynamene *Ent. Ornith.*
-δυναμία as in ἀδυναμία
-dynamia *Med.*
hyper hypo myo plasto
δυναμικός efficacious
adynamic(al *Phys. Path.*
aero(hydro)dynamic
androdynamic *Bot.*
antidynamic *Med.*
autodynamic *Mech.*
biodynamic(al
chemicodynamic
cryptodynamic *Phys.*
dichodynamic *Bot.*
didynamic *Bot.*
dyn
dynamic(al(ly
dynamicity *Chem.*
dynamics *Music Phys.*
-dynamics
aero bio cardio cyto electro geo h(a)ema h(a)em(at)o hydro mega myo neuro pharmaco photo phyto pneo psycho radio thermo tropho zoo
electrodynamic(al
extrathermodynamic
gastroadynamic *Med.*
geodynamic(al
h(a)ema(*or* o)dynamic
heterodynamic *Bot.*
homodynamic *Biol.*
hydrodynamic(al
hyperdynamic *Med.*
hypodynamic
isodynamic(al
monodynamic
myodynamic
neurodynamic *Neurol.*
oligodynamic *Phys.*
pharmacodynamic(al
Photodynamic(al
plastodynamic *Biol.*
pneumodynamic *Phys.*
poikilodynamic *Bot.*
polydynamic
psychodynamic
radiodynamic
staticodynamic *Sociol.*
teledynamic
telodynamic *Mech.*
thermodynamic
al(ly ian ist
typhoadynamic
vitodynamic *Biol.*
zoodynamic
δύναμις power, faculty
adynamon -um *Med.*
caenodynamism *Bot.*
carbodynamite *Trade*
didynam(ia y *Bot.*
dinamode *Mech.*
dygogram *Naut.*
dygograph
dyna-
dynactinometer *Mech.*
dynad *Chem. Crystal.*
dynagraph *Mech.*

dynam(e *Mech.*
dynamagnite
dynameter
dynametric(al(ly
dyne *Phys.*
-dyne *Radio*
auto hetero homo neutro superhetero
-dyne *Phys.*
kilo mega micro myria trega
dynamia *Bot.*
dynami(o)meter
dynamism -ist(ic
dynamite
-ard -er -itic(al(ly -ism -ist -ization -ize
dynamize -ation
dynamo
dynamotor *Elec.*
electrodynamism
endodynamorphous *Geol.*
Eudynamis *Ornith.*
h(a)ema(*or* o *or* ato)-dynameter *Med. App.*
homodynamy *Biol.*
ideodynamism *Neurol.*
isodynam(ia ous *Meteor.*
magnetodynamo
monodynamism *Phil.*
multidynamo
myodynamiometer
perdynamin *Mat. Med.*
psychodynamism *Psych.*
sphygmodynameter
Tetradynamia(n ious
thermodynamist
Tritodynamea *Crust.*
δυναμο- Comb. of δύναμις
dynamo-
cosmical *Meteor.*
electric(al
gen(ic -ous(ly
genesis
genetic
geny
graph(ic
logy
metamorphic -ism *Geol. Phys.*
metamorphosis
meter
metry -ic(al(ly
neure *Neurol.*
pathy -ic *Med.*
phone
saurus *Pal.*
scope -y
static
-dynamometer
electro glosso gnatho h(a)ema(to) h(a)emo hydro manu myo ophthalmo pan pedo phago podo sphygano thermo toco
ektodynamomorphous
electrodynamometric(al
hemidynamometry *Med.*
isodynamogenic
phonodynamograph
-δυναμος as in ἀδύναμος
-dynamous *Bot.*
andro aniso di dicho hetero homo mono poecilo tetra tri
δυναστεία (Thuc.)
dynasty
δυνάστης (Soph.)
dynast
Dynastes *Ent.*
-idae -idan -ides -inae
Myiodynastes *Ornith.*
δυναστικός (Arist.)

dynastic al(ly ism
predynastic
protodynastic
δύο two
dyo-
phone *Acoustics*
physite *Eccl. Hist.*
-ic(al -ism
prunida *Prot.*
theism *Theol.*
thelete *Eccl. Hist.*
-ian -ic(al -ism
δυοῖν
hendiadys *Rhet.*
δυοκαιτριακόντα
dyocaetriacontahedron
δύπτειν to dive
iconantidyptic *Optics*
δύπτης a diver
Eudyptes -ula *Ornith.*
Palaeeudyptes *Ornith.*
Pelagodyptes *Ornith.*
δυσ- hard, ill: an inseparable prefix
angiodystrophia *Gynec.*
cladodystrophia *Bot.*
chondrodysplasia
chondrodystrophia -y
chromatodysopia *Ophth.*
copodyskinesia *Ps. Path.*
craniocleidodysostosis
dys-
acousis *or* -ia *Med.*
acousma *Med.*
adrenia *Med.*
(a)emia *Path.*
(a)esthesis *Med.*
(a)esthetic *Med.*
albumose *Chem.*
anthic *Bot.*
antigraphia *Ps. Path.*
aphe -ia *Path.*
aponotocy *Obstet.*
archus *Ent.*
arteriotony *Med.*
arthria -ic -itis *Path.*
arthrosis *Path.*
aster(idae *Pal.*
basia *Med.*
bolism *Med.*
boulia *Psych.*
cataposis *Path.*
chez(*or* s)ia *Med.*
chiria *Ps. Path.*
cholia -ic *Path.*
chondroplasia
chroa *Path.*
chromasia *Path.*
chromatopsis -ia -y
chromatoptic *Path.*
chromia *Path.*
chronous *Psych.*
clasite *Min.*
coria *Path.*
crasite *Min.*
crinism *Med.*
diadochokinesia *Med.*
diemorrhysis *Med.*
endocrinia *Med.*
-iasis -ism
endocrisiasis *Med.*
epulotic *Surg.*
erethesia *Med.*
function *Med.*
gal(act)is *Path.*
genesia -ic *Path.*
genesis *Biol.*
genic(s *Eugenics*
genitalism *Med.*
geogenous *Agric.*
geusia *Med.*
glandular *Med.*
gonic *Bact.*
grammatical
graphia *Neurol.*
hematopoiesis *Med.*
(h)idrosis *Path.*
hormonism *Med.*
hypophysia -ism *Med.*
koimesis *Med.*
lalia *or* -y *Path.*
lexia -ic *Psych.*
lochia *Path.*
logia -ical *Psych.*
logistic(al(ly
logy
luite *Min.*
lysin(e *Biochem.*
masesis *or* -ia *Med.*
megalopsia *Ophth.*
menia *Gynec.*
menorrhagia *Gynec.*
menorrh(o)ea(l *Gynec.*
menorrhic *Gynec.*
merism *Biol.*
meristic *Biol.*
mero- *Biol.*
genesis genetic
morph(ic
metria *Neurol.*
metropsia *Ophth.*
mimia *Ps. Path.*
mnesia *Path.*
morphism *Biol.*
neuria *Med.*
noetic
odont(a *Conch.*
odontiasis *Path.*
odynia *Obstet.*
oemia *Med.*
ontogenesis *Med.*
ooticia *Zool.*
opia *Ophth.*
opsia *or* -y *Ophth.*
orexia *or* -y *Path.*
osteogenesis *Med.*
ostosis *Path.*
ovarism *Gynec.*
oxidative *Chem.*
oxidize -able -ation
pancreatism *Med.*
peristalsis *Path.*
phagia -y -ic *Path.*
phasia *Path.*
phemia *Med.*
photic -istic *Phytogeog.*
phototropic *Bot.*
phrasia *Neurol.*
phuistic
phylaxia *Med.*
pituitarism *Path.*
plasia *Med.*
ploid(y *Bot.*
proteose *Biochem.*
rhythmia *Path.*
sycus *Spong.*
synchronous
synergia *Med.*
syntribite *Petrog.*
systole *Physiol.*
taxia *Path.*
teleologue *Bot.*
teleology *Phil.*
-ical -ist
thyreosis *Med.*
thyroidea -ism *Path.*
tonia *Med.*
topia -y -ic *Med. Psych.*
traumia *Med.*
trophia *or* -y *Path.*
trophodextrin *Chem.*
trophoneurosis *Neurol.*
tropous *Ent.*
tropy -ic -ous *Bot.*
trypsia *Med.*
uresis *or* -ia *Path.*
zooamylia *Physiol.*
dyspermia -asia -atism
hem(at)odystrophy *Med.*
hemidystrophia *Bot.*
lipodystrophia -y *Med.*
myelodysplasia *Med.*
osteodystrophia *Med.*
ovariodysneuria *Gynec.*
pseudodystrophy -ous
δυσαισθησία (Tim. Locr.)
dys(a)esthesia *Path.*
hemidys(a)esthesia
δυσάλωτος hard to catch
Dysalotosaurus *Pal.*
δυσανάλυτος hard to undo
dysanaly(*or* i)te *Min.*
δυσγενής low-born
Dysgena *Ent.*
δυσγνωσία difficulty of knowing
dysgnosia *Ps. Path.*
δύσδηρις hard to fight
Dysdera *Ornith.*
-id(ae -oid(ae
δυσειδής unshapely
Dyeides *Ent.*
δυσεντερία (Hipp.)
antidysenteric(um *Med.*
dysentery *Path.*
-iform -ous
-dysentery
hepato lipo para pseudo
δυσεντερικός (Hipp.)
dysenteric(al
δυσεργασιά (Artemia.)
dysergasia *Neurol.*
δυσεργιά (Hipp.)
dysergia *Neurol.*
δυσθάνατος (Galen)
dysthanasia *Path.*
δυσθεσία (Hipp.)
dysthesia *Path.*
δύσθετος (Hipp.)
dysthetic(a *Path.*
δυσθυμία despondency
dysthymia *Path.*
δυσθυμικός (Arist.)
dysthymic *Path.*
δυσίατος hard to heal
Dysiatus *Ent.*
δύσις setting of stars
dysis *Astrol.*
δυσκινησία (Hipp.)
dyscinesia *Med.*
dyskinesia -etic *Path.*
δυσκίνητος hard to move
Dyscinetus *Ent.*
δύσκολος hard to satiate
Dyscolocerus *Ent.*
δυσκρασία bad temperament
dyscrase -y *Path.*
-ia(l -ic
h(a)ematodyscrasia
δυσκρατός (Strabo)
antidyscratic *Ther.*
dyscratic *Med.*
δύσκριτος hard to discern
Dyscritus *Ent.*
δύσκωφος stone-deaf
Dyscophus *Herp.*
-id(ae -oid
δυσλυτός indissoluble;
dyslytite *Min.*
δυσμαθής hard to know
Dysmathes *Ent.*
δύσμαχος hard to fight
Dysmachus *Ent.*
δύσμορφος misshapen
dysmorpho-
dysmorpho- Cont'd
ceras *Ent.*
phobia *Ps. Path.*
δυσνομία lawlessness
dysnomy *Pal.*
δυσοσμία ill smell
dysosmia
δυσουρία (Hipp.)
antidisury *Ther.*
dysuria -y *Med.*
-iac -ic
δυσπάθεια
dyspathy -etic
δυσπάρευνος ill mated
dyspareunia *Path.*
δύσπεπτος hard to digest
dyspeptic(al(ly
dyspeptin *Med.*
dyspeptodynia *Path.*
dyspeptone *Biochem.*
δυσπεψία (Galen)
dyspepsia -y *Path.*
-dyspepsia
amylo colo molybdo
δύσπνοια (Hipp.)
dyspn(o)ea(l -etic *Path.*
pneumatodyspn(o)ea
δυσπνοικός (Hippiatr.)
dyspnoic *Path.*
δύσπορος hard to pass
dysporomorph *Ornith.*
ae ic
Dysporus *Ornith.*
δυσπραγία (Polyb.)
dyspragia *Med.*
δυσπραξία ill luck
dyspraxia *Med.*
δυσπρόσιτος hard to get at
dysprosia -ium *Chem.*
δύστηκτος hard to melt
dystectic *Phys. Chem.*
δυστήρητος hard to keep
Dysteria *Zool.*
-iidae -iina
δυστοκία hard birth
dystoc(*or* k)ia(l *Obstet.*
δύστομος hard to cut
dystome -ic -ous *Min.*
δυσφορία agitation
dysphoria *Path.*
-dysphoria *Path.*
hapto- osmo- photo-
δυσφωνιά (Dem. Phal.)
dysphonia -ic *Path.*
δυσχερής hard to manage
Dyscherus *Ent.*
δύσχροια (Galen)
dyschroia *Path.*
trichodyschroia
δυσώδης ill-smelling
dysodile *Min.*
δυσωδία stench
stomatodysodia *Med.*
δύτης a diver
Drymodytops *Ornith.*
-dyta *Ornith.*
Rathymo Tachy Threno
Dytes *Ornith.*
-dytes *Ornith.*
Apteno Atolmo Lopho Oro Telmato
Heleodytes *Ent.*
Pachdyta *Ent.*
Pelodytes -id(ae -oid
Scotodytes *Ent.*
δυτικός able to dive
Dyticus *Ent.*
-id(ae -oid
δύω = δύο
duo-
decade
drama
graph
logue
machy
pod
tone *Photoengr.*
type *Photoengr.*
δυώδεκα
duodecagon *Geom.*
duodecahedron -al
duodecane *Chem.*
duodecary *Music*
duodecate -ion
duodecyl *Chem.*
δω- Comb. of δύο
docosi(hydrate *Chem.*
docosyl *Org. Chem.*
dohexacontane *Chem.*
domagnesic
dotriacontane *Chem.*
δωδεκ- Comb. of δώδεκα
dodec-
actinae *Zool.*
ade
ammino- *Chem.*
ander *Bot.*
-ria(n -rous
ane *Chem.*
ant *Crystal.*
aquo- *Chem.*
archy
arinus *Bot.*
yl(ene *Chem.*
δώδεκα twelve
dodeca-
dactylitis *Path.*
dactylon -us *Anat.*
diene *Org. Chem.*
drachm *Num.*
fid
gyn *Bot.*
-ia(n -ous
hydrate(d *Chem.*
meral *Zool.*
merous *Bot.*
naphthene -ic *Chem.*
partite
petalous *Bot.*
pharmacum *Med.*
style -os *Arch.*
syllable -abic
toma *Ent.*
dodecuplet *Music*
dodekasome *Bot.*
δωδεκάγωνον (Plut.)
dodecagon(al *Math.*
δωδεκάεδρον (Tim. Locr.)
disdodecahedroid *Math.*
dodecahedral
-dodecahedral
cubo di dyakis icosi peri rhombo tri
dodecahedron -al -ic
-dodecahedron
cubo di dyakis icosi penta(kis) rhombico trigono
δωδεκάθεον (Pliny)
Dodecatheon *Bot.*
δωδεκάρχης (Xen.)
dodecarch
δωδεκάσημος (Aristid.)
dodecasemic *Pros.*
δωδεκατημόριον a twelfth
dodecatemorion -y
δωδέκατος the twelfth
dodecatoic *Chem.*
Δωδωναῖος (Iliad)
Dodon(a)ean -(a)ian
Δωδώνη (Iliad)
Dodona *Myth.*

δῶμα(-ατος) a house
brachydome -al -atic
Bunodomomorpha *Pal.*
clinodome -atic *Crystal.*
corallidomous *Zool.*
deuterodome *Crystal.*
domal -atic
dome -ical(ly *Arch.*
doming *Geol.*
domite -ic *Petrol.*
domoid
endome
interdome *Arch.*
macrodome -atic *Crystal.*
monodomous *Ent.*
myodome *Ich.*
myrmecodomous *Bot.*
Notodoma *Ent.*
orthodome -atic *Crystal.*
Pachydomus *Conch.*
-id(ae -oid
polydomous *Ent.*
Prodomitidae *Pal.*
protodome *Crystal.*
semidome *Arch.*
δωμάτιον Dim. of δῶμα
-domatia *Bot.*
Myco Myrmeco Phyco Phyto Zoo
domatium *Bot.*
-domatium
acaro
δωματο- Comb. of δῶμα
domatophobia *Ps. Path.*
δώρημα a gift
dorema *Bot.*
Δωρικός (Herod.)
Doric al ism ize
proto-Doric *Arch.*
Δώριος (Arist.)
Dorian
hyperdorian *Music*
pre-Dorian
Δωρίς(-ίδος) Dorian
Acanthodoris *Conch.*
-idinae -idine
Doridopsis *Conch.*
-id(ae -oid
Dorippe -id(ae -oid
Doridium *Conch.*
-iid(ae -ioid
Doris *Conch.*
-(id)id(ae -idoid
Goniodoris -(id)idae
Heterodoris *Conch.*
-id(ae -oid
Onchodoris *Conch.*
-idid(ae -idoid
δῶρον a gift
Fructidor *Fr. Cal.*
H(a)emodorum -aceae -aceous *Bot.*
heliodor(e *Min.*
Monodora *Bot.*
Psilodora *Ent.*
Thermidor(ian *Fr. Cal.*
δωρονείκον
Doronicum *Bot.*
Δωτώ a Nereid
Doto *Conch.*
-onidae -oid(ae

ἐαρινός of spring
Earinus *Ent.*
ἑαυτοῦ himself
heautandrous *Bot.*
heauto-
morphism *Morphol.*
phany
phonics *Optics*
type
ἑβδομαδικός (Galen)
hebdomatical
hebdomically
ἑβδομάς (-άδος) week
hebdomad
al(ly (ad)ary -er
ἔβενος ebony
Ebena *Bot.*
-aceae -aceous -ad -ales
ebeneous
ebionine
ebionize
ebon(y
ine ist ite ize
Ἐβιωναῖοι (Iren.)
Ebionite -ic -ism *Eccl.*
Ebionism -ize *Eccl. Hist.*
Ἑβραΐζειν (Joseph)
Hebraize(r-ation
Ἑβραϊκός(N.T.)
Hebraic
al(ly ian ism ize
Neo-Hebraic
Ἑβραῖος (Sept.)
Hebr(a)ean
Hebradendron *Bot.*
Hebraism -ist(ic(al(ly
Hebrew
dom ess ish ism ist
Hebrician
Neo-Hebrew
ἐγγαστρίμυθος (Hipp.)
engastrimyth(ic
ἐγγείσωμα (Galen)
engisoma *Surg.*
ἐγγραυλίς (-ίδος) (Ael.)
Engraulis *Ich.*
-idae -idid(ae -idoid -inae
Lycengraulis *Ich.*
ἐγγράφειν (Herod.)
engrave
-er(y -ing ment
photengrave -ing
pyroengraver
ἐγγυ- Comb. of ἐγγύς near
engy-
cera *Ent.*
schistae -ous *Ich.*
scope
telengiscope
ἐγερσι- Comb. of ἐγείρειν to awaken
egersimeter *Med. App.*
ἐγκαίνια consecration feast
enc(a)enia
ἐγκανθίς (Galen)
encanthis *Path.*
ἔγκαρπα festoons of fruit
encarpus *Arch.*
ἐγκάρπιον containing seed (Hipp.)
encarpium *Bot.*
ἐγκαταρράπτειν to sew in
enc(*or* k)atarrhaphy
ἔγκαυμα a broad; sore
encauma *Path. Surg.*
ἐγκαυστής encaustic painter
Encaustes *Ent.*
Metallencaustes *Ent.*
ἐγκαυστική (Pliny)
encaustics
ἐγκαυστικός
encaustic
ally um
ἔγκαυστον purple ink
de-ink
ink
bag berry cap cylinder er fish gall gland horn
ink Cont'd
knife mushroom nut plant pot root sac shed stand stone well wood y *etc.*
photoink
ἐγκέφαλος -ον the brain
anencephal(oh)(a)emia
anencephaloid *Terat.*
Archencephala -ic *Mam.*
baryencephalia *Psych.*
dien *Abbrev.*
diencephala *Embryol.*
-encephal *Anat.*
di ep hydr mes met pros prosodi tel thalam
encephal-
a ata ate *Conch.*
(a)emia algia *Path.*
artos *Bot.*
asthenia *Path. Psych.*
atrophy -ic
auxe *Med.*
odus -ontid(ae *Pal.*
oid
oma osis *Path.*
opsy *Psych.*
-encephalia *Terat.*
amyel an a(r)rhin atelo der(an) deut ex macr micr par platyst podan por rhin scler syn syringo
encephalic
-encephalic *Anat.*
amyel an di ep ex gyr hemi hydr macr medullo megal mes met (ep) micr myel par platyst por pros prosodi pseud rhin tel thalam
encephalin *Chem.*
encephalitis -ic *Path.*
-encephalitis
heli leuco meningo myelo oto peri polio (myelo) por
encephalization *Embryol.*
encephalo-
(cysto)cele *Path.*
dialysis *Path.*
graphy *Med.*
lith *Path.*
logy
malacia -osis *Path.*
malaxis *Path.*
meningitis *Path.*
meningocele *Path.*
mere -ic *Anat.*
meter metric *Craniom.*
myelitis *Path.*
myelopathy *Path.*
narcosis *Med.*
pathy -ia -ic
phyma *Tumors*
psychosis *Ps. Path.*
pyosis *Path.*
rachidian *Path.*
rrhagia *Path.*
sclerosis *Path.*
scope -y *Med.*
sepsis *Path.*
spinal *Anat.*
thlipsis *Med.*
tome -y *Surg.*
-encephalocele *Path.*
cen der hydr(o) meningo not syn
-encephalon *Anat.*
deut di ep h(a)emato hemi hydr hyp mes met(ep) micr myel ne(o) ophthalmo opisth pal(a)e post pro(s) prosodi prosth
-encephalon Cont'd
prot rhin rhomb sub tel thalam trit
encephalon *Anat.*
-ic -os -ous
-encephalospinal *Anat.*
mes met myel
-encephalous *Anat.*
amyel an ex macr micr myel par por rhim thlips
-encephalus *Terat.*
a(r)rhin an cycl cyst der(an) hemi hydr hyper ini macr micr necr nos not par per pod por pro pseud py rhin syn thlips tri
-encephaly *Terat.*
an ex ini micr par platyst por pseudopor scler
entencephalic *Psych.*
Gyrencephala *Zool.*
-ate -ous
hydrencephaloid *Path.*
Lissencephala *Mam.*
-ic -ous
Lyencephala -ous *Mam.*
meningoencephalomyelitis *Path.*
micrencephalism *Anat.*
Myelencephala *Zool.*
orchiencephaloma
osteoencephaloma
platystencephalism
poliencephalo- *Path.*
(meningo) myelitis pathy
rhinencephala *Anat.*
syringoencephalo- *Path.*
myelia
telencephalization
ἔγκλισις inclination
corenclisis *Surg.*
enclisis *Gram.*
iridencleisis *Surg.*
proctencleisis *Med.*
ἐγκλιτικός (Eust.)
enclitic *Gram.*
al(ly ism -ics
ἐγκοίλια the intestines
enceli- *Path.*
algia itis
ἐγκόλπιον an ornament worn on the bosom
encolpion -ium *Eccl.*
enkolpion *Gr. Ch.*
ἐγκόπτειν to knock in
encope *Zool.*
ἐγκράτεια self-control
encraty
ἐγκρατής self-controlling
encratic
Encratism
Ἐγκρατῖται (Eus.)
Encratite *Eccl. Hist.*
ἐγκρινόμενος p.p. of ἐγκρίνειν to admit as genuine
encrinomenos *Archaeol.*
ἐγκύκλιος circular (letter)
encyclic(al
ἐγκυκλοπαιδεία (Plin.)
cyclop(a)edia
-ic -ical(ly -ist
encyclop(a)edia
-iac(al -ial -iast -ic(al(ly -ism -ist -ize
pancyclop(a)edic
ἔγκυκλος circular
Encyclops *Ent.*
ἐγκύμων pregnant
Encymon *Ent.*
ἔγκυος = ἐγκύμων
Encya *Ent.*
ἔγκυρτος arched
Encyrtus *Ent.*
-idae -inae
ἐγκωμιαστής (Plut.)
encomiast
ἐγκωμιαστικός (Arist.)
encomiastic(al(ly
ἐγκωμιολογικόν (Heph.)
encomiologic *Pros.*
ἐγκώμιον (Ar.)
encomium -ion(ize
ἐγχείρησις (Galen)
encheiresis *Med.*
ἐγχειρία (Hipp.)
encheiria *Obs.*
ἐγχειρίδιον (Epict.)
ench(e)iridion *Printing*
ἐγχείριον a towel
encheirion *Eccl.*
ἐγχέλειον Dim. of ἔγχελυς
Enchelion *Pal.*
ἔγχελυς an eel
Callenchelys *Ich.*
Carenchyli -ous *Zool.*
Enchelia -idae *Zool.*
enchelycephal(i -ous *Ich.*
Enchelycore *Ich.*
Enchelyolepis *Pal.*
Enchelys *Ich.*
Glanencheli(an -ous *Ich.*
Gymnelis -inae *Ich.*
Lycenchelus
Simenchelys *Ich.*
-yidae -yoid
Urenchelidae *Pal.*
ἐγχελυωπός eel-faced
Enchelyopus *Ich.*
ἔγχος a spear
Enchodus *Ich.*
-ontid(ae –ontoid
enchophyllum
Enchoptera *Ent.*
Psilenchus *Helm.*
Tylenchus *Helm.*
ἔγχουσα Part. of ἔχειν
Lomechusa *Ent.*
-έγχυμα in παρέγχυμα
chlorenchym *Bot. Histol.*
chondrenchyma -atous
coenenchym(a e *Spong.*
collenchyme -atic *Bot.*
cystenchyme -a -atous
enchyma -atous *Histol.*
-enchyma *Bot.*
actin aer bothr cerat chlor ci cin clad coll colp con crit cylindr daedal hexagoni hyph in ken koleo koll krit metacoll orth(os) ov paraplect per peri phyk pin pinak plect pleur por prism pros (plect) prot protocoll (proto)cler sphaer stat ster stomscler taphr trach
-enchyma *Histol.*
angi atract chlor cyst ep hyp kar kary mes
-enchymatous *Bot.*
aer cin coll pin plect pleur pros scler
mesenchym(e *Biol.*
-atal -atous -ic
sarcenchyme -atous
sclerenchyme -atous
ἔγχυμος juicy
Enchymus *Ent.*

ἔγχυσις a pouring in
-enchysis *Ther.*
el(a)eo rhin
ἐγχώριος of the country
enchorious
-ial -ic -istic
ἐγώ =L. ego, I.
egomania(c
egotheism
panegoism -oist
ἔδαφος bottom
edaphic -on *Phytogeog.*
edaphism *Bot. Soils*
Edaphodus -on(t *Ich.*
Edaphopaussus *Ent.*
Edaphophytes *Bot.*
Edaphus *Ent.*
epedaphic *Phytogeog.*
Myledaphus *Pal.*
Paredaphus *Ent.*
ἔδειν = ἐσθίειν
Entedoma -inae *Ent.*
ἐδεστής an eater
Myiadestes *Ornith.*
-inae -in(e
ἐδεστός eatable
bynedestin *Chem.*
cladestin -ic *Org. Chem.*
edestin -an *Biochem.*
Edestosaurus *Pal.*
Edestus *Pal.*
ἕδος a base
hedion -ium *Bot.*
Hedobia *Ent.*
ἕδρα a seat
anhedron(al *Petrol.*
clinohedral -ite *Petrol.*
dihedral *Aero.*
enneahedria *Geom.*
Ephedra *Bot.*
ephedrin(e *Org. Chem.*
euhedral *Petrol.*
hedral *Obs.*
-hedral *Crystal.*
deca dideca gyro haplo hemi(holo) hepta-(hexa) hexacisocto hexacistetra hex(a)tetra holo(hemi) meri-(*or* o) monoclino ogdo plagi prosennea pseudorhombo pyrito scaleno sub tauto tetarto trapezo triaconta trirhombo tristetra
-hedral *Geom.*
deca di diplo duodeca enneaconta ennea meri-i(*or* o) penta rhombo spherotetra trapezo
hedratresia *Med.*
hedrocele *Path.*
-hedroid *Geom.*
dishexaconta enneaconta hexacosi hexadeca icositetra penta
hemi(h)edric *Crystal.*
hemihedral *Crystal.*
-ism -y
heptahedrical *Crystal.*
holo(h)edric *Crystal.*
holohedrism *Crystal.*
meri(*or* o)hedric ism
monoclinohedric *Min.*
pentahedr- *Geom.*
ical ous
prosenneahedrous
rhombohedric -ally
subtrihedral *Anat.*
tetartohedr- *Crystal.*
ally ic(al(ly ism y
tetrakistetraedral
triclinohedric *Crystol.*
trihedron -al *Anat.*
ἑδριον Dim of ἕδρα

Edriaster *Echin.*
(id(ae oid(ea
Edriocrinidae *Pal.*
Edriophthalma *Crust.*
-ata -ate -atous -ia(n
-ic -ous
hedrioblast *Zool.*
Hedriophthalma -ous
-έδρον Comb. of ἕδρα as in ὀκτάεδρον
chiliaedron *Geom.*
-hedron *Crystal.*
deca delto dyakisjexaconta hemi hepta hexacistetra hexaconta hex(a)tetra holo icositetra leucito parallelo pyrito scaleno tetarto trapezo triaconta tris
-hedron *Geom.*
chilia deca di(rhombo scaleno) diplo duodeca dyocaetriaconta enneaconta hendeca inpenta octocaetriaconta pentagono penta rhombo tetrakaideka trapezi(*or* o) triaconta
tetrakistetraedron
ἐθάς accustomed; tame
Ethas *Zool.*
ἔθειρα hair
Paroxyethira *Ent.*
ἐθέλειν to wish, to be fain
ethelism *Phil.*
ἐθήμων well-known
Ethemon *Ent.*
ἐθνάρχης (Sept.)
ethnarch *Gr. Pol.*
ἐθναρχία (Joseph.)
ethnarchy *Gr. Ant.*
ἐθνικός national (Polyb.); gentile (N.T.)
antiethnic
ethnic (al (ly
-ism -ist -ize
ethnico-
physiological psychological
ethnicon *Epigraphy*
geoethnic
holethnic *Ethnol.*
pal(a)eoethnic
polyethnic
proethnic *Philol.*
synethnic
ἔθνος a people, tribe
ethnagog(ue
ethnish -ize
ethno-
botany -ic(al
centric
conchology
dicy
flora
gamy -ic
geny -ic
geography
-er -ical(ly
graphy
-er -ic(al(ly -ist
logy
-ic(al -ist -ize
maniac
metry -ic
psychic
psychology -ical
technics
technography
zoology
ethnos *Sociol.*
holethnos *Ethnol.*
pal(a)e(o)ethnology
-ic(al -ist
paleoethnographer

palethnographical
ἔθος habit, custom
etho-
graphy *Anthrop.*
mere
physical
ethos
Praonetha *Ent.*
-εια fr. -ία after verbal stems in ευ- -eia
εἰδητικός scientific
eidetic *Psych.*
εἰδο- Comb. of εἶδος
chromeidocrase *Min.*
chromeidoscope
eido-
graph
musikon *Music*
phusikon
scope
trope -ic *Arts*
kaleido-
graph *Optics*
phon(e *Phys.*
scope -ic(al(ly
opheidoscope *Acoustics*
phoneidoscope -ic
styridophytes *Bot.*
trocheidoscope *Phys.*
Εἰδοθέα a dau. of Proteus
Idot(h)(a)ea *Crust.*
-eid(ae -eidian -eiform
-eoid(ea(n
εἴδομαι to appear
iseidom(*or* n)al
εἶδος form, species (a reduced list. See -ιδιον, -οειδής)
ampelid *Bot.*
anideus -ian *Terat.*
aplasmodiophorous *Bot.*
brochi(do)drome -ous
cari(*or* y)opside -eous
cladoscleids *Bot.*
dieidism *Biol.*
diplantidian *Astron.*
dipleidoscope *Astron.*
Dothidia *Bot.*
-iaceae -iaceous -iales
eidoptometry *Ophth.*
eidos *Phil.*
eidouranion *Astron.*
Enidothyris *Pal.*
favellidium *Bot.*
Grypidius *Ent.*
Hecyrida *Ent.*
idocrase *Min.*
isidium *Lichens*
-iferous -ioid
-iophorous -iose
Laemocoridea *Ent.*
Metaxidius *Ent.*
necrides *Bot.*
oroide *Metal.*
Phasidus *Ornith.*
polyeidic -ism *Zool.*
Rhyparida *Ent.*
Stenidia *Ent.*
Toxidium *Ent.*
εἰδύλλιον Dim of. εἶδος
idyl(l
idyll-
er ian ic(al(ly ion ism ist ize ium
εἰδωλικός (Clem. A.)
eidolic
εἰδωλο- Comb. of εἴδωλον
eidolo-
clast logy scope
idolo-
clast(ic
doulia
graph(ic(al
mancy
mania *or* -y

εἰδωλόθυτα Fr. θύειν to sacrifice (N. T.)
idolothism -yous
idolothyte -ic
εἰδωλολατρεία (N. T.)
idololatry -ical
idolatry -ial
εἰδωλολάτρης (N. T.)
idolater
idolatr-
ess ic(al ize ous(ly
εἴδωλον an image
Chloridolum *Ent.*
Cycnidolon *Ent.*
eidolon
idol (a
et ify ish ism ist(ic ization ize(r
idolon -um *Logic Psych.*
εἴκειν to yield
icosteine *Chem.*
Icosteus *Ich.*
-eid(ae -eoid
εἰκελόνειρος dreamlike
Icelonirus *Ent.*
εἰκονίζειν (Plut.)
iconize
εἰκονικός (Ath.)
iconic(al
εἰκονισμός (Plut.)
(e)iconism
εἰκονο- Comb. of εἰκών
eikono-
gen *Chem.*
meter *Arts*
icono-
clasm
dule -ic -ist -y
gen *Photog.*
lagny *Med.*
later latry
mania
meter
metry -ic(al(ly
phile -ism -ist -y
plast
scope
εἰκονογραφιά (Strabo.)
iconography -ic(al -ist
panic(on)ography -ic
εἰκονοχράφος (Arist.)
iconograph(er
panic(on)ograph(ic *Arts*
tel(e)iconograph
εἰκονοκλάστης (Damasc.)
biblioiconoclast
iconoclast
ic(al(ly icism
εἰκονολογία figurative speaking (Plato)
iconology -ical -ist
εἰκονομαχία (Eccl.)
iconomachy -ist
εικονομάχος
iconomachal
εἰκονοστάσιον
eikonostasion -ium
εἰκονόστασις
iconostas(is ia *Gr. Ch.*
εἰκός likely
icotype
εἰκοσ- Comb. of εἴκοσι
—cosane *Org. Chem.*
chloro ennea hepta hexa nona octa penta tetra tri
dicosyl *Org. Chem.*
eikosarian *Num.*
eikosylene *Org. Chem.*
heneicos- *Org. Chem.*
ine oic yl(lene
hexacosanic *Org. Chem.*
hexeikosane *Org. Chem.*
-icosane *Org. Chem.*

-icosane Cont'd
hene hepta hexa tetra tri
nonacosanol *Org. Chem.*
octasane *Org. Chem.*
tetraicosic *Org. Chem.*
tricos- *Org. Chem.*
anic yl(ic
εἰκοσα- Comb. of εἴκοσι
icosasemic *Pros.*
εἰκοσάεδρον
icosa(*or* i)hedron -*al*
εἰκοσάκωλος (Schol. Ar.)
icosacolic *Pros.*
εἴκοσι twenty
docosihydrate *Org. Chem.*
eikosiheptagram *Chem.*
henicosihydrated *Chem.*
heptacosihydrated *Chem.*
icosian
icosi-
dodecahedron -al
hydrate *Chem.*
tetrahedroid *Crystal.*
octocosi- *Chem.*
rhombicosi-
dodecahedron *Geom.*
εἰκών image, portrait
aniconic *Gr. Anat.*
eikon *Gr. Ch.*
hemateikon *Med.*
icon *Eccl.*
iconantidyptic *Optics*
iconistic(ally
iconomatic(ally -icism
iconomatography
εἴλειν to roll
blepharelosis *Med.*
cephaelin(e -ium *Chem.*
Cephallis *Bot.*
Cephalleis *Bot.*
eiloid *Med.*
eiloin *Prop. Rem.*
helosis *Path.*
methylcephaelin
εἰλεός (Hipp.)
ileus -eac -eosis *Path.*
ilium -isc *Anat.* (sometimes so derived)
pseudoileus *Med.*

εἴλημα = εἰλεός (Hipp.)
eilema *Path.*
εἰλητικός wriggling
Iletica *Ent.*
εἰλητόν the corporale
eileton *Gr. Ch.*
εἰλίπους of rolling gait
Hilipus *Ent.*
Εἱλώτης (Herod.)
helot
age ism ize ry
εἷμα a clock
Hime *Ich.*
εἶξις a yielding
gastrokateixia *Med.*
-ειον Fr. -ιο- place suffix
choraleon *Music*
-ium *Bot.*
εἴργειν to bar out
sitiergia *Ps. Path.*
εἴρειν to fasten, string
Epeira *Arach.*
-id(ae -oid
εἰρεσιώνη a wreath
eiresione *Gr. Relig.*
Iresine *Bot.*
εἰρηνάρχης a justice of the peace
(e)irenarch *Law*
εἰρηαρχία (Byz.)
(e)irenarchy *Law*
εἰρηαρχικός (Schol. Ar.)
(e)irenarchical *Law*

Εἰρήνη (Hesiod)
Irena *Myth.*
Irena -inae *Ornith.*
εἰρήνη peace
Arctirenia *Zoogeog.*
εἰρηνικόν (Tertull.)
(e)irenicon *Gr. Ch.*
irenicum *Gr. Ch.*
εἰρηνικός (Isocr.)
eirenic
irenic(al(ly -ics
εἰρίνεος woollen
Epirinus *Ent.*
εἱρμολόγιον
hirmologeon *Gr. Ch.*
εἱρμός a series; the first troparion of an ode
Hirmoneurites *Pal.*
hirmos -us *Gr. Ch.*
Polyhirma *Ent.*
εἴρων a dissembler
Ironeus *Ent.*
εἰρωνεία (Plato)
irony
-ism -ist -ize
εἰρωνικός (Plato)
ironic
al(ly alness
εἷς one
ace *Aero Cards*
as *Num.*
eisanthema *Path.*
εἰσαγωγή introduction
isagoge -ue *Lit.*
εἰσαγωγικός (Galen)
isagogic(al(ly -ics
εἰσήγησις (Thuc.)
eisegesis -ical *Rhet.*
εἰσκύκλημα (Poll.)
eiskuklema *Gr. Th.*
εἰσόδια entrance
isodia *Gr. Ch.*
εἰσοδικόν a troparion
(e)isodicon *Gr. Ch.*
isodikon *Gr. Ch.*
εἰσόδιος entering
eisodial *Bot.*
eisodic *Physiol.*
εἴσοδος entry
eisodal *Bot.*
ἔισω within
palaeesology *Geol.*
ἐκ out of
ec-
cephalosis *Surg.*
chondr- *Path.*
oma osis otic
chondrotome *Surg.*
chymoma *Path.*
cyesis *Path.*
cystis *Path.*
ethmoid *Anat.*
ethmoid *Anat.*
labium *Anat.*
mnesia *Psych.*
pantheria *Ent.*
phore -ia *Psych.*
phorize -ation *Psych.*
phylactic *Med.*
phylaxis *Med.*
pleopus -odidae *Zool.*
santal- *Org. Chem.*
al ic ol
somatics *Med.*
thor(a)eum -(a)eal
thyreosis *Med.*
trichodes -ia -iinae
tropical
tylosis *Path.*
-ectome *Surg. App.*
cel cor irid kel neur scler
ekphonize *Psych.*
ekphore = ecphore

eksantalal -ic *Org. Chem.*
norecsantalic *Org. Chem.*
Temnolectypus *Pal.*
Ἑκάβη Dau. of Priam.
Hecuba *Myth. Zool.*
ἑκαβόλος far-shooting
Hecabolus *Ent.*
ἕκαστος every, each
hecastotheism *Hist. Rel.*
Ἑκαταῖος (Soph.)
Hecat(a)ean
Ἑκάτειον (Ar.)
Hecateion -aion *Gr. Ant.*
Ἑκάτη (Hesiod)
Hecate *Myth.*
-an -ic -ine
hecatolite *Min.*
ἑκάτερος each of two
hecateromeral -ic *Neurol.*
hecatomeric *Anat.*
ἑκατο- Comb. of ἑκατόν
hecato-
logue
phyllus *Bot.*
saurus *Pal.*
ἑκατόγχειρες (*Apollod.*)
Hecatoncheires *Myth.*
ἑκατομβαιών July–Aug.
Hecatombaeon *Ath. Cal.*
ἑκατόμβη (Il.)
hecatomb
ἑκατόμπεδος (Il.)
hecatomped (ism *Arch.*
ἑκατόμεδον (Dem.)
hecatompedon *Arch.*
ἑκατόν a hundred
hecatarchy
hecatonstylon *Arch.*
hectare *Meas.*
hecto-
ampere *Elec.*
cotyl(e -us *Conch.*
iferous ism ization ize(d
gram(me *Meas.*
graph(ic
liter -re *Meas.*)
meter -re *Meas.*
stere *Meas.*
watt *Elec.*
ἑκατονταρχία (Dion. C.)
hecatontarchy
ἐκβαίνειν to depart from
Ekbainakanthus *Pal.*
ἐκβάλλειν to throw out
ecballion -ium *Bot.*
ἔκβασις a way out; issue
ecbasis *Logic*
ecbatic *Rhet.*
ἐκβλάστησις (Diosc.)
ecblastesis *Bot.*
ἐκβολή a putting out
Acrecoboli -ic *Gastrop.*
Allecbola *Ent.*
ecbole *Music Rhet.*
ecbolin(e *Chem.*
ἐκβόλιον (Hipp.)
ecbolic *Med.*
pleurecbolic *Zool.*
ἔκγονος offspring
ecgonin(e *Chem.*
ἔκδημος gone from home
ecdemic *Med.*
ecdem(i)omania *Ps Path.*
ecdemite *Min.*
ecdemonosus *Ps. Path.*
ἔκδυσις a shifting out
cytecdysis *Bot.*
ecdysis *Bot. Physiol.*
ἔκζεμα (Galen.)
eczema *Med.*

eczemat- *Med.*
ization oid osis ous(ly
Eczemotes *Ent.*
ἔκθεσις exposition
ecthesis *Gr. Ch.*
ἔκθλιψις (Plut.)
ecthlipsis *Gram. Pros*
ἔκθυμα (Hipp.)
ecthyma *Path*
ecthymat- *Path*
iform oid ous
ecthymiform *Path.*
ecthymosis *Path.*
ἑκκαιδεκήρης (Polyb.)
hekkaidekeres *Gr. Navy*
ἐκκαλεῖν to call forth
accaleobion *Obs.*
ἔκκεντρος (Ptolemy)
eccentric
al(ly ity
eccentro-
linead
meter
piesis *Med.*
eccentring
ἐκκλησία assembly; church
ecclesia *Eccl. Gr. Hist.*
-ial -ian
ecclesio-
clastic
graphy
later latry
logy -ic(al(ly -ist
ἐκκλησιάρχης (Byz.)
ecclesiarch(y
ἐκκλησιαστής (Plato)
ecclesiast(ry
ἐκκλησιαστικά (Athan.)
ecclesiastics
ἐκκλησιαστικός (Clem. A.)
ecclesiastic
ally ism ize
-ecclesiastical
ante anti intra pan politico
ἐκκοπή a cutting out
eccope *Surg.*
ἐκκοπρωτικός purgative
eccoprotic(al *Med.*
eccoproticophoric
ἐκκόπτειν to cut out
eccopto-
genia stoma *Ent.*
Eccoptura *Ent.*
ἐκκρεμής pendent
Eccremocarpus *Bot.*
ἐκκρίνειν to secrete
eccrinology *Physiol.*
ἔκκρισις secretion
eccrisiologia *or* -y
eccrisis *Med.*
par(a)eccrisis
ἐκκριτικός (Arist.)
eccritic(a *Med.*
ἐκκύκλημα (Pollux)
eccyclema *Gr. Th.*
ἐκκυλίεσθαι to be unrolled
eccyliosis *Path.*
ἔκλαμψις a shining forth
psycheclampsia *Ps. Path.*
eclamptic -ism *Gynec.*
eklampsia or -y *Gynec.*
-ic -ism
ἔκλειγμα electuary
eclegm(atically *Old.Med.*
ἐκλεικτόν (Hipp.)
electuary *Med.*
ἐκλειπτικός (Ptolemy)
ecliptic(al(ly

ἔκλειψις eclipse
eclipsareon *Astron.*
ecligsation *Astron.*
eclipse
eclipser *Mech.*
eclipsed *Her.*
eclipsis *Gram. Path.*
uneclipsed
ἐκλεκτέος selected
eclecteus *Bot.*
ἐκλεκτικοί (Diog. L.)
Eclectics *Phil.*
ἐκλεκτικός selecting
eclectic
al(ly ism ize
ἐκλεκτός select
eclectism -ist
Eclectus *Ornith.*
e(c)lectosome *Cytol.*
ἔκλεξις selection
ampheclexis *Sociol.*
andreclexis *Biol.*
geneclexis *Sociol.*
gyn(a)eclexis *Biol.*
teleclexis *Biol. Phil.*
ἐκλιπής deficient
Eclipidrilus *Helm*
-id (ae -oid
ἐκλογή a selection
ecloge *Rhet.*
eclogite *Petrol.*
eclog(ue *Lit. Music*
ἔκλυσις faintness
eclysis *Med. Music*
ἐκνεφίας a hurricane
ecnephias *Naut.*
ἐκπίεσμα juice (Diosc.)
ecpiesma *Path.*
ἔκπτωμα (Hipp.)
ecptoma *Path.*
ἐκπύησις (Hipp.)
ecpyesis *Path.*
ἐκπύρωσις conflagration
ecpyrosis *Phys.*
ἔκριψις a throwing out
Ecripsis *Ent.*
ἔκρυθμος out of tune
ecrhythmic -(o)us
ἔκστασις (N. T.); *Med.* (Hipp.)
ecstasis *Path.*
ecstasy -ize
ἐκστατικός distraught
ecstatic(al(ly
ecstatica
ἐκστροφή dislocation
exstrophy *Path.*
ἔκταμα extent
-ectama *Path.*
splen (spleno)par
ἔκτασις extension (Hipp.)
anectasin *Biochem.*
ectacoly -ia *Med.*
-ectasia *Med.*
aerenter aeroderm ang(e)i angiotel aort arteri bronchi capillar celi cerat cholecyst colp cyst desm esophag gastr kerat lymph(angi) metr nephr neur osteotelangi phleb(arteri) pneumon proct prosop pyel scler spermophleb telangi trichangi ureter
ectasin *Mat. Med.*
ectasiograph *Anal. Chem.*
ectasis -ia -y *Path.*
-ectasis *Med.*
ang(e)i angiotel aort appendic atel bronchi

(ol) cardi colp cor desm enter esophag gastr lymphaden lymphangi nephr neur phleb pneum(on) pneum(on)atel ptyal pyel pylephleb splen telangi trichangi typhl ureter
-ectasy *Med.*
cyst lith nephr neur phleb telangi trachea
lymphangiectodes *Path.*
telangiect- *Path.*
odes oma
ἐκτατός distensible
ectatic *Med.*
-ectatic *Med.*
angi atel bronchi lymphangi telangi
Ectatops *Ent.*
ἐκτείνειν to stretch out
Ectinogramma *Ent.*
Aulacothorax
ἐκτέμνειν to cut out
Ectemnorrhinus *Ent.*
ἐκτενής extended; earnest
Ectenaspis *Pal.*
ectene(s *Gr. Ch.*
ectenic
ecteno-
gnathus *Ent.*
notus *Pal.*
ektene(s *Gr. Ch.*
ἑκτικός habitual
amelectic
antithectic
hectic(al(ly
hectin(e *Mat. Med.*
ἐκτομή a cutting out
corectomedialysis *Surg.*
iridectomesodialysis
sclerectomeridectomy
trachelectomopexy -ia
-ἐκτομία Comb. of ἐκτομή
cardiectomized *Surg.*
-ectomia *Surg.*
cor sclerotis
-ectomize *Surg.*
hepat irid nephr pancreat parathyroid splanchn splen thym thyroid vas ..
-ectomy *Surg.*
aden(oid) adip adrenal alveol amygdal angioneur antr apic(o) append(ic) arthr aryten astragal autocholecyst autonephr c(a)eccanth cardi carp celi celio-(hyster(oothec myom salping(oothec) cerat cervic cholecyst chondr cili cion cirs clitor coccyg col collicul colpohyster(o) colpomyom condyl cor cost costotransvers crani cricoid cryptorchid cuneohyster cyst-(auchen) cyst(ic)olith deferent dermoid duoden ecphyad embol embry endogastr endometr enter epauxesi epididym epididymodeferent epiglott(id) epinephr epoophor (o)esophag esquill ethmoid etrohyster fall fibroid fibrom fibromy-(om) fistul gangli(on) gasser gastr gastrohyster gastropylor gin-

-ectomy Cont'd
givo gloss gonad gonangi hemicol hemicrani hemigastr hemilamin hemilaryng hemithyroid hemorrhoid hepat hepatolith hysterosalpingoothec hysterosalpingoophor hypophys hyster hysteromyom hysterooophor hysterooothec ile incud irid iridocycl iridocyst irito jejun ker kerat kion lamell lam(i)n lapar laparocol laparocyst laparohyster laparohysterooophor laparomyom laparonephr laparosalping laparosplen laryng laryngopharyng lip lith lob logad lymphoid mamm mast(oid) meckel metr my myohyster myom myomohyster myringod necr nephr nephrocaps (ac) nephroureter nephroureterocyst neur nymph oesophag oment omphal oophor oophorohyster oophorosalping oothec ophthal orchid orchi(i) ossicul ost(e) ot otonecr(on) otoscler(on) (o)ul ovari ovariohyster ovariosalping pancre(at) panhyster panhysterocolp papill parathyroid parotid pericard(i) perid phacocyst pharyng phimosi phleb pineal pneum(on) proct proctosigmoid prostat prostatomyom pulmon pulp pylor pylorogastr rad(i) radicul rect rhinocanth rhinomm sacr salping salpingooorphor salpingooothec salpingoovari scapul scler sclerectomirid sclerotic scol scolecoid scrot sept sequestr sigmoid sigmoidoproct sperm spermatocyst sphincter sphyr splen staphyl strum sympath(et ic) symphysi synd synov tars ten (on) test thermocauter thorac thromb thym(us) thyr(e)oid tonsil(l) trachel transvers tub turbin tympan typhl ul ureter ureternephr urethr uter vagin(al) varicocel vas vasovesicul ventriculocard vertebr vesicul
laryngectomic *Surg.*
neurectomic *Surg.*
oophorectomist *Surg.*
splenectomist *Surg.*

ἐκτοπιστικός migratory
Ectopistes *Ornith.*

ἔκτοπος "displaced"
-ectopia *Med.*
aden ang(e)i cor metr my neur oste phleb splanchn splen
ectopo- *Med.*
cystis -(ic)us

ectopo- Cont'd
tomy
ectopy -ia -ic *Med.*
-ectopy *Med.*
metr my oste phleb splen tars
metrectopic *Path.*

ἐκτός outside
anectobranchiate *Echin.*
ect-
ad -al(ly *Anat.*
aster *Spong.*
auxesis *Bot.*
endotrophic *Bot.*
ental *Embryol.*
epicondylar -oid *Anat.*
erograph *Med. App.*
ethmoid(al *Anat.*
iris *Anat.*
obliquous *Anat.*
organism
osteal(ly *Anat.*
ostosis *Physiol.*
ostracium -ial *Crust.*
ecto-
basidium *Mycol.*
batic *Anat. Neurol.*
bia -biides *Ent.*
blast(ic *Embryol.*
branchia *Conch.*
-iata -iate
bronchium *Ornith.*
calcaneal *Anat.*
cardia *terat.*
carotid *Anat.*
carpoid *Bot.*
carpous *Bot.*
-aceae -aceous
carpus -eae *Zooph.*
chona -e *Spong.*
choroidea *Anat.*
cinerea(l *Anat.*
clinal *Bot.*
cnemial *Anat.*
coelian *Anat.*
coelic *Zooph.*
colon *Med.*
colostomy *Surg.*
condyle -ar -oid *Anat.*
coracoid *Ich.*
cornea *Anat.*
cranial *Anat.*
cuneiform *Anat.*
cyclic *Bot.*
cyst *Anat. Zool.*
dactylism *Anat.*
derm *Biol. Embryol.*
al ic oidal
entad *Anat.*
ental *Embryol.*
enzyme *Biochem.*
ethmoid *Anat.*
gastrocnemius *Anat.*
genesis *Biol.*
genic *or* -ous *Biol.*
glia *Embryol.*
globular *Med.*
glutaeus -aeal *Anat.*
kelostomy *Surg.*
kinetic *Bot.*
lateral
lecithal *Embryol.*
lithia -ic *Protozoa*
loph *Zool.*
lyta *Ent.*
mere -ic *Embryol.*
mesoblast *Embryol.*
nephridium *Anat.*
neuroglia *Anat.*
nuclear *Anat.*
pagia -us *Terat.*
parenchyma *Zool.*
parasite -ic(a *Biol.*
patagium *Zool.*
pectoralis *Anat.*
peptase *Biochem.*

ecto- Cont'd
peritoneal *Anat.*
peritonitis *Path.*
phloeodes *Bot.*
phloic *Bot.*
phylaxination *Ther.*
phyte -ic *Bot.*
plasmatic *Cytol.*
plast(s *Mycol.*
placenta *Embryol.*
plasm -(at)ic *Biol.*
plastic *Zool.*
plasy *Psych.*
popliteal *Anat.*
procta(n -ous *Helm.*
protease *Biochem.*
pterygoid(eus
retina *Anat.*
rhinal
sac(al *Anat.*
sarc(ous *Protozoa*
sarcode -ous *Protozoa*
siphon *Pal.*
skeleton -al *Zool.*
solenian *Zool.*
some -a(l *Spong.*
sphenoid *Anat.*
sphenotic *Anat.*
sphere *Cytol.*
spore -a *Zool.*
sporium *Bact.*
sporous *Bot.*
sticta *Ent.*
suggestion *Psych.*
sylvian *Anat.*
theca(l *Zooph.*
thiobacteria *Bot.*
thioleukaceae *Bot.*
thrix *Fungi*
tox(a)emia *Tox.*
toxic *Bact.*
toxin *Tox.*
trachea *Ent.*
triceps *Anat.*
trichophyton *Fungi*
trochlea *Ornith.*
troph(i(c -ous *Bot.*
zoa(n -ic -ous *Zool.*
ektodynamorphous *Geol.*
endoectothrix *Med.*
entoectad
Erasmiphlebohecta *Ent.*
Gyalecta *Lichens*
-iform -ine -oid
Hectarthropus *Crust.*
-idae -odid(ae -odoid
Hectarthrum *Ent.*
mesectic *Med.*
mesectoblast *Cytol.*
proectoprocton *Prot.*
semiectotrophy *Bot.*
subectodermal *Med.*

ἐκτρέφειν to breed
Ectrephes *Ent.*

ἔκτριμμα (Hipp.)
ectrimma *Path.*

ἐκτροπή a turning aside
ectropic *Med.*
ectropometer
ectropite *Min.*
ectrotropic *Bot.*

ἐκτρόπιον everted eyelid
cheilectropion *Ophth.*
ectropion(ize -ium *Ophth.*
iridectropium *Ophth.*

ἔκτρωμα untimely birth
ectroma *Med.*
ectro- *Terat.*
dactylia -y -ism
geny -ic
melia(n -us
syndactyly
hemiectromelia

ἔκτρωσις miscarriage
ectrosis *Med.*

ἐκτρωτικός (Plut.)
ectrotic *Med.*

ἐκτυλωτικός (Orisbas)
ectylotic *Med.*

ἔκτυπος worked in relief
ectype -al
ectypography -ic
Ectypodus *Pal.*
palaeektypology *Geol.*

ἐκτύπωσις displacement
gonyectyposis *Med.*

Ἕκτωρ (Iliad)
hector
ean er ian ism ly ship
Hectoria *Pal.*
outhector

ἑκυρός father-in-law
Hecyrida *Ent.*

ἔκφασις a declaration
ecphasis *Rhet.*

ἐκφορά (Vitruv.)
ecphora *Arch.*

ἐκφρακτικός descriptive
ecphractic *Med.*

ἔκφρασις a description
ekphrasis

ἐκφυάς (-άδος) appendix
ecphyad- *Med.*
ectomy itis

ἔκφυλος alien
Ecphylus *Ent.*

ἔκφυμα (Hipp.)
ecphyma *Path.*
Ecphym(at)otes *Herp.*

ἐκφύσησις (Galen)
ecphysesis *Path.*

ἔκφυσις outgrowth
basecphysis *Zool.*
coxephysis *Anat.*
ecphysis *Zool.*

ἐκφώνημα (Eusebius)
ecphonema *Rhet.*
ekphoneme

ἐκφώνησις an utterance
ecphonesis *Eccl. Rhet.*
ecphonetic *Music*

ἐκχύμωμα (Hipp.)
enchymoma *Med.*

ἐκχύμωσις (Hipp.)
ecchymosis -ed *Path.*
ecchymotic *Path.*

ἔκχυσις a pouring out
-ecchysis *Med.*
py ur

ἐλαία the olive
Elaeis *Bot.*
Elaenia *Ornith.*
eleidin *Biochem.*
Notelaea *Bot.*
oliva *Anat.*
Oliva *Conch.*
-acea(n -id(ae -iidae -oid
olive
-aceous -ary -aster -escent -et(te -iferous -iform
olivinite *Min.*
olivenoliodate *Mat. Med.*
Oliveton *Eccl. Hist.*
olivetoric *Chem.*
olivil(e *Chem.*
olivin(e -(it)ic -oid *Chem.*
olivinophyre *Petrol.*
olivite *Chem.*
pseudoliva -inae

ἐλαίαγνος (Theophr.)
Elaeagnus *Bot*
-aceae -aceous

ἐλαιδ- Stem of ἐλαΐς, an olive tree
eladi- *Org. Chem.*
ate ic in(e inic one yl
ricinelaidic -in(e
stearoelaidic
trielaidin

ἐλαϊκός like an olive
elaic *Chem.*

ἐλαιο- Comb of ἔλαιον
elaeo-
blast(ic *Ascid*
carpus *Bot.*
-aceae-aceous
cocca *Bot.*
crinus -idae *Zool.*
dendron *Bot.*
lite *Min.*
margaric *Org. Chem.*
meter
myenchysis *Ther.*
plast *Cytol.*
pten(e *Org. Chem.*
saccharum -ine
stearic *Org. Chem.*
elaio-
leucites *Bot.*
pathy *or* -ia *Path.*
plankton *Biol.*
plast *Bot.*
somes *Bot.*
spheres *Bot.*
eleo-
blast *Zool.*
margaric *Org. Chem.*
meter *Chem. App.*
pathy. *Path.*
pten(e *Chem.*
saccharum *Org. Chem.*
stearic -in *Org. Chem.*

ἐλαιοδόχος holding oil
elaeodochon *Ornith.*

ἐλαιόειν to be oiled
Elaeus *Ent.*

ἐλαιοθέσιον oiling-room
elaeothesium *Archeol.*

ἔλαιον oil
azel(a)ate *Org. Chem.*
azelaic -aone *Org.Chem.*
cetinelaic -in *Org. Chem.*
elain(e *Org. Chem.*
Elainia -iinae -iine *Ornith.*
elaldehyde *Org. Chem.*
elay(e *Org. Chem.*
elydoric *Painting*
gadoleinic *Biochem.*
glycel(a)eum *Pharm.*
litholein(e *Chem. Med.*
oil(er(y ily y *etc.*
oilmeter
-ol *suffix in Chem.*
olanin *Chem.*
Olea -eaceae -eaceous
Oleaecarpum *Pal.*
oleagin(os)ity
oleaginous(ness
oleamid(e oleamin *Chem.*
olease oleate *Org. Chem.*
oleaster -astr(i)al *Bot.*
oleasterol *Org. Chem.*
olefiant
olefin(e -ic
oleiferous
olein
oleo-
balsamic *Mat. Med.*
butyrometer
calcareous *Surg.*
creosote *Mat. Med.*
cyst
dipalmitin *Org. Chem.*
distearin *Org. Chem.*
duct *Mech.*
gen *Ointments*
graph *Mech.*
grapher

oleo- Cont'd
graphy -ic *Mech.*
oleoid *Bot.*
jector *Trade*
margaric *Chem.*
margarin(e
margariscope
meter
nucleoprotein *Chem.*
palmitin -ate *Chem.*
palmitobytyrin *Chem.*
phosphoric *Chem.*
pten(e *Chem.*
refractometer *Optics*
resin(ous *Bot. Pharm.*
saccharum *Pharm.*
solocular *Lichens*
stearate *Chem.* -in(e
thorax *Med.*
oleon(e *Chem.*
oleum
-eose -eosity -eous
oleyl *Org. Chem.*
oleuropein *Org. Chem.*
oliophen *Mat. Med.*
oxyazelaic *Chem.*
pisselaeum *Arts*
thermel(a)eometer
triazelain *Org. Chem.*
vaseline *T. N.*
ἐλαιώδης like an olive
El(a)eodes *Ent.*
elaeodes *Colors*
elaiodic
ἐλᾶν = ἐλαύνειν to drive
Miolania *Pal.*
ἔλανος kite
elanet *Ornith.*
-oides -us
ἔλασμα a metal plate
Arachnolasma *Pal.*
blastelasma *Embryol.*
-elasma *Pal.*
Di Tachy Heter
elasmapod(a ous *Echin.*
Synelasma *Ent.*
xanthelasma *Path.*
-ic -oidea
ἐλασμός = ἔλασμα
Chaulelasmus *Ornith.*
elasm-
odon *Zool.*
odontomys *Pal.*
elasmo-
branch *Ich.*
ia(n iate ii
gnatha -(o)us *Conch.*
meter
saur(us *Herp.*
id(ae oid
stethus *Ent.*
therium *Mam.*
-iidae -iinae -ine
Elasmus -iae -oidae *Ent.*
-elasmus *Ent.*
Mon Tri
ἐλάσσων smaller, less
Elassoma *Ich.*
-atidae -e -id(ae -oid
Elassonyx *Ent.*
ἐλαστικός Mod. fr. ἐλαύνειν to drive
elastic
a al(ly ian ity ize ness
elast(ic)in *Biochem.*
elastinase *Biochem.*
elastivity *Elec.*
elastoid *Gynec.*
elastoidin *Biochem.*
elastoma *Path.*
elastometer *Med. App.*
elastose *Biochem.*
-elastose *Biochem.*
deutero proto
fibroelastic *Anat.*
hemielastin *Biochem.*
inelastic(ity ate
photoelastic(ity *Phys.*
thermoelastic
ἐλαστρέειν to drive
Elastrus *Ent.*
ἐλάτη the silver fir
elatic *Org. Chem.*
ἐλατήρ a driver
aerelatometer *Phys.*
Elater *Ent.*
id(ae oid
Elater *Bot.*
elaterics *Phys.*
elaterist *Archaeol.*
elaterite *Min.*
elatero-
meter *Phys.*
phore *Bot.*
pseudoelaters *Bot.*
ἐλατήριον (Hipp.)
elater- *Org. Chem.*
id(e (id)in one
elaterium *Bot. Med.*
ἐλατίνη (Diosc.)
Elatine *Bot.*
-aceae -aceous -eae
elatin(ol)ic *Org. Chem.*
ἐλατός ductile
elato-
branchia *Zool.*
lite *Min.*
ἐλάττων = ἐλάσσων
Elattarchus *Ich.*
ἐλαφηβόλια
Elaphebolia *Gr. Fest.*
ἐλαφηβολιών March-April
elaphebolion *Gr. Cal.*
ἐλαφίνης a farm
Elaphinis *Ent.*
ἐλαφο- Comb. of ἔλαφος
elapho-
myces *Bot.*
mycetes -acese *Bot.*
pus *Arach.*
ἔλαφος a deer, a stag
Alcelaphus *Mam.*
-inae -ine
Boselaphus *Mam.*
elaphaglossum
elaphidion *Ent.*
elaphine *Zool.*
elaphure -ine -us *Zool.*
Paraboselaphus *Pal.*
subelaphine *Anat. Zool.*
ἐλαφρόπους ight-footed
Elaphropus *Ent.*
ἐλαφρός light; agile
Elaphrerga *Ent.*
Elaphrosaurus *Herp.Pal.*
Elaphrus -idae *Ent.*
ἐλαφώδης deer-like
Elaphodes *Ent.*
Elaphodus *Mam.*
ἐλάχιστος smallest
Elachista -inae *Bot.*
Elachistarthron *Ent.*
Elachistodon *Herp.*
Elachistus -idae *Ent.*
ἐλαχύς small
Elachisina *Pal.*
Elachoceras *Pal.*
Ἐλεατικός (Plato)
Eleatic(ism *Phil.*
ἐλεγεῖα Pl of ἐλεγεῖον
elegiast
elegy
-ious -ist -ize
ἐλεγειογράφος
elegiographer
ἐλεγεῖον (Arist.)
elegiambus -ic *Pros.*
Elegidion *Malac.*
ἐλεγειακός (Dion. H.)
elegiac(al *Pros.*
ἐλεγῖνοι (Arist.)
Eleginus *Ich.*
ἔλεγχος a test to refute
elench(us *Logic*
ic(al(ly ize
elenchicism
ἐλεγχτικός (Plato)
elenchtic(al *Logic*
elenctic *Logic*
ἐλεδώνη (Arist.)
Eledone -id(ae *Conch.*
eledonin *Biochem.*
homoeledonine *Chem.*
ἐλεημοσύνη orig., pity
almner
almoner(ship
almonry
alms
deed folk ful giver
house man
eleemosinary -ily -iness
ἐλειο- Comb. of ἔλειος
marshy
Eleocharis *Bot.*
Eleotragus *Mam.*
Eliomys *Mam.*
heleo-
charis *Bot.*
dytes *Ent.*
plankton *Bot.*
saurus *Pal.*
Heliphiltatus *Pal.*
Ἑλένη Helen (Iliad)
archhelenis *Geol.*
helena *Meteor.*
ἑλένη a torch
Helenophorus *Ent.*
Helenterophyllum *Pal.*
ἑλένιον (Pliny)
elecampane *Bot.*
helen- *Org. Chem.*
ene in(e
Helenium *Bot.*
-iae -ioid(eae
Inula *Bot.*
-(ac)eae oid
inule *Org. Chem.*
-ase -ate in (in)oid
ἑλέπολις a siege engine
helepole -us *Mil.*
ἐλευθέρια (Diod.)
Eleutheria(n *Gr. Fest.*
ἐλευθερο- Comb. of ἐλεύθερος
eleuthero-
blastea -ic *Zooph.*
branchiate -ii *Ich.*
dactyl(i -ous *Ornith.*
gnathi *Ich.*
mannia(c
petalous *Bot.*
phyllous *Bot.*
pomi
rhabdic *Ich.*
sepalous *Bot.*
tepalous *Bot*
zoa(n -oic *Zool.*
ἐλεύθερος free
eleuther-
antherous *Bot.*
arch
ata *Ent.*
ism
us *Zool.*
Ἐλευσίνη Ceres
Eleusine *Bot.*
Ἐλευσινία (Paus.)
Eleusinia (n *Gr. Fest.*
Ἐλευσίνιον (Andoc.)
Eleusinion *Gr. Temp.*
ἐλεφαντ- Stem of ἐλέφας
elephant
a eer er iac ic(al id(ae
inae oid ry ship
-elephant
cam pseud sea
ἐλεφαντίασις (Plut.)
elephantiasis *Path.*
-iasic -iastic -oid(al
-elephantiasis
angio
ἐλεφάντινος of ivory
elephantine
ἐλεφαντο- Comb. of ἐλέφας
elephanto-
myia *Ent.*
pus *Bot.*
ἐλέφας elephant
Elephas *Mam.*
Euclephas *Mam.*
Phytelephas *Bot.*
ἐλέωτρις (Athenaeus)
Eleotridinae *Ich.*
Gymneleotris *Ich.*
ἕλη the sun's heat
Heledona *Ent.*
Helibatus *Ent.*
ἑλιγμός winding
Eligmus *Conch.*
-id(ae -oid
Heligmostylus *Pal.*
Heligmotaenia *Pal.*
Heligmus *Ent.*
ἑλικ- Comb. of ἕλιξ
helic(al(ly ed
Helicacea *Conch.*
Helicea(e *Zool.*
Helicia *Bot.*
helicid(ae -oid(al *Conch.*
heliciform
helicin *Chem.*
Helicina(e *Conch.*
-ian -id(ae -oid
helicine *Anat.*
helicism *Bot.*
helicite *Zool.*
ἑλικο- Comb. of ἕλιξ
helico-
bacterium *Fungi*
carp *Bot.*
ceras -an *Zool.*
graph
gyrate *Bot.*
metry
morphy *Bot.*
pegmata -ous *Conch.*
pepsin *Chem.*
pod(ia *Med.*
podosoma *Arach.*
proteid -ein *Chem.*
pter -re *Arts*
rubin(e *Chem.*
sophy *Geom.*
sporium *Fungi*
trema *Anat.*
ἑλικοειδής spiral
helicoid(al *Bot. Chem.*
helicoidin *Org. Chem.*
hemihelicoid *Bot.*
ἑλικτήρ a twisted thing
Helicter *Conch.*
id(ae oid
Helicteres -eae *Bot.*
ἑλικτός wreathed
helictite *Min.*
Ἑλικών (Hesiod.)
Helicon *Myth.*
helicon *Music*
heliconist
Ἑλικώνιος Pindar
Heliconia *Bot.*
Heliconia *Ent.*
-ian -ideous -iidae
-iinae -iine -ius -oid
Heliconian
ἕλιξ fr. ἑλίσσειν
antihelix *Anat.*
Daimonelix *Pal.*
Didymohelix *Bact.*
Discohelix *Conch.*
helispherical
helix(oid
helixin(e -igenin *Chem.*
Helygia *Bot.*
ἑλίσσειν to wind
Heliamphora *Bot.*
phillilesia *Phytopath.*
ἑλίχρυσος (Alcman)
helichryse -um *Bot.*
helichrysin *Org. Chem.*
ἕλκειν to drag
(h)elcotropism *Bot.*
helkotropism *Bot.*
trielcon *Surg. App.*
ἑλκο- Comb. of ἕλκος
Anhelcocephalon *Pal.*
helco-
dermatous
gaster *Ent.*
logy *Path.*
plasty *Surg.*
pod *Path.*
soma *Zool.*
ἑλκόειν to wound
Helcon *Ent.*
ἕλκος a wound
helcoid *Path.*
helcophthalmia -y *Path.*
helcosal -ol *Mat. Med.*
stomatelcia *Path.*
syphilelcus *Path.*
ἑλκτικός attractive
helctic *Obs.*
ἕλκωμα (Hipp.)
cachelcoma *Path.*
helcoma *Path.*
podelcoma *Path.*
ἕλκωσις (Hipp.)
elc (*or* k)osis *Path.*
-elcosis
carcin(om) cardi cyst
dacry enter gastr hyster irid men metr
nephr omphal prostat
psor splen syphil thym
ur
helcosis *Path.*
-helcosis
dacryo entero gastro
kerato mast ot pancreat
ἑλκωτικός (Diosc.)
helcotic *Path.*
Ἑλλαδικός (Pailad.)
Helladic
Helladotherium -e *Mam.*
-iid(ae -iinae -ioid- (ea
ἐλλάμπειν to shine
Ellampiis *Ent.*
Ἑλλανοδίκι (Pindar)
Hellanodic *Gr. Games*
Ἑλλάς (-άδος) Hellas
Helladian
ἐλλεβορίζειν (Hipp.)
helleborize *Med.*
ἐλλεβορίνη (Theophr.)
helleborine *Bot.*
ἐλλεβορισμός (Hipp.)
helleborism *Med.*
ἐλλέβορος (Hipp.)
hellebor- *Chem.*
ate ein esin etin ic
Helleboraster *Bot.*
hellebore *Bot.*
-aceae -aceous -eae -us
helleborin *Mat. Med.*
ἐλλειπτικός (Eust.)

elliptic
al(ly alness ity oid
-elliptic
equi hyper ovo semi sub
-elliptical
semi sub
ellipticograph
ἔλλειψις (Apollon.)
ellipse -ing
ellipsis *Gram.*
Ellipsodes *Ent.*
ellipsograph
ellipsoid(al *Antorop. Geom.*
-ellipsoid *Anthrop.*
brachy dolich sten
Ellipsoidella *Pal.*
Ellipsolingulina *Pal.*
ellipsone -ic
hypoellipsoid *Geom.*
oriellipse -oid *Geom.*
ovatoellipsoidal
semiellipse -is -oidal
ἔλλεσχος talked of
Elleschus *Ent.*
Ἕλλην = Ἑλληνικός
Hellene(dom
Hellenistic(al(ly
Miso-Hellene
Ἑλληνίζειν (Plato)
de-Hellenize
Hellenize(r -ation
Ἑλληνικός (Herod.)
Hellenic(al(ly
Hellenicism -ize
pre-Hellenic
proto-Hellenic
Ἑλλήνιος (Herod.)
Hellenian
Ἑλληνισμός (Sept.)
Hellenism
Neo-Hellenism
Ἑλληνιστής (N. T.)
Hellenist
Ἑλληνο- Comb. of Ἕλλην
hellenotype *Photog.*
Ἑλλησποντιακός (Ath.)
Hellespontiac *Obs.*
Ἑλλήσποντος (Homer)
Hellespont(ine
ἐλλιμενιστής a collector of harbor dues
Ellimenistes *Ent.*
ἐλλιπή sdefective
ellipo-
choanoid(a(l *Conch.*
toma *Ent.*
ἔλλοψ (-οπος) orig., mute
Ellopia *Ent.*
ellops *Ich.*
ἐλμινθ- Stem of ἕλμινς
anthelminthic *Path.*
archelminth(es -ic *Helm.*
Chaet(h)elmintha *Helm.*
coelelminth(a -es *Helm.*
cystelminth *Path.*
Enthelmintha *or* -es -ic
helminth *Helm.*
es ia ic
helminth-
agogue -ic *Med.*
emesis *Med.*
erus
iasis *Path.*
icide *Med.*
imorphous *Ent.*
ism *Med.*
ite *Pal.*
ous *Path.*
nemat(h)elminth *Helm.*
a es iasis ic
plat(y)(h)elminth *Helm.*
a es ic
prothelminth(a ic *Prot.*
prothelminthis *Biol.*
pseud(h)elminth *Helm.*
splanchnelmintha *Path.*
Sterelmintha *Helm.*
-ic -ous
trochelminth *Helm.*
ἐλμινθο- Comb. of ἕλμινς
helmintho-
chiton *Conch.*
helminthoid
lepis *Pal.*
lite *Pal.*
logy -ic(al -ist
morph(a *Ent.*
phaga *Ornith.*
phila *Ornith.*
phobia *Psych.*
sporium -ious -oid *Bot.*
ἕλμινς intestinal worm
anthelminac *Path.*
anthelmin(i)tic *Path.*
helmitol *Chem.*
ἐλξίνη (Diosc.)
helxine *Bot.*
ἐλο- Comb of ἕλος
elo-
philae *Ent.*
saurus *Pal.*
therium *Pal.*
helo-
biae -ious *Bot.*
hydrad *Bot.*
hylium *Bot.*
hylophilus *Bot.*
hylophyta *Bot.*
hyus hyidae *Pal.*
laphyctis *Ent.*
lochmium
lochmophilus *Bot.*
lochmophyta *Bot.*
pelite *Geol.*
philus *Ent.*
philus *Bot.*
phylium *Bot.*
phorus -idae *Ent.*
phytes *Bot.*
plankton *Bot.*
xyle *T.N.*
zoistic
ἕλος a marsh
hel-
ad ium *Phytogeog.*
icteris -nae *Mam.*
inaia *Ent.*
occetes *Zool.*
onaea *Ornith.*
onias *Bot.*
onias -in *Mat. Med.*
ops *Ent.*
orgadium *Phytogeog.*
orgado- *Phytogeog.*
philus phyta
ophelia *Colors*
Ophelia *Bot.* -ic *Chem.*
Ophelia -iid(ae -ioid
Philohela *Ornith.*
ἔλοψ = ἔλλοψ
Dinelops *Pal.*
Elaps *Herp.*
-apid(ae -apine -apoid
Elops *Ich.*
-op (-an -id(ae -ina -ine -oid)
Elopteryx *Pal.*
ἐλπιδ- Stem of ἐλπίς hope
Elpidia -iidae *Echin.*
elpidite *Min.*
ἔλυμα a plow stock
Eluma *Ent.*
ἔλυμος a kind of grain
Elymus -etum *Bot.*
ἐλυτρο- Comb. of ἔλυτρον
elytro-
baeus *Ent.*
cele *Path.*
clasia *Med.*
cleisis clisia *Gynec.*
gona
phore
plasty -ic *Surg.*
polypus *Gynec.*
ptera *Ent.*
ptosis *Path.*
rhagia *Path.*
rrhaphy *Surg.*
sphaera *Ent.*
stenosis *Gynec.*
teinus *Ent.*
tomy *Surg.*
-elytroplasty *Surg.*
cysto procto
-elytrotomy *Surg.*
celio gastro laparo
episio(elytro)rrhaphy
hemelytrometra *Gynec.*
ἔλυτρον a sheath
Anelytrops *Herp.*
-id(ae -oid(ea(n
anelytrous *Ent.*
blennelytria *Path.*
Brach(y)elytra -ous *Ent.*
Dielytra *Bot.*
elytre(*or* o)dema *Path.*
elytriculus *Bot.*
elytr(on)itis *Path.*
elytron *or* -um *Biol. Zool.*
-al -iform -igerous -in-(u -oid -ous)
elytronchus *Path.*
hemielytron -um -ic
pseudelytron -um *Ent.*
Stenelytra(n -ous *Ent.*
ἐλώδης marshy
Elodes -ea -ioid *Bot.*
elodian -ites *Herp.*
(h)elodes *Path.*
Helodes *Ent.*
helodium -ad *Bot.*
ἔλωρ prey
Helorus *Ent.*
ἐμ- Comb. of ἐν
em-
bryx *Ich.*
panoply
paradise
parchment
phlysis *Path.*
phyma *Path.*
esemplastic
esemplasy
Mastacembalus *Ich.*
-id(ae -oid
ἐμβαδομετρία (Byz.)
embadometry *Obs.*
ἐμβαδόν by land
Embadomonas *Prot.*
ἐμβάλλειν to throw in
Emballonura *Mam.*
-id(ae -ina(e -ine -oid
ἔμβασις a bath
embasis
ἐμβατήριον a march
embaterion
ἔμβιος tenacious of life
Embia *Ent.*
-idae -iid(ae -ioid
Embiotoca *Ich.*
-id(ae -inae -ine -oid
Zalembius *Ich.*
ἔμβλημα an insertion
emblem(a
emblematic
(al(ly alness ize
emblem(at)ist -ize
emblem(at)ology
ἐμβολή setting (Hipp.)
acrembolic
embole *or* -ia -ic *Med.*
emboly *Embryol.*
pleurembolic *Med.*
xenembole *Med.*
ἐμβόλιμος intercalated
embolimeal -ean -ic
Embolimus -inae *Ent.*
ἐμβόλιον a javelin
embolite *Min.*
embolium *Ent.*
i(*or* j)odembolite *Min.*
ἐμβολισμός a puttng in
embolism(us *Eccl. Path.*
al(at)ic(al
embolize *Path.*
ἐμβολο- Comb. of ἔμβολος
embolo-
carus *Arach.*
lalia *Ps. Path.*
meri *Herp. Pal.*
merism -ous
mycotic Path.
phasia *Rhet.*
phrasia *Psych.*
ἔμβολον the ram
embolon -um *Naut.*
ἔμβολος a plug
collembole *Ent.*
-a(n -ic -ous
embol- *Med.*
(a)emia ectomy iform
embolus *Mech. Path. Phys.*
Palembolus *Ent.*
ἐμβριθής weighty
Embrithes *Ent.*
embrithite *Min.*
embritho- *Pal.*
poda saurus
ἐμβρυο- Comb. of ἔμβρυον
embryo-
blastanon *Bot.*
cardia *Diag.*
crinuw *Pal.*
ferous *Biol.*
genesis *Biol.*
genetic *Biol.*
geny -ic *Biol.*
gony
graph(er
graphy -ic
logy -ic(al(ly -ist
morphous *Gynec.*
pathology *Path.*
phore
phyte -a -ic *Bot.*
plastic
scope -ic
tega -ium *Bot.*
thlasis *Obstet.*
thlast (a *Obstet.*
tocia *Obstet.*
tome *Obstet.*
toxon *Ophth.*
troph(e -y *Embryol.*
tropha *Bot.*
-embryosperm *Bot.*
aut bastard geiton parth xen
ἐμβρυοκτόνος (Basil.)
embryoctonous
-ic -y
ἔμβρυον the foetus
embryectomy *Surg.*
embryo -yal -yoid -ous
-embryo
kath mes met neo phyl pre pro prot prototyp pseud typ
embryo(n)ism *Embryol.*
embryoma *Path.*
embryon
al ary ate(d ic(ally
Embryonatae *Bot.*
-embryonate *Bot.*
ex in poly
-embryonic *Biol.*
anaphyl curv ep extra kath mes met mon neo phyl poly post pro prot prototyp pseud-(o) uni
-embryony *Biol.*
apo mon(o) poly
embryusterulcia *Obstet.*
micrembryeal *Bot.*
monembryary *Embryol.*
ostembryon *Embryol.*
perembryum *Bot.*
postembryonal *Biol.*
prosembryum *Bot.*
uniembryonatus *Bot.*
ἐμβρυοτομία (*Galen.*)
embryotomy
ἐμβρυουλκία (Galen)
embryulcia *Obstet.*
ἐμβρυουλκός (Galen)
embryuleus *Obstet.*
Ἔμεσα a city of Syria
Emesa *Ent.*
-id(ae -inae -id -oid
ἐμεσία(Hipp.)
emesia *Med.*
-emesia
aut chol
ἔμεσις vomiting (Hipp.)
antemesin *Prop. Rem.*
emesis *Path.*
-emesis
blenn chol copr(i) h(a)emat helminth hyper melen py sial tyr
hypemesic
ἐμετικός (Arist.)
emetic
al(ly ize
-emetic *Path.*
blenn h(a)emat hyper sub
emeticology *Med.*
ἐμετο- Comb. of ἔμετος
emeto-
catharsis *Path.*
cathartic *Med.*
logy *Med.*
morphia -in(e *Chem.*
ἔμετος vomiting (Hipp.)
emetamin(e *Org. Chem.*
emetatrophia *Path.*
emetin(e -ium *Org. Chem.*
emetism *Tox.*
emetolin(e *Org. Chem.*
melon(en)emetin *Med.*
noremetine *Org. Chem.*
rubremetine *Org. Chem.*
ἔμμαλλος woolly
Emmallodera *Ent.*
ἐμμέλεια harmony
emmeleia *Gr. Mus.*
ἐμμελής in tune
emmele *Music*
ἔμμετρος in measure
emmetropia *Othth.*
-e -ic -ism -y
ἐμμήνα menses (Diosc.)
emmenagog(ue -ic *Gynec.*
emmenagogology *Gynec.*
emmenia -ic *Gynec.*
emmeniopathy *Gynec.*
emmenology -ical *Gynec.*
ἐμπάθεια affection
empathy *Art. Psych.*
-ic -ize
ἐμπαθής in emotion

empathema Path.
ἐμπαιστική embossing
emp(a)estic
empaistic
ἔμπασμα (Oribasius)
empasm(a Med.
ἐμπειρία experience
anempeiria Ps. Path.
empirema Logic
ἐμπειρικοί (Plato)
Empirics Phil.
ἐμπειρικός (Arist.)
empiric
al(ly alness ism ist(ic
utic
empiricopsychological
empiricritical -ism
empirism -istic Phil.
metempiric(s
al(ly ism ist
unempirically
ἐμπέλιος dark gray
Empelus Ent.
ἔμπετρον (Diosc.)
Empetrum Bot.
-aceae -aceous
ἔμπετρος growing on rocks
Empetrichthys Ich.
empetrous Zool.
ἐμπιδ- Stem of ἐμπίς
Empidonax Ornith.
ἐμπίς (-ίδος) a gnat
Empis Ent.
-idae -idid(ae -oid
ἐμπλαστικός clogging
emplastic
ἐμπλαστός daubed over
Emplastus Ent.
ἔμπλαστρον a plaster (Galen)
collemplastum Pharm.
deplaster
emplaster
emplastrum Pharm.
endopeastron Protozoa
entoplastron -al Herp.
epiplastron -al Anat.
hyophypoplastral Pal.
hyoplastron -al Anat.
hypoplastron -al Zool.
mesoplastron -al Herp.
paraplast Med.
piaster -re Coins
plaster
er ing y
plastron -um -al Herp.
xiphi(or o)plastron -al
ἐμπλέειν to sail in
Emplesis Ent.
ἔμπλεκτον (Vitruvius)
emplecton -um Arch.
ἔμπλεκτος inwoven
emplectite Min.
Emplectus Ent.
ἔμπλευρος with large sides
Empleurus Ent.
ἐμπόδιος impeding
empodium Ent.
ἐμπορευτικός (Plato)
empore(u)tic(al
emporeutics
ἐμπόριον (Herod.)
emporium -ial -y
Ἔμπουσα a hobgoblin
Empusa Bot. Ent. Myth.
ἐμπρησμός a conflagration
Empresmothrips Ent.
ἔμπροσθεν in front

emprosthodromous Bot.
ἐμπροσθοτονικός
emprosthotonic Path.
ἐμπροσθότονος (Aretae.)
emprosthotonos -us
ἔμπτυσις (Aretae.)
emptysis Path.
ἔμπτωσις a falling in
metemptosis Chronol.
proemptosis Chronol.
ἐμπύημα (Hipp.)
empyema Path.
-atous -ic
-empyema Path.
arthro pneumo typhlo
ἐμπυηματικός (Hipp.)
empyematic Path.
ἐμπύησις (Hipp.)
empyesis Path.
-empyesis Path.
arthr(o) ost
ἐμπυικός (Aretae.)
empyic(al Med.
ἔμπυος suppurating
empyocele Path.
ἐμπύρευμα a banked ember
empyreuma
-al -atic(al -ize
ἐμπυρο- Comb of ἔμπυρος
empyro-
form Mat. Med.
mancy
ἔμπυρος fiery
empyr(a)eum
empyreal -ean
empyrical
ἐμπύρωσις a kindling
empyrosis
ἐμύς (-ύδος) a tortoise
emyd-
in Chem.
ops Herp.
emydo-
champsa Pal.
rhynchus Pal.
sauria(n ii Pal.
sauryd- Pal.
a(e ea ian idae ina inidae oid(ae
Emys Herp.
-emys Herp. Pal.
Acheront Achil Alamos Basil Bothr Chrys Clarith Colosso Dermat Desm Lutr Pseud Thol
Geoemyda -ina Zool.
ἔμφασις (Tryph.)
emphasis -ize
overemphasis -ize
reemphasize
ἐμφατικός (Ps. Demetr.)
emphatic
al(ly alness
unemphatic(al(ly
ἐμφρακτικός (Hipp.)
emphractic Med.
ἔμφραξις stoppage (Arist.)
emphraxis Path.
-emphraxis
aden angi enterangi gaster(angi) hepat metr nephr pancreat pharyng phleb pyl salping spermat splanchn splen urethr
splenophraxis -ia Path.
ἔμφυλος in the tribe
Emphyloptera Pal.
Emphylus Ent.
ἐμφυσᾶν to inflate

emphysztherapy Ther.
ἐμφύσημα (Hipp.)
emphysem(a Path.
atose atous
metremphy(or u)sema
pseudoemphysema Path.
ἐμφύτευσις (Justinian)
emphytensis Rom. Law
ἐμφυτευτής
emphyteuta Rom. Law
-ic(ary -ist
ἐμφυτός innate
-emphytic Zool.
basi pleur
emphytism Biol.
emphyto- Biol.
genesis genous
Emphytus Ent.
ἐμφώτιον baptisimal garment
emphotion Gr. Ch.
ἕν Neut. of εἷς one
hendiadys Rhet.
heneicos- Org. Chem.
ane ine oic yl(ene
henicosihydratid Chem.
henism Phil.
hentri(a)contan(e Chem.
ἐν in
collencyte -al Bot.
cystencyte Spong.
en-
allostega Anat. Zool.
anthem(a -atous Path.
anthesis Path.
anthrope Path.
arkyochrome Neurol.
arthritis Path.
arthrodia(l Anat.
cara Ent.
carditis Path.
chondr- Path.
oma(tous osis ous
chondrosarcoma
chylema Cytol.
chytraeus Helm.
-ae(oid)idae -aeoides
comic (of hair)
cranial Anat.
cratic -ism
crinal -ic Pal.
crinasteridae Pal.
crinite -al -ic(al Pal.
crinurus Crust. Pal.
-id(ae -oid
crinus Echin.
-idae -oid(ea(n
cuclodema Pal.
cyesis Gynec.
cyopyelitis Gynec.
cyst(is
ation ed ment
dermatic Med.
dermic(ally Med.
dermism Med.
dermosis Med.
deron(ic Physiol.
electrolysis Med.
epidermic Med.
gastration Med.
gastrius Terat.
gomphosis Med.
gram(mic Histol. Psych.
graphic or y Psych.
-ic(ally
halus -id Bot.
hem(at)ospore Med.
idothyris Pal.
nearctic Geog.
neles Pal.
nelichthys Pal.
ophite Geol. Petrog.
ophrys Ich.

en- Cont'd
ophthalmin Mat. Med.
ophthalmos -us Ophth.
orthotrope Mech.
ostosis Physiol.
oxidase Biochem.
scepastra Ent.
somphalus Terat.
strophe Ophth.
synopticity
thylacus Crust.
tome Surg. App.
trochal Geol.
trochus -ite Pal.
tyloma Fungi
zootic -y Vet.
zygotic Embryol.
-enchondroma Tumors
fibro hyalo myxo osteo sarco
metensarcosis Surg.
Palaeendyptes Ornith.
Protencrinus Pal.
scirrencanthus Tumors
ἐνάλιος on or of the sea
enalid Phytogeog.
Enaliornis Ornith.
-ithid(ae –ithoid
enaliosaur(ia(n Herp.
ἐναλλαγή interchange
enallage Gram.
ἐναντιο- Comb. of ἐναντίος opposite
enantio-
biosis -istic Biol.
blastic -ous Bot.
liparis Ich.
meride Org. Chem.
morph Crystal.
ic ism ous(ly
pathy -ic Path.
styly Bot.
thamnosis Path.
thamnus Fungi
treta -ous Protozoa
tropy -ic(ally
ἐναντίωσις contradiction
enantiosis Rhet.
ἐνάπτειν to bind on
Enaptorrhinus Ent.
ἐνάργεια vividness
enargea Bot.
ἐναργής manifest
enargite Min.
ἐνάρθρωσις (Galen)
enarthrosis
ἐναρίζειν to slay
Enaria Ent.
ἐναρμονικον (Plut.)
enharmonic(al(ly
ἐναρμόνιος in accord
enharmonian
ἔναρξις beginning
enarxis Gr. Ch.
ἔναυλος water course
enaulad -ium Phytogeog.
enaulo- Phytogeog.
philus phyta
ἐνδεής lacking
Endeis Ent.
ἔνδεια want
endeiolite Min.
ἐνδεικτικός (Galen)
endeictic Med.
ἔνδειξις a pointing out
endeixis
ἐνδεκ- Comb. of ἕνδεκα
cyclohendecane Chem.
hendec- Org. Chem.
ane anol anone atoic ene enoic ine oic yl
(h)endecandrous Bot.

ἕνδεκα eleven
endeca-
gon
gynian -ous Bot.
naphthene Chem.
phyllous Bot.
hendeca-
colic Pros.
gon(al Geom.
gynous Bot.
hedron Geom.
phyllous Bot.
ploid Bot.
semic Pros.
tomus Ent.
hendekasome Bot.
ἐνδεκασύλλαβος (Heph.)
hendecasyllabic -le
ἔνδεσις a binding on
cystemdesis Surg.
ἔνδηλος manifest
Endelus Ent.
ἔνδημος dwelling in a place
endemia Path.
-ial -ic(al(ly -icity -ism
endem(i)olpidemic Med.
endemiology -ical Med.
ἐνδο- Comb. of ἔνδον
aerenodocardia Path.
antiendotoxic -in Chem.
autendosperm Bot.
bastardendosperm Bot.
Chenendoporinae Pal.
chondrendothelioma
dysendocrinia -ism Med.
dysendocrin (or s)iasis
ectendotrophic Bot.
electroendoscope Med.
endo-
abdominal Anat.
aneurysmorrhaphy
angeitis Path.
antitoxin Cytol.
aortitis Path.
appendicitis Path.
arteritis Path.
auscultation Med.
azo- Org. Chem.
bacillary Med.
basidium Mycol.
biotic Biol.
blast(ic Embryol.
blem Bot.
branchiata Zool.
bronchitis Path.
cannibalism
cardines Zool.
carditis -ic Path.
cardium -iac(al Anat.
carp(on Bot.
-eae -ei(n -ic -oid
carpeae Zooph.
caryogamy Bot.
catadromous Ferns
celiac Med.
cephala -ous
ceras Conch.
-atid(ae -atoid
ceratite -ic
cervical Anat.
cervicitis Path.
chite Bot.
chlorites Bot.
chomdral Anat.
chone -a
chorin(ic Anat.
chroa Bot.
chrome Bot. Zool.
chyle -ous Bot.
chyme Zool.
cline -al Geol.
coccoid Bot.
cocle Anat. Zool.
coelium -ar Zool.

endo- Cont'd
colitis *Path.*
compliment *Biol.*
condensation *Chem.*
cone -al -ic *Conch.*
corpuscular *Biol. Cytol.*
cortex *Bot.*
crane -ium -ial *Anat.*
cranitis *Path.*
cribrose *Bot.*
crinasthenia -ic *Med.*
crine -ic -ism -ous
crinodontia *Dent.*
crinology -ist *Med.*
crinopath(y ic *Med.*
crinotherapy *Ther.*
critic *Physiol.*
crystallic *Petrog.*
cuneiform
cycle *Bot.*
cyclic *Org. Chem.*
cyclic(a(l *Echin.*
cyemate *Embryol.*
cyesis *Embryol.*
cyst *Helm.*
cystitis *Path.*
cyte *Cytol.*
derm *Biol. Bot. Embryol.*
al ic is oid
dermo- *Bot.*
gens phyton
diascope -y *Med.*
dinium Protozoa
dynamorphous *Geol.*
ectothrix *Med.*
electrical *Phys. Chem.*
enteritis *Path.*
enzym(e *Biochem.*
eripsin *Biochem.*
esophagitis *Path.*
exoteric *Med.*
faradism *Med.*
galvanism *Med.*
gamy -ic -ous
gastrectomy *Med.*
gastric(al(ly *Path.*
gastritis *Path.*
gen(ae *Bot.*
genesis *Biol.*
genetic *Med.*
genic -ous *Med.*
genous(ly *Biol. Bot.*
geny *Anthrop. Biol.*
glob(ul)ar *Cytol. Med.*
gnath(al -ion *Crust.*
gon(id)ium *Bot.*
haustorium *Bot.*
intoxication *Tox.*
karyogamy *Bot.*
kinetic *Bot.*
labium *Ent.*
labyrinthitis *Path.*
laryngea' *Anat.*
lemma *Histol.*
limax *Zool.*
lith *Art*
lithia -ic *Prot.*
lithic *Bot.*
lithophytes *Bot.*
lumbar *Anat.*
lymph(ic -atic *Anat.*
lymphangial *Anat.*
lysin *Bact.*
mastoiditis *Path.*
meristem *Mosses*
mersion
mesoderm *Embryol.*
metrectomy *Surg.*
metrioma *Tumors*
metritis *Path.*
metrium -ial *Anat.*
metry *Anat. Craniom. Ethnol. Physiol.*
mixis *Bot. Cytol. Infus.*
morph(ic -ism *Min.*

endo- Cont'd
m(o)usia *Psych.*
myces -aceae *Mycol.*
mychus -id(ae -oid
myocarditis *Path.*
mysium -ial *Anat.*
nasal *Anat.*
nastic *Bot.*
nephritis *Path.*
neurium -ial *Anat.*
nomic *Sociol.*
nuclear *Cytol.*
nucleolus *Embryol.*
oxidase *Biochem.*
parasite -c(a *Zool.*
pathic *Med.*
pelvic *Anat.*
periarteritis *Path.*
pericardial *Anat.*
pericarditis -ic *Path.*
peridium -ial *Bot.*
perimyocarditis *Path.*
perineuritis *Path.*
peritonitis *Path.*
petrion *Bot.*
phagy -ous
phasia -ic *Psych.*
phlebitis *Path.*
phloeum -oic *Bot.*
phragm(a(l *Crust.*
phylaxination *Tox.*
phyllum *Bot.*
-aceae -ous
phyte *Bot.*
-al -c(ally -ism
phytous *Ent.*
plasm(a -ic *Biol.*
plast(ic(a *Prot.*
plastron *Prot.*
plasts *Bot.*
plastule -ar *Infus.*
pleura(l *Bot.*
pleurite -ic *Crust.*
prothallae *Bot.*
plutonic *Geol.*
plutonism -ist *Petrol.*
podite -ic *Crust.*
proct(a -ous *Helm.*
psychic *Psych.*
pterygote *Ent.*
-a -ic -ism -ous
ptile *Bot.*
r(h)achis *Anat.*
rhinitis *Path.*
rhizae- *Bot.*
-al -oid -ous
salpingitis *Path.*
saprophytism *Lichens*
sarc(ous *Protozoa*
sarcode -ous *Protozoa*
sclerotium *Bot.*
scope -ic -y *Med.*
scopic *Bot.*
secretory *Anat.*
sepsis *Path.*
siph- *Conch.*
blade coleon coni
siphocylinder *Pal.*
funicle *Pal.*
siphon(al -ate *Conch.*
siphotube *Pal.*
siphuncle -ular *Zool.*
skeleton -al *Anat.*
soma *Cytol.*
some *Bot.*
some -al *Spong.*
sperm(ic *Bot.*
sphaera -ine *Bot.*
sphaerosira *Bot.*
spora *Zool.*
spore -ae -ous *Bot.*
sporium *Bact.*
sporozoa *Zool.*
sternal ite -itic *Crust.*
sternum *Herp.*
stethoscope *Med. App.*

endo -Cont'd
stome -a *Bot. Crust. Path.*
style -ic *Ascid.*
tenon *Anat.*
thamma *Ent.*
testa *Bot.*
thamna *Ent.*
theca *Bot.*
theca(l -ate *Zooph.*
thecium -ial *Bot.*
theistic
thelioinoma *Tumors*
thelioma *Tumors*
thelio-
blastoma *Tumors*
cyte *Cytol.*
cytosis *Med.*
lysin lytic *Biochem.*
myoma *Tumors*
myxoma *Tumors*
toxin *Bact.*
thelium -ial -ioid *Anat.*
therm *Chem.*
al(ly ic(ally icity
thermy -al -ic *Med.*
thio- *Org. Chem.*
thio- *Bot.*
bacteria leukaceae rhodaceae
thorax -acic *Zool.*
thrix *Fungi Med.*
thyr(e)opexy *Surg.*
thyrina *Zool.*
toxic(osis in *Bact.*
trachea *Ent.*
tracheitis *Path.*
trachelitis *Path.*
troph(y -ic *Bot.*
tropic *Bot.*
trypsin *Chem.*
tryptase *Chem.*
vasculitis *Path.*
venous *Anat.*
zoa *Zool.*
zoochory *Bot.*
epiendodermal *Bot.*
exendospermous *Bot.*
exendotropy -ic *Bot.*
hemendothelioma
hemiendo- *Bot.*
biotic phytic zoa
holendo- *Fungi*
biotic phytes zoa
hyperendo- *Med.*
crinism crisia
hypoendo- *Med.*
crinism crisia
laryngendoscope *Med.*
lymphangioendo theli(oblast)oma
lymphendothelioma
mesendobiotic *Bot.*
Mesendozoa *Zool.*
metroendometritis
myoendocarditis
periendothelioma
perimyoendocarditis
pharmacoendocrinology
phonendoskiascope
pseudoendometritis
reticuloentothelial
stethendoscope *Surg.*
subendo-
cardial *Anat.*
stylar thelial
xenoendosperm *Bot.*
ἔνδοθι within
endothiodon(t *Zoöl.*
ἔνδον within
dicamphendion *Chem.*
electroend- *Phys. Chem.*
osmosis osmotic
end-
abdominal *Anat.*
adelphos *Terat.*

end- Cont'd
am(o)eba *Zool.*
amebiasis *Path.*
ang(e)itis *Path.*
angium *Path.*
anthem *Med.*
aortic *Anat.*
aortitis *Path.*
arch *Bot.*
arteritis -ic *Path.*
arterium -ial *Anat.*
aspideae -ean *Ornith.*
auxesis *Bot.*
axoneuron *Neurol.*
epidermis *Anat.*
exoteric *Med.*
hymenine *Bot.*
imino- *Org. Chem.*
istem *Bot.*
ite *Zool.*
ome *Bot.*
oarii -ian *Zooph.*
odontitis *Path.*
ophthalmitis *Ophth.*
osm(id)ic *Physiol.*
osmometer -metric
osmose -is *Physiol.*
osmotic(ally *Physiol.*
ost(e)itis *Path.*
ost(e)oma *Tumors*
osteum -eal(ly *Anat.*
ostosis *Anat.*
ostracum -al *Crust.*
otoscope *Med. App.*
oxy- *Org. Chem.*
ἔνδοσις remission
endosis *Med.*
ἐνδρομίς a running shoe
endromides *Gr. Dress*
Pseudendromis *Ent.*
ἔνδροσος bedewed
Endrosa *Ent.*
ἔνδυμα a garment
Calendyma *Ent.*
endyma(l *Anat.*
periendymal *Anat.*
sub(ep)endymal *Anat.*
Ἐνδυμίων (Apollod.)
Endymion *Ent. Myth.*
Endymionidae *Pal.*
ἔνδυσις an entering in
cholecystendysis *Surg.*
endysis *Ornith.*
ἐνεδρευτής ensnarer
Enedreutes *Ent.*
ἐνείλημα a wrapper
eneilema *Bot.*
ἔνεμα (Diosc.)
enema *Med.*
ἐνέργεια (Arist.)
anenergia *Med.*
bioenergesis *Biol.*
bioenergics *Biol.*
energeia *Phil.*
energiatype *Photog.*
energic(al -ics *Phys.*
energico *Music*
energid *Bot.*
energin *Diet*
energism *Ethics*
energize(r
energy
is(o)energic *Phys.*
monoenergid *Bot.*
neurenergen *Biochem.*
reenergize
sunenergy
telenergy -ic *Psychics*
ἐνεργής active
energesis *Bot.*
ἐνεργητικός active
bioenergetics *Biol.*
energetic
al(ly alness

-energetic
hyper in iso sub un
inenergetical(ly
ἐνεργο- Comb of **ἐνεργός** active
energo-
meter *Med. App.*
poda *Ent.*
ἐνεργούμενος (Athan.)
energumen
ἔνεσις a putting in
-enesis *Path.*
azot phosphor
enesol *Mat. Med.*
ἔνζυμος leavened
carbenzym *Mat. Med.*
enzym(e *Biochem. Eccl.*
enzym-
ation ic(ally osis otic
-enzyme *Biochem.*
(anti)anti co ecto endo exo hist invert pro sero taka tox
enzymoid *Bot.*
enzymol *Prop. Rem.*
enzymo- *Biochem.*
logy lysis
enzymuria *Med.*
peptenzym *T. N.*
polyenzymatic *Biol.*
ἐνθεάζειν to be inspired
entheasm
ἐνθεαστικός (Plato)
entheastic(al(ly
ἔνθεος inspired
entheal -ean -eate *Obs.*
entheomania *Ps. Path.*
entheos
panentheism *Phil.*
ἔνθεσις insertion
enthesis *Med.*
prosenthesis *Bot.*
xenenthesis *Med.*
ἐνθετικός fit to implant
enthetic *Med.*
ἔνθλασις a dent from pressure
enthlasis *Surg.*
ἔνθορος impregnated
Enthora *Ent.*
ἐνθουσία
enthusiac -ian *Obs.*
ενθουσιασμός (Plato)
enthuse
enthusiasm
Ἐνθουσιασταί (Theod.)
Enthusiastae *Eccl. Hist.*
(pseudo)enthusiast
ἐνθουσιαστικός (Plato)
antienthusiastic
enthusiastic(al(ly
ἐνθρονίζειν (Diod.)
enthronize -ation
ἐνθύμημα(Arist.)
enthymeme *Logic*
-a -ical
ἐνθυμηματικός (Arist.)
enthymematic(al *Log.*
ἔνικμος humid
Enicmosoma *Ent.*
ἑνικός single
Henicocephalidae *Ent.*
Henicopus
(H)enicurus *Ent. Ornith.*
-id(ae -oid
ἐννε- Comb. of **ἐννέα**
enne-
acanthus *Ich.*
ander *Bot.*
andria(n -ous *Bot.*
arinus *Bot.*
arthron *Ent.*
atic(al

ἐννέα nine
enndecane
ennea *Zool.*
ennea-
cosane *Org. Chem.*
eteric
gon(al(ly *Geom.*
gynia(n -ous *Bot.*
hedron -al -ia *Geom.*
hydrate(d *Chem.*
logy
mercuri- *Chem.*
mercuric *Chem.*
octonus *Ornith.*
petalous *Bot.*
phyllous *Bot.*
pla
ploid *Bot.*
pterygii *Ich.*
semic *Pros.*
sepalous *Bot.*
some *Bot.*
style -os *Arch.*
sulphid(e *Chem.*
syllabic
ennoic *Org. Chem.*
hemienneahydrated
prosenneahedral -ous
ἐννεάκοντα
enneacontahedr- *Geom.*
al oid on
ἐννεάς (-άδος) a body of nine
ennead(ic
ἔννομος lawful
ennomoclon *Spong.*
Ennomos -us *Ent.*
-id(ae inae
ἐνο- Comb. of ἕν
heno-
genesis *Biol.*
geny *Biol.*
theic *Phil.*
theism *Phil.*
theist(ic *Phil.*
therm *Phys.*
kathenotheism *Hist. Rel.*
ἐνόδιος in or on the way
Enodia -ous *Ent.*
ἔνοικος inhabitant
Hademoecus *Ent.*
ἐνόπλιος = ἔνοπλος
enoplios *Pros.*
Enoplium *Ent.*
ἔνοπλος armed
Enopla(n *Helm.*
enoplo-
cephalus *Pal.*
teuthis *Conch.*
-id(ae -oid
Enoplus *Ent. Helm.*
-id(ae oid
ἔνοπτος visible
enoptomancy
ἔνοπτρον a mirror
enoptro-
mancy
teuthis *Malac.*
ἔνορχις with one testicle
Enorchis *Geol.*
ἑνός Gen. of ἕν
Anthenea *Echin.*
-eid(ae -eoid
Anthenocrinidae *Pal.*
ἔνοσις a quaking
enosimania *Ps. Path.*
ἑνότης unity
Henotosoma *Helm.*
ἐνουρεῖν to void urine
enuresis *Path.*
ἐνστάτης an adversary

(calc)clinoenstatite *Min.*
clinoenstatic *Min.*
enstatite -ic *Min.*
ἔντασις tension
entasis -is *Arch. Path.*
myentasis *Surg.*
ἐντατικός stimulating
entatic *Med.*
ἐντελέχεια (Arist.)
entelechy *Phil.*
ἐντελής complete
Entelopes *Ent.*
ἔντερα the bowels
anentera -ous *Anat. Biol.*
Cleistenterata *Zool.*
Coelentera *Helm. Zooph.*
-ata -ate -e
Phlebenterata -e *Conch.*
Tretenterata -e *Brachiop.*
ἐντερεπιπλοκήλη (Galen)
enterepipl(omphalo)cele
ἐντερικός intestinal
enteric *Med.*
in oid
-enteric *Med.*
ab ap arch coel extra gastro genito hepato met my neur(o) para peri phleb uretero
ἐντερο- Comb. of ἔντερον
aerenteroectasia *Path.*
cholecystentero- *Surg.*
rrhaphy
entero-
anastomosis *Surg.*
antigen *Biochem.*
apokleisis *Surg.*
bacteriotherapy *Ther.*
biliary *Anat.*
brosis *or* -ia *Med.*
centesis *Surg.*
chirurgia *Surg.*
chlorophyl(l *Biochem.*
cholecysto - *Surg.*
stomy tomy
cinesia *Physiol.*
cinetic *Med.*
cleaner *Med. App.*
cleisis *Path.*
clysis *Med.*
clysm *Mat. Med.*
coccus *Bact.*
coele -a -ic -ous *Zool.*
colitis *Path.*
colostomy *Surg.*
cyst(oma *Path.*
cystocele *Path.*
delous *Anat.*
epiplocele *Med.*
gastritis *Path.*
gastrocele *Med.*
genous *Med.*
gram graph *Med.*
graphy *Anat.*
helcosis *Path.*
h(a)ematin *Biochem.*
hemorrhage *Path.*
hepatitis *Path. Vet.*
hydrocele *Med.*
intestinal *Med.*
ischiocele *Med.*
kinase *Biochem.*
kinesia *Physiol.*
kinetic *Physiol.*
lipase *Biochem.*
lite lith(ic *Path.*
lithiasis *Path.*
logy *Med.*
megalia *or* -y *Med.*
mere *Embryol.*
merocele *Med.*
mesenteric *Anat.*
meter *Med. App.*
monas *Protozoa*
morpha *Bot.*

entero- Cont'd
mycodermitis *Path.*
mycosis *Path.*
myiasis *Path.*
neuritis *Path.*
paralysis *Path.*
paresis *Med.*
pathy *Path.*
peristotle *Surg.*
pexis -y *Surg.*
phleodes *Lichens*
phthisis *Path.*
plasty *Surg.*
plegia *Path.*
plex(y *Med.*
pneumatics *Med.*
pneust(a(l *Zool.*
proctia *Med.*
ptosis *oe* -is *Path.*
ptotic *Path.*
rose *Diet.*
rrhagia *Path.*
rr(h)aphia -y -ic *Surg.*
rrhexis *Path.*
rrh(o)ea *Path.*
scope *Med. App.*
sepsis*Path.*
septol *Mat. Med.*
spasm *Path.*
stasis *Med.*
staxis *Med.*
stenosis *Path.*
stomy *Surg.*
syphilis *Path.*
tomy *Anat. Surg.*
toxication *Tox.*
toxin -ism *Tox.*
zoa(n -oic -oon *Zool.*
-enterostomy *Surg.*
appendico cholecyst duodeno entero (o) esophag fistulo hepatico hepatocholangio hernio lapar uretero(trigono)
-enteretomy *Surg.*
celio cholecysto gastro synecht
gastroentero- *Med. Surg.*
anastomosis colitis (colo)stomy logy(-ical -ist) plasty ptosis
Helenterophyllum *Pal.*
terostomy *Surg.*
ἐντεροκήλη (Galen)
enterocele *Path.*
-enterocele *Path.*
cysto epiplo hydr hysterovagino
ἐντεροκηλικός (Galen)
enterocelic *Path.*
ἔντερον Sing. of ἔντερα
archenteron *Bot.*
blennentery *Path.*
enter-
aden(itis *Path.*
adenography *Med.*
adenology *Med.*
al -ate *Anat.*
algia *or* -y *Path.*
auxe *Med.*
angiemphraxis *Med.*
ectasis *Path.*
ectomy *Surg.*
elcosis *Path.*
in *Mat. Med.*
itis -ic *Path.*
odynia *Path.*
oid
oidea *Path.*
ol *Mat. Med.*
omphalos -us *Med.*
on *Anat. Zool.*
onol *Mat. Med.*
oscheocele *Path.*

-enteria *Path.*
blenn dothi psor
-enteritis *Path.*
blenn coel dothi(en) endo eso ex gastro lymph muco peri pneum(on)o psor sero typhlo
-enteron *Embryol.*
arch coel megalo met my peri
gastroenter- *Path.*
algia itic
Lethenteron *Ich.*
parenteral(ly *Med.*
phlebenterism *Zool.*
stearentin *Biochem.*
ἔντιμος honored
Entimus *Ent.*
ἔντομα insects (Arist.)
Entoma -al *Zool.*
Trientoma *Ent.*
ἐντομή a notch
entomion *Craniol.*
Gymnentome *Pal.*
ἐντομίς an incision
Entomis -idae *Pal.*
ἔντομος cut up
anemoentophily *Bot.*
dientomophily *Bot.*
entom-
acis *Ent.*
acodon *Mam.*
acrodus *Ich.*
oletes
olin *Chem.*
osis *Path.*
ostraca(n ous *Crust.*
ostracite *Pal.*
entomo-
conchus -idae *Ent. Pal.*
crania *Biol. Ich.*
gamy *Bot.*
graphy -ic
lestes *Pal.*
lite -ic lith(ic *Pal.*
lithis *Ent.*
logy *Zool.*
-ic(al(ly -ist -ize
meter
phaga(n -ous *Zool*
phila *Ent.*
phily -ous *Bot.*
phthora *Bot.*
-aceae -aceous -ales -(in)eae -ous
phytal -ous *Bot.*
sporium *Bot.*
stega -ous *Protozoa*
stoma(ta -atous *Conch*
taxy *Zool.*
tomy -ist *Ent.*
Hadentomoidea *Pal.*
palaeentomology *Pal.*
unentomological
ἔντονος well-strung
entonic *Med.*
ἔντοπος in place
entopic *Med.*
ἐντός inside
Deltentosteus *Zool.*
ect(o)ental *Embryol.*
ectoentad *Anat.*
ent-
acmaeous *Zool.*
aconid
acoustic *Otology*
ad -al *Anat. Zool.*
am(o)eba *Protozoa*
am(o)ebiasis *Path.*
apophysis -ial *Ent.*
arthrotic *Anat.*
edon(idae *Ent.*
encephalic *Psych.*
epicondyle -ar *Anat.*

ent- Cont'd
ergogenism -ic *Biol.*
helmintha -es -ic *Med.*
iris *Anat.*
obliquus *Anat.*
oniscus -idae *Zool.*
ophthalmia *Path.*
optic(ally -ics *Physiol.*
organism
ostosis *Path.*
otic *Anat.*
ento-
blast(ic *Biol.*
branchia -iate *Conch.*
bronchium *Ornith.*
calcaneal *Anat.*
carotid *Anat.*
cele *Path.*
cha(n *Conch.*
chondrostosis *Med.*
choroidea *Ophth.*
cinerea *Anat.*
cnemial *Anat.*
cocle -ian -ic *Zool.*
concha(n *Conch.*
-id(ae -oid
condyle -ar -oid *Anat.*
cone -id *Dent.*
cornea *Anat.*
cranial *Anat.*
cuneiform *Anat.*
cyclic *Bot.*
cyemate *Embryol.*
cyst *Zool.*
cyte *Cytol.*
derm(al -ic *Embryol.*
discalis *Bot.*
ectad
gastric *Physiol.*
gastrocnemius*Physiol.*
genous
glossal *Ich.*
glossum -al *Ornith.*
glutaeus -(a)eal
gnathi *Ent.*
hyal *Ich.*
lithia -ic *Protozoa*
loma *Mycet.*
mere -ic *Embryol.*
mesoblast *Cytol.*
metatarse *Ornith.*
parasite -ic *Biol.*
pectoralis *Anat.*
periphereal *Anat.*
phyte *Bact. Biol. Bot.*
-al -ic(ally -ous
plasm *Biol. Zool.*
plastic
plastron -al *Herp.*
popliteal *Zool.*
procta -ous *Helm.*
pterygeus -oid *Anat.*
retina *Anat.*
sarc *Zool.*
sclerite *Ent.*
scopy -ic
septum *Zool.*
solenian
sphaerida *Protozoa*
sphenoid *Anat.*
sphenus -al *Anat.*
sphenus *Ich.*
sphere *Cytol.*
spore *Bot.*
sternite *Zool.*
sternum -al *Ent. Herp.*
tentacle *Zool.*
thorax *Ent.*
triceps *Anat.*
trophi -ous *Ent.*
tympanic *Anat.*
zoa zoon *Zool.*
-oal -oan -oarian -oic(al
zoology -ical(ly -ist
zootic
Eventognathi -ous *Ich.*

mesento- *Embryol.*
derm mere
phytentoscope *Bot.*
pseudentoptic *Psych.*
synentognath(i ous *Ich.*
telento-
gonidium spore
ἔντοσθε from within
entosthoblast *Biol.* (*Obs.*)
ἐντροπή a turning toward
entropium -ion(ize *Path.*
entropous *Bot. Ent.*
entropy *Physiol.*
iridentropium *Ophth.*
isentropic *Phys. Chem.*
ἐντροπία (Hipp.)
entropia *Physiol.*
ἐντύειν to deck out
Entyus *Ent.*
ἔνυδρις (Pliny)
Enhydris *Herp.*
ἔνυδρος living in or near water
Enhydra -inae -ine *Mam.*
enhydric *Zool.*
enhydrite -ic *Min.*
enhydros *Geol.*
enhydrous *Phys.*
Enhydrus *Ent.*
ἐνυποστατικός actual
enhypostatic *Theol.*
ἐνυπόστατος endowed with existence
enhypostasia *Theol.*
enhypostatize *Theol.*
ἐνυφαντός inwoven
Eauphantae *Ent.*
Ἐνυώ goddess of war
Enyo -yidae *Ent.*
ἐνωμοτάρχης (Thuc.)
enomotarch *Gr. Mil.*
ἐνωμοτιά a sworn band
enomoty *Gr. Mil.*
ἕνωσις union (Arist.)
henosis *Anat.*
ἑνωτικόν a plea for concord
Henoticon *Eccl. Hist.*
ἑνωτικός causing union
henotic *Phil.*
ἐξ- Comb of ἐκ
ex-
acrinous *Physiol.*
actinio *Chem.*
algin(e *Pharm.*
eng(e)ia *Path.*
anthrope -ic *Path.*
apophysatus *Bot.*
arteritis *Path.*
ascus *Fungi*
-aceae -ales -ous
aspidea(n *Ornith.*
atheta *Ent.*
coemum *Bot.*
embryonate *Bot.*
encephalia *Terat.*
-ic -ous -us -y
endospermous *Bot.*
endotropic -y *Bot.*
enteritis *Path.*
homotropic -y *Bot.*
hymenine *Bot.*
hysteropexy *Surg.*
ite *Zool.*
occipital *Anat.*
odyne *Mat. Med.*
orchis *Helm.*
organic
osmic -ose
osmosis -otic
ostosis -osed -otic *Bot. Path.*

existem *Bot.*
ἕξ six
bicyclohexa (*or* -e)ne
cychlohex- *Org. Chem.*
ane anol(e anone ene enol enone (en)yl ylamin(e
discohexact *Spong.*
discohexactaster *Spong.*
fucohexonic *Org. Chem.*
graphiohexaster *Spong.*
heptaxadral *Crystal.*
hex-
acanth(ous *Zool.*
ace *Geom.*
acid *Chem.*
act *Spong.*
actin(e -al *Spong.*
actinella *Spong.*
-id(ae -ida(n -ine
actinia -iae -ian *Zooph.*
hexosan *Org. Chem.*
aldehyde *Chem.*
aldose *Org. Chem.*
amine *Chem. Mat. Med.*
ammine -o *Chem.*
ammoniate -ium *Chem.*
anchus -id(ae -oid *Ich.*
ander *Bot.*
andria *or* -y *Bot.*
-ian -ic -ous
ane -ol -one *Chem.*
angle *Geom.*
angular(ly *Geom.*
anthus *Ich.*
arch *Bot.*
archy
arinus *Bot.*
ase *Biochem.*
aster *Spong.*
asterophora -ous
athlon *Athletics*
atomic *Chem.*
axon *Spong.*
azene azoane *Chem.*
decyl(ic *Chem.*
eikosane *Chem.*
ene -ic -oic -ol -one -yl
eton(e *Pharm.* (*T. N.*)
ine -ol -one
iodid(e *Chem.*
it(e -ol *Org. Chem.*
octahedron -al *Crystal.*
ode *Elec.*
oic *Chem.*
ol *Resins*
one -ic *Chem.*
os(e *Org. Chem.*
an am(in)ic azon(e id(e
oxide *Chem.*
oyl(ene *Chem.*
partite
tetrahedron -al *Crystal.*
yl *Org. Chem.*
amin(e ene ic resorcinol
-hexactine *Spong.*
disco oxy strongyl(o) torn tyl
hexiradiate
hexo- *Org. Chem.*
biose triose
-hexosan *Org. Chem.*
di tetra tri
-hexose *Chem.*
alde keto rhamno rhodeo zymo
lyxohexosamine -ic *Chem.*
orthohexactin *Spong.*
oxyhexact *Spong.*
oxyhexaster *Spong.*
oxyhexoic *Chem.*
rhamnohexite *Org. Chem.*
rhamnohexonic *Chem.*
rhodeohexonic *Chem.*

silicohexane *Org. Chem.*
sphaerohexaster *Spong.*
xylohexosamine -ic
ἑξα- Comb. of ἕξ
cyclohexadic- *Org. Chem.*
ene enol enone enyl
hectastyle
hexa-
amylose *Chem.*
basic *Chem.*
biose *Chem.*
blemma *Arach.*
bromid(e -o- *Chem.*
capsular *Bot.*
carbon *Chem.*
ceratina -e *Spong.*
chaetae -ous *Ent.*
chinol *Mat. Med.*
chlorid -o- *Chem.*
chord(al *Music*
chromic *Ophth.*
chronous *Pros.*
coccus *Bot.*
compound
coralla *Zooph.*
-an -ia -ine
cosane -ic *Org. Chem.*
cotylous *Bot.*
crinus *Pal.*
cyanogen *Org. Chem.*
cyclic *Bot.*
dec- *Chem.*
ane oic yl(ic ylene
deca-
colophenic *Chem.*
d(i)ine *Org. Chem.*
hedroid *Math.*
hydrated *Chem.*
di- *Org. Chem.*
ene enol enone enic ine
foil
glot
gyn(ia(n -(i)ous *Bot.*
hexosan *Org. Chem.*
hydr- *Chem.*
ate(d ic id(e
hydrite *Min.*
hydro- *Chem.*
benzene carvacrol hematoporphyrin thymol
hydroxybenzene
icosane *Chem.*
l(in *Chem.*
lepidus *Bot.*
let *Mat. Med.*
logy
mecol *Mat. Med.*
mere -ism *Spong.*
methyl- *Org. Chem.*
ated en(e)amin(e *etc.*
nemous *Zool.*
nephric *Ent.*
nitro- *Org. Chem.*
partite *Arch. Zool.*
ped *Ent.*
petalae *Bot.*
-oid(eous -ous
phase *Ent.*
phyletic *Bot.*
phyllous *Bot.*
plasta *Ent.*
plex
ploid *Bot.*
plumbic *Inorg. Chem.*
pod *Meas.*
prostyle *Arch.*
protodont *Anat. Pal.*
pterous *Bot. Zool.*
pyrenus *Bot.*
radial *Biol. Morph.*
rhoptra *Ent.*
sepalous *Bot.*
somic *Bot.*
spermous *Bot.*

hexa- Cont'd
stemonous *Bot.*
sterigmatic *Bot.*
stigm *Math.*
sulphid -amide *Chem.*
tanytarsus *Ent.*
tetrahedronal *Cryst.*
teuch(al *Bible*
thiazole *Org. Chem.*
thionic *Chem.*
triacontane *Org. Chem.*
triene triose *Org. Chem.*
vaccine
valent -ency *Chem.*
mesohexasilicic *Chem.*
Parahexapus *Crust.*
Platyhexacrinus *Pal.*
superhexapoeian
ἐξάγιστος accursed
Exagistus *Ent.*
ἑξάγραμμος of six grammes
hexagram *Geom.*
Hexagrammos *Ich.*
id(ae -inae -oid
ἐξαγωνίζειν (Proceus)
hexagonize *Math.*
ἑξάγωνον (Arist.)
hexagon
al(ly alize ial ical ous y
-hexagonal
di holo pseudo semi sub tetarto
hexagonienchyma *Bot.*
Hexagonochilus *Ent.*
hexagonoid *Ferns*
hexagonite *Min.*
inhexagon *Geom.*
ἑξαδ- Stem of ἑξάς six
hexad(e *Chem. Math.*
ἑξαδάκτυλος (Tzetz.)
hexadactylous *Anat. Biol.*
-ic -ism
ἑξαδικός (Theol. Ar.)
hexadic *Chem. Math.*
ἑξάδραχμον (Arist.)
hexadrachm *Coins*
ἑξάεδρον (Theol. Ar.)
dihexahedron -al *Crystal.*
hexahedrite *Min.*
hexahedron -(ic)al *Geom.*
octakishexahedron
pentahexahedron -al
tetrahexahedron -al
tetrakishexahedron
trihexahedral *Crystal.*
ἑξαήμερος in six days
hexahemeric
Hexahemeron
ἔξαιμος bloodless (Hipp.)
exemia *Surg.*
ἐξαίρεσις a taking out
exaeresis *Surg.* (*Obs.*)
neurexairesis *Surg.*
ἐξαίρετος taken out
Exaereta *Ent.*
ἑξάκις six times
hexacis-
octahedral *Crystal.*
tetrahedron -al
ἑξακόσιοι six hundred
hexacosihedroid *Math.*
ἑξάκωλος of six members
hexacolic *Pros.*
Hexacolus *Ent.*
ἔξαλλος quite different
Exallonyx *Ent.*
ἐξαλλοτριοῦν to export
exallotriote
ἑξαμερής in six parts
hexameral -ous *Bot. Zool.*
Hexameroceras *Zool.*

prehexameral
ἑξάμιτον
samite
scamato
ἐξανθέειν to bloom
exanthal- *Min.*
ite ose
ἐξάνθημα pustule(Hipp.)
exanthema *Bot. Path.*
exanthematic -ous *Path.*
exanthematology *Path.*
ἐξάνθησις eruption (Hipp.)
exanthesis *Path.*
ἐξαντλεῖν to draw out
exantlate & -ation
ἑξαπλᾶ (Eus.)
hexapla *Lit.*
-ar(ian -ic
ἐξαποστειλάριον a troparion before Lauds
exaposteilarion *Gr. Ch.*
ἑξάπους of six feet
hexapod(e *Ent.*
al an ous
hyperhexapod(a ous
ἑξάπτωτος (Priscian)
hexaptote *Gram.*
ἐξάρθρωσις (Galen)
exarthrosis *Path.*
spondylexarthrosis
ἐξάρτημα an appendage
Exartematopus *Ent.*
ἔξαρχος prefect; overseer
exarch(ate(ship *Gr. Ch. Pol.*
ἑξάσημος (Heph.)
hexaseme -ic *Pros.*
ἑξάστιχος of six lines
hexastich(on ic *Pros.*
Hexastichorchis *Zool.*
hexastichous -y *Bot.*
ἑξάστυλος (Vitruv.)
hexastyle *Arch.*
-ar -ic -os
ἑξασύλλαβος (Schol. Soph.)
hexasyllabic -le
ἑξάψαλμος the six Psalms
hexapsalmus -os *Gr. Ch.*
ἐξέδρα hall; arcade
exedra *Arch. Cl. Ant.*
ἐξεικονίζειν (Sept.)
exiconize
ἐξελιγμός revolution
exeligmos *Chron.*
ἐξελίσσειν to unfold
Exelissa *Zool.*
ἐξεντερίζειν (Diosc.)
exenterate & -ation
ἔξεσις "a scraping"
odontexesis *Dent.*
ἐξεταστής an auditor
Exetastes *Ent. Ornith.*
ἐξήγησις an explanation
exegesis -ist *Crit. Math.*
parexegesis
ἐξηγητής expounder
exegete -ist
ἐξηγητικά (Plut.)
exegetics
ἐξηγητικός (Plut.)
exegetic(al(ly
ἑξήκοντα sixty
dishexacontahedroid
dohexacontane *Chem.*
dyakishexacontahedron

hexacontahedron *Cryst.*
hexacontane *Chem.*
tetrahexacontane
ἑξήρης (Polyb.)
hexeres *Gr. Navy*
ἐξίδρωσις a sweat (Plut.)
plasmexhidrosis *Path.*
ἕξις condition
aphelexia
hexilogy -ical
osthexia -y *Path.*
ἐξοδιά an expedition
exody *Obs.*
ἐξοδικός belonging to departure
exodic *Physiol.*
ἐξόδιον finale (Plut.)
exode *Gr. Drama*
ἐξόδιος an after-piece
exode -ium -iary
ἔξοδος a going out
exode
exodist
exodos *Gr. Drama*
Exodus *Bible*
ἐξομολόγησις full confession
exomologesis
ἐξόμφαλος (Diosc.)
exomphalos -ous -us
ἐξόριστος banished
Exorista *Ent.*
ἐξορκίζειν (Just.)
exorcise
-ation ment -er -ory
exorcize
ἐξορκισμός (Iren.)
exorcism(al
ἐξορκιστής (N. T.)
archexorcist
exorcist(ic(al(ly
ἐξορμᾶν to send or start out
exormia *Path.*
ἐξοστρακίζειν (Herod.)
exostracize
Ἐξουκόντιοι Ex-Nihilians
Exoucontian *Eccl. Hist.*
ἐξόφθαλμος with prominent eyes (Xen.)
exophthalmia *or* -y
-ic -os -us
exophthalmometer
Exophthalmus *Ent.*
ἐξοχή prominence
Sphaerexochus *Tril.*
ἔξω outside
exo-
arii -ian *Zooph.*
ascus *Zooph.*
-aceae -aceous -ales
basidium *Fungi*
-iaceae -ial(es)
cannibalism
cardia *Path.*
cardiac(al *Anat.*
carp *Bot.*
caryogamy *Biol.*
catadromous *Ferns*
cataphoria *Ophth.*
cellular *Histol.*
cephala -ous *Zool.*
cerite *Crust.*
chite *Bot.*
chnata *Ent.*
choecia *Bryozoa Pal.*
chomophyte *Bot.*
chorda *Bot.*
chorian *Embryol. Ent.*
cline -al *Geol.*
coele -ic

exo- Cont'd
coelom(a *Embryol.*
ar(ium um
colitis *Path.*
condensation *Chem.*
corium *Ent.*
cortex *Bot. Ent.*
cortical *Bot.*
crin *Physiol.*
cyclic *Org. Chem.*
cyclic(a *Zool.*
cycloida *Pal.*
derm *Bot. Ent.*
dermis *Bot.*
electrical *Phys. Chem.*
enzyme *Biochem.*
gamy -(it)ic -ous
gastric(ally *Zool.*
gastritis *Path.*
gastrula *Embryol.*
gen(ae ic ous(ly *Bot.*
genesis *Med.*
genetic *Biol. Geol.*
genite *Geol.*
genous *Anat.*
geny -ic -ous(ly *Biol.*
glossops *Ich.*
glossum -inae -ine
gnathion *Anat.*
gnathite *Crust.*
gonium *Bot.*
gynous *Bot.*
gyra *Pal.*
hadromatic *Bot.*
hemophylaxis *Med.*
hysteropexy *Surg.*
isogamy *Biol.*
lemma *Histol.*
meristem *Mosses*
meter *Phys. App.*
lithophytes *Bot.*
metritis *Path.*
morphic -ism
narthex *Arch.*
nastic *Bot.*
nautes *Ich.*
neural(ly *Anat.*
neurosis *Path.*
pathy -ic *Path.*
peridium *Mycol.*
phagy -ous
phoria -ic *Med.*
phyllous *Bot.*
plasm *Biol.*
pleura *Bot.*
plutonic -ism *Geol.*
pod(ite -itic *Crust.*
prothallae *Bot.*
pterygote *Ent.*
-a -ic -ism -ous
ptile *Embryol.*
rhiza(e -al -ous *Bot.*
sclerotes *Bot.*
scopic(ally
sepsis *Med.*
septum *Zool.*
serosis *Path.*
skeleton -al *Anat. Zool.*
sperm *Bot.*
sporangial *Mycol.*
spore *Bot.*
-al -eae -(in)ium -ous
stema *Bot.*
stome *Bot.*
stylus *Bot.*
tentacle *Zool.*
testa *Bot.*
theca(l -ate *Zooph.*
thecium *Bot.*
theistic
therm *Phys. Chem.*
al ic ous
thiobacteriaceae *Bot.*
thymopexy *Surg.*
thyropexy *Surg.*

exo- Cont'd
toxic -in *Tox.*
trophy -ic *Bot.*
tropia -ic *Ophth.*
tropy -ic -ism *Bot.*
-exophoria *Ophth.*
hyper hypo pseudo
polexostylus *Bot.*
ἐξώκοιτος (Theophr.)
Exocoetus *Ich.*
-id(ae -inae -ine -ini -oid -ous
Parexocoetus *Ich.*
ἐξωμίς a sleeveless vest
exomis -ion *Gr. Cost.*
ἔξωσις (Hipp.)
leukexosis *Med.*
ἐξώστρα (Poll.)
exostra *Gr. Theatre*
ἐξωτερικοί (Arist.)
exoterics
ἐξωτερικός (Arist.)
end(o)exoteric *Med.*
exoteric *Phil.*
al(ly ism
exotery
ἐξωτικός foreign
exotic
a al(ly (al)ness
exot(ic)ism
exotospore *Biol.*
ἑορτολόγιον a register of church feasts
heortologion -y -ical *Gr. Ch.*
ἐπ- Comb. of ἐπί
ep-
acmaic
acme *Biol.*
acris *Bot.*
-id(aceae -idaceous
ammonites *Pal.*
anisognathism -ous
anodont(a *Herp.*
anorthus -id(ae *Pal.*
anthous *Bot.*
apophysis -ial *Anat.*
arch(a)ean *Geol.*
arcuale *Anat.*
arterial *Anat.*
axial(ly *Anat.*
edaphic *Phytogeog.*
eira -id(ae -oid *Arach.*
embryonic *Biol.*
encephal(on -ic *Anat.*
enchyma *Histol.*
imatium *Bot.*
irinus *Ent.*
isomorph *Crystal.*
oikophytes *Bot.*
omorphorus *Zool.*
onychium *Anat.*
oophorectomy *Surg.*
oophoron *Anat.*
opsima *Ent.*
ornitic *Vet.*
oxy- *Org. Chem.*
ural *Anat.*
metepencephalon -ic
Parepanorthus *Pal.*
subependymal
ἐπαγόμεναι intercolating
epagomenae *Chron.*
-al -ic
ἐπαγωγή argument by induction (Arist.)
epagoge *Logic Rhet.*
ἐπαγωγικός (Sext. Emp.)
epagogic *Logic*
ἐπαινετικός laudatory
epenetic *Obs.*
ἐπαίρειν to lift
eparsalgia *Med.*

ἐπακτή (Epiph.)
epact *Chron.*
ἐπακτήρ a hunter
Epacter *Ent.*
ἐπακτός brought in
epactal *Anat.*
ἐπαναδίπλωσις a doubling
epanadiplosis *Rhet.*
ἐπανάληψις (Dem. Phal.)
epanalepsis *Rhet.*
ἐπαναστροφή (Hermog.)
epanastrophe *Rhet.*
ἐπαναφορά (Longinus)
epanaphora *Rhet.*
ἐπάνθημα an efflorescence
epanthem
ἐπάνοδος a return; recapitulation (Plato)
epanodos *Rhet.*
epanody *Bot.*
ἐπανόρθωσις a correcting
epanorthosis *Rhet.*
ἐπανορθωτικός
epanorthotic *Rhet.*
Ἐπαρῖτοι (Xenophon)
Eparitoi *Gr. Pol.*
ἐπαρχία (Polyb.)
eparchate *Gr. Ant. Gr. Ch.*
eparchy *Gr. Ant. Gr. Ch.*
ἔπαρχος a governor
eparch(ial *Gr. Ant. Gr. Ch.*
ἐπαύξησις outgrowth
epauxesiectomy *Surg.*
ἔπαφρος covered with foam
Epaphra *Ent.*
ἐπεισόδιον (Plut.)
epeisodion *Gr. Drama*
episode
-(i)al -ic(al(ly
ἐπείσοδος entrance
Episoda *Ent.*
ἐπέκτασις extension
Epectasis *Ent.*
ἐπεκτείνειν to extend
Epectinaspis *Ent.*
ἐπένδυμα upper garment
ependyma -al *Anat.*
ependymis
ependym- *Path.*
itis oma
periependymal *Anat.*
ἐπενδύτης = ἐπένδυμα
ependytes *Gr. Ch.*
ἐπένθεσις insertion
dermepenthesis *Surg.*
epenthesis *Gram. Philol.*
epenthesy *Obs.*
ἐπενθετικός inserted
epenthetic *Gram. Philol.*
ἐπερώτησις a consulting
eperotesis *Rhet.*
ἐπεσ- Comb. of ἔπος
epeslatry
ἐπεξήγησις explanation
epexegesis *Rhet.*
epexegetic(al(ly *Rhet.*
ἐπί upon
allepigamic *Biol.*
atlantoepistropheal
coxoepimeral *Crust.*
ectepicondylar -oid
entepicondyle -ar
epi-
aceratherium *Pal.*
achene *Bot.*
al(id *Ich.*
andrium *Arach.*
aphelops *Pal.*

epi- Cont'd
ascidium *Bot.*
basal *Bot.*
benthos -ic *Biol. Zool.*
biotica *Bot.*
blast(ic *Bot. Embryol.*
blastanus *Bot.*
blastema *Bot.*
blastesis *Bot.*
borneol *Org. Chem.*
boulangerite *Min.*
branchial *Anat. Ornith. Zool.*
branchiale *Ich.*
brom(o)hydrin *Chem.*
bulbar *Ophth.*
bulia -idae *Zool.*
bulus -inae -ini *Ich.*
caerus *Ent.*
calyx -ycius *Bot.*
camphor *Org. Chem.*
cardia *Anat.*
-ium -iac -ial
carides -an *Zool.*
carin *Mat. Med.*
carp *Bot.*
anthous ium ius ous
catechin -ol *Chem.*
catophora *Astrol.*
ceratohyal *Anat.*
cerebral *Anat.*
chloe *Fungi*
chlorhydrin *Chem.*
chondosis -otic *Zool.*
chordal *Anat.*
chorin *Embryol.*
christian
clastic *Petrog.*
clavicle *Anat. Ich.*
cl(e)idium *Anat. Ornith.* -ial -ian
nemis -al *Arach.*
coela -e -ous *Zool.*
c(o)ele -ar *Anat.*
coelia(n -iac *Anat.*
coelom(a *Embryol.*
colic *Anat.*
columella(r *Herp.*
comus *Terat.*
condylalgia *Med.*
condyle *Anat.*
-ar -ian -ic -itis -us
continental *Geol.*
copula *Bot.*
coracohumeral(is *Anat.*
coracoid(al *Anat.*
cormic *Forestry*
corneascleritis *Ophth.*
corolline
costal
cotyl(ar *Bot.*
cotyledonary *Bot.*
cranium *Anat. Ent.*
cranius -ial *Anat.*
crisis *Med.*
crystalline *Geol.*
current *Geog.*
cutis *Fungi*
cyanhydrin *Chem.*
cypselus *Ornith.*
cystitis *Path.*
cystotomy *Surg.*
cyte *Anat. Protozoa*
cytoma *Tumors*
dactyloscope
deistic
dendrum -al -ic(al *Bot.*
desmin *Min.*
diabase *Petrog.*
diapente *Music*
diascope
diatessaron *Music.*
didymite *Min.*
diphyllum *Bot.*
dural *Anat.*
indodermal *Bot.*

epi- Cont'd
fascial *Anat.*
focal *Math.*
folliculitis *Path.*
fucose *Org. Chem.*
gaulus *Pal.*
genesis *Biol. Geol. Path.*
gen(es)ist *Biol.*
genetic(al(ly *Biol.*
genous *Bot.*
geotropism *Bot.*
glaubite *Min.*
glypta *Malac.*
gnath *Crust.*
nathism -ous -us
gonal *Embryol.*
gone -ium *Bot.*
gyne -um *Arach.*
gyny *Bot.*
-icus -ophorius -ous
hippus *Pal.*
hyal *Anat. Zool.*
hypocycloidal *Math.*
labrum *Ent.*
lachna -ides *Ent.*
lamellar *Anat.*
laryngeal *Physiol.*
lemma(l *Anat.*
lepidoma *Tumors*
lithic *Bot.*
lobe *Ent.*
lobium *Bot.*
magmatic *Petrog.*
mandibular *Anat. Zool.*
mecyntis *Ent.*
melitta *Ent.*
menus *Bot.*
mer(ic -ism *Org. Chem.*
mere *Biol. Embryol.*
merite -ic *Protozoa*
meron -um -al *Zool.*
morphosis *Med. Surg.*
mysium *Anat.*
naos *Gr. Arch.*
nasty -ic(ally *Bot.*
natrolite *Min.*
nemus *Bot.*
neurium -(i)al *Anat.*
notum *Ent.*
odion *Music*
ontology -ic *Bot.*
onychium *Embryol.*
opticon *Zool.*
ornitic *Vet.*
osin *Mat. Med.*
ostracum *Ent.*
otic *Anat. Zool.*
paractis *Zooph.*
parasite *Zool.*
peltate *Bot.*
pephitis *Path.*
peridium *Bot.*
peripheral
perispermicus *Bot.*
petalous *Bot.*
petreous *Bot.*
phallus *Conch.*
phyll *Bot.*
ae ine ous um y
pharynx -yngeal
phegus *Bot.*
phenomenal(ism -ist-(ic *Phil.*
phenomenon -(atic)al
phloeodal -ic *Bot.*
phloeum *Bot.*
phylactic *Ther.*
phylaxis *Ther.*
phyma *Med. Path.*
phyte *Bot.*
-aceous -al -ic(al(ly -ism -oid -otic ot-isms -ous
pial *Anat.*
plankton(ic *Zool.*
plasm(ic *Bot.*

epi- Cont'd
plastron -al *Anat.*
pleur(a -on -al *Zool.*
podite *Crust.*
podium *Bot.*
polyarch *Bot.*
precoracoid *Herp.*
proteid *Bot.*
psyche *Anat.*
ptere *Ich.*
pteric *Anat.*
pterous *Bot.*
pterygoid *Ornith.*
pubis -ic *Anat.*
pygium *Ent.*
pygus *Terat.*
rhodeose *Org. Chem.*
rotulian *Med.*
(r)rhizous *Bot.*
saccharic *Org. Chem.*
sarc(*or* k)in(e *Biochem.*
sclera -al *Anat.*
scler(ot)itis *Path.*
scope
sepalous *Bot.*
skeletal *Anat.*
spadia(s -iac -ial *Path.*
spasm *Path.*
sperm(ic(us *Bot.*
spinal *Anat.*
splenitis -ic *Path.*
sporangium *Bot.*
spore -ium -ic *Bot.*
stamenalis *Bot.*
stapedial *Anat.*
static *Bot.*
sternite *Ent.*
sternum -al *Anat. Zool.*
sthotonus *Path.*
stibbite *Min.*
stom(e
stoma -al -ata -ate -ian *Zool.*
stomeous *Bot.*
strephogenesis *Biol.*
striatum *Zool.*
syllogism *Logic*
synlestes *Ent.*
tarsipus *Ent.*
tarsus *Ophth.*
tela -ar *Anat.*
tendinium *Anat.*
tenon *Anat.*
teospore *Bot.*
tetrarch *Bot.*
thalamus -ic *Anat.*
thallus -ine *Bot.*
theca(l *Bot. Zooph.*
thecate *Zooph.*
thecium *Lichens*
thermol *Chem.*
toc(*or* k)e -al *Helm.*
tox(on)oid *Chem. Med.*
tragus *Ent.*
triarch *Bot.*
trichium -ial *Anat.*
trix *Ent.*
trochlea(r *Anat.*
trochoid(al *Geom.*
trophy -ic *Bot.*
tropic -ism -ous *Bot.*
turbinate *Anat.*
tympanum -ic *Anat.*
typhlitis *Path.*
typhlon *Anat.*
vertebral *Anat.*
xylous *Bot.*
-oneae -oneus
zoa *Zool.*
-oal -oan -oic -oicide -oon
zoarius *Bot.*
zonal
zoochory *Bot.*
zoology *Vet.*

epi- Cont'd
zooty -ic *Geol. Path.*
zygal *Zool.*
-epithelial *Med.*
infra inter mes myo neur(o) sub
-epithelioma *Tumors*
chorio(n) cysto ino neuro peri tricho-(fibro)
-epithelium *Anat.*
desm mes myo neur(o) pio
hemepiphyte -ic *Bot.*
interepimeral *Zool.*
Isepipteses -ial *Ornith.*
mesepimeron -al *Ent.*
mesepisternum -al *Ent.*
metepicoele -a *Anat.*
metepimeron -al *Ent.*
metepisternum -al *Ent.*
monoepigynic *Bot.*
parepic(o)ele *Anat.*
photoepinasty -ic(ally
proepimeron -al *Ent.*
proepisternum -al *Ent.*
protoepiphyte -ic *Bot.*
pseudoepinasty *Bot.*

ἐπιβατήριος fit for scaling
epibaterium *Bot.*

ἐπιβατός accessible
epibatus *Pros.*

ἐπίβλημα tapestry
epiblema *Bot. Gr. Ant.*

ἐπιβολή a thing put on
epibole -ic *Rhet.*
epibole *Embryol.*
-ic -ism -y

ἐπίβουλος treacherous
Epibulia *Ich.*
-idae -inae

ἐπίγαιος upon the earth
Epig(a)ea *Bot.*
-(a)eal -(a)ean -(a)eous -eic

ἐπίγαμος marriageable
epigam(ic *Biol. Phil. Zool.*
epigamous *Embryol.*

ἐπιγάστριον (Plut.)
epigaster *Anat.*
epigastraeum -aeal *Anat.*
epigastralgia *Path.*
epigastrium *Anat.*
-al -ial -ic(al -oid
epigastrius *Terat.*
epigastr(i)ocele *Surg.*
epigastrorrhaphy *Surg.*
hydrepigastrium *Med.*
parepigastric *Anat.*

ἐπίγειος terrestrial
epigee -eum *Obs.*

ἐπιγενής growing late
epigene -ic *Crystal. Geol.*
epigenite *Min.*

ἐπιγλωττίς (-ίδος) (Hipp.)
arytenoepiglott-
ic idean ideus oideus
aryepiglottic
epiglott(id)ectomy *Surg.*
epiglottideus -ean
epiglott(id)itis *Path.*
epiglottis -ic *Anat.*
epiglottohyoidean
glossoepiglottic -id(ean
hypoepiglottic -(id)ean
pharyngoepiglottic-idean
preepiglottic
subepiglottic -id
thyroepiglottic
-idean -ideus

ἐπίγνωσις scrutiny
epignosis

ἐπιγονάτιον
epigonation *Gr. Ch.*

ἐπιγόνειον an Egyptian harp
epigonion *Music*

ἐπίγονος born after
epigonous -us
synepigonic *Biol.*

ἐπίγραμμα οι ig., inscription; a concise poem with a point
epigram(me
epigrammism -ist

ἐπιγραμματίζειν (Diog. L.)
epigrammat-
arian ic(al(ly ism ist ize(r

ἐπιγραφή an inscription
autoepigraph
epigraph(y *Archaeol.*
-er -ic(al(ly -ics -ist

ἐπιδεικτικός for display
epid(e)ictic (al *Rhet.*

ἐπίδειγμα a specimen
Epideigma *Pal.*

ἐπιδερμίς (-ίδος) (Hipp.)
endepidermis *Anat.*
enepidermic *Med.*
epiderm(is *Anat. Med.*
a al ata atic atoid atous eous ic(al idal (al)ization oid(al ose ous
epidermatoplasty *Surg.*
epiderm(id)olysis *Path.*
epiderm(id)osis *Path.*
epidermin(e *Pharm.*
epidermomuscular
epidermomycosis *Path.*
epidermophyton *Fungi*
epidermophytosis *Path.*
neuroepidermal *Anat.*
subepidermic *Anat.*
subepidermal *Med.*

ἐπίδηλος manifest
Epidelus *Ent.*

ἐπιδημία (Hipp.)
epidemy *Med.* (*Obs.*)

ἐπιδήμιος (Hipp.)
endem(i)oepidemic
epidemic
al(ly alness ity
epidemio- *Med.*
graphy -ist
logy -ic(al(ly -ist

ἐπιδιδυμίς (Arist.)
epididymectomy *Surg.*
epididymis -al -ic *Anat.*
epididymitis *Path.*
epididymo-
deferentectomy *Surg.*
deferential *Anat.*
orchitis *Path.*
tomy *Surg.*
vasostomy *Surg.*
mesoepididymis
orchiepididymitis *Path.*
parepididymis -al
vasoepididymostomy

ἐπιδιόρθωσις (Herodn.)
epidiorthosis *Rhet.*

ἐπίδοσις increase
epidosite *Geol.*
-ic -ferous
-epidote *Min.*
aluminium cer chrom eisen ferri
epidote-orthite *Min.*
epidotization *Geol.*

ἐπιδρομή a flux (Hipp.)
epidromia *Path.*

ἐπιείκεια equity
epiky *Obs.*

ἐπίζευξις repetition
epizeuxis *Pros. Rhet.*

ἐπίηρος pleasant
Epierus *Ent.*

ἐπιθαλάμιος (Theocr.)
epithalam-
ial iast ic ion ium y

ἐπίθεμα a cover
epithem(e *Bot. Med.*
epithema *Bot. Ornith.*

ἐπίθεσις a setting upon
epithesis *Cram. Surg.*

ἐπιθετικός adjectival
epithetic(al(ly

ἐπίθετον (Arist.)
epithet(on ize
epithetician

ἐπίθετος annexed
Epithetosoma *Helm.*
-atidae -id(ae -oid

ἐπιθήκη increase
bdellepithecium *Med.*

ἐπιθυμητικός desiring
epithy(*or* u)metic(al

ἐπιθυμία desire
abepithymia *Path.*
anepithymia *Path.*
parepithymia -ic *Path.*

ἐπίθυμον (Diosc.)
epithyme *Bot.*

ἐπικανθίς = ἐγκανθίς
epicanthis -ic -us *Anat.*

ἐπίκαυτος burnt at the end
Epicauta *Ent.*

ἐπίκεντρος on the center
epicenter -rum *Geol.*
epicentral *Anat. Geol.*

ἐπικεραστικός (Galen)
epicerastic *Med.* (*Obs.*)

ἐπικήδειον an elegy
epicede -ium -ion *Lit.*
-ial -ian

ἐπικήδειος funeral
Epicedia *Ent.*

ἐπίκλησις invocation
epiclesis *Eccl.*
epiklesis *Gr. Ch.*

ἐπικλινής sloping
epicline -al *Bot.*
Epiclines *Ent.*

ἐπίκοινος common in gender
epicene

ἐπικός (Dion. H.)
epic
al(ly ism ist ly
-epic
lyrico mon poly pre prosaicomi

Ἐπικουρέιος (Luc.)
apikoros *Theol.*
Epicurean
ism ize
epicureous

Ἐπίκουρος (Luc.)
epicure
-eal -ely -ial -ish(ly -ism -ity -ize

ἐπικρανῖτις
epikranitis *Gr. Arch.*

ἐπίκρασις a tempering
epicrasis *Med.*

ἐπικρατής dominant
Epicrates *Herp.*

ἐπίκρισις determination
epicrisis -ic *Logic*
epicritic *Med.*

Ἐπικτήτειος of Epictetus
Epictetian
ἐπικύημα superfetation
epicyemate *Embryol.*
ἐπικύησις (Hipp.)
epicyesis *Embryol.*
ἐπίκυκλος (Plut.)
epicycle *Astron. Math.*
-ic(al -oid(al
ἐπιλήνιον of the vintage
epileny *Obs.*
ἐπιληπτικός (Hipp.)
epileptic al(ly *Path.*
-epileptic
hystero post
epilepti-
coccus *Bact.*
form *Path.*
ἐπίληπτος (Hipp.)
epilepto-
genic -ous *Path.*
logy -ist *Path.*
epileptoid *Path.*
epileptol *Mat. Med.*
epileptosis *Ps. Path.*
hysteroepileptogenic-ous *Ps. Path.*
ἐπιληψία (Hipp.)
epilepsy *or* -ia *Path.*
-epilepsy
hemi hystero oophoro para psycho pykno
pyknolepsy *Med.*
ἐπιλογίζεσθαι (Arist.)
epilogate & -ation
epilog(u)ize(r
ἐπιλογικός (Ath.)
epilogic(al
ἐπιλογισμός (Arist.)
epilogism *Obs.*
prosepilogism *Logic*
ἐπίλογος (Schol. Ar.)
epilog(ue
epilogist(ic
ἐπιμανίκιον
epimanikion *Gr. Ch.*
ἐπίμαχος assailable
epimachus *Her.*
Epimacus *Ornith.*
-inae -ine
ἐπιμήδιον (Diosc.)
Epimede *Ent.*
Epimedium *Bot.*
ἐπίμικτος mixed
Epimicta *Ent.*
ἐπιμύθιον the moral (Luc.)
epimyth(ium *Lit.*
ἐπινέφελος overcast
Epinephelus -inae *Ich.*
ἐπινεφρίδιος (Iliad)
epinephridial *Anat.*
ἐπινέφρος adrenal body
epinephr-
ectomy *Surg.*
in(e*Biochem.Mat.Med.*
inemia *Med.*
itis *Path.*
oma *Tumors*
-epinephry *Med.*
hyper hypo
hyphoepinephrinism
ἐπίνητρον ? a distaff
epinetron *Gr. Impl.*
ἐπινίκιον song of victory
epinicion *Gr. Music*
-ial -ian
ἐπινύκτιος by night
epinyctous *Bot.*
ἐπινυκτίς (Hipp.)
epinyctis *Path.*
ἐπιορκια a false oath
philoepiorcian

ἐπιπακτίς (Diosc.)
Epipactis *Bot.*
ἐπιπάροδος (Poll.)
epiparodos *Gr. Drama*
ἐπίπαστος a plaster (Hipp.)
epipastic *Med.*
ἐπίπεδος level; plane
centropipedon -al
epipedo-
cera *Ent.*
chorisis *Bot.*
metry *Geom.*
ἐπιπληκτικός (Diog. L.)
epiplectic *Rhet.*
ἐπίπληκτος rebuked
Epiplecta *Ent.*
ἐπίπληξις rebuke
epiplexis *Rhet.*
ἐπιπλήρωσις overfilling
epiplerosis *Path.*
ἐπιπλοκή insertion
epiploce *Pros. Rhet.*
ἐπιπλοκήλη (Galen)
epiplocele *Path.*
-epiplocele *Path.*
cysto enter(o) ischio mero oscheo pseudo sarc(omphalo)
ἐπίπλοον omentum (Hipp.)
enterepiplomphalocele
-epiploic *Anat.*
an gastro pseudo
epiploitis *Path.*
epiploon -oic *Anat. Ent.*
epiplopexy *Path.*
epiplorrhaphy *Surg.*
pseudocpiploon -oic
sarcoepiplomphalocele
sarcoepiplomphalus
ἐπιπόδιος upon the feet
epipod(al
epipodial(e-ia *Anat. Zool.*
epipodite -ic *Crust.*
epipodium *Bot. Conch.*
ἐπίποκος woolly
Epipocus *Ent.*
ἐπιπολή a surface
epipol- *Optics*
ar ic ism ized
ἐπίρρημα (Hesych.)
epirrhema *Gr. Com.*
ἐπιρρηματικός adverbial
epirrhematic *Gr. Gram.*
ἐπίρροια influx
epirrheology *Bot.*
ἐπίρρυσις influx
epirrhysa *Spong.*
ἐπίσειον pubes (Hipp.)
episio-
cele *Path.*
clisia *Surg.*
elytrorrhaphy
haematoma *Anat.*
perineorrhaphy
plasty *Surg.*
rhagia *Path.*
rrhaphy *Surg.*
stenosis *Surg.*
tomy *Surg.*
ἐπίσημα a marking device
episematic *Biol. Phil.*
pseudepisematic
ἐπίσημον a badge
episemon *Gr. Ant.*
ἐπισκήνιον (Vitruv.)
episcenium *Gr. Th.*
ἐπισκοπία oversight
episcopy
ἐπίσκοπος orig., overseer
antibishop

antiepiscopal -ist
archiepiscop-
al(ity ate y
bishop
dom ess hood ist ling ly ship
cobishop
coepiscopacy
episcop-
able acy an ant arian ate ation ature ian icide ize ization y
episcopal
ian (ian)ism ianize ity ly
episcopolatry
episcopophagy
episcopus
misepiscopist
monepiscop-
acy al us
presbyteroepiscopal
protobishop
pseudoepiscopacy
unepiscopal(ly
ἐπισκοτίζειν to cast a shadow over
episkotister *Ps. Phys.*
ἔπισος = ἴσος
Episus *Ent.*
ἐπισπαστικός (Galen)
epispastic(a *Med.*
ἐπίσταξις (Dorland)
epistaxis *Path.*
ἐπίστασις a stoppage
epistasis *Med. Zool.*
epistasy *Biol.*
genepistasis -y
ἐπιστατικός (Diog. L.)
epistatic *Biol.*
genepistatic
ἐπιστήμη knowledge
epistemolog
epistemology *Logic*
-ical(ly -ist
ἐπιστημονικός (Arist.)
epistemonic(al *Phil.*
ἐπιστολή message, letter
epistle -er
epistol-
ar arian arily ary ean er et ic(al ist ize(-able -ation -er)
epistolite *Min.*
epistolo-
-graphy -er -ic -ist phobia
pistle -er
ἐπιστόμιον (Vitruv.)
epistomium *Music*
ἐπιστροφεύς the pivot
epistropheus -eal *Anat.*
ἐπιστροφή a turning about
epistrophe -al *Bot. Music Rhet.*
epistrophion -ization -y
epistrophize -y *Rhet.*
ἐπίστροφος ? curved
Epistrophus *Ent.*
ἐπίστρωμα trappings
epistroma *Morph.*
ἐπιστύλιον (Plut.)
epistyle *Arch.*
-ar -ion -um
ἐπιστυλίς = ἐπιστύλιον
Epistylis *Zool.*
ἐπισυναλοιφή (Schol. Heph.)
episynaloepha -e *Pros.*
ἐπισυνθετικός combining
episynthetic *Pros.*

ἐπισύνθετον compound
episyntheton *Pros.*
ἐπισφαλής precarious
Episphales *Ent.*
Proepisphales *Ent.*
ἐπίσχεσις a stoppage
epischesis *Med.*
ἐπίσωμος bulky
Episomus *Ent.*
ἐπιτακτικός authoritative
epitactic
ἐπίτασις access, increase
epitasis *Drama Logic Med. Mus. Rhet.*
ἐπιτάφιος over or at a tomb
epitaph
er ial ian ic(al ist ize less
unepitaphed
ἐπιτελής completed
Epiteles *Ent.*
ἐπιτήδειος suitable, useful
Anepitedius *Pal.*
ἐπιτίμησις censure
epitimesis
ἐπιτιθέναι to place upon
epitithides *Arch.*
ἐπιτομή (Arist.)
epitome
-ator(y -ic(al -ist -ization -ize(r
reepitomize
ἐπιτόνιον a pitch-pipe
epitonion *Mus.*
ἐπίτονος strained
epitonic
ἐπιτραπέζιος on the table
epitrapezios *Gr. Ant.*
ἐπιτραχήλιον a stola
epitrachelion *Gr. Ch.*
ἐπίτριτος (Aristides)
epitrite -ic *Pros.*
ἐπιτροπή a reference
epitrope *Rhet.*
ἐπιφάνεια appearance
epiphanin *Diag.*
ἐπιφανής appearing
Epiphaneus *Ent.*
epiphanous
ἐπιφάνια (Greg. Naz.)
Epiphany *Eccl.*
ἐπιφορά orig., a donation
epiphora *Logic Path. Rhet.*
ἐπίφραγμα a lid
epiphragm(a(l *Bot. Conch.*
ἐπιφύλαξ a watchman
Epiphylax *Ent.*
ἐπίφυσις (Hipp.)
epepiphysitis *Path.*
epiphysan *Chem. Pharm.*
epiphysis *Anat. Echin. Ent.*
-ary -eal -ial
epiphyseolysis *Surg.*
eipphyseopathy *Path.*
epiphysitis *Path.*
extraepiphyseal *Med.*
intraepiphyse (*or* i)al
osteoepiphysis *Anat.*
ἐπιφώνημα moral, envoi
epiphonem(a *Rhet.*
ἐπιφωνηματικός (Eust.)
epiphonematical(ly *Rhet.*
ἐπιχειλής on or at the lips
epich(e)ilous *Zool.*

epichil(e ium *Bot.*
ἐπιχείρημα (Arist.)
epichirema *Logic*
ἐπιχθόνιος upon the earth
Epichthonii *Ornith.*
Epichthonius *Ent.*
ἐπιχοριαμβικός (Heph.)
epichoriambic *Pros.*
ἐπίχρωσις a surface stain
epichrosis *Path.*
ἐπίχυσις a beaker
epichysis *Archaeol.*
ἐπιχώριος of the country
epichorial
-ic -istic
ἐπιωνικός (Heph.)
epionic *Pros.*
ἐποποιία (Herodotus)
epopee *Lit.*
-oean -oeia -oeist
ἐποπτήρ = ἐπόπτης
Epopterus *Ent.*
ἐπόπτης a watcher
epopt *Gr. Ant.*
a es ist
ἐποπτικός (Plato)
epoptic *Gr. Rel.*
ἔπος a word; epic poetry (Pindar); a verse (Herod.)
anepia *Path.*
epeolatry
epomania
epos *Lit. Paleog. Pros.*
heteroepy -ic
ἐπουλίς (Paul. Aeg.)
epulis *Path.*
epuloerectile *Med.*
epulofibroma *Tumors*
epuloid *Path.*
ἐπούλωσις (Galen)
epulosis *Med.*
ἐπουλωτικός (Galen)
disepulotic(al *Surg.*
epulotic *Med.*
ἐποχή (Ptolemy)
epoch *Astron. Geol.*
a al ism ist
parepochism
ἑπτ- Stem of ἑπτά
benzocyloheptane
cyclohept- *Org. Chem.*
an(on)e en(on)e indol-(e
fructohept- *Org. Chem.*
onic ose
galactohept- *Org. Chem.*
ite itol onic ose
glucohept- *Org. Chem.*
ite itol onic ose
gulohept- *Org. Chem.*
ite onic ose
hept- *Org. Chem.*
aldehyd alin ane(-al -ol -one) ene(-ic -ol -one -yl(ene) in(e inine inyl ite itol oic on(en)e ose oxid(e yl(amin(e ene ic)
hept-
ace *Geom.*
actin(e *Spong.*
al
ander *Bot.*
-ra -ria(n -r(i)ous
angular *Geom.*
arch(al
archy -ic(al -ist
arinus *Bot.*
atomic *Chem.*
axodon *Pal.*
osuria *Med.*

mannohept- *Org. Chem.*
aric ite uronic
oxyheptoic *Chem.*
rhamnoheptose *Chem.*
sedohept- *Org. Chem.*
it(ol ose
taloheptite -ol *Org. Chem.*
ἑπτά seven
benzocycloheptadiene
benzoheptatriazine
cyclohepta- *Org. Chem.*
decane diene dione triene
eikosiheptagram
Eptatretus -idae *Ich.*
hepta-
branchias *Ich.*
capsular
carbon *Chem.*
chord *Music Pros.*
chromic *Ophth.*
chronous *Pros.*
colic
compound *Music*
(i)cosane *Chem.*
cosihydrated *Chem.*
cyclene *Org. Chem.*
decacolophenic *Chem.*
decad *Music*
decahydrated *Chem.*
decane *Org. Chem.*
decyl(ic -ene *Chem.*
di- *Org. Chem.*
ene enic enol ine
glot
gyn(ia(n -(i)ous *Bot.*
hedron -(ic)al *Geom.*
hexadral *Crystal.*
hydrate(d *Chem.*
meral -ide -ous *Zool.*
meter *Pros.*
metrical
methylene *Chem.*
molybdate *Chem.*
nesian *Geog.*
petalous *Bot.*
ploid *Bot.*
pody -ic *Pros.*
sepalous *Bot.*
some *Bot.*
spermous *Bot.*
sterigmatic *Bot.*
stich(ous *Pros.*
strophic *Pros.*
style -ar *Arch.*
sulphide *Chem.*
syllabic *Pros.*
technist *Obs.*
tetrazine *Org. Chem.*
teuch *Bible*
thiazine *Org. Chem.*
trema -id(ae -oid *Zool.*
triene *Org. Chem.*
valent -ency *Chem.*
ἑπτάγωνος (Nicom.)
heptagon(al(ly *Geom.*
heptagon(al(ly
ἑπταπλᾶ
Heptapla *Eccl.*
ἑπτάς (-άδος) seven
heptad *Arith. Chem. Music*
ἑπτάσμος (Heph.)
heptaseme -ic *Pros.*
Ἑπταστάδιον a mole to Pharos
heptastadium *Gr. Ant.*
ἑπτάτονος seven-toned
heptatonic *Music*
ἑπτάφυλλος seven-leaved
heptaphyllite *Min.*
heptaphyllous *Bot.*
ἑπτάφωνος seven-voiced
heptaphony

ἑπτήρης (Polyb.)
hepteres *Gr. Navy*
ἕπω follow
hedochae *Bot.*
hepodoche *Ecol.*
ἐπῳδός after-song (Plut.)
epode -ic -ist
Epodus *Ent.*
ἐπωμίς the acromion
Cylindrepomus *Ent.*
ἐπωνυμία a surname
eponymy
ἐπώνυμος named after
eponym
al ic ism ist ize os ous us
ἐπωπή a watch-place
Epopea *Ent.*
ἐρᾶν to love
Eragrostis *Bot.*
ἐρανιστής one of an ἔρανος
eranist
ἐραννός lovely
Erannornis *Ornith.*
ἔρανος a club of contributors
Erana *Ent.*
ἐράσμιος beloved
Erasmiphlebohecta *Ent.*
ἐραστής a lover
pornerastic
zooerastia *Med.*
ἐργασία labor
anergasia *Med.*
dysergasia *Neurol.*
Ergasialipophytes *Bot.*
Ergasiapophytes *Bot.*
ergasio-
mania phobia *Path.*
(phygo)phytes *Bot.*
hypergasia *Med.*
metergasis *Med.*
ἐργαστήριον a shop
ergasterion *Arch.*
ἐργαστικός working
ergastic *Biol.*
ergasto-
plasm(ic *Biol.*
plasma -atic *Bot.*
parergastical
synergastic *Philol.*
ἐργαστῖναι (Heysch.)
ergastinae *Gr. Ant.*
ἐργάτης a worker
Anergetus *Pal.*
ergat-
andromorph(ic ism
androus -y *Ent.*
-ergate *Ent.*
desm din macro micro phthis pter
Ergates *Ent.*
-ergates *Ent.*
An Myth Peri Xyl
ergatoid *Ent.*
ἐργατικός diligent
Ergaticus *Ornith.*
ἐργατίς Fem. of ἐργάτης
Ergatis *Ent.*
ἐργατο- Comb. of ἐργάτης
ergato-
cracy
gyne -ic -ous *Ent.*
morphic -ism *Ent.*
-εργία Comb. of ἔργον
abionergy *Physiol.*
allergy -ia -ic *Physiol.*
anabolergy *Physiol.*
anergy *or* -ia *Physiol.*
autergy
bionergy *Biol.*

catabolergy *Histol.*
dysergia *Neurol.*
homergy *Physiol.*
pyrergy
telergy -ic(al(ly *Psych.*
ἐργο- Comb. of ἔργον
entergogenism -ic *Biol.*
ergo-
chemical *Phys. Chem.*
chrysin *Tox.*
esthesiograph *Med.*
genesis *Biol.*
gram *Ps. Phys.*
graph(ic
logy *Biol. Bot.*
mania -iac *Med.*
meter metric *Phys.*
nomy *Physiol.*
phobia -iac *Path.*
phore *Biochem.*
plasm plastic *Biol.*
stat *Med. App.*
stearin
therapy *Ther.*
thionein(e *Org. Chem.*
tropic *Cytol.*
Periergopus *Ent.*
ἔργον work
allergen(ic *Biochem.*
bathyergue -us *Mam.*
-idae -inae
Elaphrerga *Ent.*
erg(al *Phys.*
-erg *Phys.*
kil(o) meg(a(l micro treg
ergamin *Mat. Med.*
ergasthenia *Med.*
ergesis *Bot.*
ergin *Biochem.*
ergmeter *Phys.*
ergodic
isonergic *Phys.*
kinergety *Med.*
monerg(id)ic *Bot.*
monergism -ist(ic *Theol.*
neurergic *Neurol.*
polyergidic *Bot.*
Ἔρεβος (Iliad)
Erebian
Erebus *Ent. Myth. Zool.*
ἐρεθίζειν to irritate
-erethisia *Med.*
an hyper
dyserethesia *Med.*
parerethesis *Med.*
ἐρεθίζων P.pr. of ἐρεθίζειν
Erethizon *Mam.*
-ontid(ae -ontoid
ἐρεθισμός (Hipp.)
cysterethism *Med.*
erethism *Med.*
-(ism)ic -itic
erethin *Tox.*
hypererethism
ἐρεθιστικός (Hipp.)
erethistic *Med.*
ἐρείκη heather
erica *Bot.*
-aceae -aceous -al(es -eae -eal -etal -oid
ericimone *Chem.*
ericin(eous *Dyes*
ericol(in(e *Chem.*
ericone *Chem.*
ericophyte *Phytogeog.*
ἔρεισμα a prop
Allorisma *Pal.*
Erismaturus *Ornith.*
-a -i -inae -ine
ἐρείψιμος thrown down
Eripsimus *Ent.*
ἐρεμνός swarthy
Eremnus *Ent.*

ἐρέσσειν to row, ply
Eressornis *Ornith.*
?Eresus *Arach.*
-id(ae -oid(ae
ἐρέτης rower
Euereta *Herp.*
ἐρετμόειν to set to row
Eretmotus *Ent.*
ἐρετμόν an oar
eretmo-
chelys *Zool.*
logist
podes *Ornith.*
saurus -ia
ἐρευνητής inquirer
Ereunetes *Ornith.*
ἐρεχθίτης groundsel
Erechthites *Bot.*
ἐρημαῖος desolate
Strieremaeus *Pal.*
ἐρημία a desert; lack
-eremia *Ophth.*
choroid(o) irid
eremian *Zoogeog.*
eremi-
alector *Ornith.*
cinnyris *Ornith.*
proetus *Pal.*
eremium -ad -ion *Bot.*
ἐρημικός (Sept.)
eremic
ἐρημίτης (Pallad.)
eremite
-age -al -ic(al -ish -ism ship
hermit
age ary ess ic(al(ly ism ize ry
ἐρημο- Comb. of ἐρῆμος
eremo-
blast *Bot. Cytol.*
brya -yoid -yous *Bot.*
ceras *Ent.*
chaeta -ous *Ent.*
cola *Phytogeog.*
mela -inae -ine *Ornith.*
pezus *Pal.*
phanes *Ent.*
philus *Phytogeog.*
phyte -a *Phytogeog.*
phobia *Ps. Path.*
pteris *Pal. Bot.*
palaeoeremology *Geol.*
ἐρῆμος desolate
eremion *Bot.*
eremiophytes *Bot.*
Eremoecus *Ent.*
Eremos *Pal.*
Eremurus *Bot.*
eremus *Bot.*
-eremus *Bot.*
quadri quinqu
ἐρημοφίλης (Anth. P.)
Eremophila -us *Ornith.*
ἐρημωτής a desolator
Eremotes *Ent.*
ἔρησις removal
phacoeresis *Ophth.*
ἐρι- very, much
eri-
cymba *Ich.*
erpeton *Pal.*
glossa -ate *Herp.*
gnathus *Zool.*
monax *Ich.*
myzon *Zool.*
rhinus -idae *Ent.*
ἐρίθακος (Arist.)
Erythacus *Ornith.*
ἐρίλευκος white on the surface
erileucus *Bot.*
ἐρίνεος woolly
erineum -ose *Bot.*
Erineus *Ent.*

Ἐριννύς = Ἐρινύς
Erinnys *Ent.*
Ἐρινύς (Iliad)
Erinys *Gr. Rel.*
ἐριο- Comb. of ἔριον
erio-
botrya *Bot.*
caulon *Bot.*
-aceous -(on)aceae
cera *Bot.*
chrome *Dyes*
cnemis *Ent. Ornith.*
come -i *Ethnol.*
cyanin(e *Org. Chem.*
dendron *Bot.*
dictyol *Org. Chem.*
dictyon *Bot.*
gaster *Ent.*
glaucin(e *Org. Chem.*
gonum *Bot.*
meter *Optics*
metric *Optics*
peltastes *Ent.*
phyes -idae *Zool.*
phyllous *Bot.*
psilus *Ent.*
pterites *Pal.*
pus -inae *Ent. Ornith.*
homeriodictyol *Chem.*
ἔριον wool
chrysoeriol *Org. Chem.*
Erianthus *Bot.*
erionite *Min.*
gynerium *Bot.*
holomyerial *Comp. Anat.*
Somateria *Ornith.*
xanthoeriodol *Org. Chem.*
ἐριοφόρος (Theophr.)
eriophorous -um *Bot.*
ἔρις (-ιδος) strife, debate
Eridorthis *Pal.*
Eridotrypina *Pal.*
eripleogamy *Bot.*
phyteris *Phytogeog.*
ἐρισμός = ἔρις
odonterism *Med.*
ἐριστικός captions
eristic(al *Logic*
ἔριφος a young goat
eripho-
soma *Ent.*
stoma *Pal.*
Eriphus *Ent.*
ἐριώδης woolly
Eriodes *Zool.*
ἐριῶπις large-eyed
Eriopisella *Ent.*
ἐρκίτης a farm slave
Hercitis *Ent.*
ἑρκο- Comb. of ἕρκος a fence
aphercotropism *Bot.*
erkosonea *Pal. Bot.*
herco-
ceras *Conch.*
-atid(ae -atoid
crinus *Pal.*
gamy -ic -ous *Bot.*
lepas *Pal.*
Ἑρκύνιος the Harz
Hercynian *Geol.*
hercynite *Min.*
Hercynosaurus *Pal.*
Ἑρμαικοί (Theod. Hyrtac.)
Hermaica *Lit.*
Ἑρμαικός (Iambl.)
Hermaic (al
Ἑρμαῖος of Hermes (Od.)
Hermaea *Conch.*
-aeid(ae -aeoid
Ἑρμαφρόδιτος (Diod.)
agamohermaphroditism

hermaphrodism
hermaphrodita *Zool.*
Hermaphroditanthae
hermaphrodite
-eity -ic(al(ly -ish -ism -ize
morphidite(s
pseudoherm aphrodite -ism *Biol.*
ἑρμηνεία explanation
perihermenial *Logic*
ἑρμηνευτής interpreter
hermeneut(ae *Eccl.*
hermeneutist
ἑρμηνευτική (Plato)
hermeneutics
ἑρμηνευτικός
hermeneutic(al(ly *Eccl.*
Ἑρμῆς (Iliad)
Hermes *Myth.*
hermetic(al(ly -ics
Hermetism -ist
Hermetologist
hermidin *Org. Chem.*
-hermidin *Bot.*
chryso cyano
ἑρμο- Comb. of Ἑρμῆς
hermophenol *Chem.*
Ἑρμογένης Hermogenes
Hermogene(*or* i)an *Phil.*
ἑρμογλυφεύς a statuary
hermoglyphist
ἑρμογλυφική statuary art
hermoglyphic
ἑρμοδάκτυλος (Alex. Trall.)
hermodactyl *Bot.*
ἑρμοκοπίδης (Ar.)
hermokopid
ἔρνος a sprout
Ernogrammus *Ich.*
Philernus *Ent.*
ἔρος wool
Indierotherium *Pal.*
stearer- *Chem.*
ate in
ἕρπειν to creep, crawl
Calamoherpe
Caulerpa *Bot.*
-aceae -aceous
herpism *Path.*
herpo-
bdella -id(ae *Zool.*
blast
trichia *Fungi*
herpolhode *Math.*
ἑρπετο- Comb. of ἑρπετόν
batrachoerpetomachia
herpeto-
dryas *Zool.*
logy -ic(al(ly -ist
monas *Parasites*
moniasis *Path.*
spondylia(n *Herp.*
theres *Ornith.*
tomy -ist *Zool.*
palaeoherpetology -ist
ἑρπετόν an animal, esp. a snake or reptile, fr. ἕρπειν
Erpeto- *Pal.*
brachium saurus suchus
-erpeton
Cephal Cerat Dendr Eos Eri Eumicr Limn Mazon Micr Odont Spondyl Tel
herpetic -oid *Zool.*
ἕρπης (-ητος) "a creeper"; shingles
antherpetic *Med.*
Herpes *Ent.*

herpes *Path.*
-etic(al -etism -etiform -etoid
herpeto-
graphy *Med.*
logy *Med.*
Melanerpes -inae *Ornith.*
Mnierpes *Ich.*
Spelerpes *Amphib.*
Xererpes *Ich.*
ἑρπηστής = ἑρπετόν
Acantherpestes *Pal.*
Herpestes *Mam.*
-idae -inae -ine
Herpestis *Bot.*
ἕρπυλλον creeping thyme
serpol(et oid
ἑρπυστικός creeping
Herpysticus *Ent.*
ἔρραος a ram; wild boar
Dasyerrus *Ent.*
ἔρρινον a sternutatory
errhine *Med.*
ἐρρωμένος vigorous
Erromenosteus *Pal.*
ἑρσαῖος dewy
ersaeome *Zool.*
ἐρυγμός eructation
oxyrygmia *Med.*
Ερύθεια one of the Hesperides
Erythea *Bot.*
ἐρύθημα a flush or blush
erythema *Path.*
-atic -atoid -atous
megalerythema *Med.*
papuloerythema -atous
ulerythema *Path.*
ἐρυθραῖος red
erytaurin *Org. Chem.*
Erythraea(n *Bot.*
ἐρυθρῖνος the red mullet
Erythrinolepis *Pal.*
Erythrinus *Ich.*
-id(ae -ina(e -ine
ἐρυθρο- Comb. of ἐρυθρός
anerythro- *Med.*
cyte plasia plastic regenerative
autoerythrophagocytosis
cholerythrogen *Pigments*
erythro-
bacillus *Bact.*
bacteria *Bact.*
benzene *Chem.*
blast(ic *Bact. Cytol.*
blastoma *Tumors*
blast(omat)osis
calcite *Min.*
carpous *Bot.*
c(*or* k)atalysis *Med.*
centaurin *Chem.*
chaete *Bot.*
champsa *Herp.*
chloropia *Ophth.*
chroic -ism *Ornith.*
chromia *Med.*
clasis *Med.*
clastic *Path.*
cyte -ic *Cytol.*
cythemia *Path.*
cytosis *Path.*
cyto- *Med.*
blast lysin lysis lytic meter opsonin rrhexis schisis
degenerative *Med.*
dermia -atitis *Med.*
edema *Med.*
dextrin(e *Chem.*
gen *Chem.*
genesis *Physiol.*
genic *Physiol.*
glucin *Physiol.*

erythro- Cont'd
gonium *Cytol.*
gonys *Ornith.*
granulose *Physiol.*
laccin *Org. Chem.*
litmin(e *Org. Chem.*
lophus *Arach.*
lysis -in *Physiol.*
mannite *Min.*
melalgia *Path.*
melia *Path.*
meter *Sc. App.*
neocytosis *Med.*
neura *Ent.*
penia *Med.*
phage-ous *Med.*
phil *Staining*
philous *Embryol.*
phlein(e *Org. Chem.*
phleum *Bot.*
phobe -ia *Psych.*
phore *Anat. or Chem.*
phose *Psych.*
phyl(l phyllin *Chem.*
phytoscope *Optics*
plastid *Comp. Anat.*
plate *Photog.*
poiesis *Physiol.*
poietic *Physiol.*
porphyrin *Org. Chem.*
precipitin *Biochem.*
prosopalgia *Path.*
proteid *Chem.*
pyknosis *Cytol.*
quinin(e *Org. Chem.*
retin *Chem.*
rrhexis *Physiol.*
scope *Optics*
siderite *Chem. Min.*
stomum *Bot.*
suchus *Pal.*
toxin *Path.*
xyl(on -um *Bot.*
-aceae -aceous
xylin(e *Chem. Mat. Med.*
zincite *Min.*
zym(e *Bot. Chem.*
hyperythrocythemia
lympherythrocyte *Cytol.*
macroaerythroblast
oligoerythrocythemia
proerythroblast *Cytol.*
proerythrocyte *Cytol.*
proterythrocyte *Cytol.*
ἐρυθροειδής ruddy
erythroid
Erythroides *Ich.*
ἐρυθρόνιον (*Diosc.*)
Erythronium -ic *Bot. Chem.*
ἐρυθρός red
anerythropsia *Ophth.*
argerythrose *Min.*
benzerythrene *Chem.*
erysiphe *Bot.*
-(ac)eae -aceous
erythanthema *Path.*
erythra *Med.*
erythr-
(a)emia *Path.*
arsin *Chem.*
asma *Path.*
edema *Med.*
emomelalgia *Path.*
estes *Ent.*
ic in(ic *Chem.*
ichthys -yini *Ich.*
ina *Bot.*
ine *Min.*
ism *Bot.*
ism(al *Ornith.*
istic *Colors Med.*
ite -ic *Chem. Min.*
itol *Chem.*

erythr- Cont'd
ol *Chem.*
eic ein(e inic
opia *Ophth.*
opsia *Ophth.*
opsin *Chem.*
ose -in(e *Chem.*
osinophil *Staining*
osis *Path.*
ulose *Org. Chem.*
uria *Path.*
-erythric *Chem.*
rub uro
-erythrin *Chem.*
amylo azo chel chol h(a)em(o) phyco phyll(o) picro polyp pseudo scler(o) skler tel tetron thrio thrionic thiose ur(o) zoo(n)
-erythrine *Chem.*
chel phyco ur(o) zoo(n)
Erythrus *Ent.*
Neoerythromma *Ent.*
nitroerythrol *Mat. Med.*
pentaerythrite -ol *Chem.*
photerythrous *Photog.*
Ἐρυκίνη of Eryx
Erycina -ian *Myth.*
Erycina(e *Conch.*
-acea -aceous -id(ae -oid
erycinid(ae *Ent.*
Ἐρυμάνθιος (Soph.)
Erymanthian *Myth.*
Ἐρύμανθος Olonus (Od.)
Erymanthus *Ent. Geog.*
Ἔρυξ Mt. in Sicily
Eryx *Geog. Herp.*
Eueryx *Ent.*
ἐρυσίβη mildew
Erysibe *Bot.*
ἐρύσιμον (Theophr.)
erysimin *Mat. Med.*
Erysimum *Bot.*
erysimopicron *Chem.*
erysolin *Org. Chem.*
ἐρυσίπελας (Hipp.)
erysipelas
-atic -(at)oid -(at)ous
erysipelo- *Bact.*
coccus thrix toxin
nephroerysipelas *Path.*
pneum(on)oerysipelas
pseudoerysipelas -atous
ἐρύειν to drag out
Eryopsoides *Pal.*
ἐρύων Ppr. of ἐρύειν
Eryon *Crust.*
idae inae -ontid(ae -ontoid
ἔρφος a skin
Erphaea *Ent.*
ἔρχομαι come *or* go
Erchomus *Ent.*
ἐρωδιός the heron
erodiamin(e *Org. Chem.*
erodium *Bot.*
Herodiae -ii -iones ionin(e *Ornith.*
ἔρως love
erogenic(s -ous
Ἔρως god of love
Eros *Myth.*
ἐρωτ- Stem of ἔρως
erotism -ist *Psa.*
-erotism
allo amphi auto hetero homo
ἐρώτημα a question (Arist.)
erotene *Rhet.*

ἐρωτηματικὸς interrogative
erotematic *Rhet.*
ἐρώτησις (Arist.)
erotesis *Rhet.*
ἐρωτητική (Arist.)
erotetic *Rhet.*
ἐρωτικός (Plato)
-erotic *Psa.*
allo amphi auto homo hystero
erotic(al(ly
erotica *Music*
eroticism -ist *Psa.*
-eroticism
auto homo
erotico *Music*
eroticomania *Path.*
ἐρωτο- Comb. of ἔρως
eroto- *Med.*
genic logy meter path(y ia ic phobia psychic sexual
ἐρωτομανία mad love
erotomania -iac -y
ἐρωτύλος a sweetheart
Erotylus *Ent.*
-id(ae -oid
ἐσ- Comb. of ἐς = εἰς
esemplastic
esemplasy
espnoic *Med.*
ἐσβαίνειν to enter
Esbenophlebia *Ent.*
ἔσθημα a garment
Pyresthema *Ent.*
ἐσθής dress, raiment
-esthes *Ich.*
Astron Ather Leur
-esthes *Ent.*
Calchaen Chari Erythr Melan Plat Pyr
-esthus *Ent.*
Lachn Milt
Hemesthocera *Ent.*
Lepidesthes -idae *Pal.*
Phrynesthis *Ent.*
ἔσθησις raiment
Esthesis *Ent.*
ἐσθίειν to eat
Dermestes *Ent.*
-ae -id(ae -inae -ine -oid(es
Dichelest(h)ium *Crust.*
-iid(ae -ioid
-estes *Ornith.*
Chondr Pyren Sperm
esthiology
lesthogenous *Ornith.*
Xylestia *Ent.*
ἐσθιόμενος eating (Hipp.)
esthiomene *Path.*
-ous -us
ἐσθλός good
Esthlogena *Ent.*
-εσις Fr. -σι- action suffix
achoresis *Path.*
anaphoresis *Med.*
antipyresis *Ther.*
neuranagenesis *Histol.*
ἐσόδος = εἴσοδος
esodic *Physiol.*
Ἑσπερία the western land
Hesperia -ian *Poetic*
Hesperia *Ent.*
-ian -(i)id(ae -iinae -ioid(ea
Hesperisphinges *Ent.*
Ἑσπερίδες (Hesoid)
Hesperid(es *Myth.*
ean ian

hesperidium *Bot.*
-ate -eae -eous
ἑσπερίς western
hesper- *Org. Chem.*
etic etin etol ic idene idin inic
Hesperis *Bot.*
ἕσπερος western
hespero-
baenus *Ent.*
chernes *Arach.*
cicla *Ornith.*
mys *Zool.*
phylum *Ent.*
pithecus -ine *Pal.*
pora *Pal.*
Hesperornis *Ornith.*
-ornithes (-id(ae -oid)
hesperotropismus *Geol.*
Hesperus *Aston. Ent. Myth.*
Poemenesperus *Ent.*
'Εσσηνοί Essini (Pliny)
Essene *Eccl. Hist.*
-ian -ic(al -ism -ize
ἔσφλασις (Hipp.)
esphlasis *Surg.*
ἐσχάρα hearth
Eschara *Helm.*
-id(ae -ina -ine -oid-(ea(n
Escharipora -idae *Zool.*
ἐσχαρώδης scablike
Escharodes *Ent.*
ἐσχαρωτικός (Galen)
escharotic *Med.*
ἔσχατος extreme, last
eschatology -ic(al -ist
Eschatroxus *Ent.*
ἔσω within
eso-
anhydrid(e *Chem.*
cataphoria *Ophth.*
colitis *Path.*
derm *Ent.*
enteritis *Path.*
ethmoiditis *Path.*
gastritis *Path.*
narthex *Gr. Ch.*
phoria -ic *Path.*
phylactic *Med.*
sphenoiditis *Path.*
thyropexy *Surg.*
trope -ia -ic *Ophth.*
-esophoria *Ophth.*
hyper hypo
ἐσωτερικά (Clem. Al.)
esoterics *Phil.*
ἐσωτερικός (Lucian)
esoteric
al(ly ism
esoterism -ist -ize
esotery
ἑταίρα Fem. of ἑταῖρος
hetae(*or* i)ra
ἑταιρεία companionship
et(a)erio *Bot.*
-ionaris -ium
hetaeria -y
hetaerio *Bot.*
ἑταιρικός (Plut.)
hetaeric
ἑταιρισμός harlotry
hetaerism
ἑταιριστής (Poll.)
hetaerist(ic
ἑταιρο- Comb. of ἑταῖρος
hetaero-
cracy
lite *Min.*
ἑταῖρος an associate
Hetaerius *Ent.*
Pezetaera *Ent.*

ἔτελις (Arist.)
Etelis *Ich.*
ἐτεο- Comb. of ἐτεός true
eteo-
polymorphism
stick(on
'Ετεόκρητες (Od.)
Eteocretan -ic *Archaeol.*
ἑτερ- Comb. of ἕτερος
Euheterangium *Pal.*
geoheterauxecism *Bot.*
heter-
acanth *Anat.*
acanth(i ous *Ich.*
acantha *Ent.*
acmy *Bot.*
actinid(ae *Echin.*
actis -id(ae *Zool.*
adelphia -us *Terat.*
adelphy *Bot.*
ademia -ic *Histol.*
adenoma *Tumors*
alin *Mat. Med.*
ali(c)us *Terat.*
alocha *Ornith.*
andria *Ich.*
andry -ous *Bot.*
angium *Pal.*
anthera -ous -y *Bot.*
apial *Geom.*
archy
aspis *Ent.*
atomic *Chem.*
auxesis *Bot.*
axial *Anat.*
axon *Bot.*
elasma *Pal. Zooph.*
ephaptomeron *Bot.*
esthesia *Neurol.*
euforms eupuccinia
ic(ally
ism -ist
ize -ation
ochthes *Ent.*
odon *Herp.*
odont(ism *Zool.*
odonta -ia *Conch.*
-id(ae -oid
odontus *Ent.*
oecism(al *Biol.*
oecium -ious *Bot.*
oecus *Ent.*
omaton
ome -i -ous *Ich.*
onym(y ic ous(ly
ophthalmia *Ophth.*
-os -us -y
opia -idae *Spong.*
oplites *Ent.*
opsia *Ophth.*
opsomys *Pal.*
optics *Optics*
orexia
osteoplasty
osteus *Ich.*
ostraca *Ich.*
-an -i -ous
ostrea *Pal.*
otis *Ich.*
Paraheteronyx *Ent.*
ἑτερο- Comb. of ἕτερος
antiheterolysin *Chem.*
antiheterophylly *Bot.*
autoheterolysis *Chem.*
callusheteroplasy *Bot.*
dermatoheteroplasty
hemihetero- *Ich.*
cercal -y *Ich.*
thallism *Bot.*
hetero-
albumose *Chem.*
albumosuria *Med.*
atom *Chem.*
autoplasty *Surg.*
blasty -ic(ally *Biol.*
bolites *Bot.*

hetero- Cont'd
brachium *Ent.*
branchia -iate *Zool.*
cardia *Conch.*
caryosis -otic *Bot.*
caseose *Biochem.*
catalysis *Bot.*
cellular *Biol.*
centric *Phys.*
cephalus *Terat.*
cera *Ent.*
-id(ae -oid -ous -us
cerc *Ich*
a(l i ity ous y
chelae *Zool.*
chiral *Optics*
chiromys *Pal.*
chlamydeous *Optics*
cholestan(*or* en)one
choric *Bot.*
chromatic -ism *Optics*
chromatism *Bot.*
chrome -ic *Optics*
chromia -ous *Ophth.*
chromia -ous *Ophth.*
chromis *Ich.*
chromosome(s *Bot.*
chromy *Bot.*
chrosis *Biol. Ornith.*
chthon(ous *Biol. Bot.*
chylia *Med.*
cinesia *Med.*
cinnamic *Org. Chem.*
cithara *Malac.*
cladia -ieae *Algae*
cladic *Anat.*
clema *Bot.*
cline -ous *Bot.*
cnemis *Ent.*
codeine *Org. Chem.*
coela -ous *Spong.*
coenites *Pal.*
compliment(ophilic
condensation *Chem.*
cotylea(n *Zool.*
crepidius *Ent.*
cresol *Chem.*
crinites *Pal.*
crisis *Med.*
cyclc *Org. Chem.*
-ane -ene -ic -oid
cyemida *Protozoa*
cyst(ous *Bot.*
cysteae *Algae*
cystidae *Pal.*
cytotixin *Cytol.*
dactyl(e *Ornith.*
ae i ous
dactylus *Herp.*
dermatous
dermeae *Algae*
dermic *Surg.*
desmic *Bot.*
desmotic *Anat.*
dichogamy *Bot.*
diody *Bot.*
diphycercal *Ich.*
distylous -y *Bot.*
dogmatize
doris -id(ae -oid *Conch.*
drome *Physiol.*
dromous -y *Bot.*
dymous *Terat.*
dynamic *Bot.*
dyne *Radio*
epy -ic
erotism *Med.*
form
gamete -ic *Biol. Genet.*
gametism *Bot.*
gamus *Ent.*
gamy -ic -ous *Biol. Bot.*
gangliata -iate *Zool.*
ganglionic *Neurol.*
genesis
genetic

hetero- Cont'd
geophytes *Bot.*
globulose *Chem.*
glossa *Zool.*
glossy *Geol.*
glyphaca *Pal.*
gnath(i -ous *Ich.*
gomph
gone -ous(ly *Bot.*
gonism -y *Bot.*
graft *Surg.*
graphy -er -ic(al
gyna(l -ous *Ent.*
gyropus *Ent.*
hemagglutinin *Chem.*
homotype *Bot.*
immune *Med.*
infection *Med.*
inoculable -ation *Med.*
intoxication *Med.*
ion *Phys. Chem.*
kinesis *or* -ia *Biol.*
lalia *Physiol. Psych.*
lateral
lecithal *Embryol.*
lepidae *Ich.*
licheni *Lichens*
literal *Med.*
lith *Path. Zool.*
lobous
logal *Math.*
logical *Philol.*
logy -ous *Biol.*
lysis -in *Biochem.*
lytic *Bot. Biochem.*
mactra *Pal.*
mallous *Bot.*
mastigate *Zool.*
mastigidae *Ent.*
mastigoda(n *Prot.*
mastigote *Bact. Bot.*
mastix *Zool.*
mastigote *Bact.*
mecic *Mens.*
meles *Bot.*
merae -als *Bot.*
meral -ic *Neurol.*
meri -ic *Ornith.*
mericarpy *Bot.*
mericus *Bot.*
mery -istic *Bot.*
meryx *Pal.*
mesogamy *Bot.*
metabola -ous *Ent.*
metabolic *Ent.*
metaplasia *Histol.*
metropia *Ophth.*
mita -idae *Infus.*
monadidae & -ina *Prot.*
morphosis *Biol. Physiol.*
morphous *Bot.*
mya -aria(n *Conch.*
mys *Mam.*
-yid(ae -yinae -yine -yoid
narce *Ich.*
nema *Pal.*
nemeae -(e)ous *Bot.*
nemertini *Zool.*
nephrolysin *Cytol.*
nereis -eid *Helm.*
neural
nomy -ic -ous(ly
nucleal(ly nuclear
osteoplasty *Surg.*
pagus *Embryol.*
pancreatism *Med.*
parthenogenesis
pathy -ic *Med.*
pelma -ous *Ornith.*
petalous -ody *Bot.*
phagi -ous *Ornith.*
phagy *Bot.*
phallina *Ich.*
phasia -iac -ic -is *Med.*

hetero- Cont'd
phemia *or* -y
phemism -ist(ic
phemize
phlebia *Ent. Pal.*
phora *Ent.*
phoralgia *Ophth.*
phoria -ic *Optics*
phthongia *Med.*
phyadic *Bot.*
phyes *Helm.*
phyl(ly -ous *Bot.*
phyletic *Biol.*
phylii -ous *Conch.*
phylletum *Bot.*
phyte -ic -ous *Bot.*
plasia *Bot. Path.*
plasm *Physiol.*
plasm(ic *Bot.*
plastic *Path.*
plastid(e *Biol.*
plasty *Surg.*
plasy *Bot.*
ploid(y *Bot.*
pod(a(n -al -ous
podal *Neurol.*
polar(ity *Phys. Chem.*
poly- *Chem.*
polymer *Chem.*
pora *Zool.*
proral *Anat.*
prosopus *Terat.*
proteose *Biochem.*
prothally *Bot.*
psychological
pter(a(n ous *Ent.*
ptilus *Crust.*
pycnosis *Cytol.*
pygii -ian *Ich.*
rhabdic *Biol.*
rhina *Ent. Ornith.*
rhizal *Bot.*
schisis *Bot.*
schiza *Ent.*
schoenus *Ent.*
scope -y *Optics*
sepalody *Bot.*
serotherapy
sexual(ity *Med. Psych.*
sitostanol *Org. Chem.*
some -ata -(at)ous *Ich.*
soteric
sporangium *Bot.*
sporium *Bot.*
-eae -(e)ous -ic
spasis *Org. Chem.*
spermy *Bot.*
stachyous *Bot.*
staminody *Bot.*
stasis *Biol.*
static *Elec.*
staural *Morph.*
steginoides *Pal.*
stemonous *Bot.*
stichus *Ich.*
stoma *Zool.*
strophe -ic -ous -y
stylia -y -ism -ous *Bot.*
suggestion *Psych.*
syllis -id *Annel.*
symbiontic *Bot.*
tactic *Bot. Morphol.*
tactous *Bot. Geol.*
tarbus *Pal.*
taxia -ic -is -y *Bot. Med.*
telic *Psych.*
thalamus -eae *Bot.*
thallism -ic *Bot.*
theca *Zooph.*
theca -eae *Bot.*
therapy *Ther.*
therm(al *Biol.*
thermic *Bot. Meteor.*
thesis *Ent.*
toma -ic -ous *Bot.*
tonia *Med.*

hetero- Cont'd
tonic -ous(ly *Music*
tope *Chem.*
topia *or* -y *Biol. Path.*
-ic -ism -ous
topic *Bot.*
toxis -ic -in *Tox.*
transplant(ation *Surg.*
tricha -al -ous *Prot.*
trichosis *Med.*
trichum *Bot.*
tristyly *Bot.*
trochalus *Ent.*
troph(y ic *Bot.*
tropia *Ophth.*
tropous -al -ic *Bot.*
tropy *Embryol.*
type -al -ic(al *Biol.*
vicinal *Org. Chem.*
xanthin(e *Chem.*
xenous *Biol.*
zetes *Arach.*
zetesis *Logic*
zoic
zonal *Crystal.*
zygosis -ity *Biol.*
zygote -ic *Biol.*
zygous *Biol.*
hom(o)eterostyly *Bot.*
homoheterostyly *Bot.*
idiohetero- *Biochem.*
agglutinin lysin
monoheterocyclic
Neoheteroandria *Ich.*
postheterocercal *Ich.*
postheterotype *Emb.*
preheterocercal *Ich.*
pseudoheterotopia *Med.*
semiheterocercal *Ich.*
superheterodyne *Radio*
ἑτερογενής (Arist.)
heterogene -y
-eal(ness -ean -eity
-eous(ly -eousness -ic-(ity -ism -ist -ize -ous
heterogenite *Min.*
microheterogeneous
ἑτεροδοξία (Plato)
heterodoxy
ἑτερόδοξος (Clem. Al.)
heterodox
al ical ly ness
ἑτεροδύναμος (Stob.)
heterodynamous *Biol.*
ἑτεροειδής (Arist.)
heteroideous *Bot.*
ἑτερόκαρπος (Hipp.)
heterocarpous *Bot.*
-eae -ian -ic(us -ism -y
ἑτερόκλιτος (Apoll.)
Heteroclita *Ent.*
heteroclite *Gram.*
-al -ic(al -ous
ἑτερομερής one-sided
Heteromera(n ous *Ent.*
heteromerous *Biol. Chem.*
ἑτερόμετρος (Heph.)
heterometric *Music*
ἑτερόμορφος (Ael.)
heteromorph *Art.*
heteromorph(ae *Ornith.*
Heteromorpha -ic *Ent.*
heteromorphic -ous -y
heteromorphism *Chem. Morphol. Zooph.*
heteromorphite *Min.*
ἑτερ(ο)ουσίος (Origen)
heter(o)ousious *Theol.*
-ia(n -iast
ἑτερόπτωτος (Apollon.)
heteroptoton *Gram. Rhet.*
ἕτερος the other; other
heterosite *Min.*
hetocresol *Chem.*
pseudoheterosite *Min.*

ἑτερόσκιος (Stob.)
heteroscian *Optics*
ἑτερόστροφος (Heph.)
heterostrophic *Pros.*
ἑτεροφωνία (Plato)
heterophonia -y *Med.*
ἑτερόχρονος
heterochronous *Biol.*
-ia -ic -ism -istic -y
ἑτερόχρωμος
Heterochromeae -eous
ἑτέρωσις alteration
heterosis *Gram. Rhet.*
myeleterosis *Med.*
ἐτησίαι periodic winds etesian
ἐτήσιος annual
Diatesiae *Bot.*
Dietesiae *Bot.*
Etesiae -ial *Bot.*
-ετικός = -ικός, properly from stems in -ετ- εὑρετικός, καθετικός. See -ητικός
adiathetic *Med.*
anagogetical
anthypophoretic *Rhet.*
antichretic *Law*
antimetathetic *Rhet.*
antiphonetic *Eccl.*
aphaeretic(ally *Gram.*
aposiopetic *Rhet.*
asyzygetic *Math.*
atretic *Path.*
bathetic *Lit.*
bathylimnetic *Ecol.*
camphretic *Chem.*
cataphoretic *Med.*
choretic *Min.*
diarrhetic *Path.*
diathetic(ally
diploetic *Anat. Bot*
dyspnoetic *Path.*
electrophoretic *Chem.*
hemiparetic *Path.*
hyperpietic *Med.*
ischuretic(al *Med.*
isocoletic *Pros. Rhet.*
logarithmetic(al(ly
metathetic(al
pali(l)logetic
paraparetic *Path.*
parasynetic *Philol.*
parathetic *Philol.*
paromologetic
prosthaphaeretical
semaphoretic *Math.*
syzygetic(ally *Mech.*
tabetic *Path.*
ἑτοῖμος at hand, ready
Hetoemis *Ent.*
ἔτος a year
enneaeteric
ἐτός without reason
Protoneuretus *Pal.*
ἐτυμο- Comb. of ἔτυμον
etymography
ἐτυμολογία (Dion. H.)
etymology
-ist -ization -ize
folketymology
ἐτυμολογικόν (Varro) an etymological dictionary
etymologicon
ἐτυμολογικός (Eust.)
etymologic(al(ly
ἐτυμολόγος (Varro)
etymologer
ἔτυμον the basic meaning in a word (Diod.)
etymon -(on)ic *Gram.*
εὖ well
alpheucain *Mat. Med.*

alpheunol *Mat. Med.*
auteuform *Bot.*
eu-
euacranthic *Bot.*
eu(a)emia *Med.*
euaesthesia *Med.*
Euamphibia *Pal.*
euangiotic *Physiol.*
euanthic *Bot.*
euanthostrobilus *Bot.*
apogamy *Bot.*
apospory *Bot.*
Euarges *Pal.*
Euasceae -ales *Fungi*
euaster *Spong.*
Euasteriae *Zool.*
Euasteroidea(n *Echin.*
euastrose -a *Spong.*
Eubacteria *Bot. Zool.*
Eubactrus *Ent.*
Eubadizon *Ent.*
Eubaena *Pal.*
Eubalta *Arach.*
Eubasidii -ieae *Zool.*
Eublepharis *Herp.*
-id(ae -oid(ea(n
Eubiodectes *Pal.*
eubolism *Med.*
Eubolocera *Zooph.*
Euboptus *Ent.*
Eubothrium *Helm.*
Eubrachiosaurus *Pal.*
Eubrychius *Ent.*
Eucaenus *Pal.*
eucain(e *Pharm.*
Eucalia *Ich.*
Eucaliga *Ent.*
eucalin *Chem.*
eucaloid *Med.*
eucalol *Prop. Rem.*
Eucalus *Ent.*
eucalypsinthe
-intene -intic
eucalypt- *Med.*
ene ic eol ol
eucalypto-
crinus -id(ae -ite -oid
graphy *Bot.*
logist
resorcin *Mat. Med.*
eucalyptus *Bot.*
eucapren *Mat. Med.*
eucarotin *Mat. Med.*
eucarpic -ous *Algae Fung*
eucarvone *Org. Chem.*
eucatropin *Ophth.*
eucatalepsy -ia *Phil.*
Eucephala -ous *Ent. Ornith.*
eucerin *Prop.*
Euchaetes *Ent.*
Euchaetopsis *Crust.*
Euchalina -ininae *Spong.*
Euchasmus *Ent.*
euchelate -a *Crust.*
Euchiloneuropsis *Ent.*
euchinin(e *Mat. Med.*
Euchitonia -iid(ae
euchlaina *Bot.*
Euchlanidota *Helm.*
Euchlanis -id(ae -oid
Euchlanis *Ent.*
euchlore -ic -in(e *Chem.*
euchlorhydria *Path.*
euchlorine *Min.*
eucholia *Med.*
euchone *Zool.*
euchrome
euchromosome *Cytol.*
euchromosomes *Bot.*
euchrysine *Dyes*
euchylia *Physiol.*
Eucibdelus *Ent.*
Euciroa -oidae *Zool.*
Eucirripedia *Zool.*
Eucirrus *Ent.*

euclase -ite *Min.*
Eucnemesaurus *Herp.*
eucnemia *Anthrop.*
eucnide *Bot.*
eucod(e)in *Mat. Med.*
Eucoela *Ent.*
eucolloid *Colloids*
Eucolobodes *Ent.*
eucone *Zool.*
eucope *Ent.*
eucopepod(a -ous *Crust.*
Eucopia *Crust.*
-idae -iid(ae -ioid
Eucoracias *Ornith.*
Eucorystes *Ent.*
Eucosmodon *Pal.*
Eucrada *Ent.*
eucrasite *Min.*
Eucratea -eidae *Zool.*
Eucreodi *Pal.*
eucrinoid(ea *Echin.*
Eucrustacea *Zool.*
eucryptite *Min.*
eucupin *Mat. Med.*
eucyclic *Bot.*
Eucyrtidium -iidae
eudalene *Org. Chem.*
Eudectus *Ent.*
Eudendrium *Zool.*
Euderces *Ent.*
eudermol *Trade*
Eudesicrinidae *Pal.*
eudesmin -ene *Org. Chem.*
eudesmol *Mat. Med.*
Eudesmoscolex *Herp.*
eudiagnostic
eudiaphoresis *Med.*
Eudiastatus *Pal.*
eudidymite *Min.*
eudiemorrhysis *Med.*
eudipleural *Biol. Morph.*
eudnophite *Min.*
Eudocimus *Ent. Ornith.*
eudrenin *Mat. Med.*
Eudynamis *Ornith.*
Eudyptes -ula *Ornith.*
Euechinoidea(n *Echin.*
Euelephas *Zool.*
Euereta *Herp.*
Eueryx *Ent.*
Eufitchia *Bot.*
eugallol *Chem.*
eugamophyte *Bot.*
euganoid(ei *Ich.*
Eugaster *Zool.*
Eugasterella *Pal.*
Eugeinitzia *Pal.*
eugenesis -ic
eugenetic
eugeogenous *Geol.*
eugeophytes *Bot.*
Eugeusis *Ent.*
Euglena *Prot.*
-id(ae -oid(ea(n
euglenoid *Bot.*
euglobulin *Biochem.*
euglossate *Ent.*
Euglypha -idae *Zool.*
Eugnamptidae *Pal.*
Eugnamptobius *Ent.*
Eugnamptus *Ent.*
Eugnoristes *Ent.*
eugonic *Bact.*
eugonidia *Lichens*
eugranitic *Petrog.*
eugraphic
euguform *Mat. Med.*
Eugyrichnites *Pal.*
Eugyrinus *Pal.*
Euhapsis *Pal.*
euharmonic *Music*
euhedral *Petrol.*
Euheterangium *Pal.*
Euhippus *Pal.*
euhyaenine
euhyostyly -ic

Euichthydina *Helm.*
Euichthyes *Ich.*
euisogamy *Bot.*
Euisopoda -ous *Crust.*
eujifferous
euk(*or* c)airite *Min.*
eukinase *Mat. Med.*
Eukinetodes *Ent.*
Eukloedenella *Pal.*
Eulachus *Ent.*
eulactol *Diet.*
eulamellibranch *Pal.*
Eulima *Conch.*
-aceae -id(ae -oid
eulimnetic *Bot.*
Euloma *Zool.*
eulyptol *Mat. Med.*
Eumedusa *Zooph.*
eumeiosis *Bot.*
eumerism -istic *Biol.*
eumeristelic *Bot.*
eumero-
genesis genetic *Biol.*
morph(ic
Eumetopias *Pal.*
Eumetopon *Ent.*
Eumicrerpeton *Pal.*
Eumicronyx *Ent.*
Eumikrotremus *Ich.*
eumictin *Mat. Med.*
Eumimesis *Ent.*
Eumimetes *Ent.*
eumitosis & -otic *Biol.*
Eumycetes -ic *Bot.*
eumydrin *Mat. Med.*
eunatrol *Mat. Med.*
Eunectes *Ent. Herp.*
Eunelichthys *Pal.*
Eunema *Zool.*
eunol *Chem.*
Eunostus *Ent.*
Eunota *Herp.*
Eunotosauria *Pal.*
eunucleus *Bot.*
Euomphalus -oid
Euomus *Ent.*
euophthalmin *Ophth.*
Euornithes -ic *Ornith.*
Euorthoptera *Ent.*
euosmite *Min.*
Euostrea *Pal.*
euotomous
Euoxymetopon *Ich.*
Eupachycrinidae *Pal.*
Eupachydiscus *Malac.*
Eupactus *Ent.*
eupancreatism *Med.*
Eupantolepta *Ent.*
Euparkeria -iidae *Pal.*
euparthenosperm *Bot.*
eupelagic *Bot.*
Eupelmus -inae *Ent.*
Eupempelus *Ent.*
euperistalsis *Med.*
euphagia *Med.*
euphemerous *Bot.*
Euphoberia *Ent.*
-iid(ae -ioid
euphotic *Bot.*
euphotide *Petrog.*
euphotometric *Bot.*
euphototropic *Bot.*
euphthalmin(e *Pharm.*
euphyllode *Bot.*
euphytoid *Bot.*
eupicin *Mat. Med.*
eupion(e *Chem.*
eupisolite *Geol.*
Eupithecia *Ent.*
eupittone -ic *Chem.*
euplankton *Biol.*
euplere(s *Mam.*
-id(ae -inae -ine -oid
Eupleurodus *Pal.*
Euplexoptera -ous *Ent.*
Euploceus *Ornith.*

Euplocinae *Ent.*
Eupoda *Ent.*
Eupodia *Echin.*
Eupodotis *Ornith.*
Eupogonius *Ent.*
Eupolyzoa(n -on *Helm.*
Eupomotis *Ich.*
eupontic *Bot.*
euporphin *Mat. Med.*
Euprepia -iidae *Ent.*
Euprimitia *Pal.*
Euproctimyia *Ent.*
Euproctus *Pal.*
Euprotoscalpellum *Pal.*
Eupsalis *Ent.*
Eupsamma -idae *Zool.*
Eupsenius *Ent.*
Eupterotidae *Ent.*
Eupuccinia *Fungi*
eupurpurin *Mat. Med.*
eupyrchroite *Min.*
eupyrene *Cytol.*
eupyrexia *Path.*
eupyrin *Chem.*
eupyrion *Obs.*
euquinin(e *Pharm.*
euradulan *Bot.*
Euramphaea *Zooph.*
euresol *Chem.*
Eurhino- *Pal.*
dephis -idae saurus
Eurhipidura(e -ous
eurhodin(e -ol *Chem.*
Eurhomalea *Pal.*
eurobin *Org. Chem.*
Europtron *Ent.*
Eusalacia *Pal.*
Eusarcus *Zool.*
Eusattus *Ent.*
euschist *Biol.*
Euschizus *Ent.*
euscope *Sc. App.*
Euselachii *Zool.*
eusemin *Mat. Med.*
Eusepii *Biol.*
eusigillarian *Pal. Bot.*
Eusiphonia *Conch.*
-acea -aceous
Eusmilus *Zooph.*
-ia -idae -inae
eusol *Mat. Med.*
Eusphalerum *Ent.*
Eusphenopteris *Biol.*
Euspilaria *Ent.*
Euspirocrinidae *Pal.*
Euspiza *Ornith.*
Eusponglia -iate *Zool.*
eusporangium -iate *Bot.*
Eusporophyta *Bot.*
eustatic *Geol. Phys. Geog.*
eustely -ic *Bot.*
eustenin *Mat. Med.*
Eustrobilus *Pal.*
eustrongylus
Eusuchia(n *Herp.*
Eusuchus *Pal.*
eusynchite *Min.*
eusystole -ic *Med.*
Eutaenia *Herp.*
eutannin *Org. Chem.*
eutaxiology -ical *Phil.*
eutaxite -ic *Petrog.*
Eutaxocrinus *Pal.*
Eutelecrinus *Pal.*
Eutelolaimus *Helm.*
eutelolecithal *Biol.*
Euterentia *Pal.*
euterpene *Org. Chem.*
euthallite *Min.*
Euthallophyta *Bot.*
eutheca -ate *Morph. Zooph.*
Euthecodon *Herp. Pal.*
Eutheria(n *Mam.*
euthermic *Med.*
Euthrena *Pal.*

Eutopia(n
Eutoreutus *Helm.*
Eutornus *Ent.*
Eutoxeres *Ornith.*
Eutracheata *Ent.*
eutrichosis *Med.*
Eutrimerocephalus *Pal.*
eutrophic *Bot.*
eutropic *Bot.*
Eutrypanus *Ent.*
Eutuberaceae *Bot.*
Eutypomys *Pal.*
euvaselin *Mat. Med.*
euxanthic *Org. Chem.*
-an -ate -in(e -one
euxanthogen
Euxanthopyge *Ent.*
euzeolite *Min.*
Eventognathi -ous *Ich.*
Evotomys *Zool.*
Evoxymetopon *Ich.*
Hetereu- *Bot.*
forms puccinia
Neoeuthyris *Bryol.*
Paleunycteris *Pal.*
proeupolyzoon *Zool.*
pseudoeucryptite *Min.*
Subeuscalpellum *Pal.*
εὐαγγελίζεσθαι (N.T.)
evangelize(r -ation
unevangelized
εὐαγγελικός (Iren.)
antievangelical
evangelic
an ism ity
evangelical
ism ity ly ness
εὐαγγέλιον (N.T.)
evangel
ian iarion iary ium
protevangel
ion ium
tetrevangelium
textevangelium
vangel
εὐαγγελισμός (Orig.)
evangelism
pseudoevangelism
εὐαγγελιστής (N.T.)
evangelist
arion arium ary ic(s
ship
protevangelist
pseudoevangelist
vangelist
εὐαγής undefiled
Euhages
εὐάνιος taking trouble easily
Evania -iid(ae -ioid *Ent.*
evanio-
cera *Ent.*
somus *Ent.*
Εὔβοια (Il.)
Euboea(n *Geog.*
Εὐβοικός (Thuc.)
Euboeic
Agrotes
εὖγε well, rightly
euge
εὐγένεια high descent
eugeny *Obs.*
εὐγενής well born
Eugenes *Ornith.*
eugenic(s -ical(ly
eugenism -(ic)ist
Ἐυγένιος fr. εὐγενής
Eugene
Eugenia *Bot.*
Eugeniacrinus *Pal.*
-idae -ite
eugenin(e *Org. Chem.*
eugenoform *Org. Chem.*
eugenol(ate *Org. Chem.*

-eugenol *Org. Chem.*
acet iodo iso safro
euget(in)ic *Org. Chem.*
εὐγηρία a green old age
Eugerion *Ent.*
εὐγνωμοσύνη indulgence
eugnomosyne
εὐγνώμων kind; prudent
Eugnomus *Ent.*
εὐδαιμονία prosperity
eud(a)emonia -y
εὐδαιμονίζειν (Eur.)
eud(a)emonize
εὐδαιμονικά (Xenophon)
eud(a)emonics *or* eudaimonics
εὐδαιμονικός (Arist.)
eud(a)emonic(al
εὐδαιμονισμός (Arist.)
eud(a)e(*or* ai)monism
-ist(ic(al(ly
εὐδαίμων fortunate
eud(a)emon *Astrol.*
eudemonology -ical
εὐδιάγωγος cheerful
Eudiagogus *Ent.*
εὐδίαλυτος easily dissolved
eudialy(*or* i)te *Min.*
εὐδιανός = εὔδιος
Eudianodes *Ent.*
εὔδιος clear, mild
eudio- *Phys. Chem.*
meter
metry -ic(al(ly
Eudius *Ent.*
tensieudiometric
εὔδμητος well-built
Eudmetus *Ent.*
Εὐδόξιος
Eudoxian *Eccl. Hist.*
εὔδοξος of good repute
Eudoxia *Zooph.*
eudoxiform
eudoxin(e *Chem.*
eudoxome
εὐδρομίας good runner
Eudromades -ine *Ornith.*
Eudromias *Ornith.*
εὔδωρος generous
Eudorina *Bot. Zool.*
εὐειδής well-shaped
Euides *Ent.*
εὐεργέτης a benefactor
euergetes *Gr. Hist.*
εὐεργής well-wrought
Everges *Ent.*
εὐερνής sprouting well
Evernia *Bot.*
-ic -iine -ioid
evernic *Org. Chem.*
-in(e -inic -uric
εὐήθης good-hearted
euethistically
Εὐήμερος (Polyb.)
Euhemerus *Phil.*
-ism -ist(ic(ally -ize
εὐθανασία an easy death
euthanasia(n -y
εὐθηνία well-being
euthenic(s *Sociol.*
euthenist *Sociol.*
εὐθυ- Comb. of εὐθύς
euthy-
basid *Bot.*
carcinus *Pal.*
comi -ic *Anthrop.*
morphosis *Bot.*
neura(l -ous *Conch Pal.*
schist *Bot.*
symmetric(al(ly

euthy- Cont'd
tatic *Phys.*
tropic *Seismol.*
εὐθυμία tranquillity
euthymia -ic -y
εὔθυμος kind
euthumism *Ethics*
εὐθυντηρία (Eur.)
euthynteria *Gr. Navy*
εὐθύς straight
Euthis *Ent.*
εὐθύσανος well-fringed
Euthysanius *Ent.*
εὐθυφορία (Arist.)
euthyphoria *Ophth.*
εὔκαιρος well-timed
eucairite *Min.*
εὔκαμπτος flexible
eukamptite *Min.*
εὐκέραος fr. κέρας
Eucera *Ent.*
Euceracoris *Ent.*
Euceratherium *Pal.*
εὐκινησία ease of motion
eukinesia
εὐκίνητος moving easily
Eucinetus *Ent.*
Eucinostomus *Ich.*
εὔκλεια good repute
Euclea *Bot.*
Euclea *Ent.*
-eidae -eioid
Εὐκλείδης
Euclid
ean ian ic
semi-Euclidian
ἐυκνήμις (-ιδος)
Eucnemis -idae *Ent.*
εὔκολος easily content
eucolite *Min.*
εὐκρασία (Arist.)
eucrasia -y *Med.*
εὔκριτος easy to decide
eucrite *Petrol.*
εὐκρυφής easy to hide
Eucryphia *Bot.*
-iaceae -iaceous
εὐκτέανος slender, tall
Eucteanus *Ent.*
εὐκτικός optative
euctical *Obs.*
εὐκτός desired
euktolite *Min.*
εὔκυκλος well-rounded
eucyclic *Bot.*
Eucyclogobius *Ich.*
εὐλαβής holding fast
Eulabes *Ornith.*
-etinae -etine
Eulabis *Ent.*
Εὐλαλία Fr. εὔγαγος talking well
Eulalia *Bot. Hort.*
εὔληπτος easily grasped
Euleptorhamphus *Zool.*
Euleptus *Ent.*
εὐλογία (Pindar)
eulogy
-ia -ic(al(ly -ious -ism
-ist(ic(al(ly -ium -ize(r
paneulogism
εὔλοφος well-plumed
Eulophia *Bot.*
Eulphus *Ent.*
-inae -odes
εὐλυσία ease of motion
eulysite *Petrog.*
εὔλυτος easily dissolved
eulyt- *Min.*
in(e ite

εὐμαθής quick to learn
Eumathes *Ent.*
εὐμενής well disposed
Eumenes *Ent.*
-id(ae -inae -oid
Εὐμενίδες the kind ones
Eumenides *Myth.*
εὐμετρία moderation
eumetria *Med.*
εὐμήκης tall
Eumeces *Herp.*
Eumecocera *Ent.*
εὔμιτος with fine threads
Poleumita *Pal.*
εὐμοιρία welfare
eumoiriety
εὔμοιρος wealthy
eumoirous
Εὔμολπος (Thuc.)
Eumolpus *Ent. Myth.*
εὔμορφος fair of form
eumorphics *Ther.*
eumorphism *Cytol.*
eumorphous
Eumorphus *Ent.*
-ευνία as in σκληρευνία
pareunia *Med.*
Εὐνίκη (N.T.)
Eunice
eunice -(id)ae *Annel.*
Eunice *Helm.*
-id(ae -iform -oid
Eunicea(n *Zool.*
εὖνις (-ιδος) a wife
Eunidia *Ent.*
εὔνοια good-will
eunoia *Med.*
εὐνομία good order
eunomy
Ἐυνομία Dau. of Themis
Eunomia *Astron. Ent. Myth. Zool.*
Εὐνομιανοί (Epiph.)
Eunomian *Eccl. Hist.*
εὐνουχίζειν (Luc.)
eunuchize
εὐνουχισμός (Orig.)
eunuchism
εὐνουχοειδής (Hipp.)
eunuchoid(ism
εὐνοῦχος (Herod.)
eunuch
al ate ry
εὔξενος hospitable
euxenite *Min.*
euxenium *Chem.*
εὐπαγής compact
Eupages *Ent.*
Eupagurus *Zool.*
εὐπαθεία comfort, ease
eupathía -y
εὐπατόριον (Diosc.)
eupatorin(e *Org. Chem.*
eupatorium *Bot.*
-i(ac)eae -iaceous -y
εὐπατρίδης patrician
eupatrid
ae al es
εὐπάτωρ nobly born
Eupatorus *Ent.*
εὔπεπτος of good digestion
eupeptic(ity *Med.*
εὐπετής facile, easy
Eupetes -idae *Ornith.*
εὐπεψία (Arist.)
eupepsia -ic -y *Med.*
εὔπλαστος moulding easily
euplastic *Physiol.*

εὔπλεκτος well-plaited
Euplectella *Spong.*
-id(ae -oid
εὐπλόκαμος fair-haired
Euplocomi -ic *Anthrop.*
ἐυπλυνής well washed
Euplynes *Ent.*
εὔπνοια (Hipp.)
eupn(o)ea -(o)eic
Εὐπολίεδιος (Dion. H.)
Eupolidean *Pros.*
εὔπορος resourceful
Euporus *Ent.*
εὔπρακτος easily done
eupractic
εὐπραξία good conduct
eupraxia -y -ic
εὑρετικός inventive
heuretic(s *Logic.*
εὕρηκα Perf. of εὑρίσκειν
eureka
εὕρημα an invention
eurema -atics
εὔρινος with a good nose
Eurinophorus *Ent.*
εὔριπος a strait
euripe -ize -us *Obs.*
εὑρίσκειν to find, discover
Eurekia *Arach.*
heuristic
εὐρο- Comb. of Εὖρος
euro-
aquilo
bius *Ent.*
phen(ol *Chem. Med.*
εὐροκλύδων (N.T.)
Euroclydon
Εὖρος the east wind
Phileurus *Ent.*
Eurus
εὐρυ- Comb. of εὐρύς
eury-
apteryx *Ornith.*
bathic *Biol.*
benthic *Biol.*
campyli *Zool.*
cephalic -ous *Ethnol.*
chory -ic *Phytogeog.*
cladous *Bot.*
cleidus *Herp.*
coenose *Bot.*
coronine *Zool.*
cysts *Bot.*
gaea(n *Zoogeog.*
gaster(inae *Ent.*
genius *Ent.*
gnathism *Anthrop.*
-ic -ous
gona -i -inae *Ent.*
haline *Biol. Phys.*
laemus *Ornith.*
-id(ae -inae -ine
-oid(eae
leme *Ornith.*
lepta -id(ae -oid *Helm.*
mela -inae *Ent.*
metopon *Ent.*
myella *Pal.*
notus *Pal.*
omia *Ent.*
ophrus *Ent.*
pauropus *Ent.*
-(od)id(ae -oid)
pelma *Ent.*
pharynx *Ich.*
-yngid(ae -yngoid
phlepsia *Ent.*
photic *Bot.*
plegma -atidae *Spong.*
porus *Ent.*
prognathous *Anthrop.*
prosopus *Ent.*

eury- Cont'd
pterus *Crust.*
-id(ae -ida(n -ina(e
-ine -oid(ea
pyga *Ornith.*
-id(ae -oid(ea(n
scope *Photog.*
siphonella *Pal.*
staura *Ent.*
stern -id(ae -oid *Herp.*
stomata -ous
stome -an -ous -us
synusic *Bot.*
therm(ic *Bact.*
thermal -ic *Biol. Phys.*
thermal -y *Bot.*
thyrea *Ent.*
toma -idae -inae *Ent.*
tropic *Bot.*
zygoma *Mam.*
zygous *Anat.*
Εὐρυάλη a Gorgon
Euryale *Bot. Myth.*
Euryale *Echin.*
-eae -ean -id(ae -ida(n
Εὐρυβία Eurybia
Eurybia *Conch.*
-iid(ae -ioid
'Ευρυδίκη Wife of Orpheus
Eurydice *Myth. Zool.*
εὐρυθμία cadence
eur(h)ythmy -ic(s
εὐρύκερως broad-horned
Euryceros *Ornith.*
-otid(ae -otinae -otine
-ous
Εὐρύκλεια
Euryclea *Ent.*
εὐρύνειν to stretch
-eurysma *Path.*
metr splanchn
-eurynter *Surg. App.*
colp hyster metr proct
rhin urethr
-eurysis *Surg.*
colp hyster metr
metreurysmus *Path.*
εὐρυπυλής with broad gates
eurypylous *Spong.*
εὐρυπώγων broad-bearded
Eurypogon *Ent.*
εὐρύς wide
eurite -ic *Petrol.*
euroblepharon *Med.*
euryon *Craniom.*
Metoponeurys *Ent.*
Xystreurys
εὐρυσάκης with broad shield
Eurysaces *Ent.*
εὐρυτενής wide-extended
Eurytenes *Ent.*
Εὐρωπαῖος (Dion. H.)
European
ism ization ize
Europ(a)eo-
Asiatic
Indo-European *Philol.*
oleuropein *Org. Chem.*
Εὐρώπη (hymni Hom.)
Eurafric(a(n
Eurarуan
Eurasia(n -iatic
Europa *Myth.*
Europe *Geog.*
europium *Chem.*
eurosamarium *Chem.*
εὐρώς (-ωτος) mouldiness
eurotium *Fungi*

euroto- *Phytogeog.*
philus phyt(i)a
-ευς masc. agent suffix
-eus Chiefly *Zool.*
εὐσεβής pious
Eusebus *Ent.*
'Ευσέβιος Eusebius
Eusebian *Eccl. Hist.*
εὐσέλαος bright-shining
Euselasia -iinae *Ent.*
εὐσιτία (Aretaeus)
eusitia *Physiol.*
εὐσκεπής well-covered
Euscepes *Ent.*
εὔσοος safe and well
eusomphalus *Terat.*
εὐσπλαγχνία firmness
eusplanchnia *Med.*
εὐσταθής well-built
Eustathes *Ent.*
Εὐσταθιανοί Tim. Presb.
Eustathian *Eccl. Hist.*
εὐσταλής well-equipped
Eustales *Ent.*
εὔστομος with large mouth
Eustomata -ous *Infus.*
Eustomidae *Pal.*
εὔστρα the place for singeing swine
Eustra *Ent.*
εὔστροφος well-twisted
Eustrophus *Ent.*
εὔστυλος (Vitruvius)
eustyle *Arch.*
εὐσχιδής easy to split
Euschides *Ent.*
εὔτακτος well-ordered
Eutactus *Ent.*
εὐταξία good order
eutaxy
εὐτείχεος well-walled
Euticheus *Ent.*
εὐτελής cheap; paltry
Eutelus *Ent.*
Εὐτέρπη Muse of music
Euterpe -ean *Bot. Myth. Zool.*
εὔτηκτος easily melted
eutectan *Mat. Med.*
eutectic -oid *Chem. Metal. Phys.*
hyper- hypo-
eutectiferous *Chem.Phys.*
εὐτηξία a being eutectic
eutexia *Phys.*
εὐτοκία (Callimachus)
eutocia *Physiol.*
εὔτομος well-divided
eutomous *Min. Surv.*
εὐτονία vigor (Hipp.)
eutony
ευτοξοςwith good arrows
Eutoxus *Ent.*
Mazeutoxeron *Bot.*
ευτραπελος lively
Eutrapela *Ent.*
εὐτρεπίζειν to prepare
eutrepisty *Surg.*
εὔτριπτος well-pounded
Eutriptus *Ent.*
εὐτροφία (Plato)
eutrophia -y -ic *Diet.*
Εὐτυχιανισταί (Tim. Presb.)
Eutychianistae *Eccl.*
Εὐτυχιανός (Theod.)
Eutychian(ism *Eccl.*

εὐφανής appearing well
Euphanistes *Ent.*
Euphansia *Crust.*
-idae -iid(ae -ioid
εὐφεγγής brilliant
Euphenges *Ent.*
εὐφημία (Plato)
euphemy
-ian -ious(ly
εὐφημίζειν (Eust.)
euphemist(ic(al(ly
euphemize(r
εὐφημισμός (Eust.)
euphemism *Rhet.*
εὔφημος speaking only auspicious words
Euphema *Ornith.*
euphemous
Εὔφημος an Argonaut
Euphemus *Ent. Myth.*
εὐφόρβιον (Diosc.)
Euphorbia *Bot.*
-iaceae -iaceous -ial(es
Euphorbiaceaecarpum
euphorbium *Chem.*
-ic -ine -on(e
euphosterol *Org. Chem.*
εὐφορία ready endurance
Euphoria *Ent.*
euphoria *Med.*
-ic -ious -y
euphorin *Pharm.*
εὔφορος vigorous
Euphorus *Ent.*
εὐφρασία good cheer
Euphrasia -y *Bot.*
εὐφυής of good natural disposition
Euphues *Fiction*
euphuism
-ist(ic(al(ly -ize
εὔφυλλος well-leaved
euphyll *Bot.*
a oid um
euphyllin *Mat. Med.*
euphyllite *Min.*
Euphyllopoda *Zool.*
εὐφωνία (Dion. H.)
euphonium -iad -icon
euphony *or* -ia
-ic(al(ly -icalness -ious(ly -ism -istic -ization -ize
uneuphonious
εὔφωνον Neut. of εὔφωνος
euphonon *Music*
εὔφωνος sweet-voiced
euphone
Euphonia *Ornith.*
-(i)inae -iine
euphonous
εὔχαρις gracious
Eucharis *Bot. Conch. Ent.*
εὐχαριστία (Ignatius)
eucharist *Eccl.*
ial ic(al(ly ize
εὔχειρ dextrous
Euchira *Ent.*
Euchirus -idae *Ent.*
εὐχείρωτος easy to master
Euchirotidae *Zool.*
εὐχέλαιον unction
euchelaion *Gr. Ch.*
Εὐχῖται (Cyrill. A.)
Euchite *Eccl. Hist.*
εὐχολόγιον prayer book
euchologion *Gr. Ch.*
-ical -ue -y
εὔχροος well-colored
euchroic *Chem.*
euchroite *Min.*
euchrone -ic *Chem.*

εὐχυμία (Hipp.)
euchymy *Med.* (*Obs.*)
εὔχυμος of good flavor
euchymous *Med.* (*Obs.*)
εὐώδης fragrant
euodic
εὐώνυμος of good name
euonym(ous y
εὐώνυμος spindle tree
euonym- *Org. Chem.*
in ol sterol
Eu(*or* v)onymus -ous
homoeuony- *Org. Chem.*
sterin sterol
ἐφ- Comb. of ἐπί
eph-
epharmony -ic -ism *Ecol.*
ἐφαπτόμενον laying hold
ephaptomenon *Bot.*
-ephaptomenon *Bot.*
aut heter
ἐφάρμωσις agreement
epharmosis *Ecol.*
epharmotic *Ecol.*
ἐφέδρα (Pliny)
Ephedra *Bot.*
ephedrin(e *Org. Chem.*
iso- pseudo-
subephedroid *Bot.*
ἐφεδρισμός (Pollux)
ephedrismos *Gr. Ant.*
ἔφεδρος one waiting to fight the victor
ephedros *Gr. Athl.*
Ephedrus *Ent.*
ἐφεκτικός able to check
ephectic
ἐφελκυστικόν suffixed
ephelcustic *Gram.*
ephelkustic(on *Gram.*
'Εφέσιος (Strabo)
Ephesian
῎Εφεσος (Herod)
Ephesine
ephesite *Min.*
ἐφέτης a commander
ephete -ic *Gr. Ant.*
ἐφεταί (Dem.)
Ephetae *Gr. Ant.*
ἐφήβαρχος overseer of youth
ephebarch *Gr. Ant.*
ἐφηβεία puberty
ephebeitis -ic *Physiol.*
ephebia -y
ephebiate *Gr. Ant.*
ephebite *Gr. Ant.*
ἐφηβεῖον (Vitruv.)
ephebium -eion *Arch.*
ἐφηβικός (Theocr.)
anephebic *Physiol.*
ephebic *Biol. Gr. Ant.*
phylephebic *Ethnol.*
ἔφηβος a youth of eighteen
ephebasty -ic *Pal.*
ephebe *Gr. Ant.*
Ephebe -aceae *Bot.*
Epheboceras *Ent.*
ephebogenetic *Bot.*
ephebology -ic
ephebos -us *Gr. Ant.*
Schizepheboceras *Ent.*
ἔφηλις (Hipp.)
ephelis *Physiol.*
ἐφημέριος parochial priest
ephemerius *Gr. Ch.*
ἐφημερίς (-ίδος) a journal
ephemerides -ian
ephemeris -ist

ἐφήμερον (Arist.)
Ephemera *Ent.*
-al -id(ae -ida -ides
-ina -ine -inous -oid
ephemeron
Ephemeroptera *Ent.*
Ephemeropous *Ent.*
ephemerum *Bot.*
Platephemera *Pal.*
Protephemeroidea *Pal.*
ἐφήμερος short-lived
ephemer *Bot.*
ephemeral(ly -ity -ness
ephemeran
ephemeranthy *Bot.*
ephemeric -id
ephemeromorph(ic
Ephemerophytes *Bot.*
ephemerous *Bot.*
pseudoephemer *Bot.*
ἐφθημιμερής (Schol. Ar.)
hephthemim(er(al *Pros.*
hephthemimeres *Pros.*
ἔφθιεν οὐρά the tail has wasted away
Epthianura -e *Ornith.*
Ἐφιάλτης the nightmare
ant(i)ephialtic *Med.*
ephialtes *Ent. Myth. Ornith. Physiol. Psych.*
ἐφίδρωσις (Galen)
ephidrosis *Path.*
-ephidrosis *Path.*
chlor cyan hyper maschal melan plasm saccchar
ἐφίζειν to set upon; sit
Pogonephidza *Ent.*
ἐφίππιον a saddle cloth
ephippion -ial -ic *Anat.*
ephippium *Anat. Ent.*
Ephippiomantis *Ent.*
Ephippiorhyncus *Ornith.*
platyphippic *Anat.*
protoephippium *Crust.*
ἐφίππος on horseback
Ephippus *Ich.*
-(i)id(ae -(i)oid
ἐφόλκιον an appendage
Disepholcia *Ent.*
ἐφορεία (Xen.)
ephory *Gr. Pol.*
ἐφορικός (Xen.)
ephoric *Gr. Pol.*
ἔφορος orig., an overseer
ephor
al(ty ate ship us
ἐφυδριάς (-άδος) of the water
ephydriad *Myth.*
ἔφυδρος dwelling on water
Ephydra *Ent.*
-id(ae -inae -oid
ephydrogamy -ic(ae *Bot.*
ἐφύμνιον a refrain
ephymnion -ium *Gr. Ch. Pros.*
Ἐφύρα Corinth
Acanthephyra *Crust.*
-id(ae -oid
Ephyra *Zooph.*
Ephyramedusae *Ent.*
-an -idae
Ephyropsis -idae *Coel.*
ephyrula
ἔχειν to have
echard *Ecol.*
photechy *Photog.*
trichechodont *Mam.*
Trichechus *Mam.*
-id(ae -ina -in(e -oid-(ea(n
ἐχενηίς (Arist.)
Echeneis *Ich.*
-e(id)id(ae -eidan
-e(id)oid -eini
Pseudecheneis *Ich.*
ἐχθίστατος bitterest
Echthistatus *Ent.* (?)
ἐχθρία hatred
synec(h)thry *Ent.*
ἐχθρός hostile
ecthronym
Ἔχιδνα (Hesiod)
Echidna *Myth.*
Echidna *Mam.*
-id(ae -ina -oid
ἔχιδνα a viper
echidnase *Chem.*
echidnin(e *Chem.*
ἐχιδνο- Comb. of ἔχιδνα
echidno-
phaga *Ent.*
toxin
vaccine *Chem.*
ἐχινο- Comb. of ἐχῖνος
anechinoplacid *Echin.*
Antechinomys *Marsup.*
echino-
bothrium *Helm.*
-iid(ae -ioid
brissus -idae *Zool.*
cactus *Bot.*
cardium
caris -idae *Pal.*
cereus *Bot.*
chloa
chrome *Biochem. Zool.*
chromogen *Biochem.*
coccifer *Med.*
coccosis *Path.*
coccotomy *Surg.*
coccus *Zool.*
conchus *Brachiop.*
conus -idae *Zool.*
corys -idae *Echin.*
cotyle -idae *Zool.*
crepis *Zool.*
cyst(is *Bot.*
cystites *Bot.*
-id(ae -oid
cystoida *Pal.*
deres -id(ae -oid *Helm.*
derm(a(l *Echin.*
-aria -ata -ous
discaster *Pal.*
galerinae *Pal.*
glossa(l *Conch*
lampras *Zool.*
lichas *Pal.*
logy -ist
myia -yidae *Ent.*
mys -yinae -yine *Mam.*
neus *Echin.*
-eid(ae -eides -eoid -idae
paedium -ic *Echin.*
panax *Bot.*
phrictis *Ent.*
placid *Echin.*
plute -eus *Zool.*
pora -idae *Pal.*
procta -ous *Zool.*
ptilium -idae *Zool.*
rhinus -id(ae -oid *Ich.*
rhynchus *Helm.*
-id(ae -oid
sirga *Zool.*
soma *Zool.*
spermum *Bot.*
sphaeridae *Zool. Pal.*
sphaerite(s *Pal.*
stomata *Zool.*
strobus *Pal.*
echino- Cont'd
thuria *Echin.*
-idae -iid(ae -ioid
zoa *Zool.*
ἐχινοειδής = ἐχινώδης
echinoid *Zool.*
ἐχινομήτρα (Arist.)
Echinometra *Echin.*
-id(ae -oid
ἐχῖνος the urchin
echiaster *Spong.*
Echimys *Mam.*
-yidae -yinae -yine
echin-
acea *Bot.*
arachnius
aspis *Ent.*
aster(id(ae oid *Echin.*
astrin *Chem.*
ate(d *Bot.*
iscus *Infus.*
ite -al *Pal.*
ophthalmia *Path.*
ops *Lopsis Bot.*
opsin(e *Org. Chem.*
ois *Cytol. Path.*
ulate -ion
uliform
us *Zool.*
-al -id(ae -ida(n
-id ea-iform -oid (ea(n -oida(e
-echinus *Pal.*
Centr Hyatt Lepid Loven Meck Ovul Pal(a)(e) Pholid Tiar
echinus *Arch.*
echitone *Mat. Med.*
ecthol *Mat. Med.*
Enechinoidea(n *Echin.*
Perischoechinoidea
Thierychinus *Pal.*
ἐχινώδης prickly (Arist.)
Echinodes *Ent.*
ἔχιον (Diosc.)
Echium -iales *Bot.*
ἔχις an adder
Echiostoma *Ich.*
Echis *Herp.*
Echiurus *Helm.*
-id(ae -oid(ea(n
Pseudechis -ic *Herp.*
ἐχίτης (Pliny)
echit- *Org. Chem.*
amin(e ein enine in
Echites *Bot.*
Echitonium *Pal.*
ἔχμα support
echma *Bot.*
Gastrechmia(n *Herp.*
ἐχυρός strong, secure
echurin *Arts*
ἔχω Pres. of ἔχειν
Periechocrininae *Pal.*
ἕψειν to boil, seethe
zythepsary
ἕωλος stale
spleneolus *Med.*
ἕως = ἠώς
Heopitheci -ine *Zool.*

ζα- very
za-
glossus *Mam.*
lambdodont(a *Mam.*
lophus *Pal.*
melodia *Ornith.*
mycteris *Pal.*
photias *Ich.*
phrenitis *Pal.*
prora -idae *Ich.*
pteryx *Ich.*
Zapus *Ich.*
-odid(ae -odinae -odine
-odoid
Zatrachis -idae *Pal.*
ζαβρός eating to excess
Zabrus -idae *Ent.*
Ζάγκλη Messene
Zanclean *Geol.*
ζάγκλη = ζάγκλον
-zancla *Ent.*
Lepto- Lio- Macro-
ζάγκλον a sickle
Zanclites *Ich.*
Zanclodon(tid(ae -oid
Zanclognatha *Ent.*
Zanclophorus *Helm.*
Zanclostomas *Ornith.*
Zanclus *Ich.*
-id(ae -oid
ζαιός the doree (Pliny)
Zeus *Ich.*
-eid(ae -einae -eoid(ea
ζάλη surge, spray
xalostocite *Min.*
Zalembius *Ich.*
Zalieutes *Ich.*
Zalocys *Ich.*
Zalopyr *Ich.*
Zalypnus *Ich.*
ζαμία = ζημία
Macrozamia *Bot.*
Zamia *Bot.*
-ieae -ioid
Zamiostrobus *Bot.*
Zamites *Bot.*
-zamites *Pal. Bot.*
Oto Podo Ptero Spheno
ζάνιον a comb for wool
Zaniolepis *Ich.*
-idinae -idine
ζαπέτιον
civet
civetone *Org. Chem.*
ζατρεφής well-fed
Zatrephus *Ent.*
ζειά spelt
meliza *Cookery*
Melizophilus *Ornith.*
Zea *Bot.*
zean *Mat. Med.*
zebromal *Mat. Med.*
zein *Biochem.*
zeinolysis *Biochem.*
zeinolytic *Biochem.*
zeism(us *Path.*
zeist(ic *Path.*
zeose *Biochem.*
ζέειν to boil
azeotropic *Phys. Chem.*
euzeolite *Min.*
physiozeography *Geog.*
zeogonite *Min.*
zeo-
lite -ic -iform *Min.*
litize -ation *Min.*
morph(i *Ich.*
phyllite *Min.*
scope *Phys. App.*
ζέμα a decoction
urozema *Path.*
ζεστο- Comb. of ζεστός
zesto-
causis *Ther.*
cautery *Med. App.*
ζεστός seethed
Leptozestis *Ent.*
Zesticelus *Ich.*
Zestidium *Ich.*
Zestis *Ich.*
ζευγίτης yoked in *pairs*
Zeugite *Fungi*
zeugite *Gr. Pol.*
ζεύγλη a strap
Microzeuglodon *Pal.*
-ontidae
Zeuglodon *Mam. Pal.*
-ont(a is id(ae oid)
ζεῦγμα (-ατος) a band, bond
hypozeugma *Gram.*
protozeugma
zeugma *Gram. Rhet.*
-atic(ally
Zeugmatolepas *Pal.*
ζεύγνυμι to yoke
Zeuzera *Ent.*
-ian -idae
ζευγο- Comb. of ζεῦγος
zeugo-
branchia -iata *Conch.*
phora *Ent.*
ζεῦγος a yoke, team, pair
Protozeuga -idae *Pal.*
zeugite *Min.*
Zeugonyx *Ent.*
ζευκτός yoked
zeuctocoelomic *Zool.*
-ata -atous
Ζεῦξις a painter
Zeuxian -ism *Art*
ζεύξις yoking
hemizeuxis *Bot.*
zeuphyllite *Min.*
zeuxis *Bot.*
zeuxite *Min.*
Zyxomma *Ent.*
Ζεύς (Ζηνός) (Iliad)
zen- *Ich.*
idae inae oid
Zeus *Myth.*
Ζέφυρος the west wind
zephyr
ean et ian ine less ous y
zephyranth(es *Bot.*
Zephyrus *Ent. Myth.*
ζήλη a female rival
Palinzele *Ent.*
Phanerozela *Ent.*
Zele *Ent.*
ζῆλος emulation
jealous(ly -ness
jealousy
overzealous
zeal
ful ist less ness ous(ly ousness y
zelant -ator
ζηλοτυπία jealousy
zelotypia *Psych.*
-ic -ist
ζηλότυπος jealous
Zelotypa *Ent.*
ζηλοῦν to emulate
zealator
zealatrix -ice
ζηλωτής (N.T.)
phlogozelotism *Med.*
zealot(ry -al
Zelotes *Ich.*
ze(a)lotism -ist
ζηλωτικός (Arist.)
ze(a)lotic(al
ζηλωτός to be emulated
Zelotocoris *Ent.*
ζημία loss
-zemia *Med.*
androgalacto hemato sialo
Zemiagrammus *Ich.*
Ζηνο- Comb. of Ζεύς
zeno-
cratically
graphy -ic(al *Astron.*

Ζήνων Zeno
Zenonian *Phil.*
-ic -ism
ζῆτα the letter ζ
cedilla
zed(land
zeta *Alphabet*
zetacism *Philol.*
zetaic *Math.*
ζητέειν to seek after
Bassozetus *Ich.*
Coralliozetus *Ich.*
Zetophloeus *Ent.*
ζήτησις search, inquiry
Heterozetes *Arach.*
heterozetesis *Logic*
Odozetes *Ent.*
ζητητής a seeker
Myiozeteles *Ornith.*
ζητητικός (Plato)
zetetic(ally *Math. Phil.*
zetetics *Math.*
Zeteticus *Ent.*
ζιγγίβερις (Diosc.)
ginger
ade bread(y line ous snap wort
metazingiberine *Chem.*
zinzerone *Org. Chem.*
Zinziber *Bot.*
-(ac)eae -aceous
zinziber- *Org. Chem.*
ene enol one
ζιζάνιον darnel
Zizania *Bot.*
zizany
ζίζυφον (Geoponica)
jujube
zizupha -eae -us *Bot.*
ζόμβρος = τραγέλαφος
Zombrus *Ent.*
ζόφεος = ζοφερός
Zophius *Ent.*
ζοφερός dusky, gloomy
Zopheromantis *Ent.*
Zopherus *Ent.*
ζοφο- Comb. of ζόφος the gloom or dark
zopho-
bas *Ent.*
crinidae *Pal.*
ζόφωσις darkness
Zophosis *Ent.*
ζυγ- Stem of ζυγόν
synzigia *Bot.*
zyg-
al *Anat.*
antrum *Anat. Zool.*
apophysis -ial *Anat.*
artus *Prot.*
-id(ae -ida -oid
ion *Craniom.*
nema *Bot.*
-(ac)eae -aceous
-etum -id
odon *Zool.*
odont *Anat.*
ophuirae -an *Zool.*
ops *Ent.*
ous *Pal.*
-zygal *Zool.*
epi hypo
-zygapophysial *Anat.*
inter post pre
-zygapophysis *Anat.*
post pre pro
ζυγάδην in pairs
Zygadenus *Bot.*
zygadinic *Org. Chem.*
-eine -in -one
zygadite *Min.*
ζύγαινα a shark

Zygaena *Ent. Ich.*
-id(ae -idan -in(e -odes -oid
ζυγίτης fr. ζυγόν
zygite *Gr. Navy*
ζυγο- Comb. of ζυγόν a yoke, cross-bar, beam
azygospore *Bot.*
Dizygopleura *Pal.*
leptozygo -*Bot.*
nema tene
Oxyzygonectes *Ich.*
Parazygocera *Ent.*
pseudozygospore *Bot.*
Tetrazygopleura *Bot.*
zoozygo- *Bot.*
sphere spore
zygo-
berychia *Pal.*
bolba *Pal.*
-idae -inae
branch(ia *Conch.*
-iata -iate
cardiac *Crust.*
cera *Ent.*
cyte *Biol.*
dactyl(i *Ornith.*
-ae -ic -ism -ous
dactyla *Mam.*
gamae *Algae*
genesis *Bot.*
genic *Bot.*
gomphia *Zool.*
gonium *Bot.*
gramma *Ent. Herp.*
ite *Biol.*
labialis *Anat.*
lestes *Pal.*
lytic *Bot.*
maxillare *Craniom.*
maxillary *Anat.*
morphy *Bot.*
-ic -ism -ous
mycete(s -ous *Fungi*
nectes *Ich.*
nema *Bot.*
neure -ous -y *Neurol.*
(pachy)nema *Bot.*
petalum *Bot.*
phyceae -eous *Bot.*
phyllum *Bot.*
-(ac)eae -aceous
phyte -ic *Bot.*
plast *Prot.*
pleura(l *Morphol.*
pleural *Anat.*
ptera -id(es *Ent.*
pteris -id(ean -oid *Bot.*
saurus *Zool.*
sella *Pal.*
selmis -idae *Prot.*
soma -es *Bot.*
sperm *Bot.*
sphene -al *Anat. Herp.*
sphere *Bot.*
spila *Ent.*
spiris *Prot.*
spiris *Prot.*
-id(ae -ida -oid
spondyline
sporange -ium *Bot.*
spore -eae -ic *Bot.*
sporophore *Bot.*
style
tactism *Bot.*
taxis *Bot.*
tene *Bot. Cytol.*
thrips *Ent.*
trocha -ous *Helm.*
zoospore *Bot.*
ζυγόν crossbar; yoke
zygon *Anat. Gr. Ant.*
zygonium *Bot.*
-ζυγος as in πολύζυγος

-zygous
aphano di eury hemi hetero homo mono ortho ph(a)eno pleio tri
ζυγοστάτης (Artemid.)
zygostat(ical
ζύγωμα (Pollux)
Euryzygoma *Mam.*
zygoma -atic(us *Anat.*
-zygomatic *Anat.*
a- bi fronto- gonio- oculo- pre- spheno- squamo- stephano- sub- temporo-
zygomatico- *Anat.*
auricular(is facial frontal maxillary orbital sphenoid temporal
Zygomaturus *Marsup.*
ζύγωσις a balancing
zygosis *Biol.*
-zygosis *Biol.*
hemi hetero homo poly pro
ζυγωτός yoked
enzygotic *Embryol.*
zygote -ic -oid *Biol.*
-zygote *Biol.*
allo hemi hetero homo hypno proto
-zyotic *Bot.*
hetero homo
zygoto- *Biol.*
blast mere
ζῦθος beer
zythepsary
Zythia -iaceae *Fungi*
zythozymase *Org. Chem.*
zythum -os -us
ζύμη leaven
antizymic *Med.*
azymia -ic -ous *Med.*
dezymotize *Med.*
lysozymic *Biochem.*
Microzyma *Bot. Prot.*
oxyzymol *Mat. Med.*
-zym *Biochem.*
ara cyto erythro lyso malt pepto pulmo sero
zymad *Bact.*
-zymase *Biochem.*
antho apo co galacto lecimicro lecitho moro nephro phaco zytho
zymasis *Physiol.*
zyme *Biochem.*
-ase -asic -ate -eoid -ic -in(e -inized
-zyme *Biochem.*
amyl caco cyto erythro galacto histo lyso malt micro plasmo (pro)sero thrombo
zymetology *Med.*
zymo-
casein *Biochem.*
cyte
excitator
gen(e -ic -ous *Biochem.*
genesis *Biochem.*
genetic *Biochem.*
gluconic -ate *Biochem.*
haptic -or *Biochem.*
hexose *Biochem.*
hydrolysis
id *Biochem.*
labile *Biochem.*
logy -ic(al -ist
lysis lytic
meter
nema *Fungi*
-atosis *Path.*
phore -ic -ous
phosphate -ese *Chem.*

zymo- Cont'd
phyte *Bact.*
plastic *Biochem.*
scope *Chem. App.*
si(o)meter *Med. App.*
stable *Biochem.*
sthenic *Biochem.*
technics -ic(al
technology -ist
techny
toxic *Org. Chem.*
zoida *Biol.*
-zymogen *Biochem.*
caryo pre pro
-zymoid *Med.*
phlogistico septico
zymurgy *Chem.*
ζυμίτης leavened bread
zymite *Gr. Ch.*
ζύμωμα a fermented mixture
zymome -in *Chem.*
ζύμωσις fermentation
hematozymosis *Med.*
zymosimeter *Chem.*
zymosis *Chem.*
nephrozymosis -e
zymosi(o)meter *Med.*
ζυμωτικός
antizymotic
h(a)ematozymotic
zymotic(ally
ζω- Comb. of ζωή, ζῷον, ζωός
macro-
h(a)ematozoite *Prot.*
merozoite *Prot.*
sporozoite *Prot.*
(mega)merozoite *Prot.*
micro-
hemazoite *Prot.*
merozoite *Prot.*
sporozoite *Prot.*
saprozoite *Biol.*
schizozite *Biol.*
trophozoite *Prot.*
zo-
adula *Bot.*
allospore *Bot.*
amylin *Chem.*
androspore *Bot.*
anthacea(n *Bot.*
anthodeme -ic *Zooph.*
anthropy -ia -ic
anthus *Zooph.*
-aria(n -id(ae -idan -idea -inae -oid
iatria *Vet.*
iatric(a -ics *Vet.*
idogamae -(o)us *Bot.*
idophily -ae -ous *Bot.*
iodin *Chem.*
oecium -ial *Polyzoa*
ophthalmus *Path.*
opsia *Psych.*
osis *Path.*
osmosis *Histol.*
Zymozoida *Biol.*
ζωάριον Dim. of ζῷον
epizoarius *Bot.*
microzoary -ia(n *Zool.*
Osteozoaria *Zool.*
Phytozoaria *Zool.*
polyzoary -ium -ial *Zool.*
protozoary
zoarium -ial
ζωαρκής life-protecting
Zoarces *Ich.*
-id(ae -inae -oid
ζωγράφος a painter
Zographus *Ent.*
ζωδιακός (Hipparch.)
extrazodiacal
zodiac(al

ζῳδιο- Comb. of ζῴδιον, a dim. of ζῷον
zodio-
grapher
philous *Bot.*
spore *Bot.*
zoidogamic -y *Bot.*
ζωή a living; life
acenaphth- *Org. Chem.*
azine imidazole oxdiazole
acenaphtho- *Org. Chem.*
naphthazine phenazonium pyrazine triazole
acetaldazine *Org. Chem.*
acetazide *Chem.*
acetonazine *Org. Chem.*
acetylhydroazine *Chem.*
acrosazone *Org. Chem.*
aldazin(e *Chem.*
amidoazo- *Chem.*
benzene benzol
aminoazo- *Chem.*
benzene toluol
anazoturia *Path.*
anthraquinonazine
anthrathiazole *Chem.*
anthrazene *Org. Chem.*
anthrimidazole *Chem.*
anthrisothiazole *Chem.*
anthroxazine & -ole
arsenoazo *Org. Chem.*
az- *Chem.*
arin
elaic -(a)ate -aone
ene -oid
ethmoid
id(e ic o-
idine *Dyes*
in(e
lactone
ol(e
onium -oid
ox- *Org. Chem.*
azole im(e in(e onium
oxy- *Org. Chem.*
benzene phenetole
azi- *Org. Chem.*
methylene
azo- *Chem.*
alizarin *Trade*
amyly *Med.*
benzene -id -oid -ol
black blue *Dyes*
coccin(e
cochineal
compound *Dyes*
coralline
corinth
cyclic
dermin *Mat. Med.*
diphenyl
dolen *Mat. Med.*
dye *Dyes*
erythrin *Biochem.*
flavin
fuchsin
fy -fication -fier *Soils*
gallein
gen(e *Dyes*
green
grenadin
humic
ic *Geol.*
id *Org. Chem.*
imid(e
inole
litmin
lysin *Mat. Med.*
mauve
methane -ine *Chem.*
nig
ology
orange

azo- Cont'd
orchil
orsellin
paraffine
phen *Mat. Med.*
phenine *Org. Chem.*
phenol *Org. Chem.*
(phos)phore
rubin(e *Dyes*
azote *Chem.*
-ate -ed -ic -ide -in(e -ization -ize -ous -uret
azotemia *Path.*
azotenesis *Path.*
azotite *Min.*
azoto- *Combin.*
bacter(ia *Bact.*
meter *Chem.*
rrhea *Path.*
azoturia -ic *Path.*
benz- *Chem.*
alazine azimidol(e imidazo- iminazole isothiazin(e isothiazol(e ox(di)azin(e oxazone oxdiazol(e
benzo- *Chem.*
carbazol(e diazene ditoluazine furazan heptatriazine phthalazine pseudoxazole selenazole selenodiazole tetrazole thiazine thiodiazole(e triazin(e triazol(e
benzobis- *Chem.*
imidazol(e oxazol(e pyrazol(e
benzophen- *Chem.*
azine azonium etide oxazine
bisazo- *Org. Chem.*
diazo
buzylene *Chem.*
camphopyrazolon *Mat.*
carbaz- *Org. Chem.*
ate ic id(e im(e in(e inate inic ol(e olic oline one otate otic
carboazotin(e *Org. Chem.*
carbohydrazid(e *Chem.*
cardiazol(e *Pharm.*
chloraz- *Chem.*
ene ide ol
chrysazin & -ol *Chem.*
chrysophenazin(e *Chem.*
chrysotoluidin(e *Chem.*
chyaz(o)ic *Chem.*
cinnemalazine *Chem.*
citraz(in)ic *Chem.*
coumarazone *Org. Chem.*
cuminalotazin(e *Chem.*
cyanazid(e *Chem.*
cyclazoic *Org. Chem.*
Deazotobacteria *Bact.*
deazotofication *Chem.*
dithiazol(e *Org. Chem.*
diurazin *Mat. Med.*
diazo- *Org. Chem.*
acetic amin(e aminoanhydrid(e ate hydrazid(e ic imin(e iminomethane sulphobenzol
diazole *Chem.*
nium *Chem.*
tate *Chem.*
tize *Chem.*
-ability -able -ation
diazotype *Photog.*
diazoxime *Org. Chem.*
diazurine *Chem.*
dibenzhydrazid(e *Chem.*
dihydrazid(e & -one
dimethylpyrazin *Chem.*
dinaphthazin(e *Chem.*
diiodocarbazol *Chem.*
diox(di *or* tri)azin(e
dioxazol(e *Chem.*
disazo- *Chem.*
endoazo- *Chem.*
flavazin & -ol *Dyes*
formaldazine *Chem.*
fructosazine & -ole *Chem.*
furodi(*or* mon)azole
galactosazone *Chem.*
gallazin(e *Chem.*
glucimidazole *Org. Chem.*
gluco(s)azone *Chem.*
glutazin(e *Chem.*
guanazin(e & -ole *Chem.*
halazone *Med.*
helozoistic
heptatetrazine *Chem.*
heptathiazine *Chem.*
hex(a)thiazole *Chem.*
hexazene *Chem.*
hexazoane *Chem.*
hexosazon(e *Chem.*
hydraz- *Chem.*
i- (iaz)ide idine idoin(e inate inic inooate oic one onium ono- oxime ulmin(e yl
hydroxyazo- *Chem.*
benzene carbamid(e comenic
hyperazotemia *Med.*
turia *Med.*
hypoazotic -id(e *Chem.*
hypoazoturia *Med.*
imidazo- *Org. Chem.*
imidazol *Org. Chem.*
-(id)ine -ol -one -yl
imin(o)azole
indaz- *Org. Chem.*
in ole olium urine yl(ic
indi(g)azine *Org. Chem.*
indophenazine *Chem.*
indoxazene *Org. Chem.*
isazoxy- *Org. Chem.*
isoazotate *Org. Chem.*
isodiazon *Org. Chem.*
isoxazol(e *Org. Chem.*
ketazin *Org.Chem.*
lactazam -one *Org. Chem.*
lactosazone *Org. Chem.*
leucazone *Org. Chem.*
levulosazone *Biochem.*
lupetazin *Chem.*
maltosazone *Chem.*
metadiazin *Chem.*
metathiazine *Chem.*
methylphenhydrazin
metoxazin(e *Chem.*
miazin *Org. Chem.*
miazthiol(e *Org. Chem.*
micrazotol *Mat. Med.*
monaz- *Org. Chem.*
ine o- ole
monoazo- *Chem.*
naphth- *Org. Chem.*
azin(e (imid)azole indazole oxazine oxazole triazine triazole
naththiazine *Org. Chem.*
nahptho- *Org. Chem.*
carbazole phenazine phthalazine pyrazine triazine triazole
nitr(os)azone *Org. Chem.*
orthodiazin(e *Org. Chem.*
orthoxazin(e *Org. Chem.*
osazone *Org. Chem.*
osotetrazine & -ole *Chem.*
osotriazole *Org. Chem.*
oxadiazole *Org. Chem.*
oxazin(e *Org. Chem.*
oxazole *Org. Chem.*
-(id)ine -(id)one -ium
oxdiazine & -ole *Chem.*
oxyaz- *Org. Chem.*
elaic in(e o- ole
oxybiazole *Org. Chem.*
oxyphosphazo *Chem.*
panzoism *Biol.*
paradiazin *Org. Chem.*
parazene *Org. Chem.*
pentaz- *Org. Chem.*
ane ine ole
penthiazole -idene *Chem.*
pentosazone *Org. Chem.*
pentoxazole *Org. Chem.*
perazine *Org. Chem.*
phen-
anthrazine -o- *Chem.*
antriazine *Org. Chem.*
arsazine -ic *Org. Chem.*
azarsine -ic *Org. Chem.*
az- *Org. Chem.*
in(e on(e oxime (ox)onium thionium
miazin *Chem.*
(o)mercazine *Chem.*
(o)selenazine *Chem.*
othiazine *Org. Chem.*
oxazine & -onium
phenyl- *Org. Chem.*
(ga)lactosazone
glucoazone
hydrazine & -one
pyrazol
phosphaz- *Org. Chem.*
ide ine o-
phthalazine & -one
piaz- *Org. Chem.*
ine iodonium thiole
piperaz- *Org. Chem.*
idine in(e inium
polyazin -ole *Org. Chem.*
pseudoglucosazone
pyrazin(e -(in)o- *Chem.*
pyrazole *Org. Chem.*
-idine -(id)one -ium -yl
dazin -o- one *Chem.*
idizin *Org. Chem.*
imidazole *Org. Chem.*
oguanazole *Org. Chem.*
mecazonic *Org. Chem.*
rodiazole *Org. Chem.*
quinazole *Org. Chem.*
-in(e -one
quinonazine *Org. Chem.*
rhamnazin *Org. Chem.*
rubazonic *Org. Chem.*
salaz(in)ic *Org. Chem.*
salazolon *Mat. Med.*
selenazine & -ole
semicarbaz- *Chem.*
id in(e one
semioxamazide & -one
siderazote -ite *Min.*
stilbazole -ine *Org. Chem.*
sulf(*or* ph)az- *Org. Chem.*
id(e one
sulfonazide *Org. Chem.*
su(pe)razotation *Med.*
tartrazin(e *Dyes*
tetrakisazo- *Chem.*
tetraz- *Chem.*
ene in(e o- ole olium one yl
tetrazotic *Org. Chem.*
-ization -ize
thiaz- *Org. Chem.*
ane ime in(e inic ol ol(id)ine
thio-
carbazide diazine diazole triazole
tolu-
furazan indazine naphthazine perazine phenazine resazine stilbazine thiazole
triaz- *Org. Chem.*
ane elain ene in(e
triazo- *Org. Chem.*
ate benzene ic
triazol(e *Org. Chem.*
ic (id)ine o- ol one yl
trisazo- *Org. Chem.*
trisazoxy *Org. Chem.*
unazotized *Bot.*
urazin(e & -ol(e *Chem.*
urazotometer *Med.*
zoea(l *Crust.*
zoeform *Crust.*
Zoehemera *Pal.*
zoeoptroscope *Photog.*
zoepraxiscope
zoesite *Min.*
zoether(ic
zoetic
zoetrope -ic *Phys.*
zoid(e *Biol.*
zoism *Phil.*
zoist(ic *Phil.*
ζωθήκη a niche
zotheca *Arch.*
ζωικός fr. ζῷον (Analogous words from ζωή are grouped here)
Agnotozoic *Geol.*
Anthropozoic *Geol.*
Archaeozoic *Geol.*
archi(*or* o)zoic *Pal.*
caryozoic
Cenozoic *Geol.*
c(o)elozoic *Med.*
Collozoic *Geol.*
Collozoic *Geol.*
coprozoic *Bot.*
cryptozoic *Petrog. Zool.*
cytozoic *Cytol.*
Deuterozoic *Geol.*
dizoic *Embryol.*
Eopal(a)eozoic *Geol.*
Eozoic *Geol.*
hemerozoic
heterozoic
histozoic *Med.*
holozoic *Biol. Bot.*
homoeozoic *Geog.*
homoiozoic *Biol.*
isozoic *Biol.*
karyozoic *Cytol.*
Mesozoic *Geol.*
Neo-Paleozoic *Geol.*
Neo-zoic *Geol.*
octozoic *Sporozoa*
Pal(a)eozoic *Geol.*
palaeozoicum *Geol.*
pantozoikum *Geol.*
phthisiozoics
polyzoic *Anthrop.*
post-Mesozoic *Geol.*
post-Paleozoic *Geol.*
prepal(a)eozoic *Geol.*
prezoic *Geol.*
progonozoic *Geol.*
Proterozoic *Geol.*
prozoic *Geol.*
psychozoic
theriozoic *Anthrop.*
zoic
Ζωΐλος A Macedonian rhetorician
Zoilus *Crit.*
-ian -ism -ist -itical -ous
ζῶμα a girdle
idiozome *Biol.*
Nemozoma *Ent.*
polyzome *Geom.*
tetrazomal *Geom.*
ζωμός soup
osmazome -atic -atous
zomidin *Biochem.*
zomo-
therapeutic(s *Ther.*
therapy *Ther.*
ζωνάριον Dim. of ζώνη
zonar
ζώνη a belt, girdle
algaezone *Bot.*
Archaeozonites *Gastrop.*
Cryptozonia -ate *Echin.*
diazonal *Anat.*
Diplozona *Ent.*
enzone
epizonal
estramazone
Hemizonia *Bot.*
heterozonal *Crystal.*
interzonal
metazonal *Anat.*
Metazones *Ent.*
Monozonia *Zool.*
Notozona *Ent.*
pelycozona *Anat.*
perezone *Geol.*
perizonium *Bot.*
Phanerozonia -iate
polyzonal
Polyzonium *Ent.*
-iid(ae -ioid
prezonal *Anat.*
Protozonea(n *Crust.*
protozonite *Ent.*
prozonal *Med.*
pro(*or* e)zone *Biochem.*
scapulozona *Anat.*
sclerozone *Anat.*
subzone -al *Anat.*
tautozonal(ity
unzoned
zona
zon(a)esthesia *Path.*
zonal(ity -ly
Zonaria *Bot.*
-ic -iid(ae -ioid
Zonaria *Mam.*
zonary -ious
zonate -ion
zone
-ed -ic -ing -less -let
zoni-
discus *Pal.*
ferous
fugal petal
zonule *Anat.*
-a -ar -ate
zonulet
zonure -us *Herp.*
-id(ae -inae -oid
ζώνιον Dim. of ζώνη
Zoniomyia *Ent.*
ζωνίτης in belts
Macrozonites *Malac. Pal.*
zonite(s *Conch.*
-id(ae -inae -oid
ζωνίτις Fem. of ζωνίτης
Morphozonitis *Ent.*
Zonitis *Ent.*
ζωνο- Comb. of ζώνη
Pseudogonophyllum
Pseudozonophyllum
zono-
chares *Ent.*
chlorite *Min.*
ciliate *Zool.*
limnetic
phone
phyllum *Zooph.*
placental(ia *Zool.*
pterus *Ent.*
ptilus *Ent.*
skeleton *Anat.*
trichia *Ornith.*
ζωνοειδής like a belt
zonoid
ζωο- Comb. of ζῷον
androzoogonidia *Bot.*
anthropozoomorphic
azoospermia *Path.*
-al -atism
cenozoology
chemozoophobe -ous *Bot.*

Chlorozoosporeae *Bot.*
dermatozoonosus *Path.*
dyszooamylia *Physiol.*
endozoochory *Bot.*
entozoology -ical(lu -ist
epizoochory *Bot.*
epizoology *Vet.*
ethnozoology
gametozoospore *Bot.*
gynozoogonidium *Bot.*
macrozoo-
gonidium *Algae*
spore *Bot. Zool.*
malacozoology
mastozoology
medicozoological
megazoo-
gonidium *Bot.*
sporangium *Bot.*
spore *Bot. Zool.*
microzoo-
gloca *Bot.*
gonidium *Bot.*
logy
philous *Bot.*
phobous *Bot.*
scopic
spore *Cytol.*
neozoology -ist
oligozoospermia *Physiol.*
oryctozoology -ical
pal(a)eozoology -ical
Phaeozoosporeae -eous
Phytozooflagellata
protozoo-
cidal *Zool.*
logy -ist
phag(e *Cytol.*
philous *Bot.*
prozoosporange *Bot.*
pseudozoogleа *Bact.*
synzoochory *Bot.*
synzoospores *Bot.*
zoo
zoo-
amylin -on *Biochem.*
biology *Biol.*
biotic *Fungi*
biotism *Biol.*
blast *Cytol.*
capsa *Conch.*
carp *Biol.*
caulon *Prot.*
cecidia *Phytopath.*
centric *Phil.*
chemical
chemy -istry
chlorella *Algae*
chore *Phytogeog.*
-ic -ous -y
climatology
coenocyte *Bot.*
cosmius *Ent.*
cracy *Anthrop.*
cratic
culture -al
current
cyst(ic
cytium -ial *Infus.*
dendrium -ial *Infus.*
dermic *Surg.*
domatia *Bot.*
dynamic(s
erastia *Med.*
erythrin(e *Biochem.*
fulvin *Biochem.*
gamete *Bot.*
gamy -ae -ous *Bot.*
genesis
genite *Petrog.*
geographer
geography -ic(al(ly
geology -ical -ist
gl(o)ea *Bact.*
-eic -eoid
gongangia *Bot.*

zoo- Cont'd
gonidium *Bot.*
-angium
graft *Surg.*
graphy
-ic(al(ly -ist
gyroscope
lagnia *Med.*
later
latry -ia -ous
lite -ic lith(ic *Pal.*
logy
-ic(al(ly -ico- -ist
-ize
magnetism -ic *Psych.*
mancy
mania
mantic -ist
maric *Biochem.*
mechanics -ical
melanin *Biochem.*
metry -ic
mim(et)ic
monera
morphosis *Bot.*
mythic
nomy -ia
-ic(al -ist
nose nosis *Med.*
nosology -ist *Med.*
organic
paleontology
pantheon
parasite -ic
pathology -ist
pathy
pery -al -ist
pharmacy
phile -ae *Bot.*
-ism -ist -ite -ous -y
philia -ic -ism *Psa.*
phobia
phobous *Bot.*
physiology
physics -ical
plankton
plasm
plasty -ic
praxi(no)scope
praxography -ical
precipitin *Bact.*
psychology
-ical -ist
reme *Biol.*
scopy -ic
sematic
sophy
sperm *Bot. Physiol.*
-atic -ium
sphere *Algae*
sporange *Bot.*
-ial -iophore -ium
spore *Biol.*
-ic -iferous -ous
sporeae *Algae*
sporocyst *Bot.*
sterol *Biochem.*
taxy *Zool.*
techny *Anthrop.*
-ic(al -ics
thapsis
theca -al *Bot.*
thecium -ial *Prot.*
theism -ist(ic
therapy -ia *Vet.*
thome
tomy -ic(al(ly -ist
toxin *Tox.*
trope *Optics*
type -ic
xanthella(e *Algae*
xanthia
xanthin
zygozoospore *Bot.*
ζῳογενής (Plato)
zoogen(e -ic -ous *Geol.*

zoogen(e *Zool.*
zoogenous *Path.*
zoogeny
ζῳογονία (Plato)
zoogony -ic
ζῳογόνος generative
zoogonous
ζωογράφος (Theocr.)
zoograph(er
ζῳοειδής like an animal
acanthozooid *Helm.*
allozooid *Zool.*
antheroz(o)oid(al *Bot.*
autozooid *Zooph.*
cyathozooid *Anat.*
cystozooid *Helm.*
dactylozooid *Zooph.*
deuterozooid
diphyzooid *Zool.*
gastrozooid *Zool.*
gennylozooid *Bot.*
gonozooid *Zool.*
Gymnozoida -al *Infus.*
helizooid *Bot.*
isozooid *Biol.*
megazooid *Biol. Bot.*
microzooid *Bot.*
nectozooid
nematozooid *Prot.*
oozooid *Zool.*
paraspermatazooid
phorozooid *Ascid.*
phyllozooid *Medusae*
siphonozooid *Coel.*
spir(al)ozooid *Zooph.*
tetrazooid *Biol.*
tritozooid *Biol.*
trophozooid *Prot.*
zooid(al *Biol.*
zooidio-
gamous *Bot.*
philous
ζῳόμορφος (Plut.)
zoomorph
ic ism ize y
ζῷον an animal (Herod.); pl. ζῷα opp. to φυτά (Plato)
ablastozoa *Biol.*
Actinizoa(n *Zooph.*
Actinozoa(n *Zool.*
-oal -oon
Amorphozoa *Zool.*
-oary -oic -oous
Amphizoa -oid(ae *Ent.*
Anthozoa *Zooph.*
-oid -ooid -on
antherozoa *Cytol.*
antrozoous *Zool.*
Archaeozoon *Pal.*
Argozoum *Pal.*
Arthrozoa -oic *Zool.*
Ascidiozoa(n -ooid *Zool.*
Ascozoa(n -oic *Ascid.*
Asterozoa(n *Echin.*
Astrozoon *Echin.*
Atrizoa *Chordata*
Blastozoa -oid -ooid *Zool.*
Brontozoum *Pal.*
Bryozoa *Polyzoa*
-oan -oid -oon -oum
Calycozoa *Zooph.*
-oan -oic -oous
Chelyzoon *Pal.*
Chlamydozoa *Biol.*
chronizospore *Biol.*
Collozoa *Protozoa*
-oan -oidae -oum
coprozoa *Protozoa*
cosmogoan *or* -ic
cosmozoism
Cyclozoon *Pal.*
Cylicozoa *Zool.*
Cytozoa(n -on *Prot.*
Dendrozoum *Pal.*
Dermatozoa(n

dermatozoiasis *Path.*
Didymozoon(idae *Helm.*
Diplozoon *Zool.*
Echinozoa *Zool.*
Ectozoa(n -oic -oon *Zool.*
Eleutherozoa(n -oic *Zool.*
Endo(sporo)zoa *Zool.*
Enterozoa(n -oic -oon
Entozoa -on *Zool.*
-oal -oan -oarian
-oical(ly
eozoal -oina -oon *Pal.*
Epizoa(n -oal -oic(ide
-oon *Zool.*
Eupolyzoa(n -oon *Helm.*
Gasterozoa -ooid *Zooph.*
h(a)ema(to)cytozoon
Haematozoa(n -oic -oon
Biol. Zooph.
haemozoin *Biochem.*
Heliozoa(n -oic *Prot.*
Hemiendozoa *Bot.*
Hepatozoon *Prot.*
histozoa -oic *Mycol.?*
Holendozoa *Fungi*
Hydrozoa(n *Zooph.*
-oal -oic -oon
hylozoism *Phil.*
-oal -oic(al -oist(ically
Hypozoa(n -oic *Zool.*
interzooecial *Biol.*
leukocytozoon *Cytol.*
Lithoichnozoa *Geol.*
Lymphocytozoon *Prot.*
Lyozoon *Med. Zool.*
Malacozoa *Zool.*
-oaria -oic -ooid
Mastozoa *Zool.*
Merozoa -oic *Helm.*
Mesendozoa *Zool.*
mesozoon -oa(l *Zool.*
metazoon *Zool.*
-oa(n -oic
microzoon *Zool.*
-oa(l -oan -oic -ooid
Microzoum *Ent.*
Mon(er)ozoa(n -oic *Prot.*
Mycetozoon -oa(n *Fungi*
Myelozoa(n *Zool.*
Myriozoum -oidae *Zool.*
Oozoa(n *Prot.*
Osteozoa(n *Zool.*
Otozoum *Pal.*
Parazoa(n *Spong.*
parazoon *Biol.*
Pelmatozoon -oa(n -oic
phanerozoic *Zool.*
philozoic
philozo(on)ist
Phorozoon *Prot.*
Phytozoa(n *Zool.*
Phytozoa -oid *Bot.*
Phytozoida *Prot.*
phytozoon -oum
Plastidozoa *Prot.*
Polyzoa(n -oal *Zool.*
-oic -oism -ooid -oon-
(ite -oum
proeupolyzoon *Zool.*
Protozoa(n *Zool.*
-o(an)al -oic -oon(al
-oonite -oum
protozoacide *Med.*
protozoagglutinin *Chem.*
psorozoa *Parasites*
Ptychozoon *Lizards*
saprozoic *Med.*
Scyphozoa *Zooph.*
Spermatozoa(n *Biol.*
-oal -oic -oid -ooid(al
-on
spermatozoicide *Med.*
Sphaerozoa *Prot.*
-oid(al -oon -oum
spong(i)ozoon *Spong.*
Sporozoa(n *Prot.*
-oal -oic -oid -ooid

sporozoite -oblast
steatozoon *Zool.*
synzoic *Bot.*
Taphozous *Mam.*
Teleozoa -oic -oon *Biol.*
Terastiozoon *Ent.*
Trochozoa -oic -oon *Zool.*
zoid *Zool.*
zoon *Biol.*
-oal -oic -oid(e -oist
zooneryththrin *Biochem.*
zoonite -ic *Crust.*
zoonotic *Path.*
ζωοτής animal nature
entozootic *Zool.*
enzootic -y *Vet.*
mastozootic
pantozootia
panzootic -ia -y *Vet.*
zootic
ζωοτόκον (Arist.)
Zootoka *Herp. Mam.*
zootokology
ζωοτροφία (Plato)
zootrophotoxism *Tox.*
zootrophy -ic
ζωοφάγος (Arist.)
Zoophaga(n -ous
ζῳοφόρος (Vitruv.)
zoophorus -ic *Art*
ζωόφυτον (Arist.)
zoophyte -on
-a -al -aria(n -ic(al
-ish -ist -oid
zoophyto-
graphy
logy -ical -ist
ζώπισσα (Diosc.)
zopissa
Ζωροάστρης (Plato)
Zoroastrian
-(ian)ism -ianize -ic
ζωρο- Comb. of ζωρός
Zoroaster *Echin.*
id(ae oid
ζωρός pure, sheer
Zoroides *Arach.*
ζῶσμα a belt
Zosmerus *Ent.*
-id(ae -oid
ζωστήρ a girdle
zoster *Gr. Ant.*
zoster *Path.*
-iform -oid
zostera *Bot.*
-eae -etum
Zosterops *Ornith.*
-opinae -opin(e
ζωστήριος of ζωστήρ
Zosterius *Ent.*
ζωύφιον Dim. of ζῷον
Zuphium *Ent.*
ζωφόρος life-giving
Zophorus -ic *Ent.*

ἡβαιός small, poor
Ebaeus *Ent.*
ἡβάσκειν to reach manhood
Hebascus *Ent.*
Ἥβη Goddess of Youth
Hebe *Astron. Myth. Zool.*
ἥβη youth, puberty
hebe-
anthous *Bot.*
carpous *Bot.*
cerus *Ent.*
cladous *Bot.*
gynous *Bot.*
petalous *Bot.*
phrenia -iac -ic *Path.*
stola *Ent.*
Hebomma *Zooph.*

heb(oste)otomy *Surg.*
ischiohebotomy *Surg.*
pfropfhebephrenia
ἡβητικός (Xenophon)
hebetic *Physiol.*
ἡγεμονία (Xen.)
hegemony
ἡγεμονικός (Xen.)
hegemonic(al
ἡγεμών a leader
hegemon(ist
Hegemona *Ent.*
Ἡγερία a Nymph (Plut.)
Egeria *Astron. Myth.*
Egeria *Ent.*
-ian -iid(ae -ioid
ἡγέτης a leader
Hegeter *Ent.*
-ηγορια as in ἀλληγορία
tautegory -ical *Rhet.*
ἡγουμενία (Eustrat.)
hegumeny *Gr. Ch.*
ἡγούμενος an abbot
hegumen(e -os *Gr. Ch.*
ἡδονή pleasure
anhedonia *Psych.*
hedonal *Chem. Psych.*
hedonism -ist(ic(ally
hedonol *Pharm.*
Heledona *Ent.*
hyperhedonia -ism *Med.*
hyphedonia *Med.*
ἡδονικός (Diog. L.)
algedonic(s *Psych.*
hedonic(al -ics
ἡδονο- Comb. of ἡδονή
hedono-
logy meter
ἡδυ- Comb. of ἡδύς
hedy-
carya *Bot.*
cera *Ent.*
chium *Bot.*
otis -(id)eae *Bot.*
phane *Min.*
scepe *Bot.*
scepe *Bot.*
hedyophore *Chem. Phys.*
ἡδύβιος living pleasantly
Hedybius *Ent.*
ἡδύλος Dim. of ἡδύς
hedyle -us *Ent.*
-id(ae -inae -oid
ἡδυπαθής luxurious
Hedypathes *Ent.*
ἡδύς sweet, pleasant
Hedeoma *Bot.*
hedeomol *Org. Chem.*
ἡδύσαρον (Diosc.)
Hedysarum *Bot.*
ἡδύχροος fragrant
Hedychrum *Ent.*
ἠθέω sift
etheo-
genesis
stome
-a -ata -atinae -atine
-id(ae -inae -oid(ae
-oidei
ἠθικά (Arist.)
ethics
gynethics
ἠθικός Fr. ἦθος (Arist.)
deethicalize
deethicize -ation
ethic
al(ly alness ism ist ize
-ethical
an hyper metaphysico
politico super un
ethico-
aesthetic political religious

unethicalness
ἠθμο- Comb. of ἠθμός
ethmo-
carditis *Path.*
cephalus *Terat.*
lysian *Zool.*
phract *Zool.*
sphaera -idae *Zool.*
ἠθμοειδής (Galen)
aliethmoid(al *Anat.*
ecethmoid *Anat.*
ect(o)ethmoid(al *Anat.*
esoethmoiditis *Path.*
ethmo- *Anat.*
cranial frontal lachrymal maxillary nasal palatal presphenoidal sphenoid(al turbinal turbinate vomerine
ethmoid(al *Anat.*
ethmoidectomy *Surg.*
ethmoiditis *Path.*
ethmophysal *Ich.*
frontoethmoidal *Anat.*
mesethmoid(al *Anat.*
midethmoid *Ornith.*
nas(o)ethmoid *Anat.*
palatoethmoidal *Anat.*
parethmoid *Anat. Ich.*
postethmoid *Anat.*
prosethmoid *Ich.*
sphenoethmoid(al *Anat.*
splenethmoid(al *Zool.*
superethmoidal *Anat.*
supraethmoid *Anat.*
ἠθμός a strainer
ethmose
ethmyphitis *Path.*
ἠθολογία characterization
ethology
-ic(al -ist
ἠθοποιητικός (Eust.)
ethopoetic
ἠθοποιΐα (Dion. H.)
ethopoeia (*Obs.*)
ἦθος character (Hes.)
Azygethus *Myriap.*
ethize
ethos
ἦια food
gennyleion *Bot.*
ἥκιστος smallest
hekistotherm *Bot.*
ἠλαίνειν to stray
Megalania -idae *Pal.*
ἠλακάτη a distaff
Elacate *Ich.*
-id(ae -oid
Elacatis *Ent.*
Elagatis *Ich.*
ἠλεκτρο- Comb. of ἤλεκτρον
anelectrotonus -ic(ally
baroelectro- *Med.*
esthesiometer
bielectrolysis
catelectrotonus *Med.*
-ic(ally -ous
electro-
affinity *Elec.*
an(a)esthesia *Med.*
analysis
analytical
ballistic(s
bat
bath
biology *Biol.*
-ical -ist
bioscopy *Biol.*
bisium *Pal.*
bronze
bus
capillary -ity *Phys.*
cardio- *Med.*

electro- Cont'd
gramgraph(ygraphic phonogram phonograph
catalysis *Phys.*
catalytic *Chem.*
cataphoresis
cautery *Surg.*
chemical(ly
chemist(ry
chrono-
graph(ic meter metry metric
cision *Med.*
coagulation *Med.*
colloidal *Phys. Chem.*
contractility *Med.*
copper *Med.*
culture -al *Hort.*
cuprol *Mat. Med.*
cystoscope *Med. App.*
deposita -able -ition(or
dessication *Med.*
diagnosis *Ther.*
dialysis *Phys. Chem.*
dialyze(r *Phys. Chem.*
diapason
diaphane -y *Med.*
dynamic(al -ics
dynamism
dynamometer
dynamometric(al
endoscope *Med.*
endosmosis -otic
engrave -ing
etch(ing
etherial
fining *Elec.*
foenus *Pal.*
galvanize *Elec.*
gastrogram *Med. App.*
genesis genetic
geny -ic
gild(er gilt
goniometer
gram
graph(y ic
harmonic
hemostasis
industrial
irrigation
kinetic(s *Elec.*
lepsy *Med.*
lithotrity
logy -ic(al -ist
lophidion *Ent.*
luminescence -ent
lysis *Phys. Chem.*
lyte *Bot. Chem.*
lytic *Phys. Chem.*
lyze(r *Phys. Chem.*
-ability -able -ation
magnet
-ic(al(ly -ics -ism -ist
martiol *Chem.*
massage
medical
mer(ic -ism *Chem.*
mercurol *Mat. Med.*
metallurgy -ical -ist
meter
metrogram *Med. App.*
metry -ic
mobile -ism
motion -ive
motograph
motor
muscular
myogram *Med. App.*
myography *Med. App.*
myrmex *Pal.*
negative(ly -ity *Elec.*
nome
optic(al(ly -ics *Phys.*
osmose -is *Phys. Chem.*
path *Med.*
pathology *Med.*

electro- Cont'd
pathy -ic *Med.*
pheidole *Ent.*
phone -oide
phore -ic *Phys.*
phoresis -etic *Phys.*
phoresis -etic
phorus *Ich.*
-id(ae -oid -ous
phorus *Elec.*
photo-
meter micrography therapy
physiology -ical -ist
plate -ing
pneumatic
poion
polis
polar *Elec.*
ponera *Pal.*
positive *Elec.*
prognosis *Med.*
puncture -ation -ing
pyrogenic *Phys.*
pyrometer
radiometer *Med. App.*
receptive
reduction *Phys. Chem.*
refine -ing
replica
rhodiol *Chem.*
scission *Med.*
scope -ic
semaphore
silenium *Med.*
silver
smelt(ing
sol *Phys. Chem.*
some *Med.*
static(al(ly -ics
steel(ing *Metal.*
stenolysis
stenolytic(al(ly
stereoscope
striction
surgery
surgical
synthesis
taxis -tactic
technic(al -ics
technology
telegraphy -ic
tellurograph
termes *Pal.*
thanasia -y
thanasis
thanatize
thanatosis
therapeutic
al -ics -ist
therapy -ist
therm(al(ly -ic
thermancy
thermometer
thermotic -in
thrips *Ent.*
tint(ing
titration *Anal. Chem.*
tome
tone -us
-ic(ity -ize -ous
trephine *Surg.*
tropic
tropism *Bot.*
type(r -ing
typograph(ic
typy -ic -ist
ultrafiltration
valence -ency -ent
vection
vital(ism *Physiol.*
enelectrolysis *Med.*
hydroelectrothermic
katelectrotonus *Bot.*
nephelectrometer
panelectroscope *Med.*
parelectronomy -ic *Path.*

photoelectro-
graph *Meteor.*
lytic *Photog.*
motive
type -ing
Proelectrotermes *Pal.*
pseudoelectrolyte
pyroelectrolyte -ic
telectro-
cardiogram
graph
scope -y *Phys.*
thermoelectro-
meter *Phys.*
motive
scope
voltelectro-
meter metric
motive
ἤλεκτρον amber
actinoelectric(ity *Phys.*
anelectric *Phys.*
anelectrode *Elec.*
bioelectric *Biol. Elec.*
calelectric(al ity *Elec.*
catelectrode *Elec.*
chemicoelectric
coelectron *Phys.*
deelectrize
deelectronation *Chem. & Phys.*
dielectric(ally
diselectrify -fication
dynamoelectric(al
electragy -ist
electrepeter
electric
al(ly alness ian ity ize
electricology
electricometeorological
electrics
electricute(r -ion(er
electriferous
electrify
-fiable -fication -fier
electrilethal
Electrina -id(ae -oid
electrine
electrinus *Colors*
electrion
electrize(r -ation
electro *T.N.*
electrode(less -ic *Elec.*
electrolier
electron(ic(s -ide
electronation *Chem.*
electropy -ic *Chem. Dyes*
electrosmose -is *Chem.*
electrosmotically *Chem.*
electrosis *Bot.*
electrozone *T.N.*
electrum
elod *Elec.*
endoelectrical *Chem.*
exo-electrical *Chem.*
gasoelectric
helioelectric
hydroelectric(ity
hydroelectrization *Ther.*
idioelectric *Elec.*
interelectrode -ic *Elec.*
isoelectric *Bot.*
isoelectr(on)ic *Chem.*
kenotron *Elec.*
magnelectric
magnetoelectric(al -ity
magnetron *Phys.*
medicoelectric
microelectric *Elec.*
microelectrode *Elec.*
monoelectronic *Phys.*
multielectronic *Phys. & Chem.*
myoelectric *Histol.*
nonelectric(al
nonelectrified

nonelectrized
pholescope
photoelectron
-ic(al -icity
piezoelectric(ity
piezoelectrification
phiotron *Elec.* (T.N.)
polyelectronic
pyroelectric(ity *Min.*
pyroelectrification *Phys.*
radiotron *Elec.*
rheoelectric *Elec.*
spectro(photo)electric
stereoelectric *Elec.*
subelectron *Phys.*
telelectric *Elec.*
thermo-
electric(al(ly -ity
electron(ization *Phys.*
triboelectric *Phys.*
unelectrify
unelectrized
vitreoelectric *Phys.*
voltelectric(ity
ἡλι- Comb. of ἥλιος
heli-
ad *Bot.*
anthemum *Bot.*
anthic -in *Org. Chem.*
anthoidea(n *Zooph.*
anthrone *Org. Chem.*
anthus *Bot.*
-aceous -(id)eae -ine
-oid(eae -oidean -on
aster(id(ae -oid *Echin.*
chryze
encephalitis *Path.*
od *Phys.*
odon *Astron.*
opsis -idae *Bot.*
opticon *Arts*
ornis *Ent. Ornith.*
-ithid(ae -ithoid
pterum *Bot.*
ἡλιαία the supreme court
heliaea(n *Gr. Ant.*
ἡλιακός of the sun
heliac(al(ly *Astron.*
ἡλιάς Fem. of ἡλιακός
helias *Bot.*
ἡλιαστής (Ar.)
heliast *Gr. Ant.*
ἡλιαστικός (Ar.)
heliastic *Gr. Ant.*
ἡλίκος as big (*or* old) as
Helicolenus *Ich.*
ἧλιξ of the same age
Trichohelix *Helm.*
ἡλιο- Comb. of ἥλιος
dendroheliophallic
helio *Dyes*
helio-
arkite
carpus *Bot.*
centric(al(ly *Astron.*
centricism -ity *Astron.*
chrome -ic -y *Photog.*
chromoscope *Photog.*
chromotype *Photog.*
chryse -in *Chem.*
comete(s *Astron.*
copris *Ent.*
daemonic
dor(e *Min.*
electric
engraving
fugal
gram
graph(er
graphy -ic(al(ly
gravure
later latry -ous
lite *Min.*
lites -idae *Pal.*

helio- Cont'd
lithic
logue
logy -ist
mera *Pal.*
meter
metry -ic(al(ly
micrometer
pates *Ent.*
phag(ous *Biol.*
philous
philus *Pal.*
phobe -ia -ic -ous
photography
photometer *Meteor.*
phyllite *Min.*
phyllum *Corals*
phygus *Ent.*
phyll *Bot.*
physical *Astron. Phys.*
phytes -ia *Bot.*
polar *Astron.*
pore -a -idae *Zooph.*
proctus *Pal.*
purpurine *Dyes*
scene
scope -ic -y
spherical
stat(ic
strophism *Bot.*
tactic *Biol. Bot*
taxis *Biol.*
therapy *Ther.*
thermometer *Phys.*
tortism *Bot.*
tropic(al(ly *Bot.*
tropism *Bot.*
turgotropism *Bot.*
type -ic *Photog.*
typography *Photog.*
typy *Photog.*
xanthin *Chem.*
xerophilous *Bot.*
xerophyll *Bot.*
zincography *Photog.*
zoa(n -oic *Protozoa*
zooid *Bot.*
-heliotropic -ism *Bot.*
a ap dia ortho para plagio post
orheliograph *Photog.*
photohelio-
graph(y -ic
meter
scope
photospectroheliograph
pyr(o)helio-
meter metric
spectrohelio- *Phys.*
gram graph(ic
ἡλιόβλητος sun-burnt
Helioblettus *Ent.*
ἡλιοειδής like the sun
helioid
ἥλιος the sun
aphelion -ian *Astron.*
Archohelia *Pal.*
Aulohelia *Pal.*
Cylindrohelium *Pal.*
dishelios -ium -y *Astron.*
helid(e *Chem.*
helindone *Dyes*
helium *Chem.*
helypsometer *Photog.*
isohel(ic *Meteor.*
orthohelium *Inorg. Chem.*
paraheliode *Bot.*
perihelion *Astron.*
ed -ial -ian -ium
Phobelius *Ent.*
pseudohelion *Meteor.*
ἡλιοτρόπιον (Theophr.)
heliotrope *Astron. Bot. Min.*
-er -ian -y
heliotropin *Org. Chem.*

heliotropium *Arts.*
Heliotropium -ieae *Bot.*
homoheliotropin *Chem.*
ἡλίωσις exposure to the sun
heliosis *Bot. Med.*
ἡλιῶτις of the sun
Heliothis *Ent.*
-id(ae -oid
ἧλος a nail
anthelotic *Med.*
ephelis *Physiol.*
helo-
bacterium *Bact.*
brachium -idae *Pal.*
cerous *Ent.*
derm *Herp.*
a atidae atidoid-(ea(n atous id(ae oid
drium -ad *Bot.*
Helodus -odont *Pal.*
heloma *Med.*
Helosis *Bot.*
-idae -id(i)eae
Helostoma *Ich.*
-id(ae -oid
helotomon *Surg. App.*
helotomy *or* -eia *Surg.*
myceleconidium *Bot.*
mycele -ium *Bot.*
-ial -ian -iation -ioid
promycele -ium -ial *Bot.*
protomycelium *Cytol.*
Ἠλύσιον (Od.)
Elysia *Conch.*
-iadae -iid(ae -ioid
Elysium -ian
-ημα Fr. -μα- action suffix, as in ποίημα
actinographema *Med.*
empirema *Logic*
enchylema *Cytol.*
gonohyphema *Bot.*
hyphema *Lichens*
sclerema -ia *Path.*
ἡμέρα day
Decameron(ic *Lit.*
hemera *Geol.*
hemeranthous -y *Bot.*
Hemeristia *Ent.*
-iid(ae -ioid
Zoehemera *Pal.*
ἡμεράλωψ (Galen)
hemeralopia -ic *Path.*
ἡμερο- Comb. of ἡμέρα
hemero-
baptist *Eccl. Hist.*
bius *Ent.*
-ian -ida -(i)id(ae -ioid
dromus *Ornith.*
harpages *Ornith.*
zoic
ἡμεροκαλλίς (Theophr.)
Hemerocallis *Bot.*
-eae -ideae
ἡμερολόγιον a calendar
hemerologium -y
ἥμερος cultivated
hemero- *Bot.*
diaphorous
philous
phobous
phytes
ἡμι- half. Root of ἥμισυς
hemellit- *Org. Chem.*
(en)ol ic ylic
Hemesthocera *Ent.*
hemi-
ablepsia *or* -y *Physiol.*
acardius *Terat.*
acephalus *Terat.*
acetal *Org. Chem.*
achromatopsis -ia
ageus(t)ia *Med.*

hemi- Cont'd
albumin -ose *Chem.*
albumosuria *Physiol.*
algia *Path.*
amaurosis *Path.*
amblyopia *Ophth.*
amphicarpous *Bot.*
anacusia *Med.*
anaesthesia -ic *Path.*
analgesia *Path.*
anatropous *Bot.*
ancistrus *Ich.*
angiaspermeae -s *Bot.*
angiocarpic -ous *Bot.*
anop(s)ia -ic *Ophth.*
anoptic *Ophth.*
anosmia *Med.*
anthias *Ich.*
aparxia *Med.*
arges *Pal.*
arthrosis *Med.*
asci -ales -ineae *Fungi*
aspis *Crust.*
-idae -idid(ae -idoid
aster(inae *Zool. Pal.*
asynergia *Med.*
ataxia *or* -y *Path.*
athetosis *Path.*
atrophy *Path.*
autophyte *Bot.*
azygos *Anat.*
ballism *Med.*
basidiomycetes -ous
basidium -iales ii *Bot.*
bathybial *Zoogeog.*
benth(on)ic *Zool.*
bilirubin *Biochem.*
body
branch(ii -iate *Ich.*
brycon *Ich.*
canities *Med.*
caranx *Ich.*
cardia -iac
carp *Bot.*
catalepsis *Path.*
cataleptic *Path.*
catatonistic *Med.*
cellulose *Chem.*
cellutase *Biochem.*
centrum -al *Anat.*
cephalia -ous -us *Terat.*
cephalic *Anat.*
cerebrum -al *Anat.*
chimonophilous *Bot.*
chlaena -eae -idae *Bot.*
chlamydeous *Bot.*
chlorogenic *Org. Chem.*
chorda -ata -ate *Zool.*
chorea *Path.*
chroa *Ent.*
chromatopsis *Ophth.*
chromosome *Cytol.*
cidaris -idae *Pal.*
circle circular
cladus *Ent.*
clastic *Petrog.*
cleistogamy -ic *Bot.*
clistogamous *Bot.*
c(o)elom *Embryol.*
colectomy *Surg.*
collin *Biochem.*
colloid *Phys. Chem.*
complex
concentric *Bot.*
cosmites -idae *Pal.*
crescentic
cryptophytes *Bot.*
cryptophytosynusia
crystal(line *Cryst.*
cycadales *Pal. Bot.*
cyclone *Meteor.*
cylindric *Bot.*
cylindrical *Mens.*
cyrtus *Ent.*
dactyl(e -ous -us *Zool.*
dapedonta *Pal.*
demisemiquaver

hemi- Cont'd
desmus *Bot.*
diapente *Music*
diaphoresis *Path.*
diorite *Petrol.*
ditone *Music*
dome -atic *Crystal.*
dys(a)esthesia *Neurol.*
dystrophia *Bot.*
ectromelia *Terat.*
edric
elastin *Biochem.*
elytron *or* -um -al
encephalon -ic *Anat.*
encephalus *Terat.*
endo- *Bot.*
biotic phytic zoa
enneahydrated *Chem.*
epilepsy *Path.*
epiphyte -ic *Bot.*
ester *Org. Chem.*
ether *Org. Chem.*
facial
form *Fungi*
gale -us *Mam.*
-(e)inae -ine
gamotropous *Bot.*
gamous *Bot.*
ganus *Pal.*
gastrectomy *Surg.*
geometer *Ent.*
geusia *Med.*
glossal -itis *Path.*
glossy *Geol.*
glottides -ean *Ornith.*
glyph *Arch.*
gnathus -ous *Ornith.*
group *Chem.*
gymnocarpous *Bot.*
gyraspis *Pal.*
hedron *Crystal.*
-al(ly -ic -ism -y
helicoid *Bot.*
heterocercal -y *Ich.*
heterothallism *Bot.*
hidrosis *Med.*
holohedral *Crystal.*
holothallism *Bot.*
hydrate *Chem.*
hypalgesia *Path.*
hyper- *Med.*
aesthesia idrosis
metria tonia trophy
hypoesthesia *Med.*
toni *Med.*
hypnosis *Path.*
hypnotism
idealism
identic *Bot.*
karyon *Cytol.*
laminectomy *Surg.*
laryngectomy *Surg.*
lateral *Med.*
lepidotus *Ich.*
lesion *Med.*
lethargy -ic *Med.*
lexis *Ent.*
ligulate *Bot.*
lingual *Med.*
lissa *Ent.*
logous *Chem.*
lytic *Biol.*
mastodon *Pal.*
melia -us *Terat.*
mellit- *Org. Chem.*
ene ic ol
merus -id(ae -oid *Ent.*
metabole *Ent.*
-y -a -ic -ous
metabolism *Zool.*
metamorphosis -(os)ic
metatropic *Bot.*
morph(y *Crystal.*
-ic ism ous
morphite *Min.*
myaria(n *Ascid.*
mylacris *Pal.*

hemi- Cont'd
myosthenia *Med.*
neurasthenia *Neurol.*
ologamous *Bot.*
opal *Min.*
opalgia *Med.*
ope *Music*
ophrya *Infus.*
opia *or* -y -ic *Ophth.*
opsia *Ophth.*
orthomorphic *Bot.*
orthotropy *Bot.*
orthotype *Crystal.*
oxide oxy- *Chem.*
pagus *Terat.*
palmate *Biol.*
parabola *Math.*
par(an)(a)esthesia
paralysis *Path.*
paraplegia *Path.*
parasite -ic *Bot.*
paresis -etic *Path.*
parthenosperm *Bot.*
pecteros *Zool.*
pelic
peloric *Bot.*
penis *Herp.*
pentacotyl *Bot.*
peplus *Ent.*
peptone *Physiol.*
petalous *Bot.*
phrase *Music*
phyll *Bot.*
p(in)ic *Chem.*
plane *Geom.*
plankton -ic *Phytogeog.*
plunger
pod(e an ii ius *Ornith.*
prism(atic *Crystal.*
pristis *Ich.*
protein *Biochem.*
psammic
pter(a(n *Ent.*
al ist on ous
pteroid(ea *Pal.*
pterus -idae *Ich.*
pterygoid *Anat.*
ptychus *Ent.*
puccinia *Fungi*
pyocyanin *Biochem.*
pyramid(al *Crystal.*
quin(on)oid *Org. Chem.*
r(h)amph(us *Ich.*
-dae inae ine
rhipus *Ent.*
saprophyte -ic *Bot.*
schist *Cytol.*
scotosis *Ophth.*
scyllium *Ich.*
-iid(ae -ioid
sect(ion
septum -al
silicide *Inorg. Chem.*
some *Zool.*
somnambulism
somus *Terat.*
sparteilene *Org. Chem.*
spasm *Path.*
spore- a *Fungi*
sporosis *Path.*
sternum *Anat.*
symmetry -ic(al *Biol. Crystal. Math.*
syncotyly *Bot.*
syndrome *Diag.*
syngynicus *Bot.*
systematic
systole *Physiol.*
terata -ic(s *Terat.*
terpene *Org. Chem.*
tery -ic
tetracotyledon *Bot.*
thallide *Inorg. Chem.*
thermoanesthesia *Med.*
thersites *Pal.*
thyroidectomy *Surg.*

hemi- Cont'd
tomes *Bot.*
tonia *Med.*
toxin *Tox.*
tremor *Med.*
trichous *Bot.*
tricotyledon *Med.*
tricotyly *Med.*
triglyph
hydrated *Chem.*
merous *Bot.*
pterus *Ich.*
-id(ae -inae -oid
trochiscidae *Pal.*
trope -y *Bot. Crystal. Ent.*
-al -ic(al -ism -ous
trypa *Pal.*
type -ic *Zool.*
vagotomy *Surg.*
vertebra *Ich.*
xesma *Ent.*
zeuxis *Bot.*
zonia *Bot.*
zygosis *Genetics*
zygote *Genetics*
zygous *Bot. Genetics*
holohemihedral *Crystal.*
interhemicerebral
Mesohemipteron *Pal.*
norhemipic *Org. Chem.*
Notemigonus *Ich.*
otohemineurasthenia
Palaeohemiptera *Pal.*
Protohemicryptophytes
Protohemiptera *Pal.*
Pseudohemipteryx
ἡμίαμβος (Schol. Nic. Th.)
hemiamb(us *Pros.*
ἡμιδιπλοίδιον (Ar.)
hemidiploidion *Gr. Ant.*
ἡμίδραχμον (Poll.)
hemidrachm *Numis.*
ἡμικρανία (Galen)
antihemicranin
antimigraine *Prop. Rem.*
hemicrania *or* -y *Med.*
-ial -ic -iosis
hemicraniectomy *Surg.*
hemicranin *Prop. Rem.*
hemicraniotomy *Surg.*
megrim(ical -ish
meligrin *Mat. Med.*
migraine -ous
migrainator *Med. App.*
ἡμίκυκλον a semicircle
hemicycle -ic *Arch. Bot.*
Hemicyclus *Ent.*
ἡμιμερής halved
tetremimeral *Pros.*
trihemimer(is al *Pros.*
ἡμίνα = κοτύλη
hemina *Gr. Meas.*
ἡμιολία *Mus.* (Plato); *Navy* (Polyb.)
hemiole -ia *Music*
hemiolia *Gr. Navy*
ἡμιόλιος half as much again
Hemiolimerus *Ent.*
ἡμιόλιος (Heph.)
hemiolic *Pros.*
ἡμιονῖτις (Diosc.)
Hemionitis *Bot.*
ἡμίονος a mule
hemione -us *Zool.*
ἡμιπλγία
hemiplegy -ia *Path.*
-iac -ian -ic
posthemiplegic *Path.*
prehemiplegic *Path.*
ἡμιπληξία (Theophr.)
hemiplexy -ia *Path.*

ἡμιστάτηριον (Arist.)
hemistater *Numis.*
ἡμιστίχιον (Dion. H.)
hemistich(al *Pros.*
ἥμισυς half
Hemisus *Herp.*
-id(ae -oid
ἡμισφαίριον (Plato)
conicohemispherical
hemisphere
-al -ed -ic(al(ly -oid(al
hemispherium *Med.*
interhemispheral -ic
ἡμιτελής half-finished
Hemitelia *Bot. Ent.*
ἡμιτεταρτημόριον
hemitetartemorion *Num.*
ἡμιτομίας half an eunuch
hemitomias *Med.*
ἡμιτόνιον (Plut.)
hemitone *Music*
ἡμιτριταῖος (Hipp.)
hemitritaean *Med.* (*Obs.*)
ἡμίφρακτος half-fenced
Hemiphractus *Herp.*
-id(ae -oid
ἡμίφωνον a semivowel
hemiphonon *Phonol.*
ἡμιωβόλιον (Xen.)
hemiobole -ion *Coins*
ἡμύα
emophytes *Bot.*
ἡμύειν to bow down, fall
Emyon *Ent.*
ἠνεκής far-stretching
enecia *Med.*
-ηνη female descendant
-ene *Chem.*
abietene acetylene *etc.*
ἠπανία want
Leplepania *Ent.*
ἧπαρ the liver
hepaptosis *or* -ia *Med.*
hepar *Anat.*
aden *Mat. Med.*
ene *Org. Chem.*
in(ize *Biochem.*
hepatrilobin *Org. Chem.*
mesohepar *Anat.*
ἡπατ- Stem of ἧπαρ
hepat-
algia -ic *Path.*
argia *or* -y *Med.*
atrophy *or* -ia *Med.*
auxe *Med.*
ectomize *Biochem.*
ectomy *Surg.*
emphraxis *Path.*
in(e *Chem.* -ism *Med.*
ism *Med.*
ite *Min.*
odynia *Path.*
oma *Tumors*
omphalos *Med.*
oncus *Path.*
hyperhepatia *Path.*
hyperhepatia *Med.*
megalohepatia *Med.*
microhepatia *Anat.*
ἡπατίζειν (Diosc.)
hepatize -ation *Path.*
ἡπατικός (Plut.)
cladohepatic(a *Conch.*
hepatic(al *Bot. Physiol. Zool.*
-hepatic *Anat.*
adipo cardio duodeno extra gastro inter intra para peri phreno post pulmo sub supra
Hepatica(e *Bot.*
hepatico- *Surg.*

hepatico- Cont'd
dochotomy duodenostomy enterostomy gastrostomy lithotripsy pulmonary stomy tomy
hepaticology -ist *Bot.*
Hepaticus *Zool.*
mesohepaticon *Anat.*
prehepaticus *Embryol.*
ἡπατῖτις of *or* in the liver (Galen)
-epatitis *Path.*
parenchym phleb splen
hepatitis *Path.*
-hepatitis *Path.*
entero gastro ictero para pleuro pre puro sero typhlo
ἡπατο- Comb. of ἧπαρ
anhepatogenic *Path.*
colohepatopexy *Surg.*
hepato-
cele *Path.*
cholangiostomy *Surg.*
-(cysto)duodeno- -entero- -gastro-
chrome -ate *Biochem.*
cirrhosis *Path.*
colic *Physiol.*
cystic *Physiol.*
duodenal *Physiol.*
dysentery *Path.*
enteric *Anat.*
gastric *Anat.*
genic -ous *Physiol.*
graphy *Med.*
h(a)emia *Med.*
lenticular *Anat.*
lith(ic *Path.*
lithectomy *Surg.*
lithiasis *Path.*
logy -ical -ist *Med.*
lysin *Biochem.*
lysis lytic *Physiol.*
malacia *Path.*
megalia *Med.*
melanosis *Path.*
nephric *Anat.*
pancreas *Anat.*
pathy *Path.*
peritonitis *Path.*
pexy *or* -ia *Surg.*
phage *Cytol.*
phlebitis *Path.*
phlebotomy *Surg.*
phthisis *Path.*
phyma *Path.*
pneumonic *Anat.*
portal *Anat.*
ptosis *or* -ia *Med.*
pulmonary *Path.*
renal *Path.*
rrhagia *Med.*
rrhaphy *Surg.*
rrhexis *Surg.*
rrh(o)ea *Path.*
scirrhus *Path.*
splenitis *Path.*
stomy *Surg*
therapy *Ther.*
thrombin *Biochem.*
tomy *Surg.*
toxemia *Path.*
toxic -in *Tox.*
umbilical *Anat.*
ventral *Anat.*
zoon *Protozoa*
laparohepatotomy *Surg.*
splenohepatomegalia -y
ἡπατοειδής (Diosc.)
hepatoid *Anat.*
opohepatoidin
ἡπατοσκοπία (Herodianus)
hepatoscopy

ἤπειρος mainland
epeirogenic *Bot.*
epeirogeny -(et)ic *Geol.*
Ἠπειρώτης (Arist.)
Epirot(e
Ἠπειρωτικός (Thuc.)
Epirotic
ἠπίαλος a hot ague
Hepialus *Ent.*
-id(ae -ine -oid
ἦρ = ἔαρ Spring
Eranthis *Bot.*
Ἥρα Wife of Zeus (Il.)
Ἡραῖα (Paus.)
Hera *Myth.*
Heraea *Gr. Fest.*
Ἡραιον (Herod.)
Heraeon -aeum *Temples*
Ἡράκλεια (Theophr.)
Heracleum *Bot.*
heraclin(e *Org. Chem.*
Ἡρακλεῖδαι (Herod.)
Heraclid *Bot. Ent.*
Heraclid(ae an *Myth.*
Ἡράκλειος of Hercules
Heracle(i)an *Myth.*
Ἡρακλείτειος (Plato)
Heraclit(e)an(ism *Phil.*
Ἡράκλειτος (Plato)
Heraclitic(al -icism *Phil.*
Ἡρακλεωνῖται (Epiph.)
Heracleonite -ae *Eccl.*
Ἡρακλῆς
Hercules -ean *Myth.*
Herculid *Astron.*
ἠράνθεμον (Diosc.)
Eranthemum *Bot.*
ἠρέμα slowly, stilly
eremacausis *Org. Chem.*
heremetabole *Ent.*
ἦρι early
Erichthus -oid *Crust. Ich.*
ἠριγέρων early -old
Erigeron *Bot.*
Ἠριδανός (Hesiod)
Eridanus *Astron. Myth.*
ἠρύγγιον Dim. of ἤρυγγος
Ery(*or* i)ngium *Bot.*
ἤρυγγος (Nic. Th.)
ery(*or* i)ngo *Bot.*
Ἡρώδης (Joseph.)
Herodian -ic *Pol.*
ἡρωΐδες Pl. of ἡρωΐς
heroid *Lit.*
ἡρωικός (Plato)
hagiheroical
heroic(al -oics
(al)ly (al)ness
heroicomic(al
mockheroic(al(ly
mythoheroic
tragicoheroicomic
unheroic
ἡρωΐνη (Theocr.)
heroine
-ic -ism -ize -ship
ἡρωογωνία (Hesiod?)
hero(o)gony
ἡρωολογία a tale of heroes
heroology -ist
ἡρῷον temple of a hero
heroön -oum *Archaeol.*
ἥρως (Iliad)
antihero
hero
archy ess hood ify ism istic ize ization ship
heroin(e *Pharm.*
heroinism *Med.*
her(oin)omania *Med.*
heromal *Med.*
heroterpin *Mat. Med.*

herotheism
-ησια Fem. equiv. of -ησις
dyserethesia *Med.*
dygenesia -ic *Path.*
Ἡσίοδος (Pindar)
Hesiodic *Lit.*
Ἡσιόνη Dau. of Oceanus
Hesione *Helm.*
id(ae -oid
ἧσις delight
Moneses *Bot.*
-ησις Fr. -σι action suffix as in μίμησις
energesis *Bot.*
enuresis *Path.*
ergesis *Bot.*
hyperdiuresis *Path.*
monophylesis *Biol.*
pyesis *Path.*
sudoresis *Physiol.*
ἥσσων inferior
Essoprion *Pal.*
(h)essonite *Min.*
ἡστός glad
Thallestus *Ent.*
ἡσυχάζειν to live alone
Hesychasm *Gr. Ch.*
ἡσυχαστής (Pallad.)
Hesychast *Eccl. Hist.*
ἡσυχαστικός retired
Hesychastic *Eccl. Hist.*
ἥσυχος quiet, at rest
Hesycha *Ent.*
ἦτα the letter η
etacism -ist *Philol.*
Etagraptus *Pal.*
itacism -ist(ic *Philol.*
-ητής Fr. -τη- masc. agent suffix as in ποιητής
Dyothelete
-ian -ic(al -ism
euget(in)ic *Chem.*
geodete
Gyretes *Ent.*
Sophetim
-ητικός = -ικός, properly from stems in -ητ- as in αἰσθητικός, κινητικός
algetic *Med.*
diapedetic *Path.*
dyskinetic *Med.*
epexegetic(al(ly *Rhet.*
geodetic(al(ly -ician -ics
hypalgetic *Med.*
hyperalgetic *Med.*
hermetic(al(ly -ics
plethoretic(al
schindyletic *Anat.*
splenetic
al(ly ive ize ness
zoetic
ἦτρον abdomen (Hipp.)
cephaletron *Crust.*
etro-
hysterectomy *Surg.*
pus *Ich.*
tomy *Surg.*
Gymnetron -ous *Ent.*
Holetra -ous *Arach.*
Leuretra *Ent.*
Liparetrus *Ent.*
Neetrophus *Ich.*
pubetrotomy *Surg.*
Stiretrus *Ent.*
thoracetron -al *Crust.*
Ἥφαιστος = Vulcan
Hephaestus *Myth.*
-ian -ic
hephestic *Med.*
hephestiorrhaphy

ἠχεῖον a gong
echeum *Cl. Ant.*
ἤχημα a sounding
hygrechema *Med.*
ἠχώ echo (Hymni Hom.)
autoecholalia *Med.*
autechoscope *Med. App.*
echo
ance er ic(al ingly ism ist(ic ize less
echo- *Combin.*
acousia *Psych.*
graphia *Ps. Path.*
kinesis *or* -ia *Psych.*
lalia -iac -us *Pysch.*
matism *Psych.*
meter
metry
pathy
phony
photony *Psych.*
phrasia *Path.*
praxis *or* -ia *Ps. Path.*
scope *Med.*
metrechoscopy *Diag.*
ἠω- Comb. of ἠώς
eo-
achras *Pal.*
actis -inidae *Pal.*
anthropus *Ethnol.*
anthropus
balanus *Pal.*
banksia *Pal.*
brunneria *Pal.*
bumbatrix *Pal.*
carboniferous *Geol.*
cene -ic *Geol.*
ceratops *Pal.*
cerus *Pal.*
cicada *Pal.*
cidaris *Pal.*
cladous *Bot.*
coelopoma *Pal.*
conodon *Pal.*
cottus *Pal.*
crinidae -oidea *Pal.*
crinus *Pal.*
cteniza *Pal.*
ctonus *Pal.*
cyclops *Pal.*
delphys *Pal.*
demotic
devonian *Geol.*
dichroma *Pal.*
didelphys *Pal.*
diplurina *Pal.*
formica *Pal.*
gaea(n *Zoogeog.*
harpes *Pal.*
hippus *Pal.*
historic
homalonotus *Pal.*
hyus *Pal.*
lith(ic *Archaeol.*
mactra *Pal.*
megalodus *Malac.*
merope *Pal.*
mesodon *Pal.*
myelodactylus *Pal.*
nycteris *Zool.*
orthus -inae *Pal.*
pal(a)eozoic *Geol.*
phyte -ic -on *Pal.*
placophora *Pal.*
polychaetus *Pal.*
psaltria *Ornith.*
psetta *Ich.*
psilopteron *Pal.*
ptyelus *Pal.*
rhylite *Petrog.*
rhyolite *Petrog.*
rhy(o)lite *Petrog.*
salate *Chem.*
sauravus *Pal.*
saurus *Pal.*
scorpius *Pal.*

eo- Cont'd
saurus *Pal.*
scorpius *Pal.*
sebastes *Ich.*
semionotus *Pal.*
serranus *Pal.*
siren *Pal.*
sote *Mat. Med.*
spermatopteris *Bot.*
szermatopteris
spirifer *Pal.*
therium *Pal.*
thinia *Helm.*
thynnus *Pal.*
trochus *Zool.*
tylopus *Pal.*
vasum *Pal.*
versatrix *Pal.*
zoic *Geol.*
zoon -al -ina *Pal.*
Meseosere *Pal. Bot.*
Steneosaurus -ian *Herp.*
ἠῷος at morn; eastern
eoan
ἠώς dawn
aneosinophilia *Staining*
aureosin *Ind. Chem.*
Eommanodon *Pal.*
Eophiura *Pal.*
eos- *Chem.*
ate ic ium olate
Eoserpeton *Pal.*
eosin(e *Chem.*
ate ic ide
eosino- *Med.*
blast penia tactic
eosinophil(e *Staining*
ic ous
eosinophilia *Path.*
flaveosine *Dyes*
hypeosinophil *Staining*
hypereosinophilia -ic *Path.*
hypoeosinophilia *Path.*
iod(o)eosin *Dyes Org. Chem.*
ἠωσφόρος dawn-bearer
eosphorite *Min.*

θαιρός hinge; axle
Sternothaerus *Herp.*
-id(ae -oid
sternothere *Herp.*
θαλάμη = θάλαμος
thalamephoros -us *Ant.*
θαλαμῖτης a rower in the hold
thalamite *Gr. Ant.*
θαλαμο- Comb. of θάλαμος
calyptrothalamogena *Bot.*
thalamo-
c(o)ele *Anat.*
cortical *Anat.*
crural *Anat.*
cyathus *Zooph.*
lenticular *Anat.*
mammillary *Anat.*
peduncular *Anat.*
phora *Bot.*
tegumental *Anat.*
θάλαμος a chamber
athalamous *Bot.*
epithalamus -ic *Anat.*
Gasterothalameae *Bot.*
Heterothalamus -eae *Bot.*
Homothalamus -eae *Bot.*
hypothalamus *Anat.*
Idiothalameae -ous *Bot.*
metathalamus *Anat.*
Monothalam(i)a(n *Prot.*
Monothalam(i)a(n
monothalamous -ic *Bot. Conch. Ent.*

neothalamus *Anat.*
paleothalamus *Anat.*
pleiothalamous *Bot.*
polythalam-
acea (ace)ous *Conch.*
ia(n *Prot.*
ic *Bot.*
ous *Ent.*
prothalamion -ium *Lit.*
occipitothalamic *Anat.*
sporothalamia *Bot.*
subthalamic -us *Anat.*
thalamencephal(on -ic
thalami -us *Anat. Archaeol. Bot.*
thalamia -ic
Thalamiflorae *Bot.*
-al -ous
thalamium *Bot.*
transthalamic *Ophth.*
θαλασσ- Stem of θάλασσα
thalass-
arachna
arctos -ine *Mam.*
θάλασσα the sea
thalassad -icus -inus -ium
Thalassadroma
thalassal
Thalasseus *Ornith.*
Thalassia -ieae *Bot.*
thalassian *Herp.*
thalassic(al *Geog. Zool.*
thalassin *Chem.*
Thalassina *Crust.*
-ian -id(ae -idan -idea(n -oid(ea(n
θαλασσι- Comb. of θαλάσσιος
thalassi-
arch(y
colla *Prot.*
-id(ae -ida(n -oid
cola *Radiol.*
drome
phyte -a -ous *Bot.*
θαλασσο- Comb. of θάλασσα
Prothalassoceras *Pal.*
thalasso-
(a)etus
bius *Ent.*
cetus *Pal.*
chelys *Herp.*
crinus *Pal.*
meter
metrician
phila -ous *Conch.*
philus *Ecol.*
phobia
phyte -a *Algae*
plankton *Bot.*
phryne *Ich.*
therapy
θαλασσογράφος (Tzetz.)
thalassographer
-ic(al -y
θαλασσοκρατία (Strabo)
thalassocracy -at(y
θαλαττο- = θαλασσο-
thalatto-
cracy craty
genous *Geol.*
logy
θάλεια blooming
Thaleichthys *Ich.*
thalite *Min.*
Θάλεια Muse of Comedy
anthalian
Thalia *Astron. Bot. Myth. Zool.*
Thaliacea(n *Zool.*
Thalian *Lit. Zool.*
θαλερο- Comb. of θαλερός blooming
thalerophagous *Bot.*

Θαλῆς Thales (Herod.)
Thalesia *Bot.*
Thalesian *Phil.*
θαλιά abundance
Thimanthalia *Bot.*
higmoritis *Path.*
θάλικτρον (Diosc.)
thalictrine *Org. Chem.*
Thalictrum *Bot.*
θαλλο- Comb. of θαλλός
Euthallophyta *Bot.*
prothallogams -ia *Bot.*
Protothallogamae *Bot.*
thallo-
chlore *Bot.*
chrysis *Prot.*
crinidae *Pal.*
gam(ae -ous *Algae*
gen(ic -ous *Bot.*
gonidium *Bot.*
lepodes *Bot.*
phyte -a -ic *Bot.*
placentodes *Bot.*
ptera *Ent.*
strote *Bot.*
thamnodes *Bot.*
θαλλός a young branch
athalline *Bot.*
dithallious *Chem.*
Endoprothallae *Bot.*
epithallus -ine *Bot.*
euthallite *Min.*
Exoprothallae *Bot.*
extraprothallial *Bot.*
gonothallium *Bot.*
hemiheterothallism *Bot.*
hemihomothallism *Bot.*
hemithallide *Inorg. Chem.*
heteroprothally *Bot.*
heterothallism -ic *Bot.*
homothallism -ic *Bot.*
homothallium *Lichens*
hydromelanothallite *Min.*
hyphothallium *Bot.*
hypnothallus *Bot.*
hypothallium -ine -inic
hypothallus -i -ine
intraprothalloid *Bot.*
isoprothally *Bot.*
macroprothallium *Bot.*
megaprothallus *Bot.*
melanothallite *Min.*
merithal(lus *Bot.*
microprothallus *Bot.*
monothallious *Chem.*
monothalloid *Bot.*
perithallium *Bot.*
phytothallea *Bot.*
polythallea *Bot.*
prothallium *Bot.*
-atae -ial -ic -iform -in(e -oid -us
protothallus *Bot.*
thallea *Bot.*
thalleosere *Bot.*
-quin(ine quinoline
Thallestus *Ent.*
thallidium *Bot.*
thalli- *Petrol.*
ferous form
thalline *Bot. Pharm.*
thallinization *Med.*
Thallis *Ent.*
thallite *Min.*
thallium *Chem.*
-ate -ene -ic -in(e -(i)ous
thallodal -ic *Bot.*
thalloid(al *Bot.*
thallome *Bot.*
thalluse -ose *Bot.*
trichothallic *Bot.*
uranothallite *Min.*
θαλλοφόρος (Ar.)
thallophori *Gr. Ant.*

θάλπος summer heat
Philothalpus *Ent.*
thalpo-
phila *Ent.*
tasimeter
θαλυκρός glowing
Thalycra *Ent.*
θαμά often
thamuria *Path.*
θάμβος wonder
Thambotricha *Ent.*
Thambus *Ent.*
θαμν- Stem of θάμνος
thamn-
astraea -aeidae *Pal.*
idium *Bot.*
olic *Org. Chem.*
ophis *Herp.*
urgus *Ent.*
θαμνίον Dim. of θάμνος
Callithamnion *Bot.*
Phaeothamnion -ieae
thamnium *Bot.*
-thamnium *Bot.*
meso rhizo xero
θαμνίσκος (Orisbas.)
Thamniscus *Bryozoa*
θαμνο- Comb. of θάμνος
thamno-
bia
blast(us *Bot.*
phile *Ornith.*
-a -ina(e -in(e -us
θαμνοειδής (*Theophr.*)
monothamnoid *Bot.*
θάμνος a bush, shrub
enantiothamnosis *Path.*
Endothamna *Zool.*
Lithothamnia *Geol.*
Picramnia -ieae *Bot.*
sarothamnine *Org. Chem.*
Sclerothamnus -idae
Spermatothamnia *Bot.*
-thamnus *Bot.*
Chryso Enantio Myro Mystro Rhodo Saco Saro
θαμνώδης = θαμνοειδής
Prothamnodes *Ent.*
thamnodes *Bot.*
Dendrio Thallo
-θανασια as in εὐθανασία
apothanasia *Med.*
electrothanasia -y -is
θανάσιμος deadly
Thanasimos *Ent.*
θανατικός (Plut.)
thanatic
θανατο- Comb. of θάνατος
thanato-
biologic
gnomonic
grapher -y
logy -ical -ist
mania *Ps. Path.*
mantic
phobia
typhus
θάνατος death
electrothanatize
pseudothanatus *Path.*
tachythanatous *Med.*
thanatism -ist
thanatoid
thanatophidia(n *Herp.*
-ial -iologist
thanatopsia -y *Med.*
thanatopsis *Lit.*
θανάτωσις putting to death
electrothanatosis
thanatosis *Med.*

θάπτειν to inter with rites
Microthaptor *Ent.*
Θαργήλια (Hippon.)
Thargelia *Gr. Fest.*
Θαργηλιών May–June
Thargelion *Gr. Cal.*
θάρσος boldness
Tharsus *Ent.*
θαῦμα a wonder
Agathaumas *Herp. Pal.*
-id(ae -oid
thauma-
cera *Ent.*
ceratopus *Arach.*
glossa *Ent.*
trope -ic(al *Phys.*
tropy *Biol.*
θαυμάζειν to wonder
Thaumasocerus *Ent.*
Thaumasus *Ent.*
Θαύμας the sire of Iris
Thaumantian *Psych.*
θαυμάσιος marvellous
thaumasite *Min.*
θαυμαστός wondrous
thaumasto-
caris *Crust.*
cheles *Crust.*
-id(ae -oid
cladius *Ent. Pal.*
dus *Ent.*
merus *Ent.*
θαυματο- Comb. of θαυματός = θαυμαστός
thaumato-
genesis
genetic
genic -ous
geny -ist
graphy
latry
logy
rhynchus *Herp.*
thrips *Ent.*
θαυματουργία (Plato)
thaumaturgy
-ia -ic(al -ism -ist -ize
θαυματουργός (Ath.)
philothaumaturgic
thaumaturge -us
-ic(al -ics
θαψία = θάψος
Thapsia *Bot.*
thapsic *Org. Chem.*
θάψος a plant or wood for dyeing yellow
Thapsus *Bot.*
Thaspium *Bot.*
θάψος μέλι
tapsimel *Old Med.*
θάψω Fut. of θάπτειν
zoothapsis
θέα a sight, a view
Ammothea *Crust.*
-eid(ae -eoid
Libythe- *Ent.*
idae inae
-thea *Ent.*
Barbaro Chalco Colobo
θεάγγελις (Pliny)
theangeline *Plants*
θεανδρικός like the God-man
theandric(al
θεανθρωπία
theanthropy
θεάνθρωπος (Leontius)
theanthropo-
logy phagy sophy
theanthropos *Theol.*
-ic(al -ism -ist

Θεανώ a Danaid
Theano *Ent. Myth.*
θεάομαι gaze at
theodelite *Obs.*
theodolite -ic
-magnetometer
θεαρχία (Pseudo-Dion.)
thearchy *Theol.*
θεαρχικός (Pseudo-Dion.)
thearchic *Theol.*
θεατρίζειν (Greg. Naz.)
theatrize
θεατρικός (Arist.)
theatric
able ism ize
theatrical
ism ist ity ization ize ly ness
θεατρο- Comb. of θέατρον
theatro-
chora *Ent.*
graph
mania -iac
phil(e
phobia
phone
polis
scope
θεατροκρατία (Plato)
theatocracy *Gr. Pol.*
θέατρον (Herodotus)
theater(ian
theatral
theatre
dom ful less wards wise
Θεία a dau. of earth (Hes.)
Thia *Crust.*
-iid(ae -ioid
θέειν to purify
Liotheum -eid(ae *Ent.*
θεῖον brimstone
acenaphthothiophene
acetothienone
acetothio-
phenide sulfate
acrothialdin(e
alcooth(e)ionic
althionic
amidothiolactic
anthion(e *Photog.* (*T. N.*)
anthrathiazole
anthrisothiazole
athiorhodaceous *Bot.*
aurothiosulphate
benzisothi-
azin(e azol(e
benzodithi-
an ol(e olene ylium
benzothiazine
benzothiodiazol(e
benzothioxanthone
benzoxthiol(e
butyrothienone
carbithioic
carbothi-
aldine ene enol olonic onium
carbothiocyanine
cœrthiene
coerthione
coerthionium
collothiol *Prop.*
cuprothio-
sulfate
sulfuric
diiodothioresorcin
dithi- *Org. Chem.*
an(e (az)ol(e ene enyl in
dithion(ic ate *Org. Chem.*
dithiosalicylic

ectothio-
bacteria leukaceae
endothio-
bacteria leukaceae rhodaceae
ergothionein(e
ethionic
exothio-
bacteriaceae
glucothionic
glutathione *Biochem.*
hamathionic
heptathiazine
hex(a)thiazole
hexathionic
hydrothiocyanic
hydrothion
ate ic ite ous
(ammon)emia *Med.*
uria *Med.*
iodothein *Mat. Med.*
iodotheo- *Mat. Med.*
bromin phen
iothion(ol *Mat. Med.*
isethionic -ate
isothy(*or* i)ocyanic -ate
leucothionine
metathiazine
metathiocarbonic
methionic
-ate -ide -ol -yl
miazthiôl(e
monothionic
naphthathioxin
naphthiazine
naphionic -ate
naphthothio- *Org. Chem.*
phene pyran pyrone xanthene
naphthothioxin
nithialin(e
oenothionic
orthothiocarbonic
pentathionic -ate
penthiazole -idine
perthio-
carbonic -ate
cyanic -ogen
pharmacotheon
phenaz(o)thionium
phenothi-
arsine azine oxin oxonium
phenoxthin(e
phenoxthionium
philothion
phototthiocyanate
piazthiole
polythionic -ate
pyrothionium
tetrathian(e
tetrathio-
tetrathionic -ate
thenoyl
thetin(e *Chem.*
thi- *Chem.*
acetate acetic acid al aldin(e alol amid(e amin(e anthrene
thiaz *Org. Chem.*
ane in(e inic ime ol ol(id)ine
thienol -one -yl *Chem.*
thigenol *Mat. Med.*
thilaren *Med.*
thilaven *Mat. Med.*
thio-
acetic -al acid
albumose
alcohol
aldehyde
amide amino-
propionic
aniline
antimon-
ate ic ite ious

thio- Cont'd
arsenic
-(i)ate -ious -ite
auric
bacteria *Bact.*
camph
carbamic -ate -ide
carbanilide
carbazide
carbonic -ate
carbyl(amine
carmine *Dyes*
catechin
chloride
chrom-
an ite one ous
chronic
col *T.N.*
coumarin
cyanic -ate -ide
cyano-
gen
metry -ic
diazine & -ole
din *Med.*
ether -oxid
ethylamine
flav(an)one
flavine *Dyes*
form(ic -ate
gen(e *Dyes*
genic -ol *Pharm.*
glycol
hydantoin
indigo -oid *Dyes*
indole
indoxyl
ketone
l *Chem. Pharm.*
lactic
lin(e -ic *Pharm.*
naphthene
naphthisatin
nuric -ate
oxindole
phane
phene -ic -ine -ol
phil(ic *Ecol.*
phosgene
phosphate
phosphoric -yl
pinol *Mat. Med.*
platinic -ate
polypeptide
pyr-
an (in(e one onine
resorcin(ol
rhodaceae -eous *Bot.*
salicylic salt
sap(i)ol
savonal
sebate
sinamin(e
stannic -ate
sulph(or)ate
sulphuric -ous
thrix *Bact.*
tol(u)ene
triazole
tungstic -ate
urea
thion *Dyes*
thion-
al ation eine essal ic in(e ium ol
thionyl *Org. Chem.*
-amin -chlorid
thiox-
ane ene in(e one
thioxidans *Bot.*
thioxanth-
ene enol one ylium
thioxy-
diphenylamin
thioxylene
thiozin -on *Med.*
thiozone -ide *Chem.*

thiuram *Org. Chem.*
thiuret *T.N.*
tiodin *Mat. Med.*
toluthi- *Org. Chem.*
azole enone
trithi- *Chem.*
ane enyl in
trithio- *Chem.*
aldehyde
phosphate
trithiodoformaldehyd
trithionic -ate *Chem.*
valerothienone *Chem.*
vasothion *Mat. Med.*
xanthione -ium *Chem.*
θέλγητρον a spell or charm
Thelgetrum *Ent.*
θέλειν to wish, be fain
Dyothelete
-ian -ic(al -ism
Dyothelism -ite
panthelism *Phil.*
θέλημα will (Arist.)
panthelematism *Phil.*
polythelemism
thelematic
Thelemite
Θέλπουσα (Paus.)
Thelphusa *Crust.*
-ian -id(ae -oid
θέμα theme (Diog. L.)
antethem(e *Lit.*
apothem(e -a *Geom. Pharm.*
prototheme *Philol.*
schizothemia -ic *Ps. Path.*
thema -atist
theme
-er less ster
Themus *Ent.*
θεματικός (Plut.)
thematic(al(ly
thematics *Music*
θεματισμός a laying down
thematism
Θέμις Goddess of Law
Neothemis *Ent.*
Themis *Astron. Myth.*
Θεμίστιος
Themistian *Eccl. Hist.*
-θεν suffix of motion from, as in ἄλλοθεν
Hypothenemus *Ent.*
θέναρ the palm; the sole
antithenar *Anat.*
mesothenar *Anat.*
thenar *Anat.*
Thenarocrinidae *Pal.*
thenen *Anat.*
θεο- Comb. of θεός
theo-
anthropomorphic -ism
astrological
broma -ic -inus *Bot.*
bromic -in(e *Chem.*
bromose *Mat. Med.*
centric
collectivist
cyrtis *Prot.*
-id(ae -ida -oid
dicy *Phil.*
-(a)ea -ean
drama
form *Mat. Med.*
geological
gnostic
human
lactin *Mat. Med.*
magic(al
-ician -ics
mammonist
mastix

theo- Cont'd
maton
metry
micrist
misanthropist
monism
mythology -er
nomy
panphilist
pantism
phagy -ite -ous
philanthrope
philanthropy
-ic(al -ism -ist
philosophic
phobia -ist
physical
plegia *Path.*
politician
politics
polity
psychism
scopy -ic(al(ly
sopheme
techny
-al -ic -ist
teleology -ical
theca
therapy *Ther.*
urotheobromin(e *Chem.*
θεογονία (Hesiod?)
theogony
-ic(al -ism -ist -ite
θεόγονος born of God
theogonist
θεοδίδακτος (N.T.)
theodidact
Θεοδόσιος Theodosius
Theodosian *Pol.*
Θεόδοτος Theodotus
Theoditan *Theol.*
Theoditian(ism *Eccl.*
θεοκρασία a mingling with God
theocrasy -ical *Phil.*
θεοκρατία (Joseph.)
theocracy
theocrat
ic(al(ly ist
tritheocracy
Θεόκριτος Theocritus
Theocritean *Lit.*
θεοκτονία a killing of God
theoc(*or* k)tony -ic
θεολατρία service of God
theolatry
θεοληπτικός (Sext.)
theoleptic
θεοληψια inspiration
theolepsy
θεολογεῖον (Poll.)
theologium *Gr. Theatre*
θεολογια (Plato) (Orig.)
pantheologist *Phil.*
theology
-ian -ism -ist -ization
-ize(r
-theology
a astro litho meta pan
physico phyto pyro
testaceo
θεολογικός (Arist.)
theologic(al(ly
-ician -ico -ics -
-theological
a anti (meta)physico
politico semi ultra un
θεολόγος a theologian
medicotheologue (*Obs.*)
theolog-
al aster astric ate er
theologo-
inquisitorial
jurist

theolog(ue
θεολογούμενα discussions of the gods
theolog(o)umenon
θεομανία (Philo)
theomania -iac
θεομαντεία (Dion. C.)
theomancy
theomantic
θεομαχία (Il. apud Plato)
theomachy -ia -ist
θεόμορφος (Anth. P.)
themorphic
ism -ize
θεοπασχῖται (Isid.)
theopaschite *Eccl. Hist.*
-ally -ic -ism -ist
θεοπάθεια (Sophrns.)
theopathy -(et)ic
θεόπνευστος inspired
theopneust(ed
θεοπνευστία inspiration
theopneusty -ia(n -ic
θεός God
microtheos
tetratheite *Theol.*
theism
theist(ic(al(ly
-theism
allo animo anthropo
anti auto bi cosmo
chrema di dyo ego en
hecasto heno hero hylo
katheno mono multi
myrio nomo pan(en)
physi psycho scio
tetra therio urano zoo
-theist
anthropomorpho anti
auto cosmo di en heno
hylo mono ne pan zoo
-theistic
anti chao cosmo id
endo exo extra heno
hylo mono pan zoo
-theistical
anti di hylo mono pan
-theistically
anti mono pan
theody
θεισοφία knowledge of things divine (Eus.)
theosophic(al(ly
-theosophical
philo physico
theosophico-
theosophy
-ism -ist(ic(al -ize
θεόσοφος (Porph.)
theosoph(er
θεόταυρος god-bull
theotaurine
θεοτόκιον a modulus
theotokion *Gr. Ch.*
θεοτόκος Deipara (Orig.)
Theotokos *Gr. Ch.*
theotoky *Gr. Ch.*
θεουργία sorcery, magic
theurgy -ist
θεουργικός (Iambl.)
theurgic(al(ly
θεοφαν(ε)ία feast at Delphi (Herod.); Nativity (Basil); Epiphany (Tim. Presb.)
theophany -ia
-ic -ism -ous
tiffany
θεοφιλής (Herod.)
theophile -ist
θεοφόρος (Aesch.)
theophorous -ic
Θεόφραστος Theophrastus (Diod.)
Theophrasta *Bot.*

-aceae -aceous
Θεοφρόνιος
Theophronian
θεόχριστος anointed by God
theochristic
θεραπεία (Hipp.)
pantherapist *Med.*
therapic *Biochem.*
therapin *Mat. Med.*
therapist *Med.*
-therapist *Med.*
about twenty noted
therapu *Med.*
-therapy *Med.*
actino aero(hydro)
aerothermo alimento
ampelo ammo apparato
arseno auto(hemo
plasmo sero) bacterio
balneo botryo broma
cardio centro chemo
chole chromo climato
crouno crymo curie
cyto dase dermato dieto
dipso electro(photo)
emphysa endocrino
enterobacterio ergo
fango ferro frigo galacto
galvano h(a)ema(to)
hagio helio hemo
hepato hetero(sero) hiero
histo homeo homo(hemo)
hydro(sudo)
hydropo hypno immuno
iodo iono(to)
iso(sero) keri(*or* o)
kinesi kineto leuko(cyto)
limo loutro luco
magneto masso mechano
metallo metro
myelo myo nesti nesto
neuro nucle(in)o odonto
opo opsono orchido
organo orino oro orrho
ova ovo p(e)ino pelo
phaco phago pharmaco
pharyngo photo
phisio physico physio
placento pneumato
pneum(on)o proteino
prote(os)o psammo
pseudo psycho psychro
pyo radio rhythmo
ro(e)ntgeno sarco scoto
seismo sero serum
sito spondylo tele theo
therm(aer)o thalasso
therio thermo(radio)
thyro toxi tropho tuberculo
vaccino xylo
zomo zoo
θεραπεύειν to treat medically
anatherapeusis *Med.*
therapeusis *Med.*
θεραπευταί attendants
therapeutae
-ism -ist
θεραπευτική (Plato)
therapeutic(s
-therapeutics
aero balneo chemo climato
crymo dicto electro
galvano hemo hydro
masso neuro organo
photo phthisio
physico pneumato
psycho radio sarco
spondylo teleo vaccino
vibro zomo
θεραπευτικός (Galen)
therapeutic(al(ly
-therapeutic
actino bacterio chemo
electro hydro metallo

-therapeutic Cont'd
opo orrho photo
phthisio physico psycho
radio sero zomo
θεράπων an attendant
Therapon *Ich.*
id(ae oid
θέραψ = θεράπων
Theraspida *Pal.*
θέρειν to heat, warm
thereology -ist
θερμ- Stem of θερμή, θερμός
aerothermal
allotherm *Biol.*
aluminothermy -ic(s
antithermic(s *Med.*
antithermin(e *Mat. Med.*
antithermolin *Prop. Rem.*
catathermic *Phys.*
choroisotherm *Meteor.*
chrono(iso)therm(al
colpotherm *Med. App.*
diathermal -ic
diathermy *or* -ia *Med.*
electrotherm *Med. App.*
electrothermic -al(ly
endotherm *Phys. Chem.*
al(ly ic(ally icity
endothermy *Med.*
-al -ic
epithermol *Chem.*
eurytherm(ic *Bact.*
eurythermal -y *Bot.*
eurythermal -ic *Biol.*
euthermic *Med.*
exotherm *Phys. Chem.*
al ic ous
galvanothermy *Med.*
gazotherm *Dent.*
geisotherm(al *Meteor.*
geoisotherm *Climatol.*
geothermal -ic
h(a)ema(to)therm *Zool.*
al ous
hekistotherm *Bot.*
henotherm *Phys.*
heterotherm(al -ic *Biol.*
heterothermic *Meteor.*
homoeotherm *Biol.*
ism al ic
Homoiotherms *Bot.*
homotherm *Biol.*
al ic ous
hydroelectrothermic
hydromegatherm *Bot.*
hydrothermal *Geol.*
hygrothermal
hypertherm(al *Meteor.*
hyperthermia *Med.*
-algesia -an -esthesia
-ic -y
hypotherm *Meteor.*
hypsoisotherm *Meteor.*
hyther *Meteor.*
ichthermol *Mat. Med.*
idiothermic -ous
isallotherm *Meteor.*
isobathytherm *Meteor.*
al ic(al
isogeotherm(al ic *Geog.*
isotherm(y
-al(ly ic(al ous
macrotherm *Bot.*
megatherm(ic *Bot.*
megistotherm(ic *Bot.*
meiotherm *Bot.*
mesotherm *Bot.*
al ic
microtherm(ic *Bot.*
microthermal *Phys.*
microtherms *Bot.*
miotherm *Phytogeog.*
miotherme *Geol.*
monothermia *Med.*
pal(a)eothermal -ic *Geol.*

parathermic *Phys.*
pelvitherm *Med. App.*
pliotherme *Geol.*
photothermic *Phys.*
poecilothermal *Zool.*
-ic(al -ous
poikilotherm *Biol.*
al ic ism
polytherm *Phys. Chem.*
stenothermal -ic -y *Bot.*
subthermal *Physiol.*
synthermal *Med.*
therm-
acogenesis *Med.*
ad ium *Phytogeog.*
aerotherapy *Ther.*
(a)esthesia *Path.*
-iometer
al(ity -ally
algesia
alization *Geol.*
ammeter *Elec.*
an(a)esthesia *Path.*
antidote
analgesia *Med.*
atology -ic *Med.*
el(a)eometer
esia -iid(ae -ioid *Ent.*
ic(al(ly
ifugin(e *Mat. Med.*
in *Chem.*
ion(ic(s *Phys.*
it(e *Trade*
od *Phys.*
ol *Mat. Med.*
opsis *Bot.*
osis *Bot.*
theromegatherm *Bot.*
theromesotherm *Bot.*
topothermesthesiometer
transthermia *Med.*
xerotherm(ic *Bot.*
xerothermous *Pal.*
θέρμαι hot baths
therm(ae *Cl. Ant.*
θερμαίνειν to warm, heat
athermancy *Phys.*
athermanous *Phys.*
electrothermancy
θερμαντικός calorific
thermantic *Med.*
θερμή heat. See θερμ-
therm *Phys.*
θερμο- Comb. of θερμός
aerothermotherapy *Ther.*
apothermotaxis *Bot.*
athermosystaltic *Med.*
barothermo- *Meteor.*
-(hygro)graph
diathermotropism -ic
extrathermodynamic
geothermometric
hemithermoanesthesia
isothermobath(ic *Geog.*
isothermohyps *Meteor.*
macrothermo- *Bot.*
philus phyta -ia
mesothermo- *Bot.*
philus phyta -ia
microthermo-
gram
phyta -ia *Bot.*
palaeothermology *Geol.*
parathermotropic *Bot.*
pneumothermomassage
prosthermotaxis *Bot.*
spectrothermograph
telethermo-
gram graph metry
thermo-
(a)esthesia *Path.*
algesia *Med.*
aluminic *Metal.*
ammeter *Elec.*
an(a)esthesia *Med.*

thermo- Cont'd
analytical *Chem. Anal.*
aqueous
barograph *Phys.*
barometer *Phys.*
battery *Elec.*
calcite *Petrog.*
call
cautery *Surg.*
-ectomy
cell
centrifuge *Mach.*
chaotic
chemic(al(ly *Chem.*
chemist(ry *Chem.*
chroic -ism *Phys.*
chromism *Phys.*
chroology *Phys.*
c(h)rosis -e -y *Phys.*
cleistogamy *Bot.*
cline *Physiog.*
coagulation *Med.*
couple
current
diffusion
dromic
dynamic(s
-al(ly -ian -ist
dynamist
dynamometer
elastic
electric(ity -al(ly
electron(ization *Phys.*
electro-
meter *Phys.*
motive *Phys.*
osmotic *Phys.*
scope
element
excitory
expansive
galvanometer *Elec.*
gauge
gen(y ic ous *Physiol.*
genesis *Physiol.*
genetic *Physiol.*
genic *Bot.*
genics *Phys.*
geography -ical
gram
graph(y -ic
hydrology
hydrometer
hygrograph
hygroscope
hyper(a)esthesia
hyperalgesia
hyp(o)esthesia
hypsometer
inhibitory *Physiol.*
isopleth *Meteor.*
junction *Elec.*
kinematics *Phys.*
kinetics *Phys.*
labile -ity *Chem.*
lamp
laryngoscope *Med.*
leometer *Chem. Anal.*
logy -ical *Phys.*
luminescent -ence
lyse *Chem.*
lysis *Chem. Phys. Physiol.*
lytic
magnetic -ism *Phys.*
manometer *Phys.*
massage *Med.*
meion *Meteor.*
metamorphic -ism
meter -ric(al(ly
metrograph
metry
motive motor *Mech.*
multiple -ier
nasty *Bot.*
natrite *Min.*

thermo- Cont'd
negative *Phys. Chem.*
neurosis *Path.*
neutrality *Chem.*
nosus *Path.*
osmotic *Phys.*
pair *Elec.*
palpation
pegology
penetration *Med.*
phagy
phil(e ic ous *Bact.*
phobia *Med.*
phobous *Pal.*
phone
phore *Phys.*
phosphorescence *Phys.*
phyllite *Min.*
pile *Elec.*
plastic
plegia *Path.*
pleion *Meteor.*
podium
polypn(o)ea
-(o)eic *Physiol.*
positive *Phys. Chem.*
precipitin *Biochem.*
psychrophorous *Phys.*
radiometer
radiotherapy *Ther.*
reduction *Metal.*
regulator
scope -ic(al(ly *Phys.*
siphon(ic *Phys.*
stabile -ity *Chem.*
stable *Chem.*
stat(ic(ally -ics *Phys.*
steresis *Med.*
synthesis *Phys.*
systaltic -ism *Physiol.*
tactic *Bot.*
tank
taxis -ic *Biol. Physiol.*
telephone
tensile *Phys.*
tension *Phys.*
terion
therapy -cia
tonometer *Med. App.*
tonus *Bot.*
toxin
toxy *Phytopath.*
tracheotomy *Surg.*
tropic -ism *Bact. Bot.*
type -y -ic *Phys.*
unstable
viscosity *Phys.*
voltaic *Elec.*
-thermometer
baro cata chrono dia electro galvano geo helio hypso kata lacto micro ophthalmo tele water
θερμοειδής
thermoid *Phys.*
θερμόν Neut. of θερμός
thermon *Phys.*
θερμοπότης (Ath.)
thermopot(e
θερμοπότις a cup for hot drinks
thermopotis *Archaeol.*
θερμοπώλιον a cook shop
thermopolion -ium
thermopolite
θερμός hot. See θερμ-
thermos
Thermosbaena *Crust.*
θερμώδης lukewarm
thermodin *Chem.*
θερμωτικός = θερμαντικός
electrothermotic -in
thermotic(al(ly

thermotics *Phys.*
thermotology *Med.*
θέρος summer
brachytherous *Bot.*
-oxerochimous
isothere -al *Meteor.*
isotherombrose *Meteor.*
thero-
drymium *Bot.*
megatherm *Meteor.*
mesotherm *Meteor.*
phyllous *Bot.*
phyte *Bot.*
xerotherous *Bot.*
Θερσίτης Thersites (Il.)
Hemithersitea *Pal.*
Pseudothersitea *Pal.*
Thersitean -ical
Thersiteidae *Pal.*
θέσις position
cacothesis *Path.*
cytothesis *Physiol.*
Heterothesis *Ent.*
magocacothesis *Obstet.*
mesothesis
proterothesis *Biol.*
thesis -ial -icle
thesocyte *Spong.*
θέσκελος wondrous
Thescelosaurus *Pal.*
θεσμο- Comb. of θεσμός law
thesmophilist
θεσμοθέτης lawgiver
thesmothete(s *Gr. Ant.*
θεσμοφορία (Herod.)
Thesmophoria *Gr. Fest.*
-ian -ic
θεσμοφόριον (Ar.)
Thesmophorion
θεσπέσιος divine, awful
Thespesia *Bot.*
Thespesiopsyllus *Crust.*
Thespesius *Herp.*
Θέσπις Thespis (Ar.)
Thespian *Drama*
Θεσσαλία (Herod.)
Thessal(on)ian
θετήρ one who places
apotheter *Surg. App.*
typotheter
θέτης one who places
typothetae *Print.*
θετικός Fr. θετός
bibliothetic *Libraries*
cosmothetic *Phil.*
mazocacothetic *Obstet.*
mesothet(ic(al
monothetic *Phil.*
thetic(al(ly -ics *Pros.*
Θέτις a Nereid (Il.)
Thetis *Astron. Myth.*
θετός placed
homothety -ic *Geom.*
θεώρημα (Eucl.)
theorem
(at)ist ic
θεωρηματικός (Diog. L.)
theorematic(al(ly
θεωρητική (Arist.)
theoretics
θεωρητικός contemplative
theoretic(al(ly
theoretician
theoretico-
practical
untheoretic(al
θεωρία (Polyb.)
cotheorist
detheorize
nosotheory
theoria *Gr. Ant. Phil.*

theory
-ism -ist -ization -ize(r
untheorizing
θεωρικόν (Dem.)
theoricon *Gr. Theatre*
θεωρική
theoric(al(ly
theorician
θεωρικός (Eur.)
theoric *Gr. Drama*
θεωρός a spectator
theor
θέωσις = ἀποθέωσις
theosis
Θῆβαι Thebes (Il.)
methebenine *Org. Chem.*
methebenol *Org. Chem.*
morphothebaine *Chem.*
northebaine *Org. Chem.*
theb- *Org. Chem.*
aia ain(e ainol ainone aizone -aol enine enol enone
thebacodine *Org. Chem.*
thebaism *Path. Psych.*
Theban
thebolactic -ate *Chem.*
Θηβαικός (Herod.)
Thebaic *Chem. Geog. Pharm.*
Θηβαΐς (-ΐδος) the Thebais
Thebaid *Lit.*
θήκη a case, a chest
Acanthotheca -i *Arach.*
Anoplotheca *Brachiop.*
Athecae *Herp.*
-ata -ate -iferous
chalcotheca *Archaeol.*
chirotheca *Armor Eccl.*
Coenothecalia *Zool.*
Conotheca -al *Conch.*
dithecous *Bot.*
eutheca -ate *Morphol.*
Euthecodon *Herp. Pal.*
extrathecal
glyptotheca -thek *Arts*
Hypotheca *Infus.*
hypothecal *Zool.*
intrathecal *Zool.*
lipsanotheca *Eccl.*
mastotheca *Zool.*
mesotheque *Zool.*
nematothec(i)ous *Bot.*
oothecalgia *Gynec.*
ootheca(or o)tomy *Surg.*
oothecocele *Gynec.*
oothecectomy *Surg.*
-oothecectomy *Surg.*
celiohystero celiosalpingo hystero(salpingo) salpingo
-oothecitis *Path.*
pachysalpingo pyosalpingo salpingo sclero
osteotheca
pantechnetheca
Podothecus *Ich.*
Propliothecus *Pal.*
Prototheca -al *Polyps*
pseudotheca(l(ia
Pterotheca *Conch.*
-id(ae -oid
salpingoothecocele
sperma(to)theca -al *Zool.*
sphaerothecose *Bot.*
Sphenothecus *Ent.*
sporotheca *Bact.*
theca -al *Anat. Bot. Eccl. Zool.*
-theca *Bot.*
Anoma Conio Caly- (or u)mmato endo epi gonio mono Nectaro Oo spermo sphaero zoo

-theca *Cytol.*
caryo centro holo karyo sarco
-theca *Ent.*
acido cephalo cera(to) cyto gast(e)ro glosso gony mesothoraco Meta(thoraco) Neso oo Ophthalmo Para prothoraco pselapho Ptero stomato thoraco Tricho
-theca *Ornith.*
Dactylo Dextro Gnatho Myxo Podo Rhampho Rhino
-theca *Pal.*
Grapto Oo Pachy Pterido Vallato Xeno
-theca *Zooph.*
Cauli Crateri ectoendo epi eu exo gono hetero hydro Lageni meso sarco
Thecacerus *Ent.*
-thecal *Bot.*
acro basi di epi oo tetra zoo
-thecal *Ent.*
cephalo cerato gast(e)ro oo podo
-thecal *Ornith.*
podo rhampho rhino schizo
-thecal *Zooph.*
ecto endo epi exo gono hydro
-thecate *Zooph.*
endo epi eu exo
thecaphore *Bot.*
thecasporal -ed -ous *Bot.*
thecate -a *Zooph.*
thecatus *Bot.*
thecidion -ial *Bot.*
thecid(ium *Conch.*
ae ea eid(ae eoid iidae (i)oid
theai-
ferous form gerous
thecitis *Path.*
-thecitis *Path.*
neuro peri tenonto
thecizer *Bot.*
theco-
bathra *Ent.*
cyathus *Pal.*
cystidae *Pal.*
dactyl(e *Herp.*
-ous -us
dont(es -ia *Herp.*
dontosaurus -ian
glossa(e -ate *Herp.*
id(ea *Pal.*
medusa *Coel.*
phora *Herp. Zooph.*
some *Conch.*
-ata -ate -atous
spore(d -al -ous
stegnosis *Med.*
stenosis *Path.*
stome -ous *Ent.*
theke *Lichens*
theotheca
θηκίον Dim. of θήκη
nemathece *Algae*
Orthotheciae *Bot.*
perithece -ioid *Bot.*
pseudonemathecia
-thecial *Bot.*
amphi endo hypo nema peri poly
thecium *Bot.*
-thecium *Bot.*
amphi clisto endo epi exo hypo meso nema ortho para peri poly

-thecium Cont'd
pseudonema pseudoperi tricho
zoothecium -ial *Infus.*
θηκτός whetted
Diplothecta *Ent.*
θηλή the nipple
Acrothelinae *Pal.*
Allothele *Arach.*
athelia *Terat.*
c(o)elothel *Embryol.*
desmepithelium *Anat.*
endothelioinoma *Tumors*
endothelioma *Tumors*
-endothelioma *Tumors*
chondro hem lymph(angi) peri
endothelio-
blastoma *Tumors*
cyte *Cytol.*
cytosis *Med.*
lysin *Biochem.*
lytic *Biochem.*
myoma *Tumors*
myxoma *Tumors*
toxin *Bact.*
endothelium -ial -ioid
Epithelaria(n *Zooph.*
-epithelial *Anat.*
infra inter mes(o) myo neur(o) peri sub
epithelio-
blastoma *Tumors*
ceptor *Cytol.*
genetic *Med.*
glandular *Anat.*
lysis -in *Cytol.*
lytic *Cytol.*
muscular *Anat.*
toxin -ization *Cytol.*
epithelioma -atous *Path.*
-epithelioma *Path.*
chorio(n) cysto ino neuro peri tricho(fibro)
epitheliosis *Path.*
epithelium *Anat. Bot. Ornith.*
-ial -iate -ioid
-epithelium *Anat.*
mes myo neur(o) pio
epithelization *Biol.*
hyperthelia *Med.*
lymphangiendothelioblastoma *Path.*
mesothelioma *Tumors*
mesothelium *Anat.*
Myriothela -idae *Zool.*
neurothele *Neurol.*
neurothel(e)itis *Path.*
Parathelium -iaceae *Bot.*
perithelioma *Tumors*
perithelium *Anat.*
polytheleus *Bot.*
polythelia -ism *Med.*
reticuloendothelial *Cytol.*
subendothelium *Anat.*
symphotothelus *Bot.*
thelalgia *Path.*
thelasis
Thelephora -us *Fungi*
-(ac)eae -(ac)eous -oid
thelis *Path.*
Thelodus *Ich. Pal.*
theloncus *Path.*
thelorrhagia *Path.*
Thelotrem- *Lichens*
aceae atoid atous
Trachythela *Zooph.*
Trypethelium *Bot.*
-iaceae -ioid
θηλυ- Comb. of θῆλυς
thely-
asceta *Ent.*
blast(ic *Biol.*
caryotic *Biol.*
gan *Med.* (T.N.)

thely- Cont'd
genous *Bot.*
karion *Cytol.*
kinin *Biochem.*
phrynus *Pal.*
phthoric
plasm *Biol.*
plasty *Surg.*
stasin *Biochem.*
tonic *Bot.*
tropin *Biochem.*
θηλυγόνον (Diosc.)
Thelygonum *Bot.*
-aceae -aceous
θηλυδρίας a womanish person
Thelydrias *Ent.*
θηλυκόν womanish
thelycum *Crust.*
θηλυμιτρής in woman's clothes
Thelymitra *Bot.*
θῆλυς female
monothelious *Zool.*
θηλυτοκία (Arist.)
thelytocia *or* -y *Biol.*
θηλυτόκος bearing females
thelytocous *Gynec.*
thelytokous *Zool.*
θηλύφωνος killing women
Thelyphonus *Arach.*
-id(ae -idea(n -oid
-θήνια as in εὐθηνία
cacothenic(s *Med.*
euthenic(s *Med.*
θήρ a beast of prey
Arachnothera *Ornith.*
Helmintherus
Herpetotheres *Ornith.*
Nyctotherus *Infus.*
Saurothera *Ornith.*
-inae -in(e
Thercladodes *Ent.*
therial
theriatric(s *Vet.*
therodont(ia *Zool.*
θήρα the chase; prey
Acridothares *Ent.*
θηρατής a hunter
Therates *Ent.*
θηράφιον Dim. of θηρίον
theraphose *Arach.*
-a(e -id(ae -oid
θηράν to hunt
myrmotherin(e *Zool.*
Sphecotheres *Ornith.*
theralite *Petrol.*
θηρεύειν to hunt
Thereva *Ent.*
-id(ae -oid
θηρευτής a hunter
Perathereutes *Pal.*
θηρι- Comb. of θηρίον
pal(a)eotheriodont
theri-
anthropic -ism
odont(a -ia *Herp.*
θηριακή (Alex. Trall.)
theriac(a(l(ity
theriacle
treacle
-iness -y
θηρίδιον Dim. of θηρίον
Leptotheridium *Pal.*
Theridion -ium *Arach.*
-iid(ae -ioid
Theridomys *Mam.*
-yid(ae -yoid
Θηρίκλειος
Thericlean *Ceram.*
θηριο- Comb. of θηρίον
Atheriog(a)ea(n *Zoogeog.*
megatheriolysin *Chem.*

therio-
latry
logic(al
mancy
maniac
mimicry
morphosis
plectes *Ent.*
pod
suchus *Herp.*
theism
therapy *Vet.*
tomy *Anat.*
trophical
zoic *Anthrop.*
Titanotheriomys *Pal.*
θηριόμορφος (Eust.)
theriomorphous -ic *Zool.*
θηρίον a wild animal
-there *Mam.*
amphi anchi anoplo anthraco brama bronto dino hellado homalo hyo hyraco macro mega micro noto ostraco pal(a)eo protero proto scelido siva thylaco titano uinta
-theria(n *Mam.*
Allo Buno Eu Hypo Meta Microbio Panto Para Proto
-theriid(ae & -ioid
Amblo Ambly Amphi Anchi Ancylo Anoplo Anthraco Bronto Caeno Chalico Dino Droma(*or* o) Hali Hellado Homalo Lambdo Macro Mega Menisco Pal(a)eo Siva Sphaero Tillo Titano Typo
-theriidae
Ancylo Bary Homalo(donto) Intera Meso Microbio Moeri Pleuraspido Sagha Uinta
-theriinae & -iine
Arachno Elasmo Hellado Hyraco Mega Titano
Therina *Ent.*
therion -ium *Bot.*
-therion
Acera Amphibi
-therium
Agno Amblo Ambly Amphi Amphidozo Anchi Ancylo Anoplo Anthraco Archaeo Arcto Arreto Arsinoi Astrapo Baluchi Bary Brachydiastema Brama Bronto Caeno Chalico Chiro Crassi Dinarcto Dino Diplo Dorca Droma(*or* o) Elasmo Elo Enigma Eo Epiacera Eucera Galeo Glosso Glypto Grypo Hali Hellado Hippario Hippo Homalo Hyo Hyraco Icti Indico Indra Intera Jo Lambdo Macro Mana Masri Mega Menina Menisco Meso Micro(bio) Moeri Moro Noto Pachy Pal(a)eo Pal(h)oplo Pleuraspido Praeacera Pronomo Propala Protacera Protelo Protero Protitano Proto Pyro Sagha Samo Scelido Sino Siva Sphaero

-therium Cont'd
Steno Stilo Tapitho Thylaco Tillo Titano Trocho Typo Uinta
Therius *Ent.*
θηριωδία savageness
theriodic
θηρο- Comb. of θήρ
thero-
cephalia(n *Herp.*
crotaphous *Anat.*
latry
logy -ic(al -ist *Zool.*
mora(n -ous *Herp.*
morph *Terat.*
morph(a *Herp.*
-ic -ous
morphological
pod(a ous *Herp.*
saur(i(a(n *Herp.*
θηροειδής (Hesych.)
Protypotheroides *Mam.*
theroid
θηρομορφία (Dion. Ar.)
theromorphia *Terat.*
-ic -ism
θής a laborer
Homothes *Ent.*
θησαυρίζειν (Herod.)
thesaurize
θησαυρός a treasure
subtreasurer -y
thesaur
arial ary er y
thesaurus *Archaeol. Lit.*
treasure
-able(ness less -er(ship -ess -ous trove
treasury
Θησεῖον (Ar.)
Thesion -e(i)um *Gr.*
Thesium -ieae *Bot.*
Θήσειος of Theseus
Thesean
Θησηίς(-ίδα) (Arist.)
Theseid *Lit.*
θητ- Stem of θής
thete *Gr. Ant.*
θῆτα the letter θ
theta *Alphabet*
Thetidicrinus *Pal.*
θητικός menial
Theticus *Ent.*
θιασάρχης (Luc.)
thiasarch *Gr. Mil.*
θιασίτης = θιασώτης
thiasite *Gr. Mil.*
θίασος a band, troop
thiasos -us *Gr. Mil.*
θιασώτης one of a θίασος
thiasote *Gr. Mil.*
θίγμα touch
thigmesthesia *Psych.*
thigmo-
cyte *Biol.*
morphosis *Bot.*
tactic(ally *Biol.*
taxis *Biol.*
tropic -ism *Biol.*
-thigmotaxis *Biol.*
apo pros
θιν- Stem of θίς
Eothinia *Helm.*
thinad -ium *Phytogeog.*
thinicolous *Bot.*
thino-
badistes *Pal.*
batis *Ent.*
bius *Ent.*
charis *Ent.*
corus *Ornith.*
-id(ae -ine -oid
dromus *Ent.*

thino- Cont'd
lite *Min.*
philus *Phytogeog.*
phyta *Phytogeog.*
pinus *Ent.*
θίξις a touching
thixotropy -ic *Chem.*
θίς (θινός) the beach; sand
Thiornis *Ornith.*
θλάσις bruising
dermatothlasia *Ps. Path.*
embryothlasis *Obstet.*
sarcothlasis -ia *Path.*
θλάσπι (Diosc.)
Thlaspi -ieae *Bot.*
θλαστός broken
embryothlast(a *Obstet.*
θλίβειν to press, pinch
Thlibops *Ent.*
θλῖψις pressure
Camptothlipsis *Ent.*
Compsothlipsis *Ornith.*
encephalothlipsis *Med.*
neurothlipsis *Neurol.*
thlipsencephalous -us
thlipsis *Path.*
θνητός mortal
panthnetist
θνητοψυχῖται (Damasc.)
Thnetopsychitae *Eccl.*
θνητόψυχος
thnetopsychism *Eccl.*
θοή Fem. of θοός
Amphithoe *Crust.*
Stenothoe *Crust.*
-oid(ae -ooid
θολο- Comb. of θόλος
tholo-
bate *Arch.*
ite *Geol.*
pora *Pal.*
spyris *Prot.*
-id(ae -ida -oid
θόλος a rotunda
tholos -us *Arch.*
θολός mud
Tholemys *Herp.*
θοός quick, nimble
Cymothoa *Crust.*
-oadae -oid(ae -ooid-(ea(n
Pasithoa *Crust.*
-oid(ae -ooid
Thoostoma *Crust.*
θοραῖος containing seed
ecthor(a)eum -(a)eal
θορός semen
Cistothorus *Ornith.*
θόρυβος clamor
Athorybia -iidae *Zooph.*
θορώδης = θοραῖος
Thorodia *Ent.*
Θούλη (Ptol.)
neothulium *Chem.*
Thule *Anc. Geog.*
thulite *Min.*
thulium *Chem.*
θούριος raging
Ananchothuria *Echin.*
Θρᾳκο- Comb. of Θρᾴκη
Thraco- *Ethnol.*
Θρᾴκιος (Iliad)
Thracian *Geog.*
θρανίον a bench
Thranius *Ent.*
θρανίτης a top-rower
thranite -ic *Gr. Navy*
θρασυ- Comb. of θρασύς
Thrasy-
aetos *Ornith.*
goeus *Ent.*

θρασύς bold
Thrasaetus *Ornith.*
Θράσων Thraso
thrasonic
al(ly -ism -ist -ize
θραῦλος brittle
thraulite *Min.*
θραυστός brittle
Cladrastis *Bot.*
Coccothraustes *Ornith.*
-inae -ine
Thraustocolus *Ent.*
θρέμμα (-ατος) nursling
thremmatology *Biol.*
θρεπτήρ a feeder
Lamprothreptes *Ornith.*
θρεπτικός feeding
athreptic *Med.*
threptic *Med.*
θρέψις nourishment
athrepsia *Path.*
atrepsy *Tumors*
threpsis *Physiol.*
threpsology
θρηνητής a mourner
Threnetes *Ornith.*
θρηνητικός (Poll.)
threnetic(al *Lit.*
Threnetica *Ent.*
θρηνο- Comb. of θρῆνος
threno-
dyta *Ornith.*
lais *Ornith.*
thriambics
θρῆνος a lament
Euthrena *Pal.*
threne -os *Lit.*
θρῆνυς a foot-stool
threnys *Gr. Ant.*
θρηνῳδία (Plato)
threnode -y *Lit.*
-ial -ic(al -ist
θρησκεία ritual
Threskiornis *Ornith.*
θριαμβικός triumphal
threnothriambics
θριγκός eaves, coping
Thrincopyge *Ent.*
θρίδαξ lettuce
thridace -ium
θρίναξ a trident
Thrinax *Bot.*
Trithrinax *Bot.*
θρίξ the hair
Cephalothrix *Helm.*
-trichid(ae -trichoid
Chirothrix *Ich.*
-trichid(ae -trichoid
distrix *Path.*
Leiothrix *Ornith.*
-trichid(ae -trichoid
Ophiothrix *Echin.*
-trichid(ae -trichoid
Pseudothrix *Crust.*
streptothricial *Bact.*
-thricosis *Path.*
clado lepto strepto
-thrix *Bact.*
(Actino) Clado Chlamydo Erysipelo Lepto Myco Phragmidio Sporo Strepto Thio Tyro
-thrix *Bot.*
ecto endo Holo Schizo Tolypo Ulo
-thrix *Ent.*
Chloro Cnemido Epi Pilino Rhopalandro
-thrix *Mam.*
(H)abro Lago Loncho Melasmo
-thrix *Path.*
clasto endo(ecto) lepo monile sclero

θρίσσα a fish (Arist.)
Bathythrissa -id(ae -oid
Histiothrissa *Pal.*
Pachythrissops *Pal.*
Thrissops *Ich.*
θρίψ a wood-worm
Thrips *Ent.*
-ipid(ae -ipoid
-thrips *Ent.*
Acalluro Acro Aspido Brachyuro Chono Coeno Dolicho Electro Empresmo Haplo Inio Myrmeco Necro Oedaleo Opado Phrastero Pygmaeo Sminyo Steno Stenuro Stephano Stomato Symphyo Synapto Tetracerato Thaumato Tryphacto Uro Zygo
Thriptera *Ent.*
θρομβο- Comb. of θρόμβος
pylethrombophlebitis
thrombo-
angiitis *Path.*
arteritis *Path.*
cyst(ic
cyte *Cytol.*
cytobarin *Biochem.*
cytosis *Med.*
gen(ic *Biochem.*
k(*or* c)inase *Biochem.*
kinesis *Med.*
lite *Min.*
lymphangeitis
lytic *Biochem.*
penia -y *Med.*
philia *Med.*
phlebitis *Path.*
plastic -in *Biochem.*
sinusitis *Path.*
stasis *Med.*
zyme *Biochem.*
θρομβοειδής (Hipp.)
thromboid *Path.*
ureterothromboides
θρόμβος a lump, a clot
antithrombic *Biochem.*
Leptothrombidium *Ent.*
prothrombase *Biochem.*
thromballosis *Med.*
thrombase *Biochem.*
thrombectomy *Surg.*
Thrombigenes *Ent.*
thrombin *Biochem.*
-thrombin *Biochem.*
anti(pyro) hepato histo leuko meta pro-(anti) vaso
thrombus *Path.*
θρόμβωσις curdling
thrombosis *Path.*
-osed -otic
-thrombosis *Path.*
osteo- phlebo- pyle-
θρονιστής enthroner
Thronistes *Ent.*
θρόνος orig., seat; (Xen.)
dethronize -ation
disthrone -ize
enthrone(ment
inthronize -ation
reenthrone(ment
reen(*or* in)thronize
rethrone
throne
-al -ed dom -ization -ize less let ly ship ward
unthrone -ing
θρυαλλίς mullein(?)
Thryallis *Ent.*
θρύον a rush
Pseudothryoneus *Ent.*

Thryothorus *Ornith.*
θρύπτειν to break small
cephalothryptor *Obstet.*
Pseudothryptodus *Pal.*
Thryptaeodon *Pal.*
Thryptodus *Pal.*
θρυπτικός (Galen)
lithonthry(*or* i)ptic *Med.*
lithothrypty *Med. Surg.*
-ic -ist -or
θρύψις comminution
amygdalothripsis *Surg.*
odontothrypsis *Dent.*
thrypsis *Surg.*
θρώσκειν to spring
Throscus *Ent.*
-id(ae -oid
Θυέστειος (Ar.)
Thyestean
Θυέστης a son of Pelops
Thyestes *Ent. Myth.*
θυία (Theophr.)
ecthol *Mat. Med.*
homothujyl *Org. Chem.*
isothujone *Chem.*
Thuja = Thuya
thujaketone -ic *Chem.*
thujamenth- *Org. Chem.*
ene ol one yl
thujane thujetic *Chem.*
Thujopsis *Bot.*
thujorhodine *Org. Chem.*
thujyl *Org. Chem.*
Thuya -ite *Bot.*
thuy- *Org. Chem.*
ene in(e ol one
Thuyopsis *Bot.*
θυιαδ- Stem of θυιάς
thy(i)ad *Gr. Ant.*
θυιάς a Bacchante
Thyiactes *Myth.*
θύινος of θυία
thyine
θυλάκιον Dim. of θύλακος
thylac(i)itis *Path.*
θυλακίτης like a bag
Thylacites *Ent.*
θυλακο- Comb. of θύλακος
thylaco-
deres *Ent.*
leo *Mam.*
leon- *Mam.*
id(ae inae in(e oid
sternus *Ent.*
there -ium -ian *Pal.*
θύλακος a pouch
Enthylacus *Crust.*
Prothylacinus *Pal.*
Pseudothylacinus *Pal.*
Thylacinus -e *Mam.*
-inae -in(e
Thylacodon *Mam.*
Thylactus *Ent.*
θῦλαξ (-ακος) = θύλακος
Thylacella *Pal.*
θύμαλλος a fish (Ael.)
Thymallus *Ich.*
-id(ae -oid
θυμελαία (Diosc.)
Thymelaea *Bot.*
-aceae -aceous -ales
θυμέλη an altar
thymele *Gr. Ant.*
θυμελικός (Plut.)
thymelio (al *Gr. Th.*
θυμίαμα incense
thymiama
thymiatechny
θυμίασις a fumigating
isothyme -al *Meteor.*
thymiasiotechny

θυμιατήριον a censer
thymiaterion *Eccl.*
-θυμια Comb. of θυμός as in εὐθυμία
cyclothymiac
-thymia *Psych. Ps. Path.*
agrio a bary cyclo hemo hypo lypo para pro
θύμιον a wart (Hipp.)
thymion *Med.*
thymiosis *Med.*
θυμο- Comb. of θυμός
thymo-
logy *Psych.*
nucleic *Biochem.*
pathy *Med.*
psyche *Psych.*
θύμον thyme
acrothymion *Bot.*
basil-thyme
bromothymin *Org. Chem.*
dithymoldiiodid *Chem.*
glycothyolin(e *Pharm.*
iodothymoform *Pharm.*
nucleothyminic *Chem.*
tannothymal *Mat. Med.*
thyme
thym-
acetin *Trade*
apion *Ent.*
ate
egol *Med.*
ene *Chem.*
hydroquinone
ic(ic *Chem.*
ine -ic *Chem.*
ol *Chem.*
ate ic ize oform (sulfo)phthalein
thymo-
form *Pharm.*
menth- *Org. Chem.*
ene ol one
quin(hydr)one *Chem.*
-thymol *Org. Chem.*
acetyl bromo hexahydro indo iodo iso
thymotal -ol *Mat. Med.*
thymous -y
thymoxol *Mat. Med.*
thymoxy- *Org. Chem.*
Thymus -etum *Bot.*
thymyl *Org. Chem.*
amine ic
θύμος the thymus (Galen)
athymism *Med.*
ia us
Athymodictya *Pal.*
exothymopexy *Surg.*
Lipothymus *Ent.*
Megathymus *Ent.*
-id(ae -oid
opothymin *Prop. Rem.*
thym-
amine *Biochem.*
ectomy -ize *Surg.*
elcosis *Med.*
ic in(ic *Biochem.*
icolymphatic *Anat.*
itis *Path.*
thymo-
chrom *Mat. Med.*
cyte *Cytol.*
glandol *Biochem.*
kesis *Med.*
lysis -in *Biochem.*
lytic *Biochem.*
ma *Tumors*
nucleic *Biochem.*
privic -ous *Med.*
toxic -in *Biochem.*
thymotic *Biochem.*
-ate -ide -inic
thymus *Anat. Path.*

thymusectomy *Surg.*
thymusnucleic *Biochem.*
thymustod *Med.*
soul, spirit
cyclothymosis *Ps. Path.*
hypothymism *Ps. Path.*
thymetic *Theol.*
θύννος (Herod.)
Eothynnus *Pal.*
Thunnus *Ich.*
  -inae -in(e
thynnin(e *Biochem.*
Thynnus *Ent. Ich.*
  -id(ae -oid
tunny
θύος sacrifice; incense
thurible *Eccl.*
thuribulum -ar *Eccl.*
thurifer(ous *Eccl.*
thurify *Eccl.*
  -icate -ication *Eccl.*
thus, *n.*
θύρα a door
Astenothura *Malac.*
Chondrothyra *Malac.*
Endothyrina *Zool.*
Holothyrus *Ent.*
Pelagothuria -iidae
pneumothyra *Anat.*
θυρεοειδής (Galen)
athyrea -ia *Med.*
athyroid
  ation ea emia
cricothyreotomy *Surg.*
cricothyroid(eus -ean
cynothyrotoxin *Tox.*
dethyroidized *Path.*
dysthyroidea *Path.*
endothyreopexy *Surg.*
esothyropexy *Surg.*
exothyropexy *Surg.*
hemithyroidectomy
hyothyroid *Chem.*
hyperthyrea *Med.*
hyperthyroid *Med.*
  ation ization osis
hypothyrea *Med.*
hypothyroid *Med.*
  ation ea
iodothyrin *Mat. Med.*
iodothyroglobin
omothyroid *Anat.*
parathyrin *Biochem.*
parathyroid(al *Anat.*
  ectomy -ize *Surg.*
parathyropriva *Biochem.*
  -al -ic
peptothyroid *Mat. Med.*
pericardiothyroid *Anat.*
perithyr(e)oiditis *Path.*
postthyroidal *Anat.*
prethyroid *Anat.*
  al eal ean
sternothyroid(eus *Anat.*
subthyroideus *Anat.*
thyr-
  aden *Mat. Med.*
  asthenia *Med.*
  (e)in *Biochem.*
  oxin *Mat. Med.*
  oxyindol *Mat. Med.*
thyreo-
  adenitis *Path.*
  antitoxin *Biochem.*
  cele *Path.*
  cephalus *Ent.*
  coris *Ent.*
  globulin *Biochem.*
  iodin *Biochem.*
  itis *Path.*
  lytic *Path.*
  pharyngeus *Anat.*
  phora *Pal.*
  phyma *Path.*
  proteid -ein *Biochem.*

thyreo- Cont'd
  pterus *Ent.*
  soma *Ent.*
  tomy *Surg.*
  toxic -in *Biochem.*
  xenus *Ent.*
thyreoid *Anat.*
  ectomy *Surg.*
  in *Biochem.*
  itis *Path.*
thyr(e)osis *Path.*
-thyr(e)osis *Med.*
  a(para) dys ec hyper hypo(para)
thyro-
  adenitis *Path.*
  antitoxin *Biochem.*
  aplasia *Med.*
  arytenoid *Anat.*
  cele *Path.*
  chondrotomy *Surg.*
  colloid *Chem.*
  cricoid *Anat.*
  cricotomy *Surg.*
  epiglottic *Anat.*
    -idean -ideus
  fissure *Surg.*
  genic -ous *Anat.*
  glandin *Mat. Med.*
  globulin
  glossal
  glottideus *Anat.*
  hyal *Anat.*
  hyoid(eus ean
  iodin(e -in *Chem.*
  intoxication *Tox.*
  laryngeal *Anat.*
  lingual *Anat.*
  lysin *Med.*
  lytic *Med.*
  ncus *Path.*
  nucleoalbumin
  palatine *Anat.*
  penia *Med.*
  pharyngean *Anat.*
  phyma *Path.*
  privia *Med.*
    -al -ic -ous
  proteid -ein
  ptosis *Path.*
  therapy
  tome -y *Surg.*
  toxic -in
  toxicosis
  trope *Med.*
    -ic -ism
thyroid *Bot. Zool.*
thyroid *Anat.*
  al ea eal ean
thyroid-
  ectin *Biochem.*
  ectomy -ize *Surg.*
  in *Pharm.*
  iotomy *Surg.*
  ism itis *Path.*
  ization *Med.*
  less *Anat.*
-thyroidin *Mat. Med.*
  anti hemato iodo opo pepto
-thyroidism *Med.*
  a de dys hyper hypo-(para) sub super
θυρεός an oblong shield
Eurythyrea *Ent.*
Leucothyreus *Ent.*
Oxythyrea *Ent.*
thyreal *Ich.*
Urothyreus *Ent.*
θυριδ- Stem of *θυρίς*
-thyrid *Pal.*
  calci chalici chiro crypto gastro noto siphono symbolo
thyridium *Ent.*
Thyridopteryx *Ent.*

θύριον Dim. of *θύρα*
Athyrium *Bot.*
coniothyrium *Mycol.*
delthyrium -ial *Conch.*
Echinothyria *Echin.*
  -idae -iid(ae -ioid
Leptothyrium *Fungi*
Microthyrium -iaceae
θυρίς Dim. of *θύρα*
Megathyris *Conch.*
  -id(ae -oid
Neoeuthyris *Bryol.*
Syringothyris *Brachiop.*
Thyris *Ent.*
  -id(ae -ina -oid
-thyris *Pal.*
  Avono Charltoni Chenio Chiro Creri Del Diesto Enido Gonio Holco Kutchi Lingui Lob(oid)o Lophro Plect(oid)o Pseudoglosso Ptycho Rugi Sphaeroido Stiphro Strondi Teguli Triio Tubi
Xanthyris *Ent.*
θυρσο- Comb. of *θύρσος*
thyrso-
  cephalic
  phyton *Pal.*
  tarsa *Ent.*
θυρσοειδής (Diosc.)
thyrsoid(al *Bot.*
θύρσος a stalk, wand
thyrse *Bot. Cl. Ant.*
thyrsi- *Bot.*
  ferous florous form
thyrsos -us *Cl. Ant.*
thyrsus -ula *Bot.*
θυρών a hall
thyron *Gr. Arch.*
θυρωνεῖον (Vitruv.)
thyroneum *Gr. Arch.*
θυσανο- Comb. of *θύσανος*
thysano-
  carpus *Bot.*
  crinus *Crin.*
  croce *Ent.*
  gnathus *Ent.*
  poda -ous *Conch.*
  pter(a(n -ous *Ent.*
  soma *Helm.*
  testa *Pal.*
  teuthis *Conch.*
    -id(ae -oid
θύσανος a tassel
Thysanotus *Bot.*
Thysanura *Ent.*
  -an -ian -id -iform -ous -imorphous
θυσία an offering
gynethusia *Archaeol.*
Thysia *Ent.*
θυσιαστήριον an altar
thysiastery
Θωμᾶς Thomas
Thomaean *Eccl.*
Thomas(ing ite
Thomism *Theol.*
Thomist *Eccl.*
  ic(al icate
Thomite
Tom
  cat fool(ery foolish-(ness ling ship
tomboy
  ade ful ish(ness ism
Tommy(hood
tomnoddy
tomtit
θωμίσσειν to scourge
Thomisus *Arach.*
  -id(ae -oid

θωμός a heap
Thomomys *Zool.*
zoothome
θωπεία flattery
Xanthothopia *Ent.*
θωρακ- Stem of *θώραξ*
acephalothoracia -us
Aphrothoraca(n -ida
ascothoracid(a(n ae
Aspidothoracidae *Pal.*
Chalerathoraca *Zool.*
Desmothoraca(n *Conch.*
Microthoracidae *Infus.*
thorac-
  abdominal *Anat.*
  acromial *Anat.*
  aorta *Anat.*
  al *Anat.*
  algia *Med.*
  ectomy *Surg.*
  etron -al *Crust.*
  odyne -ia *Path.*
  ostraca(n -ous *Crust.*
thoraci-
  form *Ent.*
  pod(a -ous *Crust.*
  spinal *Anat.*
θωρακικός Fr. *θώραξ*
thoracic(al *Anat. Crust. Ich.*
-thoracic *Anat.*
  abdomino acromio cervico extra gastro infra inter intra peri post pre scapulo- sub supra
-thoracic *Ent.*
  meso meta meti micro pro
Thoracica *Crust.*
Thoracici *Ich.*
thoracico- *Anat.*
  abdominal acromial humeral(is lumbar
θωρακο- Comb. of *θώραξ*
laparothoracoscopy
quenuthoracoplasty
thoraco-
  acromial *Anat.*
  bronchotomy *Surg.*
  celoschisis *Med.*
  centesis *Surg.*
  cyllosis *Anat.*
  cyrtosis *Path.*
  delphus *Terat.*
  (gastro)didymus
  gastroschisis *Path.*
  graph *Med. App.*
  melus *Terat.*
  meter *Med. App.*
  metry *Med.*
  myodynia *Path.*
  pagous -us *Terat.*
  pathy -ia
  plasty *Surg.*
  pneumoplasty
  poridae *Pal.*
  schisis *Med.*
  scope -ia -y
  stenosis
  stomy *Surg.*
  theca *Ent.*
  tomy *Surg.*
-thoracopagus *Terat.*
  cephalo gastro ilio prosopo
-thoracotheca *Ent.*
  meso meta pro
transthoracotomy *Surg.*
θώραξ the breast, chest
bothrithorax *Parasites*
Catabrithorax -acic
cephalothorax -acic *Zool.*
endothorax -acic *Zool.*
gymnothorax *Ich.*
hydrothoracic *Path.*

thorax *Anat. Ent. Gr. Ant.*
-thorax *Ent.*
  Achaeto ento Haplo Meso Meta Meti Micro Poecilo Pro proto ptero Pycno Temno Tricho
-thorax *Med.*
  acephalo blenno cephalo cholesterohydro cholohemo chylo h(a)ema(to) h(a)emo-(pneumo) hydroh(a)emo hydro(pneumo) oleo plani pneuma(to) pneumo(hemo hydro pyo sero) pyo (h(a)emo pneumo) schisto sero(pneumo)

-ία Fem. quality suffix forming abstract nouns from adjectives
-ia -y
Ἴακχος Bacchus
Iacchos *Myth.*
Jacchus *Mam.*
Ἰακώβ
Jacob
jacobsite *Min.*
Ἰάκωβος James
Jack
jackadandy(ism
Jack-a-Lent
jackanapes
  -ery -esian -ish
jackaroo
jackass
  ery ification ism ness
jack
  bird boot draw knife mariddle plane plot pudding rabbit saw screw smith snipe stay stone straw tar tree weight wood yard(er
jackeen
jacker
jacket
  less wise y
Jack o'lantern
Jacksonite *Pol.*
jacky
  toad winter
Jacobaea(n *Bot.*
Jacobean -ian -ic
Jacobin *Pol.*
  ic(al(ly ism ization ize ly
Jacobinia *Bot.*
Jacobite *Pol.*
  -ic(al(ly -ism -ish(ly
jacobus *Coins*
jacoby *Bot.*
jacquemart *Horol.*
Jacquerie *Hist.*
jock
jockey
  ing ish ism ship
ἰαλτός sent forth
Ialtris *Herp.*
ἴαμα(-ατος) remedy
iamatology *Med.*
ἰαμβέλεγος (Heph.)
iambelegus *Pros.*
ἰαμβίζειν (Heph.)
iambize *Pros.*
ἰαμβικός (Arist.)
-iambic(al(ly
  eleg gall gec
ἰαμβιστής (Ath.)
iambist

ἰαμβογράφος (Eudoc.)
iambographer -ic
ἴαμβος (Herod.)
iamb(us *Mus. Pros.*
-iambus *Pros.*
eleg gall gec
Ἰάνασσα a Nereid
Ianassa *Ich. Myth.*
Ἰάνθη Ianthe
Janthe *Ent.*
ἰάνθινος violet-colored
am(*or* n)ianthinopsy
Ianthina *Conch.*
-id(ae -oid
ianthine -us *Bot.*
ἴανθος = ἴον
yanolite *Min.*
Ἰαπετός a Titan
Iapetus *Astron. Ent. Myth.*
Ἰαπῦξ Son of Daedalus
Iapyx *Ent.*
-ygid(ae -ygoid
Iapyx -ygian *Geog.*
Japyx -ygidae *Ent.*
-ιασις Fr. -σι- fem. action suffix, forming nouns from verbs in -άω or -ιάζω; used from analogy with ἀλωπεκίασις, ἐλεφαντίασις, etc.
acanthocephaliasis
acariasis
agomphiasis *Dent.*
allantiasis
am(o)ebiasis
amphistomiasis
ancylostomiasis
anguilluliasis
ankylostomiasis
argyriasis
arteriasis
ascar(id)iasis
arseniasis *Tox.*
bilharziasis
bronchomoniliasis
canthariasis
ceratiasis
cercomoniasis
cheilopodiasis
chilomastixiasis
cleidocrialiasis
clonorchiasis
coniasis
craigiasis
dermamyiasis
dermatobiasis
dermatophiliasis
dermatozoiasis
dicroc(o)eliasis
distichiasis *Ophth.*
distomiasis
dochmiasis
dracontiasis
dysendocriniasis
dysendocrisiasis
dysodontiasis
endamebiasis
entam(o)ebiasis
enteromyiasis
esophagostomiasis
(o)estriasis
fascioliasis
filariasis
formiciasis
giardiasis
gonioautoeciasis *Bryol.*
habronemiasis
hemamebiasis
herpetomoniasis
hirudiniasis *Bryol.*
hydrargyriasis *Tox.*
hypochondriasis
hypertrichiasis
hystriciasis
-iasis Chiefly *Path.*
ixodiasis
katachromiasis *Cytol.*
keratiasis
leishmaniasis
leptomiasis *Bot.*
licheniasis
linguatuliasis
loeschiasis
metodontiasis *Dent.*
moniliasis
myiasis
myriapodiasis
nemat(h)elminthiasis
nematodiasis
neuroamebiasis
nocardiasis
odontiasis *Dent.*
oesophagostomiasis
oestriasis *Vet.*
one(h)ocerciasis
opisthorchiasis
oxyuriasis
paragonimiasis
phymatiasis
pogoniasis *Physiol.*
prowazekiasis
pseudotrichiniasis
psorospermiasis
sardiasis
sauriasis
schistosomiasis
seleniasis
streptotrichiasis
t(a)eniasis
tetramitiasis
tetrastichiasis *Anat.*
theileriasis
treponemiasis
trichin(ell)iasis
trichocephaliasis
trichomoniasis
trichonocardiasis
trichuriasis
trombidiasis
trypanosomiasis
tyriasis
uncinariasis
ἰασιώνη (Theophr.)
jasione *Bot.*
ἰάσμινον (Diosc.)
jasmin(e *Bot.*
jasmined
Jasminum -eae *Bot.*
jasmone *Org. Chem.*
jessamin(e
jessamy
ἰασπαχάτης (Pliny)
jaspachate
ἴασπις(-ιδος) (Plato)
jasper
(at)ed ine ite ize oid one ous y
jaspide(*or* i)an -eous
jaspili(*or* y)te *Petrog.*
jaspis -oid -ure
ἰασπόνυξ (Pliny)
jasponyx *Min.*
Ἰασσός a city of Caria
Jassus *Ent.*
-idae -oid(ea
Ἰάστιος Ionic
Iastian *Geog.*
ἰατήρ surgeon, healer
chemiater *Old Med.*
Jateo(r)rhiza *Bot.*
jateo(r)rhizine *Chem.*
otiator
psychiater
tachyiater
ἰατικός healing
hydriatic *Ther.*
pithiatic -ism *Ther.*
ἰατραλειπτική (Pliny)
iatral(e)iptic(s *Med.*
ἰατρεία healing (Hipp.)
atm(id)iatry *Ther.*
chemiatry *Old Med.*
cyniatry *Vet.*
gyniatry *Gynec.*
hydriatry -ist
iatrevin *Mat. Med.*
-iatria *or* -y *Ther.*
maschaliatry *Ther.*
nestiatria *Med.*
neuriatry *Med.*
neuropsychiatry
otiatria -y *Med.*
podiatry -ist *Med.*
presbyatry *Med.*
psychiatry -ia -ist *Med.*
tachyiatria -y *Med.*
zoiatria *Surg. Vet.*
ἰατρική surgery, medicine (Herod.)
-iatrics *Med.*
amblyop atm cyn ger gyn hydr kines ophthalm ot paed phys presbyt psych ther zo
ἰατρικός (Hipp.)
iatric(al *Med.*
-iatric
chem hydr kines ophthalm ot paed phren psych pith
-iatrical
panto psych
theriatrica *Vet.*
zoiatrica *Vet.*
ἰατρο- Comb. of ἰατρός
iatro-
chemist(ry -ical
mechanical
physics -ical
technics -ique *Med.*
jatrorrhizine *Org. Chem.*
ἰατρολογία (Philo)
iatrology -ical
ἰατρομαθηματικοί (Procl.)
iatromathematics
-ical -ician
ἰατρός one who heals
iatrarchy
iatrol *Mat. Med.*
Jatropha -ic *Bot.*
otiatrus *Med.*
Ἰάχη a nymph
Iache *Myth. Ornith.*
ἴβη an urn, coffin
Iba *Ent.*
Ἰβηρία Spain (Herod.)
Celt-iberian
Iberia
-ian -(ian)ism -ist
iberite *Min.*
Ibero-
Celtic *Ethnol.*
Celto- Teutonic
insular *Anthrop.*
Ἰβηρικός (Strabo)
Iberic
ἰβηρίς(-ίδος) a cress
Iberis -ideae *Bot.*
ἶβις(-ιδος) (Herodotus)
Ibides *or* -ae *Ornith.*
-id(ae -ides -ine -oid-(ea(n
Ibidiomimus *Ent.*
Ibidion *Ent.*
Ibidorhyncus *Ornith.*
ibis
ἰβίσκος mallow (Diosc.)
hibiscetin *Org. Chem.*
Hibiscus -eae *Bot.*
ἰβυκτήρ one who begins a war song
Ibycter *Ornith.*
Ἰδαῖος of Ida (Iliad)
Idaean *Geog.*
id(a)ein *Org. Chem.*
Ἰδάλιον a place in Cyprus
Idalian *Geog.*
ἰδέα form; kind; model. In English chiefly from the Platonic ἰδέαι archetypes.
deidealize
Haplidia *Ent.*
hemiidealism
hyloidealism *Psych.*
hyperideal *Mat. Med.*
hyperideation
idea -ead
ideagenous
ideal
ism ist(ic ity ization ize(r less ly ness
idealics *Sociol.*
idealogy -ic -ue
ideate
-ation(al -ative -um
idee *Now Dial.*
ideo-
didelphys *Pal.*
dynamism *Neurol.*
emotional
genetic
genous *Psych.*
geny
glandular *Psychophys.*
glyph *Graphics*
gram *Graphics*
graph *Graphics*
graphy *Graphics*
-ic(al(ly -icly -ics
latry
logue
logy -ic(al(ly -ism -ist -ize
metabolic -ism
molecular *Geol.*
motion -or *Psychophys.*
muscular *Psychophys.*
phone -ous *Phon.*
phonetics *Phon.*
phrenia -ic *Psych.*
plasm *Psych.*
plastia *or* -y -ic
plasy *Psychophys.*
unit vascular
monoideism -eistic
phoneticoideographic
polyidea *Psych.*
-eic -eism
protoideal
pseudidea *Psych.*
unidealism
-ιδες Pl. of -ις
-id Chiefly *Astron. Lit.*
Capricornid Quadrantid
-ίδης patronymic suffix (Zoological terms, except a few, are omitted)
Abasside *Hist.*
Abramide
bovid(ae *Mam.*
enalid *Phytogeog.*
equid(ae *Mam.*
felid(ae *Mam.*
fung(i)id(ae *Zooph.*
giraffid(ae *Mam.*
gruid(ae *Ornith.*
hominid(ae *Mam.*
hymenopterid *Bot.*
-id(ae *Suffix*, esp. in *Zool.* (Also -ida(n -idea(n -ideae)
Japetidae *Ethnol.*
lemur(ae)id(ae *Mam.*
Mongolidae
muscid(ae -ian *Ent.*
salmonid(ae *Ich.*
Stenosides *Ent.*
ursid(ae *Mam.*
ἰδιασμός peculiarity
idiasm
ἰδιαστής a recluse
Idiasta *Ent.*
ἰδιο- Comb. of ἴδιος one's own
idio-
agglutinin *Biochem.*
androsporous *Bot.*
biology *Bot.*
blast *Cytol.*
chelys
chorology *Bot.*
chromatic *Min.*
chromatic -in *Cytol.*
chrom(e *Org. Chem.*
chromidia *Cytol.*
chromosome(s *Biol.*
cracy *Pol.*
cyclophanous *Crystal.*
dactylae *Ornith.*
derma *Ent.*
ecology *Bot.*
electric *Elec.*
gamist *Med.*
genesis *Path.*
genite
glottic *Psych.*
gnathus *Ent.*
gnomonic *Diag.*
gonaduct *Zool.*
gynous *Bot.*
heteroagglutinin
heterolysin *Biochem.*
hypnosis
hypnotism
isoagglutinin *Biochem.*
isolysin *Biochem.*
kinetic *Psych.*
latry
logism *Med.*
lysin *Physiol.*
mere
meter *Astron. App.*
metritis *Gynec.*
morphosis *Bot.*
muscular *Physiol.*
mysis *Crust.*
neural -osis *Neurol.*
parasite *Biol.*
pathetic(ally *Path.*
pathy -ic(al(ly *Path.*
phanic -ism -ous
pher *Bot.*
phone *Sc. App.*
phrenic *Path.*
phyllum *Bot.*
plasm(a -(at)ic *Cytol.*
plast(ic *Cytol.*
psychology -ical
pygus *Ent.*
reflex *Psych.*
repulsive *Phys.*
retinal *Physiol.*
(r)rhythmic *Gr. Ch.*
sepion *Conch.*
-iid(ae -ioid
some *Biol.*
spasm *Path.*
spastic *Path.*
static *Elec.*
styla *Ent.*
tarsus *Ent.*
techna *Ent.*
tery *Bot.*
thalameae -ous *Bot.*
thermic -ous
topy *Biol.*
trophic *Biol.*

idio- Cont'd
typa *Ent.*
type -ic *Chem.*
typy *Bot.*
ventricular *Anat.*
zome *Biol.*
nucleoidioplasm(a *Biol.*
raphidiospore *Bact.*
ἰδιόγλωσσος (Strabo)
idioglossia *Path.*
ἰδιόγραφος autograph
idiograph(ic(al
ἰδιοκρασία (Proclus)
idiocrasy -ic(al -is
idiocratic(al
ἰδιόμορφος of peculiar form
hypidiomorphic(ally
idiomorphous -ic(ally
panidiomorphic
-ιδιον dim. suffix after noun stems as in οἰκίδιον
aecidiostege *Fungi*
asteridion *Bot.*
bacteridium *Bact.*
bromidion *Chem.*
callidium
diapenidion *Obs.*
elaphidion *Ent.*
Elegidion *Malac.*
gonoblastidion *Zooph.*
-idion *Suffix*
-idium *Suffix*
-idiophore *Bot.*
anther pycn
-idiospore *Bot.*
aec gon pycn
-idiosis *Path.*
broncho chrom lymphospor (rhino)spor
-idium *Anat.*
ectonephr gnath paracnem prodelt protonephr stom
-idium *Biol.*
androgon blast chrom h(a)emospor hemococc phyll
-idium *Bot.*
Aec anther bas (see βάσις) campyl centaur chrom con (see κόνις) Cymb dipor gloch gon (see γόνος) hyph o (see ᾠόν) oophor orth Phragm pistill pter (see πτερόν) pycn (see πυκνός) rhiz sperm-(at) spor(ang) stamin Styl thall thamn Trich
-idium *Zool.*
Adel Alcyon arachn bothr Clostr cnem corm cran Cyclopor delt drepan gnath Lest mecon micronephr Nephrocyst ommat Onch ot parthenogon Pelt Peptonephr Pis Plectr prodelt pronephr propyg pseudodelt Pten rhinospor scyph Stemon Stromapor taen(i) Tapein Tau thec xanth Xin
Myxidiidae *Bact.*
Phragmidiothrix *Bact.*
Pleurophyllidia *Conch.*
pronephridiostome
Rhinorhynchidius *Ent.*
-sporidia *Prot.*
Am(o)ebo Gymno Haplo Hemato Histo Micro Oligo Telo
tanidion

thecidion -ial *Bot.*
trophochromidia *Cytol.*
ἴδιος private, personal
id(ant ic *Biol.*
Idia *Ent.*
Idiacanthus -id(ae *Ich.*
idiodinic *Zool.*
idionym *Anat.*
idopt *Ophth.*
(?)ite -ol *Org. Chem.*
organ *Biol.*
ontoidic *Biol.*
Spiridionia *Pal.*
ἰδιοσυγκρασία (Ptolemy)
idiosyncrasy
idiosyncratic(al(ly
ἰδιότροπος (Diod.)
idiotropian
ἰδίωμα (Dion. H.)
idiom (atism
idiomo-
graphy *Philol.*
logy *Philol.*
ἰδιωματικός (Clem. Al.)
anidiomatic(al *Gram.*
idiomatic al(ly alness
unidiomatic
ἰδιωτεία uncouthness
idiocy
myxidiocy or -tie *Path.*
ἰδιώτης a private person without distinction
idiot
cy ish ist(ical ize ry
ἰδιωτικόν Neut. of ἰδιωτικός
idioticon
ἰδιωτικός unskilful
idiotic
al(ly alness
ἰδιωτισμός a vulgar phrase
idiotism *Philol.*
ἰδμοσύνη skill
Idmosyne *Ent.*
Ἴδμων Idmon
Idmonea *Myth.*
Idmonea *Helm.*
-eid(ae -eoid
Ἰδομενεύς Idomeneus
Idomenean *Phil.*
Ἰδουμαῖος of Idumaea
Idum(a)ean
ἴδρωα pustules (Hipp.)
hidroa *Med.*
ἰδρώς perspiration
chloridrometer *Med.*
hidraden- *Path.*
itis oma
hidro- *Med.*
adenitis cystoma mancy nosus poiesis poietic rrhea schesis
hidroplankton *Bot.*
hidrosadenitis *Path.*
-ιδρωσις sweating as in ἐφίδρωσις (Galen)
bromidrosiphobia *Path.*
hidrosis *Med.*
-hidrosis *Med.*
an chrom dys galact h(a)emat(o) hemi hyper hypo indican men pan par phosphor poly ur
-idrosis *Med.*
blepharochrom brom chrom chyl dys galact h(a)emat hem hemihyper hyph hypo indican isch kak melan men osm pan par phosphor podobrom

podyper poly pseudochrom syn tophyper ur
ἰδρωτικός sudorific
anhydrotic *Path.*
antihydrotic *Path.*
hidrotic *Med.*
hydrotic(al(ly *Med.*
ἱερά (Galen)
hickery-pickery *Pharm.*
hicrapicra *Pharm.*
Ἱερά one of the Lipari Islands
hieratite *Min.*
ἱεράκιον hawkweed
hieraciarch *Bot.*
hieraciology *Bot.*
Hieracium *Bot.*
hieracologist *Bot.*
ἱερακο- Comb. of ἱέραξ
hieracosphinx
ἱέραξ(-ακος) a hawk
Hierax *Ornith.*
-hierax *Ornith.*
Gypo Micro Neo
Melierax *Ornith.*
ἱεράρχης (Dion. Ar.)
hierarch(al
ἱεραρχία (Dion. Ar.)
hierarchy
-ism -ist -ize
ἱεραρχικός (Dion. Ar.)
hierarchic(al(ly
ἱερατικός (Arist.)
hieratic(a(l
hieratico-
political
ἱερο- Comb. of ἱερός
hiero-
chloe -oea *Bot.*
cracy *Pol.*
cratic(al *Pol.*
falco *Ornith.*
gamy -ic *Gr. Ant.*
glyptic
gram
latry
machy
mancy
pathic
latry
machy
mancy
pathic
phobia *Med.*
saurus *Pal.*
therapy *Ther.*
ἱερογλυφικός (Diod.)
hieroglyph
-ed -ic(al(ly -(ic)ize
-ism -ist -y
hieroglyphology
phoneticohieroglyphic
ἱερογλύφος (Ptol.)
hieroglypher
Hieroglyphodes *Ent.*
ἱερογραμματεύς (Diod.)
hierogrammat(e(us -ic(al
-ist *Gr. Ant.*
ἱερόγραφα
hierograph
ἱερογραφία (Dion. Ar.)
hierography
ἱερογραφικός (Dion. Ar.)
hierographic -al
ἱερογράφος (Caesarius)
hierographer
ἱερόδουλος temple slave
hierodule -ic *Gr. Ant.*
ἱεροθήκη a sanctuary
hierotheca *Eccl.*
ἱερολογία a discourse on sacred things
hierology -ic(al -ist

ἱερόμανια (Clem. Al.)
hieromania
ἱερομάρτυς holy martyr
hieromartyr
ἱερομνήμων (Dem.)
hieromnemon *Gr. Ant. Gr. Ch.*
ἱερομόναχος a holy monk
hieromonach *Gr. Ch.*
ἱερόν the sacrum (Galen); a temple
hieralgia *Path.*
-hieric *Anat.*
brachy dolicho (sub)-platy
hieron *Archaeol.*
ἱεροποιοί (Plato)
hieropoioi *Gr. Rel.*
ἱεροσκοπία divination
hieroscopy
Ἱεροσολυμίτης (Sept.)
Hierosolymite -an *Eccl.*
ἱερουργία worship
hierurgy -ical
ἱεροφάντης (Herod.)
hierophant *Gr. Ant.*
ἱεροφαντία (Plut.)
hierophancy
ἱεροφαντικός (Luc.)
hierophantic(ally
Ἱερώνυμος Hieronymus
Hieronyma -eae *Bot.*
Hieronymian -ic -ite
ἵζειν to sink
hizometer *Phytogeog.*
-ιζειν Fr. verbs of -ιδ- themes, formed orig. fr. nouns in -ι- or -ιδ- stems, as in ἐλπίζειν
abastardize
abnormalize
abolitionize
academize
acclimatize(r -able -ation
acculturize
acetalize -ation
acetize
acetonization
acetylize -able -ation
achromatize -able -ation
acidize
actionize
actualize -ation
adenization *Path.*
adonize
adrenalize *Biochem.*
adulterize -ation
adverbialize *Gram.*
aestheticize
Africanize -ation
agatize
agglutinize
aggrandize(r
-able -ation
agnize
agrarianize *Pol.*
Aladdinize
albitization *Petrog.*
albumen(*or* -in) ize
-ation -er
alchemize
alcoholize
-able -ate -ation
aldolize -ation *Chem.*
alecize
algebraize
alienize
alkalinize -ation
alkalize
-able -ate -ation -er
alkylize
allegorize -ation
allotropize
alphabetize(r -ation

alternize
altruize
aluminize
alveolized -ation *Bot.*
amalgamitize
amalgamize -ation
Americanize -ation
amidize *Chem.*
amphibolization *Geol.*
amylenization *Med.*
anacephalize *Rhet.*
an(a)esthetize(r -ation
anapaganize
anaphylactize *Med.*
anarchize
anathemize -ation
anatomize(r -ation
Anaxagorize *Phil.*
anematize *Med.*
angel(ic)ize
Anglicize -ation
animalize -ation
annelidize *Morphol.*
annualize
anthracitization *Geol.*
anthropomorph(it)ize
-ation
anthropophagize(r
anticize
antipathize
antiquarianize
antisepticize *Med.*
antistrophize *Rhet.*
antithesize(r
apathize
aphetize
aphorize(r *Lit.*
appetize(r
-ment -ingly
Apollonize
apologize(r
apophthegmatizant *Med.*
apostatize *Eccl.*
apostolize
apostrophization *Bot.*
apostrophize *Rhet.*
apothegmatize
apotheosize
Arabianize
Arab(ic)ize
Arama(ic)ize
arborize -ation
archaize(r
architecturalize
arcticize
argumentize
argyrized
Arianize -er *Theol.*
aristocratize
Aristotelize
arithmet(ic)ize
arithmetizer -ation
Armenianize
Arminianize -er
arsenic(al)ize
arsphinaminize *Med.*
arterialize -ation
artificialize
artilize *Obs.*
Aryanize -ation
asbestinize
asepticize *Surg.*
asexualize -ation
Asiat(ic)ize -ation
aspheterize
asservilize
Assyrianize
astatize(r
astigmatizer *Ophth.*
astrologize
astronomize *Astron.*
astrophysicize *Astron.*
atheize(r
athetize *Crit.*
atmolyze(r -ation
atmospherization

atomize(r -ation
atrop(in)ize -ation *Ther.*
attitudinize(r -ation
auditize -ation *Psych.*
augurize(r
australize
authorize(r -able -ation
autohybridization *Bot.*
automobilize
autonomize
autoracemization *Chem.*
autosensitized -ation
autostandardization
autotuberculization
autotyphization
autoxidize -able -er
autumnize
avascularization *Med.*
axiomatization
azotize -ation *Chem.*
Babelize
bacchanalize -ation
bachelorize
baconize
bacterize -ation *Bact.*
bakelize(r *Plastics*
Balkanize -ation *Hist.*
balladize
balsamize
bantingize *Humorous*
barbarianize
baronize
Basconize *Philol.*
bastardize -ation
battologize
beauidealize
bebibization *Music*
benzolize(d *Chem.*
berginize -ation *Fuels*
bessemerize *Metal.*
bestialize
Biblicize
bibliographize
bichromatize
biographize
biologize
biorize -ation -ator *Foods*
bitumenize -ation
blackguardize
Bohemianize
Boshevize -ation
borealize
borize
boronize -ation *Chem.*
Boswellize
botanize(r
boucherize *Ind. Chem.*
boulevardize
Bourbonize
bowdlerize(r -ation
Brahma(*or* i)nize -ation
bromize(r -ation *Chem.*
bromoiodized *Photog.*
brutalize -ation
Buddeize
bulamize *Med.*
bunsenize *Gas*
bureaucratize
burglarize
burnetize
burtonize *Brewing*
Byronize
Byzantinize
cabalize -izer
cacophonize
Caesarize
calcinize
calorizator *Sugar*
calorize(r *Metal.*
calumnize
Calvinize
camphorize
canalize -ation
canonizant
canonize(r -ation *Eccl.*
cantabrize
cantharidize
cantonize
capitalize -ation
caponize -izer
caramelize -ation
carbolize *Med.*
carbonatization
carbonize(r -ation
carburetization
carbinolization *Chem.*
carburize(r -ation
cardectomized *Surg.*
cardinalize
carnalize
carpelized
catabolize *Biochem.*
cataleptize *Med.*
catalyze(r
-ation -ator
catechumenize
categorize(r -ation
cathedralize
catheterize -ation
cauponize
causticize
cauterize(r -ation
celestialize
Celticize
Celtization
centaurize
centenarize
centennialize
cento(n)ize
centralize(r -ation
centrifugalize -ation
cephalize -ation *Biol.*
cerebr(al)ize -ation
ceremon(ial)ize
champagnize
championize
channelization
chaptalize -ation *Wines*
chastise
-able -er -ment
chatauquatized
chattelize -ation
cheerfulize
chemicalize -ation
chevelerize *Obs.*
chimerize
Chinaize
chirization *Ethnol.*
chitinize -ation *Chem.*
chloracetization *Med.*
chloralize -ation *Med.*
chloridize -able -ation
chloritize -ation *Geol.*
chlorodize
chlorovaporization *Bot.*
cholerization *Med.*
cholesterinize *Biochem.*
chrismatize *Eccl.*
Christianize(r -ation
Christologize
chromatize *Chem.*
chromicize *Chem.*
chronologize
church(warden)ize
cicatrize(r *Med.*
-ant -ate -ation
Ciceron(ian)ize
cinchonize -ation *Med.*
cinematization *Surg.*
Circe -ize
circularize(r -ation
circumpolarize -ation
citizenize
citronize *Alchemy*
civilize
-able -ation(al -atory
-edness -ee -er
classicize
clavelization *Vet.*
clericalize
climatize
coagonize
coalize(r
cocainize -ation *Med.*
coeducationalize
coequalize
collodionize -ation
colloidize *Chem. Med.*
colloqu(ial)ize
colonialize
colonize
-able -ation(ist -er
colorize -ation
colossalize
commercialize -ation
commonize
communalize(r -ation
communize -ation
concentralization
conchologize
concretize
conditionalize
confederatize
confraternization
congenialize
congregationalize
consonantize
constitutionalize -ation
continentalize
contrapolarize -ation
controversialize
conventionalize -ation
conventionize
conversationize
convivialize
coorganize
copperize -ation
cordialize
Corinthianize
coronize
corporealize -ation
cosmogonize
cosmopolitize -ation
cottonize -ation
creolize -ation
cretinize -ation *Path.*
criticize(r
-able -ingly
crossfertilize
-able -ation
crystallize
-ability -able -ation -er
Cuba(n)ize
cuckoldize
curarize -ation
customized
cuticularize -ation
cutinize -ation
cyclize -ation *Org. Chem.*
damenization
dandyize
Danization
darsonvalization
Darwinize
dastardize
dealbuminize
dealcoholize -ation
dealkalize
de-Americanize
deamidize
deaminize -ation
deanathematize
de-Anglicize
deanimalize
Deanstonize
deanthropomorphize
-ation
deappetize
dearsenicize
debarbarize -ation
debenzenize *Fuels*
debenzolize *Fuels*
debitumenize -ation
debrutalize
debunnionizer
de-Caesarize
decaffeinize *Foods*
de-Calvinize
decanonize
decapitalize -ation
decarbarize -ation
decarbonize(r -ation
decarbonylization
decarboxylization
decarburize -ation
decardinalize
decarvonize *Oils*
decasualize
decathedralize
de-Catholicize
decatize
de-Celticize
decemnovarianize
decentralize -ation
decephalize -ation
decerebrize
dechemicalize
dechoralize
dechlorinization *Chem.*
dechristianize -ation
deciceronize
decimalize -ation
decitizenize
decivilize -ation
declassicize
declericalize
declimatize
decolorize(r -ation
deconventionalize
decopperize -ation
decortization
decrystallization
dedoggerelize
dedogmatize
dedolomitize -ation
deelectrize
deethicalize
deethicize -ation
defeminize
defertilization *Bot.*
defeudalize
defibrinize
definitize
deflectionize -ation
deformalize
defunctionalize -ation
deganglionize
degelatinize
degeneralize
degenitilize
degeomorphization *Geol.*
de-Germanize
deglycerinize
dehalogenize
deheathenize
dehematize
dehemoglobinize
dehistoricize
dehumanize -ation
dehydrogenize(r -ation
dehypnotize
deidealize
deindividualize -ation
deindustrialize
deinsularize
deintellectualize
de-Italianize
de-Jansenize
de-Junkerize
delabelize
delabialize
de-Latinize
deliberalize
delimitize
delocalize
delogarize *Math.*
deluminize
demagnetize(r -ation
demagoguize
demanganize -ation
demartialize
dematerialize -ation
dementholize
demephitize -ation
demesmerize -ation
demetallize
demetricize
demicivilized
demilitarize -ation
demineralize -ation
demobilize -ation
demonachize
demonarchize
demonetize -ation
demonopolize
demonstrationize
demoralize(r -ation
demorphinization
denarcotize -ation
denaturalize -ation
denaturize(r
denicotinize
denitrize
dentalize -ation
dentize
deodorize(r -ation
deorganize -ation
de-Orientalize
deoxydize(r -ation
deoxygenize -ation
deozonize -ation
depaganize
depancreatize -ation
depantheonize
deparochialize -ation
departizanize
departmentalize -ation
deperson(al)ize
depauperize -ation
depetalize
dephenolize -ation
dephilosophize
dephosphorize -ation
dephysicalize
de-Piedmontize
depigmentize
depoet(ic)ize
depolarize(r -ation
depoliticalize -ation
depolymerize -ate -ation
depopularize
depriorize
deprofessionalize
deproteinize -ation
de-Protestantize
deput(ation)ize
deracialize
derationalize
deregulationize
dereligionize
deruralize
de-Saxonize
desectionalize
de-Semiticize
desensitize(r -ation
desentimentalize
desexualize -ation
desiliconize -ation
desilverize(r -ation
deskeletonize
desocialize -ation
desoxidize -able *Chem.*
despecialize -ation
despiritualize -ation
despotize
destructuralize -ation
desulphurize(r -ation
desupernaturalize
desuprarenalize
desynonymize -ation
detarantulize
detartarize(r
detheorize
dethronize -ation
dethyroidized *Med.*
detonize -ation
devilize
devirilize
devitalize -ation
devocalize -ation

devolatilize -ation
devulcanize
devulgarize
dewomanize
dextrinize
dezymotize
diabolize
diagonalize
diagrammatize
dialectize
diamagnetization
diamondize
dianize
diarize
diarsenolized *Med.*
diazotize *Dyes Org. Chem.*
-ability -able -ation
dichotomize
differentialize
digitize
dilettantize
dimerization *Chem.*
dimineralization
diminutize
Diogenize
diparasitized *Med.*
diphthongalize *Phon.*
diplomatize
dipolarize -ation
directorize
disauthorize
disbarbarize
discanonize -ation *Eccl.*
discolorization
disequalize
disgospelize
disharmonize
dishumanize
disindividualize
dismalize
disnaturalize -ation
disorganize(r -ation
disoxy(*or* i)dize
disozonize
dispauperize
dispersonalize
dispopularize
disprobablize -ation
disrealize
dissensualize
dissenterize
dissocialize
dissyllabize
disthronize
disutilize
divaporization
diverticularization
divinize -ation
docetize
dockize -ation
doctorize -ation
doctrinize -ation
doggerelize(r
dogmatize(r -ation
dolom(it)ize -ation
domesticize
dopplerization *Min.*
Doricize
Dorize
doxologize
dragonize
dramatize(r -able -ation
dualize -ation
duelize
dynam(it)ize -ation
dysoxidize -able -ation
extemporize(r -ation
exteriorize -ation
extern(al)ize
Gaelicize
gallantize
galliardize
Gallicize
gallize-ation
galvanize(r -ation
Ebionize *Eccl. Hist.*
ebionize
ebonize
ecclesiasticize
echoize
eclecticize
economize(r -ation
ec(*or* k)phorize -ation
ecstasize
ectropionize *Med.*
eczematization *Med.*
edemize -ation *Med.*
Edenize -ation
effeminize -ation
egoize(r
egotize
Egypt(ian)ize
ekphonize *Psych.*
elasticize
electricize
electrize(r -ation
electrogalvanize *Elec.*
electrothanatize
electrotonize
elegize
elemental(*or* ar)ize
elenchize *Logic*
Elizabethanize
elocutionize
emblematicize
emblem(at)ize
embolize
embryonization *Embryol.*
Emersonized
emeticize
emotionalize -ation
emotionize
emphasize
empyreumatize
emulsionize
encarnalize
encephalization *Embryol.*
encomionize
encylopedize
endenizenization
energize(r
enhypostatize *Theol.*
enimization *Org. Chem.*
enolize -able *Org. Chem.*
entomologize *Zool.*
entropionize *Path.*
epicurize
Epicureanize
epiderm(al)ization
epidotization *Geol.*
epipolized *Optics*
episcop(alian)ize
episcopization
epistolize(r -able -ation
epistrophization *Bot.*
epistrophize *Rhet.*
epitaphize
epithalamize
epitheliotoxization
epithelization *Biol.*
esoterize
Essenize
essentialize *Eccl. Hist.*
esterize -ation *Chem.*
eternalize(r -ation -ment
ethere(*or* i)alize
etherize(r -ation *Med.*
ethicize
ethize
epithetize
epitomize(r -ation
eponymize
equalize(r -ation
equestrianize
equilibrize
Erastianize
ergotize -ation *Agric.*
Logic Med.
ethn(ic)ize
ethnologize
etiolize *Bot.*
etymologize -ation
eucharistize
euhemerize *Phil.*
eulogize(r
euphonize -ation
euphuize
euripize *Obs.*
Europeanize -ation
evaporize
evolutionize
excursionize
exhibitionize *Ps. Path.*
exordize
experiment(al)ize
exsomatized *Med.*
fabulize
factorize -ation
facultize
familiarize(r -ation
fanaticize
faradize(r -ation
fashionize
fatalize
favor(it)ize
fecundize
federalize -ation
feldsparize -ation *Min.*
feldspathize -ation *Min.*
femalize
feminize -ation
ferocize
ferritization *Petrog.*
fertilize(r -able -ation
fertilizin *Biochem.*
feudalize -ation
fictionize
fierize
figurize
filmize *Cinema*
fiscalize -ation
fistulization
Fletcherize
floralize
Florentinize
fluidize
flunk(e)yize
flushingize
focalize -ation
foreignize -ation
formalize(r -ation
formularize
formulize(r -ation
fortunize
fossilize -ation
fragmentize
Francize -ation
Franklinize -ation
fraternize(r -ation
Fredericize
Frenchize
fretize
frictionize
frigidize
frivolize
function(al)ize
funeralize
fustianize
futilize
futurize
galvanofaradization
galvanoionization
gardenize
gastrofaradization *Ther.*
gastrostomize *Surg.*
gelatinize(r *Chem.*
-ability -able -ation
genealogize(r
generalize(r -ation
Genevize -izer
genteelize
gentilize
gentlemanize
geodize(d
geographize
geographize
geologize
geometr(ic)ize
Germanize(r -ation
giantize
gigantize
glacialize
glauconitization *Geol.*
globularization *Phys.*
glossarize
glutinize
gluttonize
glycerize -in(e
glycerolize
gnathonize
gnosticize(r
goblinize
goliathize
gorgonize
go(u)rmandize(r
gospelize
Gothicize(r
Grahamize
grammaticize
grangerize(r -ation
granitize -ation
granulitize *Petrog.*
granulize *Arts*
graphitize -ation *Elec.*
Grecanize *Obs.*
Gregorianize(r
gruneritization
guardianize
guasconize
gutturalize -ation
gutturize
gymnasticize
halogenize *Chem.*
hamletize -ation
Hansardize -ation
hariolize *Obs.*
harlequinize
harlotize
harmonize(r -ation
Harveyize
Haskinize -ation
Haussmannize -ation
heathenize
hebetize
Hebraicize
hectocotylize(d -ation
Hegel(ian)ize *Phil.*
Heliogabalize
Hellenicize
helotize
heparinize *Biochem.*
hepatectomize *Biochem.*
herbalize
herborize(r -ation *Bot.*
hereticize *Eccl.*
hermaphroditize
hermitize
heroinize
heroize -ation
heterize -ation
heterogenize
phemize
hexagonize
Hibern(ic)ize -ation
hierarchize
hieroglyph(ic)ize
Hinduize
Hispanicize
Hispaniolize
histor(ic)ize
histrionize
homilize *Eccl.*
homogenize(r -ation
homologize(r
Hooverize
horizontalize -atic
hospitalize -ation
hostilize
howdenize
humanitarianize
humanize(r -ation
humorize
hybridize(r -able -ation
hydroelectrization *Ther.*
hydrogenize -ation *Chem.*
hydropathize
hydroxylize -ation *Chem.*
hygienization *Ther.*
hypallagize *Rhet.*
hypercriticize
immunize -ation *Med.*
mineralization
oxygenized *Chem.*
sensitize -ation
hyperthymization *Med.*
thyroidization
hyphenize -ation
hypnoidization
hypnotize(r
-ability -able -ation
hypochlorization *Med.*
critize
hypophysectomize *Surg.*
hyposensitization *Med.*
hypostasize -ation *Theol.*
hypostatize -ation *Biol.*
hypothesize(r
hypothetize(r
hystericize
hysterocrystallization
hysteroproterize
ichneumonize(d
ichthyized -ation
ichthyophagize
idealize(r -ation
ideologize
idiotize
idolatrize
idolize(r -ation
idyllize
illegalize
illegitim(at)ize
illiberalize
illuminize
imbastardize
immaterialize
immethodize
immobilize -ation
immortalize(r
-able -ate -ation
immunize -ation -ator
impactionize
impatronize -ation
imperialize -ation
impermeabilize -ation
imperson(al)ize -ation
impolarizable
improvisatize
improvize -ation
incivilize -ation
incorporealize
incrystallizable
Indianize
individualize -ation
indoctrinize -ation
industrialize -ation
infam(on)ize
inferiorize
infernalize
infidelize
inhumanize
initialize
inorganized -able -ation
inoxidize -ed -ability
-able *Chem.*
insensibilize -ation
insolubilize -ation
institution(al)ize
instrumentalize
insularize
insulinize *Biochem.*
insurrectionize
integralization
intellectualize -ation
intelligize
intercrystallization
interhybridize
interischiadic *Anat.*
interjectionalize
internalize -ation

internationalize -ation
inthronize -ation
inventorize
iodinize -ation *Chem.*
iodize(r -ation *Med.*
iodoformize *Tox.*
Ion(ian)ize -ation
Ionicize -ation
ionize(r -able -ation
iotize -ation *Phon.*
iridectomize *Surg.*
iridize -ation
Irishize
ironize
irrationalize
Islamize
isochronize
isocratize *Pol.*
isomerization *Chem.*
Israel(it)ize
Italianize(r -ation
italicize(r -ation
itemize(r -ation
-ize(r -ability -able -ation
Jacobinize -ation
Jansenize
Japanicize
Japanize -ation
Japon(ic)ize
jargonize -ation
jasperize
javellization *Chem.*
Jennerize -ation *Med.*
jeopardize
Jesuitize
Johnsonize
jonathanization
journalize(r -able -ation
jovialize
jubilize
judicialize
juvenilize
kaolinize -ation
keratize -ation
ketonize -ation *Chem.*
Kjeldahlization *Chem.*
Kruppize
kudize
kyanize -ation
labecedization *Music*
labialize -ation *Phon.*
labilize
lactimization *Org. Chem.*
lactonization *Org. Chem.*
ladronize
laicize -ation
laparotomize *Surg.*
lateralize(r -ation
laterization *Petrog.*
latibulize
Latinize(r -ation
latubilize(r
leatherize
lecturize
legalize -ation
legendize
legionize
legitimize -ation
leopardize
leperize
leptonisation *Bot.*
lethalize
lethargize
letheonize *Chem.*
letterize
levelization
libellize
liberalize(r -ation
lichenize
lignitize
Ligurianize
Lilliputianize
limonitization *Geol.*
linearize
lingualize
lionize(r -ation

liquidize
listerize *Med.*
literalize(r -ation
literatize
lithodomize *Zool.*
lithographize
lithotomize *Surg.*
lithotritize *Surg.*
liturgiologize *Eccl.*
liturgize *Eccl.*
lobulization
localize(r -able -ation
logicalize -ation
logomachize
Lollardize
Londonize -ation
loyalize
Lutheranize(r
lyddite *Expl.*
lyricize
macadamize(r -ation
Machiavellianize
machinize -ation
magnetize
-ability -able -ation -ee -er
Magyarize -ation
mahoganize
Mahomet(an)ize
majorize
maladize
Malayize
malleabilize *Metal.*
malleabl(e)ize -ation
malorganized -ation
Malthusianize
mammonize -ation
mandarinize
manganize
mangonize -ation *Hort.*
Manich(a)eanize
mannerize
manorializing
manualization
Maratize *Hist.*
marbleize -ation
margaryize *Arts*
marginalize
marmarize *Geol.*
marmorize -ation
marsupialize -ation *Path.*
martialize -ation
Martinize *Eccl. Hist.*
martonite *Chem. War Gas*
martyrize(r -ation
materialize(r -ation
matern(al)ize
mathemat(ic)ize
matrimonize
matronize
maudlinize
maximize(r -ation
mechanic(al)ize(r
mechanize(r -ation
medal(l)ize
medi(a)evalize -ation
mediatize -ation
mediumize -ation
medullization
melancholize
melanize *Physiol.*
meliorize -ation
melodize(r
melodramatize
memorialize(r -ation
memorize(r -able -ation
mendelize
mensalize
mentalize -ation
mephitized
mercerize -ation
mercurialize -ation
mercurize -ation *Chem.*
merorganize -ation
merotropize *Chem.*

merozoite *Protozoa*
mesmerize(r -ability -able -ation -ee
Messianize
metabolize -able
metagrobolize
metal(l)ize -ation
metamerize -ation *Chem.*
metamorphize -ation
metaphonize
metaphorize
metaphysicize
metastasize *Med.*
metempsych(os)ize *Phil.*
methemoglobinization
methodize(r -ation
metricize
metrize
metropol(itan)ize
Mexicanize
miasma(*or* i)tize
micacize -ation *Geol.*
micas(*or* t)ization *Geol.*
micropolarization *Chem.*
microscopize
Midlandize
migniardize
militarize -ation
millenize
millionize
Miltonize
mineralize(r -able -ation
mineralogize
minimize(r -ation
minionize
minorize
minulize
miraculize
mirrorize
misanthropize
mischaracterize
mission(ar)ize(r
Mithra(ic)ize
mnemonize -ation
mobilize -able -ation
modalize
modelize
modernize(r -ation
modulize
mofussilize *India*
Mohammed(an)ize -ation
molization *Phys. Chem.*
Molochize
momize
monachize -ation
monarchianize
monarchize(r
monasticize
monetize -ation
Mongolize -ation
mongrelize -ation
monobromized *Chem.*
monochordize *Music*
monodize *Music*
monogamize
monogrammatize(d
monolog(u)ize
mononymize -ation
monophagize
monophthongize -ation
monopolize(r -ation
monosyllabize
monotonize
Montanize *Theol.*
monumentalize -ation
moralize(r -ation -ingly
Moravianized
morbidize
morganize
morphinize -ation
morselize -ation
mortalize
mortarize
Moslemize
motivization
motorize -ation *Psych.*

mummianize
Munchausenize
municipalize -ation
muscovitize -ation*Petrog.*
muscularize
musicalized
mutinize
mutualize -ation
mycoproteinization *Med.*
mycotoxinization *Med.*
myelinize -ation *Histol.*
mylonize(d *Petrog.*
myrmidonize
mysterize -ingness
mysticize
mythicize(r
mythize
mythologize(r
mythopoetize
nakedize
nanization *Hort.*
naphthalize -ation
naphtholize
Napoleonize
narcotize -ation
nasalize -ation
nationalize(r -ation
naturalize(r
-ability -able -ant -ation
naturize
nebulize(r -ation *Med.*
necrotize -ation
nectarize
negritize
negroized -ation
neologize(r -ation
neopaganize
nephrectomize *Surg.*
nephrotomize -ation
Neronize
nesslerize -ation *Chem.*
Nestorize
Nestorianize(r
neumatize *Music*
neurotize -ation *Med.*
neutralize(r -ation
New Englandize
Newmanize *Eccl. Hist.*
newmodalize
newspaperized
nickelize -ation
Nicodemize
nicot(in)ize
niggardize
Nimrodize
Nipponize
nitrogenize -ation
nivellization
nobblerize
nomadize -ation
nominalize
nonelectrized
nonphosphorized
Norfolkize
normalize(r -ation
Normanize(r -ation
northernize
nothingize
noumenize *Psych.*
nounize
novelize -ation
nullize
nuptialize
obituarize
object(iv)ize -ation
oblivionize
obtenebrize
occidentalize -ation
odize *Phil.*
odor(ifer)ize
odylize -ation
officialize
oligarchize
Olympianize
onionized
ontologize

onymize(r
oologize
opalize
oper(at)ize
opiize *Tox.*
opsonize -ation *Biochem.*
opsophagize
optimize -ation
orac(u)lize(r
oralize -ation
Orangize
orator(ian)ize
organization(al -ist
organize(r -ability -able -ata -ate
orientalize -ation
orientize
origanize
Origenize *Eccl. Hist.*
ornamentalize
ornithologize
ornithomantize
orphanize
orphize
Ossianize *Lit.*
Ottomanize
out-Calvinize
outgastronomize
outtyrannize
ovalize -ation
overcapitalize -ation
overemphasize
overgeneralize
overhumanize
overiodized
overwomanized
Owenize *Sociol.*
oxidize(r -ability -able -ation -ment
Oxonize
oxygenize(r -able -ment
oxytonize
oysterize
ozonize(r -ation
pacifize(r -ation
paganize(r -ation
Pagano-Christianize
palatalize -ation
palladianize *Arch.*
pallad(in)ize *Chem.*
palladiumize *Chem.*
palpabrize
pamperize
pamphletize
panchromatize -ation
pancreatectomize
pancreat(in)ize -ation
panderize
panegyricize
pantheonize -ation
papalize(r -ation
papized
parabolize(r -ation
parachronize
par(a)enesize
paraffinize
paragogize
paragonize
paragraphize
parasitize(d
parathyroidectomize
parchmentize
parenthesize
Parisianize -ation
parkerize *Metal.*
parochialize -ation
parodize
paronymize -ation *Philol.*
paroxytonize
parrotize
parsonize
partialize
participialize
particularize -ation
partisanize
pasteurize(r -ation
pastoralize *Lit.*

pastorize *Eccl.*
patentizing
paternalize
pathetize
pathologize
patinize *Arts*
patriarchize
patronize(r -able -ation -ing(ly
patternize
pattisonize -ation *Metal.*
Paulinize *Eccl.*
pauperize(r -ation
pavonize
paynize *Arts*
Peacockize
peasantize
pectize -able -ation
peculiarize
pedantize
pedestrianize
pegmatize -ation *Petrog.*
Pelagianize *Eccl. Hist.*
pelorize -ation *Bot.*
pemmicanize -ation
penalize -ation
Penelopize
pentametrize *Pros.*
peptize(r -ability -able -ation *Colloids*
peptonize(r -ation
percrystallization *Chem.*
percussionize
peremptorize
perennialize
perfectionize(r -ment
perfectivize
perfunctorize
perhydrogenize *Chem.*
periodicalize
periodize *Chem.*
peripatize *Phil.*
peritomize *Surg.*
peritonize -ation *Surg.*
Perkinize *Med.*
permineralization
permoralize
persatanize
Persianize -ation
Persicize
person(al)ize -ation
pessimize
petiotize -ation
Petrarchize
Petrinize *Eccl.*
petrolize -ation
phagocytize *Cytol.*
phantomize(r
pharmacize
phenolize -ation *Ther.*
phenomen(al)ize -ation
philanization *Textiles*
philanthropize
Philippicize
Philistinize
Philonize *Phil.*
sophize(r -ation
phlebotomize -ation
phlorizinize *Org. Chem.*
Ph(o)enic(ian)ize
phonet(ic)ize -ation
phosphatize -ation
photodepolymerization
genize
graphize
ionization *Photochem.*
isomerization
polymerization
sensibilize *Photochem.*
sensitize(r -ation
phrenologize
Phrygianize
phylacterize
phylloxerize *Ent.*
physallization *Chem.*
physiognomize

physiologize
picrocrystallization *Geol.*
pictorialize -ation
piezocrystallization
pilgrimize
pillarize
pillorize -ation
Pindarize *Lit.*
policize(r
politicianize
politicalize -ation
politize
Politzerize -ation *Surg.*
pollenize(r -ation
pollinize
Polonize -ation
poltroonize
piratize
pittizite *Min.*
plagiarize(r -ation
plasticize(r *Lacquers*
platinize -ation
platitudinize(r -ation
plausibleize
plebeianize
plenipotentiarize
Plotinize
pluralize(r -ation
Plutonize
pneumatize -ed
podsolize *Soils*
poetize(r -ation
poeticize
poetrize
polarize(r -ability -able -ation
polychromatize
chromize
gamize
glottize
merize(r -ation *Chem.*
synthetize
theize
ponderize
popize
popularize(r -ation
porcelainize -ation
porcellanize
porphyrize -ation
portionize
posillize
positivize
posologize
posturize
potentialize -ation
potentize(r
powderize
powellize
practicalize -ation
pragmatize(r *Phil.*
prakritize
precisionize
preconize(r -ation
prelatize
preliminarize
prelocalization
preludize
premillenialize
preorganized
preservatize *Foods*
prevocalized
primarize
probabilize
problematize
processionize
prochronize
proctorize -ation
prodigalize
profanize -ate
profession(al)ize
professionalization
proglottidization *Biol.*
prokaryogametisation
proletarianize
proletariatize
prologuize(r

pronominalize
pronounization
propagandize
prophesize
propheticize -ation
propositionize
propylitization
proselytize(r -ation
protectionize
Protestantize(r
protocolize(r
protoxidize *Chem.*
Provencalize
proverbialize
provincialize
Prussianize(r -ation
prytanize *Gr. Pol.*
psalmodize
pseudofertilization
pseudographize
psorize
psychologize -ation
psychometrize
puddingize
puerilize
Pullmanize
pulpitize
pulverize(r -able -ate -ation -ator -ed
pumpkinize
pupilize
puritanize(r
purpurize
pyrilize -ation
pyritize -ation
pyrophyllitization *Min.*
Pyrrhonize *Phil.*
Pythagoreanize *Phil.*
pythonize
Quakerize -ation
quantize -ation *Phys.*
quantumize *Phys.*
quietize
quin(in)ize *Med.*
quinonization *Org. Chem.*
quintessentialize
quixotize
rabbinize
rachiococainization *Med.*
rachistovainization *Med.*
radialize -ation
radicalize -ation
rationalize(r -able -ation
reacetylize *Org. Chem.*
realisticize
realize -ability -able -ably -ation -ed(ness -er -ing(ly
reauthorize
rebarbarize -ation
recapitalize
recarbonize
recarburize(r -ation
recausticize *Chem.*
rechristianize
recolonize -ation
recolorization *Micros.*
recrystallize -ation
rectilinearization
reemphasize
reenergize
reenthronize
reepitomize
refertilize -ation
reforestize -ation
regalize
regularize -ation
reharmonize
rehumanize
rehybridize
reisomerize *Chem.*
reinthronize
rejuvenize
religionize
remagnetize -ation

rememorize
remineralization
remolecularization *Chem.*
remonetize -ation
remorphize
renoxidizement
reobjectivize
reorganize(r -ation
reovilize
reoxidize(ment
reoxygenize
repaganize(r -ation
repeptize -ation *Chem.*
rephosphorize -ation
repolarization
repolymerize -ation
reptonize
republicanize(r -ation
rerevolutionize
reromanize -ation
resinize
resolemnize
respectabilize
resterilize
restigmatize
resurrectionize
resynthesize
retranquil(l)ize
reutilize
revitalize -ation
revivalize
revolutionize(r -ment
rhapsodize
ritualize
rivalize
romancize
Romanize(r -ation
romanticize
ro(e)ntgenize
Rosicrucianize *Occult*
Rouman(ic)ize
royalize
ruffianize
ruralize -ation
ruskinize
Russianize -ation
rusticize
Sabbathize
sabelize
Sabellianize *Theol.*
sableize
saccharize -ation
sacerdotalize
sacramentize
Sadducize
sailorizing
salicylize *Chem.*
salinize *Soils*
sanitize
Sanscritize
sansculottize
Sanskritize -ation
sapientize
saprolegnized *Path.*
sarcasmatize
sarcophagize
Sardanapalize
Satanize
satinize
satirize(r -ation
saturnize
saussuritize -ation *Min.*
savagize
Saxonize
scantelize
scapolitization *Petrog.*
scenarioize
scepticize
schedulize
scheelize -ation *Arts*
schillerize -ation *Petrol.*
schismatize
scholarize
scholasticizing
scientize
scintillize

sclerization *Biol.*
sclerotized *Art.*
scorbutized *Med.*
Scotize
Scotticize
Scripturalize
scrupulize
scrutinize(r -ingly
scullionize
scurrilize
Scythized
sectarianize
sectionalize -ation
sectionize
secularize(r -ation
seignorize
selfcentralization
selfrealization
semichristianized
semifossilized
semihumanized
seminarize
Semiticize
Semitize -ation
senilize
seniorize
sensationalize
sensibilize(r -ator
sensitize(r -ation
sensize *Phil.*
sensualize -ation
sentimentalize(r -ation
sentimentize
Septembrize(r -ation
septicize
sepulchr(al)ize
serenize
serialize -ation
sericitization *Petrog.*
sermonize(r
serpent(in)ize -ation
servilize
sesquioxidized *Chem.*
severize
sexualize -ally -ation
Shak(e)spe(a)rize
Shamanize
shammatize
Shandyize
Shemiticize
shepherdize
sherardize *Metal.*
Shintoize
siderealize
signalize
signaturize
signorize
silicidize -ation *Chem.*
silicitization
silicize *Chem.*
siliconize
silverize
similarize
similitudinize
similize
simplicize
singularize -ation
Sinicize -ation
sinusoidalization *Elec.*
sirenize
sisterize
skelet(on)ization
skeletonize(r
skeltonize
Slav(ic)ize
Slavon(ian *or* ic)ize
Slavonization
sluggardize
soberize
socialize -ation
Socinianize
sociologize
solarize -ation *Photog.*
soldierize
solemnize(r -ation
solfamization *Music*

soliloquize(r -ingly
solitudinize
solubilize -ation *Chem.*
somnambulize
somniloquize
somnolize
sonnetize
Soudanize
southernize
sovereignize
sovietize -ation
spanielize
Spaniolize
Spartanize
spasmodized
spatialization *Psych.*
specialize(r -ation
specificize
spheroidize -ation *Metal.*
spherulitize
spiralize
spirantize *Phonol.*
spiritize
spiritualize(r -ation
splanchnectomize *Surg.*
splenectomize *Surg.*
splenetize
splenization *Path.*
spodization -or
squalidize
stabilize
-ation -ator -er
stagnize
stalwartize
standardize(r -ation
statisticize
statize(r -ation
statuize
statuvolize
steatization
stereochromatize
stereoisomerization
sterilize
-ability -able -ation
-ator -er
sthenosize *Textiles*
stoicize
stolonization
storize
Strawsonizer *Agric.*
strobilization *Helm.*
structuralize -ation
strychnized -ation
stylize -ation
stylopized -ation *Ent.*
stypticize
subalternize
subdichotomize
suberize(d -ation *Bot.*
subjectivize
sublimize
subsidize(r -ation
substantialize
substantivize *Gram.*
subtilize(r -ation
subtlize
suburbanize
subventionize
subvitalized
suggestionize
sulfatize -ation *Chem.*
sulfidize *Chem.*
sulphatization *Chem.*
sulphurize -ation
sultanize
summarize(r -ation
sumtotalize -ation
supercarbonize -ation
supercivilized
superficialize
superhumanize
supernaturalize
super-Satanize
supersubtilize(d
supersulphurize
sycophantize

sylphize
sylvanize
symbolize(r -ation
symmetrize -ation
sympathize(r
-ant -ingly
symphonize
symphytize
symptom(at)ize
synchronize(r -ation
syncopize -ation
syncrystallize -ation
syndactylize(d *Ornith.*
synderesize
syndicalize *Socialism*
synergize
synerize *Colloids*
synonymize
synopsize
synthesize(r
synthetize(r
syntonize(r -ation
syphilize(d -ation
Syriacize
Syrianize
system(at)ize(r -ation
tabularize -ation
Tacitize
tacticianize
tailorize -ation
Talmudize
tarantul(ar)ize
Targumize
tariffize
Tarltonize
tartarize -ation
Tartarize -ation
Tatarize
taurize
tautogenize *Biol.*
tautologize(r
tavernize
taxidermize
technicalize
teetotalize
teetotumize
telencephalize -ation
telepathize
telfordize
tellurize
temporalize -ation
temporize -ation
-er -ingly -ment
tenotomize *Surg.*
tercentenarize
terminize
terrestrialize
territorialize -ation
terrorize(r -ation
testamentize
testimonialize(r -ation
tetanize -ant -ation *Med.*
tetrazotize -ation *Chem.*
Teutonize -ation
thallinization *Med.*
thaumaturgize
theatric(al)ize
theatricalization
thecizer *Bot.*
theologize(r -ation
theomorphize
theorize(r -ation
theosophize
thermalization *Geol.*
thermoelectronization
thrasonize
thronize -ation
thymectomize *Surg.*
thymolize *Chem.*
thyroidectomize *Chem.*
thyroidization *Med.*
Timonize
tithonized -ation
tobacconize
toddyize
tonicize

topographize
topsy-turvyize
Toryize
totalize(r
-ation -ator
tourmalinize
tracheofistulization *Med.*
tracheotomize *Surg.*
Tractarianize
tractorize
traditionize
tragedize -ation
tragicize
traitorize
tranquilize(r -ation
transcendentalize
transhumanize -ation
translocalization
transsubstantialize -ation
traumatize *Path.*
trepanize *Surg.*
trichinize -ation *Med.*
trichotomize
tridentize
trimerize -ation *Chem.*
Trinitarianize
trisyllabize
tritonize
trivialize
trocheeize
trolleyize
tropicalize
tropologize
trypographize
trypsinized *Med.*
tubercularize -ation
tubercul(in)ize -ation
Turkize
Turnerize
turtlize
Tuscanize
tutorize -ation
Tyleriza *Pol.*
Tyndallize -ation
typhization *Path.*
typographize
typologize(r
unelectrized
unevangelized
unfamiliarized
unfertilized
unfossilized
ungalvanized
ungentlemanize
unharmonize
unhumanize
uglyographize
ultracrepidizing
ultramontanize
unalcoholized
un-Americanize
unanatomizable
unanimalized
unapostatized
unauthorized(ly
unazotized *Bot.*
unbarbarize
unbowdlerize
uncanonize(d
uncatholicize
uncharacterize
unchristianize(d
uncialize
uncicatrized
uncivilizable
uncivilizate -ion
uncivilized(ness
uncriticized
-able -ingly
uncrystallized
-ability -able
undemagnetizable
undercapitalized
underoxidize *Chem.*
uniform(al)ization
uniformal(*or* it)ize

unionize(d
Unitarianize
unitize
universalize -ation
universitize
unlegalized
unliturgize
unlocalized
unlycanthropize
unmacadamized
unmaterialized
unmechanize
unmediatized
unmelodized
unmetallized
unmethodized
unmissionized
unmodernized
unmonopolize
unmoralize
unnaturalize -able
unneutralized
unnitrogenized
unorganizable
unorganized(ness
unoxidized
unparagonized
unparasitized
unpatriotized
unpatronized
unpauperized
unperoxidizable
unphilosophize
unpoetized
unpolarized -able
unpopularize
unprotestantize
unrealize -er
unrevolutionized
unromanized
unromanticized
unscrutinized -ing(ly
unsectarianize
unsecularize(d
unsensitized
unsensualize
unsentimentalize
unsolemnized
unspecialized
unspiritualize(d
unsubsidized
unsubstantialize
unsulphurize
unsymmetrized
unsympathized
-ability -able -ing(ly
unsystematized -able
untechnical(ly
untheorizing
untranquilize(d
unvitriolized
unvocalized
unvolat(il)ize(d
unvulcanized
unvulgarize(d
upsilonized
uralitize -ation *Petrol.*
urarize *Med.*
urbanize
urethanize *Biochem.*
utilitarianize
utilize(r
-able -ation
Utopiaize
Utopianize(r
vaccinize -ation
vacuolize -ation
vacuumize
vagabondize(r
vagrantize
valorize -ation *Comm.*
vampirize
vandalize -ation
vaporize(r
-able -ation
variolitization *Petrog.*

variolization *Med.*
vascularize -ation
vasectomize *Surg.*
vassalize
Vaticanize -ation
vegetablize
vegetizing
venalization
venisonized
venomize -ation
ventriloquize
veratrinized *Physiol.*
veratrize
verbalize -ation
vermilionize
vernalize
vernacularize -ation
versionize
vespertilionize
vestralization
vestryize
veteranize
viceregalize
victimize(r
-able -ation
Victorianize
vigorize
villainize(r
viriditize -ation *Min.*
visibilize
visualize(r -ation
vitalize(r -ation
vitaminize *Biochem.*
vitriolize(r
-able -ation
vivianized *Min.*
vocabularize
vocalize(r -ation
vociferize
volatilize(r
-able -ation
volatize -ation
volcanize -ation
Voltairianize
voltaization *Elec.*
voltize
voluptuize
vowelize
vulcanize(r
-able -ate -ation
vulgarize(r -ation
vulturizing
Wagnerize
wantonize
Wesleyanized
westernize -ation
Whiggize
Wolfianize
womanize
-ed -er -ation
Wyclifize
Yankeeize
yotacize
zeolitize -ation *Min.*
zoisitization *Geol.*
Zolaize
zoologize
zoomorphize
Zoroastrianize
Zuluize
zyminized *Biochem.*

ἴζημα depression
spondylizema *Med.*

Ἰησοῦς (N.T.)
Crypto-Jesuit(ism
Jesuate -ess *Eccl. Hist.*
Jesuit
ess ic(al(ly ish ism ize
ry
Jesuitocracy
Jesus

ἰθαγενής born in wedlock
Ithaginis *Ornith.*

Ἰθάκη Ithaca (Od.)
Ithacan -ensian

ἶθρις eunuch
Ithris *Ent.*
ἰθυ- Comb. of ἰθύς
ithy-
cerus *Ent.*
dontia *Mam.*
grammodon *Pal.*
phyllous *Bot.*
poroidus *Ent.*
porus *Ent.*
ἰθύκυφος (Hipp.)
ithycyphos *Med.*
ithykyphosis *Med.*
ἰθύλορδος bending forward
ithylordosis *Med.*
ἰθυπόρος going straight on
Ithyporus *Ent.*
ἰθύς straight
Ithome(s *Ent.*
-id -iidae -iinae
ἰθύφαλλος (Cratin.)
ithyphallic *Archaeol. Ent. Pros.*
ithyphallos *or* -us
-ικά Pl. of -ικός as in φυσικά. See -ική
-ics *Suffix*
idealics *Sociol.*
Ἰκάριος of Icarus
Icarian
Icarianism *Pol.*
Ἴκελος son of Hypnus
Icelinus *Ich.*
Paricelinus *Ich.*
ἴκελος resembling
Myrmacicelus *Ent.*
-ική Fem. of -ικός
ballistics *Mil. Phys.*
Byronics
-ics *Suffix*
photics
-ικόν Neut. of -ικός
apollonicon *Music*
-ικός Suffix forming adjectives from nouns to express pertinence, fitness, or ability
-ic
-ico-
The numerous terms containing this element are as a rule equally referable to L. *-icus*
ἰκτερικός jaundiced
icteric(al *Path.*
-icteric *Med.*
anti meta sub
ἴκτερος jaundice (Hipp.)
icterepatitis *Path.*
Icteria *Bot. Ornith.*
icterism -it(i)ous *Path.*
ictero- *Path.*
anemia
gen(ic
genetic
h(a)ematuria -ic
h(a)emoglobinuria
hemorrhagic
hepatitis
icteroid *Path.*
Icterus *Ornith.*
-id(ae -inae -ine -oid
icterus *Bot. Path.*
-icterus *Path.*
p(a)ed pseud splen urobilin
Samonyicteris *Pal.*
ἰκτερώδης = ἰκτερικός
icterode

ἰκτῖνος a kite
Ictinia *Ornith.*
ἴκτις (-ιδος) the yellow-breasted marten
Icticyon(i(de(s *Mam.*
Ictido- *Pal.*
gnathus rhinus saurus suchus
Ictidopsis *Pal.*
Ictis *Ent.*
-ictis *Mam.*
Arct Cyn Gal(id) Hel Hyaen Hydr Lept Phascolo Poecil
-ictis *Pal.*
Clados Conodon Din-(aelur) Dipsalid Napodon Proclados Pseudoclados Stenoples
Ictitherium *Pal.*
Parictops *Pal.*
Plesicotoidae *Pal.*
Protochrysictinae *Pal.*
ἱλασμός propitiation
hilasmic *Theol.*
hilastic *Old Med.*
Ἰλιακός (Strabo)
Iliac *Geog.*
Ἰλιάς (-άδος) (Arist.)
Iliad *Lit.*
ic ist ize
Ἴλιος of Ilium (Herod.)
Ilian
Ἰλίου πέρσις
Iliupersis *Cl. Ant.*
ἰλλαίνειν to squint
Illaena *Ent.*
Illaenus -oides *Pal.*
ἴλλος the eye
Dichillus *Ent.*
Illaphanes *Ent.*
ἴλλωψ squint-eyed
Illops *Ent.*
ἰλύς mud
Ilyanthus -id(ae -oid
Ily(o)bius *Ent.*
ilyo-
bates *Ent.*
genic *Petrol.*
Ilyophis -id(ae -oid *Ich.*
Ilypnus *Ent. Ich.*
Ilysanthes *Bot.*
Ilysia -iid(ae -ioid *Herp.*
oxylium *Phytogeog.*
oxylo- *Phytogeog.*
philus
phyta -ic
oxyly- *Phytogeog.*
philus phyta
ἱμαντο- Comb. of ἱμάς
himanto-
cera *Ent.*
lophus -inae *Ich.*
phyton *Pal.*
stomopsis *Ent.*
ἱμαντόπους a water-bird
Himantopus *Ornith.*
ἱμάντωσις (Actuarius)
himantosis *Med.*
ἱμάς (-αντος) strap, thong
himanthalia *Bot.*
ἱματηγός laden
Himatega *Zool.*
ἱματίδιον Dim. of ἱμάτιον
Himatidium *Ent.*
ἱμάτιον cloak, mantle
Callimation *Ent.*
epimatium *Bot.*
himation *Costume*
Himatium *Ent.*
ἱματισμός apparel
Himatismus *Ent.*

ἵμερος yearning, love
Himerocrinus *Ech. Pal.*
ἰν- Stem of ἴς fiber
hyperinosis & -otic *Path.*
hypinosis & -otic *Path.*
in(a)emia *Path.*
inoma *Tumors*
myxoinoma *Tumors*
neuroinoma -atosis
pseudinoma *Tumors*
-ινα Pl. of -ινος
-ina *Zool.*
Heterophallina
Ἴναχος Inachus
Inachus *Crust.*
-id(ae -oid
ἰνδαλμός an appearance
Indalmus *Ent.*
Ἰνδία (Lucianus)
Ind(ia(man
Indian
eer esque ist ize
indianite *Min.*
indiarubber
Indist
Ἰνδικόν (Diosc.)
acenaphthindan -ene
acetinduline *Dyes*
acrindoline
anthrindan -ole
benzindacene
benzodiindene
benzofluorindene
biind-
ene one yl
bindene -one
carboquindoline
cycloheptindol(e
di(ox)ndol(e
flavind(ul)in *Arts*
fluorindin(e
helindone *Dyes*
hydrind- *Org. Chem.*
(anthr)acene amine anthraquinone antin ene one
ind- *Org. Chem.*
aconitine an(ol anone anthr(ac)ene anyl ate (*Inorg.*) azin azole azolium azurine azyl(ic ene eno- enyl(ene
indi- *Chem.*
azene ferous fulvin fuscin fuscone gly(*or* u)cin humin leucin retin rubin
indic *Org. Chem.*
indican *Chem. Med.*
emia (h)idrosis in(e meter uria
indicolite *Min.*
indig-
azine rubin uria
indigo
carmin *Chem.*
fera -eae *Bot.*
ferous
gelatin
gen(e *Chem.*
glutin
indigoid *Dyes*
lite *Min.*
meter metry
phenol *Chem.*
purpurin
sapphire
sol *Dyes*
uria *Med.*
-indigo *Org. Chem.*
carb dehydro desox leuc naphth ox pyr selen thio ur
indigotic *Org. Chem.*
-ate -in(e

-indigotic *Org. Chem.*
sulf sulph(o)
indo-
anilin(e *Chem.*
coccus *Bact.*
form *T.N.*
gen(e id(e *Chem.*
in *Chem.*
naphthene *Chem.*
phan(e *Chem.*
phenin -azine *Chem.*
phenol(oxydase
phor
quinoline *Org. Chem.*
rhodine *Org. Chem.*
safranine *Org. Chem.*
thymol *Org. Chem.*
tint *Org. Chem.*
xanthic *Org. Chem.*
indol(e *Org. Chem.*
(in)in(e (in)one ium o- oid yl
indolaceturia *Med.*
indologenous *Biochem.*
indoxyl(ic *Chem.*
carboxylic *Chem.*
uria *Med.*
indulin(e *Chem.*
indulinophile
isoindol
leucoindophenol
metaindic -ate
methylindol
naphindone
naphthind- *Org. Chem.*
an azole ene ole olene ulin
oxanil- *Org. Chem.*
id(e ine inic
oxindirubin
oxindol(e & one
paraindene
phenanthrindene
pseudoind- *Org. Chem.*
ol oxyl yl
pyrind- *Org. Chem.*
an ene ole oxyl
pyrrindole
pyrrindoquinone
quindoline
quinindole -ine
rosind- *Org. Chem.*
ol(e ulin(e ulone
selenindirubin
sulfindylic -ate
sulphoindylic
thioindigoid
thio(ox)indole
thioindoxyl
thyroxindol
toluindazine
triindole
xylindein
Ἰνδικός (Herod.)
Celt-Indic
Indic
Ἰνδο- Comb. of Ἰνδός
Indo-
Briton Celtic China Chinese
crinus *Pal.*
European *Philol.*
gaea(n *Zoogeog.*
Germanic *Philol.*
lestes *Ent.*
logy -ian
nesian *Geog.*
pelagia
phile -ism -ist
phyllia *Pal.*
pseudodon *Malac.*
type
Ἰνδός Indian
Indarctos *Pal.*
Indaster *Pal.*
Indierotherium *Pal.*

Sapindoxylon *Pal.*
Sapindus *Bot.*
-aceae -aceous -al(es
ἶνες flesh fiber; pl. of ἴς
inesite *Min.*
-ινή Fem. of -ινος
-ine *Suffix*, esp. in fem. titles
actorine
-in(e *Chem.* fr. analogy with glycerin
acetin
ἰνίον the occiput
antinion *Craniom.*
-iad -ial -inal
iniencephalus -y *Terat.*
Iniistius *Ich.*
iniome -i -ous *Ich.*
inion -iac -ial *Anat.*
Iniophthalma *Conch.*
iniops *Terat.*
Iniothrips *Ent.*
nasoiniac *Anat.*
subiniac *Anthrop.*
triiniodymus *Terat.*
ἰνοειδής fibrous
hinoid *Bot.*
hinoide(o)us *Bot.*
ἰνός Gen. of ἴς fiber
amacrine -al *Anat.*
hyperinosemia *Med.*
hyperinosed *Med.*
hypoinosemia *Med.*
ino-
blast *Cytol.*
carpin *Org. Chem.*
carpus -eae -ous *Bot.*
ceramus *Pal.*
chondritis *Path.*
chondroma *Tumors*
cystoma *Tumors*
cyte *Histol.*
epithelioma *Tumors*
gen(ic -ous *Histol.*
genesis *Path.*
glia *Histol.*
hymenitis *Path.*
(leio)myoma *Path.*
lith *Path.*
mycete *Fungi*
myositis *Path.*
myxoma *Tumors*
neuroma *Tumors*
pectic *Path.*
pexia *Path.*
phyllous *Bot.*
psetta *Ich.*
scleroma *Path.*
sclerosis *Path.*
scopy *Diag.*
steatoma *Tumors*
tagma *Histol.*
tropic -ism *Biol.*
inos- *Biochem. Path.*
emia ic in(ate inite ite itis itol (it)uria
onkinocele *Med.*
paramyosinogen *Chem.*
-ινος Demonstrative suffix denoting material, as in κρυστάλλινος
-ine *Suffix*, esp. in *Bot.* & *Min.*
leptinite leptinol Leptinus sialine
-ino- *Medial*
leptinolite Leptinopterus
Ἰνώ Dau. of Cadmus
Ino *Ent. Myth. Zool.*
ἴξ a worm or grub
Cylistix *Ent.*
Ix *Ent.*

ἰξία = ἰξός
Ixia(eae *Bot.*
ἰξίας (Diosc.)
Ixias *Ent.*
Ἰξίων Ixion
ixiolite *Min.*
Ixionian
ἰξο- Comb. of ἰξός
ixo-
lite *Min.*
myelitis *Path.*
ἰξός birdlime
gynixus *Bot.*
Ixiolirion *Bot.*
Ixonanthes -eae *Bot.*
ixous *Bot.*
ἰξώδης sticky
Ixodes *Arach.*
-ian -id(ae -oid(ea
ixodiasis *Path.*
ixodic *Med.*
ixodin *Mat. Med.*
ἰο- Comb. of ἴον
io-
chroite *Min.*
lite *Min.*
pterous *Ent. Ornith.*
scytus *Ent.*
siderite *Min.*
Triiothyris *Pal.*
-ιον Diminutive suffix
Achotion *Fungi*
acoulalion *Med. App.*
-ion *Suffix*
ἰόν Neut. of ἰών going
epistrophion *Bot.*
galvanoionization *Elec.*
gram -ion
hydroionometer *Chem.*
ion(ic *Chem.*
-ion *Chem.*
ammon argent brom cat(h) chlorid cobalt cupr dicupr distann fluor hetero hydr hydroxid iod kal mol mono nitr oxynitr oxysulph plumb prot pseudo sulf sulph therm
-ionic *Chem.*
cat di inter is therm
photoionization *Chem.*
sulf(*or* ph)ionid(e *Chem.*
thermionics *Phys.*
ionium *Chem.*
ionize(r -able -ation
iono-
gen(ic *Phys. Chem.*
graph
lysis *Phys. Chem.*
lytic *Phys. Chem.*
magnetic *Phys. Chem.*
meter *Phys. Chem.*
plasty
therapy *Ther.*
ionprotein *Biochem.*
ionto-
phoresis *Ther.*
quantimeter *Med.*
therapy *Ther.*
ἴον violet
ionamine *Dyes*
ionane ionene *Org. Chem.*
ionidine *Org. Chem.*
Ionidium *Bot.*
ionone *Perfumes*
ionophose *Psych.*
Ionornis *Ornith.*
jonon *Org. Chem.*
Jotherium *Ent.*
pseudoion *Bot.*
quercion *Bot.*
ἴονθος an eruption
Jonthodes *Ent.*

syph(il)ionthus *Med.*
Ἰόνιος (Aesch.)
hyperionian *Music*
hypoionian *Music*
Ionian
ism ist ize
Ionism
-ist -ization -ize
ἰοντ- Stem of ὤν
amphiont *Coccidia*
ἰός poison
Ioglossus *Ich.*
iophobia *Ps. Path.*
ioterium *Herp.*
Ἰουδαΐζειν (N.T.)
Judaize(r -ation
Ἰουδαικός (N.T.)
Judaic(al(ly
Judaico-
Ἰουδαῖος (Sept.)
Jew
dom ed ess fish hood ish(ly ishness ism less ling ly ry ship stone trump
jew's-
ear harp
Jud(a)eo-
mancy
philism
phobe -ia -ism
Ἰουδαισμός (Sept.)
Judaism
Ἰουδαιστής (Adam.)
Judaist(ic(ally
Ἰούδας (N.T.)
Judas
ian ite ly tree
Ἰουδίθ Judith
Judy
ἰουλίζειν Fr. ἴουλος
Julistus *Ent.*
ἰουλίς (Arist.)
Julis -ini *Ich.*
Oxyjulis *Ich.*
ἴουλος hairy down (Theophr.); an insect (Arist.)
iulan
Iulus *Ent.*
-id(ae -idan -ites -oid(ea(n
julus *Bot.*
-aceous -iform
ἰουλώδης (Arist.)
Julodes *Ent.*
Julodis *Ent.*
ἰπ- Stem of ἶψ
ipomic *Org. Chem.*
Ipomoea *Bot.*
ipur(g)anol *Org. Chem.*
ipurolic *Org. Chem.*
ἰπνός oven; lantern
Ipnops *Ich.*
-opid(ae -opoid
ἰπο- Comb. of ἶψ
ipo-
coelius *Ent.*
cregues *Ent.*
ἰπός Gen. of ἶψ
Hibolites *Pal.*
-hibolites *Pal.*
Neo Para
ἱππ- Stem of ἵππος
hipp-
astrum -eae *Bot.*
ian *Crust.*
oid
ol *Mat. Med.*
onyx *Conch.*
-ychid(ae -ychoid
osteology

hippur- *Org. Chem.*
amide arsinic in(e o- yl
hippuria -ate -ic *Med.*
-hippuric *Med.*
nitro oxy
ἱππαλεκτρυών gryphon
hippalectryon *Gr. Ant.*
ἱππάνθρωπος centaur
hippanthropy
ἱππάριον a pony
Hipparion *Pal.*
Hipparionyx *Pal.*
Hippariotherium *Pal.*
Neohipparion *Pal.*
ἱππαρχής (Polyb.)
hipparch *Gr. Ant.*
ἱππαρχία (Xen.)
hipparchia *Gr. Ant.*
ἱππάφεσις the starting-post in a race-course
Hippaphesis *Ent.*
ἵππειος adj. of ἵππος
hippius *Pros.*
ἱππέλαφος (Arist.)
hippelaph(us *Mam.*
ἵππια Fem. of ἵππιος, adj. of ἵππος
Hippia *Myth.*
Hippia -ieae *Bot.*
ἱππιατρικός veterinary
hippiatric(al -ics
ἱππιατρός farrier
hippiater *Vet.*
hippiatry -ist *Vet.*
ἱππίδιον Dim. of ἵππος
Hippidion -ium *Pal.*
Onohippidium *Pal.*
ἱππικός (Xen.)
hippic
ἱππο- Comb. of ἵππος
hippo-
broma *Bot.*
castanum -aceae *Bot.*
caust
cephalus -oid *Zool.*
coprosterin -ol *Chem.*
crepian -iform *Morph.*
crepis *Bot.*
dramatic
fly *Ent.*
form
gastronomy
glossus -ina(e *Ich.*
gony
griff(in *Myth.*
lite lith *Vet.*
logy -ical -ist
maniacally
melanin *Chem.*
meter metric
nosology -ical
pathology -ical
phagi -ous
phagy -ism -ist(ical
phile
phobia
porella *Pal.*
podius -iidae *Zool.*
pus *Zool.*
sandal *Anthrop.*
spongia *Spong.*
stercorin -ol *Biochem.*
therium *Pal.*
tomy -ical -ist
tragus -inae -ine *Mam*
ἱπποβοσκός feeding horses
Hippobosca *Ent.*
-an -id(ae -oid
ἱππόδαμος horse tamer
hippodame -ist -ous
ἱππόδρομος race-course
hippodrome
-atic -ic -ist

ἱππόκαμπος (Diosc.)
hippocamp(us *Ich.*
al id(ae ina(e ine oid(es
hippocampus *Anat.*
Hippocampus *Myth.*
posthippocampal *Anat.*
ἱπποκένταυρος (Plato)
hippocentaur(ic *Myth.*
Ἱπποκράτης Hippocrates
hippocras
Hippocratea *Bot.*
-aceae -aceous
Hippocratian *Hist. Med.*
-ic(al -ism
Ἱπποκρήνη (Strabo)
Hippocrene -ian *Myth.*
Ἱππολύτη Hippolyte
Hippolyte *Crust.*
-id(ae oid
ἱππομανής (Theophr.)
Hippomane(s -eae *Bot.*
ἱππομάραθρον (Theophr.)
hippomarathrum
ἱππομαχία (Thucydides)
hippomachy
Ἱππονάκτειος
Hipponactean *Pros.*
ἱπποπόταμος (Galen)
hippo
hippopotamus
-i -ian -ic -id(ae -inae -ine -oid(ea
ἵππος a horse
Anchippodus *Pal.*
-ontid(ae -ontoid(ea
Disippus *Ent.*
Dorippe *Crust.*
-id(ae -oid
Hippa *Crust.*
-id(ae -idea(n
hippus *Path.*
-hippus *Pal.*
Alt Archaeo Drymo Eo Epi Eu Hyo Meryc Meso Micro Mio Oro Para Plio Proto Protoro
-ippus *Pal.*
Alt Desmat Kalobat
ἱππότιγρις a large tiger
Hippotigris *Mam. Pal.*
ἵππουρις (Diosc.)
Hippuris -id(eae *Bot.*
ἵππουρος a sea-fish
hippurite(s *Conch.*
-ic -id(ae -oid
ἱπποφαές (Galen)
Hippophae *Bot.*
ἵπταμαι to fly
Hiptage -eae *Bot.*
hiptagenic -in *Org. Chem.*
ἰριδ- Stem of ἶρις
aniridia *Ophth.*
ceratoiridocyclitis *Path.*
chloroirid- *Chem.*
ate ic ite
irid *Ophth.*
irid-
adenosis
al
algia
ate *Chem.*
auxesis
ectome *Surg.*
ectomesodialysis
ectomy -ize *Surg.*
ectropium
elcosis *Path.*
emia
encleisis *Surg.*
entropium
eous
eremia *Surg.*

irid- Cont'd
esce
-ence -ency -ent(ly
esis
ial -ian -ic(al -ico-
icolor *Zool.*
in(e *Chem.*
io *Ich.*
io *Chem.*
platinum
ious -ite -ium *Chem.*
ization -ize
iridol *Chem.*
olin(e *Chem.*
oncus *Ophth.*
osmin(e *Min.*
osm(irid)ium *Min.*
ovalosis *Ophth.*
irido- *Ophth.*
avulsion
capsulitis
cele
choroiditis
cinesis *or* -ia
coloboma
constrictor
cyclectomy
cyclitis
cyclochoroiditis
cyst *Zool.*
cystectomy
cyte *Ich.*
desis *Ich.*
desis *Surg.*
diagnosis *Diag.*
dialysis *Surg.*
dilator
donesis
keratitis
kinesis -ia
kinetic
leptinsis
logy
malacia
me(so)dialysis
motor
myrmex *Pal.*
paralysis
paresis
periphacitis
plegia
procne *Myth. Ornith.*
ptosis
pupillary
rhexis *Surg.*
schisis
schisma
sclerotomy
scope
steresis
tasis
tome tomy *Surg.*
keratoirido-
cyclitis scope
Megaliridia *Zool.*
osmiridium *Alloy*
platinoiridium *Min.*
retroiridian *Ophth.*
sclerorectoiridectomy
Ἶρις (Iliad)
Iris *Myth*
ἶρις (Theophr.) (Galen)
ceratoiritis *Path.*
chloroidoiritis *Path.*
corneoiritis *Ophth.*
ectiris *Anat.*
entiris *Anat.*
?genosiris *Bot.*
iralgia *Ophth.*
irene *Org. Chem.*
iretol *Org. Chem.*
iriankistrium
iridosis *Ophth.*
irigenin *Ophth.*
iris *Anat. Astron. Bot. Ent. Optics*

Iris *Bot.*
-idaceae -idaceous
-idaea(l
irisamin(e *Chem.*
irisated -ation
irised
iriscope
irisin *Org. Chem.*
irisol *Dyes* (*T.N.*)
irisopia *Ophth.*
irisopsia *Ophth.*
iritis -ic *Ophth.*
iritoectomy *Ophth. Surg.*
iritomy *Ophth. Surg.*
irotomy *Ophth. Surg.*
keratoiritis *Ophth.*
scleriritomy *Surg.*
ἰσ- Comb. of ἴσος
is-
abnormal
aconitic -in(e *Chem.*
acoustic
actinic
afrol(e *Org. Chem.*
alea *Meteor.*
allobar *Meteor.*
allotherm *Meteor.*
amin(e *Dyes*
anemone *Meteor.*
anomal(ous *Meteor.*
anomaly
anther(ic *Zoogeog.*
antherous *Bot.*
anthus -ous *Bot.*
apiol *Chem.*
aria -iacei -ioid *Fungi*
atropic *Chem.*
atropylcocain *Med.*
azoxy- *Org. Chem.*
eidom(*or* n)al
energic *Phys.*
entropic *Phys. Chem.*
epipteses -ial *Ornith.*
ethionic -ate *Chem.*
ionic *Phys. Chem.*
odont(a -ous *Mol.*
opia *Ophth.*
opisthes *Ich.*
opter *Ophth.*
orcin(ol(eic *Chem.*
orthose *Min.*
osmosis -otic *Chem.*
ox- *Chem.*
azol(e ime ylene
uret(ine *Chem.*
uria *Med.*
uric *Chem.*
urichthys *Pal.*
uropsis *Zool.*
urus -id(ae -oid *Ich.*
ἰσάγγελος like an angel
isangelical
ἰσάδελφος like a brother
isadelphia *Terat.*
isadelphous *Bot.*
ἴσανδρος like a man
isandrous *Bot.*
ἰσαπόστολος euqal to an apostle
isapostolic *Gr. Ch.*
ἰσάτις woad (Hipp.)
chlorisatic-ine *Org. Chem.*
diisatogen *Org. Chem.*
hydroisatin *Org. Chem.*
isamic -ate -id(e *Chem.*
isat- *Org. Chem.*
an ate ic id(e oic oid
anthrene & -one
ase *Biochem.*
imid(e
in(e -ic -ol -one
insulphonic
Isatis -eae *Bot.*
isatogen(ic *Org. Chem.*
isatoxime *Org. Chem.*

naphthisatin *Org. Chem.*
quinisatic -in *Org. Chem.*
sulfoisatic *Chem.*
thionaphthisatin *Chem.*
ἰσθμικός (Strabo)
isthmic
ἴσθμιος (Pindar)
Isthmian -iad -iate
transisthmian
ἰσθμο- Comb. of ἰσθμός
isthmo-
colosis *Path.*
coris *Ent.*
plegia *Path.*
ἰσθμοειδής
isthmoid
ἰσθμός (Herod.)
isthm(e
isthmitis *Path.*
isthmus
-ισια Fr. -σι- after stems in -ι-
anerethisia *Path.*
-isia *Suffix*
Ἰσιακός a priest of Isis
Isiac *Cl. Ant.*
Ἶσις (Nerod.)
Isis *Myth.*
ἶσις a plant (Galen)
isidium *Lichens*
-iferous -ioid -iophorous -iose
isis *Zooph.*
-idae -idid(ae -idoid
isisioid *Bot.*
-ισκος Diminutive suffix
ampelisc- *Crust.*
id(ae -oid
Apheliscus *Mam. Pal.*
Cystiscus *Conch.*
-id(ae -oid
Damaliscus -oid *Zool.*
Dendrophryniscus *Herp.*
-id(ae -oid
Disciniscа *Conch.*
Echiniscus *Infus.*
Hemitrochiscidae *Pal.*
myophrisca *Biol.*
Nanniscus *Ent.*
Nautiliscus *Ent.*
Soliniscus *Ent.*
Stilbiscus *Ich.*
Tyranniscus *Ornith.*
-ισμός fr. action suffix -μο- after verbal stems in -ισ- as in λογισμός
abnormalism
abolitionism
aboriginalism
abranchialism *Zool.*
absenteeism
absinthism *Med.*
absolutism
academicalism
academicism
acarophytism *Bot.*
accidentalism
acephalism *Terat.*
achromatism *Optics*
achronism
acosmism *Phil.*
acrobatism
acrodontism *Zool.*
acrologism *Philol.*
acrosticism
acrotism *Path.*
acrotropism *Bot.*
actin(ic)ism *Phys.*
activism *Pol.*
actualism
adactylism *Terat.*
Adamitism
adevism *Hindu Phil.*
adiaphorism *Ethics Theol.*
adjectivism *Rhet.*

adoptia(*or* o)nism
adrenotropism *Med.*
adulterism *Philol.*
adultism
Adventism *Rel. Sects*
aegithognathism *Ornith.*
aeolism *Philol.*
aeolotropism *Phys.*
aeroidotropism *Bot.*
aeronautism
aerotropism *Physiol.*
aestheticism
Africanism
Afrikanderism *Philol.*
agamandroecism *Bot.*
agamo-
gynaecism
gynomonoecism
hermaphroditism
agapasticism
agathism *Phil.*
aglobulism *Path.*
Agnoetism *Eccl. Hist.*
agnosticism
agrammatism *Path.*
agrarianism *Pol.*
agriculturism
aitiotropism *Bot.*
akosmism
alarmism
albin(o)ism
alcoholism
Alexandrianism *Phil.*
Alexandrism *Theol.*
Alexandrism
algebraism *Math.*
alienism
alkaliotropism *Chem.*
allegorism
allelomorphism *Biol.*
allelositism *Bot.*
allelotropism *Org. Chem.*
allochroism *Med.*
al(l)odialism
alloerotism *Psa.*
alloisomerism *Chem.*
allomerism *Chem.*
allomorphism *Min.*
alloquialism
allotheism
allotropism *Chem.*
alogism
alphabetism
Alphonsism *Pol.*
alteregoism
altruism
amateurism
Amazonianism
Amazonism
ameboidism *Neurol.*
Americanism
amerism *Bot.*
ametabolism *Zool.*
am(o)ebism *Med.*
amorphinism *Med.*
amorphism *Crystal. Pol.*
amphibolism *Logic*
amphibologism *Logic*
amphierotism *Psa.*
amphilogism *Rhet.*
amphitactism *Bot.*
amphoterism *Chem.*
amylism *Tox.*
Amyraldism *Eccl. Hist.*
anabolism *Biol.*
anachorism *Lit.*
anachromatism
anaclinotropism *Bot.*
anacrotism *Med. App.*
anadicrotism *Med.*
anaërobism *Biol.*
anagrammatism *Lit.*
anamorphism *Bot. Geol. Optics*
Ananism *Hebr. Sects*
anapterygotism *Ent.*

anarchism
anatomism
anatopism
anatricrotism *Med.*
Anaxamandrianism *Phil.*
anchoretism
anchoritism
ancientism
andabatism *Rom. Ant.*
androdioecism *Bot.*
androgynism *Biol.*
andromonoecism *Bot.*
anemotropism *Med.*
Anglicanism *Eccl.*
Anglicism
Anglo-Catholicism *Eccl.*
Anglo-Saxonism
anil(in)ism *Path.*
animalculism
animalism
animatism
animism
animotheism *Sociol.*
anisognathism *Zool.*
anisotropism *Biol. Phys.*
ankyrism *Surg.*
annalism
annelism *Biol.*
annihilationism *Theol.*
annulism
anomalism
Anom(o)eanism
anophelism *Med.*
anorch(id)ism *Terat.*
anorganism *Biol.*
anovarism *Med.*
antarchism *Pol.*
antephenomenalism
anthotropism *Bot.*
anthracitism *Geol.*
anthropinism *Geol.*
anthropism *Phil.*
anthropo-
centric -ism
morph(it)ism
pathism *Theol.*
phagism
phuism
psychism
theism *Hist. Rel.*
anti-
alcoholism
anthropomorphism
Arminianism *Eccl.*
-Arminianism *Eccl.*
atheism
-Babylonianism *Eccl.*
-Calvinism *Eccl.*
chemism *Bot.*
christianism
civism *Pol.*
-Darwinianism
dimorphism *Bot.*
dotism *Med.*
federalism *Pol. Hist.*
-Gallicanism *Eccl.*
imperialism
-Jacobinism
merism *Biol.*
militarism
moralism
negroism
nom(ian)ism *Eccl.*
p(a)edobaptism *Eccl.*
podism
realism
rentism
Semitism
septicism *Med.*
slaveryism
sporangism *Bot.*
-Trinitarianism
Antiochianism *Eccl.*
antiquar(ian)ism
antithesism
aortism(us *Med.*

apathism *Med.*
aphanitism *Petrol.*
aphaptotropism *Bot.*
apheliotropism *Bot.*
aphercotropism *Bot.*
aphetism *Philol.*
aphototropism *Bot.*
Aphthartodocetism *Eccl.*
aphydrotropism *Bot.*
apism
apocalypticism
apochromatism *Optics*
apogeotropism *Bot.*
apolausticism *Psych.*
Apollinarianism *Eccl.*
apometabolism *Zool.*
apostatism *Eccl.*
apostolicism *Eccl.*
apostrophism *Rhet.*
apotropism *Bot.*
apperceptionism *Psych.*
apriorism *Logic*
apterygotism *Ent.*
aptosochromatism
aptyalism *Path.*
Arabicism
Arabism *Philol.*
arachnoidism *Tox.*
Aram(a)ism
Arameanism
Arcadianism
archaeopsychism *Psych.*
archaestheticism *Phil.*
archaesthetism *Phil.*
archaicism
aristocraticism
aristocratism
Aristotelianism
Aristotelism
Arminianism
arrivism(e
arsenic(al)ism *Tox.*
arthritism *Path.*
artificialism
artisticism
asceticism
asepticism *Surg.*
Asharism *Hist. Rel.*
association(al)ism *Psych.*
Asianism *Art. Lit.*
Asiaticism
asincronogonism
aspermatism *Path.*
aspheterism *Econ.*
astaticism *Phys.*
astigm(at)ism *Ophth.*
asynchronism
asynclitism *Obstet.*
asystolism *Path.*
atavism
Athanasianism *Theol.*
atheism
athlet(ic)ism
athymism(us *Med.*
athyroidism *Path.*
atom(ic)ism
atrop(in)ism *Path.*
attitudinarianism
Audianism *Eccl. Hist.*
augurism *Obs.*
Augustanism
Augustin(ian)ism *Theol.*
aulicism
authorism
itarianism
autism *Psych.*
autocatheterism *Med.*
autoerot(ic)ism *Psych.*
autochthonism
autocriticism
autoecism *Biol.*
autographism *Med.*
autohypnotism *Med.*
automatism *Psych.*
automobilism
automorphism *Math.*

autonomism
autoparasitism *Bot.*
autoplagiarism
autostylism
autotheism
autotropism
auxochromism *Dyes*
Averr(h)oism *Phil.*
Avicennism *Phil.*
azoospermatism *Path.*
Babbittism
Babelism
Babism *Rel.*
babooism
Babouvism *Sociol.*
bacchanalianism
Bacon(ian)ism *Phil.*
Baianism *Eccl. Hist.*
balanism *Med.*
Baldwinism *Pol.*
balladism
bantingism *Humorous*
barbar(ian)ism
Bardesianism *Eccl. Hist.*
bardism *Lit.*
baronism
barotropism *Ther.*
basilicanism *Arch.*
Basilidianism *Eccl. Hist.*
bastardism
bathism
bathmism *Biol.*
bathmotropism *Biol.*
bathochromatism *Dyes*
baunscheidtism *Med.*
behavio(u)rism *Psych.*
Benedictinism *Eccl. Hist.*
Bergsonism *Phil.*
Berkeleianism *Phil.*
bestialism
bestiarianism
Biblicism
biblioman(ian)ism
bibliophilism
bibliopolism
Biblism *Eccl.*
bicyclism
bilingualism
biliteralism
bimastism
bimetallism
biologism
biomagnetism
biophagism *Bot.*
biophilism
bisyllabism
bitheism
bitter-enderism *Pol. Hist.*
blackguardism
blacklegism
blepharism *Path.*
bletonism
bloomerism *Costume*
boanergism
bobadilism
B(o)ehmenism *Rel. Sects.*
Bolshevism
Bonapartism *Pol.*
borderism *Philol.*
bossism *Pol.*
Boswellism
botanism
botulism *Tox.*
botulismotoxin *Tox.*
boucherism *Ind. Chem.*
Boulangism *Pol.*
bounderism
Bourbonism
Bourignia(*or* o)nism
bowdlerism
boycottism
boyism
brachy-
cephalism *Craniom.*
dactylism *Anat.*
gnathism *Anat.*
odontism *Zool.*
brachysm *Phytopath.*
bradyseismism *Geol.*
bradyspermatism *Path.*
braggadocianism
braggartism
Brahmanism
Brahminism
Brahmoism
Braidism
branchiomerism
bravadoism
Briticism *Philol.*
Britishism *Philol.*
bromatotoxism *Physiol.*
brominism *Med.*
bromism *Path.*
bromoiodism *Path.*
bronchismus *Path.*
bronchophonism *Path.*
broussaisism *Path.*
Brownism *Eccl. & Med.*
brutism
bucolism
Buddhism
bullionism *Econ.*
bureaucratism
busybodyism
Byronism
Byzantinism
cab(b)alism
caciquism
caenodynamism *Bot.*
caenomorphism *Biol.*
Caesarism
Caesaropapism *Pol.*
caffe(in)ism
Cainism
Cahenslyism
caloritropism
Calvinism
cambism
camerism
Camorrism
Campbellism
camphorism *Tox.*
camptotropism *Bot.*
campylotropism *Bot.*
cancerism *Path.*
cannabism *Med.*
cannibalism
canonism
cantharidism
cantonalism
Capernaism
capitalism
carbolism *Med.*
Carbonarism
cardinalism
Carlism *Pol.*
Carlyslism
carnalism
carpotropism *Bot.*
Cartesianism
catabolism
catacrotism *Physiol.*
catadicrotism *Physiol.*
catamorphism *Geol.*
cataphrygianism *Eccl.*
catastrophism
catatricrotism *Path.*
catechism
catechumenism
cathedralism
catholicism
Catilinism
Cato(n)ism
cauterism
cavalierism
celestialism
Celticism
Celtism
cenobistism *Eccl.*
centenarianism
cento(n)ism
centralism
centripetalism
cephalism *Anthrop.*
cerealism
cerebralism
ceremonialism
Chalda(e)ism *Philol.*
chancellorism
charlatanism
Chart(er)ism *Pol. Hist.*
Chasidism *Hebr. Sects*
chattelism
Chaucerism *Philol.*
chauvinism
chemotactism *Cytol.*
chemotropism
chiropodism *Ther.*
chloralism *Path.*
chlorbrightism *Path.*
chloroformism *Med.*
chrematheism
Christadelphianism
chromaticism *Music*
chrom(at)ism *Chem.*
chromoisomerism *Chem.*
chromopseudomerism
chromotropism *Chem.*
chrysalidism *Ent.*
church(warden)ism
churriguerism *Arch.*
Cilicism *Philol.*
Cisalpinism *R. R. Ch.*
Ciceron(ian)ism
cicisbeism
cinchonism *Path.*
circularism
circumlateralism
citizenism
citycism
civ(ic)ism
classic(al)ism
clavism *Path.*
cledonism *Philol.*
cleric(al)ism
clinocephalism *Craniol.*
clinostatism *Med.*
clinotropism *Bot.*
cliqu(e)ism
clitorism *Gynec.*
clonism *Path.*
clownism
clubbism
cobraism *Tox.*
cocainism *Tox.*
Cocceianism *Eccl. Hist.*
coeducationalism
Colbertism *Econ. Hist.*
collaborationism
collectivism *Econ.*
collegialism
colloquialism
colocynthidism *Tox.*
colonialism
colpismus *Path.*
commensalism *Biol.*
commatism *Rhet.*
commentarialism
commercialism
communalism
communism
compatriotism
Comtism *Phil.*
conceptism *Rhet.*
conceptualism *Phil.*
concettism *Lit.*
confederatism
confessionalism
configurationism *Phil.*
Confucianism
congregationalism
congruism *Theol.*
coniism *Tox.*
connex(*or* ct)ionalism
conservatism
consociationism
consonantism
consortism
constitutionalism
consubstantialism
consumptionism
continentalism
contrabandism
contrafocalism
contrastimulism
controversialism
conventionalism
conventionism
conversationism
conversionism
convertism
convictism
convulsionism
Copernicanism
copperism *Pol.*
copyism
Corinthianism *Eccl.*
corporalism
corporationism
corporealism
correlativism
corybantism
cosmism *Phil.*
cosmopolism(s
cosmopolit(an)ism
cosmotheism *Phil.*
cottierism *Law*
courtierism
creation(al)ism *Theol.*
creatoxism *Tox.*
cremationism
creolism
creophagism *Biol.*
creotoxism *Tox.*
cretinism *Path.*
criminalism
criticasterism
criticism
crocidismus *Med.*
crotalism *Vet.*
crotonism *Tox.*
cryotropism *Ecol.*
Crypto-
Calvinism
Catholicism
chroism *Phys.*
Jesuitism
merism *Bot.*
cryptorch(id)ism *Terat.*
cubism *Art*
cullyism
culottism
culteranismo
cultism
cumaphytism *Phytogeog.*
curialism
cyclicism
cyclism
cynicism
Cyrenaicism *Phil.*
cytochemism *Cytol.*
cytochorism *Cytol.*
cytotropism *Physiol.*
czarism
Dadaism
Daltonism
dandyism
Dan(ic)ism
daphnism *Tox.*
Darb(y)ism *Eccl. Hist.*
daredevilism
Darwinism
dashism
daturism *Path.*
deanthropomorphism
deafmutism
decimalism
deism
Delsartism
demagog(u)ism
demimondainism
demiurgism
democratism
demoniacism
demonianism
demonism
demophilism
demorphism *Petrog.*
dentalism
dermametropathism
derm(at)ographism
descendentialism
desertism
desmognathism *Ornith.*
desmotropism *Chem.*
despotism
destinism
deteriorism
determinism
dethyroidism *Path.*
devilism
devoteeism
dexiotropism
diabolatrism
diabolism
diactinism *Optics*
diagenism
diageotropism *Bot.*
diaheliotropism *Biol.*
dialecticism
diamagnetism
diaphototropism *Bot.*
diatonism *Music*
diaposematism *Biol.*
diastrophism *Geol.*
diathermanism
diathermotropism *Bot.*
diatropism *Bot.*
dicephalism *Terat.*
dichocarpism *Bot.*
dichogamism *Bot.*
dichroism
dichrom(at)ism *Psych.*
dichromophilism *Stain.*
diclinism *Bot.*
dicrotism *Path.*
didacticism
didactylism *Anat.*
dieidism *Biol.*
digoneutism *Ent.*
dilettant(e)ism
dioecism
diluvianism
dimerism *Bot.*
dimonoecism *Bot.*
dimorphism *Bot. Crystal. Philol. Zool.*
diphyodontism
diphysitism *Theol.*
diplanetism *Bot.*
diplarthrism *Anat.*
diglossism
diglottism
diplomatism
diplospondylism *Ich.*
disharmonism
dissenterism *Eccl.*
dissolutionism
disunionism
ditheism *Theol.*
dithelism *Theol.*
diurism *Path.*
dividualism
doctrinalism
doctrin(arian)ism
Dogberryism
dogmat(ic)ism
Donatism *Eccl. Hist.*
Doricism
dowdyism
Draconianism
dragonism
dramatism *Lit. Ps. Path.*
dromaeognathism *Pal.*
dromotropism *Bot.*
Druidism
Drydenism
dualism
dud(e)ism
dullardism
dynam(it)ism
dynamometamorphism
dynasticism
Dyophysitism *Eccl. Hist.*
dyotheism *Theol.*

Dyothel(et)ism
dys-
bolism *Med.*
crinism *Med.*
endocrinism *Med.*
genitalism *Med.*
hormonism *Med.*
hypophysism *Med.*
merism *Biol.*
morphism *Biol.*
ovarism *Gynec.*
pancreatism *Med.*
permatism *Med.*
pinealism *Med.*
pituitarism *Path.*
thyroidism *Path.*
Ebion(it)ism *Eccl. Hist.*
ecclesiasticism
echoism
eclamps(*or* t)ism *Gynec.*
eclect(ic)ism
ecologism *Bot.*
ecoparasitism *Biol.*
ectodactylism *Anat.*
ectorganism
ectrodactylism *Terat.*
ecumenicism *Eccl.*
edaphism *Bot. Soils*
Edwardeanism *Theol.*
egalitorianism
egocentricism
ego(t)ism
egotheism
Egyptianism
elcotropism *Bot.*
Eleaticism *Phil.*
electro-
dynamism
magnetism
merism *Chem.*
mobilism
tropism *Bot.*
trotropism *Bot.*
vitalism
elementalism
elenchicism
eleutherism
Elizabethanism
Elohism
emanat(ion)ism
embolomerism
embryo(n)ism *Embryol.*
Emersonianism
emetism *Tox.*
emmetropism *Ophth.*
emotionalism
emphytism *Biol.*
empir(ic)ism *Phil.*
empiricriticism
enantiomorphism *Crystal.*
encliticism *Gram.*
encolpism *Gynec.*
Encratism
encyclopedism
endemism
endermism *Med.*
endo-
cannibalism
crinism *Physiol.*
faradism *Med.*
galvanism *Med.*
morphism *Min.*
phytism *Bot.*
plutonism *Petrol.*
pterygotism *Ent.*
saprophytism *Lichens*
energism *Ethics*
Englishism
enterogenism *Biol.*
enterotoxism *Tox.*
entheism *Phil.*
entorganism
epanisognathism *Morph.*
epharmonism *Ecol.*
epicism
epicurism
Epicureanism

epigeotropism *Bot.*
epignathism *Ornith.*
epigramm(at)ism
epimerism *Org. Chem.*
epiphenomenalism *Phil.*
epipolism *Optics*
episcopal(ian)ism
epitropism *Bot.*
epochism
eponymism
equationism
equestrianism
equilibrism
equiprobabilism
Erastianism
eremitism
ergatandromorphism *Ent.*
ergatomorphism *Ent.*
ergoism
ergotism *Agric. Med. Logic*
erot(ic)ism
erythrism *Bot.*
erythrism(al *Ornith.*
erythrochroism *Ornith.*
esophagism(us *Path.*
esoter(ic)ism
essayism
Essenism
establishment(arian)ism
etacism *Philol.*
eteopolymorphism
eternalism
ethelism *Phil.*
ethere(*or* i)alism
etherism *Med.*
ethicism
Ethiopianism
ethnicism
ethylism *Tox.*
eubolism *Med.*
euclionism *Obs.*
eugenism *Eugenics*
euhemerism *Phil.*
eulogism
eumerism *Biol.*
eumorphism *Cytol.*
eunuchoidism *Med.*
eupancreatism *Med.*
euphonism
euphuism
Europeanism
eurygnathism *Anthrop.*
euthumism *Ethics*
Eutychianism *Eccl. Hist.*
evangel(ic(al)ism
evolutionism
examinationism
excursionism
exhibitionism *Ps. Path.*
exo-
cannibalism
morphism *Geol. Petrog.*
plutonism *Geol.*
pterygotism *Ent.*
exotericism
exot(ic)ism
exotropism *Bot.*
expansionism
experientialism
experimentalism
expressionism
externalism
Fabianism
faddism
fagopyrism *Path.*
fairyism
fals(e)ism
familiarism
Familism
fanaticism
fantasmism
fantasticism
faradism
Fascism(o
fatalism
favo(u)ritism

Fayettism
Febromanism
federalism
femalism
femin(in)ism
Fenianism
ferromagnetism
fetishism
feudalism
feudovassalism
feuillitonism
Fichteanism
fideism
fiendism
figurism
filibusterism
finicism
fissiparism *Biol.*
Flacianism *Eccl. Hist.*
flamboyantism
Fletcherism
fluidism
flunk(e)yism
folklorism
foreignism
formalism
formulism
fortuitism
fossilism
Fourierism
Franklinism
fratern(al)ism
freedomism
Freemasonism
Freesoilism
Frenchism
Freudianism *Psa.*
frivolism
Froebelism
frontierism
frugalism
fruitarianism
funambulism
functionarism
Fundamentalism *Eccl.*
fusionism
futurism
Gaelicism
galactotoxism(us *Tox.*
Galenism *Med. Hist.*
Gallicanism
Gallicism
Gallophilism
galvanism
galvanotropism *Biol.*
gammacism(us *Physiol.*
gamomorphism
gamotropism *Bot.*
Gandh(i)ism
gastricism
gastriloquism
gastrimargism
gastrophilism
generalism
generationism
genethliacism
gentilism
geo-
centricism *Phil.*
chemism *Chem. Phys.*
diatropism *Bot.*
heterauxecism *Bot.*
malism *Biol.*
phagism *Med.*
parallelotropism *Bot.*
plagiotropism *Bot.*
strophism *Bot.*
tortism *Bot.*
tropism
Germanism
geromorphism *Med.*
gerontism
ghostism
giantism
gigantism
girlism
gironettism

githagism *Med.*
glacialism
gladiatorism
Gladstonianism
globulism
gluttonism
glycometabolism *Chem.*
glycoptyalism *Med.*
gnathism *Craniom.*
gnathonism
gnosticism
goblinism
goelism
gonadotropism *Physiol.*
Gongorism *Lit.*
gonotoxism *Bot.*
gonotrophism *Bot.*
gonotropism *Bot.*
goodygoodyism
go(u)rmandism
Gothicism
Gothism
governmentalism
gradualism
Grahamism
grammarianism
grammaticism
grangerism
Grecism
Greekism
gregarianism
griffinism
Grundyism
Guelphism
Guesdism *Socialism*
guillotinism
gutturalism
gymnobiblism
gymnospermism *Bot.*
gynandrism *Biol.*
gynandromorphism *Biol.*
gynecomastism *Med.*
gynodimorphism *Bot.*
gynomonoecism *Bot.*
hackneyism
halochromism *Chem.*
hemaph(a)eism *Med.*
halophilism *Bot.*
phytism *Bot.*
Hamilton(ian)ism *Phil.*
haptomorphism *Bot.*
haptotropism *Bot.*
harmonicism
heathenism
heautomorphism *Morph.*
Hebraicism
Hebraism
Hebrewism
hecastotheism *Hist. Rel.*
hecatompedism *Arch.*
hectocotylism *Conch.*
hectorism
hedonism
Hegel(ian)ism *Phil.*
heleotropism *Bot.*
helicism *Bot.*
heliocentricism *Astron.*
heliostrophism *Bot.*
heliotortism *Bot.*
heliotropism *Biol.*
helioturgotropism *Bot.*
helkotropism *Bot.*
Hellenicism
helminthism *Med.*
hemiheterothallism
hemihomothallism
helotism
hemihedralism *Crystal.*
hemihypnotism
hemiidealism
hemimetabolism *Zool.*
hemimorphism *Crystal.*
hemisomnambulism
henism *Phil.*
henotheism *Phil.*
hepatism *Med.*
Heraclit(ean)ism *Phil.*

herbalism
herbarism *Obs.*
Herbartianism
hermaphrod(it)ism
Hermesianism *R. C. Theol.*
Hermetism
hermitism
hero(in)ism
heroinism *Med.*
herotheism
herp(et)ism *Path.*
hertzotropism *Bot.*
hesperotropismus *Geol.*
heterism *Biol.*
heterodontism *Zool.*
heter(o)ecism(al *Biol.*
hetero-
carpism *Bot.*
chromatism *Bot.*
chronism *Biol.*
erotism *Med.*
gametism *Bot.*
heterogenism *Bot.*
gonism *Bot.*
morphism *Chem. Morphol. Zooph.*
pancreatism *Med.*
phemism
stylism *Bot.*
thallism *Bot.*
topism *Biol. Path.*
hexadactylism *Anat.*
hexamerism *Spong.*
Hibernianism
Hibern(ic)ism
hidalg(o)ism
hierarchism
hieroglyphism
Hinduism
Hippocratism *Hist. Med.*
hippophagism
hircismus *Med.*
hirsutism *Med.*
Hispanicism
histor(ian)ism
histrion(ic)ism
Hobb(ian)ism
hobbyism
holidayism
holohedrism *Crystal.*
holometabolism *Ent.*
holomorphism *Math.*
holophytism *Bot.*
homalotropism *Bot.*
homochromatism *Bot.*
homochromoisomerism
homoeochromatism
homoeomerianism *Phil.*
homoeothermism *Biol.*
homodontism
homoerot(ic)ism *Psych.*
homomorphism *Biol. Bot. Ent. Zooph.*
hom(o)ousianism
homostylism *Bot.*
homothallism *Bot.*
homotropism *Cytol.*
hoodlumism
Hooverism
Hopkinsianism
horadimorphism
horizontalism
hospitalism
humanism
humanitarianism
Humism
humor(al)ism
Hutchinsonianism
hybridism
hydrargyrism *or* -ysm
hydrometamorphism
hydrotropism *Bot. Phys.*
hygienism
hygromorphism *Bot.*
hylactism(us
hyl(ic)ism *Phil.*

hyloidealism *Psych.*
hyloism *Theol.*
hylomorphism *Phil.*
hylonism *Phil.*
hylopathism *Phil.*
hylotheism *Theol.*
hylotropism *Phys. Chem.*
hylozoism *Phil.*
hymenopterism *Tox.*
hypanisognathism *Zool.*
hyper-
  adrenalism *Med.*
  anabolism *Path.*
  bolism *Math. Rhet.*
  boreanism
  Calvinism *Theol.*
  chromism *Cytol.*
  crinism *Med.*
  criticism
  dicrotism *Path.*
  endocrinism *Med.*
  genitalism *Med.*
  globulism *Med.*
  gonadism *Med.*
  hedonism *Med.*
  katabolism *Physiol.*
  metabolism *Med.*
  metamorphism *Ent.*
  orchidism *Med.*
  parasitism *Ent.*
  phalangism
  pinealism *Med.*
  pituitarism *Med.*
  splenism *Med.*
  suprarenalism *Med.*
  thymism *Med.*
  thyroidism *Med.*
hyphenism
hypnodylism
hypnotism
hypo-
  adrenalism *Med.*
  chondriacism
  chromatism *Cytol.*
  crinism *Med.*
  critism
  endocrinism *Med.*
  epinephrinism *Chem.*
  genitalism *Med.*
  gnathism *Ornith.*
  gonadism *Med.*
  hypophysism *Med.*
  metabolism *Med.*
  pancreatism *Med.*
  parathyroidism *Med.*
  phalangism *Anat.*
  ptyalism *Path.*
  suprarenalism *Med.*
  thymism *Psych.*
  thyroidism *Med.*
hypsibrachycephalism
hypsidolichocephalism
  steno *Craniom.*
hyster(iac)ism *Psych.*
hysterotraumatism *Path.*
hystricism(us *Path.*
Iber(ian)ism
Ibsenism
Icarianism *Pol.*
ichthyopolism
ichthyosism *Path.*
ichthyotoxism *Tox.*
iconoclasticism
iconomaticism *Graphics*
iconophilism
icterism *Path.*
idealism
identism *Phil.*
ideodynamism *Neurol.*
ideologism
ideometabolism
idiohypnotism
idiologism *Med.*
idiomatism
idiophanism *Crystal.*
idolism
idolothism

idyllism
illeism *Rhet.*
illiberalism
illumin(at)ism
illusionism
imagism *Lit.*
imaginationalism
immaterialism
immediatism
immersionism
immortalism
impaludism *Path.*
impartialism
imperialism
impressionism
impuritanism
incivism
incorporealism
independentism
indeterminism
indifferentism
individualism
Indophilism
industrialism
infallibilism
infantilism
inferentialism
infidelism
infinitesimalism
influxionism
infralapsarianism *Theol.*
infranaturalism
infusionism *Phil.*
ingrammaticism
innatism *Phil.*
inopportunism
inorganism
inotropism *Biol.*
inspiration(al)ism
institution(al)ism
instrumentalism *Phil.*
insularism
insurrectionism
integralism
intellectualism
interactionism
interglacialism
internationalism
interscholasticism
intersexualism
introspectivism
intuition(al)ism
intuitivism
invalidism
iodism *Path.*
iodoformism *Tox.*
Ion(ian)ism
Ionicism
Iricism
Irishism
ironism
irrationalism
Irredentism *Pol. Hist.*
irreligionism
Iscariotism
Ishmaelitism
Islamism
ism
  al atic(al aticness ist y
Ismae(*or* i)lism
iso-
  barism *Meteor.*
  bolism *Neurol.*
  cephalism *Sculpture*
  chronism
  dimorphism *Crystal.*
  fluidism *Phys. Chem.*
  gnathism *Odontog.*
  gonism *Biol.*
  merism *Chem.*
  meromorphism *Crystal.*
  morphism *Biol. Crystal. Math.*
  psephism *Pros.*
  scelesism *Geom.*
  sterism *Phys. Chem.*
  tectonism *Crystal.*

iso- Cont'd
  topism *Chem.*
  trimorphism *Crystal.*
  tropism *Embryol. Phys.*
Israel(it)ism
itacism *Philol.*
Italianism
italicism
I. W. W.ism *Sociol.*
jackadandyism
jackassism
Jacobinism
Jacobitism *Pol.*
Jainism *Hist. Rel.*
Jansenism
Japanism
Japonism
Jeffersonianism *Pol.*
Jehovism
Jesuitism
Jewism
jingoism
Jobism
jockeyism
jogtrottism
Johnson(ian)ism
jordanism *Bot.*
joseph(in)ism
karyolobism *Cytol.*
karyomorphism *Cytol.*
kata-
  bolism *Biol.*
  dicrotism
  klinotropism *Bot.*
  morphism *Geol.*
kathenotheism *Hist. Rel.*
kenot(ic)ism *Theol.*
Kenticism *Philol.*
journalism
Jud(a)eophilism
  phobism
jujuism
junkerism *Pol.*
kaiserism *Pol.*
kakkerlakism
Kant(ian)ism *Phil.*
Kara(it)ism *Hist. Rel.*
kinetism *Med.*
klephtism *Gr. Pol.*
klinocephalism
  geotropism *Bot.*
kotowism
Kotzebuism *Lit.*
kreotoxism *Tox.*
Krishnaism
Ku-Kluxism
Kulinism
kymatism *Med.*
Labadism *Eccl. Hist.*
labialism(us *Phon.*
labo(u)rism
Lacedemonianism
ladronism
laeotropism
laggardism
laicism
Lakeism *Lit.*
Lama(n)ism
Lamarck(ian)ism
Laodiceanism *Eccl.*
larrikinism
lathyrism *Path. Tox.*
Latinism
latitudinarianism
Laud(ian)ism
laxism
legalism
legitimism
Leibni(t)zianism
Leninism *Pol. Hist.*
lepto(r)rhinism *Craniom.*
lesbianism *Med.*
leucism *Zool.*
leucosism *Path.*
levelism
Levit(ic)ism
lexiphanism

liberalism
liberationism
libertarianism
libert(in)ism
librarianism
lichenism *Bot.*
Lilliputianism
Lingism
Linnae(*or* -ean)ism
lionism
lipogastrism *Embryol.*
lipogrammatism
lipometabolism *Physiol.*
lipostomism *Terat.*
lipoxysm *Tox.*
Listerism *Med.*
literalism
literaryism
lithobiotism *Crystal.*
lobbyism
localism
Lollardism *Eccl. Hist.*
Lombardism
Londonism
loxodromism *Naut.*
loyalism
Loyolism *Eccl. Hist.*
Ludd(it)ism *Hist.*
luminism *Painting*
lunambulism
Luther(i)anism
Lutherism
lymphadenism *Path.*
lymphatism *Path.*
lymphocerastism *Cytol.*
lymphotism *Path.*
lyricism
macaron(ic)ism
Macaulayism
Macedonianism
Mac(c)hiavel(l)(ian)ism
machinism
macrocephalism *Terat.*
macrodactylism *Terat.*
macrodontism *Dent.*
macrognathism *Anthrop.*
macromelism *Terat.*
macrosmatism *Biol.*
macrosomatism *Anat.*
magazinism
Mag(ian)ism
magnetism
magnetropism
Magyarism
mahatmaism
Mahd(i)ism
Mahomet(an)ism
maid(en)ism *Med.*
Majorism *Eccl. Hist.*
malaprop(o)ism
Malebranchism *Phil.*
malism *Ethics*
Mathusianism
mammonism
Manchesterism
mancinism
mandarinism
Mandeism *Hist. Rel.*
mangonism *Hort.*
Manich(a)e(an)ism
mannerism
man(n)ikinism
manorialism
manticism
manualism
Maratism *Hist.*
Marcellianism *Eccl. Hist.*
Marcion(it)ism
Marconism *Teleg.*
Marianism
Marinism *Lit.*
Marlowism *Lit.*
martialism
martinetism
Martinism *Eccl. Hist.*
masculinism
masochism *Ps. Path.*

materialism
matriarchalism
matrilinearism
matrimon(ial)ism
matronism
matterism
maudlinism
Mazda(*or* e)ism
Mazzinianism
mechanic(al)ism
mechanism
mechanotropism *Bot.*
mecism *Med.*
meconism *Path.*
meconophagism *Med.*
medi(a)evalism
mediatorialism
mediumism
megalodactylism *Med.*
Megarianism *Phil.*
melanism *Ethnol. Physiol. Zool.*
meliorism
melitoptyalism *Med.*
melodramatism
memoirism
mendel(ian)ism
menialism
meningism *Path.*
Mennonism *Rel. Sects*
Menshevism *Pol. Hist.*
mentalism
mentism *Path.*
mentorism
mephitism
mercantilism
mercur(ial)ism
merism(atic *Bot.*
merognosticism
meri(*or* o)hedrism
merotropism *Org. Chem.*
mesaticephalism
mescalism
mesmerism
mesocephalism *Craniom.*
mesognathism *Craniom.*
mesohydrism *Org. Chem.*
mesophytism *Bot.*
Messianism
messmatism *Biol.*
meta-
  bolism *Biol. Ent. Poetry Theol.*
  chrom(at)ism *Staining*
  chromism *Rhet.*
  gnathism *Ent.*
  gnosticism *Phil.*
  grobolism
  merism *Chem. Zool.*
  morphism
  organism
  physicianism
  plasmorphism *Cytol.*
  plasmosism *Cytol.*
  sitism *Bot.*
  somatism *Geol.*
  trophism *Bot.*
metempiricism
metesthetism *Phil.*
m(*or* M)ethodism
metoecism *Bot.*
metopism
metricism
metropolitanism
Micawberism
Michelangelism
micrencephalism *Med.*
microbism *Path.*
microdontism *Dent.*
micro-
  blepharism *Anat.*
  cephalism *Anat.*
  dactylism
  dentism
  gnathism *Anthrop.*
  merism *Biol.*
  organism *Biol.*

micro-Cont'd
pterism *Ich. Ornith.*
smatism *Biol. Zool.*
middlemanism
militar(y)ism
milksopism
millen(ar, arian, ian, iar, ium)ism
Millerism *Rel. Sects*
million–air)ism
millocratism
Miltonism
mimetism *Biol. Psych.*
mimicism
minimi(fidian)ism
minionism
ministerialism
misanthropism
misarchism
miser(abil)ism
misogynism
misoneism *Psych.*
misop(a)edism
misotheism
misotramontanism *Eccl.*
Mithracism
Mithra(ic)ism
mithridatism *Tox.*
mitokineticism *Bot.*
mitralism *Med.*
mnemism *Biol. Psych.*
mobbism
modalism
moderantism
moderatism
modernism
mogilalism *Med.*
Mohammed(an)ism
Molinism *Eccl. Hist.*
molybdism *Tox.*
momism
monachism
monadism *Phil.*
monarch(ian)ism
monasticism
monatomism *Chem.*
monergism *Phil.*
monetism
mongolism *Ps. Path.*
mongrelism
monism *Biol. Phil.*
monkism
monkeyism
mono-
chromatism
clinism *Geol.*
dactylism *Terat.*
diabolism
dynamism *Phil.*
genism
ideism
metal(l)ism
morphism *Biol.*
phagism *Diet.*
physitism *Theol.*
polism
psychism *Phil.*
rch(id)ism *Anat.*
syllabism
theism *Theol.*
thele(*or* i)tism *Theol.*
tropism *Biol.*
Monroecism *Pol. Hist.*
Montanism *Theol.*
Montessorianism *Educ.*
monumentalism
Moorism
moralism
Moravianism
Morisoneanism *Rel. Sects*
Mormonism
morphinism
morphotropism
mortalism
Mosaism
Moslemism
moto(iso)merism *Chem.*

Mozartism
muffism
Muggletonianism
mugwumpism
mulattoism
mulism
multimodalism
multitheism
multitudinism
Mumbo-jumboism
Munchausenism
municipalism
Mussulmanism
mutism
mutualism
myalism
mycetism(us *Path.*
myocardism *Med.*
myoidism *Med.*
myophagism *Med.*
myopism *Ophth.*
myriotheism
myrmecophilism *Bot.*
mysticism
mythic(al)ism
mythism
mythop(o)eism
mytilotoxism *Path.*
Nabalism *Bible*
nabobism
nagualism *Rel. Sects*
nanism *Bot. Med.*
nanocephalism *Anthrop.*
naphtholism *Tox.*
Napoleonism
narc(iss)ism *Psa.*
narcotism -icism
nasoprognathism
nationalism
nativism
naturalism
naturism
navalism
Nazarenism
Nazaritism
necess(it)arianism *Ethics*
necrophilism *Ps. Path.*
necrosadism *Ps. Path.*
nectism *Bot.*
negatism
negativism *Ps. Path.*
negroism
negrophilism
neism *Biol.*
neo-
Buddhism
Catholicism
classicism
criticism
Darwinism
druidism
Hegel(ian)ism *Phil.*
impressionism *Art*
Kant(ian)ism *Phil.*
Lamarckism *Biol.*
log(ian)ism
Malthusianism *Econ.*
Mendelism *Biol.*
morphism *Ornith.*
neonism
nom(ian)ism *Eccl.*
paganism
philism *Path.*
Scholasticism *Phil.*
topism *Biol.*
vitalism *Biol.*
nephrism *Path.*
nepotism
Neptunianism
Neronism
nerv(os)ism
Nestorianism
neurism *Med.*
neuro-
arthritism *Path.*
hypnotism *Psych.*
mechanism *Med.*

neuro- Cont'd
merism *Biol.*
metabolism *Physiol.*
neurosism *Path.*
neuroticism *Neurol.*
neurotropism *Histol.*
neutralism
New Englandism
Neumanism *Eccl. Hist.*
newspaperism
Newtonianism
niatism
Nicolait(an)ism
nicot(in)ism
Nietscheanism *Phil.*
nihil(ian)ism
niminy piminyism
ninnyism
Nipponism
noctambulism
Noetianism *Eccl. Hist.*
nomadism
nominalism
nomineeism
nomism *Phil.*
nomotheism
nonintrusionism
nonjurorism
nonnaturalism
nonsubstantialism
nonunionism
noodleism
noogenism *Biol. Psych.*
nordauism *Med.*
Norlandism
Normanism
nosism
nothing(arian)ism
noumenism *Psych.*
Novatianism *Eccl. Hist.*
novelism
nullibism
nullism
numskullism
nyctinastism *Bot.*
nyctitropism *Bot.*
obe(ah)ism
objectivism
obscur(ant)ism
observationalism
obsoletism
obstructionism
obstructivism
Occamism *Phil.*
occasionalism *Phil.*
occidentalism
occultism
octamerism *Bot.*
octogenarianism
Odinism *Myth.*
odism *Phil.*
odylism
oecoparasitism *Fungi*
oedipism *Ophth.*
oesophagismus *Path.*
officerism
officialism
oldmaid(en)ism
oldworldism
oleandrism *Tox.*
oligarchism
oligoglottism *Linguistics*
oligoptyalism *Med.*
oligospermatism *Med.*
oligospermism *Bot.*
Olympianism
omphalism *Pol.*
onanism
on(e)irism *Med.*
oneirocriticism
oneism
ontologism
ophidism *Tox.*
ophiophilism
Oph(it)ism *Eccl. Hist.*
opiism *Tox.*
opiophagism

opisthobranchism *Moll.*
opisthognathism
opiumism *Tox.*
opportunism
optimism
oralism
Orang(e)ism
oratorianism
orderlyism
ordinalism
organicism
organism(al
organophilism *Med.*
organotrophism *Diet.*
organotropism *Biol.*
Origenism *Eccl. Hist.*
Orleanism *Pol. Hist.*
ornamentalism
ornitholeucism
ornithomelanism
orotundism
orphanism
orphanotrophism
Orphicism
orphism
orthochromatism *Photog.*
orthodoxism
orthognathism *Craniom.*
orthostatism *Med.*
orthotropism *Bot.*
osmatism *Physiol.*
osmotropism *Physiol.*
Ossianism *Lit.*
ostreotoxismus *Tox.*
ovarism
overscepticism
oversentimentalism
ovism
ovoviviparism
Owenism *Sociol.*
oxalism *Tox.*
Oxfordism
oxygenotropism
oxytropism *Cytol.*
pachycolpismus *Gynec.*
pacifism
paddyism
padronism
p(a)edomorphism
Pagano-Christianism
pageism *Ps. Path.*
Pajonism *Theol.*
pal(a)eo-
atavism
psychism
Palamitism *Eccl. Hist.*
palatalism
palavitalism *Biol.*
palladianism *Arch.*
paludism *Path.*
pamphysicalism *Phil.*
pan-
(a)esthetism
Africanderism
Americanism
pananthropism
Buddhism
Celticism
cosmism *Phil.*
cratism
creatism *Physiol.*
derism
diabolism
egoism
entheism *Phil.*
eulogism
Germanism
germism
gnosticism *Phil.*
hellenism
Islamism
logism *Phil.*
merism *Cytol.*
nationalism
phenomenalism *Phil.*
pneumatism *Phil.*
polism *Pol.*

psychism *Phil.*
Satanism
sciolism
Slav(on)ism
sophism *Phil.*
spermatism *Biol.*
tagruelism *Fiction*
teleologism *Phil.*
Teutonism
theism *Phil.*
thelematism *Phil.*
thelism *Phil.*
tochromism *Phys. Chem. Biol.*
glottism
zoism *Biol.*
pap(al)ism
parabolism *Math.*
Paracelsianism
para-
chromatism *Path.*
chronism
chutism
doxism
gammacism *Phon.*
gnathism *Ornith.*
graphism
heliotropism *Bot.*
paraldehydism *Tox.*
parallelgeotropism *Bot.*
parallelism *Psych.*
parallelosterism *Chem.*
parellelotropism *Bot.*
para-
magnetism *Elec.*
metrismus *Gynec.*
morphism *Min.*
mutualism *Lichens*
noidism *Ps. Path.*
phototropism *Bot.*
rhotacism *Philol.*
saprophytism *Bot.*
sigmatism(us *Phon.*
sitism
sitotrophism *Med.*
sitotropism *Med.*
topism
tropism *Bot.*
parepochism
Parisianism
parkinsonism *Med.*
parliamentar(ian *or* y)ism
Parnassianism *Lit.*
Parnellism *Pol. Hist.*
parochialism
paroecism *Bot.*
parorthotropism *Bot.*
parricidism
parrotism
Pars(ee)ism
parthenism
partialism
particularism
partisanism
partyism
parvenuism
paspalism *Tox.*
pasteurism
pastoralism *Lit.*
Patarinism *Eccl. Hist.*
paternalism
pathetism
pathicism
patho(meta)bolism *Path.*
morphism *Morphol.*
patriarch(al)ism
patricianism
patriotism
Patripassianism *Theol.*
patristicism
patrollotism
Paulicianism *Eccl. Hist.*
Paul(in)ism *Eccl. Hist.*
Peacockism
Pecksniff(ian)ism
pectoriloquism
Peculiarism *Rel. Sects*

pedagog(u)ism
pedalism
pedant(ic)ism
peddlerism
pedestrianism
pedicurism
pedlarism
Peelism *Eng. Hist.*
Pelagianism *Eccl. Hist.*
pelorism *Bot.*
pendactylism
pennalism
penny-a-linerism
pentadactylism
  merism *Zool.*
  syllabism
peonism
perduel(l)ism
perfectibilism
perfect(ion)ism
perimorphism *Min.*
periodicalism
peripatet(ic)ism *Phil.*
periscopism
peritonism *Med.*
Perkinism *Med.*
perodactylism
Persism *Philol.*
personalism
pessimism
Pestalozzianism *Educ.*
petitmaitreism
Petrarchism
Petrinism *Eccl.*
ph(a)eism
phaged(a)enism *Path.*
phagocytism *Cytol.*
  pyrism(us *Diet.*
phalanst(ian)ism *Sociol.*
phallicism
pharisaicism
phariseeism
phenomen(al)ism
Philadelphianism
philanthrop(in)ism
philatelism
Philhellenism
Philippism
Philistinism
philocynism
philoneism
Philonism *Phil.*
philosophism
philotheism
philozoism
phlebenterism
phlebismus *Med.*
phlegmatism *Med.*
phlogozelotism *Med.*
phobism *Bot.*
phobophototropism *Bot.*
Ph(o)enicianism
phoenicismus *Path.*
phonet(ic)ism
phonism *Psych.*
phosphorism(us *Path.*
Photinianism *Eccl. Hist.*
photodermatism *Path.*
  isomerism *Photochem.*
  magnetism
  phobism *Bot.*
  tactism *Biol.*
  tropism *Chem.*
phrenism(us
phrenohypnotism
phrenomagnetism
phrenomesmerism
physicism
physicomorphism
physiocratism
  medicalism
physitheism
physitism
physogastrism *Ent. Path.*
physostigminism *Tox.*
pianism
Pickwickianism

picrotoxinism *Tox.*
pictorialism
pierrotism
Pietism *Eccl. Hist.*
piezomagnetism *Phys.*
piezotropism *Bot.*
pilgrimism
pilotism
Pindarism *Lit.*
pinealism *Med.*
piperism *Tox.*
piratism
pithiatism *Ther.*
Pittism *Eng. Hist.*
pituitarism *Med.*
pituitropism *Med.*
pituitrism *Med.*
plagiarism
plagiocephalism *Med.*
  heliotropism *Bot.*
  phototropism *Bot.*
  tropism *Bot.*
plasmodomism *Biol.*
  phagism *Biol.*
  tropism *Med.*
plasticism
platformism
platitudin(arian)ism
Platon(ic)ism *Phil.*
platycnemism *Crust.*
platystencephalism
playactorism
plebeianism
plebiscitarianism
pleiomorphism *Bot.*
pleiontism *Bot.*
plenism *Phil.*
pleochroism *Crystal.*
pleochromatism *Crystal.*
pleomorphism *Bot.*
pleophagism *Bot.*
plesiomorphism *Crystal.*
pleuronectism *Ich.*
Plinyism
Plotinism
plumbism
pluralism
Plutonism
plutonometamorphism
Plymouthism *Eccl. Hist.*
pneumatism
pneum(on)opaludism
pococurant(e)ism
podagrism
poetasterism
poeticism
poikilothermism *Biol.*
pointillism *Painting*
politicalism
politicianism
Polonism
polotropism *Bot.*
poltroonism
polyalcoholism *Tox.*
  andr(ian)ism
  chroism
  chromism
  churchism
  crotism *Med.*
  dactylism
  d(a)emonism *Anthrop.*
  diabolism
  eidism *Zool.*
  genism
  globulism *Med.*
  glottism
  goneutism *Ent.*
  ideism *Psych.*
  mastism
  merism *Chem. Zooph.*
  merismus *Terat.*
  metallism
  morphism
  nomialism *Nomen.*
  oecism *Bot.*
  orch(id)ism *Med.*
  parasitism *Med.*

polyalcoholism Cont'd
  phalangism *Med.*
  phonism
  phyodontism *Dent.*
  pragmatism
  psychism *Phil.*
  spermism *Biol.*
  syllabism
  synthesism
  synthet(ic)ism
  theism
  thelemism
  thelism
  topism *Bot.*
  tropism *Bot.*
  zoism *Polyzoa*
poorlawism
popism
popul(ar)ism
porphyrisma -us *Path.*
porphyrogenitism
Portugalism
positivism
postillism
postimpressionism *Art*
powwowism
practicalism
praetorianism
pragmatism *Phil.*
preadamitism
precisianism
precisionism
predestinarianism
predeterminism
preferentialism
preformism
prelatism
premillenarianism
premillenialism
pre-Raphael(it)ism
presbyter(ian)ism
presbytism *Path.*
presentation(al)ism
prestabilism *Phil.*
preternaturalism
pretorianism
prettyism
priggism
primordialism
Priscillianism *Eccl. Hist.*
probabil(ior)ism
probationism
prochronism
prodigalism
profanism
professionalism
professorialism
progeotropism *Bot.*
prognathism *Craniom.*
progressionism
progressivism
prohibitionism
prohydrotropism *Bot.*
proleta(ian)ism
proletariatism
propagandism
prophet(ic)ism
prophototropism *Bot.*
proportionalism
prosa(ic)ism
proselytism
prosheliotropism *Bot.*
prosobranch(ial)ism
prostatism *Ps. Path.*
Protagoreanism *Phil.*
protandrism *Bot. Zool.*
protectionism
proteism *Biol.*
proteometabolism
Protestantism
protoorganism *Biol.*
prototrophism *Bot.*
proverbialism
provincialism
prudentialism
Prussianism
pseudism

pseudo-
  archaism
  Catholicism
  chronism
  classicism
  criticism
  evangelism
  hermaphroditism
  ism
  isomerism *Org. Chem.*
  merism *Phys. Chem.*
  metamerism *Zool.*
  morphism *Min.*
  narcotism *Med.*
  parasitism
  racemism *Org. Chem.*
  stereoscopism *Optics*
  stromatism *Petrog.*
psilanthropism *Theol.*
psittacism *Psych.*
psycheism *Med.*
psychicism
psychism
  dynamism *Psych.*
  hylism
  log(ical)ism
  monism
  pannychism
  pyrism
  theism
pteridophilism
Ptolemaism *Cosmog.*
ptomainotoxism *Tox.*
public(an)ism
puerilism
puerperalism *Obstet.*
pugilism
pulpitism
pumpkinism
puppyism
Puranism
purism
puritanism
Puseyism *Eccl. Hist.*
pussyfootism
pygmyism
pyramid(al)ism *Egyptol.*
pyrometamorphism *Geol.*
Pyrrhonism *Phil.*
pyrrhotism *Pigments*
Pythagor(ean)ism *Phil.*
Pythagoricism *Phil.*
pythonism
quack(salver)ism
quadrupedism
Quakerism
quartodecimanism *Eccl.*
querism
quibbleism
Quietism
quincubitalism *Ornith.*
quin(in)ism *Path.*
quintocubitalism *Ornith.*
quixot(ic)ism
quizzism
rabbinism
Rabela(isian)ism
rachitism *Path.*
racialism
radiatropism *Bot.*
radicalism
radiism *Zool.*
radiochroism *Phys.*
Ramaism *Hist. Rel.*
Ramism *Logic*
Ranterism *Rel. Sects*
Raphael(it)ism *Art*
rascalism
rational(istic)ism
reaction(ary)ism
realism
Rebeccaism
receptionism
recidivism
rectilinearism
red-tapism
regalism

regicidism
regionalism
relationism
relativism
religionism
Rembrandtism
representationalism
reptilism
republicanism
resorcinism *Tox.*
restitutionism
restorationism
resurrectionism
retrocatheterism *Med.*
  gradism
  gressivism
reunionism
revivalism
rhapsodism
rheotropism *Bot.*
rhetor(ician)ism
rheumatism(al -atic
rhinism *Med. Phon.*
rhopalism *Pros.*
rhotacism *Philol.*
ribandism
ribbonism
rigorism
ritualism
rivalism
Romanism
romanticism
rombergism *Med.*
ro(e)ntgenism
Rosicrucianism *Occult*
Rosminianism *Phil.*
Rousseauism
ruffianism
ruralism
Russophilism
Russophobism
rusticism
Sab(a)eanism
Sabaism
Sabbatarianism
Sabbathaism *Hist. Rel.*
Sabbatianism *Eccl. Hist.*
Sabeism
Sabellianism *Theol.*
Sabianism *Rel.*
saccharometabolism
sacerdotalism
sacrament(al)ism
sacramentarianism
Sadduc(ee)ism
sadism *Path.*
Saint-Simon(ian)ism
salicylism *Chem.*
salpingocatheterism
Salvationism
Samaritanism
Sandemanianism *Eccl.*
sanitarianism
sansculottism
Sapphism
saprophytism *Bot.*
Saracenism
Satanism
satirism
saturnism(us *Tox.*
saurognathism *Ornith.*
sausarism *Med.*
savagism
Saxonism
Scandinavianism
scaphism
scaphocephalism
scepticism
Schellingism *Phil.*
schismatism
schizognathism *Ornith.*
scholarism
scholasticism
schoolboyism
schoolgirlism
schoolmasterism
Schopenhauer(ean)ism

schwendenerism *Bot.*
scientism
scientolism
sciolism
sciotheism
Scogginism
scopomorphinism *Tox.*
scorbuticism *Med.*
Scotchism
Scotism
scototropism *Bot.*
Scotticism
scoundrelism
scribbleism
scribism
Scriptur(al)ism
scrofulism
sea-serpentism
secessionism
sectar(ian)ism
sectionalism
sectism
secularism
seismism
seismotropism *Bot.*
selenotropism *Bot.*
selfcentralism
selfevidentism
selfism
semiautomatism *Bot.*
Augustinianism
barbarism
catholicism
narianism
parasitism
Pelagianism *Eccl. Hist.*
Quietism *Eccl. Hist.*
Romanism
socialism
tism
senilism
sensation(al)ism
sensism *Phil.*
sensitivism
sensorimetabolism
sensu(al)ism
sentimentalism
separat(ion)ism
Septemb(e)rism
septuagenarianism
sequentialism
seraph(ic)ism
serfism
Servitianism *Eccl. Hist.*
servilism
sesquipedal(ian)ism
sexagenarianism
sexism
sexualism
Shakerism
Shak(e)spe(a)r(ian)ism
Shamanism
Shande(*or* y)ism
Shelleyism
Shemitism
shepherdism
Shintoism
Sibyllism
siderism(us *Med.*
sigmatism(us
signalism
Sikhism *Hist. Rel.*
sillyism
silverism
Simon(ian)ism
simpleton(ian)ism
simplism
sinecurism
singularism
Sin(ic)ism
Sinn Feinism
Sinonism
Sinophilism
siotropism *Bot.*
sisyphism
sitotoxism *Path.*
sitotropism *Cytol.*
Sivaism *Hist. Rel.*
skinflintism
skototropism *Bot.*
slangism
Slavism
Slavonism
slipshodism
slipsloppism
smartism
socialism
societism
Socin(ian)ism
Socrat(ic)ism
solafideanism *Theol.*
solarism *Myth.*
solibiblicism
solidarism
solidism *Med.*
solifidianism *Theol.*
soliipsiism
solipsism(al *Metaph.*
solvatochromism *Chem.*
somatism *Phil.*
somatotropism *Bot.*
somnambulism
somniloquism
somnolism
sophisticism
southernism
sovietism
spadonism
Spartacism
Spartanism
spasmodism
specialism
spectacularism
spectatorism
spectralism
speculativism
Spencer(ian)ism *Phil.*
spendthriftism
spermatism *Biol.*
spermism *Biol.*
spheroidism *Med.*
sphincterismus *Med.*
sphygmism *Bot.*
Spinozism *Phil.*
spintherism(us *Path.*
spirillotropism *Bact.*
spiritism
spiritualism
spiroism *Bot.*
spookism
spoonerism
spoon(y)ism
sporangism *Bot.*
spreadeagleism
squirism
Stagirism
Stahl(ian)ism
stalwartism
standardism
standpattism
statism
statuarism
statuquo(it)ism
statuvolism
stenophyllism *Bot.*
Stercoran(ian)ism *Eccl.*
stereoisomerism *Chem.*
stereoscopism
stereotropism *Biol.*
sterilifidianism *Eccl.*
stibialism *Path.*
stigmatism
stimulism *Med.*
stoicism
strophism *Bot.*
struldbrugism *Fiction*
strychnism *Chem.*
studentism
Stundism *Rel. Sects*
stylitism *Eccl. Hist.*
subcalorism *Med.*
subdioecism *Bot.*
subdolichocephalism
subjectivism
sublapsarianism *Theol.*
subordinationism *Theol.*
substantialism *Phil.*
substitutionalism *Phil.*
subthyroidism *Med.*
subtilism
suburbanism
suffrag(ett)ism
suggestionism
suicid(al)ism
suicism
sulfonalism *Path.*
sulphoxism
sultanism
superficialism
supermanism
supernaturalism
superorganism *Phil.*
superparasitism
superthyroidism *Med.*
supralapsarianism
supranaturalism
surdism *Path.*
surdo(*or* i)mutism *Path.*
surrealism *Lit.*
swadishism *India*
Swedenborg(ian)ism
Swiftianism
Sybar(it)ism
sybotism
sychophantism
syllabism
symbiosaprophytism
symbiotism *Biol.*
symbolism
symbolofideisme
symmetallism *Econ.*
symmorphism
sympathism *Psych.*
symphallangism *Med.*
symphilism *Ent.*
symphrattism *Geol.*
symphytism *Gram.*
sympneumism
sympolymorphism *Bot.*
synagog(ue)ism
synaposemat(ic)ism *Biol.*
synclit(ic)ism *Obstet.*
syncopism
syncreticism
syndactylism *Ornith.*
syndicalism *Socialism*
syndimorphism *Bot.*
synecdochism *Gram.*
synechism *Phil.*
synergism *Theol.*
syngignoscism *Psych.*
synorch(id)ism *Anat.*
syntheticism
syntonism
syntrophism *Bot.*
syntypicism
Syriacism
Syrianism
Syrism
systematism
tabacism *Tox.*
tabagism *Tox.*
tabooism
tadpolism
tailorism
Taipingism
Talmudism
Tammanyism
tantalism *Psych.*
Tantrism
Taoism
tap(e)inocephalism
tapism
tarantism(us *Med.*
tarantulism *Psych.*
tariffism
Tartarism
Tartuf(f)ism
tatterdemalianism
tautochronism *Math.*
tautologism
tautomerism *Chem.*
taxism *Bot.*
Taylorism *Eccl. Hist.*
teaism
Teaguism
technic(al)ism
technism
teetotalism
teetotumism
telemechanism
teleologism
tellurism
telonism
telotism *Physiol.*
temporalism
Tennyson(ian)ism
teratism
terebinthinism *Tox.*
termagantism
terminism
terpenism *Tox.*
terrestrialism
territorialism
terrorism
tertiarism *Path.*
Tertullianism
tetanism *Med.*
tetartohedrism *Crystal.*
tetramerism *Bot. Zool.*
tetramorphism *Chem.*
tetrastichism
tetratheism *Theol.*
Teutophobism
Teuton(ic)ism
textualism
thanatism
thaumaturgism
theanthropism
theatric(al)ism
thebaism *Path. Psych.*
the(in)ism *Med.*
theism
theoanthropomorphism
Theodotianism
theogonism
theologism
theomonism
theomorphism
theopantism
theopaschitism
theophanism
theophilanthropism
theopsychism
theorism
theosophism
Therapeutism
therianthropism *Anthrop.*
theriotheism
thermo-
chro(m)ism
magnetism
metamorphism *Geol.*
systaltism *Physiol.*
tropism *Bact. Bot.*
theromorphism *Terat.*
thigmotropism *Biol.*
thnetopsychism *Eccl.*
Thomism *Theol. Phil.*
Thomson(ian)ism *Med.*
thrasonism
thuggism
thymotropism *Physiol.*
thyrotropism *Med.*
ticket-of-leavism
tidyism
tigerism
timbrophilism
Timonism
tintinnabulism
Titanism
tithonism *Optics*
toadyism
tobaccoism *Med.*
toler(ation)ism
Tolstoyism
tomboyism
tonotropism *Bot.*
toperism
topotropism *Bot.*
topsy-turvyism
torpedoism
Toryism
totemism
tourism
toxophilism
trabecularism
Tractarianism
Tractism
tractorism
tradesunionism
tradition(al)ism
Traducianism
tragalism
traitorism
transatlanticism
transcendentalism
transformism
transmigrationism
transmorphism
transsubstantialism
transvestitism *Ps. Path.*
traumatism *Path.*
traumatropism *Biol.*
triadism
trialism
tribadism
tribalism
trichotomism
tri-
chromatism
consonantalism
crotism *Physiol.*
d(a)emonism
goneutism *Ent.*
grammatism
hybridism *Bot.*
literalism
metallism
monoecism *Bot.*
morphism *Biol.*
Trinitarianism
trinomialism *Biol.*
trioecism *Bot.*
triorch(id)ism *Med.*
tripersonalism
trisyllabism
tritheism *Theol.*
triticism
trivialism
troglodytism
trophism *Physiol.*
trophotropism *Biol.*
tropism *Biol.*
troubadourism
truantism
truism(atic
tuism *Phil.*
Tupperism *Lit.*
Turcism
Turcophilism
Turkism
Turnerism
turtledoveism
Tuscanism
tutiorism
tutorism
twinism
tych(astic)ism *Phil.*
Tycoonism
Tylerism *Pol.*
typhopaludism *Med.*
typism
tyrannism *Ps. Path.*
tyronism
tyrotoxism *Tox.*
ubiquism
ubiquit(arian)ism
ultra-
centenarianism

ultra- Cont'd
crepidarianism
fidianism
ism
montanism
protestantism
umbilicanism
unidealism
uniformitarianism
unintellectualism
unionism
Unitarianism
universalism
universitarianism
unnaturalism
unpatriotism
unsectarianism
untruism
upsilonism
upstartism
uranotheism
urbanism
urethrism *Med.*
uterismus *Med.*
utilitarianism
Utop(ian)ism
utraquism *Hist.*
vagabondism
vaginismus *Path.*
vagotropism *Tox.*
vagrantism
Valentinianism *Eccl.*
valetism
valetudinarianism
vampirism
vanadiumism *Tox.*
vandalism
Vandemonianism
vanillism *Path.*
vanitarianism
vapidism
variolitism
vassalism
Vaticanism
Vaudism
vaudooism
Ved(a)ism
Vedantism
veget(arian)ism
velocipedestrianism
ventriloquism
verbalism
vergerism
ver(it)ism
vernacularism
verticalism
vestryism
veterinarianism
vetoism
vicarianism
vicinism
Victorianism
vigilambulism
violinism
Virgilianism
visceralism *Path.*
Vishnuism
visualism
vitalism
Vitruvianism
vocalism
volcanism
Voltair(ian)ism
voltaism
voluntar(y)ism
volunteerism
voodooism
vorticism *Art*
vowelism
vulcanism *Geol.*
vulgarism
vulpicidism
vulpinism
vulturism
Wagner(ian)ism
Wahabiism

warriorism
wegotism
Weismannism
wellmerism *Ther.*
Wertherism
werwolfism
Wesleyanism
Whiggism
wiggism
womanism
xanthochroism *Ornith.*
xenoparasitism *Biol.*
xenophilism
xerophytism *Bot.*
xerotropism *Bot.*
Yahv(*or* w)ism
Yankee(doodle)ism
Yogism
Yorkshireism
yotacism
youngladyism
zanyism
Zarathustr(ian)ism
ze(a)lotism
zeism(us *Path.*
zemism
Zendicism
zenkerism *Histol.*
Zenonism *Phil.*
zenotropism *Bot.*
zetacism
Zeuxism
zincalism *Tox.*
Zionism
Zoilism
zoism *Phil.*
Zolaism
zoobiotism *Biol.*
zoomagnetism *Psych.*
zoomorphism
zoophilism *Bot. Psa.*
zootheism
zootrophotoxism *Tox.*
Zoroastr(ian)ism
Zwinglianism
zygodactylism *Ornith.*
zygomorphism *Bot.*
zygotactism *Bot.*
ισο- Comb. of ἴσος
anisochromatic *Ophth.*
anisometric *Crystal.*
anisotropism *Biol. Phys.*
-al -e -ic(ity -ical(ly -ous -y
anthrisothiazole *Chem.*
antiisolin *Cytol.*
autoisolysin *Biochem.*
benziso- *Org. Chem.*
quinoline thiazin(e thiazol(e
bilisoidanic *Biochem.*
carb(o)iso- *Org. Chem.*
butoxy propoxy
choroisotherm *Meteor.*
chromoisotropy *Chem.*
chronoisotherm(al
diiso- *Chem.*
butyl(glycolic propyl-(oxalic
episomorph *Crystal.*
euisogamy *Bot.*
Euisopoda -ous *Crust.*
exoisogamy *Biol.*
geisotherm(al *Meteor.* or *Phys. Geog.*
geoisotherm *Climatol.*
holoisometric
homoisochemite *Min.*
hypoisotherm *Meteor.*
idioisoagglutinin *Chem.*
idioisolysin *Biochem.*
iso-
abnormal *Meteor.*
acid *Chem.*
aconitin(e
actinate

iso- Cont'd
agglutinin *Biochem.*
-ate -ation -ative
allyl *Chem.*
amide *Org. Chem.*
amplitude *Meteor.*
amyl *Chem.*
amin(e ate en(e idene
androspore *Bot.*
anemonia *Chem.*
antipyrin *Chem.*
asparagin(e
atmic *Meteor.*
aurore *Meteor.*
azotate *Org. Chem.*
barbituric *Chem.*
base *Geol.*
basial *Craniom.*
benzyl
bilateral *Bot.*
bilianic *Chem.*
biogenetic *Biol.*
body *Biochem.*
bolism *Neurol.*
borneol *Chem.*
brachium *Ent.*
brious -iatus *Bot.*
bront(on *Meteor.*
bryous *Bot.*
butane *Chem.*
butyl(ene *Chem.*
butyric -ate *Chem.*
camphor(ic onic
caproic
carbostyril
cardia(dae -iidae
carpae -eae -ic -ous
cellular *Cytol.*
ceras *Ent.*
ceraunic *Meteor.*
ceraunographic
ceraunophonic *Meteor.*
cercy -al *Ich.*
chasm(en -ic *Math.*
cheim(e -al -ic *Meteor.*
ch(e)imene -al *Meteor.*
ch(e)imonal *Meteor.*
chela *Spong.*
chion *Meteor. Phys. Geog.*
chlor *Chem.*
cholesterin -ol *Chem.*
cholin(e -anic *Biochem.*
chomous *Bot.*
chor(e -ic *Phys. Chem.*
chromatic *Optics*
chromatophil(e
chrome *Optics*
chroous *Bot.*
cies *Bot.*
cinchomeronic *Chem.*
citric *Chem.*
clasite *Min.*
cline -al -ic *Geol.*
clinostat *Mech.*
cnemic *Coelent.*
cnemus *Ent.*
cocain *Prop. Rem.*
codein(e *Chem.*
coelous *Ornith.*
coenosium *Bot.*
colloid *Phys. Chem.*
coma *Bot.*
complement(ophilic
conin(e *Chem.*
coria *Med.*
corybulbin(e *Chem.*
coumarin *Chem.*
creatinin(e *Chem.*
crinus *Pal.*
crotonic *Chem.*
cryma *Bot.*
cryme -al -ic *Meteor.*
cryoscopic *Chem.*
cyanic -ate -id(e *Chem.*

iso- Cont'd
cyanine *Dyes*
cyanogen *Org. Chem.*
cyanuric -ate *Chem.*
cyclic *Chem.*
cyclus -ous *Zool.*
cymene *Chem.*
cytic *Biol.*
cytolysin *Biochem.*
cytotoxin *Biochem.*
dactyli -ous *Ornith.*
dehydracetic *Chem.*
demic
dense *Meteor.*
diabatic *Phys.*
dialuric *Chem.*
diametric(al *Crystal.*
diaphore *Meteor.*
diazo- *Chem.*
dictyal
dimorphism -ic -ous
diode -y *Bot.*
dipyridin(e *Chem.*
dispersoid *Phys. Chem.*
drome *Meteor.*
dulcite -an -(on)ic
durene *Chem.*
dyne
electric *Bot.*
electr(on)ic *Chem.*
emodin *Org. Chem.*
energetic
energic
ephedrin(e *Chem.*
eral *Meteor.*
erucic *Chem.*
eugenol *Org. Chem.*
ferulic *Chem.*
fluid(ity -ism *Chem.*
form *Pharm.*
game *Protozoa*
gametangium *Bot.*
gamete *Biol.*
gamy -ic -ous *Biol.*
gen *Anthrop. Cartog.*
genesis *Biol.*
genetic *Plant Physiol.*
genotypic *Bot.*
geotherm(al -ic *Geog.*
geranic *Chem.*
gnathism -ous *Odontog.*
gonism -ic -ous *Biol.*
gradient *Meteor.*
graft *Med.*
gram *Graphics Math.*
graph *Graphics*
graphy -ic(al(ly *Graph.*
gynae -ous *Bot.*
gynospore *Bot.*
gyre -ic *Optics*
gyrous *Bot.*
halsine *Geog.*
hel(ic *Meteor.*
hemagglutinate -ion
hemolysis -in *Biochem.*
hemolytic *Biochem.*
hesperidin *Chem.*
hologamy *Bot.*
holotype *Bot.*
homovanillin *Chem.*
humic *Chem.*
hyet(al -ose *Meteor.*
hydric *Chem.*
hydrosorbic *Chem.*
hygrometric *Meteor.*
hyp *Meteor.*
hypercytosis *Med.*
hypocytosis *Med.*
hypsometric
indol *Chem.*
kom *Phys. Chem.*
kont *Bot.*
lactose *Chem.*
lantite *Elec.*
lateral(ity *Bot.*
leda *Pal.*

iso- Cont'd
leucin *Chem.*
lichenin *Chem.*
linole(n)ic *Chem.*
lithic *Geol.*
lobodon *Pal.*
log(ue -ous *Chem.*
logy *Chem.*
loma *Bot.*
lysis -in *Tox.*
lytic *Tox.*
magnetic
malic
maltose
mastigate *Zool.*
mastigoda(n *Prot.*
mastigate *Bact. Bot.*
melamin(e *Chem.*
meristic *Bot.*
mery *Bot.*
meteoric *Meteor.*
metoporal *Meteor.*
microcline *Min.*
microgamete *Prot.*
morph *Biol. Crystal.*
ic ism ous
morphically *Crystal.*
morphism *Math.*
muscarin(e *Chem.*
morphogen(ic ous(ly
mya -arian *Conch.*
naphthazarin *Chem.*
naphthol *Mat. Med.*
neph(elic *Meteor.*
nephrotoxin
nicotin(e (in)ic *Chem.*
nitramine *Org. Chem.*
nitril(e *Org. Chem.*
nitro- oso- *Org. Chem.*
nitrosoantipyrin *Med.*
normocytosis *Med.*
nuclear *Org. Chem.*
oleic orcin *Chem.*
osmotic *Phys. Chem.*
pag *Meteor.*
paraffin *Chem.*
parthenogenesis
pathy -ic *Med.*
pectic *Meteor.*
pelletierine *Chem.*
pentyl *Chem.*
pepsin *Chem.*
pericoelous *Ornith.*
petalous *Bot.*
phagous-y *Bot.*
phan *Morphol.*
phane *Biol. Phrenol.*
phasal *Astron.*
phasm *Meteor.*
phene *Biol. Bot.*
phenological *Phrenol.*
ph(a)enomenal
phenous *Bot.*
phile *Biochem. Micros.*
phlorizen *Chem.*
phone
phoria *Ophth.*
phorone *Chem.*
phote -al *Optics*
photic *Bot.*
photography *Photog.*
photophyll *Bot.*
phthalic -yl *Chem.*
phyllous -y *Bot.*
phyte -oid *Biol.*
phytotone -ous
piestic(ally *Meteor.*
planogametes *Bot.*
plastic *Surg.*
plere *Thermodynamics*
pleura(n -al -ous
plexis *Bot.*
pluviose *Meteor.*
pod(e a(n ous *Crust.*
podiform *Ent.*
podimorphous *Ent.*

iso- Cont'd
pogonous *Ornith.*
polar *Bot.*
poly- *Inorg. Chem.*
pora -idae *Zooph.*
pral *Mat. Med.*
precipitin *Biochem.*
prene *Chem.*
propenyl *Org. Chem.*
propyl *Org. Chem.*
acetic amine ene toluene
prothally *Bot.*
psetta *Ich.*
psychric *Phys.*
ptera -ous *Ent.*
pulegone *Chem.*
purpuric -ate -in *Chem.*
pyc(nal -nic *Phys.*
pure *Min.*
pyromucic *Chem.*
pyrotritartaric *Chem.*
quinolin(e *Chem.*
rhamnose *Chem.*
rythmic *Pros.*
rubine *Chem.*
saccharic -in *Chem.*
safrol *Chem.*
scaphidium *Ent.*
schist *Bot.*
scope
scopolamin(e *Chem.*
seismal -ic
seist *Meteor.*
serin *Chem.*
serotherapy *Ther.*
spectric *Optics Org. Chem.*
spondyle -i -ous *Ich.*
spora *Zool.*
spore *Bot.*
-eae -ia -ic -ous -y
stas(*or* c)y *Geol.*
stath(mic *Meteor.*
static(al(ly
stemonous -y *Bot.*
stere -ic -ism *Chem.*
stichous *Bot.*
stylous -ed *Bot.*
succinic *Chem.*
sulfide *Org. Chem.*
sulphocyanic -ate
tac *Meteor.*
talantous *Meteor.*
-osan -ose
tamieutic *Med.*
tarphius *Ent.*
tartaric
tectonism *Crystal.*
telus *Zool.*
teniscope *Phys. Chem.*
terpene *Org. Chem.*
therapy *Ther.*
there -al *Meteor.*
therm
al(ly ic(al ous y
thermobath(ic *Geog.*
thermohyps *Meteor.*
therombrose *Meteor.*
thiocyanate *Chem.*
thujone *Chem.*
thymol *Mat. Med.*
thyocyanic -ate *Chem.*
thyme -al *Meteor.*
timal *Astron.*
toma *Bot. Ent.*
tome -ic -ous
tonic *Bot.*
tope -ic -ism -y *Chem.*
toxic -in
transplant(ation *Surg.*
tricha *Infus.*
-ia -idae -ina
trimorphism *Crystal.*
-ic -ous
trophy -ic *Bot.*

iso- Cont'd
tropylcocaine *Chem.*
type -ic
uric -etin(e *Chem.*
valer(ian)ic *Chem.*
vanillic -in *Chem.*
voluminal *Phys.*
zoic zooid *Biol.*
oxyisocamphor *Chem.*
pseudoisochromatic
ἰσοβαθής of equal depth
isobath(ic *Geol.*
isobathy-
metric *Oceanog.*
therm *Meteor.*
al ic(al
ἰσοβαρής of equal weight
isobar(e ic ism
isobarometric
ἰσογενής equal in kind
isogen *Geom.*
isogenous -y *Biol.*
ἰσογώνιος equiangular
isogon(al(ity *Geom.*
isogonic(al *Cartog.*
isogoniostat *Mech.*
isogonous *Phys. Chem.*
ἰσόδομον (Vitruv.)
isodomon *Arch.*
-ic -ous -um
pseudoisodomum
ἰσοδρόμος running equally
isodrome *Naval.*
ἰσοδυναμία (Tim. Locr.)
isodynamia
ἰσοδύναμος equal in power
isodynam(ous ic(al
isodynamogenous
ἰσοετής an evergreen
Isoetes *Bot.*
-(ac)eae -aceous -ales -oid
ἰσοκέφαλος dee-hlkd aei
isocephalous *Sculpture*
-ic -ism -y
ἰσοκρατία (Herodotus)
isocracy
isocrat(ic ize *Pol.*
pantisocracy
pantisocrat
ic(al ist
ἰσόκυκλος equally round
isocyclous *Math.*
ἰσοκωλία (Hermog.)
isocoly -(et)ic *Pros. Rhet.*
ἰσόκωλον a sentence of equal clauses
isocolon *Pros. Rhet.*
ἰσομερης (Ath.)
alloisomerism *Chem.*
anisomeric *Chem.*
anisomerogamy *Bot.*
anisomerous *Bot. Zool.*
coisomerase *Biochem.*
(homo)chromoisomerism
hypisomerous *Odontog.*
isomer *Chem.*
ase ic(al(ly id(e ism ization y
Isomera -ia -ous *Ent.*
isomere -ic(al(ly *Zool.*
isomero-
gamy *Bot.*
morphism *Crystal.*
-isomeric *Chem.*
an photo stereo
-isomerism *Chem.*
allo chromo homochromo moto photo stereo
isomery *Bot.*

motoisomer(ism *Chem.*
photoisomeric -ism -ization *Photochem.*
pseudoisomerism *Chem.*
reisomerize *Chem.*
stereoisomer *Chem.*
ide ization
ἰσομετρία (Arist.)
isometry *Geog. Math.*
ἰσόμετρος
isometric(al(ly *Crystal. Geom. Thermodyn.*
isometrograph
isometropia *Ophth.*
ἴσον Neut. of ἴσος
ison *Music*
Isonandra *Bot.*
isonergic *Phys.*
ἰσονομία equilibrium
isonomia -y *Pal.*
ἰσόνομος of equal rights
isonomous -ic *Crystal.*
ἴσοξ (Pliny)
Muraenesox *Ich.*
-ocid(ae -ocoid
Percesocus -in(e *Ich.*
Scombresox *Ich.*
-oces(-id(ae -inae
-in(e -oid)
ἰσοπερίμετρος (Justin. N.
isoperimeter *Geom.*
isoperimetry *Geom.*
-al -ic(al
ἰσόπλευρος equilateral
isopleure *Geom.*
ἰσοπληθής equal in quantity
isopleth *Meteor.*
thermoisopleth *Meteor.*
ἰσοπολιτεία equality of civic rights
isopolity -ical *Pol.*
ἰσοπολίτης (Dion. H.)
isopolite *Pol.*
ἰσόπυρον (Diosc.)
Isopyrum -eae *Bot.*
ἰσορρόπησις equilibrium
isorr(*or* rh)opesis *Phys. Org. Chem. Med.*
ἰσόρροπος in equipoise
isorropic *Math.*
ἴσος equal
anisuria *Med.*
isagon *Geom.*
isametral
isosmotic *Bot.*
panisic
Podisus *Ent.*
Tetrisus *Ent.*
ἰσοσκελές (Arist.)
isoscel(es *Geom.*
ar esism
ἰσοσκελής with equal legs
Isosceles *Ent.*
ἰσόσταθμος evenly balanced
isostath(mic *Meteor.*
ἰσοσώματος of a like body
esosoma *Ent.*
ἰσοτέλεια (Xen.)
isotely *Gr. Pol.*
ἰσοτελής paying alike
isoteles *Gr. Ant.*
Isoteloides *Pal.*
ἰσότης equality
Isotes *Ent.*
ἰσοτονία
hyperisotonia *Med.*
isotonia *Chem. Med.*
ἰσότονος of equal tension

hyperisotonic
hyp(o)isotonic *Physiol.*
isotonic *Music*
isotonic(ity *Chem. Phys.*
ἰσότροπος of like nature
isotrope -y *Embryol. Phys.*
-al -ic -ism -ous
ἰσοφόρος that bears mixing
isophorous *Bot.*
ἰσόχρονος equal in time
isochronous(ly
-al(ly -e -ic(al(ly -ism -ize -on
ἰσόψηφος equal in numerical value
isopsephic -ism *Pros.*
Ἰσραήλ (Sept.)
Israel
ism istic ize
Ἰσραηλίτης (N.T.)
Israelite
-ic(al -ish -ism -ize ship
pan-Israelitish
-ισσα as in βασίλισσα
-ess Fem. noun suffix duchess, executress, huntress, temptress, etc.
-ιστής masc. of agent suffix -τα-, properly following verbal stems in -ισ-; used in association with -ισμος.
abiogen(es)ist *Biol.*
abnormalist
abolitionist
absolutist
abstentionist
abstractionist
academist
acarologist *Zool.*
Accadist
accentualist
academist
accidentalist
accompan(y)ist *Music*
accordionist *Music*
Acephalist *Eccl. Hist.*
acolo(*or* y)thist *Eccl.*
acosmist *Phil.*
acreophagist
actinologist *Biol. Phys.*
actionist
activist *Pol.*
actualist
actualistic
adaemonist
additionist
admonitionist
Adonist *Hebraism*
adoptia(*or* o)nist
Adventist *Rel. Sects*
aeolist *Humorous*
aeonist *Phil.*
aeroist
aerologist *Phys.*
aeroplanist
aestheticist
aetiologist *Med. Phil.*
affectationist
Africanist
agamist *Sociol.*
Agapemonist *Rel. Soc.*
agathist *Phil.*
agglutinationist *Philol.*
aggressionist
agrammatist
agricultur(al)ist
agriologist *Ethnol.*
agronomist *Agric.*
agrostologist *Bot.*
airplanist
Akkadist

akreophagist
Alad(d)inist *Moh.*
alarmist
Albertist *Phil.*
alchemist(er ry
alcoholist
Alcoranist *Moh.*
algaeologist *Bot.*
algebraist
algist *Bot.*
algologist *Bot.*
algophilist *Neurol.*
algorist *Math.*
alienist
allegorist(er
alliterationist
allopathist *Med.*
allotropist *Chem.*
al(l)odialist *Law*
alopecist *Med.*
alphabetist
Alphonsist *Pol.*
alpist
altruist
amalgamationist
amalgamatist
amalgamist
Amanist *Rel. Soc.*
ambitionist
Americanist(ic
amethodist
amnicolist
amo(u)rist
ampelographist *Bot.*
Amyralorist *Eccl. Hist.*
Anabaptist(ry *Eccl. Hist.*
anachronist
an(a)esthetist
anagrammatist *Lit.*
analogist *Logic Philol.*
analgecist *Med.*
anarchist
anatomist
anchorist
anecdotist
anemometrist *Meteor.*
angelist
Anglicist
Anglomanist
Anglophobist
animalculist
animalist
animist
annalist
annex(at)ionist *Pol.*
annihilationist *Theol.*
Annist *Hist.*
annotationist
annualist
anomalist *Philol.*
antarchist *Pol.*
anthologist *Lit.*
anthropo-
climatologist
genist
logist
mantist
metrist
morphist *Theol.*
morphotheist *Theol.*
phagist
sociologist
sophist
tomist *Anat.*
anti-
adiaphorist
alcoholist
anarchist
annexationist
atheist
Bonapartist
Calvinist
ceremonialist
classicist
episcopist
expansionist

anti- Cont'd
extremist
federalist
hyloist
imperialist
loborist
loquist
monarchist
monopolist
moralist
neuronist
nomist
optimist
papist
pathist
podist
revolutionist
royalist
septicist
socialist
theist
unionist
vaccin(ation)ist
vivisectionist
antiquist
apathist(al
aphidologist *Ent.*
aphorist
apiarist
apiologist
apocalyptist
apocryphalist *Eccl.*
Apollinarianist
Apollyonist
apologist
apo(ph)thegmatist
appanagist
apperceptionist *Psych.*
appropriationist
apriorist
aquabibist
aquafortist
aquarist
Arabist
arachnologist *Zool.*
araneologist *Zool.*
arbitragist
arborist
arch(a)eologist
archaist
archartist
archetypist
Archistes *Ich.*
architecturalist
archivist
archmagirist
archpapist
areologist *Astron.*
Areopagist
Aretinist
aristologist
arithmachinist
armorist *Her.*
Arnoldist *Eccl. Hist.*
arrivist(e
arsonist
articulationist
artillerist
ascensionist *Aero. Geol.*
assassinist
assientist
assimilationist
association(al)ist
Assyriologist
astroalchemist
astrochemist(ry *Astron.*
astrometeorologist
astronomist
astrophysicist
atavist
Athanasianist *Theol.*
atheist
atmologist *Phys.*
atomist
atonementist *Theol.*
augurist
aurist *Med.*
autist *Psych.*
autobiographist
autocarist
autochthonist
autocop(y)ist *Print.*
autographist
autoist
autologist
automatist
automobilist
autonomist
autosuggestionist
autotheist
Averr(h)oist *Phil.*
aviarist
aviculturist
Babist *Rel.*
Baccanarist *Eccl. Hist.*
bacteriologist *Bot. Med.*
bacterioscopist *Bact.*
balladist
balneologist *Ther.*
bandagist
Bardesianist *Eccl. Hist.*
bassoonist *Music*
ba(t)tologist *Bot.*
Beethovenologist
behavio(u)rist *Psych.*
belletrist
Bertillonist
bestialist
Biblicist
bibliographist
bibliolatrist
bibliologist
bibliomanist
bibliopegist(al
bibliophagist
bibliophilist
bibliopolist
Biblist *Eccl.*
bicamerist *Pol.*
bicyclist
bigamist
bikist
bilinguist
bimetallist
biochemist(ry *Chem.*
biogen(es)ist *Biol.*
biographist
biologist
biometricist
bionomist *Biol.*
biophilist
biophysiologist
biopsychologist
bipedologist
bishopist
bletonist
blurbist
B(o)ehmist *Rel. Sects*
Bollandist *Eccl. Hist.*
Bolshevist
Bonapartist *Pol.*
botanist
Boulangist *Pol.*
boulevardist
Bourbonist
Bourign(i)onist
brachiopodist *Zool.*
braggartist
Brahmanist
Braidist
bromatologist
bronchotomist *Surg.*
Brownist(ic(al
bryologist
Buddhist
bugologist
bureaucratist
burialist
Byronist
cab(b)alist
cacophonophilist
Caesarist
calamist *Music*
calculist
calenturist
caliologist *Ornith.*
calligraphist
callisectionist
calorist -ic
calotypist
Calvinist
cambist(ry
camerist
Camorrist
campanologist
cancellationist
canoeist
canonist
canophilist
cantonist
capitalist
carbonist
carcinologist *Med.*
cardinalist
caricaturist
caricologist *Bot.*
Carlist *Pol.*
carnalist
carnationist
carpologist *Bot.*
Carranzista *Pol. Hist.*
Cartist *Pol.*
cartographist
cartoonist
casuist(ess ry
cataclysm(at)ist
catalog(u)ist
catastrophist
catcallist
catechumenist
categorist
catharist(a
cathedralist
catholicist
cavernist
cecidologist
celibatist
cellarist
cellist
Celtist
Celtologist
cembalist
centoist
centralist
Centrist *Pol.*
cephalotomist *Obstet.*
ceramist
Cerdonist *Eccl. Hist.*
cerealist
cerebralist
cerebrationist
ceremonialist
cerographist
Cervantist
cetologist
chalkologist
characterist
Chart(er)ist *Pol. Hist.*
chauvinist
chelonologist *Zool.*
chiro-
gnomist
graphist
manc(y)ist
mantist
podist(ry *Ther.*
sophist
chloralist *Path.*
choirister
chorist
chorizontist *Gr. Ant.*
chorologist *Biol. Geog.*
Christologist
chronalist
chroniclist
chronist
chronogrammatist
chronographist
chronologist
chrysophilist
churchist
churriguerist(ic *Arch.*
Ciceronianist
ciderist
cinquecentist
citriculturist
clamo(u)rist
Clarist *Rel. Orders*
classic(al)ist
clavecinist *Music*
clavichordist *Music*
clericalist
climatologist
clinicist *Med.*
clubbist
Clunist *Eccl. Hist.*
coagriculturalist
coalitionist
cocainist
codist
coelicolist
coercionist
coleopterist *Ent.*
collaborationist
collectivist *Econ.*
colloqu(ial)ist
Collucianist *Ch. Hist.*
colon(ial)ist
colonializationist
colorist
colorologist
columnist
commercialist
communalist
communionist
communist(ery
complexionist
compulsionist
computist
Comtist *Phil.*
concentrationist
conception(al)ist *Phil.*
Conceptionist *R. R. Ch.*
Conceptista
conceptualist *Phil.*
concessionist
concettist *Lit.*
conchologist
conchyliologist *Conch.*
conciliationist
concordist
conditionalist
confederalist
confederatist
confessionalist
confessionist
configurationist *Phil.*
Confucianist
congreganist
congregationalist
congregationist
congression(al)ist
congruist *Ch. Hist.*
conjecturalist
conservatist
consortiumist
constitutionalist
constructionist
consubstantialist
consubstantiationist
contagionist
continentalist
continuist(ic
contortionist
contra-
bandist
bassist
progressist
puntist(o
stimulist
versialist
versionist
vertist(ical
contractionist
convention(al)ist
conversation(al)ist
convivialist
Convocationist
convulsionist
cooperationist
coprologist
coprophagist
coprophilist
copyist
coralist
coreligionist
cornet(t)ist
cornist
corporealist
correctionalist
correligionist
corruptionist
corundophilist *Geol.*
cosmetologist
corvologist
corvophagist
cosmist *Phil.*
cosmogonist
cosmographist
cosmologist
cosmotheist *Phil.*
cossist *Math.*
cotheorist
craniologist
craniometrist
cranioscopist
crayonist
creationist *Theol.*
cremationist
creophagist *Biol.*
criminalist
criminologist
crinanthropy
criticist
crusta(ceo)logist *Zool.*
crypto-
Calvinist
deist
gamist *Bot.*
papist *Eccl. Hist.*
cubist *Art*
cultist
culturist
cumulatist
cuneiformist
curialist(ic
curist
curtainist
cyclecarist
cyclist(ic
cyclonist
cyclonologist
cyclop(a)edist
cymbalist
cynolatrist
cynophilist
cyperologist
cypraeologist
cytologist *Biol.*
czarist
dactylioglyphist
dactylist
dadaist
Daedalist
daguerrotypist
Daltonist
Damianist *Eccl. Hist.*
Dantist
Dantophilist
Darwinist
Davidist *Eccl. Hist.*
dealcoholist
decadist
decalogist
Decembrist *Pol. Hist.*
decimalist
decorist
decretalist
decretist(er
defeatist *Pol. Hist.*

defectionist
deist
delusionist
democratist
demolitionist
demonist
demonologist
demonomist
demonurgist
demotist
dendrologist
dentiloquist
dentist(ry -ic(al
dentologist
denudationist
deontologist
depredationist
deputationist
derivationist
derivatist
dermatologist *Med.*
descendentalist
descensionist
desmidiologist
despotist
destinist
destructionist
deterior(ation)ist
determinist
deuterogamist
Deuteronomist
developmentist
devotion(al)ist
diablerist *Art*
diabolist
dialectologist
dialist
dialogist
diarist
diatomist
diatribist
dichotomist
dicyclist
didachist *Eccl. Hist.*
dietetist *Med.*
dietist
diffusionist
digamist
digitigradist
digloss(*or* tt)ist
dilemmist
dilettantist
diplomatist
dipterologist *Ent.*
disloyalist
displayologist
dissenterist *Eccl.*
dissolutionist
disunionist
ditheist *Theol.*
dithyrambist
doctrin(al)ist
doggerelist
dogmatist
Donatist *Eccl. Hist.*
dosimetrist
dramatist
dramaturgist
drollist
dromedarist
dualist
duel(l)ist(ic
duettist
Dulcinist *Ch. Hist.*
dynam(it)ist
dysteleologist *Phil.*
ebonist
eccleisiologist
echinologist *Zool.*
echoist
eclectist
ecologist *Bot.*
economist
education(al)ist
egoist(ry
egotist

Egyptologist
Einsteinist
elaterist *Archaeol.*
electragist
electro-
biologist *Biol.*
logist
magnetist
metallurgist
physiologist
therap(eut)ist
typist
elegist
elementist
elocutionist
elogist
Elohist
emanat(ion)ist
emancipat(ion)ist
emancipist
emblem(at)ist
embryologist
emigrationist
emotionalist
emphyteutist
empiricist
encyclopedist
endocrinologist *Med.*
endoplutonist *Petrol.*
enologist
ensilist
entheist *Phil.*
entomologist *Zool.*
entomotomist *Ent.*
entozoolist *Zool.*
(a)eonist
ephemerist
epicist
epidemiographist *Med.*
epigen(es)ist *Biol.*
epigramm(at)ist
epigraphist
epilogist
epiphenomenalist *Phil.*
epiphytism *Bot.*
epistemologist *Logic*
epistol(ograph)ist
epitaphist
epitomist
epochist
epodist
eponymist
epopoeist
epoptist *Obs.*
equalist
equationist
equilibrist
equiprobabilist
equitist
eretmologist
ergotist *Logic*
eroticist
escapologist
eschatologist
esoterist
Esperant(id)ist
essayist
essentialist *Eccl. Hist.*
etacist *Philol.*
eternalist
ethicist
ethnicist
ethnographist
ethnologist
ethologist
etiologist
etymologist
eucalyptologist
eucharist
eud(a)emonist
Eudist *R. R. Ch.*
eugenist *Eugenics*
euhemerist *Phil.*
eulogist
euphemist
euphuist

euthenist *Sociol.*
evolutionist
examinationist
excursionist
exegesist *Crit. Math.*
exegetist
exhibitionist
exodist
expansionist
expeditionist
experientialist
experiment(al)ist
expressionist
extensionist
externalist
extortionist
extravaganzist
extremist
Fabianist
fabulist
factionist
faddist
fagottist *Music*
Familist
famulist
fantasist
fantasmagorist
Fascist(i
fatalist
faunist
federalist
federationist
felitomist *Surg.*
femalist
feminist
fetishist
feudalist
feudist
feuillitonist
fictionist
figurist
filicology -ist *Bot.*
finalist *Sports*
financialist
Flacianist *Eccl. Hist.*
flautist
floriculturist
florimanist
florist(ry
fluidist
folklorist
formalist
formulist
fortuitist
fossilist
fossil(ol)ogist
Fourierist
fractionist
fragmentist
Frankist
Franklinist
fraternalist
freetradist
frescoist
Froebelist
fruct(ic)ist
frugalist
fuguist
fumifugist
funambulist
Fundamentalist *Eccl.*
fungologist
fusinist
fusionist
fustianist
futurist
Gaelicist
galactophagist
Galenist *Med. Hist.*
galenochemist
Gallicanist
galvanist
galvanologist
gastriloquist
gastroenterologist *Med.*
gastrologist *Med.*

gastronomist
gastrophilist
gazettist
Gemarist
genealogist
generalist
geneticist
genotypist *Biol.*
geod(es)ist
geo-
botanist
gnosist *Geol.*
hydrologist
logist
magnetist
morphogenist *Geol.*
morphologist
phagist *Med.*
physicist
ponicist
geratologist
Germanist
Germanophilist
Germanophobist
germiculturist
gips(i)ologist
Girondist *Pol. Hist.*
glacialist
glacierist
glaciologist
globulist
gloss(ar)ist
glossolalist
glossologist
glottologist *Philol.*
glyptologist
gnomist
gnomonist
Gomarist *Eccl. Hist.*
Gongorist *Lit.*
gonochorist *Biol.*
go(u)rmandist
Gothamist
Gothicist
governmentalist
gradualist
graminologist
grammatist
graph(i)ologist
Grecist
Gregorianist
Grundyist
guerillist
Guesdist *Socialism*
guillotinist
guitarist
gymnobiblist
gyn(a)ecologist
haematognomist
h(a)ematologist *Biol.*
haggadist
hagiographist
hagiologist
halachist
halurgist
hamartiologist *Theol.*
harmonist
harmoniumist *Music*
harpsichordist
Hattemists *Ch. Hist.*
Hebraist
Hebrewist
hedonist
hegemonist
helminthologist
hemipterist *Ent.*
henotheist *Phil.*
hepaticologist *Bot.*
hepatologist *Bot.*
heptarchist
heptatechnist *Obs.*
herbalist
herbarist *Obs.*
herborist
heresiologist
hermeneutist
Hermetist

Hermetologist
hermoglyphist
herniotomist *Surg.*
heroologist
herpetologist *Zool.*
herpetotomist *Zool.*
heterist
heterogenist
heterophemist
hexametrist
Hibernologist
hieracologist *Bot.*
hierarchist
hieroglyphist
hierogrammatist *Gr. Ant.*
hierologist
hippiatrist *Vet.*
hippodamist
hippodromist
hippologist
hippophagist(ical
hippotomist
histologist
Hobbist
Hoffmanist *Ch. Hist.*
hom(o)eopathist *Med.*
Homerologist
homilist *Eccl.*
homogenist *Biol.*
homologist
hom(o)ousianist
hoplomachist
hornist
horologist
horoscopist
horticult(ur)ist
humanist
Humist
humor(al)ist
hybridist
hydraulist
hydriatrist
hydrocyclist
hydrologist
hydropathist
hydroscopist *Phys.*
hydrostatist
hyg(i)cist
hygienist
hylicist *Phil.*
hyloist *Theol.*
hylomorphist *Phil.*
hylopathist *Phil.*
hylotheist *Theol.*
hylozoist *Phil.*
hymenopter(olog)ist *Ent.*
hymnist
hymnodist
hymnologist
hyper-Calvinist *Theol.*
hypernephelist
hyperpurist
hypnologist
hypnosophist
hypnotist
hypothesist
hypotelist
hypsometrist
Iberist
ichneumonologist
ichthyologist
ichthyophagist
ichthyophilist
ichthyopolist
iconodulist
iconographist
iconomachist
iconophilist
idealist
identist *Med.*
ideologist
ideopraxist
idiogamist *Med.*
idiotist
idolist
idyllist
Ignatianist *Eccl. Hist.*

ignicolist
Iliadist
illeist *Rhet.*
illumin(at)ist
illusionist
imagist *Lit.*
immaterialist
immediatist
immersionist
immoralist
immortalist
immunist
impartialist
imperialist
impression(al)ist
incarnationist
incorporealist
indeterminist
Indianist
indifferentist
Indist
individualist
Indophilist
inductionist
industrialist
infallibilist
infectionist
inferentialist
inflationist
influxionist
infusionist *Phil.*
initialist
inoculist *Med.*
inopportunist
inquisitionist
inscriptionist
insectologist
inspiration(al)ist
institution(al)ist
instrument(al)ist *Phil.*
insurrectionist
intellectualist
interactionist
interglacialist
interimist *Eccl. Hist.*
internalist
internationalist
internist
interventionist
introspectionist
intrusionist
intuition(al)ist
intuitivist
invasionist
Ion(ian)ist
iotacist *Philol.*
Iricist
ironist
irrationalist
Irredentist *Pol. Hist.*
irreligionist
irrigationist
Islamist
ismist
isolationist
-ist *Suffix*
itacist *Philol.*
Italianist
ivorist
Jainist *Hist. Rel.*
Jansenist
Japanologist
jargonist
Jehovist
Jesuist
jingoist
Joannist *Eccl. Hist.*
jointist
jokist
Jorist
journalist
jovialist
Jovinianist *Eccl. Hist.*
jubilist
Judaist
jujuist
Julianist *Eccl. Hist.*

jurist
Justinianist
Kemalist *Pol. Hist.*
kenot(ic)ist *Theol.*
kinesipathist
kirkist
kleptomanist
Krishnaist
krupsist *Theol.*
ku(*or* y)atologist
Labadist *Eccl. Hist.*
lachanopolist
lachrymist
Lakist *Lit.*
Lamaist
lampist(ry
lampoonist
landscapist
lanternist
laparotomist *Surg.*
lapid(ar)ist
laryngologist
laryngoscopist *Surg.*
Latinist
laudist *Lit.*
Laudist *Eccl. Hist.*
laxist
lazarist
legalist
legendist
legist(er
legitim(at)ist
Leninist *Pol. Hist.*
Leonist *Eccl. Hist.*
lepidopter(olog)ist
leprologist
lexicographist
lexicologist
lexiconist
lexigraphist
lexiphanist
libellist
liberalist
liberationist
libidinist
librettist
lichenist
lichenographist
lichenologist
Lig(u)orist *Eccl. Hist.*
linguist(ry
linotypist
lipogrammatist
liquorist
literalist
literatist
lithologist
lithontriptist *Surg.*
lithoscopist *Med.*
lithothryptist *Surg.*
lithotomist *Surg.*
lithotriptist *Surg.*
lithotritist *Surg.*
liturgiologist *Eccl.*
liturgist *Eccl.*
lobbyist
localist
Lockist
logicalist
-logist
logodaedalist
Lollardist *Eccl. Hist.*
Londonologist
loopist
lotophagist
loyalist
Loyolist *Eccl. Hist.*
Lucianist
Lullist
luminarist *Painting*
luminist(e *Painting*
luminologist
lunarist
lunist *Astrol.*
luta(*or* e)nist
Lutherist
Lutherolatrist

lutist
luxurist
lycanthropist
Lyonist *Hist.*
lyricist
Machiavel(l)ist
machinist
macrolepidopterist *Ent.*
madrigalist *Lit.*
magazinist
magir(olog)ist
magnetist
Mahd(i)ist
Mahometist
Maimonist *Hist. Rel.*
majolist *Art*
Majorist *Eccl. Hist.*
malacologist *Zool.*
malacostracologist *Zool.*
malacotomist *Zool.*
malarialist
malist *Ethics*
mammalogist *Med.*
mammonist
Manchestrist
mandolinist
mangonist *Hort.*
Manich(a)eist
manicurist
mannerist
mantologist
manualist
mappist
Maratist *Hist.*
Marcellinist *Eccl. Hist.*
Marcianist *Eccl. Hist.*
Marconist *Teleg.*
Marianist
Marinist *Lit.*
marinist *Art*
Marist
Maronist *Hist. Lit.*
martialist
Martinist *Eccl. Hist.*
martyrologist
massagist
mastologist
materialist
mathematist
matriarchalist
matrimonialist
matterist
Maurist *Eccl. Hist.*
Maximalist *Pol. Hist.*
Maximianist
maximist
Mayologist
Mazda(*or* e)ist *Hist. Rel.*
mazologist *Med.*
Mazzinianist
mechanicalist
mechanist
mechanographist
meconophagist *Med.*
Mecubalist *Jewish*
medal(l)ist
medallionist
medi(a)evalist
mediocrist
meditat(ion)ist
meharist *Mil.*
Mek(*or* c)hitarist(ican
melancholist
meliorist
melodist
melodramatist
melonist
melophonist
memoirist
memorandist
memor(ial)ist
menagerist
Menandrianist *Eccl. Hist.*
Mennonist *Rel. Sects*
Menshevist *Pol. Hist.*
mentalist
menthologist *Bot.*

mercantilist
mercur(ial)ist
mesmerist
mesologist
metal(l)ist
metallographist
metallurgist
metamorphist *Theol.*
metamorphosist
metaphorist
metaphysicist
metaphysiologist *Phil.*
metasomatist *Geol.*
metempiricist
meteorist
meteorologist
meteoroscopist
metheglinist
M(*or* m)ethodist(y
methodologist
metoposcopist
metricist
metrist
metrologist
miasm(at)ist
micro-
  biologist
  coccologist
  geologist
  graphist
  lepidopterist *Ent.*
  logist *Micros.*
  pathologist *Med.*
  petrologist
  phagist *Histol.*
  scopist
  tomist
migrationist
militarist
millen(ar, ial)ist
millionist
Miltonist
mimist
mimologist
mineralist
mineralogist
minerist
miniaturist
Minimalist *Pol. Hist.*
ministerialist
Minorist *Eccl. Hist.*
mirabilist
mirac(u)list
misanthropist
misarchist
miscegenerationist
miscegenist
miscellanist
misdemeanist
misepiscopist
miserabilist
misobasilist
misocapnist
misogamist
misogrammatist
misogynist
misologist
misomusist
misoneist
misop(a)edist
misoscopist
misosophist
misotheist
Mithra(ic)ist
mnemonist
modalist
modelist
moderantist
moderat(ion)ist
modernist
modist(e
moe(*or* i)rologist
Molinist *Eccl. Hist.*
momist
monachist
monarch(ian)ist
monarchomachist

monergist *Theol.*
monist *Phil.*
monochordist *Music*
monochrom(at)ist
monoculist
monodist *Music*
monodramatist
monogamist
monogenist *Anthrop.*
monographist
monogynist *Bot.*
monolatrist
monolog(u(e)ist
monomachist
monometal(l)ist
mononeirist
monopolist
monopolylogist
monotheist *Theol.*
monotonist
Monroeist *Pol. Hist.*
Montanist *Theol.*
moralist
Mormonist
morologist
morosophist
morphinist
morphologist
mortalist
mos(aic)ist
Mosaist
motionist
motist
motorist
mountainist
multitudinist
municipalist
muscologist *Bot.*
museographist
museologist
musicologist
musist
musophobist
mutinist
mutualist
myalist
Mycenaeologist
mycetologist
mycologist
mycophagist
myographist
myologist
myotomist *Surg.*
myriologist
myrmecographist *Ent.*
myrmecologist *Ent.*
myropolist
mysticist
myth(ic)ist
mythographist
mythologist
mythop(o)eist
nagualist *Rel. Sects*
Napoleonist
nappist
narc(iss)ist *Psa.*
narcotist
nasologist
natationist
nation(al)ist
nativist
naturalist
naturist
naturopathist *Ther.*
nebelist *Music*
nebulist *Astron. Art.*
necrologist
necromantist
necrotomist
negationist
negativist *Ps. Path.*
negrophilist
negrophobist
nematologist
nemophilist
neobiologist
neo-Buddhist

neoclassicist
neocriminalist
neogamist
neoimpressionist *Art*
neologist
neontologist *Zool.*
neophilologist
neophytism
Neoplatonism *Phil.*
Neopythagoreanism
Neoschellingism *Phil.*
neovitalist *Biol.*
neozoologist
nephalist
nephologist *Meteor.*
nephrologist *Anat.*
nepotist
Neptunist
Neronist
netheist
neuralist
neurhypnotist
neurohistologist
neurohypnologist
neurohypnotist *Psych.*
neurologist *Med.*
neuronist *Anat.*
neuropath(olog)ist *Med.*
neuropsychologist *Med.*
neuropsychopathist *Med.*
neuropterist *Ent.*
neurypnologist
neutralist
newfanglist
newspaperist
newpaporialist
Newtonist
Nicemist *Eccl. Hist.*
nidologist *Ornith.*
niellist *Art.*
nihilist
noctambulist
nomenclaturist
nominalist
nomogenist *Phil.*
nomologist
nonconformist
noncontagionist
noncurantist
nonidentist *Phil.*
nonintervention(al)ist
nonintrusion(al)ist
nonjurist(ic
nonnaturalist
nonsubstantialist
nonuniformist
nonuionist
noologist
normalist
Normanist
nosologist
nothingist
notion(al)ist
notist
Novatianist *Eccl. Hist.*
novelist
novist
nullibist
nullificationist
numerist
numismat(olog)ist
nummist
nuptialist
obituarist
objectionist
objectist
objectivist
oblivionist
oboist
obscurantist
Observantist
obstetrist
obstructionist
obtrusionist
Occamist *Phil.*
occasionalist *Hist. Phil.*
occidentalist

occultist
occupationist
ochlophobist
Octob(e)rist
ocul(ar)ist
Odinist *Myth.*
odist
odontist *Dent.*
odontologist *Dent.*
odylist
oecologist *Biol.*
oenologist
oenophilist
oenophobist
oligarchist
omniformist
omphalopsychist *Phil.*
onanist
oneirologist
oneiropolist
oneiropompist
oneiroscopist
onomatologist
ontogenist *Biol.*
ontologist
onygophagist
oologist
oophorectomist *Surg.*
operatist
ophicleidist *Music*
ophidologist *Zool.*
ophiologist *Zool.*
ophiophilist
ophthalmist
ophthalmologist
ophthalmoscopist
opinion(at)ist
opiumist *Tox.*
oporopolist
opportunist
oppositionist
oppressionist
opsonist *Med.*
opsophagist
opticist
optimist
optologist
optometrist
orac(u)list
oralist
Orangist
orangist
orchardist
orchidist *Hort.*
orchidologist
orchidophilist
ordinaryist
organicist
organist(er -ic -ship
organizationist
organogenist
organographist
organologist
origin(al)ist
Origenist *Eccl. Hist.*
orismologist
Orleanist *Pol. Hist.*
ornament(al)ist
orneoscopist
orniscopist
ornithologist
ornithomantist
ornithopaleontologist
ornithophilist
ornithoscopist
ornithotomist
orologist *Geog.*
Orpheist
Orpheonist *Music*
orthodontist *Dent.*
orthodoxist
orthoepist
orthographist
orthop(a)edist
orthopter(olog)ist *Ent.*
oryctologist
oscurantist

Osiandrist *Rel. Sects*
osteologist
osteopathist
osteotomist *Surg.*
ostrea(*or* ei) culturist
ostreophagist *Cytol.*
otologist
ovariotomist
ovarist
ovist
ovologist
ovulist
Owenist *Sociol.*
Oxfordist
Paccanarist *R. R. Ch.*
pacifist
Padroadist *Eccl. Hist.*
p(a)ederastist
p(a)edologist
p(a)edotrophist
pal(a)eobiologist
pal(a)eobotanist
pal(a)e(o)ethnologist
pal(a)eographist
palaeoherpetologist
pal(a)e(o)ichthyologist
pal(a)eolithist
pal(a)eologist
pal(a)ontologist
pal(a)eophilist
pal(a)eophytologist
palaeotypographist
pal(a)etiologist
palatist
palaverist
paleobiologist
paleodendrologist
paleoethnologist
paleographist
paleoichthyologist
paleolithist
paleologist
paleontologist
paleophytologist
palethnologist
palindromist
palingen(es)ist *Biol.*
palinodist
panaceist
pan-Buddhist
pancosmist *Phil.*
pancratist *Gr. Ant.*
pandectist
panegoist
Panhellenist
pan-Latinist
panoplist
panoramist
panpsychist *Phil.*
pan-Slavist
pansophist *Phil.*
panspermatist *Biol.*
pantheist *Phil.*
pantheologist *Phil.*
pantherapist *Med.*
panthnetist
pantisocratist *Pol.*
pantologist
pantomimist
pantophagist
papalist
papaphobist
papicolist
papist
papyropolist
parabolist *Math.*
Paracelsist
parachutist
paradoxist
paragrammatist
paragraphist
paraphisist
parasitologist *Biol. Med.*
parenthesist
parodist
paroemiologist
parolist

paroxysm(al)ist
partialist
particularist
partyist
paschalist *Eccl.*
Passionist *Eccl.*
pastel(l)ist
pastoralist *Lit.*
pastorist *Eccl.*
pathetist
pathobiologist *Path.*
pathologist
pathomyotomist
Patripassionist *Theol.*
patrist
patrologist
Paulianist *Eccl.*
Paul(in)ist *Eccl.*
paysagist
pectoralist
pedagogist
pedalist
pediadontist *Dent.*
pedecurist
pedigrist
pedodontist *Dent.*
pedometrist
pellagrologist *Med.*
penalogist
penologist
pentagamist
pentametrist *Pros.*
percussionist
perfectibilist
perfect(ion)ist
perfumist
peridontist *Dent.*
periodicalist
periodontist *Dent.*
peripyrist
peritomist *Surg.*
Perkinist *Med.*
permutationist
perpetualist
Persianist
personalist
pessimist
petitionist
Petrarchist
Petrinist *Eccl.*
Petrist *Eccl.*
petrologist
phalangist(a *Mam.*
phalansterist *Sociol.*
er idae inae ine
phalansterist *Sociol.*
phallicist
phantasist
phantasmagorist
phantasmist
phantomist
pharmaceutist
pharmacist
pharmacologist
pharmacopoeist
pharmacopolist
phenologist *Biol. Meteor.*
phenomen(al)ist
phenomenologist
philanthrop(in)ist
philarchaist
philargyrist
philatelist
Philhellenist
Phillipist
philo-
biblist
botanist
brutist
calist
cubist
dendrist *Bot.*
dramatist
felist
galist
gynist
logist

philo- Cont'd
melanist
Philonist *Phil.*
philonoist
Philoponist *Eccl. Hist.*
philopornist
philosomatist
philosophist(ry
philotechnist
philotheist
philotheorist
philoxenist
philozo(on)ist
phlebotomist *Surg.*
phlogistomist *Chem.*
phlyarologist
phobist
phonet(ic)ist
phonographist
phonologist
phonotypist
Phosphorist *Lit.*
photo-
ceramist
dramatist
graphist
gravurist
logist
metrist
physicist *Phys.*
typist
phraseologist
phrenologist
phrenophysiognomist
phthisiotherap(eut)ist
phycologist
phyllophagist
phylogenist
physic(al)ist
physicologist
physicotheologist
physiocratist
physiognomist(ry
physiologist
physiomedicalist
physiophilist
phyto-
ecologist
graphist
lithologist
logist
pal(a)eontologist
pathologist
teratologist
tomist *Histol.*
pianist
pianofortist
Piarist *R. R. Ch.*
Picardist
pictorialist
Pietist *Eccl. Hist.*
pillarist
pilpulist(ic
Pindarist *Lit.*
pingpongist
pinionist
piscatorialist
piscicapturist
pisciculturist
plagiarist
planetist
planetologist
planographist *Surv.*
platformist
Platonist *Phil.*
pleasurist
plebicolist
pleinairist *Art*
plenist *Phil.*
pleomorphist *Bot.*
Plotinist
plumist
pluralist
plutologist
Plutonist
plutonomist
Plymouthist *Eccl. Hist.*

pneumatist
pneumatologist
pneumatomachist
pneumatopyrist
pococurant(e)ist
podiatrist *Med.*
podologist *Med.*
Poecilistes *Ich.*
poemist
pogonologist
pogromist
pointillist *Painting*
polarchist
polariscopist
polemicist
politicist
politicoreligionist
politist
poly-
  andrist
  archist
  chromatist
  chromist
  churchist
  diabolist
  gamist
  genesist
  genist *Anthrop.*
  glottist
  gynist *Bot.*
  linguist
  mathist
  nomialist *Nomen.*
  onymist
  phagist
  pharmacist
  phonist
  posist
  pragm(at)ist
  theist
pomiculturist
pomologist *Phil.*
poohpoohist
popul(ar)ist
populationist
porcelainist
pornographist
Porphyrianist *Phil.*
portionist
portraitist
Port-Royalist
positivist
posologist
Possibilist
posthetomist *Surg.*
postimpressionist *Art*
postnatalist *Theol.*
posturist
potamogalist
potamologist
potationist
practicalist
pragmatist *Phil.*
precisianist
precisionist
predestinationist
preevolutionist
preferentialist
preformist
prelatist
premillenialist
prenatalist
presbyterialist
prescriptionist
presentation(al)ist
presentist
preterist
preternaturalist
preventionalist
preventologist
Primianist *Eccl. Hist.*
Priscillianist *Eccl. Hist.*
probabil(ior)ist
probationist
problem(at)ist
procession(al)ist
proctologist

prodromist *Med.*
productionist
profession(al)ist
profilist
program(m)ist
programmatist
progressionist
progressist
progressivist
prohibitionist
projectilist
projectionist *Cartog.*
prolegomenist
prologuist
promorphologist *Biol.*
pronounist
propaganist
prophylactodontist *Dent.*
propolist
proportion(al)ist
prosaist
proselytist
prosodist
prosopologist
prosthetist
prosthodontist *Dent.*
protectionist
protistologist *Biol.*
protocolist
protogenist
protonovelist
protoplasmist
protozoolist
proverbialist
proverbiologist
provincialist
prudentialist
prudist
psalmist(er -y
psalmodist
psalmographist
psammologist
psellismologist
pseudoarchaist
pseudochronologist
pseudomantist
psilanthropist *Theol.*
psychiatrist
psychicist
psychist
psycho-
  analysist
  graphist
  hylist
  logist
  metrist
  pannychist
  path(olog)ist
  physicist
  physiologist
  pyrist
  sophist
  therapeutist
psychrolutist
pteridologist *Bot.*
pteridophilist
pterigraphilist *Bot.*
Ptolemaist *Cosmog.*
publicist
pugilist
punctist
punctuationist
purist
puritanopapist
Puseyist *Eccl. Hist.*
pyramid(al)ist *Egyptol.*
pyrgologist
pyrobolist
pyrographist
pyrologist
pyrotechnist
Pyrrhonist *Phil.*
Pythagorist *Phil.*
pythonist
quadricyclist
quadrigamist
quadrisacramentalist

quagmirist
quaternionist
quattrocentist
Queenist
quer(y)ist
querulist
questionist
questrist
Quichuist
Quietist
quinologist
quinquennialist
quotationist
rabbinist
radiodontist *Dent.*
radiologist
radiumologist
Ramist(ry *Logic*
rationalist
reactionist
realist
recapitulationist
recensionist
receptionist
recidivist
recitalist
recitation(al)ist
Redemptionist *Eccl. Hist.*
Redemptorist(ine
red-tapist
reductionist
reformatist
refractionist
regalist
regionalist
regulationist
reincarnationist
relat(ion)ist
relativist
religionist
remedist
renovationist
repetitionist
representationalist
requisitionist
reservist
resolutionist
restitution(al)ist
restorationist
restrictionist
resurrectionist
retentionist
retinoscopist *Ophth.*
reunionist
revelationist
reverist
revisionist
revivalist
rhabdomantist
rhapsodist
Rhemist *Eccl. Hist.*
rhinologist
rhizophagist *Bot.*
rhizopodist *Zool.*
rhizotomist *Bot. Surg.*
rhodologist *Bot.*
rhymist
rhyparographist
rhythmist
ribandist
rigorist
riotist
ripienist
ritualist
rodomontadist
ro(e)ntgenologist
rogat(ion)ist
romanc(eal)ist
Romanist
romanticist
romantist
Rousseauist
runologist
ruralist
Russophilist
Russophobist
Sabbatist *Hist.*

sacerdotalist
sacramental(*or* ar)ist
sacrilegist
Sadduceeist
sadist
Saint-Simonist *Sociol.*
saloonist
Salvationist
sanctificationist
sanctologist
sanguinist
Sanhedr(in)ist
sanitarist
sanitationist
sansculottist
Sanskritist
Sapphist
sarcologist *Med.*
sarcophagist
sarrusophonist *Music*
Satanist
satinist
satirist
satisfactionist
Saturnist
Saxonist
saxophonist *Music*
scandalist
scansionist
scarabaeist
scen(ar)ist
scenarivist
schem(at)ist
schismatist
schoenobatist
scholist
sciencist
scientist
sciolist
scleragogist
Scogginist
scorpionist
Scotist
Scriptur(al)ist
scrupulist
scrutinist
sculpturist
seascapist
secessionist
sectarist
section(al)ist
sectist
secularist
seditionist
seductionist
segregationist *Sociol.*
seicent(o)ist
seismologist
selachologist
selectionist
selenographist
selenologist
semaphorist
semasiologist *Philol.*
sematographist
semeiologist *Med. Philol.*
semiatheist
semifinalist *Sports*
semin(ar)ist
Semi-Quietist *Eccl. Hist.*
Semitist
sensation(al)ist
sensist *Phil.*
sensitivist
sensu(al)ist
sententiolist
sentimentalist
separat(ion)ist
separist
Septembrist
septuagintalist
seraphicalist
sericulturist
sermon(ett)ist
serologist *Med.*
serotherapist *Med.*
Servitist *Eccl. Hist.*

sexualist
shadowgraphist
shadowist
shallowist
Shamanist
Shintoist
sibyllianist
siderographist *Engr.*
sigillarist
signalist
signaturist
significatist
silhouettist
sillographist
silverist
simonist
simplicist
simplist
sinecurist
singularist
Sinologist
sisyphist
skatist
slangist
Slavist
Slavophobist
snobologist
socialist
sociologist
sodalist
solarist *Myth.*
solfaist *Music*
solibiblist
solidarist
solidist *Med.*
soliloquist
solipsist *Metaph.*
solist *Astrol.*
soloist
Solonist
somatist *Phil.*
somatologist
somnambulist
somniloquist
somnipathist
sonnetist
sopranist
sortilegist
sovietist
spagyrist
Spartacist
spasmodist
specialist
spectroscopist
specul(at)ist
spel(a)eologist
spermalist
spermatist *Biol.*
spermatologist
spermist *Biol.*
spermologist *Biol.*
sphagnologist *Bot.*
sphenographist
sphericist
Spinozist *Phil.*
spiritist
spiritualist
splanchnologist
splenectomist *Surg.*
spondylotherapist
spong(i)ologist
sporologist
spreadeagleist
stancarist *Rel. Sects*
statist
statuarist
statuist
steganographist
stenographist
stenotypist
Stercor(an)ist *Eccl. Hist.*
stereoscopist
stereotomist *Geom.*
stereotypist
stethoscopist
stigmatist *Eccl.*
stipendiarist

stomatologist
storiologist
strategist
stratigraphist
structurist
Stundist *Rel. Sects*
stylist
stymphalist
subaerialist
subjectivist
submissionist
subordinationist *Theol.*
substantialist *Phil.*
substitutionalist *Phil.*
subtilist
subtlist
successionist
suffragist
suggestionist
sultanist
summ(ar)ist
superficialist
supernaturalist
superstitionist
supranaturalist
supremist
surrealist *Lit.*
Swarajist *Pol. Hist.*
Sybarist
syllabist
syllogist
sylviculturist
symbolist
symbolology
symmetrist
sympathist
symphonist
symphysiotomist *Surg.*
symptomatologist
synagog(ue)ist
synantherologist *Bot.*
synchronist
syncopist
syncretist
syndicalist *Socialism*
synechist *Phil.*
synergist *Theol.*
synod(al)ist
synonymist
synoptist
syntaxist *Gram.*
synthesist
synthetist
syphil(od)ologist
Syriacist
Syriologist
system(at)ist
tabooist
tachygraphist
Tacitist
taciturnist
tacticianist
tactualist
talismanist
Talmudist
Tantrist
Taoist
tapist
Targumist
tariffist
Tatianist *Eccl. Hist.*
tattooist
tautologist
taxidermist
taxi(*or* o)nomist
technic(al)ist
technicophilist
technologist
tectonist
teetotalist
telautographist
telegraphist
telemetrist
teleologist
telepathist
telephonist
telescopist
tellurist
tempor(al)ist
tenorist
tenotomist *Surg.*
tenurist
teratologist
terminist
terminologist
territorialist
terrorist
Tertullianist
tetrachromist *Ophth.*
tetragonist
teuthologist *Zool.*
Teutonist
textilist
textu(al)ist
thanatist
thanatologist
thanatophidiologist
thaumatogenist
thaumaturgist
theanthropist
theatricalist
theist
thematist
theocollectivist
theocratist
theogonist
theologojurist
theologist
theomachist
theomammonist
theomicrist
theomisanthropist
theopanphilist
theopaschitist
theophilanthropist
theophilist
theophobist
theorbist
theoremist
theorematist
theorist
theosophist
theotechnist
Therapeutist
thereologist
thermodynam(ic)ist
therologist *Zool.*
thesmophilist
theurgist
Thomist *Eccl. Phil.*
thrasonist
threnodist *Lit.*
timbromanist
timbrophilist
timist *Music*
Timonist
tintinnabulist
tithonographist *Photog.*
tobacconist
tobogganist
tocologist *Obstet.*
tolerationist
Tolstoyist
ton(al)ist
topiarist
topographist
topologist
toponymist
topsy-turvyist
torpedoist
totemist
tourist(ry
toxicologist
trachelogist *Med.*
tracheoscopist *Med.*
tracheotomist *Surg.*
tractorist
tradesunionist
tradition(al)ist
Traducianist
tragedist
transcendentalist
transform(ation)ist
transfusionist
transitionist
transmigrationist
transmissionist
transportationist
transsubstantialist
transsubstantiation(al)ist
trapezist
Trappist(ine *Eccl.*
treasonist
treatyist
trecentist(a
Trentist *Eccl.*
triadist
trialist
triarchist *Bot.*
tribalist
trichologist
trichotomist
trichromatist
tricyclist
trigamist
trilogist
trinomialist *Biol.*
tripersonalist
trippist
tripudist
tritheist *Theol.*
trivialist
trochilidist *Ornith.*
trombonist
tropist *Eccl. Rhet.*
troubadourist
truncheonist
Tsarist
tunist
Turcologist
Turcophobist
turnipologist
tutiorist
typist
typographist
typologist
typtologist
Tziganologist
ubiquist
ubiquitist
ultraist
ultramontanist
ultrapurist
ultraromanticist
undulationist
unicyclist
unionist
unistylist
Unitarist
universalist
universologist
unnaturalist
unroyalist
upheavalist
uranographist
urbanist
uredinologist
urinalist *Med.*
urinologist *Med.*
urinoscopist *Med.*
urologist *Med.*
uroscopist *Med.*
uterologist *Med.*
utilitarianist
Utop(ian)ist
utraquist *Hist.*
vacationist
vaccin(ation)ist
vacciniculturist
vacuist
vagarist
valetudinarist
variationist
Vaticanist
vaudevillist
Ved(ant)ist
vegetist
Vehmist
velocipedist
vendettist
vener(ial)ist
Venizelist
ventriloquist
Venturist
verbalist
ver(it)ist
vermeologist
vermiculist
Verschoorist
versionist
verslibrist(e
vetoist
vicinist
vigilist
vignettist
vigorist
vinegarist
vinologist
violinist
violist
violoncellist
visionist
visualist
vitalist
viticultur(al)ist
vitraillist
vivisectionist
vocabulist
vocalist
Volapukist
volcanist
volcanologist
volumist
voluntar(y)ist
vorticist *Art*
vot(ar)ist
vowelist
vulcan(olog)ist *Geol.*
vulgarist
Wagnerist
womanist
Wyclif(f)ist
xylographist
xylologist *Bot.*
xylopolist
xylotomist
Yakv(*or* w)ist
yachtist
Yorkist *Eng. Hist.*
zealist
ze(a)lotist
zeist *Path.*
zelotypist *Psych.*
zemstvoist
zendist
Zinganologist
Zingarologist
Zionist
Zoilist
zoist *Phil.*
Zolaist
Zollvereinist
zoogeologist
zoographist
zoologist
zoomantist
zoonist
zoonomist
zoopathologist
zooperalist
zoophilist *Bot.*
zoophyt(olog)ist
zoopsychologist
zootheist
zootomist
Zwinglianist
zymologist
zymotechnologist

-ιστικός fr. -ικός added to nouns in -ιστής; used also in association with -ισμός

absolutistic
acosmistic *Phil.*
adiaphoristic *Eccl. Hist. Ethics Theol.*
advertistics
Africanistics *Philol.*
albinistic
alchemistic(al
algoristic *Math.*
allegoristic
alteregoistic
altruistic(ally
amaterialistic
Americanistic
amoristic
Anabaptistic(al(ly
anabolistic *Biol.*
anachronistic(al(ly
analogistic *Logic Philol.*
anarchistic
animalistic
animatistic *Hist. Rel.*
animistic
annalistic
anomalistic(al(ly
antarchistic(al *Pol.*
anthropinistic *Geol.*
anthropistic *Phil.*
anthropophagistic
anthropophuistic
anti-Calvinistic *Eccl.*
antichloristic *Ind. Chem.*
antiimperialistic *Pol.*
antipapistical
antisocialistic
antitheistic(al(ly
antithesistic
apathistical
aphanistic *Crystal.*
aphrodistic
Apollonistic
aposterioristic *Logic Phil.*
aprioristic *Logic*
archaistic
Arianistic(al *Theol.*
atavistic(ally
atheistic(al
-(al)ly -(al)ness
atomistic(al(ly
Audubonistic
autistic *Psych.*
autonomistic
Averr(h)oistic *Phil.*
batonistic
behavio(u)ristic *Psych.*
bibliopegistic(al
bibliophilistic
bibliopolistic
bimetallistic
Bolshevistic(ally
Buddhistic(al
cabalistic(al(ly
cacoepistic
Calvinistic(al(ly
cameristic(s
canonistic(al *Eccl.*
capitalistic(ally
casuistic(s -al(ly
catalogistic
catechistic(al(ly
catharistic *Eccl.*
centralistic
cephalistic
chaotheistic *Theol.*
charlatanistic
chauvenistic
classic(al)istic
coloristic
communalistic
communistic(al(ly
conceptualistic *Phil.*
congruistic *Ch. Hist.*
contortionistic
conventionalistic
cosmotheistic *Phil.*
creation(al)istic *Theol.*
Crypto-Calvinistic
cubistic *Art*
Darwinistic
deistic(al(ly -alness

deterministic
Deuteronomistic
dichotomistic *Logic*
dichroistic *Optics*
ditheistic(al *Theol.*
Donatistic(al *Eccl. Hist.*
drumistic
dualistic *Phil.*
dynamistic
dyslogistic(al(ly
dysmeristic *Biol.*
dysphotistic *Bot.*
dysphuistic
ego(t)istic(al(ly
Elohistic
emanatistic
empir(ic)istic
enantiobiosistic *Biol.*
enchoristic
endotheistic
Englistic
epichoristic
epideistic
epilogistic
epiphenomenalistic *Phil.*
equilibristic
erythristic *Colors Med.*
essayistic(al
eud(a)emonistic
euethistically
euhemeristic(ally *Phil.*
eulogistic(al(ly
eumeristic *Biol.*
euphemistic(al(ly
euphonistic
euphuistic(al(ly
evolutionistic
exotheistic
expressionistic
externalistic
extratheistic
Familistic(al
faunistic(ally
federalistic
feministic
fetishistic
feudalistic
feuillitonistic
filiopietistic
floristic(ally -ics
flunk(e)yistic
folkloristic
formalistic
formulistic
Fourieristic
futuristic
Germanistic
gonoghoristic *Biol.*
grammatistical
haggadistic
halachistic
harmonistic
Hebraistic(al(ly
hedonistic(ally
Hellenistic(al(ly
helozoistic
hemicatatonistic *Med.*
henotheistic *Phil.*
heroistic
heterochronistic *Biol.*
heterophemistic
heuristic
Hobbistical
homilistical *Eccl.*
humanistic(al(ly
humor(al)istic
hygeistic
hylotheistic *Theol.*
hylozoistically *Phil.*
hyper-Calvinistic *Theol.*
hyperlatinistic
hypnotistic
iconistic(ally
idealistic
idiotistical
idolistic

illuministic
imperialistic(ally
impression(al)istic
inartistic(al(ly -ality
indeterministic
Jansenistic(al
Jehovistic
jingoistic
journalistic(ally
jovialistic
Judaistic(ally
juristic(al(ly -ics
individualistic
infidelistic
intellectualistic
interimistic(al(ly *Eccl.*
intuition(al)istic
Islamistic
Israelistic
-istic(al(ly *Suffixes*
itacistic *Philol.*
kleptistic
Lamaistic
Latinistic
lauristic *Chem.*
legalistic
legitimistic
liberalistic
linguistic(al(ly -ician -ics
literalistic
liturgistic(al *Eccl.*
localistic
mageristic
Majoristic *Eccl. Hist.*
malistic *Ethics*
mammonistic
mammothistic
manneristic
mantistic
manubalist
masochistic *Ps. Path.*
materialistic(al(ly
maximistic
mechanistic
medi(a)evalistic
medicostatistical
mediumistic
melanistic
melioristic
Mephistophelistic
mercantilistic
meroistic *Embryol.*
meteoristic
Methodistic(al(ly
militaristic
minimistic
miserabilistic
misogynistic(al
misoneistic
misopogonistically
misotheistic
modalistic
modernistic
Molinistic *Eccl. Hist.*
monachistic
monadistic *Phil.*
monarch(ian)istic
monergistic *Theol.*
monistic(al(ly *Phil.*
monogamistic
monogenistic
monoideistic
monoplanist
monopolistic
monosyllogistic
monotheistic(al(ly *Theol.*
Montanistic(al *Theol.*
moralistic
multitudinistic
mutualistic
nagualistic *Rel. Sects*
Napoleonistic
narc(iss)istic *Psa.*
nationalistic
nativistic
naturalistic(ally
naturistic(ally

negativistic *Ps. Path.*
negrophilistic
neoatavistic *Biol.*
neobotanist
neo-Buddhistic
neologistic(al
Neoplatonist *Phil.*
neovitalistic *Biol.*
nepotistical
nihilistic
noctambulistic
nominalistic
nomistic *Phil.*
nonegotistical
novelistic(ally
obituaristic
objectivistic
obligistic
Occamistic *Phil.*
occasionalistic *Phil.*
occultistic
oculistic
Odoistic *Music*
onanistic
onychophagist
opportunistically
optimistic(al(ly
Origenistic *Eccl. Hist.*
Orleanistic *Pol. Hist.*
orthoepistic
ovistic
pacifistic
p(a)edologistical(ly
pal(a)eoatavistic
pal(a)eofaunistik *Geol.*
pal(a)eofloristik *Geol.*
paleoatavistic *Biol.*
pand(a)emonistic
panlogistic(al *Phil.*
panmaterialistic
panoistic *Biol.*
pan-Slavistic
Pantagruelistic(al *Fiction*
pantheistic(al(ly *Phil.*
papalistic(al
papistic(ate -al(ly
Paracelsistic
parachronistic
paragraphistical
parodistic(ally
partialistic
particularistic
paternalistic
patristic(al(ly
-icalness -icism -ics
Paulinistic
pedigristical(ly
perfectionistic
Perkinistic *Med.*
pessimistic(al(ly
Petrarchistical
phalansteristic *Sociol.*
phenomen(al)istic
philanthropistic
philatelistic
Philippistic
philosophistic(al
philotheistic
phoenicistic *Path.*
physiognomistic
physitheistic
pianistic
Pietistic(al(ly *Eccl. Hist.*
plagiaristic(ally
platformistic
Platonistic *Phil.*
pleochroistic *Bot.*
pluralistic(ally
polaristic
polycharacteristic
polyd(a)emonistic
polygamistic
polygenistic
polymorphistic
polytheistic(al(ly
populistic
positivistic

posterioristic(ally
postimpressionistic *Art*
pragmatistic *Phil.*
pre-Raphaelistic
prerhotacistic *Philol.*
prioristic(ally
probabilistic
problemistic
probolistic
propagandistic(ally
proselytistic
prosyllogistic(al
psychopannychistic
pteri(*or* o)plegistic
publicistic
pugilistic(al(ly
puristic(al
Puseyistic(al *Eccl. Hist.*
Pyrrhonistic *Phil.*
Quakeristical
Quietistic
rabbinistic(al(ly
Ramistical *Logic*
rationalistic(al(ly -ism
realistic(ally
recidivistic
regionalistic
relativistic
religionistic
reunionistic
revivalistic
rhapsodistic
rigoristic
ritualistic(ally
Romanistic(al
romanticistic
sadistic *Path.*
Samsonistic
Satanistic
scientistic(ally
sciolistic
Scotistic(al
scribistical
seminaristic
sensationalistic
sensistic *Phil.*
sensu(al)istic
separ(at)istic(al
Shamanistic
Shintoistic
sigillaristic
simplistic
sinapistic
Sivaistic *Hist. Rel.*
Slavistic
socialistic(ally
Socinianistic
solidistic *Med.*
solipsistic *Metaph.*
somnambulistic(ally
specialistic
Spinozistic *Phil.*
spiritistic
spiritualistic(ally
statistic(s
-al(ly -ian(ly -ize
statistology
stylistic(s -al(ly
subjectivistic
supernaturalistic
supranaturalistic
surrealistic(ally *Lit.*
symbolistic(al(ly
symphronistic
synchromistic(al(ly
syncretistic(al
syndicalistic *Socialism*
synergistic(al(ly *Theol.*
synoptistic
Talmudistic(al
Taoistic
Targumistic
terministic
terroristic(al
tetragonistic(al
theistic(al
theosophistic(al

Thomistic(al -ate *Eccl.*
Toryistic
totemistic
touristic
traditionalistic
Traducianistic
traductionist
transcendentalistic
transformistic
tritheistic(al *Theol.*
tropistic(ally *Biol.*
truistic(al
tuistic *Phil.*
tychistic *Phil.*
ultraistic
ultranominalistic
ultrapositivistic
uncharacteristic(ally
unionistic
universalistic
Utopistic
vandalistic
ventriloquistic
ver(it)istic
vetoistic(al
vitalistic
vocalistic
voluntaristic
Yahv(*or* w)istic
zeistic *Path.*
zoistic *Phil.*
Zolaistic
zootheistic

ἱστιο- Comb. of ἱστίον
histio-
branchus *Ich.*
cephalus *Pal.*
clastic *Cytol.*
cottus *Ich.*
cyte *Med.*
genic *Med.*
logy -ical
notophorus *Pal.*
phorus -id(ae -oid *Ich.*
Histiothrissa *Pal.*
homohistioblast *Biol.*
Istiophorus -idae *Zool.*
ἱστία Pl. of ἱστιόν
Cladistia(n *Ich.*
Hemeristia *Ent.*
-iid(ae -ioid
Rhipidistia(n -ious *Ich.*
ἱστίον a web, a cloth
Brachystius *Ich.*
histi-
oid *Morph.*
oma *Path.*
urus *Herp.*
histionic *Biol.*
-istion *Pal.*
Pleur Tein
-istium *Ich.*
Chorist Macr
-istius *Ich.*
Acanth Ini Mesogon
Nemat Prion Xen

ἱστο- Comb. of ἱστός
autohistoradiography
chemicohistological
cytohistogenesis *Cytol.*
histo-
blast *Cytol.*
chemical chemistry
clastic *Cytol.*
cyte *Cytol.*
diagnosis *Diag.*
dialysis *Path.*
dialytic *Path.*
fluorescence *Med.*
gen(ic -ous *Histol.*
genesis
genetic(ally
genol *Mat. Med.*
geny
geography
grapher

graphy -ic(al(ly
h(a)ematin *Biochem.*
hematogenous *Med.*
logy -ic(al(ly -ist *Biol.*
lysis lytic *Biol. Ent.*
metabasis *Geol. Histol. Pal.*
metaplastic *Med.*
monas *Protozoa*
morphology -ical *Biol.*
morphosis
morphotic
nomy *Biol.*
pathology -ic(al *Med.*
pedes podes *Eccl. Hist.*
peptone *Biochem.*
philus *Bot.*
phyly *Biol.*
physics
physiology -ical
phyta -ia *Bot.*
plasma *Protozoa*
plasmosis *Path.*
psyche *Histol.*
psychology *Histol.*
retention *Med.*
rrhexis *Neurol.*
san *Mat. Med.*
sporidia *Prot.*
therapy *Ther.*
thrombin *Med.*
tome *Surg. App.*
tomy *Histol. Surg.*
tribe *Surg. App.*
trophic *Biol.*
tropic *Biochem.*
zoa -ic *Mycol.*
zoic *Med.*
zyme *Biochem.*
micristology -ical *Med.*
microhistological
neurohistology -ist
palaeohistology *Med.*
panhistophyton *Bact.*
pathologicohistological
ἱστορία history (Herod.)
historian(ism
histori(at)ed
historier -iette -ify
historious -ism -ize
history
prehistory -ia(n
protohistory -ian
storiology
-ical -ist
story
-ial -iation -ied -ier
-iette -ify -ize
ἱστορικος (Dion. H.)
antehistoric
dehistoricize
eohistoric
historic -ics
al(ly alness ian ity ize
historico-
critical philosophical
mythohistoric
prehistoric(al(ly -ics
protohistoric
psychohistorical
semihistorical
suprahistorical
unhistoric(al(ly
ἱστοριο- Comb. of ἱστορία
historio-
logy -ical
metry
nomer -ical
ἱστοριογραφία (Joseph.)
historiography
ἱστοριογραφικός
historiographic(al(ly
ἱστοριογράφος (Polyb.)
historiograph
al er(ship

ἱστος loom, warp, web
anhistous -ic *Anat.*
hist- *Biochem.*
amin(e ase enzyme
idase idin(e idyl
hist- *Med.*
affine aminemia ic oid
oma
histon(e *Biochem.*
-histon *Biochem.*
gadu hemato lota nucleo
histona -al *Cytol.*
histonuria *Med.*
hyperglyci(*or* y)stia
metistoid *Cytol.*
Micristodus *Ich.*
ἵστωρ a wise man
Istor *Ent.*
ἰσχαινειν to make dry
Ischaena *Ent.*
ἰσχαλέος thin
Ischalia *Ent.*
ἴσχειν to suppress, check
galactischia *Gynec.*
isch(a)emia -ic *Path.*
ischesis *Path.*
ischiomenia *Path.*
ischo- *Path.*
cholia chymia
galactia -ic
lochia menia
myoischemia *Med.*
ptysmati(*or* o)schesis
ἰσχιαδικός of the hips
ilioischiad(*or* t)ic *Anat.*
interischiadic *Anat.*
ischiadic *Anat.*
ischiatic *Anat.*
ischiat- *Path.*
ica itis ocele
puboischiatic *Anat.*
sacrosciatic(d(*or* t)*Anat.*
sciatic(al(ly *Anat.*
sciatica *Path.*
ἰσχιακός = ἰσχιαδικός
ischiac *Anat.*
-ischiac *Anat.*
ilio pubo recto sacro
trans
ἰσχιάς (Hipp.)
schias *Path.*
ἰσχιο- Comb. of ἰσχίον
ischio-
anal *Anat.*
aponeurotic *Anat.*
bulbar *Anat.*
capsular *Anat.*
caudal *Anat.*
cavernous -osus *Anat.*
cele *Path.*
cerite *Crust.*
clitorian *Anat.*
coccygeus -eal *Anat.*
didymus *Terat.*
dymia *Terat.*
femoral *Anat.*
fibular *Anat.*
gnathite *Crust.*
hebotomy *Surg.*
iliac *Anat.*
innominate *Anat.*
loncha *Ent.*
neuralgia *Path.*
pagus -y *or* -ia *Terat.*
penile *Anat.*
perineal *Anat.*
podite *Crust.*
prostatic *Anat.*
pubis -ic *Anat.*
pubotomy *Surg.*
rectal *Anat.*
sacral *Anat.*
tibial *Anat.*

ischio-Cont'd
vaginal *Anat.*
vertebral *Anat.*
-ischiocele *Surg.*
entero epiplo
ἰσχίον (Galen)
hypoischium *Zool.*
ischi-
adelphus *Terat.*
agra *Path.*
algia -ic *Path.*
odus *Ich.*
osis *Path.*
ischium -ial *Anat.*
Ornithischia(n *Pal.*
Plesioidischia *Pal.*
postischial *Anat.*
Pseudooidischia *Pal.*
Psilischium *Ent.*
puboischium *Anat.*
Pyrischius *Ent.*
Saurischia(n *Herp.*
scia
ἰσχιορρωγικός limping
ischiorrhogic *Pros.*
ἰσχνο- Comb. of ἰσχνός
ischno-
cerus *Ent.*
chiton(id(ae *Pal.*
dora *Ent.*
neurula *Pal.*
soma *Ent. Ich. Mam.*
ἰσχνός thin, meagre
Ischnarthron *Ent.*
Podischnus *Ent.*
ἰσχνότης thinness
Ischnotes *Ent.*
ἰσχνοφωνία (Hipp.)
ischnophony -ia -ic
ἰσχουρία (Galen)
anischuria *Path.*
ischuria *Path.*
-(et)ic(al -y
ἰσχυρο- Comb. of ἰσχυρός
ischyro-
mys -yidae *Mam.*
tomus *Pal.*
ἰσχυρός mighty, strong
Ischyrosmilus *Pal.*
Ischyrus *Ent.*
ἰσωνυμία sameness of name
isonymy *Philol.*
ἰσώνυμος
isonym *Philol.*
Ἰταλία (Herodotus)
Italian
ate ation ish ism ist
ization ize(r ly
Italish
Italo-
mania
Ἰταλικός (Plato)
Italic
al(ly an ate e ism
ization ize(r
Italico-
italics *Print.*
Ἰταλιώτης (Thuc.)
Italiot(e
ἴταμος eager, reckless
Itamus *Ent.*
ἰτέα a willow
Itea *Bot.*
iteology -ic *Bot.*
Ptychitinae *Pal.*
-ιτης masc. of -τα- denoting the person who has to do with an object, properly following stems in -ι-. (Few examples are listed here of the many terms in *Min.* and *Pal.*)
Abbasites *Pal.*
Abelite
abelite *Expl.*
abietite *Chem.*
absorbite *Ind. Chem.* (T.N.)
Acephalite *Eccl. Hist.*
aceritol *Org. Chem.*
acetite
acidite
acolouthite *Eccl.*
acrite -ol *Org. Chem.*
Adamite -ic(al -ism
adamite *Min.*
adamite *Abrasives* (T.N.)
adamsite *Chem. Warfare*
adiaphorite *Eccl. Hist.*
adipocerite *Min.*
adonite -ol *Org. Chem.*
Adrianite *Eccl. Hist.*
Adullamite *Eng. Hist.*
aerolite *Alloys* (T.N.)
Agapemonite *Rel. Soc.*
agaphite *Gems*
agerite *Rubber* (T.N.)
Aghlabites *Hist.*
Aitkenite *Eccl. Hist.*
alabandite *Min. Occult*
Allenite
amberite *Expl.*
Ammanite *Eccl. Hist.*
Ammonite -ess *Bible*
Amorite *Bibl. Hist.*
amylites *Bot.*
amyloleucite *Bot.*
anabolite *Bot.*
Ananite *Hebr. Sects*
ancecerite *Crust.*
anchorite -ess -ism
anilite *Expl.*
annerodite *Min.*
Anomalocystites *Pal.*
Anomorphites *Pal.*
anthropomorphite
-ic(al -ism -ize
anthropopathite *Theol.*
anthropophagite
anthropophysite
Anticlicomarianite *Eccl.*
anti-Parnellite *Pol. Hist.*
anti-S(h)emite -ic(ally -ism
antisilverite
aphanite
aphrite
aphrizite
apiocrinite *Echin.*
aplite *Petrog.*
apophyllite *Bot.*
arabitol *Org. Chem.*
araucarite(s *Pal. Bot.*
Archaeozonites *Gastrop.*
Arianites *Pal.*
artotyrite *Eccl.*
arzunite *Min.*
asarite *Chem.*
asbestinite
ascharite *Min.*
Asharite *Rel.*
asmanite *Min.*
asphaltite
Assamites
astacite
asterite
asteroite
asterophyllite(s *Pal. Bot.*
astrak(h)anite *Min.*
atatchite *Geol.*
atlasite
atacamite *Min.*
ataxite *Petrog.*
atelestite *Min.*
atelite *Min.*
austenite -ic *Metal.*

axite *Expl.*
axodendrite *Anat.*
Axumite *Hist.*
azymite *Eccl. Hist.*
bakelite *Ind. Chem.*
-dilecto -micarta
Balaamite -ical
balanite *Pal.*
balsamitic(ness
Bardesanite *Eccl. Hist.*
Barnabite *Eccl. Hist.*
Bartholomite *Eccl. Hist.*
bavarite *Expl.*
belemnite *Moll.*
-ella -es -ic -id(ae
bentonite *Ind. Chem. Min.*
Bethlehemite *Eccl. Hist.*
biotite
bleacherite
Boehmenite *Rel. Sects*
Borborite *Eccl. Hist.*
bornesitol *Org. Chem.*
Bryanite *Pol. Hist.*
Buchanite *Rel. Sects*
Burrite *Pol. Hist.*
Byronite
Cabiritic *Gr. Rel.*
cacoxenite
Cainite -ic
calcite -ic
Callocystites
calorite *Metal.* (T.N.)
Camaldolite
Campbellite
Canaanite
-ess -ic -ish
cancerite *Zool.*
cantonite
Capernaite
-ic(al(ly -ish
carbodynamite *T.N.*
carbonite *T.N.*
carpocerite *Ent.*
carpognathite *Anat.*
carpopodite -ic *Crust.*
catabolite(s *Biochem.*
cathartomannite *Chem.*
Cellite *Ch. Hist.*
cenobite *Eccl.*
-ical(ly -ism
centaurite *Chem.*
centralite *Expl.* (T.N.)
cephalostegite *Crust.*
ceratite(s *Conch.*
-ic -id(ae -ida -oid
Cerdonite *Eccl. Hist.*
Cervantite
Chaetophorites *Pal.*
Charegite *Hist. Rel.*
chelichnite *Pal.*
Chlorites *Bot.*
chloroplatinite *Chem.*
chromoleucite *Bot.*
churchite
cityite
clasileucite *Cytol.*
coadamite
coalite *Expl. Fuels*
cochlite *Conch. Pal.*
cocosite -ol *Org. Chem.*
condensite *Elec.*
condurite -ol *Org. Chem.*
coquimbite *Min.*
Cordaites *Pal.*
-aceae -aceous -(al)ean
-ales
coxognathite *Comp.Anat.*
cresylite *Expl.*
crinite *Pal.*
crustacite *Zool.*
Crypto-Jesuitism
dactylopodite *Crust.*
Dalmanites *Pal.*
dambonite *Chem.*
dambosite *Chem-*

Damianite *Eccl. Hist.*
Danielites *Eccl. Hist.*
darapskite *Chem. Min.*
Darbyite *Eccl. Hist.*
decapartite *Biol.*
Dendrocrinites *Pal.*
densite *Expl.*
deutomerite *Protozoa*
deutosomite *Ent.*
diatite *Arts*
Dichotozamites *Pal.*
dithelite *Theol.*
dolite *Pal.*
dolomite -ic -ization -ize
Dulcinite
dynamite
  -ard -er -itic(al(ly -ism
  -ist -ization -ize
Dyothelite *Eccl. Hist.*
Dyophysite *Eccl. Hist.*
  -ic(al -ism
Ebionite -ic -ism *Eccl.*
ebonite
echinite -al *Pal.*
Echinocystites -id(ae
  -oid *Bot.*
echinosphaerite(s *Pal.*
Economite *Sects*
elaioleucites *Bot.*
Elamite -ic -ish
Elcasite *Eccl. Hist.*
encrinite -al -ic(al *Pal.*
endite *Zool.*
endo-
  ceratite -ic
  chlorites *Bot.*
  pleurite -ic *Crust.*
  podite -ic *Crust.*
  sternite -ic *Crust.*
entomostracite *Pal.*
entosclerite *Ent.*
entosternite *Zool.*
entrochite *Pal.*
Epammonites *Pal.*
ephebite *Gr. Ant.*
ephemerite *Pal.*
Ephraimite -ic -ish *Bib.*
epidosite *Geol.*
epimerite -ic *Protozoa*
epipodite -ic *Crust.*
episternite *Ent.*
epsomite *Geol. Min.*
Eriopterites *Pal.*
erythrite -ic *Chem. Min.*
erythritol *Chem.*
eucalyptocrinite *Echin.*
eugeniacrinite *Pal.*
Eugyrichnites *Pal.*
exogenite *Geol.*
exognathite *Crust.*
exopodite *Crust.*
Fatimite
filicite *Bot.*
filite *Expl.*
flabellocrinite *Crin.*
Fletcherite
flunk(e)yite
formolite *Plastics*
Fourierite
Foxite
Franklinite
fucitol *Org. Chem.*
Gabrielite *Eccl. Hist.*
Gadite
Galenite *Med. Hist.*
galvanistical
gastrophilite
Geronomite
Glagolitic *Philol.*
Glassite *Eccl. Hist.*
glucodecite -ol *Org.Chem.*
glucoheptite -ol *Chem.*
Gnathocrinites *Pal.*
gnathopodite *Crust.*
gnathostegite *Crust.*
Gomarite *Eccl. Hist.*

gomphoceratite *Pal.*
Gothamite
grangerite
graywackenitic *Geol.*
Grecianize
gunnarite *Chem.*
gymnochlorites *Bot.*
gynophagite
gyroceratite -ic *Conch.*
gyrogonite(s *Pal. Bot.*
halcyonite
Haldanite *Eccl. Hist.*
haliserites *Bot.*
halymenites *Bot. Pal.*
Hamite -ic
Hamitoid *Ethnol.*
Hamites -id(ae -oid
Hanafite *Hist. Rel.*
Hanbalite *Hist. Rel.*
hardenite *Microscopy*
Harmonite *Eccl. Hist.*
heliconist
heliologist
hellite *Slang*
helminthite *Pal.*
helopelite *Geol.*
heptite -ol *Org. Chem.*
Heracleonite *Eccl. Hist.*
Heterocoenites *Pal.*
Heterocrinites *Pal.*
hexit(e -ol *Org. Chem.*
Hicksite *Rel. Sects*
Hieronymite *Eccl. Hist.*
Himyarite -ic
hippurite(s -ic -id(ae -oid
Hiramite *Masonry*
Hirmoneurites *Pal.*
Hittite *Hist.*
Hoffmanite *Ch. Hist.*
Holochoanites -ic *Conch.*
hopcalite *Absorbents*
Hussite *Eccl. Hist.*
Hybocrinites *Pal.*
hydrogenite *Ind. Chem.* (T.N.)
hydroleucite *Bot.*
hydronitrite *Chem.*
hydrothionite *Chem.*
hyperpearlitic *Metal.*
hypo-
  bromite *Med.*
  chlorite *Chem.*
  halite *Chem.*
  iodite *Chem.*
  lophites *Pal.*
  nitrite *Chem.*
  phosphite *Chem.*
  sulphite *Chem.*
ichthyophagite
idite -ol *Org. Chem.*
Idrisite *Hist.*
iliadize
Inghamite *Eccl. Hist.*
inosinite *Biochem.*
inosite -ol *Biochem.*
inosituria *Path.*
insulite *Elec.*
Irvingite *Rel. Sects*
isabelite -a *Ich.*
ischiocerite *Crust.*
ischiognathite *Crust.*
ischiopodite *Crust.*
Ishmaelite -ic -ish -ism
Islamite
Ismaelite -ic(al
Ismailite -ic
isodulcite -an -(on)ic
isolantite *Elec.*
Israelite
  -ic(al -ish -ism -ize
  -ship
-ite(s *Suffix*, esp. in *Bot. Eccl., Min., Pal., Pol.*
Iulites *Ent.*
Jacksonite *Pal.*
Jacobite *Pal.*
  -ic(al(ly -ish(ly -ism

Jebusite -ic(al -ish
Jesuit
  ess ic(al(ly ish ism ize
  ry
Joachimite *Eccl. Hist.*
Joannite *Eccl. Hist.*
jovite *Explos.*
juncite *Bot.*
Kada(*or* e)rite *Hist. Rel.*
Kantite *Phil.*
Karaite -ism *Hist. Rel.*
Kharijite *Hist. Rel.*
Kilhamite *Rel. Sects*
kinetite *Explos.*
Koreishite *Hist. Rel.*
Krishnaite
labo(u)rite
labyrinthites *Pal.*
Lamaite -ic
Lamamite *Rel. Sects*
laminarite *Geol.*
lazarite
Leninite *Pol. Hist.*
lewisite *Chem. War.*
limnite *Pal.*
lithoglyphite
lobites *Pal.*
Lordites *Ent.*
Loyolite *Eccl. Hist.*
Luddite -(it)ism *Hist.*
lycopodite(s *Pal.*
lysitol *Mat. Med.*
Macadamite *Engin.*
macadamite *Chem.*
maclur(e)ite *Min.*
Maclurites -id(ae -oid
Macmillanite *Rel. Sects*
macro-
  choanite(s *Conch.*
  h(a)emozoite *Parasites*
  merozoite *Sporozoa*
  somite -ic *Ent.*
  sporozoite *Prot.*
Mahomite
Malikite *Hist. Rel.*
mammonite -ish
Mandaite *Hist. Rel.*
mandragorite *Med.*
mannite *Org. Chem.*
  -an -ate -ic -ine -ol -ose
mannoheptite *Org. Chem.*
Marathonites *Malac.*
Marcite *Eccl. Hist.*
marmite *Nutrition*
Maronite *Eccl. Hist.*
Marsupialites -idae *Zool.*
martensite -ic *Metal.*
Masorite *Hist. Rel.*
Mazdakite *Hist. Rel.*
Mecynostomites *Ent.*
medusite *Pal.*
megamerozoite *Protozoa*
Megapterites *Pal.*
Melonites -idae *Pal.*
Mennonite *Rel. Sects*
merocerite -ic *Crust.*
merognathite *Crystal.*
meropodite -ic *Anat.*
mesmerite
metabisulphite *Chem.*
metabolite *Med.*
Metachoanites *Conch.*
metamorphite *Geol.*
metaquinite *Org. Chem.*
micanite *Elec.*
micro-
  choanite(s *Conch.*
  crystallitic *Crystal.*
  hemazoite *Protozoa*
  merozoite *Protozoa*
  somite -ic *Zool.*
  sporozoite *Protozoa*
miliolite -ic *Protozoa*
millenian(*or* ium)ite
Millerite *Rel. Sects*
mimosite *Pal.*
Minimite *Eccl. Hist.*

Minorite *Eccl. Hist.*
mixochoanites *Zool.*
mofussilite *India*
moldavite *Gems*
molluskite
monadite *Phil.*
monochoanitic *Pal.*
monoculite
monolobite *Pal.*
Monophlebites *Ent.*
Mormonite
Moslemite
Mo(a)tazilite *Hist. Rel.*
muscite *Pal.*
musculite *Pal.*
Mushabbihite *Hist. Rel.*
myriophyllite *Bot.*
Nabalite -ic
Napoleonite
necropolitan
negroite
neurit(e *Cytol.*
neurosteite *Anat. Neurol.*
Newmanite *Eccl. Hist.*
Newtonite
Nicodemite
Ninevite -ish
nitramite *Expl.*
Noachite
nonitol *Org. Chem.*
nucite *Chem.*
Nucleolitoida *Pal.*
Occamite *Phil.*
octite -ol *Org. Chem.*
okonite *T.N.*
olivite *Chem.*
omphalopsychite *Phil.*
oncoceratite *Pal.*
ophthalmite -ic *Crust.*
opiumite *Tox.*
opportunistic
ornith(oid)ichnite *Pal.*
ornithophilite
orthoceratite(s -ic *Pal.*
orthochoanites *Mol. Pal.*
orthochromize -ation -ate
orthographize
osite *Guano*
osmondite *Metal.*
osteite *Anat.*
otavite *Chem.*
Otozamites *Pal. Bot.*
Ottomite
ovulite
Owenite *Sociol.*
oxalileucite *Bot.*
ozite *Chem.*
panclastite *Expl.*
Parnellite *Pol. Hist.*
paschite *Eccl.*
patellite *Conch. Pal.*
Paul(ian)ite *Eccl.*
pauperitic *Biol.*
pectinite *Pal.*
Peelite *Eng. Hist.*
pentite -ol *Org. Chem.*
pereiopodite *Crust.*
Perimelitae *Bot.*
Perkinite *Eng. Hist.*
Peucites *Pal. Bot.*
physitism
pinite *Chem.* -es *Geol.*
Pitheculites *Pal.*
Pittite *Eng. Hist.*
pittite *Theatre*
planorbite *Conch. Pal.*
platinite *Elec. Metal.*
pleochroitic *Crystal.*
pleurochondrite *Zool.*
Plymouthite *Eccl. Hist.*
pneumatitic *Geol.*
podite -ic *Crust.*
polarite
porcelainite
porcellanite
post-Raphaelite *Art.*
potentite

preadamite -ic(al -ism
prehnite *Chem. & Min.*
  -ic -iform -ene -oid
pre-Raphaelite -ic -ish
  -ism
presbyterianize(d
Priscillianite *Eccl. Hist.*
propodite -ic *Crust.*
protichnite *Pal.*
protolithite *Anthrop.*
protopodite -ic *Crust.*
protosomite -ic *Zool.*
Prototaxites *Algae*
protergite *Ent.*
Protropites *Pal.*
Pseudocarnites *Pal.*
pseudorhabdite *Helm.*
Psilobites *Pal.*
Psiloceratite *Pal.*
psychopannychite
Psyllites *Pal.*
pteridichnites *Pal.*
pteronepionites *Pal.*
pterostichites *Pal.*
Pterozamites *Pal. Bot.*
Puccianite *Eccl. Hist.*
Puseyite -ical *Eccl. Hist.*
Pythagorite *Phil.*
quassite *Chem.*
quebrachite *Chem.*
Queenite
quercite -in(e -ol *Chem.*
quinite -ol *Chem.*
rabbinite
Ramaite *Hist. Rel.*
Randallite *Eccl. Hist.*
Raphaelite -ism *Art*
Rebeccaite
retinite *Chem.*
Retinosporites *Pal.*
rhabdite *Ent. Helm. Min.*
  -ic -iform
Rhenocrinites *Pal.*
rhodeite *Org. Chem.*
rhodocrinite *Echin.*
Rhynchites *Ent.*
  -id(ae -oid
ribite *Org. Chem.*
Romanite
Rousseauite
Russellite *Rel. Sects*
Sabbathaist *Hist. Rel.*
sabulite *Expl.*
Sacheverellite *Eccl. Hist.*
Saint-Simonite *Sociol.*
salicylite *Chem.*
saprozoite *Biol.*
Saxonite *Geol.*
Schistochoanites *Conch.*
Schizoporites *Zooph.*
schizozoite *Biol.*
schnebelite *Expl.*
sclerite -ic *Zool.*
sclerites *Bot.*
scolite *Helm.*
sedoheptit(ol *Org. Chem.*
Semite -ic(ize
  -ism -ization -ize
septite *Chem.*
serpulite -ic *Geol.*
Sethite *Bible*
Shamanite
Shemite
  -ic(ize -ish -ism
siderographite *Engr.*
Sifaite *Hist. Rel.*
Simeonite *Eccl. Hist.*
simonite
Sionite *Eccl. Hist.*
Sivaite -ic *Hist. Rel.*
solenite *Ich.*
somite -al -ic *Zool.*
Spencerite *Phil.*
sphaerites *Bot. Ent.*
Sphaeromorphites *Pal.*
sphenozamites *Pal. Bot.*
spiniferite *Pal.*

Spinozite *Phil.*
Sporongonites *Pal.*
stallite
statuquoite -ism
stellite *Metal*
stenomyites *Pal.*
Stercoranite *Eccl. Hist.*
sternorhabdite *Ent.*
Stromatocystites *Pal.*
strombite *Conch.*
strontites -ic *Chem.*
stylocerite *Crust.*
Stylonites *Pal.*
styracite -ol *Org. Chem.*
suburbanite
succinite *Chem. Min.*
sulphite -ic *Chem. Slang*
Sunnite *Hist. Rel.*
symblosite *Geol.*
Taborite *Eccl. Hist.*
Taenopodites *Pal.*
Tammanyite
Tanarite *Hebrew*
tanite *Trade*
tariffite
Taxocrinites *Pal.*
Teckelite *Eng. Hist.*
teleneurite *Neurol.*
tellinite *Pal.*
tentaculite(s *Conch.*
-id(ae -oid
termite(s *Ent.*
-ic -id(ae -in(e -oid
termito- *Ent.*
phagous
phile -ous
terrorite *Expl.*
tetratheite *Theol.*
tetrite -ol *Org. Chem.*
Thackerayite
Thelemite
theogonite
theophagite
thermit(e *Trade*
thermopolite
Thomite
thorite *Expl. Min.*
tobaccoite
totemite
toxophilite -ic
Tractite
transsubstantiationite
Traskite *Eccl. Hist.*
tricarpellite *Pal.*
Tricosmites *Pal.*
trigonellite(s *Conch.*
trilit *Expl.*
trilobite -a -ic *Pal.*
Trilobitoceras *Pal.*
triphysite *Eccl. Hist.*
tritochirognathite *Crust.*
trochite -ic *Pal.*
troostite -ic *Metal. Min.*
Tulophorites *Pal.*
turpinite *Expl.*
ungulite *Pal.*
unionite
urbanite *Min.*
variolite *Geol. Petrol.*
-ic -ism -ization
ventriculite *Spong.*
ventriculitic *Geol.*
vigorite *Expl.*
Vishnu(v)ite
volcanite *Geol.*
vulcanite *Geol.*
Wagnerite
Wahabite
westfalite *Expl.*
williamite *Eccl. & Hist.*
williamsite *Hist. & Min.*
Yemenite *Geog.*
yperite *War Gas*
Zamites *Bot.*
Zindikite *Hist. Rel.*
Zionite
zirc(*or* k)ite *Metal.*
Zoclitical
zoonite-ic *Crust.*
zoophilite *Bot.*
zygoite *Biol.*

-ιτικός fr. -ικός added to words in -ίτης or -ῖτις, where examples are listed
-itic Chiefly *Eccl., Path., Petrol.*
Genesitic *Bible*

-ῖτις fem. form of -ίτης; used chiefly in *Path.*, but sometimes in *Min.*
acarodermatitis
acceleratoritis *Humor*
acnitis
acrobystitis
acrodermatitis
acromastitis
acroposthitis
actinocutitis
actinoneuritis
adenitis
adenocellulitis
adenoiditis
adenologaditis
adenolymphitis
adenomyometritis
adenomyositis
adenopharyngitis
adjectivitis *Humor*
aidoitis
albuginitis
alveolitis
Americanitis *Humor*
amn(iot)itis
amphiblestritis
ampullitis
amygdalitis
anconitis
ang(e)itis
angio- *Path.*
carditis
cholecystitis
cholitis
dermatitis
leucitis
lymphitis
pancreatitis
sialitis
angiotitis
annexitis
anteprostatitis
ditis
diphtheritic
itis *Vet.*
nephritic *Ther.*
neuritic *Ther.*
parastatitis
polyneuritic *Biochem.*
prostatitis
syphilitic *Ther.*
antritis
antrotympanitis
aortitis
aponeurositis
apophysitis
appendicitis
aquocapsulitis
arachn(oid)itis
arachnorhinitis
architis
areolitis
arteritis
arthro-
chondritis
meningitis
ste(at)itis
synovitis
arytenoiditis
bacteritic *Bact.*
balanitis
balanochlamyditis
balanoposthitis
basiarachn(oid)itis
blennadenitis
blennenteritis
blennometritis
blennymenitis
blephar(o)adenitis
blepharitis -ic
bronchadenitis
bronchitis -ic
bronchiolitis
broncho-
adenitis
cephalitis
pneumonitis
bulbitis *Path.*
c(a)ecitis
capillaritis
capsitis
capsulitis
cardiopericarditis
cardiovalvulitis
carditis
cardivalvulitis
carpitis
cavernitis
cavitis
celiomyositis
cellulitis
celluloneuritis
celophlebitis
cementitis
cementoperiostitis
cephalitis
cephalomeningitis
ceratoiditis
ceratoiridocyclitis
ceratoiritis
cerebellitis
cerebritis
cerebromeningitis
cervicitis *Path.*
chalkitis *Ophth.*
cholang(e *or* io)itis
cholecystitis
chondritis
chorioiditis
chorionitis
chorioretinitis
choroiditis
choroidocyclitis
choroidoiritis
choroidoretinitis
chylopericarditis
cionitis
clitoritis
cnemitis
cochl(e)itis
c(o)elitis
coleocystitis
colicolitis
colicystitis
colicystopyelitis
colipyelitis
colitis
colliculitis
coloenteritis
colonitis
coloproctitis
colorectitis
colpitis
colpocystitis
conchitis
conjunctivitis
constructionitis
corneitis *Ophth.*
corneoiritis *Ophth.*
coronitis *Vet.*
costodiaphragmitis
cowperitis
coxarthritis
coxitis
cryptitis
crystallitis
crystalloiditis
cyclitis
cycloceratitis
cyclochoroiditis
cystauchenitis
cystitis
cystomatitis
cystospermitis
cytourethritis
dacry(o)adenitis
dacryocystitis
dacryosolenitis
dactylitis
deciduitis
decliditis
deferentitis
dentinitis *Dent.*
deradenitis
dermacellulitis
dermasynovitis
dermatitis
dermato-
cellulitis
mucomyositis
polyneuritis
dermitis
dermophlebitis
dermosynovitis
descemetitis
desmitis
diaphragm(at)itis
diaphysitis
diphtheritis -ic(al(ly
discitis
dodecadactylitis
dothi(en)enteritis
douglasitis
duodenochol(e)angitis
duritis
duroarachitis
dyarthritis
echyaditis
Elpasoitis
elytr(on)itis
encyopyelitis
endang(e)itis
endaoritis
endarteritis -ic
endo-
angeitis
aortitis
appendicitis
arteritis
bronchitis
carditis -ic
cervicitis
colitis
colpitis
cranitis
cystitis
dontitis
enteritis
esophagitis
gastritis
labyrinthitis
mastoiditis
myocarditis
periarteritis
pericarditis -ic
perineuritis
peritonitis
phlebitis
phthalmitis
rhinitis
salpingitis
st(e)itis
tracheitis
trachelitis
vasculitis
enteradenitis
enteritis -ic
entero-
colitis
gastritis
hepatitis
mycodermitis
neuritis
ependymitis
ephebeitis -ic
epicondylitis
epicorneascleritis
epicystitis
epididymoorchitis
epifolliculitis
epiglott(id)itis
epinephritis
epipephysitis
epiphysitis
epiploitis
episcler(ot)itis
episplenitis -ic
epityphlitis
erythrodermatitis
esocolitis
esoenteritis
esoethmoiditis
esogastritis
esophagitis
esosphenoiditis
esuritis
ethmocarditis
ethmoiditis
ethmyphitis
exarteritis
exenteritis
exocolitis
exogastritis
exometritis
ectoperitonitis
edeitis
enarthritis
encarditis
encelitis
encephalitis -ic
encephalomeningitis
encephalomyelitis
encolpism
encolpitis
extramastoiditis
extraprostatitis
faucitis
fibro-
bronchitis
chondritis
myositis
pericarditis
fibrositis
folliculitis
funiculitis
galactophlebitis
galactophoritis
gangliitis
ganglionitis
gastradenitis
gastrepatitis
gastritis -ic
gastro-
adenitis
cephalitis
colitis
duodenitis
enteritis -ic
enterocolitis
esophagitis
hepatitis
meningitis
nephritis
pancreatitis
pleuritis
radiculitis
genuantritis
gingivoglossitis
gingivopericamentitis
glenitis
glomerulitis
glossitis -ic
glottitis
glutitis
gnathitis
gonarthritis
gonarthromeningitis
gonecystitis
gon(e)itis
granulitis
h(a)ematomyelitis

haploderm(at)itis
heliencephalitis
hemiglossitis
hepatoperitonitis
hepatosplenitis
hidı (o)(os)adenitis
highmoritis
hyalitis
hyaloiditis
hyaloserositis
hydradenitis
hydro-
  adenitis
  cephalitis
  hymenitis
  meningitis
  parotitis
  pericarditis
hymenitis
hyperoitis
hypoglossitis *Path.*
hyposialadinotis *Path.*
hysteritis
icterepatitis
icterit(i)ous
icterohepatitis
idiometritis
ileitis
inochondritis
inohymenitis
inomyositis
inositis
interlobitis
intimitis
intramastoiditis
irido-
  capsulitis
  c(*or* k)eratitis
  choroiditis
  cyclitis
  cyclochoroiditis
  periphacitis
iritis -ic
iritoectomy *Surg.*
ischiatitis
isthmitis
-ite *Min.* See -ἰτης
-itis *Suffix*
ixomyelitis
jejunitis
jejunoileitis
keratitis
kerato-
  conjunctivitis
  dermatitis
  iditis
  iridocylitis
  iritis
  scleritis
kysthitis
labyrinthitis
laminitis *Vet. Surg.*
laparomyitis
laryngitis -ic
laryngopharyngitis
laryngotracheitis
laryngovestibulitis
leptomeningitis
leucitis
leucoencephalitis
leucomyelitis
lienitis
linguopapillitis
linitis
lochiocalitis
lochiocellitis
lochiometritis
lochometritis
lochoophoritis
lochoperitonitis
lochophlebitis
logaditis
lymph-
  adenitis
  angi(*or* e)itis
  angitis
  angio(phleb)itis

lymph- Cont'd
  atitis(enter)itis
  noditis
mamm(ill)itis
maschaladenitis
mastadenitis
mastitis
mastoiditis
matrixitis
maxillitis
mediastinitis
mediastinopericarditis
medullitis
melitis
meningitis -ic -iform
meningo-
  cephalitis
  cerebritis
  encephalitis
  encephalomyelitis
  myelitis -ic
  osteophlebitis
meniscitis
mesaortitis
mesarteritis -ic
mesenteritis -ic
meso-
  appendicitis
  bronchitis
  dmitis
  metritis
  neuritis
  phlebitis
  sigmoiditis
  syphilitic
metopantritis
metritis -ic
metro-
  endometritis
  lymphangitis
  peritonitis
  phlebitis
monomyositis
mononeuritis
mucocolitis
mucoenteritis
mycetodermitis
mycoderm(at)itis
mycogastritis
mycomyringitis
myelinitis -ic
myelinoneuritic
myelo-
  encephalitis
  ganglitis
  meningitis
  neuritis
myitis -ic
myo-
  carditis -ic
  celitis
  cellulitis
  cephalitis
  chorditis
  colpitis
  endocarditis
  metritis
  pericarditis
  peritonitis
  salpingitis
  sitis -ic
  tenositis
myring(odermat)itis
myxadenitis
myxangitis
myxangoitis
nasitis
nasoantritis
nasopharyngitis
nasoseptitis
nasosinu(s)itis
nephropyelitis
neuraxitis
neurilemm(at)itis
neuritis -ic
neuro-
  chorioretinitis

ueuro- Cont'd
  choroiditis
  derm(at)itis
  fibrositis
  gangliitis
  labyrinthitis
  myelitis
  myositis
  nitis
  retinitis
  thecitis
  thel(e)itis
notomyelitis
nymphitis
oaritis
ochlesitic
odontitis
odontobothritis *Dent.*
oesophagitis
omasitis
omitis
omphalitis
omphalophlebitis
onlitis
onychitis
onyxitis
oophoritis
ophr(y)itis
ophthalmitis -ic
ophthalmo-
  desmitis
  my(os)itis
  neuritis
orchiditis
orchiepididymitis
orchitis -ic
orchitolytic
orrhohymenitis
orrhomeningitis
osch(e)itis
osphyitis
osphyomyelitis
osteitis -ic
osteo-
  chondritis
  myelitis
  periostitis
  phlebitis
  phytis
  synovitis
ostitis -ic
otitis -ic
otoantritis *Otol.*
otocerebritis
otoencephalitis
oul(on)itis
ovaritis
pachy-
  leptomeningitis
  meningitis -ic
  peritonitis
  pleuritis
  salpingitis
  salpingooothecitis
  salpingoovaritis
  vagin(al)itis
pacinitis
palatitis
palpebritis
panarteritis
pancreatitis -ic
panneuritis
panophthalmitis
panost(e)itis
panotitis
pansinu(s)itis
pantoganglitis
papillitis
papilloretinitis
para-
  appendicitis
  colitis
  colpitis
  cystitis
  denitis
  glossitis
  hepatitis

para- Cont'd
  mast(oid)itis
  metritis -ic
  nephritis -ic
  pleuritis
  proctitis
  prostatitis
  salpingitis
  synovitis
  syphilitic
  typhlitis
  vaginitis
parencephalitis
parenchymatitis
paristhmitis -ic
parodontitis *Dent.*
paroophoritis
parost(e)itis
parot(id)itis -ic
parovaritis
peditis *Vet.*
pelviperitonitis
penitis
peri-
  adenitis
  alienitis
  amygdalitis
  angiocholitis
  angitis
  aortitis
  appendicitis
  arteritis -ic
  bronch(iol)itis
  c(a)ecitis
  cardiomediastinitis
  carditis -ic
  cementitis *Dent.*
  cephalomeningitis
  cholangitis
  cholecystitis
  chondritis -ic
  col(on)itis
  colpitis
  conchitis
  cowperitis
  coxitis
  cranitis
  cyst(omat)itis
  desmitis
  diverticulitis
  duodenitis
  encephalitis
  enteritis
  folliculitis
  gangliitis
  gastritis
  glandulitis
  glossitis
  hepatitis
  jejunitis
  labyrinthitis
  laryngitis
  lymphadenitis
  lymphang(e)itis
  mastitis
  meningitis
  metritis -ic
  metrosalpingitis
  myelitis
  myoendocarditis
  mys(i)itis
  nephritis -ic
  neuritis -ic
  oesophagitis
  oophoritis
  oothecitis
  ophthalmitis
  orb(it)itis
  orchitis
  ost(e)itis -ic
  osteomedullitis
  osteomyelitis
  ovaritis
  pachymeningitis
  pancreatitis
  pericarditis
  phac(*or* k)itis

peri- Cont'd
  phlebitis -ic
  pleuritis
  pneumonitis
  proctitis -ic
  prostatitis
  pylephlebitis
  rectitis
  salping(oovar)itis
  sigmoiditis
  sinu(s)itis
  spermatitis
  splanchnitis
  splenitis -ic
  spondylitis
  staphylitis
  strumitis
  tendinitis
  thyr(e)oiditis
  tonitis -al -ic
  typhlitis -ic
  ureteritis
  urethritis
  vaginitis
  vasculitis
  visceritis
  xenitis
perureteritis
phacitis
phacocystitis
phalangitis
phallitis
pharyngitis -ic
pharyngo-
  amygdalitis
  laryngitis
  rhinitis
  tonsilitis
phlebepatitis
phlebitis -ic
phlebometritis
phlegm(h)ymenitis
phrenopericarditis
pi(a)arachnitis
pimelitis
placentitis
placuntitis
plastotephritis *Ent.*
pleuro-
  bronchitis
  cholecystitis
  hepatitis
  pericarditis
  pneumonitis
pneumoenteritis
pneumonitis -ic
pneumonoenteritis
pneumonophlebitis
pneumopericarditis
  peritonitis
podotrochilitis
polioencephalitis
polioencephalo(meningo)-
  myelitis
poliomyelitis
poliomyeloencephalitis
poly-
  adenitis
  arteritis
  myositis
  neuritis -ic
  orrhomen(ing)itis
  periostitis
  serositis
  sinu(s)itis
porencephalitis
posthitis
postsyphilitic
prenephritic
preurethritis
priapitis
proctitis
proctocolitis
proctosigmoiditis
prosopantritis
prostatitis -ic
prostatocystitis

prostatovesiculitis
pseudo-
appendicitis
ceratitis *Zool.*
diphtheritic
encephalitis
endometritis
meningitis
peritonitis
syphilitic
psorenteritis
pulmonitis
pulpitis
purohepatitis
pyelitis -ic
pyelocystitis
pyelonephritis
pylephlebitis -ic
pylethrombophlebitis
pyloritis
pyoderm(at)itis
pyolabyrinthitis
pyometritis
pyonephritis -ic
pyopericarditis
pyoperitonitis
pyophthalmitis
pyopneumo-
cholecystitis
peritonitis
pyosalpingitis
pyosalpingo-
oophoritis
oothecitis
rachialgitis
rachiomyelitis
radiculitis
radiodermatitis
radioneuritis
rectitis -ic
rectocolitis
reticulitis *Vet.*
retinitis
retinochoroiditis
retinopapillitis
rhabditis
rhacialgitis
rhaciomyelitis
rheumatitic
rhinoantritis
rhinolaryngitis
rhinopharyngitis
rhinosalpingitis
rumenitis
rupitic
sacrocoxitis
salpingitis -ic
salpingo-
oophoritis
oothecitis
ovaritis
peritonitis
sarcitis
scaphoiditis
scleradenitis
scler(at)itis
scleriticotomy
sclero-
choroiditis
conjunctivitis
derm(at)itis
(kerato)iritis
oophoritis
oothecitis
scleroticitis
scleroticochoroiditis
sclerotitis -ic
scolecitis
scolecoiditis
scrofulitic
scrotitis
scytitis
septicophlebitis
septimetritis
serangitis
serocolotis
serodermatitis
seroenteritis
serohepatitis
serositis
serosynovitis
sesamitis
sesamoiditis
shrapnelitis
siag(on)antritis
sial(o)adenitis
sialoang(i)itis
sialodochitis
sialoduct(il)itis
sigmoiditis
sinusitis
skenitis
spermatitis
spermatocystitis
sphagitis
sphenoiditis
spinitis
spiradenitis
splenepatitis
spodiomyelitis
spondylitis -ic
spongiositis
staphylitis
staphylodermatitis
steatitis
stetharteritis
stethomy(os)itis
stomatitis -ic
streptodermatitis
strumitis
subglossitis
sublinguitis
submaxill(ar)itis
sympatheoneuritis
sympathiconeuritis
synaphymenitis
syndesmitis
synovitis
syringitis
tars(aden)itis
telangiitis
tendinitis
tendosynovitis
tendovaginitis
tenonitis
tenontitis
tenontolemmitis
tenontothecitis
tenositis
tenosyn(ov)itis
tenovaginitis
tephromyelitis
testitis
tetryldermatitis
thecitis
thelitis
thornwalditis
thromboangiitis
thromboarteritis
thrombolymphangeitis
thrombophlebitis
thrombosinusitis
thylac(i)itis
thymitis
thyreoadenitis
thyreoiditis
thyreoitis
thyroadenitis
thyroiditis
tonsil(l)itis -ic
toxicoderm(at)itis
toxidermitis
trach(e)itis
trachelitis
trachelocystitis
trachelomyitis
tracheobronchitis
trich(in)itis
trichod-
angeitis
arteriitis
ophlebitis
trigonitis
trisplanchnitis
tuberculitis
tympanomastoiditis
typhlitis -ic
typhlodicliditis
urethritis -ic
urethrocystitis
uritis
urocystitis
uteritis
utriculitis
uveitis
uvulitis
vagin(al)itis
vagitis
valvulitis
vasculitis
vasitis
verumontanitis
vesiculitis
vestibulitis
villositis
vitreocapsulitis
typhlo(en)teritis
typhlohepatitis
ulitis
ulodermatitis
uloglossitis
uraniscomitis
ureteritis
ureteropyelitis
ureteropyelonephritis
whartonitis
xiphoiditis
zaphrenitis
zonulitis
Ἴτυλος Itylus
Itylos *Ent.*
ἴυγξ the wryneck
Iyng- *Ornith.*
idae inae in(e
Iynx *or* Yunx *Ornith.*
ἴφθιμος stalwart
Iphthimus *Ent.*
Ἰφιγένεια (Herod.)
Iphiegenia *Moll. Myth.*
ἴφυον (Theophr.)
Iphiona -eae *Bot.*
ἰχθυ- Comb. of ἰχθύς
acanthichthyosis *Path.*
ichthy-
al ism(us ization ized
lepidin *Biochem.*
nat *Mat. Med.*
odont *Ich.*
ol *Mat. Med.*
ate ic idin oil um
olsulphonic -ate *Mat.*
ophthalme -ite *Min.*
opsid(a(n -ian *Zool.*
ornis -idae *Ornith.*
ornithes -ic -id(ae -oid
osis otic *Path.*
osism *Path.*
phallic
taxidermy
Leucichthyops *Pal.*
Palaeichthyes -yan -yic
ἰχθύδιον Dim. of ἰχθύς
Ichthydium *Helm.*
-iid(ae -ioid
ἰχθυικός (Sept.)
ichthyic
ἰχθυο- Comb. of ἰχθυς
haliichthyotoxin *Tox.*
ichthyo-
batrachian *Zool.*
bdella -id(ae *Zool.*
benzine *Chem.*
cephal(i -ous *Ich.*
coprolite
coprus
crinus *Echin. Pal.*
-id(ae -ites -oid
ichthyo- Cont'd
dectidae *Pal.*
dorulite *Pal.*
fauna
form
grapher -ia -ic
latry -ous
lite
logy -ic(al(ly -ist
mancy mantic
methia *Bot.*
myzon
nomy *Ich.*
paleontology
patolite *Pal.*
phile -ist
phobia
phthira(n *Ich.*
podolite *Geol.*
pterygia(n -ium *Herp.*
sarcolite *Pal.*
saur(us *Herp. Pal.*
-ia(n -id(ae -oid
sulphonic -ate *Chem.*
taenia -iidae *Zool.*
tomi -ous *Pal.*
tomy -ist *Anat.*
toxic *Tox.*
-icon -icum -im -in
-ism
Metichthyocrinus *Pal.*
pal(a)e(o)ichthyology
-ic(al -ist
Pterichthyomorphi *Ich.*
ἰχθυοειδής (Herod.)
ichthyoid(al
Ichthyoidea *Zool.*
ἰχθυόκολλα fish-glue
ichthyocol(la
ἰχθυομαντίς (Ath.)
ichthyomantic
ἰχθυόμαρφος (Syncell.)
Ichthyomorpha *Zool.*
-ic -ous
ἰχθυοπώλης fishmonger
ichthyopolism -ist
ἰχθυοφάγος (Herod.)
ichthyophagous
-i -(i)an -ic -ist -ite
-ize -us -y
panichthyophagous
ἰχθύς a fish
Amphibichthydae *Ich.*
chaenichthyoid(ea *Ich.*
Derepodichthyidae *Ent.*
desichthol *Mat. Med.*
Erichthus -oid *Crust.*
Eryichthyini *Ich.*
Euichthydina *Helm.*
Euichthyes *Ich.*
Felichthys *Ornith.*
ferriichthyol *Mat. Med.*
ichth. *Abbrev.*
ichthammon *Mat. Med.*
ichthalbin *Pharm.*
ichthargan -ol *Pharm.*
ichthermol *Mat. Med.*
ichthid(in *Chem.*
ichthin *Chem.*
ichthoform *Chem.*
ichtholdine *Mat. Med.*
ichthosote *Mat. Med.*
ichthulin(ic *Chem.*
ichthus -ys *Chr. Art.*
-ichthyidae *Ich.*
Bov Ceb Chaen Der
Hopl Nem Oph Pter
Ptil Rhamph Saur
Trach
-ichyinae *Ich.*
Aegaeon Anarrh Bra-
chion Bubal Ceb Hali-
eut Oph Xen ichthy-
ism(us *Path.*
-ichthys *Ent.*
-ichthys Cont'd
Cithar Derepod
Phtheir
-ichthys *Ich.*
Aegaeon Ami Amitr
Amphib Anarrh Apion
Apocheil Apod Ascel
Bov Brachion Bubal
Calamo Cary Ceb
Chaen Cynodon Da-
mal Der Dinemat Din
Dor(y) Empetr Ennel
Er Erythr Gale Gordi
Gyrin Halieut Hopl
Hypocrit Lab Lerm
Lest Mel Mist Myr
Naut Nem Novacul
Oph Paral Perc Phae-
thon Pholid Phreat
Plat Pleuron Pogon
Por Priap Prometh
Psett Pter Ptil Python
Rhin Sagen Salari Saur
Scart Sciade Scorpaen
Scytal Sebast Tarand
Thale Titan Trogl
Typhl Xanth Xen
Xenolepid
-ichthys *Pal.*
Cope Eunel Isur Me-
gal Palaeoph Palinur
ictaleure *Ich.*
-inae -ine -us
Ictioborus *Pal.*
Ictiobus -inae -ine *Ich.*
Ictiophoridae *Ich.*
Ictycyon *Pal.*
Mesichthyes *Pal.*
mollichthyolin *Chem.*
philichthyid(ae -yoid
sulphichthyolic *Chem.*
Trachichthyoides *Pal.*
ἰχθυώδης (Arist.)
Ichthyodea -ian *Herp.*
Ichthyodes *Ent.*
ichthyodin *Mat. Med.*
ἰχνεία a seeking the
scent
Ichnea *Ent.*
ἰχνεύμων (Arist.)
Ichneumia *Ent.*
ichneumon(ed
Ichneumones *Ent.*
-id(ae -id(i)an -ideous
-ides -iform -ize(d -oid
(ea
ichneumonology -ist
ichneumous
ἰχνευτής a tracker
Ichneutes *Ent.*
ἰχνευτικός (Ael.)
ichneutic
ἰχνο- Comb. of ἴχνος
ichno-
carpus *Bot.*
gram
graph(y -ic(al(ly
lite -ic *Min.*
(litho)logy -ical
mancy *Occult*
pora *Pal.*
Lithoichnozoa *Geol.*
ornithichnology *Pal.*
ἴχνος a footstep, track
ichnite *Geol.*
-ichnite *Pal.*
amphib chel climact
ornith(oid) prot rhabd
saur tetrapod
-ichnites *Pal.*
Eugyr Pterid Rhabd
Saur Tetrapod
Parichnos *Pal. Bot.*
ἰχώρ the life fluid of the
gods; pus (Hipp.)
ichor *Myth.*

ichor(ous -ose *Path.*
ichor(rh)(a)emia *Path.*
ichorology *Med.*
ichorrh(o)ea *Path.*
ἰχωροειδής (Hipp.)
ichoroid *Med.*
ἴψ a kind of worm
Ips *Ent.*
Ἰώ Io, dau. of Inachus
Iophanus *Ent.*
Ἰωάννης (N.T.)
Jane Joan joanese
Joannist *Eccl. Hist.*
Johannean -in(e
johannes *Num.*
johannite *Min.*
Johannisberger
Johannophyton *Pal.*
John Johnian
johnnie
johnnycake
jug jugful
zany(ism
Ἰωαννῖται (Socr.)
Joannite *Eccl. Hist.*
Ἰώβ (Sept.)
Job
jobation
jobe
Jobism
ἰωβηλαῖος (Origen)
jubilee
-ance -ancy -ant(ly
-ar(ian -ate(d -ation
-atory -ean -ist -ize
-ose
ἰώδης violet-like (Hipp.)
aiodin *Mat. Med.*
alphaiodin *Chem.*
azodolen *Mat. Med.*
benzoiodhydrin *Mat.*
biniodid(e *Chem.*
biiodate *Chem.*
bromoiodide *Chem.*
bromoiodism *Med.*
bromoiodized *Photog.*
caseiodin(e *Chem.*
chloriod-- *Chem.*
-c id(e ine oform
chloroidolipol *Mat. Med.*
cuproiod(o)argyrite *Min.*
deutiodid *Chem.*
dihydriodid(e *Chem.*
diiodid(e *Chem.*
diiodo- *Chem.*
betanaphthol carbazol
form glycerin resorcin
salicylic salol thiore-
sorcin
dithymoldiiioid *Chem.*
eisensajodin *Chem.*
eka-iodin(e *Chem.*
ekaiodoform *Mat. Med.*
ethyliodoacetate
ferrosajodin *Mat. Med.*
hexiodid(e *Chem.*
hydrargyroiodohemol
hydriodic *Chem.*
-ate -id(e
hydriodol *Mat. Med.*
hydroiod- *Chem.*
ic ide ite ous
ichtholdine
imidiod *Mat. Med.*
iod-
acetanelide *Chem.*
acetone *Chem.*
al *Chem.*
albin -acid *Mat. Med.*
alia *Mat. Med.*
algin *Prop. Rem.*
amide *Chem.*
amoeba *Protozoa*
amylformol *Mat. Med.*

iod- Cont'd
anil(ic *Org. Chem.*
anisol *Mat. Med.*
anthrak *Mat. Med.*
antifebrin *Mat. Med.*
antipyrin *Mat. Med.*
argyr *Mat. Med.*
argyrite *Min.*
arsyl *Mat. Med.*
ate(d ation *Chem.*
aurate *Chem.*
benzin *Mat. Med.*
casein *Mat. Med.*
chloroform *Mat. Med.*
embolite *Min.*
eosin *Chem.*
hydrargyrate *Chem.*
hydric ate -in *Chem.*
id(e -ate(d *Chem.*
idion *Chem.*
ile *Mat. Med.*
in(e *Chem.*
ate(d -ation -ium
-ization -ize
inol *Mat. Med.*
inophil(ous *Staining*
iodid(e *Chem.*
ism *Path.*
ite *Chem. Min.*
ival *Mat. Med.*
ize(r -ation *Med.*
ol(ein en *Mat. Med.*
caffein menthol
onium *Chem.*
ous *Chem.*
oxy(benzene *Chem.*
ozen -one *Mat. Med.*
peptid *Mat. Med.*
terpen *Mat. Med.*
urase *Mat. Med.*
urate *Chem.*
uret(ted *Chem.*
yl(in oform *Chem.*
iode -ic *Chem.*
iodes *Bot.*
iodi-
ferous
metry -ically *Chem.*
perol *Mat. Med.*
pin *Chem.*
iodo-
acetanilid *Mat. Med.*
albumin *Mat. Med.*
amylum *Mat. Med.*
atoxyl *Mat. Med.*
benzene *Chem.*
bismuthate *Chem.*
bromide *Chem.*
bromite *Min.*
caffein *Mat. Med.*
casein *Mat. Med.*
chlorid *Chem.*
cin citin *Mat. Med.*
col *Mat. Med.*
cresin -ol *Mat. Med.*
crol *Mat. Med.*
cyanogen *Chem.*
derma *Path.*
dichloride *Chem.*
eosin *Dyes Org. Chem.*
ethane *Chem.*
ethylformin *Mat. Med.*
eugenol *Mat. Med.*
fan *Mat. Med.*
ferration *Mat. Med.*
form *Mat. Med.*
agen al albumen in
ism ize ogen um
gallicin *Mat. Med.*
gene -in -ol *Mat. Med.*
glandin glidin(e *Mat.*
globulin *Mat. Med.*
glycerin *Mat. Med.*
gorgoic *Biochem.*
guiacol *Mat. Med.*
h(a)emol hematin
hydrargyrate *Chem.*

iodo- Cont'd
hydric -ate -in *Chem.*
iodid(e *Chem.*
kefir *Mat. Med.*
lysin *Mat. Med.*
maisin *Mat. Med.*
mangan *Mat. Med.*
menin *Mat. Med.*
mercur(i)ate *Chem.*
methan(e *Mat. Med.*
metry -ic(al(ly *Chem.*
muth *Mat. Med.*
naftan *Mat. Med.*
naphthol *Mat. Med.*
nucleoid *Mat. Med.*
nucleoid *Mat. Med.*
peptid *Mat. Med.*
phen(in -ol *Mat. Med.*
phenacetin *Mat. Med.*
phenochloral *Med.*
phile -ia *Staining*
phthisis *Path.*
platinate *Chem.*
potassic *Chem.*
protein *Biochem.*
pyrin *Mat. Med.*
quinin(e *Mat. Med.*
serum *Mat. Med.*
sin sol *Mat. Med.*
so(benzene *Mat. Med.*
spermin *Phys. Chem.*
spongin *Mat. Med.*
starm stem *Mat. Med.*
syl *Mat. Med.*
sulphid -ate *Chem.*
tannin -ol *Mat. Med.*
terpen *Mat. Med.*
thein *Mat. Med.*
theobromin *Mat. Med.*
therapy *Ther.*
thiophen *Mat. Med.*
thymol -oform
thyr(oid)in *Mat. Med.*
thyroglobin *Mat. Med.*
tone *Mat. Med.*
vasol -ogen *Mat. Med.*
iodyrite *Min.*
iolin *Mat. Med.*
ioterpin *Mat. Med.*
iothion(al *Mat. Med.*
jodchromate *Min.*
jodembolite *Min.*
lipiodin -ol *Mat. Med.*
lipoiodin *Mat. Med.*
menthiodol *Chem.*
mercuriiodide *Chem.*
mercuroiodohemol
meriodin *Mat. Med.*
metaperiodate *Chem.*
methiodide
micro-iodometric
moniodhydrin
moniodomethane *Chem.*
monoiodo- *Chem.*
neosidone *Mat. Med.*
olivenol -iodate
orthoperiodic *Chem.*
overiodized
oxiodic *Chem.*
oxyiode *Chem.*
-ic -ide -ine
paraiodoxyanisol *Med.*
paraperiodate *Chem.*
penta-iodide *Chem.*
pentaiodo- *Chem.*
peptoiodeigon *Mat. Med.*
period- *Chem.*
ate ic id(e uret
periodidase *Biochem.*
periodocasein *Mat. Med.*
phenoiodin *Mat. Med.*
phosphataiodic *Chem.*
photo-iodide *Chem.*
piaziodonium *Org. Chem.*
plumbiodite *Min.*
poly-iodated *Chem.*
polyio-did(e *Chem.*

projodin *Chem.*
protiode *Chem.*
-id(e -uret *Chem.*
prot(o)iodid(e *Chem.*
scleroiodin *Chem.*
seroden *Biochem.*
silicoiodoform *Org. Chem*
silicoiodoform *Org. Chem.*
sozoiodol(ate & ic *Chem.*
subiodid *Chem.*
sulphiodide *Chem.*
testiiodyl *Mat. Med.*
tetraiodide *Chem.*
tetraiodo- *Org. Chem.*
tetriodide *Chem.*
thiodin *Med.*
thyoidine
thyreoiodin *Biochem.*
thyroiodin(e *Org. Chem.*
thyroiodin(in *Mat. Med.*
tiodin *Mat. Med.*
triiod(o- id(e *Chem.*
triiodomethane *Mat.*
trithiodoformaldehyd
venodine *Mat. Med.*
zoiodin *Chem.*
Ἰωνικός (Ar.)
hyperionic *Music*
Ionic
al ism ization ize
pan-Ionic
proto-Ionic
Ἰωσήφ Joseph (Sept.)
joe Joesweet joey
joseph *Garments*
Josephia *Bot.*
Josephine *Hist.*
Joseph(in)ism
josephinite *Min.*
ἰῶτα the letter ι
iota *Philol.*
iotize -ation *Phon.*
jot jotter jotty
ἰωτακισμός (Quintil.)
iotacism(us *Philol.*
iotacist
yotacism -ize

καβάλλης a nag (Plut.)
cavalcade
cavalla
cavalla(r)d
cavally *Ich.*
cavalry(man
cheval
de-frist ement et ine
chivalresque
chivalry
-ic -ous(ly -ousness
καβαλλάριος a horseman
cavalier
e (i)ero ish(ness ism ly
ness ship
chevalier
Καβειραῖος (Paus.)
Cab(e)irean -ian
Καβειρικός (Steph.)
Cab(e)iric
Καβειρεῖται (Paus.)
Cab(e)iritic
Κάβειροι (Herodotus)
Cab(e)iri *Gr. Rel.*
Cabirops(idae *Zool.*
καδμεία (Diosc.)
cadmia *Min.*
cadmio- *Chem.*
cadmium *Chem.*
-ic -ide -iferous
Καδμεῖος (Hesiod)
Cadm(a)ean -ian
κάδος a jar or urn
cadophore *Zool.*

Cadonipora *Pal.*
καθ- Comb. of κατά down
cath-
alochromy *Phys. Chem.*
embryo(nic *Embryol.*
emoglobin *Biochem.*
enotheism *Hist. Rel.*
ion *Chem.*
καθαιρετικός (Galen)
catheretic *Path.*
κάθαμμα a knot
cathamma -al *Zooph.*
καθαρίζειν to cleanse
catharize(r -ation
καθάριος neat, tidy
Cathariotrema *Helm.*
καθαρισμός = καθαρμός
catharism
κάθαρμα sacrificial refuse
catharma *Med.*
καθαρμός purifying song
catharmos *Old Med.*
katharmon *Mat. Med.*
καθαρο- Comb. of καθαρός
katharo-
bia *Bot.*
meter *Phys.*
phore
Καθαροί Novatians
Cathar(an)s
Cathari *Eccl. Hist.*
-ian -ism -ist(ic
καθαρός spotless
Catharus -ista *Ornith.*
katharite *Min.*
καθάρσιος cleansing
Catharsius *Ent.*
κάθαρσις a cleansing
catharsis *Med. Phil.*
-catharsis *Med.*
emeto hemato psycho
stetho stomato
καθαρτής a cleanser
Cathartes *or* -ae *Ornith.*
-id(ae -ides -inae -in(e
-oid
catharto- *Chem.*
genic -genin mannite
Picathartes *Ornith.*
Syncathartis *Ent.*
καθαρτικόν (Hipp.)
cathartate *Chem.*
cathartic *Med.*
al(ly alness
-cathartic *Med.*
ano cato cephalo eme-
to h(a)emato hyper
hypo nephro
nephrocatharticon
rhamnocathartin *Chem.*
καθέδρα a seat
cathedra
-ated -atic(al(ly
cathedral
-ed -esque -ic -ish -ism
-ist -ize
decathedralize
chair
man(ship woman
chaise
enchair
excathedral -ate
procathedral *Eccl.*
supercathedrically
uncathedraled
καθεδρατικόν (Justinian)
cathedratic(um
καθεκτικός fr. κάθεξις
acathectic *Path.*
cathectic *Psa.*
κάθεξις retention
Cathexis *Ent.*
cathexis *Psa.*

καθέρπειν to creep
Catherpes *Ornith.*
καθετήρ (Galen)
catheter(ize -ization *Surg.*
catheterostat *Surg.*
καθετηρισμός (Paul. Aeg.)
catheterism *Surg.*
-catheterism
  auto retro salpingo
κάθετος perpendicular
catheto-
  meter metric
cathetus -al *Arch. Geom.*
kathetal
Kathetostoma -inae *Ich.*
καθηγούμενος an abbot
cathegumen *Eccl.*
κάθισις a sitting down
acatisia *Ps. Path.*
acathisia *Ps. Path.*
cathisophobia *Ps. Path.*
kathis(i)ophobia *Path.*
κάθισμα session
cathism(a *Eccl.*
kathisma *Gr. Ch.*
κάθοδος descent
antic(*or* k)athode *Elec.*
cathodal -ic(al *Bot.*
cathode *Elec.*
  -al -ic(al(ly
cathodic *Bot.*
cathodic(al *Physiol.*
cathodo- *Phys.*
  excitation graph(y
  luminescence
cathodophoresis *Chem.*
catholyte -ic *Chem. Phys.*
cathoscope
dicathode -ic *Optics*
interc(*or* k)athode *Elec.*
paracathodic *Optics*
καθολικός general
acatholic
Anglo-Catholic(ism
anti-Catholic
catholic
  al(ly alness ate ism ist
  ity ize ly ness on os us
Crypto-Catholic(ism
decatholicize *Eccl.*
diacatholicon *Med.*
misocatholic *Eccl.*
Neo-Catholic(ism
pseudo-Catholic
  al ism
semicatholicism
uncatholic
  (al)ness ize
καθοράειν to look down
Cathorops *Ich.*
καθόρμιον a necklace
Cathormiocerus *Ent.*
κάθυπνος fast asleep
Catypnes *Ent.*
καίειν to burn
caeoma *Bot.*
caeomospore *Bot.*
καινο- Comb. of καινός
caeno-
  cara *Ent.*
  coelius *Ent.*
  dynamism *Bot.*
  gaea(n *Zool.*
  genesis *Biol.*
  genetic *Biol.*
  lestes *Zool.*
  morphism *Biol.*
  neura *Ent.*
  pithecus *Zool.*
  pus *Mam.*
    -podid(ae -podoid
  sphaera *Protozoa*
  stylic -y

Caenotherium *Mam.*
  -iid(ae -ioid
caino-
  dactylus *Herp.*
  sternum *Ent.*
ceno-
  sere *Geol.*
  zoic *Geol.*
  zoology *Biol.*
coenogenesis -ic [Erron.]
kaenocyclic *Geol.*
kainophobia
kainozoic *Geol.*
keno- *Biol.*
  genesis genetic genic
  geny
καινός new, novel
Caen- *Ent.*
  opsis oryctes
-cene *Geol.*
  Eo Holo Mio(plio)
  Neo Oligo Orthro Pal-
  (a)eo Pl(e)io Pleisto
  post-Mio postplio Proi
-cenic *Geol.*
  Eo Mio Pleisto Plio
c(*or* k)enosite *Min.*
kainitte *Min.*
misocainia
καινότης novelty
Caenotus *Ent.*
cainotophobia *Ps. Path.*
καιρο- Comb. of καιρός
kairocoll *Chem.*
καιρός lime
Epicaerus *Ent.*
euk(*or* c)airite *Min.*
kair(ol)in(e *Org. Chem.*
kairolinium *Org. Chem.*
κακ- Comb. of κακὸς
cac-
  aemia *Path.*
  (a)esthenic *Med.*
  (a)esthesis *or* -ia *Path.*
  anthrax *Path.*
  odorous
  ops *Pal.*
  otopia
κακαλία (Diosc.)
Cacalia *Bot.*
κακέμφατος ill-sounding
cacemphaton *Rhet.*
κακή badness
arthrocace *Path.*
-arthrocace *Path.*
  chondr cox gon olecran
  pod spondyl
arthrocacology
-arthrocacy *Path.*
  olecran om paed
-cace *Path.*
  chilo colpo gono metro
  ophthalmo pneum-
  m(on)o spondylo sto-
  mato traumato ulo
pneumonacacia *Path.*
traumatocacy *Path.*
κακία badness
Cacia *Ent.*
κάκιστος Superl. of κακός
kakistocracy
kakistocrat(ical
κακκαβίς a partridge
Cac(c)abis *Ornith.*
κάκκη dung
Caccobius *Ent.*
κακο- Comb. of κακός bad
agathocacological *Ethics*
caco-
  cholia *or* -y *Path.*
  dacnus *Ent.*
  galactia -ic *Path.*
  gamia
  galia *Path.*

caco- Cont'd
  gastric *Path.*
  genesis *Path.*
  genic(s *Med.*
  geusia *Med.*
  grapher
  graphy -ic(al
  logy
  magician
  melia *Med.*
  morphosis *Med.*
  nema *Helm.*
  somium
  stomia *Med.*
  thelin(e
  thenic(s *Med.*
  thesis *Path.*
  type
  xene -ite *Min.*
  zyme
kako-
  genesis
mazocacothesis *Obstet.*
mazocacothetic *Obstet.*
κακοδαυμονία (Xen.)
cacod(a)emonia
  -iac -ial
κακοδαιμονίζειν (Strabo)
cacodemonize
κακοδαιμονικός (Diog.)
cacod(a)emonic
κακοδαίμων evil genius
cacod(a)emon
cacodemonomania
κακοδοξία heterodoxy
cacodoxia *or* -y *Theol.*
  -ian -ical
κακοέπεια bad language
cacoepy -istic
κακόζηλον affectation
cacozeal(ous *Obs.*
κακοήθης malignant
cacoethes -ic *Path.*
κακοθανασία a bad death
cacothanasia *Med.*
κακοθυμία malevolence
cacothymia *or* -y *Path.*
κακοικονομία (Xen.)
cacaeconomy *Obs.*
κακόπλασῆος ill-conceived
cacoplastic *Anat.*
κακοπραγία a doing ill
cacopragia *or* -y
κακόρρυθμος in bad time
caco(r)rhythmic
κακος bad
kakidrosis *Med.*
polemocacophthalmia
κακοσμία a bad smell
cacosmia
kakosmia
κακοσύνθετον ill composed
cacosyntheton *Rhet.*
κακοσφυξία a bad pulse
cacosphyxia *or* -y *Path.*
κακοτεχνία debased art
cacotechny
κακοτροφιά (Theophr.)
cacotrophia -y *Path.*
κακοῦργος malefactor
Cacurgus *Pal.*
κακοφωνία (Strabo)
cacophony
  -ia -ic(al -ious -ize
κακόφωνος (Arist.)
cacophonophily -ist
cacophonous(ly
κακόχυλος with bad juice
cacochylous *Path.*
  -ia -y
κακοχυμία (Galen)
cacochymia *Path.*
  -ic(al -ious -y

κάκτος (Theocritus)
cactina *Prop. Rem.*
cactin(e *Org. Chem.*
Cactographus *Pal.*
Cactus *Bot.*
  -aceae -aceous -ae -al
  -iform -oid
-cactus *Bot.*
  Echino Melo Phyllo
κακώδης ill-smelling
cacodyl(e *Chem.*
  ate ic
cacodyliacol *Mat. Med.*
dicacodyl *Tox.*
kakodyl(e
κακωνυμία a bad name
caconymy
κακώνυμος (Suid.)
caconym(ic
καλ- Comb. of καλός
cal-
  anthe *Bot.*
  anthemis *Ent.*
  apatite *Min.*
  aster *Pal.*
  electric(al ity *Elec.*
  endyma *Ent.*
  oenas -adin(ae *Ornith.*
  urus *Ornith.*
καλαθίσκος
calathiskos *Gr. Furn.*
καλαθηφόρος
calathephoros *Gr. Rel.*
κάλαθος a wicker basket
Calathea *Bot.*
  -ide -idium -iflorous
  -iform -is -ium
calathiphorum *Bot.*
calathocladium *Bot.*
calathus *Gr. Ant.*
Calatolides *Pal.*
κάλαις "turquoise"
Calais *Ent.*
calaite *Min.* (*Obs.*)
καλαμάγρωστις (Diosc.)
calamagrost(id)etum *Bot.*
Calamagrostis *Bot.*
καλαμάριον = τευθίς
calamary *Zool.*
καλαμίνθη catmint
calamint *Bot.*
Calamintha *Bot.*
καλαμίτης reed-like
calamite(s -ean *Pal. Bot.*
calamitoid *Bot.*
Dictyocalamites *Pal.*
καλαμο- Comb. of κάλαμος
calamo-
  cladus *Pal. Bot.*
  dendron *Pal. Bot.*
  grapher
  ichthys *Zool.*
  phoios *Pal.*
  pitys *Pal. Bot.*
  sperma *Bot.*
  spiza *Pal. Bot.*
  stachys *Pal. Bot.*
καλαμοδύτης (Aelianus)
Calamodyta *Ornith.*
  -inae -ine
κάλαμος a reed
Calamaria *Herp.*
  -iid(ae -iinae -iine
  -(i)oid
calamarious *Bot.*
  -iaceae
  -iaceous -iae -iales -ian
  -iferous -iform -ioid
calameon *Chem.*
calamist *Music*
calamistrate -ation
calamistrum -al *Zool.*
calamoid *Bot.*
Calamops *Pal.*

Calamura *Crust.*
calamury *Zool.*
Calamus *Bot.*
calumet
caramel
  ize ization
Dendrocalamus *Bot.*
κάλανδρος a kind of lark
calander
Calandra *Ent.*
  -id(ae -oid
Calandra *Ornith.*
  -e -elle
Καληδονία Scotland
caledon *Dyes* (*T.N.*)
caledonite *Min.*
καλιά a hut; nest (Theocr.)
caliology *Ornith.*
  -ical -ist
Collocalia *Ornith.*
Eucalia *Ich.*
spermatokalium *Bot.*
καλίδιον Dim. of καλιά
kalidion -ium *Bot.*
καλίδρις
Calidris *Ornith.*
καλίκιοι a shoe (Polyb.)
Eucaliga *Ent.*
καλλ- Stem of κάλλος
Callimation *Ent.*
κάλλαια cock's wattles
Calla *Bot.*
κάλλαιον a cock's comb
Callaeas *Ornith.*
  -atinae -atin(e
κάλλαις = κάλαις
callais *Gems*
kallaite *Petrog.*
καλλζούνιον (M. Gr.)
calsons *Press.*
καλλι- Comb. of κάλλος
calli-
  anassa *Crust.*
    -id(ae -oid
  andra *Bot.*
  anira *Zooph.*
    -id(ae -oid
  asterella *Pal.*
    -idae -inae
  cebus *Zool.*
  chelidon *Ornith.*
  chelys
  chroma
  demum *Ent.*
  metopus *Ent.*
  metric
  opsis *Bot.*
  pepla
  prason *Ent.*
  rhytis *Ent.*
  rrhipis *Ent.*
  stemon *Bot.*
  stephian(ium *Chem.*
  stepus *Bot.*
  stenics
    -ic(al -i(*or* e)um
  thamnion *Bot.*
  thump(ian
  tris *Bot.*
  trol *Org. Chem.*
  trolic *Bot.*
  type -y *Print.*
  urus *Ich.*
  xylon *Pal.*
kalli-
  lite *Min.*
  sophy
  type *Photog.*
καλλιγραφιά (Plutarch)
calligraphy -ist
καλλιγραφικός (Suidas)
anticalligraphic
calligraphic(al(ly

καλλιγράφος (Eus.)
calligraph(er
καλλίθριξ fine-maned
Callithrix *Mam.*
καλλίκαρπος (Theophr.)
Callicarpa *Bot.*
καλλίμορφος fair in form
Callimorpha *Ent.*
κάλλιμος = καλός
Callima *Ent.*
callimus
Kallima *Ent.*
καλλίνικος fr. νίκη''
kallinikos *Gr. Ant.*
Καλλιόπη the epic muse
Calliope *Astron. Myth. Ornith.*
Κάλιππος an astronomer
Calippic
καλλίπυγος a Venus, fr. πυγή
Cal(l)ipyga *Ornith.*
callipygian *Sculpture*
Καλλιρρόη
Calir(r)hoe *Bot. Myth.*
καλλιστεῖα meed of valor
callisteia *Gr. Ant.*
κάλλιστος most beautiful
Callistus *Ent.*
Καλλιστώ Kallisto
Kallistina *Pal.*
καλλίσφυρος fair-ankled
Callisphyris *Ent.*
καλλίτριχον (Diosc.)
Callitriche *Bot.*
-aceae -aceous
καλλίτριχος = καλλίθριξ
Callitrichidae *Zool.*
κάλλιχθυς the beauty-fish
Callichthys *Ich.*
-yid(ae -yoid(ei
καλλιώνυμος (Arist.)
Callionymus *Ich.*
-id(ae -inae -oid
καλλο- Comb. of κάλλος
callo-
cephalon *Ornith.*
clymenia *Malac.*
cystites
dendron *Bot.*
gobius
lytic *Bot.*
mania
menus *Pal.*
phylla *Ent.*
rhinus
rhynchus *Zool.*
spilopteron *Ent.*
technics *Art.*
κάλλος beauty
call(a)esthetic(s
-ical
Callechelys *Ich.*
callidium
Calluela *Herp.*
-id(ae -oid
Hymenocallis *Bot.*
Kallimenia -eae *Bot.*
Pterocallis *Ent.*
Rachicallis *Bot.*
καλλύνειν to sweep clean
Calluna *Bot.*
Καλλυντήρια (Phot.)
Kallynteria *Ath. Fest.*
καλλωπιστής fine dresser
Callopistus *Ent.*
καλο- Comb. of καλός
Calo- *Bot.*
chortus cub dendron nectria nyction phyllum pogon sphaeria

Calo- *Ent.*
batinus chironomus limnophila pasta ptenobia ptenus soma stega stoma termes tingis tropis
calo-
demonial
graphy
mel
melol *Prop. Rem.*
phantic
psitta *Ornith.*
-inae -ine
type -ic -ist *Print.*
kalo-
batippus *Pal.*
logy
trope *Arts*
type
typography
καλόγηρος title of monks
caloyer *Gr. Ch.*
καλόν Neut. of καλός
kalon
καλοπόδιον (Galen)
galosh
καλός beautiful
Calipeges *Ent.*
Catocala *Ent.*
Eucalus *Ent.*
kaleido-
graph *Optics*
phon(e *Phys.*
scope -ic(al(ly
Kalodontidae *Pal.*
pittacal *Org. Chem.*
καλπάζειν to gallop
Calpazia *Ent.*
κάλπη urn
calpa *Bot.*
Calpe -idae *Ent.*
κάλπις (-ιδος) pitcher, urn
calpar
calpicarpum *Bot.*
Calpidoporidae *Pal.*
kalpis *Archaeol.*
κάλπιον Dim. of κάλπις
Calpiocrinidae *Pal.*
καλύβη a cabin
kalybe *Gr. Ch.*
καλύβιον cottage
calybio -ium *Bot.*
καλυβίτης hut dweller
calybite *Eccl.*
καλυκ- Stem of κάλυξ
acalyc- *Bot.*
al(is ine inous ulate
calyc- *Bot.*
alis ate ia iferous iform
Calycals *Bot.*
calycanth *Bot.*
aceae aceous in(e us
Calyceraceae -aceous *Bot.*
Calyciflorae *Bot.*
-al -ate -ous
Calycilepidotus *Zool.*
calycin(e *Chem.*
calycinal(is -ar *Bot.*
calycle(d *Bot.*
calycoid(eous *Bot.*
calycule -a *Bot.*
-ar -ate(d -us
epicalycius *Bot.*
geocalycal *Bot.*
pericalycius *Bot.*
καλυκάνθεμον (Diosc.)
calycanthemous -y *Bot.*
καλυκο- Comb. of κάλυξ
calyco-
crinus *Pal.*
nect(ae ous *Zooph.*
phore *Zooph.*

calyco-Cont'd
-ae -a(n -id(ae -ous
stamen *Bot.*
zoa(n *Zool.*
-oic -oon
κάλυμμα a covering, hood
Calummatotheca *Bot.*
Calymma *Ent.*
calymma- *Ent.*
derus phorus
-calymma *Ent.*
Capno Micro Oxy Physo Pyro Tropo
calymmato-
bacterium *Med.*
phorus *Ent.*
theca *Bot.*
Calymmophis *Ent.*
kaly(*or* u)mmocyte *Zool.*
odontoclamis *Dent.*
κάλυξ a shell, pod; calyx
caliphyony *Bot.*
Calystegia *Bot.*
calyx *Bot.*
-calyx
adeno caulo epi geo
Gonocalyx -yces -ycine
nectocalyx -ycin-e *Zool.*
nematocalyx -ycin(e
trophocalyx *Mam.*
καλύπτειν to cover, veil
Calymene *Crust.*
-a -idae
Liocalymene *Pal.*
καλυπτήρ sheath, casket
Acalypterae *Ent.*
-atae -ate
Acalyptris *Bot.*
calypter *Bot. Ent.*
Calyptulus *Ent.*
kalypteres *Gr. Arch.*
καλυπτήριον a covering
calypteria *Ornith.*
καλυπτόμενος covering
Calyptomena *Ornith.*
-inae -ine
καλυπτός covered
Calypte *Ornith.*
Calyptoides *Ent.*
Calyptopis *Crust.*
blastea(n -ic *Zooph.*
cephalus *Ent.*
crinid(ae -oid *Echin.*
dera *Ent.*
lite *Min.*
mera -e -ous *Crust.*
Calyptophyllum *Arach.*
rhynchus *Zool.*
spora *Bot.*
campholyptus *Prop. Rem.*
chlorlyptus *Mat. Med.*
eucalin *Chem.*
eucaloid *Med.*
eucalol *Prop. Rem.*
eucalypsinthe
-intene -intic
eucalypt- *Med.*
ene ic eol ol
eucalypto-
crinus *Echin.*
-id(ae -ite -oid
graphy *Bot.*
logist
resorcin *Mat. Med.*
eucalyptus *Bot.*
eulyptol *Mat. Med.*
καλύπτρα a veil
calyptra *Bot.*
thalamogena
Calyptraea *Conch.*
-aeid(ae -aeoid
Calupt(e)ratae *Ent.*
calupt(e)rate *Bot. Ent.*
calyptri- *Bot.*
form morphous

calyptrogen(ic *Bot.*
dermacalyptrogen
kalyptra *Gr. Dress*
Καλυψώ Dau. of Atlas
Calypso *Bot. Crust. Ent. Myth.*
καλχαίνειν to empurple
Calchaenesthes *Ent.*
κάμαξ (-ακος) pole, shaft
Camacopselaphus *Ent.*
kamacite *Meteor. Min.*
wickelkamazite *Min.*
καμάρα a vault
bicameral -ist *Pol.*
camara *Bot. Pal.*
camarasaur(us *Pal.*
camarastome *Zool.*
Camarata -ate *Echin.*
Camaria *Ent.*
camarius *Bot.*
Camarodonta *Pal.*
Camarostoma *Arach.*
camber(keeled
camera
cameral *Govt.*
ism ist(ic(s
cameraphone *T.N.*
Camerata *Echin.*
camerate(d -ation
camerin(e *Bot.*
camerist
cameritelous *Arach.*
camerle(*or* i)ingo *Eccl.*
camerostoma *Arach.*
camerula *Bot.*
chambellan
chamber
-deacon -er -lain(ry
-lainship -let(ed -maid
concamerate(d -ation
kinetocamera *Photog.*
Macrocamerae -ate
Microcamerae -ate
pentacamarus *Bot.*
polycamarous *Bot.*
Tetracamara *Pal.*
tetracamarous *Bot.*
καμάριον Dim. of κάμαξ
Acauthocamaria *Ent.*
καμαρωτός vaulted
Camarotus *Ent.*
Hymenocamarota *Ent.*
καμελαύκιον a kind of cap
cal(l)amanco *Trade*
calimanco *Trade*
camelaucium
καμηλο- Comb. of κάμηλος
Cameloccerambyx *Ent.*
κάμηλος (Herodotus)
camel
cade eer ier in(e ish-(ness ry
Camelodon *Pal.*
Camelopsis *Ent.*
Camelornithes *Ornith.*
Camelus *Mam.*
-id(ae -oid(ea(n
καμηλοπάρδαλις (Diod.)
camelopard *Astron. Zool.*
al(is el idae us
καμηλώδης (Galen)
cameloid
κάμινος a flue (Galen)
chimney(ed
καμίσιον (Palladius Eccl.)
camisa -ated
camiscia
camise camisia
camisole camister
chemise
κάμμαρος a lobster

Cambarus *Ich.*
-ine -oid
cammaron *Zool.*
Cammarum *Bot.*
gammarolite *Pal.*
Gammarus *Crust.*
-acea -id(ae -idea(n
-ina -ine -ini -oid(ea(n
κάμνειν cultivate; suffer
anticamnia *Prop. Rem.*
camnium *Bot.*
κάμπη a caterpillar
-campa *Ent.*
Arachno Cerato Clisio Hoplo Hydro Lasio Palaeo Taenio Toxi-(*or* o)
Campe(*or* o)phaga
-id(ae -inae -ine -oid
Campe(*or* o)philus
-campid(ae *Ent.*
Cerato Hydro Lasio Toxi(*or* o)
Campodea *Ent.*
-eae -ean -eid(ae -eiform -eoid(ea -idae
Camponiscus *Ent.*
Camponotus *Ent.*
Campophilus *Ornith.*
Campostoma *Ich.*
-inae -ine
Kampecaris *Pal.*
Trichiocampus *Ent.*
κάμπος a sea monster
Campopera *Crust.*
Lissocampus *Ich.*
καμπτήρ bend, angle
campterium *Ornith.*
καμπτικός flexible
phonocamptic(s *Phys.*
καμπτός flexible
Camptoplites *Bryozoa*
campto-
cormia *or* -y *Med.*
dactylia *Med.*
drome -ous *Bot.*
laemus *Ornith.*
phyllia *Crust.*
sauridae *Pal.*
saurus *Herp.*
sorus *Bot.*
thlipsis *Ent.*
trich *Zool.*
tritoma *Ent.*
tropal *Bot.*
tropis *Ent.*
tropism *Bot.*
camptulicon *Arts*
camptulitropal -ous *Bot.*
Cerocamptus *Ent.*
kamptoderm
kamptulicon *Trade.*
Olenecamptus *Ent.*
Paracamptarrhinus *Ent.*
καμπυλο- Comb. of καμπύλος
campylo-
drome -ous *Bot.*
graph
meter
neuron *Bot.*
phyllum *Pal.*
rhynchus *Ornith.*
-inae -ine
spermous -ate *Bot.*
tropous -al -ism *Bot.*
καμπύλος curved, crooked
Campylaeopsis *Malac.*
Campylaspis *Crust.*
-(id)id(ae -idoid
-campyli *Conch.*
Disco Eury Gastro Lepto Meso Micro Pachy Philo

campylidium *Fungi*
campylite *Min.*
discocampylic
Kampylaster *Echin.*
pachycampulious
καμφορά (Leo Medicus)
acetophorone *Org. Chem.*
camph- *Org. Chem.*
ane anic idine idone iline ine yl(amine
camphacol *Mat. Med.*
camphene *Org. Chem.*
-ic -one -onic -ylic
-camphene *Org. Chem.*
homo sesqui tere
camphenil *Org. Chem.*
ane anic anol ene ol(ic olyl one
camphenol *Mat. Med.*
camphire
campho- *Org. Chem.*
gen lytic thetic
camphoce- *Org. Chem.*
an(e ene enic
camphoid *Mat. Med.*
camphol *Org. Chem.*
ene enic ic id(e
campho- *Mat. Med.*
lyptus menthol phenique sal
camphone *Org. Chem.*
-ane -anic -ene -enic -olic -onic
camphor
amic ate(d ene ic id imide ize one onic ous oyl yl(ene ic idine)y
-camphor *Org. Chem.*
chlor di epi homo nor monobrom oxy oxyiso
Camphora -aceous *Bot.*
camphoral *Prop. Rem.*
-camphoric *Org. Chem.*
chole(o) homo(apo pino) meso nor oxy para pino
camphoromania *Med.*
camphoroxol *Prop. Rem.*
camphossil *Mat. Med.*
camphretic *Org. Chem.*
chloralcamphoroxim
dicamphendion
fenchocamphorone
homocamph- *Org. Chem.*
ane enilone enol enylic olic
homophorone
norcamphane
oxyphor *Mat. Med.*
phorol *Org. Chem.*
pinocamph- *Org. Chem.*
ane one
pyrocamphretic *Chem.*
tanacetophorone *Chem.*
thiocamph *Org. Chem.*
κάμψα basket, casket
Brachycampsa *Pal.*
κάμψις a bending
campsis *Path.*
-campsis *Path.*
gony metro phallo photo rachio
dactylocampsodynia
osteocampsia *Med.*
καμψός bent
Campsopyga *Ent.*
κάναστρον wicker basket
canaster
can(n)ister
καναχίζειν to ring, clang
Canachites *Ornith.*
κανδύκη = κάνδυς
Kandyca *Arach.*
κάνδυς a sleeved garment
candys *Archaeol.*

κανηφόρος basket-bearer
canephor *Arch. Gr. Fest.*
a e os us
κανθαρίς(-ίδος) (Arist.)
aurocantan *Pharm.*
cantharic *Org. Chem.*
-ene -enol -in(e
cantharid(ae *Ent.*
cantharides *Mat. Med.*
-al -ate(d -ian
cantharidism -ize *Med.*
Cantharis *Bot.*
κάνθαρος a beetle
cantar
Cantharellus *Bot.*
cantharenol *Org. Chem.*
canthariasis *Med.*
cantharidyl *Org. Chem.*
cantharoid
Cantharolethrus *Ent.*
cantharolic *Org. Chem.*
Cantharophilae -ous *Bot.*
cantharus *Cl. Ant.*
Hydrocanthari *Ent.*
κανθήλιος a pack-ass
Cantheliophorus *Pal.*
κανθός corner of the eye, wheel felloe
cant
ed een el le
canthal
canthectomy *Surg.*
Canthigaster(id(ae *Ich.*
cantho- *Surg.*
lysis plasty(-ic) rraphy tomy
canthus *Anat. Ent.*
cantilever
cantinier(e *Mil.*
cantlet
canton
al(ism ed ée er ist ite ize
cantonment
rhinocanthectomy *Surg.*
scirrhencanthus *Tumors*
syncanthus *Path.*
κανθύλη a swelling
Canthyloscelis *Ent.*
κάνθων a pack-ass
Canthon *Ent.*
κάνιστρον = κάναστρον
kanistron *Gr. Furn.*
κάννα a reed
cane
Canella *Bot.*
-aceae -aceous
canellin *Org. Chem.*
caneology
Canna *Bot.*
-aceae -aceous
canno- *Combin.*
cannoid
cannon
ade archy eer ier ry
Cannopylea(n *Prot.*
Cannoraphis -idae
Cannosphaera *Prot.*
-id(ae -ida -oid
Cannostomae -ous *Zooph.*
cannula *Eccl.*
cannula -ar -ate(d *Surg.*
canon(cito
cany
canyon
κάνναβις hemp
cannab- *Org. Chem.*
ene in(e inin inol inone
cannabindon *Mat. Med.*
Cannabis *Bot.*
-ic -ine
cannabism *Med.*
cannabitetanin *Mat. Med.*
canvas

canvasback
canvasado *Obs.*
canvass(er
oxycannabin *Chem.*
tetracannabin(e *Chem.*
tribromcannabinol *Chem.*
κανονάρχης (Nil.)
kanonarchos *Gr. Ch.*
κανονικός (Orig.)
canonic
al(ly alness als ate ity
-canonical
a deutero extra in intra micro proto un
canonicals
microcanonically
uncanonic
ally alness
κανών rule, standard, from κάννα
canon *Eccl.*
ess ial(ly ism ist(ic(al ly ry ship wize
canonize(r -ant -ation
decanonize *Eccl.*
discanonize -ation *Eccl.*
uncanonize(d
Κάνωπος (Steph. B.)
Canopus -ic *Archaeol.*
Canopus *Astron.*
κάπηλος a chapman
capelocracy
καπνία a hole for smoke
Capnia *Ent.*
καπνο- Comb. of καπνός
capno-
calymma *Ent.*
mancy
mor *Chem.*
tycha *Ent.*
καπνός smoke
acapnia(l *Biochem.*
-capnia *Med.*
hyper hypo
Capnoides *Bot.*
kapnography -ic *Arts*
misocapnic -ist
καπνώδης smoky
Capnodis *Ent.*
Capnodium *Bot.*
κάππα the letter κ
kappa *Gram.*
κάππαρις the caper-plant
caper
Capparimyia *Ent.*
Capparis *Bot.*
-id(-aceae -aceous)
καπρίζειν to want the boar
caprizant
καπρο- Comb. of κάπρος
capro- *Chem.*
amide ate galactone in nitrile phenone
Capromys -yan *Zool.*
Capromeryx *Pal.*
κάπρος the wild boar
Caprodes *Ent.*
Caprodon *Ich.*
caprone *Chem.*
-ic -ylene
Capros -oid(ae *Mam.*
κάπτειν to gulp
Capsus *Ent.*
-id(ae -ina -ini -oid
Deraeocapsus *Ent.*
oocapt *Oology*
κάπων (Gloss.)
capon
et ize(r
caponier(e *Fort.*
κάρα = κεφαλή
-cara *Ent.*

-cara Cont'd
Bothro Eu Oligo Oxy Steno Tribolo
Caenocara *Ent.*
caryocar *Bot.*
-aceae -aceous
cheer
er ful(ize ly ness) ily iness ing(ly less(ly ness) ly y
Karoceras *Pal.*
Lycocara *Ich.*
Toxocara *Helm.*
κάραβος a horned beetle; a light ship
Carabocrinus *Echin. Pal.*
-id(ae -inae -oid
Carabus *Ent.*
-id(ae -idan -ideous -(id)oid -oidea(n
car(a)vel
Stenocarabus *Crust.*
καρανιστής beheading
Caranistes *Ent.*
καρβάτιναι brogues
karbatinai *Gr. Dress*
καρδαμίνη (Diosc.)
Cardamine *Bot.*
cardamin(e
cardaminetum
καρδάμωμον cress (Theophr.)
cardamom *or* -um
καρδι- Comb. of καρδιά
cardi- *Path.*
agra
amorphia anastrophe aneuria
asthenia
ataxia atrophia *or* -y
azol(e *Pharm.*
centesis
ectasis
ectomy -ized *Surg.*
elcosis
odynia
oecia *Bryozoa*
phonia
valvulitis
καρδία the heart
Acardines -ate *Conch.*
anacard(ium *Bot.*
-iaceae iaceous ian ic ine
Cornucardia *Pal.*
Cypricardia *Conch.*
-acea -ella -inia -inoid -ites
-cardia *Med.*
a acephalo acleito aer-endo amyo araio atelo auxo bathy brachy brady bu dexio dextro diplo ecto embryo epi exo glypto hemi horizo hydro hyper megalo meso micro mio oligo paulo phreno pneumato poly pykno sinistro steno tachy tricho trocho trochorizo
cardia *Anat.*
Cardiacea *Conch.*
-eae -ean
cardiacirrhosis *Path.*
cardiagram
cardiagraph(y
cardial
-cardial
dextro epi extra intra-(myo) myo steno subendo
cardiameter
cardiant *Med.*

Cardilia *Conch.*
iid(ae -ioid
cardin *Mat. Med.*
cardite -a *Conch.*
-acea(n -ian -id(ae -oid
-carditic *Path.*
endo myo
carditis *Path.*
-carditis *Path.*
angio endo(peri)(myo) ethmo myo(endo) perimyoendo
Cardium *Conch.*
-iadae -idae -iid(ae -oid
-cardium *Anat. Zool.*
ante cono echino endo epi meso myo pro visceri
-cardius *Terat.*
a acephalo holo macro micro
cardol *Chem.*
Diotocardia *Zool.*
Endocardines *Zool.*
gynocardase *Biochem.*
Gynocardia *Bot.*
gynocardic *Org. Chem.*
-ate -in(e
Haplocardia *Zool.*
Hamicardia *Zool.*
Heterocardia *Conch.*
Isocardia *Conch.*
-iadae -iidae
Leptocardii -ia(n *Ich.*
Lunulicardium *Conch.*
-iid(ae -ioid
monocardian *Zool.*
monotocardia(n *Conch.*
myocardiagram
myocardiagraph
myocardism *Path.*
Pachycardia(n *Zool.*
stethocardiagraph
καρδιακός
acardiacus *Terat.*
cardiac(al *Anat. Med.*
-cardiac *Anat.*
a angiomyo cerebro cervico diplo endo epi exo intra(peri) lipo megalo myo nephro neuro pulmo reni retro steno tachy visceri
-cardiac *Zool.*
branchio haplo hemi monoto pallio pre ptero reni uro zygo
-cardiacal *Anat.*
endo exo
καρδιαλγία (Galen)
cardialgia *or* -y *Path.*
molybdocardialgia
καρδιαλγικός (Hipp.)
cardialgic *Path.*
καρδιο- Comb. of καρδία
acardio- *Med.*
hemia nervia trophia
angiocardio- *Med.*
kinetic pathy
cardio-
arterial *Anat.*
blast *Ent.*
cele *Path.*
centesis *Ther.*
cephalus *Pal.*
clasis *or* -ia
coelom(ic *Anat. Ent.*
conch(ae *Zool.*
dilator *Med. App.*
diogmus *Path.*
dynamics *Med.*
genic
genius *Ent.*
gnostic
gram *Med.*
graph *Med.*

cardio- Cont'd
graphy -ic *Med.*
hepatic *Anat.*
inhibition *Physiol.*
inhibitory *Physiol.*
kinetic *Med.*
la -id(ae -oid *Conch.*
lith *Path.*
logy *Med.*
lysin *Med.*
lysis *Med.*
malacia *Med.*
megaly *Med.*
melanosis *Med.*
meter *Med.*
metry -ic(al *Med.*
motility *Physiol.*
myoliposis *Med.*
nephric *Anat.*
neural *Anat.*
neurosis *Path.*
palmus *Path.*
paraplasis *Terat.*
path *Med.*
pathy -ic *Med.*
pericarditis *Path.*
phobia *Med.*
phone *Med. App.*
plasty *Surg.*
plegia *Path.*
pneumatic *Med.*
pneumograph
ptosis *Path.*
pulmonary *Anat.*
pulmonic *Anat.*
puncture *Surg.*
pyloric *Physiol.*
renal *Physiol.*
respiratory *Physiol.*
rrhaphy *Surg.*
(r)rhexis *Path.*
schisis *Ther.*
sclerosis *Path.*
scope *Med. App.*
spasm *Path.*
spermum *Bot.*
sphygmogram
sphygmograph
stenoma *Path.*
stenosis *Path.*
symphysis *Med.*
therapy *Ther.*
tomy *Surg.*
tonin *Med.*
toxic *Path.*
tromus *Med.*
valvulitis *Path.*
vascular *Anat.*
vasal *Anat.*
visceral *Anat.*
-cardiogram *Med.*
bu dextro electro levo myo phono roentgeno sphygmo tele telelectro
-cardiograph *Med.*
electro myo sphygmo
-cardiography *Med.*
electro phono tele
electrocardio-
graphic
phonogram
phonograph
sphygmocardioscope

καρδιοειδής heart-shaped
cardioid *Math.*

κάρδος a thistle
Cardophagus *Hum.*

κάρη Ionic for κάρα
care- *Zool.*
liparis mitra
Carenchelyi -ous *Ich.*
Oryctocare *Pal.*
Stephanocare *Pal.*
καρηβαρής top-heavy
Carebara *Ent.*

καρηνον the head
Carenum *Ent.*

καριδ- Stem of καρίς
Carida *Crust.*
-ea(n -es -idae -oid
Caridomorpha -ic *Crust.*
Epicarides -an *Zool.*
Neocarida *Crust.*
Phyllocarida(n *Crust.*
καρίς a small crustacean
Anomocarella *Pal.*
Caricyphus -idae *Zool.*
-caris *Crust.*
Dasy Pelto Thaumasto Tropio
-caris *Pal.*
Dithyro Echino Franco Hymeno Kampe Palaeo Paulo Pleuro Proto Pygo Rhino Sino Spathio Teallio Toriasso

καρκινο- Comb. of καρκίνος
carcino-
baena *Ent.*
genesis *Med.*
logy -ical -ist *Med.*
lytic *Med.*
morpha -ic *Crust.*
phagous
sarcoma *Path.*
scorpius *Zool.*
καρκινοειδής like a crab
carcinoid(a *Zool.*
pseudocarciniod *Anat.*
καρκίνος a crab; cancer
bronchocarcinia *Path.*
carcinelcosis *Path.*
Carcinops *Ent.*
carcinosis *Path.*
carcinous *Path.*
carcinus *Path.*
Cyclocarcinus *Crust. Pal.*
Euthycarcinus *Pal.*
Gecarcinus -ian -id(ae -oid
Holocarcinus *Crust.*
Nematocarcinus *Crust.*
-id(ae -oid
καρκινώδης = καρκινοειδής
carcinodes *Phytopath.*
καρκίνωμα(-ατος) (Hipp.)
carcinoma *Tumors*
-atoid -atosis -atous
-carcinoma *Tumors*
adeno chondro chorio cysto fibro glosso hystero masto melano metro nevi ophthalmo oscheo osteo papillo phallo pneum(on)o psammo pseudo rhino sarco ulo
carcinomelcosis *Tumors*
carcinomatophobia
sarcocinoma *Tumors*

καρμηλίτης
Carmelite -ess *Eccl. Hist.*

κάρον caraway
car- *Org. Chem.*
ane ene one onic yl
caraway
Carum *Bot.*
carv- *Org. Chem.*
acrol acryl(amine elone ene enone enyl eol estrene ol one oxime yl
carvo- *Org. Chem.*
methane menthol menthone pinone
-carvone *Org. Chem.*
eu pino sylve

decarvonize *Oils*
homocaronic *Org. Chem.*
norcarane *Org. Chem.*
pinocarveol *Org. Chem.*

κάρος stupor (Arist.)
carus *Med.*
Embolocarus *Arach.*

κάρπασος a fine flax
carbasus

καρπο- Comb. of καρπός
amphicarpogenous *Bot.*
anthocarpologic *Bot.*
carpo-
asci -ous *Fungi*
capsa *Ent.*
carpal *Anat.*
cephalum *Bot.*
cerite *Ent.*
clonium *Algae*
crinidae *Pal.*
dacus *Ornith.*
daptes *Mam.*
dectes *Ornith.*
dermis *Bot.*
detus *Bot.*
gam(y *Bot.*
genium *Bot.*
-ic -ous
gnathite *Anat.*
gon(e *Bot.*
ial idium ium
graphy *Bot.*
lite *Bot.*
lith(us
logy -ical(ly -ist
lonchaea *Ent.*
mania -y *Agric. Bot.*
mela
metacarpal *Anat.*
metacarpus *Bot.*
nycteris *Mam.*
iinae -iine
pedal *Path.*
phaga -ous
phalangeal *Anat.*
philus *Ent.*
phore *Bot.*
phyl(l *Bot.*
phyte -ic *Bot.*
podite -ic *Crust.*
podium *Bot.*
ptosis *Bot.*
soma *Fungi*
sperm *Bot.*
sphere *Bot.*
sporangium -ial *Bot.*
spore *Bot.*
-eae -ic -ous
sporiferous *Bot.*
sporophyte *Bot.*
stome *Bot.*
strote *Phytogeog.*
tropic -ism *Bot.*
-carpotropic *Bot.*
a auto post
Dipterocarpophyllum
hypocarpo- *Bot.*
gean genous

καρποβάλσαμον (Galen)
carpobalsamum *Chem.*

καρπός the wrist
carpal(e *Anat.*
-carpal *Anat.*
cubito extra inter intra medio mid radio
carpectomy *Surg.*
carpitis *Path.*
carpus *Anat.*
Monocarpidea(n *Crust.*
Pioplatycarpus *Herp.*
-id(ae -oid
καρπός fruit
acarpelous *Bot.*
autocarpad -eous *Bot.*

-carpa *Bot.*
Amphi Calli Trocho
-carpaceae -eous *Bot.*
Coryno Diptero Ecto Elaeo Meso
Carpadelium -us *Bot.*
-carpae *Bot.*
Cleisto Crypto Iso
-carpeae *Bot.*
Arto Cleisto Diptero Endo Hetero Ino Iso Loncho Meso Podo Rhizo Spongio Sporo Symplo
-carp *Bot.*
achaeno acro actino angio apo archi arto asco cleisto cono cremo crypto cysto desmido diptero isco endo epi exo gloio helico hemi holo hypo megasporo meri meso microsporo mono para plasmodio pleuro podo pro pseudo(syn) pyreno rhizo sarco schizo spermo sporo syn xylo
carpel(ized *Bot.*
-carpellary *Bot.*
di inter intra mono pluri tetra tri
carpellotaxy *Bot.*
carpellum *Bot.*
-ary -ate -ody
-carpi *Bot.*
Acro Clado Cleisto Pleuro Stego
-carpian *Bot.*
angio auto hetero mono rhizo
-carpic *Bot.*
actino amphi angio aniso antho archi asco auto brady caulo cleisto crypto cysto endo eu geo gymno hemiangio hetero holo hydro iso mono partheno phyllo pleuro podo pyreno rhizo schizo stego
carpid(ium *Bot.*
carpilic -ine *Org. Chem.*
-carpin *Org. Chem.*
coryno eserinpilo homoptero ino macro pilo ptero
-carpine *Org. Chem.*
bromo coryno eserinpilo (meta)pilo rut(a)e
-carpium *Bot.*
amphi antho calpi coeno cono cremo disco epi hypo para ploco pro sphalero sporo syn tetracho
carpodes *Bot.*
Carpoidea *Pal.*
Carpos *Crust.*
-carpous *Bot.*
a acantho acro actino amblyo amphi angio aniso ano anomo antho apo arto asymmetro aulaco auto blasto caulo chryso clado cleisto cono crypto dicho diptero disco ecto epi erythro eu gloeo gompho gymno hebe hemi-(angio gymno) hetero holo(gymno) homo hypogeo ino iso lasio leuco macro micro mono ochro ortho oxy

pachy para phaeno phyllo physo plasmodio pleuro podo pseudo(mono) ptero pyreno rhizo rytido schizo spermo sphaero spini-(*or* o) stego sychno symphori symphy syn trachy tri tricho xantho xylo
-carpum *Pal.*
Araliae Balanito Cisto Clethrae Ehretiae Euphorbiaceae Leptospermo Miliaceae Oleae Rubiaceae Spondiae Trigono Vitilo Vitisoco
-carpus *Bot.*
amblo arto Cerco Chrysalido cono Cordai Cornu Coryno diptero eccremo Ecto Elaeo gloio Helio Hydno Ichno Ino Loncho Marga(*or* y)ri Meso micro ochro Oeno Ortho Physo Pilo Podo Ptero Ptycho Seme Serico steno stephano sticho strepto symmetri symphori symplo Thysano trachy Trigono
-carpy *Bot.*
aero allo apo auto bastardo geo hetero-(meri) hydro macrobio partheno syn xeno
podosyn
pseudomono
dialycarpel(ic ous *Bot.*
dichocarpism *Bot.*
dipterocarpol -one *Chem.*
Ecto(& Endo)carpeae
ectocarpoid *Bot.*
endocarpon -ei(n -oid
epicarpius *Bot.*
epicarpanthous *Bot.*
gymnocarpicus *Bot.*
heterocarpism -icus *Bot.*
(homo)hydnocarpic
homopilocarpic *Chem.*
Hysterocarpinus -inae
lithocarp *Geol.*
monocarpon -al *Bot.*
oenocarpal *Org. Chem.*
oocarp *Bot.*
phanerocarpal -ous
phylactocarp(al
spermocarp *Bot.*
pilocarpid- *Org. Chem.*
ene in(e
pilopic -yl *Org. Chem.*
Polypteriocarpus *Pal.*
Rhabdocarpos *Pal. Bot.*
rhizocarpean *Bot.*
Semecarpites *Pal.*
Syncarpia *Bot.*
Tanycarpa *Ent.*
tricarpellite *Pal.*
unicarpellate *Bot.*
zoocarp *Biol.*

καρποφάγος (Arist.)
carpophagous

κάρταλλος a basket with pointed bottom
Cartallum *Ent.*

καρτερικός patient
Carterica *Ent.*
καρτερός strong, staunch
Carterus *Ent.*
κάρτος strength, courage
Rhinocartus *Ent.*

καρτός shorn smooth
Cartecytis *Bryozoa*
καρυ- = καρυο-
cary-
ichthys *Pal.*
diopora *Pal.*
opside *Obs.*
opsideus *Bot.*
opsis *Bot.*
kary-
apsis *Cytol. Embryol.*
aptic *Biol.*
aster *Cytol. Embryol.*
enchyma
oids *Bot.*
on *Biol.*
καρύα the walnut tree
Carya *Bot.*
-carya *Bot.*
Crypto Oreo Ptero
Καρυάτιδες (Vitruv.)
caryate -ic *Arch.*
caryatid(es *Arch.*
al ean ic
καρύινος nutlike
caryin(e *Chem.*
caryinite *Chem.*
καρυο- Comb. of κάρυον
basicaryoplastin *Biol.*
caryo-
borus
branchia *Zool.*
car *Bot.*
-aceae -aceous
cerite *Min.*
chrome *Neurol.*
cinesis *Embryol.*
cinetic *Embryol.*
crinus *Pal.*
cystidae *Pal.*
cystites *Pal.*
gamic *Bot.*
logic *Cytol.*
lymph *Physiol.*
lysis *Bot.*
lytic *Cytol.*
merites *Bot.*
microsoma *Cytol.*
mitome *Biol.*
phil(lin *Med.*
phyta *Bot.*
pilite *Min.*
plasm(ic *Biol.*
pteris *Bot.*
(r)rhexis *Bot.*
rhexy *Cytol.*
some *Cytol.*
theca *Cytol.*
zoic
zymogen *Chem.*
dicaryo-
cyte *Cytol.*
phase *Bot.*
endoc(*or* k)aryogamy
exocaryogamy *Bot.*
karyo-
basis *Cytol.*
blast *Cytol.*
cerite *Min.*
chromatophil *Staining*
chrome *Neurol.*
chyleme *Cytol.*
dermatoplast *Bot.*
gametes *Bot.*
gamy -ic *Cytol.*
gen *Org. Chem.*
genesis *Cytol.*
genic *Cytol.*
gonad *Cytol.*
hyaloplasm *Cytol.*
kinesis *Biol.*
kinetic *Biol.*
klasis *Cytol.*
lobic -ism *Cytol.*
logy *Bot.*

karyo- Cont'd
lyma *Cytol.*
lymph *Cytol.*
lysis lytic *Biol.*
lysus *Zool.*
mere -ite *Cytol.*
microsome -a *Cytol.*
mite -ome -on *Cytol.*
mitoic -osis -otic *Biol.*
mitoplasm(ic *Cytol.*
morphism *Cytol.*
phage *Sporozoa*
phagy *Bot.*
phan *Cytol.*
plasm(a -ic *Biol.*
plast(in *Cytol.*
reticulum *Cytol.*
rhexis *Biol.*
some -a *Cytol.*
stenosis -otic *Cytol.*
symphisis *Bot.*
theca *Biol.*
tonia -ic *Path.*
zoic *Cytol.*
megacaryocyte *Physiol.*
mega(lo)karyocyte *Cytol.*
perikaryoplasm *Cytol.*
polykaryocyte *Cytol.*
prokaryogamete *Bot.*
-isation
syncaryo- *Bot.*
cyte phyte
synkaryophyte *Biol.*
κάρυον a nut
akaryote -a *Bot.*
Astrocaryum *Bot.*
-caryon *Bot. Cytol.*
di oo ophio ovo peri poly proto syn
-c(*or* k)aryosis *Bot. Cytol.*
hetero homo phago
-c(*or* k)aryotic
hetero homo
Hedycary *Bot.*
heterocary *Bot.*
Hydrocaryaceae -eous
karenchyma *Cytol.*
-karic *Bot.*
mono poly
-karyon *Bot. Cytol.*
amphi archi arrheno hemi mono peri proto syn thely
karyota -in *Cytol.*
thelycaryotia *Biol.*
καρυόφυλλον (Galen)
caryophyll- *Org. Chem.*
ene ic in(ic ol
Caryophyllaeus *Helm.*
-id(ae -oid
caryophyllate
Caryophyllus *Bot.*
-aceae -aceous -eae -eous -oid -ous
gillyflower
καρυωτός (φοῖνιξ)
Caryota *Bot.*
καρφο- Comb. of κάρφος
carpho-
borus *Ent.*
lite *Min.*
siderite *Min.*
spore *Bot.*
καρφοειδής like hay
Carphoides *Ent.*
καρφολογία (Galen)
carpholegy *Path.*
carphology *or* -ia
κάρφος a dry stalk
Carphina *Ent.*
Carphophis *Zool.*
syncarpha *Bot.*
καρχαρίας a shark
Carcharias *Ich.*
-iid(ae -ina -inus -ioid-(ae -ioidean -ioidei

καρχαρόδων sharp-toothed
carcharodon(t(inae *Ich.*
καρχήσιον a drinking cup
carchesium *Cl. Ant.*
karchesion *Cl. Ant.*
καρωτίδες (Galen)
caroticotympanic *Anat.*
carotid *Anat.*
al ean
-carotid *Anat.*
ecto ento inter
Caroticum *Craniom.*
Carotis *Anat.*
intercarotic *Anat.*
καρωτικός soporific
carotic *Med.*
καρωτόν a carrot
carotin
carotinemia *Med.*
carotinoid *Biochem.*
carrot(y -iness
dicarotin *Pigments*
eucarotin *Chem.*
hydrocar(r)otin *Chem.*
monocarotin *Bot.*
κάσις brother or sister
Acanthocasis *Ent.*
Κασσάνδρα (Il.)
Cassandra *Bot. Myth.*
Κασ(σ)ία (Herod.)
Cassia *Bot. Pharm.*
Κασσιέπεια (Luc.)
Cassiepe(i)a
Κασσιόπη (Anth.)
Cassiope *Bot. Myth.*
Κασσιόπεια
Cassiopeia(n
Cassiopeiidae *Zool.*
cassiopeium *Chem.*
κασσίτερος tin
cassiterite *Min.*
Κασταλία (Herod.)
Castalia(n *Bot. Myth.*
Castaly *Myth.*
κάστανα chestnuts
castana
castanet
Castanidae *Zool.*
castanite *Min.*
Castanopora -inae *Pal.*
Hippocastanum -aceae
hypocastanum
καστανέα (Galen)
Castanea *Bot.*
-ean -eous -ian
Castanella *Bot.*
castaneopiccous
castanin *Org. Chem.*
chestnut(ting
flavocastaneous *Arts*
κάστανος a chestnut tree
Castanopsis *Bot.*
Castanospermum *Bot.*
καστόριον (Diosc.)
castoreum
castory *Obs.*
καστώρ a beaver; castor
Amblycastor *Pal.*
castor
ate ial ic
Castor(id(ae -oid *Mam.*
castorin(e *Chem.*
Castoroides *Mam.*
-id(ae -oid
castoromorph *Zool.*
Κάστωρ (Il.)
Castor *Astron. Min. Myth. Naut.*
castorite *Min.*
hydrocastorite *Min.*

κασύτας (Hesych.)
Cassytha *Bot.*
κατ- Comb. of κατά
anakatesthesia *Med.*
cat-
acoustics *Phys.*
acromyodian
amblyrhynchus *Ornith.*
-id(ae
amnesis *Med.*
an(a)dromous *Zool.*
apophysis -ial *Anat.*
electrode *Elec.*
electrotonus *Physiol.*
-ic(ally -ous
ellagic *Org. Chem.*
hemoglobin *Biochem.*
horama *Ent.*
ion(ic *Phys. Chem.*
odon *Zool.*
-odont(idae -odonta
olethrus *Ent.*
urus -id(ae -oid *Ich.*
gastrokateixia *Med.*
katelectrotonus *Bot.*
oikogenic *Biol.*
κατά down, downward
acataphasia -y *Ps. Path.*
anacatadidymus *Terat.*
antikataphylactic *Med.*
antikataphylaxis *Med.*
cata-
ballative
basial *Zool.*
caustic
cladous *Bot.*
clesium *Bot.*
comb(ish
corolla *Bot.*
crotic -ism *Physiol.*
cumbal
dicrotic -ism *Physiol.*
didymus *Terat.*
dioptric(al -ics *Phys.*
drome -ous *Ich.*
genesis *Biol.*
genetic *Biol.*
metadromous *Bot.*
metopa *Zool.*
morphism *Geol.*
petalous *Bot.*
phasia *Path.*
phonic(s *Phys.*
phoresis & -etic *Med.*
photography
phrenia *Ps. Path.*
phrygian(ism
phyl(l(ary *Bot.*
phyllum *Bot.*
phylaxis *Med.*
physic(s -al
pionus *Ent.*
plasia -y *Bot.*
plasis *or* -ia *Histol.*
plasm plastic *Bot.*
pleiite *Min.*
pyrgodesmus
sarca sark *Eccl.*
schisma *Pal.*
state -ic
syllogism *Rhet.*
thermic *Phys.*
thermometer
tricrotic -ism *Path.*
tropia *Ophth.*
vertebral
electrocataphoresis
endocatadromous *Ferns*
esocataphoria *Ophth.*
exocatadromous *Ferns*
exocataphoria *Ophth.*
hemicatatonistic *Med.*
kata-
blast *Bot.*
chromiasis *Cytol.*
climatic *Geol.*

kata- Cont'd
dicrotism
kinetic *Biochem. Cytol.*
kinetomere -ic
klinotropism *Bot.*
morphism *Geol.*
phoresis *Med. Phys.*
phylaxis *Med.*
positive *Photog.*
state -ic *Biol.*
thermometer *Med.*
tonia -iac *Path.*
trepsis *Ent.*
καταβαπτισμός = βαπτισμός
catabaptism
καταβαπτιστής
catabaptist
ical ry
καταβασία = κατάβασις
catabasia
καταβάσιον a way down
catabasion *Eccl. Arch.*
κατάβασις descent
k(*or* c)atabasis
καταβατικός
catabatic *Med.*
katabatic *Meteor.*
καταβιβάζων bringing down
catabibazon *Astrol.*
καταβίωσις living
catabiosis *Physiol.*
catabiotic *Physiol.*
κατάβοθρον burying deep
katabothron
καταβολή (Galen)
catabolergy *Histol.*
catabolic -ism *Physiol.*
catabolism *Biochem.*
-ite(s -ize
hypercatabolism *Physiol.*
katabolic -ism *Biol.*
καταβρίθειν to weigh down
Catabrithorax *Zool.*
κάταγμα a fracture
catagmatic(al *Surg.*
κατάγραφα profiles
catagrapha *Gr. Paint.*
καταγραφή mapping
catagraph(a
Κατάδουποι Cataracts
catadupe *Obs.*
κατάδρομος race course
catadrome *Mach.*
Catadromus *Ent.*
κατάδυσις a dipping
Catadysas *Arach.*
id(ae -oid
κατάθεσις entombing
katathesis *Gr. Ch.*
κατάκαυσις burning (Galen)
catacausis
κατάκλασμα a breakage
cataclasm(ic
κατακλαστός broken
cataclastic
κατάκλεισις (Galen)
catacl(e)isis *Path.*
κατακλινής sloping
cataclinal *Geog. Geol.*
κατακλυσμός a deluge
cataclysm
al atic (at)ist ic(ally
κατάλαλος a slanderer
Catalalus *Ent.*
Κατάλεκτα
Catalects *Lit.*

καταλεκτέον to be counted
catalecticant *Math.*
καταληκτικός leaving off
catalectic *Pros.*
-catalectic *Pros.*
brachy di hyper pro
κατάληξις an ending
catalexis *Pros.*
dicatalexis *Pros.*
hypercatalexis *Pros.*
καταληπτικός (Moschio)
cataleptic *Med.*
-iform -ize -oid
hemicataleptic *Med.*
κατάληψις (Galen); pl. perceptions (Cicero)
catalepsy -is *Path.*
-catalepsy *Path.*
auto hemi hystero
eucatalepsia -y *Phil.*
καταλλακτ- Stem of 'exchange'
catallact(a *Prot.*
καταλλακτικός placable
acatallactic
catallact(ally -ics
κατάλογος a register
catalog(ue
(u)er ic(al uish (u)ist istic (u)ize
uncatalogued
κατάλυσις dissolution
anticatalase *Biochem.*
anticataly(*or* i)st *Chem.*
anticatalyzer *Chem.*
biocatalyst *Biochem.*
biocatalyzer *Biochem.*
catalase *Biochem.*
catalysin *Mat. Med.*
catalysis -lyst
-catalysis
auto autoxy bio electro erythro hetero photo
catalysotype *Photog.*
catalyze(r -ation -ator
erythrokatalysis *Med.*
philocatalase *Biochem.*
photocatalyst -ize *Chem.*
καταλυτικός
anticatalytic *Biochem.*
autocatalytic(ally *Chem.*
catalytic(al(ly
catatype -ic -y *Photog.*
electrocatalytic *Chem.*
photocatalytic *Chem.*
καταμάθησις understanding
ak(*or* c)atamathesia
καταμήνια menses
catamenia -ial *Med.*
κατάμονος permanent
Catamonus *Ent.*
καταναγκη (Diosc.)
Catananche *Bot.*
κατανόησις observation
akatanoesis *Ps. Path.*
κατανυκτικόν compunctive
katanyktikon *Gr. Ch.*
καταπασμα powder
catapasm *Med.*
καταπέλτης (Arist.)
catapult
ic ier
καταπελτικός (Strabo)
catapeltic
καταπέτασμα a curtain
catapetasma *Eccl.*
καταπιέζειν to repress
Catapiestus *Ent.*

καταπίεσις a keeping down
Catapiesis *Ent.*
cataractocatapiesis *Surg.*
κατάπλασμα (Hipp.)
cataplasm(a *Med.*
ic(al
καταπληκτικός striking
cataplectic *Med.*
kataplectic *Zool.*
κατάπληξις stupor
cataplexy -ia -is *Med.*
kataplexis *Zool.*
κατάποσις deglutition
acataposis *Path.*
dyscataposis *Path.*
καταπότιον a pill (Galen)
Catapotia *Ent.*
catapotion *Obs.*
catapuce *Obs.*
κατάπυγος lecherous
Catapyges *Ent.*
κατάπυκνος very thick
Catapycnus *Ent.*
καταπύκνωσις (Aristox.)
katapyknosis *Gr. Music*
καταρράκτης a water fall
cataract
ed ic(al ine ous
cataracto-
catapiesis *Surg.*
sclerocataracta *Ophth.*
κατάρρις of curved nose
cata(r)rhine *Mam.*
-a -i
κατάρροος (Hipp.)
anticatarrhal *Ther.*
catarrh *Path.*
al (e)ous ish
-catarrh *Path.*
laryngo oto
κατὰ σαρκα the cloth spread on the holy table
catasarca *Eccl.*
catasark *Eccl.*
κατασάρκος plump
Catasarcus *Ent.*
κατάσκοπος a spy
Catascopus *Ent.*
κατάσπιλος defiled
cataspilite *Min.*
κατασταγμός (Etym. Mag.)
Catastagmus
κατασταλτικός (Galen)
catastaltic *Med.*
κατάστασις stability
acatastasis -ia *Med.*
(?)catasta
catastasis *Drama Med. Rhet.*
καταστερισμός constellation
catasterism *Astron.*
καταστροφή (Polybius)
catastrophe
-al -ic(al(ly -ism -ist
tragicatastrophe
κατάστυγνος sad-faced
Catastygnus *Ent.*
κατάτασις (Galen)
catatasis *Med.*
καταφατικός affirmative
cataphatic
καταφορά (Hipp.)
cataphora *Path.*
καταφορικός (Galen)
c(*or* k)ataphoric *Med.*
κατάφορος bearing down
cataphorite *Min.*

καταφράκτης coat of mail
cataphract *Gr. Mil.*
cataphract(ed ic *Zool.*
Cataphracta *Herp.*
Cataphracti *Ich.*
κατάφραξις a stopping up
hysteroc(*or* k)ataphraxis
kataphraxis *Surg.*
καταφρονητης despiser
Cataphronetis *Ent.*
Καταφρύγας (Hieron.)
cataphrygian(ism *Eccl.*
καταχθόνιος subterranean
catachthonian -ic
καταχρησις (Cicero)
catachresis *Rhet.*
καταχρηστικός misused
catachrestic(al(ly *Rhet.*
κατεπάνω (Mod. Gr.)
catapan
κατερικτός bruised
Caterictus *Ent.*
κατηγόρημα a charge
categorem(a *Rhet.*
atic(al(ly
κατηγορία (Arist.)
category
-ist -ization -ize(r
κατηγοριαστής
kategoriastes *Gr. Ch.*
κατηγορικός
acategorical *Logic*
categoric
al(ly alness
categorico-
alternative
homocategoric
κατήχησις instruction
catechesis
κατηχητικός (Phot.)
catechetic(al(ly *Rhet.*
catechetics *Rhet.*
κατηχίζειν (Heysch.)
catechize
-able -ation -er
uncatechized
κατηχισμός
catechism(al
κατηχιστής
catechist(ic(al(ly
κατηχούμενος (Ep. Gal.)
catechumen
al ate ical(ly ism ist ize ship
κατίλλω "to coop up"
Paracatillocrinus *Pal.*
κατοπτήρ (Hipp.)
catopter *Surg.*
κατόπτης overseer
Catoptes *Ent.*
κατοπτρικός in a mirror
catopric(s *Phys.*
-ical(ly
κατοπτρο- Comb. of κάτοπτρον
catoptro-
mancy *Gr. Ant.*
mantic *Gr. Ant.*
phobia *Med.*
scope *Med. App.*
κάτοπτρον a mirror
catoptrite *Min.*
catoptron
κατοχη (Galen)
catoche *Old Med.*
κάτοχος (Galen)
catochus *Old Med.*
κάτω down
cato-
cala *Ent.*

cato- Cont'd
cathartic *Med.*
cladous *Bot.*
genic
phoria *Ophth.*
psilia *Ent.*
stome -us *Ich.*
-id(ae -i -ina(e -ine -oid
tretous *Zool.*
kato-
lysis *Physiol. Chem.*
phoria *Ophth. Optics*
tropia *Ophth.*
κατῶβλεψ (Pliny).
catoblepas *Old Zool.*
κατώφορος moving down
epicatophora *Astrol*
Καυκάσιος (Herod.)
Caucasian
Καύκασος (Herod.)
Caucasus -ic -oid
proto-Caucasic
καυλο- Comb. of καυλος
caulo-
bulb calyx *Bot.*
carpic -ous *Bot.*
cephalus *Prot.*
mer *Bot.*
phryne *Ich.*
phyllin(e
phyllosapogenin *Chem.*
phyllosaponin *Chem.*
phyllum *Bot.*
pteris *Bot.*
rhizous *Bot.*
sapogenin *Org. Chem.*
saponin *Org. Chem.*
sarc *Bot.*
sterin -ol *Chem.*
taxis *or* -y *Bot.*
καυλός stalk
anthocaulus *Fungi*
Caulerpa *Bot.*
-aceae -aceous
cauloid *Bot.*
caulome -ic *Bot.*
Chylocaula *Bot.*
-ous -y
Cyperocaulon *Pal.*
diplocaulescent *Bot.*
Diplocaulia *Pal.*
Eriocaulon -(on)aceae
-aceous *Bot.*
Gymnocaulus *Helm.*
haplocaulous -escent *Bot.*
Hydrocaulus -i -ine
kaulosterin *Chem.*
longicauline *Bot.*
mesocauleorhiza *Bot.*
Monocaulis -idae *Zool.*
multicauline *Med.*
nemacaulus *Biol.*
Pectocaulus *Helm.*
pericaulome *Bot.*
phyllocaulon *Bot.*
protocaulome *Bot.*
Protocaulon(idae *Polyps.*
Pterocaulon -ous *Bot.*
rhinocaul *Anat.*
rhizocaul(us *Polyps.*
sarcocaul *Bot.*
schoenocaulon *Bot.*
sclerocauly *Phytogeog.*
semiamplexicaul *Bot.*
Sphaerocaulus *Ent.*
stereocaulic *Org. Chem.*
Tetracaulodon *Mam.*
tetraplocaulous *Bot.*
triplocaulous -escent *Bot.*
Tropidocaulus *Ich.*
urcaulome *Bot.*
zoocaulon *Infusoria*
καυλώδης (Theophr.)
caulode *Bot.*

καῦμα burning heat
calm
ant ative er ly ness y
cauma -atic *Med.*
caumesthesia *Med.*
Caumontisphinctes *Pal.*
καυσία a hat for heat
c(*or* k)ausia *Gr. Ant.*
καῦσις burning
atmoc(*or* k)ausis *Surg.*
byssocausis *Med.*
eremiacausis *Chem.*
technocausis *Med.*
zestocausis *Ther.*
καῦσος (Hipp.); = διψάς
anticausotic *Ther.*
causalgia *Path.*
causus *Path.*
Causus *Herp.*
-id(ae -oid
καυστικός that can burn
anticaustic *Math.*
catacaustic
caustic
al(ly ate ator ity ize ly ness
causticum *Mat. Med.*
caustify
diacaustic *Mat. Med.*
galvanocaustic
photocaustic
portcaustic *Surg.*
recausticize *Chem.*
καυστός burnt
caustobiolith *Geol.*
καυσώδης feverish
anticausodic *Ther.*
καυτήρ a branding iron
cauter
ant ism
Cautirodes *Ent.*
καυτηριάζειν (Strabo)
cauterize -ation *Surg.*
-cauterization
atmo photo
-cauterize
galvano photo
καυτήριον = καυτήρ
cautery *Surg.*
-cautery *Surg.*
akidogalvano atmo chemico cryo electro galvano micro photo thermo zesto
thermocauterectomy
καφώρη a she fox
Caphora *Ent.*
καχ- Comb. of κακός
cach-
(a)emia -ic *Path.*
elcoma *Path.*
καχεκτικός (Galen)
anticachectic *Ther.*
cachectic *Path.*
osteocachectic
καχεξία ill condition
cachexia -y *Path.*
osteocachexia -y
κάχρυς catkins (Theophr.)
cachrys *Obs.*
κάψα = κάμψα
Carpocapsa *Ent.*
Stylocapsa *Pal.*
Zoocapsa *Conch.*
κεάνωθος (Theophr.)
Ceanothus -ine
κέασμα a chip (Hesych.)
ceasmic *Gynec.*
κεβλήπυρις the redcap
Ceblepyris *Ornith.*
-inae -ine

κεγχρίνης a serpent
cenchrine *Obs.*
κεγχρίς = κεγχρίνης
cenchris *Obs.*
κέγχρος millet
Cenchrus *Bot.*
Homalocenchrus
κεδρελάτη (Pliny)
Cedrela *Bot.*
-(ac)eae -aceous -ad
κέδρινος of cedar
cedrine *Bot.*
κέδριον like oil of cedar
cedriret *Chem.*
cedrium *Chem.*
κέδρος
cedar
-ared -arn
cedr- *Org. Chem.*
atine en(e enol(ic in(e
inic ol one yl
cedron *Bot.*
Cedrostrobus *Pal.*
Cedrus *Bot.*
homocedrenol *Org. Chem.*
libocedrene *Org. Chem.*
Libocedrus *Bot.*
κειμήλια heirlooms
cimelia
κειμηλιάρχης treasurer
cimeliarch(y *Eccl.*
κειμήλιον a treasure
cimelium *Eccl.*
Κεῖος of Ceos
Cean *Geog. Hist.*
κειρία bedstead cord
Euciroa -oidae *Mol.*
κείρειν to shear
keirospasm *Med.*
κεκαλυμμένη p.p. of καλύπτειν
caly(m)mene *Crust. Pal.*
-id(ae -oid
Κέκροψ Cecrops
Cecropia
Cecrops *Crust. Ent.*
κεκρύφαλος net headdress
kakryphalos *Gr. Ant.*
Κελάδων (Iliad)
Celadon *Myth.*
celadonite *Min.*
κελαινεφής cloud-wrapt
Celaenephes *Ent.*
κελέβη a jar or cup
kelebe *Gr. Ant.*
κελεός (Arist.)
celeomorph(ae ic
Celeus *Ornith.*
κελευθίτης a wayfarer
Celeuthetes *Ent.*
κέλευσμα a summons
chiurm *Obs.*
κελευσματικῶς by command
keleusmatically
κέλλειν to run to shore
Dendrocellus *Ent.*
Tachycello *Ent.*
Κελταί (Strabo)
Celt
ish ism ist ization
Celtiberian
Celtic
ally ism ize
Celt-Indic
Celto-
logist logue maniac
phil Roman Slavic
Teuton
κέλυφος case, pod, shell
Celyphomima *Ent.*

kelyphite *Petrog.*
laparokelyphotomy
lithokelyphopedion
lithokelyphos *Gynec.*
κεν- Comb. of κενός
empty
cen- *Bot.*
angium -iaceae
anthous -y
ken- *Bot.*
apophytes
enchyma
κενο- Comb. of κενός
antikenotoxin *Biochem.*
ceno-
phobia *Ps. Path.*
sphaera *Prot.*
keno-
phobia *Ps. Path.*
precipitin *Biochem.*
toxin *Tox.*
tron *Elec.*
κενοδοξία conceit
kenodoxy
κενοτάφιον an empty tomb
cenotaph
ed ic y
Κενταυρικός (Ar.)
centauric
κενταύριον (Theophr.)
centaur- *Org. Chem.*
e(id)in in ite
Centaurea -idium
centaurion -y *Bot.*
erythrocentaurin
Κενταυρομαχία (Plut.)
centauromachy *or* -ia
Κένταυρος (Pindar)
Bucentaur *Hist. Myth.*
centaur
dom esque ess ial ian
ize
Centaur(us *Astron.*
κεντέειν to sting
Centemerus *Ent.*
κέντησις a piercing
centesis *Surg.*
-centesis *Surg.*
cardi(o) celio(para)
cephalo colo entero
kerato laryngo mastoideo ovario pericardi(o) peritoneo pleura-
(*or* o) pneum(on)o
rachi(o) thora(co)
pneumonokentesis *Surg.*
κεντητήριον a pricker
Centeter *Ent.*
κεντητής piercer
Centetes *Mam.*
id(ae -inae -ine -oid
Centistes *Ent.*
κεντρ- Comb. of κέντρον
centr-
actinate *Anat.*
ad *Zool.*
adenia *Path.*
adiaphanes *Path.*
κεντρικός
accentric
acentric
amphicentric *Anat.*
androcentric *Phil.*
anthropocentric
antianthropocentric
archecentric(ity *Biol.*
Areocentric *Astron.*
barycentric *Math.*
biocentric
centric
al(ity ly ness)
centricipital
centriciput
centriffed

Christocentric *Theol.*
concentric(al(ly -ity
cyclocentric *Morph.*
democentric
dicentrism
egocentric(ity ism
ethnocentric
geocentric(al(ly *Astron.*
geocentricism
gynecocentric *Sociol.*
hadrocentric *Bot.*
heliocentric *Astron.*
al(ly ism ity
hemiconcentric *Bot.*
heterocentric *Phys.*
hominocentric
homocentric(al(ly
Jovicentric(al(ly *Astron.*
Kronocentric *Astron.*
leptocentric *Bot.*
metacentric(ity
monoecentric *Anat.*
Neptunicentric *Astron.*
orthocentric *Geom.*
pericentric *Phys.*
pericentricus *Bot.*
polycentric
pseudocentric(ity *Biol.*
Saturnicentric *Astron.*
Selenocentric *Astron.*
stereocentric *Chem.*
syncentric
telecentric *Optics*
theocentric
tricentricity
Uranicentric *Astron.*
zoocentric *Phil.*
κεντρίνης (Theophr.)
Centrinaspidia *Ent.*
Centrinus *Ent.*
κεντρίς = διψάς
Monocentris *Ich.*
-id(ae -oid
Pseudocentris *Ent.*
κεντρίσκος (Theophr.)
Centriscus *Ich.*
-id(ae -iform(es -oid
κεντρο- Comb. of κέντρον
centro-
acinar *Anat.*
asymmetric *Org. Chem.*
cercus *Ornith.*
chromus *Ich.*
cinesia *Physiol.*
cinetic *Physiol.*
clinal *Geol.*
desmus *or* -ose *Cytol.*
deutoplasm *Cytol.*
dorsal(ly *Zool.*
gen *Anat.*
genesis *Biol.*
genetic *Biol.*
genic *or* -ous *Biol.*
gonidae *Zool.*
lecithal *Embryol.*
lepis *Bot.*
-idaceae -idaceous
-idiceous -idieae
lineal -ead
lophodes *Ich.*
lophus
-inae -ine
mere *Cytol.*
notus *Ich.*
-id(ae -oid
nucleus *Cytol.*
osteosclerosis *Physiol.*
phanes *Ornith.*
phormium *Cytol.*
phose *Ophth.*
pipedon(al
plana *Zool.*
plasm *Embryol.*
pomus *Ich.*
-id(ae -oid

centro- Cont'd
pristes *Ich.*
pus *Ornith.*
-podinae -podine
saurus *Pal.*
sclerosis *Physiol.*
sema *Bot.*
some -a *Cytol.*
spermae *Bot.*
sphere *Cytol. Geol.*
spore *Ecol.*
spores *Bot.*
staltic *Physiol.*
stigma(l -atic *Morph.*
stomatous
symmetric(al
symmetry
theca *Cytol.*
therapy *Ther.*
triacne *Zool.*
tylote *Morph.*
xylic -y *Bot.*
-centrosome *Cytol.*
macro micro nucle(ol)o
Dermatocentroxenus
Excentrostomata
kentro-
gon *Embryol. Zool.*
kinesis *Physiol.*
kinetic *Med.*
lite *Min.*
saurus *Pal.*
Neokentroceras *Pal.*
κεντροβαρικά (Archimedes)
centrobaric(al *Phys.*
κεντροειδής (Plotinus)
centroid(al
orthocentroid(al *Math.*
κέντρον centre (Plato)
acentronic *Bot.*
Amblypomacentrus *Ich.*
Amphicentrum *Ich. Pal.*
anthropocentrism
apocenter *Astron. Biol.*
apocentric(al ity *Astron.*
apocentron *or* -um
archicenter *Biol.*
arcocentrum *Biol.*
astragalocentral *Anat.*
astrocenter *Cytol.*
Aulacocentrum *Ent.*
barycenter *Math.*
center *or* -re
center-
board bit piece most
second
central
ism ist(ic ity ization
ize(r ly ness
centrale *Zool.*
centralite *Expl.*
centrallasite *Min.*
Centranthus *Bot.*
centraphose *Ophth.*
Centraporia *Zool.*
centrarch *Bot.*
Centrarchis *Ich.*
-id(ae -in(ae -ine -oid
Centrarchites *Pal.*
centration
centraxonia(l *Biol.*
Centrechinidae -oida -us
centreity
centrifugal
ization ize ly
centrifugate -ation
centrifuge
centrifug(i)ence
centriole
centripetal(ism ly
centripetence -y
centripety *Pal.*
Centrist *Pol.*
centro
centrode *Phys.*

Centronea *Pal.*
Centroniae *Zool.*
centrum *Anat.*
chemocentrum *Cytol.*
Chirocentrodon *Ich.*
Chirocentrus *Ich.*
-id(ae -oid(ei
chordacentrum -ous *Zool.*
chordocentra *Histol.*
cinter *or* -re *Arch.*
circumcenter *Math.*
circumcentral *Math.*
Coenocentrum *Mycol.*
costocentral *Anat.*
decenter -re
decentration -ed -ic
decentralize -ation
deconcentrator *Engin.*
Dermatocenter *Med.*
Discocentrus *Ent.*
dorsocentral *Ent. Zool.*
excentral -ic(al *Bot.*
gamocentres *Bot.*
gastrocentrous *Zool.*
hemicantrum -al *Anat.*
Holocentrus -id(ae -oid
hypocenter *Seismol.*
hypocentrum *Anat. Herp*
hypocentrum *Anat.*
infracentral *Zool.*
intercentral -um *Zool.*
intraparacentral
Kentrurosaurus *Pal.*
kinocentrum *Cytol.*
Lepidocentrus *Pal.*
mediocenter
mesocentrous *Zool.*
metacenter -re
metacentral *Hydrostatics*
Microcentri *Ent.*
Microcentrum *Biol.*
multicentral
neurocentrum -al
notocentrum -ous *Anat.*
orocentral
orthocenter -re *Geom.*
ovocenter *Biol.*
ovocentral *Crinoids*
ovocentre -um *Embryol.*
paracentral *Anat.*
paracentric -al *Kinetics*
pericenter -ral -re -ron
-rum *Phys.*
peripherocentral *Anat.*
pleurocentrum -al *Anat.*
pluricentral
polycentral-
Polycentrus *Ich.*
id(ae -oid
Pomacentrus *Ich.*
id(ae -oid
postcentral(is *Anat.*
precentrum -al *Anat.*
pseudocenter- re- *Biol.*
pseudocentrum -ous
psychocentral
Rachycentron -idae *Ich.*
Rhoptrocentrus *Ent.*
Schedocentrus *Ent.*
spermocenter *Embryol.*
subcenter -ral(ly
supercentrifuge *Physics*
symcenter -ral -ry *Geom.*
thermo-centrifuge *Mach.*
tricentral-
Ulocentra *Ich.*
ultracentrifuge *Chem.*
uncentre(d
unicentral
Uranocentrodon *Pal.*
Urocentrus *Ich.*
κεντρωτός having a sting
Strongylocentrotus
κέντωρ a goader
Centor *Ent.*
Dermacentor *Ent.*

κένωσις an emptying
cenosis *Med.*
-cenosis *Med.*
gastralgo hydro hyper litho pyo
kenosis *Theol.*
κενωτικός purgative
kenotic *Theol.*
-(ic)ism -(ic)ist
κέπφος (Arist.)
Cepphus -i -ic *Ornith.*
κεραία a horn (Arist.)
-ceraea *Ent.*
Aniso Di Homalo
κεράμβυξ (Hesych.)
Cameloceramhyx *Ent.*
cerambyc- *Ent.*
id(ae inae ine ini
Cerambyx *Ent.*
κεραμεύς a potter
Ceramius *Ent.*
κεραμίδιον a small tile
Ceramidium *Bot.*
κεραμική (Plato)
ceramics
photoceramics
κεραμικός (Hipp.)
ceramic -ist
-ceramic
crystallo hydro odonto photo
photoceramist
κεράμιον earthen vessel
Ceramium *Bot.*
-iaceae -iaceous -ieae -ioid
κεραμο- Comb. of κέραμος
ceramo-
graphy -ic
poroida *Pal.*
keramo-
halite *Min.*
κέραμος potters' clay
ceram-
odontia *Dent.*
uria *Med.*
Inoceramus *Pal.*
κέρας a horn
Aceratherium *Pal.*
adelocerous *Ent.*
Anchoroceracea *Crust.*
apoceras
athericeran -ous *Ent.*
Aulacera *Pal.*
brachyceral -ous *Ent.*
Calyceraceae *Bot.*
carpocerite *Ent.*
caryocerite *Min.*
-cera *Ent.*
Achrado Acro Allosphaero Apio Atheri Azygo Blepharo Brachy Clado Clostero Coluo Concho Diphyllo Disticho Dochmio Dolicho Engy Epipedo Eumeco Evanio Hedy Hemestho Hetero Himanto Hoplito Lori Macromalo Metaxu Mito Nemato Nemo Netro Ortho Orygo Oxytono Parasphaero Parazygo Petalo Phero Plocamo Pristo Prono Prosopo Psectro Raphano Rhipi(do) R(h)opalo Sarothro Schizo Smeringo Sterno Stizo Streblo Sympiezo Telo Thauma Tilli Tristachy Xiphi(*or* o) Xystro Zygo
Ceraegidion *Ent.*
Ceraphron(inae *Ent.*

Cerapus
cerargyrite *Min.*
ceras
-ceras *Bot.*
Acantholyto Aegi Aegolyto Arctico Asapho Branco Dalmasi Odonto Oecoptycho Pachydesmo Penta Xantho
-ceras *Conch.*
Actino Aego Ancylo Asco Aulaco Bathmo Choristo Crio Cyrto Endo Glypio Gyro Herco Lyto Mimo Notho Ortho Phragmo Phyllo Phymato Pilo Spiro Stephano Taenio Trachy Trigono Trimero Trocho Vagino
-ceras *Ent.*
Cathormio Combo Dado Eremo Habro Hadro Iso Meco Nasto Paracantho Propsilo Schizephebo Strombo Symmorpho Systalto Tachino Tauro Tessero Tragodesmo
-ceras *Pal.*
Acantho Apodo Asklepio Aspido Borissiako Chichlio Cochlo Coelo Cono Cosmo Cyclo Dagno Dayi Derolyto Diari Diazi Dichotomo Dino Diplesio Ebragi Eichwaldi Elacho Elobi Fastigio Gephyro Glevi Gompho Goweri Grypo Guibali Hlawi Hydno Hystato Illingo Inflati Inverso Involuti Karo Kiono Korytho Lamberti Letaleo Loxo Manteo Mega Miolitho Neokentro Neophlycti Onco Ophidio Ortho Oxynoti Oxytropido Papilli Paracoroni Parago Parasage Paraspiti Paratrachy Parodi Paronomo Paroxynoti Paulovi Polono Praeglyphio Pravito Prepto Prion(od)o Probelo Prohaueri Prohystero Proni Propteropilo Prothallaso Proto(grammo) Protokiono Protorno Pseudophaco Pseudortho Psilo Pteroto Radstocki Russi Sagitti(*or* o) Sporado Stego Stereoplasmo Syndyo Teleo Trilobito Vertebri Victori Vidrio Wagneri Weissermeli
ceratome *Surg.*
ceratheca
Ceraurinus *Pal.*
Cercidocerus *Ent.*
cerectomy *Surg.*
Cerianthceae -ean *Zooph.*
Cerianthus *Bot.*
-id(ae -oid
-cerid(ae -oid *Ent.*
acro apio blepharo hetero lepto rhipi uro xiphi(*or* o)
Ceriodictyon *Pal.*
Ceriopora *Helm.*
-id(ae -oid

Ceriornis *Ornith.*
Ceriphasis -ia -iidae *Zool.*
-cerite *Crust.*
ance basi exo ischio mero phyma pro scapho stylo
Ceroplesis *Ent.*
-cerous
Cerura *Ent.*
-cerus *Ent.*
Clonio Corrhe Drepano Dyscolo Dysmorpho Ephebo Genyo Hebe Hetero Homoro Ischno Ithy Laparo Lepto Letho Lygo Mastigo Mycho Myllo Oeso Ozodeo Pachy Pachylo Pagio Placo Plega Ploco Priono Pro Psathyro Pseno Psygmato Pycno Pyxidi Rhadino Smili Sparte Spathidi Steno Syntapho Tany Teramo Thaumaso Theca Trago Tylo Uro Xeno Ypsisto
chelicer(e *Zool.*
a(l ate
cladocere *Crust. Ent.*
-a(n -ous
coxocerite-ic *Comp. Anat.*
cyrtoceracone *Conch.*
cyrtoceran *Conch.*
decacere -a -ous *Conch.*
dicranoceras *Anat.*
Diphragmoceras *Zool.*
dolichocerous *Ent.*
Eriocera *Bot.*
Estoniceras -idae *Zool.*
Eubolocera *Zooph.*
fluocerine & -ite *Min.*
Glochiceras *Zool.*
gyroceracone *Pal.*
gyroceran *Conch.*
Haploceras -ine *Zool.*
helicoceran *Zool.*
helocerous *Ent.*
heterocerous *Ent.*
Hexameroceras
Hydnocerina *Pal.*
karyocerit(e *Min.*
kera-
cele *Vet.*
lite *Min.*
phyllite
phyllocele *Vet.*
phyllous
keras *Gr. Vases*
kerasin(e *Biochem.*
kerasite
keratome -y
kerectomy *Surg.*
Kome(*or* o)ceras *Mam.*
Manticoceras *Zool.*
Mecocerinae *Ent.*
Menoceras *Mam.*
meroceritic *Crust.*
microcerous *Ent.*
mimoceracone *Conch.*
mimoceran *Conch. Pal.*
nemoceran- ous *Ent.*
Neotragocerus *Pal.*
octocerous *Conch.*
orthoceracone *Pal.*
orthoceral *Ent.*
orthoceran *Pal.*
Paramesoceras *Arach.*
Pericera *Crust.*
-id(ae -oid
Planocera *Helm.*
-id(ae -oid
petalocerous *Ent.*
platyceroid *Gastrop.*
Pleurocera *Conch.*
-id(ae -oid

Praeaceratherium *Pal.*
precheliceral *Ent.*
priocerous *Ent.*
Procerapachys *Pal.*
proceritic *Crust.*
Procerosaurus *Pal.*
Protaceratherium *Pal.*
protocere *Zool.*
psiloceran
Pterocera *Conch.*
pteroccerian *Geol.*
Ptiloceroides *Ent.*
r(h)opaloceral -ous *Ent.*
scaphoceritic *Crust.*
Styloceras *Prot.*
Tetracera *Bot.*
Tetraceras *Mam.*
Tinoceras *Mam.*
Trichocera *Crust.*
-id(ae -oid
trigonocerous *Cephal.*
tritoceracone *Conch.*
tritocere *Zool.*
trochoceracone *Conch.*
trochoceran *Conch.*
κερασὸς cherry
cerasin(e -ous *Chem.*
Cerasus *Bot.*
cerise
cherry
keracyanin *Org. Chem.*
laurocerasus
κεραστης a mixer
Cerastes *Herp.*
Cerastium *Bot.*
Taurocerastes *Ent.*
κεραστός mixed
cytoc(*or* k)erastic *Cytol.*
lymphocerastism *Cytol.*
κερατ- Stem of κέρας
Acerates *Bot.*
Agathiceratea -inae *Pal.*
angioc(*or* k)eratoma
Arctoceratinae *Pal.*
argyroceratite *Min.*
Arnioceratoides *Malac.*
cerata *Zool.*
-cerata *Zool.*
A An Belo Crypto Deca Dino Gastrio Gymno Octo Onco Uro
cerat- *Combin.*
anisus *Ent.*
arges *Pal.*
ectasia *Path.*
ectomy *Surg.*
enchyma *Bot.*
erpeton *or* -um *Pal.*
ceratiasis *Path.*
ite(s *Conch.*
-ic -id(ae -oid
ium *Bot.*
odus *Ich.*
-idae -on(t(id(ae -ontoid
oma *Tumors*
ophrys *Zool.*
ophthalma *Zool.*
ops *Herp. Pal.*
opia(n opid(ae
-ceratid(ae -oid *Conch.*
actino aego ancylo asso bathmo crio cyrto endo glypio gyro herco lyto notho ortho poterio stephano trocho
-ceratidae *Pal.*
Acantho Aniso Aspido Ataxio Chichlio Desmo Dimorpho Proto Sphaero Tribolo Zigzagi
-ceratite -ic *Conch.*
crio cyrto endo gyro ortho

-ceratops *Pal.*
An Brachy Eo Lepto Tetra
ceratose -a *Spong.*
-ceratosis *Path.*
a irido para(a) pharyngo splen(o)
-ceratous *Ent.*
adelo crypto gymno micro nemato
cryptocerate *Ent.*
cycloceratitis *Ophth.*
decacerate *Conch.*
dendroceratine -a *Spong.*
Dictyoceratina *Spong.*
dinocerate -ous *Pal.*
Gephyroceratea *Pal.*
gomphoceratite *Pal.*
gymnocerate *Ent.*
hexaceratine -a *Spong.*
kerat-
algia *Path.*
ectasia *Ophth.*
ectomy *Surg.*
kerate *Min.*
globus *Path.*
iasis *Path.*
ic *Med.*
keratin
inize -ation *Pharm.*
inoid -ose -ous
itis *Path.*
ol *Trade*
oma *Tumors*
onosis *Anat.*
ose(d & osis *Path.*
-keratosis *Path.*
angio hyper irido leuco para pharyngo poro sudo(ri)
megaceratin(e *Pal.*
monoceratin(e a *Spong.*
neurokeratin *Biochem.*
nucleokeratin *Biochem.*
Ophiceratinae *Pal.*
perikeratic *Ophth.*
pseudoceratitis *Zool.*
pseudoceratophorous
sclerokeratitis *Path.*
silicoceratous *Spong.*
tinoceratid *Mam.*
-idae -ine -oid
Tornoceratea *Pal.*
Trachyceratinae *Pal.*
κερατίας horned
Ceratias *Bot.*
ceratiid(ae *Ich.*
ceratioid *Ent. Ich. Pal.*
κερατίνης (Diog. L.)
ceratine -ous *Rhet.*
κεράτιον Dim. of κέρας
carat
Ceratia *Bot.*
Ceratiomyxa -aceae
Cerithacea *Conch.*
Cerithiacea(e *Conch. Pal.*
Cerithia(dae *Conch.*
Cerithiopsis *Conch.*
-id(ae -oid
Cerithium *Conch.*
-iid(ae -ioid
-cerithium *Pal.*
Cosmo Gymno Para Pro Rhyncho
Tetraceratium *Ent.*
κερατο- Comb. of κέρας
acanthoceratodermia
acerato-
basis *Ent.*
branchia *Ich.*
phorous *Zool.*
basiocerato- *Anat.*
chondroglossus
cerato-
angioma *Path.*
batis *Ich.*

cerato- Cont'd
blast *Spong.*
branchia(l -ate *Conch.*
campa -id(ae *Ent.*
cele *Path.*
conus *Path.*
cricoid(eus *Anat.*
cystidae *Pal.*
derma -ia *Path.*
fibrous *Anat.*
gaulus *Pal.*
genous *Anat.*
globus *Anat.*
glossal *Anat.*
glossus *Anat.*
hyal -oid(eus *Anat.*
hyalin(e *Biochem.*
iridocyclitis *Path.*
iritis *Path.*
lichas *Pal.*
lysis *Path.*
malacia *Path.*
mandibular *Path.*
mania *Path.*
meter *Surg. App.*
metry *Surg.*
mycosis
nosus *Ophth.*
nota(l -ous *Conch.*
nyssus *Arach.*
nyxis *Surg.*
phore *Helm.*
phygadeuon *Ent.*
phyllin *Org. Chem.*
phyllum *Bot.*
-(ac)eae -(ac)eous
-etum -(i)ous
phyte -a *Bot.*
plasty -ic *Surg.*
pogon *Ent.*
ptera -ina *Zool.*
pteris *Bot.*
-idaceae -idaceous
pycnidium *Bot.*
pygidae *Pal.*
rhina *Ornith.*
rhynca *Ornith.*
saurus -idae *Pal.*
scope -y
siliceous *Zool.*
silicoid(ca *Zool.*
spongiae -ian *Zool.*
stizus *Ent.*
stoma -e *Bot.*
stomella *Mycol.*
stylus *Ent.*
theca(l *Ent.*
tome *Surg. App.*
tomy *Surg.*
trich *Biol.*
xenus *Ent.*
epiceratohyal *Anat.*
hyperkeratomycosis
kerato-
angioma *Path.*
cele *Ophth.*
centesis *Ophth.*
conjunctivitis *Path.*
conus *Path.*
cricoid *Anat.*
derma -ia
dermatitis *Path.*
genetic *Med.*
genous *Med.*
glossus *Anat.*
helcosis *Ophth.*
hyalin(e
iritis *Ophth.*
iridocyclitis *Ophth.*
iridoscope *Ophth.*
leucoma *Ophth.*
lysis *Path.*
lytic *Med.*
malacia *Ophth.*
meter metry *Ophth.*
mycosis *Ophth.*
nosus *Ophth.*

kerato- Cont'd
nyxis *Surg.*
phyre *Petrol.*
phyte -a *Zool.*
plasty -ic *Surg.*
scleritis *Ophth.*
scope -y *Surg.*
tome tomy *Surg.*
sclerokeratoiritis *Path.*
Tetraceratothrips *Ent.*
Thaumaceratopus *Arach.*
κερατοειδής
ceratoid *Anat. Zool.*
al ea itis
keratoid
ea itis
κερατώδης = κερατοειδής
ceratode -a *Spong.*
keratode
Neoceratodus *Ich.*
κερατωνία locust tree
Ceratonia *Bot.*
κεραύλης horn blower
keraulophon(e
κεραυνίτης (Clem. Alex.)
ceraunite *Min.* (obs.)
κεραυνο- Comb. of κεραυνός
cerauno-
gram *Meteor.*
graph *Meteor.*
phobia *or* -y
phone *Meteor.*
isocerauno- *Meteor.*
graphic phonic
kerauno-
graph
graphy -ic
neurosis *Med.*
phobia
phone -ic *Meteor.*
κεραυνός thunderbolt
ceraunian
ceraunic(s
isoceraunic *Meteor.*
keraunoid *Petrog.*
κεραυνοσκοπία (Diod.)
c(*or* k)eraunoscopy *Ant.*
κεραυνοσκοπεῖον (Pollio)
ceraunoscope *Arts*
keraunoscopeion *Cl. Ant.*
Κερβέρος Cerberus
Cerbera *Bot.*
Cerberean -ian -ic
cerberin(e *Tox.*
cerberite
Cerberus *Herp. Myth.*
κερδαλέη the wily one
Cerdale *Ich.*
-id(ae -oid
κερδῶ the wily one
Galeocerdo *Ich.*
κερεαλκής stout of horn
Ceralces *Ent.*
κέρθιος (Arist.)
Certhia *Ornith.*
-iadae -iiae -iid(ae
-iidea -iinae -iine -ioid
-iola
Certhiomorphae -ic
κερκίδιον Dim. of κερκίς
cercidium *Fungi*
κερκιδο- Comb. of κερκίς
cercido-
ceras *Ent.*
pleura -ous *Herp.*
κερκίς rod, tree
Cercidiphyllum *Bot.*
Cercis *Bot.*
mesaticercic *Anthrop.*
κερκο- Comb. of κέρκος tail
cerco-
carpus *Bot.*

cerco- Cont'd
cebus *Mam.*
-idae -oid
cystis *Helm.*
labes *Mam.*
-idae -inae -ine
leptes *Mam.*
-id(ae -inae -ine -oid
monas *Protozoa*
-adid(ae -adina -adoid
mys -myd *Mam.*
pod *Zool.*
saurus -idae *Pal.*
sphaera *Fungi*
spora -ella *Bot.*
sporose *Phytopath.*
Tricercomonas *Ent.*
κερκοπίθηκος (Strabo)
Cercopithecus *Mam.*
-id(ae -inae -ine -oid
κέρκος tail (Arist.)
brachycercic *Anthrop.*
cephalocercal *Anat.*
cerca(l
-cercal *Ich.*
aniso archi diphy gephyro (hemi)hetero heterodiphy homo iso lesto lopho posthetero prehetero semihetero
Cercaria(l -ian *Zool.*
cercariform *Morph.*
cercus *Anat. Ent. Med.*
-cercus *Ornith.*
Centro Chaeto Phoeni Spheno
-cercy *Ich.*
archi gephyro (hemi)-hetero homo iso lopho
cysticercosis *Path.*
cysticercus -oid(al *Helm.*
Dicerca *Ent.*
diphycerce -y *Ich.*
dolichocercic *Anthrop.*
heterocerc *Ich.*
a i ity ous
homocerc(ality *Ich.*
Maiocercus *Pal.*
Megacercopes *Ent.*
Menocerca(l *Mam.*
metauranocircite *Min.*
monocercous *Inf.*
Onc(h)ocerca -iasis *Helm.*
plerocercoid *Med.*
procercoid *Helm.*
protocercal *Biol.*
Pseudocercaria *Zool.*
Ptilocercus *Mam.*
ptilocerque *Mam.*
Trachelocerca *Prot.*
-id(ae -oid
κερκοῦρος a boat
querquedule *Ornith.*
κερκώπειος tricky
Cercopius *Ent.*
Κέρκωψ (-ωπος) (Herod.)
Cercopes *Myth.*
Cercopis *Ent.*
-id(ae -oid
κέρμα (-ατος) a small coin
Cermatia *Ent.*
-ides -iid(ae -ioid
κέρνος an earthen dish
kernos *Gr. Vases*
κεροβάτης horn-footed
Cerobates *Ent.*
κεροειδής hornlike
keroid *Med.*
κέρος wax
Cerocamptus *Ent.*
kero(*or* i)therapy *Ther.*
κεροῦχος horned
Ceruchus *Ent.*

-κερως Comb. of κέρας
Anthoceros *Bot.*
anthocerote *Bot.*
-aceae -ales -oid
Bregmaceros *Ich.*
-otid(ae -otoid
Copidoceros *Ent.*
Megaloceros *Pal.*
Monoceromyia *Ent.*
Protetraceros *Pal.*
Pteroceros *Conch.*
Stratioceros *Ent.*
Pentaceros *Ich.*
-otid(ae -otina -otoid
κερχνήις a hawk
Cerchneis *Ornith.*
Megacerchneis *Ornith.*
κέρχνος (Hipp.)
cerchnus *Path.*
κεστός girdle
Cestoda *Helm.*
-e -oid(ea(n
Cestodaria -iidae *Helm.*
Cestus *Zooph.*
Mesocestoides -idae
metacestode *Helm.*
metacestoid *Prot.*
Monocesta *Ent.*
plerocestod(e *Helm.*
plerocestoid *Helm.*
Polycesta *Ent.*
κέστρα = σφύραινα
Cestracion *Ich.*
-iont(-es -id(ae -oid(ae -oidei)
Cestraphori -an *Ich.*
κέστρον betony (Diosc.); a graving tool (Pliny)
cestrum *Archaeol.*
Cestrum *Bot.*
κεῦθος a hole deep down
ceutho-
bia *Zool.*
rhynchus *Ent.*
κεφαλαία headache
cephalaea *Path.*
κεφαλαλγής
Cephalalges *Ent.*
κεφαλαλγία (Hipp.)
cephalalgia -y *Path.*
κεφαλαλγικός (Galen)
anticephalalgic *Ther.*
cephalalgic *Path.*
κεφαλή the head
Acanthocephala -i *Helm.*
acanthocephaliasis
acrocephalia *Craniol.*
Acrocephalus -ine *Ornith.*
Actinocephalidae *Helm.*
Alepocephalus *Ich.*
-id(ae -oid
amblycephal- *Ent. Herp.*
id(ae -oid
amidocephalin *Biochem.*
androcephalous *Art.*
Androcephalum *Bot.*
Anhelcocephalon *Pal.*
anthocephalous
Arctocephalus *Mam.*
argyrocephalous
Aspidocephali *Ich. Pal.*
autocephali(c -ous *Eccl.*
bothriocephalin *Biochem.*
Bothri(*or* y)ocephalus
-id(ae -ine -oid
Brachiocephala *Zool.*
brachycephal(i *Craniom.*
Brachycephalus *Herp.*
-idae -inae
bronchocephalitis *Path.*
Callocephalon *Ornith.*
carpocephalum *Bot.*
caudocephalad *Med.*
Caulocephalus *Prot.*
cefalo *Zool.*

cephaelin(e -ium *Chem.*
Cephaelis *Bot.*
cephal- *Combin.*
acanthus *Ich.*
-id(ae -oid
ad *Anat.*
(h)(a)ematoma *Path.*
agra *Path.*
anthein -in(e *Chem.*
anthium -ous -us *Bot.*
aspidea(n *Conch.*
aspis *Ich.*
ate -a *Conch.*
dol *Prop. Rem.*
ea *Med.*
(h)ematocele *Tumors*
(h)(a)ematoma
emia *Med.*
erpeton *Pal.*
etron *Crust.*
hydrocele *Path.*
in(ic *Biochem.*
ina *Zool.*
ism *Anthrop.*
istic
itis *Path.*
ize -ation *Biol.*
leis *Pal.*
odynia *Path.*
(o)edema *Med.*
oma *Path.*
on *Biol.*
one -oid *Anthrop.*
onomancy
ont oon *Zool.*
ophus -inae -ine *Mam.*
otic *Biol.*
ous *Morph.*
us *Ich. Myth.*
-cephala *Ent.*
Arti Ctilo Diphu Eu Onco Otio Pachy Stephano Trago Tricho Trineuro
-cephalia *Terat.*
abrachio diplo hemi lepto
-cephalism *Anthrop.*
brachy clino dicho hypsi(brachy dolicho steno) klino mesati meso nano plagio scapho subdolicho tap(e)ino
-cephalous *Anthrop.*
acro anomo atelo brachisto cham(a)e clino cymbo dolicho eury klino mecisto mega megisto mesati meso ortho plagio platybrachy platydolicho scapho steno
-cephalous *Zool.*
acantho adelo ateleo auro colo crypto disco enchylo endo eu exo gano holo hypso ichthyo leio leonto lepto lipo ogco ornitho phanero planero rhyncho teleo trigono
-cephalus *Ent.*
Acantho Aco Ambly Calypto Choero Cono Cteno Cybo Cyphono Dero Hypo Otido Psectro Pseudo Rhipi Rhytido Thyreo Tomo
-cephalus *Helm.*
Actino Ambly Bothri(*or* y)o Ophi Poro Priapo Tricho
-cephalus *Ich.*
Aulaco Glypto Gymno Hymeno Lago Lepto Malaco Ogco Papyro

Parophio Psilo Sauro Trachino
-cephalus *Pal.*
Cardio Chelono Dicella Dikello Disphaero Enoplo Eutrimero Gonio Lacco Lio Lyro Ornitho
-cephalus *Terat.*
abrachio anomalo cebo chemo crypto cyclo diodon diplo ethmo gnatho hemi hetero lepto myla oma oto oxyhydro para pero rhino scaphohydro schisto scillo stomo stropho symphyo syn trigono trio
-cephaly *Anthrop.*
acro brachy cham(a)e clino cylindro cymbo dicho hyperbrachy hyperdolicho hypsi(brachy dolicho steno) hypso klino lopho mecisto mesati meso nano ortho pachy plagio purgo scapho schizo steno submicro subscapho tap(e)ino tecto trigono trocho ultradolicho
Chirocephalus *Crust.*
chomatocephalus
Chroicocephalus *Ornith.*
clinocephalus *Craniol.*
colocephal(i *Ich.*
conocephalite *Ent.*
-es -id(ae -oid
Craspedocephalus *Helm.*
Crassocephalum *Bot.*
Cryptocephala *Helm.*
Cyanocephalus *Ornith.*
cyclocephalian *Terat.*
cymbocephalus *Craniom.*
cyrtocephalus *Craniom.*
decephalize -ation
Deinocephalia *Pal.*
Dinocephala *Pal.*
diplocephalous *Terat.*
discocephal(i *Ich.*
Dokimocephalus *Arach.*
dolichocephalus *Craniol.*
dorsocephalad *Anat.*
eccephalosis *Surg.*
enchelycephal(i *Ich.*
Endocephala
Eucephala *Ornith.*
Exocephala *Zool.*
Ganocephala(n -i *Herp.*
gastrocephalitis *Path.*
Globicephalus *Mam.*
-inae -ine
Gorgonocephalus *Zool.*
Gymnocephalus *Ornith.*
hematocephalus *Obstet.*
hemicephalous *Terat.*
Henicocephalidae *Ent.*
Hippocephalus -oid *Zool.*
Histiocephalus *Pal.*
holocephal(a i *Ich.*
homalocephalus *Cran.*
Hoplocephalus *Herp.*
Hydrocephalis *Zool.*
hyocephalous
hyperbrachycephal
hyperdolichocephal
Hypocephalus *Ent.*
-id(ae -oid
hypsibrachycephali -ous
ichthyocephal(i *Ich.*
kephalepsalis *Surg. App.*
kephalin(e *Biochem.*
kephaloidin *Biochem.*
leptocephaly *Terat.*
Leptocephalus *Ich.*
-an -id(ae -oid
Lipocephala *Conch.*
mecistocephali *Anthrop.*
megacephal(on *Craniom.*
meningocephalitis *Path.*
mesaticephal(us *Anthrop.*
mesocephal(i(a -on -us
methylcephaelin
myiocephalon -um *Ophth*
myocephalitis *Phot.*
Myoxocephalus *Zool.*
nanocephalous *Anthrop.*
Ogcocephalus *Ich.*
-id(ae -oid
Ophicephalus *Helm.*
-idae -oid
Orthocephalum *Ent.*
Oryctocephalidae *Pal.*
osteocephali *Hum.*
osteocephaloma *Tumors*
Osteocephalus *Zool.*
Pachycephala *Crust.*
Pachycephala *Ornith.*
-inae -in(e
pachycephalia -ous *Med.*
Peltocephalus -idae
Phanerocephala *Zool.*
physocephalus *Path.*
Pimephales *Ich.*
plagiocephalus *Anthrop.*
pneumocephalus *Med.*
podocephalous *Bot.*
porocephaliasis *Path.*
porocephalosis *Path.*
postcephalic *Zool.*
Pros(op)ocephala *Conch.*
Pterocephala *Zool.*
pycnocephalous *Bot.*
Pyrocephalus *Ornith.*
Rhizocephala(n -on -ous
Rhynchocephala *Herp.*
-ia(n -ic -oid
Sarcocephalus -eae *Bot.*
Saurocephalus *Ich.*
-id(ae -oid
scaphocephalus *Craniom.*
scaphohydrocephaly
scillocephalous *Terat.*
sphaerocephalous *Bot.*
spherotocephalus
sphygmocephalus *Path.*
stegoceph(al *Pal.*
Stegocephala *Herp.*
-i -ia -ian -ous
Stegocephalus *Crust.*
-id -idae -oid
stenocephalia -us
Stringocephalus *Conch.*
-id(ae -oid
Strongylocephalus
strophocephaly *Terat.*
subbrachycephal(i
subdolichocephali -ous
sy(n)cephalus
Tapinocephalus *Herp.*
-id(ae -oid
teleocephal(i *Ich.*
Therocephalia(n *Herp.*
Trachycephalus *Herp.*
trichocephaliasis *Path.*
Trichocephalus *Helm.*
-id(ae -oid
trigonocephali- us *Zool.*
trochocephalia *Craniol.*
Xanthocephalus *Ornith.*
κεφαλικός (Diosc.)
bicephalic *Archaeol.*
cephalic(al(ly
-cephalic *Anat. Anthrop.*
acro akro brachio brachisto brachy(hypsi) cham(a)e clino cubi cylindro cymbo dolicho dorso eury homoeo hyperbrachy hyperdolicho hypermesati hypsi(brachy dolicho steno) hypso intra jugulo klino lepto lopho mecisto meco medi mega megisto mesati meso(hypo hypsi) metrio nano oculo oligo ooido ortho(brachy dolicho) oxyklino pachy pandolicho photo plagio platy(brachy chamae dolicho mesati meso) pro proximo purgo pyramido scaphosphaeri steno sub(brachy dolicho mesati micro) supra tap(e)ino tecto thyrso trigono trocho ultradolicho
-cephalic *Terat.*
cebo cyclo hemi holo syn
-cephalic *Zool.*
cebo crypto holo ornitho
homocephalic *Bot.*
κεφάλιον Dim. of κεφαλή
cephalium *Bot.*
κεφαλίς Dim. of κεφαλή
Cephalis *Prot.*
κεφαλο- Comb. of κεφαλή
cephalo-
auricular *Anat.*
branchia *Helm.*
-iata -iate
cathartic *Path.*
caudal *Anat.*
cele *Path.*
centesis *Path.*
cercal *Anat.*
cereus *Bot.*
chord(a(l *Biol.*
cone -ic -us *Conch.*
cyst *Helm.*
discus -id(ae *Zool.*
graphy *Anat.*
gyric *Med.*
hemometer *Med. App.*
humeral(is *Anat.*
kompsus *Ich.*
lateral
logy
mancy
mant
melus *Terat.*
menia *Gynec.*
meningitis *Path.*
mere *Biol.*
meter *Med. App.*
metry -ic *Craniom.*
motor *Med.*
phore *Conch.*
-a -an -ous
phragm(a(tic *Anat.*
phyma *Path.*
plegia *Path.*
pod(e *Zool.*
-a -al -an -ic -ous
ptera(e *Ich.*
-id(ae -oid -ous
pterus *Ornith.*
rachitic *Biochem.*
r(h)achidian *Anat.*
some *Arth.*
spinal *Anat.*
stegite *Crust.*
strongylus *Helm.*
style *Anat.*
taxospermum *Pal.*
taxus *Bot.*
theca(l *Ent.*
thoracopagus *Terat.*
thorax -acic *Anat. Zool.*
cephalo- Cont'd
thrix *Helm.*
trichid(ae trichoid
thryptor *Obstet.*
tome -y -ist *Obstet.*
Haplocephalopora *Pal.*
oculocephalogyric *Ophth.*
protocephalopod
pseudocephalocele *Path.*
syncephalocele
κεφαλοβαρής heavy-headed
Cephalobarus *Ent.*
κεφαλοειδής (Hipp.)
cephaloid *Morph.*
-ae -eous
κεφαλώδης = κεφαλοειδής
cephalodium *Bot.*
-iferous -ine
pseudocephalodium *Bot.*
κεφαλωτός headed
cephalot(e *Chem.*
Cephalotus *Bot.*
-aceae -aceous
κέχην perf. of χάσκειν
Cechenosternum *Ent.*
κῆβος a monkey (Arist.)
Cebichthys *Ich.*
-yid(ae -yinae -yoid
cebocephalic -us *Terat.*
Cebus *Mam.*
-id(ae -inae -oid
-cebus *Mam.*
Arcto Calli Cerco Leonto Micro Nycti
cercocebid(ae -oid *Mam.*
nycticebid- *Mam.*
ae -inae -in(e
κήδειος cared for
Cedius *Ent.*
κηκίδιον as if dim. of κηκίς
-cecidia *Phytopath.*
phyco phyto phytopto zoo
cecidiology
-cal -ist
cecidium *Bot.*
-cecidium *Phytopath.*
acaro acro diptero myco
κηκιδο- Comb. of κεκίς
cecido-
logy -ical -ist
myia *Ent.*
-ian -iid(ae -iidous -ioid
κηκίς gall
Mycocecis *Ent.*
κήλαστρος (Theophr.)
celastrin(e *Org. Chem.*
Celastrus *Bot.*
-aceae -aceous -ales
κήλεος burning
Celosia *Bot.*
κήλη tumor, rupture
adenolymphocele
-bubonocele *Path.*
cysto hystero
-cele *Path.*
adeno adipo aero antro archo arthro balano bronchio bubono cardio cephalo cerato chorio chylo cirso coleo colpo cranio cysto dacryo dermato descemeto diaphragma(to) epiplo episio esophago femoro fimbrio fissi galacto elytro empyo encephalo entero ento epigastr(i)o gastro glosso gonato gony h(a)emato hedro hepato hydato hystero irido ischiato ischio kerato lacto laparo laryngo lieno liparo lipo lympho meningo mero metro muco myelo myo nephro neuro vario oesophago omento omphalo onkino oodeo ootheco ophthalmo orcheo orchido orchio oscheo osphyo osteo ovario pampino perineo phaco pharyngo physo pleuro pneum(on)o poro procto prostato ptyalo pyo recto salpingo sclero scroto spermato splanchno spleno thyr(e)o trachelo tracheo tuberculo typhlo uretero urethro uro utero vagino varico vesico
-celic *Path.*
entero liparo mero paromphalo
celectome *Surg. App.*
celosomia *Embryol.*
celosomus *Terat.*
cephal(h)ematocele
-cephalocele *Path.*
pseudo syn
cyclocelous *Ornith.*
-cystocele *Path.*
colpo dacryo encephalo entero myelo
ectokelostomy *Surg.*
-gastrocele *Path.*
entero hypo
-encephalocele *Path.*
cen der hydr(o) meningo not par syn
-epiplocele *Path.*
cysto enter(o) sarco
-enterocele *Path.*
cysto epiplo hydr hysterovagino
hematospermatocele
-hydrocele *Path.*
entero
hydrophysocele
hydrosarcocele
-ischiocele *Path.*
entero epiplo
kelectome *Surg. App.*
Kelestoma *Pal.*
kelotomy -ia *Surg.*
kera(phyllo)cele *Vet.*
-meningocele *Path.*
encephalo hydro myelo(cysto) pseudo syringo
-merocele *Path.*
entero epiplo
-myelocele *Path.*
hydro meningo syringo
-omphalocele *Path.*
epiplo(sarc) enterepipl h(a)emat par pneumat por sarc(oepipl)
-oscheocele *Path.*
enter epipl hemat hydr mes orchi ur
pachydermatocele
phacocentocele
pneumogalactocele
pyocolpocele
Rhamphoc(o)elus *Ornith.*
rheumatoceles
rhinopharyngocele
salpingo . . . cele
oophoro ootheco
tracheoaerocele
Trachykele *Ent.*

varicocelectomy *Surg.*
κηλήτης one ruptured
Celetes *Ent.*
Celetodes *Ent.*
κηλιδοῦν to stain
dermatoc(*or* k)elidosis
κηλαδωτός stained
Celidota *Ent.*
κηλίς(-ῖδος) stain
celidography -er *Astron.*
-celis *Path.*
meno metro rheumato
kelis *Path.*
kelos -oid *Tumors*
κηλοτομία (Paul Aeg.)
celotomia -y *Surg.*
κήξ(κηκός) ?the tern
cecomorph(ae -ic *Ornith.*
κηπίον a small garden
Onychocepon *Crust.*
κηποτάφιον garden tomb
cepotaph
κηπουρός gardener
Cepurus *Ent.*
κηπωρός = κηπουρός
Caeporis *Ent.*
Κήρ goddess of death
Ceromyia *Conch.*
-yid(ae -yoid
Ker *Hist. Rel.*
κηραφίς a locust
Pachycerapis *Ent.*
κηρέσιος deadly
Ceresium *Ent.*
κήρινος waxen
cerinin *Min.*
κηρίον a honeycomb
Aulocerium *Pal.*
Platycerium *Ferns*
kerion *Path.*
κηρίς a sea fish
Nahecaris *Pal.*
κηρο- Comb. of κηρός
cero-
fer
lipoid *Bot.*
lite *Min.*
lysin *Physiol. Chem.*
mancy
pher(ary
type *Arts*
xyle -on *Bot.*
kerogen *Org. Chem.*
κηρογραφία encaustic
cerograph *Arts*
cerography
-ic(al -ist
κηροπλαστική (Pollio)
ceroplastics -y
κηροπλαστικός
ceroplastic
κηρόπλαστος molded of wax
ceroplast
κηρός wax
ceranaphalote *Biochem.*
carboceric *Org. Chem.*
cerane *Org. Chem.*
cereanthid(ea *Bot.*
cerepidote *Min.*
cerolin *Chem.*
Ceropsis -inae *Ornith.*
ceros- *Chem.*
ic iline in(e
cynanchocerin *Chem.*
Eocerus *Pal.*
geocerite *Min.*
hydrocerus(s)ite *Min.*
kerite *Arts*
keroline *Mat. Med.*
kerosene
kerosolene *Trade*
lanoceric *Org. Chem.*

mesicerin *Chem.*
myoc(*or* k)erosis *Med.*
ozocerine *Min.*
ozoc (*or* k)erite *Min.*
Pseudoceros *Helm.*
-id(ae -oid -otidae
pseudoozocerite *Min.*
pythoceropsis *Pal.*
Strophionocerus *Zool.*
sycoceric -yl(ic *Chem.*
κήρυγμα preaching
kerygma *Eccl.*
κηρύκειον herald's wand
caduca *Anat.*
caduceus *Myth.*
-ean -eator
caducibranch *Herp.*
ia iata iate
kerykeion *Gr. Ant.*
κήρυκες pl. of κῆρυξ
Keryces *Cl. Ant.*
κηρυκική (Plato)
kerykics
κηρύλος (Arist.)
Macroceryle *Ornith.*
κῆρυξ a herald
Anthracokeryx *Pal.*
Giraffokeryx *Pal.*
Nesoceryx *Ornith.*
κηρύσσειν to preach
kerystic(s *Theol.*
κήρωμα (Plutarch)
ceroma *Cl. Ant. Ornith.*
κηρωτόν a salve (Hipp.)
cerote *Org. Chem.*
-ate -ene -ic -in(e
-(in)one -yl
cinchocerotin *Org. Chem.*
neocerotic *Org. Chem.*
κήτειος of sea monsters
Cete(o)saur *Herp.*
Cete(*or* i)osauria -us
cetiosaurian -idae *Herp.*
κητο- Comb. of κῆτος
ceto-
chilus *Crust.*
-id(ae -oid
logy
-ical -ist
mimus *Ich.*
-id(ae -oid
morpha -ic *Zool.*
rhinus *Ich.*
-id(ae -oid
κῆτος any whale (Arist.)
Agriocetus *Pal.*
Archaeoceti *Mam.*
Ceta *Mam.*
Cetacea *Mam.*
-ean -eum -ous
cete *Mam.*
cetic *Chem.*
-an -ate -in(e
ceticide
cetinelaic -in *Chem.*
Cetodonta *Mam.*
Cetus *Astron.*
cetyl *Chem.*
ate ene ic id(e
Delphinoceti *Pal.*
dicetyl *Chem.*
Denticete -ous *Mam.*
Eocetus *Pal.*
Liocetus *Ich.*
Melanocetus *Ich.*
-inae -ine
Mesocetus *Pal.*
mystacocete *Mam.*
-i -us
Pappocetus *Pal.*
odontocete -i -ous *Mam.*
Rhynchoceti -ous *Mam.*
Saurocetus *Zool.*
spermaceti
Squaloceti *Pal.*

Thalassocetus *Pal.*
Κηφεύς (Apollod.)
Cephea -eidae *Acal.*
Cepheus *Arach. Myth.*
Cepheus -eid *Astron.*
κηφήνιον (Arist.)
Cephennium *Ent.*
κι- Stem of κιω go
cienchyma *Cytol.*
κίβδηλος spurious
Cibdelis *Ent.*
Eucibdelus *Ent.*
kibdelophane *Min.*
κίβισις a pouch
cibisotome *Ophth.*
kibisis
kibisitome *Ophth.*
κιβώριον cup; canopy
ciborium *Arch. Eccl. Conch.*
cibory *Eccl.*
κιβώτιον Dim. of κιβωτός
Cibotium *Bot.*
κιβωτός chest, coffer
kibotos *Gr. Furn.*
κιγκλίς latticed gate
cinclis *Zooph.*
κίγκλισις (Hipp.)
cinclisis *Path.*
κίγκλος (Arist.)
-cincla *Ornith.*
Psammo Scio
Cinclosoma *Ornith.*
Cinclus *Ornith.*
-id(ae -inae -oid
Dendrocinclopa *Ornith.*
Urocichla *Ornith.*
κίδαρις a Persian head-dress
archaeocidar- *Echin.*
id(ae oid(ea
cidaris *Dress*
Cidaris *Echin.*
-ia -id(ae -oid(a
-cidaris *Echin.*
Archaeo Eo Hemi Ogmo Ploco Stylo Timoro
cidarite *Pal.*
Cystocidaroida(n *Echin.*
Hemicidaridae *Pal.*
κιθάρα a lyre or lute
cithara *Music*
-cithara *Malac.*
Ana Hetero Leio
Citharexylum *or* -on *Bot.*
Citharichthys *Ich.*
cither *Music*
cithern *Music*
Citheronia *Ent.*
-iidae -ioid
citole(r *Music*
cittern *Music*
clavicither(ium *Music*
guitar(ro ist
κίθαρις for κίδαρις
Bothriocitharis *Echin.*
κιθαριστής (hymni Hom.)
citharist(es
κιθαριστικός (Plato)
citharistic
κίθαρος turbot (Arist.)
Paracitharus *Ich.*
κιθαρωδικός (Plato)
citharoedic *Gr. Music*
κιθαρῳδός a harper
citharedus *Gr. Music*
Κιλικία Cilicia
Cilicism *Philol.*
Κιλίκιον a coarse cloth
cilice -ious *Cloth.*
cilicium -ius *Gr. Dress*

Κιλίκιος of Cilicia
Cilician *Geog.*
Κιμμέριοι Cimmerians
Cimmerian(ism *Myth.*
Κιμωλία a white clay
Cimolestidae *Mam. Pal.*
Cimolia -ian
Cimoli-
(a)saurus *Herp. Pal.*
ornis *Ornith.*
cimolite *Min.*
Κιμώνδειος of Cimon
Cimonian *Hist.*
κινεῖν to set going
Acrocinus *Ent.*
articulokinesthetic
cheirokinesthesia *Psych.*
cheirokinesthetic *Psych.*
chromatokinopsia *Psych.*
cinenchyma -atous *Bot.*
cinenegative
cineograph
cino-
genic *Org. Chem.*
logy *Ther.*
meter *Med. App.*
metry
plasm *Cytol.*
sternum *Herp.*
-id(ae -oid
Cinura(n -ous *Ent.*
Gecinus *Ornith.*
glossoc(*or* k)inesthetic
glucokinin *Biochem.*
graphokinesthetic *Psych.*
kin(e *Phys.*
-kinase *Biochem.*
anti entero eu oro pancreato pro staphylo thrombo
kin-
(a)esthesis *or* -ia
(a)esthetic
anesthesia *Ps. Path.*
ase *Chem.*
ate *Chem.*
kinenegative *Photog.*
kineograph *Photog.*
kineplasty -ics *Surg.*
kinergety *Med.*
kinesthesiometer *Psych.*
kinit *Phys.*
kino-
centrum *Cytol.*
drome
logy *Phys.*
meter *Med. App.*
metry
plasm(ic
plastic
rhyncha *Helm.*
sphere *Cytol.*
spore *Bot.*
sternon -idae
sthenic *Math.*
tannic *Chem.*
toxin *Tox.*
Nematocinurus *Ich.*
telekin *Elec.*
thelykinin *Biochem.*
κίνημα(-ατος) motion
anemocinemograph
cine *Dyes Phot.*
cinema *Drama*
cinemamicroscopy
cinematization *Surg.*
cinemato-
graph(er
graphy -ic(al(ly
micrograph
cinemelodrama
cinemo-
graph meter
kinema
-atic(al -atics

kinemato-
graph(ic(al
meter
microcinemato-
graph(y ic
microkinematography
phonocinematography
radiocinematograph
thermokinematics *Phys.*
κινησι- Comb. of κίνησις
kinesi-
(a)esthiometer
algia *Med.*
graph *Photog.*
meter *Psych.*
pathy -ic -ist
phony *Ther.*
scope
therapy *Ther.*
-κινησια Comb. of κίνησις- as in αὐτοκινησία
-cinesia *Med. Psych.*
allo anesthi auto brady centro hetero hypo irido oo oxy para telo
-kinesia *Med. Psych.*
acro adiadocho anesthi brady copodys (dys)-diodocho echo entero hetero hyper hypo irido pali para psycho
κίνησις movement
acroc(*or* k)inesis *Path.*
akinesis *Bot. Path.*
allokinesis *Med.*
anakinesis *Biochem.*
angiokinesis *Physiol.*
antikinesis *Biol.*
autoc(*or* k)inesis *Physiol.*
blastokinesis *Embryol.*
caryoc(*or* k)inesis
chemokinesis *Physiol.*
cinesalgia *Med.*
cinology *Ther.*
cytokinesis *Cytol. Bot.*
diakinesis *Cytol.*
echokinesis *Psych.*
gastrokinesograph *Med.*
heterokinesis *Biol.*
hom(o)eokinesis *Emb.*
homokinesis *Bot.*
hyperkinesis *Path.*
hypoc(*or* k)inesis *Path.*
hypsokinesis *Med.*
interkinesis *Bot.*
iridoc(*or* k)inesis *Ophth.*
karyokinesis *Biol.*
kentrokinesis *Physiol.*
kinesalgia *Med.*
kinescope
kinesia
kinesiatric(s *Med.*
kinesiology
kinesiometer *Psych.*
kinesioneurosis *Path.*
kinesis *Cytol. Metaph. Phys.*
kinesodic *Physiol.*
kinesopathy
metac(*or* k)inesis *Cytol.*
metakinesis *Phil. Psych.*
metrakinesis *Path.*
metrypercinesis *Obstet.*
microkinesis *Phys.*
myokinesis *Med.*
ookinesis *Embryol.*
parac(*or* k)inesis *Path.*
photokinesis *Bot.*
prokinesis *Bot.*
sync(*or* k)inesis
telecinesia *Ps. Phys.*
telekinesis *Psych.*
teloc(*or* k)inesis *Cytol.*
thrombokinesis *Med.*
κινητηρ setter in motion
hydrokineter *Mech.*

neurokinet *Med. App.*
κινητικός adj. of κίνησις
acrocinetic *Path.*
akinetic
allokinetic *Physiol.*
anakinetic *Biochem.*
angiocardiokinetic
angiokinetic *Physiol.*
archeokinetic *Neurol.*
astrocinetic *Cytol.*
astrokinetic *Cytol.*
autocinetic *Physiol.*
autokinetic(al *Psych.*
biokinetics *Biol.*
blastokinetic *Embryol.*
bradykinetic *Med.*
cardiokinetic *Med.*
caryok (*or* c)inetic
centrocinetic *Physiol.*
chemokinetic *Physiol.*
diadochokinetic *Med.*
diakinetic *Biol.*
ectokinetic *Bot.*
electrokinetic(s *Elec.*
endokinetic *Bot.*
enterok(*or* c)inetic *Med.*
hydrokinetic(al -ics *Phys.*
hyperkinetic *Path.*
hypokinetic *Mech.*
idiokinetic *Psych.*
iriodokinetic *Ophth.*
karyokinetic *Biol.*
katakinetic *Cytol. Chem.*
kentrokinetic *Med.*
kinetic(al(ly -ics
metakinetic *Cytol. Psych.*
microkinetic
mitokinetic *Cytol.*
mitokinetic(ism *Bot.*
neokinetic *Neurol.*
ookinetic *Zool.*
paleokinetic *Neurol.*
paracinetic *Path.*
parakinetic *Path.*
photokinetics *Physics*
photok(*or* c)inetic *Bot.*
spermatokinetic *Bot.*
staticokinetic *Sociol.*
synkinetic *Physiol.*
telekinetic *Psych.*
thermokinetic *Physics*
urok(*or* c)inetic *Med.*
κινητός movable
anakinetomere -ic *Chem.*
cinetographic
Eukinetodes *Ent.*
katakinetomere -ic *Chem.*
kinetia *Path.*
kinetism *Med.*
kinetite *Explos.*
kineto-
camera *Photog.*
genesis
genic *Med.*
gram
graph(er
graphy -ic
mere *Biochem.*
nucleus *Cytol.*
phone *Cinema*
phonograph
plasm *Cytol.*
scope -ic -y
skotoscope
kinetosis *Path.*
kinetosome *Cytol.*
somes *Bot.*
therapy *Ther.*
Metacineta -idae *Zool.*
ookinete *Path. Zool.*
phonokinetograph
κιννάβαρι (Arist.)
cinnabar *Bot. Min.*
ic ine
cinnabarsana *Mat. Med.*
metacinnabar(ite *Min.*

κίνναμον (Pliny)
allocinamic
cin- *Org. Chem.*
amyl ene eol(ic
cinnam- *Org. Chem.*
al alzine aldehyde aldehydin amid(e anilid(e ate ein ene ic ol one yl(idene
-cinnamic *Org. Chem.*
hetero hydro nitro oxy poly sulfo
cinnamite *Min.*
cinnamon(ic
cinnolin(e -ic *Org. Chem.*
cinnyl *Org. Chem.*
metacinnamein -ene
oxycinnoline *Org. Chem.*
κιννάμωμον (Herodotus)
Cinnamomum *Bot.*
-eous -ic
κινύρα a mus. instr.
Cinyra *Ent.*
κιννυρίς (so Cuvier)
cinnyrimorph(ae ic
Cinnyris *Ornith.*
-id(ae -inae -oid
-cinnyris
Eremi micro
κινύσσομαι waver
Cinixys -yinae *Herp.*
κιο- Comb. of κίων
kiotome *Surg. App.*
kiotomy *Surg.*
Koilokiosaurus *Pal.*
κιονο- Comb. of κίων
ciono-
crania(l -ian *Herp.*
ptosis *Path.*
raphia *Path.*
spermeae *Bot.*
tome *Surg. App.*
tomy *Surg.*
kiono-
ceras *Pal.*
crania *Zool.*
ptosis *Path.*
Protokionoceras *Pal.*
κιρκαία (Diosc.)
Circaea *Bot.*
Κίρκη Circe (Od.)
Circean *Myth.*
κίρκινος a circle (Galen)
circinal *Bot. Ent.*
circinate(ly *Bot.*
circination *Bot.*
Circinus *Astron.*
κίρκος a circle
Circaetus *Ornith.*
circle
-ed -er -et -ine -oid -wise -y
Circoporus -idae *Protozoa*
circovarian *Anat.*
circul-
able and ant e et ine
circular
ism ity ization ize(r ly ness
circulate
-ation(al -ative -ator(y -atorious
circulus *Anat. Logic Math. Mech. Music*
circumcircle *Math.*
circus
Circus -inae -ine *Ornith.*
-circus *Ornith.*
Palaeo Pseudo
cirque
uranocircite *Min.*
κιρρο- Comb. of κιρρὸς
cirrho-
lite *Min.*

cirrho- Cont'd
lysin *Mat. Med.*
nosus *Path.*
pod(a es ous *Crust.*
cirro-
lite *Min.*
phaness *Ent.*
kirr(h)onosis *Gynec.*
κιρροειδής
cirrhoids *Bot.*
κιρρός tawny
aethokirrin *Chem.*
anthrokirrin *Org. Chem.*
cirrhosis & -otic *Path.*
-cirrhosis
cardia hepato pneumono pseudo
Eucirripedia *Zool.*
Eucirrus *Ent.*
palliocirrus *Meteor.*
prostatocirrhus *Path.*
Protocirripedia *Pal.*
Saccocirrus *Helm.*
-id(ae -idea -oid
κίρσιον (Diosc.)
Cirsium *Bot.*
κιρσο- Comb. of κιρσός
cirsotome *Surg. App.*
cirsotomy *Surg.*
κιρσοειδής varicose
cirsoid *Path.*
κιρσοκήλη (Galen)
cirsocele *Path.*
κιρσός varix (Hipp.)
cirs-
ectomy *Surg.*
omphalos -us *Path.*
ophthalmia -y *Ophth.*
cirsos *Path.*
κίς (κιός) the weevil
ciod(ae *Ent.*
Cis(idae *Ent.*
kis
κίσσα a jay or magpie
Urocissa *Ornith.*
κισσήεις of ivy
Cisseis *Ent.*
κισσοειδής like ivy
cissoid(al *Math.*
κισσός ivy
Cissampelos *Bot.*
Cissus *Bot.*
Parthenocissus *Bot.*
κισσύβιον drinking cup
kissybion *Gr. Ant.*
κίστη box
chest
cist *Archaeol.*
ed ic
cistella *Bot.*
Cistella *Ent.*
-id(ae -oid
cistern
Cistudo *Herp.*
-ina -inid(ae
cistula *Archaeol. Bot. Conch. Herp.*
creirgist *Eccl.*
κίστος rock rose
Cisticola *Ornith.*
cisto-
carpum *Pal.*
thorus *Ornith.*
cistome *Bot.*
Cistus *Bot.*
-aceae -aceal -aceous -al(es -ineae -ineous
Polycistina *Prot.*
κιστοφόρος box-bearing
cistophore -ic -um *Bot.*
cistophorus *Coins*
κίτρινος citron yellow
citrin(e *Colors Min.*
citrination *Alchemy*

citrinel *Ornith.*
citrinous
κιτρο- Comb. of κίτρον
citro-
meter *Chem. App.*
molybdic *Chem.*
myces *Fungi*
phen *Chem.*
phosphate *Chem.*
phyllum *Pal.*
κίτρον citron
borocitrate *Chem.*
citr- *Combin. in Chem.*
acetate acetic aconimide al amalic amid(e anilic anilide ate az-(in)ic
citrange *Hort.*
citrangeade
citrene *Oils*
citreous *or* -ean
citric
citriculture -ist *Agric.*
citril *Ornith.*
citron
citronell- *Chem.*
al ic ol one
citronella *Bot.*
citronin -ene *Dyes*
citronize *Alchemy*
citropsis
citrous
citrullin -ol *Chem.*
Citrullus *Bot.*
citrurea *Mat. Med.*
Citrus *Bot.*
citryl *Org. Chem.*
cupricitrate *Chem.*
cyclocitral *Org. Chem.*
ferricitric *Chem.*
incarnatrin *Org. Chem.*
isocitric *Org. Chem.*
myricitrin *Org. Chem.*
oxycitric *Chem.*
paracitric *Chem.*
plagiocitrite *Min.*
pyrocitric -ate *Chem.*
rhamnocitrin *Org. Chem.*
sesquicitronellene *Chem.*
urocitral *Mat. Med.*
κίττα = κισσα
-citta *Ornith.*
Cyano Dendro Gymno
κίχλα a thrush
ciclomorph *Ornith.*
ae ic ous
Geocichla -in(e *Ornith.*
Hesperocicla *Ornith.*
Hylocichla *Ornith.*
Xenocic(h)la *Ornith.*
κίχλη a sea fish (Arist.)
Cichla -id(ae -oid *Ich.*
Cichlasoma *Ich.*
κίχορα (Theophr. κιχώρη)
chicory
succory
κιχώριον (Diosc.)
Cichorium *Bot.*
-aceae -aceous
κίων column; uvula
cion *Anat.*
cionectomy *Surg.*
cionitis *Path.*
Cionus *Ent.*
kionectomy
Microciona *Spong.*
κλαγγή a sharp sound
clang (as sometimes used)
κλαδευτής a pruner
Cladeuterus *Ent.*
κλάδιον Dim. of κλάδος
Cladium *Bot.*

-cladium *Bot.*
calatho fusi sporo
Cladius *Ent.*
hydrocladium *Zooph.*
κλαδίσκος Dim. of κλάδος
Cladiscus *Ent.*
cladisk *Zool.*
Octocladiscus *Ent.*
κλάδος a sprout, slip
Acanthocladia *Helm.*
-id(ae -oid
acladiosis -iotic *Path.*
Acladium *Fungi*
actinocladothrix *Bact.*
Ancistrocladus *Bot.*
-aceae -aceous -ales
Anomalocladina *Spong.*
Anomocladina -ine
Astrocladinae *Pal.*
clad-
anthous -us *Bot.*
autoicosis -ous *Bot.*
enchyma *Bot.*
ine -osis *Bot.*
istia(n *Ich.*
ium ietum *Bot.*
odus *Ich.*
-ontid(ae -ontoid
ome -ic *Spong.*
ophiurae -an -ous
ose *Bot.*
clado-
androgonidium *Bot.*
branchia -iate *Conch.*
brostis *Ent.*
carpi -ous *Bot.*
cere *Crust. Ent.*
-a(n -ous
chytrium -iacea *Fungi*
clinus *Pal.*
copa -ous *Crust.*
crinoidea *Pal.*
dactyla *Echin.*
discus *Ent.*
dystrophia *Bot.*
fied *Bot.*
genous *Bot.*
(gyno)gonidium *Bot.*
hepatic(a *Conch.*
mania *Bot.*
myrma *Ent.*
nema -idae *Acal. Coel.*
pelma *Malac.*
phora
-aceae -aceous -ales
ptosis *Bot.*
rhabd *Spong.*
ropy -ic *Bot.*
sclereids *Bot.*
selache *Ich. Pal.*
-ea -ian -id(ae -oid
siphonic *Bot.*
sporiosis *Path.*
sporium -iose *Bot.*
sporoid *Bot.*
stemonous *Bot.*
stroma *Bot.*
strongyle *Spong.*
style *Spong.*
thricosis *Path.*
thrix *Bact.*
tyle *Spong.*
Cladosictis *Pal.*
-cladous *Bot.*
acantho ano brachy cata cato dasy drepano eo eury hebe homalo lepto macro mastigo meso micro ortho pachy poly proto syn
Cladrastis *Bot.*
cladus *Spong.*
-cladus *Pal. Bot.*
Ancylo Calamo Core-

mato Cupressino Palaeo
Coenocladia *Bot.*
Comocladia *Bot.*
deuterocladus *Spong.*
fusicladian *Bot.*
Ginglymocladus *Ent.*
Gymnocladus *Bot.*
Helminthocladia *Algae*
Hemicladus *Ent.*
Heterocladia -icae *Algae*
heterocladic *Anat.*
homocladic *Med.*
Myrmecladoecus *Ent.*
Oncocladia *Pal.*
oxyclad *Spong.*
phylloclad(e *Bot.*
ioid -ium -ous
phyllocladoxylon *Pal.*
Procladosictis *Pal.*
Protocladus *Spong.*
Pseudocladosictis *Pal.*
siphonocladus *Algae*
-aceae -aceous
Sphaerocladinidae *Pal.*
strongyloclad *Spong.*
Stypocladius *Ent.*
Syncladei *Bot.*
tetraclade -ina -in(e -ose -ous *Spong.*
Thaumastocladius *Ent.*
trichocladus -ose *Spong.*
triclad(a id(a idea *Helm.*
tyloclad *Spong.*

κλαδώδης
cladode *Bot.*
-ial -ium
Thercladodes *Ent.*

κλαδών = κλάδος
cladestic -in *Org. Chem.*
Cladonia *Bot.*
-iaceae -ic -iei -iine -ioid
cladonic *Chem.*
cladonin *Biochem.*
cladophyl(l(um *Bot.*
Cladorchis *Zool.*
rhodocladonic *Org. Chem.*

κλάειν to break
Claosaurus -os *Herp. Pal.*

κλαμβός mutilated
Clambus *Ent.*

κλάσις a breaking
anaclasimeter *Ophth.*
-clase *Geol. Min.*
allo anortho baryta-ortho clino crypto dia eu krypto las(*or* z)ur-oligo lepto loxo micro oligo ortho para par-ortho picro plagio pot-asholigo pseudo(ortho) rhombo sclero spheno syn triplo
-clasia *Dent. Med. Surg.*
alveolo arthro cardio cemento colloido elytro hemo osteo(tomo) peri cemento dento (o)donto) tricho
clasileucite *Cytol.*
-clasis *Med. Surg.*
auto cardio cranio colloido cyto erythro hemo karyo odonto onycho osteo(palin tomo) tarso tricho
-clasite *Min.*
allo clino dys eu iso pyro sclero tetra tri
diaclasis *Geol.*
lithoclasis -y *Geol.*

κλάσμα a fragment
bibliochlasm
clasmato- *Cytol.*
blast cyte cytosis
Clasmodontomyinae *Pal.*
cranioclasm *Obstet.*
diclasm- *Pal.*
atinae ella oides
iconoclasm
Klasmura *Pal.*

κλαστήριον pruning knife
clasteriosporium *Mycol.*

-κλάστης breaker, as in εἰκονοκλάστης
angioclast *Surg. App.*
biblio(icono)clast
diaclast *Surg.*
(e)idoloclast
genuclast *Surg.*
hyaloclast
mythoclast
ostoclast
phenoclast *Geol.*
spongoclast *Biol.*

κλαστός broken in pieces
amyloclastic *Bot. Chem.*
anticlastic *Math.*
autoclastic *Geol.*
clastic
clasto-
gene *Petrog.*
pteromyia *Ent.*
thrix *Med.*
type *Morphol.*
chondrioclast *Cytol.*
colloidoclastic *Chem.*
cosmoclastic *Geol.*
cranioclast *Surg. App.*
cranioclasty *Obstet.*
cryptoclastic *Petrol.*
cytoclastic *Physiol.*
dendroclastic
diaclastic *Geol.*
ecclesioclastic
epiclastic *Petrog.*
hemiclastic *Petrog.*
hemoclastic *Med.*
hist(i)oclastic *Cytol.*
histoclast(ic *Cytol.*
holoclastic
hydroclastic *Petrog.*
lipoclastic *Biochem.*
lithoclst(ic -y *Surg.*
microclastic *Geol.*
mythoclastic
odontoclast *Dent.*
orthoclastic *Min.*
osteoclast(ic -y
panclastic -ite *Expl.*
plagioclastic
prot(e)oclastic *Biochem.*
protoclastic *Geol.*
pyroclastic *Petrog.*
sucroclastic *Chem.*
synclastic *Geom.*

κλειδ- Stem of κλείς
acl(e)idian *Anat.*
cleidagra *Med.*
cleidarthritis *Path.*
Cryptocleidus *Pal.*
Eurycleidus *Herp.*
kleidograph *Arts*
Leptocleidus *Herp.*
Microcleidus *Pal.*
monocleid(e *Arts*
ophicleid(e(an -ist *Music*
ophicleidean *Math.*
Picrocleidus *Pal.*
sternocleidal *Anat.*
Stypotriclida *Ent.*
Tricleidus *Pal.*

κλειδίον Dim. of κλείς
epicl(e)idium *Ornith.*
-ial -ian
hypocl(e)idium *Ornith.*
-ian

κλειδο- Comb. of κλείς
cl(e)ido-
costal *Anat.*
cranial(iasis
hyoid *Anat.*
mancy
mastoid *Anat.*
occipital
sternal
toma *Ent.*
tomy *Surg.*
Cleidomys *Mam.*
Clido-
phorus *Pal.*
plastra *Herp.*
stern(a(l *Herp.*
rrhexis *Obstet.*
craniocleidodysostosis
kleidograph *Arts*
sternocleidomastoid(eus

κλειδόειν to lock up
clidonotus *Ent.*

κλείειν to close
acleitocardia *Path.*
Cleiocrinidae *Pal.*
Onoclea *Bot.*

κλειθρίδιον a chink
cl(e)ithridiate *Morph.*
clithridium *Bact.*

κλεῖθρον door, bolt
ac(h)lythrophytum *Bot.*
cl(e)ithral *Anc. Arch.*
cl(e)ithrophobia
Cleithrum *Pal.*
cl(e)ithrum *Morph.*

κλεινός famous
-claenus *Pal.*
Mixo Paroxy

κλείς a bolt, key, or hook
-cleis *Crust.*
Pelte Perei Persi Pleo
cleisagra *Med.*
Hydrocleys *Bot.*
Monoclea -eaceae *Bot.*
Polycleis *Ent.*
Pteraclis -eidae *Ich.*
Pterocles *Ornith.*
-etes -id(ae -oid
Pteroclomorphae -ic
Staurocleis *Ent.*
Ydrocleys *Bot.*

κλεῖσις closure
arthroc(*or* k)lisis *Med.*
blepharocl(e)isis *Path.*
cleisiophobia *Ps. Path.*
colpoclisis *Surg.*
corecl(e)isis *Surg.*
corenclisis *Surg.*
corocleisis *Surg.*
elytrocleisis *Gynec.*
clisia *Gynec.*
enterocleisis *Path.*
episioclisia *Surg.*
hystero(cysto)cleisis
neurosarcokleisis *Surg.*
otocleisis *Otol.*
ptylorocleisis *Path.*
rhinocleisis *Path.*
splenocleisis *Med.*

κλειστός "shut, closed"
cleistanthery *Bot.*
Cleistenterata
cleisto-
carp *Bot.*
ae eae i ic ous
crinus *Echin.*
gamia *Helm.*
gamy *Bot.*
-ic(ally -ous
gen(e -ic -y *Bot.*
petaly *Bot.*
clestine *Bot.*
-cleistogamous *Bot.*
archi archo chasmo
-cleistogamy *Bot.*
archo chasmo hemi hydro oligo photo psychro thermo xero
clistantherous *Bot.*
Clistosaccus *Crust.*
clistothecium *Bot.*
hemicleistogamic *Bot.*
hemiclistogamous *Bot.*
hydroclistogamy *Bot.*
photoclistogamy -ic *Bot.*
physoclist(i(c -ous *Ich.*
pseudoclistogamy -ous

κλειτοριδ- Stem of next
clitorid-
auxe *Gynec.*
ean *Anat.*
ectomy *Surg.*
itis *Path.*
otomy *Surg.*

κλειτορίς (Poll.)
Clitoria *Bot.*
clitoris *Anat.*
clitorism *Gynec.*
clitoritis *Gynec.*
clitoromania *Ps. Path.*
clitorotomy *Surg.*
ischioclitorian *Anat.*

Κλειώ the muse *Clio*
Clio *Conch.*
-iid(ae -ioidea
Cliona *Spong.*
-id(ae -oid
Clione *Conch.*
-ea -es -id(ae -oid
Clionopsis -id(ae *Conch.*
Cliopteria *Pal.*

κλεμμύς a tortoise
Clemmys *Herp.*
-myid(ae -myoid
Mala(co)clemmys *Herp.*

Κλεοδώρα a Danaid
cleodora -idae

κλέος glory
Clianthus *Bot.*
Clubiona *Arach.*
-id(ae -oid(ae

κλέπτειν to steal
clepsammia

κλέπτης a thief
biblioklept
Cleptes *Ent.*
kleptistic
Microcleptes *Ent.*
philocleptic
siderοclepte
Xylocleptes *Ent.*

κλεπτικός thievish
cleptic
Clepticus -inae *Ich.*
kleptic
mycokleptic *Bot.*

κλεπτο- Comb. of κλέπτης
bibliocleptomaniac
bibliokleptomania
klepto-
biosis *Biol.*
cracy
mania -iac(al -ist
phobia *Path.*
scope

κλέφτης mod. of κλέπτης
klepht(ic ism *Gr. Pol.*

κλεψία theft
biblioclepsis
Clepsine *Helm.*
-ae -ea -id(ae -oid
Paraclepsis *Helm.*
uroclepsia *Med.*

κλεψύδρα (Empedocles)
clepsydra *Mech.*
clepsydroid *Bot.*
Clepsydrops *Herp. Pal.*
-opid(ae -opoid
preclepsydroid *Bot.*

κληδωνισμός observance of omens
cledonism *Philol.*

κλήθρα the alder
Clathraceae -aceous
Clathraria(n *Pal. Bot.*
clathrate
Clathrina -idae *Spong.*
clathroid -ose *Bot. Zool.*
clathro-
baculus *Pal.*
cystis *Algae*
dictyon *Corals*
phore *Bot.*
sphaerid(a *Protozoa*
stoma *Protozoa*
clathrulate *Zool.*
Clathrulina *Prot.*
Chathrus *Bot. Conch.*
Clethra *Bot.*
-aceae -aceous
Clethraecarpum *Pal.*

κλῆμα = κλάδος
Arthroclema *Prot.*
clema *Bot.*
-clema *Bot.*
hetero lepto macro micro ortho pachy
Leioclemina *Pal.*

κληματίς (Diosc.)
clematin(e *Org. Chem.*
Clematis *Bot.*

κληματῖτις (Diosc.)
clematite *Bot.*

κληρικός (Cyprian)
anticlergy
anticlerical
clerg-
ess iable ial(ly ical ion ise
clergy
-able -man -woman
cleric
ate ature ism ity
clerical
ism ist ity ize ly ty
clerk
age dom ery hood ish less liness ling ly ship
declericalize
unclergiable
unclerical(ly
unclerklike

κληρονομία inheritance
cleronomy

κληρονόμος inheritor
Cleronomus *Ent.*

κλῆρος lot; clergy
Clerodendron *Bot.*
cleromancy *Augury*
Clerus -idae *Ent.*
misoclere *Eccl.*
nauclerus *Ich. Ornith.*

κληρουχία an allotment
cleruchy *Gr. Ant.*

κληρουχικός
cleruchic *Gr. Ant.*

κληοῦχος an allottee
cleruch(ial *Gr. Ant.*

κληρωτός chosen by lot
Clerota *Ent.*

κλῆσις a shutting up
cataclesium *Bot.*
di(*or* y)clesium *Bot.*

κλητικός invocatory
cletic

κλητός summoned
Leptocletodes *Crust.*

κλίμα(-ατος) slope, zone
anaclimatic *Geol.*
anthropoclimatology -ist
bioclimatology *Ecol.*
climatarchic

climate
-al -ic(ity -ical(ly -ion -ize -ure
Climatius *Ich.*
climato-
genetic *Geol.*
graph
graphy -ical
logy
-ic -ical(ly -ist
meter
metric
therapeutics *Ther.*
therapy *Ther.*
clime
declimatize
kataclimatic *Geol.*
pal(a)eoclimatic
pal(a)eoclimatology
zooclimatology
κλιμακο- Comb. of κλῖμαξ
climaco-
graptus *Pal.*
neura -idae *Pal.*
rhizae -al *Bot.*
κλιμακτήρ (Varro)
climacter(y -ian
κλιμακτηρικός (Ptolemy)
climacteric -(al(ly
climacteric(al(ly
κλῖμαξ (Demosthenes)
anticlimax *Rhet.*
cli- *Bot.*
stase strate
climactic(al(ly
climactichnite *Pal.*
climax *Arch. Logic Rhet.*
hyperclimax
postclisere *Bot.*
subclimax
κλιν- Stem. of κλίνειν to incline, slope. See κλίνη
Acanthoclinus *Ich.*
-id(ae -oid
anticlinal *Anat. Bot.*
anticlinanthous *Bot.*
aniclinic(al *Geol.*
anticlinorium *Geol.*
Cladoclinus *Pal.*
clin-
andrium *Bot.*
ant *Math.*
anthium *Bot.*
ic *Min.*
oid *Anat.*
ure *Math.*
us id(ae oid *Ich.*
-clinal *Geol.*
a ana anti centro cyclo dia endo exo geanti iso mono plagio
-cline *Bot.*
gono hetero meso xero
-cline *Geol.*
anti endo exo geanti iso mono rheo
-clinic *Bot.*
gonio homo matro meta mono patro pseudomono
-clinium *Bot.*
acro andro antho cono
-clinous *Bot.*
amphi di hetero homo matro mono patro
-cliny *Bot.*
di matro meta mono patro photo
diclinism -ery *Bot.*
ectoclinal *Bot.*
goneoclinic *Biol.*
isoclinic *Geol.*
isomicrocline *Min.*
Leptoclinus *Ich.*

meneclinoid *Math.*
matroclinous -y *Biol.*
metakling *Phys. Chem.*
microclin(e *Min.*
monoclinian *Bot.*
monoclin- *Geol.*
ally ate ism ous
monoclinic *Crystal.*
natromicrocline *Min.*
natronmikroklin *Min.*
patroclinous -y *Biol.*
Proclinus *Ich.*
prosocline
psychrokliny *Bot.*
tautoclin *Min.*
thermocline *Physiog.*
triclinic -ate *Crystal.*
uniclinal *Crystal.*
κλίνη bed
kline *Gr. Furn.*
κλινίδιον Dim. of κλίνη
clinidium *Bot.*
Clinidium *Ent.*
κλινικός (Anth. P.)
astyclinic *Med.*
clinic *Med.*
-al(ly -ian -ist
clin(ic)opathological
clinique *Med.*
poly(*or* i)clinic *Med.*
κλινο- Comb. of κλίνη, used chiefly in the sense of κλίνειν
aeroclinoscope *Phys.*
anaclinotropism *Bot.*
anemoclinograph *Meteor.*
calcclino- *Min.*
bronzite enstatite hypersthene
clino-
amphibole *Min.*
anemometer *Meteor.*
augite *Min.*
axis *Crystal.*
bronzite *Min.*
cephaly *Craniol.*
-ic -ism -ous -us
chaeta *Ent.*
chlore *Min.*
clase -ite *Min.*
coris *Ent.*
crocite *Min.*
dactyly *Anat.*
diagonal *Min.*
dome -atic *Cryst.*
enstatic -ite *Min.*
enstenite *Min.*
graph
graphic *Crystal.*
graphy *Med.*
hedral -ite *Min.*
humite *Min.*
hypersthene *Min.*
logy -ic *Biol. Med.*
meter *Aviation Geol. Mech. Ophth.*
metric
metry *Geol.*
morphy -ous *Bot.*
phaeite *Min.*
pinacoid(al *Crystal.*
pistha *Conch.*
podium *Bot.*
prism *Crystal.*
ptilolite *Min.*
pycnidium *Bot.*
pyramid *Crystal.*
pyroxene
rhombic *Crystal.*
rhomboid(al *Crystal.*
scope *Optom.*
sporangium *Lichens*
stat *Plant Physiol.*
static -ism *Med.*
tropic -ism *Bot.*
zoisite *Min.*

-clinohumite *Min.*
hydro titanhydro
declino-
graph meter
isoclinostat *Mech.*
kataklinotropism *Bot.*
klino-
augit(e *Min.*
cephalic -ism -ous -y
geotropism *Bot.*
morphy *Bot.*
pyroxene *Min.*
rrhombic *Bot.*
stat
monoclinohedral -ic
oxyklinocephalic
triclinohedric *Crystal.*
κλιντήριον a small couch
Clinteria *Ent.*
κλίσιον a hut or shed
clisio-
campa *Ent.*
phyllum -id
spira *Conch. Pal.*
κλίσις (-εως)
c(*or* k)liseometer
pelvicliseometer
-κλισις as in ἔγκλισις
proclisis *Gram.*
κλισμός a couch
klismos *Gr. Furn.*
-κλιτικός as in ἐγκλιτικός
proclitic *Gram.*
κλίτος = κλιτύς a slope
Clitambonites *Conch.*
clition *Craniom.*
Clitobius *Ent.*
clitochlore *Phytogeog.*
clitocybe *Mycol.*
cryptoclite *Gram.*
κλοιός a collar
cloechoanite(s -ic *Pal.*
κλοιώτης collar-clad
Cloeotus *Ent.*
κλόνιον = ἴσχιον (Hesych.)
Cloniocerus *Ent.*
κλονο- Comb. of κλόνος
clono-
graph *Med. App.*
spasm *Med.*
κλόνος turmoil
-clonia *Path.*
myo poly
-clonic *Path.*
myo neuro syn ton(ic)o
clonicotonic *Med.*
clonus *Path.*
-ic(ity -ism
-clonus *Path.*
blepharo foot myo paramyo phonomyo polymyo syn
κλοπή theft
klopemania
κλύδων a billow, surf
Clydonautilus
Clydonites *Conch.*
-id(ae -oid
Hypoclydoma *Ich.*
κλύζειν to wash over
clu(*or* y)sium *Ecol.*
clysmic
Κλυμένη a nymph
Clymene *Myth.*
clymene *Pharm.* (*T.N.*)
Clymenia *Conch. Pal.*
-iidae -oid(ea
-clymenia *Pal.*
Costa Cyma Gonio Kallo Oxy Platy Protacto Schizo Spheno
klumene *Chem.*

κλύσις (Hipp.)
clysis *Med.*
coloclysis *Med.*
-clysis *Med.*
entero hypoderm(at)o pleuro procto vesico
κλύσμα the sea-beach
clysmian *Geol.*
κλυσμός (Hippiatr.)
enteroclysm *Mat. Med.*
lithoclysmia -y *Surg.*
κλυστήρ a syringe
clyster *Med.*
coloclyster *Med.*
metroclyst *Med. App.*
κλυστήριον Dim. of κλυστήρ
clysterium *Med.*
κλυτόδενδρος
clytodendrous
Κλωθώ Spinster
Clotho *Arach. Conch. Herp. Myth. Ornith.*
κλών a slip or twig
clon(e -al -ic *Hort.*
-clonal *Bot.*
intra mono poly
clone *Biol.*
clone -ome *Spong.*
Clonocrinidae
clonorchiasis *Path.*
clonorchiosis *Path.*
Clonorchis *Helm.*
clonotype *Bot.*
Diclonius *Pal.*
didymoclone *Spong.*
ennomoclon *Spong.*
Kyphoclonella *Pal.*
megaclon *Spong.*
polyclonus -y *Bot.*
rhabdoclon *Spong.*
tetra(leio)clone *Spong.*
tetramyrmeclone *Spong.*
κλωνίον Dim. of κλών
carpoclonium *Algae*
Genoclonius *Ent.*
Hyboclonius *Ent.*
Monoclonius *Pal.*
κλωστήρ a spindle
Closterocera *Ent.*
Closteromyia *Ent.*
Clostridium -ial *Bact.*
κνάειν to scrape, scratch
Cneoglossa *Ent.*
κνέωρον a nettle
Cneorum *Bot.*
-aceae -aceous
κνῆκος a thistle
cnicin *Org. Chem.*
Cnicus *Bot.*
κνηκός tawny
Cnecosa *Ent.*
κνήμαργος white-legged
Cnemargus *Ent.*
κνήμη the lower leg
anisocnemic *Zool.*
brachycnemic *Anthrop.*
bucnemia *Path.*
-cnema *Ent.*
Atopo Mecometa Oede Pachy Phasgano Steno Tany
-cnemia *Anthrop.*
eu micro (sub)platy
-cnemia *Ent.*
Haplo Hoplo Stenogymno
cnemapophysis *Anat.*
cnemial *Anat.*
-cnemial *Anat.*
ecto ento gastro pro
Cnemiornis *Ornith.*
-ithid(ae -ithoid

cnemitis *Path.*
-cnemus *Ent.*
Dicrano Iso Ortho Piezo Toreto Tri Tricho
dolichoc(*or* k)nemic
ectogastrocnemius *Anat.*
entogastrocnemius *Anat.*
epic(*or* k)nemal *Zool.*
Eucnemesaurus *Herp.*
gastrocnemius -ian *Anat.*
isocnemic *Coel.*
Macrocnemia -um *Bot.*
macrocnemic *Anat.*
metacneme -ic *Zool.*
microcnemic *Anthrop.*
Octacnemus *Ascid.*
-id(ae -oid
Oedicnemus *Ornith.*
-id(ae -inae -ine -oid
paracnemis -idion *Anat.*
platycnemia *Anat.*
-ic -ism -y
Platycnemia -ium *Zool.*
proctocneme -ic *Zool.*
protocneme *Zooph.*
κνημιδ- Stem of κνημίς
Cnemidactis -inidae *Pal.*
κνημιδο- Comb. of κνημίς
cnemido- *Zool.*
lestes spora thrix
κνημιδοφόρος wearing greaves
Cnemidophorus *Ent.*
κνημιδωτός with greaves on
Cnemidotus *Ent.*
κνημίς greave, legging
cnemis *Anat. Zool.*
-cnemis *Ent.*
Aeschro Ancylo Argyro Dromae Erio Hetero Lomo Psilo Tachy
Epicnemis *Arach.*
Eriocnemis *Ornith.*
Podocnemis *Herp.*
-id(ae -oid
κνημο- Comb. of κνήμη
cnemoscoliosis *Med.*
κνημοπαχής thick as a leg
Cnemopachus *Ent.*
κνημώδης well-legged
Pseudocnemodus *Ent.*
κνῆσις an itching
odontocnesis *Dent.*
κνηστήρ scraping knife
Cnesterodon(tini *Ich.*
κνῆστις cheese-scraper
knestis *Gr. Impl.*
κνῆστρον = κνῆστις
Cnestrostoma *Ich.*
Knestrometopon *Ornith.*
κνίδη a nettle
cnida -aria(n *Zooph.*
eucnide *Bot.*
Limnocnida -id(ae *Zool.*
Κνίδιος of Cnidus
Cnidian *Geog.*
(Κόκκος Κνίδιος)
coccogn(id)ic *Mat. Med.*
coccognin *Mat. Med.*
κνιδο- Comb. of κνίδη
cnido-
blast *Zooph.*
cell *Zooph.*
cil(ium *Zooph.*
cyst *Zool.*
genous *Zool.*
phore -ous *Zooph.*
sac *Zooph.*
sphere *Zooph.*
κνίδωσις itching (Hipp.)
cnidosis *Path.*
κνισμός itching
knismogenic *Path.*

κνίψ a small aphis
Cynips *Ent.*
-id(ae -idean -id(e)ous -oid(ea
κνώδαλον dangerous beast
Cnodalon *Ent.*
κοάξ the croak of frogs
coaxation
κόβαλος rogue; pl., goblins
goblin
dom ic ish ism ize ry
?kobold *Mysh.*
κογχαριον Dim. of κόγχη
Concharium -iidae *Zool.*
κόγχη a mussel or cockle
cameoconch
cardioconch(ae *Zool.*
chamaeconch *Craniom.*
ic ous y
Chlamydoconcha *Conch.*
-id(ae -oid
conch
ed iform
conch- *Conch.*
acea(n idae ifer(a iferous ite
concha *Anat.* (also *Arch. Archaeol.* etc.)
-al -ate -itis
Conchidium *Pal.*
conchifragous *Zool.*
conchiolin *Chem.*
conchite -ic *Petrog.*
Conchoecia *Crust.*
-iadae -iid(ae -ioid
Conchostraca(n *Crust.*
conchula *Conch.*
dissoconch *Biol.*
Echinoconchus *Brachiop.*
Entocha(n *Conch.*
Entoconcha *Conch.*
-an -id(ae -oid
Entomoconchus -idae
Gonioconcha *Malac.*
hypsiconchy -ic -ous
Lecythoconcha *Malac.*
mesoconch *Craniom.*
ic -ous -y
Mytiliconcha *Pal.*
palaeoconch(a(e *Mol.*
periconch(al *Zool.*
periconchal *Anat.*
periconchitis *Path.*
Phaeoconchia(n *Prot.*
pleuroconch(a(e *Zool.*
prodissoconch *Zool.*
protoconch(ol *Biol.*
protoconchial *Zool.*
pseudoconcha *Ornith.*
Solen(o)conchae *Conch.*
solenoconch(a -ia *Conch.*
subconchoidal *Conch.*
κογχο- Comb. of κόγχη
concho-
cera *Ent.*
chelys *Pal.*
derma *Crust.*
lepas *Conch.*
logy *Zool.*
-ical(ly -ist -ize
meter *Conch.*
metry *Conch.*
phora *Conch.*
phyla(n -ous *Crust.*
rhynchus *Conch. Geol.*
scope *Med. App.*
spiral *Conch.*
tome *Surg. App.*
ethnoconchology
κογχοειδής (Strabo)
conchoid(al(ly *Math.*
conchoidograph *Arch.*
pseudoconchoid *Bot.*
κογχύλιον a small κόγχη
cockle -ed -er
Conchylidae *Ent.*
conchyli- *Conch.*
aceous ated ferous ous um
conchylio- *Conch.*
logy -ist
metry
morphus -ite
κόθορνος a buskin
cothurn(us *Cl. Ant.*
al ate(d ed ian ic
Cothurnia *Infusoria*
Cothurnocystis -idae
κοιλ- Stem of κοιλία, κοῖλον, κοῖλος. Analogous terms from this stem are inconsistently referred to the various words. Those in Anatomy are usually from κοιλία; those in Embryology and Zoology, usually from κοῖλος.
Alloiocoela *Helm.*
Ambocoelia *Pal.*
Aplocoela *Helm.*
archicoele *Zool.*
astroc(o)ele *Cytol.*
Bathycoelia *Pal.*
blastocoele -ic *Embryol.*
blastocoelia *Bot.*
brachiocoele *Brach.*
Caenocoelius *Ent.*
celectasia *Med.*
celitis *Med.*
c(o)eliac *Anat.*
Cryptococlia *Zool.*
cyclocoelic *or* -ous *Anat.*
cyrtocoelean *Comp. Anat.*
dendrocoel(e *Helm.*
-a(n -ida -ous -um
diac(o)ele -ia *Anat.*
Dicaelus *Ent.*
dic(o)elous *Dent.*
dicroc(o)eliasis *Path.*
Dicrocoelium *Helm.*
ectocelic *Zooph.*
ectocoelian *Anat.*
encephalocoele *Anat.*
endoceliac *Anat.*
endocoele- ium -ar
enterocoele -a -ic *Anat.*
entocoele -ian -ic *Zool.*
Eocoelopoma *Pal.*
Epicoela -ous *Zool.*
epic(o)ele *Anat.*
epicoelia *Anat.*
-ar -iac -ian
Eucoela *Ent.*
exocoele -ic
fissicoele *Embryol.*
gastrocoele *Embryol.*
Gastrocoelus *Ent.*
genitocoele *Zool.*
gonocoele *Biol.*
h(a)ematoc(o)elia *Path.*
h(a)emocoele -ic *Biol.*
Haplocoela *Helm.*
Heterocoela *Spong.*
Homocoela *Spong.*
hydrocoele *Embryol.*
hydrocoelia *Path.*
intrac(o)elial *Anat.*
Ipocoelius *Ent.*
koilonychia *Anat.*
Leptocoelia *Pal.*
mesoc(o)ele *Anat.*
mesocoelia(n *Anat.*
metac(o)ele *Anat.*
metacoelia(n -osis *Anat.*
metepicoela -e *Anat.*
Monocoelia(n *Zool.*
monocoelic *Zool.*
myelocoele *Anat.*
myocelitis *Path.*
myocoel(e *Embryol.*
neurocele *Anat.*
-a -ian
Odoicoileus *Mam.*
Opisthocoelia(n *Herp.*
opisthocoelian
optocoele -ia *Anat. Zool.*
Orthocoela *Helm.*
orthocoely -ic -ous *Ornith*
parac(o)ele -ian *Anat.*
parepic(o)ele *Anat.*
Phaenocoelia(n
Phenacocoelus *Pal.*
Phenocoelia *Zool.*
phialocelian *Bot.*
phialocoele *Bot.*
physocoelia *Path.*
Plagiocoelus *Ornith.*
platyc(o)elous *Med.*
Platycoelia(n -idae *Ent.*
pleurocoele *Anat.*
Polycoelia(n *Zool.*
procoelia(n *Anat. Herp.*
prosoc(o)ele -ia *Anat.*
pseudocoele -ian -ic
pyoc(o)elia *Med.*
rhabdocoel(e
-ian -(id)a(n *Helm.*
rhinoc(o)ele -ia(n -ic
rhombocoele -ia(n -ic
Rhynchocoela *Helm.*
-an -e -ic -um
Scaphicoelia *Ent.*
schistocoele -a -ic *Zool.*
schistoc(o)elia -us *Terat.*
splanchnocoele *Med.*
Sternocoelopsis *Ent.*
Stomatocoelus *Ent.*
syringoc(o)ele *Anat.*
syringocoelia *Anat.*
thalmoc(o)ele *Anat.*
κοιλι- Comb. of κοιλία
celiectomy *Surg.*
coeliadelphus *Terat.*
coeliagra *Path.*
c(o)elialgia *Path.*
coeliodynia *Path.*
myocelialgia *Path.*
κοιλία abdomen. See κοιλ-
c(o)elia(n *Anat.*
κοιλιο- Comb. of κοιλία
celio-
centesis *Med.*
colpotomy *Surg.*
elytrotomy *Surg.*
enterotomy *Surg.*
gastrotomy *Surg.*
hyster- *Surg.*
ectomy ootherectomy otomy
myalgia *Path.*
myomectomy *Surg.*
myomotomy *Surg.*
myositis *Path.*
paracentesis *Surg.*
rrhaphy *Surg.*
salpingectomy *Surg.*
salpingoothecectomy
salpingotomy *Surg.*
scope *Med. App.*
coelio-
myalgia *Path.*
rrh(o)ea *Path.*
scope *Surg.*
spasm *Path.*
tomy *Surg.*
colpoceliotomy *Surg.*
orchidocelioplasty *Surg.*
κοιλο- Comb. of κοῖλος
celo-
schisis scope scopy thel zoic
coelo-
blast *Embryol.*
-ic -ula -ule
blasteae *Algae*
ceras *Pal.*
chilina *Pal.*
coccus *Bot.*
cormus *Ascid.*
-id(ae -oid
craera *Ent.*
cyrtean *Anat.*
dendron *Radiol.*
gaster *Ent.*
gastrula -ule *Biol.*
genys *Mam.*
gorgia -id(ae *Ent.*
gyne *Bot.*
lepis *Ich.*
-(id)id(ae -(id)oid
mesoblast *Embryol.*
meter
navigation
nema *Bot.*
neura(l *Anat.*
phlebitis *Path.*
plana *Zool.*
planula *Embryol.*
platyan *Anat.*
pleurum *Ent.*
pneumata *Zool.*
pnoa *Zool.*
pora *Pal.*
ptychium *Zool.*
schisis *Med.*
scope -y *Med.*
sperm(ae -ous *Bot.*
sphaeroma *Pal.*
stat *Mech.*
stylina -idae *Pal.*
suchus *Pal.*
teuthis *Pal.*
thel *Embryol.*
zoic *Biol.*
koilo-
kiosaurus *Pal.*
pleura *Malac. Pal.*
rachic *Anat.*
Mesocoelopus *Ent.*
Platycoelostoma *Ent.*
thoracoceloschisis *Med.*
κοῖλον a hollow. See κοιλ- koilon *Arch.*
κοῖλος hollow. See κοιλ-
coel-
acanth(i *Ich.*
id(ae ine ini oid(ae oidei ous us
anaglyphic *Art*
arium *Zool.*
elminth(a -es -ic *Helm.*
entera(ta -ate -e
enteron -ic *Embryol.*
odont ops *Zool.*
urosauria *Pal.*
urus *Herp.*
-ia(n -id(ae -oid
Coelus *Ent.*
-κοιλος as in ἄκοιλος, ἀμφίκοιλος
-coelous *Zool.*
alloio antiperi dendro entero hetero homo iso(peri) opistho peri-(ortho) platy pro rhabdo rhyncho schizo
coelum *Anat.*
κοιλοστομία (Quintilian)
celostomy
κοιλώδης cavernous
Coelodes *Ent.*
κοίλωμα a cavity
acoelom(at)ous *Spong.*
Acoelomi *Helm.*
atriocoelomic *Anat.*
blastocoeloma *Embryol.*
cardiocoelom(ic
celomic *Physiol.*
coelom(a *Zool.*
ata ate atic atous e i ous
-coelomata *Spong.*
A Dendro Proto Syringo Trocho Zeucto
-coelomate *Spong.*
a proto trocho
-coelomatic *Spong.*
dendro syringo
-coelomic *Spong.*
dendro proto zeucto
coelomo-
coela *Zool.*
daeum *Zool.*
pore *Zool.*
stome *Zool.*
epicoelom(a *Embryol.*
exocoelom *Embryol.*
a um arium
h(a)emocoelom(a
hemacoelom *Embryol.*
hemic(o)elom *Embryol.*
hypoc(o)elom *Embryol.*
intracoelomic
mesocoelom *Embryol.*
metacoelom(a -e
myocoelom(e -ic *Physiol.*
protocoelom(a *Zooph.*
pseudocoelom(e *Zool.*
rhynchocoelom(ic *Helm.*
syncelom *Anat.*
zeuctocoelomatous *Zool.*
κοιλωσις the belly
Coelosis *Ent.*
diacoelosis *Zool.*
κοίμησις settling to sleep
dyskoimesis *Med.*
κοιμητήριον (Origen)
cemetery -ial
κοινο- Comb. of κοινός
biocoenology -ic *Bot.*
ceno-
cyte -ic *Bot.*
genetic *Bot.*
gonous *Biol.*
coeno-
blast(ic *Anat.*
carpium *Bot.*
centrum *Mycol.*
cladia *Bot.*
cyte -ic *Mycol.*
dioecism *Bot.*
gamete *Bot. Genetics*
gonium -iaceae *Lichens*
graptus *Zooph. Pal.*
morphae *Ornith.*
mylodes *Ent.*
pithecus *Zool.*
plase *Pal.*
podus *Bot.*
psyche
pterid *Pal. Bot.*
sarc(al -ous *Zooph.*
site *Zool.*
some *Zool.*
species *Bot.*
sphaera
sphere *Fungi*
thecalia *Zool.*
thrips *Ent.*
type -ic *Morph.*
Koinocystis *Helm.*
zoocoenocyte *Bot.*
κοινοβιάρχης (Byz.)
coenobiarch *Eccl.*
κοινόβιον a convent
cenobium *Eccl.*
-ian -iar -y
coenobiar *Bot. Eccl.*
coenobioid
Coenobita *Crust.*
-id(ae -oid

coenobium *Bot. Eccl. Zool.*
c(o)enobium *Biol.*
κοινόβιος living in communion with others
cenobian
cenobite *Eccl.*
-ic(al(ly -ism
Coenobius *Ent.*
κοινογαμία promiscuity
coenogamy -ous
κοινός shared in common
bioc(o)enosis *Biol.*
cen-
adelphus *Terat.*
encephalocele *Terat.*
eostrate *Bot.*
esthesia *Psych.*
esthopathia *Ps. Path.*
-cenesthesia *Ps. Path.*
a hyper hypo para
coen-
(a)esthesis -ia *Psych.*
anthium *Bot.*
enchym(a *Zool.*
al atous e
esthopathia *Ps. Path.*
oecium *Zool.*
-ial -ic
osteum -eal -eon *Ich.*
ure -us *Vet.*
-coenose *Bot.*
coenosium *Bot.*
-coenosium *Bot.*
bio iso phyto
eury steno
gyn(a)ecocoenic
Heterocoenites *Pal.*
Holcocoenia *Pal.*
paracoenesthesia
κοινωνικόν a communion hymn
koinonikon *Gr. Ch.*
κοινωνικός social
Coenonica *Ent.*
κοίξ (Theophr.)
coix *Plants*
κοίτη marriage bed
ammoc(o)ete(s *Ich.*
-id(ae -iform -oid
Rhinocoeta *Ent.*
κοῖτος a bed
Hylecoetus *Ent.*
Parexocoetus *Ich.*
κοιτών bed chamber
coetonium *Bot.*
κόκκινος scarlet
coccin- *Chem.*
ean eous ic in(e ite one
Coccinella *Ent.*
-id(ae -oid
κοκκίς (-ίδος) Dim. of κόκκος
coccidin(e *Chem.*
Coccidiomorpha *Bot.*
coccidium *Bot.*
-ial -ioid(al
Coccidium *Prot.*
-iidea(n -ioid (es -osis
coccidology *Ent.*
hemococcidium *Bot.*
myxococcidium *Prot.*
κοκκο- Comb. of κόκκος
cocco-
bacillus *Bact.*
bacteria -ium *Bact.*
chromatic *Bot.*
crinidae *Pal.*
discus *Protozoa*
genous *Med.*
gnin -(id)ic *Chem.*
gone *Algology*
-ales -eae -ium
lite *Min.*

cocco- Cont'd
lith *Algae*
lobis *or* -a *Bot.*
melasma *Path.*
nema *Protozoa*
sphere *Algae*
thraustes *Ornith.*
-inae -ine
gonococcocide *Med.*
micrococcologist
staphylococcomycosis
streptococcolysin *Med.*
κοκκο-βόας ὄρνις
? cock, *etc.*
κόκκος a grain or seed
azococcin(e
azocochineal
Chiococca *Bot.*
Chlorococcum *Algae*
-aceae-ine
Chroococaceae -eous *Bot.*
cocarde *Ent.*
cocc-
aceae -eous *Bot.*
aster *Pal.*
elic *Chem.*
eric -in -yl *Chem.*
ode *Physiol.*
odes *Bot.*
oid *Bact.*
ous *Bot.*
ule -iferous -us *Bot.*
ulin *Chem.*
ulina *Conch.*
-id(ae -oid
-coccal
antistrepto diplo gono micro pneumo pyo staphylo strepto
cocci-
ferous form genic gerous
-coccic
antipneumo antistaphylo antistrepto diplo gono mono pneumo pyo staphylo strepto
coccin *Dyes*
-coccin *Mat. Med.*
antistrepto gono rufi
-coccoid *Bact. Bot.*
chloro chroo cysto diplo endo gono pleuro proto tetra
-coccous *Bot.*
di penta poly tri
-coccus *Bact.*
Asco Auro Crypto Derm(at)o Diplo Diplostrepto Entero Epilepto Erysipelo Galacto Glia Glio Gono Haplo Indo Kapsel Lympho Macro Melito Meningo Meso Micro Mono Moro Multi Nitroso Orchio Parameningo Pedio Petalo Plano Pneumo Pseudogono Pseudopneumo Pyo Rhodo Staphylo Strepto Syno Tetra
-coccus *Bot.*
Chroo Coelo Cysto Haemato Hexa Mallo Meli Oxy Ptero Sphaero
-coccus *Embryol.*
cyto cytulo ovo spermo
coccus *Bact. Bot.*
Coccus *Ent.*
-(id)id(ae -(id)oid
cochenillic -in *Org. Chem.*
cochineal

coclaurin(e *Org. Chem.*
cryptococcosis *Path.*
diplococc(a)emia *Path.*
echino-
coccifer *Med.*
coccosis *Path.*
coccotomy *Surg.*
coccus *Helm.*
Elaeococca *Bot.*
gonococcemia *Path.*
gonococcide *Med.*
megacocci *Biol.*
Melicocca -eae *Bot.*
melitococcosis *Path.*
meningo-
coccemia *Path.*
coccidal *Med.*
pericoccium *Bot.*
pleurococcaceous *Bot.*
pneumococcemia *Path.*
pneumococcous *Bact.*
Protococcus *Algae*
-aceae aceous -al(es -idae -oideae
Sclerococcus *Ent.*
Sphaerococcaceae *Algae*
staphylo(strepto)coccia
streptococc(a)emia *Path.*
Streptococceae -ous *Bact.*
streptococcicosis *Path.*
streptocolysin *Mat. Med.*
tricoccose *Bot.*
Xenococcus *Ent.*
κοκκυγ- Stem of κόκκυξ
coccyg-
algia *Path.*
ectomy *Surg.*
odynia *Path.*
-coccygeal *Anat.*
arterio femoro ilio inter ischio pre pubo recto sacro
coccygeopubic *Anthrop.*
Coccyges *Ornith.*
coccygeus *Anat.*
-eal -ian
-coccygeus *Anat.*
femoro ilio ischio pubo sacro
coccygomorph(ae ic
Coccyg(*or* z)us *Ornith.*
-inae -ine
iliococcygian *Anat.*
intercoccygean *Anat.*
κόκκυξ a cuckoo; (Galen)
Coccus *Ornith.*
Coccystes *Ornith.*
-coccyx *Ornith.*
Adeto Geo Noto
proctococcopexy *Surg.*
rectococcypexy *Surg.*
sacrococcyx *Anat.*
κολακο- Comb. of κόλαξ a flatterer
colacobiosis -ic *Ent.*
κολάπτειν to peck
Colaptes -inae *Ornith.*
Dendrocolaptes *Ornith.*
-ae -id(ae -inae -ine -oid
Xiphocolaptes *Ornith.*
κόλασις chastisement
hypokolasia *Med.*
κολαστής a chastiser
Colastes *Ent.*
κολαφίζειν to buffet
colaphize *Obs.*
κόλαφος a buffet
cope
cope(s)mate
coppice -ing
copse
-ed -wood -y
coup
coupé
coupee *Dance*

coupe-gorge *Mil.*
coupon
coupstick
coupure *Fort.*
κολεο- Comb. of κολεός
coleo-
cele *Med.*
cystitis *Path.*
gen *Bot.*
phil(e *Bot.*
phyl(l *Bot.*
ous um y
pod *Zool.*
podium *Bot.*
ptile -um *Bot.*
rhamphi -us *Ornith.*
rhiza(l -atus *Bot.*
spastia *Med.*
sporium *Mycol.*
stoma *Ent.*
tomy *Surg.*
κολεόπτερος sheath-winged (Arist.)
coleopter(a *Ent.*
al an in ist oid on us
coleopterology -ical
Microcoleoptera *Ent.*
necrocoleopterophilus
κολεός a sheath
colein(e *Chem.*
Coleonyx *Herp.*
coleosule -a *Bot.*
Coleus *Bot.*
cullion
endosiphocoleon
koleochyma *Bot.*
Lepidocoleus *Pal.*
Melanocoleus *Ent.*
Oxycoleus *Ent.*.
κολιός a woodpecker
coly *or* -ie *Ornith.*
Coliomorphae -ic *Ornith.*
Lamprocolius *Ornith.*
Psarocolius *Ornith.*
κόλλα glue (Herodotus)
clearcole *Sizing*
-coll *Chem. Mat. Med.*
bromo forma glyco iodo kairo ortho pheno pyro tanno thio
-colla *Bot.*
blasto pros
coll-
(a)emia *Path.*
argol *Chem.*
embole *Ent.*
-a(n -ic -ous
emplastrum *Pharm.*
enchyma *Bot.*
-atic -atous -e
encyte -al *Bot.*
ida *Zool.*
idin(e -ium *Org. Chem.*
idone *Org. Chem.*
in(ic *Zool.*
oma *Path.*
osin -ol *Mat. Med.*
collagen *Biochem.*
ase ic ous
colliform *Prop. Rem.*
copellidin(e *Chem.*
diglycollic *Chem.*
dihydrocollidin *Chem.*
hemicollin *Biochem.*
hydrocollidin(e *Chem.*
kollenchym *Bot.*
metacollenchyma *Bot.*
osteocolla
phyllocolly *Bot.*
phytocollite *Min.*
Thalassicolla *Prot.*
-id(ae -ida(n -oid
Thraustocolus *Ent.*
κολλαβισμός a kind of blind man's buff

Collabismus *Ent.*
κολλᾶν to glue
colleter *Bot.*
colleterium -ial *Ent.*
glossecolite *Min.*
κόλλημα something glued
Collema *Bot.*
-(at)aceae -(at)aceous
-ei -eine -oid
κόλλησις a gluing
pleurocollesis *Path.*
rhizocollesy *Bot.*
κολλητής a gluer
Colletes *Ent.*
κολλητός glued, joined
colleto-
cy(*or* i)stophore *Zooph.*
ptera *Ornith.*
trichose *Phytopath.*
trichum *Mycol.*
κολλητικός (Diosc.)
colletic
κολλο- Comb. of κόλλα
chromocollo-
graph(y ic *Photog.*
type *Photog.*
collo-
calia *Ornith.*
chromate *Print.*
gen(ic ous *Chem.*
gonidium *Bot.*
graph(y ic
nema *Tumors*
phanite *Min.*
phore *Ent.*
sphaera *Prot.*
-ia -idae
thiole *Prop. Rem.*
turine *Chem.*
type -ic -y *Photog.*
xylin -one *Chem.*
zoa(n *Prot.*
zoum -oidae
zoic *Geol.*
fluocollophanite *Min.*
photocollo-
graph(y ic *Photog.*
type *Photog.*
κόλλοψ orig., peg, screw
Collops *Ent.*
κολλυβιστής money-changer
collybist *Obs.*
κόλ(λ)υβα boiled wheat
collyba *Gr. Ch.*
-os -res
κόλλυβος a small coin
Collybia *Mycol.*
κολλύριον eye salve
collyrite *Min.*
collyrium *Med.*
Κολλυριδιανοί (Epiph.)
Collyridian *Eccl. Hist.*
κολλυρίς a roll or loaf
Collyris *Ent.*
κολλυρίτης a roll or loaf
Collyrites *Echin.*
-id(ae -oid
κολλυρίων (Arist.)
Collyrio *Ornith.*
κολλώδης glutinous
biocolloidal *Biochem.*
collochemistry *Chem.*
Collodaria(n *Prot.*
collodio- *Photog.*
chlorid(e
gelatin(e
type
colloid(ation *Chem.*
collodion *Chem. Med. Phot.*
collodionize -ation
colloid *Chem. Geol. Path.*
al(ity in ize

-colloid *Chem.*
allo anhydro bio electro eu hemi iso lipo lyo phyto pseudo saccharo semi thyro
Colloidea(n *Prot.*
colloido-
clasis -ia *Med.*
clastic *Phys. Chem.*
gen *Biochem.*
pexia *Surg.*
pexis *Physiol.*
scope *Phys. Chem.*
kolloxylene *Bot.*
paralodion *Chem.*
κολόβιον sleeveless tunic
colobium -ion *Eccl.*
κολοβο- Comb. of κολοβός
colobo-
crossa *Ent.*
thea *Ent.*
κολοβός curtailed
colobin *Mam.*
Colobodontidae -inae
Colobopsis *Ent.*
Colobus *Ent. Mam.*
Paracolobopsis *Ent.*
κολοβώδης stumpy
Colobodes *Ent.*
-colobodes *Ent.*
Eu Nanno
κολόβωμα mutilation
coloboma *Anat. Med. Surg.*
iridocoloboma *Ophth.*
pseudocoloboma
κολοκασία (Diosc.)
Alocasia *Bot.*
Colocasia *Bot.*
κολοκυνθίς (-ίδος) (Diosc.)
colocynth *Bot.*
colocynth- *Org. Chem.*
ein in(e itin
colocynthidism *Tox.*
Coloquintida *Bot.*
κόλον the colon
aerocolia *Med.*
col-
algia *Path.*
auxe *Med.*
ectomy *Surg.*
coli-
bacilluria *Med.*
colitis *Path.*
cystitis *Path.*
cystopyelitis *Path.*
lysin *Med.*
plication *Surg.*
protease *Biochem.*
puncture *Surg.*
pyelitis *Path.*
sepsis *Path.*
toxemia *Path.*
uria *Med.*
-colic *Anat.*
caeco epi gastro hepato ileo intra medio phren(ic)o pleuro spleno
-colitis *Path.*
endo entero eso exo gastro(entero) ileo muco para peri procto recto sero
colo-
centesis *Surg.*
clysis *Med.*
clyster *Med.*
colic *Anat.*
colostomy *Med.*
dyspepsia *Med.*
enteritis *Path.*
hepatopexy *Surg.*
lite *Geol.*

colo- Cont'd
pathy *Path.*
pexia *or* -y *Surg.*
proctitis *Path.*
proctostomy *Surg.*
rectitis *Path.*
recto(s)tomy *Surg.*
stomy *Surg.*
tomy *Surg.*
typhoid *Path.*
colon(ic *Anat.*
colon-
algia *Med.*
anthes *Ent.*
itis *Path.*
-colon *Anat.*
ecto macro mega micro pneumo pseudomega
colono-
meter *Med. App.*
pathy *Path.*
scope -y *Med.*
-colostomy *Surg.*
cholecysto cysto ecto entero gastro(entero) ileo jejuno laparo lumbo uretero
-colotomy *Surg.*
cholecysto gastro ileo ilio laparo lumbo
-coly *Med.*
ecta macro mega(lo)
ectacolia *Med.*
gastrocoloptosis *Path.*
hemicolectomy *Surg.*
ileocolonic *Anat.*
laparocolectomy *Surg.*
mesocoloplication *Surg.*
nephrocolo- *Med.*
pexy ptosis
pericolonitis *Path.*
phrenocolopexy *Surg.*
proctocolonoscopy *Med.*
κόλος docked
Chirocolus *Herp.*
colo-
branchia -iate
cephal(i -ous *Ich.*
mesus *Ich.*
pterus -idae *Ornith.*
stethus *Herp.*
-id(ae -oid
Colosteus *Herp.*
-eid(ae -eoid
-colus *Ent.*
Ptero Phryno Rhyn Steno
Rhinocola *Ent.*
κολοσσός (Herodotus)
colossal(ly -ity -ize
colossean *or* -ian -ic
Colosseum
colosso- Comb. in *Zool.*
-chelys -emys -lacis -pus
colossus(wise
κολούειν to dock, clip
Coluocera *Ent.*
κόλουρος dock-tailed
colure *Astron. Geog.*
κολουτία (Theophr.)
Colutea -eic *Bot.*
κολοφών finishing stroke
colophon(ian *Print.*
Procolophon(ia(n *Herp.*
Κολοφωνία (Galen) fr. Κολοφών a city in Ionia
coloph- *Org. Chem.*
an(e ene enic ilene
colophonite *Min.*
colophony *Resins*
-ate -ic -in -one
heptadecacolophenic

κολπο- Comb. of κόλπος
archocystocolposyrinx *Path.*
colpo-
cace *Path.*
cele *Path.*
celiotomy *Surg.*
clisis *Surg.*
cystitis *Path.*
cysto- *Med. & Surg.*
cele plasty syrinx tomy
desmorraphia *Surg.*
hyperplasia *Path.*
hyster(o)ectomy *Surg.*
hystero- *Med. & Surg.*
pexy rrhaphy tomy
mycosis *Path.*
myomectomy *Surg.*
myomotomy *Surg.*
myotomy *Surg.*
pathy *Path.*
perineo- *Surg.*
plasty rraphy
pexy *Surg.*
plasty -ic *Surg.*
polypus *Path.*
ptosis *Path.*
rectopexy *Surg.*
rrhagia *Path.*
rrhaphy *Path.*
rrhea *Path.*
rrhexis *Surg.*
scope *Med. App.*
spasm(us *Med.*
stenosis *Path.*
stenotomy *Surg.*
therm *Med. App.*
tomy *Surg.*
torna *Ent.*
uretero(cysto)tomy
xerosis *Path.*
laparocolpo-
hysterectomy *Surg.*
laparokolpotomy *Surg.*
metrocolpocele *Gynec.*
pyocolopocele *Gynec.*
κόλπος the bosom
ankylokolpos *Gynec.*
colp-
algia *Path.*
atresia *Med.*
ectasis *or* -ia *Med.*
enchyma *Bot.*
eurynsis *Surg.*
eurynter *Surg.*
ismus *Path.*
itis *Path.*
odynia *Path.*
-colpitis *Gynec.*
en endo myo para peri
colpos *Gr. Costume*
-colpos *Gynec.*
aero ankylo hydro lochio pyo
-colpotomy *Surg.*
celio gastro laparo
Cyclocolposa *Pal.*
encolpism *Gynec.*
h(a)ematocolpus *Gynec.*
hematokolpos *Gynec.*
pachycolpismus *Gynec.*
panhysterocolpectomy
paracolpium *Anat.*
Pericolpa -idae *Prot.*
Platycolpus *Pal.*
Procolpochelys *Pal.*
Rhabdocolpus *Pal.*
κολπώδης embosomed
Anacolpodes *Ent.*
Colpoda *Infus.*
-ea -ella -ina
Colpodes *Ent.*
κολπωτός folded
Colpotus *Ent.*

κολυμβᾶν to dive
columbeion *Eccl. Arch.*
colymbion *Eccl. Arch.*
κολυμβήθρα diving place
Coly(*or* u)mbethra
κολυμβητής a diver
Colymbetes *Ent.*
Colymbetis *Pal.*
κόλυμβος a diver
Columba *Ornith.*
-acei -aceous -ae -ian -id(ae -iform(es -igallines -inae -ine -oid
columbamin(e -ium
columbarium -ary
Columbella *Conch.*
-id(ae -oid
Columbellaria *Petrog.*
columbier *Paper*
columbine *Bot. Zool.*
columbite *Min.*
columbium *Chem.*
ate -ic -iferous
columbo-
tantalate *Org. Chem.*
titanate
Columbus *Ornith.*
-id(ae -iformes -inae -ine -oid
Podilymbus *Ornith.*
κόλφος fr. κόλπος
gulf(y
κολχικόν (Diosc.)
colchic *Chem.*
-ein(e -ia -in(e
Colchicum *Bot. Pharm.*
Κολχίς Colchis
Colchian *Geog.*
colch- *Org. Chem.*
id(e in(e ol
urocol *Mat. Med.*
κολχυτής
colchyte *Eg. Ant.*
κόμαρος arbutus
Comarum *Bot.*
κόμβη = κορώνη
Combe *Ent.*
Comboceras *Ent.*
-κομεῖον as in γεροντοκομεῖον
-comium *Med.*
psoro traumato
κόμη hair
abrocome -a *Mam.*
accomateria
Acrocomia *Bot.*
auricome -ous
brachyscome *Bot.*
-coma *Ent.*
Macro Ogmo Orso Pleo Ptero Scaphi Teleo Tephro
coma -al *Astron. Optics*
coma -ate *Bot.*
Comanthocrinus *Pal.*
Comatula *Echin.*
-id(ae -in -oid
Comephorus *Ich.*
-id(ae -oid
comiferous
Comocladia *Bot.*
comoid *Meteor.*
comose
comospore *Phytogeog.*
Cosmocoma *Ent.*
encomic
epicomus *Terat.*
eriocome -i *Ethnol.*
Euthycomi -ic *Anthrop.*
Gasterocoma *Echin.*
-id(ae -inae -iod
(h)abrocome -a *Zool.*
Hypocoma -idae *Infus.*
Isocoma *Bot.*
Kome (*or* o) ceras *Mam.*

leiocome *Chem.*
lophocome -i *Anthrop.*
metrocomy *Biol.*
Ophiocoma -idae *Echin.*
Plectocomia *Bot.*
Pycnocoma *Bot.*
Trachycomus *Ornith.*
xanthocomic
κομήτης long-haired; a comet (Arist.)
anticomet
comet *Astron. Her. Ornith. Photog.*
arium ary ic(al oid
Cometes *Ent.*
cometo-
graphy -er
logy
Cometornis *Ornith.*
Dendrocometes -idae
heliocomete(s *Astron.*
κόμμα a short clause
comma
myocomma *Cytol.*
osteocomma *Anat.*
κομμάτιον Dim. of κόμμα
commation *Gr. Drama*
κομματικός in short clauses or sentences
commatic(al *Mus. Rhet.*
commatism *Rhet.*
κόμμι gum (Herodotus)
Commiphora *Bot.*
isokom *Phys. Chem.*
κομμώτρια tirewoman
Commotrias *Ent.*
κομπολογία bragging
kompology
κομψεία daintiness
Lepidocompsia *Ent.*
κομψο- Comb. of κομψός
compso-
gnatha *Herp.*
-id(ae -oid -ous -us
thlypis *Ornith.*
Procompsognathus *Pal.*
κομψός elegant
Cephalokompsus *Ich.*
Compsa *Ent.*
Compsasteridae *Pal.*
Compsocrita *Ent.*
Compsus *Ent.*
Plocompsus *Ent.*
κόνου a drinking vessel
gonda
gondola
-et -ier -ina
gondoliera *Music*
Gonduleae -ean *Zooph.*
κόνδυλος a knuckle
acondylous -ose *Bot.*
alveocondylean *Craniom.*
Amphicondyla -ous *Mam.*
condyl(e *Anat. Zool.*
ar ian oid us
condyl-
arthra(n -ous *Mam.*
arthrosis *Anat.*
ectomy *Surg.*
ure -a -eae *Zool.*
-condylar *Anat.*
alveo bi ectepi ecto entepi ento epi hypo inter para post radio supraepi ulno
-condyle *Anat.*
ecto entepi ento epi meta
-condyloid *Anat.*
ectepi ecto ento inter supra(epi) trans
condylo-
pod(a ous *Zool.*
pyginae *Pal.*
tomy *Surg.*

epicondylalgia *Path.*
epicondylitis *Path.*
epicondylus *Anat.*
 -ian -ic
intercondylic -oid
metacondylus *Anat.*
monocondylous *Biol.*
 -ia -ic
precondylar -oid *Ornith.*
Tricondyla *Ent.*
κονδύλιον Dim. of κόνδυ-λος
condylion *Craniom.*
κονδύλωμα callous lump
condylome *Path. Vet.*
 -a -atoid -atous
κονι- Stem of κόνις
aeroconiscope *Phys.*
coni-
 osis *Path.*
 scope *Meteor.*
-coniosis *Path.*
 dermato h(a)emo
 pneum(on)o
-koniosis *Path.*
 dermato hemo
koniscope
κονία lime, powder
conite *Min.*
-conite
 hydro liro sidero tincal
 ura
konimeter
lirocone *Min.*
Otoconia *Zool.*
 -ial -ite -ium
κονιατός plastered
Coniatus *Ent.*
κονιᾶν to pulverize
lithokonion *Surg. App.*
κόνιλος Error for κόνικ-λος a rabbit
Conilurus *Mam.*
κόνιος dusty
conio-
 cyst *Anat.*
 logy *Med.*
 mycetes -ous *Bot.*
 philous *Bot.*
 pteryx *Ent.*
 -ygid(ae -ygoid
 spermous *Bot.*
 sporium *Mycol.*
 theca *Bot.*
 thyrium *Mycol.*
κόνις dust
androconia *Ent.*
chondroconia *Cytol.*
coniasis *Med.*
conid(ium *Bot.*
 ial ian iferous ioid
conidio- *Bot.*
 phore phorous spore
-conidium *Bot.*
 acro andro deutero
 macro megalo mero
 micro mycel pycno
 spermato sporo teleuto
-conite *Min.*
cryo mela paramela
stibi xantho
Cycloconium *Mycol.*
h(a)emoconion *Bact.*
hydroconion *Med.App.*
konide *Geol.*
koniology
konite *Min.*
kryokonite *Min.*
lactac(*or* k)onium
megaconidea -ide *Bot.*
melaconise *Min.*
microconid *Fungi*
myelocone *Physiol.*
stearoconotum *Biochem.*
uranconise *Min.*
xanthocon(e *Min.*

κονιστήριον = κονίστρα
konisterion *Gr. Athl.*
κονίστρα wrestling arena
c(*or* k)onistra *Gr. Ant.*
κόνναρος an evergreen
connarite *Min.*
Connarus *Bot.*
 -aceae -aceous
κόννος a trinket
Connochaetes *Mam.*
κοντάκιον a festal hymn
contacion *or* -ium *Gr. Ch.*
kontakion *Gr. Ch.*
κοντάριον a spear
kontarion *Gr. Ch.*
κοντο- Comb. of κοντός
Contoderus *Ent.*
Contopus *Ornith.*
κοντός pole, boat-hook
chondriocontes *Bot.*
chondrioc(*or* k)ont(e
-kont *Bot.*
 aniso iso mono octo
 poly tetra
Stephanocontae -an
κόνυζα fleabane
Conyza *Bot.*
κόπανον a pestle
Copanognathus *Ich.*
κοπίς (-ίδος) a cleaver
Copidoceras *Ent.*
κόπος fatigue
copiopia *Ophth.*
copiopsia *Ophth.*
copodyskinesia *Ps. Path.*
copos *Path.*
copyopia *Path.*
Dryocopus *Ornith.*
kopiopia *Ophth.*
ophthalmocopia *Ophth.*
κόππα the letter Q
koppa *Philol.*
κοπρο- Comb. of κόπρος
copro-
 h(a)emin *Biochem.*
 lagnia *Ps. Path.*
 lalia *Med.*
 lite -ic *Geol.*
 phanaeus *Ent.*
 phil(e *Bact. Ps. Path.*
 -ia -ous
 philist
 philous *Biol. Fungi*
 philus *Ent.*
 -id(a -ina -ini
 phyte -ic *Bot.*
 planesis *Med.*
 porphyrin *Biochem.*
 stasis *Path.*
 stane -ol *Biochem.*
 sterin *Biochem.*
 zoa *Protozoa*
 zoic *Bot.*
-coprolite *Geol.*
 ichthyo ornitho saurio
hippocoprosterin -ol
koprosterol *Chem.*
ornithocoprophilous *Bot.*
κοπρολόγειν collect dung
coprology -ist
κόπρος dung
 Aphodiocopris *Ent.*
copr-
 acrasia *Path.*
 (a)emia -ic *Path.*
 agog(ue *Med.*
 atin *Biochem.*
 (i)emesis *Path.*
 odaeum *Anat.*
 osma *Bot.*
Coprin(us *Bot.*
Copris *Ent.*
 -id(ae -ides -inae

Hypocoprus *Ent.*
ichthyocoprus
oligocopria *Path.*
ornithocopros *Geol.*
κοπροφάγος (Galen)
coprophagous *Ent.*
 -an -i(an -ous
coprophagy -ist
κόπτειν to cut
apocoptic *Surg.*
Coptis *Bot.*
Dendrocopus *Bot.*
sarcocoptes *Path.*
Sarcoptes *Acar.*
 -ic -id(ae -inae -oid
κοπτός chopped small
copto- *Ent.*
 chirus cycla
Copturus *Ent.*
-coptus *Ent.*
 Psalido Ptero
κορακ- Stem of κόραξ
Coraciae *Ornith.*
 -iform(es
coracite *Min.*
κορακίας a grackle
Coracias *Ornith.*
 -iad(id)ae -iid(ae -ioid-
 (ea(n -ioidae
Eucoracias *Ornith.*
κορακῖνος a young raven; a fish like a perch
Coracina *Ornith.*
 -ae -ea -es -inae
coracine -us *Ich.*
κορακο- Comb. of κόραξ
coraco- *Anat. Ornith.*
 acromial brachial(is
 clavicular costal hu-
 meral mandibular(is
 morph(ae morphic os-
 teal osteon pectoral(is
 protoacoid radialis
 scapular vertebral
epicoracohumeral(is
κορακοειδής (Galen)
coracoid *Anat. Zool.*
 al eum eus
-coracoid
 acro acromio costo ec-
 to epi(prc) hyper hypo
 inter meso meta pr(a)e
 pro scapulo sterno sub
 supra
-coracoidal *Anat.*
 epi pr(a)e
sternocoracoideus *Anat.*
κοραλλιο- Comb. of κο-ράλλιον
corallio- *Zool.*
 dendron
 phaga
 phila
 -id(ae -oid -us
 zetus
κοράλλιον (Diosc.)
coralli- *Zool.*
 domous ferous form
 gena gerous genous
 morpidae morphus
Corallina *Bot.*
 -(ac)eae -aceous
corallin(e *Chem. Zooph.*
-coralline
 azo hexa hydro litho
 octo tetra
corallinoid
coral
 (l)ed (l)er (l)ic
coralan
coralist
corallaceous
Corallana -id(ae *Crust.*
corallet *Zooph.*
corallian *Geol.*
Coralliopsida *Conch.*

corallite -ic *Conch.*
Corallium *Zooph.*
 -iid(ae -iinae -ioid
coralloid(al
Corallorhiza *Bot.*
corallum *Zool.*
Hexacoralla(n -ia *Zooph.*
hydracoral *Zool.*
Hydrocorallae -ia(n -ina
intercorallite
Lithocorallia *Zooph.*
Octocoralla(n *Zooph.*
Procorallistes *Pal.*
Tetracoral(la *Zooph.*
κόραξ the raven and crow
Corax *Ornith.*
-corax *Ornith.*
 Cyano Hydro Pha-
 lacro Pyrrho
κόρδαξ (Aristophanes)
cordax *Gr. Drama*
κορδύλη a club
Cordyceps *Bot.*
c(*or* k)ordyle
cordyl-
 aspis *Ent.*
 ine *Bot.*
 ite *Min.*
 ura *Ent.*
 -id(ae -oid
cordylo-
 bia *Ent.*
 phora *Polyzoa*
 soma *Ent.*
cordylus *Zooph.*
Dicordylus *Ent.*
Metacordylodon *Pal.*
κόρη maiden; doll, the pupil
acorea *Terat.*
cor-
 asthma *Path.*
 ectasis *Surg.*
 ectome *Surg. App.*
 ectomedialysis
 ectomy -ia *Surg.*
 ectopia *Surg.*
 clla *Ornith.*
 enclisis *Surg.*
core-
 cl(e)isis *Surg.*
 dialysis *Surg.*
 gonus *Ich.*
 -idae -inae -ine -oid
 lysis *Surg.*
 plasty -ic *Surg.*
 stenoma *Path.*
 tomedialysis *Surg.*
 tomy *Surg.*
coreo-
 meter metry
 plasty -ic *Surg.*
 stenoma *Path.*
-coria *Ophth.*
 aniso di diplo dys hy-
 per iso poly
Enchelycore *Ich.*
halicore -id(ae -oid(ea(n
hyperkoria *Med.*
koroscopy *Ophth.*
stenocoriasis *Path.*
Tricorhynchia *Pal.*
κόρημα (-ατος) a broom
Corematocladus *Pal.*
Coremia *Ent.*
Coremium *Bot.*
 -ial -oid
κόρηθρον a broom
Korethraster *Echin.*
 id(ae oid
κορθύλος = βασιλίσκος
Corthylus *Ent.*
κόρθυς (-υος) a heap
Corthya *Pal.*

κορίαννον (Alcae.)
coriander
coriandrol *Org. Chem.*
Coriandrum *Bot.*
Κορινθιακός (Xen.)
Corinthiac
Κορίνθιος (Herod.)
Corinthian
 esque ism ize
proto-Corinthian
Κόρινθος Corinth
azocorinth
corinth
Corinthus *Ent.*
currant
κόρις a bug; fish; (Diosc.)
Aurocores -isa *Ent.*
Coreopsis *Bot.*
Coreses *Bot.*
Coreus *Ent.*
 -ei -eid(ae -eoda -eodes
 -eoid(ea(n
-corid(ae & -oid *Ent.*
 antho halti nau phyto
 pyrrho
Corimelaina *Ent.*
 -id(ae -oid
Coriphagus *Pal.*
Coriphilus *Ornith.*
-coris *Ent.*
 Alce Antho Corti Den-
 dro Eucera Halti Isth-
 mo Nau Phyto Pneu-
 mato Pycno Pyrrho
 Soleno Thyreo Xesto
 Zeloto
Coris *Bot. Ich.*
Corisa *Ent.*
 -id(ae -oid
Corixa -idae *Ent.*
Geocores *Ent.*
 -inae -isae -yzes
Hydrocores *Ent.*
 -isae -isan
hydrocoridin(e *Chem.*
Laemocoridea *Ent.*
Κορκυραῖος
Corcyraean
κορμός a tree trunk
acormus *Terat.*
Asthenocormus *Pal.*
camptocormy -ia *Med.*
Coelocormus *Ascid.*
 -id(ae -oid
corm *Biol. Bot.*
-cormic *Bot.*
 epi mono poly
cormidium *Bot.*
cormode *Bot.*
cormoid *Biol. Bot.*
Cormodes *Ent.*
cormo-
 bates *Ornith.*
 gamae *Bot.*
 gen(ae ous *Bot.*
 geny *Biol.*
 phyl(ogen)y *Biol.*
 phyte -a -ic *Bot.*
 phytasters *Bot.*
 poda *Zool.*
 stomata *Zool.*
cormus *Zool.*
metacorm(al *Bot.*
nanocormia -us *Craniom.*
Pachycormus *Bot.*
perocormus *Terat.*
procormophyta *Bot.*
protocorm(al *Bot.*
pseudocormophytes *Bot.*
rhizocorm *Bot.*
schistocormus *Terat.*
κορο- Comb. of κόρη
coro- *Ophth.*
 cleisis
 diastasis

coro- Cont'd
diastole
parelcysis
plasty -ic *Surg.*
scopy
tomy *Srug.*
κοροπλάστης image-maker
coroplast(a *Gr. Ant.*
κόρος surfeit; a lad
Chalicorus *Ent.*
Chilocorus *Ent.*
Cottreancorus *Pal.*
Stenocorus *Ent.*
κόρρη Attic for κόρση
Corrhecerus *Ent.*
κόρση the temple
Sphingocorse *Ent.*
κορυβαντιασμός (Dion. H.)
corybantiasm
κορυβαντικός (Plut.)
corybantic
Κορύβας (*pl.* -αντες) (Eur.)
corybant
ian iate ine ish ism ite
κορυδαλλίς = κορυδός
coralydin(e ium *Chem.*
coralyn(ium *Org. Chem.*
cory- *Org. Chem.*
bulbin(e cavamin(e cavin(e
corydaldine *Org. Chem.*
corydalic *Org. Chem.*
corydalin(e -a *Org. Chem.*
Corydalis -ine *Bot.*
coralydin(e ium *Chem.*
coralyn(ium *Org. Chem.*
cory(o)cavidin(e *Chem.*
coryocavin(e *Org. Chem.*
corypalmin(e *Org. Chem.*
corytuberine *Org. Chem.*
homocoralydine *Chem.*
homocoralyn *Org. Chem.*
isocorybulbin(e *Chem.*
mesocorydaline *Chem.*
κορυδαλός = κορυδός
Corydallioides *Ent. Pal.*
corydalus *Ent.*
κορυδός the crested lark
Corydomorphae *Ornith.*
Corydonyx *Ornith.*
κορυδών = κορυδός
Corydon *Ent. Ornith.*
κόρυζα catarrh
coryza *Path.*
κορυθάιξ helmet-shaking
Corythaix *Ornith.*
κόρυθος crested τροχίλος
Corythosaurus *Pal.*
Corythucha *Ent.*
Korythoceras *Malac.*
Tricorythodes *Ent.*
κόρυμβος top, head
corymb *Bot.*
ate iate(d iferous ose(ly ulose ulous us
Corymboporella *Pal.*
Dicorymbus *Ent.*
κορύνη a club
Corymorpha *Zooph.*
-id(ae -oidea(n
Coryna *Ent.*
corynanthin(e *Chem.*
coryne *Zooph.*
-id(ae -ida(n -iform -oid
Corynebacterium *Bact.*
coryneum *Mycol.*
corynidia *Ferns*
corynite *Min.*
coryno-
carpin(e *Chem.*

coryno- Cont'd
carpus *Bot.*
-aceae -aceous
myrmex *Ent.*
stylus *Bryozoa*
trypa *Pal.*
-corynus *Ent.*
Lepto Macro Meco Odonto Oxy Spheno Steno Trapheco
Dicoryne -idae *Zool.*
Gyrocoryna *Zool.*
leucocoryne *Bot.*
Phacecorynes *Ent.*
Physocoryna *Ent.*
Podocoryne -idae
Siphocoryne *Ent.*
Syncoryne *Zooph.*
-id(ae -oid
κορυνήτης club-bearer
Corynetes *Ent.*
κορυνηφόρος club-bearing
Corynephorus *Ent.*
κορυνώδης clublike
Corynodes *Ent.*
κόρυς a helmet
Corylophus *Ent.*
-id(ae -oid
Echinocorys -idae *Echin.*
Oocorys *Conch.*
-ythid(ae -ythoid
Otocorys
Stenocorys *Echin. Pal.*
Thinocorus *Ornith.*
-id(ae -ine -oid
κορύσσειν to equip
Coryssomerus *Ent.*
κορυστής a warrior
Coryptes *Ent.*
Corysterium -ial *Ent.*
corystes *Archaeol.*
Corystes *Crust.*
-id(ae -oid(ea(n
Eucorystes *Ent.*
κορύφαινα = ἵππουρος
Coryphaena *Ich.*
-id(ae -ina -inae -ine -oid
coryphene *Ich.*
κορυφαῖος chorus leader
coryphaeus *Bot.*
Coryphaeus *Ent.*
coryph(a)eus *Ant.*
coryphee
κορυφή summit; peak
Amblycorypha(e *Ent.*
Astycoryphe *Pal.*
Conocoryphe *Crust. Pal.*
Corypha -ad *Bot.*
Coryphagrion *Ent.*
Coryphantha *Bot.*
Coryphium *Ent.*
coryphium *Phytogeog.*
corypho- *Phytogeog.*
philus phyta
Coryphodon *Mam.*
-ont(id(ae -ontoid
coryphylly *Bot.*
melanocorypha
Platycoryphe *Pal.*
tricoryphean
κόρχορος (Theophr.)
Corchorus *Bot.*
κορώνη a crow; apophysis; a crown
corona *Anat.*
-ad -al(e -amen -ary -e -et -ion -oid(al
corona *Arch. Astron. Bot. Helm. Music Phon. Zool.*
coronade *Fencing*
coronagraph *Astron.*
coronal

coronate
coronation
coroner
coronet -et(t)ed
Coronid *Astron.*
coroniform
Coronilla *Bot.*
coronillin *Org. Chem.*
coronitis *Vet.*
coronium *Chem.*
coronize
corono-
facial frontal
gram
graph(ic
Coronula *Ent.*
coronule *Bot. Ent.*
crown
ed er et ing let
eurycoronine *Zool.*
geocoronium *Astron.*
koronion *Ant.*
stenocoronine *Anat.*
κορωνίς wreath; apostrophe
cornice
coronis *Gr. Gram.*
Paracoroniceras *Pal.*
κορωνόπους (Theophr.)
coronopic *Org. Chem.*
coronopifolioid *Bot.*
Coronopus *Bot.*
κοσκινο- Comb. of κόσκινον a sieve
coscino- *Zool.*
discus pora(-id(ae) ptera
κοσκινομαντεία
coscinomancy *Augury*
κοσμέειν to adorn
Semnocosma *Ent.*
κόσμησις adornment
cosmesis
Cosmesus *Ent.*
κοσμητήριον dressing-room
kosmeterion *Gr. Ant.*
κοσμητής a director
Chaetocosmetes *Ent.*
Cosmetalepas *Malac.*
cosmete *Gr. Ant.*
kosmetes *Gr. Athl.*
Trichocosmetes *Ent.*
κοσμητική (Plato)
anticosmetic
chirocosmetics
cosmetic(al(ly
cosmeticer -ian
cosmetics
cosmetology
-ical -ist
κοσμητός well-ordered
cosmetology
Cosmetornis *Ornith.*
Cosmetus *Arach.*
-id(ae -oid
κοσμήτωρ = κοσμητής
microcosmetor(ic
κοσμικός of the world
cosmic(al(ly -ics
dynamocosmical *Meteor.*
hypercosmic
intercosmic(al(ly
intracosmic(al
κόσμιος orderly
Cosmia -iidae *Ent.*
Pentacosmia *Ent.*
Zoocosmius *Ent.*
κοσμο- Comb. of κόσμος
cosmo-
ceras *Pal.*
cerithium *Pal.*
chelys *Pal.*
chlore *Min.*
clastic *Geol.*

cosmo- Cont'd
coma *Ent.*
cracy
crat (ic
genetic
gnosis
labe *Astron.*
latry
logy -ic(al(ly -ist
nomic
organic
pathic *Psychic. Res.*
philite
phonography
phyllum *Zooph.*
poietic *Phil.*
policy
polis
scaphula *Ent.*
scope
sphere
tellurian
theism -ist(ic
thetic *Phil.*
zoan *or* ic -ism
kosmo-
chlor *Min.*
chromit *Min.*
macrocosmology
Neocosmospora *Fungi*
palaeokosmology *Geol.*
κοσμογένεια (Clem. A.)
cosmogeny -ic
κοσμογονία (Plut.)
cosmogony
-al -er -ic(al -ist -ize
κοσμογραφια (Diog. L.)
cosmography
-ic -ical(ly -ist
κοσμογράφος describing the world
cosmographer
κοσμοπλάστης world maker
cosmoplast(ic
κοσμοπολίτης (Diog. L.)
cosmopolite
-an(ism -ic(al -ics -ism -ization -ize
Procosmopolites *Ent.*
ultracosmopolitan
κόσμος order; world
ac(*or* k)osmism *Phil.*
acosmist(ic *Phil.*
anthropocosmic
cosmaesthesia *Bot.*
cosmism -ist *Phil.*
cosmolin(e *T.N.*
cosmorama -ic
cosmos
Eucosmodon *Pal.*
gynaecocosmos
Hemicosmites -idae *Pal.*
Lithocosmus *Pal.*
loxocosm *Phys. App.*
macrocosm(os ic(al
megacosm
Megacosmus *Pal.*
neocosmic
neokosmium *Chem.*
pal(a)eocosmic
palincosmic *Geog.*
pancosmic -ism -ist *Phil.*
pantacosm
postcosmic
precosmic
prokosmial
ptychocosmites *Pal.*
Tricosmites *Pal.*
Tritocosmia *Ent.*
typocosmy *Phil.*
Κόσσουρα Cossura
cossyrite *Min.*
κόσσυφος ?blackbird
Cossyphus *Ent. Ornith.*

κοσσυμβη a shaggy coat
gossypetin *Org. Chem.*
Gossypium -ine *Bot.*
gossypose *Org. Chem.*
κόστος (Theophr.)
cost- *Org. Chem.*
ene ol usic yl
costus *Plants*
κότταβος (Anacr.)
cottabus -ist *Gr. Games*
κόττος (Arist.)
Cottogaster *Ich.*
Cottopsis *Pal.*
Cottus *Ich.*
-id(ae -inae -ine -oid-(ea(n -oidae -oidei
-cottus *Ich.*
Acantho Blenni Dasy Eo Histio Leio Lepido Lepto Malaco Megalo Oligo Onco Oxy Poro
Rhamphocottus *Ich.*
-id(ae -inae -oid(ea
κοτύλη a socket; a cup
Acotylea *Zool.*
amphitrisyncotyl *Bot.*
Aspidocotylea *Zool.*
Cotulades *Ent.*
cotyle *or* -a *Anat. & Zool. Cl. Ant.*
cotylar *Herp. Pal.*
-cotyle -id(ae *Helm.*
Gyro Micro Oncho Protomicro
Cotyl(id)ea(n *Helm.*
cotyli(*or* o)form
cotyligerous *Zool.*
Cotylops -opidae *Helm.*
-cotylous *Bot.*
di hexa hypo poly tri
cotylvariants *Bot.*
-cotyly *Bot.*
amphi(syn) aniso hemisyn hemitry schizo syn
dicotyl(ae *Bot.*
Echinocotyle -idae *Zool.*
epicotyl(ar *Bot.*
hectocotyl(e *Conch.*
iferous ism ization ize(d us
hemipentacotyl *Bot.*
Heterocotylea(n *Zool.*
Hydrocotyle -eae *Bot.*
hypocotyl(ar -ous *Bot.*
hypocotyleal *Ich.*
intercotylar
Malacocotylea(n *Helm.*
mesocotyl *Bot.*
octocotyloid *Annel.*
omocotule
pentacotyl *Bot.*
Polycotylea *Conch.*
subcotyleal *Ich.*
syncotyls *Bot.*
tricotyl *Bot.*
trisyncotyls *Bot.*
κοτυληδών cuplike hollow
Cotuledon *Ent.*
cotyledon *Bot.* (Linn.)
al ar(is ary oid ous
-cotyledon *Bot.*
a amphi di hemitetra hemitri mono poly pseudo (mono) syn
-cotyledonary *Bot.*
bi di epi hypo inter para poly post
-cotyledonous
a aniso di hypo poly (pseudo)mono quadri (tri)syn uni
-cotyledons *Bot.*
Crypto Syn

-cotyledony *Bot.*
mono poly
Dicotyledones -eae *Bot.*
Monocotyledones -ae
Phanerocotyledoneae
Pseudocotyledon(e)ae
syncotyledous *Bot.*

κοτυλίσκος a little cup
cotyliscus *Archaeol.*
kotyliskos *Archaeol.*

κοτυλο- Comb. of κοτύλη
cotylo-
gonimus *Helm.*
phallus *Helm.*
placenta *Bot.*
pubic *Anat.*
saur(ia(n *Herp.*
κοτυλοειδής
cotyloid(al *Anat.*
cotyloideus *Bot.*
-cotyloid *Anat.*
fronto infra sacro supra
κοτυλοφόρος
cotylophore *Mam.*
-a -ous
sacrocotyloidean

κοῦκι (Theophr.)
?coco(a *etc.*

κουνίκουλος (Galen)
cony
catch(er garth
conygat conyger
conynge -er

κούριμος shorn
Curimosphena *Ent.*
Curimus *Ent.*
κοῦρος a youth
kouros *Gr. Sculp.*
κουροτρόφος
kourotrophos *Gr. Sculp.*

κουφίζειν to lighten
Cuphisia *Ent.*

κοῦφος light
koupholite *Min.*

κόφινος a basket
coffer
dam er ship
coffin

κοχλίας a snail with spiral shell (Arist.)
cochlea *Anat. Arch. Mech.*
-ear(iform
Cochlea *Bot.*
-ear(ia -e(ar)iform
-cochlea *Malac.*
Dino Gyro Mega
cochlean -eous
cochlear(e *Gr. Ch. Med.*
cochlearin(e *Chem.*
Cochlearius *Ornith.*
-iid(ae -ioid
cochlearthrosis *Anat.*
cochleary
cochleate(d
cochl(e)itis *Path.*
Cochleosauridae *Pal.*
Cochliodus *Ich.*
-odont(id(ae -odontoid(ae
Cochliomyia *Ent.*
Cochliopodidae *Ent.*
κοχλίδες pl. of κοχλίς a small snail
Cochlides -ae *Conch.*
-cochlides *Conch.*
A Crypto Limno Pelto
Cochlidiidae *Ent.*
κοχλίδιον Dim. of κόχλος
cochlidiospermate *Bot.*
κοχλιοειδής spiral
cochleoid

κόχλος a shell-fish with spiral shell (Arist.)
cochlite *Conch. Pal.*
Cochloceras *Conch. Pal.*
Cochlospermum *Bot.*
-aceae -aceous

κόψιχος a blackbird
Copsicus *Ornith.*

κραγγών shrimp (Arist.)
Crangon *Crust.*
id(ae idea oid(ea(n
crangonin(e *Biochem.*
Gitocrangion *Pal.*
Pseudocrangonyx *Crust.*

κράδη fig bough
cradin *Mat. Med.*
κράδος fig tree
cradina *Chem.*
Eucrada *Ent.*

κραιπαλη drunken nausea
crapula -ate
crapulence -y
crapulent (al ous(ness

κραῖρα the top or head
Coelocraera *Ent.*
Pachycraerus *Ent.*

κρακτικός noisy
Cracticus *Ornith.*

κρᾶμα diluted wine
krama *Gr. Ch.*

κράμβη cabbage
crambe *Bot. Games*
crambo *Games*
clink jingle

κραμβος = ξηρός
Crambus *Ent.*
-id(ae -oid
Loxocrambus *Ent.*

κραναός rugged
Kranaosphinctes *Pal.*
Procranaus *Arach.*

κρανία pl. of κρανίον
aegicrania *Gr. Arch.*
κρανιο- Comb. of κρανίον
cranio- *Anat. Med. Surg.*
arcomial aural cele cerebral clasis clasm clast(y cleidodysostosis didymus facial gnomic gnomy gnosy graph(er graphy hematoncus lite logy (-ic -ical(ly -ist) malacia mancy metry (-ic -ical(ly -ist) pagus pathy pharyngeal phore -plasty puncture rachischisis sacral schisis sclerosis scopy (-ic -ist) spinal stenosis tabes tome tomy tonoscopy topography tractor trypesis -tympanic vertebral
goniocraniometry
κρανίον the skull (Arist.)
Acrania *Ich.*
acran- *Med.*
-iate -ius -y
archi(*or* ae)craniate *Zool.*
Cionocrania *Herp.*
-ial -ian
cleidocranialiasis *Path.*
Crania *Conch.*
-iaceae -iadae -iid(ae
craniacromial *Anat.*
cranial(ly *Anat.*
-crania *Med.* as in ἡμικρανία
a amphi diastemato mega mero micro platy rh(a)ebo

-cranial *Anat. Craniom.*
a auriculo basi brachy chamae chondro cleido ecto en endo ento epi ethmo extra hypsi infra inter macro neuro oto platy pre steno sub supra
craniamphitomy *Surg.*
Craniata -iate *Zool.*
cranidium *Zool.*
craniectomy *Surg.*
cranioid *Conch.*
craniome -ous *Ich.*
craniostosis *Med.*
Craniota *Zool.*
craniote *Anat.*
cranitis *Path.*
cranium *Anat.*
-cranium *Anat.*
chondro endo epi hydro neuro osteo oto
-cranous *Anat.*
mega mesomega micro nano submega submicro
endocrane *Anat.*
endocranitis *Path.*
Entomocrania *Biol. Ich.*
epicranium -ial *Ent.*
epicranius *Anat.*
hypermegacranious
infracranially
Kionocrania *Herp.*
microcranius *Craniom.*
microcranus *Terat.*
neurocrane *Anat.*
otocrane -ic *Anat.*
Petrocrania *Pal.*
Platycranium *Pal.*
protocranium *Ent.*
Pseudocranion *Ent.*
Stictocranius *Ent.*
Sustolocranius *Ent.*
syncraniate *Craniom.*
Tricrania *Ent.*

κράνος a helmet
Plategeogcranus *Pal.*

κραντῆρες wisdom-teeth
diacranterian -ic *Zool.*
syncranterian

κράξω Fut. of κράζειν croak
Crax *Ornith.*
-acidae -acinae
-acine -acoid

κράς = κρέας
Stenocrates *Ent.*

κρᾶσις a mixture
-crase *Min.*
chromeidio ido poly
crasis -ial *Gram. Med.*
-crasite *Min.*
dys eu poly yttro
malcrasis
metacrasis *Bot. Geol. Phys.*

κράσπεδον border, hem
Acraspeda *Zooph.*
-ota -ote
bothrocraspedote
Craspedacusta *Zool.*
Craspedarges *Pal.*
craspedo-
cephalus *Herp.*
crinus *Pal.*
derus *Ent.*
drome -ous *Bot.*
lepta *Ent.*
monadina *Zool.*
Craspedortha *Ent.*
Craspedostoma *Zool.*
craspedote -a(l *Zooph.*
craspedum *Anat.*
Dicraspeda *Ent.*

Leucocraspedum *Ent.*
oxycraspedote *Anthrop.*
κραταιγος (Theophr.)
crataegin *Org. Chem.*
Crataegus *Bot.*

κραταῖος
Eucratea -eidae *Pal.*

κρατερός strong
Crateritheca *Zooph.*

Κρατεύας a Greek herbalist
Crataeva *Bot.*

κρατήρ mixing bowl
chromocrater *Path.*
crater
al ed kin less let ous
Cratera *Bot.*
Crateria *Ascid.*
crateriform *Bot.*
crateroid *Bot.*
Craterophorus *Ent.*
phyllum *Helm.*
Crateropus *Ornith.*
-podid(ae -podoid
?grail
κρατηρίσκος
krateriskos *Gr. Vases*
κρατηρο- Comb. of κρατήρ Helm.
Craterostomum *Helm.*

-κρατής ruler
boursocrat
bureaucrat
ic(al(ly ism ist ize
chrysocrat
cosmocrat(ic
kakistocrat(ic
landocrat
laudocrat
millocrat(ism
mobocrat(ic(al
pantisocrat(ic(al -ist
pedantocrat(ic
petroleocrat
physiocrat
ic(al ism ist
popocrat
pornocrat
shopocrat
Slavocrat
sociocrat(ic
stratocrat(ic
typocrat(ic

-κρατία as in δημοκρατία
acracy *Pol.*
albocracy *Pol.*
androcracy
anemocracy
angelocracy
arithmocracy
barbarocracy
beerocracy
boobocracy
bureaucracy
capelocracy
chrysocracy
cleptocracy
cosmocracy
cottonocracy
-cracy *Suffix*
demonocracy
despotocracy
ergatocracy
foolocracy
gerontocracy
gyn(a)eocracy
gynecratic
gynocracy
hagiocracy
hetaerocracy
hierocracy *Pol.*
idiocracy *Pol.*
Jesuitocracy
kakistocracy
kleptocracy

landocracy
laudocracy
logocracy
mediocracy
merocracy *Pol.*
mesocracy *Pol.*
metrocracy
millionocracy
millocracy
mobocracy
moneyocracy
neocracy *Pol.*
nomocracy *Gov.*
papyrocracy
pedantocracy
pedocracy
philosophocracy
physiocracy
plantocracy
pl(o)usiocracy
policeocracy
polycracy
pornocracy *Pol.*
prophetocracy
ptochocracy
rumocracy
shopocracy
slavocracy
snobocracy
sociocracy
squattocracy
squirocracy
statocracy
stratocracy
stratocracy
strumpetocracy
syncracy *Polit.*
thalattocracy
thalattocraty
Whigocracy
zoocracy *Anthrop.*

Κρατίνειος of Cratinus
Cratinean *Pros.*

-κρατικός as in ἀριστοκρατικός. See also -κρατής, -κρατία
androcratic *Pol.*
arithmocratic
geocratic *Geol.*
gynandrocratic
(h)amacratic *Photog.*
hierocratic(al *Pol.*
leucocratic *Petrog.*
melanocratic *Petrog.*
mesocratic *Petrog.*
metrocratic
monocratic *Pal.*
nomocratic *Phil.*
noocratic
slavocratic
squattocratic
zenocratically
zoocratic

κρατο- Comb. of κρατος
crato-
meter metry -ic
tragus *Ent.*
xylon *Bot.*
κρατός rule, mastery
aluminocrate *Geol.*
Macrocrates *Ent.*
Naucrates *Ich.*
pancratism
rheocrat *Elec.*

-κράτωρ as in κοσμοκράτωρ
chronocrator *Astrol.*
ochlocratoric

κραῦρος brittle
kraurite *Min.*
kraurosis *Path.*

κρεάδιον Dim. of κρέας
Creadion *Ornith.*

κρέας flesh, meat
cre-
albin *Mat. Med.*
odont(a *Mam. Pal.*
olalbin *Mat. Med.*
olin(ated *Biochem.*
crea-
toxicon *Tox.*
toxin -ism *Tox.*
Hypocrea -ales *Fungi*
-aceae -aceous
κρεατ- Stem of κρέας
anticreatinin
creatic *Physiol.*
creat(in)in(e -ase *Chem.*
creatinemia *Path.*
-creat(in)in(e *Biochem.*
ala amphi chryso iso xantho
creato-
phagous *Biol.*
rrhea *Med.*
spore *Phytogeog.*
creatinuria *Med.*
creatosin(e *Biochem.*
crusocreatinin *Biochem.*
xanthokreatinin *Tox.*
κρείττων stronger
kreittonite *Min.*
κρεμαστήρ suspender
cremaster *Anat. Ent.*
cremasterial *or* -ic *Anat.*
κρεμαστός hung up
Cremastochilus *Ent.*
Cremastoxenus *Ent.*
kremastoplankton *Bot.*
κρέμβαλον a castanet
crembalum *Music*
κρεμῶ to hang (Attic fut.)
cremocarp(ium *Bot.*
κρεοφαγία (Hipp.)
ak(*or* c)reophagy -ist
creophagism -ist
κρεοφάγος carnivorous
creophagous *Biol.*
κρέξ (κρεκός) (Arist.)
Creciscus *Ornith.*
Crex *Ornith.*
-crex *Ornith.*
Hapalo Limno
Κρέουσσα Wife of Aenes
Creusia *Crust.*
Palaeocreusia *Mol.*
κρεω- Comb. of κρέας
creo-
form *Biochem.*
philae -us *Ent.*
sote -al -ic *Biochem.*
toxism *Tox.*
creos *Biochem.*
al in(e ol(id
creoso- *Biochem.*
form
magnesol *Mat. Med.*
sulphuric
homocreosol *Biochem.*
kreo-
toxicon *Tox.*
toxin -ism *Tox.*
kreos- *Mat. Med.*
al olid otal
oleocreosote
paracreosotic
phenoco *Mat. Med.*
κρεώδης fleshy
Eucreodi *Pal.*
Pseudocreodi *Pal.*
κρεών lord, master
Creonella *Pal.*
κρήγυος serviceable
Cregya *Ent.*
Ipocregyes *Ent.*
κρήδεμνον ? a mantilla
kredemnon *Gr. Ant.*

κρημνο- Comb. of κρημνός
cremno-
cele *Med.*
philus *Phytogeog.*
phobia *Ps. Path.*
phyta *Phytogeog.*
sterna *Ent.*
κρημνός cliff, crag
cremnad *Phytogeog.*
cremnium -ion*Phytogeog.*
Cremnops *Ent.*
Pseudocremnops
κρημνώδης precipitous
Cremnodes *Ent.*
κρήνη a fountain
apocrenic *Chem.*
crenic *Chem.*
crenicolous *Bot.*
Creniphilites *Pal.*
crenite *Min.*
crenitic *Geol.*
Phytocrene -eae *Bot.*
κρηνίδιον Dim. of κρήνη
Decacrenidia *Zool.*
κρηνο- Comb. of κρήνη
creno-
logy *Ther.*
philus *Phytogeog.*
phyta *Phytogeog.*
therapy *Ther.*
thrix *Bact.*
κρηπιδο- Comb. of κρηπίς
crepido- *Ent.*
chares chetus
κρηπίδωμα a groundwork
crepidoma *Arch.*
crepidome *Zool.*
κρηπίς a boot; foundation
acrepid *Sponges*
crepida *Gr. Ant.*
crepidote *Min.*
crepidula *Zool.*
Crepis *Biol. Bot.*
Cystocrepis *Echin.*
Dicrepidius *Ent.*
Echinocrepis *Zool.*
Heterocrepidius *Ent.*
hippocrepian *Morph.*
hippocrepiform
Hippocrepis *Bot.*
krepis *Arch.*
monocrepid *Spong.*
Rhabdocrepid(a *Spong.*
Sarothrocrepis *Ent.*
Stenocrepis *Ent.*
tetracrepid *Spong.*
Tricrepidius *Ent.*
Xenocrepis *Ent.*
κρῆς Doric of κρέας
cres- *Biochem.*
alol amin(e aurin egol idin(e ilite in orcin(ol oxy-
creso- *Biochem.*
chin form
cresol *Biochem.*
ic ine
-cresol *Chem. Med.*
benzopara bromo dinitro hetero heto meta methyl naphtho ortho- (dinitro) para pix pyro salo tri(nitro)
cresote *Biochem.*
-ate -ic -inate -inic -yl
cresyl *Biochem.*
ate ene ic ol
cresylite *Expl.*
iodocresinol *Mat. Med.*
kres- *Mat. Med.*
apol (at)in ol

kreso- *Mat. Med.*
fuchsin steril
metacresanytol
orthocresalal *Mat. Med.*
paracresalol *Mat. Med.*
tannocresoform *Med.*
tricresolamin *Biochem.*
vapocresolin *Mat. Med.*
Κρήτη Crete
Cretan
Κρητικός of Crete
Cretic(ism
cretic *Pros.*
Κρητισμός (Plutarch)
Cretism
κρίζειν to squeak
myocrismus *Med.*
κριθή barleycorn
crith *Phys.*
Crithidia *Protozoa*
crithomancy *Augury*
microcrith *Chem. Phys.*
κρίθμον samphire (Diosc.)
crit(h)mene *Org. Chem.*
crithmetum *Phytogeog.*
Crithmum *Bot.*
κρικο- Comb. of κρίκος
crico-
aretynoid(eus *Anat.*
derma *Med.*
hyoid *Anat.*
pharyngeal *Anat.*
tellus *Pal.*
thyreotomy *Surg.*
thyroid(eus ean
tomy *Surg.*
tracheal *Anat.*
tracheotomy *Surg.*
thyrocricotomy *Surg.*
κρικοειδής (Galen)
ceratocricoideus *Anat.*
cricoid *Anat.*
ectomy *Surg.*
-cricoid *Anat.*
c(*or* k)erato supra thyro
κρίκος ring
cricaltrop *Zool.*
cricamphityle *Spong.*
Polykrikos *Prot.*
κρικωτός made of rings
Cricotus *Amphib. Pal.*
κρίνειν to separate
angiocrine -osis *Path.*
anthracriny *Bot.*
chromocrinia *Path.*
crinanthropy -ist
dyscrinism *Med.*
dysendocrinia *Med.*
-iasis -ism
endocrin-
asthenia -ic *Med.*
odontia *Dent.*
endocrine *Physiol.*
-ic -ism -ous
endocrino- *Med.*
logy -ist
path(y ic
therapy
exacrinous *Physiol.*
exocrin *Physiol.*
holocrine *Physiol.*
hypercrinism *Med.*
hypo(endo)crinism *Med.*
merocrine *Physiol.*
mycocriny *Bot.*
oxykrinin *Chem.*
paracrisis *Med.*
pentacrinin *Biochem.*
peptocrinin *Biochem.*
ptyocrinous *Cytol.*
sapocrinin *Biochem.*
pharmaco-
endocrinology
rhagiocrin *Cytol.*

κρινο- Comb. of κρινον
Crinosoma *Ent.*
κρινοειδής like a lily
crinoid *Echin.* (Diosc.)
al ea(n
-crinoid *Echin.*
eu
-crinoidea *Pal.*
Clado En Eo Eu Gnatho Penta Sageno Stomato Taxo
κρίνον a lily (Theophr.)
Allacrinida *Pal.*
Arthrocrina *Echin.*
crin-
id(ea(n *Zool.*
ite(s *Pal.*
-crinidae *Pal.*
Abaco Actino Agela Agrio Antheno Atros Bactro Baero Bary Briaro Calpio Carpo Chiro Cleio Clono Cocco Codia Cromyo Crypto Cyatho Edrio Eo Esthono Eudesi Eugenia Eupachy Euspiro Forbesio Gaza Gilbertso Glypto Gotho Grapheo Herco Holo Homo Hydreiono Hydrio Hyo Hypo Lecano Lopho Marsipo Mespilo Metabolo Milleri Mollo Niptero Ontario Onycho Oropho Ortho Palaeo Pandora Paracto Pariso Patellio Pentamero Petalo Phyllo Poro Ptycho Rheno Rhizo Sageno Schultzi Sclero Scypho Sphaero Stelidio Synero Tanao Thallo Thenaro Tria Vasco Voseko Zopho
-crininae *Echin. Pal.*
Barrando Bato Decado Pterio Sacco Scaphio
-crinite *Echin.*
apio cypresso eucalypto flabello
-crinite(s *Pal.*
actino agela cyatho dendro eugenia gnatho hetero hybo hyo ichthyo lecano mero pterio rheno symbatho taxo tria
Crinum *Bot.*
-crinus *Crin.*
Flabello Pterio Stephano Thysano
-crinus -id(ae -oid *Echin.*
Acro Actino Agela Agassizo Anomalo Apio Belemno Calceo Calypto Carabo Catillo Cyatho Cypresso Decado En Eucalypto Haplo Hybo Ichthyo Monacho Penta Rhodo Taxo Xeno
-crinus *Pal.*
Abrachio Actino Agela Alla Amphi Anarcho Angelina Apsido Asapho Asco Atacto Bary Basleo Batheri Bato Beyricho Bichiro Bolbo Burdigalo Calyco Caryo Cholo Chytro Cicero Cleisto Comantho Corylo Costalo Craspedo Crema Crotalo Crypto Culmi
Cyatho Cydono Deo Dichiro Dicromyo Dicteno Dino Dory Drepano Eifelo Embryo Eo Esthono Eugenia Eutaxo Eutele Geroldi Gisso Glauco Glypto Hexa Himero Homo Hyalo Indo Iso Jahno Jenar Lasio Lecano Lenneo Lepado Lindstroemio Lopadio Lorioli Loucho Lovenio Loxo Meristo Metapio Metasyo Methabo Metichthyo Mollo Monobrachio Moscovi Mystico Nassoiro Neoplaty Nucleo Ophiuro Palermo Pandora Paracatillo Paracto Parortho Patino Pentamero Periptero Pilo Platyhexa Pleuro Poly Procupresso Prophyllo Protaxo Proten Psalido Ptilo Revalo Rheno Roemero Sidero Springeri Spyridio Stachyo Strongylo Sunda Synapto Synchiro Syntomo Syntorno Tetracto Thalasso Thetidi Thuringo Timoro Voseko Whiteo
Elaeocrinus -idae *Zool.*
encrinal -ic *Pal.*
Encrinasteridae *Pal.*
encrinite -al -ic(al
encrinoidean *Echin.*
Encrinurus *Crust.*
-id(ae -oid
Leucocrinum *Bot.*
Merocrinides *Pal.*
Neocrina -oid(ea *Echin.*
Palaeocrinus *Crin.*
-a -oid(ea(n
pentacrinite(s -idae
Platycrinus *Crin.*
-id(ae -ite -oid(ea
Rhizocrinus -oid *Crin.*
rhodocrinite *Echin.*
κριο- Comb. of κρίος
crio-
ceras *Conch.*
-atid(ae -atite -atitic -atoid -idae -is
prosopus *Ent.*
sphynx *Eg. Archaeol.*
κριοβόλιον
krioboly
κριοβόλος ram-slaying
crioboly *Antiq.*
κριοκέφαλος ram-headed
criocephalous -us *Ent.*
κρίος ram; battering-ram
Megacriodes *Ent.*
κριοφόρος (Paus.)
criophore -os *Gr. Sculp.*
κρίσις fr. κρίνειν; (Hipp.)
crise *Obs.*
-crisia *Med.*
hyperendo hypoendo uro
crisis
-crisis *Med.*
anti bronchio epi hetero uro
dysendocrisiasis
κριτήριον (Plato)
criteriology
criterion(al
criterium
urocriterion *Diag.*
κριτής umpire, judge
h(a)ematocrit(e *Physiol.*

kritarchy
lactocrit(e *Arts*
planktonokrit *Mech.*
κριτικός (Arist.)
acritical *Path.*
anticritic -ique
archcritic
autocriticism
critic
al(-ity -ly -ness) aster (-ism -y) ism ist ize (-able -er -ingly) kin oid ule
critique
Cubicriticoid *Math.*
empiritical -ism
endocritic *Physiol.*
epicritic *Neurol.*
hypercritic
al(ly ism ize
neocriticism *Phil.*
overcritical
precritical *Med. Phil.*
pseudocritic(ism
supercritic(al
ultracritical
uncritical(ly
uncriticized
-able -ingly
κριτός chosen
Asyncritus *Pal.*
Compsocrita *Ent.*
critenchyma *Bot.*
c(*or* k)ritenchyma *Bot.*
Kritosaurus *Pal.*
Paracritus *Ent.*
Pentacrita *Ent.*

κροκή a tuft of wool
arsenocrocite *Min.*
crocidismus *Med.*
Thysanocroce *Ent.*
κροκιδ- Stem of κροκίς nap
crocidolite *Min.*
Crocidura *Mam.*
-inae -ine
pseudocrocidolite *Min.*

κροκο- Comb. of κρόκος
Croconema *Helm.*

κροκοδείλινος (Clem. A.)
crocodilene
κροκοδειλίτης
crocodilite -ity *Logic*
κροκόδειλος (Herod.)
crocodile
-ean -ian
Crocodilus *Herp.*
-i(a -id(ae -ini -oid(es -uri -urus

κρόκος saffron
clinocrocite *Min.*
crocein *Chem.*
croceo- *Chem.*
-cobaltic
croceous
crocetin *Chem.*
crocin(e *Chem.*
croco(is)ite *Min.*
croconate & -ic *Chem.*
crocose *Chem.*
Crocosmia *Bot.*
crocus(ed
hydrocroconic *Chem.*
lepidocrocite *Min.*
oxycroceum -eal *Med.*
picrocrocin *Chem.*
κροκόττας ?the hyena
crocuta *Obs.*
κροκωτός saffron-dyed
Crocota *Ent.*
Pericrocotus *Ent.*

κρόμυον an onion
cromniomancy
Cromyocrinidae *Pal.*

Κρόνια (Plut.)
C(*or* K)ronia *Ath. Fest.*
Κρόνιος of Cronos
Cronian *Geog.*
crony
Κρόνος Saturn
geocronite *Min.*
kronocentric *Astron.*
Kronos *Myth.*
prikronion *Astron.*

κρόσσαι battlements
Colobocrossa *Ent.*

κροσσοί tassels
Amphicrossus *Ent.*
Crossarchus *Mam.*
-inae -ine
Crossognathidae *Pal.*
crossopodia *Pal.*
crossopterine *Chem.*
Crossopterygia *Ich.*
-ian -idae -ii -ious -ium
Crossopus *Mam.*
-inae -ine
Crossorhinus *Ich.*
-id(ae -oid
Crossosoma *Bot.*
-ataceae -ataceous
Crossotelus *Pal.*
Crossoura *Pal.*
κροσσωτός tasselled
Crossotus *Ent.*

κρόταλον a clapper
Crotalaria *Bot.*
crotalin(e *Tox.*
crotalism *Vet.*
crotalo-
crinus *Crin. Pal.*
phorus *Herp.*
toxin *Tox.*
crotal(um *Antiq.*
Crotalus *Herp.*
-ic -id(ae -iform -ina(e -ine -ini -oid(es -uri -urus

κροτάφιον (Galen)
crotaphion *Anat.*
κροταφίτης (Hipp.)
crotaphite -ic *Anat.*
Crotaphytus *Herp.*
κρόταφος the temple
crotaphe -ic *Med.*
Physocrotaphus *Ent.*
saurocrotaphous *Herp.*
stegocrotaphous *Zool.*
stenocrotaphy *Craniom.*
therocrotaphus *Anat.*

κροτεῖν to knock
Croteoptera *Ornith.*
κρότησις a clapping
gonycrotesis *Med.*
κρότος beat of dancing
Acrotus -idae *Ich.*
bradycrote *Med.*
-crotic *Med.*
a ana(di) auto brady cata(di tri) mono poly tetra
-crotism *Med.*
a ana(di) auto cata- (di tri) mono poly
monocrotous *Physiol.*

κροτών the palma Christi
anticrotin *Tox.*
bradycrotin *Prop. Rem.*
crotaconic *Chem.*
crotin *Mat. Med.*
crotolactonic *Org. Chem.*
Croton *Bot.*
croton- *Org. Chem.*
aldehyde allin amid(e arin ate gloublin ic in(e
crotone
crotonism *Tox.*
crotono- *Org. Chem.*
crotono- Cont'd
lactone nitrile phenone toluide
crotonol(e)ic *Org. Chem.*
crotonyl(en(e *Org. Chem.*
Crotophaga *Ornith.*
-inae -ine
crotyl *Org. Chem.*
isocrotonic *Org. Chem.*
methylcrotonic *Chem.*

κρουματικός instrumental
kroumatic *Music*

κρουνός a spring
crounotherapy *Ther.*

κρυμο- Comb. of κρυμός
crymo-
philus *Phytogeog.*
phyte -ic *Phytogeog.*
therapeutics *Med.*
therapy *Med.*
κρυμός frost, cold
crymad -ium *Phytogeog.*
crymodynia *Path.*
isocryma *Bot.*
isocryme *Meteor.*
-al -ic
κρυμώδης icy-cold
Crymodes *Ent.*

κρυο- Comb. of κρύος
cryo-
bdella *Helm.*
cautery *Med.*
conite *Min.*
fin *Mat. Med.*
gen *Phys. Med.*
genic -in *Chem. Med.*
geny *Refrigeration*
hydrate & -ic *Chem.*
lite *Min.*
lithionite *Chem.*
luminescence -ent
magnetic *Phys.*
meter *Phys.*
phorus -ic *Phys. App.*
phyllite *Min.*
phyte *Bot.*
plankton *Bot.*
scope *Med. App.*
scopy -ic *Phys. Chem.*
sel *Phys. Chem.*
stase *Chem.*
tropism *Ecol.*
-cryoscopy *Med.*
hemo micro urino
isocryoscopic *Chem.*
kryo-
fin(e *Mat. Med.*
gen(e *Dyes*
genin *Med.*
konite
meter *Meteor.*
scopy -ic
manocryometer *Phys.*
κρύος icy-cold
cry- *Med.*
(a)esthesia
algesia
anesthesia
H(a)ematocrya(l *Biol.*
hypercry- *Med.*
(a)esthesia
algesia

κρυπτάδιος clandestine
Cryptadius *Ent.*

κρύπτη (Strabo)
crypt(a *Bot.*
crypt(al ed
grotesco
grotesque
ly ness uery
grotto -oed
grottology
κρυπτικός (Arist.)
allocryptic *Biol.*
anticryptic *Biol. Phil.*
cryptic(al(ly
Crypticus *Ent.*
holocryptic
kryptic *Theol.*
Microcrypticus *Ent.*
Philocryptica *Ent.*
synanticryptic *Phil.*
syn(anti)cryptic *Biol.*
synprocryptic(ally

κρυπτόν Neut. of κρυπτός
krypton *Chem.*

κρυπτός concealed, secret
Ammocrypta *Ich.*
amphicryptophytes *Bot.*
anticryptogamic *Bot.*
Archaeocryptolaria *Pal.*
Colicryptus *Pal.*
crypt-
acanthodes *Ich.*
-id(ae -oid
acanthus *Ich.*
a(*or* o)mnesia *Psych.*
analyst
antherous *Bot.*
anthous *Bot.*
antigenic *Biochem.*
arch(y *Gov.*
archa *Ent.*
aulax *Ent.*
hybrid *Bot.*
iden(e *Chem.*
itis *Path.*
odont(a *Conch.*
olin *Chem.*
oniscus -idae *Ent.*
onychinae *Ornith.*
onym(ous
onyx(ae *Ornith.*
phialus *Crust.*
-id(ae -oid
ophthalmia -os -us
opia -in(e *Chem.*
opid- *Org. Chem.*
ene enic inic (i)ol
oplus *Ent.*
ops *Ent.*
orchectomy *Surg.*
orchia *Med.*
orchid -is *Terat.*
orch(id)ism *Terat.*
ornis *Pal.*
ous
urus *Ornith.*
-i -idae -ous
us *Ent.*
crypto-
agnostic
anamnesia *Psych.*
baris *Ent.*
biolite *Geol.*
biotic *Pal. Bot.*
blast *Bot.*
branch(-iata -iate -id- (ae -oid -us)
brucinolone *Org. Chem.*
Calvinism -ist(ic
carp(ae -ic -ous *Bot.*
carya *Bot.*
Catholic(ism
cephala *Helm.*
cephalic *or* -ous *Zool.*
cephalus *Terat.*
cerata *Ent.*
-ate -atous
chelatae -ate *Crust.*
chirus *Crust.*
chiton *Conch.*
Christian
chroism *Phys.*
clase *Min.*
clastic *Petrol.*
cleidus *Pal.*
clite *Gram.*
crypto- Cont'd
coccosis *Path.*
coccus *Bact.*
cochlides *Conch.*
coelia *Zool.*
commercial
cotyledons *Bot.*
crinus -idae *Echin. Pal.*
crystalline *Geol. Min.*
crystallization
cyst(es *Zool.*
deist
dibranchia *Conch.*
-iata -iate
didymus *Terat.*
dira(e *Herp.*
-an -e -ous
double *Astron.*
drilus -idae *Helm.*
dynamic *Phys.*
gam *Bot.*
ae ia(n ic(al ist ous y
gear *Mech.*
genetic *Med.*
genic *or* -ous *Med.*
genius *Ent.*
glaux *Ornith.*
glioma *Ophth.*
gram(mic
gramma *Bot.*
grammatist -ic(al
graph(er
graphy
-al -ic(al -ist
graptidae *Pal.*
halite *Min.*
heresy -ic
hybrid *Bot.*
hypnus *Ent.*
Jesuit(ism
lite *Min.*
lith(iasis *Med.*
logy
menorrhea *Gynec.*
mere *Biol.*
merene *Org. Chem.*
meria *Bot.*
meriol *Org. Chem.*
merism *Bot.*
merorachischisis
merous *Petrog.*
meryx *Pal.*
mnesia *Psych.*
monadina -ine *Protozoa*
morphite *Min.*
nema(ta -ieae *Bot.*
nervius *Bot.*
neura -ous *Zool.*
papist *Eccl. Hist.*
paramera *Zooph.*
pentamera -ous *Ent.*
perthite *Min.*
phagus *Ent.*
-id(ae -oid
phanic *Chem.*
phone
phor
phragmus *Pal.*
phyceae *Bot.*
physophilus *Ent.*
phyte -ium *Bot.*
pithecus *Pal.*
plasmic *Path.*
plax *Conch.*
poda *Crust.*
-ia -id(ae -oid
podia *Med.*
pore -ous *Bot.*
porticus *Arch.*
procta *Mam.*
-id(ae -inae -ine -oid
psarus *Ich.*
ptyxis *Pal.*
pyic *Med.*
pyrrol(e *Org. Chem.*
radiometer *Med. App.*
rheic *Physiol.*

crypto- Cont'd
rhynchus *Ent. Pal.*
-ia -idae
rrhea -isis *Physiol.*
(r)rhetic *Physiol.*
scope -ic -y *Optics*
stegia *Zool.*
stemma *Arach.*
-id(ae -oid(ae
stigma *Ent.*
stoma *Bot.*
-ata -atous
t(a)enene *Org. Chem.*
tetramerous *Ent.*
thyrid *Pal.*
toxin *Biochem.*
trema *Ich.*
valency *Chem.*
venia -iidae *Pal.*
zoic *Petrog. Zool.*
zonia -ate *Echin.*
zygous -osity *Craniom.*
eucryptite *Min.*
eukryptit *Min.*
geocryptophyte *Bot.*
Hemicryptophytes *Bot.*
hydrocryptophytes *Bot.*
krypto-
blast *Bot.*
brucinolone *Org. Chem.*
clase *Min.*
cyanine *Dyes Photog.* (*T.N.*)
kryptol *Chem.*
merite *Med.*
mnesic *Psych.*
pyrrol(e *Org. Chem.*
microcrypto crystalline *Petrog.*
onychocryptosis *Med.*
Parapleurocrypta *Crust.*
pinakryptol
Protohemicryptophytes
Psammocryptus *Ent.*
pseudoeucryptite *Min.*
Rhinocrypta *Ornith.*
steatocryptosis *Med.*
steganocryptophytium
telecryptograph
trichocryptomania *Med.*
trichocryptosis *Path.*
xylocryptite *Min.*

κρυστάλλινος (Dio C.)
crystalline -ity
-crystalline *Chem. Geol. Min.*
crypto cyano epi fibro granulo h(a)em(at)o hemi holo homoeo hypo inter macro micro (crypto) multi neuro palaeo para phanero pheno pseudo pyro sclero semi sub trans

κρύσταλλο- Comb. of κρύσταλλος
crystallo-
ceramic
chore *Phytogeog.*
drone
genesis
genetic
geny -ic(al
granular
grapher
graphy
-ic -ical(ly
logy
luminescence *Phys.*
magnetic
mancy *Augury*
metry -ic
phobia *Ps. Path.*
scopy *Crystal*
type
typy *Print.*
microcrystallo-
geny graphy scopy

κρυσταλλο ειδής (Poll.)
crystalloid(al *Bot. Min.*
crystalloiditis *Path.*

κρύσταλλος orig., ice
cryst-
albumin *Ophth.*
ic *Geol.*
oleum *Art*
olon *Abrasives*
-cryst *Petrog.*
meta pheno xeno
crystalfibrin *Ophth.*
crystal (Strabo)
-crystal
bio en hemi inter meta micro mono oreo pal(a)eo pheno rheo sphero sub ultramicro
crystall-
ic iferous iform igerous in ite itic itis ize (-ability -able -ation -er) ose
crystallod *Elec.*
crystallurgy
crystalluridosis *Med.*
crystalwort *Plants*
-crystallic
endo magneto p(a)laeo pheno
-crystallization
crypto de hystero inter per picro piezo re syn
-crystallize
de re
-crystic
infra p(a)laeo pheno
crysto-
graph *Art*
phene *Geol.*
incrystallizable
krystic *Geol.*
microcrystallitic *Geol.*
uncrystalized
-ability -able

κρύφα secretly
Cryphalites *Pal.*

κρυφαῖος concealed
Cryphaeus *Crust. Ent. Pal.*

κρύφιος secret
cryphio-
lite *Min.*
mystis *Ent.*

κρυψι- Comb. of κρύψις
Crypsirhina *Ornith.*

κρύψις concealment
crypsis *Phil.*
crypsorchis -id *Anat.*
krupsis -ist *Theol.*
krypsis *Theol.*
phallocrypsis *Med.*
syncrypse *Biol. Phil.*

κρωβύλος a knot of hair
krobylos *Gr. Dress*
Parastenocrobylus *Ent.*

κτείνειν to slay
Hypoctenes *Ent.*
pyoctanin(e *Mat. Med.*
pyoktanin *Mat. Med.*

κτείς (κτενός) a comb
Cteisa *Ent.*
Monoctinidae *Ent.*
Podoctinus *Arach.*

κτεν- Stem of κτείς
Amphictene *Helm.*
-ia -id(ae -oid
Ctenacanthus *Ich.*
ctenate *Zool.*
ctene *Zool.*
cteniform *Ent.*
Cteniza *Ent.*
ctenodont *Ich.*
Ctenodonta *Pal.*
Ctenodus *Ich.*
Ctenopsis *Pal.*
Ctenucha *Ent.*
Malacoctenus *Ich.*
Onychoctenus *Ent.*
Opisthoctenodon *Pal.*
Phaneroctena *Ent.*
Polyctenes *Ent.*
-id(ae -oid
Pteroctenus *Ent.*

κτενίδιον Dim. of κτείς
ctenidiobranch *Conch.*
-ia -iata -iate
ctenidium -ial

κτενίζειν to comb
Eocteniza *Pal.*

κτένιον Dim. of κτείς
Dicteniophorus *Ent.*
Mesoctenia *Ent.*

κτενιστής hairdresser
Ctenistes *Ent.*

κτενο- Comb. of κτείς
Actenobranchii *Ich.*
cteno-
branch *Conch.*
ia iata iate
cephalus *Ent.*
cyst *Zooph.*
dactyl(e *Mam.*
inae ine us
dentex *Pal.*
dipterini *Ich.*
-idae -inae -ine
discus *Echin.*
labrus *Ich.*
-idae -oid
lates *Ich.*
lium *Conch.*
mys *Mam.*
myophila *Ent.*
peuca *Ent.*
phor(e *Zooph.*
-a -al -an -ic -ous
phyllum *Bot.*
phyte *Mycol.*
plana *Zool.*
poridae *Pal.*
pterus *Pal.*
ptychius *Ich.*
saurus *Pal.*
stichus *Ent.*
stome *Helm.*
-ata -atous
Dictenocrinus *Pal.*
Trictenotomus *Ent.*
-a -id(ae -oid

κτενοειδής like a comb
ctenoid *Ich.*
ea(n ei ian

κτενώδης = κτενοειδής
Ctenodes *Ent.*

κτενωτός combed, carded
Ctenotis *Ent.*

κτῆσις acquisition
neoctese *Min.*
Polyctesis *Ent.*

κτητός acquired
cteto- *Biol.*
logy some

κτήτωρ possessor
chaetectetorus *Ent.*

κτίλος docile
Ctilocephala *Ent.*

-κτονος fr. κτείνειν
aerhaemoctonia *Med.*
Ambloctonus *Mam.*
-id(ae -oid
Archaeoctonus *Pal.*
-ctonus *Ent.*
Dendro Micro Mono Xylo
Enneaoctonus *Ornith.*
Eoctonus *Pal.*
Rhizoctonia *Fungi*
rhizoctoniose *Fungi*

κτυπέειν to crash, resound
ctypeite *or*
ktyp(p)eite *Min.*

κύαθος a cup
Anthocyathus *Fungi*
Anticyathus *Helm.*
Archaeocyathus
-idae -inae
Cyathaspis *Ich.*
Cyathaxonia *Zooph.*
-idae -iid(ae -ioid
Cyathea *Bot.*
-aceae -aceous -eae
cyathium *Bot.*
-iform -oid
cyatho-
crinus *Echin. Pal.*
-id(ae -ite -oid
dera *Ent.*
lith *Biol.*
meter
pharynx *Ich.*
phyllum *Zooph.*
-id(ae -inae -ine
-oid(ea(n
zooid *Anat.*
cyathus *Anat.*
Cyathus *Bot.*
-cyathus *Pal.*
Pepono Theco
Thalamocyathus *Zooph.*

κυαμόβολος chosen by lot
Cyamobolus *Ent.*

κύαμος a bean
cyamel- *Org. Chem.*
id(e one uric
Cyamus *Crust.*
-id(ae -oid
Togocyamus *Pal.*

κυαν- Comb. of κύανος
acyanopsia *Ophth.*
anthocyane -idine *Chem.*
anthokyan *Biochem.*
-cyan *Biochem.*
algo antho hy leuco oeno oo para protantho
cyan- *Chiefly Chem.*
acetic
alcohol
alkin(e
amid(e amin(e
anilin(e
anthrol -ene
ate
auric -ate
azid(e
ellus *Colors*
ephidrosis *Path.*
escent
ethin(e
formic
h(a)ematin(e
hemoglobin
hydric -ate -in
hy(*or* i)drosis *Path.*
ic icide
id(e ation in(ium
ilic -in
imid(e
in(e ium ion
ite -ic *Min.*
methemoglobin
ol(e *Dyes*
op(s)ia *Ophth.*
otis *Ornith.*
ur-
ate (en)ic et in yl
ur(tri)amid(e
urus *Ornith.*
-cyanate *Chem.*
hydro hydroferro(or i(d) iso(sulpho thio thyo) para persulpho
-cyanate Cont'd
photothio seleno sulf(*or* ph)o thio tri
-cyanic *Chem.*
auri chloro cobalti(*or* o) ferri hydro(cobalti ferri(d) ferro platino sulpho thio) iso (sulpho thio) nitroferri osmo penta perferri persulpho perthio phyllo picro platino pyo seleno sulf(*or* ph)o telluro thio tungsto
-cyanid *Chem.*
argenti auri cobalti(*or* o) cupro di ferri iso metallo osmo oxy para platino proto sulf(*or* ph)o
-cyanide *Chem.*
argenti auri auro bromo cobalti(*or* o) cupro di ferri hydro iso mangani metallo octa osmio oxy para perferri photo platino poly proto silico sulpho thio titano tri
-cyanin *Chem.*
bili chole di erio glyco h(a)ema(to) h(a)emo hemipyo kera meco neo norhyos oeno oo oxyh(a)ema(*or* o) phyco phyllo pruni pyo rhinantho roso syn urano uro
-cyanine *Chem.*
antho apo benzo carbo(thio) chole cholo chromo di erio gallo h(a)emo iso krypto lipo neo pheno phyco roso sulpho
dicyandiamid(e
diphenylcyanarsin
glu(*or* y)cocyam(id)in(e
gynocyanauridzarin
hydrocyanite *Min.*
hydrocyanuric
hypecyanotic *Med.*
isocyanuric -ate
kuanacetic
kyan- *Chiefly Chem.*
idine
ize -ation
ol
opsia *Ophth.*
manganicyanhydric
neocyanite *Min.*
persulphocyanhydric
pinacyanol *Dyes Photog.*
pyocyanol -ase
silicocyanamide
subcyaneous
sulphocyan-
odide
uret
thiocyanation
xanthocyanop(s)ia -y
xanthokyanopy

κυάνεος dark, black
Cyanea *Zooph.*
-ean -eid(ae -eoid -eous
-idae

κυανο- Comb. of κύανος
acyano-
blepsia *or* -y *Path.*
phoric *Bot.*
cyano-
acetate
benzene *Chem.*
cephalus *Ornith.*
chroia -ic -ous *Path.*
chroite *Min.*

cyano- Cont'd
citta *Ornith.*
corax *Ornith.*
crystalline *Chem.*
cuprol *Mat. Med.*
cyst *Cytol.*
derma *Path.*
form(ic *Chem.*
gen *Chem.*
genesis *Chem. Histol.*
genetic *Chem.*
h(a)emoglobin *Chem.*
hermidin *Bot.*
hydrate *Chem.*
hydrin *Chem.*
lophia *Vet.*
machurin *Chem.*
mercuric *Chem.*
meter
metry -ic
mycosis *Med.*
pathy -ic *Path.*
phil(ous *or* -ic *Cytol.*
phoric *Biochem. Bot.*
phose *Psych.*
phyceal -ean -eous -in
phyl(l *Chem.*
phyll(in *Bot. Chem.*
plastid *Pigments*
platinate *Chem.*
platinite *Chem.*
platinous *Chem.*
porphyrin *Chem.*
spiza *Ornith.*
type *Photog.*
-cyanogen *Chem.*
bromo di ferri hexa iodo iso mono para persulpho perthio phyco pseudosulpho seleno sulf(*or* ph)o thio tri urano uro
dicyanodiamid(e
ferricyanohydric *Chem.*
kyanophane *Chem.*
kyanophilous *Bot.*
pyocyano- *Bact.*
bacterin genic lysin
selenocyano-
platinate *Chem.*
sulf(*or* ph)ocyano-
acetic -one *Chem.*
thiocyano-
metric metry
κύανος
cyanos
cyanosin(e *Chem.*
cyanosite *Min.*
cyaphenin(e *Chem.*
cyarsal *Mat. Med.*
cyasma *Gynec.*
kuanos *Gr. Arch.*
κυάνωσις dark blue
acrocyanosis *Physiol.*
cyanosis -ed *Path.*
cyanotic *Path.*
uranocyanosis *Path.*
κύαρ hole (of the ear)
cyar *Anat.*
Cyardium *Ent.*
Κυβέλη (Eur.)
Cybele *Myth.*
Cybeloides *Pal.*
κυβερνᾶν orig., to steer
govern
governable
-ity -ly -ness
governall -a(u)nce -ancy
governante
governation
governess
-dom -hood -ship
governingly
governless
government
-al(ly -alism -alist
governor
-at -ship
gubernaculum -ar
gubernation -ive
gubernator(ial y
κυβερνήτης helmsman
Gubernates *Ornith.*
κύβη the head
clitocybe *Mycol.*
κύβηβος head-stooping
Cybebus *Ent.*
κυβικός (Plato)
circumcubic *Math.*
cubic
al(ly alness ity
Cubicorrhynchus *Ent.*
cubo(cubo)cubic *Math.*
pseudocubic(al
quadratocubic *Math.*
semicubic(al
subcubical
κύβιον Dim. of κύβος
Acanthocybium *Ich.*
Cybium *Ich.*
κυβιστητήρ tumbler, diver
Cybister *Zool.*
κύβιτον the elbow
cubit
al(ed ale
cubitidigital *Anat.*
cubitiere *Armor.*
cubito- *Anat.*
carpal plantar radial
cubitus
κυβο- Comb. of κύβος
cubo-
biquadratic *Math.*
calcaneal *Anat.*
cube *Math.*
ic ocube ocubic
cuneiform *Math.*
dodecahedron -al
ite *Min.*
mancy
medusae -an *Zooph.*
metatarsal *Anat.*
navicular *Anat.*
octahedron -al *Math.*
silicite *Min.*
stomae -ous *Zool.*
Cybocephalus *Ent.*
κυβοειδής cubical
calcaneocuboid *Anat.*
cuboid(al *Anat. Anthrop. Math.*
cuneocuboid *Anat.*
scaphocuboid *Anat.*
subcuboidal *Anat.*
κύβος a cube; pl., dice
cubarithm
cube
age angle
cubation
-ive -ory -ure
cubeite *Min.*
cubi-
cephalic *Craniom.*
cone *Math.*
contravariant *Math.*
cossic *Math.*
covariant *Math.*
criticoid *Math.*
form *Math.*
cubism -ist(ic *Art*
cubinvariant *Math.*
quin(to)cubita(ism
supercube *Math.*
tricube *Math.*
κύδαρυς a small ship
cydariform *Ent.*
κυδιάνειρα glorifying
Cydianirus *Ent.*
Κυδίππη Cydippe
Cydippe *Zooph.*
-ean -ean -id(ae -id(e)a -oid
κυδνός splendid
Cydnus *Ent.*
-id(ae -oid
Teleocydnus *Ent.*
κυδρός glorious
Cydros *Ent.*
κῦδος glory
kudize
kudos
Κύδωνες
Cydones *Geog.*
Κυδωνία a quince tree
Cydonia *Bot.*
cydonin *Org. Chem.*
cydonium *Pharm.*
Cydonocrinus *Pal.*
Κυδώνιον
Cotoneaster *Bot.*
melocoton *Bot.*
quince(wort
Κυδώνιος of Cydonia
Cydonian
Κυζικός Cyzicus
cyzic(*or* g)enus *Gr. Ant.*
κύημα an embryo
cyema *Gynec.*
-cyemate *Embryol.*
endo ento epi haplo
cyemology *Gynec.*
Dicyema *Protozoa*
-ata -id(ae -ida -oid
Heterocyemidae *Prot.*
κύησις pregnancy
acyesis *Med.*
cyesio- *Med.*
gnomon
gnosis
logy
cyesis *Med.*
-cyesis
a ec en endo epi hyper loxo meta mono oo ovario para poly pseudo salpingo salpingystero
encyopyelitis *Gynec.*
kyesamechania *Biol.*
kyestein(e *Med.*
κυητικός (Clem. Alex.)
acyetic *Med.*
Κυθέρεια Aphrodite
Cythere *Crust.*
-id(ae -oid
Cytherea *Bot. Conch. Myth.*
cytherean *Astron.*
Cytherella *Crust.*
-id(ae -oid
cytheromania
Gomphocythere *Crust.*
κύκας for κοίκας acc. pl. of κόιξ
angiocycad *Pal. Bot.*
cycad *Bot.*
(ac)eae (ac)eous ales ean eid eoidea iform ite
cycado-
filices -inian *Pal. Bot.*
phyte(s *Bot.*
Cycas *Bot.*
-aceae -aceous
gymnocycads *Bot.*
Hemicycadales *Bot.*
Paracycadales *Bot.*
Κυκλάδες fr. κυκλάς
Cyclad(es -ic *Geog.*
κυκλάμινος (Theophr.)
cyclamen *Bot.*
cyclamic *Org. Chem.*
-in(e -inan(e
cyclamiretin(e *Chem.*
cyclamon *Ceram.*
cyclamose *Chem.*
κυκλάς (-άδος) around
?ciclatoun *Dress*
Cyclas -ad(idae *Conch.*
cyclas *Rom. Ant.*
cyclaster(ion *Med.*
Microcyclas *Pal.*
Paracyclas *Zool.*
κυκλικός circular (Arist.)
anticyclic
cyclic
al(ly ian ism
-cyclic *Bot.*
a ecto endo ento eu hexa holo meio meri mono penta pleio tri
-cyclic *Chem.*
a ali azo carbo endo exo hetero homo hydro iso monohetero semi spiro tetra tri
-cyclic *Geom.*
archaeo kaeno meso palaeo
-cyclic *Math.*
con logo meta
Cyclica *Ent.*
cyclico-
pora *Helm.*
-id(ae -oid
tomy *Surg.*
encodyclic(a(l *Echin.*
exocyclic(a *Zool.*
geocyclic
monocyclic *Echin. Elec.*
Monocyclica *Pal.*
ontocyclic *Biol.*
phytocyclic *Ethnol.*
pseudomonocyclic *Pal.*
κύκλιος circular
cyclian
κυκλίσκος Dim. of κύκλος
Cycliscus *Ent.*
κυκλο- Comb. of κύκλος
benzocyclo- *Org. Chem.*
heptadiene heptane
bicyclo- *Org. Chem.*
hexane hexene nonane octane
chromocylograph *Print.*
cyclo-
acetal *Org. Chem.*
bothra *Bot.*
branchia *Conch.*
-ian -iata -iate
but- *Org. Chem.*
adiene ane anol anone ene enone
butylamine *Org. Chem.*
carcinus *Crust. Pal.*
celus *Ornith.*
centric *Morph.*
cephalus *Terat.*
-ian -ic
ceras *Conch. Pal.*
ceratitis *Ophth.*
chorisis *Bot.*
choroiditis *Path.*
citral *Org. Chem.*
clinal *Geol.*
clypeus -eina(e
coelic -ous *Anat.*
colposa *Pal.*
conium *Mycol.*
dema *Pal.*
desmic *Bot.*
dialysis *Surg.*
diolefin *Org. Chem.*
discaria(n *Protozoa*
disulfid(e *Org. Chem.*
fenchene *Org. Chem.*
form *Mat. Med.*
gallipharic *Org. Chem.*
cyclo- Cont'd
gen *Bot.*
genous *Geom.*
geran- *Org. Chem.*
ic iol(ene yl
glycylglycin(e *Chem.*
graph(er
graphy *Geom.*
hepta- *Chem.*
heptene -one *Chem.*
heptindol(e *Org. Chem.*
ane anone decane diene dione triene
hexane *Chem.*
hexanol(e *Chem.*
hexanone *Chem.*
hydroplane
imber *Geom.*
labridae *Zool.*
lith *Antiq.*
lithes *Ent.*
lobinae *Pal.*
loculina *Pal.*
lytic *Bot.*
meter
methylamin(e *Chem.*
metopa *Crust.*
-ita -ous
metry -ic(al
mus *Ent.*
myaria(n *Zool.*
nautilus *Pal.*
nonane *Org. Chem.*
octa- *Org. Chem.*
diene tetrene triene
octane & -ene *Chem.*
oct(en)yl *Org. Chem.*
olefine *Chem.*
paraffin *Chem.*
peltis *Bot.*
pentane *Chem.*
periella *Pal.*
phoria -ic *Path.*
phorus *Conch.*
-id(ae -oid
poiesis poietic *Chem.*
plegia -ic *Path.*
poridium *Pal.*
pro- *Chem.*
ane nol ene enone
psetta *Ich.*
psittacus *Ornith.*
-id(ae -oid
pterin *Chem.*
pteris *Bot.*
pterus *Ich.*
-id(ae -ina -ine -oid-(ea(n -oidae -oidei -ous
rrhapha -ous *Ent.*
saur(a -ia(n *Herp.*
scope
spermous *Bot.*
spiridae *Pal.*
spondyli(c -ous *Ich.*
spora *Protozoa*
sporales *Bot.*
static *Org. Chem.*
stoma *Ich.*
-al -e(s -i(an
stomata *Helm. Ich.*
-ate -atous
stomus *Conch.*
-(at)id(ae -(at)oid
-inae -ous
strema *Conch.*
-atidae -id(ae -oid
strophic *Meteor.*
style -ar *Arch.*
system
therapy *Ther.*
thymia *Ps. Path.*
-iac -osis
tome *Ophth. App.*
tomy -ic *Math. Surg.*
trema *Conch.*
triolefin *Org. Chem.*

cyclo- Cont'd
vertebral *Ich.*
zoon *Pal.*
Encyclodema *Pal.*
idiocyclophanous *Crystal.*
iridocyclochoroiditis
pancycop(a)edic
tricyclo- *Org. Chem.*
octane

κυκλοειδής (Plut.)
cycloid(al(ly *Math.*
Cycloidei *Ich.*
-ean -ian
cycloidotrope *Mech.*
Cycloidotrypa *Pal.*
epihypocycloidal
hypercycloid(e *Geom.*
hypocycloid(al *Geom.*

κύκλος ring; circle; orb
Acanthocyclus *Crust.*
-id(ae -oid
Anacyclus *Bot.*
anisocycle *Mil.*
Aphanocyclae *Bot.*
Aspidacyclina *Pal.*
autocycle *Vehicles*
autoquadricycle
bicycle
-er -ic(al -ing -ism -ist
bicycular
ceratoiridocyclitis *Path.*
choroidocyclitis *Path.*
chromocyclite *Min.*
Coptocycla *Ent.*
cycl-
ammone *Org. Chem.*
ane -ol *Org. Chem.*
anthus *Bot.*
-aceae -aceous -ales -ous
ar
arch *Bot.*
aris *Ornith.*
arthrodial *Anat.*
arthrosis *Anat.*
azoic *Org. Chem.*
encephalus *Terat.*
ene *Org. Chem.*
iae ian *Pal.*
id(ae *Crust. Ich.*
ide *Math.*
idium *Zool.*
ifera -ous *Ich.*
ifying *Geom.*
inea *Zool.*
iot *Phil.*
itis *Path.*
ize -ation *Org. Chem.*
ode *Geom.*
odus -onta *Conch.*
ophis *Herp.*
opia -ic *Bot.*
opin(e *Org. Chem.*
orama -ic
orn
ose *Org. Chem.*
othone *Ich.*
ura *Bot. Crust. Herp.*
cycle(dom -er
cyclecarist
Cycleptus -inae *Ich.*
cyclus
decacyclene *Org. Chem.*
Exocycloida *Pal.*
fluorocyclene *Org. Chem.*
Geocyclus *Bact.*
heptacyclene *Org. Chem.*
heterocycle *Org. Chem.*
-ane -ene -oid
hydrocycle -ist *Mech.*
hypercycle *Math.*
hypocycle
iridocyclectomy *Ophth.*
iridocyclitis *Ophth.*
isocyclous *Ophth.*
isocyclus -ous *Zool.*
keratoiridocyclitis *Ophth.*
kilocycle *Radio*
Ku-Klux(er -ism
Lepidosemicyclina *Pal.*
leucocyclite *Min.*
mesocycle *Bot.*
monocycle -y *Bot.*
monocycle *Biol.*
-ous -on
monocycle -ia *Echin.*
monocycle *Veh.*
motocycle
motorcycle
multicycle
multicyclina *Pal.*
ontocycle -on *Biol.*
oricycle *Geom.*
orthocycle *Geom.*
oxycycloid *Org. Chem.*
Palaeocyclus -idae *Pal.*
pentacycle *Bot.*
phylocycle *Ethnol.*
quadricycle(r -ist
recycle *Chem.*
Solenocyclus *Ent.*
spirocyclane *Org. Chem.*
tricycl- *Org. Chem.*
al ene enic ol
tricycle(r -ist
tricycly- *Bot.*
water-cycle *Mech.*
weather cycle
Xanthocycla *Ent.*

κυκλοτερής circular
Cycloteres *Ent.*

κύκλωμα a circular thing
cyclomatic *Math.*
cyclome *Bot.*

κυκλῶν revolving
anticyclone *Meteor.*
-ic(al(ly
barocyclono- *Meteor.*
meter scope
cyclone
-al -ic(ally -ist
cyclono-
graph
logy -ist
scope
ellipsone -ic
Eocyclops *Pal.*
hemicyclone *Meteor.*
paracyclone *Meteor.*
pericyclone -ic *Meteor.*

Κυκλώπειος fr. Κύκλωψ
cyclope
Cyclopean *Arch. Myth.*
cyclopite *Min.*
Κυκλωπικός
cyclopic(ally

κύκλωσις an enclosing
cyclosis *Bot. Geom.*
pseudocyclosis *Biol.*
κυκλωτός rounded
cyclothure *Mam.*
-inae -ine -us
Cyclotosaurus *Pal.*

Κύκλωψ Cyclops (Od.)
Cyclopes *Zool.*
cyclopia -y *Terat.*
Cyclops *Crust.*
-id(ae -iform -oid
cyclops *Terat.*

κύκνος a swan
Cycnidolon *Ent.*
cygn- *Chem.*
ic ine ose
cygneous
cygnet
Cygnopsis *Ornith.*
Cygnus -ian -id *Astron.*
Cygnus -inae -ine *Ornith.*
Dendrocygna *Ornith.*

κυλικο- Comb. of κυλιξ
cylico-
bathra *Ent.*
brachytus *Helm.*
mastigei
toichus *Helm.*
tomy *Surg.*
zoa

κυλινδρικός (Synes.)
bicylindrical
conicocylindrical
cylindric
al(ly (al)ity
cylindro-
cylindric(al
hemicylindric *Bot.*
hemicylindrical *Mens.*
ovocylindrical *Geom.*
planocylindric(al
semicylindric(al
spherocylindric *Math.*
subcylindric(al

κυλινδρο- Comb. of κύλινδρος
cylindro-
adenoma *Tumors*
basiostemon *Bot.*
cellular *Med.*
cephaly -ic *Anat.*
conic(al
conoid(al
cylindric(al
dendrite *Neurol.*
genic *Bot.*
graph *Photog.*
helium *Pal.*
metric
ogival
sarcoma *Tumors*
scope *Photog.*
sporium *Mycol.*
sybra *Ent.*
teuthidae *Pal.*

κυλινδροειδής (Plut.)
cylindroid(al
pseudocylindroid *Med.*

κύλινδρος (Plut.)
calandria *Mach.*
clavicylinder *Music*
cylinder
Cylindra -id(ae *Conch.*
cylindr-
aceous *Geom.*
antherae *Bot.*
arthrosis *Anat.*
axile *Neurol.*
ella *Conch.*
-id(ae -oid
epomus *Ent.*
icule
iform
ite *Min.*
odon *Pal.*
oma -atous *Path.*
ophis *Herp.*
-id(ae -oid
Cylindrostes *Ornith.*
uria *Path.*
endosiphocylinder *Pal.*
kylindrite *Min.*
multicylinder(ed
myxocylindroma *Path.*
ovatocylindraceous
semicylinder
semicylindraceous *Bot.*
spherocylinder *Ophth.*

κύλιξ a drinking cup
k(*or* c)ylix *Gr. Ant.*

κυλιστός rolled, twined
Cylistix *Ent.*

κυλίχνη a small cup
Cylichna *Conch.*
-id(ae -oid
Cylichnus *Ent.*

Κυλλήνη Mt. in Arcadia
Cyllene *Ent.*
Κυλλήνιος of Cyllene
Cyllenian *Gr. Rel.*

κυλλο- Comb. of κυλλός
Cyllorrhamphus *Ent.*

κυλλός crooked
Amphicyllis *Ent.*
Rhinocyllus *Ent.*

κύλλωσις a crippling
c(*or* k)yllosis *Med.*
-cyllosis *Anat.*
brachio thoraco trachelo

κῦμα wave; embryo; sprout
botry(o)cymose *Bot.*
Cuma *Crust.*
-acea(n -aceous
-id(ae -oid
cumaphyte *Phytogeog.*
-ic -ism
Cumella *Crust.*
-id(ae -oid
cyma *Arch.*
cyma-
clymenia *Pal.*
graph
phen
cyme *Bot.*
-iferous -oid -ose(ly
-ous(ly -ula -ule -ulose
dermocyma -us *Terat.*
diasorcymes *Biochem.*
dicyme -ose *Bot.*
ku(*or* y)mascope -ic
kummeter *Elec.*
kymatism *Med.*
maroon(er
myokymia *Path.*
neurokym(e *Neurol.*
Pseudocuma *Crust.*
-id(ae -oid
psychokym *Psych.*
serasorcymes *Biochem.*
sorcymes *Biochem.*

κυμάτιον ogee moulding
cymatium
kymation *Gr. Ant.*
Leptocymatium *Ent.*

κυματο- Comb. of κῦμα
cymato-
baris *Ent.*
dera *Ent.*
gaster *Ich.*
lite *Min.*
phoridae *Ent.*
pterus *Ent.*
rhynchia *Pal.*
kymato-
genesis *Biol.*
logy -ist *Phys.*

κύμβαλον a cymbal
chime -er
claircembalo *Music*
clariceymbal *Music*
clavicymbal(um *Music.*
cymbal
(l)ed -eer (l)er ine ist o(n
cymbela *Bot.*
cymbocephaly *Craniom.*
-ic -ous -us
kymbalon

κύμβαχος tumbling
Cymbachus *Ent.*

κύμβη a cup
catacomb(ish
catacumbal
cymba *Spong.*
Cymbirhynchus *Ornith.*
Cymbulia *Conch.*
-iid(ae -ioid
Ericymba *Ich.*
oocymba -ate *Spong.*
pterocymba *Spong.*
-ata -ate
Tectocymba *Pal.*
Tertocymba *Pal.*

κυμβίον Dim. of κύμβη
cymbium
cymph *Obs.*

κύμβος = κύμβη
Cymbidium *Bot.*
cymbocephaly *Cran.*
-ic -ous -us
cymbomorphus *Bot.*

κύμινδις (Arist.)
Cymindis *Ent. Ornith.*

κύμινον cummin (Hipp.)
cum- *Org. Chem.*
al aldehyde enol enyl idino- inic
cumin *Org. Chem.*
al aldazin(e aldehyde anison ene idic idin(e idino- (in)ic inil(ic inoin inol (in)yl uric
cumoquinol -one
cym- *Org. Chem.*
ene enol idin(e ol yl
-cymene *Org. Chem.*
iso oxy para
cymogene *Org. Chem.*
homocumic *Org. Chem.*
nitrocumene *Org. Chem.*
pseudocym- *Org. Chem.*
ene idine yl

κυμο- Comb. of κῦμα
cymo-
botrys -yose *Bot.*
graph(ic
meter *Elec.*
phane -ous *Min.*
phenol *Chem.*
scope *Elec.*
thoa *Crust.*
-oadae -oid(ae -ooid-(ea(n
trichous *Anthrop.*
kymo- *Med.*
gram
graph(ic ion
scope

κυν- Comb. of κύων
cyn-
aelurus -inae *Mam.*
apin(e *Chem.*
arctus *Pal.*
hyena *Zool.*
iatrics -ia *Vet.*
ictis *Mam.*
-idinae -idine
odont(ia *Conch.*
odontoidae *Pal.*
opic
orexia *Path.*
ur-
-enic -ic -ine
Dicynodon *Pal.*
-odont(-ia(n -id(ae -oid)
kynuric *Chem.*
-enic -in(e
myokinine *Biochem.*
Pachycynodontoidae
Pterocynes *Mam.*

κυναγχη sore throat
cynanche *Path.*
cynanchin -ol *Chem.*
cynancho- *Chem.*
cerin toxin
quinsy(wort

κυνάνθρωπος (Galen)
cynanthropy *Path.*

κυνάρα ? = κινάρα
Cynara *Bot.*
-(ac)eae -aceous -oideae

cynarase *Org. Chem.*
cynarrhodium
κυνηγετική (Plato)
cynegetics
κυνηγετικός of the chase
cynegetic
κυνηγέτις huntress
Cynegetis *Ent.*
Κυνθία of Cynthus
Cynthia *Bot. Myth.*
Cynthia *Ascid.*
-iid(ae -ioid
Halocynthiidae *Ascid.*
κυνίδιον Dim. of κύων
Cynidiognathus *Herp.*
κυνικός orig., doglike
cynic
al(ly alness ism
Cynic(ism *Phil.*
uncynical(ly
κυνισμός Cynicism
cynism
κυνο- Comb. of κύων
cyno-
bex *Med.*
gale *Mam.*
-inae -ine
glossum *Bot.*
gnathus *Pal.*
graphy
logy
morpha *Mam.*
-ae -ic -ous
myonax *Mam.*
mys *Mam.*
nycteris *Mam.*
philist
phobia *Ps. Path.*
phrenology
pithecus *Mam.*
-id(ae -inae -ine -oid
poda -ous *Mam.*
pterus *Mam.*
scion *Ich.*
thyrotoxin *Tox.*
toxin *Org. Chem.*
κυνόδων canine tooth
Cynodon(ichthys *Ich.*
κυνοειδής doglike
cynoid(ea(n *Mam.*
κυνοκέφαλος dog-headed
cynocephalus *Terat.*
-ic -ous
Cynocephalus *Ich. Mam.*
kynocephalus *Terat.*
κυνοκράμβη dog cabbage
Cynocrambe *Bot.*
-aceae -aceous *Bot.*
κυνόκτονος (Diosc.)
cynoctonine *Chem.*
κυνόλοσσος (Andreas Med.)
Cynolyssa *Path.*
κυνομόριον (Diosc.)
Cynomorium *Bot.*
-iaceae -iaceous
κυνόρροδον the dog-rose
cyna(*or* o)rrhodium *or* -on *Bot.*
κυνόσουρα Ursa Minor
Cynosura *Astron. Myth.*
cynosure -al
Cynosurus *Bot.*
κυνώδης = κυνοειδής
Cynodia *Zool.*
κυοφορία pregnancy
cyophoria *Med.*
κυπαρίσσινος (Od.)
cupressineous *Bot.*
Cypresinoxylon *Pal. Bot.*
κυπάρισσος (Odyssey)
cypressite *Bot.* (obs.)
Cypressocrinus *Echin.*
-id(ae -ite -oid

Cupressus *Bot.*
cypress
cypressene *Org. Chem.*
Cypressocrinidae & -ite
cyprine *Bot.*
κυπάς a short frock
Peliocypas *Ent.*
κύπερος (Herod.)
-cyperaceae *Bot.*
Chloro Sclero
cypero-
caulon *Bot.*
grapher *Bot.*
logist *Bot.*
Cyperus *Bot.*
-aceae -aceous -oid
Κυπρία = Κυπρίς
Cypraea *Conch.*
-aceae -adae -id(ae -iform -inae -oid
cypraeo-
gemmula *Pal.*
logist *Conch.*
κυπρῖνος a kind of carp
acyprinoid *Zoogeog.*
cyprinin(e *Chem.*
Cyprinodon *Ich.*
cyprinodont *Ich.*
-es -id(ae -inae -oid(ae -oidei
Cyprinus *Ich.*
-id(ae -iform -oid(ea(n -oidae
Plesiocyprinella *Pal.*
Κύπριος of Cyprus
alcobronze *Alloys*
copper
bell(y bill blende bloom drift finch glance head(ism ish ization ize manganese nose(d nickel ose plate rose skin slate smith spot tail wall ware wing works worm y
copperas(in(e *Chem.*
cupferron *Anal. Chem.* (*T.N.*)
cupr- *Chem.*
ate ea ein(e eous
cupra- *Chem.*
cupram *Bot. Chem.*
cuprammonia & -ium
cupre- *Org. Chem.*
an(e ene idan(e idin(e onium
cupriaseptol *Chem.*
cupri- *Inorg. Chem.*
ate ide
cupric *Chem.*
cupriferous
cuprion *Chem.*
cuprite *Min.*
cuproid *Crystal.*
electrocopper
electrocuprol *Mat. Med.*
ethylhydrocuprein
fluocuprate *Chem.*
hydrocuprite *Min.*
metakupferuranit *Min.*
plumbocyprite *Min.*
Κυπρίς Cypris
Bradycypris *Crust.*
chypre
cypher *Furriery*
Cypricardia *Conch.*
-acea -ella -inia -inoid -ites
cypridophobia *Ps. Path.*
Cyprina *Conch.*
-acea(n -id(ae
cypripedin *Pharm.*
Cypripedium *Bot.*
cypriphobia *Ps. Path.*

Cypris *Crust.*
-(id)id(ae -(id)oid-id-ina(-id(ae -oid) -iferous -oidea(n
Cyproniscus -idae *Crust.*
Halocypris *Crust.*
-id(ae -oid
Liocypris *Crust.*
Κυπρο- Comb. of Κύπρος
cupro-
ammonium *Chem.*
apatite *Min.*
ate *Inorg. Chem.*
bismutite *Min.*
cyanid(e *Chem.*
descloizite *Min.*
goslarite *Min.*
hemol *Mat. Med.*
iodoargyrite *Min.*
magnesite *Min.*
manganese *Min.*
nickel *Alloys*
plumbite *Alloys*
potassic *Inorg. Chem.*
pyrite *Min.*
scheelite *Min.*
silicon *Alloys*
sulfite
sulfurous *Inorg. Chem.*
thiosulfite *Inorg. Chem.*
thiosulfurous *Chem.*
tungstite *Min.*
Κύπρος Cyprus
cuprum *Chem.*
-ose -ous
Cyprian *Geog. Lit.*
Cypriot(e
cyprus
cyprusite *Min.*
κυρβασία a Persian hat
kyrbasia *Gr. Ant.*
Κυρηναικός (Diog. L.)
Cyrenaic(ism *Phil.*
Κυρηναῖος of Cyrene
Cyrenian
Κυρήνη Cyrene
Cyrena -id(ae -oid *Conch.*
Cyrenella -id(ae -oid
κυρία authority
Cyria *Ent.*
κυριακόν the Lord's house
antechurch
antichurch(ian
church
dom ianity ified iness ish ism ist ite less liness ling ly man(ly ology (man)ship y yard
churchwarden
ism ize ship
kermess
kermis(in(e
kirk
ale er garth ify ist land man mass master session ship shire shot town ward yard
polychurch
ism ist
unchurch
like ly
κύριε ἐλέησον i.e. Lord, have mercy
kyrie eleison *Eccl.*
kyrielle *Eccl.*
Κυριλλιανοί (Leont.)
Cyrillian *Eccl. Hist.*
Κύριλλος Cyril
Cyrilla *Bot.*
-(ac)eae -aceous
Cyrillic *Gram.*

κυριολεξία literalness
kyriolexy *Gram. Rhet.*
κυριολογία = κυριολεξία
kyriology
κυριολογικός (Clem. A.)
c(*or* k)yriologic(al
κύριος regular
Anoplocurius *Ent.*
cyriodochae *Bot.*
Omocyrius *Ent.*
κῦρος authority
caseinokyrin(e) *Biochem.*
cyroplane *Photog.*
glutokyrin(e *Biochem.*
kyrin(e *Biochem.*
κυρτίδιον Dim. of κύρτος
Eucyrtidium -iidae
κυρτο- Comb. of κυρτός
cyrto-
cephalus *Anthrop.*
ceracone *Conch.*
ceras *Conch.*
-an -atid(ae -atite -atitic -atoid
choanites *Pal.*
coelean *Comp. Anat.*
cone *Conch.*
delphis *Pal.*
gnathus *Ent.*
graph *Med.*
lite *Min.*
lites *Conch. Pal.*
meter *Med. App.*
metry -ic *Med.*
notus *Crust. Ent. Pal.*
phyllum *Ent.*
platyan *Comp. Anat.*
spadix *Bot.*
style *Arch.*
symbole *Pal.*
trachelus *Ent.*
tylus *Ent.*
κυρτοειδής gibbous
curtoid *Zool.*
Cyrtoidea *Prot.*
-ean -ida
κυρτός arched; convex
amphicyrtic
coelocyrtean *Anat.*
cyrtean *Anat.*
Cyrtellaria(n *Protozoa*
Cyrtia *Pal.*
-ina -iniform
Cyrtiolepis *Pal.*
Cyrtodonta -id(ae *Conch.*
Cyrtonyx *Ornith.*
cyrtopia *Zool.*
Dicyrtus *Ent.*
Hemicyrtus *Ent.*
kurtorrhachic
Kurtus *Ich.*
-id(ae -iformes -oid
Monocyrtida(n *Prot.*
platycyrtean *Anat.*
Polycyrtida(n
stethoc(*or* k)yrtograph
stichocyrtid(a(n *Prot.*
Theocyrtis *Prot.*
-id(a(e -oid
Tricyrtida(n *Prot.*
κύρτωμα convexity
Cyrtomian *Bot.*
κύρτωσις curvature
cyrtosis *Path.*
-cyrtosis *Path.*
hetto hyper thoraco trachelo
κύρωσις confirmation
kyrosite *Min.*
κύσθος vagina
kysthitis *Gynec.*
kystho(pro)ptosis
κύστιγξ Dim. of κύστις
blastocystingx
κύστις the bladder
acanthocyst *Helm.*

acephalocyst(ic *Zool.*
acrocyst *Zooph.*
acystia *Terat.*
acystinervia *Path.*
acystineuria *Path.*
Acystosporea *Prot.*
Acystosporidia *Prot.*
aerocystoscope -y *Med.*
Amecystis *Echin.*
archocysto- *Path.*
(colpo)syrinx
Asporocystea *Bot.*
Asterocystida *Pal.*
autocystoplasty *Surg.*
cephalocyst *Helm.*
Cercocystis *Helm.*
cheilocystidia *Bot.*
Clathrocystis *Algae*
cholecyst(o- *Med. Surg.*
algia (colo)tomy ectasia ectomy endysis (entero)rrhaphy gram graphy itis lithiasis lithotripsy pexy stomy (colo duodeno entero gastro ileo jejuno)
chromocystoscopy *Med.*
cnidocyst *Zool.*
colletocy(*or* i)stophore
colpocysto- *Surg.*
plasty syrinx
cryptocyst(es *Zool.*
ctenocyst *Zooph.*
-cyst *Bot.*
achroo aero anthero echino eury gameto gon(i)o hetero hormo litho macro mano merisporo micro para phyto pneumato pseudo resino sporo steno zoosporo
-cyst *Med.*
adeno angio blasto chloro chole cholo conio cyano cyto dacryo dermato ecto entero fibro gone h(a)emato hydro lympho meso mono myelo ovi phaco phaeo pseudo pyo rhabdo sarco sero spermato thrombo tubulo uro
cyst *Anat. Bot. Path. Zool.*
cyst-
adenoma *Tumors*
adenosarcoma *Tumors*
al *Physiol.*
algia *Path.*
amine *Physiol.*
ase *Biochem.*
atrophia *or* -y *Path.*
auchenectomy *Surg.*
auchenitis *Path.*
ectasy *or* -ia *Surg.*
ectomy *Surg.*
ed *Med.*
ein(e ic *Chem.*
elcosis *Path.*
elminth *Path.*
encephalus *Terat.*
enchyme *Spong.*
-a -atous
tencyte *Spong.*
endesis *Surg.*
erethism *Med.*
hypersarcosis *Med.*
ic
ica -i *Helm.*
icle
id(e *Helm.*
dea(e -ean *Echin.*
idicolous *Echin.*
idium *Fungi*
ido- *Surg.*

cyst- Cont'd
laparotomy
trachelotomy
in(e *Biochem.*
in(a)emia *Path.*
inuria *Path.*
iscus *Conch.*
-id(ae -oid
itis *Path.*
odynia *Path.*
oid *Zool.*
oidea(n -ei *Echin.*
oma -atous *Tumors*
omatitis *Tumors*
ose *Anat. Biochem.*
osin *Biochem.*
ous
ula *Bot.*
-cystectomy *Surg.*
(auto)chole irido laparo nephrouretero phaco spermato
cysti-
carpium *Bot.*
cercoid(al *Helm.*
cercosis *Path.*
cercus *Helm.*
colous *Cytol.*
cule *Ich.*
fell(e)otomy *Surg.*
ferous *Anat.*
form
gerous *Cytol.*
gnathus *Herp.*
-id(ae -oid
phragm *Helm.*
phyllum -idae *Helm.*
rrhagia *Path.*
rrh(o)ea *Path.*
staxis *Med.*
tome -y *Surg.*
-cystic *Med.*
adeno chole cholo ectopo extra fibro gastro hepato hydro hystero inter intra mono myelo oligo para peri pilo poly sero spermato uro
cystico-
lithectomy *Surg.*
tomy *Surg.*
-cystidae *Pal.*
Anomalo Aristo Astero Blasto Caryo Cerato Cothurno Dendro Estono Gyro Hetero Hybo Lagyno Meso Mitro Pleuro Rhipido Sticho Theco Trocho
cystis
-cystis *Med.*
chole ec ectopo en gastro gone h(a)emato hydro(chole) pyo schisto spermato thrombo uro
-cystis *Pal.*
Anomo Blasto Brocho Dino Dipleuro Estono Jackelo Lepido Metaster(e)o Para Pyrgo Revalo Rodo Sino Tetra Trimero
-cystis *Prot.*
Allanto Dirhyncho Sarco
-cystites *Pal.*
Anomalo Aristo Callo Caryo Cothurno Stromato Trocho
-cystitis *Path.*
(angio)chole coleo colpo dacr(y)o endo epi gone nephro para peri(chole) phaco pleurochole prostato pyelo pyopneumochole sper-

-cystitis Cont'd
mato trachelo urethro uro
-cystium *Med.*
para peri
cysto-
blast *Algae Embryol.*
blastidae *Pal.*
bubonocele *Surg.*
carcinoma *Tumors*
carp(ic *Bot.*
cele *Med.*
cidaroida(n *Echin.*
clccus -oid *Bot.*
colostomy *Surg.*
crepis *Echin.*
cyte *Spong.*
dictya *Pal.*
dictyonidae *Pal.*
elytroplasty *Surg.*
enterocele *Med.*
epiplocele *Med.*
epithelioma *Med.*
fibroma *Path.*
flagellata -ate *Protozoa*
formin *Mat. Med.*
gen(ous
genesis
gram *Med. App.*
graphy *Med.*
lith *Bot.*
lithectomy *Surg.*
lithiasis *Path.*
lithic *Med.*
lutein *Pigments*
monas *Protozoa*
morphous
myoma *Tumors*
myxoadenoma *Tumors*
myxoma *Tumors*
nect(ae -ous *Zooph.*
nephrosis *Med.*
neuralgia *Path.*
paralysis *Path.*
pelta *Malac.*
pexy *Surg.*
phore *Mam.*
-a -inae -ine
photography *Med.*
phthisis *Path.*
plast *Surg.*
plasty -ic *Surg.*
plegia -ic *Path.*
plexia *Path.*
proctostomy *Surg.*
pteris *Bot.*
pus *Bot.*
rectostomy *Surg.*
rrhagia *Med.*
rrhaphy *Surg.*
rrhea *Path.*
sarcoma *Tumors*
schisis *Path.*
scirrhus *Tumors*
scope -ic(al(ly *Surg.*
sore *Cytol.*
spasm *Path.*
spastic *Path.*
spermitis *Path.*
sphere *Bot.*
spore *Bot.*
staxis *Med.*
stomy *Surg.*
taenia *Zool.*
tome *Surg.*
tomy *Surg.*
trachelotomy *Surg.*
tyle *Bot.*
urethritis *Path.*
urethroscope
zooid *Helm.*
-cystocele *Path.*
colpo dacryo encephalo entero myelo
-cystoma *Path.*
adeno entero fibro hidro hydro ino myxo

-cystoma Cont'd
osteo papilloadeno syringo
-cystomatous *Path.*
adeno
-cystosis *Path.*
lympho metro nephro oophoro
-cystostomy *Surg.*
chole duodeno(chole) enterochole pancreaticochole ureter uretero(neo) utero
-cystotomy *Surg.*
chole cholpo(uretero) dacryo duodenochole enterochole epi hypo laparo(chole) litho procto prostato recto
dacrycystalgia *Med.*
dacryocysti(*or* o)tome
dacryocysto- *Ophth.*
blennorrhea ptosis rhinostomy syringotomy
Dictyocysta -idae *Zool.*
dicyst- *Prot.*
id(ae idea(n
dicystein *Biochem.*
echinocystis *Bot.*
Echinocystites *Bot.*
-id(ae -oid
ectocyst *Zool.*
ectopocysticus *Path.*
electrocystoscope
encyst(ation ment
encysted *Bot.*
endocyst *Helm.*
entocyst *Zool.*
excystation *Med.*
Glyptocystidea *Pal.*
gonecyst(is *Biol.*
gonecysto- *Path.*
lith pyosis
gonocyst *Helm.*
hepatocysto-
duodenostomy *Surg.*
Heterocysteae -ous *Bot.*
hydrocyst(is ic *Zool.*
hypnocyst *Prot.*
hypocystic *Biol.*
hysterocysto- *Surg.*
cleisis pexy
iridocyst *Zool.*
Koinocystis *Helm.*
laparocystidotomy
lepidocystis *Bot.*
lithocyst *Zool.*
Macrocystis -eae *Bot.*
Microcystis *Bot.*
monocysted -ically
Monocystis *Infus.*
-aceae -id(ae -idea(n -oid
myelocysto- *Path.*
meningocele
Myxocystodea(n *Prot.*
nectocyst *Zool.*
nematocyst(ic *Zool.*
nemocyst *Zooph.*
nephrocyst *Zool.*
nephrocystanastomosis
nephrocystidium *Prot.*
Nereocystis *Bot.*
ocellicyst(ic *Zooph.*
oleocyst
oocyst(ic *Biol. Helm.*
otocyst(ic *Biol.*
ovicyst *Zool.*
pericystomatitis *Path.*
phaeocyst *Cytol. Prot.*
ina in(e inic
phyllocyst(ic *Zooph.*
pleurocystidia *Bot.*
pneumatocyst(ic *Zool.*
polycystid *Prot.*
al idan idea(n
Polycystidea

Polycystina -in(e -inan
proctocystoplasty *Surg.*
proctocystotome *Surg.*
pseudocyst *Zool.*
pyelocystostomosis
sagittocyst *Helm.*
sarcocystin *Tox.*
Sarcocystis *Prot.*
-id(ae -idea(n -idia(n -oid
somatocyst(ic *Zooph.*
spermatocystidium
sporocyst(ic *Helm. Bot.*
sporocysta *Algae*
Staphylocystis *Helm.*
statocist *Biol.*
Sterigm(at)ocystis *Fungi*
syringocystadenoma
tentaculi(*or* o)cyst(ic
Tetracystida *Pal.*
trichocyst(ic *Prot.*
Trochocystoides *Pal.*
ureterocyst(o- *Surg.*
anastomosis neostomy scope
Urocystis *Fungi*
ventrocystorrhaphy
xanthocystin *Biochem.*
zoocyst(ic
zoosporocyst *Bot.*
κύτινος (Theophr.)
Cytinus *Bot.*
-aceae -aceous
κυτίς a small chest
Discocytis *Zool.*
discocytula *Embryol.*
κύτισος (Hipp.)
cytis- *Org. Chem.*
ine ol(id)in(e
Cytisus *Bot.*
κυτο- Comb. of κύτος
amoebocytogenous
basicytoparaplastin
biocytoculture *Chem.*
biocytoneurology
chromocyto- *Med.*
meter metry
cyto-
architectonic *Histol.*
aster *Cytol.*
biology *Cytol.*
blast *Biol. Protozoa*
blastema *Cytol.*
-al -(at)ous -ic
cerastic *Cytol.*
chemism *Cytol.*
chemistry *Cytol.*
chorism *Cytol.*
chromatic *Neurol.*
chromatin *Staining*
chrome *Neurol.*
chylema *Cytol.*
chym(a *Cytol.*
clasis *Physiol.*
clastic *Physiol.*
coagulase *Chem.*
coccus *Embryol.*
cyst *Path.*
dendrite *Cytol.*
derm *Cytol.*
desma *Histol.*
diagnosis *Med.*
dieresis *Cytol.*
dieretic *Cytol.*
distal *Cytol.*
dynamics *Cytol.*
fin *Biol. Chem.*
gamy *Cytol.*
genesis *Cytol.*
genetic *Cytol.*
genic *or* -ous *Cytol.*
globin *Cytol.*
histogenesis *Cytol.*
hyaloplasm(a *Cytol.*
hydrolysis *Cytol.*
(hydro)list *Cytol.*

cyto- Cont'd
hydrolytic *Cytol.*
kerastic *Cytol.*
kinesis *Cytol.*
lipoids *Bot.*
list *Cytol.*
lite *Cytol.*
logy *Biol.*
-ic(al(ly -ist
logy *Biol.*
-ic(al(ly -ist
lymph *Cytol.*
lysin *Biochem.*
lysis *Biochem.*
lytic *Biochem.*
lyzer *Biochem.*
machia *Cytol.*
mechanics *Cytol.*
mere *Cytol.*
metaplasia *Cytol.*
metaplasia *Cytol.*
meter *Med. App.*
microsome *Biol.*
mitome *Cytol.*
mixis *Cytol.*
morphosis *Cytol.*
nomy *Cytol.*
penia *Med.*
phagocytosis *Med.*
phagous *Biol.*
phagy *Biol.*
phane *Cytol.*
pharynx *Protozoa*
phil *Physiol. Chem.*
phora *Protozoa*
physics *Cytol.*
physiology *Cytol.*
plasm(ic *Cytol.*
plast *Cytol.*
-ic -in(e
proct *Infus.*
proximal *Cytol.*
psyche
pyge *Protozoa*
reticulum *Cytol.*
sarc *Cytol.*
scopy *Cytol.*
soma *or* -e *Biol.*
spongium *Cytol.*
spora *Cytol.*
stasis *Cytol.*
statics *Cytol.*
stromatic *Cytol.*
stome -ous *Prot.*
tactic *Cytol.*
taxis *Cytol.*
theca *Ent.*
therapy *Ther.*
thesis *Physiol.*
toxin -ic *Tox.*
trochin *Biochem.*
tropic *Cytol.*
tropism *Physiol.*
zoa(n -on *Protozoa*
zoic *Cytol.*
zyme *Biochem.*
-cytoblast *Cytol.*
erythro h(a)emato hemo leuko phago
-cytogenesis *Cytol.*
amoebo hemo leuco leuko
-cytolysin *Med.*
anti auto erythro iso leuko
-cytolysis *Cytol.*
auto erythro h(a)emato leuco leuko phago rete
-cytolytic *Cytol.*
auto erythro h(a)emato leuco leuko phago
-cytometer *Med.*
chromo erythro h(a)ema(to) leuko
-cytotoxin *Tox.*
a anti auto h(a)emo-

lympho hetero iso leuko lympho necro placento syn
-cytozoon
h(a)ema(to) hemo leuko lympho
erythrocyto-
rrhexis schisis
hypercytochromia
leukocyto- *Cytol.*
logy penia penic plania tactic taxis therapy zoa
morphocytological
monocytopenia *Cytol.*
plastocytop(a)enia *Cytol.*
thrombocytobarin

κύτος a container; body
actinocutitis *Path.*
anticytost *Biochem.*
apocyte -ial -y *Bot. Biol.*
Ascocytidae *Pal.*
bryocytole *Cytol.*
cenocyte -ic *Bot.*
choanocyte -al *Spong.*
coenocyte -ic *Mycol.*
collencyte -al *Bot.*
cutin *Bot.*
cystencyte *Spong.*
cystocyte *Spong.*
cytameba *Cytol.*
cytase *Biochem.*
-cytase *Biochem.*
macro micro oo philo
cyt-
aster *Cytol.*
ax *Med. App.*
ecdysis *Bot.*
enchyma *Bot.*
hemo- *Biochem.*
lysis lytic
idin(e *Biochem.*
io- *Biochem.*
blast derm plasm
itis *Path.*
ode *Cytol.*
oid *Biol.*
oma *Tumors*
or(rh)yctes *Path. Zool.*
osin(e *Biochem.*
ost *Biochem.*
ula *Embryol.*
ulo- *Embryol.*
coccus plasm
uria *Path.*
cyte *Biol.*
-cyte *Cytol.*
achroa achrom(at)o aestha agraulo alexo alphaleuco am(o)ebo andro anerythro archaeo archi archigono astro auxo bryo chondro chromo ciliophago clasmato desmo dicaryo diplo dyado endo(thelio) ento epi erythro fibro gameto ganglio giganto glia gono granulo gymno h(a)ema(to) h(a)emo hemoleuko hemophago hist(i)o homeo ino lab ro lemmo lepo leuco leuko(mono) lochio lympherythro lymphoido lympho (mono myelo) macro (gameto mono phago promyelo) megac(*or* k) aryo megalo(caryo plasto) megasporo megoxy melano mero meso(lympho) metamyelo metro micro(gameto myelolympho phago plasto sporo) microxy mono

-cyte Cont'd
myco myelo(lympho) myo myxo neo nephro neuro normo oeno oo orthoplasto ovo phago phlogo phoro plano plasmo plasto platy poecilo poikilo(plasto) polo polykaro polymorpho premyelo proerythro proleuko promyelo proterythro protogono protoleuko protometro pseudoleuco pseudolympho pyo reticulo rhodo sarco schisto schysto sotero spleno spongio thrombo thymo tropho vitellophago
-cythaemia *Path.*
leuco macro micro myelo oligo polo
-cythemia *Path.*
achre(*or* oi)o erythro hydrooligo hyper hyperythro leuco lympho macro micro myelo oligo(erythro leuko) poecilo poikilo polo pseudoleuco rh(a)esto
-cytic *Cytol.*
aleuco antiphago bryo diplo erythro hemo(leuko phago) (intra)leuco leuko lipo lympho mono myelo normo oeno oo para phago
-cytoma *Path.*
astro desmo epi leuco leuko lympho meso myelo myo neuro plasmo
-cytosis *Path.*
achroa agraulo aleuco aniso(hyper hypo leuco normo) autoerythrophago clasmato di dinormo endothelio erythro(neo) hemophago hyper (hyper hypo leuco neo normo ortho skeo) hypo(leuco neo ortho scheo) iso (hyper hypo normo) leuco leuko lympho macro megalo metro micro mono myelo necro neo neuronophago normo(normo ortho skeo) oligo(leuko) phago phlogo phoro pino plasto pleo poecilo poikilo polo polyplasto poto reticulo schisto skeo thrombo
-cytula *Embryol.*
amphi archi peri
-cyturia *Path.*
h(a)emato leuc(*or* k)o
desmocyte *Spong.*
epicyte *Prot.*
erythrocytopsonin
goniocytium *Bot.*
gymnocyta -ode *Cytol.*
Haplocyta *Prot.*
haplocyte -ic *Bot.*
iridocyte *Ich.*
isocytic *Biol.*
kaly(*or* u)mmocyte *Zool.*
lepocyta -ode *Cytol.*
leucocytal -ary -iform
leucocytotic *Path.*
leukocytal -oid *Cytol.*
myelocyt(a)emia *Path.*
oligocyth(a)emic *Path.*

oocyte -in *Biol.*
pericytial *Cytol.*
phagocyt- *Cytol.*
able al ibility ic(al in ism ize ose
pinacocyte -al *Spong.*
polocyth(a)emic *Path.*
porocyte *Spong.*
pylocyte *Spong.*
solenocyte *Zool.*
spermatocyte *Bot.*
-al -ic -ium
sporocyte *Bot.*
statocyte *Biol.*
streptocyte *Prot.*
syncaryocyte *Bot.*
syncyte -ial -ium *Biol.*
syncytiolyse -in *Biol.*
syncytioma *Path.*
synct(i)otoxin *Tox.*
thesocyte *Spong.*
thigmocyte *Biol.*
tokocyte *Spong.*
trophocyte *Bot. Ent.*
zoocoenocyte *Bot.*
zoocytial -ium *Infus.*
zygocyte *Biol.*
zymocyte

κύτταρος a plant cell
Cyttaria *Mycol.*
Cyttaromyella *Pal.*
kuttarosome *Ophth.*
Monocyttaria(n *Radiol.*
Phragmocyttares *Ent.*
Poecilocyttaria *Ent.*
Polycyttaria(n *Prot.*
Stenocyttara *Ent.*

κυττός (Ath.)
Cyttus *Ich.*
-idae -ina -oid -ula

κυφαλέος = κυφός
Cyphaleus *Ent.*
κυφο- Comb. of κυφός
cypho-
metopis *Ent.*
nautes *Helm.*
scoliosis *Med.*
scyla *Ent.*
soma *Echin.*
-atidae -id(ae -oid
trypa *Pal.*
kypho-
clonella *Pal.*
sc(*or* k)oliosis -otic
tone *Med. App.*
κυφός hump-backed
Caricyphus *Zool.*
Cuphea *Bot.*
cyph-
aspis *Crust. Pal.*
ophthalmus *Arach.*
-id(ae -ides -oid
cyphella *Bot.*
-aeform -ate
Cyphus *Ent. Ornith.*
ecyphellate *Bot.*
kyphos *Path.*
Kyphosus *Ich.*
-id(ae -inae
Lamprocyphus *Ent.*
Oligokyphus *Mam. Pal.*
Paracyphea *Ent.*
pseudocyphella *Bot.*
Pseudocyphellae *Bot.*
Stenocyphus *Ent.*
κυφώμα hump on the back
Cyphomandra *Bot.*
κύφων a pillory
cyphon *Gr. Ant.*
Cyphon -idae *Ent.*
Cyphonocephalus *Ent.*
κυφωνισμός pillorying
cyphonism *Gr. Ant.*

κύφωσις a being hump-backed
cyphosis -otic *Med.*
——— (Hipp.)
-cyphosis *Path.*
opistho rachio trachelo
kyphosis & -otic *Path.*
scoliokyphosis *Path.*
κύχραμος (Arist.)
Cychramus *Ent.*
κυψέλη a hollow vessel
cypsela -ous *Bot.*
Κυψελίδαι
cypselid *Hist.*
κύψελος the swift (Arist.)
cypselomorph(ae -ic
Cypselus *Ornith.*
-i -ed(ae -iform(es -inae -ine -oid(es
Epicypselus *Ornith.*
Halocypselus *Ich.*
κύω to conceive
atretocysia *Med.*
κύων a dog
Acrocyon *Pal.*
Acyon *Pal.*
Aelurocyon *Pal.*
Aenocyon *Pal.*
Amphicyon *Mam. Pal.*
-id(ae -ida -oid
Arctocyon *Mam. Pal.*
-id(ae -oid
Borocyon *Pal.*
Cyon *Mam.*
Hydrocyon(inae *Ich.*
Icticyon(i(de(s *Zool.*
Ictycyon *Pal.*
Limnocyon *Pal.*
Mececyon *Pal.*
misocyny
Otocyon *Mam.*
inae in(e
Palaeocyon *Pal.*
Pericyon *Mam. Pal.*
philocyny -ic(al -ism
Plesiocyonoidae *Pal.*
Prodicyonodon *Pal.*
Prolimnocyon *Pal.*
Rhynchocyon *Mam.*
id(ae -oid
Simocyon(idae *Pal.*
Sipalocyon *Pal.*
Tephrocyon *Pal.*
Unitacyonidae *Mam.*
Urocyon *Mam.*
Vassacyon *Pal.*
κωβιός a fish
gudgeon
Platygobis *Ich.*
κωβῖτις (Arist.)
Cobitis *Ich.*
-id(ae -inae -oid(ae -oidei
κώδεια head (of plants)
anthocodium *Bot.*
apocodein(e *Org. Chem.*
chlorocodide *Org. Chem.*
codeia *Org. Chem.*
codein(e *Org. Chem.*
-a ium one
Codiacrinidae *Pal.*
codide *Org. Chem.*
Codium *Bot.*
-iaceae -iaceous -iales
diacodium -ion *Pharm.*
heterocodeine *Org. Chem.*
hydroxycodein *Chem.*
isocodein(e *Org. Chem.*
methylcodein *Mat. Med.*
norcod- *Org. Chem.*
eine ide
phenacodin *Mat. Med.*
thebacodine *Org. Chem.*
κωδιο- Comb. of κώδιον
codiophyllus *Bot.*

κώδιον fleece
Bulbocodium *Bot.*
Limnocodium
Microcodium *Pal.*
κώδων a bell
adelocodonic *Zooph.*
Codaster *Echin. Pal.*
codon
codon-
aster *Echin. Pal.*
ella -id(ae *Prot.*
oeca -id(ae *Prot.*
Hybocodon(idae *Zooph.*
Microcodon(idae *Prot.*
phanerocodonic *Zooph.*
κωδώνιον Dim. of κώδων
Codonium *Coel.*
-idae -iid(ae
κωδωνο- Comb. of κώδων
codono-
siga -id(ae *Prot.*
stome -a *Zooph.*
κώθων a drinking vessel
cothon *Nav.*
Cothonaspis *Ent.*
Proseliscothon *Pal.*
Κωκυτός a river in Hades
Cocytinus *Herp.*
-id(ae -idea -oid
Cocytus *Myth.*
κωλεύειν to check
c(*or* k)oly-
one -ic *Biochem.*
peptic *Med.*
septic *Med.*
kolynos *Prop. Rem.*
κωλῆ the ham
Colicryptus *Pal.*
Pachycolus *Ent.*
κωλήν the thigh
Colenis *Ent.*
κώληψ hollow (of the knees)
Coleps *Helm.*
id(ae ina
Κωλιάς a prom. of Attica
Colias *Ent. Myth.*
κωλικός (Diosc.)
anticolic *Ther.*
colic *Path.*
a(l ked ky
colicoplegia *Tox.*
costocolic *Path.*
molybdocolic *Path.*
nephrocolic(a *Path.*
κῶλον a member; clause
colon *Gram.*
hendecacolic *Pros.*
heptacolic *Pros.*
hypocolon
κωλομετρία (Suidas)
colometry *Paleog. Pros.*
κωλυτικός preventive
colytic *Med.*
κωλώτης ?spotted lizard
Colotes *Ent.*
κῶμα coma (Hipp.)
agrypnocoma *Path.*
coma -al *Path.*
comatose
-ity -ly -ness
Pericoma *Ent.*
psychocoma *Path.*
semicomatose *Med.*
κωμάρχης village chief
komarch
κωματώδης lethargic
Hypsicomatides *Helm.*
κώμη a village
Neocomian *Geol.*
κωμήτης villager
-cometes *Ich.*
Bentho Hypsi

κωμικός = κωμῳδικός
comic(ry
comical
ity ly ness
comique
comitragedy
economico -comic
heroicomic
prosaicomiepic
seriocomic(al(ly
tragicomic
al ity ly
κῶμος a carousal
Comus *Myth.*
κωμῳδία fr. κώμη (Arist.)
comediographer
comedy
ian iant ienne ietta ist
com(o)edia
seriocomedy
tragicomedy
-ian -ietta
κωμῳδικός comic
comedic(al
κωνάριον Dim. of κῶνος
conarium -ial *Anat.*
κώνειον hemlock (Hipp.)
con- *Org. Chem.*
ein(e hydrin(e hydrinium iceine idin(e idinium in(e inium ylene yrin(e
coniism *Tox.*
conium *Bot.*
homoconiine *Org. Chem.*
isoconin(e *Org. Chem.*
methylconin(e *Chem.*
oxyconin(e *Org. Chem.*
paracon(i)ine *Org. Chem.*
pseudoconhydrine *Chem.*
rhizoconin -olein *Chem.*
κωνικός cone-shaped
cephaloconic *Conch.*
conic -ics
al(ly (al)ity alness
-conic *Math.*
brevi circum in ob ori poly sphero
-conical *Math.*
cylindro diplo frusto ob plano
conico-
acute cylindrical elongate graph ovate subulate
conicoid
diconic *Chem.*
endoconic *Conch.*
oriconical *Arch.*
ovoidoconical *Arch.*
paraconic *Mam.*
phragmoconic *Zool.*
truncoconical
κωνο- Comb. of κῶνος
cono-
belus *Pal.*
cardium *Zool.*
carp(ium -ous -us *Bot.*
cephalus *Ent.*
-ite(s -itid(ae -itoid
ceras *Conch. Pal.*
clinium *Bot.*
coryphe *Crust. Pal.*
cuneus *Math.*
drymium *Bot.*
lichas *Pal.*
lophus *Herp.*
medusae -an *Zooph.*
myoidin *Ophth.*
pholis *Bot.*
phorium *Bot.*
podium *Bot.*
rhinus *Ent.*
rhynchus *Ich.*
scope

cono- Cont'd
siphon *Ent.*
theca(l *Conch.*
trachelus *Ent.*
microkonoscope *Petrog.*
κωνοειδής conical
conoid
al(ly ic(al(ly
cylindroconoidal
tetartoconoid *Dent.*
κῶνος a cone (Arist.)
acone *Zool.*
akanticone *Min.*
ammoniticone *Pal.*
bactriticone *Cephal.*
baculiticone *Pal.*
cephalocone -us *Conch.*
-ceracone *Conch.*
cyrto gyro mimo ortho trito trocho
ceratoconus *Path.*
circumcone *Math.*
Conamblys *Ent.*
cone(let
conenchyma *Bot.*
conicle
conifer *Bot.*
ae ales ous
coniferin(e & -yl *Chem.*
coniform
Coninae *Conch.*
coning
Coniomma *Ent.*
Conivalvia *Zool.*
Conodonictis *Pal.*
conodont *Mam. Pal.*
conophthalmus *Ophth.*
Conorbis *Conch. Pal.*
Conoryctidae *Mam. Pal.*
conular
Conularia *Conch.*
-iid(ae -ioid
conule -us *Biol.*
conure *Ornith.*
-inae -ine -us
Conus *Anat. Zool.*
cubicone *Math.*
cyrtocone *Conch.*
deuterocone -i -id *Anat.*
Dictyoconus *Prot.*
Diploconus *Radiol.*
Echinoconus -idae *Zool.*
endocone -al *Conch.*
endosiphocone *Pal.*
entocone -id *Dent.*
Eoconodon *Pal.*
eucone *Zool.*
glycone *Med.*
halacone *Med.*
Haploconus *Pal.*
hypocon(ul)e -id *Anat.*
interconal *Anat.*
keratoconus *Path.*
lenticone *Path.*
longicone *Conch.*
Melanconia -ium *Fungi*
-i(ac)eae -iaceous -iales -idaceae
metacone *Mam.*
-al -id -ule
nautilicone *Pal.*
orthocone *Conch.*
paracone -id *Mam.*
Periconodon *Pal.*
phragmocone *Zool.*
Podoconus *Radiol.*
Proconia *Ent.*
Prosopoconus *Ent.*
protocone *Mam.*
-id -ule -ulid
pseudocone *Ent.*
pyrocone -ite
quadricone *Geom.*
tetarcone *Anat.*
tetartocone *Dent.*
torticone *Conch.*
Triconodon *Mam.*

triconodont *Mam.*
a id(ae oid y
tritoconid *Dent.*
tritocone -id *Anat. Zool.*
turriliticone *Pal.*
κωνοφόρος bearing cones
Conophoria *Ent.*
conophorium *Phytogeog.*
conophoro- *Phytogeog.*
philus phyta
κωνωπεῖον an Egyptian bed with netting, fr. κώνωψ
canopy
κώνωψ a gnat
Acanthoconops *Ent.*
Conopophaga -idae
Conops *Ent.*
-id(ae -oid
Conopsaria(e *Ent.*
κώπη a handle, haft
Acopa *Ascid.*
Cladocopa -ous *Crust.*
copepod *Crust.*
a(n ous
Coponautae *Zool.*
Eucope *Ent.*
eucopepod *Crust.*
a ous
Eucopia *Crust.*
-idae -iid(ae -ioid
Gymnocopa -ous *Helm.*
hydrocope *Zool.*
Myodocopa -ous *Crust.*
Platycopes *Ent.*
Podocopa -ous *Crust.*
Polycope *Crust.*
-id(ae -oid
Xylocopa -id(ae *Ent.*
Xylocopus *Ornith.*
κωπηλάτης a rower
Copelata(e -ate *Ascid.*
κωπήλατος oarlike
Copelatus *Ent.*
Κωρύκαιος a spy
Corycaeus *Crust.*
-aeid(ae -aeoid
Κώρυκος Corycus
Corycia *Ent.*
κώρυκος a boxing bag
korykos *Gr. Athl.*
κωτίλη chattering
Cotile *Ornith.*
κωφός dumb, dull
Cophyla *Herp.*
-id(ae -oid
kophemia *Ps. Path.*
Kophobelemnon -idae
κώφωσις deafness
cophosis *Path.*
Cophosus *Ent.*
logokophosis *Ps. Path.*

λαβαρόν (Eus.)
labarum *Rom. Ant.*
λαβδακισμός overuse of the letter λ
labdacism(us
λαβή a handle, haft
Cercolabes *Mam.*
-idae -inae -ine
Labia *Ent.*
λάβιον Dim. of λαβή
Labioproctus *Ent.*
λαβίς a forceps (Hipp.)
Cololabis *Ich.*
Labagathis *Ent.*
Labichthys *Ich.*
labido-
lemur *Pal.*
mera *Ent.*

labido- Cont'd
meter *Surg. App.*
phorous *Zool.*
Labidura *Ent.*
labimeter *Surg. App.*
labis *Gr. Ch.*
labitome *Surg. App.*
Oxylabris *Ent.*
Paralabis *Pal.*
Rhyscolabis *Ent.*
Streptolabis *Ent.*
-λαβον as in ἀστρολάβον
cosmiolabe *Astron.*
Jovilabe *Astron.*
trilabe *Surg.*
λάβραξ ?a bass (Arist.)
Labrax *Ich.*
-acidae -acinae -acine
-labrax *Ich.*
Lateo Oxy Para Scombro
λαβρο- Comb. of λάβρος boisterous
labro-
cyte *Cytol.*
saurus *Herp. Pal.*
-id(ae -oid
λάβρυς = πέλεκυς
labrys *Archaeol.*
λαβύρινθος (Herodotus)
labyrinth
al(ly ean ial ian ic(al-(ly in(e
Labyrinthi *Zool.*
labyrinthibranch(ii -iate
Labyrinthici *Ich.*
labyrinthiform *Bot. Ich.*
labyrinthites *Pal.*
labyrinthitis *Path.*
-labyrinthitis *Path.*
endo neuro peri pro
Labyrinthodon(t(a *Herp.*
-ontia(n -ontid(ae -ontoid
labyrintholite *Geol.*
Labyrinthomyxa *Prot.*
labyrinthous *Spong.*
Labyrinthula -eae -idae
Labyrinthulidea(n *Prot.*
labyrinthus *Anat.*
perilabyrinth *Otol.*
retrolabyrinthine *Otol.*
λάγανον a thin cake
Laganum *Echin.*
-id(ae -oid
λάγηνος = λάγυνος
lagena *Cl. Ant. Ceram. Zool.*
Lagena -id(ae -idea(n -iform -oid *Protozoa*
Lagenitheca *Zooph.*
Lagenoderus *Ent.*
Lagenospermum *Pal.*
lagenostome *Bot.*
λαγίδιον Dim. of λαγώς
lagidium *Zool.*
λαγνεία lust
-lagnia *Med. Psych.*
algo copro osmo porno uro zoo
lagnosis
-lagny *Med. Psych.*
icono osmo psycho
λάγυνο- Comb. of λάγυνος
lagyno-
cystidae *Pal.*
gaster *Ent.*
poridae & -inae *Pal.*
λάγυνος a flagon
Lagynodes *Ent.*
lagynos *Vases*
Lagynurus *Protozoa*

λαγω- Comb. of λαγῶς
lago-
cephalus *Ich.*
chila *Ich.*
morph(a *Mam.*
-ic -ous
mys -yid(ae *Mam.*
-yinae -yoid
pezus *Ent.*
stoma *Terat.*
stomus *Mam.*
-id(ae -inae -ine
thrix *Mam.*
Mesolagobius *Ent.*
λαγωβόλον a staff, crook
lagobolon *Gr. Ant.*
λαγών the flank
Lagonoecia *Pal.*
λαγώπους hare's foot
lagopode -ous *Zool.*
lagop(o)us *Bot.*
Lagopus *Zool.*
λαγῶς a hare
Archaeolagus *Pal.*
Bathylaginus -ae *Ich.*
Dendrolagus *Zool.*
Hydrolagus *Ich.*
Hyplagus *Pal.*
Lagoa *Ent.*
Lagoecia *Bot.*
Lagorchestes *Zool.*
lagotic
Lagotis *Zool.*
Oreolagus *Pal.*
λαγωτροφεῖον hare warren
lagotrophy
λαγώφθαλμος (Galen)
lagophthalmos *Path.*
-ia -ic -us -y
λαδανιστήριον
ladanisterium *Gr. Imp.*
λάδανον (Herod.)
labdanum -ol *Org. Chem.*
ladanum
ladaniol *Org. Chem.*
laudanum
-(id)in(e -osine
λαθίφρων forgetful
Lathiphronus *Ent.*
λαθραῖος covert, furtive
Lathraea *Bot.*
Lathroeus *Ent.*
Neolathrus *Ent.*
λαθρίδιος = λαθραῖος
Lathridius *Ent.*
-iid(ae -ioid
λαθριμαῖος = λαθραῖος
Lathrimaeum *Ent.*
λαθρο- = λαθραῖος
lathro-
bium -iidae -iiformes
stigma *Ent.*
λάθυρος (Theophr.)
lathyric -ism *Path.*
lathyrin *Org. Chem.*
Lathyrus *Bot.*
λαικός (Clem. Rom.)
laic
al(ly ality ism ization ize
laity
λαῖλαψ a hurricane
Laelaps *Myth. Pal. Zool.*
Pneumolaelaps *Arach.*
λαιμο- Comb. of λαιμός
laemo-
coridea *Ent.*
dipod(a(n -ous *Crust.*
dipodiform *Ent.*
nema *Ich.*
paralysis *Path.*
phloeus *Ent.*
saccus *Ent.*

laemo- Cont'd
schirrus *Path.*
stenosis *Path.*
sthenes *Ent.*
lemoparalysis *Path.*
λαιμός throat
Aulolamoides *Helm.*
Camptolaemus *Ornith.*
Eurylaemus *Ornith.*
-id(ae -inae -ine -oid-(eae
euryleme *Ornith.*
Gymnolaemata -ous
-laemus *Ent.*
Bolito Oxy Ptycho Temno Xylo
lemophthalmia *Ophth.*
laemous *Zool.*
-laimus *Helm.*
Acmaeo Dermato Dory Eutelo Molgo Oisto Paradoxo Paraphano Pharetro Proncho
megalaime *Ornith.*
-a -id(ae -oid
Phylactol(a)ema *Zool.*
-ata -atous
Phytolaema *Ent.*
Platylaemus *Pal.*
λαῖνα = χλαῖνα (Strabo)
Laena *Ent.*
Psilolaena *Ent.*
λάινος of stone
Haplolaeneae *Bot.*
λαιός left
laeo-
gyra *Pal.*
tropic -ism -ous
leotropic *Med.*
λάις Dor. of ληίς cattle
Palaeolais *Ornith.*
Threnolais *Ornith.*
Λαιστριγών
Lestrigon(ian *Obs.*
Λαιστρυγόνες (Od.)
Laestrygonian
λαῖφος shabby garment
Leucolaephus *Ent.*
Λακεδαιμόνιος (Herod.)
Lacedemonian(ism
λακίς a rent, gap
Colossolacis *Pal.*
Lacistema *Bot.*
-(ac)eae -aceous *Bot.*
λακκο- Comb. of λάκκος cistern, pit
lacco-
bius *Ent.*
cephalus *Pal.*
lite -ic lith(ic *Geol.*
nectus *Ent.*
philus *Ent.*
pteris *Pal. Bot.*
somidae *Ent.*
λακκόπρωκτος (Ar.)
Laccoproctus *Ent.*
λακτικός like kicking
Lactica *Ent.*
Λάκων Lacedaemonian
Lacon *Ent.*
Laconian
Laconiella *Pal.*
Λακωνίζειν (Plato)
laconize
Λακωνικός (Strabo)
laconic
al(ly alness ism ly
laconicuni *Archaeol.*
Λακωνισμός (Xen.)
laconism
Λακωνιστής (Plut.)
laconist

λαλαγητής a prattler
Lalagetes *Eut.*
λαλία talking, chat
acoulalion *Med. App.*
alalic *Path.*
echolaliac -us *Psych.*
-lalia *Med. Psych.* as in πολυλαλία talkativeness (Galen)
a(a)eschro allo (auto)-echo bary brady copro dys emb(ol)o glosso hetero oxy pali para rhino
-laly *Med. Psych.*
copro glosso haplo pasi
rhinolalia *Phon.*
λαλο- Comb. of λάλος babbling
lalo- *Path.*
neurosis pathy phobia plegia
λάμβδα the letter λ
dilambodont(a *Mam.*
lambda -al
lambdaic *Math.*
zalambdont(a *Mam.*
λαμβδακισμός (Quintil.)
lambdacism *Phon. Rhet.*
paralambdacism
λαμβδοειδής like Λ
lambdoid *Anat.*
al ean
Lambdotherium *Mam.*
-iid(ae -ioid
λάμια (Arist.)
Lamia -iaceae *Ich.*
Lamia *Ent.*
-id(ae -ides -inae
Lamiasaurus *Pal.*
Λάμια a man eater
Lamia *Myth.*
λάμος maw, crop
Dilamus *Ent.*
λαμπάδ- Stem of λαμπάς
lampad
lampade *Conch.*
λαμπαδάριος
lampadary *Gr. Ch.*
λαμπαδηδρομία torch race
lampadedromy *Gr. Ant.*
λαμπαδηφορία (Herod.)
lampade(*or* o)phoria
λαμπαδηφόρος torch-bearer
lampadephore -os
λαμπαδίας (Ptolemy)
Lampadias *Astron.*
λαμπαδιστής torch-bearer
lampadist *Gr. Ant.*
λαμπαδο- Comb. of λαμπάς
lampadomancy
λαμπάς torch, lamp
Echinolampas *Zool.*
lamp
black er ful ic ion ist(ry less let light(er wick
lampate *Chem.*
Misolampus *Ent.*
Neolampadidae *Pal.*
Protolampas *Pal.*
thermolamp
λάμπη = λαμπάς
Lampadena *Ich.*
Lampanyctus *Ich.*
λαμπρείμων bright-robed
Lamprima *Ent.*
λαμπρο- Comb. of λαμπρός
lampro-
colius *Ornith.*

lampro- Cont'd
cyphus *Ent.*
phyllite *Min.*
phyllum *Ent.*
phyre -ic
rhiza *Ent.*
soma -ella *Ent.*
soma *Herp.*
stibian *Min.*
teucha *Ent.*
threptes *Ornith.*
type *Photog.*
Leiolamprogaster *Ent.*
λαμπρός bright, radiant
arsenolamprite *Min.*
Chalcolampra *Ent.*
chalcolamprite *Min.*
Lampris *Ich.*
-(id)id(ae -(id)oid
Lamprops(idae *Crust.*
-opid(ae -opoid
Lamprura *Ornith.*
Lampsilus *Conch.*
lepedolamprite *Min.*
Pantolamprus *Ent.*
Stenolampra *Ent.*
λαμπρότης splendor
Lamprotes *Ent. Infus.*
Lamprotes *Ornith.*
-inae -in(e
Lamprotornis -ithinae
λαμπροφανής bright
lamprophane -ite *Min.*
λαμπροφωνία
lamprophonia -ic -y *Med.*
λαμπρόφωνος clear-voiced
lamprophoner
λαμπτήρ = λαμπάς
lantern
e ed ist
lanternoscope *Photog.*
lanthorn
λαμπυρίς a glow-worm
Lampyris *Ent.*
-id(ae -inae -ine
λαμυρος greedy; bold
Lamyrus *Ent.*
λάμψις a shining
Hypolampsis *Ent.*
Perilampsis *Ent.*
psychlampsia *Ps. Path.*
λανθάνειν to be unseen
lanthana *Chem.*
-ate -ide -(i)um
lanthanin(e *Biochem.*
lanthanite *Min.*
Lanthanotus *Herp.*
-id(ae- oid)
lanthopia -in(e *Chem.*
λαο- Comb. of λᾶος stone
lao- *Pal.*
porus pteryx saurus
Λαοδίκεια Laodicea
Laodicean(ism *Eccl.*
Λαοκόων (Quintus Smyr.)
Laocoon *Art Lit.*
λαπακτικος (Galen)
lapactic *Med.*
λάπαξις evacuation
litholapaxy *Surg.*
λαπάρα loin, flank
laparectomy *Surg.*
laparo- *Surg.*
cele *Path.*
cerus *Ent.*
cholecystotomy
colectomy
colostomy
colotomy
colpo(hystero)tomy
cystectomy
cyst(id)otomy

laparo- Cont'd
elytrotomy
entero(s)tomy
gastroscopy *Med.*
gastro(s)tomy
hepatotomy
hysterectomy
hysterooophorectomy
hysteropexy
hysterotomy
ileotomy
kelyphotomy
monodidymus *Terat.*
myitis *Path.*
myom(ec)tomy
nephrectomy
nephrotomy
rrhaphy
salpingectomy
salpingo(oophoro)tomy
scope -y *Med.*
splenectomy
splenotomy
stict(a -i *Ent.*
thoracoscopy *Med.*
tome *Surg. App.*
tomy -ic -ist -ize
trachelotomy *Obstet.*
typhlotomy
uterotomy
-laparotomy *Surg.*
cystido hystero spheno
Λαπίθαι (Diod. S.)
Lapith(ae *Arch. Myth.*
λάριμος = λάρινος
Larimus *Ich.*
λαρινός fatted
larinoid
Larinomesius *Ent.*
Larinorhynchus *Ent.*
Larinus *Ent.*
λάριξ (Diosc.)
larch(en
laricin(olic *Org. Chem.*
lariciresinol *Org. Chem.*
Laricobius *Ent.*
Larix *Bot.*
larixinic -ate
Pseudolarix *Ent.*
λάρκος a basket
Larcoidea(n *Prot.*
λάρναξ urn, coffin
larnax *Gr. Ant.*
λάρος ? a gull (Arist.)
Lariosaurus
Larodryas *Ent.*
Larus *Ornith.*
-id(ae -idin(e -inae -ine -oid(eae -oidean
λαρυγγ- Stem of λάρυγξ
hemilaryngectomy *Surg.*
laryng-
(e)al ean ic *Anat.*
algia *Path.*
ectomy -ic *Surg.*
endoscope *Med. App.*
itis -ic *Path.*
-laryngeal *Anat.*
endo epi glosso intra labioglosso peri pharyngo pre sub super thyro tracheo
-laryngitis *Path.*
peri pharyngo rhino
stylolaryngeus *Anat.*
λαρυγγισμός croaking
laryngismus -al
λαρυγγο- Comb. of λάρυγξ
autolaryngoscope -y
laryngo-
catarrh *Path.*
cele *Path.*
centesis *Surg.*
fission fissure *Surg.*

laryngo- Cont'd
graph(y *Med.*
logy -ical -ist
metry
paralysis *Path.*
pathy *Med.*
phantom *Med. App.*
pharyngectomy *Surg.*
pharyngeus -eal *Anat.*
pharyngitis *Path.*
pharynx *Anat.*
phony *Med.*
phthisis -ical *Path.*
plasty *Surg.*
plegia *Path.*
rhinology *Med.*
rrhagia *Path.*
rrh(o)ea *Path.*
scleroma *Med.*
scopy -ic(al(ly -ist
spasm(us *Path.*
stasis *Path.*
stenosis *Path.*
stomy *Surg.*
stroboscope -ic -y *Med.*
tome *Surg. App.*
tracheal -eitis *Med.*
tracheotomy *Surg.*
typhoid *Path.*
typhus *Path.*
vestibulitis *Path.*
xerosis *Med.*
otolaryngology -ical
(oto)rhinolaryngology
prelaryngoscopic
thermolaryngoscope
λαρυγγοτομία (Paul. Aeg.)
laryngotomy -ic *Surg.*
-laryngotomy *Surg.*
tracheo
λάρυγξ (Arist.)
larynx *Anat.*
λᾶς a stone
Strepsilas -ainae *Ornith.*
λασι- Comb. of λάσιος
lasi-
anthus -ous *Bot.*
oidea *Bot.*
λασιο- Comb. of λάσιος
lasio-
campa *Ent.*
-id(ae -oid
carpous *Bot.*
crinus *Pal.*
derma
graptus *Pal.*
lopha *Ent.*
mactra *Ent.*
petalum -eae *Bot.*
pus *Ent.*
sphaeria *Fungi*
stola *Ent.*
λάσιον Neut. of λάσιος
lasionite *Min.*
λάσιος shaggy
Lasia -ieae *Bot.*
Lasia -ius *Ent.*
Podolasia *Ent.*
Pseudolasius *Pal.*
Ptenolasia *Pal.*
Pterolasia *Ent.*
λάσκειν to scream, shriek
Lasconotus *Ent.*
λατομητός hewn
Latometus *Ent.*
λατομία quarry
latomy -ia
λατρεία service; worship
aischrolatreia *Crit.*
angelolatry
anthropolatry -ic
antibibliolatry
arborolatry
artolatry

astrolatry *Hist. Rel.*
autolatry
bardolatry
basileolatry
bibliolatry
-ist -ous
Christolatry
cosmolatry
crestolatry
cynolatry -ist
demonolatry
-iacal -(i)ously
dendrolatry
diabolatry -ism
dogmaolatry
dollatry
ecclesiolatry
egolatrous
epeolatry
epeslatry
episcopolatry
gastrolatrous
geniolatry
geolatry
grammatolatry
Grecolatry
gyn(a)e(c)olatry
hagiolatry -ous
heliolatry -ous
hierolatry
hydrolatry
hygeiolatry
ichthyolatry -ous
iconolatry
ideolatry
idiolatry
Japanolatry
Koranolatry
latria *Theol.*
-latry -λατρεία as in εἰδωλολατρεία
litholatry -ous
logolatry
lordolatry
luniolatry
Lutherolatry -ist
mammonolatry
Marianolatry -ist
Mariolatry -ous
martyrolatry
mobolatry
monolatry
-ic -ist -ous
negrolatry
onolatry *Phil.*
ophiolatry -ous
Oxonolatry
pal(a)eolatry
papolatry -ous *Eccl.*
parsonolatry
parthenolatry
patrolatry
physiolatry
phytolatry *Chem.*
plutolatry
prosopolatry
pulpitolatry
pyrolatry
psycholatry
sociolatry
Shak(e)spe(a)rolatry
Shelleyolatry
statolatry
staurolatry
symbolatry
symbololatry
taurolatry
Teutolatry
thaumatolatry
theriolatry
therolatry
titanolatry
topolatry
uranolatry
zoolatry -ia -ous

λατρευτικός (Ptol.)
latreutic(al *Eccl.*
-λατρης as in εἰδωλολάτρης
arborolater
artolater *Obs.*
bardolater
bibliolater
demonolater
ecclesiolater
gastrolater
gyn(a)eolater
hagiolater
heliolater
hygeiolater
iconolater
Mariolater
monolater *Phil.*
nephelolater
ophiolater
physiolater
pyrolater
shak(e)spe(a)rolater
shelleyolater
titanolater
zoolater
λάτρις a handmaid
Latris *Ich.*
Λατώ = Λητώ
Latona *Ent. Myth. Zool.*
Latonian *Myth.*
λαύρα drain; monastery
laura *Chr. Ant.*
laurium *Bot.*
lauro- *Bot.*
philus phyta
λαύρη = λαύρα
laure *Gr. Arch.*
Λαύρ(ε)ιον Mt. Laurium
laurionite *Min.*
paralaurionite
Λαφρία Epith. of Diana
Laphria *Ent.*
λαφυγμός gluttony
Laphygma *Ent.*
λαφύκτης a gourmand
Helolaphyctis *Ent.*
λαχαίνειν to dig
Lachenus *Ent.*
λαχανοπώλης green-grocer
lachanopolist *Obs.*
lachanopoll *Obs.*
λάχεσις destiny, lot
Laches *Ent.*
Lachium *Fungi*
Λάχεσις one of the Fates
Lachesis *Herp. Myth.*
λαχναῖος woolly
Lachnaea *Ent.*
λάχνη downy hair
Epilachna -idae *Ent.*
Lachnabothra *Ent.*
Lachnanthes *Bot.*
Lachnesthus *Ent.*
Lachnus -inae *Ent.*
λαχνο- Comb. of λάχνος wool
Lachnosterna *Ent.*
λαχνόγυιος shaggy of limb
Lachnogya *Ent.*
λάχος one's lot or share
Eulachus *Ent.*
λαψάνη charlock (Diosc.)
Lapsana -eae *Bot.*
λεβής a kettle, cauldron
Lebephyllum *Pal.*
lebes *Gr. Ant.*
λεβητο- Comb. of λεβής
Lebetodiscus *Pal.*
λεβίας a fish (Ar.)
Lebias *Ich.*

-lebias *Pal.*
Brachy Pachy
Lebistes *Ich.*
λέβιος = λεβίας
Oxylebius -iinae *Ich.*
λέγνον colored edging
Saprolegnia *Fungi*
-i(ac)eae -iales
saprolegnious *Bot.*
saprolegnized *Path.*
λεγνωτός with a λέγνον
Legnotidiae *Bot.*
λειεντερία (Hipp.)
lienteria -ic -y *Path.*
λειμακώδης grassy
Limacodes -id(ae -oid
λεῖμαξ a meadow
Endolimax *Zool.*
Leimacopsis -id(ae *Helm.*
Limax *Conch.* (Linn.)
Pseudolimax *Prot.*
λεῖμμα a remnant
limma *Music Pros.*
λειμών meadow
leimicolous *Bot.*
leimonapophyte *Bot.*
leimonite -ic *Min.*
leimonitization *Geol.*
leimonogelit *Min.*
λειμωνίας of a meadow
Lemonias *Ent.*
iid(ae -ioid
λειμώνιον (Diosc.)
Limonium *Bot.*
λειμώνιος of a meadow
Limonius *Ent.*
λειμωνο- Comb. of λειμών
Limonobius *Ent.*
λειο- Comb. of λεῖος
adenoliomyofibroma
inoleiomyoma *Path.*
leio-
cephalous
cithara *Malac.*
clemina *Pal.*
come *Chem.*
cottus *Ich.*
dere *Zool.*
dermaria(n *Bot.*
dermia -atous *Path.*
gnathus -id(ae -oid *Ich.*
hyphe *Porif.*
lamprogaster *Ent.*
lichas *Pal.*
myoma *Tumors*
myo- *Tumors*
blastoma fibroma sarcoma
pathes -idae *Zool.*
phyllum *Bot.*
pterinae *Pal.*
stegium *Pal.*
stomaster *Echin.*
stomus *Ich.*
telus -inae *Arach.*
thrix *Ornith.*
-ichid(ae -trichoid)
triches *Ethnol.*
-i -an -ous
tropic *Bot.*
lio-
calymene *Pal.*
cephalus *Herp.*
cetus *Ich.*
chrysogaster *Ent.*
cypris *Crust.*
dere -a *Herp.*
derma *Path.*
dermia -atidae *Zool.*
gnathus *Ich.*
lepis *Herp.*
metopum *Ent.*
myoma *Path.*
piophila *Ent.*

lio- Cont'd
placis *Ent.*
pleurodon *Pal.*
propoma *Ich.*
psetta *Ich.*
pterinae *Pal.*
ptilornis *Ornith.*
rhizae *Bot.*
stomaster *Pal.*
theum -eid(ae *Ent.*
thrix *Ornith.*
trichi -an -ous *Anthrop.*
zancla Ent.
Pseudoliogenys *Ent.*
tetraleioclone *Spong.*
λειόγλωσσος (Symm.)
leioglossate
Lioglossa -ate *Conch.*
Lioglossina *Ich.*
λεῖον Neut. of λεῖος
Lionurus *Ich.*
λειόπους (Hesych.)
L(e)iopus *Ent.*
liopus *Anthrop.*
λεῖος smooth
Leiagnostidae *Pal.*
li- *Pal.*
odon opistha
(Panto)Lia *Ent.*
(Par)Leiosoecia *Pal.*
λειόστρακος (Arist.)
Liostraca -ina *Ent.*
λειότης smoothness
Leotia *Fungi*
λείπα left
lipalian *Bot.*
λείπειν to fall
Axonolipa -ous *Pal.*
leiphemia *Med.*
Leipoa *Ornith.*
λειπτός (?) fr. λείπειν
liptobiolith *Geol.*
λειριο- Comb. of λείριον
Liriogamae *Bot.*
λείριον a lily (Theophr.)
Chamaelirium *Bot.*
cham(a)elirin *Mat. Med.*
chamelerin *Med.*
Dasylyrion *Bot.*
Ixiolirion *Bot.*
Liliiflorae *Bot.*
Lilium *Bot.*
-iaceae -iaceous -ial(es
lily
-iated -ied -iform liver(ed wort white(ness
λειρός like a lily
Lirus *Ich.*
λειρός pale (Hesysch.)
lirocone -ite *Min.*
λειτουργία service
liturgiology *Eccl.*
-ical -ist -ize
liturgy *Eccl.*
-ist(ic(al -ize
unliturgize
λειτουργικός (Sept.)
aliturgic(al
antiliturgical
liturgic(al(ly -ician -ics
λειτουργός a minister
liturge
λείχειν to lick up
Dermalichus *Ent.*
λειχήν (Theophr.); (Hipp.)
lichen *Bot.*
aceous al ales alia ed es ic icolous form lsm ist ivorous less oid ose ous
lichen- *Chem.*
ase ate ic idin in(e inin oin

lichen *Path.*
iasis ification ization ize oid ous
-lichen *Bot.*
hymeno myco pseudo pyreno
-lichenes *Bot.*
Algo Asco Basidio Disco Gastero Gloco Homoeo Hymeno Phyco Pyreno
-licheni *Bot.*
Hetero Homo
-lichenin *Org. Chem.*
iso picro
-lichens *Bot.*
Archi Fungo Micro
licheno-
graphy -er -ic(al -ist
logy -ic(al -ist
phagus *Ent.*
pora -idae *Zool.*
xanthin(e *Biochem.*
Lichenoidae *Pal.*
Lichenops *Ornith.*
lichosan *Org. Chem.*
protolichesteric
λείψανον a relic
Leipsanosaurus *Pal.?*
lipsanotheca *Eccl.*
λεῖψις "failing"
menolipsis *Path.*
λειώδης smooth (Suidas)
Aleiodes *Ent.*
Leiodes *Ent.*
λεκανη a pot or pan
atranoric -in *Chem.*
dolicholec(*or* k)anic
Lecanact(is *Lichens*
-idaceae -idaceous
lecane -ate -ic *Archaeol.*
Lecanitida *Zool.*
Lecanitinae *Pal.*
Lecanium *Ent.*
-id -inae -in(e
lecanoid
Lecanora *Bot.*
-aceae -aceous -in(e -oid
lecanoric -ate *Org. Chem.*
Leconictida *Zool.*
lekane *Archaeol.*
mesatilekanic *Anthrop.*
platylekanic *Anthrop.*
Prolecanites *Pal.*
λεκανο- Comb. of λεκάνη
Lecanocrinus *Pal.*
-idae -ites
Lekanophyllum *Zooph.*
λεκανομαντεία
lecanomancy
-mancer -mantic
λεκιθο- Comb. of λέκιθος
lecitho-
blast *Embryol.*
proteid -ein *Biochem.*
vitellin *Biochem.*
zymase *Biochem.*
λέκιθος yolk (Hipp.)
biocitin *Med.*
lecibrin *Mat. Med.*
lecimicroonine *Biochem.*
lecimicrozymase *Chem.*
lecipon *Mat. Med.*
lecithal *Biochem.*
ase ide
-lecithal *Embryol.*
a brady centro ecto eutelo hetero homo macro meso micro morpho oligo peri telo
lecithalbumin *Biochem.*
lecithid *Mat. Med.*
lecithin *Biochem. Bot.*
ase ose *Biochem.*
emia *Med.*

-lecithin *Biochem.*
bromo desoleo lys(o) ovo toxo
lecithoonin *Biochem.*
morpholethicus *Embryol.*
Nesolecithus *Helm.*
orchicithin *Mat. Med.*
toxolecithid *Tox.*
tropholecithus *Embryol.*
λεκίς (-ιδος) a small λεκάνη
Lecidea *Lichens*
-eaceae -eacei -eaceous -ei -eiform -ein(e -ioid
λέκος = λεκάνη
glypholecine *Bot.*
lectropal *Bot.*
λεκτός chosen
Amphilectella *Pal.*
genolectotype *Biol.*
isolectotype *Biol.*
lectotype *Biol.*
λέμβος a boat
Lembus *Ich. Prot.*
λεμβώδης boatlike
Lembodes *Ent.*
λέμμα rind, peel
aneurilemmic *Med.*
Astrolemma *Porif.*
epilemmal *Anat.*
-lemma *Emb. Histol.*
axi axo basi endo epi exo glandi myo neuri oo ovo sarco sero telo
-lemmitis *Path.*
neuri tenonto
lemmo- *Cyt.*
blastic cyte
neurilemm-
al atitis (at)ic atous
oolem *Ent.*
sarcolemmic -ous *Anat.*
stelolemma *Bot.*
λέμνα (Theophr.)
Lemma *Bot.*
-aceae -aceous -ad
λέμφος drivelling
Lemphus *Ent.*
λεξι- Comb. of λέξις
lexigraphy
-ic(al(ly -ist
λεξικο- Comb. of λεξικός
lexicology
-ical -ist
λεξικογράφος (Joannes of Lydia)
lexicographer
-al -ian -ic(al(ly -ist -y
λεξικόν (Photius)
lexicon(ist
λεξικός (Jo. Gaz.)
lexic
lexical ic ly
λέξις speech; a word
dyslexic *Path.*
-lexia *Med. Psych.*
a brady dys para typhlo
paralexis -ic *Path.*
Λεξιφάνης Phrase-monger
lexiphanes *Rhet.*
-ic(ism -ist
λεοντ- Stem of λέων
leontodin *Mat. Med.*
Leontodon *Bot.* (*Herbs*)
λεοντίασις (Orisbas)
leontiasis ic *Path.*
λεοντική (Diosc.)
Leontice *Bot.*
λεόντιος lion-like
Leontium *Ent.*
λεοντο- Comb. of λέων
leonto-
cebus *Mam.*

λεοντοκέφαλος (Luc.)
leontocephalous
λεοντοπόδιον (Diosc.)
Leontopodium *Bot.*
λεόπαρδος (Apocrypha)
leopard
ess ine ize ling
leopardé *Her.*
leopardite *Petrol.*
libardine
λεπαδο- Comb. of λεπάς
lepado-
crinus *Pal.*
gaster *Ich.*
λεπάς (-άδος) a limpet
Alepas *Crust.*
Concholepas *Conch.*
Cosmetalepas *Ent.*
-lepas *Pal.*
Herco Pycno Titano Turri Zeugmato
Lepas *Crust.*
-adid(ae -adite -adoid
Proteolepas *Crust.*
-id(ae -oid
λεπαστή drinking cup
lepaste *Cl. Ant.*
λεπιδ- Stem of λεπίς
aplolepideous *Mosses*
chollepidanic *Biochem.*
haplolepideous *Bot.*
hexalepidus *Bot.*
lepid-
actis *Pal.*
aster(ella -ina *Pal.*
echinus *Pal.*
esthes -idae *Pal.*
ic *Embryol.*
ine *Zool.*
oma *Tumors*
ophthalmus *Crust.*
osis *Path.*
osteus *Ich.*
-eid(ae -eoid(eo
urus *Crust.*
-lepidoma *Tumors*
epi hypo meso
-leipdous *Bot.*
pleco poly
Xenolepidichthys *Ich.*
λεπίδιον (Diosc.)
ichthylepidin *Chem.*
lepamin(e *Chem.*
lepidin(e *Chem.*
-lepidine *Org. Chem.*
oxy quino tolu
lepidion *Ich.*
Lepidiota *Ent.*
Lepidium *Bot. Zool.*
λεπιδο- Comb. of λεπίς
Alepidosaurus *Ich.*
-id(ae -ina -oid
lepido-
centrus *Ich.*
chlore *Chem.*
chromy
chrysops *Ent.*
coleus *Pal.*
compsia *Ent.*
cottus *Pal.*
crocite *Min.*
cystis *Pal. Bot.*
dendron *Pal. Bot.*
-accac -accous -id -oid
ganoid(ean -ei *Ich.*
gobius *Ich.*
lite *Min.*
logy
meda *Ich.*
melane *Min.*
morphite *Min.*
phaeite *Min.*
phloios *Pal.*
phyllum -ous *Pal. Bot.*
phyte -ae -ic *Pal. Bot.*

lepido- Cont'd
phyton *Fungi*
porphyrin *Chem.*
pter(a(n *Ent.*
-al -er -ist -ous
pteric *Chem.*
pterid *Bot.*
pterology -ical -ist
pterophilae *Bot.*
pus -idae *Ich.*
-odid(ae -odoid
sauria(n *Herp.*
scioptera *Ent.*
selaga *Ent.*
semicyclina *Pal.*
siren(id(ae -idea -oid
soma *Ent.*
sperma -ae *Pal. Bot.*
sternidae & -oid *Herp.*
stethaspis *Ent.*
strobus -oid *Pal. Bot.*
taenia *Ent.*
trema *Helm.*
tychius *Ent.*
-lepidoptera *Ent.*
Macro Micro Neo Palaeo Proto
macrolepido-
lite *Min.*
pter(ist ous *Ent.*
microlepido-
lite *Min.*
pter(an ist ous *Ent.*
λεπιδωτός scaly
elepidote *Bot.*
Gastrolepidotidae *Pal.*
Goniolepidoti *Ich.*
Hemilepidotis *Ich.*
lepidote -ed -ic *Chem.*
Lepidotes -idae *Bot. Pal.*
Lepidotus *Pal.*
-lepidotus *Pal.*
Allo Calyci Para Plesio
Microlepidotus -ous *Ich.*
λεπίς (-ίδος) scale; flake
Alepisaurus *Ich.*
-id(ae -oid
Asterolepis *Ich.*
-(id)id(ae -(id)oid
Centrolepis *Bot.*
-idaceae -idaceous -idiceous -idieae
chroolepoid *Lichens*
chrysolepic *Chem.*
Coelolepis *Ich.*
-(id)id(ae -(id)oid
Diplolepariae *Ent.*
Gamolepis *Bot.*
grammicolepidid(ae
Habrolepistra *Ent.*
Heterolepidae *Ich.*
Hymenolepis *Helm.*
Hypolepis -ideae *Bot.*
Lepachys *Bot.*
lepal *Bot.*
lepargylic *Chem.*
Lepargyrea *Bot.*
lepedolamprite *Min.*
Leperiza *Bot.*
Lepiopomus
Lepiota *Mycet.*
lepis
Lepis -oid(ei *Ich.* z
-lepis *Ent.*
Plagio Preno Tricho
-lepis *Ich.*
Astero Bothri(*or* y)o Chiro Chreo Coelo Delo Dermato Grammico Lepto Myrio Osteo Para Pleuro Stereo Zanio
-lepis *Pal.*
Aetho Aphue Characi Chico Cyrtio Dactyo Enchelyo Erythrino

-lepis Cont'd
Gerda Glauco Glypto Gyro Helmintho Neorhombo Ostado Pityoido Ptero Pterygo Rhyncho Uro
Lepisosteus -eidae *Ich.*
Lepistemon(eae *Bot.*
Lepomis -inae *Ich.*
Leptolepis *Ich.*
-id(ae -oid
Liolepis *Herp.*
Myriolepis *Ich.*
-inae -ine
Nephrolepis *Bot.*
Ophiolepis *Echin.*
-idid(ae -idoid
Osteolepis *Ich.*
-idae -idid(ae -idoid
Paralepis *Ich.*
-idid(ae -idoid
Pharyngolepis
Pleurolepis
-idal -idid(ae -idoid
Polylepis -idetum *Bot.*
Stagonolepidae *Pal.*
Tropidolepis *Herp.*
Zaniolepis *Ich.*
-idinae -idine
λέπισμα peel
Lepisma *Ent.*
-(at)id(ae -oid
λέπος a husk, rind, or scale
alepo- *Ich.*
cephalus
-id(ae -oid
saurus -idae
somus
lepo-
cyte -a -ode *Cytol.*
lite *Min.*
spondyli -ous
thrix *Path.*
trichium *Anat. Ich.*
Lepophidium *Ich.*
λέπρα leprosy
leper
dom ed head ize ous y
lepra *Path.*
lepraphobia *Med.*
lepraria -ioid *Phytopath.*
leprid -olin(e *Med.*
leprology -ist
leproma -atous *Path.*
leprosarium & -ery *Med.*
leprose
-ied -in -ity
leprous(ly ness y
phymolepra *Path.*
λεπρικός good for leprosy
lepric
λεπρός scaly
Lepralia(n *Polyzoa*
Leprantha *Bot.*
lepranthin *Org. Chem.*
Leprosoma *Ent.*
λέπρωσις leprosy
paraleprosis *or* -y *Path.*
λεπτ- Stem of λεπτός
lept-
abacia *Pal.*
adenia -ieae *Bot.*
aena -oid(ea *Pal.*
agonus *Ich.*
amnium *Bot.*
andra *Bot.*
andrin(e *Org. Chem.*
anilla *Ent.*
epania *Ent.*
estia *Pal.*
ictis -idae *Zool.*
iform
ilon *Bot.*
inite *Petrog.*

lept- Cont'd
inol *Mat. Med.*
inolite *Petrog.*
inopterus *Ent.*
inus -id(ae -oid *Ent.*
is id(ae idea oid *Ent.*
oid *Cytol.*
omiasis *Bot.*
ommatus *Ent.*
ophidium *Ich.*
ophis *Herp.*
ops *Ich.*
orchis *Bot.*
ostraca(n -ous *Crust.*
ura -id(ae -oid *Ent.*
urus -eae *Bot.*
λεπτακινός delicate
Leptacinus *Ent.*
λεπταλέος delicate
Leptaleoceras *Pal.*
Leptaleus *Ent.*
λεπτο- Comb. of λεπτός
lepto-
campyli *Pal.*
cardia(n -ii *Ich.*
centric *Bot.*
cephalia -us -y *Terat.*
cephalic *Craniom.*
cephalus -an *Ich.*
-id(ae -oid -ous
ceratops *Pal.*
cercal *Zool.*
cerus -id(ae -oid *Ent.*
chauliodes *Ent.*
chlorite *Min.*
chroa -ous
chromatic *Med.*
cladous *Bot.*
clase *Geol.*
cleidus *Herp.*
clema *Bot.*
cletodes *Crust.*
clinus *Ich.*
coelia *Pal.*
conger *Ich.*
corynus *Ent.*
cottus *Ich.*
cymatium *Ent.*
dactyl(e -i -ous *Ornith.*
dera *Ich.*
dinae *Pal.*
dirus *Ent.*
dora -id(ae *Crust.*
forms *Fungi*
gaster *Ent.*
gastrella *Helm.*
gastrula *Embryol.*
glossa -al -ate *Herp.*
glossus *Ent.*
gonidium *Algae*
lepis -id(ae -oid *Ich.*
linae *Zool.*
medusae -an *Zooph.*
meninges -eal -itis
meninx *Anat.*
mere -ia *Biol.*
(mesto)me -atic *Bot.*
meter *Anal. Chem.*
min *Org. Chem.*
monas *Zool.*
morphic *Petrog.*
nema *Bot. Cytol.*
pellic *Anat.*
phloem *Bot.*
phloeum *Pal.*
phoca *Pal.*
pilina *Ent.*
plana *Helm.*
-id(ae -oid
pod(a -ia(n *Conch.*
podia *Crust.*
-(i)id(ae -(i)inae -iin(e -ioid
prosope *Anthrop.*
-ia -ic -ous -y

lepto- Cont'd
pterous *Ornith.*
ptila -us *Ornith.*
puccinia
rhaptus *Ent.*
(r)rhin(e *Craniom.*
-ian -ic -ism
rhynchoides *Helm.*
schoenus *Ent.*
scopus *Ich.*
-id(ae -oid
sialis *Ent.*
sperm(um -eae *Bot.*
spermocarpum *Pal.*
spermol *Org. Chem.*
sphaeria *Spong.*
spira *Fungi*
spondylii -ous *Zool.*
sporangium -iate
staphyly *Craniom.*
-in(e -inic
stomias *Ich.*
stroma -aceae *Fungi*
strophia *Pal.*
tene *Bot. Cytol.*
theridium *Pal.*
thricosis *Path.*
thrix *Bact.*
thyrium *Fungi*
tichus *Bot.*
tomus *Pal.*
trachelus *Herp.*
trichalus *Ent.*
trichia *Bact.*
trombidium *Ent.*
trypella -ina *Pal.*
typhlops -opid(ae -op-oid *Herp.*
xylem *Bot.*
zancla *Ent.*
zestis *Ent.*
zygonema *Bot.*
zygotene *Bot.*
Microleptosaurus *Pal.*
pachyleptomeningitis

λεπτόγειος (Theophr.)
Leptogium -ioid *Bot.*
λεπτοδερμία (Theophr.)
leptodermia -ic *Anat.*
λεπτόδερμος (Hipp.)
leptoderm(at)ous *Bot.*
λεπτολογία quibbling
leptology *Rhet.*
λεπτόμιτος fine-threaded
Leptomitus -aceae *Fungi*

λεπτόν the small gut; a small coin
lepton(ic
lepton *Chem. Coins*
Lepton *Conch.*
acea(n aceous id(ae oid
leptonisation *Bot.*
leptonology *Chem.*
pentalepton *Coins*

λεπτόπους (Schol. Ar.)
Leptopus *Ent. Ornith.*

λεπτός small; weak; fine
Amphileptus *Infus.*
Cycleptus -inae *Ich.*
Eurylepta -id(ae -oid
Glossolepti *Zool.*
Gonyleptus *Arach.*
-es -id(ae -oid
-lepta *Ent.*
Craspedo Eupanto Holo Speo
Leptus *Arach.*
perileptomatic *Bot.*
Progonyleptoides *Arach.*
protoleptome *Bot.*
Tropidoleptinae *Pal.*
Tropidoleptus *Brachiop.*
Uraleptus *Ich.*

λεπτοσύνη fineness
Leptosyne *Bot.*
λεπτόσωμος (Eust.)
Leptosomus *Ent. Ornith.*
-(at)id(ae -(at)oid
λεπτόφυλλος (Theophr.)
leptophyll(ous *Bot.*
λεπρόφωνος (Arist.)
leptophonia -ic *Med.*
λεπτοχειλής (Arist.)
Leptochiloporinae *Pal.*
λεπτύνειν to make thin
Leptynis *Ent.*
leptynite *Petrol.*
Leptynoderes *Ent.*
λέπτυνσις attenuation
iridoleptinsis *Ophth.*
λεπτυντικός attenuating
leptuntic
λέπυρον rind, husk
lepyrophylly *Bot.*
Lepyrus *Ent.*
λεπώδης like husks
Thallolepodes *Bot.*
Λερναῖος of Lerna
Lernaea *Crust.*
-acea -an -id(ae -iform -oid(ea(n -oides
Lernaepoda -ian -id(ae -oid *Crust.*
Λέσβιος of Lesbos
Lesbia *Ent. Ornith.*
lesbian(ism *Med.*
λέσχη a lounge
lesche *Gr. Ant.*
Λευίτης (Sept.)
Levite -ism
Λευιτικός (N.T.)
Levitic
al(ly alness ism ity
λευκ- Comb. of **λευκός**
leuc-
acene *Org. Chem.*
(a)emia -ic *Path.*
aena *Path.*
aethiop(ia -ic(s
ania -iid(ae -ioid *Ent.*
anilin(e *Chem.*
anthous *Bot.*
ascus -idae *Spong.*
asmus *Path.*
aster(eae *Bot.*
ate *Chem.*
augite *Min.*
aurin(e *Min.*
azone *Org. Chem.*
ein(e *Chem.*
haemia -ic *Path.*
ic *Chem.*
ichthyops *Pal.*
in(e -ic *Biochem.*
indigo *Chem.*
inethylester *Biochem.*
inimid(e *Org. Chem.*
inosis *Path.*
inuria *Med.*
inuric *Org. Chem.*
ism *Zool.*
ite -ic *Bot. Min.*
itis *Path.*
itite *Petrog.*
itohedron *Crystal.*
itoid *Crystal.*
itophyre -ic *Petrog.*
ituronolite *Meteor.*
leucoid *Org. Chem. Zool.*
leucol(in(e -inic *Chem.*
leuconychia *Path.*
leucoryx *Zool.*
leucostine *Chem.*
leucyl *Org. Chem.*
leuk- = leuc-
anemia *Path.*
asmus *Med.*

leuk- = leuc- Cont'd
emoid *Med.*
exosis *Med.*
in *Mat. Med.*
opsin *Ophth.*
ourobilin *Biochem.*
Neoleucopis *Ent.*

Λευκαδία Leucas (Od.)
Leucadian *Geog.*
λευκάνθημον (Diosc.)
Leucanthemum *Bot.*
λευκίσκος white mullet
Leuciscus *Ich.*
-iform -inae -in(e -ulus
λευκίτης = **λευκός**
Neoleucitus *Ent.*
λευκο- Comb. of **λευκός**
antileuco- *Tox.*
cidin toxin
hemoleukocytic
intraleucocytic
leuco-
alizarin *Chem.*
base *Chem.*
blast(ic *Bact.*
blepsis *Ent.*
bryum *Bot.*
chalcite *Min.*
choly
cidic -in(e *Med.*
coryne *Bot.*
craspedum *Ent.*
cratic *Petrog.*
crinum *Bot.*
cyan *Bot.*
cyclite *Min.*
cyt- *Med.*
al ary h(a)emia h(a)emic is iform oma osis otic -uria
cyte *Cytol.*
cyto- *Med.*
genesis lysis lytic penia penic
derma -atous *Path.*
dermia -ic *Path.*
dermis *Bot.*
dextrin(e *Biochem.*
dore -id(ae -oid *Helm.*
drin *Chem.*
encephalitis *Path.*
gallol *Chem.*
indophenol *Chem.*
keratosis *Med.*
laephus *Ent.*
lysis -in -lytic
melanic -ous *Anthrop.*
migus *Ent.*
myelitis *Path.*
necrosis *Path.*
nostoc *Bact.*
nuclein *Chem.*
pathy -ic
penia -ic *Path.*
phalera *Ent.*
phasia *Ent.*
philous
phoenicite *Min.*
pholis *Ent.*
phoroptera *Ent.*
phyre *Min. Petrog.*
plac(or k)-ia -acy *Path.*
plast(id *Bot.*
poliin *Biochem.*
protease *Biochem.*
pterin *Biochem.*
rhamphus *Zool.*
rrhagia *Path.*
rrh(o)ea -eal -eic *Path.*
sarcoma *Path.*
scope *Optics*
solenia -iidae *Spong.*
somes -ata *Bot.*
spermous *Bot.*

leuco- Cont'd
sphenite *Min.*
sphere -ic *Astron.*
spori *Fungi*
stigma *Malac.*
taphus *Ent.*
tephrite *Min.*
thionine *Chem.*
thyreus *Ent.*
toxic -in *Cytol.*
trichia *Path.*
trop(e *Dyes*
tropine *Org. Chem.*
xene *Chem. Min.*
leuko-
agglutinin *Med.*
blast *Cytol.*
cidin *Med.*
cyte *Cytol.* & *Med.*
-al -ic -oid -oma -osis -otic uria
cythemia *Med.*
cyto- *Cytol.* & *Med.*
blast genesis logy lysin lysis lytic meter penia plania tactic taxis therapy toxin zoa zoon
dextrin *Org. Chem.*
diagnosis
ferment *Biochem.*
keratosis *Path.*
monocyte *Cytol.*
myelopathy *Path.*
myoma *Tumors*
nuclein *Biochem.*
plakia *Path.*
poiesis *Med.*
poietic *Med.*
prophylaxis
protease *Biochem.*
sarcoma *Tumors*
sarcomatosis *Med.*
taxis tactic *Cytol.*
therapy *Ther.*
thrombin *Histol.*
toxin -ic(ity *Cytol.*
-leucocyte *Cytol.*
alpha hemo
-leucocytosis *Path.*
aniso hyper hypo oligo
lymphadenoleukopoiesis
macroleukoblast *Cytol.*
metroleucorrhea *Path.*
microleucoblast *Cytol.*
Neoleucophenga *Ent.*
oligoleukocythemia
opthalmoleucoscope
proleukocyte *Cytol.*
protoleukocyte *Cytol.*
pseudoleuco- *Path.*
cite cythemia
pseudoleucodermis
staphyloleukocydin *Tox.*
streptoleukocidin *Tox.*
xantholeucophore *Chem.*

Λευκοθόη
Leucothoe *Bot. Myth.*
Leucothoe *Crust.*
-oid(ae -ooid
λευκόιον fr. **ἴον** (Hipp.)
Leucoi(or oj)um *Bot.*
λευκόκαρπος (Theophr.)
leucocarpous *Bot.*
λευκόν white color
Leucon *Crust.*
id(ae oid
Leucones *Spong.*
-aria(n -ate
leuconic *Chem.*
λευκοπάρυφος (Plut.)
Leucoparyphus *Ent.*
λευκόπτερος white-winged

leucopterous
λευκος white; clear
aleuk(a)emia -ic *Path.*
aleukia *Path.*
amphileuc(*or* k)emic
amyloleucite(s *Bot.*
angioleucitis *Path.*
antholeucin(e *Pigments*
chloroleucite *Min.*
choroleukemia *Path.*
chromoleucite *Bot.*
clasileucite *Cytol.*
ectothioleukaceae
elaioleucites *Bot.*
endothioleukaceae
glycoleucin *Biochem.*
glycoleucyte *Zool.*
hemaleucin *Biochem.*
hydroleucite *Bot.*
hypoleuk(a)emia *Med.*
indileucin *Biochem.*
isoleucin *Biochem.*
lefkasbestos *Min.*
lenad -ic *Petrog.*
leuc(*or* k)- See **λευκ-**
Leucadendron *Bot.*
leucos
leucosin(e *Bot. Chem.*
leucous
leukin *Mat. Med.*
lymphosarcoleukemia
Melaleuca *Bot.*
metaleucite *Min.*
norleucine *Org. Chem.*
ornitholeucism
oxalileucite *Bot.*
oxyleucotin *Chem.*
palaeoleucite *Min.*
porphyroleucus *Bot.*
proleuc(*or* k)emia *Med.*
pseudoleuc(*or* k)-
(a)emia haemia enic
pseudoleucite
rhodoleucus *Colors*
soda-leucite *Min.*
tinoleucite *Bot.*
tyroleucin *Chem.*
uroleucic -inic *Chem.*
xantholeucite *Bot.*

λευκόστικτος grizzled
Leucosticte *Ornith.*
λευκοτης whiteness
leucot- *Chem.*
-in(e -uric
λευκοφανής
leucophane -ite *Min.*
λευκοφλεγματία (Hipp.)
leucophlegmacy *Path.*
leucophlegmasia -y *Path.*
leucophlegmatic(al *Path.*
leucophlegmatin
λευκόφυλλος (Diosc.)
leucophyl(l *Chem.*
leucophyllous *Bot.*
-um -eae
λευκόχροος (Arist.)
leucochroi(c *Anthrop.*
λεύκωμα a cataract
hypoleukomatosis *Med.*
keratoleucoma *Ophth.*
leucoma -atous *Path.*
leucomain(e *Biochem.*
leukomain(ic -emia
λεύκωσις whiteness
Leucosia *Crust.*
-ian -(i)id(ae -(i)oid -oidea(n
leucosis -ism *Path.*
λευρός smooth, even
leur-
esthes *Ich.*
etra *Ent.*

leuro-
glossa *Ich.*
metopon *Ent.*
peltis *Ent.*
spondylus *Pal.*
Pleuroleura -idae
λέχος bed
lecus *Bot.*
λέχριος slanting; crosswise
lechriodont(a *Zool.*
Lechriops *Ent.*
λέων a lion
Abatoleon *Ent.*
Dicholeon *Ent.*
Leo *Astron.*
leochromus *Bot.*
Leonaspis *Pal.*
leoncito
leonic *Astron.*
Leonid *Astron.*
leonine(ly
Leonist *Eccl. Hist.*
leonite *Min.*
Leonurus *Bot.*
lion
ceau ced cel(le el esque ess et heart(ed(ness hood ish ism ization ize(r ne se ship
lionite *Min.*
lionné *Her.*
Lyon *Her.*
Mystroleon *Ent.*
nemalion(ieae *Algae*
padelion *Plants*
Pontoleon *Pal.*
Rhampholeon *Herp.*
sea-lion
Thylacoleo *Mam.*
-eonid(ae -eoninae
-eonin(e -eonoid
Λήδα Mother of Helen
Isoleda *Pal.*
Leda *Myth.*
Leda *Ent.*
-id(ae -oid
λῆδον mastic (Diosc.)
ledene *Org. Chem.*
leditannic *Org. Chem.*
ledixanthin *Org. Chem.*
ledol *Org. Chem.*
ledum *Bot.*
ledyl *Org. Chem.*
ληθαργία (Galen)
hemilethargy
hypolethargy
lethargy -ia
-ean -ine -ious -ize
ληθαργικός (Hipp.)
antilethargic *Med.*
hemilethargic
lethargic
al(ly (al)ness
λήθαργος drowsiness
lethargogenic *Med.*
lethargus *Med.*
λήθη forgetfulness
electrilethal
hyperlethal *Med.*
lethal(ize
Letharchus *Ich.*
Lethe -ean -(e)ed
Lethenteron *Ich.*
letheomania
letheon(ize *Chem.*
Lethonymus *Ent.*
sublethal *Med.*
superlethal *Med.*
ληθο- Comb. of λήθη
letho-
cerus *Ent.*
logica *Ps. Path.*
mania

letho- Cont'd
stole *Ich.*
tremus *Ich.*
ληιστής = ληστής
Leistes *Ornith.*
Leistus *Ent.*
ληκύθιον Dim. of λήκυθος
Lekythionia *Bryozoa Pal.*
ληκυθο- Comb. of λήκυθος
Lecythoconcha *Malac.*
λήκυθος oil flask
lecyth(is *Bot.*
-idaceae -idaceous
-id(e)ae
lecythos -us -oid
λήμη gum, rheum(Hipp.)
lema *Physiol.*
λῆμμα (Arist.)
lemma *Logic Rhet.*
-lemma
penta poly tetra tri
λημνίσκος a fillet
lemniscate *Math.*
Lemnisci *Ich.*
lemniscic *Math.*
lemniscoid(al *Optics*
lemniscus *Anat. Costume*
Λήμνιος of Lemnos
Lemnian *Geog.*
Λήναια (Ar.)
Lenaia -aea(n *Ath. Fest.*
ληνός wine-press
Lenophyllum *Zooph.*
ληξίαρχος (Poll.)
lexiarchus *Gr. Pol.*
λῆξις allotment
Hemilexis *Ent.*
Monolexis *Ent.*
λήπτης acceptor
Cercoleptes *Mam.*
-id(ae -inae -ine -oid
ληπτικός assimilative
antileptic *Med.*
diaboleptic
hypnoleptic *Psych.*
hypoleptically
narcoleptic *Path.*
organoleptic(ally
polyleptic *Med.*
psycholeptic
ληπτός to be sensed
logolept
λήρησις silly talking
leresis *Ps. Path.*
ληστεύειν to plunder
Lestena *Ent.*
ληστής a robber
Cimolestidae *Mam. Pal.*
Dryolestidae *Pal.*
-lestes *Ent.*
Chalco Episyn Indo Pyra
-lestes *Pal.*
Caeno Dryo Entomo Ga Micro Myo Eimo Triasso Zygo
Lestes *Ent.*
Lestichthys *Ich.*
Lestidium *Ich.*
Lestodon *Pal.*
Lestornis *Pal.*
Lestosaurus *Pal.*
Pantolestidae *Pal.*
Urolestes *Ornith.*
Xantholestes *Ornith.*
ληστικός piratical
Lesticus *Ent.*
ληστρίς Fem. of ληστρικός = ληστικός
Lestris -inae *Ornith.*
λητηρ a public priest
Arachnoletea *Ent.*

Λητώ Latona
Leto *Ent. Myth.*
-ληψια as in ἐπιληψία
diabolepsy
electrolepsy *Med.*
hypnolepsy *Path.*
hysteronarcolepsy *Path.*
-lepsia *or* -y *Path.*
methilepsia *Path.*
myrmecolepsy
narcolepsy *Path.*
nympholepsy -ia -ic
photolepsy *Bot.*
psycholepsy
λῆψις seizure
amphilepsis *Biol.*
antilepsis *Med.*
hypnolepsis *Path.*
monolepsis -ic *Biol.*
nympholepsis
psycholepsis
syphilolepsis
λιβανο- Comb. of λίβανος
libano-
ferous mancy
λίβανος incense
libocedrene *Org. Chem.*
Libocedrus *Bot.*
oliban
olibanol *Org. Chem.*
olibanoresin
olibanum *Bot.*
olibene *Org. Chem.*
olibian
λιβανοφόρος (Diosc.)
libanophorous
λιβανωτοφόρος (Herod.)
libantotophorous
λιβονωτρίς a censer
libanotris *Gr. Vases*
λιβρός dripping
Paralibrotus *Crust.*
Λιβυ- Comb. of Λίβυς
liby-
pithecus *Pal.*
theidae & -inae *Ent.*
Λιβύη (Odyssey)
Libya *Astron. Geog. Myth.*
Λιβυκός (Herod.)
Libycosuchus -idae *Pal.*
Λίβυς (Herodotus)
Libyan *Ethnol. Geog. Philol.*
Λίγεια a Siren (Arist.)
Ligia *Crust. Ent.*
-iidae -iinae
λιγνυώδης sooty
Lignyodes *Ent.*
Λιγυρία
Ligurian(ize
ligurite *Min.*
λιγύριον lynx-stone
ligure *Bible*
λιγυρός shrill, clear
Ligyrus *Ent.*
λιθάργυρος (Nicander)
litharge -ic *Chem.*
lithargite *Min.*
lithargyrum *Chem.*
λιθάριον Dim. of λίθος
Litharium *Malac.*
λιθίασις (Hipp.)
lithiasis *Path.*
-lithiasis *Path.*
arthro chole(cysto) crypto cysto dacryo entero gastro hystero nephro phlebo pneum(on)o ptya(lo) pyonephro rhino salivo

-lithiasis Cont'd
sialo splanchno typhlo uretero uro
λιθίζειν fr. λίθος
lithistid(a(n *Spong.*
λιθικός (Paul. Aeg.)
lithic(al *Med.*
λίθινος made of stone
Lithinus *Ent.*
λιθίον Dim. of λίθος
cryolithionite *Chem.*
lithion *Chem.*
lithionite *Min.*
polylithionite *Min.*
protolithionite *Min.*
λιθο- Comb. of λίθος
chromolitho- *Photog.*
graph(er ic
tint
ichnolithological
litho-
bexis *Path.*
biblion *Geol.*
bilianic bilic *Biochem.*
biotic -ism *Crystal.*
bius -iid(ae -ioid *Ent.*
carbon *Arts Chem.*
carp *Geol.*
cenosis *Surg.*
chemistry *Chem. Min.*
cholic *Biochem.*
chromatic(s
chromatography -ic
chrome -ic(s -y
chromography
chrysography
clasis *Geol.*
clasy *Surg.*
clast(y -ic *Surg.*
clysmia *or* -y *Surg.*
corallia -ine *Zooph.*
cosmus *Pal.*
culture *Anthrop.*
cyst *Bot. Zool.*
cystotomy *Surg.*
dendron(inae *Zool.*
desma *Zool.*
dialysis *Surg.*
dialytic *Surg.*
fell(in)ic *Chem.*
fracteur *Arts*
fractor *Med.*
gen *T.N.*
genesis -y *Geol.*
genetic *Geol.*
genous *Biol.*
geny *Biol. Path.*
gram
graph(er
graphy
-ic(al(ly -ize
gravure
ichnozoa *Geol.*
ification *Geol.*
kelyphopedion *Gynec.*
kelyphos *Gynec.*
konian *Surg. App.*
lapaxy *Surg.*
latry -ous
logy -er -ic(al(ly -ist
lysis lyte lytic *Surg.*
mancy
mantidae *Pal.*
marge *Geol. Min.*
meter *Med. App.*
metra *Path.*
moscus *Vet.*
myl(y *Surg.*
nephria *Med.*
nephritis *Path.*
nephrotomy *Surg.*
p(a)edion -ium *Med.*
phaga -i -idae *Zool.*
phagus -ous *Mol.*
phane -ous -y *Arts*

litho- Cont'd
phil(e -ous -us *Biogeog.*
phone *Surg.*
phosphor(ic
photogravure
photography
phthisis *Path.*
phyl(l(ous *Bot.*
phyllodendron *Pal.*
physa(l -e *Petrol.*
phyte *Phytogeog.*
-a -es -ia -ic -on -ous
phyte *Zool.*
-ic -on -ous
pone
prione prisy *Surg.*
scope -ist *Med.*
sere *Bot.*
siderite *Min.*
sphere *Geol.*
spheric *Bot.*
thamnia *Geol.*
theology
thrypty *Med. & Surg.*
-ic -ist -or
tone
tresis *Surg.*
tripsis -ia -y *Surg.*
triptic -ist *Surg.*
tripton -or *Surg.*
trite *Surg.*
-ic -ist -ize -or -y
type -ic -y *Arts*
xyl(e *Min.*
ite oidical
-lithography
chromo metalli photo-(chromo) typo
-lithology
aero ast(e)ro ichno phyto uro
-lithophytes *Bot.*
endo exo rhizo
-lithotripsy *Surg.*
chole(cysto) choledocho hepatico
-lithotrity *Surg.*
chole electro
Mimolithophilus *Ent.*
miolitho- *Pal.*
ceras charis
photolitho-
graph(er ic
logy -ical -ist
type
protolithoplasm *Min.*
pyrolithofellic *Chem.*
typolithographic
λιθοβολία stone throwing
lithobolia *Cl. Ant.*
λιθογλύπτης stone-cutter
lithoglyptic(s
λιθογλυφός a sculptor
lithoglyph
er ic ite
λιθοδόμος a mason
lithodome *Zool.*
-i -ize -ous -us
λιθοειδής like stone
lithoid(al
lithoidite *Petrog.*
λιθόκολλα cement
lithocol(la
λιθοκολλητός stone-set
Lithocolletis *Ent.*
-id(ae -oid
λιθολάβος (Galen)
litholabe -on *Surg. App.*
λίθον Acc. of λίθος
lithon-
thry(*or* i)ptic *Med.*
tripty -ic(al -ist -or *Med. & Surg.*
trilithon *Archaeol.*

Alloesia
λίθον τρῖβον
lithontribon *Obs.*
λίθος a stone
acrolith(ian ic *Sculp.*
aenolithic *Archaeol.*
aerolite -ic *Meteor.*
aerosiderolite
albalith *Pigments*
albolite -lith *Cement*
alveolite(s *Polyps*
amphibiolith *Pal.*
amylostatolith
angiolithic *Path.*
anthropo-
lite lith(ic
antilithic *Ther.*
arch(a)eolith(ic
Archaeotolithus *Pal.*
archolithic *Archaeol.*
asbestolith
aspirolithin *Prop. Rem.*
astacolite *Crust.*
Batolit(h)es *Zool.*
bilith(on *Archaeol.*
bitulithic *T.N.*
bromolithia *Prop. Rem.*
brontolich *Meteor.*
calcalith *Prop.*
carpolite -lith(us *Bot.*
cellulith *Arts*
cetotolite *Anat.*
chalcolithic *Ethnol.*
chlorostatolith *Bot.*
chole(*or* o)lithic -urin
chromolith(ic *Photog.*
Clenialites *Pal.*
coccolith *Algae*
Cornulites *Conch. Pal.*
Cryphalites *Pal.*
cyatholith *Biol.*
cyclolith *Archaeol.*
Cyclolithes *Ent.*
Cyrtolites *Conch. Pal.*
cyst(ic)o lithectomy
cystolith *Bot.*
cystolithic *Med.*
cytolite *Cytol.*
dacryolite *Path.*
dilituric *Chem.*
discolith *Bot.*
Ectolithia -ic *Prot.*
endolith *Art*
Endolithia -ic *Prot.*
endolithic *Lichens*
enterolite -lithic *Path.*
Entolithia -ic *Prot.*
entomolitic lith(ic *Pal.*
eolith(ic *Archaeol.*
epilithic *Bot.*
extralite
feculite *Chem.*
formalith *Trade*
galalith *Trade*
gastrolithus *Med.*
gazolite *Meteor.*
glyptolith *Archaeol.*
Grapholitha *Ent.*
-id(ae -oid
graptolite *Pal.*
-es -ida(e -ina -oid
(ea(n -us
graptolith(ic *Pal.*
gyrolith *Bot.*
Heliolites -idae *Pal.*
heliolithic
hepatolith *Med.*
ectomy ic
heterolith *Zool.*
Hibolites *Pal.*
hippolite *Vet.*
hyalithe *Arts*
hydatopneumatolithic
hydrolith(e *Chem.* (*T.N.*)
Hyolithes *Conch.*
-id(ae -oid -us
hyperlithic -uria *Path.*
hypolithic *Bot.*
Hypolithus *Ent.*
ichthyo . . . lite *Pal.*
copro doru pato pedo sarco
infraneolithic
ixolyte *Min.*
jaspilyte *Min.*
leucituronolite *Meteor.*
lherzolyte *Min.*
-lite *Min.*
acadia actino adelpho aga agalmato agno aina ala ammio andreo anemo anthraxo aphthita arseno aspasio aspero aspide aspido astro attaco auer auge azur baro bary bechi botryo britho bysso calypto carbo carpho ce cero chalco chessy chester chiasto chio chlorastro chlorutah choco cirr(h)o clinoptilo cocco connel crocido cryo cryphio crypto cymato cyrto dahl dana dato daubree derby dewey didymo el(a)eo elpaso emery endeio epinatro eukto euzeo fasicu fenell ferrisarco ferronema fichtel fluel fora(l) franco ganoma geikie giganto glotta gousogo groroi quayaquil gyro h(a)emato hatchetto hecato helio hetaero hokuto hortono huasco humboldti hunti hydro-(tachy) hystero ichno idria indico indigo io ironsarco ixio ixo jadeo jaspi kalgoor kalli karystio kentro kera klaprotho koupho lagorio larderel lee lemni lepido lepo macrolepido magnesiumpecto magnesiumperto malaco mangano mangan(o)pecto marasmo marcy maria marmairo marmo melanel meli meso metachalco metanatro micro(lepido) molybdosoda monimo monro morono nama natro nema nemo neo neuro nora ochro osteo ottre pachno parasapio parasepio pecto percy petra phaco pharmaco pholido picro(pharmaco) pilo pinakio plazo pras(e)o prasi(o) ptero ptilo pyrallo pyrichro pyrrho radio raphi retina rhodo rico ripido rose roso r(h)yaco sarco scapo schizo scotio sepio soda(sarco) spango sperry stagma stanno staro stauro stib sulphatoscapo sy(*or* i)lvia taenio tapio tauto terato thino thomseno thrau thrombo topazo trachyrhyo trocto utah vanadio vorau wurtzi xantho yano zeo zero
-lite *Pal.*
amphibio batracho cranio dacryo entomo gammaro grapto litno odonto ornitho osteo plano psaro rota sauriocopro spongio turri zoo
-lite *Petrol. & Geol.*
antho anthraco aporhyo arcu arthro avio axio bathy(*or* o) biblio bio(piso) carosio colo copro cryptobio dendro eorhy(o) eupiso ferri ferro fibro glypto gompho grani(*or* o) grapho greena ijo labyrintho lacco leptino lherzo metarhyo morpho oo ophio ornithocopro phanerobio phono plano proteo puroxeno rhyo rhyzobio sapro scye sphaero stylo thera typo xeno xero
lith-
(a)emia -ic *Path.*
agogue *Med.*
anguiria *Path.*
anode *Elec.*
anthrax -acic *Coal*
arch *Bot.*
ate *Chem.*
ectasy *Surg.*
ectomy *Surg.*
ia *Chem. Path.*
iate *Chem.*
ic *Chem.*
ification ify
ite *Anat. Zool.*
ium *Chem.*
ol *Dyes* (*T.N.*)
olein(e *Chem. Med.*
ona *Mat. Med.*
ornis *Pal.*
osia -ian *Ent.*
-iid(ae -iinae -ioid
osis *Path.*
osochrysography
osol
ous *Path.*
oxiduria *Med.*
uresis *Path.*
ureteria *Path.*
uria -ic *Path.*
urorrhoea *Path.*
-lith *Min.*
a aga aspido be berga ce gyro lagorio meli micro natro(n)meli natronsarko oxydhydratmaria pyraphro stauro
-lith *Petrol. & Geol.*
amydalo basalto bathy(*or* o) bio bysma caustobio disco grano lacco liptobio lopo pele rego rhabdo silicobio xeno
-lith *Med.*
allotrio angio aorto arterio arthro aveno broncho cardio chole-(*or* o) crypto encephalo entero feca gastro gonecysto hem(at)o hepato hetero hippo hystero ino nephro ophthalmo oscheo osteo oto pancreato pharyngo phlebo pleuro pneum(on)o postho prostato ptya(lo) rhino(dacryo pharyngo) sebo sia(lo) spermo splanchno stercoro
-lith *Med.* Cont'd
tonsil(lo) tricho uro utero
-lithic *Min.*
micro
-lithic *Petrol. & Geol.*
anthraco archi bathy (*or* o) grano iso lacco ophio pele pelo pneumato psammo rhabdo stylo
lithio- *Chem. & Min.*
glaucophanite *Min.*
manganotriphyllite *Min.*
philite *Min.*
phorite *Min.*
salicylate *Chem.*
-litic *Min.*
actino dato ichno maria micro nema pecto schizo sepio stauro zeo
-litic *Petrol. & Geol.*
areni axio bathy(*or* o) copro dya fibro lacco miaro oo phono pneumato rhyo sapro sphaero stylo
Lunulites *Zool.*
magnalit *Min.*
maizolithium *Mat. Med.*
mesole -(it)ine *Min.*
mesolithic *Geol.*
metilithic *Chem.*
miolithic *Geol.*
mycelitha *Bot.*
naphtolithe *Min.*
nemaline *Min.*
neolith(ic *Archaeol.*
nephrolithic *Path.*
nucleostatolith *Bot.*
odontolith *Pal.*
odontolithus *Med.*
omolite *Ich.*
oolith *Pal.*
oolitiferous *Geol. Petrog.*
orbitolite(s -ic *Foram.*
organolith
ornitholitic *Pal.*
osteolithical
otolite -ic *Med.*
otolithic *Med.*
pal(a)eolith *Archaeol.*
ic(al ist oid y
palaeotalith *Archaeol.*
papyrolite
Parahibolites *Pal.*
parallelith *Archaeol.*
parlithium *Chem.*
peristalith *Archaeol.*
Philolithus *Ent.*
phlebolite -ic -lithic
phospholite *Chem.*
physiolith *Archaeol.*
phytolite -lith *Bot.*
plateaulith
Podolithus *Pal.*
polylith *Arch.*
prelithic
premegalithic
prepal(a)eolith(ic
prostatolithus *Path.*
protolithic -ite *Anthrop.*
pseudo- *Min.*
chrysolite crocidolite deweylite mesolite morpholite pisolite spherulite -ic
pyrolithic *Chem.*
radiolite *Conch.*
-es -id(ae -oid
rhinolite -lithic *Path.*
rhyncholite *Conch.*
scapolitization *Petrog.*
scolecolithus
Scolithus *Pal.*
sebolite *Med.*
siderolite -lith(ic
spherolith *Biochem.*
spongiolitic *Pal.*
spongolith
statolith *Biol. Zool.*
Struthiolithus *Pal.*
technolithic *Anthrop.*
tremalith *Bot.*
trilithium *Chem.*
tripolith *Trade*
Trocholites *Cephal.*
turriliticone *Pal.*
Turrilites -id(ae -oid
tyllithin *Mat. Med.*
ureilite *Meteor.*
ureterolithic(us *Med.*
urolite -ic *Med.*
urostealite -lith *Biochem.*
verdalite
Xantholites *Crust.*
zeolitiform *Min.*
zeolitize -ation *Min.*
zoolith -(it)ic *Pal.*
λιθόσπερμον (Diosc.)
lithosperm *Bot.*
on ous um
λιθόστρωτος stone-paved
lithostrotion *Pal.*
λιθοτομία (Paul. Aeg.)
lithotomy *Surg.*
-ic(al -ist -ize
-lithotomy *Surg.*
chole(docho) nephro pelvi(o) puelo uretero
λιθοτόμον (Paul. Aeg.)
lithotome *Surg. App.*
λιθοτόμος
lithotome *Min.*
λιθώδης like stone
Lithodes *Crust.*
-id(ae -oid
λικμητός a winnowing
Licmetis *Ornith.*
λιμενάρχης harbor-master
limenarch
Λιμενῖτις of a harbor
Limenitis *Ent.*
λιμήν a harbor
limanol *Mat. Med.*
λιμναῖος of the marsh
Limnaea *Conch. Ent. Malac.*
limn(a)ean
Limnaeus *Conch.*
-aeid(ae -aeinae -aeine -aeoid
λίμνη marshy lake, mere
hali(*or* o)limnic
limn-
acea(n -ous *Conch.*
actinia *Zooph.*
ad *Bot.*
adia -iaceae -iidae *Zool.*
(a)emia -ic *Path.*
anth(es -aceae -aceous
anthemum *Bot.*
erpeton *Herp.*
estheria *Ent.*
ite *Min. Pal.*
ium *Bot.*
limne- *Ent.*
bius philus
limni-
ad *Myth.*
colous *Bot.*
meter metric
λιμνήτης marsh-dwelling
autolimnitic
Limnetes *Pal.*
limnetic *Bot. Ecol.*
-limnetic
bathy eu halo proschair tycho zono

λιμνο- Comb. of λίμνη
Calolimnophila *Ent.*
limno-
bates *Ent.*
-id(ae -oid
cnida -id(ae *Zool.*
cochlides *Zool.*
codium
crex *Ornith.*
cyon *Pal.*
gram
graph
hyus hyidae
logy -ic(al(ly
mephitis *Med.*
meter metric
nereid *Bot.*
phagae -ous *Zool.*
phila -ous *Conch.*
philomyia *Ent.*
philus *Ent.*
-id(ae -oid -ous
phyta *Bot.*
plankton *Biol.*
scala *Pal.*
scelis -idae *Pal.*
spiza *Ornith.*
palaeolimnology *Geol.*
Prolimnocyon *Pal.*
Sullimnomorpha *Ent.*
λιμνόβιος -ον
limnobiology -ic(al(ly
limnobios *or* -on -ous
Xipholimnobia *Ent.*
λιμνοχαρής Love-marsh
Limnochares *Arach.*
-id(ae -oid
λιμνώδης marshy
limnod- *Phytogeog.*
ad ium
limnodo- *Phytogeog.*
philus phyta
Λιμνώρεια a Nereid
Limnoria *Crust.*
-iid(ae -ioid
λιμο- Comb. of λιμός
limo-
phoitos *Path.*
phthisis *Physiol.*
sphere *Bot.*
therapy *or* -(e)ia *Ther.*
λιμόδορον (Theophr.)
Limodorum -eae *Bot.*
λιμός hunger
Eulima *Conch.*
-aceae -id(ae -oid
Limopsidae *Zool.*
limosis *Path.*
λινεργής made of flax
Linerges -idae *Zool.*
λινεύς a mullet
Lineirhynchia *Pal.*
λινο- Comb. of λίνον
lino-
geraeus *Ent.*
glossa *Ent.*
phryne
pteris *Pal. Bot.*
xanthin *Pigments*
Neolinognathus *Ent.*
λίνον flax
boulinikon *Arts*
cameline -a *Bot.*
Linanthus *Bot.*
linin(e *Bot.*
lininoplast *Cytol.*
linitis *Path.*
paralinin *Biol.*
Santolina *Bot.*
λινόπτης net-watcher
Pseudolinoptes *Ent.*
λινύφος weaving linen
Linyphia *Arach.*
λιπ- Comb. of λείπειν
Lipommata *Ent.*

λιπαρέειν to persist
Ergasialipophytes *Bot.*
λιπαρο- Comb. of λιπαρός
liparo-
cele -ic *Path.*
phleps *Ent.*
rhynchus *Ent.*
λιπαρός oily; sleek
Enantioliparis *Ich.*
granoliparose
Liparetrus *Ent.*
Liparia -ieae *Bot.*
Liparis *Ent.*
-id(ae -oid
Liparis *Ich.*
-id(ae -ina(e -oid
-liparis *Ich.*
Enantio Neo Rhino
liparoid
liparomphalus *Tumors*
Liparops(idae *Ich.*
liparous *Path.*
Liparus *Ent.*
λιπαυγής sunless; blind
Lipaugus *Ornith.*
-inae -ine
λιπο- Comb. of λείπειν
lipo-
brachia -iate *Echin.*
branchia -iate
cephala -ous *Conch.*
chromis *Ich.*
gastria *Embryol.*
-ism -osis -otic
gastry *Spong.*
genys -yid(ae *Ich.*
glossa -al -ate *Zool.*
graphy
meria *Terat.*
morph *Biogeog.*
nema -idae *Zool.*
nycteris *Mam.*
phrenia *Med.*
pod(a *Protozoa*
ptera *Ent.*
rrhopalum *Ent.*
stoma -ata -(at)ous
stomia -ism -y *Terat.*
stomosis -otic *Zool.*
thymus *Ent.*
trichia
type -ic *Zoogeog.*
typhla *Mam.*
xenous -y *Bot.*
λιπογράμματος (Suidas)
lipogram
lipogrammatic -ism -ist
λιποθυμία swoon (Hipp.)
lipothymia *Path.*
-ial -ic -ous -y
λίπος fat
adenolipomatosis
chloroidolipol *Mat. Med.*
dilipoxanthin *Biochem.*
fibrolipomatous
galactolipine
hyperlip(oid)emia
lipa *Med.*
lip-
(acid)(e)emia *Path.*
aciduria *Path.*
amin *Mat. Med.*
angopaludina *Pal.*
anin *Pharm.*
arges *Pal.*
ase *Biochem.*
aseidin(e *Bot.*
asuria *Med.*
ectomy *Surg.*
h(a)emia *Path.*
ic id(e *Biochem.*
in(e ic ous *Biochem.*
iodin -ol *Mat. Med.*

lip- Cont'd
oid *Biochem.*
al ase emia ic osis
oidophile *Biochem.*
oma *Tumors*
-atoid -atosis -atous
oxidemia *Path.*
oxysm *Tox.*
uria *Path.*
-lipase *Biochem.*
anti entero hemo pancreato sero taka
-lipin *Biochem.*
amino galacto glyco-(phospho) phospho proteo sulpho
lipo-
blastoma *Tumors*
cardiac
cele *Path.*
cholesterol *Biochem.*
chondroma *Tumors*
lipochrin *Chem.*
chrome -ic -ogen -oid
clastic *Biochem.*
colloid *Biochem.*
cyanine *Biochem.*
cytic *Biochem.*
diastase *Biochem.*
dysentery *Med.*
dystrophy *or* -ia *Med.*
ferous *Med.*
fibroma *Tumors*
fuscin *Med.*
genesis genetic *Med.*
genic genous *Path.*
genin *Ointments*
haemia *Path.*
iodin *Mat. Med.*
lipoidosis *Cytol.*
lysis *Biochem.*
lytic *Biochem.*
metabolic -ism *Physiol.*
my(x)oma *Tumors*
peptid *Biochem.*
protein *Biochem.*
rodin *Biochem.*
sarcoma *Tumors*
lipose -in *Biochem.*
liposis *Med.*
some *Histol.*
trophy -ic *Physiol.*
trophy -ic
tuberculin *Mat. Med.*
vaccine *Mat. Med.*
xanthin *Biochem.*
-lipoid *Biochem.*
anti cero chromo luteo pheno pre semi
-lipoids *Bot.*
chromo cyto stearino
-lipoma *Path.*
adeno angio chondro fibro myo myxo n(a)evo pseudo
-liposis *Path.*
cardiomyo hyper hypo ortho
osteolipochondroma
phospholipid(e *Biochem.*
λιπόσκιος shadowless
Liposcia *Ent.*
λίσπος smooth
Lispodemus *Ent.*
λισσός smooth
Hemilissa *Ent.*
Lissa *Ent. Zool.*
liss-
actinic *Echin.*
amphibia(n *Herp.*
encephala *Mam.*
-ic -ous
Lissatrypa *Pal.*
lisso-
campus *Ich.*

lisso- Cont'd
chroa *Ent.*
desmus *Myriap.*
flagellate -a *Zool.*
genius *Ent.*
neoid *Math.*
notus *Ent.*
pogonus *Ent.*
prion *Pal.*
trichi(an -es -ous
triton *Ich.*
λίστριον Dim. of λίστρον
Listriodon *Mam.*
-ontid(ae -ontoid
Listrion *Prot.*
Listrium *Zool.*
λίστρον spade, shovel
Listrochelus *Ent.*
Listropsis *Ent.*
Listrorhinus *Ent.*
λιτανεία (Sept.)
litany(wise
λιτανευτικός
litaneutical *Eccl.*
λίταργος running quick
Litargus *Ent.*
λιτή a procession
lite *Gr. Ch.*
λιτο- Comb. of λιτός
lito-
borus *Ent.*
nema *Helm.*
notus -idae *Infus.*
phyllus *Arach.*
pterna *Pal.*
sphingia *Ent.*
λιτός plain, simple
Litiopa *Conch.*
-id(ae -ina -oid
Mesolita *Ent.*
λιτότης = μείωσις
litotes *Rhet.*
λιτουργός = πανοῦργος
Liturgus *Ent.*
λίτρα = L. libra, pound
liter *or* litre
centi- deca- hecto-kilo- micro- milli- myria-
litrameter
litron
λίχανος (Arist.)
lichanos *Music*
Λιχάς Lichas (Soph.)
Autolichas *Arach.*
Lichas *Myth.*
Lichas *Crust.*
-adae -adid(ae -adoid -idae
-lichas *Pal.*
Acro Amphi Cerato Cono Deutero Echino Homo Hopo Leio Meta Metopo Oncho Para Platopo Platy Proto Ptero Trachy Ura
λιχνο- Comb. of λίχνος
Lichnophora *Infus.*
-idae -inae
λίχνος greedy
Lichnasthenes *Ent.*
Lichnia *Ent.*
Paralichnus *Ent.*
λίψ (λιβός) the S. W. wind
Libs *Meteor.*
Onycholips *Ent.*
λόβιον Dim. of λοβός
Lobiopa *Ent.*
-lobium *Bot.*
epi gastro gompho physo pitheco platy stizo trachy

λοβο- Comb. of λοβός
Diloboderus *Ent.*
lobo-
chilus *Ent.*
podium *Prot.*
ptychium *Porif.*
saccus *Crust.*
sterni *Pal.*
stomat(in)inae *Zool.*
thyris *Pal.*
trachelus *Ent.*
λοβός lobe; pod
Anisolobus *Prot.*
bilobate(d
bilobe *Mech.*
bilobite *Geol.*
Chaenolobus *Bot.*
Chiloloba *Ent.*
Coccoloba *or* -is *Bot.*
Cyclolobinae *Pal.*
decalobate
Diplecolobeae *Bot.*
epilobe *Ent.*
equilobed -ate
gastrolobin *Org. Chem.*
gonimolobe *Lichens*
Gonolobus *Bot.*
hepatolobin *Chem.*
heterolobous
Homalolobus *Bot.*
interolobate -(ul)ar
interlobitis *Path.*
intralobular
Isolobodon *Pal.*
karyolobism -ic *Cytol.*
lobar -ate(ly -ation
Lobata -ae *Zooph.*
lobato- *Anat.*
lobe(d -less -let
lobectomy *Surg.*
lobellated
lobiform lobigerous
lobine -ol *Org. Chem.*
lobiole *Bot.*
lobiped *Zool.*
lobites *Pal.*
Lobodon(tinae -ine
Loboidothyris *Pal.*
Lobosa *Prot.*
lobose
Lobosoecia *Bryozoa*
Lobotes -id(ae -oid *Ich.*
lobule -ar(ly -ate(d -ation -ette -ization -ose -ous -us
lobus
mesolobe -ar -us *Anat.*
monolobite *Pal.*
monolobular *Pal.*
monolobus *Bot.*
multilobular -ate(d
obtusilobous
palmatilobate(d
pedatilobate(d
pedatilobed
pentalobate *Crin.*
perilob(ul)ar *Anat.*
Phyllolobeae *Bot.*
Platylobeae -ate *Bot.*
polylobular
Polylobus *Ent.*
Pomolobus *Ich.*
pseudolobar
pseudolobas *Bot.*
Psilobites *Pal.*
quadrilobate(d
quinquelobate(d
sarcolobe *Bot.*
Sebastolobus *Ich.*
Sphagolobus *Ornith.*
Spirolobeae -ous *Bot.*
stizolobin *Bot. Med.*
sublobule *Med.*
Taeniolobus *Ent.*
Tetralobus *Ent.*
trilobate(d -ion

trilobe(d -ous
Trilobita(e *Crust.*
trilobite -ic *Pal.*
Trilobitoceras *Pal.*
Triloburus *Ich.*
unilobate(d
unilob(ul)ar
λογάδες conjunctive
adenologaditis *Ophth.*
logadectomy *Surg.*
logaditis *Path.*
logadoblennorrhea *Path.*
λογαοιδικός (Diog. L.)
logaoedic *Rhet.*
λογεῖον (Vitruv.)
logeion *Gr. Theatre*
-eum -ium
-λογία as in *θεολογία*
-λογιον as in *σεισμόλογιον*
abiology -ical(ly
acarology -ist *Zool.*
aceology -ic *Med.*
acidology *Surg.*
acology -ic *Med.*
acrology *Philol.*
-ic(al(ly -ism
acropathology *Med.*
actinology *Biol. Phys.*
-ist -ous *Zool.*
adenoch(e)irapsology
adenology -ical *Anat.*
aecology -ical *Biol.*
aeod(o)eology *Med.*
aerolithology *Astron.*
aerology *Phys.*
-ic(al -ist
aesthematology *Physiol.*
aesthesiology
aesthetology
aesthiology
agatho(caco)logical
agathology *Ethics*
agmatology *Surg.*
agnoiology *Phil.*
agriology *Ethnol.*
-ical -ist
agrogeology -ical
agrology *Bot.*
agrostology *Bot.*
-ic(al -ist
alcohology *Med.*
alectryonology
alethiology *Logic*
algaeology -ist *Bot.*
algology -ical -ist *Bot.*
alimentology *Med.*
ambilogy
ambrology
amphibiology -ical(ly
amphibology *Logic*
-ical(ly -ism
amynology -ic *Med.*
anatom(ic)o-
biological *Med.*
pathological *Med.*
anatripsology *Med.*
andrology
anemology -ic(al *Meteor.*
anesthesiology *Med.*
angelology -ic(al
angiology *Anat.*
anorganology *Biol.*
anthocarpologic *Bot.*
anthocology *Bot.*
anthoecologist *Bot.*
anthologic(al *Bot.*
anthropo-
biology -ical
climatology -ist
logy -ic(al(ly -ist
morphology -ical(ly
sociology -ist
somatology
teleology -ical

antiontological
antiteleology *Phil.*
apiology -ist
aphidologist *Ent.*
aphnology *Econ.*
aponeurology *Anat.*
arachnology *Zool.*
-ical -ist
ar(a)eology *Astron.*
-ic(al(ly -ist
araneology -ist *Zool.*
archaeogeology
archaeontology -ical
archelogy
archology *Phil.*
aristology -ical -ist
arithmology -ical
aroideology *Bot.*
arteriology *Anat.*
arthrocacology
arthrology *Anat. Signs*
arthropathology *Med.*
ascidiology *Zool.*
Assyriology -ical -ist
asterolithology
asthenology *Med.*
astrochronological
astrolithology *Meteors*
astrometeorology *Meteor.*
-ical -ist
ateleological
atmology -ic(al -ist *Phys.*
atmospherology *Phys.*
aut(o)ecoloty -ic *Ecol.*
autobiology *Bot.*
autology -ist
auxology *Zool.*
aviphenology *Phenol.*
azoology
bacteriology *Bot. Med.*
-ic(al(ly -ist
bacteriopathology *Med.*
balneology *Ther.*
-ic(al -ist
barology *Phys.*
Bascology *Philol.*
baseology *Philol.*
batology -ical -ist *Bot.*
Beethovenologist
bellology *Mil.*
biblicopsychological
bibliology -ical -ist
bioblastology
bioclimatology *Ecol.*
biocoenology -ic *Bot.*
biocytoneurology *Neurol.*
biology *or* -ia
-ian -ic -ical(ly -ism
-ist -ize
biontology
biophysiology -ical -ist
biopsychology -ical -ist
biosociology
bipedologist -ically
boobology
botanology -er -ical
boyology
bromatology -ist *Med.*
brontology
bryology
-ical -ist
bugologist -y
bumpology
cacology
caliology -ical -ist *Ornith.*
campanology
-er -ical -ist
cancrology *Path.*
caneology *Humorous*
carcinology -ical -ist
cardiology *Med.*
caricology -ist *Bot.*
carpology *Bot.*
-ical(ly -ist
cartology
cecidology -ical -ist

Celtologist
cenozoology *Biol.*
cephalology
cerebrology *Med.*
cetology -ical -ist
chalkology -ist
chaology
characterology
chartology
chelonology -ist
chemicobiology -ic *Chem.*
chemicohistological
chemicomineralogical
chemoimmunology *Chem.*
chirology *or* -ia
-ical(ly -ist
chiropodology *Med.*
choledology *Med.*
chology *Med.*
chondrology -ic *Anat.*
chorology *Biol. Geog.*
-ic(al -ist
Christology
-ical -ist -ize
chromatology *Colors*
chrysology *Pol. Econ.*
chthonosology *Med.*
churchology
chylology *Med.*
cinchonology
climatology
-ic(al(ly -ist
clinicopathological *Med.*
clinology -ic *Biol. Med.*
coccidology *Ent.*
coleopterology -ical *Ent.*
colorology -ical -ist
cometology *Astron.*
conchology *Zool.*
-ical(ly -ist -ize
conchyl(iol)ogy -ist
coniology *Med.*
corvologist
cosmetology
-ical -ist
cosmology -ic(al(ly -ist
craniology -ic(al(ly -ist
criminology -ical -ist
criter(i)ology
crusta(ceo)logy *Zool.*
-ical -ist
cryptology
crystallology
ctetology *Biol.*
curiology
-ic(s -ical(ly
cyemology *Gynec.*
cyesiology *Med.*
cynology
cynophrenology
cyperologist
cypraeologist *Conch.*
cytobiology *Cytol.*
cytology -ic(al(ly -ist
cytophysiology *Cytol.*
dactyl(i)ology
daimonology
demology -ical
demonology
-ical(ly -ist
dendranthropology
dendrology
-ical -ist -ous
dentology -ist
dermatology *Med.*
-ical -ist
dermatoneurology
dermatopathology *Path.*
dermonosology *Path.*
desmidiology -ist
desmology *Anat. Surg.*
desmonosology
desmopathology
dialectology
-er -ical -ist
dianoialogy -ical *Phil.*

diplomatology
dipterology -ical -ist *Ent.*
dispersoidology -ical
displayologist
dittology
dos(i)ology
dynamology
dyslogia -ical *Psych.*
dyslogy
dysteleology *Phil.*
-ical -ist
ecclesiology -ic(al(ly -ist
eccrinology *Physiol.*
echinology -ist
ecology -ic(al(ly -ism -ist
edeology *Med.*
Egyptology
-er -ic(al -ist
eidolology
electricology
electricometeorological
electro-
biology -ical -ist *Biol.*
logy -ic(al -ist
technology
Elkology
emblem(at)ology
embryology -ic(al(ly -ist
embryopathology *Path.*
emet(ic)ology *Med.*
emmenagogology *Med.*
emmenology -ical
empiricopsychological
encephalology
endemiology -ical *Med.*
endocrinology *Physiol.*
ennealogy
enology -ical -ist
enteradenology *Med.*
enterology
entomology
-ic(al(ly -ist -ize
entozoology -ical(ly -ist
enzymology *Biochem.*
ephebology -ic
epidemiology -ical(ly -ist
epileptology -ist *Path.*
epiontology -ic *Bot.*
epirrheology *Bot.*
epistemology -ical(ly -ist
epizoology *Vet.*
eretmologist
ergology *Biol.*
erotology
escapologist *Stage*
eschatology -ic(al -ist
esthiology
ethnicopsycholoigcal
ethnoconchology
ethnology -er -ic(al(ly
-ist -ize
ethnopsychology -ical
ethnozoology
eucalyptologist *Bot.*
eudemonology -ical
eutaxiology -ical *Phil.*
exanthematology *Med.*
exodontology *Dent.*
fantasmology -ical
faunology -ical
festi(*or* o)logy *Eccl.*
filicology -ist *Bot.*
floraecology *Bot.*
fluviology
fossilogy -ist
fossilology -ical -ist
fungology -ical -ist
galvanology -ist
gastroenterology *Med.*
-ical -ist
gemmology
genecology -ical *Bot.*
genesiology *Genetics*
geobiology -ic
geochronology
geohydrology -ist

geology -er -ian -ic(al(ly
-ician -ist -ize
geomorphology -ical -ist
ger(a)eology
geratology -ic -ist -ous
gerontology *Med.*
ghostology
gigantology -ical
gips(i)ology -ist
glaciology -ical -ist
glossology -ical -ist
glottology -ic(al -ist
glyptology -ical -ist
gnomonology -ical(ly
gnoseology *or* -ia *Phil.*
gnosiology -ical
gnostology *Phil.*
graminology -ical -ist
graph(i)ology -ic(al -ist
grottology
gyn(a)ecology *Med.*
-ical -ist
h(a)ematology *or* -ia *Biol.*
-ical -ist
h(a)em(at)opathology
hagiology -ic(al -ist
halology
hamartiology -ist *Theol.*
haplology *Philol.*
hedonology
helcology *Path.*
heliology -ist
helminthology -ic(al -ist
hemadenology *Med.*
hemo(cyto)logy *Med.*
hepaticology -ist *Bot.*
hepatology -ical -ist *Med.*
heredosyphilology *Path.*
heresiology -ist
Hermetologist
herniology *Path.*
herpetology *Med.*
herpetology -ic(al(ly -ist
heterology -ous *Biol.*
heteropsychological
hexalogy
hexiology -ical
Hibernology -ist
hieraciology *Bot.*
hieracologist *Bot.*
hieroglyphology
hippology -ical -ist
hipponosology -ical
hippopathology -ical
hipposteology
histiology -ical
histology -ic(al(ly -ist
histomorphology -ical
histopathology -ic(al
histopsychology *Histol.*
historiology -ical
Homerology -ist
hoplology
horismology
hormonology *Biochem.*
horology -ist
hybodontology *Ich.*
hybridology *Bot.*
hydrogeology -ical
hydrology -ic(al(ly -ist
hydrometeorology -ical
hydrophytology
hydrotechnology
hyetology -ical *Meteor.*
hyge(*or* i)ology
hygrology -ical(ly
hylology *Theol.*
hymenology -ical
hyperlogia
hypnology -ic(al -ist
hysterology *Path.*
iamatology *Med.*
ichneumonology -ist
ichnolithology -ical
ichnology -ical
ichorology

ichthyology -ic(al(ly -ist
ichthyopalenotology
idealogy -ic
ideology
-ic(al(ly -ism -ist -ize
idiobiology *Bot.*
idiochorology *Bot.*
idioecology *Bot.*
idiomology *Philol.*
idiopsychology -ical
ileology
immunology -ical *Med.*
Indology -ian
iridology *Ophth.*
isology *Chem.*
isophenological *Phrenol.*
iteology -ic *Bot.*
Japanology -ist
journalology
joviology
kalology
karyology *Bot.*
kinesiology
kinology *Phys.*
koniology
ku(*or* y)matology -ist
laryngology -ical -ist
laryngorhinology *Med.*
lemology *Med.*
lepidology
lepidopterology -ical -ist
leprology -ist *Med.*
leptonology *Chem.*
leukocytology *Cytol.*
lexicology -ical -ist
lichenology -ic(al -ist *Bot.*
limnobiology -ic(al(ly
limnology -ic(al(ly
lithology -er -ic(al(ly -ist
liturgiology -ical -ist -ize
-logia *Suffix*
-logist *Suffix*
logology
-logy *Suffix*
Londonologist
lymphangiology *Anat.*
lymphology *Med.*
macrocosmology
macropathology *Path.*
magirology -ical -ist
magnetology
malacology -ic(al -ist
malacostracology
-ical -ist
malacozoology
malariology -ist *Med.*
mammalogy -ical -ist
manitology
mantology -ist
Mariology
Martiology *Astron.*
mastology -ical -ist
mastozoology
maternology
Mayology -ist *Archaeol.*
mazology -ic(al -ist
mechanology
meconology
medicopsychological
medicozoological
meganology
melodology *Music*
membranology
menthologist *Bot.*
merology *Anat.*
merycology
mesology -ic(al -ist
metamorphology
metaplastology *Biol.*
metapsychology *Psych.*
methodology -ical(ly -ist
metrology -ical -ist *Meas.*
miasm(at)ology
micristology -ical *Histol.*
micro-
biology -ical -ist *Biol.*

micro- Cont'd
coccologist *Bact.*
cosmology
geology -ical -ist
histology -ical
logy -ic(al(ly -ist
merology *Anat.*
mineralogy -ical
pathology -ical -ist
petrology -ist *Petrog.*
phytology *Bot.*
tannology *Leather*
zoology
mineralogy
-ic(al(ly -ist -ize
moerology -ist
momiology
monachological
monadology -ical *Phil.*
monopolylogist
morphocytological
morphology -ic(al(ly -ist
muscology -ic(al -ist
museology -ist
musicology -ist
Mycenaeologist
mycetology -ist
mycology -ic(al(ly -ist
myrmecology -ical -ist
naology -ical
naphthology *Fuels*
nasology -ical -ist
nassology
nealogy -ic
necrology
-ic(al(ity -ically -ist
nematologist
neobiology -ist
neology
-ian(ism -ic(al(ly -ism
-ist(ic(al -ization -ize(r
-ous
neontology -ical -ist *Zool.*
neossology *Ornith.*
neozoology -ist
nephelology -ical
nephology -ical -ist
nephrology -ist
nepiology *Med.*
nerterology
neurhypnology
neuro-
h(a)ematology
histology -ist
hypnology -ist
logy -ical -ist
myology -ical *Med.*
otology *Med.*
pathology -ical -ist
psychology -ical -ist
pterology -ical
tology *Otol.*
neurypnology -ical -ist
nidology -ist *Ornith.*
nomology -ical -ist *Law*
nonpsychological
noology -ical -ist
nosazontology *Path.*
noscology -ical
nosology -ical(ly -ist
nostology -ic
nothingology
numismatology -ist
nymphology- *Myth.*
oceanology
odology
odontology -ic(al(ly -ist
odontonosology *Med.*
oecology -ical -ist *Biol.*
oenology -ical -ist
oikology *Med.*
olfactology
ology -ic(al(ly -ist -ize
ombrology -ical
oncology -ical *Med.*
oneirology -ist

onology
ontology -ic(al(ly -ism
-ist -ize *Phil.*
onychopathology *Path.*
ophidology -ist *Zool.*
ophiology -ic(al -ist *Zool.*
ophthalmology
-ic(al(ly -ist
opiology
opsonology *Chem.*
optology -ist
oralogy *Dent. & Med.*
orchidology -ist
organology -ic(al -ist
orismology -ic(al(ly -ist
ornithichnology *Pal.*
ornithopaleontologist
orology -ical -ist *Geog.*
orrhology *Med.*
orthodontology *Dent.*
orthopterology -ical -ist
oryctogeology
oryctology -ical -ist
oryctozoology -ical *Zool.*
osmology
osmonosology *Med.*
osphresiology -ic
osteosyndesmological
ostracology -ical
otolaryngology -ical
otology -ical(ly -ist
otomorphology
otorhinolaryngology
oudenology
ovology -ical -ist
pal-
(a)etiology -ical -ist
ethnology -ist
palae-
anemology *Geol.*
ektypology *Geol.*
entomology *Pal.*
esology *Geol.*
ombrology *Geol.*
ornithology -ical
pal(a)e(o)-
ethnology -ic(al -ist
ichthyology -ic(al -ist
palaeo-
aktology *Geol.*
chorology *Geol.*
cology *Geol.*
cremology *Geol.*
glaciology *Geol.*
herpetology
histology
kosmology *Geol.*
limnology *Geol.*
potamollgy *Geol.*
ptychology *Geol.*
thermology *Geol.*
vulkanology *Geol.*
pal(a)eo-
biology -ist
climatology
meteorology -ic(al
ontology -ic(al(ly -ist
pathology
phytology -ical -ist
zoology -ical
paleo-
dendrology -ic -ist
ecology *Ecol.*
psychology -ical
pananthropological
panarithmology
panteleologism *Phil.*
pantheology -ist *Phil.*
pantology -ic(al -ist
papyrology -ical
paralogia *Ps. Path.*
parasceuological
parasitology -ical -ist
parisology
paroimiology -ist
parsonology

parthenology *Path.*
pathematology
pathobiology -ical -ist
pathologico-
histological
psychological
pathopsychology *Psych.*
patrology -ic(al -ist *Eccl.*
patronomatology
pediadontology *Dent.*
p(a)edology
-ical(ly -ist (ical(ly
pedology -ical *Agric.*
pedonosology *Med.*
pegology
pelicology *Anat.*
pellagrology -ist *Path.*
pelucology
pelycology *Med.*
penalogist
penetrology *Phys.*
penology -ic(al -ist
pentalogy -ic *Phil.*
perilogy *Biol.*
periodology
periodontology *Dent.*
petrology -ic(al(ly -ist
phaenoecology *Bot.*
phagology
phalangology *Zool.*
phantasmology -ical
pharmacoendocrinology
pharmacology -ia
-ic(al (ly -ist
pharmacooryctology
pharology
pharyngology -ical
phenomenology
-ical(ly -ist
phlebology -ical
phlyarologist
phonology
-er -ic(al(ly -ist
phosphology *Biol.*
photology -ic(al -ist
phraseology -ic(al(ly -ist
phrenology
-er -ic(al(ly -ist -ize
phthisiology *Med.*
phycology -ical -ist
phyllobiology -ic *Bot.*
phylology -ical *Biol.*
physicobiological
physicologic(al -ist
physio-
pathology -ical
psychology -ical
sociological
phyto- *Bot.*
biology -ical
ecology -ical -ist
lithology -ical -ist
logy -ic(al -ist
morphology
pal(a)eontology
-ic(al -ist
sociology -ical
teratology -ic -ist
piscatology
pistilology *Theol.*
pistiology
pithecological
planetology -ic -ist
planktology
plasmology *Biol.*
plutology -ist
pneumatology -ic(al -ist
pneumology -ic(al
podology -ist
pogonology -ist
poiology -ical
polyglottology
pomalology
pomologic -ist *Bot.*
pomology -ic(al(ly -ist
ponerology *Theol.*

porology
posology -cal -ist -ize
potamology -ical -ist
prebacteriologic *Med.*
pregeological(ly
preventology -ist *Med.*
proctology -ic(al -ist
promorphology *Biol.*
-ical(ly -ist
prosopology -iccal -ist
protistology -ist *Biol.*
protology -ic *Biol.*
protophytology *Bot.*
protozoology -ist
proverbiology -ist
psammology -ist
psellismology -ist *Path.*
pseudo-
Christology
chronologist
logy *or* -ia *Ps. Path.*
psychology *Psychol.*
psilology
psycho-
biology -ical
logy -ic(al(ly -icalism
-ics -ism -ist -ization
-ize
neurology
nosology *Path.*
pneumatology *Psych.*
sociological
pteridology -ical -ist *Bot.*
pterology -ic(al *Ent.*
pterylology -ical *Ornith.*
ptochology
punnology
purgologist
pyretology *Med.*
pyritology
pyroballogy *Mil.*
pyrobology
pyrology -ical -ist
quadrilogy
quinology -ist *Med.*
radiology -ic(al -ist
radiumologist *Med.*
reflexology *Physiol.*
rhabdology -ical
rhematology
rhinolaryngology *Path.*
rhinology -ical -ist
rhodology -ist *Bot.*
roentgenology -ic -ist
runology -ist
sanctilogy -e
sanctology -ist
sarcology -ic(al -ist
Satanology
scarpology
scatology -ia -ic(al *Pal.*
schematologetically
scolecology *Med.*
scopology
selachology -ist
selenology -ical(ly -ist
semantology *Philol.*
semasiology -ical(ly -ist
sematology
semeiology -ic(al -ist
semiology -ic(al
sermonology
serology -ic(al -ist *Med.*
sestonology *Bot.*
sexology *Med.*
sexualogy -ical
Shaksperology
siagonology
sialology *Med.*
sialosemeiology *Diag.*
silphology-ic *Ent.*
Sinology -ical -ist
sitiology
sitology
skatology -ic
skeletology

snak(e)ology
snobologist
societology
sociology
-ic(al(ly -ist -ize
somatology -ic(al(ly -ist
sophiology -ic
soterialogy
soteriology -ic(al
soterology
spasmodology
spasmology *Med.*
spatiology *Math.*
speciology -ical *Bot.*
spectrology -ical(ly
spel(a)eology -ical -ist
spermatology -ical -ist
spermology -ical -ist
sphagnology -ist *Bot.*
spherology *Math.*
sphygmology *Physiol.*
spiritology *Theol.*
splanchnology -ical -ist
splenology -ical *Anst.*
spongiology -ist
spongology -ical -ist
spookology -ical
sporological
sporologist
statistology
staurology
stechiology *Physiol.*
stenology
stichology
stigmeology
stoicheiology -ical *Logic*
stomatology -ical -ist
storiology -ical -ist
stratology -ical
stromatology *Geol.*
surgiology *Physiol. Surg.*
sylleps(i)ology *Philol.*
symbology -ical(ly -ist
symptomatology
-ical(ly -ist
symptomology
synantherology -ical -ist
synchorology *Bot.*
synchronology -ical
syndesmology
synech(i)ology -ic(al
synecology -ic(al *Bot.*
synosteology
synusiologic
syphilidology
syphilodology -ist
syphilology -ist
Syriologist
systematology
syzygiology *Physiol.*
Tartarology
taxology
technicology -ical
technology
tectology -ical *Biol.*
teleology
-ic(al(ly -ism -ist
telmatology -ical
tenology
tenontology
teratology -ic(al -ist
terminology -ical(ly -ist
testaceology -ical
tetrapodology
teuthology -ist *Zool.*
thalattology
thanatobiologic
thanatology -ical -ist
thanatophidiologist
thaumatology
theanthropology
theogeological
theoteleology -ical
thereology -ist
theriologic(al
thermatology -ic *Med.*
thermochroology *Phys.*
thermohydrology
thermology -ical *Phys.*
thermopegology
thermotology *Med.*
therology -ic(al -ist *Zool.*
theromorphological
thremmatology *Biol.*
threpsology
thymology *Psych.*
tictology *Obstet.*
tidology -ical
tigrology
timbrology
tocology -ical -ist *Obstet.*
topology -ic(al(ly -ist
toreumatology
toxicology -ical(ly -ist
toxology
trachelo(lo)gy -ist *Med.*
traitorology
traumatology
trichology -ia -ical -ist
trophology *Physiol.*
Turcologist
turnipology -ist
typhlology *Path.*
typology -ic(al -ist -ize(r
typtology -ical -ist
unchronological(ly
unentomological
universology -ical -ist
uranology -er *Astron.*
uredinologist *Bot.*
urinology -ist
urolithology *Path.*
urology -ical -ist
ur(on)ology *Med.*
urosemiology *Diag.*
uterology -ist *Gynec.*
venereology -ist *Med.*
vermeology -ist *Zool.*
verminology
vinologist
volcanology -ist
vulcanology -ical -ist
Whiggological
xylology -ist *Bot.*
zinganology -ist
zingarology -ist
zoobiology *Biol.*
zooclimatology
zoogeology -ical -ist
zoology -er
-ic(al(ly -ico- -ist -ize
zoonosology -ist
zoopalaeontology
zoopathology -ist
zoophytology -ical -ist
zoopsychology -ical -ist
zootokology *Zool.*
zym(et)ology *Med.*
zymology -ic(al -ist
λογική (Cicero)
choplogic
logic
aster -ian(er
metalogic(al *Phil.*
λογικός(Arist.) See -λογία
alogic(al(ly
antilogic(al
autological *Philol.*
extralogical(ly
heterological *Philol.*
illogic(al(ly -ality -alness
intralogical
-logic(al(ly
logical(ly -ness
-ist -ity -ization -ize
logico-
mathematicological
megethological
mythosociologic
perilogic *Org. Chem.*
prelogical(ly
semilogical
superlogical
tactilogical *Psych.*
trilogical
λόγιον an oracle
aeonolog(u)e
logion
pulsiloge *Med.*
-ium -y
λόγισις = λογισμός
metalogisis *Chem.*
λογισμός calculation
hyperlogism
hypologism
logism
logismography
λογιστής a calculator
logist
λογιστική arithmetic
logistics
λογιστικός(Plato)
logistic(al
neutrologistic
λογο- Comb. of λόγος
logo-
cracy
cyclic *Math.*
diarrhea
fascinated
gram(matic
griph(ic
kophosis *Ps. Path.*
latry
lept
logy
mancy
mania(c
meter metric(al(ly
neurosis
nomy *Philol.*
pandocie
pathy *Path.*
pedia -pedics *Med.*
plegia -ic *Path.*
rrh(o)ea *Psych.*
spasm *Med.*
type -y
λογογραφία speech writing
logography
λογογραφικός (Plato)
logographic(al(ly
λογογράφος prose writer
logograph(er
λογοδαιδαλία (Auson.)
logodaedaly -ist
λογοδαίδαλος (Plato)
logodaedalus
λογοθέτης chancellor
logothete *Gr. Ch. Pol.*
λογομαχία disputation
logomachy -ia -ist -ize
λογομάχος (Method.)
logomach(ic(al
λόγος a word
acrolog(ue *Philol.*
actinolog(ue *Biol.*
annualog
antilogarithm *Math.*
Assyriologue
autologous *Anat.*
biologos *Biol.*
buzzologue
caryologic *Cytol.*
Celtologue
cologarythm *Math.*
delogarize *Math.*
duologue
dyslogistic(al(ly
dysteleologue *Bot.*
Egyptolog(ue
grammalog(ue
hecatologue
heliologue
hemilogous *Chem.*
heresiologer
heterologal *Math.*
idealogue
idiologism *Med.*
isologue -ous *Chem.*
lethologica *Ps. Path.*
log-
agnosia *Ps. Path.*
agraphia *Ps. Path.*
amnesia *Ps. Path.*
aphasia *Ps. Path.*
arithm *Math.*
-al -(et)ic(al(ly
arith(mo)mancy
arithmotechny
asthenia *Ps. Path.*
-loger -logian -λογος as in ἀστρολόγος
logos *Phil.*
logos (ship *Theol.*
-log(ue -λογιον as in μαρτυρολόγιον
melologue
mesologarithm *Math.*
metrolog(ue
monopolylog(ue
necrolog(ue ic(al(ly
nomologia *Bot.*
nugilogue
operalog
osteologer
panlogism *Phil.*
-ical -istic(al
pianologue *Music*
protolog(ue *Biol.*
psycholog(ue er ian
quadrilog(ue *Rhet.*
sermologus *Eccl.*
Senolog(ue -er
sociologue
synchorologic *Bot.*
technologue
telelogue
tellograph(ic
tetralogue
travelog(ue
trialog(ue
trilogue
Triganologue -ist
urolog *Med.*
λογχαῖος with a spear
Caysolonchaea *Ent.*
Lonchaea *Ent.*
-aeid(ae -aeoid
λόγχη a lance
Acantholoncha *Prot.*
-id(ae -ida -oid
amphilonche *Radiol.*
Ischioloncha *Ent.*
Loncheres *Mam.*
Lonchiurus *Ich.*
Lonchopisthus *Ich.*
Paralonchurus *Ich.*
λογχίδιον Dim. of λόγχη
lonchidite *Min.*
metalonchidite *Min.*
λογχῖτις (-ιδος) (Diosc.)
Lonchitis -idae *Bot.*
λογχο- Comb. of λόγχη
loncho-
carpus -eae *Bot.*
crinus *Pal.*
delphis *Mam.*
ptera *Ent.*
-id(ae -oid
pteris *Pal. Bot.*
thrix *Mam.*
λονχοφόρος spearman
Lonchophorus *Ent.*
λογχωτός lance-headed
Lonchotus *Ent.*
λοιμικός(Hipp.)
antil(o)emic *Ther.*
loimic *Med.*
λοιμο- Comb. of λοιμός
lemo- *Med.*
graphy logy
loimo-
cholosis *Path.*
comium *Med.*
grapher graphy *Med.*
logy
λοιμός plague
lememia -ic *Med.*
Loimia *Helm.*
loimous
λοιπόν the rest
cincholoipon(ic *Org.*
homocincholoipon *Org.*
loiponic *Org. Chem.*
λοῖσθος left behind
Physoloesthus *Ent.*
Λοκρός (Lyc.)
(hypo)locrian *Music*
Locrian *Geog.*
Λοξίας Epith. of Apollo
Loxian *Gr. Ant. Myth. Ornith.*
λοξο- Comb. of λοξός
loxo-
ceras *Pal.*
clase *Min.*
cosm *Phys. App.*
crambus *Ent.*
crinus *Pal.*
cyesis *Path.*
lophodon(t *Mam.*
nema -atacea -oid *Pal.*
prosopon *Ent.*
pterygin(e *Org. Chem.*
pterygium *Bot.*
soma -id(ae -oid *Helm.*
tomy *Surg.*
λοξοδρόμος running sideways
loxodrome *Naut.*
-ic(ally -ics -ism -y
λοξός slanting, oblique
Brepholoxa *Ent.*
hysteroloxia *Gynec.*
loxarthron -us *Med.*
hoxia *Ornith.*
-iadae -iinae -iine
loxic loxitic *Path.*
loxodograph *Elec.*
Loxodon *Mam.*
-ont(a -ontous
Loxomma *Pal.*
Loxops *Ent. Ornith.*
Loxozus *Ent.*
lux *Obs.*
luxate -ion
metroloxia *Med.*
odontoloxia -y *Dent.*
Odontoloxozus *Ent.*
Pyrrholoxia *Ornith.*
λοξότης obliquity
loxotic *Med.*
λοξόφθαλμος (Proclus)
loxophthalmus *Path.*
λοπάδιον Dim. of λοπάς
Lopadiocrinus *Pal.*
λοπάς (-αδος) plate, pan
Lopadophorus *Pal.*
λοπός shell, bark, peel
Glyptolopus *Ent.*
lopolith *Geol.*
λορδο- Comb. of λορδός
lordoscoliosis *Path.*
λορδός bent backward
Lordites *Ent.*
Lordops *Ent.*
λόρδωμα (Hipp.)
lordoma *Path.*
λόρδωσις (Hipp.)
lordosis *Path.*
lordotic *Path.*

Λουκιανός Lucian
Lucian(ic(al(ly -ist
λοῦσις a washing
pyrolusite *Min.*
λουτρο- Comb. of λουτρόν
lontrotherapy *Ther.*
λουτρόν a bath
loutron *Gr. Ant.*
λουτρόφορος water-bearing
loutrophoros *Gr. Ant.*
λουτροχόος bath-pourer
Lutrochus *Ent.*
λόφη a crest
Hoplolopha *Ent.*
λοφία ridge, mane
cyanolophia *Vet.*
Paralophia *Ent.*
λοφίδιον Dim. of λόφος
Electrolophidion *Ent.*
Lophidius *Ent.*
λόφιον Dim. of λόφος
lophio-
derm(ic *Ich.*
hyus *Pal.*
Lophiodon *Mam.*
-ont(id(ae -ontin(e -ontoid(ea-ontous
Lophiomus *Ich.*
mys *Mam.*
-yid(ae -yoid
phora *Porif.*
stoma-aceae *Fungi*
stomate -ous *Bot.*
Metopolophium *Ent.*
λοφο-Comb. of λόφος
lopho-
bius *Arach.*
branch(ia(n -iata -iate -ii -ous *Ich.*
caltrop *Spong.*
carinaphyllum *Pal.*
cephaly -ic *Anthrop.*
cercy -al *Ich.*
chiton *Malac.*
come -i *Anthrop.*
crinidae *Pal.*
delta *Ent.*
derm *Ich.*
dermium *Fungi*
dytes *Ornith.*
gaster -gastrid(ae -gastroid *Crust.*
gobius *Ich.*
ite *Min.*
latilus *Ich.*
monas-adidae *Infus.*
mycter *Ent.*
petalin *Org. Chem.*
petalum *Bot.*
philus *Bot.*
phore -a(l *Bot.*
phorus -inae -in(e
phyta *Phytogeog.*
phyte -ic *Spong.*
phyton *Fungi*
phytosis *Vet.*
poda *Helm.*
poeum *Ent.*
prosopus *Pal.*
psetta *Ich.*
psittacus *Ornith.*
sceles *Ent.*
scytus *Arach.*
seris -idae *Zool.*
spermum *Bot.*
spore(s *Bot. Phytogeog.*
tragus *Zool.*
triaene *Spong.*
trichea -ic -ous *Bact.*
λόφος mane; crest; tuft
analophic *Craniom.*
Astroloph(id)idae
bilophodont *Anat.*
bunolophodont *Odont.*
Centrolophus *Ich.*
-inae -ine -odes
Cephalophus *Mam.*
-inae -ine
Choerolophodon *Pal.*
Cnemidolophus *Zool.*
Conolophus *Herp.*
Corylophus *Ent.*
-id(ae -oid
Dicholophus-idae *Ornith.*
Diplolophus *Pal.*
ectoloph
Erythrolophus *Arach.*
Haplolophus *Ent.*
Himantolophus-inae *Ich.*
Hypolophinae&-ites *Pal.*
Lasiolopha *Ent.*
lophad -ium *Bot.*
lophin(e *Chem.*
Lophius *Ich.*
-iid(ae -ioid
lophius *Anat.*
lophodont *Zool.*
Lophornis *Ornith.*
Lophortyx *Ornith.*
Lophosteon *Ornith.*
Loxolophodon(t *Mam.*
macrolophic *Craniom.*
Melanolophus *Ornith.*
metaloph *Zool.*
microlophic *Craniom.*
monoloph(ous *Spong.*
Pentalophodon(t *Mam.*
periloph *Spong.*
Platylophus
Plictolophus -inae
Plioloph(us *Mam.*
id(ae oid(ea
Polylophus *Ent.*
Proctolopha *Ent.*
Prosaurolophus *Pal.*
protoloph *Dent.*
Pterolophia *Ent.*
Rhinolophus *Mam.*
-id(ae -inae -in(e -oid
Rhyncholophus -idae
Saurolophus -inae *Pal.*
Serilophus *Ornith.*
Stegolophodon *Pal.*
Stenolophus *Ent.*
Sternolophus *Ent.*
Sterrolophus
Stictolophus *Ent.*
Tetralophus -odon(t
Urolophus -inae *Ich.*
Ypsilophus *Ent.*
Zalophus *Zool. Pal.*
λόφουρος (Arist.)
lophyropod(a *Crust.*
Lophyrus *Ent. Ornith. Zool.*
λοφωτός crested
Lophotes *Ich.*
-id(ae -oid
Lophotus *Ent.*
λοχαγός a captain
lochage *Gr. Ant.*
λοχάρχης = λοχαγός
Locharcha *Ent.*
Λοχία Epith. of Artemis
Lochia *Ent. Myth.*
λόχια (Hipp.)
alochia *Gynec.*
dyslochia *Gynec.*
ischolochia *Gynec.*
lochia -ial *Gynec.*
λόχιος of childbirth
lochio- *Gynec.*
calitis cellitis colpos cyte metra metritis pyra rrhagia rrh(o)ea schesis
λοχίτης comrade
lochites *Gr. Ant.*
Lochites *Ent. Ornith.*
λόχμη a thicket
helolochmium
helolochmo-
philus phyta
lochmad -ium
lochmo- *Phytogeog.*
cola philus phyta
λοχμώδης bushy
lochmodium
lochmodo- *Phytogeog.*
philus phyta
λόχος childbirth
Amphilochus *Crust.*
-id(ae -oid
locho- *Gynec.*
metritis
peritonitis
phlebitis
pyra
lochoophoritis
Mimolochus *Ent.*
Odontolochus *Ent.*
Λυαῖος Epith. of Bacchus
Lyaeus *Myth.*
λυγαῖος murky
Lygaeospilus *Ent.*
Lygaeus -aeid(ae -aeoid
λύγη twilight
Lygaria *Ent.*
λυγιστός bent
Lygistum *Bot.*
λύγκειος lynx-like
lyncean
-ine -eous
Lynceus *Crust.*
-eid(ae -eoid
λυγκούριον ?jacinth
lyncurion -ium
λυγμός a sob (Hipp.)
spasmolygmus *Med.*
λύγξ a lynx
Lyncid *Astron.*
Lyncodaphna -eid(ae -eoid *Crust.*
Lynx *Astron. Zool.*
λυγο- Comb. of λύγος
lygo-
cerus *Ent.*
desmia *Bot.*
soma *Herp.*
λύγος withy
Lygeum *Bot.*
λυγρός baneful
Lygrommatoides *Arach.*
Lygrus *Ent.*
λυγώδης fr-λύγος
Lygodium *Bot.*
-iaceae -ieae
Λύδιος of Lydia
hyperlydian *Music*
Lydian
lydian *Music*
syntonolydian *Music*
Λυδός a Lydian
Lyda -ella *Ent.*
λύειν to loose, dissolve
anticatalase *Biochem.*
dysluite *Min.*
hallimeter -metric
Karyolysus *Zool.*
Lisianthus -eae *Bot.*
Lyencephala -ous *Mam.*
λύθρον gore
Lythrulon *Ich.*
Lythrum *Bot.*
-aceae -aceous -ad (ari)eae
λυκ- Comb. of λύκος
lyc-
alopex *Zool.*
enchelus *Ich.*
engraulis *Ich.*
orexia *Path.*
ornis *Ornith.*
λύκαινα a she-wolf
Lycaena *Ent.*
-id(ae -oid
λυκανθρωπία (Paul. Aeg.)
lycanthropy -ia -ist
λυκάνθρωπος werewolf
Lycanthropa *Ent.*
lycanthrope
-ic -ous -us
unlycanthropize
Λυκάστη
Lycaste *Bot.*
Λυκάων Lycaon
Lycaon *Mam.*
Prolycaon *Ent.*
Λύκειον fr. Λύκειος
lycée
lyceum -eal -ean
Λύκειος Epith. of Apollo
Lycian *Gr. Rel.*
λύκη = Eng. light, n. (a root)
Lyka *Ent.*
λύκιον fr. Λύκιος (Diosc.)
lycin(e *Org. Chem.*
Lycium *Bot.*
Λύκιος of Lycia
Lycian *Geog.*
λυκο- Comb. of λύκος
lyco-
cara *Ich.*
gnathus *Pal.*
mania *Ps. Path.*
medicus *Arach.*
morphon *Ent.*
nectes *Ich.*
nema *Ich.*
perdine *Org. Chem.*
perdon *Bot.*
-aceae -aceous -ales -oid
pin *Org. Chem.*
pod(e -in(e *Org. Chem.*
podite(s *Pal.*
podium *Bot.*
-al -iaceae -iaceous -(i)ales -ieae -ineae -inous
pus *Bot.*
saurus *Pal.*
suchus *Pal.*
tropal -ous *Bot.*
λυκοδόντες (Galen)
Lycodon *Herp.*
-ont(idae -ontinae -ontin(e
Lycodontis *Ich.*
λυκοκτόνον (Galen)
lycacon(it)in(e *Org.*
lycoctonin(e -ic *Org.*
Lycoctinum *Bot.*
Λυκομήδης son of Creon
Lycomedes *Ent. Myth.*
λυκοπάνθηρ = Θώς
lycopanther
λυκοπέρσιον (Galen)
lycopersicin *Biochem.*
Lycopersic(*or* k)on *Bot.*
λύκος a wolf
Arthrolycosa *Arach.*
Lycosa -id(ae-oid(ea
lycosin -quinin *Med.*
Lycus *Ent.*
Microlycus *Ent.*
λυκόφθαλμος wolf-eye
lycophthalmy
λυκόφως twilight
lycophosed -y
λυκοψίς (-ίδος) (Diosc.)
Lycopsis -ide *Bot.*
λυκώδης wolflike
Lycodalepis *Ich.*
Lycodapus *Ich.*
-odid(ae
Lycodes *Ich.*
-id(ae -oid(ea
Lycodonus *Ich.*
Lycodopsis *Ich.*
Λυκωρίς Lycoris
lycorin(e *Chem.*
Lycoris *Bot.*
λῦμα offscourings
karyolyma *Cytol.*
nectarilyma -ous *Bot.*
Psorolyma *Ent.*
λυμαντήρ destroyer
Lymantes *Ent.*
lymantriid(ae *Ent.*
λύμη brutal outrage
Lymexylon *Ent.*
id(ae oid
λύπη grief
lypemania *Path.*
Lypophemus *Ent.*
lypothymia *Psych.*
λυπηρός painful
Luperus *Ent.*
Lyperia -anthus *Bot.*
Lyperiops *Ent.*
Lyperosia *Biol. Med.*
λυπρός distressing
Lyprops *Ent.*
λύρα the lyre
lira *Music*
lirone *Music*
Lyra -aid *Astron.*
lyra *Anat. Lit. Music*
lyra(or i)chord *Music*
lyrate(ly -ed *Bot.*
lyre *Anat. Astron. Lit. Music T. N.*
lyreman *Ent.*
lyrid *Astron.*
lyrifer(a -ous *Zool.*
lyriform *Zool.*
Lyrischapa *Pal.*
lyrula *Anat.*
Lyrurus *Ornith.*
λυρικός (Anacreon)
lyric
al(ly alness ism ist ize
lyrico-
dramatic epic
organolyricon *Music*
unlyrical(ly
λυρισμός lyre playing
lyrism *Music*
λυριστής a lyre player
lyrist *Lit. Music*
λυρο- Comb. of λύρα
lyro-
cephalus *Pal.*
desma *Pal.*
tylus *Ent.*
λυσ- Comb. of λύσις
lys-
actinic *Zool.*
alb(in)ic *Biochem.*
albinate *Biochem.*
antinin(e
argin *Mat. Med.*
astrosoma *Echin.*
at(in)ine *Chem.*
emia *Med.*
lys(id)in(e *Chem.*
in *Biochem.*
inogen *Biochem.*
inosis *Path.*
itol *Mat. Med.*
lecithin *Biochem.*

lys- Cont'd
ol *Histol. Med.*
uric *Biochem.*
λυσαρέτη
Lysarete -idae *Helm.*
λυσι- Comb. of λύσις
lysi-
anassa -id(ae -oid
form *Arts*
genetic *Bot.*
genic -ous(ly *Bot.*
loma *Bot.*
meter *Chem.*
λυσιμάχιον (Diosc.)
Lysimachia *Bot.*
-ieae -ius
λύσιος releasing
Lysiopetalum *Ent.*
-id(ae -oid
Λύσιππος Lysippus
Lysippan *Sculpture*
-ian -ic
λύσις a loosing. See λυσ-, λυσι-
acantholysis *Med.*
acetolysis *Org. Chem.*
achromatolysis *Path.*
acidolysis *Chem.*
adipolysis *Biochem.*
alcoholysis *Org. Chem.*
alkalysol *Pharm.*
alloolysis *Bot.*
aminolysis *Chem.*
ammonolysis -lyze *Chem.*
amylo(hydro)lysis *Chem.*
antholysis *Bot.*
antily(*or* u)sin *Med.*
antilysis *Biochem.*
Aphralysia *Pal.*
asthma(*or* o)lysin *Crop.*
atmolysis *Chem.*
atmolyze -ation
autohemolysis *Med.*
autoheterolysis *Chem.*
autohydrolysis *Biochem.*
autolysate *Physiol.*
autolysis *Med.*
autolyzate *Biochem.*
autolyze *Biochem.*
autoproteolysis *Biochem.*
axiolysis *Neurol.*
azolysin *Prop. Rem.*
bacteriolysis *Bact.*
bacteriolyze -ant
basilysis -lyst *Obstet.*
benzolysis *Org. Chem.*
bielectrolysis
biolysis *Biol.*
blastolysis *Biol.*
cantholysis *Surg.*
carbollysoform *Med.*
cardiolysis *Med.*
caryolysis *Bot.*
ceratolysis *Path.*
chemolysis *Chem.*
chemolyze
chondriolysis *Cytol.*
chromat(in)olysis *Cytol.*
chromolysis *Cytol.*
corelysis *Surg.*
cythemolysis *Biochem.*
cyto(hydro)list *Cytol.*
cytohydrolysis *Cytol.*
cytolysis *Biochem.*
cytolyzer
dactylolysis *Path.*
derm(at)olysis *Path.*
desmolose *Biochem.*
desmolysis *Biochem.*
Dinilysia *Pal.*
dyslysin(e *Biochem.*
electrolysis
electrolyze(r
-ability -able -ation

electrostenolysis
enelectrolysis *Med.*
enzymolysis *Biochem.*
epiderm(id)olysis *Path.*
epiphyseolysis *Surg.*
epitheliolysis *Cytol.*
erythrocytolysis *Med.*
ethanolysis *Org. Chem.*
ethmolysian *Zool.*
fibrinolysis *Biochem.*
galactolysis *Biochem.*
galvanolysis *Elec.*
gastrolysis *Surg.*
globulinolysis *Biochem.*
globulysis
glossolysis *Path.*
glyco(geno)lysis
h(a)emato(cyto)lysis
h(a)emocytolysis
h(a)emolysis *Biochem.*
h(a)emolyze
-ability -able
halmyrolysis *Geol.*
hemoglobinolysis
hemolysinogen *Biochem.*
hemolysoid *Biochem.*
hemolysophilic *Biochem.*
hemolyzation *Biochem.*
hepatolysis *Biochem.*
heterolysis *Biochem.*
histolysis *Biol. Ent.*
hydrolysis -lyst
hydrolyze
-able -ate -ation
hyperglycogenolysis
hyposteatolysis *Med.*
hysterolysigenous *Bot.*
hysterolysis *Gynec.*
iodolysin *Mat. Med.*
ionolysis *Phys. Chem.*
isohemolysis *Biochem.*
isolysis *Tox.*
karyolysis *Biol.*
katolysis *Biochem.*
keratolysis *Path.*
leucocytolysis *Cytol.*
leucolysis *Path.*
leukocytolysis *Cytol.*
lipolysis *Biochem.*
litholysis *Surg.*
lymphatolysis *Histol.*
-lysin *Biochem. Med.*
anti(arachno auto cyto h(a)emo hetero phryno scaphylo tetano arachno auto(cyto hemo iso bacterio(hemo) cardio cero cirrho cobra coli cyto diphtherio dys endo endothelio epithelio erythrocyto fibr(in)o h(a)emo hepato hetero (nephro) hypophyseo hypothermo idio(hetero iso iso(cyto hemo) leuco leukocyto lymphato megatherio nephro neuro ovario ovo para phryno pigmento placento proteo pyocyano sperm(at)o spleno staphylo strepto(coc)co strepto suprarena syncitio syncytio tetano thymo thyro
lysis *Arch. Bot. Med.*
-lysis as in παράλυσις
lyso-
cithin *Biochem.*
dactylae *Ornith.*
gen(ic *Biochem.*
genesis genetic
past soaps
pter(i -ous *Ich.*
solveol *Mat. Med.*

lyso- Cont'd
zym(e -ic *Biochem.*
lysulfol *Chem.*
mazolysis *Path.*
methanolysis *Org. Chem.*
methemolysis *Biochem.*
mucolysin *Med.*
mycolysin(e *Mat. Med.*
myolysis *Path.*
nephrolysis *Surg.*
neurolysis *Med.*
odynolysis *Ther.*
onycholysis *Path.*
oolysis *Biol.*
osteolysis *Path.*
paralysol *Med.*
paralysor *Chem.*
patholysis *Med.*
peptolysis *Biochem.*
pericardiolysis *Surg.*
peritoneolysis *Med.*
phagocytolysis *Med.*
phagolysis *Med.*
phak (*or* c)olysis *Ophth.*
phenolysis *Chem.*
photolysis *Bot. Chem.*
phytolysis *Bot.*
pigmentolysis
plasmolyse -id *Cytol.*
plasmolyze(d *Cytol.*
-ability -able -ation
pleuropneumonolysis
pneumatolysis *Geol.*
propanolysis *Org. Chem.*
proteohydrolysis *Org.*
proteolysis -e *Biochem.*
protolysis *Org. Chem.*
pyrenolysis *Cytol.*
pyretolysis *Med.*
pyrolysis *Phys.*
rachilysis *Surg.*
rehydrolyze *Chem.*
retecytolysis *Physiol.*
saccharomycetolysis
sarcolysis *Histol.*
schizolysigenous *Bot.*
solvolysis -lyze *Phys.*
spermatolysis *Biochem.*
sphincterolysis *Ophth.*
spirillolysis *Biochem.*
splenolysis *Histol.*
steatolysis *Chem.*
stenolysis *Chem.*
stereoarthrolysis *Surg.*
stromatolysis *Cytol.*
syncytiolyse *Biol.*
thermolyse *Chem.*
thermolysis *Chem. Phys. Physiol.*
thymolysis *Biochem.*
trypanolysis *Med.*
tryptolysis *Biochem.*
tygrolysis *Path.*
typholysin *Med.*
uratolysis *Biochem.*
ureterolysis *Med.*
uricolysis *Biochem.*
vagolysis *Surg.*
zeinolysis *Biochem.*
zincolysis *Elec.*
zymohydrolysis
zymolysis
λύσσα madness
Antholyza *Bot.*
antilyssic *Ther.*
lyssa -ic *Path.*
lyssacine -a *Spong.*
lyssin *Tox.*
lyssoid *Path.*
pseudolyssa *Ps. Path.*
Rhampholyssa *Ent.*
λυσσο- Comb. of λύσσα
lysso-
dexis *Med.*
phobia *Ps. Path.*

λυσσόδηκτος (Geoponica.)
lyssodectus *Med.*
λυσσομανής raging mad
Lyssomanes *Arach.*
-id(ae oid
Λύστρα Lystra
Lystra *Ent.*
λυτήριος loosing
lyterian *Path.*
Lyterius *Ent.*
λυτικός able to loose
acetolytic *Org. Chem.*
actinolytic *Chem.*
adipolytic *Biochem.*
alcoholytic *Org. Chem.*
aminolytic *Chem.*
ammonolytic *Chem.*
amylolytic *Chem.*
anhematolytic *Biochem.*
anolytic *Phys. Chem.*
antibacteriolytic *Ther.*
anticatalytic *Chem.*
antih(aemolytic
antilytic *Ther.*
autocytolytic *Med.*
autohemolytic *Med.*
autolytic *Med.*
auxilytic *Med.*
bacteriolytic *Bact.*
biolytic *Biol.*
callolytic *Bot.*
campholytic *Chem.*
carcinolytic *Med.*
caryolytic *Cytol.*
chemolytic *Chem.*
chromatolytic *Cytol.*
cyclolytic *Bot.*
cythemolytic *Biochem.*
cytohydrolytic *Cytol.*
cytolytic *Physiol.*
electro(steno)lytic(al(ly
endotheliolytic *Biochem.*
epitheliolytic *Cytol.*
erythrocytolytic *Med.*
fibrinolytic *Biochem.*
galactolytic *Biochem.*
gastrolytic *Biochem.*
gelatinolytic *Med.*
globulolytic *Med.*
glucogenolytic *Biochem.*
gluco(sido)lytic *Chem.*
h(a)em(at)olytic(ally
hemilytic *Biol.*
hepatolytic *Physiol.*
heterolytic *Biochem.*
histolytic *Biol. Ent.*
homolytic *Bot.*
hydrolytic
ionolytic *Phys. Chem.*
isohemolytic *Biochem.*
isolytic *Tox.*
karyolytic *Biol.*
keratolytic *Med.*
ketolytic *Biochem.*
leuco(cyto)lytic *Cytol.*
leukocytolytic *Cytol.*
lipolytic *Biochem.*
litholytic *Surg.*
lymphatolytic *Cytol.*
lytic *Med.*
-lytic as in ἀναλυτικός
mazolytic *Path.*
mucolytic *Med.*
nephrolytic *Surg.*
neurolytic *Med.*
orchilytic *Med.*
orchitolytic
osteolytic *Path.*
ovariolytic *Med.*
ovolytic *Biochem.*
pancreolytic *Med.*
peptidolytic *Biochem.*
perhydrolytic *Chem.*
phago(cyto)lytic *Cytol.*

photoelectrolytic
photolytic *Photochem.*
plasmolytic -ally *Cytol.*
pneumatolytic *Geol.*
prostholytic *Biol.*
proteohydrolytic *Org.*
proteolytic *Org. Chem.*
pyrolytic *Phys.*
rhexolytic *Cytol.*
saccharolytic *Chem.*
sarcolytic *Histol.*
schizolytic *Biol.*
sclerolytic *Med.*
seirolytic *Bot.*
spermatolytic *Biochem.*
spermolytic *Med.*
spirochetalytic *Bact.*
steatolytic *Biochem.*
symptom(at)olytic *Med.*
thermolytic
thrombolytic *Biochem.*
thymolytic *Biochem.*
thyreolytic *Path.*
thyrolytic *Med.*
tigrolytic *Path.*
trypanolytic *Pharm.*
uratolytic *Biochem.*
uricolytic *Path.*
zeinolytic *Biochem.*
zygolytic *Bot.*
zymolytic
λυτός loosable, soluble
Acantholytoceras *Malac.*
actinolyte *Chem.*
Aegolytoceras *Malac.*
ampholyte *Phys. Chem.*
anolyte *Phys. Chem.*
arsalyt *Pharm.* (*T. N.*)
Astrolytes *Ich.*
Autolytus *Helm.*
bradolyte *Phys. Chem.*
catholyte iic *Phys.*
Christolyte *Ch. Hist.*
Derolytoceras *Pal.*
Dilyta *Ent.*
Ectolyta *Ent.*
electrolyte *Chem. Phys.*
gazolyte *Chem.*
geolyte *Min.*
hydrolyte
litholyte *Surg.*
-lyte (-λυτης)
lyto-
ceras -atid(ae -atoid
discoides *Malac.*
sema *Ent.*
Pantolyta *Ent.*
photolyte -ic *Chem.*
plasmolyte *Cytol.*
pseudoelectrolyte *Phys.*
pyroelectrolyte -ic
rastolyte *Min.*
rhamnolutin *Org. Chem.*
Sapholytus *Ent.*
sarcolyte *Cytol. Med.*
stenolyte *Phys. Chem.*
tachylyte -ic *Petrol.*
zencolyte *Elec.*
λύτρον (Diosc.)
Hypolytrum -eae *Bot.*
λύττα = λύσσα
lytta *Anat. Ent.*
λυχναψία lamp lighting
lychnapsia *Gr. Ch.*
λυχνίδιον lamp-stand
lychnidiate *Ent.*
λυχνικόν lamp service
lychnic *Gr. Ch.*
λυχνίς (-ίδος)(Theophr.)
lychnin *Tox.*
Lychnis *Min.*
Lychnis *Bot.*
-idea -ides
rock-lychnis

λυχνίσκος Dim. of λύχνος
lychnisk *Spong.*
λυχνίτης (Varro)
lychnite(s *marbles*
λυχνο- Comb. of λύχνος
lychno-
mancy
phaes *Ent.*
scope -ic *Arch.*
λυχνόβιος (Seneca)
lychnobite
λύχνος a portable lamp
Augolychna *Ent.*
poly(ly)chnous
Trachelolychnus *Ent.*
λυχνοφόρος lamp-bearing
Lychnophora -eae *Bot.*
λύω Pres. of λύειν
luo- *Min.*
calcite chalybite diallogite magnesite lutecine & -ite *Min.*
lyo-
colloid *Phys. Chem.*
gnatha *Zool.*
luminescence
mer(i -ous *Ich.*
phil(e -ic phobe -ic
pomata -ous *Zool.*
pome -i -ous *Ich.*
psetta *Ich.*
sphaera *Ich.*
trope -ic *Phys. Chem.*
zoon *Med. Zool.*
λωβητός outraged
Lobetus *Ent.*
λωβήτωρ destroyer
Lobetorus *Ent.*
λωγάνιον dewlap of oxen
Loganiopharynx *Malac.*
Loganius *Ent.*
λῶμα fringe, border
Derelomus *Ent.*
Discoloma *Ent.*
Entoloma *Mycet.*
Euloma *Zool.*
Geissoloma *Bot.*
-aceae -aceous
Gymnoloma -idae *Ent.*
Hypholoma *Fungi*
Isoloma *Bot.*
Loma *Ornith.*
Lomandra -eae *Bot.*
Lomanotus -idae *Zool.*
Lomaria -ioid *Bot.*
lomastome *Zool.*
Lomata -ine *Ornith.*
lomatous
Lomechusa *Ent.*
Lomocnemis *Ent.*
Lysiloma *Bot.*
Priolomus *Ent.*
Pteroloma *Ent.*
Rhytidolomia *Ent.*
Tricholoma *Bot.*
λωμάτιον Dim. of λῶμα
Lomatium *Bot.*
λώπη robe, mantle
Perilopa *Ent.*
λῶπος = λώπη
Uotholopus *Ent.*
λωριον thong, strap
lorion *Gr. Ch.*
λῶρον a thong
loranth(us -aceae -aceous -ad *Bot.*
loranthyl *Org. Chem.*
Loricera *Ent.*
Lorostemma *Ent.*
spermoloropexis -y *Surg.*
λωτος the lotus
lotahiston *Biochem.*
lote
Loteae -iform *Bot.*
lotoflavin *Org. Chem.*
lotos
lotus(eater
lotusin *Org. Chem.*
Λωτοφάγοι (Odyssey)
Lotophagi
-ist -ous(ly

-μα Fem. action suffix
Hesychasm *Eccl. Hist.*
μᾶ = μητηρ (Eust.)
ma
μαγαδίζειν
magadize *Music*
μάγαδις (Arist.)
magadis *Music*
μαγαρίτης a renegade
magarita *Eccl.*
μαγάς (-άδος) cithara bridge
magas -ada *Music*
μαγγανον a siege machine
mangle
-edly -er -ingly
mangonel -a
Μαγδαλά town in Judea
Magdala *Dyes*
Μαγδαληνή (N.T.)
magdalen(e
Magdalenian *Archaeol.*
μαγδαλία (Galen)
magdaleon *Med.*
μαγεία magic
demonomagy
μαγειρική (Plato)
magirics
μαγειρικός fit for cookery
magiric
μάγειρος cook; butcher
archmagirist
magirist(ic
magirology -ical -ist
μαγικος of or for magic
archmagician
astromagical *Augury*
cacomagician
magic
al(ly alize ian ienne ly
semimagical
theomagic
al ian -ics
μαγμα salve (Galen)
comagmatic *Petrol.*
epimagmatic *Petrol.*
magma -atic
magmamosphose *Geol.*
Magmaphilae *Bot.*
magmatogenous *Geol.*
magmoid *Bot.*
Μάγνης (λίθος) (Diosc.)
magne-
crystal(lic
optic
magnelectric
magnes
magnetron *Phys.*
magnetropism
magnium *Chem.*
Μαγνησία Magnesia
argillomagnesian *Geol.*
chloro-
magnesol *Mat. Med.*
manganokalite *Min.*
demanganize -ation
di(*or* o)magnesic *Chem.*
dimanganous -ion *Chem.*
dvimanganate *or* -ese
dynamagnite
femic *Petrol.*
ferromagnesia
ferromanganese -ian
fluormanganapatide *Min.*
lithiomanganotriphyllite
magnalit *Min.*
magnalium *Alloy*
magnesia *Chem.*
-ian -iated -ic -ide -iferous -ium
magnesio- *Min.*
anthophyllite
ferrite
ludwigite
-magnesite *Min.*
chloro gel hydro kiesel luo nitro sphaero
magnesite *Min.*
magnesium- *Min.*
axinite
diopside
pectolite
pertolite
magnesoscheelite *Min.*
magnesyl *Org. Chem.*
magno-
chromite *Min.*
ferrite *Min.*
franklinite *Min.*
mangan-
almandine *Min.*
amphibole
andalusite *Min.*
apatite *Min.*
ate
berzel(l)ite *Min.*
blende
brucite
chlorite
eisen *Metal.*
ese
-an -eous -(i)ate -ic -(i)ous -ite -ium
etic
fayalite *Min.*
glauconite *Min.*
grandite *Min.*
hedenbergite *Min.*
ic
in *Metal.*
ite -ic *Min.*
ize
ium
kiesel *Min.*
ous
purpurite *Min.*
spinel *Min.*
mangani- *Inorg. Chem.*
cyanhydric cyanide
ferous
manganate
mangano-
axinite
calcite
columbite
ferrite
lite
magnetite
manganic *Chem.*
pectolite
phyllite
siderite
manganosite
manganosomanganic
sph(a)erite
stibite
tantalite
wolframite
molybdomanganimetry
-ic(al(ly *Chem. Anal.*
organomagnesium *Chem.*
peptomangan *Med.*
permagnesic *Petrog.*
permanganic -ate *Chem.*
plumbomanganite *Min.*
pseudomanganite *Min.*
silicomagnesiofluorite
silicomanganese *Alloys*
sphenomanganite *Min.*
Μαγνῆτις the magnet
armangite *Min.*
biomagnetic -ism
chrysomagnet
cryomagnetic *Phys.*
crystallomagnetic
demagnatize(r -ation
diamagnet
ic(ally ism ization ometer
dimagnetite *Min.*
electromagnet
ic(al(ly ics ism ist
ferromagnetic -ism
galvanomagnetic
geomagnetic -ist
gyromagnetic *Phys.*
ionomagnetic *Chem.*
isomagnetic
magaline *Meas.*
magnet
iferous ification ify in(e ish oid
magnetarium *Phys.*
magnetic -ics
al(ly (al)ness ian
magnetimeter
magnetipolar
magnetism -ist
magnetite -ic
magnetize
-ability -able -ation -ee -er
magneto
magneto-
acoustic
alternator
caloric *Phys.*
chemical chemistry
crystallic
drop
dynamo
electric(ity -ical
friction
generator
gram
graph(ic
ignition
inductive
instrument
logy
machine
meter metry -ic(al(ly
motive motor
optic(al -ics
phone
phonograph
pointer
printer
regulator
resistance *Phys.*
scope
static(s
stibian *Min.*
striction -ure
telegraph
telephone
therapy
transmitter
magnetod
magneton *Phys. Chem.*
manganomagnetite *Min.*
micromagnet(ometer
motomagnetic *Elec.*
paramagnet *Elec.*
ic(al(ly ism
photomagnetic -ism -ograph
phrenomagnetic -ism
piezomagnetism *Phys.*
polymagnet
pyromagnetic *Phys.*
remagnetize -ation
sideromagnetic
theodo(lite)magnetometer
thermomagnetic -ism
titanomagnetite *Min.*
undemagnetizable
unmagnetic
zoomagnetic -ism *Psych.*
μαγο- Comb. of μάγος
Magosphaera *Prot.*
Μάγος a Magian; a wizard
Magi -ian
Magus *Eccl.*
μάγος magical
magastrological
magastromancy -er -antic
mage Magi(an
Mag(ian)ism
μαγοφόνια (Herodotus)
magophony *Hist.*
μαδαρός bald
Madarites *Malac.*
madaroma -atic *Path.*
?Madrus *Ent.*
μαδάρωσις (Galen)
madarosis *Path.*
madarotic *Path.*
μαδιστήριον
madisterium *Surg.*
μαδός = μαδαρός
Madopterus *Ent.*
μᾶζα barley-cake
mass
massula
massy
μαζο- Comb. of μαζός
mazo-
cacothesis & -etic
logy -ic(al -ist
lysis lytic *Path.*
pathia *or* -y -ic *Path.*
pexy *Surg.*
μαζός breast
mazalgia *Path.*
Mazeutoxeron *Bot.*
-mazia *Gynec. Terat.*
a gyneco hypo macro micro pl(e)io poly tetra
mazic
mazodynia *Path.*
Mazonerpeton *Pal.*
-μαθεια as in φιλομάθεια
pharmacomathy
μαθηματική (Arist.)
mathematics
metamathematics
physicomathematics
μαθηματικός (Arist.)
mathematic
al(ly aster ian ize
mathematico-
logical physical
mathematist -ize
metamathematical *Phil.*
philomathematic(al
physicomathematical
unmathematical
-μαθης as in φιλομαθής
misomath
μάθησις act of learning
mathesis -y
μαθητής a learner
nosomathate
μαθητικός apt to learn
mathetic
Μαῖα Mother of Hermes
Maia *Astron. Myth.*
μαῖα a crab (Arist.)
maia *Ent.*

Maia *Crust.*
-aceae(n -aceae -an
-id(ae -inea(n -oid(ea(n
Maiocercus *Pal.*
Μαίανδρος the Maeander
latimeandroid *Zool.*
M(a)endrina -in(e *Zooph.*
-id(ae -iform -inae
-(in)oid
Maeandripora *Zool.*
Maeandrospongidae
meander(er -ingly
Meandrella *Pal.*
meandr-
ated ian ically iform
ite ous y
μαίευσις childbirth
maieusio- *Gynec.*
mania phobia
μαιευτική midwifery
maieutics
μαιευτικός obstetric
maieutic(al
Μαιμακτηρίων Nov.–Dec.
Maemacterion *Gr. Cal.*
maimakterion *Gr. Cal.*
Μαιμάκτης Epith. of Zeus
Maemactes *Ent.*
μαινὰς (-άδος) mad woman
m(a)enad *Myth.*
ic ism
μαίνη a small sea fish
Maena *Ich.*
id(ae -oid(ea
μαινίς Dim. of μαίνη
Neomaenis *Ich.*
Μαιονίδης Epith. of Homer
Maeonides *Lit.*
Μαιόνιος Lydian
Maeonian *Lit.*
Μαῖος May
Maianthemum *Bot.*
-maeus *Ent.*
Micro Phyllo
μακαρ blest, i.e. dead
macarite *Expl.*
μακαρίζειν to bless
macarize
μακάριος blessed
Macaria -iidae
Macarian *Eccl. Hist.*
μακαρισμός blessing
macarism
μακεδνός tall, taper
Macednus *Ent.*
Μακεδονίος
Macedonian
-ianism *Eccl. Hist.*
μάκελλα a pickaxe
Macellodon *Pal.*
μακερ (Diosc.)
mace
macil- *Org. Chem.*
enic olic
Μακκαβαῖος (Sept.)
Maccab(a)ean
μακρ- Comb. of μακρός
macr-
adenous *Biol.*
androus *Bot.*
encephalia *or* -y *Med.*
encephalic -ous
istium -iid(ae *Ich.*
odon *Ich.*
odont *Dent.*
ia ic ism
odontella *Pal.*
onyches *Ornith.*

macr- Cont'd
onychia *Med.*
onyx *Ent.*
ophthalmic -ous *Zool.*
ophthalmus *Crust.*
-id(ae -oid
opia *Ophth.*
opsia *or* -y *Ophth.*
osis *Path.*
osmatic -ism *Biol.*
(o)ura *Crust.*
-al -an -ous
(o)urus *Ich.*
-id(ae -oid
μακραυχηνα (Arist.)
macrauchen(e *Mam.*
ia iform iid(ae ioid
μακρο- Comb. of μακρός
Archaemacroceza *Pal.*
baromacrometer *Meteor.*
macro-
aerophilous *Bot.*
(a)esthesia
aggregate *Colloid*
analysis *Chem. Anal.*
androspore *Bot.*
aplanosporangium *Bot*
aplanospore *Bot.*
axis *Crystal.*
bacterium *Bact.*
basis *Ent.*
bdella *Ich.*
blast *Bot. Path. Cytol.*
brachia
branchia -iate *Biol.*
brochus *Pal.*
camerae -ate *Spong.*
cardius *Terat.*
carpin *Chem.*
carpous *Bot.*
centrosome *Cytol.*
ceryle *Ornith.*
chaeta *Ent.*
ch(e)ilia -ous
ch(e)ir(i)a -ous *Terat.*
chelys *Zool.*
chemical(ly *Chem.*
chemistry *Chem.*
choanite(s *Conch.*
cladous *Bot.*
clema *Bot.*
cnemia -ic *Anat.*
cnemum *Conch.*
coccus *Bact.*
colon -y *Med.*
coma *Ent.*
conidium *Bot.*
cornea *Ophth.*
corynus *Ent.*
cosm(os -ic(al
cosmology
cranial
crates *Ent.*
crystalline *Petrog.*
cyst
cysteae *Algae*
cystis *Bot.*
cytase *Biochem.*
cyte *Cytol.*
cyth(a)emia *Med.*
cytosis *Path.*
dasys *Helm.*
diagonal *Geom.*
diode -ange *Bot.*
dome -atic *Crystal.*
ergate *Ent.*
erythroblast *Cytol.*
esthesia *Psych.*
flora
gamete *Bot.*
gametocyte *Cytol.*
gamy *Bot. Prot.*
gaster *Terat.*
gastria *Med.*
genesy *Med.*
genitosoma *Med.*

macro- Cont'd
glossa -ini *Ent.*
glossia *Path.*
glossus -inae -in(e
gnathia *Med.*
gnathia *Anthrop.*
-ic -ism -ous
gonidium *Bot. Prot.*
graph(y -ic
gyn(e *Ent.*
gynospore *Bot.*
gyropus *Ent.*
h(a)emozoite *Parasites*
hynnis *Ent.*
illuminator
labia *Med.*
lecithal *Oology*
lepidolite *Min.*
lepidopter *Ent.*
a ist ous
leukoblast *Cytol.*
lophic *Craniol.*
malocera *Ent.*
mania -iacal *Path.*
mastia *Path.*
mazia *Path.*
melia *Terat.*
-ic -ism -ous -us
meracis *Ent.*
mere -al -ic *Embryol.*
merite -ic *Petrog.*
merozoite *Prot.*
mesentery
meter *Math.*
method *Chem.*
micro *Chem.*
micrometer
mischoides *Ent.*
molecule *Chem. Phys.*
monocyte
myelon–al *Anat.*
nemeae *Fungi*
normo(chromo)blast
nucleus *Biol.*
othnius *Ent.*
pathology *Path.*
petalous *Bot.*
phage *Cytol.*
phagocyte *Cytol.*
phallus *Med.*
pholidus *Herp.*
phanerophytes *Bot.*
phonous
phorbia *Ent.?*
photograph(y *Chem.*
phya *Ent.*
physaliophora *Helm.*
physics -ical *Phys.*
phyte -ic *Algae*
phytoplankton *Bot.*
pinacoid(al *Crystal.*
piper *Bot.*
plasia *Path.*
plast *Bot.*
plastia *Med.*
pleionian *Geog. Meteor.*
pleural *Pal.*
pleurodus *Ich.*
pod(ia -ous *Anat.*
podal -(pod)ous *Bot.*
pogon *Ent.*
poma *Ich.*
prism *Crystal. Geom.*
promyelocyte *Cytol.*
prothallium *Bot.*
pteryx -ygid(ae *Ornith.*
ptilus *Bot.*
pycnid(ia *Bot.*
pycnospores *Bot.*
pygia *Ornith.*
pyramid *Crystal.*
rhabdus *Crust.*
rhamphosus *Ich.*
-id(ae -oid
rhamphus *Ornith.*
scepis *Bot.*

macro- Cont'd
sclereids *Bot.*
scope *Bot.*
scopy -ic(al(ly *Med.*
seism(ic
seismograph
sepalous *Bot.*
septum *Anat.*
siphon *Conch.*
ula(r ulate
somatia *Anat.*
-ic -ism -ous
some *Cytol.*
somia -ic -ous *Anat.*
somite -ic *Ent.*
spartinetum *Bot.*
sporange -ium -iate
spor(angi)ophore *Bot.*
spore -ium -ic -oid *Bot.*
sporophyl(l(ary *Bot.*
sporozoite *Sporozoa*
stachya *Pal. Bot.*
stelineae -ian *Zooph.*
stemma *Ent.*
stereochemistry *Chem.*
stoma *Terat.*
-ia -(at)ous -us
stoma *Helm.*
-id(ae -oid -um
stome *Conch.*
-ia -id(ae -oid -um -us
structure -al *Chem.*
style -ous *Bot.*
stylospore *Bot.*
symbiont *Bot.*
tarsi(us -ian *Zool.*
there *Mam.*
-ium -iid(ae -ioid
therm *Bot.*
thermophilus *Bot.*
thermophyt(i)a *Bot.*
toxus *Pal.*
trachelous *Biol.*
trachia *Zool.*
type -al *Zool.*
typous *Min.*
variolitic *Petrol.*
zamia *Bot.*
zancla *Ent.*
zonites *Pal.*
zoogonidium *Algae*
zoospore *Bot. Zool.*
pedobaromacrometer
photomacrograph
Μακρόβιος Macrobius
Macrobian *Hist.*
μακρόβιος long-lived
macrobian
macrobio-
carpy *Bot.*
stemonous *Bot.*
stigmatic -ous *Bot.*
μακροβιοτία (Clem. Alex.)
macrobiotia *Med.*
μακροβιότης longevity
macrobiote -ic(s
μακρόβιοτος = μακρόβιος
Macrobiotus *Arach.*
-id(ae -oid
μακροβίωσις (Sept.)
macrobiosis *Med.*
μακροδάκτυλος (Arist.)
macrodactyl(a i *Ent.*
Macrodactyli *Ornith.*
macrodactylous *Bot.*
macrodactylous *Terat.*
-ia -ic -ism
Macrodactylus -idae *Ent.*
μακρόκεντρος long-stinged
Macrocentrus -i *Ent.*
μακροκέφαλος
macrocephalia -us *Med.*

macrocephalic *Pros.*
macrocephalous *Bot.*
Macrocephalus *Crust. Ent. Herp.*
macrocephaly *Anthrop.*
-ic -ism -ous
μακρόκωλος long-limbed
macrocolia -ous *Anat.*
μακρολογία lengthy speech
macrology
μακρόν Neuter of μακρός
macron *Gram.*
μακρονοσία (Diosc.)
macronosia *Path.*
μακρόπνοος long-breathed
Macropnus *Ent.*
μακρόπους long-footed
macropicide
macropod(an *Zool.*
Macropodia -iadae -ian
Macropus *Mam.*
-ina -in(e -od(-id(ae
-inae -in(e -oid)
μακροπρόσωπος
macroprosopia *Anat.*
-ous -us
μακρόπτερος
macropter(a(n *Mam.*
Macropteres *Bot. Ornith.*
macropterous
μακρόρινος long-nosed
macrorhin(e *Anat.*
ia ous us
μακρός long
amacrine -al *Anat.*
Bathymacrops *Ich.*
Pempsamacra *Ent.*
Pharomacrus *Ornith.*
Propomacrus *Ent.*
Rhinomacer *Ent.*
id(ae oid
Tritomacrus *Ent.*
μακροσκελής long-legged
macrosceles *Terat.*
-ia -ic -ous
Macroscelesaurus *Pal.*
Macroscelides *Mam.*
-a(n -ae -id(ae -oid
μακρόσκιος long-shadowed
macroscian
μακρότομος pruned long
macrotome *Mech.*
μακροτόνος drawn out
macrotone
μακρόφυλλος
macrophyll *Bot.*
macrophyllous -in(e
μακρόχειρ long-armed
Macrochira(n *Zool.*
Macrochires *Ornith.*
μακρώτης long-eared
macrotia -ous *Anat.*
Macrotis *Ent. Ornith.*
macrotoid *Zool.*
μακτρα kneading trough
Barymactra *Pal.*
Eomactra *Pal.*
Heteromactra *Pal.*
Lasiomactra *Ent.*
Mactra *Conch.*
-acea(n -aceous -id(ae -oid
μαλάβαθρον (Diosc.)
malabathrum *Bot. Pharm.*
μάλαγμα soft material
amalgam
a able ate ation(ist
ater atist ative atize
ator ist ization ize
malagma *Med.*

μαλακίζειν to be softened
malacissant -ation
μαλακία softness
malacia -ic *Path.*
-malacia *Path.*
adeno angio aorto arterio cardia cerato cerebro chiro chondro cranio encephalo esophago gastro hepato hystero irido kerato liceno lieno meningo metro myelo myo nephro neuro oesophago onycho oophoro ophthalmo osteo phaco pneumo pseudoosteo spleno(myelo) sto(mato) tarso tephro
-malakia *Path.*
neuro ophthalmo
osteomalacial -ic *Path.*
μαλακο- Comb. of μαλακός
malaco-
bdella -id(ae -oid
cephalus *Ich.*
cottus *Ich.*
cotylea(n *Helm.*
ctenus *Ich.*
gamy *Bot.*
graptis *Ent.*
lite *Min.*
logy *Zool.*
-ic(al -ist
notus *Ornith.*
-inae -ine
philae -ous *Bot.*
phonous
phyllous *Bot.*
plakia *Med.*
pod(a -ous *Ent.*
pteri -ous *Ich.*
pterygii *Ich.*
-ian -ious
scolices -in(e *Helm.*
stome *Mol.*
stomous *Ich.*
tomy -ic -ist *Zool.*
zoa -ic -oid *Zool.*
zoaria *Zool.*
zoology
μαλακόδερμος soft-skinned
malacoderm *Zooph.*
ata atous
malacoderm *Ent.*
i idae ous
μαλακοειδής
malacoid *Bot.*
μαλακός soft
arteriomalacosis *Path.*
encephalomalacosis *Path.*
Malacanthus *Ich.*
-id(ae -ine -oid
Malachius -iid(ae -ioid
Malaclemmys -yidae
malacoma *Path.*
malacon(e *Min.*
malacosis *Path.*
malacosteon *Path.*
Malacosteus *Ich.*
-eid(ae -eoid
malakin *Chem.*
Malapterurus *Ich.*
-id(ae -ina -ine -oid
Malurus *Ornith.*
-inae -in(e
osteomalacosis *Path.*
metromalacoma *Path.*
metromalacosis *Path.*
μαλακόσαρκος
malacosarcosis *Path.*

μαλακόστρακος crustaceous (Arist.)
Malacostraca(n -ous
malacostracology
-ical -ist
μαλακότης softness
malacotic *Dent.*
μαλακτικός emollient
malactic(al *Med.*
osteomalactic
μάλαξις a softening
dermalaxia *Path.*
encephalomalaxis *Path.*
Jastromalaxia *Path.*
Malaxis -eae *Bot.*
μαλάσσειν to make soft
malax
able age ate ation ator
μαλαχη mallow
bleimalachit *Min.*
malache *Bot.*
malachite *Min.*
-malachite *Min.*
azur calco plumbo pseudo
μαλάχιον mallow-colored
Notomalachius
μάλθα soft pitch
maltha *Min.*
malthite *Petrog.*
μαλθακός soft
malthacite *Min.*
μάλθη = μάλθα
Malthe *Ich.*
-eid(ae -eiform -einae -eine -eoid *Ich.*
Malthesis *Ent.*
μαλθώδης fr. μάλθα
Malthodes *Ent.*
μαλθων soft one
Malthonea *Ent.*
μαλιασμός (Suidas)
maliasmus *Surg.*
μᾶλις (Hippiatr.)
malis *Path. Vet.*
μαλλο- Comb. of μαλλός
mallo-
chorion *Embryol.*
coccus *Bot.*
delphys *Zool.*
phaga *Ent.*
-an -idae -ous
placenta *Embryol.*
soma *Ent.*
toxin *Chem.*
Pseudomallomonas *Prot.*
μαλλός a lock of wool
heteromallous *Bot.*
homomal(l)ous *Bot.*
-mallus *Ent.*
Hyper Panto
μαλλωτός fleecy
Mallotus *Bot.*
μαλόβαθρον = μαλάβαθρον
malobathrum *Hist.*
μαλο- Comb. of μᾶλον
malo- *Org. Chem.*
biuric malic nitrile
μᾶλον Doric for μῆλον
ferrimalonate *Chem.*
malamethane *Chem.*
malamic -ate -id(e *Chem.*
malate *Chem.*
male- *Org. Chem.*
amic
anilic
ide
(in)imide
inoidal
oid
malic *Chem.*

-malic *Org. Chem.*
citra oxy
malol(oic *Org. Chem.*
malon- *Org. Chem.*
aldehyde -ic -ate -(at)oamic -ide
anilic -ide
yl(urea
oxymalonic *Org. Chem.*
paramal(e)ic *Chem.*
pyromalic -ate *Chem.*
μαλός ?white
Macromalocera *Ent.*
Malonotus *Ent.*
μάμμα = μαμμή
mammalgia *Med.*
mammalogy *Med.*
-ical -ist
pseudomamma *Embryol.*
μαμμή mother's breast
mammectomy *Surg.*
mammotomy *Surg.*
μαμμόθρεπτος reared by one's grandmother
mammothrept
Μαμμωνᾶς Mammon
mammon
dom iacal ic ish ism ist(ic ite itish ization ize
mammonolatry
μανδαλωτός tongue kiss
Mandalotus *Ent.*
μάνδρα fold, stable; monk
madrigal *Lit.*
er etto ian ist
mandra *Gr. Ch.*
maundril *Mining*
μανδραγόρας (Hipp.)
mandragon
Mandragora *Bot.*
mandragore
mandragorin(e *Chem.*
mandrake
μανδραγορίτης (Diosc.)
mandragorite *Med.*
μανδριάρχης archimandrite
mandriarch *Eccl.*
μανδρίτης fr. μάνδρα
mandrite *Eccl.*
μανδύας a woolen cloak
mandyas *Gr. Ch.*
μανδύλιον a towel
mandilion *Eccl.*
μανία madness, frenzy
aboulomania *Ps. Path.*
acromania *Ps. Path.*
aeromaniac
aesthesiomania *Path.*
agromania *Ps. Path.*
alcoholomania *Med.*
Americomania
am(o)enomania *Path.*
andromania *Psych.*
androphonomania *Path.*
anglimaniac
Anglomania -iac -ist
antheromania *Bot.*
anthomania -iac *Path.*
antichoromanic *Ther.*
antimaniacal
antipyrinomania *Path.*
arithmomania
autophonomania *Med.*
bibliokleptomania -iac
bibliomane
bibliomany
-iac(al -ian(ism -ism -ist
blastomania *Bot.*
bromomania *Med.*

cacodemonomania
callomania
camphoromania *Med.*
capsomania *Bot.*
carpomania *or* -y *Agric.*
Celtomaniac
ceratomania *Bot.*
cheilomania *Bot.*
cheromania *Ps. Path.*
chinamania -iac
choleromania *Med.*
chore(o)mania *Path.*
cladomania *Bot.*
cleptomania -iac
clitoromania *Ps. Path.*
cocainomania -iac
cytheromania
decalcomania -iac
demonomania -iac
diatomaniac
dinomania *Path.*
dipsomania -iac(al
drapetomania *Ps. Path.*
dromomania *Ps. Path.*
ecdem(i)omania *Ps. Path.*
ecdem(i)omania *Path.*
ec(i)omania *Ps. Path.*
egomania -iac
eleutheromania -iac
empleomania
(o)enomania *Med.*
enosimania *Ps. Path.*
entheomania *Ps. Path.*
epomania
ergasiomania *Path.*
ergomania -iac *Med.*
eroticomania *Path.*
etheromania *Path.*
ethnomania *Path.*
florimania -ist
Gallomania -iac
gamomania *Bot. Path.*
Germanomania -iac
gigmania -ic(ally -ity
graphomania -iac *Psych.*
habromania *Path.*
h(a)ematomania *Psych.*
hagiomania
hero(ino)mania *Med.*
hexametromania
hypomaniacally
hydromania -iac(al *Path.*
hylomania *Phil.*
hypomania *Med.*
hysteromania *Path.*
iconomania
idolomania *or* -y
Italomania
kleptomania -iac(al -ist
klopemania
krauomania *Med.*
leth(e)omania
logomania -iac
lycomania *Ps. Path.*
lypemania *Path.*
macromania -iac *Path.*
maieusiomania *Gynec.*
-mania as ἐρωτομανία
mania -iac(al(ly -iacy
manic *Med.*
manic depressive
medicomania
megalomania -iac(al
melomane -ia(c -ic -y
mesmeromania -iac
methomania *Path.*
metromania -iac(al *Lit.*
metromania *Med.*
micromania -iac
mischomany *Bot.*
misomania
monomane -ia(c(al -ious
morphiamania -iac *Path.*
morphi(n)omania -iac
musicomania
musomania

mythomania -iac
narcomania -iac(al *Path.*
narcosomania *Ps. Path.*
necromania
negromania -iac
nosomania *Ps. Path.*
nostomania
nymphomania *Path.*
-iac(al -ic -y
oeciomania *Med.*
oenomania -iac
oestromania *Path.*
oikiomania
oligomania *Path.*
oniomania *Ps. Path.*
onomamania
onomatomania *Path.*
oophoromania *Path.*
operamania
opiomania(c
orchestromania *Path.*
orchidomania
parateresiomania *Med.*
parousiamania *Eccl.*
par(o)usimania *Phil.*
pathomania *Path.*
peotillomania *Med.*
perianthomania
petalomania -y *Bot.*
phagomania *Ps. Path.*
phaneromania *Path.*
pharmacomania -iac(al
philatelomania -iac
philopatridomania *Path.*
phlebotomania *Med.*
phonomania
photomania
phthisiomania *Med.*
phyllomania *Bot.*
phytomania
plutomania *Path.*
polemomania
politicomania
polkamania
polymania *Path.*
poriomania *Ps. Path.*
posiomania *Med.*
potichomania
potomania
pototromania *Path.*
pototromoparanoea
premaniacal
proditomania
pseudomania -iac
pteridomania
pyromania -iac(al
rhizomania *Bot.*
rinkomania -iac
Russomaniac
scribbleomania
sebastomania *Pysch.*
sit(i)omania
sonnetomania
sophomania *Ps. Path.*
spheromania -iac
satyromania -iac
statuomania
strophomania *Bot.*
strychninomania *Tox.*
stupemania *Ps. Path.*
symmetromania *Ps. Path*
syphilomania *Med.*
tenotomania *Med.*
Teut(on)omania -iac
thanatomania *Ps. Path.*
theatromania -iac
theriomaniac
timbromania(n -ian
tocomania
tomomania
toxicomania
trichocryptomania *Med.*
trichomania *Ps. Path.*
trichorhexomania *Med.*
trichotillomania *Path.*
tristemania *Path.*

tristimania *Psych.*
tromomania *Path.*
tuberculomania *Med.*
tulipomania -iac
Turcomania
typomania
uranomania
uteromania *Path.*
verbomania -iac
xenomania -iac
zoomania
μανίκιον a sleeve
manikion *Gr. Ch.*
μανικόν mad
manicon *Bot.*
Μανιχαῖος Manichaeus
Manich(e)ean *Hist. Rel.*
ism ize
Manich(a)eism -(a)eist
Manichee *Hist. Rel.*
μάννα Fr. Hebrew for man
manna
mannan(ase *Org. Chem.*
manneotetrose *Chem.*
mannid(e *Org. Chem.*
manniferous
mannino- *Chem.*
-triase triose
mannite *Org. Chem.*
-an -ate -ic -ine -ol -ose
-mannite *Chem. & Min.*
catharto erythro nitro phaseo
mannonic *Org. Chem.*
mannono- *Org. Chem.*
mannononic *Org. Chem.*
mannononose *Org. Chem.*
mannose -an *Org. Chem.*
mannuronic *Org. Chem.*
nitromannitol *Mat. Med.*
nitromannitol *Mat. Med.*
rhamnomannoside
trimannose *Org. Chem.*
μαννο- Comb. of μάννα
manno- *Org. Chem.*
biose
chloralic -ose
hept-
aric ite ose uronic
oct-
aric onic ose saccharic
μαννοφόρος
Mannophorus *Ent.*
μανο- Comb. of μανός—
mano-
barometer *Phys.*
blatta *Pal.*
cryometer *Phys.*
cyst *Bot.*
dactylus *Ent.*
graph
metabola *Bot. Ent.*
meter metric(al(ly
nitrometer *Chem.*
pses *Ent.*
scope -y *Phys.*
stat *Mech.*
xylic *Bot.*
-manometer *Phys.*
h(a)emo hemato micro pneo rhino sphygmo tele thermo
sphygmomanometroscope
μανός thin
Manonychus *Ent.*
μαντεία divination
aeromancy -er
alectoromancy
alectryomancy
aleuromancy
alomancy
alphitomancy
ambulomancy
amniomancy
anthracomancy
anthropomancy
anthropomantist
arith(mo)mancy
astragalomancy
astragiromancy
austromancy
axinomancy
belomancy
bibliomancy -ery
botanomancy
capnomancy
cartomancy
cephalomancy
cephalonomancy
ceromancy
chalcomancy
chaomancy
chartomancy
cl(e)idomancy
cleromancy
craniomancy
crithomancy
cromniomancy
crystallomancy
cubomancy
dactyliomancy
daphnomancy
demonomancy
empyromancy
enopt(r)omancy
gastro(no)mancy
geomancy -ance(r
geomanty
glossomantia *Med.*
graptomancy
gyromancy
hematomanty *Med.*
halomancy
hidromancy *Med.*
hieromancy
idolomancy
ichthyomancy
ichnomancy
Jud(a)eomancy
labiomancy
lampadomancy
libanomancy
lithomancy
logarith(mo)mancy
logomancy
lychnomancy
machairomancy
-mancy as πυρομαντεία
margaritomancy
meteoromancy
metopomancy
molybdomancy
moromantie
myomancy
nomancy
oenomancy
omphalomancy
oneiromancy
onimancy
onomancy
onomatomancy
onomomancy
onychomancy
oomancy -mantia
ophiomancy
ornithomancy
ornithomantist -ize
ornomancy
osteomancy -manty
pantomancer
pedomancy
pegomancy
pessomancy
pneobiomantia
podomancy
psephomancy
psychomancy
rhapsodomancy
scapulimancy
scatomancy
schematomancy
sciomancy
scyphomancy
sepulchromancy
sideromancy
spasmatomancy
spatilomancy
spatulamancy
spodomancy
sternomancy
stichomancy
stigonomancy
sycomancy
tephramancy
tephromancy -mantia
theriomancy
tyromancy
urinomancy
uromancy -mantia
zoomancy-
zoomantist
μαντεῖον seat of an oracle
manteion *Gr. Arch.*
μαντεῖος oracular
Manteoceras *Pal.*
μαντική (Herodotus)
mantic(s
pneobiomantics
μαντικός
geomantical(ly
mantic
al(ly ism
-mantic
aero anthropo geo myo ono ornitho pneobio psycho scapuli scio seis spodo thanato zoo
Manticoceras *Zool.*
onomantical
uromantical
μάντις seer, prophet
-mant
cephalo geo
mantian
-mantidae *Ent. Pal.*
Litho Palaeo
-mantis *Ent.*
Ephippio Hystrico Palaeo Phasmo Proto Zophero
Mantis *Ent.*
-id(ae -oid
Mantoidea *Pal.*
Mantisia *Bot.*
Mantispa *Ent.*
-id(ae -inae -oid
mantistic
mantology -ist
scatomanter
μαντιχώρας (Arist.)
Mantic(h)ora -idae *Ent.*
manticor(e
Μαραθών (Herod.)
Marathon(ian
Marathonates *Malac.*
μαρὰν αθά Our Lord comes
maranatha
μαραντικός wasting away
marantic *Med.*
μαρασμός (Galen)
geromarasmus *Path.*
marasme *Path.*
-(at)ic -oid -ous -us
Marasmius *Fungi*
marasmolite *Min.*
μαργαρίς = μαργαρίτης
margari-
carpus *Bot.*
notus *Ent.*
μαργαρίτης pearl
margaret
margarita *Gr. Ch.*
Margarita *Conch.*
-acea(n -aceae -aceous -ana -aria -ifera -ites
margarite
margery *Obs.*
marguerite
μαργαριτο-
margaritomancy
μαργαρο- Comb. of μάργαρον
Margaropus *Ent.*
margarosanite *Min.*
μάργαρον = μαργαρίτης
demargarinate *Chem.*
el(a)eomargaric *Chem.*
margaric *Chem.*
-ate -in(e -on(e -ous
margarimeter
margarite -ate -ic
marundite *Min.*
myelomargarin(e
oleomargaric -in(e
oleomargariscope
μαργαρώδης pearl-like
Margarodes *Ent.*
-id(ae -oid
margarodite *Min.*
μαργηλίς a pearl
Margelis -idae *Zooph.*
μάργος gluttonous
gastromargue *Zool.*
Μαρεῶτις of Marea
Mareotic
Μαρία (N.T.)
Antidicomarian(ite
Antimarian *Eccl. Hist.*
marialite -ic *Min.*
Marian
ic ism ist ity
Marianolatry -ist
mariene *Org. Chem.*
Marienglas
Mariet
marigold
mariola *Archaeol.*
Mario-
later latrous latry logy
marionette
Marist
Mary(mass
oxyhydratmarialith *Min.*
Μαρκιωνισταί (Orig.)
Marcionist -ism
Μαρκιωνῖται (Tertull.)
Marcionite *Eccl. Hist.*
-ic -ish -ism
Μάρκος Mark (N.T.)
Marcite *Eccl. Hist.*
proto- mark
Μαρκώσιοι (Epiph.)
Marcosian *Eccl. Hist.*
μαρμαίρειν to sparkle
?mairogallol *Org. Chem.*
marm(air)olite *Min.*
μαρμαρίζειν (Diod.)
marmarize *Geol.*
μαρμαρῖτις like marble
marmaritin *Obs.*
μαρμαρο- Comb. of μάρμαρος
Marmaroglypha *Ent.*
μάρμαρος (Hipp.)
marble
-ed -er -et -ing -ish -y header ization ize ness
marbrinus *Textile*
marmarosis *Petrol.*
marmor
aceous ate ation atum eal(ly ean eous ic ization ize
marmortinto
μαρμαρωπός with sparkling eyes
Marmaropus *Ent.*
μάρπτις a ravisher
Tachymarptis *Ornith.*
μαρσιπος bag, pouch
marsipo-
branch(ia(n -iata -iate -ii *Ich.*
crinidae *Pal.*
μαρσύπιον bag, pouch
marsupial *Mam.*
ia(n iata iate(d ida oid
marsupialize -ation *Path.*
marsupian -iate *Zool.*
Marsupiata *Mam.*
Marsupiocrinus *Echin.*
-idae -ites -oidea
Marsupites -idae *Zool.*
marsupium -ial -ioid *Bot.*
marsupium *Anat. Surg.*
Marsupium *Mam. Ornith.*
μάρτυρ (Clem. Alex.)
antimartyr
archmartyr
martyr
dom er ess ial ing ish ium ly ship y
martyrize(r -ation
unmartyr(ed
μαρτυρο- Comb. of μάρτυρ
martyrolatry
μαρτυρολόγιον (Quin.)
martiloge *Obs.*
martyrologe -ue
martyrology
-ical -ist
μάρτυς a witness
Anthracomartus *Ent.*
Aphantomartus *Pal*
Trigonomartus *Pal.*
μασαομαι chew
Masaris *Ent.*
-id(ae -oid
μάσησις chewing
amasesis *Med.*
dysmasesis *or* -ia *Med.*
μασθός = μαστός
pleomasthus *Anat.*
polymasthus *Terat.*
tetramasthous *Terat.*
μάσσειν to knead
massage -ist
-massage
oto phono (phono)-pneumo (pneumo)-thermo
masso-
therapeutics
therapy
vibromasseur
μασσητήρ chewer
masseter *Anat.*
al ic in(e
μάσταξ mouth
Mastacembalus *Ich.*
-id(ae -oid
mastax *Anat. Helm.*
-mastax *Pal.*
Orycto Pro Spilo
mastaxed
μαστήρ a searcher
Bathymaster *Ich.*
-id(ae -oid
Nyctimaster *Ich.*
Psychromaster *Ich.*
μαστιγ- Stem of μαστιξ
Cyclicomastigei
-mastiga *Prot.*
Di Mono Poly
Mastigamoeba -idae

-mastigate *Zool.*
di hetero iso mono oligo poly tetra tri
-mastigoda(n *Prot.*
Hetero Iso Phyto
mastigote *Prot.*
-mastigote *Prot.*
hetero holo iso mono para poly tetra tri
mastigure -us *Zool.*
Polymastigina *Prot.*
rhizomastigoid *Bot.*
μαστίγιον Dim. of μάστιξ
mastigium *Ent.*
μαστιγο- Comb. of μάστιξ
mastigo-
bolbina *Pal.*
branch(ia(l *Crust.*
cerus *Ent.*
cladous *Bot.*
crinidae *Pal.*
graptus *Pal.*
myia *Ent.*
pod(a -ous *Prot.*
pus *Zool.*
spore *Biol.*
phytomastigopod *Bot.*
μαστιγοφόρος
mastigophore *Prot.*
-a(n -er -ic -ous
μαστίγωσις a whipping
mastigosis
μαστίκτωρ scourger
Megamastictora -al
Micromastictora *Spong.*
μάστιξ a scourge
chilomastixiasis *Path.*
mastic-
ophis
ure -a -ous *Ich.*
-mastix *Ent.*
Dasy Dolicho Hadro Hetero Phace Psilo
-mastix *Crit. Lit.*
Satiro theo
-mastix *Prot.*
Chilo Mono Tri
Trimastix *Prot.*
id(ae -oid
Uromastix *Herp.*
μαστίχη mastich
mastic *Org. Chem.*
(h)ic in(e olic onic oresene
masticable -ility
masticate(r -ion -or(y
normomastic *Diag.*
popomastic
sternomastic *Anat.*
μαστο- Comb. of μαστός
masto-
carcinoma *Path.*
chondroma & -osis
logy -ical -ist
menia *Path.*
occipital *Anat.*
parietal *Anat.*
pathia *or* -y *Path.*
pexy *Surg.*
phorus *Porif.*
rrhagia *Path.*
scirrhus *Path.*
spargosis *Path.*
stethus *Ent.*
syrinx *Path.*
theca *Zool.*
tomy *Surg.*
tympanic *Anat.*
zoa
zoology
zootic

μαστοειδής like a breast
mastoid *Anat.*
aic al(e ea(l ean eum eus
mastoid-
algia *Path.*
ectomy *Surg.*
itis *Path.*
-mastoid *Anat.*
atlanto attico bi clavo cl(e)ido inter occipito para parieto petr(os)o post retro squamo sterno(cleido) stylo sub(sterno) supra temporo trachelo tympano
mastoideo-
centesis *Surg.*
squamous *Anat.*
-mastoideus *Anat.*
sterno(cleido) trachelo
-mastoiditis *Path.*
endo extra intra para tympano
mastoido-
humeral(is *Anat.*
tomy *Surg.*
μαστός a woman's breast
bimasty -ic -ism *Anat.*
bitumastic *Arts*
gyn(a)ecomast -y
gynecomastism *Med.*
mast-
acanthus *Ent.*
adenitis -oma *Path.*
algia *Path.*
atrophia *or* -y *Path.*
auxe *Path.*
ectomy *Surg.*
helcosis *Path.*
itis *Path.*
odynia -y *Path.*
-mastia *Med.*
gyn(a)eco hyper hypo macro pleo poly tetra
-mastitis *Path.*
acro para peri
-mastodon *Pal.*
Hemi Palaeo Propoly
Mastodon(ic *Mam.*
-ont(ic inae in(e oid)
Mastodonsaurus *Mam.*
-ian -id(ae -oid
mast(opi)oncus *Path.*
neuromast(ic *Zool.*
pleomastic *Med.*
Polymastodon *Mam.*
-ont(id(ae -ontoid
polymasty *Terat.*
-ic -ism
μασχάλη armpit, axilla
maschal *Med.*
adenitis ephidrosis iatry
tragomaschalia *Med.*
ματαιολογία idle talk
mat(a)eology -ian -ical
ματαιολόγος
mat(a)ologue
μάταιος empty, idle
echomatism *Psych.*
ματαιοτεχνία (Clem. Alex.)
mat(a)eotechny
μάταξα = μέταξα
Mataxa *Pal.*
μάτηρ = μητηρ
phycomater *Algae*
ματρο- = μητρο-
matroclinous *Genetics*
-ic -y
Μαυριτανια Fr. Μαῦροι
Mauritanaster *Pal.*

μαυσωλειον Fr. Μαύσωλος
mausoleum
-eal -ean
μάχαιρα knife, sword
machaer-
akanthus *Ich.*
ites *Ent.*
odus *Mam.*
-ont(inae -ontine
oides *Pal.*
Paramachaerodus *Pal.*
μαχαίριον Dim. of μάχαιρα
Machaerium *Bot. Ent. Ich.*
μαχαιρο- Comb. of μάχαιρα
machaero-
gnathus *Ich.*
prosopus *Pal.*
pterus *Ornith.*
machairomancy
μαχαιρωτός sabre-shaped
Platymachaerota *Ent.*
μαχαων fighting
machaon *Ent.*
μάχη combat, contest
machopolyp *Zool.*
pal(a)eomachic
Pasimachus *Ent.*
μαχητής a warrior
Machetes *Ornith.*
-μαχία Comb. of μάχη
alectoromachy
alectryomachy
amazon(i)omachia
batrachoherpetomachia
cynarctomachy
cytomachia *Cytol.*
duomachy
gamomachia *Embryol.*
glossomachicall *Obs.*
hieromachy
-machy -ia
monarchomachic -ist
poetomachia
psychomachy
trimachy
μάχλος lustful
Machla *Ent.*
Machloplasia *Ent.*
Pseudomachla *Ent.*
μαχλότης lewdness
Machlotes *Ent.*
μεγα- Comb. of μέγας
hydromegatherm *Bot.*
hypermega-
cranious *Craniom.*
prosopous *Craniom.*
soma *Med.*
hypomegasoma *Med.*
mega-
bacteria *Bact.*
bar(y -ic *Phys.*
basite *Min.*
bates *Arach.*
caryocyte *Physiol.*
cecum *Med.*
cephalic *Craniom.*
-on -ous -y
ceras *Pal.*
-atin(e -atous
cerchneis *Ornith.*
cercopis *Ent.*
ch(c)ile *Ent.*
-idae -ous
chiropter *Mam.*
a(n ous
chloroplast *Bot.*
choerus *Pal.*
clon *Spong.*
cocci *Biol.*
colon coly *Med.*

mega- Cont'd
conidea *or* -ide *Bot.*
cosm
cosmus *Pal.*
coulomb *Elec.*
crania -ous *Craniom.*
criodes *Ent.*
derm *Mam.*
a ata atidae (at)inae id(ae in(e oid
derus *Ent.*
dont *Zool.*
drili(c -ous *Helm.*
duodenum *Med.*
dyne dynamics *Phys.*
erg *Phys.*
farad *Elec.*
fog
frustule *Biol.*
gamete *Bot. Cytol. Zool.*
gnathous *Anthrop.*
gram(me *Meas.*
joule
laime *Ornith.*
-a -id(ae -oid
lania -idae *Pal.*
lith(ic
mastictora -al *Spong.*
maxwell *Phys.*
mere *Cytol.*
merozoite *Prot.*
meter -re
mil *Mens.*
mys *Pal.*
nephric(ae *Helm.*
neur- *Pal.*
ella idae ina ites
nucleus *Biol.*
phanaeus *Ent.*
phanerophytes *Bot.*
phone -ic
photography -ic
phragma *Ent.*
phyll(ous -idae -y *Bot.*
phytes *Bot.*
phyton *Pal. Bot.*
plankton *Bot.*
planogamete *Bot.*
pod(e *Ornith.*
an idae iid(ae iinae ioid ius
polis
proctus *Ent.*
prosopia -ous *Craniom.*
prothallus *Bot.*
ptera -inae -in(e *Mam.*
pterites *Pal.*
pterna *Pal.*
pul *Phys.*
raphidia *Pal.*
(recto)sigmoid *Med.*
rectum *Med.*
rhinus *Pal.*
rhizous *Bot.*
rhynchus *Ornith.*
(r)rhine *Zool.*
rrhiza *Bot.*
seism(ic *Seismol.*
sclere *Spong.*
-ic -on -ous -um
scolex
scope -ic(al(ly
scops *Ornith.*
seme -ia *Craniom.*
soma *Med.*
soma -inae *Ent.*
sorus -oma *Bot.*
sphere *Foram.*
spilus *Ent.*
sporange -ium *Fungi*
spore *Fungi*
sporo- *Bot.*
carp cyte genesis phyll
sthene -a -ic *Mam.*

mega- Cont'd
stoma *Protozoa*
stome *Conch.*
strobilus *Bot.*
synthetic
teuthis *Pal.*
there -ium *Mam.*
-ial -ian -(i)id(ae -(i)oid -iinae -iin(e
theriolysin *Biochem.*
therm(ic *Bot.*
thymus *Ent.*
-id(ae -oid
thyris -id(ae -oid
torque *Phys.*
tylopus *Pal.*
type -y *Photog.*
volt watt weber *Elec.*
zoid *Bot.*
zoogonidium *Bot.*
zooid *Biol.*
zoosporange *Bot.*
zoospore *Bot.*
mesomegacranous
mesomegaprosopous
premegalithic *Hist.*
pseudomegacolon *Med.*
submegacranous
submegaprosopous
theromegatherm *Meteor.*
tregadyne *Elec.*
tregery -ohm *Meteor.*
μέγαθος = μέγεθος
Megathopa *Ent.*
μεγακητης ?yawning
Megacetes *Ent.*
μεγαλ- Comb. of μεγας
dysmegalopsia *Ophth.*
Eomegalodus *Malac.Pal.*
megal-
acria *Path.*
adapis -idae *Mam. Pal.*
(a)esthete
algia *Med.*
encephalic *Anat.*
erg *Phys.*
erythema *Med.*
ichthys *Pal.*
iridia *Ent.?*
odon *Conch.*
-ont(-id(ae -oid -ous)
odontia *Dent.*
onychosis *Med.*
onyx *Pal.*
-ychid(ae -ychoid
opa *Crust.*
ophrys *Ent.*
opsia -ical *Path.*
ornis *Pal.*
otis -inae -in(e
metasplenomegalic *Path.*
micromegalopsia *Ophth.*
Pleomegalomus *Ent.*
presplenomegalic *Path.*
Μεγαλήσια
Megale(n)sia(n *Rom.Ant.*
μεγάλη Fem. of μεγας
-megalia *Med.*
acro entero hepato hyper sphenohepato spleno
-megaly *Med.*
acro cardio ch(e)iro dactylo entero gastro micro nephro prostato pseud(o)acro splanchno sphenohepato spleno
μεγαλο- Comb. of μεγας
lymphomegaloblast
megalo-
aesthete *Conch.*
batrachus *Zool.*
blast(ic *Cytol. Path.*
bythus *Ent.*

megalo- Cont'd
cardia -iac *Anat. Path.*
ceros *Pal.*
chirous *Anat. Zool.*
cochlea *Malac. Pal.*
coly *Med.*
conidium *Bot.*
cornea *Anat.*
cottus *Ich.*
cyte -osis *Cytol.*
dactylia -ism -ous *Med.*
discus *Helm.*
enteron *Med.*
gastria *Path.*
glossia
gonidium *Algae*
hepatia *Med.*
hyrax *Pal.*
karyocyte *Cytol.*
mania -iac(al *Ps. Path.*
melia *Terat.*
penis *Med.*
phobia *Path.*
phylla -y *Bot.*
plastocyte *Cytol.*
pod(ous
pore *Conch.*
ptera pteris *Bot.*
pyge -id(ae *Ent.*
raphium *Pal.*
saur(us *Herp.*
-i(a(n -id(ae -oid
scope -y -ic
spermum *Pal.*
sphere -ic
splenia *Path.*
sporon *Fungi*
syndactyly *Med.*
promegaloblast *Cytol.*
μεγαλογραφία (Vitruv.)
megalograph(ia y
μεγαλόκαρπος (Theophr.)
megalocarpous *Bot.*
μεγαλοκέφαλος (Arist.)
megalocephalous
-ia -ic -y
μεγαλόμαρτυρ (Porph.)
megalomartyr *Eccl. Hist.*
μεγαλόμητις ambitious
Megalometis *Ent.*
μεγαλόπολις (Pindar)
magalopolis
μεγαλόφθαλμος (Arist.)
megalophthalmus *Path.*
Megalophthalmus *Pal.*
μεγαλόφωνος (Arist.)
megalophonous *Ornith.*
-ic -us
μεγαλοψυχία (Isocr.)
megalopsychy
μεγαλοψύχος high-souled
megalopsychic
μεγαλυνάριον
megalunarion *Gr. Ch.*
μεγαλωπός large-eyed
megalopia -ic *Med.*
Megalops *Ich.*
-opinae -opin(e
Μέγαρα Megara
Megarian ism *Geog. Phil.*
Μεγαρικός
Megaric *Geog. Phil.*
μέγαρον a chamber
megaron *Archaeol.*
μέγας great, mighty
meg-
alethoscope
allantoid *Anat.*
ampere *Elec.*
anology
archidium *Bot.*
aristerus *Ent.*
astria *Med.*

meg- Cont'd
aulacobothrus *Zool.*
aulic(a *Zool.*
ecad *Bot.*
erg
ger *Elec.*
ohm(it *Elec.*
ohmmeter *Elec.*
ophthalmus *Ophth.*
osmatic
otalc
oxycyte *Cytol.*
oxyphil *Cytol.*
Scapomegas *Ent.*
μέγεθος magnitude
Hypermegethes *Pal.*
megethological
μεγιστάνες grandees
Megistanes *Ornith.*
μεγίστη Fem. superl. of μέγας
almagest *Astron.*
μεγιστο- Comb. of μέγιστος
megisto-
cephalic -ous
phylla *Ent.*
therm(ic *Bot.*
μέδιμνος
medimnos -us *Gr. Meas.*
Μέδουσα the Gorgon
hydromedus- *Zooph.*
ida inae
-medusa *Pal.*
Pachy Palaeo
-medusa *Zooph.*
Antho Disco Eu Hydro Phyllo Theco
Medusa *Myth.*
Medusa *Zooph.*
-ae -al -an -(ar)ian
-id(ae -idan -iferous
-iform -ina -oid
-medusae -an *Zooph.*
Antho Cono Cubo Disco Ephyra Hydro Lepto Narco Pero Polypo Scypho Stauro Tracho Trachy
medusite *Pal.*
medusome *Zooph.*
-medusidae *Zooph.*
Antho Ephyra Phyllo
-medusoid *Zooph.*
disco hydro scypho
Pelomedusa *Herp.*
-id(ae -oid
Ptychophaedousa *Pal.*
μέζεα the genitals
?Mezium *Ent.*
μεθ- Comb. of μετά
meth-
(a)emoglobin(ulin
(a)emoglobin(h)emia
(a)emoglobinuria *Path.*
alocrinus *Pal.*
armostis *Ent.*
atetic
emoglobinization
emolysis *Biochem.*
olcus *Ent.*
yostyly -ic *Ich.*
μεθεκτικός communicable (Arist.)
methectic *Psych.*
μέθη strong drink
Ichthyomethia *Bot.*
methilepsia *Path.*
μεθοδικα (Arist.)
methodics
μεθοδικός (Polybius)
amethodical(ly
immethodic
al(ly alness

methodic
al(ly (al)ness
unmethodical(ly
μέθοδος (Plato)
amethodist
antimethod
immethoded -ize
macromethod *Chem.*
method
aster ian ism ist ization ize(r less
Methodism
-ist(ic(al(ly -isty
methodology
-ical(ly -ist
micromethod
unmethodized
μέθυ wine
acetomesal *Pharm.*
aldomedon *Org. Chem.*
azomethine *Org. Chem.*
carbomethene *Org. Chem.*
carbomethoxy *Org. Chem.*
cyclomethylamin(e
demethyl-
ate ation ization o-
dichlormethylether
dimethyl-
acetal amin(e amino-anilin(e arsin(e benzene carbinal guanidin ketone nornarcotin phosphin pyrazin pyrone xanthin
hexamecol *Mat. Med.*
hexamethyl- *Org. Chem.*
ated en(e)amin(e endiamin en(e)tetramin(e enetetrammonium enimine
hydroxydimethylopyrone
menaphthyl *Org. Chem.*
-methan *Org. Chem.*
chlor(o) iodo monochor(o) quinodi sulphon toluquino
-methane *Org. Chem.*
azo chlor(o) diazo dichlor(o) diphenyl iodo moniodo monochlor(o) nitro phenylo quino-(di) silico sulphonethyl tetrachlor toluquino tribo trichlor(nitro) trifluor triiodo trinitro triphenyl
meth-
acetin(e *Trade*
acrylic *Chem.*
aform al *Chem.*
an(e *Org. Chem.*
al ation ic ide oic ol
aniline *Org. Chem.*
ano-
lysis *Org. Chem.*
meter *Anal. Chem.*
monas *Bact.*
atetic *Geol.*
azonic *Org. Chem.*
ebanol -ine *Org. Chem.*
enamine *Pharm.*
ene -yl *Org. Chem.*
ethyl *Mat. Med.*
id(e in(e *Org. Chem.*
iodide *Org. Chem.*
ionic *Org. Chem.*
-ate -ide -yl
ol *Org. Chem.*
onal *Org. Chem.*
ose *Org. Chem.*
oxid(e oxyl
oxy-
caffein
metho- *Org. Chem.*
chloride
gastrosis *Path.*

metho- Cont'd
hydroxide
mania *Path.*
nitrate
perichlorate
sulfate
methronic *Org. Chem.*
methyl *Org. Chem.*
al ate atic ation ator ic idic in ize
acetanilid *Mat. Med.*
acetoacetate *Mat. Med.*
amide amin(e
anilin
anthracene
antipyrin *Mat. Med.*
arsenic -ate
atropin *Mat. Med.*
aurin
benzaconin *Mat. Med.*
cephaelin *Mat. Med.*
codein *Mat. Med.*
conin(e
cresol
crotonic
dichlorarsin *War Gas*
ene -imine
enophil(ous *Staining*
ethyl(acetic
glyoxal(id)in *Mat.*
guanidin
hydantoin *Biochem.*
hydrid
indol
malonic *Chem.*
mercaptan *Biochem.*
methane *Chem.*
naphthalene *Chem.*
narcotin *Chem.*
o -ol *Org. Chem.*
osis -otic *Geol.*
ostarch *Org. Chem.*
otannin *Org. Chem.*
oxamate *Org. Chem.*
pelletierine
pentose
phenacetin
phenmorpholin *Mat.*
phenylhydrazin
phosphin *Mat. Med.*
protocatechnic
purin
pyridin
pyrocatechin *Mat.*
quinolin
salicylate *Mat. Med.*
salol
sulphuric
uramin(e
urethane
-methyl *Org. Chem.*
arsendi chlor furo mono plumbo triphenyl
-methylene *Org. Chem.*
azi deca hepta hexa oxy penta poly polyoxy tetra tri(oxy)
metol *Trade*
metolquinol *Photog.*
metoquinone *Photog.*
monomethylic -ated
monomethylxanthine
morphimethine *Chem.*
nitrosodimethylaniline
orthomethylacetanilid
oxalmethylin(e *Chem.*
oxamethylane
pentamethydiamin
perchlormethylformate
permethylate *Org. Chem.*
phenmethylol *Mat. Med.*
phenomethol *Org. Chem.*
phenylmethyl- *Chem.*
acetone carbinol(ic pyrazol quinolin

remethylate *Org. Chem.*
tartromethylic -ate
tetramethide *Org. Chem.*
tetramethyl
benzene endiamin enic patrescin
trichloromethylchloroformate
trimethyl *Org. Chem.*
amin(e endiamine enimine ethylane ethylene ethylic pyridin stibin
tritane -ic -ol *Org. Chem.*
urethylan(e *Mat. Med.*
xanthomethylic *Chem.*
μεθυμνία
methymnion *Pros.*
μέθυσις drunkenness
methysis *Path.*
μεθυστικός intoxicating
methystic *Sociol.*
methystic *Org. Chem.*
-in(ic -ol(e
methysticum *Mat. Med.*
μείζων Comp. of μέγας
Meizoglossa *Ent.*
meizoseismal -ic *Seismol.*
μειλίχιος mild, gracious
Milichius *Ent.*
μειο- Comb. of μείων
meio- *Bot.*
cyclic gyrous phyll(y sporange spore states stemonous taxy therm
meiobar *Meteor.*
mio-
cardia *Physiol.*
cene -ic *Geol.*
(di)dymus *Terat.*
gyrous *Bot.*
hippus *Pal.*
lania *Pal.*
lithic *Geol.*
lithoceras *Pal.*
lithocharis *Pal.*
mera *Pal.*
mocra *Ent.*
ph(ylly *Bot.*
phone *Med.*
plasmia *Med.*
pliocene *Geol.*
pragia *Med.*
pristis *Ent.*
ptychia *Pal.*
stagmin *Biochem.*
stemonous *Bot.*
taxy *Bot.*
termes *Pal.*
therm *Phytogeog.*
therme *Geol.*
ziphius *Pal.*
post-Miocene
μειονεκτικός (Stob.)
mionectic *Med.*
μείουρος curtailed (Ath.)
Am(e)iurus *Ich.*
miurus *Pros.*
μειρακίδιον a youth
miracidium *Helm. Prot.*
μεῖραξ a lass
Miraspis *Pal.*
μεῖστος Superl. of μείων
Mistichythys *Ich.*
μείων less
arsenomiargyrite *Min.*
meionite *Min.*
-meionite *Min.*
carbonate fluor oxide pseudo
Miagnostus *Pal.*
miargyrite *Min.*
mionite *Min.*

Mionornis *Ornith.*
miopus *Terat.*
oxydhydratomejonite
Plaesiomiinae *Pal.*
thermomeion *Meteor.*
μείωσις reduction (Hipp.
brachymeiosis *Cytol.*
chimiosis *Bot.*
eumeiosis *Bot.*
m(e)iosis *Path. Rhet.*
m(a)iosis *Cytol.*
miosis *Ophth.*
pseudomeiosis *Bot.*
rhinomiosis *Med.*
μειωτικός diminishing
brachymeiotic *Cytol.*
m(a)iotic *Cytol.*
m(e)iotic *Biol. Path. Rhet.* (Longinus)
postmeiotic *Cytol.*
prem(e)iotic *Embryol.*
Μελαγχθων Fr. Schwarzerd
Melanchthonian
μελαγχολία (Hipp.)
hypomelancholia
melancholia -iac -ian
melancholy
-ily -iness -ious(ness -(y)ish -ist -ize
μελαγχολικός (Hipp.)
antimelancholic
melancholic
al(ly ly o
μελάγχολος (Sophocles)
melancholous
μελάγχροος swarthy
melanchrus *Path.*
μέλαινα black bile
corimelaena *Ent.*
-id(ae -inae -oid
mel(a)ena -ic *Path.*
Melaenormis *Ornith.*
Melaenus *Ent.*
melain
melainotype *Photog.*
μελαμ- = μελαν-
Melampsora -aceae
μελάμβιος of dark life
Melambiophylax *Ent.*
Melambius *Ent.*
μελαμπόδιον (Theophr.)
melampod(e *Plants*
Melampodium -ieae *Bot.*
Μελάμπους (Odyssey)
Melampus *Conch.*
μελάμπυρον (Theophr.)
melampyrin(e *Org. Chem.*
melampyrite
Melampyrum *Bot.*
μελαν- Stem of μέλας
chloromelanite *Min.*
hippomelanin *Chem.*
hymatomelanic *Org.*
leucomelanic -ous
melan-
actes *Ent.*
(a)emia -ic *Path.*
agogue -al *Med.*
asphalt *Min.*
ate *Chem.*
auster *Ent.*
chlor(e *Min.*
choleric
chyme *Min.*
conium *Fungi*
-ia -iaceae -iaceous -iales
-idaceae -ieae
derella *Pal.*
edema *Path.*
ella *Pal.*
ellite *Min.*
ephidrosis *Path.*

melan- Cont'd
drya *Ent.*
-id(ae -oid
erpes -inae *Ornith.*
esthes *Ent.*
geophilus *Bot.*
geophyta -ia *Bot.*
ian *Anthrop. Zool.*
ic *Ethnol. Med. Org. Chem.*
idrosis *Path.*
iferous *Pigments*
ilin(e *Chem.*
in *Chem. Phys.*
ism *Ethnol. Physiol. Zool.*
istic
ite -ic *Conch. Min.*
ize *Physiol.*
onychia *Med.*
oplus *Zool.*
opsis *Conch.*
-id(ae -inae -oid
ose *Bot.* osity *Anthrop.*
ous *Anthrop.*
urenic *Org. Chem.*
uresis *Path.*
uria -ic *Path.*
uric -in *Org. Chem.*
-melan *Min.*
arseno hyalo psilo
-melane *Min.*
lepido psilo pyro sidero stilpno
ornithomelanism
philomelanist
phytomelan(e *Chem.*
pseudomelanin(e
psilomelan -ic -ite *Min.*
pyromelaneine *Min.*
sarcomelane -in *Biochem.*
titanmelanite *Min.*
uromelanin *Chem.*
zoomelanin *Biochem.*
μελανείμων black-clad
Melanimon *Ent.*
μελάνθινος (Diosc.)
melanthin *Org. Chem.*
μελάνθιον (Hipp.)
melanth(ium *Bot.*
-iaceae -iaceous
melanthy
Μελανθώ (Odyssey)
Melantho *Ent.*
μελανία blackness
Melania *Ent.*
Melania *Conch.*
-iacea(n -iid(ae -iiform -iinae -iine -ioid
Pseudomelania *Conch.*
-iid(ae -oid
Μελανίππη Dau. of Aeolus
Melanippe *Ent. Myth.*
μελανο- Comb. of μέλας
hydromelanothallite
idromelanotallite *Min.*
melano *Zool.*
melano-
blast *Cytol.*
blastoma *Tumors*
cancroid *Path.*
carcinoma *Path.*
cerite *Min.*
cetus -inae -ine *Ich.*
chalcite *Min.*
chalcographer
chin *Chem.*
chomous *Med.*
coleus *Ent.*
corypha
cratic *Petrog.*
cyte *Path.*
dendron *Bot.*
derma -ia -ic *Path.*
gallic Chem.

melano- Cont'd
gen *Biochem.*
genesis *Biochem.*
glossia *Path.*
grammus *Ich.*
lophus *Ornith.*
mystax *Herp.*
-Papuan *Ethnol.*
pathy -ic *Path.*
phila *Ent.*
phlogite *Min.*
phore *Cytol.*
phyceae *Algae*
plakia *Path.*
protein *Biochem.*
quinine *Org. Chem.*
rrhagia *Path.*
rrh(o)ea *Bot. Path.*
sarcoma -atosis *Tumors*
scirrhus *Tumors*
scope
siderite *Min.*
sperm(ous -eae *Bot.*
stibian *Min.*
stigma *Ich.*
tannic *Chem.*
tekite *Min.*
thallite *Min.*
trichous *Anthrop.*
type *Photog.*
vanadite *Min.*
xylon *Bot.*
μελανοειδής (Arist.)
melanoid *Path.*
melanoidic -in *Chem.*
μελανοκόμης black-haired
melanocomous
μελανοί Pl. of μελανός black
Melanoi *Anthrop.*
Xanthomelanoi -ous
μελανόπτερος
Melanopterus *Ent.*
μελάνουρος
μέλᾱς + οὐρά tail
μελανόφυλλος
melanophyl(l(us *Bot.*
μελανόχλωρος
melanochlorous
μελανόχροος swarthy
melanochroi -oic -oid -oous *Anthrop.*
melanochroite *Min.*
melanochr(o)ous *Med.*
μελαντηρία copperas
cobaltmelanterite
melant(h)erite *Min.*
μελαντήριος
Melanterius *Ent.*
μελάνωμα blackness
melanoma *Path.*
ophthalmomelanoma
μελάνωσις blackening
melanose(d *Path.*
melanosis *Path.*
-melanosis *Path.*
cardio hepato lentigo myo pneum(on)o pseudo
melanotic *Path.*
μέλας black
calomel
-mela *Ent.*
steno stetho syru Timarcho
melanconite & -ise *Min.*
Melaleuca *Bot.*
Melameridae *Ent.*
Melanesia -ian *Geog.*
Melanetta *Ornith.*
Melanotus -i -ic *Ent.*
melaphyre *Petrol.*
Melarachnica *Ent.*
Melasis *Ent.*

melastome *Bot.*
-a -aceae -aceous -ad -eae
melenemesis *Path.*
Melogramma(taceae
melotype ?*Photog.*
Ophiomelina *Echin.*
paramelaconite *Min.*
μέλασμα a black spot
melasma -ic *Ent. Path. Zool.*
melasmatic *Bot.*
Melasmia *Fungi*
Melasmothrix *Mam.*
μέλδειν to melt
meldometer
μελεαγρίς guinea fowl
Meleagrina *Conch.*
Meleagris *Ornith.*
-(id)id(ae -(id)inae -(id)in(e -(id)oid
μέλεος idle; miserable
Melens *Ent.*
μελετητικός (Clem. Alex)
meletetics
μέλι honey
butyromel *Med.*
melam(in(e *Org. Chem.*
melantin *Org. Chem.*
?mel (Latin) and its derivatives, as molasses
mele(*or* i)bionic biose
meletriose *Org. Chem.*
Melianthus *Bot.*
-aceae -aceous
melibiase *Biochem.*
Melica -eae *Bot.*
melichr(o)ous
Melicoccus -a -eae *Bot.*
Meligethes *Ent.*
meligeion *Path.*
meligrin *Mat. Med.*
melilite lithus *Min.*
melilithic *Chem.*
Meliphaga *Ornith.*
-an -id(ae -idan -inae -in(e -oid -ous
meliphanite *Min.*
Melipona *Ent.*
Melixanthus *Ent.*
meliza *Cookery*
Melizophilus *Ornith.*
natronmelilith *Min.*
phytomelin
picromel *Chem.*
pyromellitein -ic *Org.*
μελία ash tree
Melia *Bot.*
-i(ac)eae -iaceous -ial
Meliaceae carpum *Pal.*
Μελίβοιος Melibaeus
Melib(o)ean *Rhet.*
μελιγηθής honey sweet
Meligethes *Ent.*
μελίζειν to sing
Melisodera *Ent.*
Μελικέρτης Melicertes
Melicerta *Zool.*
-an -idae
μελικηρίς (Hipp.)
meliceris *Path.*
-a -ia -ic(at *or* ic)ous -oma
μελικός lyric (Plutarch)
melic *Poet.*
μελίκρατον honeyed water
melicrate
-ed -on -ory -um

μελίλωτος
melan *Mat. Med.*
melilot(us *Bot.*
melilotic *Org. Chem.*
-ate -ol -oside
μελίμηλον some fruit resembling the apple (Diosc.)
marmalade -y
μέλινος millet
Melina *Ent.*
Melinophlebia *Pal.*
μέλισμα song, air
melisma -atic(s *Music*
μέλισσα a bee; honey
melene *Chem.*
Melissa -eae *Bot.*
melissic *Org. Chem.*
-ane -in -one -yl(ic -ylene
μελισσαῖος of bees
melissaean
μελισσο- Comb. of μέλισσα
melissophobia *Ps. Path.*
μελιτ- stem of μέλι
Melitaea -aeidae
melit(a)emia *Path.*
melitagra -ia -ous *Path.*
melitose *Org. Chem.*
melituria -ic *Path.*
Mesomelitae *Bot.*
Μελίτη Malta
melitococcosis *Path.*
melitococcus *Bact.*
melitoptyalon -ism *Med.*
paramelitensis *Path.*
μελιτο- = μελιττο-
Melitophili -ine *Ent.*
μέλιττα = μέλισσα
Epimelitta *Ent.*
Melitta -eae -is *Bot.*
Melittoides *Ent.*
μελιτισμός (Paul. Aeg.)
melitism *Med.*
μελιττο- Comb. of μέλιττα
Melittophilae -ous *Bot.*
Micromellitophilae *Bot.*
μελιτώδης like honey
Melitodes -idae *Coel.*
μελίφυλλον baulm
melliphill
μελίχροος
melichr(o)ous
μέλλειν to intend
Rhipidomellidae & -inae
μελλητής a loiterer
Melletes *Ich.*
μελο- Comb. of μέλος limb
ameloblast(ic *Enbryol.*
melo-
crinidae *Pal.*
plast
μελο- Comb. of μέλος song
cinemelodrama
melo-
dram(a -e -ic
dramatic(al(ly
dramatism -ist -ize
graph(ic *Music*
logue
mane -ia -iac -ic -y
melus *Terat.*
pelia *Ornith.*
phare *Arts*
phone -ic -ist *Music*
piano
psittacus *Ornith.*
spiza *Ornith.*
tragedy

melo- Cont'd
tragic
trope *Arts*
μελοποιία (Plato)
melop(o)eia *Music*
μέλος a limb
acromelalgia *Path.*
Chiromeles *Mam.*
ectromelian -ic *Terat.*
erythr(em)omelalgia
Eurymela -inae *Ent.*
macromelism -ous *Terat.*
melagra *Med.*
mel(os)algia *Med.*
-melia *Terat.*
a aniso caco dolicho-
steno ectro erythro
hemi(ectro) macro
megalo micro nano
phoco schisto sireno
sym
-melus *Terat.*
a cephalo ectro gastro
hemi macro melo mi-
cro nano noto phoco
pleuro pygo schisto
sireno sym thoraco uro
micromelia -ic *Anthrop.*
nanomelous *Terat.*
orthomelic *Ther.*
phocomele -ous -y *Terat.*
Phoxomela *Ent.*
pygomeles -ian *Terat.*
rhizomelic *Anat.*
Rhopolomelus *Ent.*
symmelian *Terat.*
tarsomela *Anat.*
tetrameles *Bot.*
μέλος a song or tune
dulcimer
Eremomela -inae *Ornith.*
Melierax *Ornith.*
melos *Music.*
Myzomela *Ornith.*
-inae -in(e
Μελπομένη Tragic Muse
Melpomene
Melpomenish
Μελχῖται royalists
Melchite *Eccl. Hist.*
μελῳδία (Plato)
melode(*or* i)on -ium
melodology *Music*
melody *or* -ia
-ial(ly -ious(ly -ious-
ness -ist -ium -less
panmelodion
unmelodized
Zamelodia *Ornith.*
μελῳδικόν Neut of μελ-
ῳδικός
aeolomelodicon
melodicon *Music*
panmelodicon
μελῳδικός (Arist.)
melodic(al(ly
melodics -ica
μελῳδοῦσια singing (fem.
pl.)
Melodusae -ine *Ornith.*
μεμαίκυλον (Theophr.) .
Memecylon -eae *Bot.*
μεμβράδιον an anchovy
Bembradion *Ich.*
μέμβραξ (-ακος) a cicada
Membracis *Ent.*
-id(ae -ine -oid
Μεμνόνειος of Μέμνων
Memnonian
Μεμνωνεῖον (Strabo)
Memnonium *Egypt. Ant.*
Μεμφίτης of Memphis
Memphite *Geog.*

Μεμφιτικός
Memphitic(al
μενεαίνειν to rage
Meninatherium *Pal.*
Μενανδριανοί (Epiph.)
Menandrian(ist *Eccl.*
Μενελάιον (Polybius)
Menelaion -aium *Gr. Ant.*
μένειν to remain
epimenus *Bot.*
μενέμαχος staunch in
fight
Menemachus *Ent.*
μένος might; spirit
Menoceras *Mam.*
Ommatomenus *Ent.*
Μέντωρ (Iliad)
mentor
ial ism ship
μένω remain
meno-
branch(us -id(ae -oid
cerca -al *Mam.*
gnatha -ous *Ent.*
monia *Pal.*
pome -a -(at)idae
pteryx *Ent.*
rhynca-ous *Ent.*
typhla -ic *Mam.*
-μερης as in πολυμερης.
See μέρος
anom(o)eomery *Phil.*
-merous *Suffix*
μεριδάρχης (Sept.)
meridarch *Gr. Gov.*
μερίζειν to divide
amerisia *Ps. Path.*
Merizodus *Ent.*
Merizomyria *Fungi*
μεριμνητής one anxious
Merimnetes *Ent.*
μερίς a part, share
Actinomeris *Bot.*
Glycymeris *Conch.*
-id(ae -oid
heptameride *Zool.*
meri- *Bot.*
carp cyclic disk phyll
phyte plast spore
sporocyst stele thal(lus
meri- *Crystol.*
hedrism -al -ic
meri- *Org. Chem.*
quinoid
quinone -ic -oid
merid *Bot.*
meris *Cytol.*
Phanomeris *Ent.*
Piptomeris *Bot.*
Rhoptromeris *Ent.*
μέρισμα a share
merism *Bot.*
atic oid
Merisma *Ent. Fungi*
Merisme *Pal.*
μερισμός division
merismo-
derus *Ent.*
pedia *Bact. Bot.*
μεριστής
Chaetomeristes *Ent.*
merist *Pol.*
μεριστικός (Hesych.)
meristic(ally *Biol.*
-meristic *Bot. Cytol.*
allo hetero homo ist
pan
μεριστός divisible
ameristic *Biol.*
antimeristem *Mat. Med.*
end(omer)istem *Bot.*
ex(omer)istem *Bot.*
Merista *Bact.*

meristem(atic(ally *Bot.*
meristic
meristiform *Bact.*
meristo-
crinus *Pal.*
genetic *Bot.*
spira *Pal.*
mes(omer)istem *Bot.*
peri(meri)stem *Bot.*
promeristem *Bot.*
properimeristem *Bot.*
protomeristem(atic
μέρμερος baneful
Metamermerus *Arach.*
μέρμις (-ιθος) cord, rope
Mermis *Helm.*
-ian -(it)idae -ithid(ae
ithoid
μέρος a part -μερής
acromerostich *Lit.*
actinomere -ic *Zool.*
Adimerus -idae *Ent.*
allomerous *Chem.*
Amerosporae *Biol.*
anakinetomere -ic *Chem.*
anisomerous *Biol.*
antimere *Biol.*
-ic -on -ous
antimeria *Gram.*
antimeric *Geom.*
arthromere -ic *Zool.*
baenomere *Arthrop.*
Bimeria *Hydrozoa*
bimetameric *Morph.*
blastomer(ic *Embryol.*
blastomerotomy
branchiomeric *Embryol.*
carbocinchomeronic *Org.*
chromomeric *Cytol.*
cinchomeronic *Chem.*
coisomeric *Biochem.*
coxoepimeral *Crust.*
cryptomerene *Org. Chem.*
Cryptomeria *Bot.*
cryptomeriol *Org. Chem.*
cryptomerism *Bot.*
cryptomerorachischisis
cryptomerous *Petrog.*
Cryptoparamera *Zooph.*
decameral
dermatomere *Embryol.*
deutomerite *Prot.*
diarthromere -ic *Anat.*
diastereomer(ic *Org.*
dimer(ic -id(e -ization
dodecameral *Zool.*
dysmeristic *Biol.*
dysmero- *Biol.*
genesis genetic morph-
(ic
ectomeric *Embryol.*
electromer(ic *Chem.*
Embolomeri -ism -ous
enantiomeride *Org. Chem.*
encephalomere -ic *Anat.*
entomeric *Embryol.*
epimer(ic *Org. Chem.*
epimerite -ic *Prot.*
eumerism -istic *Bot.*
eumero- *Biol.*
genesis genetic morph-
(ic
gonomery *Cytol.*
Gymnomera -ous *Crust.*
hecatomeral -ic *Neurol.*
Hemimerus -id(ae -oid
Hemiolimerus *Ent.*
heptameral -ous *Zool.*
heteromeral *or* -ic *Neurol.*
Heteromerae -als -ic(us
heteromericarpy *Bot.*
hexamere -ism *Spong.*
homomeral
homomeroquinene *Chem.*
homomericus *Bot.*

hypomere -al *Spong.*
idiomere
interepimeral *Zool.*
intermetameric *Biol.*
interprotometameric
isocinchomeronic *Chem.*
karyomer -ite *Cytol.*
kryptomerite *Med.*
leptomere *Biol.*
leptomeria *Bot.*
lipomeria *Terat.*
lyomer(i -ous *Ich.*
macromeral -ic *Embryol.*
macromerite -ic *Petrog.*
mer-
amaurosis *Path.*
atrophy *Path.*
enchyma -atous *Bot.*
ism *Bot.*
ont *Prot.*
opia *Ophth.*
organize -ation
-mer *Bot.*
caulo meta phyto
mere *Cytol.*
-mere *Bot.*
aphani etho myrio
pleio pleisto
-mere *Cytol. Embryol.*
branchio centro ceph-
alo chondrio chrom-
(at)o crypto cyto ecto
entero ento epi gono
hodoneuro karyo
(kata)kineto macro
mega mes(ent)o micro
myelo nephro neuro-
(myo) plasto sclero
spermato zygoto
-merism *Biol.*
a anti branchio dys
epi micro neuro pan
-merism *Chem.*
allo chromopseudo
electro meta moto
pseudo tauto
-meristele -ic *Bot.*
dictyo eu gamo haplo
mono tri
mero-
acrania *Med.*
blast(ic(ally *Embryol.*
chrome *Chem.*
conidium *Bot.*
cracy *Pol.*
crine *Physiol.*
crinidae *Pal.*
crystalline *Petrog.*
cyte *Embryol.*
diastolic *Physiol.*
dypnopinac- *Chem.*
olene oline one
gamy -ic *Bot. Cytol.*
gastrula *Embryol.*
genesis genetic genic
gnostic(ism
gony -ically *Bot.*
gony -ic *Embryol.*
hedrism -al -ic *Crystal.*
istic *Embryol.*
lignin *Org. Chem.*
logy *Anat.*
microsomia *Med.*
morph(ic *Math.*
morphosis
myaria(n -ii *Helm.*
myerial *Helm.*
paresthesia *Psych.*
paronymy *Med.*
plankton(ic *Biol.*
quinene *Org. Chem.*
rachischisis *Anat.*
rrheuma *Path.*
sinigrin *Org. Chem.*
some -al -ata -atous
spondyle -i -ous *Ich.*

mero- Cont'd
stome *Crust.*
-a -ata -(at)ous
symmetry -ical *Crystal.*
systematic
systolic *Physiol.*
tomy *Histol.*
trope -ism -ize -y *Chem.*
xene *Min.*
zoa zoic *Helm.*
zoite *Prot.*
-merous *Bot.*
deca di dodeca homo
myrio oligo pleio schizo
-merozoite *Prot.*
macro mega micro
-mery *Bot.*
di gamo hetero homo
oligo pleio
metamer- *Bot.*
ide ization ize
metamer *Chem.*
al ic (al(ly ide ous y
metamere *Zool.*
-al -ic(al(ly -ism -iza-
tion -ize -on -ous -y
metepimeron -al *Ent.*
micromeral -i -ic *Cytol.*
Micromeria *Bot.*
micromeritic *Petrol.*
micromer(it)ol *Chem.*
micromerology *Anat.*
Miomera *Pal.*
myomere -ic *Histol.*
myriamerous
nephromeric *Anat.*
neuromere -ous *Biol.*
octomeral(ia(n -ous
osteomere *Anat.*
panmeristic *Cytol.*
Paramera *Anthozoa.*
paramere -ic *Biol.*
Peronomerus *Ent.*
phaneromeric -ous
photodimer *Photochem.*
picromerite *Min.*
plastomere *Cytol.*
plethomeria *Terat.*
Pliomerinae *Pal.*
Pliomerops *Pal.*
podomere *Crust. Ent.*
poecilomere *Biol.*
polioneuromere *Anat.*
polymetameric *Anat.*
primerite *Prot.*
protomerit(e -ic *Prot.*
pseudomer(ic -y *Chem.*
pseudometameric -ism
Pseudotetramera -ous
pseudotrimera(l -ous
pyromeride *Petrog.*
quercimeric *Chem.*
quercimeritrin *Chem.*
reisomerize *Chem.*
rhabdomere *Zool.*
sarcomere *Anat.*
spermatomerite *Emb.*
sphaeromere *Zool.*
Sphenomerus *Ent.*
spheromere *Zool.*
spongomere -al *Spong.*
stereomer(ic *Chem.*
tautomer *Chem.*
al ic ize y
tautomeral -ic *Neurol.*
trihemimer(al -is *Pros.*
triprosthomerous
uromere -ic *Anthrop.*
μέροψ (Arist.)
Eomerope *Pal.*
merop(ic
meropie *Her.*
Merops *Ornith.*
-opid(ae -opidan -opin-
ae -opin(e -opoid
Micromerops *Ornith.*

Promerops *Ornith.*
-ope(s -opidae -opinae
μεσάγροικος half savage
Mesagroicus *Ent.*
μεσαραικος
mesaraic(al *Anat.*
omphalomesaraic
μεσάραιον = μεσεντέριον
mesaraeum *Anat.*
Mesaraeus *Ent.*
μέσατος midmost
mesati- *Anthrop.*
cephal
ic ism ous us y
cercic
lekanic
pellic
peloic
rhinus *Pal.*
-mesaticephalic
hyper platy sub
μεσεντέριον (Arist.)
intermesenterial
intramesenterial
macromesentery
-mesenteric *Anat.*
entero inter omphalo
post
mesenteritis -ic *Path.*
mesenterium -y *Anat.*
-ic(al(ly -ica -iform
-iotum -on(ic
mesentero- *Embryol.*
blast
phthisis *Path.*
micromesentery *Zool.*
μέση the key note
mese *Music*
μεσημβρία noon
mesembr- *Org. Chem.*
ene ine ol
mesembry- *Bot.*
aceae
anthemum -eae
μεσίτης arbitrator
homomesit- *Org. Chem.*
one yl
mesidic -in(e *Org. Chem.*
Mesidium *Orchids*
mesite(s *Ornith.*
-id(ae -oid
mesite *Chem.*
-ene -ol -onic
mesitine & -ite *Min.*
Mesitius *Ent.*
mesityl *Org. Chem.*
enate ene enic (en)uric
Micromesites *Ent.*
oxymesitylene *Chem.*
sulfomesitylenic *Chem.*
trimesitic *Org. Chem.*
μεσο- Comb. of μέσος
amphimesodichotriaene
diamesogamy -ous *Bot.*
dudodenomesocolic
heteromesogamy *Bot.*
hypermesosoma *Med.*
hypomesosoma *Med.*
iridectomesodialysis
iridome(so)dialysis
-mesoblast *Emb.*
coelo ecto ento pedo
-mesoderm *Emb.*
endo pseudo
meso-
appendix *Anat.* -icitis
bacteria *Bact.*
bar(ic *Meteor.*
benthos -ic *Biol.*
bilirubin(ogen *Chem.*
biliviolin(ogen *Chem.*
blast *Bot.*

meso- Cont'd
blast(ic -ed *Embryol.*
blastema -ic *Biol.*
blastesis *Bot.*
branchial *Zool.*
bregmate *Graniom.*
bronchitis *Path.*
bronchium *Ornith.*
e(a)ecum -al *Anat.*
calcaneal *Anat.*
Cambrian *Geol.*
camphoric *Chem.*
campyli *Conch.*
cardia *Med.* -ium
carp(us -(ac)eae -aceous *Bot.*
carpal *Anat.*
cauleorhiza *Bot.*
centrous *Zool.*
cephal *Craniom.*
i(a ic ism on ous us y
cestoides -idae *Helm.*
cetus *Pal.*
cheilus *Pal.*
chil(ium *Bot.*
chite *Bot.*
chondrium *Anat.*
choroidea *Anat.*
chthono- *Bot.*
philus phyta phytia
chroi -oic *Ethnol.*
chrone
cladous *Bot.*
cline *Bot.*
coccus *Bact.*
c(o)ele coelia(n *Anat.*
coelom *Embryol.*
coelopus *Ent.*
conch(y -ic -ous
coracoid *Ich.*
cord *Obstet.*
cornea *Anat.*
cortex *Bot.*
corydaline *Org. Chem.*
cotyl *Bot.*
cracy *Pol.*
cratic *Petrol. Pol.*
cribrum *Embryol.*
ctenia *Ent.*
cun(e)iform *Anat.*
cycle *Bot.*
cyclic *Geol.*
cyst *Anat.*
cystidae *Pal.*
cyte *Cytol.*
cytoma *Tumors*
derm(al(ia(n -ic *Zool.*
dermis *Mosses*
desm *Bot.*
desma *Conch.*
-atidae -id(ae -oid
Devonian -ic *Geol.*
diastolic *Physiol.*
dilyte *Min.*
disilicic -ate *Chem.*
dorsal *Anat. Zool.*
duodenum -al *Anat.*
epididymis *Anat.*
gamy *Bot.*
gaster *Anat. Embryol.*
gastrium -al -ic -y
gastric *Crust.*
genous *Fungi*
gloea(l *Bot.*
gloea *Spong.*
-oeaceae -oeaceous
glut(a)eus -eal *Anat.*
gnathism *Craniom.*
-ia -ic -ion -ous -y
gonidium *Bot.*
gonimicus *Bot.*
gonimus *Helm.*
gonion -ium *Zool.*
gonistius *Ich.*
gothic
graph

meso- Cont'd
gyrous -ate *Conch.*
halide *Org. Chem.*
hem(at)in *Biochem.*
hemipteron *Pal.*
hepar hepatic *Anat.*
hexasilicic *Inorg. Chem.*
hippus *Mam.*
hydrism -y *Org. Chem.*
hydrophytic *Phytogeog.*
hygromorphic *Bot.*
hyloma *Histol.*
hypoblast *Embryol.*
hypocephalic *Craniom.*
hypsicephalic *Craniom.*
ileum jejunum *Anat.*
lecithal *Embryol.*
lepidoma *Tumors*
lita *Ent.*
lite le l(it)ine *Min.*
lithic *Geol.*
lobe -us -ar *Anat.*
logarithm *Math.*
logy -ic(al -ist
lymphocyte *Cytol.*
megacranous *Craniom.*
megaprosopous
melitae *Bot.*
mental *Anat.*
mere *Embryol.*
meristem *Bot.*
metatarse -us *Anat.*
metatropic *Bot.*
metritis *Path.*
metrium -al -ic -y *Anat.*
mitosis *Bot.*
morphic -ous *Chem.*
morphous *Bot.*
mycetes -ous *Fungi*
myodi *Ornith.*
-ian -ic -ous
nasal *Anat.*
naut
nea *Pal.*
nemertine -i *Zool.*
nephridium *Zool.*
nephros -on -(it)ic
neuritis *Path.*
notum -al *Ent.*
omentum *Anat.*
ontomorph *Anthrop.*
palaeaster *Pal.*
panorpa *Pal.*
paraffin *Chem.*
parapteron -um -al
patagium *Mam.*
pectus *Anat. Ent.*
pellic *Anthrop.*
petalum *Orchids*
pexy *Surg.*
phaea *Ent.*
phanerophyte *Bot.*
pharynx *Anat.*
phile -ic -ous *Phytogeog.*
phlebitis *Path.*
phlocum *Bot.*
phonus *Pal.*
phorbium *Bot.*
phragm(a(l *Ent.*
phyl(l(um -ic -ous *Bot.*
phyte *Bot.*
-ia -ic -ism -ium -um
pimpla *Pal.*
plankton(ic *Zool.*
plasm *Prot.*
plast(ic *Cytol.*
plastron -al *Herp.*
plax *Conch.*
pleura -al -on *Ent.*
pneumon *Anat.*
pod(ium -ial *Conch.*
pod(ium *Bot.*
podiale *Anat.*
poium *Bot.*
pore *Cytol. Helm.*
porphyrin(ogen *Chem.*

meso- Cont'd
postscutellum -ar *Ent.*
pr(a)escutum -al *Ent.*
prosop(on *Pal.*
prosopic *Craniom.*
proteoid *Bot.*
psyche *Anat. Pal.*
psychic *Psych.*
pteridetum *Bot.*
pterygium -ial *Ich.*
pterygoid *Zool.*
ptile *Ornith.*
ptychial *Herp.*
pycni *Music*
rachischisis *Path.*
rectum -al *Embryol.*
retina *Anat.*
(r)rhin(e *Anthrop.*
-al ean ia(n ine y
rhin(i)um *Ornith.*
rhinus *Pal.*
rostral *Zool.*
salpinx *Anat.*
saprobia *Bot.*
saprophyte *Bot.*
sauri(a -ius -id(ae -oid
scapula(r *Anat.*
scelocele *Path.*
sclerometer *Mech.*
scut(ell)um -ar *Ent.*
scytina *Ent.*
seismal -ic *Seismol.*
seme
semia *Ent.*
siderite *Min.*
sigmoid *Anat.*
sigmoiditis *Path.*
sigmoidopexy *Surg.*
silicic *Inorg. Chem.*
somatous *Med.*
some -a -atic *Conch.*
sperm *Bot.*
sphaerum *Bot.*
sphenoid
spore -ic -inium *Bot.*
staphylin(e -ia
stasis -ic
state *Biol.*
sternebra(l -eber *Anat.*
sternum -al -ite *Anat.*
sternum *Ent.*
stethium *Ent.*
sthenic
stome -a -um *Helm.*
-(at)idae -id(a -oid
style -ic -ous *Bot.*
suchia(n -ious *Herp.*
suchus *Pal.*
syphilis *Path.*
systolic *Path.*
tan *Chem.*
tarsus -al *Anat.*
tartaric *Chem.*
tendon *Med.*
tenon *Anat.*
tetrasilicic *Inorg.*
thamnium *Bot.*
theca *Zooph.*
thecium *Bot.*
thelioma *Tumors*
thelium -ial
thenar *Anat.*
theque *Zool.*
therium -iidae *Pal.*
therm(al -ic *Bot.*
thermo- *Bot.*
philus phyta phytia
thesis
thet(ic(al
thoracotheca *Ent.*
thorax -acic *Ent.*
thorium *Chem.*
tonic *Music*
triaene *Spong.*
triarch *Bot.*
trisilicic -ate *Chem.*

meso- Cont'd
troch(a(l -ous *Helm.*
trophic *Bot.*
tropy -ic *Phytogeog.*
turbinal -ate *Anat.*
tympanic *Anat. Ich.*
type *Min.*
uranic *Med.*
uterine *Anat.*
ventral(ly *Biol.*
ventriculum *Anat.*
xerophytic *Bot.*
xylic *Bot.*
xylopsis *Pal.*
yohimbine *Org. Chem.*
zoa -al -on *Zool.*
zoic *Geol.*
oligomesomyodous
Paramesoceras *Arach.*
platymesocephalic
post-Mesozoic
pseudomesolite *Min.*
semimesophytic *Bot.*
theromesotherm *Meteor.*
μεσόδμη a partition
mesodmitis *Path.*
μεσοκρινής
Mesocrina *Ent.*
μεσόκωλον (Hipp.)
mesocolon -ic *Anat.*
mesocolopexy *Surg.*
mesocoloplication
μεσόλαβον (Vitruv.)
mesolabe *Math.*
μέσον Neut. of μεσος
dorsimeson -ad -al *Anat.*
meson -ad *Anat.*
pistomesite *Min.*
Μεσοποταμία
Mesopotamia(n -ic *Geog.*
μέσος middle
amesial *Biol.*
Colomesus *Ich.*
denteromesal *Ent.*
Eomesodon *Pal.*
Hypomesus *Ich.*
Larinomesius *Ent.*
mesaconic -ate -ite *Chem.*
mesad *Bot.*
Mesadenia *Bot.*
Mesagnostus *Pal.*
mesal(ly
mesallantoid *Zool.*
mesam(o)eboid *Cytol.*
mesaortitis *Path.*
mesarch *Bot.*
Mesarsenia(n *Conch.*
mesarteritis -ic *Path.*
Mesatlantis -ic *Oceanog.*
mesaxonic *Biol.*
mesectic *Med.*
mesectoblast *Cytol.*
mesembryo -onic *Prot.*
mesencephal(on -ic *Anat.*
mesencephalospinal
mesenchym(e *Biol.*
a (at)al atous ic
mesendobiotic *Bot.*
Mesendozoa *Zool.*
mesentoderm *Embryol.*
mesentomere *Embryol.*
Meseosere *Pal. Bot.*
meseostrate *Bot.*
mesepimeron -al *Ent.*
mesepisternum -al *Ent.*
mesepithelium -ial *Emb.*
mesethmoid(al *Anat.*
mesiad *Zool.*
mesial(ly mesian
mesicerin *Chem.*
Mesichthyes *Pal.*
mesio- *Dent.*
buccal distal lingual
version
mesiocaudad *Zool.*

mesiocclusion *Dent.*
mesion *Anat.*
mesirenia *Geog.*
mesistem *Bot.*
mesium *Biol.*
mesoarium -ial *Zool.*
mesodes *Bot.*
Mesodon *Ich.*
mesodont(a *Mam.*
mesoid *Geol.*
Mesomphalia *Ent.*
-us *Pal.*
mesomula *Embryol.*
Mesonyx *Mam.*
-ychid(ae -ychoid
mesopic *Craniom.*
Mesoplodon(t *Zool.*
mesorchis -ial -ium *Emb.*
mesorcine -ol *Chem.*
Mesoreodon(tidae *Pal.*
mesoropter *Ophth.*
mesovarium -ian *Anat.*
mesoxalic -ate *Chem.*
mesoxalyl(urea *Chem.*
mesuranema *Astrol.*
mesuranic *Craniom.*
Mesus *Ent.*
paramesial *Anat.*
protomesal *Ent.*
pseudomesial *Anat.*
Rhabdomesodontidae
silicomesoxalic
Trichomesia *Ent.*
trimesic *Chem.*
tritomesal *Ent.*
ventrimesal-ial -on *Anat.*

μεσότης a mean, medium
Mesotopus *Ent.*

μεσόφρυον (Oppianus)
mesophryon *Anat.*

μεσόχορος (Pliny)
mesochoros *Music*

μέσπιλον (Diosc.)
medlar *Bot.*
Mespilocrinidae *Pal.*

Μεσσαλιανοί (Epiph.)
Messalian *Eccl. Hist.*

Μεσσίας (N. T.)
Messiacal
Messiah(ship
Messianic(ally
Missianism -ize
Messias

μεστωμα fulness
hadromestome *Bot.*
hydrome *Bot.*
lepto(mesto) me -atic
leptom(e -atic -in *Bot.*
leptomestome *Bot.*
leptomiasis *Bot.*
leptomin *Org. Chem.*
mestom(e *Bot.*
perihadromatic *Bot.*
perileptomatic *Bot.*
protocaulome *Bot.*
protohadrome *Bot.*
protoleptome *Bot.*

μεσύμνιον (Hephaestus)
mesymnion *Pros.*

μεσῳδικός (Heph.)
mesodic *Pros.*

μεσῳδός (Heph.)
mesode *Pros.*

μεσων Gen. pl. of μεση
meson *Music*

μετ- Comb. of μετα
-abelion *Math.*
acanthus *Ent.*
-id(ae -oid
acetic *Chem.*
amid -yicl(
acetin *Nat. Med.*
acetone -ate -ic *Chem.*

μετ- Cont'd
acrolein *Chem.*
acromion -ial *Mam.*
agglutinin *Biochem.*
ammida *Pal.*
amylene *Chem.*
amynodon *Pal.*
anaphytosis *Bot.*
andry *Bot.*
anethole *Org. Chem.*
anhydrite *Min.*
anil(ic -ine *Chem.*
anthesis *Bot.*
antibody *Biochem.*
antimonic *Chem.*
-(i)ate -(i)ous -ite
apophyse -is -ial *Anat.*
arabic -ate -in *Chem.*
argon *Chem.*
arsenic-ate-ious *Chem.*
auric -ate *Chem.*
ellagic *Org. Chem.*
embryo -onic *Emb.*
empiric(al(ly -ics -i-cism -icist
emptosis *Chron.*
encephal(on -ic *Anat.*
encephalospinal
ensarcosis *Surg.*
enteron(ic *Anat.*
epencephalon -ic *Anat.*
epicoele -a *Anat.*
epimeron -al *Ent.*
episternum -al *Ent.*
ergasis *Med.*
esthetic -ism *Phil.*
ethereal *Psych.*
etherial *Phil.*
ichthyocrinus *Pal.*
inulin *Org. Chem.*
istoid *Cytol.*
odontiasis *Dent.*
oestrum -ous *Physiol.*
olbodotes *Pal.*
oleic *Chem.*
onomatosis
tonym *Rhet.*
oreodon *Pal.*
osteon -eal *Ornith.*
ousiast
ovum *Embryol.*
oxazin(e *Chem.*

μετά among, between; next
ametaneutrophil(e *Chem.*
anametadromous *Bot.*
Archaeometa *Pal.*
basometachromophil
bimetameric *Morph.*
catametadromous *Ferns*
cyanmethemoglobin
dimetaphosphate *Chem.*
entometatarse *Ornith.*
galactometasaccharic -in
histometaplastic *Med.*
intermetameric *Biol.*
intermetatarsal *Anat.*
interprotometameric
Mecometacnema *Ent.*
mesometatarse -us *Anat.*
meta- μετα-
andesite *Petrog.*
arthritic *Path.*
autunite *Min.*
basalt *Petrog.*
biont *Bot.*
biosis biotic(ally *Biol.*
biotite *Min.*
bismuthic *Chem.*
bisulphite *Chem.*
blast *Bot.*
bolaea *Ent.*
boracite *Min.*
boric -ate *Chem.*
branchial *Ich.*
brucite brushite *Min.*

meta- Cont'd
carbonic -ate *Chem.*
casein *Biochem.*
cellular -ose *Chem.*
center -re -ral *Phys.*
centric(ity *Phys.*
ceria -ium *Chem.*
cestode *Helm.*
cestoid *Protozoa*
chabozite *Min.*
chalcolite *Min.*
chalcophyllite *Min.*
chemic(al
chemistry *Phil.*
chlomydeae -eous *Bot.*
chloral *Chem.*
chlorite *Min.*
chlorophyllin *Chem.*
choane -ites *Conch.*
chromasy *or* -ia
-(at)ic -(at)ism -atin -atosis -isin
chromat(in)ic *Bot.*
chrome -ic *Staining*
chromophil(e *Staining*
chromosomes *Bot.*
chromy *Bot.*
chrosis *Ent.*
chysis *Med.*
cinesis *Cytol.*
cineta -idae *Zool.*
cinnabar(ite *Min.*
cinnamein -ene *Chem.*
clinic -y *Bot.*
cneme -ic *Zool.*
c(o)ele
coclia(n *Anat.*
coelome -a *Embryol.*
coelosis
collenchyma *Bot.*
colloidal *Phys. Chem.*
condyle -us *Anat.*
cone -al -id -ule *Mam.*
copaivic *Chem.*
coracoid *Zool.*
cordylodon *Pal.*
corm(al *Bot.*
crasis *Bot. Geol. Phys.*
cresalol *Mat. Med.*
cresanytol *Chem.*
cresol *Chem.*
cribrum *Embryol.*
cristobalite *Min.*
cryst(al *Geol.*
cyclic *Math.*
cyesis *Biol Physiol.*
derma *Bot.*
dermatosis *Path.*
desmine *Min.*
diabase *Petrog.*
diazin *Chem.*
diorite *Petrog.*
discoidal *Embryol.*
dromous *Bot.*
element *Chem.*
facial *Craniom.*
formaldehyde *Chem.*
fulminuric *Org. Chem.*
galbro *Petrog.*
gaddolinite *Min.*
gallic -ate *Chem.*
gametal *Bot.*
gamophyte *Bot.*
gaster gastral *Anat.*
gastric -ula *Anat.*
gelatin(e *Photog.*
gene *Geol.*
-ic *Biol.*
genesis *Biol.*
genetic(ally *Biol.*
geometer *Math.*
geometrical *Math.*
geometry -ician *Math.*
globulin
glymma *Ent.*
gnatha -ism -ous *Ent.*

meta- Cont'd
gnostic(s -ism *Phil.*
gnostus -idae *Pal.*
gonimus *Helm.*
gram *Lit.*
graph *Craniom.*
grippal *Med.*
grobolism -ize
gummic *Chem.*
gymnospermae *Bot.*
gyny *Bot.*
heulandite *Min.*
hewettite *Min.*
hydroxide *Chem.*
hylastes *Ent.*
hyrachyus *Mam.*
icteric *Med.*
igneous *Petrol.*
indic -ate *Chem.*
infective *Med.*
kalcuranite *Min.*
kaolin
kinesis *Cytol. Phil. Psych.*
kinetic *Cytol. Psych.*
kliny *Phys. Chem.*
koenenite *Min.*
kupferuranit *Min.*
leucite *Min.*
lichas *Pal.*
logic(al *Phil.*
logisis*Chem.*
lonchidite *Min.*
loph *Zool.*
lumina -ate *Chem.*
mathematics-ical *Phil.*
meconic -ate *Chem.*
mer(ide -ization -ize
mer(y *Chem.*
al ic(al(ly ism ous
mere *Zool.*
-al -ic(al(ly -ism -iza-tion -ize -on -ous -y
mermerus *Arach.*
mict *Min.*
mitosis *Bot.*
molybdate *Chem.*
morphia -in(e *Chem.*
myelocyte *Cytol.*
natrolite *Min.*
nauplius *Crust.*
nema -al *Bot.*
nemertini *Helm.*
nephros *Embryol.*
-on -(it)ic
nepionic *Biol.*
neutrophil *Staining*
nicotine *Org. Chem.*
nitr(o)anilin *Chem.*
nocerite *Min.*
notum -al *Ent.*
nucle(ol)us *Cytol.*
nym *Bot.*
oleic *Chem.*
organism
oxybenzoic *Chem.*
panorthus *Pal.*
parapteron -al *Ent.*
parisite *Min.*
pectic -in *Chem.*
pectus *Anat.*
pedesis *Psych.*
pepsis peptic *Geol.*
peptone *Biochem.*
periodate *Inorg. Chem.*
phase -is *Cytol.*
phen *Pharm.* (*T. N.*)
phenomenon -al
phenylene *Org. Chem.*
phery *Bot.*
phloem *Histol.*
phony -ical -ize *Phon.*
phosphate & -oric
phragm(a(l *Ent.*
phylla *Bot.*
physeal *Anat.*

meta- Cont'd
physic(al(ly -ics -ian-(ism -ist -ize -ous
physico-
ethical legal religious theological
physiology -ical -ist
phyte -a -ic -on *Bot.*
pilocarpine *Org. Chem.*
piocrinus *Pal.*
plasm(ic *Cytol.*
plasmorphism *Cytol.*
plasmosism *Cytol.*
plast(ia ic id *Bot.*
plast(ic *Gram.*
plastology *Biol.*
plasy *Cytol.*
plax *Conch.*
pleur(e -a(l -on
plexus *Anat.*
plumbic -ate *Chem.*
pneumonic *Med.*
pneustic *Ent.*
pod(e -ia(l(ia -ium
podial(e *Anat.*
podion -ius *Ent.*
pole *Math.*
politic(al -ician -içs
pore -us *Anat.*
posthia *Helm.*
postscutellum -ar *Ent.*
praescutum -al *Ent.*
protaspis *Zool.*
protein *Biochem.*
psyche *Anat.*
psychics -ical
psychology *Psych.*
pterygium -ial *Ich.*
purpuric *Org. Chem.*
pyretic *Med.*
pyric *Petrog.*
quinite quinoidal
quinone *Org. Chem.*
rachis -idial *Zool.*
rhinus *Pal.*
rhyacolite *Petrog.*
rrhea *Med.*
rrhiptae -ous *Conch.*
saccharin-(on)ic *Chem.*
saccharopentose *Chem.*
santonin *Org. Chem.*
scolec(orz)ite *Min.*
scutellum -ar *Ent.*
scutum -al *Ent.*
sedimentary
septum *Zool.*
silicic -ate *Chem.*
sitism *Bot.*
social
somasis *Geol.*
somatic
-ism -ist -osis
somatome -ic *Embryol.*
some -a -atic *Conch.*
sperm(ae -ic -ous *Bot.*
splenomegalic *Path.*
sporophyte *Bot.*
stability stable *Chem.*
stannic -ate *Chem.*
state *Biol.*
sternum -at *Anat. Ent.*
ster(e)ocystis *Pal.*
sthenic *Ent.*
stibnite *Min.*
stigmate -a *Ent.*
stoma-e -ial -ium*Zool.*
strabus *Ent.*
strongylus *Helm.*
style *Bot.*
styrol -(ol)ene *Chem.*
syndesis *Bot. Cytol.*
syocrinus *Pal.*
syphilis -itic
taenia *Ent.*
tarbus *Pal.*
tarsal(e *Anat.*

meta- Cont'd
tarsalgia *Path.*
tarsodigital *Anat.*
tarsophalangeal *Anat.*
tarsus *Anat. Ent.*
tartaric *Chem.*
tatic(al(ly *Phys.*
tela
thalamus *Anat.*
theca *Ent.*
theology
theria(n *Mam.*
thiazine *Org. Chem.*
thiocarbonic *Chem.*
thoracotheca *Ent.*
thorax -acic *Ent.*
thrombin *Biochem.*
titanic -ate *Chem.*
toluic
tome *Arch.*
tonic *Bot.*
topic *Bot.*
torbernite *Min.*
tracheal *Min.*
trachelizus *Ent.*
troph(ic -ism *Bot.*
trophia *or* -y *Path.*
trophs *Fungi*
tropy -ic *Petrog.*
tungstic -ate *Chem.*
type -ic *Biol. Sociol.*
uranocircite *Min.*
vanadic -ate *Chem.*
variscite *Min.*
volt(a)ite *Min.*
voltine *Chem.*
xylem -ene *Bot.*
zingiberine *Org. Chem.*
zoa(n zoic zoon *Zool.*
zonal *Anat.*
zones *Ent.*
metoxenous -y *Bot.*
miazin = metadiazin
miazthiol(e *Org. Chem.*
neurometaphysical
ompa *Org. Chem.*
Palaeometa *Pal.*
parametaphysical
photomethemoglobin
polymetameric *Anat.*
polymetasilicate *Chem.*
pseudometameric -ism
rhinometaplasty *Surg.*
sulphmethemoglobin
tarsometatarsal
tarsometatarsus *Ornith.*
tetrametaphosphate
tibiometatarial
trimetaphosphate *Chem.*
unmetaphysic(al

μετάβασις alteration
histometabasis *Geol. Histol. Pal.*
metabasis *Med. Rhet.*
μεταβατικός transitive
metabatic *Med. Phys. Rhet.*
μεταβλητικός (Arist.)
metablatic
μεταβλητός changeable
Metabletus *Ent.*
μεταβολή transition
algiometabol *Med.*
antimetabole *Rhet.*
-bolism *Med.*
dys eu patho
hemetaboly *Med.*
hemimetabole *Ent.*
ic -ous -y
heterometabolic *Ent.*
-ic -ous
holometabole *Ent.*
-ian -ic -ous -y
ideometabolism -ic
Manometabola *Bot.*
Metabola -ia(n -ous *Ent.*
metabole -a -ia *Med.*
metabolimeter *Med. App.*
metabolimetry *Med.*
metabolim *Chem.*
metabolism *Biol. Ent. Poetry Theol.*
metabolite *Med.*
metabolize -able *Biol.*
Metabolocrinidae *Pal.*
-metabola *Ent.*
Hemi Here Hetero Holo Mano Pauro
-metabolic *Med. Psych.*
emotio excito glyco lipo proteo saccharo sensori
-metabolism *Ent.*
a apo hemi holo
-metabolism *Med.*
glyco hyper hypo lipo neuro patho proteo saccharo sensori
paurometabolous *Ent.*
μεταβολία = μεταβολή
metaboly *Physiol.*
μεταβολικός changeable
metabolic(al *Biol. Zool.*
μετάβολον changeable
metaboln *Chem. Phys.*
Μεταγειτνιών Aug.–Sept.
Metageitnion *Gr. Cal.*
μεταγραμματίζειν (Tzetz.)
metagrammatize
μεταγραμματισμός (Galen)
metagrammatism
μεταγραφή a transcribing
metagraphy *Philol.*
μεταγραφικός (Tzetz.)
metagraphic *Philol.*
μετάδουπος indifferent
Metadupus *Ent.*
μετάθεσις transposition
metathesis *Chem. Gram. Logic. Surg.*
metathetic(al
μετακάρπιον the wrist
Carpometacarpus *Zool.*
-metacarpal *Anat.*
carpo inter pisi plesio tele ulno
metacarpion *Anat.*
-ium -us -al(e
metacarpo-
digital *Ornith.*
phalanx-angeal
plesiometacarpi(a -(al)-ian *Mam.*
telemetacarpi
μετακινέειν to shift
Metacinops *Ent.*
μεταληπτικός (Arist.)
metaleptic(al(ly
μετάληψις substitution
metalepsis -y *Chem. Logic Rhet.*
μεταλλαγή change
metallege *Psych.*
μεταλλακτός altered
Metallactus *Ent.*
μετάλλαξις = μεταλλαγή
metallaxis
μεταλλικόν Neut. of seq.
metallikon *Arch.*
μεταλλικός (Aet.)
metallic -ics
al(ly ian ity ly
-metallic
ante bi di inter mono
-metallic Cont'd
non organo palao pre pseudo semi tri un
μεταλλίτης metallic
Metallites *Ent.*
μεταλλο- Comb. of μέταλλον
metallo-
(a)esthesia *Psych.*
chrome -y *Elect.*
cyanid(e *Chem.*
genesis genetic *Geol.*
geny -ic *Geol. Min.*
graph(er
graphy -ic(al -ist
meter
phobia *Ps. Path.*
phone *Music*
plastic
scope scopy -ic *Med.*
somus *Ent.*
statics
techny *Metal.*
therapeutic *Ther.*
therapy *Ther.*
micrometallography -er
photometallograph(y
μέταλλον orig., a mine
ametallous
bimetallism -ist(ic
demetallize
medal
ary (l)et ic(ally (l)ist (l)ize
medallion(ist
metal
-metal
mono nitro photo proto semi sterro
metal-
ammine -o- *Chem.*
ammonium *Chem.*
metalbumin *Chem.*
metaldehyde *Chem.*
metalin(e(d *Arts*
metall
aceous ar(y ed eity er escent ide ine ish ist ity ization ize
metall(a)esthesia *Psych.*
Metallencaustes *Ent.*
metallicolous
metallifacture
metal(l)iferous
metal(l)iform
metal(l)ify -ication
metallithography
metallogy
metalloid(al *Chem.*
metalloptric
metal(l)organic *Chem.*
metally metalman
monometallism -ist
Phyllometalla *Ent.*
polymetallism
prometallide *Chem.*
symmetallism *Econ.*
trimetall -ism
unmetall -ized
μεταλλουργός (Diosc.)
medal(l)urgy
electrometallurgist
hydrometallurgically
metallurgy
-ic(al(ly -ist
-metallurgical
electro hydro micro pyro
-metallurgy
alumino electro hydro micro pyro
μεταμορφωσις (Lucian)
hypermetamorphotic(al
metamorph-
ic ism
metamorph- Cont'd
ist ite *Theol.*
ize -ation
opsia -y *Path.*
ose
-able -er -ian
ostical
otic
ous y
-metamorphic
dynamo hemi hydro pyro sub thermo
-metamorphism
dynamo hydro plutono pyro thermo
metamorpho-
genesis *Bot.*
genous *Geol.*
logy
scope *Arts*
-metamorphosic
hemi hydro
metamorphosis
-ic(al -ist -y
-metamorphosis
a auto biaio dynamo hemi hydro hyper semi
metamp *Zool.*
remetamorphose
unmetamorphosed
μέταξα raw silk
Metaxidius *Ent.*
metaxin *Chem.*
metaxite *Min.*
μεταξύ between
Metaxycera *Ent.*
μετάπλασις (Eust.)
callusmetaplasy *Bot.*
metaplasis -ia *Biol.*
-metaplasia
cyto hetero hyper pseudo
μεταπλασμός (Drac.)
metaplasm *Gram.*
Μεταπόντιον (Herod.)
Metapontine *Geog.*
μετάπτωσις change
metaptosis *Logic Med.*
μετάστασις removal
metastasis *Biol. Med. Rhet.*
-metastasis *Biochem.*
galacto gluco meno
metastasize *Med.*
metastatic(al(ly *Med.*
μεταστροφη (Plato)
metastrophe -ic *Crystal.*
μετασυγκρισις (Diosc.)
metasyncrisis *Med.*
μετασυγκριτικός (Diosc.)
metasyncritic(al *Path.*
μετασχηματισμός (Plut.)
metaschematism *Med.*
μετάταξις (Polyb.)
metatactic
metataxis *Petrog.*
μετάτροπος returning
hypermetatropy *Bot.*
-metatropic *Bot.*
hemi hyper meso pro
μεταφορά (Isocrates)
metaphor
ally ist ize ous
outmetaphor
μεταφορικός (Plutarch)
hypermetaphorical
metaphoric
al(ly alness
unmetaphorical
μετάφρασις (Plutarch)
metaphrase -is *Rhet.*
μεταφράστης a translator
metaphrast
protometaphrast
μεταφραστικός (Eust.)
metaphrastic(al(ly *Rhet.*
μετάφρενον (Odyssey)
metaphrene *Anat.*
-on -um
μεταφύεσθαι to grow after
metaphysis
μετάχρονος done later
metachronism *Rhet.*
μεταχώρησις change
metachoresis *Med.*
phacometachoresis
μεταψυχωσις
metapsychosis *Phil.*
μετεμψύχωσις (Proclus)
metempsychic -ize
metempsychose
metempsychosis *Phil.*
-(ic)al -ist -ize
μετενσωματωσις (Clem. Al.)
metensomatosis *Phil.*
μετεωρίζειν buoy up, rise
meteorize(d -ation
μετεωρισμός (Hipp.)
meteorism(us *Path.*
μετεωρο- Comb. of μετέωρος
meteoro-
gram graph
graphy -ic(al
lite -ic
mancy
meter
scopy -ist
photometeorometer
telemeteorograph
μετεωρολογία (Plato)
astrometeorologist
meteorology -ist
-meteorology
astro hydro pal(a)eo
μετεωρολογικά (Arist.)
meteorologics
μετεωρολογικός (Plato)
meteorologic
al(ly ian
-meteorological
astro electro pal(a)eo
μετεωρολόγος (Eurip.)
meteorologer -ian
μετέωρος high in air
hydrometeor(ic
isometeoric
meteogram -graph
meteor(ic(al(ly -ics
Meteora *Gr. Ch.*
meteorin *Chem.*
meteorist(ic
meteorite -al -ic
meteoroid(al
meteorous -y
Meteorus *Ent.*
photometeor
μετεωροσκοπικα (Proclus)
meteoroscopics
μετεωροσκόπιον (Ptol.)
astrometeoroscope
meteoroscope *Astron.*
μετεωροσοφιστής (Ar.)
meteorosophistical
μέτηλυς an emigrant
meteloides *Bot.*
meteloidine *Org. Chem.*
μετοίκησις migration
phacometicisis *Ophth.*

μέτοικος emigrant
metic *Gr. Ant.*
met(o)ecious -ism *Bot.*
Metoecus *Ent.*
μετονομασία (Athenae-
metonomasy us)
μετόπη (Vitruvius)
Catametopa *Zool.*
metope *Arch.*
μετόπωρον late autumn
isometoporal *Meteor.*
μετουσιαστής sharer
metusiast
μετοχή sharing; parti-
metoche ciple
-metochia *Gram.*
oligo poly pycno
metochy *Ent.*
μετοχικός participial
-metochic *Gram.*
oligo poly pycno
μέτρα Pl. of μέτρον
Acanthometra *Prot.*
-ae -an -ea(n -id(ae -ida(n
-oid -ous
Andrometra *Echin.*
Argyrometra *Echin.*
Chondrometra *Echin.*
Dactylometra *Zool.*
Didontometra *Echin.*
metra
Perissometra *Echin.*
Phrixometra *Echin.*
μέτρησις measurement
pelicochirometresis
μετρητής a measurer
metrete(s *Gr. Med.*
-μετρια as in γεωμετρία
aceti (*or* o)metry -ical
acidi (*or* o)metry -ic(al
acou(s)metry *Med.*
actinometry -ic(al *Phys.*
aerometry -ic *Phys.*
aesthesiometry -ic
albuminometry
alcohometry -ic
alcoometry -ical
algometry -ic(al(ly *Path.*
alkalimetry -ic(al(ly
alkalometry *Med.*
altimetry -ic(al(ly
andriantometry
anemometry
-ic(al(ly -ist *Meteor.*
anthropoidometry
anthropometry
-ic(al(ly -ics -ist
apertometry *Optics*
apomecometry *Meas.*
aquametry *Chem. Anal.*
ar(a)eometry -ic(al(ly
argentometry -ic *Chem.*
arthrometry -ic *Med.*
astigmometry *Ophth.*
astrometry -ical *Astron.*
astrophotometry -ical
atmetry -ic
atmidometry *Meteor.*
atmometry *Meteor.*
audiometry -ic *Med.*
autometry -ic
autophonometry *Med.*
axinometry *Math.*
axonometry -ic *Math.*
baculometry *Meas.*
barometry -ic(al(ly
bathymetry -ic(al(ly
biometry
bromometry -ic(al
calorimetry *Phys.*
campimetry -ical
carbo(no)metry *Med.*
cardiometry -ic(al *Med.*
cephalometry -ic

ceratometry *Surg.*
chemihydrometry
chlorometry -ic(al *Chem.*
chromatoptometry
chronometry -ic(al(ly
cinchonometry
cinometry
clinometry *Geol.*
colorimetry -ic(al(ly
Anal. Chem. Optics
comburimetry *Fuels*
conchometry *Conch.*
conchyliometry *Conch.*
conductometric *Chem.*
coreometry *Ophth.*
cosmometry
conlometric *Elec.*
creatometry -ic
crystallometry -ic
cyanometry -ic
cyclometry -ic(al
cyrtometry -ic *Med.*
densimetry -ic(ally
diaphanometry -ic *Med.*
diastasimetry *Chem.*
dilatometry -ic *Phys.*
diopt(r)ometry *Ophth.*
dosimetry -ist
dromometry
dynamometry -ic(al(ly
dysmetria *Neurol.*
echometry
eidoptometry *Ophth.*
electrochonometry
electrometry -ic(al
endometry *Anat. Cran-*
iom. Ethnol. Physiol.
epipedometry *Geom.*
ethnometry -ic
eudiometry -ic(al(ly
fetometry *Gynec.*
fluoremetry *Optics*
foci(*or* o)metry -ic
galactometry *Chem.*
galoanometry -ic(al(ly
gasometry -ic(al
goniocraniometry
goniometry -ic(al(ly
granulometric *Engin.*
gravimetry -ic(al(ly
gustometry *Psych.*
h(a)emadr(om)ometry
h(a)ema(*or* o)tachom-
etry *Med.*
h(a)ematimetry *Med.*
h(a)emochronometry
h(a)emoglobinometry
halimetry -ic
halogenimetry *Chem.*
helicometry
heliometry -ic(al(ly
hemadynamometry *Med.*
hem(at)ometry *Med.*
hemihypermetria *Med.*
historiometry
horometry -ical
hydrometry -ic(al
hydrotimetry -ic
hyetometry *Meteor.*
hygremometry *Med.*
hygromed(ry *Med.*
hygrometry -ic(ity -ical
hypokeimenometry
hyometria *Med.*
hypsometry -ic(al(ly -ist
hysterometry *Gynec.*
iconometry -ic(al(ly
indigometry
interferometry *Phys.*
iodi(*or* o)metry -ically
kalimetry
keratometry *Ophth.*
kinometry
lactometry -ic
laryngometry
longimetry -ic

magnetometry -ic(al(ly
mecometry
metabolimetry *Med.*
-metry *Suffix*
microancnometry
microgravimetric
microiodometric
micrometry -ic(al(ly
microseismography
microvolumetry -ic *Cytol.*
molybdomanganimetry
-ic(ally *Chem. Anal.*
morphiometry -ic *Med.*
morphometry -ical
naometry
nephelometry -ic(al(ly
Nilometry
nitrometric *Chem. Anal.*
nivometry
noometry
odometry -ical(ly -ous
odorimetry
olfactometry -ic *Psych.*
oncometry -ic
oometry -ic
ophthalmometry -ic(al
ophthalmostatometry
ophthalmotonometry
ophthalmatropometry
opsonometry *Biochem.*
optometry -ical -ist
orometry -ic *Physiog.*
orthometry *Ophth. Pros.*
oscillometry *Med.*
osmometry -ic
osteometry -ic(al
oxidimetry
ozometry -ic
palpatometry *Med.*
pantometry -ic(al
pathometry
pedimetry -ic
pedometry
ic(al(ly -ician -ist
pelvimetry
pelycometry *Med.*
perioptometry
phonometry -ic
phorometry *Optics*
photogrammetry -ic(al
photometry
-ic(al(ly -ician -ist
photoptometry *Ophth.*
phototachometry -ic(al
physiometry -ic
phytometry -ic *Bot.*
piezometry -ic
pithecometric
plammetry -ic(al
planeometry
planometry
plasmometric *Bot.*
platometry
plessimetry -ic *Med.*
pleximetry -ic *Med.*
pluviometry
pneometry
pneumatometry
pneumometry
podometry
polydrometry *Math.*
polygonometry -ic *Math.*
potentiometric *Phys.*
pseudoisometric *Cryst.*
psycheometry
psychodometry *Psych.*
psychometry
-ic(ally -ist -ize
psychrometry -ic(al
pulmometry *Physiol.*
pupillometry *Optics*
pyelometry *Med.*
pyrometry -ic(al(ly
quinimetry *Chem.*
quininometry *Chem.*
quinometry *Pharm.*

rachialbuminimetry
radiometry -ic *Phys.*
radiopelvimetry
reductomebrically *Chem.*
reflectometry *Phys.*
refractometry -ic
rheometry -ic *Elec.*
rhodanometric *Chem.*
roentgenometry *Physics*
saccharimetry -ic(al
saccharometry
salimetry salometry
salinometry
sciametry skiametry
sclerometric *Physics*
scoliosiometry *Med.*
scotometry *Ophth.*
sedimetric(al *Chem.*
seismometry -ic(al
sensitometry -ic *Photog.*
spectrobolometry -ic
spectrocolorimetry
spectrometry
spectrophotometry
ic -(ally
spectroradiometry -ic
sphygmobolometry *Med.*
sphygmometric *Physiol.*
sphygmoviscosimetry
spirometry -ic(al
stalagmometry -ic
stasimetry *Med.*
stethometry -ic
sthenometry *Med. App.*
stichometry -ic(al(ly
stoicheiometry -ic(al
strab(ism)ometry
stratarithmetry *Mil.*
stylometric
syphilimetry *Med.*
tacheometry -ic
tachometry -ic
tachygraphometry *Surg.*
tachymetry *Surg.*
tasimetry -ic
telemetry -ic(al -ist
telethermometry
tensi- endiometric *Phys.*
theometry
thermometry
thiocyanometry *Chem.*
thoracometry *Med.*
tintometry -ic
titrimetry -ic *Chem.*
tonometry -ic
trigonometry
-ic(al(ly -ian
tromometry -ic(al
turbidimetry -ic *Chem.*
Anal. Physics
turgometry *Physics*
typometry *Print*
uranometry -ical *Astron.*
ureametry
ureometry
urinometry -ic
urosaccharometry *Med.*
viscometry
viscosimetry -ic
volumenometry -ical
volumo - colorimetric
volumetry -ic(al(ly *Phys.*
zoometry -ic
μετρικά (Arist.)
metrics
μετρικός (Arist.)
aerotonometric *Med.*
anisometric *Crystal.*
aphotometric *Optics Zool.*
aphrometric *Chem. Anal.*
argentometric *Chem.*
astoichiometric *Chem.*
biometric -ics
al(ly ian ist
bolometric *Phys.*
callimetric

calorimetric(al(ly *Phys.*
cathetometric
climatometric
cylindrometric
demetricize
diaphemetric *Ps. Phys.*
dimetric *Crystal. Pros.*
dosimetric(ian
encephalometric
enphotometric *Bot.*
extrametrical
graphometric(al -ics
hallimetric
heterometric *Music*
homometrical(ly *Pros.*
immetrical(ly -ness *Pros.*
isobarometric *Math.*
isobathymetric *Oceanog.*
isohygrometric *Meteor.*
isohypsometric
metric
al(ly ian ism ist ize
minimetric *Chem.*
monoclinometric *Crystal.*
monodimetric *Crystal.*
nonhygrometric
oxymetric
paedometric
pseudophotometric *Bot.*
stasimetric *Surv.*
stradametrical
topographometric
trimetric(al *Crystal Pros.*
unmetrical
μετριο- Comb. of μέτριος
metrio-
cephalic *Craniom.*
dromus *Pal.*
pus *Ent.*
μέτριος moderate
Metrius -inae *Ent.*
μετριότης moderation
Metriotes *Ent.*
μετρο- Comb. of μέτρον
anemometrographic(ally
atmometrohygrometer
dermametropathism
metro-
chrome *Color-Meas.*
comy *Biol.*
graph(er
log(ue logy -ical -ist
mania -iac(al
meter *Music*
nome -ic(al(ly -y
photography -ic
scope *Phys.*
style
therapy *Ther.*
-metrograph
anemo hydro hyeto
microseismo photo
pneumo polaristrobo
seis(mo) sphygmo tele
ther
-metroscope
oculo ophthalmo
sphygmo(mano)
telemetrography -ic
μέτρον
aberrometer *Arts*
absorptimeter *Phys.*
absorptimetric
accelerometer
aceti(*or* o)meter *Chem.*
acetonurometer *Med.*
acidi(*or* o)meter *Chem.*
acou(o)meter *Psych.*
acous(i)meter *Psych.*
acousticometer *Psych.*
acoustometer *Arts*
acoutometer *Med. App.*
acribometer *Meas. App.*
acrometer *Chem.*
actinometer *Phys.*

adipometer *Med. App.*
aerelatometer *Phys.*
aerodensimeter *Phys.*
diaphanometer *Phys.*
dromometer *Meteor.*
hypsometer *Phys.*
meter *Aero.*
tonometer *Med. App.*
aerorthometer *Phys.*
aerypsometer
aesthesiometer
agglutometer *Med. App.*
agometer *Elec.*
airometer *Arts*
albume(*or* i)nometer
album(in)imeter *Chem.*
alchometer *Chem. Med.*
alcohol(i)meter -metric
alcoh(ol)ometer
alcoometer
alcovinometer *Chem.*
alethometer
aleurometer *Med. Chem.*
algesichronometer *Med.*
algesimeter -metric *Med.*
algesiometer *Med.*
algochronometer *Med.*
algometer *Med. App.*
alkalimeter *Chem.*
allometron *Bot.*
allometropia *Ophth.*
alti(*or* o)meter *Meas.*
ametrometer *Ophth.*
ammeter *Elec.*
ammoniameter *Chem.*
amperometer *Elec.*
amylometer *Ind. Chem.*
anacamptometer *Med.*
anaclasimeter *Ophth.*
an(a)esthesimeter *Med.*
anapnometer *Med. App.*
anemobarometer *Phys.*
anemometer *Meteor.*
anesthetometer *Med.*
angiometer *Med. App.*
anglemeter *Arts*
angulometer
anisometropia -ic *Ophth.*
anthracometer -metric
anthropometer
antimeter -metrically
antimetropia -ic *Ophth.*
apertometer *Optics*
aphrometer *Chem. Anal.*
apomecometer *Meas.*
apophorometer *Chem.*
aqua(*or* o)meter
ar(a)eometer *Phys.*
ar(a)eopicnometer
argentometer *Chem.*
arithmometer
arithmoplanimeter
arteriometer *Med. App.*
arthrometer *Med. App.*
astigm(at)ometer *Ophth.*
astrometer *Astron.*
astrophanometer
astrophotometer
atmidometer *Meteor.*
atmometer *Meteor.*
atmometrohygrometer
audiometer *Med. App.*
autographometer *Surv.*
autometer
auxanometer *Bot.*
aux(i)ometer *Optics*
axiometer *Naut.*
axometer -metric *Ophth.*
axonometer *Med.*
azotometer *Chem.*
bakelometer *Plastics*
bar(a)esthesiometer -metric *Physiol.*
barkometer *Tanning*
cyclonometer *Meteor.*
electroesthesiometer
barkometer Cont'd
macrometer *Meteor.*
meter *Meteor.*
metrograph(y *Metor.*
thermometer *Meteor.*
bathometer
bathymeter *Oceanog.*
batoreometer *Elec.*
bdellometer *Med.*
besichometer
bicolorimeter *Optics*
blanchimeter *Bleaching*
bolometer *Phys.*
brachymetropia *or* -y -ic
brontometer *Phys.*
butyrometer *Ind. Chem.*
caelometer *Astron.*
calcimeter *Chem.*
calcumeter
caleometer *Phys.*
calorimeter
campimeter *Psphys.*
campylometer *Surv.*
capillarimeter
carbacidometer
carbometer *Med. App.*
carbonometer
carburometer
cardia(*or* o)meter *Med.*
catathermometer
cathetometer
centimeter -re
cephalo(hemo)meter
ceratometer *Surg. App.*
cerebrometer
cervimeter *Med. App.*
chartometer *Meas.*
chiastometer *Ophth.*
chionometer *Meteor.*
chirometer *Meas.*
chloridimeter *Med. App.*
chloridrometer *Med.*
chlorometer *Chem.*
chondrometer *Weighing*
chordometer *Meas.*
chromameter *Music*
chromasciameter *Optics*
chromatometer
chromatoptometer
chromatosciameter
chromiometer
chromo-
cytometer *Med. App.*
meter *Chem. Metal.*
photometer *Phys.*
pyrometer *Phys.*
radiometer *Med. App.*
chromoptometer -metrical *Psych.*
chronaximeter *Med. App.*
chrono-
barometer *Horol.*
meter(er *Horol.*
thermometer
chyometer
cinemometer
cinometer *Med. App.*
citometer *Phys.*
citrometer *Chem.*
climatometer
clinoanemometer *Meteor.*
clinometer -metric(al *Geol. Mech. Ophth.*
cliseometer *Anat. App.*
coagulometer
coilometer
colonometer *Med. App.*
colorimeter
comburimeter *Fuels*
comparometer *Optics*
comptometer
conchometer *Conch.*
conductometer *Phys.*
consistometer *Anal. Chem. Phys.*
coometer *Chem. Engin.*
coreometer *Ophth.*
cornometer
coxankylometer *Med.*
cratometer
creamometer
cremometer
cristiometer *Chem.*
cryometer *Phys.*
cryptoradiometer
curvi(*or* o)meter
cyanometer
cyathometer
cyclometer
cymometer *Elec.*
cyrtometer *Med. App.*
cytometer *Cytol.*
dasymeter
decameter *Mens.*
decelerometer *Mech.*
dechlori(*or* o)meter
decimeter -re
decimillivoltimeter
declinometer
decolorimeter
decremeter *Elec.*
deflectometer
dendrometer
densimeter
densivolumeter
dentimeter *Dent.*
depressometer
depthometer
deviometer *Ophth.*
μέτρον
diabetometer *Med.*
diacalorimeter *Phys.*
diagometer
diagramometer
diamagnetometer
diaphanometer
diasporometer *Arts*
diastimeter
diffractometer
diffusi(o)meter
dilatometer
diopsimeter *Ophth.*
diopt(r)ometer *Ophth.*
diplopiometer *Ophth.*
dosimeter
dromometer
drosometer
ductilimeter
durometer *Phys.*
dynactinometer *Mech.*
dynameter -metric(al(ly
dynami(o)meter
dysmetropsia *Ophth.*
ebulliometer
echometer
eclimeter
econometer
ectropometer
egersimeter *Med.*
egometer
eic(*or* k)onometer *Sc.*
eikonometer *Arts*
elae(*or* ai)ometer
elasmometer
elastometer *Med.*
elaterometer *Phys.*
electro-
chronometer
dynamometer -metric-(al
goniometer
meter
photometer
pyrometer
radiometer *Med.*
thermometer
eleometer *Chem.*
encephalometer
endosmometer -metric
energometer *Med.*
enobarometer *Anal. Chem. Wines*
enterometer *Med.*
entomometer
ergmeter *Phys.*
ergometer -metric *Phys.*
eriometer -metric *Optics*
erythrocytometer *Med.*
erythrometer *Sc. App.*
esophagometer *Med.*
etherometer *Med.*
endiometer *Chem.*
evapometer
evapori(*or* o)meter
exometer *Phys.*
exophthalmometer
expansometer
extensi(*or* o)meter
fallchronometer
photometer
faradi(*or* o)meter
farinometer
feculometer *Anal. Chem.*
ferrometer
filtratometer *Med.*
fleximeter *Med.*
floodometer
flowmeter *Engin.*
fluidimeter *Engin.*
fluormeter
fluorometer *Optics*
flushometer
fluxometer
foci(*or* o)meter
foolometer
frigidometer
frigorometer
fusiometer *Chem. Phys.*
galactodensimeter
galactometer
galvanometer
galvanothermometer
gasometer
gelometer *Phys. Chem.*
gelotometer
geothermometer -metric
glaciometer
glarimeter *Phys.*
glaucometer
globinometer *Med.*
globulimeter
glossodynamometer
glossometer *Agric.*
glucometer
glucosimeter *Biochem.*
glycosometer *Chem.*
gnathodynamometer
gnathometer *Craniom.*
goniometer
grad(i)ometer
graphometer
gravimeter
gravitometer *Phys.*
gravivolumeter
guttameter *Phys.*
gyrometer
h(a)ema-
barometer
cytometer *Med.*
dr(on)ometer *Med.*
tachometer *Med.*
h(a)emataerometer *Med.*
h(a)ematimeter *Med.*
h(a)ematinometer -metric
h(a)emato- *Med.*
cytometer
dyna(mo)meter
meter
h(a)emo-
chromometer *Med.*
cytometer *Med.*
dro(mo)meter *Med.*
dyna(mo)meter *Med.*
globinometer *Med.*
manometer
meter *Physiol.*
tachometer *Med.*
halimeter
hallimeter
halometer
harmonometer
hectometer -re
hedonometer
helio-
(micro)meter
photometer *Meteor.*
thermometer *Phys.*
helypsometer *Photog.*
hemat(o)aerometer *Med.*
hematomanometer *Med.*
hemoalkalimeter *Med.*
hemoxometer *Med.*
heptameter -metrical
heterometropia *Ophth.*
hippometer -metric
hizometer *Phytogeog.*
holoisometric
holometer *Math.*
holophotometer *Optics*
horizometer
horometer
hydro-
barometer
dynamometer
ionometer *Anal. Chem.*
meter
spirometer *Med.*
tachymeter
tasimeter *Elec.*
hydrotimeter
hyetometer
hygrometer
hypso-
barometer -metric
bathymetric *Meteor.*
meter
thermometer
hysteresimeter *Elec.*
hysterometer
iconometer
ictometer *Med.*
idiometer *Astron.*
iliometer *Med.*
illuminometer *Optics*
inclinometer
indicanometer
indigometer
inductometer
inspirometer
insurometer *Ins, T. N.*
integrometer
intensimeter *Phys.*
intensionometer *Phys.*
interferometer *Phys.*
ionometer *Phys. Chem.*
iontoquantimeter *Med.*
isametral
jonlemeter *Phys.*
kalimeter
katathermometer *Med.*
katharometer *Phys.*
keratometer
kilogrammeter -metric(al
kilometer -metric(al
kinemometer
kinesi-
(a)esthesiometer
(o)meter *Psych.*
kinesthesiometer *Psych.*
kinometer *Med.*
klisiometer
konimeter
dryometer *Meteor.*
kummeter *Elec.*
labi(do)meter *Surg.*
lactobutyrometer
lactodensimeter
lactometer
lactoriscometer
lactothermometer
lectoviscometer
landmeter *Obs.*
leptometer *Chem. Anal.*
leukocytometer *Med.*

lineameter
linometer *Pros.*
lithometer *Med.*
litrameter
logometer -metric(al(ly
lucimeter *Optics*
luminometer *Optics*
lysimeter *Chem. Anal.*
macrometer *Math.*
macromicrometer
magneti(*or* o)meter
malignometer *Med.*
maltometer
mano-
  barometer *Phys.*
  cryometer *Phys.*
  meter -metric(al(ly
  nitrometer *Chem.*
manudynamometer
mareometer
margarimeter *Chem.*
mecometer
mediaometer *Optics*
megameter -re
megohmmeter *Elec.*
mekometer *Mil.*
meldometer
mentimeter *Educ.*
mesosclerometer *Mech.*
metabolimeter *Med.*
metallometer
meteorometer
metepole
-meter *Suffix* Found rarely in Greek except in ὀδόμετρον
meter
  age er less
metergram
methanometer
metre -er
metret *Math.*
metrify -fication -fier -fication
metrist metrize
metro
metrometer *Music*
mhometer *Elec.*
micro-
  aerotonometer *Chem.*
  chronometer
  colorimeter -metric
  galvanometer
  microhmmeter *Elec.*
  hydrometer *Chem.*
  magnetometer
  manometer
  meter
  millimeter -re *Phys.*
  photometer *Optics*
  pluriometer *Meteor.*
  pyrometer *Phys.*
  radiometer
  refractometer *Med.*
  respirometer *Biochem.*
  rheometer -metric(al
  sclerometer *Min.*
  seismometer *Seismol.*
  tasimeter *Elec.*
  thermometer
milammeter
milli-
  ammeter *Elec.*
  amperemeter *Elec.*
  meter -re
  voltmeter
minimeter
miscometer *Chem. Anal.*
mismeter -re
mobilometer *Paints*
molarimeter *Arts*
monometer -metric(al
motometer
motormeter
myodynam(i)ometer
myometer *Med.*
myotonometer *Med.*
myriameter -re *Meas.*
myriometer *Math.*
mythometer
nasomanometer *Med.*
natrometer
nauropometer *Naut.*
necrometer *Med. App.*
nephel-
  electrometer *Phys.*
  odometer *Meteor.*
  orometer *Meteor.*
nephelometer *Chem. Anal. Meteor.*
neuram(o)ebimeter
neurometer
nitrometer
nivometer
noematachometer -metric *Psych. App.*
nosometer
notiometer
obeimeter
obliquimeter *Med. App.*
occlusometer *Med. App.*
ochrometer *Med. App.*
odometer *Med.*
odori(*or* o)meter *Chem.*
odynometer -metrical
oenobarometer -metric
oenometer
ohmammeter *Elec.*
ohmmeter *Elec.*
oilometer
oleobutyrometer
oleometer
oleorefractometer *Optics*
olfactometer *Psychophys.*
oligochronometer
ombrometer -metric(al
omnimeter
oncometer *Med.*
oncosimeter *Metal.*
onda(*or* o)meter *Elec.*
oometer
operameter *Mech.*
ophthalmo-
  diastimeter *Optics*
  dynamometer *Ophth.*
  meter *Optics*
  phacometer *Optics*
  statometer *Optics*
  thermometer *Ophth.*
  tonometer
  tropometer *Psych.*
opisometer *Meas. App.*
opsiometer *Optics*
opto(myo)meter *Ophth.*
orometer *Physiog.*
orthometer *Ophth.*
orthometric *Crystal.*
orthoplessimeter *Med.*
oscillometer *Naut.*
osmometer
osteometer *Anthrop.*
othenometer *Neurol.*
oxymeter
ozometer
pachometer *Phys.*
pachymeter
paedometer
palatometer *Physiol.*
pallometric
pandynamometer *Mech.*
panhydrometer *Phys.*
panphotometric
pantometer
parallelometer
parameter -metral -ic(al *Astron. Crys. Math.*
parturiometer *Obstet.*
pasoometer
passimeter *Mech.*
passometer
pastometer *Sc. App.*
pathometer
pedimeter
pedobaro(macro)meter
pedodynamometer *Med.*
pedometer
peirameter
pelicometer
pelvicliseometer *Med.*
pelvimeter
pelycometer *Med.*
penetrometer *Phys.*
permeameter *Elec.*
perspectometer
phacometer
phagodynamometer
phak(*or* c)ometer *Med.*
phaometer
pharmacometer
phasemeter *Elec.*
phaseometer *Elec.*
phonometer
phonotelemeter
phorometer *Optics*
phorooptometer *Optical*
phosphatometer *Med.*
photantitypimeter *Phys.*
photoptometer *Ophth.*
photo-
  densitometer *Photog.*
  grammeter
  graphometer
  heliometer
  hematachometer *Med.*
  meteorometer
  meter
  pitometer *Phys.*
  polarimeter
  radiometer *Phys.*
  synthometer *Bot.*
  tachometer
phthongometer
picrosaccharometer *Med.*
piesi(*or* o)meter *Med.*
piezometer
pinometer *Bot.*
pipettometer *Chem.*
pirameter
pitchometer *Engin.*
pitometer *Phys. App.*
planimeter
planometer
plastometer *Physics*
platometer
platymeter *Elec.*
plegometer
plemyrameter *Mech.*
plessimeter
plexichronometer
pleximeter *Med.*
plexometer *Med.*
pluviameter -metric(al(ly
pluviometer -metric(al(ly
pneo(mano)meter
pneumatometer
pneumometer
pneumonometer
pneusometer *Med. App.*
pododynamometer *Med.*
podometer
polaristrobometer
polymeter
pontimeter *Surg. App.*
porometer *Bot.*
porosimeter *Physics*
potamometer
potentiometer *Elec.*
pot(et)ometer *Bot.*
potometer *Soils*
pris(m)optometer *Ophth.*
prisometer *Arts*
profilometer *Arts*
profondometer *Med.*
pronometer *Med. App.*
proptometer *Med. App.*
prosimetrical *Gram.*
prosopometer *Brach.*
prostatometer
protometer *Ophth.*
psychodometer *Psych.*
psychometer
psychrometer *Meteor.*
puelometer *Med. App.*
pulmometer *Physiol.*
pulsi(*or* o)meter *Physiol.*
punctumeter *Ophth.*
pupillo(stato)meter
purinometer *Med. App.*
putrimeter *Biochem.*
pycnohydrometer
pycnometer
pylometer *Med. App.*
pyranometer *Phys.*
pyrgeometer *Phys.*
pyrheliometer -ric
pyr(o)heliometer -ric
pyrometer
pyrophotometer *Arts*
quadmeter *Elec.*
qualimeter *Phys.*
quantimeter *Phys.*
quantometer *Elec.*
quinophthol *Trade*
rachialbuminimeter -metry *Med. App.*
rachiometer *Med. App.*
radio-
  activimeter
  chrometer *Phys.*
  chronometer
  goniometer
  meter *Physics Surv.*
  micrometer *Phys.*
ratiometer
rayometer *Photog.*
recipiometer
rectangulometer *Mech.*
reflectometer *Phys.*
reflexometer *Med. App.*
refractometer *Optics*
resiliometer
respirometer
resultantometer
rheometer *Elec.*
rhinomanometer *Med.*
rhinometer *Med. App.*
rhoptometer *Bot.*
rhysimeter
rhythmometer
roentgenometer
rolandometer *Med. App.*
rotameter
rotometer
saccharimeter
saccharometer -metry
salimeter
salinometer
salometer
sapometer *Soap.*
scantlometer
schistometer *Med. App.*
scintillometer *Astron.*
sclerometer *Crystal.*
scoliosometer *Med. App.*
scotometer *Ophth. App.*
sechommeter *Elec.*
seichometer *Phys.*
seismometer
semiparameter
sempresometer
sensitometer *Photog.*
sepometer *Meteor.*
sepsometer *Med. App.*
septometer *Med.*
serimeter *Arts*
siccimeter -metric
sillometer
skiameter
slidometer
solarometer
solometer
sonometer
sophiometer
sophometer
spectro-
  bolometer
  colorimeter *Ophth.*
  meter
  photometer
  polarimeter
  pylometer
  pyrometer
  radiometer
  refractometer
speedometer
sphereometer
spherometer
sphingometer *Mech.*
sphygmanometer *Med.*
sphygmobolometer *Med.*
sphygmodyna(mo)meter
sphygmo(mano)meter
sphygmoscillometer
sphygmotonometer *Med.*
sphyximeter *Physiol.*
spint(her)ometer *Phys.*
spirometer
stabilimeter *Aero.*
stactometer
stadiometer
stalagmometer *Phys.*
statometer *Med.*
stearinometer *Chem.*
stenometer *Surv.*
stereo(micro)meter
stereopyrometer *Phys.*
stereotelemeter
sternogoniometer *Med.*
sterometer *Physiol.*
stethogoniometer
stethometer
stethophonometer *Med.*
sthenometer *Med. App.*
stigmatometer *Ophth.*
strab(ism)ometer
stratameter *Geol.*
stylometer
submeter *Elec.*
sympies(*or* z)ometer
systolometer *Med. App.*
tacheometer
tachodometer
tachometer
tachygraphometer *Surg.*
tachymeter *Surv.*
tactometer
tangentometer *Math.*
tannometer
taseometer
tasimeter
taximeter -metric
tele-
  (hydro)barometer
  manometer
  meter
  thermometer
  topometer
telesmeter
telluradiometer
telometer
tenonometer *Ophth.*
tensiometer *Physics*
tephrylometer *Med.*
terpometer *Psych.*
tetanometer *Med.*
thalassometer -metrician
thalpotasimeter
thanatometer
theodo(lite) magnetometer
therm-
  ammeter *Elec.*
  el(a)eometer
  (a)esthesiometer
  oleometer *Chem. Anal.*
thermo-
  ammeter *Elec.*
  barometer *Phys.*

thermo- Cont'd
dynamometer
electrometer
galvanometer *Elec.*
hydrometer
hypeometer
manometer *Phys.*
meter -ric(al(ly
radiometer
tonometer *Med. App.*
thoracometer *Med. App.*
tiltometer *Engin.*
tintometer
tithonometer *Photog.*
toco(dynamo)meter
tonometer
topothermesthesiometer
torsi(o)meter *Ophthalm.*
toximeter *Chem. Anal.*
tradiometer *Mech.*
trechometer *Bot.*
tribometer
trichoesthesiometer *Med.*
trigonometer
trocheameter
trochometer
tromometer *Seismol.*
tropometer *Anthrop. Horol. Ophthalm.*
troptometer *Mech.*
turbidimeter *Physics or Chem. Anal.*
turgometer *Cytol. Physics Textiles*
typometer *Printing*
udometer -metric
ultramicrometer *Physics*
uranophotometer
ureameter
ureometer
urethrameter
urethrometer -metric
uricometer *Med. App.*
urinoglucosometer *Med.*
urinometer
urinopyknometer
uroacidometer *Med. App.*
uroazotometer *Med.*
urogravimeter *Med.*
urometer *Med.*
urophosphometer *Med.*
uropyometer *Med.*
uroxameter *Phys. Chem.*
uterometer *Med. App.*
vacuometer
vaginometer *Med. App.*
vaporimeter *Chem. Anal.*
variometer
vegetometer *Bot.*
velocimeter
velometer
vertimeter *Phys.*
viameter
viatometer
vibrometer
vinometer
viscometer
viscosimeter
viscostagonometer
visometer
voltaelectrometer -metric
voltameter
voltammeter
voltmeter
volume(sphygmo)bolometer -ric *Physiol.*
volumenometer
volumeter
votometer
vuerometer *Ophth. App.*
wall-campimeter *Psych.*
water -calorimeter
water -thermometer
wattmeter *Electric*
xanthometer
xylometer
yawmeter *Aviation*
zymometer
zymosi(o)meter *Med.*
Μέτων Athen. astron.
Metonic *Astron.*
μετωνυμία (Quintilian)
metonymy *Rhet.*
μετωνυμικός
metonymic(al(ly *Rhet.*
μετωπίας of high forehead
Eumetopias *Pal.*
Metopias *Pal.*
μετωπίδιος of the forehead
Metopidius *Ornith.*
μετώπιον forehead
metopion *Craniom.*
μετωπίς a headband
Cyphometopis *Ent.*
μετωπο- Comb. of μέτωπον
metopo-
brachia *Ent.*
chaetus *Ent.*
lichas *Pal.*
lophium *Ent.*
mancy
mycter *Ich.*
myia *Ent.*
plasty *Surg.*
sauridae *Pal.*
sparga *Ent.*
μέτωπον the brow; face
brachymetopus *Anat.*
Bumetopon *Ent.*
Callimetopus *Ent.*
Cyclometopa -ita -ous
Dolichometopinae *Pal.*
Eumetopon *Ent.*
Eu(*or* v)oxymetopon
Eurymetopon *Ent.*
Holometopa *Ent.*
Hypsometopus *Ent.*
Knestrometopon *Ornith.*
Leurometopon *Ent.*
Liometopum *Ent.*
metopagus *Terat.*
metopantrum *Anat.*
-algia -itis *Path.*
metope -ic -ism *Anat.*
metopodynia *Path.*
metopon *Anat. Arch.*
aplos *Ent.*
eurys *Ent.*
orthometopic *Anat.*
Phaidrometopon *Ornith.*
Pimelometopon *Ich.*
Pterygometopinae *Pal.*
Sphaerometopa *Ent.*
μετωποσκόπος
metoposcoper
-ic(al -ist -y
Μήδεια Medea
Medeola -eae *Bot.*
Μηδίζειν
Medize
Μηδική (Aristophanes)
medic *Bot.*
Medicago(phyll
Μηδικός Median
Lycomedicus *Arach.*
Medic *Philol.*
μήδιον (Diosc.)
Halimeda -eae -idae *Bot.*
Μηδισμός (Herodotus)
Medism *Hist.*
Μῆδος
Mede -ian *Hist.*
μῆδος penis
medorrhea *Med.*
medorrhinum *Mat. Med.*
μηκεδανός long
Mecedanum *Ent.*
μήκιστος tallest
mecistocephali *Anthrop.*
-ic -ous -y
Mecistops *Zool.*
Mecistus *Ent.*
μηκο- Comb. of μῆκος
apomecometer
-metry *Meas.*
meco-
cephalic *Anthrop.*
ceras -inae *Ent.*
corynus *Ent.*
cyanin *Biochem.*
graphy
metacnema *Ent.*
meter metry
pselaphus *Ent.*
pter(a -ous *Ent.*
tagus *Ent.*
tetartus *Ent.*
mekometer *Mil.*
Protomecoptera *Pal.*
μῆκος length
Dimecodon *Zool.*
heteromecic *Meas.*
Mececyon *Pal.*
mecism *Med.*
mecodont(a *Zool.*
Mecolenus *Ent.*
-mecus *Ent.*
Dero Somo Tany
μηκύνειν to lengthen
mecyno-
dera *Ent.*
ptera *Pal.*
stomites *Ent. Pal.*
Paramecynostoma *Ent.*
Pseudomecynostoma
μηκύνσις a lengthening
Epimecyntis *Ent.*
μηκυσμός a lengthening
Mecysmoderes *Ent.*
μήκων the poppy
meconidium *Zooph.*
meconism *Path.*
Meconopsis *Bot.*
μηκωνικός
comanic *Org. Chem.*
comen(am)ic *Org. Chem.*
hydromeconic
mecenic
mechlor(in)ic
meconic *Org. Chem.*
-ate -idine -in(e -inic
-isin -oi(o)sin
metameconic -ate
parameconic
pyromecazonic
pyromeconic -ate
μηκώνιον (Arist.)
meconiorrhea *Path.*
meconium *Ent. Physiol.*
-ial -ioid
μηκωνο- Comb. of μήκων
mecono- logy
phagism -ist *Med.*
μήλη a probe (Hipp.)
amphismela *Surg.*
gyromele *Med.*
-mele *Surg.* -μήλη
ἀγκυλομήλη (Galen)
Μηλιάδες Fr. μῆλον
meliad(s *Myth.*
μηλινο-Comb. of μηλινος
melinophane -ite *Min.*
μήλινος of apple
melinite -ic *Expl. Min.*
melinum *Chem.*
melyne
μηλο- Comb. of μῆλον
melo-
cactus *Bot.*
melo- Cont'd
coton *Bot.*
phagus
plasty -ic *Surg.*
skeleton *Anat.*
μηλολόνθη cockchafer
Melolontha *Ent.*
-ian -id(ae -id(i)an
-ides -inae -in(e
μῆλον a fruit; pl. cheeks
Boreomelon *Pal.*
Heteromeles *Bot.*
Meliola *Fungi*
melitis *Path.*
melon *Path.*
melonchus *Path.*
melon(en)emetin *Mat.*
Melongena -id(ae -oid
Melonites -idae *Pal.*
melonoplasty *Surg.*
mycomelic *Chem.*
Xylomelum *Bot.*
μηλοπέπων (Galen)
melon
-iere iform ist ry
melopepon
μήλωθρον (Theophr.)
Melothria *Bot.*
μήλωσις probing (Hipp.)
melosis *Surg.*
μηλωτή sheepskin
melote
μήν month
Callomenus *Pal.*
eumenol *Mat. Med.*
Halymenia *Algae*
-ieae -ites
men-
acme *Gynec.*
agogue *Med.*
arche *or* -y *Gynec.*
elcosis *Path.*
formone *Biochem.*
(h)idrosis *Gynec.*
idia *Ich.*
menischesis *Path.*
μηναῖον month book
menaion *Gr. Ch.*
μηναῖος monthly
Menyanthes *Bot.*
-aceae -aceous
menyanthin(e *Org. Chem.*
μῆνες Pl. of μήν
ischiomenes *Gynec.*
μήνη moon
Archaeomene *Pal.*
chalcomenite *Min.*
Chilomenea *Pal.*
cobaltomenite *Min.*
Mena *Zooph.?*
Menaspis *Pal.*
Mene -id(ae -oid *Ich.*
meneblastema *Lichens*
meneclinoid *Math.*
Menephilus *Ent.*
menisperm(um *Bot.*
-aceae -aceous -ad -al-(es
menispermic *Org. Chem.*
-ate -ia -ina -in(e
Menodus -ontid(ae -ontoid *Mam.*
Menura *Ornith.*
-ae -id(ae -oid(ean
-oideae
molybdomenite *Min.*
paramenispermine
Spilomena *Ent.*
Strophomena *Conch.*
-id(ae -oid
Trachymene *Bot.*
μηνιαία the menses
-menia *Gynec.*
a cephalo dys gastro
-menia Cont'd
ischo masto myelo
para pausi procto
stetho stomato xeno
xero
tautomenial *Gynec.*
μηνιγγ- Stem of μῆνιγξ
leptomeninges *Path.*
mening(a)ematoma
-meningeal *Anat.*
adeno cerebro inter
intra lepto pachy
meningeocortical *Anat.*
meningeorrhaphy *Surg.*
meninges -eal -ic -ism
meningina *Anat.*
meningioma *Tumors*
meningitis -ic -iform
-meningitis *Path.*
arthro cephalo cerebro
encephalo gastro gonarthro hydro lepto
myelo or(r)ho pachy-(lepto) peri(cephalo
pachy) polyorrho
pseudo
meningitophobia
meningosis *Anat.*
meninguria -ic *Path.*
myringa *Anat.*
myringitis *Path.*
myringodectomy *Surg.*
pachymeningitic *Path.*
perimeningitic *Path.*
μηνιγγο- Comb. of μῆνιγξ
meningo-
cele *Path.*
cephalitis *Path.*
cerebritis *Path.*
coccemia *Med.*
coccus -idal *Med.*
cortical *Anat.*
encephalitis *Path.*
encephalocele *Anat.*
encephalomyelitis
gastric *Path.*
malacia *Med.*
myelitis -ic *Path.*
myelocele *Path.*
myelorrhaphy *Surg.*
osteophlebitis *Med.*
radicular *Anat.*
r(h)achidian *Anat.*
rrhagia *Path.*
rrhea *Path.*
spinal *Anat.*
typhoid *Path.*
-meningocele *Path.*
encephalo hydro myelo(cysto) pseudo syringo
myringo-
dermatitis *Path.*
mycosis *Path.*
plasty *Surg.*
scope *Med. App.*
tome -y *Surg.*
parameningococcus
polioencephalo-meningomyelitis
μῆνιγξ membrane (Hipp.)
meninx *Anat.*
-meninx
lepto opto pachy sclero
μηνίσκος
meniscitis *Path.*
meniscium *Bot.*
meniscofemoral *Anat.*
Meniscotherium *Mam.*
-iid(ae -ioid
meniscotibial *Anat.*

mensicus *Anat. Bot. Math. Phys.*
-al -ate -iform -oil(al
-meniscous *Zool.*
mono poly
μηνο- Comb. of μήν
amenorrh(o)ea *Gynec.*
-(o)eal -(o)eic
dysmeno- *Gynec.*
rrhagia
rrh(o)ea -(o)eal
rrhoic
meno-
celis *Gynec.*
form *Biochem.*
lipsis *Path.*
metastasis *Path.*
pause -ic *Physiol.*
phania *Physiol.*
plania *Path.*
rrhagia *or* -y -ic *Path.*
rrh(o)ea -ic *Gynec.*
schesis -etic *Path.*
sepsis septic *Path.*
spora -idae *Protozoa*
stasis *or* -ia static *Path.*
station *Path.*
toxin *Biochem.*
xenia -osis *Gynec.*
-menorrhea *Gynec.*
a atopo bromo crypto dys oligo spano
μηνολόγιον calendar
menology -ion -ium
μῆον (Diosc.)
Meum *Bot.*
μηριαῖον femoral (Xen.)
meriaeum *Ent.*
μήριγξ a bristle
Meringomeria *Ent.*
μήρινθος a cord or line
Phaulomerinthus *Ent.*
Μηριόνης (Iliad)
Meriones -ina *Mam.*
μηρο- Comb. of μηρός
mero-
cele -ic *Path.*
cerite -ic *Crust.*
coxalgia *Path.*
gnathite *Crystal. Zool.*
physia *Ent.*
podite -ic *Anat. Crust.*
psilus *Ent.*
sthenic *Biol.*
-merocele *Path.*
entero epiplo
μηρός the thigh
Apiomerinae *Ent.*
calyptomere -a -ous
epimerum -ic -on *Ent.*
hadromerine -a *Ent.*
Heteromeri -ic *Ornith.*
Macromeracis *Ent.*
-mera *Ent.*
Labido Oede Onco Pimelo Pio
-meridae *Ent.*
Acantho Brachy Mela Oede
-merus *Ent.*
Apio Brachy Cente Corysso Diorygo Hadro Physi Priono Pristi Psilo Pycno Rhopalo Teucho Thaumasto Trachy
meralgia *Path.*
Meringomeria *Ent.*
meros *Anat. Arch. Crust.*
mesepimeral -on *Ent.*
oedemerid -oid *Ent.*
Platymerella *Pal.*
platymeria -ic -y
proepimeron -al *Ent.*

μηρυκ- Stem of μήρυξ
meryc-
hippus *Pal.*
oides *Pal.*
oidodon(tidae *Pal.*
ops *Pal.*
meryco-
logy *Path.*
potamus *Mam.*
-id(ae -oid(ea
merycole *Path.*
Promerychochoerus *Pal.*
μηρυκισμός rumination
merycism(us *Physiol.*
μήρυξ (Arist.)
Meryx *Ent.*
-meryx *Pal.*
Allo Copro Crypto Dromo Haplo Hetero Proto Pseudamphi
Micracosmeryx *Ent.*
Tetrameryx *Mam.*
μήστωρ an adviser
Mestorus *Ent.*
μητηρ a mother
textometer *Histol.*
Μῆτις Mother of Athena
Metis *Astron. Conch. Crust. Myth.*
μητρ- Comb. of μήτρα
metr-
(a)emia *Path.*
(a)emorroids *Path.*
algia *Path.*
anastrophe *Path.*
anemia *Path.*
aneurism *Path.*
anoikter *Surg. App.*
apectic *Med.*
atonia *or* -y *Path.*
atrophia *or* -y *Path.*
auxe *Gynec.*
echoscopy *Diag.*
ectasia ectatic *Path.*
ectomy *Surg.*
ectopia *or* -y -ic *Path.*
elcosis *Path.*
emphraxis
emphu(*or* y)sema
eurynter *Med. App.*
eurysis *Gynec.*
eurysma -us *Path.*
haemia *Path.*
odynia *Path.*
onchus *Path.*
orthosis *Gynec.*
ypercinesis *Obstet.*
yperemia *Gynec.*
ypertrophia *Gynec.*
μήτρα the womb
ametria -ous *Terat.*
dimetria *Path.*
endometrectomy *Surg.*
endometrioma *Tumors*
Hydrometra *Ent.*
-id(ae -oid
mesometry -al -ic *Anat.*
-metra *Gynec.*
h(a)em(at)o hemelytro hydro(physo) litho lochio physo(h(a)emo hydro) pyo(physo)
metra *Anat.*
derm *Helm.*
kinesis *Path.*
term *Helm.*
tome -y *Surg.*
-metrial *Anat.*
endo myo para peri
metria *Path.*
metritis -ic *Path.*
-metritic *Path.*
para peri
-metritis *Path.*
adenomyo blenno endo

-metritis Cont'd
exo idio loch(i)o meso myo para peri phlebo pseudoendo pyo septi
-metrium *Anat.*
endo meso myo para peri pyo
parametric *Anat.*
parametrismus *Gynec.*
perimetric *Anat.*
μητρεγχύτης (Galen)
metrenchyte *Med. App.*
μητρίδιος fruitful
metridium *Zool.*
μητρο- Comb. of μήτρα
ametrohemia *Physiol.*
electrometrogram *Med.*
gastrometrotomy *Surg.*
metro-
botrytes *Gynec.*
cace *Path.*
campsis *Path.*
carcinoma *Path.*
cele *Path.*
celis *Path.*
clyst *Med. App.*
colpocele *Gynec.*
cystosis *Gynec.*
cyte *Cytol.*
cytosis *Med.*
endometritis *Gynec.*
fibroma *Tumors*
hemorrhage *Path.*
leucorrhea *Path.*
loxia *Med.*
lymphangitis *Path.*
malacia *Gynec.*
-oma -osis
mania -iac *Med.*
meter *Med.*
neuria -osis *Gynec.*
paralysis *Gynec.*
pathia *or* -y -ic *Gynec.*
peritonitis *Path.*
phlebitis *Path.*
phlogosis *Path.*
phthisis *Path.*
phyma *Path.*
plethora
polypus *Path.*
proptosis *Path.*
ptosis *or* -ia *Gynec.*
radioscope
rheuma *Gynec.*
rrhagia -ic *Path.*
rrhexis *Path.*
rrh(o)ea *Path.*
salpingitis *Path.*
salpingorrhexis *Path.*
salpinx *Anat.*
scirrhus *Gynec.*
scope -y *Med.*
sideros -eae *Bot.*
staxis *Path.*
stenosis *Path.*
steresis *Path.*
synizesis *Path.*
taxis *Path.*
tome -y *Surg.*
toxin *Biochem.*
tuberculum
urethrotome *Surg.*
xylon *Bot.*
μητρο- Comb. of μήτηρ
metrocelis *Path.*
cracy cratic
gonidium *Bot.*
perimetrosalpingitis
protometrocyte *Cytol.*
μητρόπολις (Xenophon)
metran(ate *Eccl.*
metro
metropole -is
-ic(al(ity -ize

metropolitan
ate cy eous(ly ism ize ship
-metropolitan
extra intra
μητροπολίτης
metropolite -ic(al(ly
μητρῳακόν of Cybele
metroiacon *Myth. Pros.*
μητρωνυμικός
metronym(y
metronymic(s -ic(al
μηχανή (Herodotus)
arithmachine -ist
machina(ment
machinate -ation -ator
machine
-er(y -ism -ist -ization -ize -ous -ule
magnetomachine
mechanipulate
mechanism -ist(ic
mechanize(r -ation
neuromechanism
pedimechan
telemechanism
unmechanize
μηχανικά (Arist.)
mechanics
-mechanics
aero arithmo ato cyto hydro photo psycho tele zoo
μηχανικός (Arist.)
mechanic
al(ly ian ism ize(r
-mechanical
aero arith hydro iatro medico musico photo physico un zoo
mechanical-
ism ist ity ize ness
mechanico-
chemical corpuscular physical therapeutics therapy
technomechanic
telemechanic
unmechanic(ally
μηχανο- Comb. of μηχανή
mechano-
gram graph *Med. App.*
graphy -ic -ist
gymnastics
logy
morphic
morphosis *Bot.*
therapy
tropism *Bot.*
μηχανουργία (Athenaeus)
mechanurgy *Mech.*
μιαίνειν to stain
Miaenia *Ent.*
μιαρός defied, stained
miarolitic *Petrol.*
Miarus *Ent.*
μίασμα pollution
antimiasmatic
miasm(a
al atic(al(ly (at)ist a (*or* i)tize (at)ous -ic
miasm(at)ology
miasmifuge
oikiomiasmata *Med.*
μιάστωρ one polluted
Miastor *Ent.*
μιγας mixed pell-mell
Leucomigus *Ent.*
Migadops *Ent.*
μιγνύναι to be mixed
polymignite *Min.*
Μίδας Midas
Midas -aidae *Ent.*

Μιθραικός (Orig.)
Mithraic
ism ist ize
Μίθρας Persian sun god
Mithra
ism ist itic ize
Mithracism
Mithr(a)eum *Temples*
Mithras -atic -iac
Μιθριδάτης Mithridates
mithridate -ism -ium -ive -ize *Tox.*
Μιθριδατικόν (Nicol. D.)
mithridatic(on -icum
Μιθριδατικός
Mithridatic *Hist.*
μικρ- Comb. of μικρος
micr-
acosmeryx *Ent.*
acoustic
aeroxyl *Bot.*
(a)esthete *Zool.*
aetus *Ornith.*
agris *Ent.*
allantoid *Embryol.*
ampelis *Bot.*
anatomy *Anat.*
ander -re -rous *Bot.*
anthine *Org. Chem.*
anthropos
aster(inae *Pal.*
athene *Ornith.*
aulic(a *Zool.*
azotol *Mat. Med.*
embryeal *Bot.*
encephalia *or* -y *Med.*
-ic -ism -on -ous -us
ergate *Ent.*
erpeton *Pal.*
ify
istodus *Ich.*
istology -ical
odon(t *Ent. Ich.*
odont(ism -ic -ous
ohm(meter *Elec.*
olicia -ieae *Bot.*
onymy
ophytic *Petrog.*
opia *Ophth.*
opsia *or* -y *Ophth.*
optic
orchidia *Anat.*
otia -ous *Anthrop. Biol. Path.*
otine *Min.*
otus -inae -ine *Zool.*
oxea *Spong.*
oxycyte *Cytol.*
oxyphil *Cytol.*
urae *Zool.*
urgical *Physiol.*
millimicrohm *Elec.*
Nothomicrodon *Ent.*
Palaeomicromus *Ent.*
Plastomicrops *Ent.*
promicrops *Ich.*
Trimicrops *Ent.*
xanthomicrol *Org. Chem.*
μικρο- Comb. of μικρος
aeromicrobe *Med.*
amicrobic *Path.*
amicronucleate *Bot.*
amicroscopic *Phys.*
amphimicrobian *Biol.*
antimicrobic -in *Ther.*
bicro- *Meas.*
caryomicrosoma *Cytol.*
cinemamicroscopy
cinematomicrograph
cytomicrosome *Biol.*
electrophotomicrography
Eumikrotremus *Ich.*
heliomicrometer *Astron.*
hypermicro-
prosopous *Craniom.*
soma *Med.*

hypomicrosoma *Med.*
isomicro-
cline *Min.*
gamete *Protozoa*
karyomicrosome-a *Cytol.*
lecimicrozymase
macromicro *Chem.*
macromicrometer
meromicrosomia
micro-
aerophilous -ic *Bot.*
aerotonometer *Chem.*
aesthete *Conch.*
aggregate *Chem.*
ampere *Elec.*
analysis *Chem. Anal.*
analytical *Chem. Anal.*
anemometry *Meteor.*
aplanospore *Bot.*
apparatus *Chem. Anal.*
asbestos *Min.*
assay *Chem. Anal.*
audiphone
bacillus -ar(y
bacteria *Biol.*
bacterium *Mycol.*
balance *Chem. Anal.*
barogram *Meteor.*
barograph *Meteor.*
basanus *Ent.*
basis *Bot.*
battery
be -ion -ium *Biol.*
-al -ial -ian -ic -ious
bemia *Path.*
bicide -al -in *Med.*
biohemia *Path.*
biology -ical -ist *Biol.*
bionation *Med.*
biophobia *Med.*
bioscope
biosis biotic *Biol. Med.*
biotheria *Mam. Pal.*
-ian -iidae -ium
bism *Med. Path.*
blast *Biol.*
blepharia *Anat.*
-ism -on -y
blepsis *Ent.*
brachidae *Pal.*
branchia -ius *Anthrop.*
branchiate *Ich.*
brenner *Med. App.*
buret(te *Chem. Anal.*
burner *Chem. Anal.*
calorie *or* -y *Phys.*
calymma *Ent.*
calt(h)rops *Spong.*
camerae -ate *Spong.*
campyli *Zool.*
canonical(ly *Mech.*
cardia -ius *Biol.*
cautery *Med.*
cavity *Chem.*
cebus *Zool.*
cellular
centri *Ent.* -um *Biol.*
centrosome *Cytol.*
cer(at)ous *Ent.*
chaeta *Ent. Zool.*
character *Zool.*
ch(e)ilous chilia
ch(e)irous *Chiria*
chemic(al(ly
chemistry
chiroptera(n -ous
chloroplast *Bot.*
choanite(s *Conch.*
choeridae *Pal.*
chronometer
cidin *Mat. Med.*
cinematograph(y -ic
cinnyris *Ornith.*
ciona *Spong.*
cladous *Bot.*
clase *Min.*

micro- Cont'd
clastic *Geol. Petrol.*
cleidus *Pal.*
clema *Bot.*
cleptes *Ent.*
clin(e *Min.*
cnemia -ic *Anthrop.*
coccologist
coccus -al *Bact.*
codium *Pal.*
codon(idae *Prot.*
coleoptera *Ent.*
colon *Anat.*
colorimeter -metric
column(ar *Chem.*
combustion *Chem.*
condrite *Geol.*
conid(ium *Fungi*
constituent
cornea *Anat.*
cosmetor(ic
cotyle *Helm.*
-id(ae -oid
coulomb *Elec.*
coustic
crania -ius -ous
crith *Chem. Phys.*
cryoscopy *Phys. Chem.*
crypticus *Ent.*
cryptocrystalline
crystal(litic *Geol. Min.*
crystalline *Geol. Min.*
crystallo- *Crystal*
geny graphy scopy
ctonus *Ent.*
curie *Meas.*
cyclas *Pal.*
cyst(is *Mycol.*
cyte -ase *Cytol.*
cyth(a)emia *Path.*
cytosis *Path.*
dactyl(e
-ia -ism -ous -y
dentism -ous *Anthrop.*
derm *Bot.*
desmus *Ich.*
dessicator *Chem. Anal.*
detection -or *Chem.*
determination *Chem.*
diactine *Spong.*
diaene *Spong.*
dichotriaene *Spong.*
diode -ange *Bot.*
discus *Pal.*
dissection *Histol.*
distillation *Chem.*
drassus ?*Arach.*
drawing
drili *Helm.*
drosophila *Ent.*
dyne *Phys.*
electric -ode *Elec.*
erg *Phys.*
ergate *Ent.*
estimation *Chem. Anal.*
farad *Elec.*
fauna
felsite -ic *Geol. Min.*
ferment
filaria *Helm.*
flora *Bot.* -ae *Pal.*
fluidal *Petrol.*
food *Biochem.*
foliation *Geol.*
form
fungus *Fungi*
furnace *Chem. Anal.*
gadus *Ich.*
galvanometer
gamete *Cytol.*
gametocyte *Cytol.*
gametophyte -ic *Cytol.*
gamy *Bot. Prot.*
gaster(inae *Ent.*
gastria *Anat.*
gastura *Ent.*

micro- Cont'd
gauss *Elec.*
gene *Bot.*
genia
geology -ical -ist
geoxyl *Bot.*
germ *Bot.*
germ(al *Path.*
gilbert *Elec.*
glossa *Ornith.*
-ia -idae -inae -in(e
-oid -us
glossia *Anat.*
gnathae *Arach.*
graphophone
graphy
-ic(al(ly -ist
gravimetric *Chem.*
gyne *Ent.*
gyria *Anat.*
hemazoite *Protozoa*
henry *Elec.*
hepatia *Anat.*
heterogeneous *Chem.*
hierax *Ornith.*
hippus *Pal.*
histology -ical
hydrometer *Chem.*
hymenoptera *Ent.*
injection *Biochem.*
iodometric *Chem.*
joule *Phys.*
kinematography
kinesis -kinetic
kjeldahl *Chem. Anal.*
konoscope *Min.*
lecithal *Embryol.*
lentis
lepidolite *Min.*
lepidopter(a(n -ist -ous
lepidotous -us *Ich.*
leptosaurus *Pal.*
lestes *Pal.*
leucoblast *Cytol.*
lichens *Lichens*
line *Micros.*
lite -ic lith(ic *Min.*
liter -re *Phys.*
logy *Micros.*
-ic(al(ly -ist
lophic *Craniom.*
lycus *Ent.*
maeus *Ent.*
magnet(ometer *Phys.*
mania -iac
manipulation -or
manometer *Phys.*
masticora *Spong.*
mazia *Med.*
measurement *Chem.*
megalopsia *Ophth.*
megaly *Med.*
melia -ic *Anthrop.*
mellitophilae *Bot.*
melus *Terat.*
membrane
mere -al -i -ic *Cytol.*
meria *Bot.*
merism *Biol.*
meritic *Petrol.*
merology *Anat.*
merops *Ornith.*
merozoite *Prot.*
mesentery *Zool.*
mesites *Ent.*
metallographer -y
metallurgy -ical
meter
metry -ic(al(ly
method *Chem. Anal.*
microfarad *Radio*
micron *Meas.*
mil *Phys.*
millimeter -re *Phys.*
mineralogy -ical
molecule *Phys. Chem.*

micro- Cont'd
morph *Biol. Bot.*
motion
motoscope *Photog.*
myces *Fungi*
myelia *Terat.*
myeloblast *Cytol.*
myelolymphocyte
myeloscope *Photog.*
myiophilae *Bot.*
needle *Chem. Crystal.*
nephric -idium *Zool.*
nitrogen *Chem. Anal.*
nucleoalbumin *Bact.*
nucleus *Bot.*
nucleus -ear *Infus.*
optical *Optics*
organism -al -ic *Biol.*
palama *Ornith.*
pantograph
parasite -ic
particle *Chem.*
pathology *Med.*
-ical -ist
pegmatite -ic *Petrol.*
penis *Anat.*
perca percops *Ich.*
perthite -ic *Min.*
petalous *Bot.*
petrology -ist
phag(e -ist *Histol.*
phagocyte *Histol.*
phallus *Anat.* Ent.
phanerophytes *Bot.*
phily
phobia *Ps. Path.*
pholidae *Pal.*
phone -ic -ous
phonics *Acoustics*
phonograph
phonoscope *Med. App.*
photogram
photograph(y -ic(ally
photometer *Optics*
photoscope
phthire -a *Ent.*
phyll *Bot.*
phyllopteris *Pal.*
phyllous -in(e -oid *Bot.*
physics -ical *Phys.*
physiography
phyte -al -ic *Bot.*
phytology *Bot.*
pistus *Ent.*
plankton *Biol.*
plasia *Path.*
plastocyte *Anat.*
platelet *Chem. Crystal.*
plectes *Ornith.*
pluviometer *Meteor.*
podal -ic -ous *Anthrop.*
pogonius *Ornith.*
pogon *Ich.*
poic(*or* k)ilitic *Petrog.*
polariscope
polarization *Chem.*
pore -a -idae *Mol.*
porous
porphyritic *Geol.*
prism *Chem. Crystal.*
projection *Phys.*
protein *Bact.*
prothallus *Bot.*
protops *Crust.*
-opid(ae -opoid
psalis *Ent.*
pteres *Bot.*
pternodus *Pal.*
pterygious *Zool.*
pteryx *Ent.*
-ygid(ae -ygoid
ptilus *Bot.*
puccinia *Mycol.*
pycnid(ia *Bot.*
pycnospores *Bot.*
pyle -ar *Bot. Spong.*

micro- Cont'd
pyliferous *Bot.*
pyrometer *Phys.*
radiography *Chem.*
radiometer
reaction *Chem.*
refractometer *Med.*
respiration *Chem. Anal. Biochem.*
respirometer *Biochem.*
r(h)abdrhabdus
rheometer -metric(al
rhizophora *Pal.*
rhyncus *Zool.*
rodlet *Chem. Crystal.*
s. *Abbrev.*
sauri(a(n *Herp. Pal.*
sclere *Spong.*
-on -ous -um
sclerophora -ous
sclerote *Bot.*
scope -(i)al -ico-
scopium *Astron.*
scopy -ic(al(ly -ics -ist
-ize
second *Ps. Phys.*
section
seism(al -ic *Seismol.*
seismo- *Seismol.*
graph
logy *Seismol.*
meter -metry
metrograph *Seismol.*
seme -ia *Craniom.*
septum *Zooph.*
siphon(ula(r) *Conch.*
-ulate -ulation
siphonales *Zool.*
siphuncle *Biol.*
slide
sol *Mat. Med.*
soma some *Bot.*
som(at)ia *Anat.*
-(at)ous -atic
somite -ic *Zool.*
sommite *Min.*
sorex *Zool.*
sorus -oma *Bot.*
spathodon *Ich.*
species *Bot.*
spectral
spectroscope -y -ic
spermae -ous *Bot.*
spermum *Pal.*
sphaera *Fungi*
sphaerose *Phytopath.*
sphere -ic *Bact. Infus.*
spherulitic *Petrol.*
sphygmia *Med.*
sphyxia *Path.*
spined
splenic *Path.*
sporange -iate -ium
sporangiophore *Bot.*
spore -ic -on -ous *Bot.*
sporia -in(e -osis *Path.*
sporidia *Cytol. Prot.*
sporo- *Bot.*
carp cyte genesis
phore phyll(ary
sporozoite *Protozoa*
stat *Phys.*
stethophone *Med.*
stethoscope *Med. App.*
sthene -a -ic *Mam.*
stola *Ent.*
strobilus *Bot.*
taenia *Pal.*
tannology *Leather*
tasimeter *Elec.*
technic -ique
telephone -ic
testing *Chem. Anal.*
tetrod *Spong.*
thaptor *Ent.*
theos

micro- Cont'd
there -ium *Pal.*
therm(ic *Bot.*
thermal *Phys.*
thermogram
thermometer
thermophyta -ia *Bot.*
thoracidae *Infus.*
thorax *Ent.*
thyrium -iaceae *Fungi*
titration *Chem.*
tome
tomy -ic(al -ist
tonal *Music*
trema *Helm.*
triaene *Spong.*
trichal -ous *Bot.*
trichalus *Ent.*
trichia *Anat.*
trigonus *Ent.*
triod *Spong.*
tylostyle *Spong.*
tylote *Spong.*
type -al *Zooph.*
unit *Meas.*
volt *Elec.*
volume *Chem. Anal.*
volumetry -ic *Cytol.*
watt weber *Elec.*
weighing *Chem. Anal.*
xylobius *Ent.*
zeuglodon(tidae *Pal.*
zoa(n -oal -oic -ooid -oon *Zool.*
zoo-
gloea *Bot.*
gonidium *Bot.*
logy
philous *Bot.*
phobous *Bot.*
scopic
spore *Cytol.*
zoum *Ent.*
zyma *Bot. Prot.*
zyme *Bact. Bot. Infus.*
mikrokarren *Geol.*
millimicrocurie *Phys.*
monomicrobic *Path.*
multi-micro *Elec.*
natromicrocline *Min.*
natronmikroklin *Min.*
nucleomicrosome *Histol.*
perimicropylar *Bot.*
photomicro-
gram
graph(er -ic -y
scope -ic -y
polymicro-
bial *Zool.*
bic *Med.*
lipomatosis *Tumors*
scope
tome *Surg. App.*
Protomicroctyle *Helm.*
radiomicrometer *Phys.*
spectromicroscope
-(ic)al(ly
stauromicroscope
stereomicrometer
stereophotomicrograph
submicro- *Craniom.*
cephalic -y
cranous *Craniom.*
prosopous *Craniom.*
scopic
telemicroscope
ultramicro-
be *Biol.*
crystal
meter *Phys.*
scope -y *Phys.*
-ic(al
ultraphotomicrograph
μικρόκαρπος (Theophr.)
microcarpous -us *Bot.*

μικροκέφαλος
microcephal(ia y
Microcephala -us *Ent.*
microcephale -us -y *Path.*
microcephalism
-ic -ous
μικροκοσμος (Photius)
microcosm
al ian ic(al os us
microcosmography
microcosmology
Microcosmus *Ent.*
μικρολογία pettiness
micrology
μικρόλογος captions
microlog(ue
μικρόν Neut. of μικρός
micromicron *Meas.*
mic(*or* k)ron(e *Meas.*
millimicron *Meas.*
Rhamphomicron *Ornith.*
submicron *Phys.*
ultramicron *Meas.*
Μικρόνησος a small island
Micronesia(n *Geog.*
μικρόπους small-footed
Micropus *Ornith.*
-pod(-a -id(ae -inae -in(e -oid(ean -oideae)
Micropus *Ent. Ich.*
μικροπρόσωπος small-faced
microprosopous -ia -us
μικρόπτερος small winged
micropterous -ism *Zool.*
Micropterus -inae *Ent. Ich. Ornith.*
μικρὸς small, little
acromicria *Path.*
amicron(e *Phys.*
amicronic *Bot.*
Amicrurae *Helm.*
chylomicron *Histol.*
Eumicrerpeton *Pal.*
Eumicronyx *Ent.*
hypomicron *Phys.*
hypomicrous *Biol.*
lecimicroonine *Chem.*
micostalis *Anat.*
micrhon *Phys.*
micro *Chem. Ent.*
mic(*or* k)rom *Meas.*
Micrus *Ent.*
polymicrian
Spilomicrus *Ent.*
submicronic *Bot.*
theomicrist
Xenomicrus *Ent.*
μικροσκελής small-legged
microscelia -ic *Anthrop.*
μικρόστομος (Arist.)
Microstoma *Helm.*
-(at)idae -id(a -oid
Microstomata *Herp.*
microstome -ous *Bot.*
microstomia -(at)ous
Microstomus -a *Ich.*
μικρὸφθαλμος (Hipp.)
microphthalmia *Anat.*
-ic -ous -us -y
Microphthalmus *Pal.*
μικροφωνία (Arist.)
microphony -ia *Path.*
μικρόφωνος (Arist.)
microphonous
μικροψυχία (Isocrates)
micropsychy
μικτο- Comb. of μικτός
Mictoschema *Ent.*
μικτός compound
apomictial -ical *Bot.*

apomictic *Biol.*
hyalomicte *Petrol.*
metamict *Min.*
mictium *Bot.*
pseudomictic *Bot.*
Μιλήσιος (Herod.)
Milesian
μίλτος ruddle; red lead
Miltesthus *Ent.*
miltos *Min. Petrog.*
μίλφωσις (Galen)
milphosis *Path.*
Μίμας an Ionian headland; a Centaur
Mimos *Astron. Myth. Geog.*
μίμαυλος a mimic actor
Mimaulus *Ent.*
μιμέομαι imitate
mimeo-
graph(y
type *Taxon.*
μιμηλάς imitative
Mimela *Ent.*
μίμημα a counterfeit
Mimema *Ent.*
μίμησις imitation
Eumimesis *Ent.*
Mimesa *Ent.*
-id(ae -oid
mimesis *Biol. Rhet.*
-mimesis *Med.*
neuro patho
μιμητής an imitator
Eumimetes *Ent.*
mimetene *Min.*
Mimetes *Ent. Zool.*
mimet(es)ite *Min.*
mimetism *Biol. Psych.*
μιμητικός (Plato)
amimetic *Zool.*
mimetic(al(ly *Bot. Min. Zool.*
neuromimetic *Med.*
pantomimetic *Psych.*
vagomimetic *Med.*
zoomimetic
μιμία = μίμησις
dysmimia *Ps. Path.*
paramimia *Ps. Path.*
μιμίαμβοι (Aul. Gell.)
mimiambi -ic(s *Lit.*
μιμικός (Cicero)
mimic
al(ly alness ation ism ker ry
pathomimicry
theriomimicry
zoomimic
μιμο- Comb. of μῖμος
mimo-
bius *Ent.*
ceracone -as -an *Mol.*
drama
graphy
lithophilus *Ent.*
lochus *Ent.*
phyr(e *Petrol.*
pictis *Ent.*
prophet(ic
selenopalpus *Ent.*
soma *Myriap.*
synopticus *Ent.*
tannic *Chem.*
type -ic *Zool.*
μιμογράφος writing mimes
mimograph(er
Mimographus *Ent.*
μιμολογία (Epiphan.)
mimology -ist
μιμολόγος (Galen)
mimologer
μιμόος Gen. of μιμώ ape
Mimusops *Bot.*

μῖμος a mimic; a mima
amimia *Ps. Path.*
Celyphomima *Ent.*
Cetomimus -id(ae -oid
Hastimima *Pal.*
Mimargyra *Ent.*
mime -er -ist -us -y
mimester mimetry
Mimosa *Bot.*
-aceae -aceous
Mimosella -idae *Conch.*
mimosis
mimosite *Pal.*
Mimus -idae -inae -ine *Ornith.*
-mimus *Ent.*
Ibidio Pseudophyllo Stilbo Xylo
Myomimus *Mam.*
Ornithomimidae *Pal.*
Pelecinomimus *Ich.*
μιμώ ape
? monkey
Μιναῖοι the Minaei
Minaean *Ethnol.*
μίνθα mint
carvomenth- *Org. Chem.*
ene ol one
dementholize
homomenth- *Org. Chem.*
ene one
iodomenthol *Mat. Med.*
Mentha *Bot.*
-aceae -aceous
menthe
menth- *Org. Chem.*
ane anol anone ene enol ol one
menthadiene *Org. Chem.*
menthiodol *Org. Chem.*
menthologist *Bot.*
menthomenthene *Chem.*
menthophenol *Chem.*
menthopinacone *Chem.*
menth(ox)yl *Org. Chem.*
mint *Plants*
Minthea *Ent.*
neomenthol *Org. Chem.*
thiyamenth- *Org. Chem.*
ene ol one yl
thymomenth- *Org. Chem.*
ene ol one
μινυ- short
miny-
ops *Ent.*
trema *Ich.*
Μινυάς Dau. of Minyas
Minyas -adidae *Prot.*
μινύθησις (Hipp.)
minithosis *Path.*
minuthesis *Neurol.*
μινυρός whining
Minurus *Ent.*
Μινώιος of Μίνως Minos
Minoan *Hist.*
Μινώταυρος (Apollodorus)
minotaur *Her. Myth.*
μιξέλλην (Heliodorus)
MixHellene
μῖξις a mingling
amixis *Biol.*
amphimixis *Biol.*
apomixis *Biol.*
automixis *Bot. Cytol.*
cytomixis *Cytol.*
endomixis *Bot. Cytol. Infus.*
mixic *Bot.*
Mixigenus *Ent.*
mixipterygium *Ich.*
Mixis *Ent.*
mixote *Bot.*
panmixia *Biol.*

parthenomixis *Bot.*
polymixic *Biol.*
pseudomixis *Bot.*
μιξο- Comb. of μῖξις
mixo-
chimaera *Bot.*
choanites *Zool.*
chromosome *Cytol. Bot.*
claenus *Pal.*
dectes *Mam.*
-id(ae -oid
mgay -ous *Ich.*
hyrax *Pal.*
pterus *Pal.*
saurus-id(ae-oid *Herp.*
scope -ia -ic
termitoidea *Pal.*
trophic *Biol. Bot.*
μιξοβάρβαρος (Euripides)
mixobarbaric
μιξολύδιος half-hydian
hypermixolydian *Music*
hypomixolydian *Music*
mixolydian *Music*
μιξόπυος (Hipp.)
mixopyous *Med.*
μισανδρία hatred of men
misandry
μισανθρωπία hatred of man (Plato)
misanthropy -ia
μισάνθρωπος (Plato)
misanthrope
-ic(al(ly -ism -ist -ize
theomisanthropist
μισητής a hater
Misetes *Ent.*
Pheggomisetes *Ent.*
μισο- Comb. of μῖσος
miso-
cainia
capnic -ist
catholic *Eccl.*
clere *Eccl.*
cyny
gallic
grammatist
Hellene
lampus *Ent.*
mania
math
monarchy -ical
musist
neism -ist(ic *Psych.*
parson
paterist
psychia
scopist
tramontanism *Eccl.*
μισοβασιλεύς king-hater
misobasilist
μισόγαμος (Old dicts.)
misogamy
-ic -ist
μισογύνης woman-hater
misogyne-ic (Menander)
μισογυνεία (Cicero)
misogyny
-ism -ist(ic(al
μισόγυνος = μισογύνης
misogynous
μισόθεος hating the gods
misotheism -eist(ic
μισολογία (Plato)
misology -ist
μισόλογος (Plato)
misologue
μισοξενία
misoxeny
μισόξενος guest-hating
misoxene
μισόπαις hating boys
misop(a)edia
-ism -ist -y

μισοπόλεμος hating war
misopolemical
μισοπώγων beard-hater
misopogonistically
μῖσος hatred
misarchism -ist
μισόσοφος hating wisdom
misosophy -ist
μισοτύραννος (Herod.)
misotyranny
μίσυ ?copperas (Galen)
misy *Min.*
μίσχος stalk (Theophr.)
Macromischoides *Ent.*
Miscanthus *Bot.*
mischomany *Bot.*
Platymischus *Ent.*
Platymiscium *Bot.*
μιτο- Comb. of μίτος
karyomitoplasm(ic
mito-
  cera *Ent.*
  chondria -ial -ium
  kinetic(ism *Bot. Cytol.*
  plasm plast *Cytol.*
  some *Cytol.*
μίτος thread
amitotic(ally *Cytol.*
atelomitic *Cytol.*
caryomitome *Biol.*
chondriomite *Cytol.*
chondromitome *Cytol.*
cytomitom(e *Cytol.*
Dicromita *Ich.*
eumitotic *Biol.*
gamomites *Bot.*
Hemicosmites -idae *Pal.*
Heteromita -idae *Infus.*
hyalomitome *Cytol.*
karyomite -on -ome
karyomitoic -otic *Biol.*
mitapsis *Cytol.*
mitaptic *Cytol.*
mitom(e a *Bi ol.*
mitosis *Cytol. Path.*
  -ic -otic(ally
mitosis *Biol. Bot.*
  a eu haplo karyo meso meta pro pseuda pseudo tele(o)
paramitom(e *Biol.*
promitosis *Tumors*
pseudomit -otic *Biol.*
Stereomita *Ent.*
teleomitosis *Path.*
telomitic *Cytol.*
tetramitiasis *Path.*
Tetramitus *Bact.*
μίτρα kilt; head-dress
Archemitra *Ent.*
Atrimitra *Pal.*
Gyromitra *Bot. Fungi*
miter -re *Arch. Arts Conch. Costume Her. Mech.*
miterer
miterwort
mitra -ing *Costume*
Mitra -acea(n -aidae -ainae *Conch.*
  -id(ae -iform -oid
Mitra -ate -iform *Bot.*
mitra -al(ism *Med.*
Mitragenius *Ent.*
Mitragyne *Bot.*
mitragynine *Org. Chem.*
Mitraster *Pal.*
mitraversine *Org. Chem.*
mitrephorous *Ent.*
mitrous
mitry *Heraldry*
Poromitra *Ich.*
μιτρίον Dim. of μίτρα
Physcomitrium-ieae *Bot.*

μιτρο- Comb. of μιτρα
mitro-
arterial *Anat.*
  cystidae *Pal.*
  gona *Ent.*
μίτυς (Arist.)
mitys *Apiculture*
μιτώδης like threads
Mittodes *Ent.*
Μιχαήλ Michael
michael(son)ite *Min.*
Michaelmas(tide
Michael('s)tide
Michelangelism
μνᾶ (Herodotus)
m(i)na *Coins Meas.*
μνήμη memory
mneme -ic *Psych.*
mnemia -ism *Biol.*
Mnemia -iid(ae *Coel.*
μνημο- Comb. of μνήμη
mnemo-
  genesis
  technic(s -y
μνημονευτικός (Plotinus)
mnemoneutic
μνημονικά (Arist.)
mnemonics
μνημονική
telemnemonike *Psychics*
μνημονικός
amnemonic *Ps. Path.*
antimnemonic *Psych.*
mnemonic
  al(ly (al)ist ian on
Μνημοσύνη Mo. of Muses
Mnemosyne *Ent. Myth.*
μνήμων unforgetting
mnemic -ism *Psych.*
mnemon *Bot.*
menomist -ization -ize
μνησ- as if in a αμνῆσις
hypermnesis *Psych.*
kryptomnesic *Psych.*
mnesic
palimnesis *Psych.*
-μνησία as in ἀμνησία
-mnesia *Psych.*
  auto crypto dys ec hyper pan pro pseudo
Μνῆστρα Dau. of Danaus
Mnestra *Coel.*
μνῆστρον marriage
Psychromnestra *Ent.*
μνίον moss
Mnierpes *Ich.*
Mnionomus *Ent.*
Mniotilta *Ornith.*
  -eae -id(ae -ine -oid
Mnium -aceae -id *Bot.*
μόγις with toil
mogi- *Med.*
  graphia -y -ic
  lalia -ism
  phonia
  tocia
μόγος toil, distress
mogography -ic *Med.*
μόθων a pet Helot
Mothonodes *Ent.*
μοθωνικός like a μόθων,
Mothonica *Ent.*
μοῖρα one's share or fate
Miomoera *Ent.*
μοιραγέτες guide of fate
Moiragetes *Cl. Ant.*
Μοῖραι the Furies as fate
Moerae *Myth.*
μοιρολόγος prophetic
moerologist -y
moirologist

Μοῖρις (Herodotus)
Moeripithecus *Pal.*
Moeris *Geog.*
Moeritherium -iidae *Pal.*
Μοισοι Moesi (Strabo)
Moesogoth(ic *Geog.*
μοιχός adulterer
mechation
Moecha *Ent.*
Polymoechus *Ent.*
μολγός a hide; a thief
Molgolaimus *Helm.*
μολοβρός greedy fellow
Molobrus *Ent.*
Molothrus *Ornith.*
Μόλορχος
Molorchus *Ent.*
Μολοσσός (Herod.)
Molossian *Geog.*
molossus -ic *Pros.*
Molossus *Mam.*
  -idae -inae -in(e -oid
Μόλοχ (Septuagint)
Moloch *Hist. Rel.*
  ine ize ship
Μολπαδία an Amazon
Molpadia *Echin.*
  -(i)id(ae -ioid
μολύβδαινα (Arist.)
ferromolybdenum
molybdena -um *Chem.*
  -ated -ic -o -ous
molybdeniferous
molybdenite *Min.*
μολύβδεος leaden
molybdeus *Bot.*
μολυβδο- Comb. of μόλυβδος
molybdo-
  arsenic *Chem.*
  cardialgia *Path.*
  colic *Path.*
  dyspepsia *Path.*
  malic -ate *Chem.*
  mancy
  manganimetry -ic(ally
  menite *Min.*
  nosus *Path.*
  oxalic *Chem.*
  paresis *Path.*
  phosphoric *Chem.*
  phyllite *Min.*
  quinic *Chem.*
  silicic *Chem.*
  sodalite *Min.*
  sulfite *Chem.*
  tartaric *Chem.*
  vanadic -ate *Chem.*
μόλυβδος lead (Herod.)
ferromolybdite *Min.*
molybdamaurosis *Path.*
molybdate -o- *Chem.*
-molybdate *Chem.*
  arseno cobalti coeruleo di hepta meta mono ortho para per phospho poly silico trideca urano
molybdic *Chem.*
molybdin(e & -ite *Min.*
molybdism *Tox.*
molybdous *Chem.*
-molybdic
  citro per phospho silico
μόλυνσις defilement
molysite *Min.*
μολυρίς a locust (Suidas)
Moluris *Ent.*
μόλυσμα filth
molysmophobia *Ps. Path.*
μον- Comb. form of μονος
mon-
  acetin *Org. Chem.*

mon- Cont'd
  acetylmorphin
  acid *Chem.*
  acmic *Bot.*
  acon *Ent.*
  acrorhizae -e *Bot.*
  act(in(e *Spong.*
    -inae -inal
  actinellid(a(n *Spong.*
    -inae -ine
  adelph(ia *Mam.*
  adelph(ia(n *Bot.*
    -ic -on -ous
  amid(e -o *Chem.*
  am(m)in(e -o *Chem.*
  aminuria *Med.*
  anaesthesia *Path.*
  anap(a)estic *Pros.*
  angic *Bot.*
  anthous *Bot.*
  apsal *Arch.*
  arch *Bot.*
  arinus *Bot.*
  arsenous *Biol.*
  arsone *Mat. Med.*
  arthral -ic *Anat.*
  arthritis *Path.*
  arthrodactylous *Bot.*
  articular *Path.*
  ascidiae -ian *Ascid.*
  aster *Embryol.*
  asteridae *Pal.*
  athetosis *Med.*
  atomism -ic(ity *Chem.*
  aulic *Zool.*
  aural
  axial *Bot. Zool.*
  axic *Biol.*
  axile *Zool.*
  axon(a(l *Spong.*
    -ial -id(ae -ida(n
  azo -ine -ole *Org. Chem.*
  elasmus *Ent.*
  embryary *Embryol.*
  embryony -ic
  epic
  episcopus *Eccl.*
    -acy -al
  erg(id)ic *Bot.*
  ergism -ist(ic *Theol.*
  eses *Bot.*
  esthetic *Psych.*
  ethyl(ic *Chem.*
  hydride *Chem.*
  hysterides *Helm.*
  iodhydrin *Chem.*
  iodomethane *Chem.*
  ism -ist(ic(al(ly
  ium *Chem.*
  ocle
  ocule -us
  -ar(ity -arly -ate -ist -ite -ous
  odon(t(al *Mam.*
  odonta -inae *Conch.*
  odontal *Elec.*
  oecia *Bot.*
  oecism *Biol.*
  -ia(n -ious(ly
  oestrous *Zool.*
  oic *Zool.*
  oicodimorphic *Bot.*
  oicous(ly *Bot.*
  olein *Chem.*
  olene *Ich.*
  oline *Trade*
  omma *Ent.*
    -id(ae -oid
  omphalus *Terat.*
  oneirist
  onomy
  ont *Cytol.*
  onychous *Zool.*
  onym(y
    -ic -ization -ize
  onyx *Ent.*
  opsia *Ophth.*

mon- Cont'd
  optic(al
  organic *Biol.*
  ose *Chem.*
  oureid *Chem.*
  ovular *Embryol.*
  ox *Chem.*
  oxalate *Chem.*
  oxid(e oxime *Chem.*
  oxy- *Chem.*
monistichous
μοναδ- Stem of μονάς
monad *Biol. Chem. Phil. Theos. Zool.*
monad(i)ary *Infus.*
monaddeme *Biol.*
monadiform *Biol.*
monadigerous *Zool.*
-monadina *Prot.*
  chloro chromo Craspedo Crypto Hetero Phyto Proto Pseudo
monadine -ic *Biol.*
Monadineae *Fungi*
monadism *Phil.*
  -istic -ite -ity
monadology -ical *Phil.*
μοναδικός of units
monadic(al(ly *Biol. Phil.*
Monodicus *Ent.*
μονάζειν to be alone
monazite -oid *Min.*
μονάκανθος (Aristoph.)
Monacanthus *Ich.*
  -id(ae -inae -ine -ous
μόνανδρος univira
monander *Bot.*
Monandria *Bot.*
  -(e)ous -ian -ic -y
monandrous -ian *Zool.*
monandry *Anthrop.*
  -ian -ic -ous
μονάζ singly
Erimonax *Ent.*
μοναρχία (Herod.)
antimonarchy -ial
misomonarchy
monarchian
  ism ist(ic ize
monarchy
  -ial -ism -ist(ic
μοναρχικός (Plato)
antimonarchic(al(ly
misomonarchical
monarchic(al(ly
monarchico-
  aristocratical
premonarchical
μόναρχος a sovereign
antimonarchist
archmonarch
demonarchize
monarch
  -al(ly -ess -ize(r
Monarcha *Ornith.*
monarchomachic -ist
μονας alone; a unit
cercomonadid -oid *Prot.*
chlamydomoneta *Bot.*
herpetomoniasis *Path.*
-monadidae *Prot.*
  Actino Amphi Erco Chlamydo Lopho Para Pleuro Rhizo Spheno Tricho
-monadina *Prot.*
  Cerco Chlamydo Chilo Scyto
-monas *Prot.*
  Actino Amphi Aphtho Cerco Chlamydo Chilo Chryso Cysto Embado Entero Giganto Hemato Herpeto Histo Hydrogeno Lepto Lopho Methano Myxo Nitr-

-monas Cont'd
(os)o Para Phyto Platy Pleuro Prismato Proto Pseudo(mallo) Rhizo Scyto Spheno Spiro Tetratricha Tricho
Monas -adid(ae -adidea-(n -adina -adoid *Prot.*
monas *Arith. Phil.*
myxomonad *Fungi*
neomon(ic(s *Math.*
neomonoscope *Math.*
scytomonadine *Prot.*
Tricercomonas *Ent.*
trichomonad(id oid *Prot.*
trichomoniasis *Path.*
μοναστήριον (Athan.)
monastery
-ial(ly -ical
μοναστικόν
monasticon *Eccl. Lit.*
μοναστικός (Basil)
monastic
al(ly ism ize ly
μόναυλος flutist, flute
monaulos -us *Music*
μοναχός solitary (Arist.) a monk (Eccl.)
demonachize
monach(e *Eccl.*
al ate ism ist(ic ization ize
Monacha *Mam. Ornith.*
Monachocrinus *Echin.*
monachological
Monachops *Crust.*
Monachus *Ent. Mam.*
monk
dom ery ess fish hood ish(ly ishness liness ly monger ship
monkshead
monkshood
Μονεμβασία Malvasia
malmsey
malvasia(n
malvoisic
μονή a tarrying
Agapemone *Rel. Soc.*
ian -ist -ite
μονήλατος of one piece
Monelata *Ent.*
μονήρης solitary
amphimonerula *Embryol.*
archimonerula *Embryol.*
discom(on)erula *Embryol*
moner(e *Prot.*
a al an ic on
moneroid *Bot.*
Monerozoa(n -ic *Prot.*
monerula *Embryol.*
permonerula(r *Embryol.*
phytomonera *Bot.*
zoomonera
μονίας solitary
Menomonia *Pal.*
Monidae *Pal.*
Μονίμη Monime
Monimia *Bot.*
-i(ac)eae -iaceous -iad
μόνιμος stable
monimolite *Min.*
monostylic(a(te *Herp.*
μονιος solitary
Monius *Ent.*
μονο- Comb. of *μόνος*
acromonogrammatic
angiomonospermous *Bot.*
hydromonoplane *Aero.*
laparomonodidymus
leukomonocyte *Cytol.*
lymphomonocyte *Terat.*
macromonocyte *Terat.*

mono- Cont'd
acetin *Org. Chem.*
acidic *Chem.*
amino *Chem.*
mono(*or* di)phosphatid
an(a)esthesia *Path.*
avitaminosis *Biochem.*
axal *Phys.*
azo- *Chem.*
bacillary *Med.*
bacteria -ial
bar *Mach.*
basic(ity *Chem.*
basis -ic *Biol.*
benzoate *Org. Chem.*
bion bium *Biol.*
blastesis *Bot.*
blastic *Biol.*
blepsis *or* -ia *Path.*
bolina *Pal.*
brachiocrinus *Pal.*
brachius *Terat.*
branchiate *Ich.*
brom- *Chem.*
acetanilid acetic atid camphor derivative ide inated ination ized o- phenol
butyrin *Chem.*
calcium -ic *Chem.*
carbon(ic -ate *Chem.*
carboxylic *Chem.*
cardian *Zool.*
carotin *Bot.*
carp(on *Bot.*
al ellary ian ic ous
carpidea(n *Crust.*
caulis -idae *Zool.*
celled *Prot.*
cellule -ar *Biol.*
centric *Anat.*
centris *Ich.*
-id(ae -oid
ceratin(e -a *Spong.*
cercous *Infus.*
ceromyia *Ent.*
cesta *Ent.*
chasy -ium -ial *Bot.*
chetiose *Bot.*
chlamydeae -eous *Bot.*
chlor- *Chem.*
acetic anthracene a-lantipyrin hydrin id-(e inated methan(e phenol
chloro- *Chem.*
hydrin methane
choanitic *Pal.*
chorea *Path.*
chorionic *Obstet.*
chromasy & -ate *Psych.*
chromate *Chem.*
chromatic
-ically -ism -ist
chrom(at)ophil
chromator *Optics*
chromosomic *Bot.*
ciliate(d *Infus.*
clea -eaceae *Bot.*
cleid(e *Arts*
cline *Geol.*
-al(ly -ate -ism -ous
clinic *Crystal.*
clinohedral -ic *Crystal.*
clinometric *Crystal.*
cliny -ian -ic -ous *Bot.*
clonal *Bot.*
clonius *Pal.*
coccus -ic *Bact.*
coelia(n *Zool.*
coelic *Zool.*
colous *Anthrop.*
colo(u)red
compound

mono- Cont'd
condylia *Biol.*
-ic -ous
coque *Aero.*
cormic *Bot.*
cotyledon *Bot.*
ae ary es ous
cranus *Terat.*
cratic *Pol.*
crepid *Spong.*
crotism *Physiol.*
-ic -ous
crystal *Crystal.*
ctinidae *Ent.*
ctonus *Ent.*
cyanogen
cycle *Vehicles*
cycle *Biol.*
-ic -on -ous -y
cycle *Echin.*
-ia -ic
cyclic *Elec.*
cyclica *Pal.*
cyesis *Gynec.*
cyrtida(n *Prot.*
cyst(ed -ic(ally *Path.*
cystis *Infus.*
-aceae -id(ae -idea(n -oid
cyte -ic -osis *Cytol.*
cytopenia *Cytol.*
cyttaria(n *Infus.*
dactyl(e -ic *Pros.*
dactyl(e *Zool.*
-ate -ous
dactylus *Ich.*
-id(ae -oid
dactyly ism *Terat.*
delph *Mam.*
-a(n ic ous
dermic *Cytol.*
desmic *Bot.*
diabolism
diametral *Math.*
dichlamydeous *Bot.*
dimetric *Crystal.*
diplopia
dispersed -oid *Colloids*
distich
domous *Ent.*
dora *Bot.*
drama -e
dramatic -ist
drome -ic -y *Math.*
dynamic
dynamism *Phil.*
dynamous *Bot.*
electronic *Phys.*
embryony *Bot.*
energid *Bot.*
epigynia *Bot.*
ethylamin *Org. Chem.*
ethylenic *Org. Chem.*
facial *Bot.*
flagellate *Prot.*
formin
gameliae -ian *Zool.*
ganglial *Path.*
ganglionic *Anat.*
gaster *Helm.*
gastric *Anat.*
gen *Chem.*
gene *Geol.*
genesia *Biol.*
genesis(t *Biol.*
genetic *Biol.*
genetica *Zool.*
genism -ic -ous
genist *Anthrop.*
genodifferent *Bot.*
geny -ist(ic
germinal *Embryol.*
glyphic *Zool.*
goneutic *Ent.*
gonium *Bact. Biol.*
gonopora -ic -ous

mono- Cont'd
gony -ic -ous *Biol.*
graph(er
graptus *Pal.*
gyn(ia(n -(i)ous -ist
gynae(*or* oe)cial *Bot.*
gyny *Anthrop. Bot. Zool.*
gyropus *Ent.*
halide halogen *Chem.*
hammus *Ent.*
heterocyclic *Org. Chem.*
hybrid(ic *Biol.*
hydric -ate(d *Chem.*
hydrogen *Chem.*
hypogynia *Bot.*
ideism -istic
infection
iodo- *Chem.*
ion *Phys. Chem.*
karic *Bot.*
karyon *Bot.*
ketone *Chem.*
kont *Bot.*
later latry -ic -ist -ous
lepsis -ic *Biol.*
lexis *Ent.*
literal
lobite lobular *Pal.*
lobus *Bot.*
locular(ia *Zool.*
loph(ous *Spong.*
mania -e
-iac(al -ious
mastigote *Bact. Bot.*
mastix -iga -igate *Prot.*
meniscous *Zool.*
meristele *Bot.*
metallic
metal(l)ism -ist
meter metric(al
methyl(ic -ated *Chem.*
methylxanthin *Chem.*
microbic *Path.*
modal *Biol.*
molecular *Chem.*
molybdate *Chem.*
moria *Ps. Path.*
morium *Ent. Pal.*
morphic *Ent. Zool.*
morphism -ous *Biol.*
mya *Conch.*
myaria(n -ious -y
myoplegia *Path.*
myositis *Path.*
nephrous *Med.*
neura *Zool.*
neural -an -ous
neuric *Neurol.*
neuritis *Path.*
nitrate(d -ion *Chem.*
nitrile *Chem.*
nitro- *Chem.*
nomial *Bot. Zool.*
nomian *Phil.*
nomomyarious *Mol.*
nuclear -eated *Bact.*
nucleosis *Path.*
nucleotid(e *Chem.*
oxime *Chem.*
palmitin *Chem.*
paresis *Path.*
par(a)esthesia
pectinate *Zool.*
ped
perchlorate *Chem.*
personal *Theol.*
persulfuric *Chem.*
petalae -ous *Bot.*
phagia(n -ism -ize
phanous
phase *Elec.*
phasia *Path.*
phasic
phenitidin *Mat. Med.*
phenol *Org. Chem.*

mono- Cont'd
phlebites *Ent.*
phobia *Path.*
phoraster *Pal.*
phote -al *Elec.*
phrastic
phylesis *Biol. Bot.*
phyletic *or* -itic *Zool.*
picrate *Org. Chem.*
placid *Zool.*
placula(r -ate *Bact.*
plane -ist
plasmatic *Biochem.*
plast(ic -id *Cytol.*
platus *Ent.*
plegia -ic *Path.*
pleura -id(ae -oid
pleurobranch *Conch.*
ia(n iata iate
pneumona *Ich.*
-es -ia(n -ous
pnoa *Herp.*
pode -ial(ly -ium *Bot.*
pode -ia -ous *Anat.*
pode *Ethnol.*
polar(ity
polylog(ue
potassium -ic *Chem.*
prionid(ian *Pal.*
prosopus *Terat.*
prostyle *Arch.*
prunida(n *Prot.*
psychism *Phil.*
psychoses *Path.*
pterous *Bot.*
pterus- id (ae -oid *Ich.*
pterygii -ian *Ich.*
pterygious *Ornith.*
pylaea -aria(n -eae -ean *Prot.*
pyrenous *Bot.*
rail(road -way
refringent *Optics*
(r)rhin(e -a(l -ous *Zool.*
rhyme -rime
rhythm(ic
saccharid(e -oses
sceli *Myth.*
selenid(e *Chem.*
sepalous *Bot.*
serial *Zool.*
silane -ic *Chem.*
silicic -ate -ide *Chem.*
siphonic *Mol. Zool.*
siphonous *Bot.*
sodium -ic *Chem.*
somata -ous *Prot.*
somatic *Min.*
some *Bot. Cytol.*
somian *Terat.*
sound
spasm *Path.*
sperm *Bot.*
-al(at)ous ic y
spherical
spirous -us *Bot.*
spondylic *Zool.*
sporangium -iate *Bot.*
spore(d -iferous *Algae*
sporea(n *Prot.*
sporogony *Mycol.*
sporous *Mycol.*
stach -(y)ous *Bot.*
stearin *Chem.*
stegous *Infus.*
stele -ic -ous -y *Bot.*
steliniae -ian *Zooph.*
stereoscope
sterigmatic *Bot.*
stich(ous *Bot.*
stichodont *Zool.*
stichous *Zool.*
stigmatous *Bot.*
stomae -ea(n *Zooph.*
stomata -ous *Zool.*

mono- Cont'd
stomum *Helm.*
-atidae -id(ae -oid
stratal -ified *Biol.*
stromatic *Algae*
stylar *Conch.*
style -ar -ous *Arch.*
stylous *Bot.*
substituted *Chem.*
sulph- *Chem.*
ide ite one onic uret
syllogism -istic
symmetry -ic(al(ly
symptom(atic *Med.*
synthetic *Philol.*
syphilid(e *Med.*
syringa *Porif.*
technic
telephone -ic
tessaron
thalama(n -ia(n *Conch.*
thalamic -ous *Bot.*
thalamous *Conch. Ent.*
thallious *Chem.*
thalloid *Bot.*
thamnoid *Bot.*
thecal *Bot.*
theism -ist(ic(al(ly
thelious *Zool.*
thermia *Med.*
thetic *Phil.*
thionic *Chem.*
tint
toma *Ent.*
-id(ae -oid
tome
tomous *Min.*
topic *Bot.*
treme *Mam.*
-al -ata -ate -(at)ous
tricha -ic -ous *Bact.*
triglyph(ic *Arch.*
tropa *Bot.*
-(ac)eae –(ac)eous
trophic *Zool.*
tropism *Biol.*
tropy -ic(ally *Bot. Chem. Math. Phys.*
type -al -ic(al
typous *Biol.*
valent -ence -ency
variant -iance *Phys.*
xenous *Biol.*
xeny *Fungi*
zoa(n zoic *Prot.*
zonia *Zool.*
zygous
permono- *Chem.*
carbonate phosphoric sulfuric
pseudomono-
carpous -y *Bot.*
clinic
cotyledon(ous *Bot.*
cyclic *Pal.*
gonic *Hered.*
tropy *Chem.*
stereomonoscope

μονογαμία (Theophil.)
monogamy
-ia(n -ious
μονόγαμος
monogam
ic ist(ic ize ous(ly
Monogamia *Bot.*

μονογενής single
Monogenea *Helm.*
-ean -eous
monogeneous eity *Math.*
μονόγλωττος (Irenaeus)
monoglot

μονογράμματον (Dion H.)
monogram
monogramm-
al (at)ic(al atize(d ed ous
μονόγραμμον an outline
Chrismon *Chr. Rel.*
μονοδάκτυλος
monodactyl(e *Zool.*
ate ous
monodactylism -y *Terat.*
Monodactylus *Ich.*
-id(ae -oid
μονοειδής uniform
monocidic *Phil.*
monoid(al *Math. Pros.*
μονοήμερος lasting a day
monohemerous *Med.*
Μονοθεληταί (Damasc.)
Monothelete *Theol.*
-ian -ic -ism
Monothelite *Theol.*
-ic -ism
μονόκερως the unicorn
monoceros -ot -ous *Astron. Myth. Zool.*
μονοκέφαλος
monocephalous -us *Bot.*
monocephalus -y *Terat.*
*μονοκόνδυλος*one-jointed
Monocondyla *Conch.*
-ar -(ar)ian
μονοκότυλος (Arist.)
monocotyle *Helm.*
-id(ae -oid
Monocotylea(n *Conch.*
monocotylous *Bot.*
μονοκρατης ruling alone
monocrat
μονοκρατία = *μοναρχία*
monocracy
μονόλιθος (Herodotus)
monolith(al ic
μονολογια brief speech
monology
μονόλογος speaking a-lone
monolog(ue
ian ic(al u(e)ist (u)ize
μονομαχία single combat
monomachy -ia -ist
μονομαχικός
monomachic
μονομερης of one part
monomer(ic *Chem.*
monomeric *Petrog. Zool.*
Monomerosomata -ous
monomerous *Bot. Ent.*
μονόξυλον (Xenophon)
monoxyl(e *Arts*
ic on ous
μονοούσιος (Athan.)
monoousious -ian *Theol.*
μονοπάθεια (Alexis)
monopathy -ic *Path.*
μονοποδία (Drac.)
monopody -ic *Pros.*
μονόπους one-footed
monopus *Terat.*
μονόπτερος (Vitruv.)
monopter *Arch.*
al on -os
μονόπτωτος of one case
monoptote -ic -on *Gram.*
μονοπωλία (Arist.)
antimonopoly -ist
demonopolize
monopoly
-e -ian -ic(al -ish -ism -ist(ic -itan(ian -ite -itical -ization -ize(r -ous
unmonopolize
μόνορχις of one testicle
monorchis *Anat.*
-id(ic -(id)ism

μονος alone, only. See *μον-*, *μονο-*
agamogynomonoccism
anamonaene *Spong.*
andromon(o)ecism -ious
biomone -ad *Cytol.*
dimonoecism *Bot.*
furomonazole *Chem.*
gynomonoecism -ious
paramonchlorophenol
promonaene *Spong.*
Pseudomanacanthus *Ich.*
pseudomonas *Bact.*
Pseudomonaspis *Pal.*
Pseudomonose *Phytopath*
psychomonism *Phil.*
theomonism *Phil.*
trimonoecism -ious *Bot.*
monome *Math.*
monomial *Bot. Math. Zool.*
monomicellar *Phys.*
orthomonaene *Spong.*
μονόσημος of one sense
monoseme -ic *Pros.*
μονόστομος one-mouthed
monostome -ous *Zool.*
μονοστροφικός
monostrophic *Pros.*
μονόστροφος of one strophe
monostrophe *Pros.*
μονοσύλλαβον
monosyllabe -on
μονοσύλλαβος (Dion H.)
monosyllabic
-ical(ly -ism -ize
monosyllable
μσνόσχημος of one form
monoschemic *Pros.*
μονοτόκος bearing but one at a time
monotoc(*or* k)ous *Bot.*
μονοτονία (Quintilian)
monotony -ia
μονότονος (Longinus)
monotone
-ic(al(ly -ist -ize -ous-(ly -ousness
μονοτροπος solitary
Monotropa *Bot.*
-(ac)eae -(ac)eous
Monotropus *Ent.*
μονότροχος a car of one wheel
monotroch(e
Monotrocha *Ent.*
-al -ian -ous
μονούσιος
monousious -ian *Theol.*
μονοφαγία
monophagy
μονοφάγος eating once daily
monophague -ous
μονοφανής "one visible"
monophane *Min.*
μονόφθαλμος one-eyed
monophthalmus -ic
μονόφθογγος of one sound
monophthong
al ization ize
μονοφυής single
Monophyes -idae *Coel.*
monophyodont(a
μονόφυλλος one-leaved
Monophyllus *Bot.*
-in(e -ous
Monophyllus *Mam.*
-ic -ous
Μονοφυσίτης (Anast.)
Monophysite *Theol.*
al -ic(al -ism

μονόφωνος (Hipp.)
monophone
-ic -ous -y
μονοχίτων in tunic only
Monochitonida(n *Conch.*
μονοχόρδιον
manichord *Music*
(i)on ium
μονόχορδον (Poll.)
monochord *Music*
ical ist ize ous
μονόχρονος of one time
monochronous -ic *Pros.*
μονόχροος of one color
monochroous -oic *Optics*
μονόχρωμος (Arist.)
monochrome
-ic(al -ist -ous -y
Μοντανός Montanus
Montanism *Theol.*
-ist(ic(al -ize
μονῳδία (Plato)
monody *Music*
-ia -ist -ize
μονωδικός
monodic(al(ly *Music*
μονωνυχος one-nailed
monychous *Zool.*
μόνωσις solitariness
monosis -y *Bot.*
μονωτίς solitary
Monotis -idae *Conch.*
μόνωτος one-handled
monota *Archaeol.*
μονώτος one-eared
Monotocardia(n -iac
Monotus -idae *Conch.*
μονώψ (-ῶπος) one-eyed
monopous
monops
μόρα Spartan mil. div.
mora *Gr. Ant.*
μορέα mulberry
capnomor *Org. Chem.*
morinidin *Org. Chem.*
morula *Embryol.*
-ation -oid
Paramorea *Pal.*
perimorula(r *Embryol.*
Μορεώτης
Moreote
μόριμος destined
Morimus *Ent.*
μόριον portion; member
biomore
Monomorium *Ent. Pal.*
moriogram
morioplast(ic)y
Tetramorium *Ent.*
μορμολυκεῖον = *μορμῶ*
mormolukee
μορμύρος (Arist.)
mormyr(e -us *Ich.*
-ian -id(ae -oid
μορμώ hobgoblin
Mormo *Ent. Myth.*
mormon *Helm. Mam.*
Mormops -opidae -opin-(a)e *Mam.*
Mormosaurus *Pal.*
tetramormeclone *Spong.*
μόρον black mulberry
Eomoropus *Pal.*
morea -ula *Bot.*
morococcus *Bact.*
Moron *Ent.*
moronolite *Min.*
moroxylic -ate *Chem.*
morozymase *Bot.*
μοροξος a pipe-clay
moroxite *Min.*
μορφασμος gesticulation
Morphasmopora *Pal.*

Μορφευς Son of Sleep
amorphinism *Med.*
chloromorphid(e *Chem.*
demorphinization *Ther.*
euporphin *Mat. Med.*
homomorpholine *Chem.*
methylphenmorpholin
morphenol *Org. Chem.*
morphetin(e *Org. Chem.*
Morpheus
-ean -etic
morphia -iated
-morphia *Chem.*
emeto meta para
morphiamania -iac *Path.*
morphide *Org. Chem.*
morphigenine *Org. Chem.*
morphimethine *Chem.*
-morphin *Chem. Med.*
chloro di dia diacetyl emeto ethyl meta mon-acetyl para pseudo
-morphine *Chem. Med.*
aceto dehydro desoxy emeto meta nor oxy-(di)para pseudo tri
morphin(e -ated -ic -ism -ist -ization -ize
bromethylate *Mat.*
morphi(n)omania -iac
morphiometry -ic *Med.*
morphium
morphol(in(e -one *Chem.*
morphothebaine *Chem.*
normorphide *Org. Chem.*
phenmorpholine *Chem.*
pseudomorphia *Chem.*
scopomorphinism *Tox.*
μορφη form; species
Actiniomorpha *Zooph.*
actinomorphic *Bot.*
actinomorphy *Zooph.*
adelomorphous -ic *Biol.*
aetomorph(ae ic *Ornith.*
Alcyoniomorpha *Zooph.*
alectoromorph(ae *Ornith.*
allelomorph(ic ism *Biol.*
allomorph(ic ism ite *Min.*
Allomorphura *Ent.*
allothimorphic *Geol.*
allotriomorphic *Geol.*
amphimorph(ae -ic
amphimorphic *Geol.*
Anaptomorphus *Mam.*
-id(ae -oid
anisomorphy *Bot.*
Anomorphites *Pal.*
Anoplomorpha -idae *Ent.*
anthropozoomorphic
antidimorphism *Bot.*
apomorphia -in(e -ina
archaeomorphic *Petrog.*
archimorphic
arthoniomorphic *Bot.*
astacomorph(a ous *Crust.*
Bauriamorpha *Pal.*
Bdellomorpha *Helm.*
biomorph(ic
Bittacomorpha *Ent.*
Bullatimorphites *Pal.*
Bunodomomorpha *Pal.*
caenomorphism *Biol.*
Carcinomorpha *Crust.*
Caridomorpha -ic *Crust.*
castoromorph *Zool.*
catamorphism *Geol.*
celeomorph(ae -ic *Zool.*
Certhiomorphae -ic
Cetomorpha -ic *Zool.*
chalcomorphite *Min.*
charadriomorph(ae -ic
Chelidomorphae *Ornith.*
chenomorph(ae -ic
Chilomorpha *Ent.*
chionomorph(ae -ic
cichlomorph(ae -ic

cinnyrimorph(ae ic
clinomorphy *Bot.*
Coccidiomorpha *Bot.*
coccygomorph(ae ic
Coenomorphae *Ornith.*
Coliomorphae -ic *Ornith.*
conchyliomorphus -ite
coracomorph(ae -ic
Coralliomorphus -idae
Corydomorphae *Ornith.*
Corymorpha *Zooph.*
-idae -oidea(n
cryptomorphite *Min.*
cymbomorphus *Bot.*
Cynomorpha *Mam.*
-ae -ic -ous
Dasyuromorphia *Mam.*
degeomorphization *Geol.*
delomorphic *Biol.*
demorphism *Petrog.*
Dictysomorphus *Ent.*
dioeciodimorphic *Bot.*
Diplomorpha -ic *Zooph.*
dysmeromorph(ic *Biol.*
dysmorphism *Biol.*
dysporomorph(ae *Ornith.*
enantiomorph(ism ic
endomorph(ism -ic
Enteromorpha *Bot.*
ephemeromorph(ic
episiomorph *Crystal.*
ergatandromorph(ism ic
ergatomorphism -ic *Ent.*
eumeromorph(ic
exomorphism -ic *Geol.*
gamomorphism
geomorphy -ic -ist *Geol.*
geranomorph(ae ic
geromorphism
Gloeocapsamorpha *Pal.*
gynandromorph *Biol.*
ic ism y
Gynandromorphus *Ent.*
halecomorph(i ous *Ich.*
Haplomorpha -ic *Ornith.*
haptomorphism *Bot.*
heautomorphism *Morph.*
helicomorphy *Bot.*
helminthimorphous *Ent.*
helminthomorph(a *Ent.*
hemimorph(y ic ism
hemimorphite *Min.*
hemiorthomorphic *Bot.*
holomorph(y ic *Math.*
homomorph(a ic y *Biol.*
homomorphism *Biol. Bot. Ent. Zooph.*
homomorphic *Cytol.*
horadimorphism
hydatomorphic *Geol.*
hydromorphy *Bot.*
hygromorphism -ic *Bot.*
hylomorphism -ic(al -ist
hypallelomorph(ic *Biol.*
hyperontomorph
hystricomorph(a ic ine
idiomorphic(ally *Path.*
isomeromorphism
isomorph(ism ic *Biol.*
isomorphism *Math.*
isotrimorphism -ic
karyomorphism *Cytol.*
katamorphism *Geol.*
klinomorphy *Bot.*
lagomorph(a -ic *Mam.*
Lagomorpha *Pal.*
lepidomorphite *Min.*
leptomorphic *Petrog.*
lipomorph *Biogeog.*
lumbricomorph(a *Helm.*
Lycomorphon *Ent.*
mechanomorphic
meromorph(ic *Math.*
mesohygromorphic *Bot.*
mesomorphic *Chem.*
mesoontomorph *Anthrop.*

metaplasmorphism
micromorph *Biol.*
Modiomorpha *Pal.*
monoicodimorphic *Bot.*
monomorphic *Ent. Zool.*
monomorphism *Biol.*
morph-
(a)ea *Path.*
(a)esthesia *Bot.*
allaxis
morphic *Biol.*
morphon *Biol.*
myomorph(a ic ine *Mam.*
Myoxomorpha *Ent.*
naidomorph(a *Helm.*
Nematomorpha
neomorph(ic *Biol.*
neomorphin(e ae *Ornith.*
Neomorphus -ism *Ornith.*
nonmetallomorphic
Nymphomorpha *Ent.*
Oidomorpha *Ent.*
oligomorphic *Biol.*
oniscomorph(a *Ent.*
ophiomorph(a *Amphibia.*
ae ic ite us
organomorphic
orthomorphia *Surg.*
orthomorphic *Biol.*
orthomorphy *Ethics*
p(a)edomorphic -ism
panautomorphic
panidiomorphic *Min.*
pantomorphia *Med.*
paramorph(ic ism *Min.*
pathomorphism *Morphol.*
pelargomorph(ae ic
percomorph(i ic *Ich.*
perimorph(ic ism *Min.*
peristeromorph(ae ic
Phaeomorpha *Ent.*
pharmacomorphic
Phasiaomorphae -ic
phlebomorpha *Fungi*
Phycitimorpha *Ent.*
phyllomorph(ic y *Bot.*
physicomorph(ic ism
phytomorphic
placodiomorph
pleiomorphic -ism -y *Bot.*
pleomorph *Chem. Biol.*
pleomorphic -ism -ist -y
pleromorph *Min.*
plesiomorphic -ism
pneumatomorphic
polyam *Bot.*
Polypomorpha -ic *Zooph.*
Proteomorpha(n *Prot.*
proteomorphic *Bact.*
protomorph(ic *Bot.*
pseudomorphytus *Bot.*
pseudomorph(ic ism ose
pseudomorphytus *Bot.*
Psittacomorphae -ic
Psychomorpha- e *Ent.*
Pterichthyomorphi *Ich.*
Pteroclomorphae -ic
pteromorpha *Miter*
pycnomorphic *Cytol.*
pyromorphic -ite *Min.*
pythonomorph(a ic *Herp.*
rachinomorphus *Bot.*
remorphize
Rhagiomorpha *Ent.*
rhizomorph(a ic oid *Bot.*
Saenuridomorpha *Helm.*
Scaphidomorphus *Ent.*
sciuromorph(a ic inae ine
scolecimorphic *Zool.*
scolecomorph(a ic *Conch.*
scolecomorphic *Helm.*
scolesimorphic *Path.*
Scutigeromorpha
Silphomorpha *Ent.*
Sipunculomorpha -ic
skeuobiomorph *Art.*

skeuomorph(ic *Art.*
Sphaeromorphites *Pal.*
Sphaeromorphus *Ent.*
Sphecomorpha *Ent.*
spheniscomorph(ae -ic
Sphenotomorpha *Pal.*
stasimorphy *or* -ia *Med.*
stasimorphy -ic *Biol.*
stenomorph *Biol.*
Stenomorphus *Ent.*
Strongylomorphus *Ent.*
submorphous *Crystal.*
Sycophantomorphus *Ent.*
sympolymorphism *Bot.*
syndimorphic -ism *Bot.*
teleomorph *Archaeol.*
Tetraonomorphae
theomorph(a ic *Herp.*
theromorph *Terat.*
Tillomorpha *Ent.*
Tinamomorphae -ic
titanomorphite *Min.*
topomorph *Biol.*
transmorphism
turnicimorph(ae ic
Xenomorpha
xenomorphic *Petrol.*
xeromorphy -ic *Bot.*
zeomorph(i *Ich.*
zygomorphic -ism -y *Bot.*

μόρφνος Epith. of an eagle
Morphnus *Ornith.*

μορφο- Comb. of μορφή
geomorpho- *Geol.*
geny -ic -ist
logy -ical -ist
histomorphology -ical
isomorphogenic
morpho-
cytological *Bot.*
genesis genetic *Biol.*
genic geny *Biol.*
genous *Bot.*
grapher -y -ic(al(ly
lecithus -al *Embryol.*
lite *Geol.*
logy -ic(al(ly -ist
metry -ical
nomy -ic *Biol.*
phyly *Biol.*
physics
physis *Biol.*
plasm(a -ic *Biol.*
scapha *Ent.*
scopy -ic *Biol.*
tropy -ic(ally -ism
zonitus *Ent.*
neomorphogenous *Bot.*
otomorphology
phytomorphology *Bot.*
Prodimorphomyrmex
promorphology *Biol.*
-ical(ly -ist
pseudomorpholite *Geol.*
theromorphological

-μορφος Comb. of μορφή as in ἀνδρόμορφος. See μορφή
-morphous *Bot.*
actino aitio alphito andro calyptri clino dioeciodi hetero homoeo meso phyllo pl(e)io rhaci(no) rhizo stomato zygo
-morphous *Cryst. Geol. Min. Petrol.*
ektodynamo enantio endodynamo hemi hystero idio iso isotri meso peri plesio pseudo pyro tauto
-morphous *Ent.*
chilognatho chilopodo

-morphous Cont'd
isopodi mono necro onisco thysanuri
-morphous *Ornith.*
aeto alectoro cichlo dysporo haplo peristero
actinomorphous *Zooph.*
apyknomorphous *Cytol.*
cystomorphous
delomorphous *Biol.*
embryomorphous *Gynec.*
gynandromorphous *Biol.*
homeomorphous *Morph.*
homomorphous *Biol.*
hylomorphous *Phil.*
hystricomorphous *Mam.*
isomorphous(ly *Biol.*
lagomorphous *Mam.*
ophiomorphous *Amphib.*
papiomorphous *Zool.*
paramorphous *Min.*
parapycnomorphous
percomorphous *Ich.*
pycnomorphous *Cytol.*
pythonomorphous *Herp.*
scutigeromorphous
tetramorphous
theomorphous *Herp.*
Μορφω Aphrodite
Morpho *Ent.*
-idae -inae
μόρφωσις form, semblance
magmamorphuse *Geol.*
-morphosis
anataxi *Terat.*
anthropo
caco *Med.*
chemo *Biochem.*
core *Surg.*
cyto *Cytol.*
histo
morphosis *Biol.*
-morphosis *Biol.*
bary hetero holo homo mero neo photo poly therio zoo
-morphosis *Bot.*
aero aitio andro apotaxi euthy hydro idio mechano phyllo phyto thigmo xeno xero
orthomorphosis *Math.*
photenamorphosis *Optics*
pseudomorphosis *Min.*
retromorphosis -ed
μορφωτικός formative
Biomorphotica
morphotic *Biol.*
-morphotic
bio histo
Subnecromorphotica
μοσχο- Comb. of μοσχος
moscho-
gnathus *Pal.*
rhinus *Herp.*
μοσχος calf
lithomoscus *Vet.*
Moschops *Pal.*
Moschus -idae -inae -in(e
μόσχος musk
moscardino
moscat(a
moscatel *Bot.*
moschate -ous
moschatine *Chem.*
moschiferous
muscat(el(line
musk
ed ish melon ox rat rose tree wood y
must *Dial.*
nutmeg(ged gy
μοσχοφόρος
moscophoros *Gr. Ant.*

Μουνυχια (Herodotus)
Munychia(n *Gr. Ant.*
Μουνυχιών April–May
Munichion *Gr. Cal.*
Μοῦσα (Pindar)
endom(o)usia *Psych.*
misomusist
muse
musist
Μουσαγέτης i.e., Apollo Musagetes *Gr. Myth.*
μουσαικόν Fr. μουσεῖον
mosaic
al(ly ist ity
mosaiculture
mosaist
Μουσεῖον the Musaeum
museum
Μούσειος of the Muses
museo-
grapher -y -ist
logy -ist
μουσική (Herodotus)
music
al(ly ale ality alized alness aster ate ist less ness ry
musician
er ess ly ship
musick(er *Obs.*
unmusical
ly ness
μουσικο- Comb. of μουσικός
musico-
artistic dramatic fanatic grapher graphy mania mechanical philosophical phobia poetic
μουσικός musical
eidomusikon *Music*
μούσμων (Strabo)
musmon
μουσο- Comb. of Μοῦσα
muso-
mania
mastix
phobist
μοχθηρός in distress
Mochtherus *Ent.*
μόχθος distress
Barymochtha *Ent.*
μοχλικός (Hipp.)
mochlic(al
μοχλός a lever
Scleromochlus *Pal.*
-idae
μῦ the letter μ
mu *Gr. Alph.*
μυ- Stem of μυς
amyasthenia -ic
arteriomyomatosis
c(o)eliomyalgia
Cynomyonax *Mam.*
Cyttaromyella *Pal.*
dimyary *Conch.*
Dinomyes *Mam.*
el(a)eomyenchysis
Eurymyella *Pal.*
fibromyomatous
holomyerial
Homoeomyarii *Ornith.*
Meromyarii *Helm.*
meromyerial *Helm.*
monomyary -ious
Mya *Conch.*
-acea(n -adae -aria(n
-mya -yid(ae -yoid
Cero Di Glauco Grammato Hetero Iso Mono Pholado Poro Posido
-myaria(n *Conch.*
A Aniso Cyclo Desmo

-myaria Cont'd
Di Hemi Hetero Holo Iso Mero Mono
-myitis *Path.*
fibro laparo ophthalmo steno stetho trachelo
-myoma *Path.*
adeno(sarcorhabdo) angio chondro cysto dermato endothelio fibro glio hydro hystero ino(leio) l(e)io leuko lipo myxo rhabdo
-myomectomy *Surg.*
celio colpo fibro hystero laparo prostato
-myomotomy *Surg.*
celio colpo laparo
myal *Embryol.*
myalgia -ic *Path.*
myam(o)eba *Cytol.*
myasthenia -ic *Path.*
myatonia *or* -y *Path.*
myatrophy *Path.*
myautonomy *Neurol.*
myectomy *Surg.*
myectopia *or* -y *Med.*
myentasis *Surg.*
myenteron -ic *Anat.*
myesthesia *Psych.*
myid(ae *Conch.*
myiferous *Zool.*
myitis -ic *Path.*
myodynia *Path.*
myoid *Physiol.*
myoidal *Zool.*
myoidema *Anat.*
myoideum *Histol.*
myoidism *Med.*
myolin *Histol.*
myoma -atosis -atous
myom(ec)tomy *Surg.*
myomohysterectomy
myonomy
myonymy
myophrisca *Biol.*
myopsid(a(e -an *Conch.*
myopsis *Ophth.*
myosteoma *Tumors*
myurous *Med.*
myurus *Bot.*
otomyasthemia *Otol.*
phlebomyomatosis *Path.*
platymyoid *Histol.*
Polymyaria(n *Helm.*
polymyerial *Comp. Anat.*
polymyoid *Ornith.*
thoracomyodynia

μύαγρος the mouser
Myagroporidea *Pal.*

μύαξ sea-muscle
Dimyactis *Zool.*

μυγαλῆ field mouse
migale
Mygale *Ent.*
-idae -inae -oid
Mygaleicus *Ent.*

μυδαλέος dripping
mydalein(e *Chem.*
μυδᾶν to be dripping
Mydaus *Zool.*
mydin(e *Chem.*
mydous *Zool.*
μύδος damp
mydatoxin(e *Chem.*
Palemydops *Herp.*
μυδρίασις (Galen)
eumydrin *Mat. Med.*
mydriasis *Ophth.*
mydriatic *Ophth.*
mydrin(e *Chem.*
mydrol *Prop. Rem.*

μυελ- Stem of μυελός
myel-
(a)emia *Path.*
algia *Path.*
analosis *Med.*
apoplexy *or* -ia *Med.*
asthenia *Path.*
atelia *Med.*
atrophia *Path.*
auxe *Med.*
en *Mat. Med.*
encephala *Zool.*
encephalon -ic -ous
encephalospinal *Anat.*
eterosis *Med.*
ic *Anat.*
lin(e ate(d ation ic itic itis ization ize osis
lino- *Histol.*
genesis genetic geny neuritic
oid(osis *Histol.*
oidic -in *Biochem.*
oma -atoid *Tumors*
omatosis *Tumors*
osis *Path.*

μυελινος of marrow
myelin *Min.*

μυελο- Comb. of μυελος
Eomyelodactylus *Pal.*
h(a)ematomyelopore
lienomyelo- *Med.*
genous malacia
meningomyelorrhaphy
micromyelo-
blast *Cytol.*
lymphocyte
scope *Photog.*
myelo-
blast *Cytol.*
emia oma
brachium *Anat.*
cele *Path.*
cene *Mat. Med.*
cerebellar *Anat.*
coele *Anat.*
cone *Physiol.*
cyst(ic *Path.*
cysto(meningo)cele
cyte -ic *Cytol.*
cyt(h)(a)emia *Path.*
cytoma & -osis *Path.*
diastasis *Med.*
dysplasia *Med.*
encephalitis *Path.*
ganglitis *Path.*
genesis genetic *Histol.*
geny -ic -ous *Histol.*
gone -ium -ic *Cytol.*
hyphae *Bot. Fungi*
lymphangioma *Path.*
lymphocyte *Cytol.*
malacia *Path.*
margarin(e *Chem.*
menia *Gynec.*
meningitis *Path.*
meningocele *Path.*
mere *Embryol.*
myces *Path.*
neura *Zool.*
neuritis *Path.*
paralysis *Path.*
pathia -y -ic
petal *Neurol.*
phthisis *Med.*
plaque *Anat.*
plast(ic *Physiol.*
plax *Cytol.*
plaxoma *Tumors*
plegia *Path.*
pore *Anat.*
rrhagia *Path.*
rraphy *Surg.*
sarcoma *Path.*
sclerosis *Path.*
spasm *Med.*

myelo- Cont'd
spongium *Embryol.*
syphilis -osis *Path.*
syringosis *Path.*
therapy *Med.*
tome *Surg. App.*
toxin *Cytol.*
zoa(n *Zool.*
-myelocele *Path.*
hydro meningo syringo
-myelocyte *Cytol.*
lympho macropro meta pre pro
-myelopathy *Path.*
encephalo leuko polio
panmyelophthisis *Med.*
poliomyelo- *Path.*
encephalitis
sphenomyelo- *Path.*
genic -ous
malacia

μυελόν = μυελος
Astromyelon *Bot.*
macromyelon(al
myel *Anat.*
myelon(al ic
osteomyelon

μυελός marrow
Aviculomyelina *Pal.*
meningomyelitic *Path.*
-myelia *Med.*
anhydro atelo diastemato diplo h(a)emato hydro (syringo) micro syringo(encephalo)
-myelin *Biochem.*
amido amino apo para sphingo
-myelitis *Path.*
encephalo h(a)emato ixo leuco meningo(encephalo) neuro noto osphyo osteo peri(osteo) polio polioencephalo(meningo) r(h)achio spodio syringo taphro
-myeloma *Path.*
chloro lympho orchido orchio
-myelus *Path.*
hydro peri syringo
sphingomyelinic *Chem.*
syringomyelic *Anat.*

μύζειν to suck
Agromyza -id(ae *Ent.*
Anthomyza -idae -ides
Archimyza *Ent.*
myzesis *Med.*
Myzodendron -aceae *Bot.*
Myzomela -inae -in(e
Myzomyia *Ent.*
Myzorhyncus *Trimatodes*
Myzostoma -ate -atous
Myzostomum *Helm.*
-id(ae -ida(n -ea(n -oid -ous
Myzus *Ent.*
Opomyza *Ent.*
-id(ae -oid
ornithomyzous
Sapromyza *Ent.*
-id(ae -oid
μύζων P. pr. of μύζειν
Ascomyzon *Crust.*
-ontid(ae -ontoid
Bathymyzon *Ich.*
Erimyzon *Zool.*
Ichthyomyzon *Zool.*
myzont(es *Ich.*
Petromyzon(t(ia *Ich.*
-(t)id(ae -(t)oid

μυθεῖσθαι Fr. μύθος
gastromyth *Obs.*

μυθικος (Plato)
mythic
al(ly (al)ism ist ize(r o-
semimythical
topographicomythical
zoomythic
μυθιστορία
mythistory
μυθίτης a partisan
Mythites *Ent.*
μυθο- Comb. of μῦθος
mytho-
clast(ic
genesis
geny
gony -ic
heroic
historic
log(ue
mania -iac
meter
nomy
pastoral
pheme
phobia *Ps. Path.*
plasm
poem
poet(ry -ize
poetic
sociologic
μυθογραφία (Strabo)
mythography -ist
μυθογράφος (Polyb.)
mythograph(er
Mythographa *Ent.*
μυθολόγημα (Plato)
mythologema
μυθολογία (Plato)
mythology
-ist -ize(r)
theomythology
μυθολογικός (Plato)
mythologic(ly -al(ly
μυθολόγος (Plato)
mythologer -ian
theomythologer
μυθοποίησις invention
mythopoesis
μυθοποιός making myths
mythop(o)eic
-(o)eism -(o)eist
μῦθος word; tale; legend
myth
Mythergates *Ent.*
mythification
mythism -ist
mythize
mythos -us
polymythy
μυθώδης fabulous
Pseudomythodes *Ent.*
μυῖα a fly
Acanthomyites *Ent.*
Anthomyia *Ent.*
-iid(ae -ioid
Cecidomyia *Ent.*
-ian -iid(ae -iidous -ioid
Deltamya *Pal.*
dermamyiasis *Path.*
Eckinomyidae *Ent.*
enteromyiasis *Path.*
Monoceromya *Ent.*
-myia *Ent.*
Achylo Aithiopo Ammo Antho Asticho Brucho Cappari Cecido Chryso Clastoptero Clostero Cochlio Dactylo Darwino Dasyrhampho Diademo Dichaeto Dicto Dictyo Doaneo Dolio Draconto Echino Euprocti Forcipo Gerano Homalo Horisto Limnophilo Mastigo Metopo

-myia Cont'd
Myzo Occe Ochro Odonto Onycho Oreo Pachychoero Pego Phibalo Phyto Stego Syndipno Taenio Xantho Xeno Zonio
Myiadestes *Ornith.*
-inae -in(e)
Myiagra *Ornith.*
-inae -in(e)
Myiarchus *Ornith.*
myiasis *Path.*
Pegomya *Ent.*
Phthiriomyiae *Ent.*
Phytomyidae *Ent.*
μυίαγρος fly catcher
Minagra *Ornith.*
-inae -in(e
μυιο- Comb. of μυῖα
Ctenomyiophilo *Ent.*
Micromyiophilae *Bot.*
myio-
bium *Protozoa*
cephalon *or* -um *Ophth.*
dynastes *Ornith.*
philae *Ent.*
zetetes *Ornith.*
Sapromyiophilae -ous
μυιώδης like flies
myiodesopsia *Ophth.*
Μυκερῖνος Son of Cheops
Mycerinus *Ent.*
Μυκηναῖος of Mycene
Mycenaean *Gr. Hist.*
mycenaeologist
post-Mycenaean
proto-Mycenean
sub- Mycenean
μύκης mushroom, fungus
actinomycelial
allomucic *Org. Chem.*
botryomycoma
chondromucin -oid
dehydromucic *Chem.*
dermatomuco-
myositis *Path.*
Endomycaceae *Mycol.*
enteromyco-
dermitis *Path.*
fibromucous
hyalomucoid *Ophth.*
myc-
elconidium *Bot.*
ele -ium *Bot.*
-ial -ian -iation -ioid
elitha *Bot.*
ena *Fungi*
ina *Lichens*
ose -in *Biochem.*
osis otic *Path.*
-myces *Fungi*
Actino Anaero Blasto Botryo Chondro Citro Dacryo Dermato Disco Elapho Endo Gastro Hypho Micro Nemato Oto Phyco Proto Saccharo Sarco Strobilo Uro Xylo
-myces *Path.*
myelo oto tuberculo
myco-
agglutinin *Biochem.*
bacterium-iaceae-iales
cecidium *Bot.*
cecis *Ent.*
clena *Bot.*
criny *Bot.*
derm(a *Bact.*
derm(a -atoid -atous -ic *Fungi*
derm(at)itis *Path.*
desmoid *Zool.*
dextrin -an *Org. Chem.*
domatia -ium

myco- Cont'd
fibroma *Vet.*
galactan *Org. Chem.*
gastritis *Path.*
gone -ose *Bot.*
h(a)emia *Med.*
inulin *Chem.*
kleptic *Bot.*
lichen *Bot.*
logy -ic(al(ly -ist
lysin(e *Mat. Med.*
melic *Chem.*
mycete(s -ous *Fungi*
mycetophytes *Fungi*
mycoid *Fungi*
mycoma *Fungi*
mycose -in *Chem.*
myringitis *Path.*
nostoc *Fungi*
phagy -ist -ous
phenolic *Org. Chem.*
phthorous *Fungi*
phthorus
phylaxin *Biochem.*
phyto -ic *Bot.*
phytophytes *Lichens*
plasm(a -ic *Cytol.*
protein *Biochem.*
protein(iz)ation *Med.*
rhiza -al -one *Fungi*
sozin *Chem.*
sphaerella -aceae
sphaerellose *Phytopath.*
sterin -ol *Biochem.*
thrix *Bact.*
tic *Path.*
ticopeptic *Med.*
toxin(iz)ation
tretus *Ent.*
trophic *Bot.*
-mycosis *Path.*
actino adeno aspergillo blasto botryo broncho cerato colpo cyano derm(at)o disco entero epidermo esophago gastro hypercerato hypho kerato labio maduro muco myringo noso oculo oesophago oidio onycho ophthalmo oto(muco) pneumo(actino) pneumono pseudo(actino saccharo schizo staphylo(cocco) stomato strepto tricho vagino
-mycotic *Path.*
actino anti botryo embolo oidio
myk(*or* c)ol *Bact. Chem.*
osseomucoid *Biochem.*
ovomucin -oid *Chem.*
paramucin *Chem.*
premycosic *Path.*
promycele *Bot.*
-ial -ium
protomycelium *Cytol.*
pseudomycorrhiza *Bot.*
stigmatomycosis *Bot.*
μυκητ- Stem of μύκης
ascomycetal
baeomycetoid
blastomycetoid
dacryomycet-
ales inae
Elaphomycetaceae
hymenomycet-
al ineae oid
mycet-
aea *Ent.*
al ic ism(us *Med.*
hemia *Med.*
oid *Fungi*
oma -atous -y *Path.*
ous *Fungi*

myceto-
derm(a(toid -ic *Fungi*
dermitis *Path.*
genetic genic -ous
logy -ist
mychus *Ent.*
phagus -id(ae -oid -ous
phila -id(ae -oid *Ent.*
poda -id(ae -oid *Conch.*
zoa(n zoon *Fungi*
mycomycetophytes
myxomycet-
aceae al an
Phycomyceteae
Protomycetaceae
Pyrenomycetineae
saccharomycet-
aceae aceous ales olysis
Scleromycetae
μυκῆτες Pl. of μύκης
-mycete *Fungi*
basidio blasto disco hymeno hyhpo ino myco myxo phyco pyreno saccharo schizo zygo
Mycetes *Mam.*
-inae -in(e
-mycetes *Fungi*
Actino Aecidio Archi Asco Asporo (Auto)-basidio Blasto Conio Disco Elapho Eu-Gast(e)ro Haplo Hemibasidio Hymeno Hypho Myco Myxo Oidio Oo Phyco Physo Plecto Protobasidio Pyreno Saccharo Schizo Sporo Tricho Zygo
-mycetic *Fungi*
actino blasto eu hypho oidio saccharo schizo
-mycetous *Fungi*
asco(auto)basidioblasto conio disco gastero haplo hemibasidio hymeno hypho myco myxo oo phyco protobasidio pyreno schizo zygo
μύκος mucus
mycocyte *Histol.*
scleromucin *Chem.*
μυκός = ἄφωνος
Endomychus *Ent.*
-id(ae -oid
Philomycus *Conch.*
-id(ae -oid
μυκτήρ nose, nostril
Allomycterus *Ich.*
Amycterus -id(ae -oid
Chilomycterus *Ich.*
Hypomycteri *Mam.*
Lophomycter *Ent.*
Metopomycter *Ich.*
Mycteria *Ornith.*
mycteric *Anat.*
Mycterus *Ent.*
Myctiris -id(ae -oid
stenomycteria *Path.*
Trichomycterus *Ich.*
-idae -inae -ine -oid
xeromycteria *Path.*
μυκτηρισμός sneering
mycterism
μυκτηριστής sneerer
Mycteristes *Ent.*
μυκτηρο- Comb. of μυκτήρ
myctero-
perca *Ich.*
saurus *Pal.*
suchus *Pal.*
xerosis *Med.*

μυλαβρίς (Photius)
Mylabris *Ent.*
μυλακρίς a cockroach
Archimylacris
-idae *Ent.*
Mylacris *Orth.*
-mylacris *Pal.*
Hemi Ortho Phylo Platy Ptilo Soo Trilopho
μύλαι Pl. of μύλη
mylacephalus *Terat.*
μύλαξ a millstone
Mylacus *Ent.*
μύλη a mill; pl., grinders
lithomyl(y *Surg.*
Myledaphus *Pal.*
Neomylodon *Pal.*
stylomyloid *Anat.*
μυλίας millstone
Myliobatis *Ich.*
-id(ae -in(e -oid
Promyliobates *Pal.*
μυλλαίνειν make mouths
Myllaena *Ent.*
μυλλός crooked
Mylloceras *Ent.*
μυλο- Comb. of μύλος
mylo-
cheilus *Ich.*
chromis *Ich.*
glosse -us *Anat.*
hyoid(eus -ean *Anat.*
murus *Pal.*
phara(*or* o)don *Ich.*
stoma -id(ae -oid *Ich.*
stomatidae *Pal.*
μυλόδους a grinder
Mylodon(t(idae *Pal.*
μύλος mill; molar
Mylacanthus *Ich.*
Mylagaulodon *Pal.*
-mylus *Pal.*
Di Haplo Steno
μυλώδης like a millstone
Coenomylodes *Ent.*
μυλωθρίς maid of the mill
Mylothris *Ent.*
μυλών a mill house
mylonite -ic *Petrog.*
mylonitized *Geol.*
μῦμαρ blame
Mymar *Ent.*
idae inae ine
μύξα mucus
Actinomyxidia *Par.*
amyxia *Med.*
Ceratiomyxaceae
gastromyxin *Prop. Rem.*
Gymnomyxon *Prot.*
-an -ine
hypomyxia *Path.*
myxa *Ornith.*
myx-
adenitis *Path.*
adenoma *Tumors*
amoeba(e *Fungi*
angitis *Path.*
angoitis *Path.*
asthenia *Med.*
emia *Med.*
idae *Ich* -idiidae *Bact.*
idiocy *Path.*
idiotic *Path.*
oid *Ich. Med.*
oidedema *Path.*
oma -atous *Path.*
-myxa *Fungi*
ceratio Chryso
-myxa *Prot.*
Chlamydo Gymno Labyrintho Proteo Proto

-myxoma *Tumors*
adeno chondro cysto endothelio fibro glio ino lipo lympho pseudo rhabdo
Ophiomyxa *Echin.*
-id(ae -oid
Phytomyxaceae *Bot.*
proteomyxan *Prot.*
protomyxoid *Biol.*
μυξῖνος slime fish
Myxine *Ich.*
-id(ae -oid(ei
μυξο- Comb. of μύξα
myxo-
adenoma *Path.*
amoeba
bacteria -iaceae -iaceous -iales *Bact.*
bia *Biol.*
blastoma *Tumors*
bolus -idae *Mycol.*
chimaera *Bot.*
chondrofibrosarcoma
chondroma *Tumors*
chromosomes *Bot.*
coccidium *Prot.*
cylindroma *Path.*
cystodea(n *Prot.*
cystoma *Tumors*
cyte *Cytol.*
dermia *Path.*
edema *Med.*
-atoid -atous -ic
enchondroma *Tumors*
fibroma -atous *Tumors*
fibrosarcoma *Tumors*
flagellates *Bot.*
gaster(s -(e)res *Bot.*
gastric -ous *Bot.*
glioma *Tumors*
globulin *Biochem.*
glucan *Biochem.*
inoma *Tumors*
lipoma *Tumors*
monad *Fungi*
monas *Prot.*
mycete(s *Mycol.*
-aceae -al -an -ous
myoma *Tumors*
neuroma *Tumors*
neurosis *Path.*
papilloma *Tumors*
phyceae -in *Bot.*
phyte -a *Bot.*
pod(a ium ous *Prot.*
podia *Bot.*
poiesis *Physiol.*
pterygium *Zool.*
rrhea *Path.*
sarcoma -atous *Path.*
spongiae -ian -ida(n
spore -ous *Fungi*
sporia -idian -idium
thallophyta *Mycol.*
theca *Ornith.*
trophic *Bot.*
-myxoadenoma
cysto
-myxorrhea
a gastro
-myxosarcoma
adeno chondro fibro
μύξων (Arist.)
myxon *Ich.*
μυο- Comb. of μῦς
acromyotonia -us *Med.*
adenoliomyofibroma
adenomyo- *Path.*
fibroma metritis
angiomyo- *Path.*
cardiac sarcoma
cardiomyoliposis *Med.*
Dicromyocrinus *Pal.*
electromyo- *Med.*
gram graphy

endo(per)imyocarditis
hemimyosthenia
hypermyo- *Path.*
tonia trophy
hypomyotonia
intramyocardial *Anat.*
l(e)iomyo- *Med.*
blastoma fibroma sarcoma
monomyoplegia *Path.*
myo-
albumin -ose *Biochem.*
architectonic *Histol.*
atrophy
blast(ic *Cytol.*
brad(y)ia *Med.*
cardia(*or* io) gram
-graph
cardism -itis -itic *Path.*
cardium -iac -ial *Anat.*
cele *Path.*
celialgia *Path.*
celitis *Path.*
cellulitis *Path.*
cephalitis *Path.*
ceptor *Anat.*
cerosis *Med.*
chorditis *Path.*
chrome *Biochem.*
chronoscope *Psych.*
chrous *Colors Ent.*
clonia -ic -us *Path.*
coel(e *Embryol.*
coelom(e -ic *Physiol.*
colpitis *Path.*
comma *Cytol.*
crismus *Med.*
cyte *Cytol.*
cytoma *Tumors*
degeneration *Med.*
demia *Med.*
(o)edema *Med.*
diastasis *Path.*
dioctes *Ornith.*
dome *Ich.*
dynamia -ics
dynam(i)ometer
electric *Histol.*
endocarditis *Path.*
epithelium
-ial *Anat. Embryol.*
fibril(e *Anat.*
-oma & -osis *Path.*
fibr -oma & -osis *Path.*
gen *Biochem.*
genesis genetic *Histol.*
genic -ous *Histol.*
glia *Histol.*
globin -ulin(e *Biochem.*
glyphis *Ent.*
gnathus *Terat.*
gram
graph(er -ion
graphy -ic(al(ly -ist
h(a)ematin *Biochem.*
hypertrophia *Med.*
hyracidae *Pal.*
hysterectomy *Surg.*
ischemia *Med.*
kerosis *Med.*
kinesis *Med.*
kymia *Path.*
kynine *Biochem.*
lemma *Anat.*
lestes *Pal.*
lipoma *Tumors*
logy -ic(al -ist
lysis *Path.*
malacia *Path.*
mancy mantic
melanosis *Histol.*
mere -ic *Histol.*
meter *Med. App.*
metritis *Path.*
metrium -ial *Anat.*
mimus *Mam.*
morph(a -ic -ine *Mam.*

myo- Cont'd
motility
nema -e *Cytol. Infus.*
nemes *Bot.*
nephropexy *Surg.*
neural *Anat.*
neuralgia *Med.*
neurasthenia *Med.*
neure *Cytol.*
neuroma & -osis *Path.*
nosus *Path.*
pachynsis *Med.*
palmus *Physiol.*
paralysis *Path.*
paresis *Path.*
pathy -ic *Path.*
pericarditis *Path.*
peritonitis *Path.*
phaena *Biol.*
phage *Cytol.*
phagism *Med.*
phan(e *Infus.*
phone *Physiol.*
phonia *Infus.*
phore -ous *Conch.*
phoric *Brachiop.*
phosphate -ese *Chem.*
phrisca *Biol.*
physics -ical
plasm *Cytol.*
plasty -ic *Surg.*
polar *Anat.*
porum -aceae -aceous -ad -ineae -ineous
potamus *Zool.*
protein -eid -eose
psin *Biochem.*
psychic *Psych.*
psychopathy *Neurol.*
psychosis *Neurol.*
rrhaphy *Surg.*
rrhexis *Path.*
salpingitis *Path.*
sarcoma -atous *Path.*
saurus *Pal.*
sclerosis & -otic *Path.*
scope
seism(ia *Med.*
septum *Cytol.*
serum *Diet.*
spasia
spasm(ia -us *Path.*
stroma *Histol.*
stromin *Biochem.*
suture *Surg.*
synizesis *Med.*
talpa -inae *Zool.*
tasis *Physiol.*
tatic *Physiol.*
tenontoplasty *Surg.*
tenositis *Path.*
tenotomy *Surg.*
therapy *Ther.*
tility *Histol.*
tome *Anat. Surg.*
tomy -ic -ist *Surg.*
tone -ia -ic(ity -us -y
tonometer *Med. App.*
tragus *Pal.*
trophy *Physiol.*
-myotomy *Surg.*
colpo hystero fibro ophthalmo ten(ont)o
neuromyology -ical *Med.*
neuromyomere *Neurol.*
optomyometer *Ophth.*
oxymyohematin
palate(*or* o)myograph
paramyoclonus *Path.*
paramyotone -ia -us *Path.*
pathomyotomist
perimyoendocarditis
phonomyoclonus *Med.*
polymyoclonus *Path.*
rhabdomyo- *Tumors*
blastoma

rhabdomyo- Cont'd
chondroma
myxoma
sarcoma
ten(onto)omyoplasty
μυογάλη shrew mouse
Myogale *Mam.*
-id(ae -inae -in(e -oid
μυοδόχος hiding mice
Myodocha -inae *Ent.*
μυοκτόνος mouse-killing
myoctonic *Chem.*
-in(e -inic
μυός Gen. of *μῦς*
deuteromyosinose
myos-
algia *Path.*
an *Biochem.*
in *Biochem.*
fibrin ose uria
inogen *Biochem.*
itis -ic *Path.*
uria *Med.*
-myositis *Path.*
adeno celio dermato- (muco) fibro ino neuro ophthalmo poly stetho
paramyosinogen
protomyosinose *Chem.*
μυοσωτίς (Diosc.)
myosote *Bot.*
Myosotis *Bot.*
μυραινα a lamprey
Mur(a)ena *Ich.*
-id(ae -oid
Muraenesox *Ich.*
-ocid(ae -ocoid
μυρι- Comb. of *μυρίας*
myri-
acanthus -id(ae -oid -ous *Bot.*
acanthus -ous *Ich.*
anthous *Bot.*
orama -ic
pristis *Ich.*
μυρίανδρος (Isocr.)
myriander
μυριάρχης (Herod.)
myriarch(y
μυριαδ- Stem of *μυριας*
myriad
ed fold th
μυριάς (Herodotus)
myria-
dyne *Mech.*
glossa *Conch.*
gon *Math.*
gram(me *Meas.*
liter litre *Meas.*
merous
meter metre *Meas.*
nide -a *Helm.*
pod(a(n -ous *Arthrop.*
podiasis *Path.*
spored *Bot.*
μύριγξ membrane
mycomyringitis *Path.*
μυρίκη tamarisk
Myrica -aceae -aceous -ales *Bot.*
myricetine *Org. Chem.*
myricic -in(e *Org. Chem.*
myricitrin *Org. Chem.*
myricyl(ic *Org. Chem.*
μυρινος (Arist.)
Myrina -ae *Ich.*
μυριο- Comb. of *μυριος*
myrio-
lepis -inae -ine *Ich.*
mere -ous *Bot.*
meter *Math.*
pod(a -ous *Ent.*
scope
sporous *Bot.*

myrio- Cont'd
theism
thela -idae *Zool.*
zoidae zoum *Zool.*
μύριοι Pl. of *μυρίος*
myriare *Meas.*
myriate *Meas.*
μυριολόγι (Mod. Gr.)
myriolog(ue
ical ist
μυριομορφος
myriomorph *Archaeol.*
μυριός countless
hypermyriorama *Arts*
Merizomyria *Fungi*
μυριόφυλλον (Diosc.)
Myriophyllum *Bot.*
-etum -ite -oid -ous
μυριστικός fragrant
homomyristical
myristic *Org. Chem.*
-ate -in(ic -oleic -olic -one -yl
Myristica -aceae -aceous -eae
myristication *Path.*
myristicic *Org. Chem.*
-ene -in(e -inic -ol
Myristicivora -ous
myristodiolein *Chem.*
oxymyristic
μυριώνυμος (Plut.)
myrionomous
μύρμαξ = *μύρμηξ*
Myrmacicelus *Ent.*
μυρμηκιά ant hill
tetramy(*or* o)rmeclone
μυρμηκίασις (Hesych.)
myrmeciasis *Path.*
μυρμηκιασμος (Galen)
murmekiasmosis *Path.*
μυρμήκιον Dim. of *μύρμηξ*
Myrmeciophytum *Pal.*
μυρμηκο- Comb. of *μύρμηξ*
myrmeco-
bromous *Bot.*
chorous -y *Bot.*
domatia *Bot.*
domous *Bot.*
grapher -y -ist *Ent.*
lepsy
logy -ical -ist *Ent.*
phage -a -id(ae -inae -in(e -oid -ous
phile -a -ism -ous -y
phobic -ous *Bot.*
phyte -ic *Bot.*
symbiosis & -otic *Bot.*
thrips *Ent.*
trophic *Bot.*
xenous *Bot.*
μυρμηκόβιος
myrmecobe -ius *Mam.*
-ian -iid(ae -iinae -iine -ioid(es
Myrmecobius *Arach.*
μυρμηκοειδής (Hesych.)
myrmecoid
μυρμηκολέων (Sept.)
Myrmecoleon *Zool.*
Myrmeleon *Ent.*
-ontid(ae -ontoid
μυρμηκώδης = *μυρμηκοειδής*
Myrmecodes *Ent.*
μύρμηξ the ant
Murmica *Ent.*
-id(ae -inae -in(e -oid
-myrma *Ent.*
Ammo Poecilo
myrmecic
-myrmex *Ent.*
Archaeo Clado Coryno Holco Oxypo Perono

-myrmex Cont'd
Rhoptro Sicelo Spelaeo Sphincto Stego Steno Stereo Stigmo Stiphro Typhlo Xipho Xyno
-myrmex *Pal.*
Asymphylo Dimorpho Dryo Electro Glaphyro Irido Pityo Prodimorpho
Μυρμιδόνες (Homer)
myrmidon
ian ize
μύρμος = *μυρμηξ*
Myrmecladoecus *Ent.*
myrmo-
pelta *Ent.*
piromis *Ent.*
saulos *Ent.*
therin(e *Zool.*
μυρο- Comb. of *μύρον*
myro-
phila *Ent.*
spermin *Chem.*
thamnus -aceae -aceous *Bot.*
xylic -in(e *Org. Chem.*
xylon *Bot.*
μυροβάλανος (Arist.)
myrobalan *Bot.*
μύρον an unguent
amyrin *Org. Chem.*
Amyris *Bot.*
myronic *Org. Chem.*
-ate -in
myrosan
myrosin(ase
xenomyrum
μυροπωλης a perfumer
myropolist
μῦρος a sea-eel
Mylomurus *Pal.*
Myrichthys *Ich.*
Myrophis *Ich.*
Myrus -idae *Ich.*
Pachymura *Pal.*
μυροφόρος Fr. *μύρον*
myrrhophore *Gr. Ch.*
μύρρα (Sappho)
myrrh
ate ean ed ic in(e ol(in -y
myrrhifluous
μύρρινος = *μόρρινος* < *μορρία*
myrrhine
murrin(e
μυρρίς (Diosc.)
Myrrhis *Bot.*
μυρρίτης (Pliny)
myrrhite
μυρσίνη the myrtle
Myrsine *Bot.*
-(ac)eae -aceous -ad
Myrsiphyllum *Bot.*
μύρσος a basket
Myrsus *Ent.*
μύρτινος of myrtle
myrtine
μυρτίτης (Theophr.)
myrtite
μύρτος the myrtle
cor(iar)iamyrtin *Chem. Mat. Med.*
myrcene -ol *Org. Chem.*
Myrcia -ioid *Bot.*
myrt
myrtene -al -ic -ol *Chem.*
myrticolorin *Org. Chem.*
Myrtiflorae *Bot.*
myrtifoliate *Bot.*
myrtiform *Bot.*
myrtill(id)in *Org. Chem.*
myrtle
myrtol *Org. Chem.*

Myrtophyllum *Protozoa*
Myrtus -aceae -aceous -al(es -eae *Bot.*
Μυρών Myron
Myronic *Gr. Sculp.*
μῦς mouse; muscle. See *μυ-* *μυο-*
Acomys *Conch.*
Antechimomus *Marsup.*
endomysium ial *Anat.*
epimysium *Anat.*
Grammysia *Conch.*
-iid(ae -ioid(ea
-myid(ae -oid *Mam.*
chiro dino geo hetero lago lophio phasco sacco therido
-myinae *Mam.*
Arcto Chiro Clasmodonto Dendro Dipodo Echi Echino Gale Geo Hetero Hydro Lago Phatacantho Sacco
-myine *Mam.*
arcto chiro dendro dipodo echi echino geo hetero hydro sacco
-mys *Mam.*
Acantho Arcto Capro Cerco Chalico Chiro Clido Cteno Cyno Dactylo Dendro Dino Dipodo Drymo Dryto Echi Echino Elio Evoto Gale Geo Hespero Hetero Hydro Hylo Ischyro Lago Lophio Neso Neustico Ochro Oryzo Oto Pago Petro Phasco Platacantho Ptero Rhizo Sacco Scolo Sticto Synapto Therido
-mys *Pal.*
Amphichiro Anchomo Apate Boro Broto Diamanto Dipriono Elasmo Eutypo Heterochiro Heteropso Homopso Issidioro Karoo Mega Neo Neosciouro Palaearcto Paraphio Pauro Pelo Phio Plesiarcto Pomono Synodonto Thomo Titano(therio)
neuromyon -yic *Anat.*
perimys(i)itis *Path.*
perimysium -ial *Anat.*
Peromyscus *Mam.*
Raetomya *Pal.*
Saccomyoidea(n *Mam.*
Scoliomus *Pal.*
Solenomya -yidae *Conch.*
Stratiomys *Ent.*
-yid(ae -yoid
μύσις a closing
Mysis *Crust.*
-id(ae -idea(n -oid
-mysis *Crust.*
Arthro Idio Nano Palaeo Priono
μύσος uncleanness
automysophobia
mysophobia *Ps. Path.*
μυσταγωγία (Plut.)
mystagogy
μυσταγωγικός (Cyrill.)
mystagogic(al(ly
μυσταγωγός (Plutarch)
mystagog
al ue us
μύσταξ (-ακος) (Theocr.)
Melanomystax *Herp.*
mustache
-ed -ial -io(ed

mystac(i)al *Ornith.*
Mystacina -ininae -in(e
mystacinous *Ent.*
mystacocete -i -ous *Mam.*
Mystacops -opinae -opin-(e *Mam.*
mystax *Ent.*
Xenomystax *Zool.*
μυστηριαρχης
mysteriarch
μυστήριον (Herodotus)
Mysteria *Ent.*
mysterial(ly
mysterifical
mysteriosophy
mysterious(ly -ness
mysterize -ingness
mystery
mystific(al(ly -ation -ator(y
mystify -fied -fier
unmysterious
unmystery
unmystified
μύστης (pl. -ae) (Eur.)
Diplomystus *Ich.*
-id(ae -oid
myst(ae *Gr. Rel.*
mystes
μυστίκητος
mysticete -ous *Mam.*
μυστικός (Herodotus)
mystic
al(ly (al)ity (al)ness ism ist ize ly o-
Mysticocrinus *Pal.*
philomystic
supermystical
unmystical
μύστις mystic
Cryphiomystis *Ent.*
μυστριο- fr. μύστρον
Mystriopora *Pal.*
Mystriosuchidae *Pal.*
Promystriosuchus
μύστρον a spoon
mystrin *Chem.*
Mystriophis *Ich.*
mystro-
leon *Ent.*
petalon -eae *Bot.*
phorus *Ent.*
pomus *Ent.*
sporium *Fungi*
thamnus *Bot.*
μυτακισμός (Diomedes.)
metacism *Rhet.*
myotacismus
mytacism
μυτίλος (Pliny)
Hoplomytilus *Pal.*
Mytilaspis *Ent.*
Mytiliconcha *Pal.*
mytilite -ol *Org. Chem.*
mytilotoxin(e -icon
mytilotoxism *Path.*
Mytilus *Conch.*
-aceae -acean -aceous -id(ae -iform -inae -oid
Streptomytilus *Pal.*
submytiliform *Conch.*
μύτις (Arist.)
Trimytis *Ent.*
μυχθίζειν to snort, sneer
Mychthisoma *Ent.*
μυχο- Comb. of μυχός
Mychoceras *Ent.*
mychogamy *Bot.*
μυχός inmost part
Mycetomychus *Ent.*
μυώδης mouse-like
Acromyodi *Ornith.*
-ian -ic -ous
-acromyodian
an cat di
diacromyodous *Ornith.*
Mesomyodi *Ornith.*
-ian -ic -ous
Myodes *Zool.*
Myodocopa -ous
oligomesomyodous
Oligomyoda(e -i *Ornith.*
-(i)an -oid(ean
Polymyodae *Ornith.*
-i(an -ous
μυών cluster of muscle
myon(icity *Anat.*
-myon *Anat.*
pectori pelvi syringo
μυωξός the dormouse
myoxo-
cephalus *Zool.*
morpha *Ent.*
Myoxus -id(ae -inae -ine -oid *Mam.*
μύωψ short sighted
myope *Ophth.*
-ia -ic(al(ly -ism
myopodiortholicon
myops
myoptic
Paramyopa *Ent.*
pseudomyopia
Μωαβίτης
Moabite
-ess -ic -ish
μῶλυ (Odyssey)
moly *Bot. Myth.*
μῶλυξ = μῶλυς
Molychnus *Ent.*
μῶλυς soft, feeble
Molops *Ent.*
μώλωψ weal
molopes *Path.*
Molopospermum *Bot.*
Μῶμος the critic God
mome
-ish -ism -ist -ize
Momus *Myth. Ornith.*
μωρία madness
monomoria *Ps. Path.*
moria *Ps. Path.*
μωρο- Comb. of μωρός
moro-
mantic
saurus *Herp.*
-ian -id(ae -oid
therium *Pal.*
μωρολογία (Arist.)
morology
-ical(ly -ist
μωρόν Neut. of μωρός
moron *Educ. Psych.*
supermoron
μωρός sluggish, dull
Gobiomorus *Ich.*
Morica *Ent.*
sophomore -ic(al(ly
Theomora(n -ous *Herp.*
μωρόσοφος a wise fool
morosoph(y ist
μωρωσις sluggishness
morosis *Path.*
Μωσῆς (Sept.)
Moses -aism -aist
post-Mosaic
pseudo- Moses

Ναβαταῖοι Novatians
Nabat(h)(a)ean *Hist.*
νάβλα (Soph.)
Nabalus *Bot.*
nabla *Math.*
nable *Music Instr.*
Ναζαρίτης
Nazarate
Nazarite
-ic -ish -ism -ship
Ναιαδ- Stem of Ναιάς
Naiad *Myth. Zool.*
Naiad(ac)eae -aceous -ales *Bot.*
Naiades *Mol. Myth.*
Naiadochelys *Pal.*
Ναιάς Naiad
Nahecaris *Pal.*
Naias *Mol. Myth.*
Ναιδ- Stem of Ναίς
naid *Myth.*
naid(ae *Annel.*
Naides -ia *Helm.*
-id(ae -iform -oid
naidomorph(a *Helm.*
ναίειν to dwell
Helinaia *Ent.*
Tryponaeus *Ent.*
Ναίς = Ναιάς
Naiidae *Conch.*
Nais *Myth. Zool.*
ναίσκος Dim. of νάος
naiscus *Archaeol.*
νᾶμα (-ατος) a stream
Nama
namatad -ium *Bot.*
namato- *Bot.*
philus phyta
νάννος = νᾶνος
Nannirhynchia *Pal.*
Nanniscus *Ent.*
nanno-
belus *Pal.*
colobodes *Ent.*
nymphaeus *Arach.*
phryganea *Ent.*
pithex *Pal.*
plankton -onts *Bot.*
trigona *Ent.*
νανο- Comb. of νανος
nano-
brachium *Ich.*
cephalism -y -ic -ous
cormia -us *Craniom.*
cranous *Craniom.*
dactylus *Ent.*
glossa *Ent.*
graptus *Pal.*
melia -ous -us *Terat.*
mysis *Crust.*
phanerophytes -ium
phyll *Bot.*
pterum *Ornith.*
saur(us *Bot.*
somia -a -us *Terat.*
tragulus *Mam.*
-nanosoma *Terat.*
hyper hypo
νᾶνος dwarf
nanandrous -ander *Bot.*
nanism -ity -oid *Med.*
nanization *Hort.*
Nanosura *Ent.*
nanous -us *Bot. Med.*
Nanus *Ent.*
νανοφυής dwarfish
Nanophyes *Ent.*
νανώδης dwarf-like
Nannoda *Ent.*
ναο- Comb. of ναός
nao-
logy -ical
metry
saurus *Pal.*
soma *Ent.*
ναός a temple; its cell
epinaos *Gr. Arch.*
naos *Gr. Arch.*
pronaus *Anat.*
Ναπαῖαι dell nymphs
Napaea *Bot. Myth.*
-aead -(a)ean
ναπώδης woody
Napodonictis *Pal.*
ναρδινος of nard
nardine
νάρδος (Theophr.)
(hydro)nardetum *Bot.*
nard(iferous *Arts Chem.*
Nardus *Bot.*
ναρδόσταχυς (Galen)
Nardostachys *Bot.*
ναρθήκιον Dim. of νάρθηξ
Narthecium *Bot.*
Narthecius *Ent.*
νάρθηξ a plant; wand; ante-temple
esonarthex *Gr. Ch.*
exonarthex *Arch.*
narthex -ecal *Arch. Bot.*
νάρκη stupor; the torpedo
abionarce *Physiol.*
Heteronarce *Ich.*
homonarceine *Chem.*
hysteronarcolepsy *Ps.*
narceia *Chem.*
-ein(e -eonic
Narcine *Ich.*
narco-
anesthesia *Med.*
batis & -us *Ich.*
-id(ae -oid
hypnia *Med.*
lepsy leptic *Path.*
mania -iac(al *Path.*
medusae -an *Zooph.*
narcoma -atous *Path.*
pepsis *Med.*
narcose *Med.*
stimulant *Med.*
tile
tropism *Bot.*
narcosis *Med.*
narcyl *Mat. Med.*
nornarceine *Org. Chem.*
νάρκημα numbness
necronarcema *Path.*
ναρκίσσινος (Diosc.)
narcissin(e
νάρκισσος Fr. νάρκη
narciss
narcissine *Org. Chem.*
narcissus *Bot.*
-al(es -in(e
Νάρκισσος (Pausanias)
narc(iss)ism -ist(ic *Psa.*
Narcissus *Myth.*
ναρκώδης torpid (Hipp.)
Narcodes *Ent.*
νάρκωσις (Hipp.)
narcosis *Path.*
-narcosis *Path. Psych.*
encephalo holo hypno phreno semi topo
narcosomania *Ps. Path.*
ναρκωτικός (Galen)
acronarcotic *Med.*
anarcotin(e *Chem.*
antinarcotic -in *Ther.*
cotarnin(e -one *Chem.*
dimethylnornarcotin
hydrocotarnia -in(e
denarcotize -ation
methylnarcotin *Chem.*
narcotia
narcotic
al(al)ly (al)ness ism o-
narcotin(e -a -ic
narcotism -ist
narcotize -ation
neocotarnine *Org. Chem.*
osmonarcotic *Physiol.*
oxynarcotin(e
prenarcotic *Ther.*
pseudonarcotic-ism *Med.*
subnarcotic
tarconine *Org. Chem.*
ναρός flowing
Naregamia *Bot.*
naregamin(e *Mat. Med.*
Ναρύκιος of Naryx
Narycius *Ent.*
ναστο- Comb. of ναστός
Nastoceras *Ent.*
ναστός pressed close
nastic *Bot.*
-nastic *Bot.*
aitio autonycto chemo endo epi exo geonycto hydro hypo nycti photo
-nastically *Bot.*
epi hypo photo
nastin *Mat. Med.*
Nastonycha *Ent.*
Nastus *Bot. Ent.*
-nasty *Bot.*
aitio diplo epi gastro geo hydro hypo nycti para photo (epi hypo) pseudo thermo
nyctinastism *Bot.*
photonastical *Bot.*
tuberculonastin
ναυ- Comb. of ναῦς a ship
nau-
clerus *Ich. Ornith.*
coris *Ent.*
-id(ae -oid
crates *Ich.*
pathia *Path.*
ropometer *Naut.*
scopy *Naut.*
ναυαρχία (Thuc.)
navarchy
ναύαρχος (Herod.)
navarch
ναυκραρία (Arist.)
nauc(*or* k)rary *Gr. Govt.*
Ναυκρατίτης (Strabo)
naucratite *Gr. Art*
ναῦλον fare; freight
naulage
naulum
ναυμαχία (Herod.)
naumachia -y
Ναύπακτος Lepanto
Naupactus *Ent. Geog.*
ναυπηγία shipbuilding
naupegy
ναυπηγική (Arist.)
naupegical
Ναύπλιος of Nauplia
metanauplius *Crust.*
nauplius
-ial -iiform -ioid
protonauplius *Emb.*
ναυσία Fr. ναῦς (Galen)
nausea
-eant -(e)ity
nauseate
-ingly -ion -ive
nauseous(ly -ness
ναυσίβιος living by the sea
Nausibius *Ent.*
ναυτης a sailor
aeronat
aeronaut(ism
Coponautae *Zool.*
Cyphonautes *Helm.*
Exonautes *Ich.*
mesonaut
Nautichthys *Ich.*
ναυτική (Herod.)
aeronautics
nautics
ναυτικός orig., seafaring
aeronautic(al

nautic
al(ity ly ness
ναυτίλος (Arist.)
Clydonautilus *Conch.*
Cyclonautilus *Pal.*
nautilicone *Pal.*
Nautiliscus *Ich.*
nautilite *Pal.*
nautiloid *Prot.*
a ea(n
Nautilophora *Conch.*
nautilus -iform -oid
Nautilus *Conch.*
-acea(n -aceae -ian -id(ae -ine -inidae -oid
Pleuronautilus *Cephal.*
νάφθα (Diosc.)
aceanaphthene
acenaphth- *Org. Chem.*
alic alide azine ene-(quinone enyl imidazole indan indene oxdiazole ylene
acenaphtho- *Org. Chem.*
benzoquinoxaline naphthazine phenazonium pyran pyrazine pyridine quinoxaline-(-ium) thiophene triazole
acetnaphthalid
acetnaphthylamin
benzophthalazine
dihydroxyphthalophenone
dinaphth-
acridin(e anthrone azin(e
dinaphthoxanthene
homophthal-
ide imide
hydronaphthylamin
isonaftan *Mat. Med.*
isonaphthazarin
methylnaphalene
naftalan *Org. Chem.*
naph- *Org. Chem.*
indone thiazine thionate thionic triazine
naphtha
naphth- *Org. Chem.*
acene acridine aldehyde alizarin amein(e amic amide amine an(e anthraquinone anthrene anthroxanic azarin azin(e azole enate ene id(e il imidazole in indigo isatin oic ous uric yridine
naphthal- *Org. Chem.*
amide amine an ate ene enic enol ic id(e idin(e idinol imide ine inoid ization ize ol onic
-naphthalene
decahydro dioxy nitro para tetrahydro
naphthaloperine
naphthathioxin
-naphthene *Org. Chem.*
deca dodeca endec(*or* k)a hepta indo nona nono octa octo poly seleno tetradeca tetrathio undeca
-naphthenic
deca dodeca pentadeca poly tetradeca trideca undeca
naphthind- *Org. Chem.*
an azole ene ole olene ulin
napht(h)ine *Min.*
naphthinoline

naphtho- *Org. Chem.*
benzyl
carbazole
carbostyril
chroman -one
cinchonic
coumarin -one
cresol *Mat. Med.*
dianthrene & -one
flavone
fluorene
form(ine
fuchsone
furan
gene *Dyes*
geny *Fuels*
logy *Fuels*
nitrile
phenazine
phthalizine
pyr-
an azine in one ylium
quinoline
quinone
quinoxaline
resorcin(ol
rubin
salol -icin
styril
thio-
thioxin
triazine & -ole
phene pyran pyrone xanthene
naphthol
ate ism ize sulphonic
-naphthol *Chem. Med.*
amido chi diiodobeta hydro iodo iso lacto sali sulfo tolu tribrom (beta)
-naphthone *Org. Chem.*
aceto benzo
naphthox- *Org. Chem.*
anthene azine ol yl(ene
naphthyl- *Org. Chem.*
-amin(e ene ic
-naphthyl
bi di me
naphthylenediamine
naphtolithe *Min.*
nitrosonaphthaline
oxynaphthoic
paranaphthalic -in(e
phenonaphthacridine
phthal-
acene
aldehyde -ic
amic -ide -idic
an(il(ic anilide
ate ein(e ic
azin(e azone
id(e idene idyl
imid(e -ine -o
in(e
onic
oxime
yl(ene
-phthalic *Org. Chem.*
di homo hydro ise oxy(tere) tere
phthalo- *Org. Chem.*
perine perone phenono
-phthalyl *Org. Chem.*
iso sodo tere
pyridophthalan -ide
pyronaphtha
quinophthalone
sulphoneph(th)alein
terephthal- *Org. Chem.*
al aldehyde amide ate ic onic
tetraphth- *Org. Chem.*
ene ol
thionaphthisatin
thymolphthalein

tolunaphthazine
trinitronaphalene
νε- Comb. of νέος
Echinoneus *Echin.*
-eid(ae -eides -eoid
ennearctic *Geog.*
misoneism *Psych.*
-ist(ic
Nealexia *Pal.*
nearctic *Zoogeog.*
neencephalon *Anat.*
Neetrophus *Ich.*
neism *Biol.*
neontology *Zool.*
-ical -ist
neonym(y
neopine *Org. Chem.*
Neornithes *Ornith.*
neosine *Biochem.*
philoneism *Med.*
νεα- Comb. of νέος
nealogy -ic
νεάλωτος newly caught
Nealotus *Ich.*
νεανικός youthful
aneanic
neanic *Biol.*
polyneanic
Νεαπολίτης of Neapolis
Neapolitan
νεβρίας dappled
Nebria *Ent.*
νεβρίς fawn skin
nebris *Gr. Ant.*
νεβρισμός (Harpocr.)
nebrismus *Cl. Ant.*
Νειλο- Comb. of Νεῖλος
Nilometry
Νειλομέτριον (Strabo)
nilometer
Νεῖλος the Nile
Anthraconeilo *Pal.*
Nilous
Νειλοσκοπεῖον (Diod.)
niloscope
Νειλώτης in the Nile
Nilot
Nilotic
νεῖν to spin
Argyroneta *Arach.*
lissoneoid *Math.*
neoid *Math. Nav.*
νεκρ- Comb. of νεκρός
necr-
(a)emia *Med.*
ectomy *Surg.*
encephalus *Med.*
ides *Bot.*
opsig *Med.*
otonecrectomy *Surg.*
νεκρο- Comb. of νεκρός
necro-
bacillosis *Vet.*
bia *Ent.*
biosis biotic *Biol. Path.*
coleopterophilous
cytosis *Path.*
cytotoxin *Tox.*
dialogistical
genic -ous *Phytopath.*
grapher
harpages *Ornith.*
lemur *Pal.*
logy -ic(al(ly -icity -ist
mania
meter *Med. App.*
morphous *Ent.*
narcema *Path.*
parasite *Biol.*
pathy *Path.*
phile -ia -ism -ous -us -y *Ps. Path.*
phobia *or* -y -ic
plasm plast *Bot.*

necro- Cont'd
ponent
psittacus *Ornith.*
pyoculture *Bact.*
sadism *Ps. Path.*
scopy -ic(al *Med.*
spermia *Med.*
thrips *Ent.*
tomy -ic(al -ist
type -ic *Pal.*
nekrogene *Geol.*
oligonecrospermia *Med.*
subnecromorphotica *Ent.*
νεκρολατρεία (Cyrill.)
necrolatry
νεκρομαντεία (Hesych.)
necromance(r
-eous -ian -ing
necromanty -ist
νεκρόμαντις necromancer
necromant(ic(al(y
νεκρόν Neut. of νεκρός
humusnecron *Bot.*
necron -idia *Bot.*
necronectomy *Surg.*
necronite *Min.*
nekron *Geol.*
otonecronectomy
νεκρόπολις (Strabo)
necropolis -itan
νεκρός a corpse; dead. See νεκρ-, νεκρο-
νεκρότης state of death
necrotic
necrotize -ation
osteonecrotic
postnecrotic
νεκροφάγος
Necrophaga(n -ous *Ent.*
νεκροφόρος burying
necrophore -us -idae -ous
νεκρώδης corpse-like
Necrodes *Ent.*
Protonecrodes *Ent.*
νέκρωσις deadness
necrosis
-e(d -ial -y
-necrosis *Path.*
anthraco arterio athero bio leuco odonto osteo phosphor rhino stomato
phyllonecrosis *Bot.*
νεκτάρεος (Homer)
nectareal -ean
nectareous(ly -ness
νέκταρ (Homer)
Anectaria *Bot.*
Nectandra *Bot.*
nectar
ed el ial ian ied iferous (i)ous ize
Nectaria *Bot.*
nectarilyma -ous *Bot.*
nectarine *Hort.*
Nectarinia -iid(ae -ioid
nectarium *Bot.*
nectarivorous
perinectarial *Bot.*
νεκτάριον (Diosc.)
nectary *Bot. Ent.*
νεκταρο- Comb.of νέκταρ
nectaro- *Bot.*
sema stigma theca
νεκύδαλος (Arist.)
Necydalis *Ent.*
νεκυομαντεία (Justin)
necyomancy
Νεμεαῖος of Nemea
Nemean
νέμειν inhabit; possess
Halonomus *Ent.*
Hypothenemus *Ent.*
Nemozoma *Ent.*
Xylono(*or* e)mus *Ent.*

νέμεσις wrath at wrong
Nemesia *Bot.*
Νέμεσις Retribution
nemesis -ic *Astron. Myth.*
Nemesis *Zool.*
νέμος a glade
nemo-
blastus *Bot.*
lite *Min.*
phila -ous *Bot.*
phily -ist
tragus *Ent.*
νεο- Comb. of νέος
carteneograph
glu(*or* y)coneogenesis
infraneolithic
neo-
alchemical *Chem.*
American
amphorophora *Ent.*
antiluetin *Chem. Med.*
arctic
arsphenamin *Mat.*
arsycodyl *Mat. Med.*
arthrosis *Path.*
atavistic *Biol.*
Attic
Babylonian
balaena *Zool.*
biology -ist
blastic *Zool.*
bornyl *Biochem.*
botany -ical -ist
brachyglossum *Ent.*
Buddhism -ist(ic
bythites *Ent.*
carida *Crust.*
catechu
Catholic(ism
Celtic
cene *Geol.*
ceratodus *Ich.*
cerebellum *Anat.*
cerotic *Org. Chem.*
ceryl *Org. Chem.*
chen *Ornith.*
chlorophyll *Biochem.*
Christian(ity
chrysalite *Min.*
chrysops *Ent.*
cinchophen *Mat. Med.*
claenodon *Pal.*
classic(ism -ist
clinus *Ich.*
colemanite *Min.*
comian *Geol.*
conger *Ich.*
cosmic
cosmospora *Fungi*
cotarnine *Org. Chem.*
cracy *Pol.*
criminalist
crina -oid(ea *Echin.*
criticism
ctese *Min.*
cyanin(e *Dyes* (*T. N.*)
cyanite *Min.*
cyte *Cytol.*
cytosis *Med.*
Darwinism -ian
dermin *Ointments*
diarsenol *Mat. Med.*
didymium *Chem.*
diplogaster *Helm.*
ditrema *Ich.*
dox(y
Druid(ic(ism
dymium *Chem.*
Egyptian
embryo -onic *Zool.*
encephalon *Anat.*
erbium *Inorg. Chem.*
erythromma *Ent.*
euthyris *Bryol.*
fetus -al *Embryol.*
fiber *Zool.*
form *Mat. Med.*

neo- Cont'd
formation *Histol.*
formative *Histol.*
gaea(n -ic *Zoogeog.*
gala *Obstet.*
gamy -ous *Bot. Zool.*
geic *Phytogeog.*
gen *Chem.*
genesis genetic *Biol.*
glucose *Org. Chem.*
gnathae *Ornith.*
gnathic
Gothic
grammarian
graph(y -ic
Greek
Hebraic Hebrew
Hegelism -ian(ism
Hellenic -ism
heterandria *Ich.*
hibolites *Pal.*
hierax *Ornith.*
hipparion *Pal.*
holmia -ium *Chem.*
hyaenodon *Pal.*
hyborrhynchus *Ent.*
hymen *Med.*
impressionism -ist
Jurassic *Geol.*
Kantism -ian(ism *Phil.*
kentroceras *Pal.*
kharsivan *Mat. Med.*
kinetic *Neurol.*
kosmium *Chem.*
lactose *Org. Chem.*
Lamarckism -ian *Biol.*
lampadidae *Pal.*
Latin
lepidoptera *Ent.*
leucitus *Ent.*
leucophenga *Ent.*
leucopis *Ent.*
limulus *Crust.*
-id(ae -oid
linognathus *Ent.*
liparis *Ich.*
lite *Min.*
lith(ic *Archaeol.*
logy -ian(ism -ism -ist-(ic(al
-ization -ize(r -ous
maenis *Ich.*
Malthusian(ism *Econ.*
membrane
Mendelism -ian *Biol.*
menthol *Org. Chem.*
modal *Music*
mon(ic(s *Math.*
monoscope *Photog.*
morph(ic *Biol.*
morphogenous *Bot.*
morphosis *Biol.*
morphus *Ornith.*
-inae -in(e -ism
mylodon *Pal.*
mys *Pal.*
natal *Med.*
nomism -ian(ism
nomous *Biol.*
pagan(ism -ize
palaeasteridae *Pal.*
Paleozoic *Geol.*
pallium -ial *Anat.*
paraffin *Chem.*
pelline *Org. Chem.*
Persian
phila *Ent.*
philism *Path.*
philologist -ical
philosopher
phlycticeras *Pal.*
phobia *Ps. Path.*
phrastic
phrenia *Ps. Path.*
phytic *Bot.*
pinophilus *Ent.*
pithecine -ic *Zool.*

neo- Cont'd
plase *Min.*
plasia *Med.*
plasm(a *Path.*
plast *Bot.*
plastic *Path.*
plasty -ic *Surg.*
platonic(ian *Phil.*
platonism -ist *Phil.*
platycrinus *Pal.*
proetus *Pal.*
psychic *Psych.*
Punic
pyrenol pyrine *Med.*
Pythagorean(ism *Phil.*
rhacodes *Ent.*
rhagis *Ent.*
rhizobius *Ent.*
rhombolepis *Pal.*
rhynchus -idae
robin *Prop. Rem.*
Roman
romantic
salvarsan *Chem.*
Sanskrit(ic
Schellingism *Phil.*
Scholastic(ism *Phil.*
sciuromys *Pal.*
sclerus *Ent.*
silvol *Mat. Med.*
solen *Malac.*
sorex *Mam.*
spathegaster *Ent.*
sporidia *Sporozoa*
stenus *Ent.*
stoma *Embryol.*
stomy *Surg.*
striatum *Anat.*
style *Mech.*
Sumerian
Syriac
tantalite *Min.*
tarache *Ent.*
te(i)nia -y -ic *Biol.*
thalamus *Anat.*
themis *Ent.*
thulium *Inorg. Chem.*
tingis *Ent.*
tome -a *Mam.*
topism *Biol.*
toxoscelus *Ent.*
tragocerus *Pal.*
tragus *Mam.*
tremata -ous *Moll.*
tropic(al *Bot. Zoogeog.*
truxinic *Org. Chem.*
type *Biol.*
vitalism -ist(ic *Biol.*
volcanic
Washingtonia *Bot.*
xestus *Ent.*
ytterbium
zoic *Geol.*
zoology -ist
-neocytosis *Med.*
erythro hyper hypo
-neoplasm *Med.*
angio desmo pseudo
-neostomy *Surg.*
ureterocysto
ureteropyelo
ureteroneo- *Surg.*
cystostomy pyelostomy
νεόγαμος one newly wed
neogam(ist
νεογενής new-born
Neogene *Geol.*
νεογραμματικός
neogrammatical
νεοδαμώδης (Xen.)
neodamode *Gr. Pol.*
νεομηνία the new moon
neomenia(n -y *Gr. Ant.*
Neomenia *Conch.*
-iae -iaria -ida(n -iid-(ae -ioid(ea(n -oidea

νέον Neut. of νέος
neon *Chem.*
neonism
νέος young, new
See νε-, νεο-
νεοσσο- Comb. of νεοσσός
neosso- *Ornith.*
logy ptile
νεοσσός a nestling
neosidone *Org. Chem.*
neossidin(e *Chem. Ornith.*
neossin(e *Ornith.*
νεοτήσιος young
neotesite *Min.*
νεότοκος new-born
neotocite *Min.*
νεοττία a nest
Neottia *Bot.*
-ieae -ious
νεοττιο- Comb. of νεοττία
Neottiopteris *Bot.*
νεόφρων childish
Neophron *Ornith.*
νεόφυτος Fr. φυτόν (N. T.)
neophyte
-ic -ish -ism
Νερεύς Nereus
Nereicola -id(ae -oid
Nereocystis *Bot.*
Nerinea *Mol.*
Nerineopsis *Pal.*
νέρθε beneath
Nerthomma *Ent.*
νερτερο- dead
nerterology
νέρτος (Ar. Birds)
Nertus *Ent.*
Νεστόριος Nestorius
Nestorian
ism ize(r
Νέστωρ (Iliad)
Nestor *Myth.*
Nestor *Ornith.*
id(ae inae ine oid
Nestorize
νευρίς Dim. of νευρά
polyneuris *Bot.*
νευρο- Comb. of νεῦρον
angioneuro-
(o)edema *Path.*
blastoneuropore *Emb.*
ectoneuroglia *Anat.*
neuro-
amebiasis *Path.*
arthritism *Path.*
bion *Neurol.*
biotaxis *Cytol.*
blast(ic *Cytol.*
blastoma *Tumors*
branchia *Conch.*
-iata -iate
cain *Mat. Med.*
cardiac *Anat.*
cele *Path.*
centrum -al *Neurol.*
ceptor *Neurol.*
cerebronic *Biochem.*
chitin *Org. Chem.*
chondrite *Anat.*
chord(al *Zool.*
chorioretinitis *Ophth.*
choroiditis *Path.*
circulatory *Anat.*
clonic *Neurol.*
coele -a -ian *Anat.*
crane -ium -ial *Anat.*
cyte *Neurol.*
cytoma *Tumors*
degenerative *Neurol.*
dendron *Cytol.*
derm *Embryol.*
al atosis
derm(at)itis *Path.*

neuro- Cont'd
diagnosis
dynamic(s
enteric
epidermal *Anat.*
epithelioma *Path.*
epithelium -ial *Anat.*
febrin *Mat. Med.*
fibril(la(r *Cytol.*
fibroma -atosis *Tumors*
fibrositis *Path.*
fil *Cytol.*
fixation *Path.*
gamia *Med.*
ganglion iitis *Neurol.*
gastric -algia *Med.*
gen(ic -ous *Neurol.*
genesis genetic *Neurol.*
glandular *Med.*
glia -iac -ial -iar -ic
glioma *Tumors*
gram *Psych.*
graphy
h(a)ematology
histology -ist
hypnology -ist *Med.*
hypnotic -ism -ist
hypophysis *Anat.*
ic *Biochem.*
induction *Psych.*
inoma -atosis *Tumors*
k(*or* c)eratin *Biochem.*
kinet *Med. App.*
kym(e *Neurol.*
labyrinthitis *Path.*
lite *Min.*
logy -ical -ist *Med.*
lymph *Physiol.*
lysin *Biohem.*
lysis lytic *Med.*
malac(*or* k)ia *Path.*
mast(ic *Zool.*
mechanism *Med.*
mere -ism -ous *Biol.*
metabolism *Physiol.*
metaphysical
meter
mimesis *Path.*
mimetic *Med.*
mittor *Neurol.*
muscular
myelitis *Path.*
myology -ical *Med.*
myomere *Neurol.*
myon myic *Anat.*
myositis *Path.*
nephric *Anat.*
nosis *or* -os *Path.*
myxis *Surg.*
otology *Med.*
paralysis
paralytic
parasthenia *Path.*
path(y -ic(al(ly -ist
pathogenesis
pathology -ical -ist
philic *Diet.*
phonia *Ps. Path.*
physiology -ical
pil(e *Neurol.*
plasm(ic *Cytol.*
plastin *Biochem.*
plasty -ic *Surg.*
plex(us *Neurol.*
ploca *Neurol.*
pod(ion -ous *Zool.*
podium -ial *Helm.*
pore *Embryol.*
potential *Neurol.*
psychiatry *Med.*
psychic(al *Neurol.*
psychology -ical -ist
psychopathy -ic
psychosis *Path.*
pter(on *Ent.*
-a -al -an -ist -oid(ea -ous

neuro- Cont'd
pteris -id *Bot.*
pterology -ical *Ent.*
purpuric *Path.*
pyra *Path.*
recurrence *Path.*
relapse *Path.*
retinitis *Path.*
rrhaphy *Surg.*
rrheuma *Neurol.*
sarcokleisis *Surg.*
sarcoma *Tumors*
sclerosis *Path.*
sensiferous
skeleton -al
some *Neurol.*
spasm(us
spermum *Pal.*
splanchnic *Anat.*
spongium *Anat. Ent.*
stearic *Biochem.*
sthenia *Physiol.*
surgeon -ery *Surg.*
suture *Surg.*
syphilis *Path.*
tabes *Path.*
tagma *Neurol.*
tendinous *Med.*
tension *Neurol.*
thecitis *Path.*
thele *Neurol.*
thel(e)itis *Path.*
therapeutics *Ther.*
therapy *Ther.*
thlipsis *Neurol.*
tome *Surg. App.*
tomy -ical(ist *Surg.*
tone *Mat. Med.*
tonic *Med.*
tony *Surg.*
toxia *Neurol.*
toxic -in *Tox.*
trauma *Med.*
tripsy *Med.*
troma *Med.*
trophasthenia *Diet.*
trophy -ic *Diet.*
tropic *Neurol.*
tropy -ism *Histol.*
trosis *Med.*
varicosis *Neurol. Path.*
vascular *Med.*
visceral *Med.*
-neurology
biocyto dermato psycho
-neuromere *Emb.*
hodo polio
-neurotomy *Surg.*
angio eviscero
-neurotoxin *Tox.*
anti auto
omphaloneurorrhexis
pseudoneuropter(a(n -ous *Ent.*
Trineurocephala *Ent.*
νευροειδής like sinews
dineuroid *Bot.*
neuroid
νεῦρον sinew, tendon
abneurally
Amphineura -ous *Helm.*
angioneurectomy
aneurilemma *Med.*
antineuralgic *Med.*
antineuronist *Med.*
Asapheneura *Pal.*
bilineurine *Biochem.*
Campyloneuron *Bot.*
Chiastoneura *Conch.*
-al -ous -y
Climaconeura -idae *Pal.*
Cryptoneura -ous *Zool.*
cycloneur(ous *Zool.*
dialyneurous -y *Path.*
Dineuron -oid *Bot.*

epineurial *Anat.*
Euchiloneuropsis *Ent.*
Euthyneura *Conch.*
-al -ous
exoneurally *Anat.*
Ganglioneura *Zool.*
-al -on
Gonioneurum *Ent.*
Hirmoneurites *Pal.*
hystericoneuralgic
Ischnoneurula *Pal.*
Meganeur- *Pal.*
ella idae ina ites
Mononeura *Zool.*
mononeuran *Neurol.*
motoneurone *Neurol.*
Myeloneura *Zool.*
myeloneuritis -ic *Path.*
Nematoneura *Zool.*
-al -ose -ous
neur-
achne *Bot.*
ad *Anat.*
adynamia -ic *Med.*
(a)emia -ic *Med.*
agnia *Med.*
al(ist aliform
algia *or* -y -iac -ic
althein *Mat. Med.*
am(o)eba *Anat. Cytol.*
am(o)ebimeter *Neurol.*
amphipetalae *Bot.*
anagenesis *Histol.*
anal *Anat.*
ancylus *Pal.*
angiosis *Path.*
apophysis -ial
archy *Neurol.*
arthropathy *Path.*
asthenia -ic(al(ly -iac -y
ataxia *or* -y *Neurol.*
ation *Anat. Bot. Ent.*
atrophia *or* -y -ic *Path.*
axis -ial -itis *Anat.*
axon *Anat.*
eneure *Cytol.*
ectasis -ia -y *Surg.*
ectome -y -ic *Surg.*
ectopia *Anat.*
energen *Biochem.*
enteric *Anat.*
epithelium -ial *Anat.*
ergic *Neurol.*
exairesis *Surg.*
hypnology
hypnotist
iatry *Med.*
ic(al icity
idine *Biochem.*
ility
in(e *Anat. Biochem.*
inoma -atosis *Tumors*
ism *Med.* -it(e *Cytol.*
itis -ic *Path.*
ocity *Neurol.*
odynia *Path.*
oma -atosis -atous
onym(y *Med.*
orrhyctes *Path.*
orthopter(a(n -ous
ose *Bot. Ent. Path.*
osin *Nat. Med.*
osis -al -ism *Med.*
osteite *Anat. Neurol.*
otic
otica -ism *Neurol.*
otize -ation *Med.*
otology *Otol.*
ula *Embryol.*
urgic *Neurol.*
ypnology -ical -ist
-neura *Anat.*
coelo cyclo
-neura *Ent.*
Acantho Apha Caeno

-neura Cont'd
Di Diplo Erythro Gephyro Nomo Oligo Schizo Spanio Steleo Tetra
-neural *Anat.*
ab ad cardio coelo cyclo derma(to) dermo diplo endo epi exo hetero homo idio inter intra mono myo para peri(phero) poly post pre psycho spino steno strisopino sub supra tri
-neuralgia *Path.*
arthro cysto ischio myo odonto orchio osteo oto prosopo spermo
-neurasthenia *Path.*
hemi hystero myo oto-(hemi)
-neure *Neurol.*
adeno axo dynamo esthesio ganglio myo rhizo sporado zygo
neuri-
lemma *Path.*
-al -(at)ic -(at)itis -atous
motility *Neurol.*
motor *Neurol.*
-neuria *Med.*
a acysti agastro dermata dys gastro gastrohyper hypo metro ovariodys
-neuric
a di mono poly tri
-neuritic
anti(poly) peri poly post
-neuritis *Path.*
actino cellulo dermatopoly endoperi entero meso mono ophthalmo pan peri poly radio sympatheo(*or* -ico)
-neurium *Anat.*
endo epi peri
-neuroma *Tumors*
fibro ganglio glio ino myo myxo pseudo
-neuron *Neurol.*
archi axo endaxo moto proto tele
neuron *Anat. Biol. Ent.*
agenesis *Med.*
atrophy *Neurol.*
ist *Neurol.*
itis *Path.*
neurone -al -ic *Cytol.*
neurono-
phage -ia -y *Cytol.*
phagocytosis *Cytol.*
-neurosis *Path.*
acro(tropho) (a)esthesio angio aporio cardio derm(at)o dialy dystropho exo hydro hystero idio kerauno kinesio lalo logo metro mono myo myxo psycho themo tropho vaso
-neurotic
angio ilioapo psycho tropho
-neurotic
angio ilioapo psycho tropho
Orthoneura *Conch.*
-al -ous
oxyneurin(e *Chem.*
Prostenoneuridae *Pal.*
Protoneuretus *Pal.*
Schizoneurites *Pal.*

Stenodictyoneura *Pal.*
Stenoneura *Pal.*
-ella -idae
Streptoneura *Conch.*
-al -ous
Synaptoneura *Pal.*
Syntmoneurum *Ent.*
teleneurite *Neurol.*
Toponeura -al *Zooph.*
toponeurosis *Path.*
zygoneurous -y

νευροσπαστά puppets
neurospast(ic

νευρώδης sinewy
neurodeatrophy -ia *Path.*
neurodin(e *Chem.*

νευστάς swimming
neuston *Phytogeog.*
νευστικός inclining
Neusticomys *Mam.*
Proneusticosaurus *Pal.*

νεφέλη a cloud
hydronephelite *Min.*
isoneph(elic *Meteor.*
lenad -ic *Petrog.*
nephela *Vision*
nephele *Gr. Ch.*
nephelelectrometer
nephelescope
nepheliad *Myth.*
Nephelicola *Ornith.*
nepheligenous
nephelin(e -ic *Min.*
Nephelis *Helm.*
-id(ae -oid
nephelite *Min.*
odometer *Meteor.*
opia *Ophth.*

νεφέλιον Dim. of νεφέλη
Nephelium *Bot.*
νεφελο- Comb. of νεφέλη
nephelo-
gnosis
later
logy -ical
meter *Chem. Anal.*
metry -ic(al(ly
psychosis *Psych.*
rometer *Meteor.*
scope *Meteor.*
sphere *Astron.*
νεφελοειδής cloudlike
nepheloid *Med.*
Νεφελοκοκκυγία (Ar.)
Nephelococcygia *Gr. Lit.*
νεφελωτός clouded
Nephelotus *Ent.*

Νέφθυς Hades (Plut.)
Nephys *Helm.*
-yacea(n -yid(ae -yoid

νεφίον Dim. of νέφος
Hypernephia *Ent.*
νεφο- Comb. of νέφος
nepho- *Meteor.*
gram
graph
logy -ical -ist
scope -ic
photonepho-
graph scope
νέφος a cloud mass
nephodoscope

νεφρίδιον of the kidneys
nephridio- *Biol.*
phore stome
nephridium
-ial -ian
-nephridium
diplo ecto epi meso micro pepto pro proto
Peptonephridia *Helm.*
pronephridia *Helm.*
pronephridiostome
pronephridian *Zool.*

νεφριτικός (Diosc.)
nephrite *Min.*
-ic(al -oid
nephritic(al *Path.*
-nephritic *Path.*
meso meta para pre pyelo pyo
nephrotoid *Min.*
νεφρῖτις (Hipp.)
antinephritic *Ther.*
nephritis *Path.*
-nephritis *Path.*
endo epi gastro glomerulo litho para peri pyelo pyo
νεφρο- Comb. of νεφρός
autonephrotoxin *Med.*
gononephrotome *Emb.*
heteronephrolysin *Cytol.*
isonephrotoxin
lithonephrotomy *Surg.*
myonephropexy *Surg.*
nephro-
abdominal *Anat.*
blast *Embryol.*
caps(ac)ectomy *Surg.*
cardiac *Anat.*
cathartic(on
cele *Path.*
colic(a *Path.*
colopexy *Surg.*
coloptosis *Med.*
cyst *Zool.*
anastomosis *Surg.*
idium *Protozoa*
itis osis *Path.*
cyte *Cytol.*
erysipelas *Path.*
gastric *Physiol.*
genic -ous *Physiol.*
gonaduct *Zool.*
graphy *Anat.*
h(a)emia *Path.*
hydrosis *Med.*
hypertrophy *Med.*
lepis *Bot.*
lith(ic *Path.*
lithiasis *Path.*
lithotomy *Surg.*
logy -ist *Anat.*
lysin *Cytol.*
lysis lytic *Surg.*
malacia *Path.*
megaly *Path.*
mere -ic *Anat.*
mixum *Annel.*
paralysis *Path.*
pathy ic *Path.*
pexy *Surg.*
phthisis *Path.*
plegia *or* y *Path.*
pneusta(n *Conch.*
poietic in *Histol.*
pore *Biol.*
ptosia is *Path.*
pyelitis *Path.*
pyeloplasty *Surg.*
pyosis *Path.*
rosein *Biochem.*
rrhagia *Path.*
rrhaphy *Med.*
scleria osis *Path.*
spasis *Med.*
stome a -ial -ous *Zool.*
tome *Embryol.*
tomy -ization -ized
tosis *Path.*
toxic -in
tresis *Surg.*
triesis *Surg.*
tuberculosis *Path.*
typhoid typhus *Med.*
ureter(ocyst)e ctomy
zymase&-ose*Biochem.*
zymosis *Path.*
pyelonephrolithiasis
splenonephroptosis

νεφροειδής like a kidney
hypernephroid *Med.*
nephroid(eous *Bot.*
nephroid *Math.*
νεφρός the kidneys
Diplonephra *Ent.*
dolonephran *Mat. Med.*
epinephr-
in *Mat. Med.*
in(e *Biochem.*
inemia *Med.*
oma *Tumors*
fasernephrite *Min.*
hypernephroma *Path.*
hypoepinephrinism
hypoepinephry *Med.*
lithonephria *Med.*
Megalonephricae *Helm.*
mononephrous *Med.*
nephr-
adenoma *Tumors*
aemorrhagia *Path.*
algia *or* -y -ic *Path.*
anuria *Path.*
apostasis *Path.*
atonia *or* -y *Med.*
auxe *or* -y *Med.*
ectasis -ia -y *Med.*
ectomy -ize *Surg.*
elcosis *Path.*
emia *Med.*
emphraxis *Path.*
ia -ic -ism *Path.*
ites *Ent.*
oncus *Path.*
ops(idae *Crust.*
osta *Bot.* (*Mosses*)
-nephrectomy *Surg.*
auto epi laparo utero
-nephric *Anat.*
archi cardio deuto hepato meso meta neuro para peri proto spleno
-nephric *Zool.*
hexa megalo micro plecto pro tetra
-nephron
archi deuto meso meta pro proto
-nephros
archi hydr para pro proto
-nephrosis *Path.*
cysto h(a)emato hemo hydro(hemato peri pyo) pseudohydro pyelo pyo uro(hemato)
-nephrotic *Path.*
hydro pyo
nephydrosis & -otic
Oligonephria *Ent.*
oligonephrous *Physiol.*
paranephrin *Mat. Med.*
perinephrium-(i)al *Anat.*
Plectonephrica *Helm.*
Polynephria -ious *Ent.*
νεφώδης like a cloud
Nephodes *Ent.*
νεωκόρος temple keeper
neocorus -ate *Gr. Ant.*
neokoros
νεωπός young-looking
Neopus *Ornith.*
νεώς a temple
neorama
νεωτερίζειν to innovate
neoterize
νεωτερικός youthful
neoteric(al(ly
νεωτερισμός innovation
neoterism
νεωτεριστής innovator
neoterist(ic
νη- Neg. prefix
Neamblysomus *Mam.*

Nedinoptera *Ent.*
neiandra *Bot.*
Nephycta *Ent.*
nethist
νηάς a big Samian fossil
Mesonea *Pal.*
νηδύς body cavity
Nedyopus *Arach.*
νηΐς nymph
neidioplankton *Bot.*
ooneion *Bot.*
νηκτής a swimmer
Anthraconectes *Crust.*
Aspidonectes *Herp.*
Chironectes -id(ae -oid
Eunectes *Ent. Herp.*
Lacconectes *Ent.*
-nect(ae ous *Zooph.*
auro calyco cysto disco physo
-nectes *Ich.*
Chiro Lyco Oxyzygo Photo Pseudopleuro Zygo
Notonecta *Ent.*
-al -id(ae -oid
pleuronect(ae *Ich.*
-(eiform)es -id(ae -inae -ism -oid(ea(n
R(h)achianectes *Mam.*
νηκτός swimming
Nectalia -idae *Coel.*
nectism *Bot.*
necto-
brachia *Crust.*
calyx -ycine *Zool.*
cyst *Zool.*
nemertes -idae
necton(ic *Biol.*
phore *Zool.*
pod(a *Zool. Conch.*
sac(k *Zooph.*
some
stem *Zool.*
zooid *Zool.*
Necturus *Zool.*
Nektaspia *Pal.*
orthonectid(a(e *Cytol.*
νηκτρίς Fem. of νήκτης
Calonectria *Bot.*
Nectria *Fungi*
-iaceous -ioidaceae
nectrianin *Mat. Med.*
nectriose *Phytopath.*
Pleonectria *Bot.*
Νηλείδης son of Neleus
Neleides *Ent.*
Νηλεύς Son of Neptune
Neleus *Ent.*
νηλής pitiless
Enneles *Pal.*
Ennelichthys *Pal.*
Eunelichthys *Pal.*
νῆμα a thread
Anisonema -idae *Infus.*
axoneme
Chrionema *Ich.*
Chromonema *Cytol.*
Cladonema *Acal. Coel.*
Cocconema *Prot.*
collonema *Tumors*
Cryptonema *Bot.*
-ata -ieae
dolichonema *Cytol.*
epinemus *Bot.*
Eunema *Moll.*
ferronemalite *Min.*
Genyonemus *Ich.*
gymnemic *Chem.*
habronemic -iasis *Med.*
Heteronemeae -(e)ous
hexanemous *Zool.*
Homonemeae -eous
Hyalonema *Spong.*
-atidae -id(ae -oid

Laemonema *Ich.*
leptonema *Cytol.*
Liponema -idae *Zool.*
Lyconema *Ich.*
Macronemeae *Fungi*
metanemal *Bot.*
Microspironema *Prot.*
myoneme -a *Cytol. Infus.*
Naemospora *Fungi*
nema *Zool.*
nema-
caulus *Biol.*
chilus *Ich.*
line lite litic *Min.*
lion(eae *Algae*
phyllite *Min.*
soma *Ent.*
stylis *Bot.*
thece -ium *Algae*
-ial -ioid
-nema *Bot.*
Actino Aglao Arche brachy chromo coelo Crypto Gym lepto- (zygo) meta para plasmo Steiro Stereo Stigo syn Tribo tropho zygo(pachy)
-nema *Helm.*
Acantho(cheilo Actino Bolbo Caco Croco Dapto Dasy Gongylo Habro Lito Pharyngo Rhabdi(*or* o) R(h)opalo Stilbo
-nema *Pal.*
Cyclo Dictyo Hetero Loxo Natico
nemates *Bot.*
Nemeae *Bot.*
Nemichthys *Ich.*
-yid(ae -yoid
Nemipterus *Ich.*
nemo-
bius *Ent.*
cera(n -ous *Ent.*
cyst *Zooph.*
glossa -ata -ate *Ent.*
panthes *Bot.*
octonemous
Opisthonemo *Ich.*
pachynema *Cytol.*
paraneme -a *Algae*
-ata(l -atic
Peranema -idae *Prot.*
Phlebonema *Ent.*
polyneme -us *Ich.*
-id(ae -iform -oid
protoneme *Mosses*
-a(l -atal -atoid
pseudonemathecium -ia
Pyronema *Spong.*
-(at)
aceae
Rhabdonema *Helm.*
-id(ae -oid
Scytonema *Bot.*
-(ac)eae -aceous -(at)-oid -atous
scytonemin *Org. Chem.*
Sphaeron(a)ema *Fungi*
Spironema *Prot.*
Stereonemata *Bot.*
Stigonemeae *Bot.*
strepsinema *Cytol.*
synema *Bot.*
Toxonema *Prot.*
Trachynema *Zooph.*
-atidae -id(ae -oid
Treponema *Prot.*
-iasis -icidal -icide -osis
Trochonema *Gastrop.*
trophonema *Ich.*
Uronema *Zool.*
Zygnema *Bot.*
-(ac)eae -aceous -id
Zygnema -etum *Fungi*

zygonematosis *Path.*
νηματ- Stem of νῆμα
Dinematichthys *Ich.*
Hydronemateae *Bot.*
Loxonematacea *Pal.*
nemat-
helmia *Helm.*
helminth(a -es -ic
helminthiasis *Path.*
ic *Phys. Chem.*
istius -iid(ae -ioid *Ich.*
odonteae *Bot.*
nemato-
bdella *Helm.*
blast *Biol.*
calyx -ycin(e *Hydrozoa*
carcinus -id(ae -oid
cera -(at)ous *Ent.*
cide
cinurus *Ich.*
cyst(ic *Zool.*
dinium *Protozoa*
gen(e -a -ic -ous
gnath(i -ous *Ich.*
gone *Mosses*
logist
morpha
myces *Fungi*
neura(l -ose -ous *Zool.*
parataenia *Helm.*
phore -a(n -ous *Coel.*
phycus -aceae *Bot. Pal.*
phyton *Bot.*
plast *Bot.*
poda *Crust.*
pode -ous *Mol.*
pora *Bryozoa Pal.*
rhynca *Zool.*
scelis *Ent.*
schema *Ent.*
scolices -in(e *Helm.*
spermia *Zool.*
thec(i)ous *Bot.*
zooid *Protozoa*
octonematous *Zool.*
Psammonemata *Spong.*
νηματώδης fibrous
nematode *Helm.*
-a -ea -es -iasis -oid(ea
Nematodes *Ent.*
nematoid(a -ea(n *Helm.*
Νημερτής a Nereid
-nemertea(n *Helm.*
Hoplo Palaeo Schizo
Nemertes *Helm.*
-ea(n -ian -id(ae -ida(n -ina -in(e -inea(n -ineidae -oid
-nemertes -idae
Necto Pelago Schizo
-nemertine
hoplo meso palaeo schizo
-nemertini *Helm.*
Hetero Hoplo Meso Meta Palaeo Proto Schizo
Nemertini *Annel.*
νῆξις a swimming
Philonexis -idae *Moll.*
νηπενθής ?opium (Od.)
nepenth(e -ean -ic
Nepenthes -aceae -aceous
νήπιος infant
ananepiastic *Biol.*
nepiasty -ic *Biol.*
Nepiodes *Ent.*
nepiology *Med.*
nepionic *Biol.*
ana- meta- para- phylo-
Pteronepionites *Pal.*
νηπύτιος a little child
Nepytis *Ent.*

Νηρηΐς a sea nymph
Dendronereides *Helm.*
Heteronereis -eid *Helm.*
Lumbrinereis *Helm.*
-eid(ae -eoid
Neread Nereid *Myth.*
-nereid *Bot.*
(aut)amphi auto halo limno
nereidion *Bot.*
Nereis *Bot. Ent.*
Nereis *Helm.*
-e(id)id(ae -eide(*or* i)-an -eides -e(id)iform -eidina -eidous
nereite *Pal.*
Nerine *Bot.*
Nerinea -eid(ae -eoid
νήριον (Diosc.)
nereanthin *Org. Chem.*
nerein *Org. Chem.*
nereodor(e)in *Org. Chem.*
Nerium *Bot.*
νηρίτης (Arist.)
nerite *Conch.*
-a -id(ae -idan -iform -ina -ine -ite -oid
neritic *Zoogeog.*
Neritopsis *Conch.*
-id(ae -oid
neroplankton *Bot.*
νηρός flowing, liquid
aneroid *Elec. Meteor.*
aneroidograph *Meteor.*
dineric *Phys.*
nerocurrent *Zoogeog.*
Νησαίη a Nereid
Nesaea *Bot.*
νῆσις spinning
traumatonesis *Surg.*
νησιώτης islander
nesiote
νησιωτικός of an island
Nesioticus *Ent.*
νησο- Comb. of νῆσος
neso-
ceryx *Ornith.*
dagys *Malac.*
gaea(n *Zoogeog.*
gena *Ent.*
genes *Ent.*
lagobius *Ent.*
lathrus *Ent.*
lecithus *Helm.*
mys *Mam.*
netta *Ornith.*
phylax *Ornith.*
pithecus -idae *Mam.*
porogaster *Arach.*
stenodontus *Ent.*
theca *Ent.*
tragus *Mam.*
νῆσος an island
Melanesia *Geog.*
-nesian *Geog.*
Amphi Austro Hepta Indo Mela Poly
Nesodon *Pal.*
Polynesia -ic *Geog.*
νῆστις jejunum
gastronestesotomy *Surg.*
nestiatria
nestiostomy *Surg.*
nestis *Anat.*
nestitherapy *Ther.*
nestotherapy *or* -(e)ia
νητρον a spindle
Netrocera *Ent.*
νῆττα a duck
merganettin(e ae *Ornith.*
-netta *Ornith.*
Mela Merga Neso Pago Pelio

netta-
rrhinus *Ent.*
stoma -idae *Ich.*
νηττίον Dim. of νῆττα
Nettion *Ornith.*
νηττο- Comb. of νῆττα
Nettopus *Zool.*
νηφαίνειν to be sober
Nephanes *Ent.*
νηφάλια Pl. of νηφάλιος
nephalia *Gr. Rel.*
νηφάλιος wineless, sober
Nephalius *Ent.*
νηφαλισμός soberness
nephalism -ist
Νίκαια Nicaea
Deutero- Nicene
Nicene *Eccl. Hist.*
-ian -ist
νικᾶν to conquer
nikalgin *Mat. Med.*
Νίκη Victory
Nika *Crust.*
-id(ae -oid
Nike *Gr. Myth.*
Νικόδημος Nicodemus
Nicodemite
Nicodemize
Νικοθόη a Harpy
Nicothoe *Crust.*
-oeid(ae *Crust.*
Νικολαῖται (Iren.)
Nicolaite -ae *Eccl. Hist.*
-an -(an)ism
Νικόμαχος Nicomachus
Nicomachean
Νιόβη (Iliad)
Niobe -ean -eid(e *Myth.*
Niobe *Bot.*
niobi(o)fluorid *Chem.*
niobite *Min.*
-niobite
plumbo tantalo uran(o)
niobium *Org. Chem.*
-ate -ic -ous
νιπτήρ a basin
nipter *Gr. Ch.*
Nipterocrinidae *Pal.*
Νισαῖος of Nisaea
Nisaean *Geog.*
Νῖσος Nisus
Nisaetus *Ornith.*
Nisostomia *Pal.*
Nisus *Ornith.*
Νιτρία Nitria, fr. νίτρον
Nitrian *Geog.*
νιτρο- Comb. of νίτρον
anitrogenous *Chem.*
chlornatrokalite *Min.*
dinitro- *Chem.*
benzene cellulose cresol glycerin phenol resorcin toluin
epinatrolite *Min.*
ferronitrosulfide
hexanitro- *Org. Chem.*
hydronitro- *Chem.*
gen prussic
hypernitrogenous
isonitro- *Chem.*
isonitroso- *Org. Chem.*
isonitrosoantipyrin *Mat.*
manonitrometer *Chem.*
metanitroanilin *Chem.*
micronitrogen *Chem.*
mononitro- *Chem.*
nitro-
acid
aere(*or* i)ous *Chem.*
-ial -ian
alizarin
aluminous

nitro- Cont'd
amide amin(e *Chem.*
anisol
bacter(ia -(iac)eae
barbituric *Chem.*
barite *Min.*
benz- *Chem.*
amide ene ide inic oate oic ol
bromoform
butyric *Chem.*
calcite
caprylic
carbol(e
cellulose
chloroform
cinnamic
compound
cotton *Expl.*
cumene
dextrose *Mat. Med.*
erythrol *Mat. Med.*
explosive
ferricyanic *Chem.*
form *Chem.*
gelatin(e
gen(ic (e)ous iferous (iz)ation ize
glaubirite *Min.*
glucose
glycerol -in(e *Chem.*
hippuric *Org. Chem.*
hydro- *Org. Chem.*
carbon cellulose chloric
ic *Org. Chem.*
jute *Org. Chem.*
levulose *Mat. Med.*
lignim *Org. Chem.*
lim(e *Ind. Chem.*
magnesite *Min.*
mane
mannite
mannitol *Mat. Med.*
metal
meter
methane *Chem.*
metric *Chem. Anal.*
monas *Bact.*
muriate -ic *Chem.*
naphthalene
neutral
paraffin
phenol *Chem.*
philous *Bot.*
phosphate *Chem.*
phyte -ic *Phytogeog.*
powder
propiol *Chem.*
protein *Biochem.*
prussic -iate -id(e
quinol *Org. Chem.*
saccharose *Mat. Med.*
salicylic *Chem.*
salol *Chem.*
starch *Expl.*
substitute -ion
sugars *Chem.*
sulfuric *Chem.*
sulphate -ide *Chem.*
sulphonic *Chem.*
sulphuric -(e *or* i)ous
sulfamide *Chem.*
tartareous *Chem.*
toluene toluol *Chem.*
sulfamide *Chem.*
oligonitrophile -ic *Bact.*
oligonitrophilic -ous *Biol.*
orthodinitrocresol *Mat.*
paranitro- *Chem.*
sideronatrolite *Min.*
tetranitro- *Org. Chem.*
trichlornitromethane
trinitro- *Chem.*
benzene benzol carbolic cellulose cresol

trinitro- Cont'd
glycerin methane naphthalene phenol resorcinol toluene toluol xylene xylol
unnitrogenized
νίτρον a carbonate of soda (Herod.)
aphronitre
autonitridation
denitr-
ate ation ator ize
denitrify
-ication -icator -ier
dinitrate -ed
glonoin *Chem.*
hypernitr(a)emia
isonitramine
itrosyl *Mat. Med.*
metanatrolite *Min.*
metanitranilin
mononitrated
natr- *Chem.*
amblygonite *Min.*
ion ium um yl
natro- *Min.*
alunite chalcite davyne hitchcockite jarosite lite melilith meter microcline montebrasite philite phlogopite
natron *Min.*
natron- *Min.*
amblyonit anorthite berzellite catapleiite ite jarosite kalisimonyite melilith mikroklin phlogophite richterite sanidine sarkolith
niter -re -ral
nithialin(e
nitr- *Chem.*
acrol
(a)emia *Med.*
agin *Agric.*
al
am-
ide (id)in(e inic ino
amite *Expl.*
anilic -in(e anion
anisic -ide -idine -ol(e
ate(d atin(e ation ator
ato-
phosphate silicic
atoxygen
azone
ed -eous ene
iary *Expl.*
ic -icum
id(e -ation
ifaction iferous
ify -fiable -fication fier
ile- o-
imid(e imine -o
ine ion ish
ite -o- -oid
ol(eum ic
one -ate -ium
ous(ness
oxy- -ide -yle
uret
-nitrate *Chem.*
gallo metho mono oxal oxy per(oxy) picro proto sub tri(s) urea
-nitric *Chem.*
hydro hypo oxy phos sulfo
-nitrid(e *Chem.*
carbo chloro hydro per tri
-nitril *Chem.*
aceto phenylbromoaceto propio
-nitrile *Chem.*
aceto acrylo benzo butyro capr(yl)o cin-

-nitrile Cont'd
namo croto fencho formo fumaro gallo glycino iso lacto malo mandelo mono naphtho nicotino oxal propio succino tolu valero vanillo xylo
-nitrite *Chem. Min.*
cobalti ferri ferro hydro hypo pallado platino sidero
nitron *Trade*
nitros- *Chem.*
amin(e azone in oxime yl(e ylic
nitrose
-ate -ation i- -ic -ite -ity
nitroso- *Chem.*
amine
bacteria *Bact.*
chlorid
coccus *Bact.*
compound
derivative
dimethylaniline
nitrosolic
monas *Bact.*
naphthalene
phenol.
-nitrous *Chem.*
hydro hypo sal sulfo
nitrum -y
oxynitr-
ilase ilese ion
paranitranilin(e
paranitrosophenol
pernitroso-
polynitro
pseudonitr-
ol(e osite
saliter
sal(n)itre -al
sulphonitronic
tetranitrol *Mat. Med.*
trinitr-
ation in ol
trinol *Expl.*
trinophenon *Mat. Med.*
trona *Min.*
trotol -yl *Expl.*
xyloquinitrole
νίφα snow
niphablepsia *Med.*
νιφαργής snow-white
Niphargopsis *Crust.*
νιφο- Comb. of νίφα
niphotyphlosis *Med.*
νόημα (-ατος) a thought
noematacho- *Psych. App.*
graph meter metric
noematic(al(ly -ics
noemics
νόησις thought (Plato)
anoesis *Psych.*
noesis *Phil.*
Νοητιανοί (Hippol.)
Noetianism *Eccl. Hist.*
νοητικός intelligent
autonoetic
dysnoetic
hypnoetic *Psych.*
hyponoetic *Psych.*
noetic(al -ics
νοθο- Comb. of νόθος
notho-
ceras *Conch.*
-atid(ae -atoid
c(h)laena *Bot.*
dectes *Pal.*
fagus *Bot.*
gamy *or* -ia *Bot.*
laena *Bot.*
lopus *Ent.*
microdon *Ent.*

-atid(ae Cont'd
perissops *Ent.*
phila *Ent.*
physis *Ent.*
rhizobius *Ent.*
saur(us *Herp.*
-ia(n -id(ae -oid
νόθος bastard; spurious
Nothanomaloides *Zool.*
Nothodes *Ent.*
Nothops *Ent.*
nothous
Pronothacanthus *Pal.*
-νοια as in παρανοία
hypernoia -oea *Ps. Path.*
νομαδ- Stem of νομάς
nomad(e ian ism ization ize
Nomada -es -idae *Ent.*
Numida *Ornith.*
-inae -in(e
Numidia(n *Geog. Hist.*
νομαδικός (Arist.)
nomadic(al(ly
νομάρχης (Herod.)
nomarch *Gr. Pol.*
νομαρχία (Diod.)
nomarchy
νομη ulcer
Amphinome *Helm.*
-ae -id(ae -oid
angionoma *Path.*
noma -e *Path.*
nome -ial *Math.*
stomatonoma *Path.*
-νομία Comb. of νομος as in αὐτονομία
aitionomy -ic *Bot.*
anthroponomy *Anthrop.*
-ical -ics
baronomy
bionomy *Biol.*
-ic(al(ly -ics -ist
chrononomy
cytonomy *Cytol.*
dactylonomy
demononomy -ist
ergonomy *Physiol.*
glossonomy *Philol.*
heteronomy *Sociol.*
-ic -ous(ly
histonomy *Biol.*
ichthyonomy *Ich.*
logonomy
metronomy -ic(al(ly
morphonomy -ic *Biol.*
mythonomy
-nomy
ontonomy *Psych.*
organonomy -ia -ic
pannomy *Phil.*
parelectronomy -ic *Path.*
pathonomy -ia *Path.*
phoronomy *Phys.*
-ia -ic(ally -ics
phrenonomy
physionomy
phytonomy *Bot.*
phytotaxonomy *Bot.*
plutonomy
-ic -ist
pneumatonomy *Theol.*
psychomic(s
pyronomy -ics
socionomy -ic(s
taxinomy -ic -ist
taxonomy
-er -ic(al(ly -ist
technonomy -ic
theonomy
trinomy
zoonomy -ia
-ic(al -ist
νομικός Fr. νόμος
nomic *Gram.*

νομιος of shepherds
nomia
νόμισμα (-ατος) currency
numismarian
numismatist
numismato-
graphy logist logy
νομισματικός (Eust.)
numismatic
al(ly -ics -ician
νομο- Comb. of νόμος
nomo-
cracy *Gov.*
cratic *Phil.*
geny -ist -ous *Phil.*
gram graph(ic *Chem.*
gram *Math.*
graph(y -ic
logia *Bot.*
logy -ical -ist *Law*
neura *Ent.*
pelmous *Ornith.*
phyllous *Bot.*
rhamphus *Ich.*
spermous *Bot.*
technic
theism
topic *Med.*
Pronomotherium *Pal.*
νομογραφία (Strabo)
nomography *Law*
νομογράφος (Inscr.)
nomograph(er
νομοθεσία legislation
nomothesia -y
νομοθέτης a lawgiver
nomotheta -e
νομοθετικός (Plato)
nomothetic(al
νομοκανων (Alex Comm.)
nomocanon *Gr. Ch.*
νόμος usage; law; strain
anomic
antinomian *Eccl. Hist.*
-ianism -ic(al -ism -ist
ataxi(*or* o)nomic *Bot.*
autonomin *Biochem.*
cosmonomic
dinomic *Bot. Geog.*
electronome
endonomic *Sociol.*
historionomer -ical
metronome *Music*
mononomyarious *Mol.*
neonomian *Eccl.*
-(ian)ism
neonomous *Biol.*
nome -ic *Music*
nomian *Theol.*
nomisn -istic *Phil.*
nomos *Music*
rheonome *Physiol.*
stephanome *Meteor.*
νομός pasture, district
nomad -ium *Phytogeog.*
Nomarthra -al *Mam.*
nome *Pol.*
nomo- *Phytogeog.*
cola
philus
phyta
Nomophloeus *Ent.*
nomos *Gr. Pol.*
-nomus *Ent.*
Mnio Ochthe Pelo Phyco Scato
νομοφύλαξ (Plato)
nomophylax -actic
νοο- Comb. of νόος
noo-
cratic
genism *Biol. Psych.*
logy -ical -ist

noo- Cont'd
metry
psyche *Psych.*
scopic
νοούμενον Part. pass. of νοεῖν to perceive
noumenon *Psych.*
-al(ity -ally -ism -ize
νόος mind
philonoist
νόσημα illness
Nosema *Prot.*
psychonosema *Ps. Path.*
νοσηρός diseased
Noserius *Ent.*
νοσο- Comb. of νόσος
anoso- *Med.*
diagnosis diaphoria
hipponosological *Vet.*
noso-
chthonography *Path.*
dendron *Ent.*
genesis *Med.*
genetic *Med.*
geny -ic *Med.*
geography
gnomonic
graph(y -ic(al(ly
h(a)emia *Med.*
intoxication *Tox.*
logy -ical(ly -ist
mania *Ps. Path.*
mathete
meter
mycosis *Path.*
parasite *Med.*
phen *Chem.*
phobia *Ps. Path.*
phyta -e *Path.*
po(i)etic poeus *Med.*
taxis taxy *Med.*
theory
toxin toxic(ity *Tox.*
toxicosis *Tox.*
trophia *or* -y -ous
tropic *Med.*
-nosology *Med.*
chtho dermo desmo hippo odonto osmo pedo psycho zoo
zoonosologist
νοσοκομεῖον a hospital
nosocome -ia(l *Med.*
νόσος disease
anthracnose *Phytopath.*
antinosine *Med.*
macronosia *Path.*
nosazontology *Path.*
nosencephalus *Terat.*
nosetiology *Path.*
nosode *Med.*
nosonomy *Med.*
-nosis *Path.*
anthrac bio chemi dermato kirr(h)o neuro ochro onycho physi pneumo psychi(*or* o) tricho tropho zoo
-nosus *Path.*
brady cerato cirrho dermatozoo ecdemio h(a)ematangio hidro kerato molybdo myo ochro onycho osmo phono photo thermo tricho tropho
-nosos *Path.*
gastro h(a)ematangio neuro photo
ochronotic *Path.*
zoonose *Med.*
νοσσίον nestling
Nossidium *Ent.*
νόστος a return home
Eunostus *Ent.*
nostacoid *Biol.*
nostalgia *or* -y -ic *Path.*
nostic *Biol.*
nostology -ic
nostomania
νοσώδης sickly
Nosodes *Ent.*
νοταρικόν (Stud.)
notarikon *Jewish List*
νοτερός moist
noterophilous *Bot.*
Noterus *Ent.*
νοτιος wet, damp
notio-
meter
philus *Ent.*
phygus *Ent.*
νοτίς moisture
Notibius *Ent.*
νοτο- Comb. of νότος
noto-
bium *Ent.*
doma *Ent.*
g(a)ea(l g(a)ea
g(a)eic *Zoogeog.*
gronops *Ent.*
pelagia *Geog.*
there -ium *Pal.*
-iid(ae -ioid
νοτόθεν from the south
Notothenia *Ich.*
-iid(ae -ioid
Νότος God of the S. W. wind
Notus *Myth.*
νότος the south wind
archinotic *Geol.*
Notalia -ian *Zoogeog.*
Notelaea *Bot.*
Notoecus *Ent.*
Notornis *Ornith.*
νουθετικός monitory
nouthetical
νουμήνιος a curlew
Numenius *Ornith.*
-inae -in(e
νοῦμμος a silver coin
numm-
ary -iform ist
nummul-
acea(n *Prot.*
ar(y ated ation *Med.*
idea(n *Prot.*
ite -ic -iform *Prot.*
ites -id(ae -oid *Prot.*
nummuline
Nummulospermum *Pal.*
νοῦς Contr. of νόος
nous *Phil.*
νοῦφαρ (Arist.)
nuphar
nupharetum *Bot.*
nupharin *Org. Chem.*
νυθός dumb
Nythosauridae *Pal.*
νυκτ- Stem of νύξ
nyct-
agin(e *Bot.*
ia (iac)eae iaceous
algia *Path.*
amblyopia *Ophth.*
anthes -ous *Bot.*
anthin *Org. Chem.*
ea *Ornith.*
eis *Ent.*
harpages -in(e *Ornith.*
uria *Med.*
νυκταλός drowsy (Suid.)
Nyctala *Ornith.*
νυκτάλωψ night-blind
nyctalope *Vision*
nyctalops *Path.*
-opia -opic -opy
νυκτέλια a feast of Bacchus
Nyctelia *Ent.*
νυκτερευτής night hunter
Nyctereutes *Mam.*
νυκτερίς a bat (Od.)
Archaeonycteridae *Pal.*
Carponycteris *Mam.*
-iinae -iine
Liponycteris *Mam.*
Nycteribia *Ent.*
-iid(ae -ioid
Nycteris *Mam.*
-id(ae -ides -in(e -oid
-nycteris *Pal.*
Archaeo Chilo Cyno Eo Pale Paradoxo Rhyncho Za
νυκτερόβιος (Arist.)
Nycterobius *Pal.*
νυκτερωπός appearing by night
Nycteropus *Ent.*
νυκτι- Comb. of νύξ
autonyctitropic *Bot.*
geonycti- *Bot.*
nastic tropic
nycti-
ardea *Ornith.*
cebus *Mam.*
-idae -inae -in(e
dromus *Ornith.*
master *Ich.*
nasty -ic -ism *Bot.*
ornis *Ornith.*
-ithinae -ithin(e
pelagic *Biol.*
pithecus *Mam.*
-inae -in(e
saura -ian *Zool.*
tropic -ism *Bot.*
νυκτίβιος (Hesych.)
Nyctibius *Ornith.*
-iinae -iin(e
νυκτίγαμος (Musaeus)
nyctigamous *Bot.*
νυκτικόραξ (Arist.)
Nycticorax *Ornith.*
Νυκτιμένη
Nyctimene *Mam.*
νύκτιος nightly
Calonyction *Bot.*
νυκτο- Comb. of νύξ
autonyctonastic *Bot.*
nycto-
bates *Ent.*
nympha *Ent.*
pais *Ent.*
petus *Ent.*
phile -us *Zool.*
phobia *Ps. Path.*
phonia *Physiol.*
poris *Ent.*
sacerinae *Pal.*
syles *Ent.*
therus *Infus.*
tingis *Ent.*
typhlosis *Physiol.*
νυκτοβίος (Procl.)
Nyctobius *Ornith.*
νυμφαία (Theophr.)
Nymphaea *Bot.*
-ae(ac)eae -aeaceous
Nymphaeites *Pal.*
νύμφαιον (Plutarch)
nymphaeum *O. Ant.*
νυμφαῖος of the nymphs
Nannonymphaeus
nympheal *Bot.*
nymphean *O. Ant.*
νύμφη nymph; water
adenolymphitis *Path.*
adenolymphocele *Path.*
adenolymphoma *Tumors*
Agrionympha *Ent.*
alymphia *Path.*
angiolymph- *Tumors*
itis oma
chlorolymphosarcoma
chlorosarcolymphadeny
Diplonympha
endolymph- *Anat.*
angial(at)ic
h(a)ematolymph-
angioma atic
h(a)emolymphocytotoxin *Physiol.*
hypolymphemia *Med.*
lymph
aden *Med.*
ia ism itis oid oma-(tous (omat)osis
adenectasis *Med.*
adenhypertrophy *Med.*
adeno-
leukopoiesis *Physiol.*
pathy *Path.*
(a)emia *Path.*
agogue *Med.*
angi- *Med.*
ectasis *or* -ia ectatic ectodes itis oma-(tous otis
angio- *Med.* & *Surg.*
endotheli(oblast) oma fibroma itis logy phlebitis plasty sarcoma tomy
ate(d *Med.*
atic(al *Med.*
aticostomy *Surg.*
atism -itis *Path.*
atolysis -in *Cytol.*
atolytic *Cytol.*
atome *Surg. App.*
ectasia *Med.*
edema *Path.*
educt
endothelioma *Tumors*
enteritis *Path.*
erythrocyte *Cytol.*
ic id itis *Med.*
noditis *Path.*
oid(al ity
oidectomy *Surg.*
oidocyte *Cytol.*
oidotoxemia *Med.*
oma -atosis -atous
oncus *Path.*
otorrhea
ous uria y
-lymph *Chem. Med.*
caryo cyto endo hydro karyo neuro pyo spleno
lympho-
adenoma *Med.*
blast *Cytol.*
emia ic oma osis
cele *Path.*
cerastism *Cytol.*
coccus *Bact.*
cyst(osis *Med.*
cyte -ic *Cytol.*
cythemia *Histol.*
cytoma *Tumors*
cytosis *Histol.*
cytotoxin *Path.*
cytozoon *Prot.*
dermia *Path.*
genic -ous *Anat.*
gonion *Cytol.*
granuloma -atosis
graphy *Anat.*
logy *Med.*
megaloblast *Cytol.*
monocyte *Cytol.*
myelocyte *Cytol.*
myeloma *Tumors*
myxoma *Med.*
pathy *Path.*
p(a)enia *Med.*
lympho- Cont'd
plasm(ia *Cytol.*
poiesis *Cytol. Histol.*
poietic *Cytol. Histol.*
protease *Biochem.*
rrhage -ia -ic *Path.*
rrhea *Path.*
sarcoleukemia *Med.*
sarcoma *Path.*
-atosis -atous
sporidiosis *Path.*
stasis *Path.*
taxis *Cytol.*
lymphotism *Path.*
tome -y *Surg.*
toxin -emia *Path.*
trophy *Cytol.*
-lymphocyte *Cytol.*
meso (micro)myelo pseudo
metrolymphangitis
myelolymph-
angioma *Path.*
Nyctonympha *Ent.*
nymph
nympha *Anat. Ent.*
nymphal(es *Bot.*
Nymphalis *Ent.*
-id(ae -inae -ine -oid
nymphectomy *Surg.*
nymphet -id -ine -ish
Nymphipara -ous *Ent.*
nymphitis *Path.*
nymphly -like -ein
nymphoidal *Bot.*
nymphoncus *Med.*
perilymph *Anat.*
atic ial
adenitis *Path.*
ang(e)itis *Path.*
pronymph(al *Ent.*
seminymph
splenolymphatic
sublymphemia *Med.*
Teratonympha *Prot.*
thrombolymphangeitis
water-nymph
νυμφικός (Plato)
nymphic(al
Nymphicus *Ornith.*
νυμφο- Comb. of νυμφη
nympho-
chrysallis
lepsia -ic -is -y
logy *Myth.*
mania *Path.*
-iac(al -ic -y
morpha *Ent.*
tomy *Surg.*
νυμφόληπτος caught by nymphs
nympholept(ic
νυμφών bride chamber
Nymphon *Cl. Ant.*
Nymphon *Ent.*
id(ae oid
Nymphonacea *Arach*
νύξ night
Lampanyctus *Ich.*
Palaearctonyx *Pal.*
νύξις puncture
nyxis *Surg.*
-nyxis *Surg.*
cerato hyalo kerato neuro pyro sclero sclerotico
Νυσαῖος Son of Bacchus
Nysius -iinae *Ent.*
νύσσα race-course post
Nyssa *Bot.*
νῦσσος = χωλός
Ceratonyssus *Arach.*
Pantonyssus *Ent.*

νύσσων pricking
Nysson *Ent.*
id(ae inae ine oid
Nyssorhynchus *Ent.*
νυσταγμός drowsiness
nystagmus *Ophth.*
-ic -iform -ograph -oid
pseudonystagmus
νυχθημέρινος
nuchthemerinal
νυχθήμερον one night and day
nyc(h)themeron
νυχθήμερος
Nyc(h)themerus *Ornith.*
nyctemer(a *Ent.*
-id(ae -oid
νωδο- Comb. of νωδός
nodo-
pomatias *Malac.*
somata *Pal.*
νωδός toothless
Noda *Ent.*
νωθρός sluggish
Nothris *Ent.*
νῶτα Pl. of νῶτος
Ceratonota *Conch.*
-al -ous
Eunota *Herp.*
-nota *Ent.*
Charadro Pepero
Physo Trochalo
νωτ(ι)αῖος spinal
notaeum -aeol *Conch.*
Noteosaurus *Pal.*
νωτιδανός (Arist.)
Notidanus *Ich.*
-i(an -id(ae -idan -oid
νώτιος = νωτιαῖος
Notiopsar *Ornith.*
νωτο- Comb. of νῶτον
Eunotosauria *Pal.*
Histionotophorus *Pal.*
noto-
branchia *Conch.*
-iata -iate -ious
centrum -ous *Anat.*
champsa *Pal.*
chord(al *Embryol.*
coccyx *Ornith.*
delphyopsis *Crust.*
delphys *Mam.*
delphys *Crust.*
-yid(ae -yoid
graph *Terat.*
malachius *Ent.*
melus *Terat.*
myelitis *Path.*
necta(l -id(ae -oid *Ent.*
phylla(n -ous *Crust.*
pithecidae *Mam.*
plagioecia *Bryozoa*
pod(a(l -ous *Crust.*
podium -ial *Annel. Biol. Helm.*
psyche
pterus -id(ae -oid *Ich.*
(r)rhizal *Bot.*
rhyncus *Ich.*
sceles *Crust.*
sema *Ich.*
stome *Biol.*
stylopidae *Mam.*
thyrid *Pal.*
trema -atous *Herp.*
tribe -al -ous *Bot.*
trocha *Annel.*
tylus *Ent.*
ungulata *Pal.*
zona *Ent.*
Pronotogrammus *Ich.*
subnotochordal *Anat.*
νῶτον the back; a ridge
epinotum *Ent.*
metanotum -al *Ent.*
mesonotum -al *Ent.*
notum *Ent.*
pronotum -al *Ent.*
stenonotum *Ent.*
νῶτος = νῶτον
Acronotus -ine *Mam.*
Aplodinotus -inae *Ich.*
asymphynote *Conch.*
Centronotus *Ich.*
-id(ae -oid
Chaetonotus *Helm.*
-id(ae -oid
Dendronotus *Conch.*
-id(ae -oid
Doratonotus *Ich.*
Gerrhonotus -idae *Zool.*
Gymnonotus -i -ous *Ich.*
gymnote -us *Ich.*
-id(ae -oid
Haplodinotus -inae *Ich.*
Holconotus *Ich.*
-id(ae -oid
Homalonotidae *Pal.*
Litonotus -idae *Infus.*
Lomanotus -idae *Zool.*
Malaconotus *Ornith.*
-inae -ine
Melanotus -i -ic *Zool.*
not-
acanth(us *Ich.*
-id(ae -ine -oid -ous
al
algia -ic *Path.*
anencephalia *Terat.*
aspidea(n *Conch.*
aspis *Embryol. Ent.*
donta -ian -id(ae -iform -oid *Ent.*
emigonus *Ent.*
encephalus -ocele
ryctes *Zool.*
straca(n *Crust.*
xus *Ent.*
zus *Ent.*
Notropis *Ent.*
Noturus *Ich.*
-notus *Ent.*
Acro Campo Cyrto
Horisto Lasco Lisso
Malo Margari Oro
Orycho Pitto Rhaco
Rhysso Rhytido
Scaphi Sclero Sphingo
Synthlibo Tachi Tapi
Toxo Tropido Tylo
Ulo Xesto Xipho
-notus *Pal.*
Aniso Cyrto Ecteno
Eohomalo Eosemio
Eury Parahomalo
Pharcido Semio
Oxynoticeras *Mol. Pal.*
Paroxynoticeras *Pal.*
Prionotus *Ich.*
Proctonotus *Conch.*
-id(ae -oid
Psilonotus -idae *Ich.*
Pycnonotus *Ornith.*
-id(ae -inae -in(e -oid
Semionotidae *Pal.*
Stathmonotus *Ich.*
symphynote *Conch.*
Trachinotus -inae *Ich.*
Trachynote -us *Ich.*
Trachynotus *Porif.*
Trematonotus *Conch.*
Trichonotus *Ich.*
-id(ae -oid
νωχελής slow-moving
Nochelodes *Ent.*
νώψ purblind
Nopsides *Arach.*
ξανθ- Stem of ξανθός
xanth-
(a)ematin *Biochem.*
alin(e *Chem.*
amid(e *Chem.*
ane -ol *Org. Chem.*
arin *Chem.*
arpyia *Mam.*
arsenite *Min.*
ate ation *Chem.*
eic ein(e *Chem.*
elasma *Path.*
-ic -oidea
elene
ellus *Colors*
ene -ol -one *Org. Chem.*
erine *Org. Chem.*
ia *Ent.*
ian *Gr. Ant.*
ic *Bot. Chem.*
ichthys *Ich.*
id(e *Chem.*
idium *Helm.*
in(e -in(e -ium *Chem.*
inoxydase *Biochem.*
inuria *Path.*
ione -ium *Org. Chem.*
iosite *Min.*
ispa *Ent.*
ite -ane *Min.*
ituria *Path.*
ium *Bot.*
iuria *Path.*
odes *Ent.*
odont(ous *Mam.*
oma *Path.*
-atosis -atous
one -ium *Org. Chem.*
ones *Bot.*
onia *Ent.*
opia *Ophth.*
opsia -y *Ophth.*
opsin *Chem.*
ornis *Ornith.*
orthite
ose -ine *Org. Chem.*
osis *Path.*
ouric *Biochem.*
ous *Ethnol.*
oxalanil *Org. Chem.*
ura *Ornith.*
uria *Path.*
ydric -ol *Chem.*
yl(ic -ate -ium *Chem.*
yris *Ent.*
Zooxanthia -ella(e *Algae*
Ξανθίππη Socrates' wife
Xanthippe
ξανθο- Comb. of ξανθός
chrysoxanthophyll
euxantho-
gen
pyge *Ent.*
pyroxanthogen *Chem.*
xantho-
arsenite *Min.*
bilirubin *Biochem.*
-(in)ic
butyric *Org. Chem.*
carpous *Bot.*
carthaminic *Org. Chem.*
cephalus *Ornith.*
ceras *Bot.*
chelidonic *Org. Chem.*
chelus *Ent.*
chlorus *Ent.*
chroia -oism *Ornith.*
chrome *Biochem.*
chromia *Med.*
chymus *Bot.*
cobalt *Chem.*
comic
con(e -ite *Min.*
creat(in) in(e *Chem.*
cyanop(s)ia -y *Ophth.*
cycla *Ent.*
xantho- Cont'd
cystin *Biochem.*
derma -ia *Path.*
eriodol *Org. Chem.*
gallol *Chem.*
gen(ic -ate *Chem.*
genamide *Chem.*
globulin *Pigments*
gramma *Ent.*
humol *Org. Chem.*
hydric
kreatinin *Tox.*
kyanopy *Ophth.*
lestes *Ornith.*
leucite *Bot.*
leucophore *Biochem.*
linus -iform *Ent.*
lite *Min.*
lites *Crust.*
melanoi -ous *Anthrop.*
meter
methylic *Chem.*
microl *Org. Chem.*
myia *Ent.*
pathia -y *Path.*
phaea *Ent.*
phane -ic *Org. Chem.*
phenic *Org. Chem.*
phose *Psych.*
phyl(l(ins *Bot.*
phyllidrine *Bot.*
phylline *Org. Chem.*
phyllite *Min.*
phyllous
picrin(e *Chem.*
picrite *Chem.*
plasty *Med.*
plectes *Ornith.*
pous *Bot.*
protein *Biochem.*
-(ein)ic
psydracia *Path.*
psylla *Ent.*
ptera *Ent.*
pterin *Biochem.*
puccin(e *Biochem.*
purpurin *Biochem.*
pygia *Ornith.*
pygus *Ent.*
pyrites *Min.*
pyrrole- *Org. Chem.*
rhamnin(e *Org. Chem.*
hynchus *Ornith.*
roccelline *Org. Chem.*
rrhiza *Bot.*
(r)rhoea *Bot. Path.*
sarcoma *Tumors*
selenonium *Org. Chem.*
siderin *Biochem.*
siderite *Min.*
sirex *Ent.*
soma *Bot.*
spermous *Bot.*
sterin -ol *Org. Chem.*
succinic *Org. Chem.*
syntomogaster *Ent.*
taenia *Ent.*
tannic
thopia *Ent.*
titanic *Min.*
toxic -in *Org. Chem.*
trametin *Resins*
ura *Ornith.* -ic *Biochem.*
xenite *Min.*
xyl(on -um *Bot.*
-(ac)eae -(ac)eous
xyl- *Org. Chem.*
ene in oin
ξανθός yellow See ξανθ-, ξανθο-
Anthoxanthum *Bot.*
axanthopsia *Ophth.*
benzothioxanthone
ergoxanthin *Prop. Rem.*
euxanth-
an ate one
imidoxanthide
Melixanthus *Ent.*
naphtho(thio)xanthone
Platyxantha *Ent.*
pseudoxanthoma *Path.*
pyroxanthose
selenoxanthylium
thioxanth-
enol one ylium
uroxanthonic
-xanthene *Chem.*
benzo dinaphtho
naphtho(thio) quino
seleno thio
-xanthic *Chem.*
eu hydro hypo indo
-xanthin *Chem.*
antho bili chelido dimethyl eu fuco helio hetero hypo ili ledi lino lipo monomethyl oo para phyco phyllo phylo pseudo purpuro pyro rhamno rhodo sclero uro zoo
-xanthine *Chem.*
antho chelido diplo eu hetero hypo(gluco) licheno oo para peziza phyco phyllo pseudo rhamno
Xantho *Crust.*
ξανθοφυής (Anth. P.)
Xanthophyus *Ent.*
ξανθόχροος of yellow skin
Xanthochroa *Ent.*
Xanthochroi *Ethnol.*
-oic -(o)oid -(o)ous
ξάνιον a comb
Pteroxanium *Ent.*
Xanioptera *Ent.*
ξεινήιον a hosts' gift
xeinian *Gr. Ant.*
ξεῖνος = ξένος
Xinidium *Ent.*
ξεν- Stem of ξένος
xen-
acanthine -i *Ich.*
acodon *Pal.*
acris *Ent.*
altica *Ent.*
archa *Ent.*
archi -ous *Ich.*
arthra *Ent.*
arthra(e -ous *Ich.*
autogamy *Bot.*
embole *Med.*
embryosperm *Bot.*
enthesis *Med.*
ichthys -yinae *Ich.*
iophyte *Bot.*
istius *Ich.*
ocys *Ich.*
odus *Ent.*
ome -i -ous *Ich.*
omma *Ent.*
onychus *Ent.*
ophthalmia -ic *Path.*
ops *Ornith.*
ornis *Ornith.*
otis *Ich.*
urus *Ornith.*
-inae -ine
ξεναγωγός (Phryn.)
xenagogue -y *Gr. Mil.*
ξενηλασία (Thuc.)
xenelasia -y *Gr. Hist.*
-ξενία as in φιλοξενία
menoxenia *Gynec.*
-xeny *Biol. Bot.*
auto di lipo meto mono pleio poly tri
ξενία hospitality
xenia *Bot.*
xenial *Gr. Ant. Sociol.*

ξενίζειν receive as guest
xenization
ξενικός alien
Xenicus *Ornith.*
-id(ae -oid
ξένιον a friendly gift
xenium *Cl. Ant.*
ξένιος Epith. of Zeus.
Xenian
ξένισμα amazement
Xenisma *Ich.*
ξενο- Comb. of ξένος
phonoxenograph
pyroxenolite *Min.*
xeno-
biosis *Zool.*
carpy *Bot.*
cerus *Ent.*
chaetina *Ent.*
cheirus *Ich.*
chelys *Pal.*
choerus *Pal.*
chroma *Bot.*
cic(h)la *Ornith.*
coccus *Ent.*
crepis *Ent.*
crinus *Echin.*
-id(ae -oid
cryst *Petrol.*
dacnis *Ornith.*
derm(a -us *Herp.*
-(at)inae -ina -ine
dochae *Phytogeog.*
endosperm *Bot.*
gamy -ic -ous *Bot.*
genesis *Biol.*
genetic *Biol.*
genite *Geol.*
genous *Path.*
geny -ic *Biol.*
gloeus *Ent.*
glossy
lepidichthys *Ich.*
lite lith *Petrol.*
mania -iac
menia *Path.*
micrus *Ent.*
morpha
morphic *Petrol.*
morphosis *Bot.*
myia *Ent.*
myrum
mystax *Zool.*
parasite -ism *Biol.*
pelta *Ent.*
peltis -id(ae *Herp.*
-inae -in(e -oid
philism
phobia -y -ic
phonia *Med.*
phora -an *Conch.*
phorus
-id(ae -oid
plasm(a *Bot.*
poda *Pal.*
pous *Herp.*
-odid(ae -odoid
psylla *Ent.*
pterus *Ich.*
pterygii -ian *Ich.*
pus *Herp.*
rhina *Herp.*
-id(ae -oid
rhipis *Ent.*
rhynchus *Ornith.*
saurus *Herp.*
-id(ae -oid
scelis *Ent.*
stegium *Arach.*
stethus *Ent.*
stira *Ent.*
strongylus *Ent.*
tachina *Ent.*
theca *Pal.*
time -ite *Min.*
tingis *Ent.*

ξενοδοχεῖον an inn
xenodochium *Gr. Ant.*
-eion -eum -iol
ξενοδοχία (Xen.)
xenodochy *Gr. Ant.*
Ξενόδωρος
Xenodorus *Ent.*
Ξενοκράτης Xenocrates
Xenocratean -ic *Phil.*
ξένον foreign; alien
xenon *Chem.*
xenyl (ic(enic *Chem.*
ξένος guest; stranger
Agonoxena *Ent.*
Dermacentroxenus *Zool.*
menoxenosis *Path.*
perixenitis *Path.*
Picroxena *Ent.*
Polyxenus *Ent.*
-id(ae -oid
pyri(*or* o)xenic *Min.*
pyroxene -perthite *Min.*
Tranopeltoxenos *Ent.*
Xenos *Ent.*
-xene *Min.*
anthraco caco leuco
mero poly pyro
zirconpyro
-xenite *Min.*
anthraco caco pyro
xantho
-xenus *Ent.*
Blaptico Cerato Cremato Ochtho Omalo
Poly Taphro Thyreo
-ξενος as in φιλόξενος
-xenous *Biol. Bot.*
auto hetero lipo meto
mono myrmeco
Ξενοφάνης Xenophanes
Xenophanean *Phil.*
ξενοφυης strange natured
Xenophya *Spong.*
Xenophyes *Ent.*
Ξενοφῶν (-ῶντος) Xenophon
Xenophontean -ian
ξενύδριον Dim. of ξένος
Xenydrium *Ent.*
ξέσις a scraping
arthroxesis *Surg.*
Xesurus *Ich.*
ξεσμή = ξέσις
Hemixesma *Ent.*
ξεστός polished
Neoxestus *Ent.*
Palaeoxestina *Pal.*
Xestia -us *Ent.*
xesto- *Ent.*
bium coris
gaster notus
phanes psylla
termopsis *Pal.*
ξεστουργία polishing
xesturgy
ξηρ- Stem of ξηρός
xer-
ad *Ecol.*
ampelinus *Colors*
anthemum *Bot.*
arch *Bot.*
ase *Mat. Med.*
erpes *Ich.*
ibole(es *Bot.*
oma -atous *Path.*
onic -ate
onthobius *Ent.*
ξηραίνειν to parch, dry
Zerene *Ent.*
-id(ae -inae -oid
ξήρανσις a parching
Xeransis *Path.*

ξηραντικός (Hipp.)
xerantic *Path.*
ξηρασία (Hipp.)
dermatoxerasia *Path.*
xerasia *Path.*
xerasium *Phytogeog.*
ξηράφιον = ξήριον
xeraphium *Med.*
ξηριον (Aetius)
xerium *Med.*
ξηρο- Comb. of ξηρός
brachy(thero) xerochimous *Bot.*
helioxero- *Bot.*
philous phyll
mesoxerophytic *Bot.*
semixerophytic *Bot.*
subxerophilous *Bot.*
xero-
bates *Zool.*
chastic *Bot.*
chasy *Bot.*
cleistogamy *Bot.*
cline *Bot.*
derma -ia *Path.*
-(at)ic -atous
desmus *Arach.*
drymium *Bot.*
form *Pharm.*
geophytes *Bot.*
hylad -ium *Phytogeog.*
hylo-
philus phyta
lite *Geol.*
menia *Gynec.*
morphosis *Bot.*
morphy -ic *Bot.*
mycteria *Med.*
phil(e -ous -y *Bot.*
phobous *Bot.*
phorbium *Bot.*
phygus *Ent.*
phyllum *Bot.*
phyte *Bot.*
-ia -ic -ism
poad poium *Bot.*
poo-
philus phyte
ptera *Ent. Pal.*
pteridetum *Bot.*
sere *Bot.*
-ion -ium
static *Phytogeog.*
stoma -ia *Path.*
tactic *Bot.*
thamnium *Bot.*
therm(ic *Bot.*
thermous *Pal.*
therous *Bot.*
tocia *Obstet.*
tripsis *Physiol.*
tropic -ism *Bot.*
zero-
lite
ptera
thermous
ξηροκολλύριον (Aetius)
xerocollyrium *Pharm.*
ξηρόμυρον dry perfume
xeromyron -um
ξηρός dry; withered
elixir
Phylloxera *Ent.*
-al -ated -ic -inae -ize
scheroma *Path.*
Xeras *Bot.*
Xerus *Mam.*
ξηρότης dryness
xerotes *Path.*
ic -ine
ξηροτριβία dry rubbing
xerotribia *Physiol.*
ξηροφθαλμία (Celsus)
antixerophthalmic

xerophthalmia *Ophth.*
-os -us -y
ξηροφαγία (Clem. Alex.)
xerophagia -y *Gr. Ch.*
ξηρώδης looking dry
xerodes *Path.*
ξήρωσις dryness
xerosis *Path.*
-xerosis *Path.*
colpo laryngo nyctero
pharyngo
ξιφ- Stem of ξίφος
chloroxiphite *Min.*
xiph-
agrostis *Bot.*
dyme
odon *Mam.*
-ont(id(ae -ontoid
odontus *Ent.*
odynia *Ent.*
ura -ous *Crust.*
ξιφιας sword-fish; a comet
Xiphias *Astron.*
Xiphias *Ich.*
-iad(idae -iid(ae -iiform(es -iin -ioid
xiphin *Biochem.*
ξιφίδιον Dim. of ξίφος
xiphidio- *Ornith.*
pterus rhynchus
Xiphidion -ium *Ent. Ich.*
Xiphidiontidae *Ich.*
ξιφίον (Theophr.)
Xiphion *Bot.*
ξιφιός = ξιφίας
Meoziphius *Pal.*
Palaeoziphius *Pal.*
Xiphius *Mam.*
Ziphiodelphis *Pal.*
Ziphius *Mam.*
-ian -iidae -iiform
-iinae -iin(e -ioid
ξιφιστηρ sword belt
Xiphister(inae *Ich.*
ξιφιστής = ξιφιστήρ
Xiphistes *Ich.*
ξιφο- Comb. of ξίφος
xipho-
cera -id(ae -oid *Ent.*
colaptes *Ornith.*
costal *Anat.*
didymus *Terat.*
dyme *Terat.*
limnobia *Ent.*
myrmex *Ent.*
notus *Ent.*
pagotomy *Terat.*
pagus -ic -ous
phyllous *Bot.*
plastron -al *Anat.*
psylla *Ent.*
rhamphus *Ornith.*
rhynchus *Ornith.*
scelis *Ent.*
soma *Helm.*
sternum -al *Anat.*
teuthis *Pal.*
trygon *Ich.*
ξιφοειδής ensiform
chondroxiphoid *Anat.*
costoziphoid *Anat.*
supraxiphoid *Anat.*
xiphoid *Anat.*
al an es ian
xiphoiditis *Path.*
ξίφος a sword
Uroxiphus *Ent.*
Xiphi-
cera -id(ae *Ent.*
humeralis *Anat.*
plastron -al *Anat.*
sternum -al *Anat.*
(s)ura -an *Crust.*

xiphosure *Crust.*
-a(n -id(ae -oid -ous
ξιφοφόρος sword-bearing
pseudoxiphophorus *Ich.*
Xiphophorus *Ich.*
ξιφύδριον Dim. of ξίφος
Xiphydria -iidae *Ent.*
Ξιφωνία a Sic. city
xiphonite(s *Min.*
ξόανον a statue
xoanic *Gr. Sculpture*
xoanon *Gr. Ant. Ent.*
Xoanodera *Ent.*
ξουθός tawny
Xuthia *Ent.*
ξοάλη = ξυήλη
Xyalaspis *Ent.*
Xyalophora *Ent.*
ξύειν to scrape
Xya *Ent.*
ξυήλη a scraping plane
Xyela -inae *Ent.*
ξυλ- Stem of ξύλον
xyl-
aldehyde *Org. Chem.*
amid(e *Org. Chem.*
an *Bot. Org. Chem.*
anase *Biochem.*
anthrax
ate *Org. Chem.*
em *Bot.*
ene -ic -ol -one *Chem.*
enimine *Org. Chem.*
enin *Tox.*
enobacillin *Tox.*
enyl(amine *Org. Chem.*
ergates *Ent.*
estia *Ent.*
etic *Org. Chem.*
etinus *Ent.*
harmonica *Music*
ia *Bot.*
ic *Org. Chem.*
id- *Org. Chem.*
amine ate ic in(e
ino-
il(ic *Org. Chem.*
indein *Org. Chem.*
inus *Bot.*
ite -ic -ol -one *Chem.*
ium *Bot.*
ol(e *Chem.*
oline olite *Trade*
oma
onychus *Ent.*
opal *Min.*
orcin(ol *Org. Chem.*
organum
oryctes *Ent.*
ose *Org. Chem.*
-amine -ide -imine
-one
ostein *Org. Chem.*
osteus *Ent.*
ota *Ent.*
yl(ic -ene *Org. Chem.*
ylamine
ξυλαλόη = ἀγάλλοχον
xyl(o)aloe(s
ξυλάριον Dim. of ξύλον
Xylaria(ceae *Fungi*
ξυλεύς a woodcutter
Xyleutes *Ent.*
ξυληβόρος eating wood
Xyleborus *Ent.*
Zuleborites *Pal.*
ξύλινος wooden
xilinous
Xylina -id(ae -oid *Ent.*
Xylinades *Ent.*
ξυλίτης like wood
Xylita *Ent.*
ξυλο- Comb. of ξύλον
chromoxylography *Print.*

Microxylobius *Ent.*
orthoxyloquinone *Chem.*
photoxylography
xylo-
bius *Ent. Myriap.*
carp(ous *Bot.*
charis *Ent.*
chloral *Mat. Med.*
chloralic -ose *Chem.*
chlore -ic *Min.*
chrome *Biochem.*
cleptes *Ent.*
copa -id(ae *Ent.*
copus *Ornith.*
cryptite *Min.*
ctonus *Ent.*
dryas *Ent.*
gen *Chem.*
giodine *Expl.*
glutaric *Org. Chem.*
graph(er
graphus *Ent.*
graphy
-ic(al(ly -ist
hexosamine -ic *Chem.*
hydroquinone *Chem.*
ketose *Org. Chem.*
laemus *Ent.*
logy -ist *Bot.*
melum *Bot.*
meter
mimus *Ent.*
myces *Fungus*
nemus *Ent.*
nitrile *Org. Chem.*
pemon *Ent.*
pertha *Ent.*
phaga(n *Conch.*
phage -us *Ent.*
-id(ae -ides -oid -ous
phane
phasia *Ent.*
philus *Ent.*
-an -i -ous
phone -ic *Music*
phyta *Phytogeog.*
pia -ieae *Bot.*
picros
pinus *Ent.*
plastic
podium *Bot.*
psaronius *Pal.*
pyrography
quinitrole *Org. Chem.*
quinol -one *Org. Chem.*
retin(e *Org. Chem.*
-ine -ite
rrhiza *Ent.*
si(*or* y)stron *Music*
stroma -atoid *Fungi*
styptic *Org. Chem.*
teles *Ent.*
terus *Ent.*
therapy *Ther.*
til(e *Min.*
tomy
-ic -ist -ous
tribus *Ent.*
trogi *Ent.*
trypes *Ent.*
typography -ic
yl *Org. Chem.*

ξυλοβάλσαμον (Diosc.)
xylobalsame -um *Bot.*

ξυλογλύφος carving wood
xyloglyphy

ξυλοειδής like wood
lithoxyloidical
xyloid(in(e *Chem.*

ξυλοκασσία (Diosc.)
xylocassia

ξυλοκιννάμωμον (Diosc.)
xylocinnamon

ξυλομιγης mixed with wood
Xylomiges *Ent.*

ξύλον wood
acetoxylide *Org. Chem.*
Aeroxyl *Bot.*
anthroxylon *Fuels*
carbolxylene *Mat. Med.*
carboxylol *Org. Chem.*
centroxylic -y *Bot.*
ceroxyle *Bot.*
colloxylin -one *Chem.*
diploxylic *Bot.*
-oid -ous
dixylic *Bot.*
Epixyloneae -eus *Bot.*
epixylous *Bot.*
erythroxyl *Bot.*
aceae aceous
erythroxylin(e *Chem.*
geoxyl *Bot.*
glucoxylose *Org. Chem.*
h(a)ematoxylic *Chem.*
-in(e -inic
haloxylin(e *Arts*
haploxylic *Bot.*
heloxyle *Trade*
hypoxylous *Fungi*
interxylary *Bot.*
intraxylary *Bot.*
lithoxyl(e ite *Min.*
Lymexylon *Ent.*
-id(ae -oid
lyxohexosamine -ic
lyxose *Org. Chem.*
-amine -ide
lyxuronic *Org. Chem.*
manoxylic *Bot.*
mesoxylic *Bot.*
Mesoxylopsis *Pal.*
metaxyl ene *Bot.*
micraeroxyl *Bot.*
microgeoxyl *Bot.*
moroxylic -ate *Org. Chem.*
myroxylic -in(e *Chem.*
ophioxylin *Chem.*
oxyxylene
papyroxylin *Trade*
paraxylene *Chem.*
perxyl(emat)ic *Bot.*
photoxylin -on *Chem.*
phytoxylin *Org. Chem.*
pycnoxylic *Bot.*
pyroxyle *Org. Chem.*
-ic -in(e
trinitroxyl- *Org. Chem.*
ene ol
xanthoxyl *Bot.*
(ac)eae (ac)eous
xanthoxyl- *Org. Chem.*
ene in oin
-xylem *Bot.*
deuto lepto meta pro proto
-xylon *Ent.*
Trogo Trypo
-xylon *Bot.*
Cero Chloro Cithare Crato Erythro H(a)emato Hypo Melano Metro Myro Ophio Ptaero Sidero Sino To Xantho
-xylon *Pal. Bot.*
Auracario Astero Brachyo Caesalpino Calli Cupressino Dado Dictyo Djambio Grewio Hamamelido Laurino Palaeotaxodio Phyllocladо Pino Salino Sapindo Tarretio Telephragmo Vito
xylonic -ite *Chem.*
-xylum *Bot.*
Cithare Erythro

-xylum Cont'd
H(a)emato Laurino Xantho
-xylus *Ent.*
Bio Trypo

ξυλοπώλης wood seller
xylopolist

ξυλοστεγής wood-roofed
Xylostega *Ent.*

ξυλοφορία wood-carrying
xylophory

ξυλώδης woody
xylodia -ium *Bot.*

ξυνός common
Xynoeciae *Gr. Ant.*
Xynomyrmex *Ent.*

ξυρίς a kind of iris
Xyris *Bot.*
-(ac)eae -aceous -al(es

ξυρόν a razor
Xyrauchen
Xyrichthys -yinae *Ich.*
xyrospasm *Med.*
Xyrula *Ich.*

ξῦσμα shavings
xysma *Biochem.*

ξυσταρχής (Inscr.)
xystarch *Gr. Ant.*

ξυστηρ scraper (Hipp.)
ophthalmoxyster
xyster *Surg.*

ξύστης = ξυστήρ
Xystes *Ich.*

ξυστικός Fr. ξυστός
Xysticus *Arach.*

ξυστίς robe of state
xystis *Gr. Dress*

ξυστόν a spear
Xystaema *Ich.*
xyston *Gr. Ant.*

ξυστός portico
xyst(os -us *Gr. Arch.*
Xysta *Ent.*

ξύστρα a scraper
Oligoxystre *Arach.*
Xystroplites *Ich.*

ξυστρο- Comb. of ξύστρα
Dasyxystropus *Ent.*
xystro-
cera *Ent.*
perca *Ich.*
pus *Ent.*

ξυστροειδής (Erotian.)
xystroidal

ξῦστρον = ξυστήρ
Xystrosus *Ich.*

-o- Combining vowel. Usually placed with the stem but sometimes taken with the final element in English as *-oid* from -ο-ειδής and *-ology* from -ο-λογία. Also used alone as in *artolater, speedometer.*

Ὄασις (Herodotus)
oasis -al -itic

ὀβελίζειν (Cicero)
obelize

ὀβελισκολύχνιον (Arist.)
obeliscolychny

ὀβελίσκος Dim. of ὀβελός
obeliscal
obeliscar(ia
Obeliscus *Helm.*
obelisk
ine oid

ὀβελισμός (Schol. Ar.)
obelism

ὀβελός a spit; a horizontal line to indicate a spurious passage
Obelia *Polyp.*
obelion *Anat. Craniom.*
-iac -iad
obelus
obol(us -ary -ate -et *Coins, etc.*
Obolaria *Bot.*
obole *Coins Pharm.*
Obolus *Conch.*
-id(ae -ite -itic -oid

ὀβολός orig., a nail
Dinobolus *Pal.*
dittobolo *Numis.*
obol *Coins Weights*

ὄβρια the young of animals
Obrium *Ent.*

ὄβρυζον pure;—of gold
obryze -um *Metal.*

ὀγδοάς the number eight
ogdoad *Phil.*
ogdoastich
ogdohedral *Crystal.*

ὀγκηθμός a braying
oncethmus

ὀγκηρός swollen
Oncerus *Ent.*

ὄγκιδιον a tubercle
gymnocidium *Mosses*

ὄγκινος a hook
Oncinopus *Crust.*
-idae -odid(ae -odoid

ὀγκο- Comb. of ὄγκος
ogco-
cephalus *Ich.*
-id(ae -oid -ous
triplax *Ent.*
Oncho-
cerca *Helm.*
cerciasis *Path.*
cotyle *Helm.*
id(ae -oid
lichas *Pal.*
pristis *Pal.*
sphere *Embryol. Helm.*
onco-
cephala *Ent.*
ceras -atite *Pal.*
cerca *Helm.*
cerciasis *Path.*
cladia *Pal.*
cottus *Ich.*
deres *Ent.*
graph *Surg.*
logy -ical *Med.*
mera *Ent.*
meter metry -ic
phora *Porifera*
rhynchus *Ich.*
sperma *Bot.*
sphere *Helm.*
spore *Phytogeog.*
tomy *Surg.*
tropic *Med.*
tylus -id(ae -oid *Ent.*
Prooncholaimus *Helm.*

ὄγκος bulk, mass (Hipp.)
Desmoncus *Bot.*
Haemonchus *Helm.*
melonchus *Path.*
metronchus *Path.*
Onchidium -iid(ae -ioid
Onchidoris -idid(ae -idoid *Conch.*
oncid(ium -ieae *Orchids*
oncin *Mil.*
Oncomoea *Ent.*
Oncus *Ich. Pal.*
onkinocele *Med.*
onkoid *Geol.*
onkos *Gr. Ant.*
-oncus *Tumors*
aden arthr blephar craniohemat deraden elytr gloss gony hepat hyster irid lymph mast(opi) nymph nephr oari omphal orchi(d) osche oste pancreat parophthalm parotid phall proct prostat scel scirrhoblephar sialaden sphen splen staphyl thel thyr ul ur
-oncus *Ent.*
Dicran Hapt Rin
onkinocele *Path.*
onkoid *Geol.*
onkos *Gr. Ant.*
Paracanthoncus *Helm.*

ὀγκύλος = ὀγκηρός
Oncylotrachelus *Ent.*

ὀγκώδης apt to bray
Onchodia *Malac.*

ὄγκωμα = ὄγκος
oncoma *Old. Med.*

ὄγκωσις intumescence
oncosimeter *Metal.*
osteoncosis *Path.*

ὀγκωτός heaped up
Oncotus *Ent.*

ὄγμος furrow, swathe
cardiodiogmus *Path.*
Dichogmus *Ent.*
?og(h)am(ic
ogmo-
chirus *Pal.*
cidaris *Echin.*
coma *Ent.*
rhinus *Mam.*
Prosopogmus *Ent.*

ὄγχνη pear (Od.)
Ochna *Bot.*
-(ac)eae -aceous -ad

ὀδαῖος Fr. ὀδός
coprodaeum *Anat.*
Ochodaeus *Ent.*
stomadaeum -eal
stom(at)od(a)eum -(a)eal *Embryol.*
urodaeum *Anat.*

ὀδάξ by biting
Odax *Ich.*
-acid(ae -acinae -acine -acoid

ὀδαξησμός biting (Hipp.)
odaxesmus *Med.*

ὀδάξητικός causing to itch
odaxetic *Med.*

ὀδελός = ὀβελός
amphodelite *Min.*

ὀδηγητικός able to guide
hodegetics
-οδης
Stilodes *Ent.*

ὀδμαλέος stinking
Odmalea *Ent.*
pyrodmalite *Min.*

ὀδμή smell
anodmia *Med.*
odmyl *Chem.*

ὀδο- Comb. of ὁδός
hodo-
graph(ic(ally *Math.*
neuromere *Emb.*
loxodograph *Elec.*
nephodoscope *Meteor.*

Odozetes *Ent.*
pneumodograph *Med.*
spermodophorum *Bot.*

ὀδόμετρον (Hero)
hodometer
hodometric(al
nephelodometer
odometer
odometry
-ical(ly -ous
psychodometer -ry
tachodometer

ὀδοντ- Stem of ὀδούς
amebidont *Zool.*
Aplodontiidae *Mam.*
belodontid *Herp.*
brachydont(y ism *Zool.*
Colobdontidae & -inae
Crassidonta *Pal.*
Cynodontoidae *Pal.*
cyrtodontid *Conch.*
derodontid -oid *Ent.*
dysodontiasis *Path.*
endodontitis *Path.*
heterodont *Biol.*
heterodontid -oid *Conch.*
homoeodont *Biol.*
Macrodontella *Pal.*
macrodontic *Dent.*
metodontiasis *Dent.*
microdontic -ous
monodontal *Elec.*
Monodontinae *Conch.*
Nematodonteae *Bot.*
notodont- *Ent.*
ian id iform oid
odont-
aeus *Ent.*
aspis -idae *Ich.*
-idid(ae -idoid
atrophia *Dent.*
erism *Med.*
erpeton *Pal.*
exesis *Dent.*
hemodia *Dent.*
iasis *Dent.*
ic -ist
inoid
itis *Path.*
odynia *Path.*
olcae -ate -ous *Ornith.*
oma -e -ous *Path.*
onomy *Dent.*
ornithes -ic *Ornith.*
orthosis *Dent.*
osis *Dent.*
osteophyte *Tumors*
-odont *Anat.*
adren biloph diphy hexaprot is loph macr olig orth plex sec (sub)selen tetraselen trigon zyg
-odont *Zool.*
acr aglyph ameb amphi anacl anis amm anti aproter bathm bel brachy bun coel con cre crypt cten cyn dendr dilamb dys epan gan gnath gomph goni hexaprot holc hom hypsel hypsi ichthy is lechri mec meg mes monopoly monostich opisth opoter pachy pal(a)eotheri periss platy ple pleur plex polyphy polyprot prosphy prot pseud rhiz scylli sec selen semihyps tax tele thec ther(i) till torm trichech xanth zalamb
-odonta *Zool.*
Acr Anacl Amm As-

-odonta Cont'd
then Aul Bun(oloph oselen) Camar Cet Cre Crypt Cten Cycl Cyn Cyrt Dilamb Diogen Dipl Dys Epan Gan Heter Is Lechri Mec Mes Mon Not Opoter Prot Radiat Rhiz Scler Selen Sisyr Sparass Stir Strophe Tax Tele Till Zalamb
-odontes *Zool.*
Goni Hopoter Pleur Scylli Sten Thec
-odontia *Dent.*
adren allotri an ceram endocrin ex macr megal orth path ped(i) peri prophylact prosth radi sapr
-odontia *Zool.*
Amm Apl Gnath Ithy Poly(prot) Psamm Thec Ther(i) Till Typ
-odontidae *Zool.*
Bel Cyrt Dein Der Dipl Goni Heter Kal Not Oroph Paur Prist Protrach Rhiz Scylli Till
-odontism *Biol. Dent.*
acr brachy diphy heter hom macr micr polyphy
-odontist *Dent.*
ex orth ped peri prophylact prosth radi
-odontus *Zool.*
Der Nesosten Prist Rhopal Storth Xiph
-odonty
brachy hapl hypsel selen semihyps
oligodontous *Anat.*
Ophiacodontida *Pal.*
orthodontic(s *Dent.*
osteodontome
Pachycynodontoidae
parodontid -itis *Med.*
pediadontist *Dent.*
pedodontics *Dent.*
peri(o)dontia *Dent.*
-al -ist -itis -ium
polyodontal *Elec.*
polyprotodontid *Zool.*
pristodontid -oid *Ich.*
saprodontin *Dent.*
stereodontaceous *Bot.*
xanthodontous *Mam.*

ὀδοντάγρα (Arist.)
odontagra *Dent. App.*
ὀδονταγωγόν = ὀδοντάγρα
odontagogon *Dent. App.*
ὀδονταλγία toothache
ant(i)odontalgic *Dent.*
odontalgia -ic *Dent.*
autodontalgic *Dent.*

ὀδοντο- Comb. of ὀδούς
Clasmodontomyinae *Pal.*
Diodontometra *Echin.*
Elasmodontomys *Pal.*
exodontology *Dent.*
Homalodontotheriidae
hybodontology *Ich.*
hyper(o)dontogeny *Dent.*
odonto-
bdella *Helm.*
blast *Dent.*
blast(ic *Cytol.*
blastoma *Tumors*
bothrion -itis *Dent.*
ceramic *Dent.*
ceras *Malac.*
cete -i -ous *Mam.*

odonto- Cont'd
chile *Pal.*
chirurgical *Dent.*
clamis *Dent.*
clasis clast *Dent.*
cnesis *Dent.*
corynus *Ent.*
gen *Dent.*
geny -ic *Anat.*
glossa(e -al -ate *Ornith.*
glossum *Bot.*
glot *Bot.*
glyph *Dent. App.*
gnathous *Conch.*
gnathus *Ich.*
gram *Dent.*
graph *Mech.*
graphy -ic(ally *Dent.*
hyperesthesia *Dent.*
lite *Pal.*
lochus *Ent.*
logy -ic(al(ly -ist *Dent.*
loxia *or* -y *Dent.*
loxozus *Ent.*
myia *Ent.*
necrosis *Path.*
neuralgia *Dent.*
nomy *Dent.*
nosology *Med.*
parallaxis *Dent.*
pathy *Dent.*
periosteum *Dent.*
phobia *Med.*
phore -a(l -an -ous
phorus *Ornith.*
-inae -in(e -ous
plast
plerosis *Dent.*
prisis *Dent.*
pteris *Bot.*
pteryx *Ornith.*
-ygid(ae -ygoid
pygia *Ent.*
pyxis *Ich.*
radiograph *Dent.*
rhynci -ous *Ornith.*
rrhagia *Ornith.*
scelia *Ent.*
schism *Ornith.*
scope
smegma *Dent.*
steresis *Path.*
stom(at)ous *Biol.*
techny *Dent.*
therapia *or* -y *Med.*
thrypsis *Dent.*
tormae -ic *Ornith.*
tripsis *Dent.*
tryp(h)y *Dent.*
orthodontology *Dent.*
pediadontology *Dent.*
peri(o)dontoclasia *Dent.*
Thecodontosaurus *Herp.*
Triodontophorus *Helm.*

ὀδοντοειδής tooth-shaped
odontoid
-odontoid *Anat.*
atlanto atloo syndesm(o)

ὀδοντομάχης
Odontomaches *Ent.*
-id(ae -oid -us

ὀδοντοτρίμμα tooth-powder
odontotrimma *Dent.*

ὀδός a way; path; method
adolode *Arts*
aesthesodic *Physiol.*
anelectrode *Elec.*
axode *Math.*
brachisthode *Geog.*
catelectrode *Elec.*
centrode *Phys.*
chymod *Chem.*
crystallod *Elec.*
cyclode *Geom.*
dinamode *Mech.*
diodange *Bot.*
diodangium *Zool.*
diode *Bot. Elec.*
diodogone *Bot.*
diodophyte *Bot.*
diplodal *Zool.*
electrode(less
electrodic *Elec.*
elod *Elec.*
ergodic
esthes(i)odic *Physiol.*
heliodon *Astron.*
herpolhode *Math.*
hexode *Elec.*
hydathode *Bot.*
hydrogode *Elec.*
interanode *Elec.*
interelectrode -ic *Elec.*
kathodic *Bot.*
kinesodic *Physiol.*
magnetod
microelectrode *Elec.*
microtebrod *Spong.*
-od(e
odism -ize *Phil.*
odyl(e ic(ally ism ist ization ize
opisthodal *Bot.*
panodic *Neurol.*
panthodic *Neurol.*
pantod
platinode *Elec.*
pneumathodium *Bot.*
pneumatode *Bot.*
polhode *Geom.*
pollodic *Neurol.*
psychodyl
selenod *Phys.*
tetrode *Spong.*
thermod *Phys.*
triode *Elec.*
zincode *Elec.*

ὀδούς tooth. See ὀδοντ-, ὀδοντο-
aulacode -us *Zool.*
Cyclodus *Conch.*
Desmodus *Mam.*
-ont(es id(ae oid)
Distichodontinae *Ich.*
Gnathodus *Ent.*
Hybodontes -ei *Ich.*
Macherodus *Mam.*
-ont(inae ine)
Menodus *Mam.*
-ontid(ae -ontoid
Merizodus *Ent.*
odo-
benus -idae *Zool.*
graph logy
icoileus *Mam.*
-odus -οδους as in ἀγκυλόδους, μονόδους
-odus *Ich.*
-ont(id(ae -ontoid
Cerat Chiasm Clad Cochli Cten Distich Dipl Edaph Ench Entomacr Gan Gnath Hyb Ischi Macropleur Micrist Onych Or Petal Psamm Pseph Ptych Ptyct Pycn Rhynch Sten
-odus *Pal.*
Acr Alet Anchipp Anc Anthrop Apate Apterno Dendr Ectyp Encephal Eomegal Eupleur Gloss Gyr Hel Hyops Ischy Parallel Paramachaer Phac Picr Pseudothrypt Ptil Syntegm Synthet Thel Thrypt
oxytriod
Phenacodus -ontidae

Placodus *Herp.*
-ont(a ia id(ae oid)
Plagiodus *Zool.*
Polyacrodes *Pal.*
pycnodont- *Ich.*
es i ini oid(ei
Rhizodus *Herp.*
Thaumastodus *Ent.*
Xenodus *Ent.*

ὀδύνη pain
odynacusis *Otol.*
odynephobia *Med.*
-odyne *Mat. Med.*
aces ant aut ex par rhin thorac
-odynia *Path.* -ωδυνία
achill acr acrophot aden arthr cardi cephal cervic chondr coccy(g) coeli colp cox crym cyst dactylocamps dermat desm diaphragm dors dys dyspeps(i) dyspept enter esophag gastroperi gloss gnath hepat hyster inguin lumb mast maz metop metr my neur odont oesophag om oneir ophthalm orchi oste ot par per(at) phall pharyng phot phren pleur pneumon pod proct prosopostern prostat rachi rhin sacr scapul splanchn splen spondyl stern stomach stomat te(i)n ten thorac thoracomy trachel ur vagin xiph

ὀδυνηρός painful
Odynerus -id *Ent.*

ὀδυνο- Comb. of ὀδύνη
odyno- *Med.*
lysis *Ther.*
meter metrical
phagia phobia
phonia poeia

'Οδύσσειος of Odysseus
Odyssean
Ὀδυσσεύς
Odyssey

ὀδών Ionic for ὀδούς
-ὀδών as in κυνόδων
Acanthochaetodon *Ich.*
Aelurodon *Mam.*
Agkistrodon *Zool.*
Amblodon *Ich.*
Amphignathodon *Herp.*
-ontid(ae -ontoid
Amynodon *Mam.*
-ont(id(ae -ontoid
Ancistrodon *Herp.*
Anisochaetodon *Ich.*
Anthodon *Herp.*
Aplodon *Conch.*
Archanodon(ta *Conch.*
Archidiskodon *Mam.*
Belodon *Herp.*
Caprodon *Ich.*
Carchardon *Ich.*
Catodon *Zool.*
-odont(-a -idae)
Chaetodon *Ich.*
-ont(-id(ae -iform -inae -oid(ea(n -oidei)
Characodon *Ich.*
Chilodon *Conch.*
Chirocentrodon *Ich.*
Chlamydodon *Zool.*
-ontidae
Chiasmodon *Ich.*

Cnesterodon *Ich.*
-odontini
Conodonictis *Pal.*
Coryphodon *Mam.*
-ont(-id(ae -oid)
Cylindrodon *Pal.*
Cyprinodon *Ich.*
-ont(-es -id(ae -inae -oid(ae -oidei)
Decadon *Ich.*
Dichodon *Mam.*
-ontid(ae -ontoid
Dicraeodon *Ent.*
Dicynodon *Pal.*
-odont(-ia(n -id(ae -oid)
Dimecodon *Zool.*
Diodon *Ich.*
-ont(id(ae -ontoid(ae
diodoncephalus *Terat.*
Diprotodon *Mam.*
-ont(-ia -id(ae -oid)
Edaphodon *Ich.*
Elachistodon *Herp.*
endothiodon(t *Zool.*
Entomacodon *Mam.*
Glyphidodon(tes -tidae
Glyphisodon -ia
Glyptodon *Mam.*
-on(t(id(ae -ontine -ontoid
Gnamnptodon *Ent.*
Gnathodon *Conch.*
Gymnodon *Ich.*
-on(t(es -ontid(ae -ontoid
Haplodon *Mam.*
-on(t(ia -ont(i)id(ae -ont(i)oid -onty
Heterodon *Herp.*
Hiodon(t(idae *Ich.*
homalodothere *Mam.*
-ia(n -iid(ae -ium
Hyaenodon(tid(ae -ontoid *Mam.*
Hyodon *Ich.*
-on(t(es -ontid(ae -ontoid
Hyperoodon -idae *Zool.*
Hypsilophodon *Herp.*
-on(t(id(a(e -ontoid
Hypsiprimnodon(tine
Hyracodon *Mam.*
-on(t(id(ae -ontoid
Iguanodon *Herp.*
-on(t(ia -ontid(ae -ontoid
Indopseudodon *Malac.*
Labyrinthodon *Herp.*
-ont(ia(n -onta -ontid(ae -ontoid
leontodin *Mat. Med.*
Leontodon *Bot.*
Listriodon *Mam.*
-ontid(ae -ontoid
Lobodon *Mam.*
-ontinae -ontin(e
Lophiodon *Mam.*
-ont(id(ea -ontine -ontoid(ea -ontous
Loxodon(t(a -ontous
Loxolophodon(t *Mam.*
Macrodon *Ich.*
Mastodon(ic *Mam.*
-ont(-c -inae -in(e -oid)
Mastodonsaurus *Mam.*
-ian -id(ae -oid
Megalodon *Cont.*
-ont(id(ae -ontoid -ontous
Mesodon *Ich.*
Mesoplodon(t *Zool.*
Microdon(t *Ent. Ich.*
Microspathodon *Ich.*
Monodon(t(al *Mam.*
Mylopharaodon *Ich.*

Nothomicrodon *Ent.*
Ochetodon *Mam.*
Octodon *Mam.*
-ont(id(ae -ontinae
-ontin(e -ontoid
-odon *Pal.*
Achaen Achyr Acmae Actin All Alopec Ambly Anc Arthr Baptan Bothri Camel Choer Cylindr Dae Daphaen Desmat Diaelur Dibun Diict Dimorph Eocon Eomes Eomman Eucosm Euthec Glochion Hal Halec Hemimast Heptax Homac Hyps Hypsoloph Isolob Ithygramm Keken Lest Li Liopleur Macell Melin Merycoid Mesore Metacordyl Metamyn Metore Microzeugl Mylagaul Neoclaen Neohyaen Neomyl Nes Opisthocten Oxy Palacr Palaeomast Palaeoprion Parasqual Parore Pericon Phalar Polyptych Polysphen Prodicyon Prohyrac Propolymast Propter Protemn (Pseudo)pter Ptychosphen Scaphan Scapt Scombraph Sesam Stathm Symbor Tapir Telmat Thryptac Tritemn Uranocentr Xenac
-odon *Suffix* esp. in *Zool.*, perhaps by shortening from ὀδοντ-
Odona -ata -atous *Ent.*
Oligodon(idae *Herp.*
Ophiodon *Ich.*
Oreodon
-ont(id(ae ine oid(ea oides)
Orthodon *Ich.*
Oudenodon *Herp.*
-ont(id(ae oid)
Oxyodon *Pal.*
Palacrodon *Pal.*
Parallelodon(tidae *Zool.*
Pentalophodon(t *Mam.*
Phanerodon *Ich.*
Phocodon *Mam.*
-ont(ia -ontic
Pisodonophis *Ich.*
Plagiodon(t *Zool.*
Platycodon *Bot.*
Plectroglyphidodon *Ich.*
Polymastodon *Mam.*
-ont(id(ae -ontoid
Polyodon *Ich.*
-ont(ia -ontid(ae -ontoid
Pomodon *Ich.*
Priodon *Ent.*
-ont(es -ontinae
Prionodon *Mam.*
-ont(es inae in(e)
Prorodon(idae *Infus.*
Rachiodon(t(idae *Ophid.*
Reithrodon *Mam.*
Rhabdomesodon(tidae
Rhamphodon *Ornith.*
Rhinodon(t(id(ae *Ich.*
R(h)opalodon *Herp.*
Saurodon(t(idae *Ich.*
Schizodon *Mam.*
Schizodon(t(a *Conch.*
Scolidon *Ich.*
Sigmodon(t(es *Mam.*
Smilodon *Mam.*

Solenodon *Mam.*
-ont(id(ae -ontoid
Sphenodon *Herp.*
-ont(id(ae -ontoid
Squalodon *Mam.*
-ont(id(ae -ontoid
Stegodon(t *Mam.*
Stegolophodon *Pal.*
Stypodon *Ich.*
Tesserodon *Ent.*
Tetrabelodon *Herp.*
Tetracaulodon *Mam.*
Tetradon *Ich.*
Tetralophodon(t *Mam.*
Tetraodon *Ich.*
-ont(id(ae -ontoid-(ea(n
Tetrapleurodon *Ich.*
Tetrodon *Ich.*
-ont(id(ae -ontoid
tetrodonic -in *Org. Chem.*
Tetrodo- *Org. Chem.*
pentose toxin
tetronin *Org. Chem.*
Thylacodon *Mam.*
Toxodon(t(a *Mam.*
-ontia -ontid(ae -ontoid
Trachodon *Herp.*
-ont(id(ae -ontoid
Trichodiodon *Ich.*
Trichodon *Ich.*
-ontid(ae -ontoid
Triconodon *Mam.*
-ont(a id(ae oid y)
Trilophodon(t *Mam.*
Triodon *Ich.*
-ont(es id(ae oid(ea(n oidei)
Tritylodon *Mam.*
-ont(id(ae -ontoid
Urodon *Ent.*
Xiphodon *Mam.*
-ont(id(ae -ontoid
Zanclodon *Herp.*
-ontid(ae -ontoid
Zeuglodon *Mam.*
-ont(a ia id(ae oid)
Zygodon(t *Zool.*

-οειδής Comb. of εἶδος. Of the myriads of derivatives from generic names in *Zool.* only a few representatives are listed.
abrotanoid *Bot.*
Acaroides *Bot.*
acmonoid *Craniol.*
acrostichoid *Bot.*
adenocancroid *Path.*
adenomatoid *Path.*
aecioid *Bot.*
aethmoid
Africanoid *Ethnol.*
agglutinoid *Bact.*
agglutinumoid *Chem.*
albumenoid
albuminoid(al *Brewing Chem. Med.*
albumoid *Chem.*
alginoid *Pharm.*
algoid *Bot.*
alkaloid(al *Chem.*
allophanoids *Min.*
alternarioid *Bot.*
aluminoid *Mat. Med.*
amaroid(al *Pharm.*
amberoid *Resins*
amboceptoid *Biochem.*
ambroid
amiant(h)oid(al *Min.*
aminoid *Scents*
amyloid(al
amyloidosis *Histol.*
androgynoid *Med.*
aneroid *Elec. Meteor.*

aneroidograph *Meteor.*
anhydrocolloid *Chem.*
ankyroid *Anat.*
antifungoid *Ther.*
antilipoid *Biochem.*
apetaloid *Bot.*
aphlebioids *Bot.*
apinoid *Med.*
apiod(al *Geom.*
Apoid(ea *Ent.*
apoplectoid *Path.*
Araliopsoides *Pal.*
Arenicoloides *Pal.*
arenoid
arilloid *Bot.*
armadilloid *Crust.*
Armenoid *Ethnol.*
aroid(es -eae -eous *Bot.*
arrhenoid *Embryol.*
arsenoid *T.N.*
aruncoid *Bot.*
arutinoepiglottoideus
aryballoid
asbestoid(al
Assyr(i)oid
asthenoid
Austral(i)oid *Ethnol.*
autacoid *Biochem.*
axoid(ean -ian *Anat.*
azenoid *Org. Chem.*
azethmoid *Org. Chem.*
azobenzoid *Chem.*
azoid *Org. Chem.*
azonoid *Org. Chem.*
basaltoid
basedoid *Med.*
basoid *Dyes*
benzenoid *Chem.*
benzoloid *Fuels Org. Chem.*
biddulphioid *Bot.*
bil(is)oidanic *Biochem.*
bipalatinoid *Mat. Med.*
bitumenoid
Blasteroidea
boragoid
bovinoid *Med.*
bovoid *Mam.*
bruinoid
cactoid *Bot.*
caecoid *Med.*
Caimanoidea *Pal.*
calcaneoastragaloid
calcoid *Dent.*
calycoid(eous *Bot.*
carotinoid *Biochem.*
cartilaginoid
casoid *Prop.*
cataleptoid *Med.*
catenoid
Caucasoid
celloid(al -in
celluloid
cephalonoid *Anthrop.*
cephalooid *Morph.*
cerebrohyphoid *Med.*
cerebroid
cerolipoid *Bot.*
chancroid(al *Path.*
cheloid *Tumors*
chitinoid *Chem.*
chloritoid *Min.*
choanoid(eus *Anat.*
choleroid *Med.*
chondroalbuminoid
chondroid *Anat.*
chondromucoid *Biochem.*
chondroxiphoid *Anat.*
chordoid *Histol.*
choreoid *Path.*
choriphelloid *Bot.*
chromatoid *Staining*
chromolipoid *Biochem.*
chrysaloideus *Bot.*
ciloidanic *Chem.*
circloid

cirsoid *Path.*
cladonioid *Bot.*
cladosporoid *Bot.*
cleoid *Dent.*
clepsydroid *Bot.*
clinoid *Anat.*
coagulinoid *Biochem.*
coberzontoid *Math.*
coccidioidal *Med.*
cochleoid *Math.*
cometoid *Astron.*
comoid *Meteor.*
complementoid *Biochem.*
condyloid *Anat. Zool.*
condylomatoid *Path. Vet.*
confervoid *Bot.*
conicoid
conidioid *Bot.*
conomyoidin *Ophth.*
coronoid(al *Anat.*
coronopifolioid *Bot.*
cosinusoid *Math.*
cottonoid *Surg.*
cotyledonoid *Bot.*
cotyloid(al *Anat.*
covarioid *Math.*
cranoid *Conch.*
crateroid *Bot.*
crescentoid
cretinoid *Path.*
criminaloid
criticoid *Math.*
crustaceoid *Zool.*
cubicriticoid *Math.*
cupressoid *Bot.*
cyathoid *Bot.*
cylindroconoidal
cymoid *Bot.*
cyperoid
cytoid *Biol.*
cytolipoids *Bot.*
dacryoideus *Bot.*
dartoid *Anat.*
davallioid *Bot.*
demantoid *Min.*
dentinoid *Chem.*
dentinosteoid *Tumors*
dentoid
dentoidin *Dent.*
dermatioid *Bot.*
dermoid
dermoidectomy *Surg.*
desmoid *Anat. Path.*
developoid
diamantoid
dihaploid *Bot.*
dineuroid *Bot.*
diphtheroid(al
discriminoid(al *Math.*
disdodecahedroid *Math.*
dishexacontahedroid
dispersoidal *Colloids*
dispersoidology -ical
dolichellipsoid *Anthrop.*
dolioloid *Arts*
domoid
druml(in)oid(al
eburneoid
Echinocystoida *Pal.*
ectepicondyloid *Anat.*
ectocarpoid *Bot.*
ectocondyloid *Anat.*
ectodermoidal *Embryol.*
eiloid *Med.*
elastoid *Gynec.*
elastoidin *Biochem.*
electrophonoide *Med.*
element(al)oid
elephantoid(al *Path.*
ellipsoid(al *Anthrop.*
ellipticoid
elodioid *Bot.*
emailloid *Path.*
embryoid
emulsoid(al *Phys. Chem.*
encephaloid

endocarpoid *Bot.*
endococcoid *Bot.*
dermoid *Bot.*
rhizoid *Bot.*
thelioid *Anat.*
enneacontahedroid *Geom.*
entericoid *Med.*
enteroid
enteroidea *Path.*
entocondyloid *Anat.*
entomoid
enzymoid *Bot.*
epidermatoid
epidermoid(al
epigastroid *Anat.*
epihypocycloidal *Mat.*
epileptoid *Path.*
epiphytoid *Bot.*
epithelioid *Anat.*
epitox(on)oid *Chem.*
epuloid *Path.*
equisitoid *Bot.*
equoid *Mam.*
eremobryoid *Bot.*
ergatoid *Ent.*
ericoid *Bot.*
Eryopsoides *Pal.*
erysipel(at)oid *Path.*
erythematoid *Path.*
ethanoid *Chem.*
ethenoid(al *Org. Chem.*
ethylenoid *Org. Chem.*
eucaloid *Med.*
eucolloid *Chem.*
euphylloid *Bot.*
euphytoid *Bot.*
eutectoid *Chem. Metal. Phys.*
evernioid *Bot.*
fabrikoid *Fabrics*
faecaloid *Med.*
favelloid *Bot.*
favioid
fecaloid *Mat. Med.*
feldspathoid *Petrol.*
feloid *Min.*
fermentoid *Chem.*
fibrinoid *Histol.*
fibroid
fibroidectomy *Surg.*
ficoid(es -al -eae *Bot.*
filamentoid
filicoid *Bot.*
fluoroid *Crystal.*
flyschoid *Geol.*
foc(al)oid *Math.*
frontocotyloid *Anat.*
fucoid(es -al -eae *Bot.*
fumaroid(al *Org. Chem.*
fung(i)oid *Bot.*
furaloid *Org. Chem.*
furfuroid *Org. Chem.*
furoid *Org. Chem.*
furunculoid
fusoid *Bot.*
galenoid *Crystal.*
galipoidine *Org. Chem.*
gamoid *Bot.*
ganglioid *Path.*
gelat(in)oid
gelsemoidine *Org. Chem.*
gemmoid *Bot.*
gennylozooid *Bot.*
geoid(al
giraffoid(ea(n *Zool.*
gleichenioid *Ferns*
globuloid
gloeocapsoid *Bot.*
glucotannoid *Chem.*
gluti(*or* e)noid
glutoid *Mat. Med.*
gnaphalioid *Bot.*
gneissoid *Min.*
gongrosiroid *Bot.*
gonidioid *Bot.*
granitoid(al

granulosarcoid *Path.*
gyalectoid *Lichens*
gymnotremoid *Bot.*
gynandroid *Med.*
hematohyaloid *Physiol.*
h(a)ematoporphyroidin
hemolysoid *Biochem.*
halogenoid *Chem.*
haloid(ite
Hamitoid *Ethnol.*
haploid *Cytol.*
hectoid
helcoid *Path.*
helenioid(eae *Bot.*
helianthoid(eae -ean *Bot.*
helicoid(al *Bot. Geom.*
helicoidin *Chem.*
heliozooid *Bot.*
helminthosporoid *Bot.*
hemihelicoid *Bot.*
hemiquin(on)oid *Chem.*
hernioid *Path.*
herpetoid *Path. Zool.*
heterocycloid *Org. Chem.*
hexacosihedroid *Math.*
hexadecahedroid *Math.*
hexagonoid *Ferns*
hexapetaloid(eous *Bot.*
histioid *Morph.*
histoid
holoquin(on)oid *Chem.*
homaloid(al *Math.*
hominoid *Mam.*
homoproteoid *Bot.*
hyalomucoid *Ophth.*
hydnoid *Bot.*
hydrencephaloid *Path.*
hydrogenoid *Chem.*
hydroid *Bot. Chem. Zooph.*
Hydroida *Zooph.*
Hydroidea(n *Bot. Zooph.*
hyloids *Bot.*
hymenomycetoid *Bot.*
hypereutectoid *Biochem.*
hyperlipoidemia *Med.*
hypernephroid *Med.*
hypnoid(al -ic -ization
hypnotoid
hypo-
ellipsoid *Geom.*
eutectoid *Phys. Chem.*
proteoid *Bot.*
hypsistegoid *Anthrop.*
hysterioid *Fungi*
hysteroid(al *Med.*
icositetrahedroid *Crystal.*
icteroid *Path.*
indigoid *Dyes*
indoloid *Chem.*
indusioid *Anat. Bot. Ent.*
influenzoid *Med.*
insanoid
inter-
condyloid *Anat.*
coronoid
petaloid *Bot.*
pterygoid(al *Embryol.*
sesamoid
intraprothalloid *Bot.*
inul(in)oid *Org. Chem.*
invar(i)oid *Math.*
iodioid *Chem.*
iodonucleoid *Mat. Med.*
isarioid *Fungi*
isatoid *Org. Chem.*
isidioid *Lichens*
isisioid *Bot.*
iso-
colloid *Phys. Chem.*
dispersoid *Phys. Chem.*
etoid *Bot.*
phytoid *Biol.*
zooid *Biol.*
jasp(er)oid *Petrog.*
jelloid
Juncoides *Bot.*

karyoids *Bot.*
keloid *Tumors*
kephaloidin *Biochem.*
keratoid
keraunoid *Petrog.*
labelloid *Bot.*
lacmoid *Dyes*
laminarioid *Bot.*
Lasioidea *Bot.*
leatheroid
lecanoroid *Bot.*
lecythoid
lemniscoid(al
lentoid
lepidostroboid *Pal. Bot.*
leprarioid *Phytopath.*
leptogioid *Lichens*
leptoid *Cytol.*
leucitoid *Petrog.*
leucoid *Org. Chem. Zool.*
leukemoid *Med.*
liparoid
lipocolloid *Biochem.*
lipoid(al *Biochem.*
-ase -emia -ic -osis
lipoidophile *Biochem.*
lipomatoid *Path.*
lissoneoid *Math.*
lithoxyloidical *Min.*
loessoid *Geol.*
lomarioid *Bot.*
lunoid
lupoid *Med. Path.*
luteoh(a)ematoidin
luteolipoid *Mat. Med.*
lycoperdoid *Bot.*
lymphadenoid *Med.*
lymphoid(al -ity
lymphoidectomy *Surg.*
lymphoidocyte *Cytol.*
lymphoidotoxemia *Med.*
lyocolloid *Phys. Chem.*
lyssoid *Path.*
macro-
pinacoid(al *Crystal.*
sporoid *Bot.*
macrotoid
magmoid *Lichens*
magnetoid
malarioid *Med.*
maleinoidal *Org. Chem.*
maleoid *Org. Chem.*
mamilloid
mamm(ill)oid *Med.*
marsupialoid *Zool.*
marsupioid *Bot.*
maskoid *Archaeol.*
matonioid *Bot.*
matteucioid *Bot.*
mattoid
meconioid *Physiol.*
megazooid *Biol.*
melanocancroid *Path.*
membr(an)oid *Med.*
meneclinoid *Math.*
meniscoid(al *Bot. Spong.*
meriquin(on)oid *Chem.*
merismoid *Bot.*
mesam(o)eboid *Cytol.*
mesoid *Geol.*
mesoproteoid *Bot.*
metacolloidal *Chem.*
metalloid(al *Chem.*
metaquinoidal *Chem.*
meteloidine *Org. Chem.*
meteoroid(al
metistoid *Cytol.*
metuloid *Bot.*
microgranulitoid *Geol.*
phylloid *Bot.*
molluscoid- *Zool.*
a(ea(n al an
moneroid *Bot.*
Mongol(i)oid *Ethnol.*
monilioid *Bot. Zool.*
monodispersoid *Colloids*
monothalloid *Bot.*

monothamnoid *Bot.*
monquichoid *Petrog.*
mucinoid *Chem.*
mucoid(al *Anat.*
mucorioid
muscoid *Bot. Ent.*
mycelioid *Bot.*
mycetoid *Fungi*
mycoid *Fungi*
myeloid(osis *Histol.*
myeloidic -in *Biochem.*
myelomatoid *Tumors*
myrcioid *Bot.*
myriophylloid *Bot.*
myxoid *Ich. Med.*
myxoidedema *Path.*
naevoid *Physiol.*
nanoid *Med.*
naphthalinoid *Org. Chem.*
nautiloid
naviculoid
Neanderthaloid *Anthrop.*
nectozooid *Zool.*
negritoid
negroid(al
negro(l)oid(al
nemathecioid *Bot.*
neoid *Math. Naval*
nephritoid *Min.*
nephrotoid *Min.*
neutraloid *Chem.*
nevoid *Med.*
nitritoid *Med.*
nodoid *Math.*
nostacoid *Biol.*
nucleoid *Biol. Cytol.*
nucleoloid *Biol. Med.*
nymphoidal *Bot.*
nystagmoid *Ophth.*
obeliskoid
obomegoid
obovoid *Bot.*
octahedroid
odontinoid
oic(*or* k)oid *Physiol.*
-oid *Suffix*
al es eus
oidioid *Fungi*
olocranioid *Anat.*
oleoid *Bot.*
olivinoid *Chem.*
Omoides *Ent.*
omoideum *Ornith.*
onkoid *Geol.*
opaloid
opohepatoidin
opsonoid *Biochem.*
optoid
opuntioid *Bot.*
organoid *Bot. Path. Zool.*
oriellipsoid *Geom.*
orihyperboloid *Geom.*
orrhoid *Physiol.*
orthocentroidal *Math.*
orthoid *Geom.*
orthoquinoid *Org. Chem.*
osseoalbumoid *Biochem.*
osseomucoid *Physiol.*
ostealbuminoid *Physiol.*
osteoid *Anat.*
ovaloid
ovatoellipsoidal
ovoid(al
ovoidoconical *Arch.*
ovomucoid *Org. Chem.*
ovuloid
oxycycloid *Org. Chem.*
oxygenoid
oxyhaloid *Inorg. Chem.*
palaeoid *Geol.*
pal(a)eolithoid *Archaeol.*
palatinoid
pancreatoid
papoid *Enzyme*
papuloid *Med.*
paracondyloid *Anat.*
paraffinoid

paraquinonoid *Chem.*
parasinoidal *Anat.*
parasitoid
paratyphoid *Path.*
parotoid *Zool.*
parovoid *Biol.*
paspaloid *Bot.*
passeroid *Ornith.*
patelloid(ea *Conch.*
pegumoid *Arts*
peltoid
peltoideus *Bot.*
pentahaloid *Chem.*
pentahedroid *Math.*
peptoid *Biochem.*
peptonoid *Biochem.*
pericarpoidal *Bot.*
perithecioid *Bot.*
peritrochoid *Geom.*
peroid *Bot.*
pertusarioid *Bot.*
pestoid *Med.*
petaloid(al -eous *Bot.*
petaloid(al *Echin.*
petechioid *Path.*
phanoid *Org. Chem.*
phelloid *Bot.*
phenoloid *Org. Chem.*
phenolipoid *Mat. Med.*
phleboidal
phlegmonoid *Path.*
phlogisticozymoid *Med.*
photohaloid *Photochem.*
phymatoid *Path.*
phytocolloid
phytoid *Bot.*
pimpinelloid *Bot.*
pinoid *Bot.*
pistilloid *Bot.*
Pityoidolepis *Pal.*
placentoid *Bot.*
placodioid *Bot.*
planetoid(al
plastinoid *Biol.*
platymyoid *Histol.*
plerocercoid *Med.*
plerocestoid
pleurococcoid *Bot.*
pleuroid *Anat.*
plinthoid *Math.*
pollinoid(s *Bot.*
poloid *Geom.*
polydispersoid *Colloids*
polyhedroid *Math.*
polypoid(al *Path.*
polysyspensoid *Colloids*
poroids *Bot.*
porphyroid *Petrol.*
porphyroidin *Biochem.*
postchoroid *Anat.*
postvarioloid *Path.*
precerebroid
precipit(in)oid *Biochem.*
precipitogenoid *Biochem.*
preclepsydroid *Bot.*
precondyloid *Ornith.*
prelipoid *Med.*
preagglutinoid *Biochem.*
proteinoid *Biochem.*
protistoid *Cytol.*
protoalkaloid *Org. Chem.*
protonematoid *Mosses*
prototoxoid *Tox.*
psalloid *Anat.*
psaloid *Med.*
pseudoalkaloid *Chem.*
pseudocolloid *Biochem.*
pseudocylindroid *Med.*
pseudophelloid *Bot.*
pter(id)oid *Bot.*
pulvinoid *Bot.*
punctoid
puruloid *Path.*
pyramidoid(al *Geom.*
pyretoid *Med.*
pyritoid *Crystal.*
pyroid *Org. Chem.*

quadricrescentoid
quantoid *Math.*
quarlefoids *Min.*
quartzoid *Crystal.*
quinoid(al *Org. Chem.*
quinoidin(e *Pharm.*
quinonoid *Org. Chem.*
quinquepetaloid *Echin.*
rabdoid *Bot.*
racemoid *Bot. Chem.*
ranoid *Zool.*
ranunculoid *Bot.*
raphioid *Bot.*
reptiloid
resinoid *Chem.*
retinoid *Pharm.*
rhamphoid *Math.*
rheumatoid(al(ly *Path.*
rhizomastigoid *Bot.*
rhizomorphoid *Bot.*
roseloid *Path.*
rubeoloid *Path.*
rupioid *Path.*
salmonoid(ea(n *Ich.*
sarcomatoid *Path.*
scarabae(id)oid *Ent.*
scaraboid *Art. Ent.*
scarlatinoid *Path.*
schistoid *Geol.*
scirrhoid *Path.*
sciuroid *Bot.*
sclerophelloid *Bot.*
sectroid *Arch.*
semi-
colloid *Chem.*
lipoid *Biochem.*
petaloid(eus *Bot.*
samaroideus *Bot.*
sepaloid *Bot.*
septicozymoid *Biochem.*
sermonoid
seroid *Med.*
serpentinoid
serpoloid *Bot.*
sialoid
sinusoid(al(ly *Math.*
sinusoidalization *Elec.*
siphoid
sirosiph(on)oid *Bot.*
solanoid *Path.*
soloid *Pharm.*
spermatoid
spermogonoid
Sphaerioidaceae *Bot.*
spherulitoid
spinoid
spiraloid
spiroid
splanchnoid
splenoid
sporangioid *Bot.*
sporoid
squamoid *Bot.*
stearinolipoids *Bot.*
stearoid
stenellipsoid *Anthrop.*
steroid *Biochem.*
stigmatoideus *Bot.*
stratoid *Geol.*
stromatoid *Bot.*
strophoid(al *Geom.*
styloid *Anat. Zool.*
stylomyloid *Anat.*
subastragaloid *Anat.*
subbyssoid *Bot.*
subcuboidal *Geom.*
subdendroid *Bot.*
subephedroid *Bot.*
subpetaloid *Bot.*
subtremelloid *Fungus*
sulphohaloid *Chem.*
sulphoid *Mat. Med.*
suoid *Zool.*
suprasyntoxoid
suspensoid(al *Chem.*
symmetroid *Geom.*

syndesm(o)odontoid
syndiploid *Bot.*
synhaploid *Bot.*
synochoid *Path.*
syntoxoid *Med.*
syntriploid *Bot.*
syphiloid *Med.*
syringoid *Anat.*
systemoid *Med.*
tabloid
talcoid *Min.*
tannoid *Chem.*
taxoid(s *Bot.*
teratoid
terpinoid *Perfumes*
tetartoconoid *Dent.*
tetartoid *Crystal.*
tetrahedroid *Geom.*
tetratriploid *Cytol.*
thalloid(al *Bot.*
thanatoid
thelephoroid *Fungi*
thioindigoid *Dyes*
thyrocolloid *Chem.*
tingnoid *Petrog.*
toriloid *Bot.*
toroid(al *Math.*
toruloid *Bot.*
toxicoid
toxoid *Bact.*
toxonoid *Path.*
trachytoid *Petrol.*
trappoid *Geol.*
tremelloid *Bot.*
trianguloid
tribuloid *Bot.*
trichomanoid *Bot.*
tripetaloid(eous *Bot.*
triploid *Surg.*
triploid(ity *Biol.*
triploidite *Min.*
trismoid *Obstet.*
triticoid *Bot.*
tuberculofibroid *Path.*
tuberculoid *Path.*
tuberculoidin *Mat. Med.*
tuberculotoxoidin *Bact.*
tuberoid *Bot.*
tubulodermoid *Path.*
turgoid *Chem.*
typhloid
typhoid(al *Path.*
typhoidette *Path.*
typhorubeloid *Path.*
tyroid
ulodendroid *Pal. Bot.*
uloid *Path.*
umbelloid *Bot.*
unduloid *Geom.*
unioid *Zool.*
unionoid *Conch.*
upsiloid *Med.*
uredinoid *Bot.*
urine- mucoid *Biochem.*
urobilinoid(in *Biochem.*
ursoid *Mam.*
usneoid *Lichens*
utriculoid *Bot.*
vaccinoid *Path.*
valgoid *Med.*
valoid *Pharm.*
varicelloid *Med.*
varicoid *Med.*
variolarioid *Bot.*
varioloid *Path.*
veratroidin(e *Org. Chem.*
vibrioid *Bot.*
viroid *Med.*
viscoid(al
vitiligoidea
vulcanoid
xanthelasmoidea *Path.*
xylostromatoid *Fungi*
zamioid
zebr(a)oid
zincoid

zirconoid *Crystal.*
zoogl(o)eoid *Bact.*
zosteroid *Path.*
zygopteroid *Bot.*
zym(e)oid *Biochem.*
ὄζαινα Fem. of ὄζων
oz(a)ena *Path.*
-ic -ous
Oz(a)ena -inae *Ent.*
ὄζειν to have a smell
ozorthous *Ich.*
ὀζο- Comb. of ὄζη bad smell
ozo- *Org. Chem.*
benzene *Chem.*
brome *Photog.*
cerine cerite(d *Min.*
chrotia *Med.*
gnathus *Ent.*
meter metry -ic
phene *Mat. Med.*
spongia *Pal.*
stomia *Physiol.*
troctes *Ent.*
type *Photog.*
pseudoozocerite *Min.*
ὄζος a bough; offshoot
-ozus *Ent.*
Goni Lox Not Odontolox
Polyoza *Ent.*
Rhegmosa *Ent.*
ὀζώδης having branches
Dactylozodes *Ent.*
Ozodeoceras *Ent.*
Ozodes
ὄζων P. pr. of ὄζειν
aerozol *Mat. Med.*
antozonite *Min.*
dezonize -ation
disozonize
iodozen *Mat. Med.*
ozone
-ate -ation -ator -ic
-id(e -iferous -ification
-ify -ine -iose -ium
-ization -ize(r -less -ous
-ozone *Chem.*
acet alph ant chlor
electr germ iod ox thi
ozono-
graph(er
phore *Cytol.*
perozonide *Chem.*
pyrozone *Pharm.*
thebaizone *Org. Chem.*
thiozin -on *Mat. Med.*
thiozonide *Chem.*
triozonide *Chem.*
vanadozon *Mat. Med.*
ὀθνεῖος foreign
Macroothnius *Ent.*
Othnius *Ent.*
-iid(ae -ioid
ὀθόνη fine linen; sails
Cyclothone *Ich.*
pyrothonid(e *Chem.*
ὄθοννα (Diosc.)
othonne -a *Bot.*
οἴαξ (-ακος) tiller, helm
Sphenoecacus *Ornith.*
οἴγειν to open
oe(*or* oi)gopsid(a(e
oigopsidan *Conch.*
οἰδαίνειν to swell up
Oedaenoderus *Ent.*
οἰδαλέος swollen
Oedaleothrips *Ent.*
οἰδέειν to swell
Dioedus *Ent.*
Oedecnema *Ent.*
Oedemera -id(ae -oid
Oedicnemus *Ornith.*
-id(ae -inae -ine -oid

Oedionychis *Ent.*
οἴδημα a swelling
edema *Med.*
-atose -atous -ic -ization -ize
-edema *Med.*
angioneuro atroph
cephal elytro erythro
hydr lymph melan myo
myx(oid) papill periost(eo) pneumon pod
py pseudo pyo rhin
staphyl troph ur
edem(at)in *Cytol.*
hydredaema *Path.*
myoidema *Path.*
myx(o)edem- *Path.*
atoid atous ic
oedema *Med.*
-(at)ic -atous(ly
-oedema *Med.*
angioneuro cephal elytro erythro myo myx
papill pneum pseudo
rhin staphyl troph ur
oedematin *Cytol.*
Oedemia *Ornith.*
Oedemutes *Ent.*
Oidematops *Ent.*
οἴδησις a swelling
Hyperoidesipus *Crust.*
phleboedesis *Arthrop.*
Οἰδίπους Oedipus (Soph.)
Oedipean -ic
oedipism *Ophth.*
Oedipus complex *Psa.*
Oedipoda -inae *Ent.*
οἰδίσκειν to swell
Oedischiidae *Pal.*
Pseudoidischiidae *Pal.*
οἶδος a swelling
edobole(s *Bot.*
oedagus *Ent.*
oedo-
gonium *Algae*
-i(ac)eae -iaceous
peza *Ent.*
Oidomorpha *Ent.*
οἰκέειν to inhabit
Pedonoeces *Ent.*
οἴκησις an inhabiting
ecesis *Phytogeog.*
οἰκητής an inhabitant
-oecetes *Ornith.*
Hel Pedi Po
οἰκίον Dim. of οἶκος q.v.
oeciomania *Med.*
-oecium -ious
Oekiophytes *Bot.*
oikio-
mania
miasmata *Hygiene*
οἰκιστήρ = **οἰκιστής**
Paroecister *Ent.*
οἰκιστής a colonizer
oecist
οἰκο- Comb. of οἶκος
aecology -ical *Biol.*
anthocology *Bot.*
anthoecologist *Bot.*
aut(o)ecologic *Ecol.*
diecodichogamy *Bot.*
eco-
dichogamy *Bot.*
genesis *Ecol.*
graph
logy -ic(al(ly -ist
mania *Ps. Path.*
parasite -ism *Biol.*
phene *Bot.*
phobia *Ps. Path.*
proterandry *Bot.*
proterogyny *Bot.*
site *Biol.*

eco- Cont'd
species *Bot.*
tone *Phytogeog.*
type -ical *Bot.*
-ecology
aut(o) flora gen gyn
idio pal(a)eo pale phaeno phyto
Epoikophytes *Bot.*
genecological *Bot.*
katoikogenic *Biol.*
monoicodimorphic *Bot.*
oeco-
logy -ical -ist *Biol.*
parasite -ism *Fungi*
phobia
ptychoceras *Malac.*
oiko-
fugic *Psych.*
logy *Med.*
phobia *Ps. Path.*
site *Biol.*
tropic *Psych.*
phytoecology -ical -ist
synecologic(al *Bot.*
οἰκοδομικός (Plato)
oecodomical
οἰκονομία (Plato)
econometer
Economite *Sects*
economy -ist -ization
-ize(r
ineconomy
phyt(o)economy
οἰκονομική (Plato)
economics
hydroeconomics
οἰκονομικός (Plato)
economic(al(ly
economico -comic
economicule
ineconomic
politicoeconomical
preeconomic
socioeconomic
uneconomical(ness
οἰκονόμος a manager
econome -acy *Eccl.*
oeconomus *Eccl.*
οἶκος a house; a room
Agamonoecia *Bot.*
amphioecious *Ich.*
androecial -y *Bot.*
andromonecism -ious
autoecic -ous *Biol.*
Bioeca -idae *Infus.*
Bicosoeca *Infus.*
Cardioecia *Bryozoa*
cladautoicosis *Mycol.*
Codonoeca -id(ae *Prot.*
coenoecium -ial -ic *Zool.*
Conchoecia *Crust.*
-iadae -iid(ae -ioid
Dendroeca -idae *Ornith.*
Desmeplagioceia *Pal.*
Dioeca(n -ous *Conch.*
Dioecia(n
dioecio- *Bot.*
morphic -ous
polygamous
dioeciously -ness
Drymoeca *Ornith.*
ecad *Bot.*
Eremoecus *Ent.*
gamoecia *Bot.*
gonioautoeciasis *Bot.*
gonioautoecous *Bot.*
gonoecium *Helm.*
gynodioeciously *Bot.*
gynecium *Bot.*
gynoecy *Bot.*
heteroecism(al *Biol.*
Heteroecus *Ent.*
Hydroecia *Ent.*
hydroecium -ial *Zooph.*
interzooecial *Biol.*

Lagoecia *Bot.*
Lagonoecia *Pal.*
Leiosoecia *Pal.*
Lobosoecia *Bryozoa*
megecad *Bot.*
Monoecia(n *Bot.*
monoecism *Biol.*
-ia(n -ous(ly
monoic *Zool.*
monoicously *Bot.*
Mymecladoecus *Ent.*
Notoecus *Ent.*
Notoplagioecia *Bryozoa*
-oecism *Bot.*
agamandr agamogynomon androdi andromon aut coenodi di(mon) gynodi gynomon subdi trimon
-oecious *Bot.*
androdi andromon anomal aut di goni(o)aut gynodi gynomon heter polygamodi trimon
-oecium *Bot.* οἰκίον
andr androdi anth gyn heter polygamodi prot
-oicous *Bot.*
aut cladaut mon pol poly pseudoaut rhizant
Oecanthus *Ent.*
oec(*or* k)oid *Physiol.*
oecus *Archaeol.*
oicos *Gr. Ch. Pros.*
Parleiosoecia *Pal.*
Passaloecus *Ent.*
Peristomoecia *Pal.*
Polyascosoecia *Pal.*
polyoicism -ious *Bot.*
Psammoecus *Ent.*
Ripisoecia *Bryozoa*
Salpingoeca *Prot.*
-id(ae -oid
Trigonoecia *Bryozoa*
Trioecia *Bot.*
trioecism *Biol.*
-ious(ly -ous
Xynoeciae *Gr. Ant.*
zooecium -ial *Polyzoa*
οἰκουμένη the Greek world
ecumene -ity
oecumancy
oecumenian
οἰκουμενικός universal
(o)ecumenic *Eccl.*
al(ly alism ality
οἰκτρός pitiable
Oectropsis *Ent.*
Οἰλεύς (Iliad)
Oileus *Ent.*
οἰμάειν to pounce upon
Oemona *Ent.*
οἴμη a song
Oeme *Ent.*
οἰνάνθη the vine; its flower
enanth- *Org. Chem.*
aldehyde ic in oin ol(e yl
enanthotoxin *Resins*
Oenanthe -eae *Bot.*
oenanthic -in(e -ol *Chem.*
oenanthyl(ic -ate *Chem.*
ene idene ous
oinanthotoxin *Tox.*
Peneooenanthe *Ornith.*
οἰνάς wild pigeon
Alectoroenas *Ornith.*
Caloenas *Ornith.*
-adin(ae
Sphenoenas *Ornith.*
Starnoenas *Ornith.*
-adinae -adine

οἰνο- Comb. of **οἶνος**
eno-
barometer *Anal. Chem. Wines*
logy -ical -ist
mania *Med.*
oeno-
barometer -metric
carpal *Org. Chem.*
carpus *Bot.*
cyan(in *Org. Chem.*
cyte -ic *Cytol.*
gallic *Chem.*
gen *Chem.*
glucose *T.N.*
logy -ical -ist
mancy
mania -iac
meter
philist
phobist
plia *Bot.*
poetic *Arts*
tannin *Org. Chem.*
thionic *Org. Chem.*
οἰνοθήρας (Theophr.)
Oenothera *Bot.*
-aceae -aceous
οἰνόμελι mead
oenomel
οἶνος wine
(o)en(id)in *Org. Chem.*
oenolic -in *Org. Chem.*
(o)enoxidase *Org. Chem.*
οἰνόφλυξ (-υγος) drunken
oenophlygia *Path.*
οἰνοφόρος holding wine
oenophorus *Gr. Vases*
οἰνοχόη can to ladle wine
oenochoe *Gr. Ant.*
ὀινοχόος wine pourer
oinochoos *Gr. Ant.*
Οἰνώνη Wife of Paris
Oenone *Ent. Myth.*
οἰσο- Comb. of **οἶσος** willow
oeso-
ceras *Ent.*
οἰσοφάγος (Arist.)
bronchoesophagoscopy
circumesophagal *Anat.*
di(o)esophagus *Med.*
gastroesophagostomy
esophag-
(e)al -ean *Anat.*
algia *Med.*
ectasis *or* -ia *Med.*
ectomy *Surg.*
eocutaneous
ism(us *Path.*
itis *Path.*
odynia *Path.*
esophago- *Med.*
blast cele enterostomy gastroscopy gastrostomy malacia meter mycosis pathia pathy plasty plegia plication ptosis rrhagia scope scopic scopy spasm stenosis stoma stomiasis stomy tome tomy
-esophageal *Anat.*
gastro infra pharyngo post prae retro sub supra tracheo
-esophagitis *Path.*
end gastro
-oesophageal *Anat.*
peri pharyngo post sub tracheo
esophagus *Anat.*
(o)esopho- *Med.*
scope -ic -y

(o)esopho- Cont'd
spasm
stomy
tome
oesophag-
algia *or* -y *Path.*
ectomy *Surg.*
ismus itis *Path.*
oesophago-
blast *Bact.*
cele *Path.*
oesophagodynia *Path.*
enterostomy
malacia *Med.*
mycosis *Path.*
pathia *or* -y *Path.*
plasty
plegia *Path.*
rrhagia *or* -y *Path.*
scope -y -ic *Med.*
spasm(us *Med.*
stenosis *Path.*
stoma -um *Helm.*
stomiasis *Path.*
stomy
tome -y *Surg.*
oesophagus -e *Anat.*
-al -eal -ean -iac -ic
perioesophagitis *Med.*
pharyngo(o)esophagus
pleuroesophageus *Anat.*
οἰστο- Comb. of **οἰστός**
Oistolaimus *Helm.*
ὀιστός an arrow
Oestodes *Ent.*
οἰστρήλατος driven by a gadfly
Oestrelata *Ornith.*
οἶστρος a gadfly; a sting
anoestrum -ous *Mam.*
dioëstrum -ous *Physiol.*
(o)estriasis *Path.*
estrin *Biochem.*
(o)estrum -ual -uation
metoestrum -ous *Physiol.*
monoestrous *Zool.*
oestriasis *Vet.*
oestrin *Biochem.*
oestromania *Path.*
oestrum *Physiol.*
-ual -uate -uation
Oestrus *Ent.*
-ian -id(ae -oid -ous
polyoestrum -ous *Zool.*
pro(o)estrum -ous *Biol.*
οἰσυπηρός greasy; -of wool
Oesyperus *Ent.*
οἴσυπος suint (Diosc.)
oesypum -us *Mat. Med.*
ὀκλαδίας folding chair
Ocladias *Ent.*
ὀκνέειν to scruple, shrink
Ocneus *Ent.*
ὀκνηρός timid
Ocnera *Ent.*
ὄκνος hesitation
Ocnodus *Ent.*
Ocnus *Ent.*
-ο-κρατία. See **-κρατία**
-ocracy
ὀκτα- Comb. of **ὀκτώ**
cycloocta- *Org. Chem.*
diene tetrene triene
octa-
chronous *Pros.*
cnemus -id(ae -oid
cosane *Org. Chem.*
cyanide *Chem.*
decane decyl *Chem.*
diene -ol -one
gram *Geom.*
gynia *Bot.*
hydric -ate -o- *Chem.*

octa- Cont'd
naphthene *Org. Chem.*
phonic *Music*
stichous *Bot.*
strophic *Pros.*
valent *Chem.*
ὀκτάγωνος (Nicom.)
octagon(ian
octagonal(ly
ὀκτάδραχμος (Anth. P.)
octa(*or* o)drachm(a
ὀκτάεδρον (Euclid)
cub(o)octahedron -al
dioctahedron -al *Crystal.*
hemioctahedron -al
hexacisoctahedral
hexoctahedron -al
octahedrite -ic *Min.*
octahedron *Crystal.*
-al(ly -ic(al -id -oid
quadratoctahedron
rhombi(cub)octahedron
tetrakisoctahedron -al
trioctahedral *Crystal.*
trisoctahedron -al *Geom.*
ὀκτάεδρος (Arist.)
-octahedral *Cryst. Math.*
octahedrous
ὀκταετηρίς (-ίδος) Fr. **ἔτος** year
octaeteris *Athen. Cal.*
-ic -id
ὀκταήμερον (Paul.)
octaemeron *Gr. Ch.*
ὀκτάηχος book of troparia
octa(*or* o)echos *Gr. Ch.*
ὀκτάκις eight times
octakis-
hexahedron *Crystal.*
ὀκτάκωλος of eight lines
octacolic *Pros.*
ὀκταμερής of eight parts
octamerism -al -ous *Biol.*
ὀκτάμετρος (Schol. Heph.)
octameter *Pros.*
ὀκταπλᾶ (Epiph.)
octapla *Bibl.*
ὀκταπλοῦς eightfold
octuple
ὀκταπόδης eight feet long
octapodic -y *Pros.*
ὀκτάς (-άδος) eight
octad(ic *Chem. Math.*
ὀκτάσημος of eight times
octaseme -ic *Pros.*
ὀκτάστιχον of eight verses
octastich(on *Pros.*
ὀκτάστυλος (Vitruv.)
octastyle -os *Arch.*
ὀκτασύλλαβος (Drac.)
octa(*or* o)syllabic(al
octa(*or* o)syllable
ὀκτάτευχος (Photius)
octateuch *Bible*
ὀκτάχορδος (Plutarch)
octachord(al *Music*
ὀκτώ eight
bicyclooctane *Org. Chem.*
cyclooct- *Org. Chem.*
ane ene (en)yl
discoctaster *Spong.*
galaoctose *Org. Chem.*
mannooct- *Org. Chem.*
aric onic ose
oct-
actine -al *Spong.*
actinia(e -ian *Zooph.*
ander *Bot.*
andria(n -(i)ous *Bot.*
ane -ol -one *Chem.*
anthrene -ol -one
antherous *Bot.*

oct- Cont'd
arch *Bot.*
archy *Pol.*
arinus *Bot.*
aster *Spong.*
atomic *Chem.*
ene -ol *Org. Chem.*
ine *Chem.*
ite -ol *Org. Chem.*
octhracene -ol -one *Chem.*
octo-
blast *Embryol.*
bothrium *Helm.*
-iid(ae -ioid
caetriacontahedron
carbon *Chem.*
cera(ta -(at)ous *Conch.*
chloride *Chem.*
chydroacridin *Chem.*
cladiscus *Ent.*
coralla(n -in(e *Zooph.*
cosi *Chem.*
cotyloid *Annel.*
decahydrate(d *Chem.*
decyl *Org. Chem.*
dianome *Math.*
diploid *Bot.*
Octodon *Mam.*
-on(t(id(ae -inae -in(e -oid)
gamy
glot
gonotes *Ent.*
gynia(n -(i)ous *Bot.*
hydrated *Chem.*
kont *Bot.*
mer(al(ia(n *Zooph.*
merous
naphthene *Chem.*
nem(at)ous *Zool.*
petalous *Bot.*
octophthalmous *Ent.*
phyllous *Bot.*
ploid *Bot.*
polar(ity *Elec.*
sane *Chem.*
some *Bot.*
spermous *Bot.*
spore -ous *Bot.*
sterigmatic *Bot.*
stichous *Bot.*
sulphide *Inorg. Chem.*
syllabic(al *Pros.*
syllable
yl *Chem.*
zoic *Prot.*
octyl *Org. Chem.*
amin(e ene (en)ic
oktophyllite *Min.*
oxyoctoic *Chem.*
protoctin *Biochem.*
tricyclooctane *Chem.*
trioctile *Astrol.*
ὀκτωδάκτυλος (Ar.)
octodactyl(e *Zool.*
octodactylous *Morph.*
ὀκτώπους eight-footed
octopod(a(n -idae -ous
octopus -ean -idae
Tremoctopus *Conch.*
-odid(ae -odoid
ὀλβοδότης giver of bliss
Metolbodotes *Pal.*
Olbodotes *Pal.*
ὀλέθριος destructive
Olethrius *Ent.*
ὄλεθρος destruction
Cantharolethrus *Ent.*
Catolethrus *Ent.*
ὀλετήρ destroyer
pyroleter
ὀλέτης a destroyer
Entomoletes *Ornith.*
ὀλιβρός slippery
Olibrus *Ent.*

ὀλιγ- Comb. of ὀλίγος
olig-
acanthous *Bot.*
(a)emia *Path.*
androus *Bot.*
anthous *Bot.*
arch *Bot.*
articular *Path.*
(h)ydria *Med.*
odon(idae *Herp.*
odont(ous *Anat.*
oplites *Ich.*
uresis *or* -ia *Path.*
uria *Path.*
ὀλιγάκις seldom
olikaguria *Med.*
ὀλιγάρχης (Dion. H.)
oligarch
al ism ist ize
ὀλιγαρχία (Herodotus)
oligarchy
ὀλιγαρχικός (Thuc.)
oligarchic(al(ly
ὀλίγιστος Superl of ὀλίγος
feroligiste *Min.*
oligist(e ic(al *Min.*
ὀλιγο- Comb. of ὀλίγος
hydrooligocythemia
las(*or* z)uroligoclase *Min.*
oligo-
amnios *Med.*
blennia *Path.*
cara *Ent.*
cardia *Path.*
cene *Geol.*
cephalic *Path.*
chaete -a(e -ous *Helm.*
chiton *Malac.*
cholia *Path.*
chrome
chrom(a)emia
chrone
chronometer
chylia *Med.*
chymia *Med.*
clase *Min.*
copria *Path.*
cottus *Ich.*
cystic *Med.*
cyth(a)emia -ic *Path.*
cytosis *Med.*
dacrya *Path.*
dactylia *or* -y *Anat.*
dipsia *Med.*
dynamic *Phys.*
erythrocythemia *Med.*
galactia *Path.*
genics *Med.*
globulia *Med.*
glossy *Geol.*
glottism
hemia *Med.*
hydramnion -ios *Path.*
hydruria *Med.*
kyphus *Mam.*
lecithal *Embryol.*
leukocythemia *Med.*
leukocytosis *Med.*
mania *Path.*
mastigate *Cytol.*
menorrhea *Path.*
merous -y *Bot.*
mesomyodous *Ornith.*
metochia -ic *Gram.*
morphic *Biol.*
myoda(e -an *Ornith.*
myodi(an *Ornith.*
myoid(ean *Ornith.*
necrospermia *Med.*
nephria *Ent.*
neprous *Physiol.*
neura *Ent.*
nitrophile -ic *Bact.*
nitrophilic *or* -ous *Biol.*

oligo- Cont'd
nitrophilous *Bot.*
pelic *Agric.*
pepsis *or* -ia *Path.*
petalous *Bot.*
phlebiella *Ent.*
phorous
phosphaturia *Med.*
phrenia *Med.*
phrenic *Psych.*
phylla -ous *Bot.*
phyric *Petrol.*
plasmia *Med.*
plastic *Med.*
plastina *Prot.*
pn(o)ea *Med.*
posis *Med.*
prothesis -ic -y *Gram.*
psammic *Bot.* *Geol.*
psychia *Med.*
ptyalism *Med.*
pyrene
pyrene
rhizous *Bot.*
saprobia *Bot.*
semia *Herp.*
sepalous *Bot.*
sialia *Med.*
sideric *Chem.* *Meteor.*
siderite
spermatic -ism *Med.*
spermia *Med.*
sporea(n -eous *Prot.*
sporidia *Prot.*
stemonous *Bot.*
synthetic *Philol.*
taxy *Bot.*
trichia -osis *Med.*
tropic *Ent.*
xystre *Arach.*
zoospermia *Physiol.*
Paroligobunis *Pal.*
potash-oligoclase *Min.*
ὀλιγόκαρπος (Theophr.)
oligocarpous -ia *Bot.*
ὀλίγον Neut. of ὀλίγος
oligonite *Min.*
oligonspar
ὀλιγορία apathy
oligoria *Ps. Path.*
ὀλιγόσπερμος (Arist.)
oligospermous -ism *Bot.*
ὀλιγοσύλλαβος (Eust.)
oligosyllabic -able
ὀλιγότης fewness
Oligota *Ent.*
ὀλιγοτόκος (Arist.)
oligotokous *Ornith.*
ὀλιγοτροφία (Alex. Trall.)
oligotrophy -ia *Physiol.*
ὀλιγοτρόφος eating little
oligotrophic *Bot.*
ὀλικός universal
Microlicia -eae *Bot.*
ὀλισθηρός slippery
Olistherarthrus *Ent.*
Olistherus *Ent.*
ὀλίσθησις dislocation
spondyl(ol)isthesis & etic
ὄλισθος slipperiness
olisthion *or* -ium
ὁλκάς (-άδος) trading vessel
holcad *Gr. Ant.*
hulk
ὁλκεῖον rudder; basin
Holkeion *Malac.*
holkion
ὁλκός Adj. attractive; greedy.—Noun. A furrow; mouse-barley
holco-
coenia *Pal.*
discoides *Malac.*

holco- Cont'd
myrmex *Ent.*
notus -id(ae -oid *Ich.*
rhynchia *Pal.*
spermum *Pal.*
stephanidae *Pal.*
teuthis *Pal.*
thyris *Pal.*
holcodont *Ornith.*
Holcus *Bot.*
Metholcus *Ent.*
Odontolcae *Ornith.*
-ate -ous
ὄλλυμι to kill; die
Azolla *Bot.*
Stephanolloma *Pal.*
ὅλμος a drinking vessel
holmos *Archaeol.*
Platyholmus *Ent.*
ὁλο- Comb. of ὅλος
anisohologamy *Biol.*
genoholotype *Biol.*
hemiholohedral *Crystal.*
hemiologamous *Bot.*
holo-
acid *Chem.*
acral *Math.*
axial *Crystal.*
baptist *Eccl.*
basid *Fungi*
benthic *Zool.*
biont *Bot.*
blast(ic(ally *Emb.*
brachys *Ent.*
branch(ia *Zool.*
-ial -iate -ious
cain(e *Chem.*
carcinus *Crust.*
cardius *Terat.*
carp(ic -ous *Bot.*
cene *Geol.*
centrus -id(ae -oid *Ich.*
cephal(a -i -ic -ous *Ich.*
cephalic *Terat.*
chlamyda -ate -ic
chlamydeous *Bot.*
choanites -ic *Conch.*
choanoid(a(l *Conch.*
chordate
chroal *Crust.*
chrone *Math.*
clastic
crine *Physiol.*
crinidae *Pal.*
cryptic
crystalline
cyclic *Bot.*
dactylous *Bot.*
diastolic *Physiol.*
edric *Crystal.*
gamic -ous *Bot.*
gamy *Genetics*
gastrula -ar *Emb.*
genesis *Bot.*
glossy *Geol.*
gnatha -ous *Conch.*
gonic
gymnocarpous *Bot.*
hedron -al -ic -ism
hemihedral *Crystal.*
hexagonal
hyalin(e *Petrog.*
isometric
lepta *Ent.*
mastigote *Bact.*
metabole -y *Ent.*
-a -ian -ic -ism -ous
meter *Math.*
metopa *Ent.*
morph(ic -ism -y *Math.*
morphosis *Biol.*
myaria(n *Zool.*
myerial *Comp. Anat.*
narcosis
paramecus *Ent.*
parasite -ic

holo- Cont'd
pathy
pedium -iidae *Zool.*
phane
phanerous *Ent.*
phote -al(ly *Optics*
photometer *Optics*
phrasis -ic
phrasm
phrastic
phyta *Pal.*
phyte -ic *Biol.*
phytism *Bot.*
plankton(ic *Biol.*
plexia *Path.*
pneustic
poda -ous *Conch.*
prizus *Ent.*
ptilus -idae *Ent.*
ptychius *Ich.*
-ian -iid(ae -ioid
pus -id(ae -oid *Echin.*
quinoid *Org. Chem.*
quinonic -oid *Chem.*
r(h)achischisis *Path.*
rhiny -al *Ornith.*
saprophyte -ic *Bot.*
schisis *Cytol.*
siderite *Min.*
siphona -ate *Zool.*
somata -ous *Zool.*
spheric
spondic *Pros.*
steric
stome -ata -ate -atous *Conch. Protozoa*
stome -i *Ich.*
stomum -idae -ous
styly -ic *Ich.*
symmetry -ic
systematic
systolic *Physiol.*
tarsia -ian *Ent.*
tesseral
tetanus *Path.*
tetragonal
thecal *Biol.*
thrix *Bot.*
thyrus *Ent.*
tomy
tonia *or* -y -ic
topy
tricha(l -ous *Infus.*
trocha(l -ous *Helm.*
trochus *Ent.*
tropical *Geog.*
type *Bot. Morph.*
zoic *Biol.*
isohologamy *Bot.*
isoholotype *Bot.*
olopetalarius *Bot.*
olophonia
Palaeoholopus *Pal.*
Proholopus *Pal.*
-ο-λογία See -λογία
-ology
-ο-λογικός See -λογικός
-o-logical
-ο-λογιστής See -λογία
-ologist
ὁλόγραφος (Eus.)
holograph(ic(al
ὁλοδάκτυλος (Eust.)
holodactylic *Pros.*
ὀλόεις destructive
Oloessa *Ent.*
ὁλοθούριον (Arist.)
holothure -ium *Echin.*
-ia(l -ian -id(ea -iid(ae -ioid(ea -ioid(i)a
ὁλόκαυστον burnt whole
hippocaust
holocaust(al ic
ὄλονθος all over dung
Holonthogaster *Ent.*

ὅλος entire, complete
hol-
acanthus -inae *Ich.*
agog(ue *Med.*
arctic *Zoogeog.*
ard *Phytogeog.*
arrhenin(e *Tox.*
arthritis -ic *Path.*
aspideae -ean *Ornith.*
endo- *Fungi*
biotic phytes zoa
ethnos -ic *Ethnol.*
etra -ous *Arach.*
opon *Mat. Med.*
ops *Pal.*
optic
opticus *Ent.*
ost *Ich.*
ean ei eous
ostraca(n -ous *Crust.*
urus *Pal.*
pseud(o)holoptic *Ent.*
ὁλοσηρικός all of silk
holosericeous *Bot. Ent.*
whole silk
ὁλόστεον (Diosc.)
Holosteum *Bot.*
ὀλοφώιος destructive
Olophoeus *Ent.*
ὄλπη a leathern oil flask
olpe *Gr. Ant.*
ὄλπις = ὄλπη
Olpidium *Bot.*
Ὀλυμπιάς (-ιάδος) Olympian
Olympiad(ic(al
Ὀλυμπιεῖον (Thuc.)
Olympieion -i(ei)um
Ὀλυμπικός (Herod.)
Olympic *Gr. Ant.*
al ly
Ὀλυμπιόνικος (Pindar)
Olympionic *Gr. Games*
Ὀλύμπιος of Olympus
Olympian
ism ize ly wise
Ὄλυμπος Mt. in Thessaly
Olympus
Ὀλυνθιακός (Dem.)
Olynthiac
Ὄλυνθος a Maced. city
Olynthian
ὄλυνθος a fig
Olynthus-oidea(n *Spong.*
ὁμ- Comb. of ὁμός
callushomooplasy *Bot.*
hom-
acanth(i *Ich.*
acodon -ontidae *Pal.*
atomic *Chem.*
atropia -in(e *Chem.*
axial
axonia(l -ic *Morph.*
ergy *Physiol.*
odont(y -ism *Zool.*
opsomys *Pal.*
organ(ic *Morph.*
osteus *Pal.*
homoo- *Bot.*
gonous plasy
ὁμαλο- Comb. of ὁμαλός
Anhomalophlebia *Ent.*
Eohomalonotus *Pal.*
homalo-
cenchrus
cephalus *Craniom.*
ceraea *Ent.*
choric *Bot.*
cladous *Bot.*
dora *Pal.*
gonatae -ous *Ornith.*
graphy -ic
grypota *Ent.*
gyra -id(ae -oid *Conch.*

homalo- Cont'd
myia *Ent.*
notidae *Pal.*
phora *Ent.*
ptera -ous *Ent.*
ptila *Ent. Pal.*
sternal -ii *Ornith.*
teuthis *Pal.*
tropism *Bot.*
xenus *Ent.*
Parahomalonotus *Pal.*
ὁμαλός even
Agonomalus *Ich.*
geomalism -ic -y *Biol.*
Homala -isus *Ent.*
Homalium *Bot. Zool.*
Homalobus *Bot.*
Homalodontotheriidae
homalodothere *Mam.*
-ian -iid(ae -ium
homaloid(al *Math.*
Homalopsis *Helm.*
-id(ae -oid
Pteromalus *Ent.*
-id(ae -oid
Rhinomalus *Ent.*
Sauromalus *Zool.*
Stenomalus *Ent.*
ὁμαλότης evenness
Homalota *Ent.*
ὁμάς (-άδος) the whole
homate *Geol.*
ὀμβρο- Comb. of ὄμβρος
ombro-
cleistogamy *Bot.*
graph(ic
logy -ical
meter metric(al
phil(e -ic -ous -y
phobe -ic -ous -y
phobia *Med.*
phore *Med. App.*
phyte -ic *Bot.*
saga *Ent.*
scope
palaeombrology *Geol.*
ὄμβρος rainstorm, shower
isotherombrose *Meteor.*
ombrifuge
-ο-μετρον See μέτρον
-ometer
ὁμῆλιξ of the same age
Homelix *Ent.*
Ὁμήρειος (Herod.)
Homerian
Ὁμηρίδης (Strabo)
Homerid(ae ian
Ὁμηρικός (Plato)
Homeric
al(ly an
post-Homeric
Ὁμηριστής (Ath.)
Homerist
Ὁμηρο- Comb. of Ὅμηρος
Homerology -ist
Ὁμηρομάστιξ scourge of Homer
Homeromastix
ὀμίκρον the letter o
omicron
ὁμιλεῖν to consort with
homilite *Min.*
ὁμιλητής a disciple
homilete
ὁμιλητική art of conversing
homiletics
ὁμιλητικός affable
homiletic(al(ly
ὁμιλία (Clem. A.)
homilary -ium *Eccl.*
homilist(ical
homily -ize

ὁμίχλη gloom
homichlin *Min.*
ὄμμα the eye
Actinomma *Radiol.*
Dialommus *Ich.*
Eommadon *Pal.*
Galeomma *Conch.*
-atidae -id(ae -oid
Haliomma -atidae *Zool.*
Hebomma *Zooph.*
Hydractomma *Zooph.*
Loxomma *Pal.*
Monomma *Ent.*
-id(ae -oid
Omma *Ent.*
-omma *Ent.*
Coni Dich Mon Neoerythr Nerth Ophio Plat Psil Tessar Trot Xen Zyx
Ommastrephes *Conch.*
-id(ae -oid
rhinommectomy *Surg.*
Stelmatopoda *Helm.*
Stephomma *Echin.*
ὀμματ- Stem. of ὄμμα
Disommatus *Ent.*
Leptommatus *Ent.*
Lipommata *Ent.*
Lygrommatoides *Arach.*
omatidium *Arthrop.*
Ommata *Ent.*
ommatidium -ial *Zool.*
Stylommata -ous *Conch.*
Tetraommatus *Ent.*
ὀμμάτιον Dim. of ὄμμα
ommateum -eal *Crust.*
ὀμματο- Comb. of ὄμμα
Anommatoptera *Ent.*
Basommatophora -ous
ommato-
menus *Ent.*
phore -ous *Mol.*
Stylommatophora -ous
ὀμματολαμπής (Synes.)
Ommatolampus *Ent.*
ὁμο- Comb. of ὁμός
Anchomomys *Pal.*
exhomotropy -ic *Bot.*
hemihomothallism *Bot.*
heterohomotype *Bot.*
homo-
anisaldehyde *Chem.*
anisic *Org. Chem.*
anthranilic *Org. Chem.*
anthroxanic *Org. Chem.*
apocamphoric *Chem.*
asparagine *Org. Chem.*
baric
berberine betaine
biophorid *Biol.*
bium *Bot.*
blasteae *Bot.*
blasty -ic *Biol.*
branchia -iate *Crust.*
bront *Meteor.*
camphor *Org. Chem.*
-ane -ene -enilone -enylic -enol -(ol)ic
caronic *Org. Chem.*
carpous *Bot.*
caryosis *Bot.*
caryotic *Bot.*
catechol *Org. Chem.*
categoric
cedrenol *Org. Chem.*
centric(al(ly
cephalic *Bot.*
cerc(y -al(ity *Ich.*
cerebrin *Biochem.*
chaulmoogric *Chem.*
cheiroline *Org. Chem.*
chelae *Zool.*
chelidonin *Chem.*
chiral(ly
chlamydeous *Bot.*

homo- Cont'd
cholane & -ine *Chem.*
chroma -eae -ous -y
chromatic -ism *Bot.*
chromoisomerism
chromosome
chronic -ous *Biol.*
cincholoipon *Chem.*
cinchonin -icin -idin(e
cladic *Med.*
clinic -ous *Bot.*
cocain *Mat. Med.*
coela -ous *Spong.*
conessine *Org. Chem.*
coniine *Org. Chem.*
coralyn -ydine *Chem.*
creosol *Chem.*
crinidae *Pal.*
cumic *Org. Chem.*
cyclic *Chem.*
derma -atous -idae
dermy -ic *Biol.*
desmic *Bot.*
desmotic *Neurol.*
dichogamy *Bot.*
dynamy -ic -ous *Biol.*
dyne *Radio*
eledonine *Org. Chem.*
eriodictyol *Org. Chem.*
erotic -(ic)ism *Psych.*
esdragol *Org. Chem.*
euonysterin -ol *Chem.*
fenchene *Org. Chem.*
fenchonic *Org. Chem.*
fenchyl *Org. Chem.*
flemingin *Mat. Med.*
focal *Math.*
galax *Pal.*
gallic *Org. Chem.*
gametic *Genetics*
gamy -ous *Biol.*
gangliate -a *Biol. Zool.*
gen *Biol. Bot. Ethnol.*
genesis genetic(al *Biol.*
genic -y *Bot.*
gentis(in)ic *Biochem.*
glandular *Med.*
glenus *Ent.*
gomph *Zool.*
gone -y -ous(ly *Biol.*
graphy -ic *Geom.*
gyrous *Org. Chem.*
hedral *Crystal.*
heliotropin *Org. Chem.*
hemotherapy *Ther.*
heterostyly *Bot.*
histioblast *Biol.*
hordenine *Org. Chem.*
hydnocarpic *Chem.*
isochemite *Min.*
karyotic *Bot.*
kinesis *Bot.*
lateral
lecithal *Biol.*
levulinic *Org. Chem.*
lichas *Pal.*
licheni *Lichens*
limonenol *Org. Chem.*
linalool *Org. Chem.*
lytic *Bot.*
mal(l)ous *Bot.*
martonite *Chem.*
menthene & -one
meral
meric -y *Bot.*
meristic *Bot.*
meroquinene *Chem.*
merous -icus *Bot.*
mesitone & -yl *Chem.*
metrical(ly *Pros.*
morph
morpha -ic -ous *Biol.*
morphism *Biol. Bot. Ent. Zooph.*
morpholine *Org. Chem.*
morphosis *Biol.*

homo- Cont'd
morphy *Biol. Bot.*
muscarine *Org. Chem.*
myristicyl *Org. Chem.*
naphthalic *Org. Chem.*
narceine *Org. Chem.*
nataloin *Org. Chem.*
nemeae -eous *Bot.*
neural *Anat.*
nicotinic *Org. Chem.*
nucleal(ly *Org. Chem.*
parthenogenesis
periodic
petalous *Bot.*
phene -ous
phenetole *Org. Chem.*
phorone *Org. Chem.*
naphthal- *Org. Chem.*
-ic -ide -imide
phyadic *Bot.*
phyletic
phytic *Bot.*
pilopic *Org. Chem.*
pinene -(en)ol *Chem.*
pinocamphoric *Chem.*
piperonal -yl(ic *Chem.*
plasia *or* -y *Biol.*
plasmy -ic *Biol. Bot.*
plast(ic -id(e *Biol.*
plasty -ic *Biol. Surg.*
polar(ity *Phys. Chem.*
polar -ic *Morph.*
proral
protein *Biochem.*
proteoid *Bot.*
Homopsomys *Pal.*
pyrocatechol *Chem.*
pyrrol(e *Org. Chem.*
quinine *Org. Chem.*
raphidae *Spong.*
renon *Mat. Med.*
rhabdic
rosanilin *Chem.*
salicylic *Org. Chem.*
saligenin *Org. Chem.*
seismal -ic
sexual(ity
sporangium -ic *Bot.*
spores -ic -ous -y *Bot.*
static *Bot.*
staura -al *Morph.*
stimulant -ation *Med.*
stylia *or* -y *Bot.*
-ed -ic -ism -ous
systemic
tactic *Bot.*
taraxasterol *Org. Chem.*
-eous -ial(ly -ic
tatic *Mech.*
taxia *or* -y *Geol.*
-eous -ial(ly -ic
taxis *Geol.*
telus *Arach. Pal.*
tenous *Ent.*
terpene -ylic *Chem.*
terpineol -ene *Chem.*
thalamus -eae *Bot.*
thallic -ism *Bot.*
thallium *Bot.*
therapy *Ther.*
therm(al -ic -ous *Biol.*
thes *Ent.*
thety -ic *Geom.*
thujyl *Org. Chem.*
topy -ic
transplant(ation *Surg.*
tropine *Org. Chem.*
tropism *Cytol.*
tropy -al -ic -ous *Bot.*
type -al -ic(al -osis -y
tyrosol *Org. Chem.*
vanillic -in *Org. Chem.*
veratric -ole -yl *Chem.*
zygosis *Bot.*
zygote -ic *Biol.*
zygous *Biol.*

isohomovanillin *Chem.*
Stegomosuchus -idae *Pal.*
ὁμογένεια (Strabo)
homogeny *Biol.*
-ic -ist -ous
ὁμογενής of the same kind
homogene
-eal(ness -ean -eate -eity -eous(ly -eousness -eum
Homogenei *Bot.*
homogenize(r -ation
inhomogeneous -eity
ὁμόγλωττος (Herodotus)
homoglot
ὁμόγραφος
homograph(ic *Philol.*
homographic *Gram.*
homography *Orthog.*
ὁμόδημος of the same race
homodemic *Biol.*
ὁμόδοξος (Lucian)
homodox(ian *Obs.*
ὁμόδρομος on the same course
homodrome *Bot.*
-al -ic -ous -y
homodromous *Mech.*
ὁμοιο- Comb. of ὅμοιος
homeo-
cyte *Cytol.*
kinesis *Embryol.*
morphous *Morph.*
osteoplasty *Surg.*
phony
plasia -y *Histol.*
plastic *Biol. Path.*
praxis *Biol.*
therapy *Ther.*
transplant(ation *Surg.*
homoeo-
andry -ous *Bot.*
archy *Rhet.*
cephalic
chromatism
chronous *Biol.*
crystalline
dipnis *Ent.*
gamy *Bot.*
genesis
kinesis *Embryol.*
lichenes *Lichens*
myarii *Ornith.*
phony
phyllous *Bot.*
plasia *or* -y *Histol.*
plastic *Biol. Path.*
podal *Neurol.*
prophoron *Rhet.*
pteryx *Ent.*
ptotus *Pal.*
rhynchia *Pal.*
saurus *Pal.*
-ia(n -id(ae -oid
therm(ism -al -ic *Biol.*
topy *Rhet.*
type -ic(al *Embryol.*
zoic *Geol.*
homoio-
gamy -ous *Bot.*
plasia *Physiol.*
therms *Bot.*
zoic *Biol.*
ὁμοιοειδής of like form
hom(o)eoid(al(ity *Math.*
ὁμοιομέρεια (Lucret.)
homoeomery -ia *Phil.*
-ian(ism -ic(al -(i)ous
ὁμοιομερής of like parts
homoeomeral *Music*
Homoeomeri *Ornith.*
homoeomeric

homoe(*or* oi)omerous
ὁμοιόμορφος of like form
homoeomorph *Crystal.*
-ic -ism -ous
homoeomorphy -ous *Bot.*
ὁμοιοπάθεια sympathy
hom(o)eopathy *Med.*
-ic(al(ly -icity -ist
ὁμοιοπαθής sympathetic
hom(o)eopath *Med.*
ὁμοιόπτωτον with a similar inflexion
homoeoptoton *Rhet.*
ὅμοιος similar; agreeing
Amphomoea *Conch.*
homoeodont *Biol.*
homoian *Eccl. Hist.*
Homoianthodes *Pal.*
Ipomoea *Bot.*
ipom(oe)ic -ein *Chem.*
Oncomoea *Ent.*
ὁμοιόσημος of like sense
homoeosemant *Rhet.*
ὁμοιοτέλευτον (Arist.)
homoeoteleuton -ic *Rhet.*
ὁμοιούσιος of like essence
homoiousious -ia(n *Theol.*
ὁμοίωσις likeness
homoeosis *Biol.*
ὁμοιωτικός (Sext. Emp.)
homoeotic *Biol.*
ὁμολογεῖν to agree
homologate -ation
ὁμολογία agreement
homology
-ic(al(ly -ist -ize(r
parhomology *Biol.*
-ical
ὁμόλογον Neut. of **ὁμόλογος**
homologue -on
ὁμόλογος agreeing
homologous -al
ὁμολογούμενα acknowledged
homologumena *Eccl.*
ὁμόνοια unanimity
Brachyhomonoea *Ent.*
homonoia
ὁμοούσιον Neut. of **ὁμοούσιος**
homoousion -ia -ie *Theol.*
ὁμ(ο)ούσιος consubstantial
hom(o)ousian *Eccl. Hist.*
ism ist -ious
ὁμοουσιαστής (Basil)
hom(o)ousiast *Eccl. Hist.*
ὁμόνομος under the same laws
homonomous -y *Biol.*
ὁμοπάθεια sympathy
homopathy
ὁμοπλεκής interlaced
omoplephytum *Bot.*
ὁμόπτερος of like plumage
homopter(us *Ent.*
a(n on ous
homopterocarpin *Chem.*
ὅμορος bordering on
Homorocerus *Ent.*
Scomberomorus *Ich.*
-inae -in(e *Ich.*
ὁμός one and the same. See **ὁμ-, ὁμο-**
hometerostyly *Bot.*
Hypohomus *Ich.*
omal *Math.*
schorlomite *Min.*
sphenomite *Min.*
Stegomus *Pal.*

ὁμότιμος equally valued
homotimous *Obs.*
ὁμότονος of the same tension, tone, or accent
homotonic
homotonous(ly *Music*
homotonus -y *Med.*
ὁμόφοιτος going by the side of
Homophoeta *Ent.*
ὁμόφρων agreeing
Homophron *Ent.*
ὁμοφυλία sameness of race
homophyly -ic *Biol.*
ὁμόφυλος of the same race
Homophyla *Ent.*
ὁμοφωνία unison
homophony *Music*
-ic -ous
ὁμόφωνος in unison
homophone *Music Philol.*
-ic -ous
ὀμφάκινος (Hipp.)
omphacine
ὀμφακόμελι (Diosc.)
omphacomel
ὀμφαλικός
omphalic
paraomphalic *Anat.*
periomphalic *Anat.*
ὀμφαλο- Comb. of **ὀμφαλός**
omphalo-
angiopagus *Obstet.*
cele *Path.*
chorion *Embryol.*
mancy
mesaraic *Embryol.*
mesenteric *Embryol.*
pagus *Terat.*
phlebitis *Path.*
phyma *Path.*
psychi -os -ic -ist -ite
ptyx *Malac.*
rhexis *Path.*
rrhagia *Path.*
rrhea *Med.*
sagda *Malac.*
saurus *Pal.*
site *Terat.*
skepsis
soter *Surg.* -or *Obstet.*
spinous *Anat.*
tripsy *Obstet.*
-omphalocele *Path.*
enterepipl epipl(osarc) h(a)emat par por sarcoepipl
paromphalocelic
ὀμφαλοειδής like a navel
omphaloid *Bot.*
ὀμφαλός the navel
anomphalous *Terat.*
euomphaloid
Mesomphalia *Ent.*
Mesomphalus *Pal.*
Omphalaria *Lichens*
-ieae -iei -ieine
Omphalea *Ent.*
omphal-
ectomy *Surg.*
elcosis *Path.*
ism *Pol.*
oma *Tumors*
oncus *Path.*
opter optic
omphalos *Anat. Archaeol.*
-omphalos *Med.*
cirs enter hepat
omphalus *Anat.*
-omphalus *Med. Terat.*
acr cirs ens enter eu eus lipar mon ur varic

Omphyma *Zooph.*
ὀμφαλοτομία (Arist.)
omphalotomy *Surg.*
ὀμφαλώδης = **ὀμφαλοειδής**
omphalode -ium *Anat.*
omphalode(s *Bot.*
-ic -ium
ὄμφαξ (-ακος) an unripe grape
omphac(*or* z)ite *Min.*
ὁμωνυμία (Arist.)
homonymy
ὁμώνυμον (Arist.)
homonym(al
ὁμώνυμος of the same name
homonymic(al
homonymous(ly
pseudohomonymic *Biol.*
-ον Neut. noun suffix
argon magneton
photon proton radon
ὀνάγρα (Diosc.)
Onagra *Bot.* ous
aceae aceous -ad -are-
ὄναγρος the wild ass; a catapult
onager *Mam. Mil.*
ὀνειρο- Comb. of **ὄνειρος**
oneiro-
logy -ist
mancy
scopy -ist
ὀνειροκρισία
oneirocrisy
ὀνειροκρίτης (Theocr.)
oneirocrit(e
ὀνειροκριτική (Theod.)
oneirocritics
ὀνειροκριτικός (Plutarch)
oneirocritic
al(ly ism
ὀνειρόμαντις (Aesch.)
oneiromancer
oneiromantist
ὀνειροπόλος a dreamer
oneiropolist
ὀνειροπομπός sending dreams
oneiropompist
ὄνειρος a dream
mononeirist
on(e)iric *Med.*
on(e)irism *Med.*
oneirodynia *Med.*
paroniria *Med.*
ὀνειρώδης dreamlike
Oneirodes *Ich.*
ὄνθος animal dung
Onthophagus *Ent.*
Onthophilus *Ent.*
Philonthus -idae *Ent.*
Xeronthobius *Ent.*
ὀνίσκος Dim. of **ὄνος**; a sea fish; an insect
Archaeoniscidae *Pal.*
Camponiscus *Ent.*
Cryptoniscus -idae *Ent.*
Cypроniscus -idae *Crust.*
Entoniscus -idae *Crust.*
Haloniscus *Crust.*
onisciform(es *Ent.*
oniscomorph(a -ous *Ent.*
Oniscus -i *Crust.*
-id(ae -oid(ea(n
Palaeoniscus *Ich.*
-id(ae -oid
Prosoponiscus *Crust.*
Pseudoniscus *Ich.*
-id(ae -oid
Psiloniscus *Ent.*
ὀνῖτις = **ὀρίγανον**
Onitis *Ent.*

ὀνο- Comb. of **ὄνος**
cephalonomancy
ono-
clea *Bot.*
gryph *Archaeol.*
hippidium *Pal.*
latry *Phil.*
logy
sterrhus *Ent.*
ὀνοβρυχίς (Diosc.)
Onobrychis *Bot.*
ὀνοκένταυρος a tailless ape
onocentaur *Rom. Ant.*
ὀνοκρόταλος the pelican
onocrotal
ὄνομα a name
anomia *Ps. Path.*
graphonym *Bot. Zool.*
mononomy
myonomy
nomancy
nosonomy *Med.*
odontonomy *Dent.*
onoma-
mancy mantic(al
mania
techny
onomomancy
onomously
paronomia *Ps. Path.*
polyonomy -ous
psychonomy
tecnonomy -ous
telonism
ὀνομασία a naming
autonomasy
ὀνομαστικόν vocabulary
onomasticon
ὀνομαστικός of naming
onomastic(al
ὀνοματ- Stem of **ὄνομα**
metonomatosis
onomatous
ὀνοματικός (Dion. H.)
iconomatic
ally ism
synonymatic
ὀνοματο-Comb of **ὄνομα**
iconomatography
onomato-
mancy
mania *Path.*
phobia *Psych.*
plasm *Phil. Rhet.*
patronomatology
ὀνοματολόγος (Ath.)
onomatology -ist
ὀνοματοποίησις (Suidas)
onomatopo(i)esis
onomatopoetic(ally
ὀνοματοποιία (Quintil.)
onomatop(e -y
-oeia -al -an
ὀνοματοποιός (Ath.)
onomatopoeic(al(ly
ὀνόπορδον a cotton thistle
onopordon
ὄνος an ass; a beaker
onos *Gr. Vases*
ὄνοσμα (Diosc.)
onosma -odium *Bot.*
ὀντ- Stem of **ὤν**
agamont *Biol.*
cephalont *Zool.*
gamont *Biol.*
gonotokont *Cytol.*
mannoplanktonts *Bot.*
meront *Prot.*
monont *Cytol.*
ontal *Psych.*
phagont *Bot.*
planktont *Bot.*
planont *Bot.*

pleiontism *Biol.*
sporont *Bot. Prot.*
ὄντα things that are; reality
antiontological
archaeontology -ical
biontogene *Geol.*
biontology
Caumontisphinctes *Pal.*
dysontogenesis *Med.*
epiontology -ic *Bot.*
hyperontomorph
ichthyopaleontology
Jordanon *Bot.*
Linneon *Bot.*
mesoontomorph *Anthrop.*
neontology *Zool.*
-ical -ist
onto-
cycle -ic -on *Biol.*
genal -ic(ally *Biol.*
genesis *Biol.*
genetic(al(ly
geny -ist *Biol.*
gony *Biol.*
graphy -ic
idic
logy -ic(al(ly *Phil.*
-ism -ist -ize
nomy *Psych.*
phyletic *Psych.*
plastoids *Bot.*
sophy *Phil.*
trophy
ornithopaleontologist
pal(a)eoonto-
graphy -ic(al
logy -ic(al(ly -ist
phytopal(a)eontology
-ical -ist
protonta *Bot.*
zoopalaeontology
ὄνυμα Aeolic for **ὄνομα**
allonym *Lit.*
ananym *Lit.*
antonym *Philol.*
autonym *Ethnol. Philol.*
caconym(ic
chironym
cryptonym
demonymic
ec(h)thronym
filionymic
hagionym
heteronym
hyponym *Bot.*
idionym *Anat.*
Lethonymus *Ent.*
metanym *Bot.*
metonym *Rhet.*
mononym(ic *Zool.*
mononymize -ation *Med.*
neuronym *Med.*
-onym **-ωνυμον** as in **συνώνυμον** (Arist.)
onym(a *Zool.*
al(ly atic ity ize(r ous
organonym *Biol.*
al ic(al
pedonymic
phytonymia *Bot.*
poicilonym(ic
polynym *Lit.*
protonym
scenonym
sideronym
stigmonym
tautonym *Bot.*
tetronymal
titlonym
toponym *Anat. Biol.*
al ic(al ist
typonym(al ic *Biol.*
ὄνυξ claw, nail, hoof;
Amblonyx *Pal.* onyx

acronyx *Path.*
Anonyx *Crust. Mam.*
carnelionyx *Gems*
chalcedonyx *Min.*
Coleonyx *Herp.*
Corydonyx *Ornith.*
Cryptonyx(ae *Ornith.*
-oncychinae
Cyrtonyx *Ornith.*
Dicrostonyx *Zool.*
Dolichonyx *Ornith.*
Esthonyx -ycidae *Zool.*
Gryponyx *Pal.*
Hipparionux *Conch.*
Hipponyx *Conch.*
-ychid(ae -ychoid
Megalonyx *Pal.*
-ychid(ae -ychoid
Mesonyx *Mam.*
-ychid(ae -ychoid
onimancy
onuphin *Biochem.*
onycle
Onygena -aceae *Fungi*
onygophagist
onyx *Conch. Min. Path.*
-onyx *Ent.*
Anomal Elass Eumicr Exall Glaphyr Macr Mon Ors Pachy Paraheter Psil Smicr Trich Tytth Zeug
onyxis -itis *Path.*
Orthonyx *Ornith.*
-yc(h)id(ae -ycinae -ycoid
perionyx *Embryol.*
perionyxis *Path.*
Pseudocrangonyx *Crust.*
Pseudotrionyx *Herp.*
-ychid(ae -ychoid
Temnotrionyx *Pal.*
Tribonyx *Ornith.*
Trionyx *Herp.*
-ychid(ae -ychoid(ea(n

ὀνυχ- Stem of ὄνυξ
Acronyches *Ent.*
acronychious *Bot.*
Ambonychia -iidae
hapalonychia *Path.*
hyponychon *or* -um *Path.*
lateronychal
Macronyches *Ornith.*
megalonychosis *Med.*
mononychous
occipitonychal *Ich.*
Oedionychis *Ent.*
onych-
aster *Pal.*
atrophia *or* -y *Path.*
auxis *Path.*
ia & itis *Path.*
ii -ian *Conch.*
odus -ontid(ae -ontoid
oma *Tumors*
osis *Path.*
-onycha *Ent.*
Dichel Didym Hapl Nast Plect Schiz Syn
-onychia *Med. Terat.*
an hyper koil leuc macr melan peri poly scler
-onychus *Ent.*
Gyp Hapal Man Schid Tripl Xen Xyl
Orthonychia *Mol. Pal.*
Pauronychella *Ent.*
sternonuchal *Anat.*
Tetranychus *Arach.*
-id(ae -inae -ine
Tetraonychus -idae
Tetronychia *Crust.*

ὄνυχα Acc. of ὄνυξ
onycha *Conch.*

ὀνύχινος of onyx
onychin

ὀνύχιον Dim. of ὄνυξ
ep(i)onychium *Embryol.*
hyponychium -ial *Anat.*
onychium *Ent.*
paronychium *Ent.*
perionychium *Anat.*
pseudonychium *Ent.*
rhizonychium -ial *Anat.*

ὀνυχίτης (Diosc.)
onychite(s *Petrog.*

ὀνυχο- Comb. of ὄνυξ
onycho-
cepon *Crust.*
clasis
crinidae *Pal.*
cryptosis *Med.*
ctenus *Ent.*
glenea *Ent.*
gram *Med. App.*
graph
gryp(h)osis *Med.*
lips *Ent.*
lysis *Path.*
malacia *Med.*
mancy
myc(*or* k)osis *Path.*
myia *Ent.*
nosis -us *Path.*
pathology *Path.*
pathy -ic *Path.*
phage -ia -ist -y
phora(n -i -ous *Ent.*
phosis *Med.*
phyma *Med.*
pterus *Pal.*
pterygia *Ent.*
ptosis *Path.*
rrhexis *Path.*
teuthis -id(ae -oid
trophy *Med.*

ὀνυχοειδής (Diosc.)
onychoid

ὄνωνις (Theophr.)
ono- *Org. Chem.*
cerin(e col ketone
onon- *Org. Chem.*
ial id in
Ononis *Bot.*

ὀξαλίς sour wine; sorrel
amidoxalyl *Org. Chem.*
antiglioxalase *Biochem.*
diglyoxaline *Chem.*
dioxalin *Org. Chem.*
dioxalo- *Org. Chem.*
ethoxalyl *Org. Chem.*
glycoxal- *Chem.*
-ase idine in(e one
glyoxime *Org. Chem.*
glyoxyl(amide *Chem.*
methylglyoxal(id)in
oxal-
acetic *Chem.*
(a)emia *Path.*
alan(tin(e *Chem.*
amide *Chem.*
ate -ic *Chem.*
ato- *Chem.*
dehyde *Chem.*
ene *Org. Chem.*
ethylin(e *Chem.*
hydric -ate *Chem.*
ic -in(e *Chem.*
-iferous
ism *Tox.*
ite *Min.*
methylin(e *Chem.*
uramid(e *Chem.*
uria *Path.*
uric -ate *Chem.*
yl(e *Chem.*
-oxalate *Chem.*
bin des mon quadr silioc tartr tetr ureo
-oxalic *Chem.*
chromio cobalti des diisopropyl ferri glyc molybdo ortho silico- (mes)
oxalileucite *Bot.*
Oxalis *Bot.*
-id(ac)eae -idaceous
oxalo- *Chem.*
nitrate & -ile
vinate & -ic
oxam- *Chem.*
ate ic ide (id)in(e o- yl
oxamethane *Chem.*
oxamethylane *Chem.*
oxanil- *Chem.*
ic ate id(e ine inic
amid(e *Chem.*
oxanthracene *Chem.*
oxonic -ate *Chem.*
quinoxalin(e *Org. Chem.*
-quinoxaline
aceanthra (ace)naphtho benzo
uroxameter *Phys. Chem.*
xanthoxalanil *Chem.*

ὀξέα Ionic fem. of ὀξύς
microxea *Spong.*
oxea -eate *Spong.*
strongyloxea -eate *Spong.*
tylotoxea -eate *Spong.*

ὀξέλαιον (Xenocr.)
oxoleon -eum

ὄξος vinegar
Oxobolus *Arach.*
Oxoplecia *Pal.*

ὀξυ- Comb. of ὀξύς
acyloxy- *Org. Chem.*
alkoxy- *Org. Chem.*
alloxy- *Chem.*
proteic
amoxy- *Org. Chem.*
biotic *Biochem.*
(ha)emia *Path.*
anthropoxycholic *Chem.*
antioxygen(ic *Chem.*
antoxycatalysis *Chem.*
azoxy- *Org. Chem.*
benzene
phenetole
baroxyton *Music*
carbethoxy *Org. Chem.*
carbo- *Org. Chem.*
butoxy methoxy propoxy
carb(o)iso- *Org. Chem.*
butoxy propoxy
carboxy-
globinemia *Tox.*
hemoglobin *Biochem.*
chenodesoxy- *Biochem.*
bilianic cholic
chromoxyproteic
cresoxy- *Org. Chem.*
decarboxy- *Org. Chem.*
dehydroxy- *Org. Chem.*
deoxy- *Chem.*
choleic genate genize gen(iz)ation
desoxy- *Chem.* (a few)
alizarin allocaffuric andrographolide anisin bezoin bili(ob)anic cantharidin carminic chol(al)ic cinchotine codeine codomethine flavopurpurin glycyrrhetin hematoporphyrin hydrangenolic hydrocatechol humulinic lithofellenic mesityloxide morphine (para)-xanthine strychnine thebacodine theophylline toluoin dichoxytriaene *Spong.*
dihydroxy- *Chem.*
acetone acid phthalophenone stearic succinic tartaric
dioxy- *Org. Chem.*
acetone anthol anthracene benzol diquinoyl gen genate genation naphthalene tartaric toluene
dopa *Biochem.*
endoxy- *Org. Chem.*
epoxy- *Org. Chem.*
ethoxy- *Chem.*
-caffein(e
Eu(*or* v)oxymetopon *Ich.*
gallodesoxycholic
hemioxy- *Chem.*
hexahydroxybenzene
hydrooxygen *Chem.*
hydroxy-
Chem.: acetic acetin(e acid ammonia aromatic dimethylopyrone malonic pentacosanic stearic sulphid succinic
Med.: acetone aminopropionic caffein cholin codein
Min.: apatite
hydroxyazo- *Chem.*
benzene carbamid(e comenic
hyodesoxybilianic
hyodesoxycholic
hyoglycodesoxycholic
hyperoxygenate(d -ation
hyperoxygenize
hyperoxymuriate -ic
iodoxybenzene
isagoxy- *Org. Chem.*
megoxycyte
megoxyphil *Cytol.*
metaoxybenzoic *Chem.*
methoxy-
caffein *Mat. Med.*
microxy- *Cytol.*
cyte phil
monoxy-
nitratoxygen *Chem.*
nitroxy- *Chem.*
orthodichoxytriaene
orthotrichoxytriaene
orthoxytriaene *Spong.*
oxy-
acetic -ate -one
acetophenone
acetylene
acid
aco(i)a *Otol.*
acrylic
adipic
aena -idae *Pal.*
aesthesia *Path. Physiol.*
alcohol
aldehyde
alkyl
amine *Org. Chem.*
ammonia
amygdalic
angelic
anthracene
anthranol
anthraquinone
apatite *Min.*
aphia *Path. Physiol.*
aromatic
bromochloride
aster *Spong.*
azelaic
azin(e azo-
azole
belus *Ent.*
benz-
aldehyde ene oic yl
oxy- Cont'd
benzophenone
berberine *Org. Chem.*
biazole *Org. Chem.*
blepsia *Physiol.*
bromic -ide
bromochloride
burserasin *Mat. Med.*
butyria -ic *Med.*
caffeine
calcium
caltrop
calumma *Ent.*
camphor(ic
cannabin
caproic
cara *Ent.*
carbanil
carbonate
carburetted
carpous *Bot.*
cellulose
chinolin *Med.*
chloric
-ate -id(e -in -uret
chloro-
cholesterin -ol *Chem.*
cholin(e *Chem. Mat. Med. Tox.*
chromatic *Staining.*
chromatin *Cytol.*
chromic *Chem.*
cinesia *Med.*
cinnamic
cinnoline
citric
clad *Spong.*
clymenia *Pal.*
coalgas
cobaltamine
coccus *Bot.*
coleus *Ent.*
comenic
coniceine
conin(e
copaivic
corynus *Ent.*
cottus *Ich.*
coumarin
craspedote *Anthrop.*
croceum -ean *Med.*
crotonic
cuminic
cyanid(e
cycloid *Org. Chem.*
cymene
cynurine
dactyl(a *Batrach.*
dactylus *Pal.*
dendron -um *Bot.*
desis detic *Med.*
diact *Spong.*
diamine
diketone
dimorphine
disiline
drepanus *Ent.*
esthesia *Psych.*
ether ethyl
fatty
fluorid(e
fluoruret
formic
gadus *Ich.*
gar *Mat. Med.*
gas
gen
ant ase ate ation ator (e)ity ic(ity oid ous
geneum *Ich.*
geniferous
genium *Chem.*
genize(r -able -ment
genophore *Mech.*
genotaxis

oxy- Cont'd
genotropism
geo- *Ecol.*
philus phyt(i)a
geusia *Physiol.*
glossus *Ent. Herp. Ornith.*
glutaric
gnathous *Conch.*
gyrous *Bot.*
gyrus *Mol.*
h(a)ema(*or* o) cyanin
h(a)ematin *Biochem.*
h(a)emoglobin *Chem.*
haena -idae *Mam. Pal.*
haloid -id(e *Chem.*
hematoporphyrin
heptoic hexoic *Chem.*
hexact *Spong.*
hexaster
hippuric
hydric -ate *Chem.*
hydrocarbon
hydrocephalus *Terat.*
hydrogen
hydroquinone
iode -ic -ide -ine *Chem.*
isocamphor
juglone *Chem.*
julis *Och.*
kertschenite *Min.*
ketone
klinocephalic *Anthrop.*
krinin *Chem.*
labis *Ent.*
labrax -acidae *Zool.*
lactone
laemus *Ent.*
lalia *Med.*
lebius -iinae *Ich.*
lepidine *Chem.*
leucotin *Chem.*
limoleic *Chem.*
luciferin *Chem.*
luminescent -ence
lutidine *Chem.*
mal(on)ic *Chem.*
mandel(ic *Chem.*
mesitylene *Chem.*
meter metric *Chem.*
methylene *Chem.*
morphine
muriate(d -ic *Chem.*
myohematin *Pigments*
myristic
naphthoic *Chem.*
narcotin(e *Chem.*
neurin(e *Chem.*
nicotine *Chem.*
nitric -ate *Chem.*
nitrilase & -ese *Chem.*
nitrion
noticeras *Mol. Pal.*
octoic *Chem.*
odon *Pal.*
oleic *Chem.*
omus *Ent.*
on *Bot.*
opisthen *Ent.*
opter *Ophth.*
osis *Med.*
osphresia *Physiol.*
osteus *Pal.*
paraplastin *Cytol.*
pathia *Psych.*
pathy -ic *Tox.*
pentact *Spong.*
petalous *Bot.*
phenacetin *Mat. Med.*
phenic *Chem.*
-ine -ol -yl
phenylethylamin *Mat.*
phil(e -ic -ous *Cytol.*
phor *Mat. Med.*
phortica *Ent.*
phosphate *Org. Chem.*

oxy- Cont'd
phosphazo- *Org. Chem.*
phthalic *Chem.*
phyre *Petrog.*
phytes *Bot.*
picric
pinene *Mat. Med.*
plasm *Cytol.*
poda *Ent.*
podia *Terat.*
pogon *Ornith.*
pristis *Pal.*
prolin *Biochem.*
propionic *Chem.*
propylene *Mat. Med.*
prosopus *Ent.*
prote(ic *Chem.*
proteinic *Chem.*
protsulphonic *Chem.*
purine -ase *Biochem.*
pyridin(e *Chem.*
pyrone
pyrotartaric *Chem.*
pyruvic *Chem.*
quinaldine *Chem.*
quinaseptol *Chem.*
quinolin(e *Chem.*
rhamphus -id(ae -oid
salicilic salt *Chem.*
santonin *Biochem.*
sepsin *Bact.*
sere *Bot.*
spartein(e *Mat. Med.*
spirit
spore *Bact.*
stearic *Chem.*
stilbene
stome -ata -atous
strongyle -us -ous
strychnin(e *Chem.*
styloptera *Ent.*
suberic *Chem.*
succinic *Chem.*
sulph- *Chem.*
ate id(e ion uret uric
terephthalic *Chem.*
tetract *Spong.*
teuthis -idae *Pal.*
thyrea *Ent.*
toluene toluic *Chem.*
tonocera *Ent.*
toxin *Tox.*
triaene *Spong.*
triod
trope -is *Bot.*
tropidoceras *Pal.*
tropism *Cytol.*
tylote -ate *Spong.*
ura *Ornith.*
urea *Path.*
uriasis *Path.*
uris -ic *Helm.*
-icide -ifuge
urous *Anat.*
uropoda *Pal.*
us *Spong.*
uvitic
valeric
vaselin *Ointments*
xylene
zygonectes *Ich.*
zymol *Mat. Med.*
parahydroxy-
phenylethylamin
paraiodoxy-
anisol *Mat. Med.*
parogen *Chem. Med.*
perhydroxy- *Chem.*
peroxy- *Chem.*
chloride diastase gen nitrate silicate sulfate
phenoxy- *Chem.*
caffein proprandiol
philoxygenous
phosoxygen(ate

polyoxymethylene
propoxy *Org. Chem.*
reoxygenate & -ize
semioxygenated
siloxyan *Trade*
sulphatoxygen
superoxygenated -ation
tetroxy-
thioxy-
diphenylamin
thymoxy- *Org. Chem.*
thyroxyindol *Mat. Med.*
toloxy- *Org. Chem.*
trihydroxy *Chem.*
trioxy- *Org. Chem.*
anthracene anthraquinone benzophenon methylene purin
trisazoxy- *Org. Chem.*
unoxygenated
ὀξυάκανθος (Diosc.)
Oxyacantha -ous *Bot.*
oxy(a)canthin *Tox.*
oxyacanthin(e *Chem.*
ὀξύβαφον a saucer
oxybaphon *Gr. Ant.*
Oxybaphus *Bot.*
ὀξύγαλα sour milk
oxygal
ὀξυγώνιος (Arist.)
oxygon *Geom.*
al ial ous
ὀξυδερκής sharp-sighted
Oxyderces *Ent.*
ὀξυδερκικός
oxydercical
ὀξυδορκικός = ὀξυδερκικός
oxydorcical
ὀξυηκόια acute hearing
oxyecoia *Otol.*
ὀξύκεδρος (Theophr.)
oxycedar *Plants*
ὀξυκέφαλος (Schol. Ar.)
oxycephalia *Terat.*
oxycephalic *or* -ous
Oxycephalus *Crust.*
-id(ae -oid
oxycephaly *Anthrop.*
ὀξύκρατον (Diosc.)
oxycrate *Med.*
ὀξύμελι (Hipp.)
oxymel *Pharm.*
ὀξύμωρον Fr. μωράς
oxymoron *Rhet.*
ὀξύνειν to sharpen
gastroxynsis *Med.*
Oxynoe *Conch.*
-oid(ae -ooid
Oxynoptilus *Ent.*
oxyntic -in *Cytol. Chem.*
ὀξυπόρος of pointed mouth
Oxyporus *Ent.*
ὀξύπους swift-footed
Oxypomyrmex *Ent.*
ὀξύπυκνος Fr. πυκνόν
oxypycnos -us *Music*
ὀξύρριν with sharp nose
oxy(r)rhine -ous *Zool.*
ὀξυρρόδινον (Ath.)
oxyrrhodin(e *Med.*
oxyrrhod(on
ὀξύρυγχος sharp-snouted
oxyrhynch(a *Crust.*
-id(ae -oid
oxyrhynch(ous
oxyrhynch(us *Ich.*
Oxyrhynchus *Ent. Herp.*
Oxyrhynchus -idae
ὀξύς sharp, acid; swift
Chem. unless noted
acenaphthoxdiazole
acetaldoxime

acet(o)hydroxamic
acetoperoxide
acetoxan(e *Pharm.*
acetoxim(e
adrenoxin -idase
alcoxylate
aldoxime
alkoxide *or* -yd(e
alkoxyle
allantoxaidin
allantoxanic
allox- *Chem. Med.*
an(ate anic antin in ur(a)emia *Path.*
ur(an)ic
uria -ic *Med.*
aloxite *Abrasives* (*T.N.*)
amidoxim(e -yl
amphiox *Spong.*
Amphioxus *Ich.*
-ides -(id)id(ae -inae -oid
anaeroxidase
anox(a)emia -ic *Path.*
anoxoly(*or* u)in
anthrox-
anic azine azole
antioxid-
ant ase izer izing
argatoxyl
aroxyl
arsenoxid(e
asthenoxia *Med.*
autoxid- *Biochem. Cytol.*
able ation ator izable ize(r
azox-
azole im(e in(e onium
behenoxylic
benzdioxin(e -ol
benzobisoxazol(e
benzo-
dioxin(e -ole
hydroxamic
lacetylperoxide
peroxide
phenoxazine
pseudoxazole
benzox-
(di)azin(e- azone diazol(e selenol(e thiol(e
binoxid(e
camphoroxol *Prop. Rem.*
carbox-
amide id(e yl(ic ylase
carvoxime
celloxime
cerox-
ene enol one onium
chloral-
camphoroxim *Med.*
oxim(e
chloroxyl *Prop. Rem.*
coerox-
ene one onium
clinopyroxene
decarboxyl(iz)ation
deoxyd-
ate ation ator ize(r ization
desoxidize -(iz)ation
desoxin -indigo
deutoxi(*or* y)d(e
diazoxime
dibutylcarbonoxid
dibutylcarboxyl
dicarboxyl(ic
dihydroxyl(ene
diox-
an(e id(e in(e ol(e
dioxazin(e -ol(e
dioxime
dioxindol(e
dioxogen
disoxy(*or* i)d-
ate ation ative ize

disulfoxid(e
dysoxid-
able ation ative ize
endooxidase
enoxidase
(o)enoxidase
ethoxid(e
ethoxyl
formaldoxime
form(o)hydroxamic
furoxan
gallocarboxylic
gastroxia *Med.*
glonoin
glyox-
al iline ime imic yl(ase
Gnathoxys *Ent.*
hemioxide
hemoxometer *Med.*
heptoxid(e
hexoxide
homoanthroxanic
hydrazoxime
hydro(l)oxide
hydroperoxid
hydrox-
acetone amic amino amyl idated id(e idion imate imic imido imino o- onic onium
hydroxyl
-amide aminate(d amination amin(e ate ation carbamid(e ic inolein ization ize urea
hyperoxemia *Med.*
hyperoxidation
Hypoxis *Bot.*
-id(aceae -ideae
indophenoloxidase
indoxazene
indoxyl(ic
carboxylic
uria *Med.*
inoxidize(d -ability -able
isatoxime
isox-
azol(e ime ylene
ketoxim(e
klinopyroxene *Min.*
kolloxylin(e
lactoxime
lauroxylic
linoxin(ic
lipoxidemia *Med.*
lipoxysm *Tox.*
lithoxiduria *Med.*
menthoxyl *Mat. Med.*
mesoxalic -ate
mesoxalyl(urea
metahydroxide
methohydroxide
methox-
amate id(e yl
metoxazin(e
moloxide
monocarboxylic
monooxime
monox(id(e -ime
naphthanthroxanic
naphtho(*or* o)thioxin
naphthox-
azine azole ol
.nitrosoxime
nitrox-
ide yl
Notoxus *Ent.*
oenoxidase
Opisthenoxys *Ent.*
oroxylin *Mat. Med.*
orthohydroxide
orthox-
azin(e ylene
orthyl
ox- oxa-
oxacid

oxadizaole
oxan(e
oxanthranol -one
oxarch *Bot.*
oxate *Chem.*
oxazin(e -inium
oxazole
 -(id)ine -(id)one -ium
oxdiazine & -ole
oxethylin *Mat. Med.*
oxetone
oxidase -ic
oxide -ability -able -ant
 -ate -ation(al -ative
 -ator -ic -o- -one
oxidemeionite *Min.*
oxidigerence
oxidimetry
oxidize(r -ability -able
 -ation -ment
oxidoreduction -ase
oxidosis *Med.*
oxidule -ated -ous
oxim(e
 ate ation id(e ido ino-
oxind-
 igo irubin ol(e one
oxiodic
Oxoides *Ent.*
oxol
oxolin *T. N.*
oxonemia *Med.*
oxonite *T. N.*
oxonitin(e
oxonium
oxozone
oxydaceae *Min.*
oxydant -ation
oxydase -ic -is
oxydhydrat- *Min.*
 marialith mejonite
oxydone
oxylic
oxyluim *Ecol.*
oxylo(*or* y)philus *Ecol.*
oxylo(*or* y)phyt(i)a *Ecol.*
oxyn
oxyria -ietum *Bot.*
oxyrygmia *Med.*
Oxysactis *Ent.*
Palaeostomoxys *Ent.*
palmitoxylic
pentox-
 azole id(e
perhydroxide
pericarboxyl
peroxid(e
 ase asis ate atic ation
 ol
peroxidize -able -ment
peroxite peroxol
peroxo-
petroxolin *Ointments*
phenazox-
 ime onium
phenolcarboxylic
phenothioxin -onium
phenox-
 arsine arsinic azin(e
 azonium ide in thin(e
 thionium
phenyl-
 glyoxylic
 hydroxylamin
 oxamic -id(e
phosoxyd
 able ate
photooxidation -ive
phthaloxime
pioxemia *Path.*
poly-
 carboxylic
 oxide
 phenoloxidase
Pomoxys *Ich.*

porphytoxin -ime
Prodioxys *Ent.*
prosiloxan
protoxid(e ate ize
pseudoindoxyl
pyraloxin *Mat. Med.*
pyrindoxyl
pyroxam
 pyroxon-
 (it)ine ium
quadr(ant)oxid(e
quinoxim(e
reoxidation
reoxidize(ment
resodicarboxylic
sc(*or* k)atoxyl
Scutophiloxys *Ent.*
selenoxide
semioxamaz-
 ide one
sesquioxid(e
 ation ized
siloxane & -ene
stearoxylic
Sternox -an -ine *Ent.*
stomoxyd
Stomoxys *Ent.*
 -idae -yid(ae -yoid
suboxidation
sulfocarboxylic
sulfoxyl
sulphatoxide
sulphox-
 id(e ism ylic
superoxid(e -ated
suroxid(e -ate
synaldoxime
taroxylic
teroxid
tetracarboxylic
tetrahydroxide
tetroxid(e
thio-
 ethoxid indoxyl ox-
 indole
thiox-
 ane ene in(e one ylene
thioxidans *Bot.*
thymoxol *Mat. Med.*
thyroxin *Mat. Med.*
titanox *Paints* (*T. N.*)
titanoxide
tolufuroxan
toluoxyl
Tomoxia *Ent.*
tricarboxylic -ate
trientoxide
triformoxime
triox-
 ane id(e in ole
Trioxys *Ent.*
tritoxid(e
tyroxin
uncarboxylated
underoxidize
unoxidized
unperoxidizable
uroxanic -ate
uroxin
Uroxys *Ent.*
valeroxyl
xanthinoxydase

ὀξυσάκχαρον
oxysaccharum *Med.*
ὀξυτόκιον (Diosc.)
oxytocia *Med.*
 -ic -ous
ὀξυτόνησις (Eust.)
oxytonesis *Gram.*
ὀξύτονος of acute accent
oxyton(e *Gram.*
 -ical -ize
ὀξυτρίφυλλον
oxytriphillon -um

ὀξύτριχος of pointed hair
Oxytricha *Prot.*
 -idae -ine -inous
ὀξύφυλλος (Diosc.)
oxyphyll(ous *Bot.*
ὀξυφωνία (Hipp.)
oxyphonia -y *Physiol.*
ὀξυωπής sharp-sighted
Oxyopes *Ornith.*
 -id(ae -oid
ὀξυωπία (Arist.)
oxyopia -y *Physiol.*
ὀξώδης sour, acid
oxodad *Phytogeog.*
oxodion *or* -ium
ὀπαδός attendant
Opades *Ent.*
Opadothrips *Ent.*
ὀπάζειν to send with
Opazon *Ent.*
ὀπαῖος with a hole
Panopacaceae *Pal. Bot.*
ὀπάλλιος an opal
opal
 ed esque ish ite ize oid
-opal *Min.*
 chlor chrys hemi xyl
opalesce -ence -ent
opalin(e *Glass Min.*
Opalina -id(ae -oid *Prot.*
opalotype *Photog.*
ὅπατρος by the same father
Hopatrum *Ent.*
ὀπή a hole
hemiope *Music*
Litiopa *Conch.*
 -id(ae -ina -oid
opegrapha *Lichens*
opesia *Helm.*
 -ial -ula -ule
Triopa -idae *Gastrop.*
ὀπήτιον a small awl
Opetius *Ent.*
ὄπιον opium (Diosc.)
anitopium(ist *Med.*
cryptop- *Org. Chem.*
 ia idene idenic idiol
 idinic idiol in(e irubin
deuteropin *Org. Chem.*
hemip(in)ic *Chem.*
holopon *Mat. Med.*
neopine *Org. Chem.*
noropianic *Chem.*
omnopon *Mat. Med.*
opiammone *Chem.*
opiane -ate *Chem.*
opianin(e *Biochem.*
opianoyl *Chem.*
opiase *Biochem.*
opiate -ic -ive *Med.*
opiism opiize *Tox.*
opio-
 logy
opiomania -iac
 phagy -ism
opium
 ate ism ist ite y
opo-
 philus *Bot.*
 phyta *Bot.*
pantopon *Pharm.* (*T. N.*)
protopin(e *Chem.*
tannopin *Chem.*
tritopin(e *Chem.*
ὄπις (-ιδος) vengeance; awe
Phacopidella *Pal.*
ὄπισθεν behind
anopisthographic *Print.*
Chaetopisthes *Ent.*
Chrysopistus *Ent.*
Clinopistha *Conch.*
Isopisthes *Ich.*

Liopistha *Pal.*
Lonchopisthus *Pal.*
opisth-
 arsenia *Conch.*
 arthri -ous *Ich.*
 encephalon *Anat.*
 odal *Bot.*
 odont *Zool.*
 ome -i -ous *Ich.*
 omum -id(ae -oid *Herp.*
 ophthalma *Moll.*
 orchiasis *Path.*
 orchis *Tremat.*
 ornithopora -inae *Pal.*
 otic *Anat.*
 ure -al *Ich.*
opisthen *Zool.*
opistheno- *Biol.*
 genesis genetic genic
Opisthenoxys *Ent.*
Oxyopisthen *Ent.*
Palaeopisthacanthus
Plagiopisthen *Ent.*
ὀπισθέναρ (Galen)
opisthenar *Anat.*
ὀπίσθιος hinder
opisth(el)ial *Bot.*
Opisthias *Pal.*
opisthio-
 basial *Anat.*
 basilar *Craniom.*
 nasial *Anat.*
opisthion *Craniom.*
Opisthius *Ent.*
ὀπισθο- Comb. of ὄπισθεν
opistho-
 basilar *Craniom.*
 branch *Moll.*
 ia iata iate ism
 coelia(n *Herp.*
 coelous -ian *Comp.*
 ctenodon *Pal.*
 cyphosis *Path.*
 detic *Moll.*
 dromous *Bot.*
 gastric *Anat.*
 glossa(l -ate *Herp.*
 glyph(a *Herp.*
 -ia -ic -ous
 gnathous -ism
 gnathus -id(ae -oid *Ich.*
 goneate -a *Ent.*
 gyre -ate -ous *Moll.*
 nema *Ich.*
 paria *Pal.*
 phallus *Helm.*
 pneumonic *Moll.*
 podium -ial *Moll.*
 por(e)ia *Path.*
 pterae -us *Ich.*
 pulmonate *Moll.*
 scyphus *Ent.*
 somal *Crust.*
 tome *Biol.*
 trichum *Protozoa*
ὀπισθόγραφος (Lucian)
opisthograph *Rom. Ant.*
 al ic(al y
ὀπισθόδομος back chamber
opisthodome -os -us
ὀπισθόκεντρος (Arist.)
Opisthocentrus *Ich.*
ὀπισθόκομος wearing the hair long behind
opisthocome -us *Ornith.*
 -i -id(ae -iformes -ine
 -oid -ous
ὀπισθοσφενδόνη the back of a ring
opisthosphendone
ὀπισθοτονικός (Diosc.)
opisthotonic *Path.*
ὀπισθότονος (Hipp.)
episthotonus *Path.*

opisthotonos -us -oid
ὀπίσω backward
opisometer *Meas. App.*
ὀπλ- Comb. of ὅπλον
hopl-
 andria *Ent.*
 archy
 ia
 ichthys -yid(ae -yoid
 olenus *Ent.*
 unnis *Ich.*
ὁπλάριον Dim. of ὅπλον
Hoplarion *Ent.*
ὁπλή a hoof
Hoplegnathus *Ich.*
 -id(ae -oid
periople -ic *Zool.*
ὁπλιστής of a warrior
Sternoplistes *Ent.*
ὁπλίτης heavy-armed
Ambl(y)oplites *Ich.*
Archoplites *Ich.*
Camptoplites *Bryozoa*
hoplite -ic *Gr. Ant.*
Hoplites -idae *Conch.*
Oligoplites *Ich.*
-oplites *Ent.*
 Heter Pan Xystr
Pareioplitae *Ich.*
Pleurohoplites *Pal.*
Rhomboplites *Ich.*
ὁπλιτο- Comb. of ὁπλίτης
hoplito-
 cera *Ent.*
 trachelus *Ent.*
ὁπλιτοδρόμος (Poll.)
hoplitodromos *Gr. Athl.*
ὁπλιτοπάλης a heavy-armed warrior
Hoplitopales *Ent.*
ὁπλο- Comb. of ὅπλον
Anoplocurius *Ent.*
Dioplotherium *Pal.*
hoplo-
 campa *Ent.*
 cephalus *Herp.*
 chelus *Ent.*
 chelys *Pal.*
 chrism
 christical
 cneme *Ent.*
 dictya *Ent.*
 gnathus -idae -ous *Ich.*
 logy
 lopha *Ent.*
 mytilus *Zool. Pal.*
 nemertea(n -ine -ini
 pagrus -inae -ine *Ich.*
 platystoma *Ent.*
 pleurid(ae -oid *Ich.*
 pterus *Ornith.*
 pteryx *Ich.*
 pus -id(ae -oid *Arach.*
 saurus *Ich.*
 stethus *Ich.*
Mesoplodon(t *Zool.*
Pal(h)oplotherium *Pal.*
ὁπλομαχία (Plato)
hoplomachy *Gr. Athl.*
 -ia -ic -ist
ὁπλομαχικός (Dio. C.)
hoplomachic
ὁπλομάχος (Xenophon)
hoplomachos *Gr. Athl.*
ὅπλον tool; pl. armor
Anisoplia *Ent.*
Anopla *Helm.*
 -an -ea -ous
Gymnoplea(n *Crust.*
Hymenoplia *Ent.*
-oplus *Ent.*
 Crypt Melan Prion
 Stern Synapt

ὁπλόφορος bearing arms
Hoplophora -ous *Spong.*
ὀπο- Comb. of ὀπός
opo- *Prop. Rem.*
hepatoidin hypophysin lienin mammin medullin orchidin ossein ovariin pancreatin prostatin renin suprarenalin thymin thyroidin
opo-
deldoc *Pharm.*
laxyl *Mat. Med.*
myza *Ent.*
-id(ae -oid
therapeutic *Med.*
therapy *Med.*
ὀποβάλσαμον(Theophr.)
opobalsam(um *Chem.*
-ο-πολις See πόλις
-opolis *Combin.*
ὀπόπαναξ (Diosc.)
opopanax *Bot. Chem.*
ὀπός juice
Eomoropus *Pal.*
hygiopon *Mat. Med.*
ὁπότερον either
Hopoterodontes *Herp.*
opoterodont(a *Herp.*
Ὀπούντιος Opuntian
Opuntia *Bot.*
-i(ac)eae -iacian -iales -ioid
platyopuntia *Bot.*
ὀπταλέος roasted
Optaleus *Ent.*
ὀπτήρ a looker
horopter(y -ic *Optics*
isopter *Ophth.*
mesoropter *Ophth.*
metalloptric *Micros.*
omphalopter
oxyopter *Ophth.*
phoropter *Optics*
ὀπτικά (Arist.)
heteroptics *Optics*
optics
pseudoptics *Psych.*
scioptics
magnetooptics
ὀπτικόν Neut. of ὀπτικός
baloptikon *Sc. App.*
chromascioptícon *Ophth.*
epiopticon *Zool.*
heliopticon *Arts*
opticon *Ent.*
panopticon
periopticon *Ent.*
radiopticon
sciopticon
stereopticon
trinopticon
ὀπτικός of or for sight
Chorioptes -ic *Ent.*
dermatoptic *Zool.*
dichoptic *Zool.*
dyschromatoptic
electrooptic(al(ly -ics
entoptic(ally-ics *Physiol.*
foraminooptic *Anat.*
h(a)emoptic
hemianoptic *Path.*
holoptic
Holopticus *Ent.*
idiopt *Ophth.*
magneoptic
magnetooptic(al
micro-optical *Optics*
microptic
monoptic(al
myoptic
omphaloptic
optesthesia *Psych.*
optic(al(ly -ity
optician -ist
optico-
chemical *Chem.*
ciliary
cinerea *Ophth.*
papillary
pupillary *Ophth.*
optience
orthoptic *Math. Optics*
perioptic *Anat.*
preoptic *Anat.*
pseudentoptic *Psych.*
pseudholoptic
psych(o)optic
scioptic
sclerooptic
suboptic
teloptic *Psychics*
ὀπτίλος = ὀφθαλμός
Polyoptilus *Ent.*
ὀπτός seen
chromoptometrical
dioptoscope
entoptoscope -ic -y *Med.*
optigraph
optist
opto-
blast *Cytol. Neurol.*
chin *Mat. Med.*
coele -ia *Anat. Zool.*
genic *Cytol. Ent.*
gram
graphy
optoid
logy -ist
meninx *Anat.*
meter *Ophth.*
metry -ical -ist
myometer *Ophth.*
phone *Optical App.*
striate
technics
type
-optometer
chrom chromat di phoro phot pris(m)
-optometry
chromat di eid peri phot
Periopta *Ent.*
phytoptocecidia
phytoptose -is *Arach.*
Phytoptus *Arach.*
-id(ae -oid
pseudooptogram *Ophth.*
rhinoptia *Ophth.*
-οπτρον as in κάτοπτρον
polyoptron -um
scioptric
zoeoptroscope *Photog.*
ὀπωρικός of fruit (Galen)
oporice *Pharm.*
ὀπωροπώλης a fruiterer
oporopolist
ὅραμα a spectacle
alethorama *Cinema*
Cathorama *Ent.*
cosmorama -ic
cyclorama -ic
georama
hypermyriorama *Arts*
marinorama
myriorama -ic
neorama
panoram(a
al ic(al(ly ist
panstereorama
photorama
polyorama
typorama *Mech.*
ὁρατός visible
Horatopyga *Ent.*
ὀργανικός (Arist.)
inorganic(al(ly
nonorganical
organic
ism ist ness
organical(ly ness
-organic
cosm(o) dis en ex hyper intra metal(l) micro mon poly pre pseud super tele zoo
ὀργανο- Comb. of ὄργανον
adnexoorganogenic *Med.*
inorganography
organo-
aluminium *Org. Chem.*
arsenic *Org. Chem.*
beryllium *Org. Chem.*
calcium *Org. Chem.*
chordium *Music*
chromium *Org. Chem.*
faction *Biol.*
ferric *Chem.*
gel *Org. Chem.*
gen *Chem.*
genesis
genetic
geny -ic -ist
graphy *Biol. Music*
-ic(al -ist
leptic(ally *Physiol.*
lith
logy -ic(al -ist
lyricon *Music*
magnesium *Chem.*
mercury *Org. Chem.*
metallic *Chem.*
morphic
motor *Psych.*
nomia -y -ic
pathy
pexia *or* -y *Surg.*
pexil *Ther.*
phil(ic -ism *Med.*
phile *Colloids*
phone -ic *Music*
phyly *Biol.*
physis *Biol.*
plasty -ic *Biol.*
poietical
scopy
sol *Chem. Prop. Rem.*
therapeutics
therapy
trope -ic -ism -y *Biol.*
trophic -ism *Diet.*
ὄργανον an instrument
alloeorgan *Biol.*
antiorgan *Med.*
biorgan *Biol.*
disorganize(r -ation
ectorganism
entorganism
fluteorgan
homorgan(ic *Morph.*
idorgan *Biol.*
inorganism -ity
inorganized -able -ation
malorganized -ation
merorganize -ation
metaorganism
microorganism(al *Biol.*
organ
al ed er ette ite ity less ly
organacidia *Path.*
organella *Biol.*
organify -ic -ier *Photog.*
organism(al
organist(er -ic -ship
organistrum *Music*
organization(al -ist
organize(r -ability -able -ata -ate
organoid *Bot.*
organoma *Tumors*
organon
organonym(y -al -ic(al
organry *Cytol.*
organule *Cytol.*
organum *Music Psych.*
organy
orguinette *Music*
panorganon
phonorganon -um
plasmorgan *Bot.*
preorganized
protoorganism *Biol.*
reorganize(r -ation
superorganism *Phil.*
unorganized -able ness
xylorganum
ὀργάς (-άδος) a meadow
helorgadium *Phytogeog.*
helorgado- *Phytogeog.*
philus phyta
orgadium -ad *Phytogeog.*
orgado- *Phytogeog.*
cola philus phyta
ὀργασμός appetite (Hipp.)
ant(i)orgastic *Med.*
orgasm -astic
ὀργή natural impulse
Taurorgus *Ent.*
ὄργια rites, esp. of Bacchus
orgy -ia
-iac -ial -ic
ὀργιασμός (Strabo)
orgiasm
ὀργιαστής (Plutarch)
orgiast
ὀργιαστικός (Arist.)
gorgiastic(al *Gr. Ant.*
ὀργίλος passionate
Orgilus *Ent.*
ὄργιον Sing. of ὄργια
orgion
ὀργιοφάντης a priest
orgiophant *Gr. Ant.*
ὄργυια a fathom
orgya -alis *Bot.*
orgyia *Gr. Ant. Ent.*
ὀρέγειν to stretch out
Oregostoma *Ent.*
Ὀρειάς (-άδος) mountain nymph
oread *Gr. Myth.*
ὀρειβάτης (Soph.)
Oribates *Arach.*
-id(ae -oid
Scutoribates *Pal.*
ὀρεινός on the mountains
orinotherapy *Ther.*
ὄρειος of the mountains
dioreid *Geol.*
ὀρείχαλκος copper; brass
aurichalc(um -eous
aurichalcite *Min.*
orichalc(k *Metal.*
orichalcum -eous
ὀρεκτικός appetitive
orectic -ive *Med. Psych.*
ὀρεκτός stretched out
Orectochilus *Ent.*
Philorectus *Ent.*
ὄρεξις desire; appetite
diorexine
dysorexy *Path.*
-orexia *Path.*
cyn dys heter hyper lyc par poly pseudo-(an)
orexigenic *Physiol.*
orexin(e *Chem.*
orexis *Med.*
ὀρεο- Comb. of ὄρος
oreo-
carya *Bot.*
daphne *Bot.*
dera *Ent.*
doxa *Bot.*
graphy -ic
lagus *Pal.*
myia *Ent.*
phasis *Ornith.*
-inae -in(e
scoptes *Ornith.*
soma *Ich.*
spiza *Ornith.*
tragus -ine *Mam.*
trochilus *Ornith.*
ὄρεος Gen. of ὄρος
Mesoreodon(tidae *Pal.*
ὀρεοσέλινον (Theophr.)
oreoselin -one *Chem.*
Ὀρέστης (Iliad)
Orestes *Myth.*
Orestes -ites *Pal.*
ὀρθαγορίσκος a sucking-pig
Orthagoriscus *Ich.*
-idae -ini -oid
ὄρθιος steep; shrill
orthian *Music*
ὀρθο- Comb. of ὀρθός
acet(o)orthotoluid *Med.*
aerorthometer *Phys.*
anortho-
clase *Min.*
graphy *Gram.*
-ic(al(ly
photic *Phys. Chem.*
scope -ic *Toys*
autoorthotropous *Bot.*
barytaorthoclase *Min.*
coorthogonal
coorthotomic *Math.*
enorthotrope *Mech.*
Euorthoptera *Ent.*
hemiorthomorphic *Bot.*
hemiorthotropy *Bot.*
hemiorthotype *Crystal.*
hyperortho-
cytosis *Med.*
gnathous *Anthrop.*
gnathy -ic *Zool.*
hypoorthocytosis *Med.*
neurorthopter(a(n -ous
normorthocytosis *Med.*
ortho-
acetic *Org. Chem.*
acid *Chem.*
antimonic -ate *Chem.*
arsenic -ate *Chem.*
arteriotomy *Surg.*
augite *Min.*
axis *Crystal.*
baric *Phys.*
baridia *Ent.*
basic *Crystal.*
biont(ic *Bot.*
bionte *Pal.*
biosis *Med.*
blast *Bot.*
boric -ate *Chem.*
brachycephalic
bromite *Min.*
carbonic *Chem.*
carpous -us *Bot.*
center -re -ric *Geom.*
centroidol *Math.*
cephalum *Ent.*
cephaly -ic -ous
cera(e *Ent.*
ceracone *Pal.*
ceras -an -ata *Pal.*
-atite(s -atitic
ceras -an *Conch.*
-atid(ae -atoid
chetae *Pal.*

ortho- Cont'd
chlorite *Min.*
chlorophenol *Mat.*
chlorosalol *Chem.*
choanites *Mol. Pal.*
chorea *Path.*
chromatic -ism *Photog.*
chrome *Dyes Photog.*
chromize -ation
chromophil *Staining*
chronograph
cladous *Bot.*
clase *Min.*
clastic *Min.*
clema *Bot.*
cnemus *Ent.*
coela *Helm.*
coelic *Ornith.*
-ic -ous
col *Mat. Med.*
cone *Conch.*
costa -idae *Pal.*
coumaric
cousin
crasia *Med.*
cres(ao)ol *Mat. Med.*
crinidae *Pal.*
cycle *Geom.*
cytosis *Med.*
diactin *Spong.*
diaene *Spong.*
diagonal *Crystal.*
diagram *Med. App.*
diagraph(y *Med.*
diazin(e *Chem.*
dichotriaene *Spong.*
dichoxytriaene *Spong.*
dinitrocresol *Mat.*
discus *Porif.*
dolichocephalic
dolops *Pal.*
dome -atic *Crystal.*
form(ic *Org. Chem.*
gamy -ic -ous *Bot.*
ganoidei *Pal.*
genesis genetic *Biol.*
genics *Eug.*
genid *Anat. Geom.*
glossy
gnathism *Craniom.*
-ic -ous -y
gneiss *Petrol.*
graph(y -ic(al(ly
heliotropic *Bot.*
helium *Chem.*
hexactin *Spong.*
hydroxide *Chem.*
ketonic *Chem.*
liposis *Med.*
melic *Ther.*
meter *Ophth.*
methylacetanilid *Mat.*
metopic *Anat.*
metric *Crystal.*
metry *Ophth. Pros.*
molybdate *Chem.*
monaene *Spong.*
morphia *Surg.*
morphic *Biol. Cortog.*
morphosis *Math. Surg.*
morphy *Ethics*
mylacris *Pal.*
nectid(a(e *Cytol. Helm.*
neura -al -ous *Conch.*
neutrophil(e *Staining*
oxalic *Org. Chem.*
p(a)edia *Med.*
-ic(al -ics -ist -y
pareia *Ent.*
percussion *Med.*
periodic *Chem.*
perus *Ent.*
pervanadic -ate *Chem.*
phonia *or* -y -ic
phoria *Physiol.*
phoric *Optics Path.*

ortho- Cont'd
phosphate & -oric
photic *Photog.*
phototaxy *Bot.*
phototropic *Bot.*
phyllotriaene *Spong.*
phyre -ic *Min.*
phyte *Bot.*
pinacoid(al *Crystal.*
plastocyte *Med.*
plasty -ic *Biol.*
plessimeter *Med. App.*
ploceae -eous *Bot.*
ploid *Bot.*
plumbic -ate *Chem.*
pod(a -ous *Herp.*
prax(is -y *Med.*
prism *Crystal.*
pristis *Ich.*
propionic *Org. Chem.*
prosopic -ous *Anthrop.*
pter *Mech.*
pter(a(l -an -ist -oid(ea
-on -ous *Ent.*
pterology -ical -ist *Ent.*
pyramid *Crystal.*
quinoid -one *Org. Chem.*
rachic *Anat.*
(r)rhapha -ous -y *Ent.*
rhombic *Crystal. Math.*
rontgenography *Med.*
rrhinus *Ent.*
scope -y -ic *Ophth.*
silicic -ate *Chem.*
skiagraph(y *Med.*
skiagraphic *Photog.*
spermeae -ous *Bot.*
stannate -ic *Chem.*
stereoscope -ic
sterni *Pal.*
stethus *Ent.*
stibia *Ent.*
stichous -y *Bot.*
stigmat *Optics*
stoechus *Ich.*
stomous *Bot.*
style *Arch.*
substituted *Chem.*
sulphate & -uric *Chem.*
symmetry -ic(al(ly
tactic *Bot.*
tast *Surg. App.*
telluric -ate *Chem.*
thecium -ieae *Bot.*
thiocarbonic *Org.*
toluidine *Chem.*
tomus *Ornith.*
tonos -us -ic *Path.*
triaene *Mil. Spong.*
trichoxytriaene *Spong.*
trichum -aceae *Bot.*
triod *Spong.*
tropism *or* -y *Bot.*
-al -ic -ous
type *Bot.* -ous *Min.*
typhoid *Path.*
vanadic -ate *Chem.*
xyloquinone *Chem.*
zygous *Craniom.*
panorthoscopic *Photog.*
parortho-
clase *Pal.*
crinus *Pal.*
tropism *Bot.*
periorthocoelous *Ornith.*
Protorthoptera *Pal.*
pseudoortho- *Min.*
clase rhombic
Pseudorthoceras *Pal.*

ὀρθοβουλία right counsel
orthobonlia *Psych.*

ὀρθογραφία (Sext. Emp.)
inorthography
orthography
-ic(al(ly -ist -ize
synorthographic
unorthographically
ὀρθόγραφος (Suidas)
orthographer

ὀρθογώνιος rectangular
orthogon *Geom.*
al(ly ial
orthogonality *Geol.*
triorthogonal *Geom.*

ὀρθοδοξαστικός (Procl.)
orthodoxastical
ὀρθοδοξία (Poll.)
hyperorthodoxy
orthodoxy
-ian -ical(ly -ism -ist
panorthodoxy
unorthodoxy
ὀρθόδοξος (Method.)
orthodox(ly ness
orthodoxal(ly ness ity
-orthodox
anti- hyper- in- pan-
politico- un-

ὀρθοδρομεῖν to run straight forward
orthodromy -ic(s *Navig.*

ὀρθόδωρον (Hesych.)
orthodoron *Gr. Ant.*

ὀρθοέπεια (Plato)
orthoepy
-ic(al(ly -ist(ic

ὀρθολογία (Plato)
orthology
-er -ian -ical

ὀρθόπνοια (Hipp.)
orthopn(o)ea *Path.*
orthopny
-orthopn(o)ea *Path.*
pimel pi
ὀρθοπνοικός (Hipp.)
orthopn(o)ic(al *Path.*
orthopnoity

ὀρθός upright; right
anorth- *Min.*
ic ite itic ose
anorthic *Math.*
anorthopia *Ophth.*
anorthosite *Petrog.*
Anorthura *Ornith.*
Craspedortha *Ent.*
Eoorthus -inae *Pal.*
epidote -orthite *Min.*
Eridorthis *Pal.*
Glyptorthis *Pal.*
isorthose *Min.*
Metapanorthus *Pal.*
natronanorthite *Min.*
Orthacea *Pal.*
orthal *Anat. Mam.*
orthamphibole *Min.*
orthangle
orthantimonic *Chem.*
orthaxial *Ich.*
orthenchyma *Bot.*
orthic *Geom. Min.*
orthidium *Bot.*
orthine *Chem.*
Orthis -id(ae *Pal.*
orthite -ic *Min.*
orthius *Pros.*
Orthodon *Ich.*
orthodont *Dent.*
ia ic(s ist
orthodontology *Dent.*
orthoid *Geom.*
orthonal *Dent.*
Orthonychia *Mol. Pal.*
Orthonyx *Ornith.*
-yc(h)idae -ycinae
-ycoid
orthoptic *Math.*
orthose
orthosemidin
orthosenchyma *Bot.*
Orthosia *Ent.*
-iid(ae -ioid
orthoxazin(e *Chem.*
orthoxylene *Chem.*
orthoxytriaene *Spong.*
orthuria *Med.*
ozorthous *Ich.*
paraorthose *Min.*
pepsorthin *Mat. Med.*
pyrorthite *Min.*
Rhinortha *Ornith.*
uralorthite *Min.*
xanthorthite *Min.*

ὀρθοστάδιον a tunic
orthostade *Gr. Ant.*

ὀρθοστάτης a pillar
orthostate(s -ic *Gr. Arch.*
orthostatism *Med.*

ὀρθότης correctness
orthotes

ὀρθοτομία (Theod.)
orthotomy *Geom.*
-ic -ous

ὀρθοτόνησις (Apollon.)
orthotonesis *Gram.*
ὀρθότονος correct
orthotone -ic *Gram. Mus.*

ὀρθρο- Comb. of ὄρθρος
orthrocene *Geol.*
ὄρθρος dawn; matins
orthros *Gr. Ch.*
Orthrosanthus *Bot.*

ὄρθωσις a straightening
metrorthosis *Gynec.*
odontorthosis *Dent.*
orthosis *Surg.*
orthotic
ὀρθωτήρ straightener
orthoterion *Surg. App.*

ὀρίγανον an acrid herb
origan(um *Bot.*
origanene *Org. Chem.*
origanize
origany

ὁρίζων (Arist.)
circumhorizontal
horizocardia *Med.*
horizometer
horizon(less ward
horizontal
ism ity izatic ize ly
ness
horizontic(al(ly
planohorizontal
trochorizocardia *Med.*
water-horizon

ὅριον a boundary
oriocrystal *Petrol.*

ὅρισμα a boundary
horismascope *Med.*
ὁρισμός definition
orismology
-ic(al(ly -ist

ὁριστικός for defining
oristic *Mens.*
oristico-
semeiotic
rhizoristic *Math.*
syrrhizoristic *Math.*
ὁριστός definable
horisto- *Ent.*
myia notus

ὄρκυνος a large tunny
Orcynus -ine *Ich.*

ὁρμή impulse
horme -ic *Psych.*
hormion *Craniom.*
ὁρμητικός impulsive
hormetic(ally

ὅρμινον (Theophr.)
Horminum *Bot.*

ὁρμίσκος Dim. of ὅρμος
Hormiscus *Ent.*

ὁρμο- Comb. of ὅρμος
hormo-
crinus *Echin. Pal.*
cysts *Bot.*
gon(e -ium *Bot.*
-ales -eae -ous
gonimium *Bot.*
phorous -us *Bot.*
spermeae
ὅρμος a necklace
Hormaphis *Ent.*
Hormiphora
Hormius *Ent.*
hormus *Gr. Jewelry*
Ormosia *Bot.*
ormosin *Mat. Med.*
ormos(in)ine *Org. Chem.*

ὁρμῶν P. pr. of ὁρμάειν to excite
antihormone *Biochem.*
auxohormone *Biochem.*
dyshormonism *Med.*
genesis genic logy poiesis
poietic
hormonal -adin *Prop.*
hormone -ic *Biochem.*
hormono- *Biochem.*
par(a)hormone *Biochem.*
radiohormonic *Biochem.*

ὀρνεο- Comb. of ὄρνεον bird
orneo-
ascaris *Helm.*
scopic(s -ist
ὀρνεώδης like a bird
Orneodes *Ent.*
-id(ae -oid

ὀρνιθ- Stem of ὄρνις
ornith-
chnite *Pal.*
ichnology *Pal.*
in(e *Biochem.*
ischia(n *Pal.*
ite *Chem. Min.*
ivorous
ol *Abbrev.*
urae -ous *Ornith.*
uric *Chem.*
ὄρνιθες Pl. of ὄρνις
-ornithes *Ornith.*
Archae Camel Din Eu
Gast Hesper Ichthy
Ne Odont Saur Stere
Struthi
-ornithic *Ornith.*
din eu ichthy odont
saur steat stere
ὀρνιθίας of birds
ornithian
ὀρνιθικός (Luc.)
ornithic
ὀρνίθιον Dim. of ὄρνις
Ornithia *Ent.*
ornithion -ium *Ornith.*

ὀρνιθο- Comb. of ὄρνις
Anornithopora *Pal.*
Opisthornithopora -inae
ornitho-
biography -ical
cephalic -ous
cephalus -idae *Pal.*
ceras *Prot.*
cheirinae *Pal.*
cheirodea *Pal.*
coprolite *Geol.*
coprophilous *Bot.*
copros
delph(ia us *Mam.*
ian id ic ous
desmus -idae *Pal.*
dorus *Ent.*
gaea(n *Zoogeog.*
gamous *Bot.*
geographic(al
leucism

ornitho- Cont'd
lite -ic *Pal.*
melanism
mimidae *Pal.*
myzous
paleontologist
pappi -ic
philae -ous *Bot.*
phily -ist -ite
pod(a -ous *Herp.*
pter *Mech.*
pteris *Bot.*
pterus *Herp.*
-a -id(ae -oid -ous
pus *Bot. Geol.*
rhynchus *Mam.*
-id(ae -oid -ous
saur(ia(n *Geol.*
scelida(e -an *Herp.*
suchidae *Pal.*
tomy -ical(ly -ist
trophe
vorous
ὀρνιθόγαλον (Diosc.)
ornithogal(e um *Bot.*
ὀρνιθοειδής like a bird
ornithoid(ic
ichnite *Pal.*
protornithoid
ὀρνιθολόγος (Plut.)
ornithologer
ornithology
-ic(al(ly -ist -ize
pal(a)eoornithology
-ical
ὀρνιθομαντεία (Procl.)
ornithomancy
ornithomantic
-ist -ize
ὀρνιθόμορφος bird-shaped
ornithomorphic
ὀρνιθοσκοπία (Basil)
ornithoscopy -ist
ὀρνιθών poultry house
ornithon
ὄρνις a bird
Cadornipora *Pal.*
dinornith-
i ine oideae oidean
ep(i)ornitic *Vet.*
Heliornis *Ent.*
-ithid(ae -ithoid
Ichthyornidae *Ornith.*
nyctiornithin(e ae
-ornis *Ornith.*
Adamat Agap Alet Apt Ated Arich Bomb Ceri Cimoli Comet Cosmet Dasy Din Drom Enal Erann Eress Gast Geny Haemat Hesper Hyet Hyphyant Ichthy Li-optil Loph Lyc Megal Mion Not Nycti Pachy Palae Paradis Paradox Pelag Petr Phyll Porthm Salp Sarcid(i) Say Scot Spil Steat Tephrod Thi Trimen Xanth Xen
-ornis *Pal.*
Aepy Alabam Apat Bapt Bront Bubal Ca-thart Crypt Das Gigant Gyps Lest Lith Megal Prot Terat
ornis *Zool.*
orniscopy -ic -ist
-ornithid *Ornith.*
aep atrich cnemi din drom enal gast hesper ichthy palae steat
-ornithidae *Ornith.*
Aep Atrich Enemi Din Drom Enal Gast Hes-per Ichthy Palae Steat
-ornithoid *Ornith.*
aep atrich enemi din drom enal gast hesper steat
ornomancy
palaeornithine -ae
Paradoxornithinae
Protornoceras *Pal.*
Saurornia *Zool.*
steatornithine
ὀρο- Comb. form of ὄρος
anorogenetic *Geol.*
nephelorometer *Meteor.*
oro-
central
dytes *Ornith.*
genesis genetic *Geol.*
genous *Bot.*
geny -ic *Geol.*
graph(y -ic(al(ly
heliograph *Photog.*
hippus -id(ae -oid
hydrography -ic(al
hylion *Bot.*
logy -ical -ist *Geog.*
meter metry -ic
notus *Ent.*
philus *Phytogeog.*
phyt(i)a *Phytogeog.*
spingus *Ornith.*
therapy
trechus *Ent.*
palaeorography *Geol.*
protoro-
hippus *Pal.*
saurus -ia(n *Pal.*
ὀροβάγχη (Theophr).
Orobanche *Bot.*
-(ac)eae -(ac)eous
ὀροβίτης like ὄροβος
Orobites *Ent.*
ὄροβος the bitter vetch
Orobus *Bot.*
Ὀρόντης Orontes
Orontium *Bot.*
-iaceae -iaceous -iad
ὄρος a mountain
mesoropter *Ophth.*
Metoreodon *Pal.*
oreamnos *Mam.*
Oreodon *Mam.*
-ont(id(ae ine oid(ea)
Oreortyx *Ornith.*
Orodus *Ich.*
Philorea *Ent.*
ὅρος a boundary; term
horograph *Math.*
horopter(y -ic *Optics*
horos *Epigraphy*
Penthorum -aceae *Bot.*
ὀρός whey
orodiagnosis *Med.*
oroimmunity *Med.*
orotic *Biochem.*
orylic *Chem.*
ὄροφος a roof
Orophius *Ent.*
Orophocrinidae *Pal.*
Orophodontidae *Mam.*
Triorophus *Ent.*
ὅρπη For ἅρπη sickle
Panorpa *Ent.*
-atae -ate -atous -ian
-id(ae -ina -ine -oid
ὀρρο- Comb. of ὀρρός
orrho-
cyst(is
diagnosis
hymenitis
logy *Med.*
orrho- Cont'd
meningitis *Path.*
reaction *Med.*
rrh(o)ea *Med.*
therapeutic *Med.*
therapy *Med.*
polyorrho- *Path.*
meningitis
menitis
menosis
ὀρρός serum
orrhous -oid *Physiol.*
orrhymenitis *Path.*
Ὀρσίλοχος Orsilochus
Orsilochus *Ent.*
ὀρσο- Comb. of ὀρσός
orso-
coma *Ent.*
pora *Pal.*
ὀρσοδάκνη (Arist.)
Orsodacne *Ent.*
ὀρσοθύρη (Odyssey)
orsothyre *Gr. Arch.*
ὀρσός = ὀρθός
Orsonyx *Ent.*
Palinorsa *Ent.*
ὀρταλίς animal young
Ortalis *Ent.*
-id(ae -idian -oid
ὀρτυγομήτρα (Arist.)
Ortygometra *Ornith.*
ὄρτυξ the quail
Ortyx *Ornith.*
-ygan -yginae -ygin(e
-ortyx
Dendr Loph Ore
ὄρυγμα ditch
Dysoryma *Ent.*
orygoma *Ent.*
ὄρυζα rice
Oryza -eae *Bot.*
oryzanin *Org. Chem.*
oryzivorous
Oryzopsis *Bot.*
Oryzoryctes *Mam.*
-id(ae -inae -oid
ὀρυζο- Comb. of ὄρυζα
oryzo-
cera *Ent.*
mys *Mam.*
ὀρύκτηρ a pickaxe
orycterope -us *Mam.*
-idae -odid(ae -odoid
ὀρυκτής a digger
Caenoryctes *Ent.*
Neurorrhyctes *Path.*
Notoryctes *Zool.*
Oryctes *Ent.*
Oryzoryctes *Mam.*
-id(ae -inae -oid
Palaeoryctes *Pal.*
Xyloryctes *Ent.*
ὀρυκτικός fit for digging
oryctics
ὀρυκτός dug, quarried
Cynoryctidae *Mam. Pal.*
Cytor(ɪh)yctes *Med.*
orycto-
care *Pal.*
cephalidae *Pal.*
derus *Ent.*
gnostic(al(ly
gnosy
graphy -ic(al(ly
logy -ical -ist
mastax *Pal.*
oryctozoology -ical *Zool.*
Periorycta *Ent.*
pharmacooryctology
ὄρυξ pickaxe; gazelle
Leucoryx *Zool.*
Oryx *Ent. Mam.*
-yginae -ygin(e
ὀρύσσειν to dig
Georissus *Ent.*
-i -id(ae -oid
Oryssomus *Ent.*
Oryssus *Ent.*
-id(ae -oid
ὀρύχειν = ὀρύσσειν
Geor(h)ycus *Mam.*
-idae -ina(e
Orychonotus *Ent.*
ὀρφανιστής a guardian
Orphanistes *Ent.*
ὀρφανός (Odyssey)
orphan
age cy dom er et hood ism ity ize ship y
orphenin
ὀρφανοτροφεῖον
orphanotrophia *Med.*
orphanotrophy -ism
Ὀρφεῖον of Orpheus
orphion *Music*
Ὀρφεοτλεστής hiero-phant
orpheotelest(ae *Gr. Rel.*
Ὀρφεύς (Pindar)
orpharion *Music*
Orphean -eist
Orpheon(ist *Music*
Orpheus *Astron. Myth.*
orphize
Ὀρφικός (Herod.)
Orphic
al(ly -(ic)ism
xanorphica *Music*
ὄρφνη night
Orphnebius *Ent.*
ὀρφνός dusky
Orphnus *Ent.*
ὄρχεα Pl. of ὄρχις
orcheoplasty *Surg.*
ὀρχηματικός of the dance
orchematical
ὄρχησις dancing
Orchesia *Ent.*
orchesis *Gr. Ant.*
orchesography
ὀρχηστής dancer
Lagorchestes *Zool.*
Orchestes *Ent.*
Orchestia *Crust.*
-ian -iid(ae -ioid
ὀρχηστική art of dancing
orchestics
ὀρχηστικός (Arist.)
orchestic
ὀρχήστρα (Plato)
orchester -re
orchestra
-al(ly -an -ate -ation
-ic ina ion(ette
orchestromania *Path.*
ὀρχι- Comb. of ὄρχις
orchi-
algia *Path.*
chorea *Med.*
cithin *Mat. Med.*
ectomy *Surg.*
encephaloma *Tumors*
epididymitis *Path.*
lytic *Med.*
odynia *Path.*
oncus *Tumors*
oscheocele *Tumors*
ὀρχικός
orchic *Anat.*
ὀρχίλος (Ar. Birds)
Rhinorchilus *Ornith.*
ὄρχις (-ιδος) a testicle
anorchia -ous -us *Terat.*
antorchis *Bot.*
Cladorchis *Zool.*
clonorch *Path.*
iasis iosis
Clonorchis *Helm.*
crypsorchis -id *Anat.*
cryptorchectomy *Surg.*
cryptorchis -id *Terat.*
cryptorchy *Terat.*
epididymoorchitis *Path.*
Exorchis *Helm.*
Hexastichorchis *Zool.*
Leptorchis *Bot.*
manorchis *Bot.*
mesorchis -ial -ium
microrchidia *Anat.*
opisthorchiasis *Path.*
Opisthorchis *Tremat.*
opoorchidin *Prop. Rem.*
orchaphrin *Prop. Rem.*
orcheo-
cele *Path.*
tomy *Surg.*
orchichorea *Med.*
orchicithin *Mat. Med.*
orchid
(ac)eae (ac)ean (ac)-eous ales eal
orchidalgia *Path.*
orchidectomy *Surg.*
orchidin *Mat. Med.*
-orchidism *Med.*
an crypt hyper poly syn tri
orchidist *Hort.*
orchiditis *Path.*
orchido-
cele *Path.*
celioplasty *Surg.*
logy -ist
mania
myeloma *Path.*
orchidoncus *Path.*
pexy *Med. Surg.*
philist
plasty *Surg.*
ptosis *Med.*
rrhaphy *Surg.*
therapy *Ther.*
tomy *Surg.*
orchio-
cele *Path.*
coccus *Bact.*
myeloma *Tumors*
neuralgia *Med.*
pexy *Surg.*
plasty *Surg.*
rrhaphy *Surg.*
scirrhus *Med.*
orchis *Anat. Bot.*
-orchism *Med.*
an crypt poly syn tri
orchitis -ic *Path.*
orchitolytic
Paraplagiorchis *Helm.*
parorchis -id(ium *Anat.*
periorchitis *Path.*
philorchidaceous
polyorchis *Med.*
Synechorchis *Helm.*
Taxorchis *Helm.*
triorchis -id *Terat.*
ὀρχοτομία castration
orchotomy *Surg.*
ὁσιομάρτυρ (Steph. Diac.)
hosiomartyr *Gr. Ch.*
Ὄσιρις (Herodotus)
Osiris
-ian -ide(an -ify
ὀσμή a smell; odor
Agathosma *Bot.*
Barosma *Bot.*
camphor
barosmin *Chem.*
chlorosmic *Chem.*
Coprosma *Bot.*
Crocosmia *Bot.*
Diosma *Bot.*
diosmin *Org. Chem.*

diosphenol *Chem.*
dysosmia *Path.*
euosmite *Min.*
Hedeoma *Bot.*
hedeomol *Org. Chem.*
hyperosmia -ic *Psych.*
hyperosmic *Chem.*
hypoosmious *Chem.*
hyposmia *Med.*
iridosmium *Min.*
-in(e -iridium
kakosmia *Med.*
macrosmatic -ism *Biol.*
megosmatic
microsmatic -ism *Biol.*
osmamin(e *Chem.*
Osmanthus
osmatism -ic *Physiol.*
osmazome -atic -atous
osmesthesia *Psych.*
osme(*or* a)terion *Ent.*
osmia *Ent.*
osmiamic -ate -ite *Chem.*
osmic -iate *Chem.*
osmidrosis *Path.*
osmio- *Chem.*
chloride cyanide
osmious
osmiridium *Alloy*
osmite *Min.*
osmium *Chem.*
osmiuret *Chem.*
osmo-
cyanic -id *Inorg. Chem.*
derma *Ent.*
dysphoria *Physiol.*
gram *Physiol. Psych.*
graph *Psych.*
lagnia *or* -y *Med.*
logy
narcotic *Physiol.*
nosology *Med.*
nosus *Path.*
phore *Chem.*
rrhiza *Bot.*
osmyl *Inorg. Chem.*
parosmia -is *Path.*
perosmic -ate *Chem.*
picrosmine *Min.*
pseudosmia *Path.*
psychoosmic
pyrosmalite *Min.*
scrophularosmin *Chem.*
telosmic *Psychics*(?)

ὀσμήρης odorous
Osmerus *Ich.*
-oides
ὄσμησις smell
osmesis

ὀστάριον Dim. of ὀστέον
ostario-
physi -an -eae -ial *Ich.*
phytum *Bot.*

ὀστε- Comb. of ὀστέον
acrostealgia *Path.*
dentinosteoid *Tumors*
oste-
al
albuminoid *Biochem.*
algia *Med.*
amoeba
anabrosis *Med.*
anagenesis *Physiol.*
anaphysis *Physiol.*
arthrotomy *Surg.*
(e)ctomy *Surg.*
ectopia *or* -y *Med.*
ide -in(e
ite *Anat.*
itis -ic *Path.*
odontome
odynia *Path.*
oid *Anat.*
oma -atoid *Path.*
oncus -osis *Path.*

oste- Cont'd
osis *Histol.*
ostraci -an -ous *Ich.*
parost -eotic
xylostein *Chem.*
-osteite *Anat.*
neur pleur
-osteitis *Path.*
arthr end pan par
-osteoma *Tumors*
chondr end fibro myo
-osteosis *Path.*
par pleon scler syn

ὀστεο- Comb. of ὀστέον
arthrosteopedic *Anat.*
centroosteosclerosis
dysosteogenesis *Med.*
hyperosteogeny -ic
meningosteophlebitis
osteo-
aneury(*or* i)ism *Path.*
arthritis -ic *Path.*
arthropathy -ic
arthrotomy *Surg.*
blast(ic *Cytol.*
blastoma *Tumors*
cachectic *Path.*
cachexia *or* -y *Path.*
campsia *Med.*
cancer *Path.*
carcinoma *Path.*
cartilaginous *Anat.*
cele *Med.*
cephali *Humorous*
cephaloma *Tumors*
cephalus *Zool.*
chondritis *Path.*
chondrofibroma
chondroma -atosis
chondrophyte *Path.*
chondrosarcoma *Path.*
chondrous *Histol.*
clasis or -ia *Cytol. Path. Surg.*
clast(y -ic *Cytol. Surg.*
colla
comma *Anat.*
cranium *Embryol.*
cystoma *Tumors*
dentin(e -al *Chem. Ich.*
derm(a(l *Herp. Mam.*
dermia -(at)ous *Med.*
desmacea *Moll.*
diastasis *Med.*
dystrophia *Med.*
encephaloma *Tumors*
enchondroma *Tumors*
epiphysis *Anat.*
fibrous -oma *Tumors*
gangr(a)ena *Path.*
gen(e *Biochem.*
genesis *or* -y *Physiol.*
genetic *Physiol.*
geny -ic -ous *Physiol.*
glossum *Ich.*
-id(ae -oid(ea(n
graph(y -ic
halisteresis *Path.*
hemachromatosis *Vet.*
lepis *Ich.*
-idae -idid(ae idoid
lipochondroma
lite *Min. Pal.*
lith(ical
lysis *Path.*
lytic *Path.*
malacia -ial -ic *Path.*
malacosis *Path.*
malactic
manc(*or* t)y
mere *Anat.*
meter metry -ic(al
moeba *Cytol.*
myelon -itis *Path.*
necrosis *Path.*
neuralgia *Path.*

osteo- Cont'd
palinclasis *Surg.*
pedion *Embryol.*
periosteal *Anat.*
phage -us
phlebitis *Path.*
phone -y *Mech.*
phony *Med.*
phor(e *Surg. App.*
phyma *Path.*
phyte -ic -is *Path.*
plaque *Anat.*
plast *Cytol.*
pleura *Path.*
porosis -otic *Path.*
porous *Med.*
psathyrosis *Path.*
pterygii -ious *Ich.*
rrhaphy *Surg.*
sarcoma -atous *Path.*
sarcosis *Path.*
sclereids *Bot.*
scope *Med. App.*
septum *Anat.*
spermum *Bot.*
spongioma *Tumors*
steatoma *Tumors*
stixis *Surg.*
stomous *Zool.*
suture *Surg.*
syndesmological
synovitis *Path.*
synthesis *Surg.*
tabes *Path.*
telangiectasia *Tumors*
theca
thrombosis *Med.*
tome -y -ist *Surg.*
tomoclasis *or* -ia *Surg.*
tribe trite *Surg. App.*
trophy *Physiol.*
tylus *Med.*
tympanic *Anat.*
zoa(n *Zool.*
zoaria *Zool.*
-osteophyte *Med.*
acid odont styl
-osteoplasty *Surg.*
heter(o) homeo
-osteotomy *Surg.*
heb synchondr
pseudoosteomalacia

ὀστεοκόπος (Hipp.)
osteocope -ic -us *Path.*
ὀστεολογία (Galen)
hippoosteology
osteology
-er -ic(al(ly -ist

ὀστέον a bone
actinost *Ich.*
Asterosteus *Ich.*
-eid(ae -eioid
ateleost(ei eous
atmosteon -eal *Ornith.*
axonost *Ich.*
baseost *Ich.*
chondrostean *Physiol.*
Chondrosteus *Ich.*
-ei -eid(ae -eoid -eous
chronosteon -eal *Anat.*
Coccosteus *Ich.*
-ean -eid(ae -eoid
coenosteon *or* -um -al *Ich.*
Colosteus *Herp.*
-eid(ae -eoid
coracoosteon -eal *Ornith.*
Deltentosteus *Zool.*
dichost *Ich.*
Dicrostonyx
Dyptychosteus *Pal.*
ectosteal(ly *Anat.*
endost(itis *Path.*
endostoma *Tumors*
endosteum -eal(ly *Anat.*
Erromenosteus *Pal.*
exostosed *Path.*

exostosis *Bot.*
exostotic
extraperiosteal *Anat.*
fibrochondrosteal *Path.*
Gasterosteus *Ich.*
-eid(ae -eiform(es -ein-ae -eoid(ea
Gastrosteus -eidae -ei-form(es *Ich.*
hematosteon *Med.*
Heterosteus *Ich.*
holost *Ich.*
ei ean eous
Holosteum *Bot.*
Homosteus *Pal.*
hyperost otic *Physiol.*
icosteine *Chem.*
Icosteus *Ich.*
-eid(ae -eoid
intraosteal *Anat.*
Lepidosteus *Ich. Pal.*
-ei -eid(ae -eoid(ei
Lepisosteus -eidae *Ich.*
leucostine *Chem.*
Lophosteon *Ornith.*
malacosteon *Path.*
Malacosteus *Ich.*
-eid(ae -eoid
metosteon -eal *Ornith.*
ostagra *Path.*
ostalgia *Path.*
ostauxin *Mat. Med.*
ostembryon *Embryol.*
ostemia *Med.*
ostempyesis *Med.*
osthexia *or* -y *Path.*
ostitis -ic *Path.*
ostosis & -otic *Physiol.*
-ostosis *Med.*
an arteri chondr crani craniocleidodys derm dys ect end en ent entochondr ex gastr hyper in pachy par pleur sarc syn tenon
Ostracostei -an -ous *Ich.*
otosteon -eal
Oxyosteus *Pal.*
Pachyosteus *Pal.*
pachyostosis *Path.*
panostitis *Path.*
Pantosteus *Ich.*
parosteal *Anat. Zool.*
-otic
parostia *Path.*
-itis -ic
Phanerosteus *Pal.*
pleurosteon -eal *Ornith.*
proosteon *Anat.*
pterygostium *Ent.*
Pycnosteus *Pal.*
Pygosteus *Ich.*
Rhabdosteus *Mam.*
-eid(ae -eoid(ea
sepiost(aire *Conch.*
synost- *Physiol.*
eous ose otic
teleost(ei *Ich.*
ean eous
Triosteum *Bot.*
urosteon *Ornith.*
Xylosteus *Ent.*

ὄστινος of bone
Ostinops *Ornith.*

ὀστο- Comb. of ὀστέον
ostoclast

ὀστοθήκη place for bones
ostotheca *Gr. Ant.*

ὀστρακίζειν (Thuc.)
ostracize -er -able

ὀστράκιον Dim. of ὄστρακον
Acanthostracion *Ich.*
Ostracion *Ich.*
-iont(id(ae -iontoid

ostration
ὀστρακισμός (Arist.) –
ostracism
ὀστρακίτης earthen
ostracite *Mol.*
ὀστρακῖτις calamine
ostracitis
ὀστρακο- Comb. of ὄστρακον
Aulacostracopora *Pal.*
ostraco-
logy -ical
phore -i -ous *Ich.*
pod(a -ous *Crust.*
there
ὀστρακόδερμος hard-shelled (Arist.)
ostracoderm(i -(at)ous
ostracodermal *Mol.*
ostracodermatinus

ὄστρακον a tile; a shell
Brachyostracon *Pal.*
ectostracium -al *Crust.*
endostracum -al *Crust.*
entomostracite *Pal.*
epiostracum *Ent.*
Heterostraca(n -i -ous
hypostracum *Zool.*
Liostraca *Ent.*
Osteoostraci *Crust.*
-ostraca(n -ous *Crust.*
An Arthr Aspid Conch Entom Gigant Hol Lept Not Osteo Pect Thorac
Ostracea(n -eous *Conch.*
ostraciid(ae -ioid *Ich.*
ostracoid(ea *Crust.*
ostracon -um *Archaeol. Gr. Ant.*
Ostracostei *Ich.*
-ean -eous
Ostropa -aceae *Fungi*
periostracum -al *Zool.*
proostracum -al *Conch.*
subostracal *Mol.*
-acea(n
Trachyostracus *Pal.*

ὀστρακώδης testaceous
ostracod(e *Crust.*
a(l ous

ὄστρεον an oyster
Chamostrea *Conch.*
-eid(ae -eoid
Euostrea *Pal.*
Heterostrea *Pal.*
Ostrea -eaceous -eal -ean
-eid(ae -eiform -eoid
ostrea(*or* ei)culture -al
-ist
ostreophage -ist -ous
ostreotoxismus *Tox.*
ostriculture
ostriferous
oyster
age dom er hood ian ish(ness ize less ling ous y

ὀστρύα (Theophr.)
Ostrya *Bot.*

ὄσυρις (Diosc.)
Osyris *Bot.*
osyritin *Org. Chem.*

ὀσφράδιον = ὀσφραντήριον
osphradium -ial *Mol.*
ὀσφραντήριον strong scent
osphranter *Physiol.*
Osphranteria *Ent.*
ὀσφρασία = ὄσφρησις
anosphrasia *Med.*
ὄσφρησις sense of smell
anosphresy

-osphresia
an hyper oxy par
osphresio-
logy -ic
meter
osphresis
-osphresis
hyper par
ὀσφρητικός (Galen)
osphretic *Physiol.*
ὀσφρόμενος catching scent
Osphromenus *Ich.*
-id(ae -oid

ὀσφυ- Comb. of ὀσφύς
osphy-
arthritis *Med.*
itis *Path.*
olax *Ich.*
osphyo- *Path.*
cele myelitis
ὀσφυαλγία (Hipp.)
osphyalgia -ic *Med.*
ὀσφύς the loin
Osphya *Ent.*
Platosphinae *Pal.*

ὄσχεον scrotum (Poll.)
hyposcheotomy *Surg.*
osche-
al itis oma oncus
oscheo-
carcinoma (hydro)cele
lith plastic plasty
-oscheocele *Tumors*
enter epipl hemat hydr
orch ur
oschitis *Path.*
synoscheos *Med.*

ὀσχοφόρια (Plut.)
Oschophoria *Athen. Fest.*

ὀτοτοῖ ah, woe is me
ototoi

ὀτρυντήρ one who stirs up
Otrynter *Ich.*

οὐ Negative of fact
Cacotopia
Utopia
-iaize -iast -ical -ism
-ist(ic
Utopian
-ism ist ize(r

Οὐαλήσιοι (Epiph.)
Valesian *Eccl. Hist.*

οὐδαμινός worthless
Udamina *Ent.*

οὐδενός Gen. of οὐδείς
Oudenodon *Herp.*
-ont(id(ae -ontoid
οὐδεμία Fem. of οὐδείς none
oudemian
οὐδέν Neut. of οὐδείς none
oudenology
οὐδέτερος not either
Udeteros *Ent.*

οὐλή a scar
(o)ulectomy *Surg.*
phyllula *Bot.*
ulerythema *Path.*
uletomy *Surg.*
uloid *Path.*
ulotic *Med.*

-ουλκία as in ἐμβρυουλκία
embryusterulcia *Obstet.*

ὀυλο- Comb. of ὀυλή
Ulodendron -oid *Pal.*
ulodermatitis *Path.*

οὐλο- Comb. of οὖλον
oulorrhagia -y *Path.*
ulo-
cace *Med.*
carcinoma *Tumors*
centra *Ich.*
glossitis *Path.*
rrhagia -y *Path.*
rrh(o)ea *Path.*

οὐλο- Comb. of οὖλος woolly
oulo-
pholite *Min.*
pteryx *Ent.*
ulo- *Ent.*
chaetes notus ptera somus
ulophocin(e ae *Mam.*

οὐλοβόρος with deadly bite
Uloborus *Arach.*
-id(ae -oid
οὐλόθριξ with crisp hair
Ulothrix *Bot.*
οὐλόκερως with crumpled horns
Ulocerus *Ent.*
οὐλόμενος destructive
Ulomenes *Ent.*
οὖλον In pl., the gums
Haemulon *Ich.*
-(on)id(ae -(on)oid
Lythrulon *Ich.*
oulectomy *Surg.*
oul(on)itis *Path.*
ul(a)emorrhagia *Med.*
ulaganactesis *Med.*
ulalgia *Med.*
ulatrophia -y *Med.*
uletic *Med.*
ulitis *Path.*
uloncus *Path.*
ulosis *Path.*

οὖλος woolly
c(*or* k)amptulicon *Arts*
Oulastreidae *Pal.*
Ulodes *Ent.*

ὀυλότριχος (Arist.)
Ulotriches *Bot.*
-aceae -acean -aceous
Ulotrichi *Anthrop.*
-an -ous

οὐρά the tail
Acanthurus *Ich.*
-id(ae -inae -oid
Acronurus -idae
Aethalura *Ent.*
Alectrurus *Ornith.*
-inae -ine -ous
Allomorphura *Ent.*
Allurus *Ich.*
Amicrurae *Helm.*
Amphibolura *Ornith.*
Amphuira *Echin.*
-id(ae -oid
Anomalurus *Mam.*
-e -id(ae -oid
Anom(o)ura *Crust.*
-al -an -e -ous
Anoplura *Ent.*
-an -iform -ous
Anorthura *Ornith.*
Anthura *Crust.*
-id(ae -oid
anthurus -ium *Bot.*
Anura -an -ous *Herp.*
Anurid(id)a *Ent.*
Aphoruridae *Ent.*
Apterura *Crust.*
Asthenurus *Ornith.*
Astrophiura *Echin.*
-id(ae -oid
Atherura -e -us *Mam.*
Auluroidea *Pal.*
Bdellura -idae *Helm.*
Belinuropsis *Pal.*
Belinurus *Crust.*
-id(ae -oid
Bohemura *Pal.*
Brachyoura *Crust. Mam.*
-al -an
brachyure *Mam. Ornith.*
-i -ous -us
branchiure *Crust.*
-a -an -ous
Calamura *Crust.*
Calliurus
Calurus *Ornith.*
Caturus *Ich.*
-id(ae -oid
Ceraurinus *Pal.*
Cerura *Ent.*
Chaetura *Ornith.*
-ina(e -ine
Chalinura *Ich.*
Cheirurinae *Pal.*
Chelura *Crust.*
-acea -id(ae -oid
chrysure *Ornith.*
Cinura(n -ous *Ent.*
Coelurus *Herp.*
-ia(n -id(ae -oid
coenure -us *Vet.*
condylure *Crust.*
-a -eae
Conilurus *Mam.*
conure *Ornith.*
-inae -ine -us
Copturus *Ent.*
Copurus *Ornith.*
Cordylura *Ent.*
-id(ae -oid
Crocidura *Mam.*
-inae -ine
Crocodilurus -uri *Herp.*
Crossoura *Pal.*
Crotalurus -uri *Herp.*
Crypturus *Ornith.*
-i -idae -ous
Cyanurus *Ornith.*
cyclothure *Mam.*
-inae -ine -us
Cyclura *Bot. Crust. Herp.*
dasiure *Mam.*
-id(ae -inae -ine -oid -us
Delonurops *Ent.*
Dicrurus *Ornith.*
-id(ae -inae -oid
Eccoptura *Ent.*
elaphure -ine -us *Zool.*
Emballonura *Mam.*
-id(ae -ina(e -ine -oid
Encrinurus *Crust.*
-id(ae -oid
Enicurus *Ornith.*
-id(ae -oid
Eophiura *Pal.*
Ephthianura -e *Ornith.*
epural *Anat.*
Erismatura *Ornith.*
-i -inae -ine -us
Eupagurus *Zool.*
Eurhipidura(e -ous
Gastrura(n -ous *Crust.*
Goniurus *Pal.*
Graphidurus *Ent.*
graphiure(s -us *Pal.*
Gregoriura *Pal.*
gymnure *Mam.*
-a -inae -ine
gynura *Bot.*
Halmaturus *Mam.*
-idaeina -ous
Haminura *Ich.*
Henicurus *Ent. Ornith.*
-id(ae -oid
Histiurus *Herp.*
Holurus *Pal.*
Hydrurus -eae *Bot.*
hypural *Ich.*
Hypsurus -al *Ich.*
Hystricurus *Pal.*
Isurichthys *Pal.*
Isuropsis *Zool.*
Isurus -id(ae -oid *Ich.*
Klasmura *Pal.*
Labidura *Ent.*
Lagynurus *Prot.*
Lamprura *Ornith.*
Leonurus *Bot.*
Lepidurus *Crust.*
Leptura *Ent.*
-id(ae -oid
Lepturus -eae *Bot.*
Lionurus *Ich.*
Lonchiurus *Ich.*
Lyrurus *Ornith.*
Macr(o)ura(n -al -ous
Macr(o)urus *Ich.*
-id(ae -oid
Malapterurus *Ich.*
-id(ae -ina -ine -oid
Malurus *Ornith.*
-inae -ine
Manisuris *Bot.*
masticure -a -ous *Ich.*
mastigure -a -us *Herp.*
Menura(e *Ornith.*
-id(ae -oid(eae -oidean
Micrurae *Zool.*
myurous *Med.*
Myurus *Bot.*
Nanosura *Ent.*
Necturus *Herp.*
Nematocinurus *Ich.*
Nematoura *Ent. Ornith.*
Noturus *Ich.*
Ocyurus *Ich.*
ophiouride *Math.*
opisthure -al *Ich.*
Ornithurae -ous *Ornith.*
Oxyura *Ornith.*
oxyuricide *Med.*
Oxyuris *Helm.*
-iasisic -icide -id -ifuge
Oxyuropoda *Pal.*
oxyurous *Anat.*
Pachasura *Ent.*
Palaeura *Pal.*
Panurus *Ornith.*
-id(ae -in(e -oid
paradoxure -us *Mam.*
-inae -in(e
Paralonchurus *Ich.*
Phasianuvius *Ornith.*
Phibalura *Ornith.*
Photuris *Ent.*
Pod(o)ura *Ent.*
-an -ellae -id(ae -oid -ous
Prionurus *Ent. Ich.*
Psalidura *Ent.*
Psephurus *Ich.*
Pter(on)ura *Mam.*
Pterygura -ous *Crust.*
Pygurus *Echin.*
rhipidure -a *Crust.*
Rhopalura *Helm.*
-id(ae -oid
ripidura
Sarcura *Ich.*
sciuroid *Bot.*
Sclerurus *Ornith.*
-inae -in(e
Seuirus *Ornith.*
-a -inae -in(e
Simalurius *Arach.*
Sistrurus *Herp.*
Sminthurus *Ent.*
-id(ae -oid
Sozura -ous *Batrach.*
Spathura
Sphenura *Ornith.*
Saururae -an -ous *Ornith.*
Saururus *Bot.*
-(ac)eae -(ace)ous -ean
Stachyurus *Bot.*
-aceae -aceous
stegurous *Ich.*
Stenurothrips *Ent. Pal.*
strobilure -us *Herp.*
Strongylurus *Ent.*
Stylonurus *Crust.*
Symphurus *Ich.*
Sympterura *Pal.*
Synoptura *Arach.*
Synxiphosura *Crust.*
Tachy(*or* i)surus *Ich.*
-inae -in(e
Taonurus *Pal. Bot.*
Tetragonurus *Ich.*
-id(ae -oid
Thysanura *Ent.*
-(i)an -id -iform -ous
thysanurimorphous
trichiure -us *Ich.*
-id(ae -iform(es -oid
trichuriasis *Path.*
Trichuris *Helm.*
Trigonurus *Ent.*
Trilobурus *Ich.*
trimeresure -us *Helm.*
Triturus *Zool.*
Triuris *Bot.*
-id(aceae aceous ales)
Tylosurus *Ich.*
Uracanthus *Ent.*
Uraleptus *Ich.*
Uralichas *Pal.*
Urapteryx *Ent.*
-ygid(ae -ygoid
Uraspis *Ich.*
Uraster *Zool.*
Urasterellidae *Pal.*
Urauges *Ornith.*
Urenchelidae *Pal.*
urite *Ent.* Urodon *Ent.*
uromphalus *Terat.*
urosteon *Ornith.*
-urous -ουρος
Uroxys *Ent.*
Xanth(o)ura *Ornith.*
Xenurus *Ornith.*
-inae -in(e
Xesurus *Mam.*
Xiphi(s)ura(n *Crust.*
xiphosure -a(n *Crust.*
-id(ae -oid -ous
Xiphura -ous *Crust.*
xiphurous *Anat.*
Zenaidura *Ornith.*
zonure -us *Herp.*
-id(ae -inae -oid
Zygomaturus *Marsup.*

οὐραγός rear leader
Uragus *Ent.*
οὐραῖον the tail
Uraea *Ornith.*
uraeum *Ornith.*
οὐραῖος of the tail
uraeus *Egyptol.*

Οὐρανία a Muse
Urania *Ent.*
-iid(ae ioid
Urania(n *Astron. Bot. Myth.*
οὐράνιος of heaven
uranion *Music*
οὐρανίσκος Dim. of οὐρανός
uraniscontis *Path.*
uranisco-
chasma *Med.*
plasty *Surg.*
rrhaphy -ia *Surg.*
uraniscus *Anat.*

οὐρανο- Comb. of οὐρανός
leucituranolite
metauranocercite *Min.*
urano-
ammonic

urano- Cont'd
centrodon *Pal.*
chalcite *Min.*
circite *Min.*
cyanin -osis *Med.*
cyanogen *Pigments*
gnosy
latry
lite lith *Min.*
loger logy *Astron.*
mania
metria -y -ical *Astron.*
molybdate *Chem.*
niobite *Min.*
pathy
phane *Min.*
photography
photometer
phyllite *Min.*
pilite *Petrog.*
pissite *Min.*
plasty -ic *Surg.*
plegia *Path.*
rr(h)aphy -ia *Surg.*
schisis *Path. Physiol.*
schism *Med.*
scope -y *Astron.*
spathite *Min.*
sphaerite *Min.*
spinite *Min.*
staphylo- *Surg.*
plasty rrhaphy
stomatoscope -y
tantalite *Min.*
thallite *Min.*
theism
thorite *Min.*
til(e *Min.*

οὐρανογραφία (Diog. L.)
ouranograph(y
uranography
-er -ic(al -ist

οὐρανός the sky; heaven; the palate (Arist.); **Οὐρανός** father of **Χρόνος**
actinouranium *Chem.*
brachyuranic *Anat.*
diuranic -ate *Chem.*
dolichouranic *Craniol.*
eidouranion *Astron.*
hyperbrachyuranic
kilurane *Meas.*
mes(o)uranic *Craniom.*
mesuranema *Astrol.*
metakalkuranit *Min.*
metakupferuranit *Min.*
perueranium *Astron.*
peruranic *Chem.*
phosph(o)uranylite *Min.*
pyrouranate *Chem.*
radiouranium *Chem.*
uraconite *Min.*
uran-
asteridae *Pal.*
ate ato- *Chem.*
atemnite *Min.*
chalcite *Min.*
conise *Min.*
iate ic *Chem.*
ic(al ics *Astron.*
icentric *Astron.*
idea *Ich.*
idin *Chem.*
iferous
in(in *Dyes*
inite *Min.*
ite -ic *Chem. Min.*
ium(glass
niobite *Min.*
oso- *Chem.*
ammonic potassic uranic
uranous *Chem.*
uranspath *Min.*

Uranus *Astron. Myth.*
uranyl(ic *Chem.*

οὐρανοσκόπος (Ath.)
Uranoscopus *Ich.*
-ian -id(ae -inae -oid-(ea(n

οὖραξ (Arist.)
Ourax *Ornith.*

οὐραχός (Hipp.)
urachovesical
urachus -al *Embryol.*
vesicourachal

-ουργία as in **σιδηρουργία**
aciurgy *Surg.*
albuminometallurgy
crystallurgy
demonurgy -ist
desmaturgia *Surg.*
halurgy -ist
medal(l)urgy
metallurgy
-ic(al(ly -ist
micrometallurgy -ical
micrurgical *Physiol.*
neururgic *Neurol.*
physurgic
physurgoscope -ic
pneumaturgy
psammurgical
psychurgy
-urgy *Suffix*
zymurgy *Chem.*

-ουργος as in **θαυματουργός**
Thamnurgus *Ent.*

οὐρήθρα (Hipp.)
aerourethroscopy
metrourethrotome
phenylurethan
urethr-
algia *Path.*
atresia *Med.*
ectomy *Surg.*
emphraxis *Med.*
eurynter *Surg.*
ism itic itis *Path.*
urethra -al *Anat.*
urethra-
graph
meter
scope *Med. App.*
tome *Med. App.*
-urethral *Anat.*
bulbo intra para peri pubo rect sub vesico vestibulo
-urethria *Med.*
ankyl atret
-urethritis *Path.*
cysto peri pre
urethro-
blennorrh(o)ea *Path.*
bulbar *Anat.*
cele *Path.*
cystitis *Path.*
genital *Anat.*
gram *Med. App.*
graph *Med. App.*
meter metric
penile *Anat.*
perineal *Anat.*
-eoscrotal
phraxis *Med.*
phyma *Med.*
plasty -ic *Surg.*
prostatic *Anat.*
rectal *Anat.*
rrhagia *Path.*
rrhaphy *Surg.*
rrh(o)ea *Path.*
scope *Med. App.*
scopy -ic(al
sexual
spasm *Path.*

urethro- Cont'd
staxis *Med.*
stenosis *Med.*
stomy *Surg.*
tome -y *Surg.*
vaginal *Anat.*
vesical *Anat.*
-urethroscope *Med. App.*
aero cysto

οὔρησις urination
-uresia
dys olig
uresi(a)esthesis *Physiol.*
uresis *Physiol.*
-uresis
acon acrat algin an di dys glyc h(a)emat hydr hyper lith melan olig poly

οὐρητήρ (Galen)
chromoureteroscopy
colpouretero(cysto)tomy
hydroureter(osis *Med.*
interureteric *Anat.*
lithureteria *Path.*
nephroureter-
(ocyst)ectomy *Surg.*
pelviureteroradiography
periureteral *Anat.*
per(i)ureteric -itis
protureter *Anat.*
pyoureter *Med.*
salpingoureterostomy
typhloureterostomy
ureter *Anat.*
-(er)al -eric
ureter-
algia *Path.*
cystoscope *Med. App.*
cystostomy *Surg.*
ectasis -ia *Med.*
ectomy *Surg.*
itis *Path.*
uretero-
cele *Med.*
cervical *Anat.*
colostomy *Surg.*
cyst- *Surg.*
anastomosis
cysto- *Surg.*
(neo)stomy
scope
dialysis *Med.*
enteric *Anat.*
-ostomy *Surg.*
genital *Anat.*
graphy *Radiog.*
intestinal *Anat.*
lith(ic(us *Med.*
lithiasis *Path.*
lithotomy *Surg.*
lysis *Med.*
neocystostomy *Surg.*
neopyelostomy *Surg.*
nephrectomy *Surg.*
phlegma *Med.*
phlegmasia *Path.*
plasty *Surg.*
proctostomy *Surg.*
pyelitis *Path.*
sigmoidostomy *Surg.*
stegnosis *Med.*
stenoma *Path.*
stenosis *Path.*
stoma *Anat.*
stomosis *Path.*
stomy *Surg.*
thromboides
tomy *Surg.*
ureteropyelo-
graphy *Radiog.*
(neo)stomy *Surg.*
nephritis *Path.*
pyosis *Path.*
rectostomy *Surg.*
rrhagia *Path.*

ureteropyelo- Cont'd
rr(h)aphy *Surg.*
salpingostomy *Surg.*
ureterotrigono- *Surg.*
enterostomy
sigmoidostomy
ureteral *Med.*
ostomy *Surg.*
uterine *Anat.*
vaginal *Anat.*
vesical *Anat.*
uroureter *Med.*
vesicoureteral *Anat.*

οὐρητικός (Hipp.)
albuminuretic *Med.*
anuretic *Path.*
uretic *Med.*

-ουρία Comb. of **οὖρον** as in **δυσουρία**
-uria *Med.*
aceton(glycos) achol achromat acidamin adipos albid albin albumin(at) albumos alcapton alkalin allotri allox amazot am(o)eb aminoacid aminos ammoni amyl an anis arabinos azot bacill bacter(i) bar bili(rubin) blenn brady brenzcatechin carbohydrat carbol carbon ceram cerebros chlor chol(e) cholesterin cholesterol chondroit chromat chyl(os) coli(bacill) creatin cylindr cystin cyt dacr dextrin dextros diacet(on) diamin diploalbumin diplomellit enzym erythr fecal fibrin fructos galactos glaucos glischr globulin glucos glycopoly glycos glycuron h(a)emat(in) h(a)emato(chyl cyt globin porphyrin) h(a)emoglobin hemialbumos hemobilin heptos heteroalbinos hipp histon hyalin hydro-(chincon tioin) hydr-(oxyl) hypozot hyper-(acidamin azot glycos lith sthen) hypo(azot chlor) hysthen indican indig(o) indolacet indoxyl inos(it) ictero-h(a)emat ictero-h(a)emoglobin is keton lactacid lactos leucin leucoc(*or* k)yt leucot levulos lip(acid as) lith(angi oxid) lymph maltos melan melit mening meth(a)emoglobin monamin mucin myos(in) nephran noct nucleoalbumin nyct olig(ohydr ophospat) olikag opsi orth ot oxal oxon paraglobulin par pentos pepton phenetidin phenol phosph(at or) phot phthis pimel plan pneumat(in) pneumo pollaki poly(hydr) porphyr(in) propepton prote (in os) pseud(o)-albumin purpurin pyrocatechin pyr py rhyostomat saccharos seme(*or* i)n seroal-

-uria Cont'd
bumin serum spermat sucros tham typhlo-albumin tyrosin urat uricacid urobilin(ogen) xanth(i)

οὐρο- Comb. of **οὐρά**
Acallurothrips *Ent.*
Acruroteuthis *Malac.*
Brachyurothrips *Ent.*
Coelurosauria *Pal.*
Dasiuromorphia *Mam.*
Kentrurosaurus *Pal.*
uro-
aetos *Ornith.*
cardiac *Crust.*
centrus *Ich.*
cerus *Ent.*
-ata -id(ae -oid
chord(a(l -ate *Tunicata*
chroa *Ornith.*
cichla *Ornith.*
cissa *Ornith.*
conger *Ich.*
cyon *Mam.*
dactylus *Ent.*
dele -a(e -es *Herp.*
-(i)an -ous
dera *Ent.*
dolichus *Ent.*
galba *Ornith.*
glena *Prot.*
hyal *Comp. Anat.*
lepis *Pal.*
lestes *Ornith.*
lophus *Ich.*
mastix *Lizards*
melus *Terat.*
mere -ic *Anthrop.*
myces *Fungi*
nema *Zool.*
pachylus *Arach.*
patagium *Ent.*
peltis *Herp.*
-id(ae -oid(ea(n
phycis *Ich.*
plata *Ent.*
plates *Herp.*
-id(ae -oid(ea(n
pod(a(l *Arthrop.*
psile -us *Mam.*
psylla *Ent.*
pterus -an *Ent.*
pterygius *Ich.*
pyloric *Arthrop.*
sacrum -al *Ornith.*
salpinx *Conch.*
serrial *Anat.*
some -atic *Zool.*
somite -ic *Zool.*
stege -al -ite *Herp.*
sternite *Arthrop.*
sthene -ic *Zool.*
style -ar *Amphib.*
thrips *Ent.*
thyreus *Ent.*
trichus *Mam.*
xiphus *Ent.*

οὐρο- Comb. of **οὖρον**
acetonurometer *Med.*
albuminurophobia
hemaurochrome
hippuro- *Org. Chem.*
leukourobilin *Biochem.*
lithurorrhoea *Path.*
uro-
acidometer *Med. App.*
ammoniac *Med.*
azotometer *Med. App.*
bacillus *Bact.*
benzoic -oate *Chem.*
bilin *Chem.*
bilin(a)emia *Med.*
bilinicterus *Med.*
bilinigen *Med.*

uro- Cont'd
bilinogen *Biochem.*
emia -uria
bilinoid(in *Biochem.*
bilinuria *Med.*
bromalic *Biochem.*
canic -in(ic *Biochem.*
cele *Med.*
cheras *Med.*
chesia *Med.*
chloralic *Biochem.*
chrome -ogen *Biochem.*
citral *Mat. Med.*
clepsia *Med.*
col *Mat. Med.*
crisis -ia *Med.*
criterion *Med.*
cyanin *Biochem.*
cyanogen *Biochem.*
cyst(is -ic *Anat.*
cystis *Fungi.*
cystitis *Path.*
dialysis *Path.*
dochium *Med.*
edema *Med.*
erythric -in(e *Biochem.*
flavin *Biochem.*
fuscin *Pigments*
fuscohemation
gaster -tric *Embryol.*
genin -ous *Med.*
genital -ary
glaucin(e *Biochem.*
gon -ene -ol *Biochem.*
graphy *Radiog.*
gravimeter *Med. App.*
h(a)ematin(e *Biochem.*
hemato-
nephrosis *Med.*
porphyrin *Biochem.*
hypertensin *Biochem.*
hypotensine *Biochem.*
k(*or* c)inetic *Med.*
lagnia *Ps. Path.*
leuc(in)ic *Biochem.*
lite lith(ic *Med.*
lithiasis *Path.*
lithology
log(y -ical -ist
lutein *Pigments*
mancy
mantia -ical
melanin *Biochem.*
meter *Med. App.*
nephrosis *Path.*
neutrin *Prop. Rem.*
ph(a)ein *Pigments*
phanic -ous *Path.*
pherin *Biochem.*
phile *Algae*
phosphometer *Med.*
phthisis *Path.*
pittin(e *Biochem.*
plania *Med.*
po(i)esis *Physiol.*
poietic *Physiol.*
porphyrin *Biochem.*
psammus *Path.*
purgol *Mat. Med.*
pyometer *Mat. Med.*
reaction *Med.*
rhodin -ogen
rhythmography *Med.*
rosein -ogen
rrhagia *Path.*
rhoea *Path.*
rubin *Biochem.*
rubrohematin
saccharometry *Med.*
sacin *Pigments*
sanol *Mat. Med.*
schesis *Med.*
scope *App.*
scopy -ic -ist *Med.*
semiology *Diag.*
sepsis -in *Path.*

uro- Cont'd
septic *Path.*
sexual
some -atic *Zool.*
somite -ic *Zool.*
spectrin *Pigments*
spermum *Bot.*
stealite *or* -lith
theobromin(e
toxia -y *Tox.*
toxic(ity *Tox.*
toxin *Tox.*
tropin(e *Biochem.*
ureter *Med.*
xanthin(ic *Biochem.*
zema *Path.*

οὖρον urine
acetylenediurein
alloxur(a)emia *Path.*
alluranic *Chem.*
antiuratic *Med.*
antiurease *Biochem.*
auxourease *Biochem.*
bromural *Mat. Med.*
chloralurethan *Med.*
chloruremia *Path.*
crystalluridosis *Med.*
cyanur- *Chem.*
(tri)amid(e
enic yl
cynurenic *Chem.*
diur- *Chem.*
azin (e)id(e ol
ethyl(chlor)urethan
glucuron *Chem.*
glycoluril *Chem.*
hippur- *Org. Chem.*
amide arsinic il
hydrurilic -ate *Chem.*
hyperuric(a)emia *Med.*
is(o)uretin(e *Chem.*
kinurenic *Chem.*
lacturamic *Chem.*
melanurenic *Chem.*
melanurenic *Chem.*
methylur- *Chem.*
amin(e ethane
monoureid *Chem.*
oxaluramid(e *Chem.*
preuremic *Med.*
pyvuril *Org. Chem.*
quininurethan *Med.*
strontiuran *Pharm.*
thiuram *Org. Chem.*
-urate *Chem.*
bi cyan di dial fulmin hipp isocyan oxal pseudo quadri salicyl thion
-urea *Chem. Med.*
acetyl bi citr dichlor diphenyl glycolyl mesoxalyl oxy pseudo selen sulfo tartonyl thio
-uret *Chem.*
ald cal cyan is ket salicyl thi tri
-uric *Chem. Med.*
acet alcaptan allant allit allox an azot barbit caff cumin cyamel cyan cyn cystin damal dial dilit fulmin furfuracryl glucos glycol glycos h(a)emat h(a)emoglobin hipp hydr(o) hydrocyan is iso(barbit cyan dial kin lactan leucin lith lys malobi melan melit mening mesityl(en) metafulmin naphth nicotin nitrobarbit nitrohipp ornith oxal oxyhipp

-uric Cont'd
par pentos phenacet phosphat poly prealbin prote pseudo pyr(o) pryomu(*or* y)c salicyl succin tartron thion viol xantho
-urin *Chem. Med.*
cholelith cyan hippur kin melan
-urine *Chem.*
auto cyn diaz hippur indaz kin
-uronate *Chem.*
gluc gly
-uronic *Chem.*
galact gluc gly lyx mann mannohept tetragalact
uraroma *Med.*
urarthritis *Path.*
urase -ol *Chem.*
urat(a)emia *Med.*
urate -ic *Chem.*
uratolysis *Biochem.*
uratolytic *Biochem.*
uratoma *Path.*
uratosis *Path.*
uraturia *Med.*
uraz- *Chem.*
-in(e -ol(e
urea -eol *Biochem.*
urea-
bromin *Mat. Med.*
genetic *Med.*
genic *Biochem.*
meter metry
nitrate *Chem.*
oxalate *Chem.*
se *Chem.*
urecchysis *Med.*
urecidin *Mat. Med.*
uredema *Path.*
ureic -eid(e -eido -ein
urelcosis *Path.*
uremide *Med.*
uremigenic *Med.*
ureo-
carbonic -ate *Chem.*
genesis *Biochem.*
l *Mat. Med.*
meter metry
rrhea *Path.*
secretory *Physiol.*
urerythrin(e *Biochem.*
uresin *Mat. Med.* (*T. N.*)
urete *Org. Chem.*
urethan(e -ize *Biochem.*
urethylan(e *Mat. Med.*
uret(id)ine *Org. Chem.*
urette
urian *Pigments*
uric *Chem.*
uricacid(a)emia *Med.*
uricaciduria *Med.*
uric(a)emia -ic *Path.*
uricase *Biochem.*
uricedin *Mat. Med.*
urico-
lysis lytic *Biochem.*
meter *Med. App.*
uride -in(e *Biochem.*
ur(h)idrosis *Med.*
uri(a)esthesis *Physiol.*
urindigo *Biochem.*
uritone *Med.*
urodaeum *Comp. Anat.*
urodynia *Path.*
urol *Mat. Med.*
uroncus *Med.*
uroscheocele *Med.*
urosis *Path.*
uroxameter *Phys. Chem.*
uroxanic -ate *Chem.*
uroxin *Chem.*
urrhodin(ic *Chem.*

urrh(o)ea *Med.*
οὐροπύγιον rump (of birds)
uropygium -ia(l *Ornith.*
-ουρος as in αἴλουρος
-urous *Zool.* See οὐρά
οὖς (ὠτός) the ear
uaterium *Otol.*
-ουσα Fem. part. of εἰμί
-usa *Ent.* (frequent)
οὐσία substance, essence
Euphausia *Crust.*
-idae -iid(ae -ioid
metousiast
nothingousian
-ουχος as in ὀφιοῦχος
Corythucha *Ent.*
Ctenucha *Ent.*
Proctucha -ous *Helm.*
Rhynchuchus *Ent.*
Sternuchus *Ent.*
Tympanuchus *Ornith.*
ὀφθαλμ- Stem of ὀφθαλμός
ophthalm-
agra *Path.*
algia -ic *Path.*
atrophia *or* -y *Path.*
ectomy *Surg.*
encephalon *Ophth.*
iater iatric(s *Ophth.*
in ist *Ophth.*
ite *Min.* ite -ic *Crust.*
itis -ic *Path.*
ophthalmodynia *Path.*
panophthalmitis *Path.*
periophthalmitis *Path.*
pyophthalmitis *Path.*
ὀφθαλμία (Hipp.)
buphthalmia *Path.*
ophthalmia *Path.*
-iac -ious -y
-ophthalmia *Med.*
aden blenn blephar cirs crypt echin en ent h(a)em helco heter hydr hygr lem pan par peri phlyct(a)en photophob polem-(ocac) poly psor py rheum scirrh syn xen
-ophthalmy
cirs helco heter hydr hygr phlyct(a)en psor syn
ὀφθαλμίδιον Dim. of ὀφθαλμός
Ophthalmidium *Prot.*
ὀφθαλμικός (Diosc.)
ophthalmic
-ophthalmic
anti ant blephar hydr hygr psor xen
ὀφθαλμο- Comb. of ὀφθαλμός
aut(o)ophthalmo- *Optics*
scope scopy
ophthalmo- *Ophth.*
blennorrh(o)ea
cace
carcinoma
cele
copia
desmitis
diagnosis
diaphanoscope
diastimeter
donesis
dynamometer
fundoscope
graphy
gyric
leucoscope
lith
logy -ic(al(ly -ist

ophthalmo- Cont'd
malac(*or* k)ia
melanoma
meter metry -ic(al
metroscope
mycosis
my(os)itis
myotomy *Surg.*
neuritis *Path.*
pathia *or* -y *Path.*
phacometer
phantom
phlebotomy *Surg.*
phore -ium -ous *Zool.*
phthisis *Path.*
plasty *Surg.*
plegia *or* -y -ic *Path.*
pod *Crust.*
ptoma *Path.*
ptosis *Path.*
rrhagia *Path.*
rrhea *Med.*
rrhexis *Path.*
saurus *Pal.*
scope
scopy -ic(al(ly -ist
stasis *Ophth.*
stat *Surg.*
statometer -metry
theca *Ent.*
thermometer
tomy *Surg.*
tonometer -metry
toxin *Tox.*
trope *Psych.*
tropometer -metry
xyster
phlebophthalmotomy
ὀφθαλμοβόρος
Ophthalmoborus *Ent.*
ὀφθαλμός the eye
Acrophthalma -ous
Aegophthalmus *Malac.*
Basiophthalma -ous
basiophthalmite *Crust.*
buphthalmum -us *Bot.*
Ceratophthalma *Zool.*
cryptophthalmos *Ophth.*
Edriophthalma *Crust.*
-ata -ate -atous -ia(n -ic -ous
endophthalmitis *Ophth.*
enophthalmin *Mat. Med.*
enophthalmos *Ophth.*
euophthalmin(e *Ophth.*
Gymnophthalmus
-ata -ate -atous -ic -idae
Hedriophthalma -ous
heterophthalmos
hydrophthalmos *Ophth.*
Hypophthalma
ichthyophthalmeite *Min.*
Iniophthalma *Conch.*
Lepidophthalmus *Crust.*
Macrophthalmus *Crust.*
-ic -id(ae -oid -ous
octophthalmous *Ent.*
ophthalmus *Crust.*
-ophthalmus *Ent.*
An Aten Plesi Rhag Temn
-ophthalmus *Med.*
con crypt di en heter hydr meg syn tetran zo
Opisthophthalma *Mol.*
parophthalmoncus
periophthalmic *Anat.*
Periophthalmus -ic *Ich.*
periophthalmium *Ornith.*
Pleuroophthalma -ic
Podophthalma *Arach.*
-id(ae -oid -ous
Podophthalma *Conch.*
-ata -ate -(at)ous

Podophthalma *Crust.*
-ata -ate -(at)ous -ia(n
-ic -ite -itic -itus
Polyphthalmus *Annel.*
Steganophthalmia
-ata -ate -(at)ous -ic
Typhlophthalmi(c)
Ὀφιανοί (Clem. A.)
Ophian *Eccl. Hist.*
ὀφίασις (Galen)
ophiasis *Med.*
ὀφιδ- Stem of ὄφις
Ophidascaris *Helm.*
Ophidia -ian *Herp.*
ophidiana *Lore*
ophid(i)arium
ophidism *Tox.*
ophido-
batrachian *Herp.*
logy -ist *Zool.*
ὀφίδιον Dim. of ὄφις
antiophidic *Ther.*
batrachophidic
Brachyophidium *Herp.*
Lep(t)ophidium *Ich.*
-ophidia(n *Herp.*
Acac Batrach Pseud
Saur Scolec Taxic
Thaumat
ophidio-
batrachia *Herp.*
ceras *Pal.*
deirus *Pal.*
phobia *Med.*
Ophidium *or* -ion *Ich.*
Otophidium *Ich.*
pontophidian
thaumatophidiologist
ὀφιο- Comb. of ὄφις
ophio-
batrachia *Herp.*
bolus *Fungi*
caryon *Bot.*
coma -idae *Echin.*
derma *Echin.*
-atidae -id -oid
dictys *Echin.*
glossum *Bot.*
-(ac)eae -aceous -ales
graphy
later latry -ous
lepis *Echin.*
-idid(ae -idoid
lite lithic *Petrol.*
logy -ic(al -ist *Zool.*
mancy
melina *Echin.*
morph *Amphib.*
a(e ic ite ous us
myxa -id(ae -oid *Echin.*
omma *Ent.*
philism -ist
pluteus *Zool.*
pogon(eae *Bot.*
riza *Bot.*
saur(us) *Herp.*
-ia(n -idae
scion *Ich.*
toxin -emia *Tox.*
xylin *Org. Chem.*
xylon *Bot.*
Ὀφιογενοί (Strabo)
Ophiogenes *Gr. Myth.*
ὀφιόδειρος serpent-necked
Ophiodeirus *Pal.*
ὀφιοειδής serpentlike
ophioid
ὀφιόθριξ snake-haired
Ophiothrix *Echin.*
-trichid(ae -trichoid
ὀφιοκέφαλος
Ophiocephalus *Ich.*
-e -id(ae -oid
Parophiocephalus *Ich.*

ὀφιομάχος
ophiomach
ὀφιόνεος of a serpent
Gymnophiona *Herp.*
Ophiones *Ent.*
ὀφιοσκόροδον (Diosc.)
ophioscorodon *Plants*
ὀφιοσταφύλη (Diosc.)
ophiostaphyle -on *Plants*
ὀφίουρος serpent-tailed
Astrophiura *Echin.*
-id(ae -oid
Cladophiurae *Echin.*
-an -ous
Eophioura *Pal.*
ophiure *Echin.*
-a(e -an -eae -id(a(e
-is -(i)oid(ea(n
ophiuride *Math.*
ophiurin *Chem.*
Ophiurocrinus *Pal.*
Streptophiurae -id *Zool.*
Zygophiurae -an *Zool.*
ὀφιοῦχος (Arotus)
ophiouch
Ophiuchus -id *Astron.*
ὀφιοφάγος
ophiophagi
ophiophagous
Ophiophagus *Herp.*
ὄφις a serpent
Acanthophis *Herp.*
-id(ae -oid
Agorophiidae *Pal.*
Brotulophis *Ich.*
-id(ae -idia -idid -(id)-oid
Calymmophis *Ent.*
Cylindrophis *Herp.*
-id(ae -oid
Dendrophis *Herp.*
-id(ae -inae -ine -oid
Dissorophidae *Pal.*
Dryophis *Herp.*
-idae -(id)inae -ine
Hydrophis *Herp.*
-id(ae -inae -oid
Ilyophis *Ich.*
-id(ae -oid .
Myctophum *Ich.*
-id(ae -oid
Myrophis *Ich.*
Mystriophis *Ich.*
Naticophis *Mol. Pal.*
onuphin *Biochem.*
ophelia *Colors*
Ophelia *Bot.* -ic
Ophelia *Helm.*
-iid(ae -ioid
ophelic *Org. Chem.*
ophic
ophi-
acodontidae *Pal.*
astra *Echin.*
bolus *Herp.*
calcite *Min.*
cephalus *Helm.*
-idae -oid
ceratinae *Pal.*
cleid(e *Music*
ean ist
cleidean *Math.*
deres -id(ae -oid *Ent.*
odon *Ich.*
saurus -idae *Herp.*
Ophichthys *Ich.*
-yid(ae -yinae -yoid
-ophis *Herp.*
Carph Cycl Diad Din
Lept Mastic Pachy
Palae Pel Pity Polyphol
Rhadin Scot
Toxic Thamn
Palaeophichthys *Pal.*
palaeophid *Herp.*

Percophis *Ich.*
-id(ae -oid
Pisoodonophis *Pal.*
Psammophis *Herp.*
-id(ae -inae -in(e
Rhinophis -idae *Herp.*
Trogonophis *Herp.*
-id(ae -oid
Trypanophis *Prot.*
Ὀφῖται = Ὀφιανοί
Ophite *Eccl. Hist.*
-ic -ism
ὀφίτης serpentine
allophite
enophite *Geol. Petrog.*
Glaphurophiton *Pal.*
hydrophite *Min.*
microphytic *Petrog.*
ophite(s -ic(al *Min.*
parophite *Min.*
ὀφίων (Pliny)
Ophion *Ent.*
idae inae
ὀφρυάζειν knit the brows
Ophryastes *Ent.*
ὀφρύδιον Dim. of ὀφρύς
Ophrydiopsis *Protozoa*
Ophrydium -iidae -inae
ὀφρύς the eyebrow
actinophryd *Bot.*
Actinophrys *Prot.*
-yan -yd -yid(ae -yina
-yoid
Asterophrys *Herp.*
-ydid(ae -ydoid
blepharophryplasty
Ceratophrys *Herp.*
Chlamydophrys *Prot.*
Disophrys *Ent.*
Enophrys *Ich.*
Euryophrys *Ent.*
Hemiophrya *Prot.*
Lactophrys *Ich.*
Megalophrys *Ent.*
ophr(y)itis *Path.*
ophryon *Craniom.*
Ophryops *Ent.*
ophryosis *Med.*
Ophrys(eae *Bot.*
Ophryscolex -ecidae
Parophrys *Ich.*
Poelecyphrya *Prot.*
Platophrys *Ich.*
Sphenophrya *Prot.*
Teuthophrys *Prot.*
Trimerophrys *Ent.*
ὀχετός a conduit
Ochetarcha *Ent.*
Ochetodon *Mam.*
ochetium *Phytogeog.*
Ochetochilus *Pal.*
Ochetopsinae *Pal.*
Parochetus *Bot.*
Rhinochetus *Ornith.*
-id(ae -oid
ὀχευτής a stallion
Ocheutes *Ent.*
ὄχημα a vehicle, carriage
blastocheme *Zool.*
gonocheme *Zoph.*
ὄχθη a height, bank
ammochthad
Heterochthes *Ent.*
ochthad -ium *Phytogeog.*
Ochthebius *Ent.*
Ochthenomus *Ent.*
Ochthexenus *Ent.*
-ochthium *Phytogeog.*
amm pel petr
ὀχθο- Comb. of ὄχθος = ὄχθη
ammochtho-
philus phyta
ochtho-
dromus *Ornith.*

ochtho- Cont'd
philus *Phytogeog.*
phyta *Phytogeog.*
pelochtho-
philus phyta -ia
petrochtho-
philus phyta
ὀχληρός troublesome
Ochlerotatus *Ent.*
ὄχλησις annoyance
anochlesia *Med.*
ochlesis -ic -itic *Med.*
ὀχλητικός = ὀχληρός
ochletic *Med.*
ὀχλο- Comb. of ὄχλος
ochlo-
cratoric
phobia -ist
ὀχλοκρατία mob rule
ochlocracy
-at(ic(al(ly -aty
ὄχλος throng, tumult
ochlotic *Path.*
ὄχος a carriage
Ochina *Ent.*
Ochodaeus *Ent.*
Proochotona *Pal.*
ὀχός holding. Fr. ἔχειν
ochopetalous *Bot.*
Spathochus *Ent.*
ὀχυρός firm, strong
Ochyra *Ent.*
-οψία as in αὐτοψία
-opsia *Med.*
achlor achromat acyan
aglauk anerythr an(o)
atret axanthr chlor
chrom chromat chromatel
chromatoken
chromatopseud chroo
cop(i) cyan dichromat
dys(chromat megal
metr) erythr hemi-
(achromat an) heter
hyper iris kyan macr
megal metamorph
micr micromegal mon
myiodes parachromat
phon phot poly pseud
psychan ptomat quadrantan
teich tetartan
thanat tritan xanth-
(ocyan) zo
-opsy *Med.*
achromat amianthin
anerythr anianthin an-
(o) bi chromat dis-
chromat dys(chromat)
encephal hyperchromat
macr metamorph
micr necr phot poly
ptomat syn thanat
xanth(ocyan)
ὀψιδ- Stem of ὄψις
diopside *Min.*
jadeite
-diopside *Min.*
aegirine fluor magnesium
sarcopside *Min.*
ὀψιγαμία late marriage
opsigamy
ὀψίγονος late-born
opsigony *Bot.*
ὀψιμαθής late in learning
opsimath
ὀψιμαθία (Theophr.)
opsimathy
ὄψιμος late, slow
Epopsima *Ent.*
Opsimus *Ent.*
ὄψις aspect, vision, sight
Agalmopsis *Coel.*
ampelops(id)in *Chem.*
amylopsin *Biochem.*

Araliopsoides *Pal.*
balanopsid- *Bot.*
aceae ales
Balantidiopsis *Prot.*
Batrachopsida *Herp.*
Bicidiopsis *Zooph.*
Brachyops inae *Ich.*
cari(*or* y)opside(ous
cereopsine -ae *Ornith.*
Ceropsinae *Ornith.*
Chalinopsis -id(ae *Prot.*
chloropsic *Ophth.*
Coralliopsida *Conch.*
dermatopsy *Biol.*
diopsimeter *Ophth.*
Dorcopsis
Ephyropsis -idae *Zool.*
Gorgonopsia *Pal.*
Haemopsis *Zool.*
Heliopsidae *Bot.*
hemianopsic *Path.*
Homalopsis *Helm.*
-id(ae -oid
ichthyopsid(a (i)an *Ich.*
Leimacopsis -id(ae *Helm.*
Loligopsinae *Conch.*
megalopsical *Path.*
Melanopsinae *Conch.*
Mummopsis -idae
myopsid(a(n ae *Conch.*
Ochetopsinae *Pal.*
oegopsid(a(e *Conch.*
oigopsid(a(e an
Ophrydiopsis *Prot.*
opseospermata *Bot.*
opsiometer *Optics*
-opsis *Bot.* as λυκοψίς
Amanit Ampel Calli
Campylae Cary Castan
Chil Chrys Citr
Core Echin Gale Heli
Mecon Oryz Phalaen
Plesi Schin Therm
Thuj Thuy
-opsis *Conch.*
-id(ae -oid
Buccin Cerith Clion
Dorid Lolig Melan
Modiol Nerit Pomati
-opsis *Crust.*
Arct Euchaet Nipharg
Notodelphy
-opsis *Ent.*
Aep Arthropter Bryophil
Caen Camel
Chydae Colob Di
Euchiloneur Gerae
Haemat Hapl Himantostom
Listr Oectr
Paracolob Phrygan
Poen Pseud Pycn
Rhaphid Scaphid
Spalac Sperch Sphenari
Stegast Sternocoel
-opsis *Herp.* Stethobar
Achalin Alopec
Batrach
-opsis *Ich.*
Agon Atherin Brachy
Halosaur Hyb Isur
Lycod Pelarg Pelor
Poecil Sebast Zen
-opsis -id(ae -oid *Ich.*
Ambly Chaen Gad
Perc
-opsis *Ophth.* as in μάκροψις
deuteranomal dyschromat
hemi(a)chromat
hyperchromat my par
prot stere
-opsis *Ornith.*
Cer Chen Cygn Sten
-opsis -id(ae -oid
Cere
-opsis *Pal.*
Aeschnidi Aleochar Al-

-opsis Cont'd
lochar Asaph Avellan Belinur Beryc Cirr Clyti Cott Cten Dunstani Fag Gobi Halec Hammat Ictid Mesoxyl Neni Nerine Nucul Orn Paltostom Parabolin Paralog Plagiopod Protaul Protoptych Pythocer Rhiz Saccamnin Samar Schize Serpul Tarsophlebi Tetill Thene Tilgid Trunculari Xestoterm
Ostropa -aceae *Fungi*
phalaenopsid *Bot.*
Pileopsis *Conch.*
Poecilopsinae *Ich.*
Pothocithopsis
Protonopsis *Herp.*
-id(ae -oid
Pteropsida *Bot.*
pyrenopsidian *Bot.*
rhodopsin *Chem.*
sauropsid *Zool.*
a es (i)an
schinopsidetum *Bot.*
Sphaeropsis *Fungi*
-id(ac)eae -id(ac)eous -idales
Sphenopsida *Bot.*
thanatopsis *Lit.*
Trematopsidae *Pal.*
Triglopsis
xanthopsin *Chem.*
ὀψομανία (Eust.)
opsomania -iac
ὄψον food, sauce, dainties
opsiuria *Med.*
ὀψοφαγία (Aeschin.)
opsophagy
-ist -ize
ὀψωνεῖν to buy victuals
bacteri(o)opsonic
opsinogen(ous *Biochem.*
opsonin *Biochem.*
-ic -iferous -ification -ify -ist -ization -ize -oid
-opsonin *Biochem.*
anti autohem bacteri(o) erythrocyt(o) haem hem(o)
opsono-
logy *Biochem.*
metry *Biochem.*
pheric *Cytol.*
philia -ic *Biochem.*
therapy *Ther.*
tuberculoopsonic
ὀψώνιον army supplies
opsonium *Class. Ant.*
opsony *Class. Ant.*

παγ- Root of **πάγος**
isopag *Meteor.*
παγγλωσσία (Pind.)
panglossia *Med.*
πάγγλωσσος
Pangloss *Fiction*
παγετός frost
Pagetia *Ent.*
πάγιος solid, firm
pagio-
ceras *Ent.*
pod(a -ous *Ent.*
πάγκαρπος (Diosc.)
pancarpial
παγκρατιαστής (Plato)
pancrotiast *Gr. Ant.*
παγκρατιαστικός (Plato)
pancratiastic

παγκράτιον (Pindar)
pancration *Gr. Athl.*
-ian -ic(al(ly -ist -ium
pancratium *Bot.*
πάγκρεας (Arist.)
depancreatize -ation
hepatopancreas *Anat.*
opopancreatin *Prop.*
panase *Mat. Med.*
pancre-
aden *Mat. Med.*
ectomy *Surg.*
one *Mat. Med.*
pancrea-
tomy *Surg.*
pancreas *Anat.*
pancreat-
algia *Path.*
ectomy -ize *Surg.*
emphraxis *Med.*
helcosis *Med.*
ic(al oid
in(e -ization -ize
ism *Physiol.*
itis -ic *Path.*
ize -ation
oncus *Tumors*
pancreatico-
cholecystostomy *Surg.*
duodenal *Anat.*
duodenostomy *Surg.*
gastrotomy *Surg.*
splenic *Anat.*
-pancreatic *Anat.*
gastro lieno para peri spleno
-pancreatism *Med.*
dys eu hetero hypo
-pancreatitis *Path.*
angio gastro per
pancreato-
gen(ic *Med.*
geny
kinase *Mat. Med.*
lipase *Biochem.*
lith *Path.*
pathy *Path.*
rrhagia *Med.*
tomy *Surg.*
pancreo-
lytic *Med.*
pathy *Path.*
tomy *Surg.*
πάγος fixation; a hill; frost
ischiopagy *Terat.*
-pagia *Terat.*
ecto ischio sterno
pagium *Phytogeog.*
pago-
mys
netta
phila *Ornith.*
philus *Phytogeog.*
phyt(i)a -ium
plexia *Med.*
scope
-pagus *Terat.*
allantoidoangio cephalothoraco ecto gastrothoraco hemi iliothoraco ischyo meto omphalo(angio) orbito proso(thoraco) pygo rachi somato sterno thoraco xipho
thoracopagous *Terat.*
xiphopagotomy
πάγουρος a crab (Arist.)
Pagurus *Crust.*
-ian -id(ae -idea -ine -oid(ea(n
Parapagurus *Crust.*
-id(ae -oid

πάγρος = φάγρος
Hoplopagrus *Ich.*
-inae -ine
Pagrus *Ich.*
-ina -ine
πάγχρηστος good for all work
panchrest(on *Med.*
Panchrestus *Ent.*
pancrastical
παθ- Stem of **πάθος**
pathodontia *Dent.*
patholesia *Med.*
-πάθεια Comb. of **πάθος** as in **ἀπάθεια**
acetopathy *Med.*
acropathy *Path.*
adenopathy *Path.*
aeipathy *Path.*
aerohydropathy *Ther.*
aeropathy *Path.*
allopathy *Ther.*
-(et)ic(ally -ist
altropathy
amygdalopathy *Path.*
anemopathy *Ther.*
angio(cardio)pathy *Path.*
anthropopathy -ia *Theol.*
-ic(al(ly -ism -ite
arteriopathy *Path.*
arthropathy -ic *Path.*
autopathy -ic *Path.*
autoseropathy *Ther.*
blepsopathy -ia *Med.*
bronchopathy *Path.*
bursopathy *Path.*
cardiopathy -ic *Path.*
cephalopathy *Path.*
cerebropathy *Path.*
christopathy *Chr. Sc.*
chromaffinopathy *Path.*
chromatopathy -ia -ic
c(o)enesthopathia *Path.*
colpopathy *Path.*
coxarthropathy *Path.*
craniopathy *Med.*
cyanopathy -ic *Path.*
demonopathy
derm(at)opathy -ia -ic
dermosyphilopathy
desmopathy *Path.*
deuteropathy -ia -ic *Path.*
dipsopathy *Med.*
dynamopathy -ic *Med.*
echopathy
elaiopathy *or* -ia *Path.*
electropathy -ic
emmeniopathy *Path.*
enantiopathy -ic *Path.*
encephalomyelopathy
endocrinopathy -ic *Path.*
enteropathy *Path.*
epiphyseopathy *Path.*
erotopathy *or* -y -ic *Med.*
esophagopathy *or* -ia
exopathy -ic *Path.*
galactopathy *Med.*
ganglionopathy -ic
gastropathy -ic *Path.*
genetopathy *Path.*
glossopathy *Path.*
gyn(a)ecopathy -ic *Med.*
haplopathy *Med.*
hemopathy *Path.*
hepatopathy *Path.*
heteropathy -ic *Med.*
holopathy
hydropathy *Med.*
-ic(al -ist -ize
hydrosudopathy *Med.*
hylopathy *Phil.*
hyperinterrenopathy
hypobaropathy *Path.*
hysteropathy -ic *Path.*
idiopathy -ic(al(ly *Path.*
interrenalopathy *Med.*

isopathy -ic *Med.*
kinesipathy -ic -ist
kinesopathy
lalopathy
laryngopathy *Med.*
leucopathy -ia *Path.*
leukomyelopathy *Path.*
logopathy *Path.*
lymphadenopathy *Path.*
lymphopathy *Path.*
mastopathy *or* -ia *Path.*
mazopathia -ic -y *Path.*
melanopathia -y *Path.*
metropathia -ic -y *Gynec.*
motorpathy -ic *Med.*
myelopathia -ic -y
myopathy -ic *Path.*
myopsychopathy
naphra(*or* o)pathy *Ther.*
naturopathy -ist *Ther.*
naupathia *Path.*
necropathy *Path.*
nephropathy -ic *Path.*
neropathy *Ther.*
neurarthropathy *Path.*
neuropathy *Path.*
-ic(al(ly -ist
neuropsychopathy -ic
oariopathy -ic *Path.*
odontopathy *Dent.*
oesophagopathia -y
olecranarthropathy *Path.*
onychopathy -ic *Path.*
oophoropathia -y *Path.*
ophthalmopathy -ia
organopathy *Med. Path.*
osteoarthropathy -ic
osteopathy
-ic(ally -ist
otopathy -ic *Path.*
oxypathia *Psych.*
oxypathy -ic *Tox.*
pancre(at)opathy *Path.*
panpathy
parapathia -y *Path.*
-pathia -y *Suffix*
pelopathy *Med.*
peritoneopathy *Path.*
pharyngopathia -y *Path.*
phonopathia -y
photopathy -ic *Photog.*
phrenopathia -ic -y
physiopathy -ic
pleuropathia -y *Path.*
pneumonopathy *Path.*
polioencephalopathy
poliomyelopathy
polyadenopathy
polypathia *Path.*
pseudopathy
psychopathy *Path.*
-ia -ic -ist -osis
scleropathia *Path.*
somnipathy -ist
somnopathy
spermatopathia -y *Path.*
splanchnopathia -y *Path.*
splenopathy *Path.*
spondylopathia -y *Path.*
stomatopathy *Med.*
suprarenalopathy *Med.*
sympathicopathy *Path.*
syphilopathy *Med.*
telepathy *Psychics*
-ic(ally -ist -ize
thoracopathia -y
thymopathy *Med.*
toxicopathy -ic *Path.*
tracheopathia -y *Path.*
traumatopathy *Path.*
trichopathy -ic
trophopathy
uranopathy
vitapathy -ic *Ther.*
xanthopathia -y *Path.*
zoopathy

πάθημα a thing felt
pathema *Med.*
pathematology *Psych.*
παθηματικός (Julian)
pathematic(ally *Path.*
-παθης as in **ἀλλοπαθής**
-path *Chiefly Med.*
allo cardio electro endocrino eroto hydro kinesi napra(*or* o) naturo neuro osteo psycho tele vita
παθητικός (Arist.)
antipathetic
al(ly alness
dyspathetic
idiopathetic(ally *Path.*
pathetic
al(ly (al)ness ate ly
telepathetic
theopathetic
παθητός made to suffer
pathetism
-ist -ize
pathetogenetic *Psych.*
παθικός passive
pathic(ism
παθο- Comb. of **πάθος**
autopathography *Med.*
neuropathogenesis *Med.*
phytopathogenic *Bot.*
patho-
amine *Chem.*
anatomy -ical *Anat.*
biology -ical -ist
bolism *Path.*
chemistry *Biochem.*
formic *Ps. Path.*
gen(e *Bact.*
genesis -ia -y *Med.*
genetic *Med.*
geny -eity -ic(ity -ous
germ(ic
gnostic *Med.*
gony
graphy -ical
lysis *Med.*
main *Biochem.*
mania *Path.*
metabolism *Path.*
meter metry
mimesis *Med.*
mimicry
morphism *Morphol.*
myotomist
nomy -ia *Path.*
philia *Med.*
phoby -ia
phoresis *Med.*
phoric -ous *Med.*
poiesis *Med.*
poietic
psychology *Psych.*
radiography
rontgenography
social
-pathophobia *Med.*
clermato *Tricho*
π α θ ο γ ν ω μ (ο ν) ι κ ό ς (Galen)
pathognom(on)ic(al
pathognomony
παθολογική (Galen) In old dicts. **παθολογία**
-pathologist *Med.*
micro neuro phyto psycho zoo
pathology -ist -ize
-pathology *Med.*
acro arthro bacterio dermato desmo electro embryo h(a)em(at)o hippo histo macro micro neuro onycho pal(a)eo physio phyto psycho zoo

παθολογικός (Stob. Ecl.)
pathologic(al(ly
-pathologic
histo phyto psycho
-pathological
anatom(ic)o clin(ic)o hippo histo physio micro neuro phyto psycho
pathologico-
anatomical clinical histological psychological

παθοποιΐα (Jul. Rufin.)
pathopoeia *Rhet.*
pathopoeous

πάθος a suffering; a passion; pathos (Arist.)
Antipathacea(n *Bot.*
Antipatharia *Zooph.*
-ian -idea(n
apathism *Med.*
cosmopathic *Psychics*
dermametropathism
endopathic *Path.*
hieropathic
hylopathism *Phil.*
-ian -ic -ist
Leiopathes -idae *Zool.*
pathos *Lit.*
phrictopathic *Med.*
protopathic *Psych.*
somatopathic *Neurol.*
steatopathic *Med.*

παιάν a choral song
paean

παιανίζειν (Aesch.)
paeanize

παιανισμός (Dion. H.)
paeanism

παιδ- Stem of παῖς
logopedia -ics *Med.*
orthop(a)edia *Med.*
-ic(al -ics -ist -y
paed-
archy
arthrocacy
atrophia -y *Path.*
iatric(s *Med.*
icterus *Path.*
ped-
atrophia -y *Path.*
odontia -ics -ist *Dent.*
onymy -ic

παιδαγωγία (Plato)
pedagogy

παιδαγωγικός (Diog. L.)
medicopedagogic
pedagogic(al(ly -ics
psychopedagogic(al

παιδαγωγός (Herod.)
pedagog(ue
-al -ist -(u)ery -uish -(u)ism
pedant
-ers -hood -ism -ize -ry
pedantic(al
-(al)ly -(al)ness -ism
pedantocracy
pedantocrat(ic
unpedantic

παιδεία education
pediadontia -ist *Dent.*
pediadontology *Dent.*

-παιδεία as in ἐγκυκλοπαιδεία
pharmacopedia -ic(s

παιδεραστής (Ar.)
p(a)ederast

παιδεραστία (Plato)
paederastia -y -ist

παιδεραστικός (Lucian)
p(a)ederastic(ally

παιδέρως (Paus.)
Paederia -ieae *Bot.*
Paederus *Ent.*

παῖδες Pl. of παῖς
dasypaedal *Ornith.*
-paedes -ic *Ornith.*
Dasy Gymno Psilo Ptero Ptilo

παίδευμα pupil; lesson
Paedeumias *Pal.*

παιδευτική (Plato)
(pro)paedeutics

παιδευτικός (Timaeus)
paedeutic
propaedeutic(al

παεδιο- Comb. of παιδιόν
p(a)ediophobia *Med.*

παιδίον Dim. of παῖς
echinopaedium -ic *Echin.*
lithop(a)edion -ium
-pedion *Gynec.*
litho(kelypho) osteo

παιδίσκη a maiden
Paedisca *Ent.*

παιδο- Comb. of παῖς
Antip(a)edobaptism -ist
paedo-
baptism baptist *Eccl.*
gamy -ous *Bot.*
genesis genetic *Zool.*
logy -(ist)-cal(ly -ist
meter metric
morphic -ism
pedo-
baro(macro)meter
cracy
gamy *Biol.*
mesoblast *Embryol.*
meter *Med. App.*
metry -ic(al(ly -ician -ist
nosology *Med.*
parthenogenesis *Zool.*
philia -ic *Gynec.*
piezia *Geol.*
pseudopedo- *Zool.*
genesis genetic

παιδονόμος (Xen.)
paidonomos *Gr. Athl.*
pedonom *Gr. Educ.*

παιδοτρίβης (Ar.)
p(a)edotribe *Gr. Educ.*
paidotribes *Gr. Athl.*

παιδοτροφία child-rearing
p(a)edotrophy -ic -ist

παίκτης dancer, player
Paictes *Ornith.*

παιπάλη fine flour
Paepalosomus *Ent.*

παῖς a child
-pais *Ent.*
Nycto Scoto

παιών = παιαν
Paeon *Crust.*
paeon *Pros.*

παιωνία (Theophr.)
Paeonia *Bot.*
paeonin(e
p(a)eony
peon- *Org. Chem.*
idin in(e ol

παιωνικός (Plutarch)
paeonic *Pros.*

πακτός = πηκτός
Eupactus *Ent.*
Pactopus *Ent.*

Πακτώλιος of Pactolus
Pactolian

παλαι- Comb. of παλαιός
ichthyopaleontology
ornithopaleontologist
Neopalaeastiridae *Pal.*
Mesopalaeaster *Pal.*
palae-
acrididae *Ent.*
admete *Pal.*
anemology *Geol.*
anthropus *Pal.*
arctic *Zoogeog.*
arctomys *Pal.*
arctonyx *Pal.*
aspis *Ich.*
aster *Ich.*
echinus *Echin.*
-id(ae -oid(ea(n
ectypology *Geol.*
encephalon *Anat.*
endyptes *Ornith. Pal.*
entomology *Pal.*
esology *Geol.*
ethnology -ic(al -ist
ic *Geol.*
icthyology -ic(al -ist
ichthyes -yan -yic *Ich.*
oceanography *Geol.*
ocology *Geol.*
oid *Geol.*
ombrology *Geol.*
oniscus -id(ae -oid *Ich.*
ontography -ic(al
ontology -ic(al(ly -ist
ophichthys *Pal.*
ophis -id *Herp.*
opisthacanthus *Pal.*
ornis *Ornith.*
-ithidae -inae -ine
ornithology -ical
oryctes *Pal.*
otaria *Pal.*
ura *Pal.*
pale-
arctic *Zoogeog.*
encephalon *Anat.*
mydops *Herp.*
oceanography *Geol.*
oecology *Geol.*
ontography -ical
ontology -ic(al(ly -ist
ornithology -ical
phytopal(a)eontology
-ical -ist
Promopalaeaster(idae
Propalatherium *Pal.*
Protopalaeaster *Pal.*
zoopaleontology

παλαιγονία antiquity
palagonite -ic *Petrog.*

Παλαίμων (Eur.)
Anthrapalaemon *Pal.*
Palaemon *Crust.*
id(ae oid

παλαιο- Comb. of παλαιός
Eopal(a)eozoic *Geol.*
neo-Paleozoic *Geol.*
palaeo-
aktologeg *Geol.*
albite *Min.*
alchemical *Chem.*
American
amictus *Pal.*
amphibole *Min.*
anthropic
anthropography
Asiatic
atavism -istic
batrachus *Herp.*
-id(ae -oid
biogeography *Geol.*
biology -ist *Bot.*
blattina & -ariae *Ent.*
botany -ic(al -ist
buthus *Pal.*
campa *Ent.*
caris -ida *Crust.*
cene *Geol.*
chenoides *Pal.*

palaeo- Cont'd
chiropteryx *Pal.*
-ygidae
chorology *Geol.*
Christian
circus *Ornith.*
cixiidae *Pal.*
cladus *Pal.*
climatic -ology
conch(a(e *Moll.*
cosmic
creusia *Moll.*
crina -us *Moll.*
-id(ae -oid(ea(n
crystal(lic
crystalline
crystic
cyclic *Geol.*
cyclus -idae *Pal.*
cyon *Pal.*
dictyoptera -an *Ent.*
dolerite *Petrog.*
drassus *Pal.*
eremology *Geol.*
ethnic
ethnology -ic(al -ist
fauna -istik *Geol.*
favosites *Pal.*
flora -istik *Geol.*
gaea(h *Zoogeog.*
gale *Pal.*
geic *Geol.*
genesis *Genetics*
genetic *Biol.*
geography
glaciology *Geol.*
glandina *Pal.*
glossa *Pal.*
glyph
gnathae -ic *Ornith.*
graphy -ic(al(ly -ist
hatteria -iid(ae -ioid
hemiptera *Pal.*
herpetology -ist
histology *Med.*
holopus *Pal.*
hydrography *Geol.*
hyracidae *Pal.*
ichthyology -ic(al -ist
kosmology *Geol.*
lais *Ornith.*
latry
lepidoptera *Ent.*
leucite *Min.*
limnology *Geol.*
limulus *Pal.*
lith(y *Archaeol.*
ic(al ist oid
machic
machus *Pal.*
mantis -idae *Ent.*
mastodon *Mam. Pal.*
meta *Pal.*
metallic
meteorology -ical
micromus *Ent.*
mysis *Pal.*
nemertea(n -in(e -ini
orography *Geol.*
pachygnatha *Pal.*
pathology
pecten *Pal.*
phaedusa *Pal.*
phasianus *Pal.*
philist
phonus *Ent.*
phycus
phyllophora *Pal.*
physiography
physiology *Min.*
phytic *Pal. Bot.*
phytology -ical -ist
picrite *Petrog.*
pinna *Mol.*
pithecine -i *Pal.*
plain *Geol.*
platyceras *Pal.*

palaeo- Cont'd
potamology *Geol.*
prionodon *Pal.*
propithecus *Pal.*
psychism -ic
pteris *Pal. Bot.*
ptychology *Geol.*
rhynchus *Ich.*
-id(ae -oid
saur(us -ia -ii
scylium *Ich.*
selachian -ii *Ich.*
sicus *Pal.*
simia *Pal.*
sinopa *Pal.*
solasteridae *Pal.*
soma *Pal.*
sophy
sphalax *Mam.*
sphere *Petrog.*
spinax *Ich.*
spiza *Ornith.*
spondylus -id(ae -oid
stoma *Embryol.*
stomoxys *Ent.*
stylic -y *Anat. Ich.*
tanypeza *Pal.*
toxodioxylon *Pal.*
technic
teleia *Pal.*
teuthis -idae *Pal.*
there -ium *Mam.*
-ian -iidae -(i)oid
theriodont
thermal -ic *Geol.*
thermology *Geol.*
traginae -ine *Pal.*
tringa *Ornith.*
tropical *Zoogeog.*
type -ic(al(ly
typography -ist
volcanic
vulkanology
veichsclia *Pal.*
xestina *Pal.*
ziphius *Pal.*
zoic(um *Geol.*
zoology -ical
paleo-
anthropic -ography
biology -ist
botany *Bot.*
cene *Geol.*
cerebellum *Anat.*
Christian
cosmic
crystal(lic
dendrology -ic -ist
ecology *Ecol.*
ethnic
ethnographer
ethnology -ic(al -ist
fauna flora
genesis *Genetics*
genetic *Biol. Genetics*
geography
glyph
graph(er
graphy -ic(al(ly -ist
ichthyology- ic(al(ly -ist
kinetic *Neurol.*
latry
lith(y -ic(al -ist -oid
machic
meteorology -ical
pathology
physiography
physiology
phytic *Pal. Bot.*
phytology -ical -ist
picrite *Petrog.*
pithecine -i *Pal.*
plain
psychism -ic
psychology -ical *Psa.*
sere *Bot.*

palaeo- Cont'd
sophy
strate *Bot.*
striatum -al *Anat.*
thalamus *Anat.*
there -ium *Mam.*
-ian -iidae -(i)oid
theriodont *Mam.*
thermal -ic *Geol.*
tragine *Pal.*
tropic *Bot.*
type -ic(al(ly
volcanic
zoic *Geol.*
zoology -ical
post-Palaeozoic
prepal(a)eolith(ic
pre- Palaeozoic
Proalaeochoerus *Pal.*
παλαιογενής ancient
pal(a)eogene *Geol.*
παλαιολογεῖν (App.)
pal(a)eology
-ian -ical -ist
παλαιός old; ancient
pal-
acrodon *Pal.*
(a)etiology -ical -ist
anthropic *Geol.*
apteryx -ygidae
ecology *Bot.*
embolus *Ent.*
(h)oplotherium *Pal.*
palavitalism *Biol.*
παλαιότατος very old
palaeotalith *Archaeol.*
παλαιστή = παλάμη
palaeste *Meas.*
παλαιστής a wrestler
Palaestes *Ent.*
Παλαιστίνη (Herod.)
Palestine -ian
παλαίστρα (Herod.)
pal(a)estra -al -ian
Palaestrinus *Ent.*
παλαιστρικός (Arist.)
palestric(al
παλάμη palm; hand
corypalmin(e *Org. Chem.*
diapalma *Med.*
dipalmitin *Org. Chem.*
Micropalama *Ornith.*
monopalmitin *Org. Chem.*
palama -ate *Ornith.*
Palame *Ent.*
Παλαμήδης Palamedes
Palamedea *Ornith.*
eae -ean -eid(ae -eoid
Πάλαμος
Palamite -ism *Eccl. Hist.*
πάλι = πάλιν
pali-
guana *Pal.*
kinesia *Med.*
lalia *Med.*
mnesis *Psych.*
phrasia *Path.*
streptus *Ent.*
strophia *Med.*
παλιγγενεσία new life
palingenesy -ia(n
παλιλλογία (Arist.)
pali(l)logy -etic *Rhet.*
παλιμ- Comb. of πάλιν
palimphrasia
παλιμβάκχειος (Draco)
palimbacchius -ic *Pros.*
παλίμψηστον (Plutarch)
palimpsest(ic
πάλιν backwards; again
osteopalinclasis *Surg.*
palin-
al *Physiol.*
cosmic *Geol.*

palin- Cont'd
genesis -ist *Biol.*
genetic(ally *Biol.*
geny -ic -ist *Biol.*
graphia *Path.*
orsa *Ent.*
phrasia *Path.*
zele *Ent.*
phacopalingenesis *Med.*
propalinal *Physiol.*
παλινδρομία (Hipp.)
palindromia -ic *Med.*
παλίνδρομος recurring
palindrome
-ic(al(ly -ist
παλίνουρος (Strabo)
palimer-
ellus *Crust.*
ichthys *Ich. Pal.*
Palinurus *Crust.*
-id(ae -ina -oid(ea
Palinurus *Ich.*
παλιντοκία (Plutarch)
palintocy
παλινῳδία (Isocr.)
palinode
ia(l -ist -y
παλινῳδικός (Hephaest.)
palinodic(al *Pros.*
παλίουρος (Theophr.)
Paliurus *Bot.*
παλίρροια (Arist.)
palirrh(o)ea *Med.*
πάλλα a ball (Od.)
Pallodes *Ent.*
Παλλαδ- Stem of Παλλάς
allopalladium *Min.*
chloropalladic -ates
palan *Alloys*
Palladian
pallad- *Chem.*
a(m)min(e ic iferous
(in)ize -(i)ous -ium(ize
palladiotype *Photog.*
pallado- *Chem.*
diammine nitrite
palladosammine
Παλλάδιον (Herod.)
Palladion -ium *Cl. Ant.*
Παλλάς Epith. of Athena
Pallas *Astron. Myth.*
pallasite *Min.*
πάλλειν to quiver
pallan(a)esthesia *Psych.*
pallesthesia *Psych.*
pallograph(ic
pallometric
palmelodicon *Music*
παλληκάριον camp boy
pallekar
Παλλήνη (Herod.)
Pallene *Crust.*
-id(ae -oid
παλμός palpitation
Palmella *Algae*
-(ac)eae -aceous -oid
palmellin *Org. Chem.*
palmo- *Med.*
scopy spasmus
palmus *Path.*
-palmus *Med.*
cardio myo
ponopalmosis *Med.*
sympalmograph *Phys.*
Παλμύρα
palmyra *Bot.*
palm tree wood
Palmyra *Helm.*
-id(ae -oid
palmyre
Palmyrene -ian
παλμώδης (Hipp.)
palmodic *Path.*

παλτόν a dart
Paltonium *Bot.*
Paltostomopsis *Pal.*
παμ- Comb. of πάν
pam-
bolus *Ent.*
phobia
phract
physical(ism *Phil.*
pilion
plegia -y *Path.*
prodactylous *Ornith.*
πάμβορος all-devouring
Pamborus *Ent.*
παμφάγος omnivorous
pamphagous
πάμφιλος loved of all
Pamphila *Ent.*
Πάν Arcadian God
Pan *Myth.*
Pand(a)ean
panpipe
παν- Comb. of πᾶς all
Mesopanorpa *Pal.*
Metapanorthus *Pal.*
pan-
abase -ite *Min.*
(a)esthesia *Psych.*
(a)esthetic -ism *Psych.*
African(der(ism
algebraic *Math.*
American(ism
Anglican
Anglo-Saxon
anthropsim
anthropological
aphantus *Ent.*
apospory *Bot.*
arithmology
arteritis *Path.*
arthritis *Path.*
athletic
atom(ic *Phys.*
atrope *Music*
atrophy *Path.*
aulon *Phys.*
automorphic
blastic *Embryol.*
Boeotian
Britannic
Buddhism -ist
Celtic(ism
chart
chord *Music*
Christian
chromatic *Photog.*
chromatize -ation
chymagogue
clarite *T.N.*
clastic
clastite *Expl.*
conciliatory
cosmic -ism -ist *Phil.*
cratism
cyclop(a)edic
d(a)emonium -iac(al
-ial -ian -ic -istic
denominational *Eccl.*
destruction
diabolism
dolichocephalic
dynamometer *Mech.*
ecclesiastical
egoism egoist
electroscope *Med. App.*
entheism *Phil.*
erema *Ent.*
eulogism
frivolium
gadium *Chem.*
gamia *or* -y -ic -ous(ly
gen(e -ic *Biol.*
genesis *Biol.*
genetic(ally *Biol.*
genosomes *Bot.*

pan- Cont'd
geometer
geometry -ical
German(ic -ism -y
germic -ism
glyphic
gnosticism *Phil.*
Gothic
grammatist
graphic
gymnasticon *Mech.*
harmonic(a *Music*
harmony
hidrosis *Path.*
histophyton *Bact.*
human
hydrometer *Phys. App.*
hyper(a)emia *Path.*
hyster(ocolp)ectomy
ichthyophagous
ic(on)ograph(y -ic
idiomorphic *Min.*
Ionic
isic
Islam(ic -ism
Israelitish
jandrum
Latinist
logism -ical *Phil.*
logistic(al *Phil.*
materialistic
melodicon *Music*
melodion *Music*
merism *Cytol.*
meristic *Cytol.*
mixia *Biol.*
mnesia *Psych.*
myelophthisis *Med.*
nationalism
neuritis *Path.*
nomy *Phil.*
ochia *Path.*
odic *Neurol.*
oistic *Biol.*
opacaceae *Pal. Bot.*
ophobia *Path.*
ophthalmia -itis *Path.*
oplites *Ent.*
opticon
optosis *Med.*
oram(a(l -ic(al(ly -ist
organon
orpa -ata -ate -atous
-ian -id(ae -ina -ine
-oid
orthodox(y
orthoscopic *Photog.*
ost(e)itis *Path.*
otitis *Path.*
otype *Photog.*
pathy
phagin *Vet.*
pharmacon -al
phenomenalism *Phil.*
phobia *Psych.*
photometric
plasm *Biol.*
plegia
pneumatism *Phil.*
polism *Pol.*
popish
Presbyterian
Protestant
psychism -ic -ist
Satanism
Saxon
sciolism
sclerosis *Med.*
semna *Ent.*
septum *Anat.*
sinu(s)itis *Path.*
Slav(ist(ic onian
(on)ic (on)ism
sperm *Biol.*
atic atism atist
sphygmograph *Med.*
sporoblast *Prot.*

pan- Cont'd
stereorama
symphonicon *Music*
technetheca
telegraph(y
teleologism *Phil.*
telephone -ic *Elec.*
tellerite *Min.*
Teutonic -ism
theism -ist(ic(al(ly
thelematism *Phil.*
thelism *Phil.*
theology -ist *Phil.*
therapist *Med.*
tholops *Zool.*
turbinate *Anat.*
tylidae *Pal.*
urus *Ornith.*
-id(ae -in(e -oid
zoism *Biol.*
zootia -y -ic *Vet.*
theopanphilist
παναγία
pan(h)agia *Gr. Ch.*
παναγίαριον Dim. of πανάγιος
panagiarion *Gr. Ch.*
πανάγιος all-holy
Panagaeus -aeidae
Παναθήναια (Ar.)
Panathenaea(n *Ath.*
Παναθηναικός (Thuc.)
Panathenaic
πανάκεια (Longinus)
panacea -ean -eist
πάνακες (Diosc.)
panace *Herbs*
Panax -aceae *Bot.*
πανάμωμος blameless
Panamomus *Ent.*
πάναξ (Diosc.)
Echinopanax *Bot.*
panaquilon(e *Chem.*
παναρμόνιον
panharmonion *Gr. Mus.*
πάναρχος ruling all
panarchy -ic
πανδαίδαλος all wrought
pandaedalian
Πάνδαρος (Iliad)
pander
age er ess ism ize ly
ous ship
πανδέκται (Clem. Al.)
Pandects *Law*
πανδέκτης (Clem. Al.)
padect(ist
πανδελέτειος knavish (Ar.)
Pandeletius *Ent.*
Πάνδερμα Panderma
pandermite *Min.*
πανδημία the whole people
pandemia -y
πανδήμιος public
pandemious -ian
πάνδημος common, public
pandemic(ity
Πανδίων (Thuc.)
Pandion *Myth.*
Pandion *Ornith.*
id(ae inae ine oid
πανδοκεία hostelry
logopandocie
πανδοῦρα a three-stringed instrument
bandore *Music*
pand(o)ura *Music*
-ate(d -iform
Πανδώρα (Hesiod)
Pandora *Myth.*

Pandora *Conch.*
-id(ae -oid
Pandoracrinidae *Pal.*
Pandorina -eae *Algae*
Πανέλληνες (Hesiod)
Panhellenic -ism -ist
Πανελλήνιον (Pausanias)
Panhellenion *or* -ium
Πανελλήνιος Epith. of Zeus
Panhellenius *Gr. Rel.*
πανέρημος all-desolate
Panerema *Ent.*
πανηγυρίζειν (Isocr.)
panegyrize -er
πανηγυρικός a eulogy
panegyric
al(ly ize on
πανήγυρις an assembly
panegyre -is -y
πανηγυρισμός (Plut.)
panegyrism
πανηγυριστής (Strab.)
panegyrist
Πάνθειον (Arist.)
depantheonize
pantheon(ic
Pantheon
zoopantheon
πάνθειος of all gods
pantheum -eic
πάνθηρ (Herod.)
Ekpantheria *Ent.*
panther
ess ine ish lily moth wood
πανθήρα a large net
panter
πάνθυτος all-hallowed
Panthytarcha *Ent.*
πανικόν a panic (Polyb.)
panic
πανικός Fr. Πάν
panic
al(ly ful -icky
Πανίσκος Dim. of Πάν
panisc(us *Gr. Myth.*
Paniscus *Ent.*
Πανίωνες (Eust.)
Panionian *Geog.*
Παννόνιοι (Strabo)
Pannonian -ic *Geog.*
παννύχιος all night long
psychopannychian
-ite -y
παννυχισμός
psychopannychism
παννυχιστής
psychopannychist(ic
πανόμοιος just like
Panomoea *Ent.*
πανομφαῖος Epith. of Zeus
panomph(a)ean -(a)ic
πανοπλία full armor (Thuc.)
empanoply
Helopanoplia *Pal.*
panoply
-ied -ist
πανόπτης all-seeing
Panoptes *Ent.*
πάνοπτος seen of all
panoptic(al
Πάνορμος Palermo
Palermitan
Palermocrinus *Pal.*
πανουργία roguery
panurgy
πανουργικός (Plut.)
panurgic

πανοῦργος knavish; smart
Panurge *Fiction*
Panurgus -idae *Ent.*
πανσέληνος the full moon
panselene
πάνσκοπος all-seeing
Panscopus *Ent.*
πάνσμικρος very small
Pansmicrus *Ent.*
πάνσοφος all-wise (Soph.)
pansophy *Phil.*
-ic(al(ly -ism -ist
πανσπερμία (Arist.)
panspermia -y
πάνσπερμος of all seeds
panspermic
-ism -ist
παντ- Comb. of πᾶς
pant-
agog(ue *Med.*
amorphia *Terat.*
anencephalia
ancyloblepharum
anemone *Mech.*
atrophia *or* -y *Path.*
atrophous *Path.*
hodic *Neurol.*
isocracy
isocrat(ic(al -ist
od
opon *Pharm.* (*T.N.*)
osteus *Ich.*
theopantism *Phil.*
παντα- Comb. of πᾶς
panta-
chromatic *Med.*
cosm
gamy
gruel *Fiction.*
ian ion ism (ist)ic(al
phobia
scope -ic
stomata *Prot.*
type
Πανταλέων Pantaleon
aeolopantalon
pantaleon *Music*
pantalet(te)s
pantaloon
ery ing
pants
παντάρβη (Ctes.)
pantarbe *Gems*
πανταρχία (Suidas)
pantarchy -ic
παντελής complete
Apanteles *Ent.*
παντο- Comb. of πᾶς
Eupantolepta *Ent.*
micropantograph
panto-
chrome -ic -ism *Chem.*
chronometer *Horol.*
devil
dinus *Ent.*
ganglitis *Path.*
gelastic(al
gen *Chem.*
genous *Crystal. Ecol.*
glossical
glot(tism
graph *Med. App.*
grapher
graphy -ic(al(ly
iatrical
lamprus *Ent.*
lestidae *Pal.*
lia *Ent.*
logy -ic(al -ist
lyta *Ent.*
mallus *Ent.*
mancer
meter metry -ic(al

panto- Cont'd
mimetic *Psych.*
morphia *Med.*
nyssus *Ent.*
pelagian *Zoogeog.*
phile
plethora
pod(a *Crust.*
pragmatic
pterous
scope -ic
stome *Protozoa*
-ata -ate -atous
stylops -opidae *Mam.*
tactic *Bot.*
theria -ian *Mam.*
type
zoikum *Geol.*
zootia
polypantograph
παντόμιμος (Lucian)
pantomime
-ic(al(ly -ist -us
παντόμορφος (Soph.)
pantomorph(ic
παντόμωρος all-foolish
Pantomorus *Ent.*
παντοπλανής roving
Pantoplanes *Ent.*
παντοποιός reckless
Pantopoeus *Ent.*
παντοφαγία (Pseudo-Jos.)
pantophagy
-ic -ist
παντοφάγος (Greg. Naz.)
pantophagous
παντοφόβος all-fearing
pantophobia
-ic -ous
πάνυ altogether
Panyptila *Ornith.*
πάνυγρος quite damp
panhygrous
πανωλεθρία utter ruin
panolethry
παπαγάς a parrot
popinjay
πάπας father
antipapal
-acy -ist (ical
antipope -ery
archpapist
archprotopope
Caesaropapism *Pol.*
Cryptopapist *Eccl. Hist.*
panpopish
papa(s
papab(i)le
papacy
papal(ity
papalin(a
papalism -ist(ic(al
papalize(r -ation
papally papalty
papaphobia -ist
papaprelatical
paparchy -ial
papate
pape -ess -ey
papicolar -ist
papish(er papism
papist(ly -ry
papistic(ate -al(ly
papized
papolatry -ous *Eccl.*
pap(p)as
pope
dom -ess -estant hood -ian -ify -ish(ly -ish-ness -ism -ize less like ling ly ship
popery(phobia
popeholy -iness

popocrat
popomastic
protopope *Gr. Ch.*
puritanopapist
unpope
πάππος grandfather; down on seeds; a little bird
dromaeopappous *Ornith.*
Hymenopappeae *Bot.*
ornithopappic
papp- *Bot.*
escent iferous ose ous
-pappi *Ornith.*
Dromaeo Ornitho Ptero
Pappocetus *Pal.*
Papposaurus *Pal.*
pappus *Anat. Bot.*
-pappus *Bot.*
(H)aplo Hymeno Pyrrho
παπύρινος (Plutarch)
papyrine
πάπυρος (Theophr.)
paper
ed er ful iness y
papier(maché
papuristite *Trade*
papyr-
aceous al ean ian iferous in itious
Papyrius *Bot.*
papyro-
cephalus *Ich.*
cracy
graph(y -ic
lite
logy -ical
phobia
polist
tamia
tint *Chem.*
type typy *Photog.*
xylin *Trade*
papyrus
photopapyrograph(y
?taper
er ing(ly ly ness wise
παρ- Comb. of παρά
par-
abderites *Pal.*
acanthoceras *Ent.*
acanthoma & -osis
acanthonchus *Helm.*
acetaldehyde
aconic *Chem.*
ac(o)usia acusis *Path.*
acrostic *Lit.*
actinopoda *Zool.*
actis -idae *Zool.*
adenitis *Path.*
achmina *Pal.*
aegopis *Malac.*
agglutination *Med.*
agnostus -idae *Pal.*
albumin *Chem.*
aldehyde *Chem.*
aldehydism *Tox.*
aldimin(e *Chem.*
algesia -ic *Path.*
algia *Path.*
am(ic -id(e *Chem.*
amidophenol *Chem.*
amnesia *Ps. Path.*
amoeba *Prot.*
amphistomum *Helm.*
amusia *Med.*
amylum -ene -o-
an(a)esthesia *Path.*
anal *Anat.*
analgesia *Med.*
andra *Ent.*
anilin(e *Chem.*
ankerite *Min.*
anthelion

par- Cont'd
anthias *Ich.*
anthracene *Chem.*
aparchites *Pal.*
aphasia -ic *Path.*
aphia *Path.*
apophysis -ial -ical
apsis -idal *Ent.*
apsis *Path.*
aqueduct *Anat.*
arabin *Chem.*
arctalia(n *Zoogeog.*
arthria *Path.*
aspiticeras *Pal.*
astacus *Crust.*
-id(ae -inae -in(e -oid
asteropaeus *Ent.*
asthenia -ic *Path.*
atacamite *Min.*
auchenium *Ornith.*
aurichalcite *Min.*
axial(ly *Anat. Zool.*
axin *Mat. Med.*
axon(ic *Zool.*
azene *Org. Chem.*
eccrisis *Path.*
ectama *Path.*
edaphus *Ent.*
electronomy -ic *Path.*
encephalia *Terat.*
-ic -ous -us
epanorthus *Pal.*
epic(o)ele *Anat.*
epididymis -al *Anat.*
epigastric *Anat.*
epithymia -ic *Path.*
epochism
erethis *Path.*
ergastical
esthesis -ia -etic *Psych.*
ethmoid *Anat. Ich.*
exegesis
exocoetus *Ich.*
hemoglobin *Biochem.*
(h)idrosis *Path.*
homology -ous *Biol.*
hormone *Biochem.*
hydrobia *Pal.*
ichnos *Pal. Bot.*
ictops *Pal.*
leiosoecia *Pal.*
lithium *Chem.*
oarion -ium *Biol.*
occipital *Anat. Zool.*
ochetus *Bot.*
odinia
odontid *Tumors*
odontitis *Dent.*
odyn *Mat. Med.*
odynia *Obstet.*
oecister *Ent.*
oligobunis *Pal.*
oliva -ary *Anat.*
omphalocele -ic *Path.*
oniria *Med.*
onychium *Ent.*
oophoritis *Path.*
oophoron -ic *Gynec.*
ophiocephalus *Ich.*
ophite *Min.*
ophrys *Ich.*
ophthalmia *Path.*
ophthalmoncus
opsis *Path.*
oral *Biol.*
orchidium *Med.*
orchis -id *Anat.*
orexia *Path.*
orthoclase *Pal.*
orthocrinus *Pal.*
orthotropism *Bot.*
osmia -is *Path.*
osphresis -ia *Med.*
osteal *Anat.* -(e)itis -(e)osis -(e)otic *Path.*
ostia -ic *Path.*

par- Cont'd
otic *Anat.*
otosaurus *Pal.*
ovariotomy *Surg.*
ovaritis *Path.*
ovarium -ian *Anat.*
ovoid *Biol.*
umbilical *Anat.*
uria -ic *Path.*

παρά beside
acetoparatoluid *Med.*
acetparaamidosalol
acropar(a)esthesia *Path.*
antiparabema *Arch.*
aparaphysate *Bot.*
Aparasphenodon *Herp.*
aparathyr(e)osis *Med.*
basicytoparaplastin
basiparachromatin
benzoparacresol *Med.*
Cryptoparamera *Zooph.*
cyarsal *Mat. Med.*
Epiparactis *Zooph.*
hemipar(an)(a)esthesia
hydropara-
coumaric *Chem.*
salpinx *Med.*
hypopara-
thyreosis *Med.*
thyroidism *Med.*
intraparacentral
meroparesthesia *Psych.*
mesoparapteron -um -al
metaparapteron -al
monopar(a)esthesia
Nematoparataemia
neuroparasthenia *Path.*
ompa *Org. Chem.*
oxyparaplastin *Cytol.*
palfrenier
palfrey
palfreyour
Paricelinus *Ich.*
piaselenole *Org. Chem.*
piaziodonium *Chem.*
pseudoparaphrasia
pseudoparaphyses *Bot.*
semiparameter
splenoparectoma *Path.*
sulphoparaldehyde
tectoparatype *Pal.*
παρα-
para-
aceratosis *Med.*
acetophenolethyl
acetphetidin *Med.*
amidophenetol *Chem.*
anaesthesia *Path.*
analgesia *Med.*
anthracene *Org. Chem.*
appendicitis *Path.*
ban(ic -ate *Chem.*
basal(e *Crin.*
bayldonite *Min.*
benzene *Chem.*
berine *Org. Chem.*
biosis biotic
bismuth *Mat. Med.*
blast(ic *Embryol.*
blastida *Prot.*
blastoma *Tumors*
bolinopsis *Pal.*
boselaphus *Pal.*
b(o)ulia -ic
branchia(l -iate *Moll.*
bramalide *Chem.*
bronchium *Ornith.*
buxine -idine *Chem.*
calcarin(e
callus *Bot.*
camphoric *Chem.*
camptorrhinus *Ent.*
carmin(e *Staining*
carp(ium -ous *Bot.*
carthamin *Chem.*
casein(ate *Biochem.*

para- Cont'd
cathodic *Optics*
catillocrinus *Pal.*
cele *Anat.*
cellulose *Biochem.*
celsian *Min.*
central *Anat.*
centric(al *Kinetics*
cephalus *Terat.*
ceratosis *Path.*
cerebellar *Anat.*
cerithium *Pal.*
chloralide & -ose
chloro-
phenol salol
cholera *Path.*
cholesterin *Histol.*
chor *Phys. Chem.*
chordal *Embryol.*
chordodes *Helm.*
chroia chroea *Med.*
chromatin *Biol.*
chromatism *Path.*
chromatophorous *Biol.*
chromatopsia *Ophth.*
chromatosis *Path.*
chrome -a *Biol.*
chromis *Ich.*
chromophore -ic *Bact.*
chronism -istic -ize
chrysodema *Ent.*
chymosin *Biochem.*
cinesis *or* -ia *Path.*
cinetic *Path.*
citharus *Ich.*
citric *Chem.*
clase *Geol.*
clepsis *Helm.*
clinus *Ich.*
cnemis -idion *Anat.*
c(o)ele -ian *Anat.*
c(o)enesthesia *Med.*
colobopsis
colon *Bact.* -itis *Path.*
colpitis *Path.*
colpium *Anat.*
condylar -oid *Anat.*
cone -ic -id *Mam.*
con(i)ine *Chem.*
conscious
copulation *Crust.*
coquimbite *Min.*
corolla *Bot.*
coroniceras *Pal.*
cotyledonary *Bot.*
coumaric -one *Chem.*
creosotic *Chem.*
cres(al)ol *Mat. Med.*
cribrum *Embryol.*
crisis *Med.*
critus *Ent.*
crystalline *Cryst.*
cyan *Chem.*
ic ate id(e
cyanogen *Chem.*
cycadales *Bot.*
cyclas *Zool.*
cyclone *Meteor.*
cyesis *Path.*
cymene *Chem.*
cyphea *Ent.*
cyst *Fungi*
cystic -itis *Path.*
cystis *Pal.*
cystium *Anat.*
cytic *Cytol.*
dactyl(um -ar *Ornith.*
datiscetin *Chem.*
dental *Anat.*
derm *Embryol. Ent.*
desmus *Cytol.*
discostoidea *Herp.*
diagnosis *Med.*
diazin *Chem.*
dichlorobenzene *Chem.*
didymis -al *Biol.*

para- Cont'd
digitaletin *Chem.*
diphtherial -ic *Path.*
diphyllum *Bot.*
diplomatic
dium *Chem.*
dromia *Crust.*
dunstania *Pal.*
dysentery *Med.*
eccrisis *Med.*
ellagic *Chem.*
enteric *Path.*
epilepsy *Path.*
equilibrium *Otol.*
esthesia *or* -is *Psych.*
-etic
fibrin(ogen *Chem.*
flagellum -ate
flocculus -ar
formaldehyde *Chem.*
fren(e)sie
front
fuchsin *Dyes*
fumaric *Chem.*
function(al *Med.*
fundulus *Pal.*
fusus *Pal.*
galactan -ic *Chem.*
galerus *Pal.*
gammacism *Phon.*
gamy -ic *Biol.*
ganglin(a *Mat. Med.*
ganglioma *Tumors*
ganglion *Anat.*
gaster *Zool.*
gastral -ic *Zool.*
gastrula(r -ation *Emb.*
gaurotes *Ent.*
gelatose *Chem.*
gelocus *Pal.*
genesis -ia -ic *Biol.*
genetic *Biol. Min.*
genic *Min.*
germinal
gerontic *Biol.*
geusis -ia -ic
glenal *Ich.*
glob(ul)in *Chem.*
glossa *Path.*
-al -ate -ia -itis
glossy *Geol.*
glyconic *Chem.*
glycocholic *Biochem.*
gnath *Crust. Helm.*
on um us
gnathism -ous *Ornith.*
gnathus *Terat.*
gneiss *Geol.*
gnosis *Diag.*
gomphosis *Obstet.*
gonatodes *Herp.*
gonimiasis *Path.*
gonismus *Zool.*
gonorrheal *Path.*
graphia *Path.*
gymnastes *Ent.*
gynous *Bot.*
heliode *Bot.*
heliotropic -ism *Bot.*
hemoglobin *Biochem.*
hepatic *Anat.*
hepatitis *Path.*
heteronyx *Ent.*
hexapus *Crust.*
hibolites *Pal.*
hippus *Mam.*
homalonotus *Pal.*
hopeite *Min.*
hormone *Biochem.*
hyal *Ornith.*
hydraspis *Pal.*
hydroxy-
hypnosis *Med.*
hypophysis *Anat.*
indene *Org. Chem.*
infection -ious *Med.*

para- Cont'd
influenzal *Med.*
iodoxyanisol *Med.*
kinesis -ia *Path.*
kinetic *Path.*
labis *Pal.*
labrax *Ich.*
lactic -ate *Chem.*
lalia *Path.*
lambdacism
laurionite
lepidotus *Pal.*
lepis *Ich.*
-idid(ae -idoid
leprosis *or* -ia *Path.*
lexis -ia -ic *Path.*
librotus *Crust.*
lichas *Pal.*
lichnus *Ent.*
linin *Biol.*
lodion *Chem.*
logia *Ps. Path.*
lonchurus *Ich.*
lophia *Ent.*
luminate & -ite *Chem.*
lysin -ol -or *Chem.*
machaerodus *Pal.*
magnet *Elec.*
ic(al(ly ism
mal(e)ic *Chem.*
mandelic *Chem.*
manus *Phys. Chem.*
mastigote *Cytol.*
mastoid *Anat.*
mast(oid)itis *Path.*
meconic *Chem.*
mecynostoma *Ent.*
median *Anat.*
medoacetophenone
melaconite *Min.*
melitensis *Path.*
menia *Path.*
meningococcus *Bact.*
menispermine *Chem.*
mera *Anthozoa*
mere -ic *Biol.*
meridian *Bot.*
mesial *Anat.*
mesoceras *Arach.*
metaphysical
meter *Astron. Crystal. Math.*
metral *Crystal. Math.*
metric(al *Crystal.*
mimia *Path.*
mitom(e *Biol.*
molybdate *Chem.*
monas -adidae *Prot.*
monchlorophenol
montmorillonite *Min.*
morea *Pal.*
morph(ism -ic -ous
morphia -in(e *Chem.*
mucin *Chem.*
mutualism *Lichens.*
myelin *Biochem.*
myoclonus *Path.*
myopa *Ent.*
myosinogen *Chem.*
myotone -is -us *Path.*
naphthalic *Chem.*
-ene -in(e
nasty *Bot.*
neme *Bot.*
-a(ta(l -atic
nephrin *Mat. Med.*
nephritis -ic *Path.*
nephros -ic *Anat.*
nepionic *Biol.*
neural *Anat.*
nitranilin(e *Chem.*
nitro- *Chem.*
nitrosophenol *Chem.*
nomia *Ps. Path.*
normal
nucleoprotein *Chem.*

para- Cont'd
nucleus *Biol.*
-ear -eate -eic -ein(ic
-eolus
omphalic *Anat.*
operative *Surg.*
orthose *Min.*
pagurus *Crust.*
-id(ae -oid
pancreatic *Anat.*
parchites *Pal.*
paresis -etic *Path.*
patagium -ial *Anat.*
pathy -ia *Path.*
pectic -in *Chem.*
pedesis *Path.*
pempheris *Ich.*
peptone *Chem.*
periodate *Chem.*
peritoneal *Anat.*
pestis *Path.*
petalifera *Bot.*
petalum -oid -ous *Bot.*
phaenodiscoides *Ent.*
phanolaimus *Helm.*
phase -ic *Biol.*
phasis *Comp. Anat.*
phemia *Ps. Path.*
phenetidin(e *Chem.*
phenylene *Chem.*
phiomys *Pal.*
phobia *Med.*
phonia *Path.*
phosphate & -oric
photophyllum *Bot.*
phototropic -ism *Bot.*
phrenesis *Path.*
phrenia *Path.*
phrenitis -ic *Path.*
phyllopora *Pal.*
phyll(i)um *Bot.*
physical
phyte -on *Bot. Med.*
picoline *Chem.*
piezops *Ent.*
pineal *Anat.*
pithecus -idae *Pal.*
plagiorchis *Helm.*
plasm *Biol.*
plast *Med.* -in *Cytol.*
plastic *Biol.*
plectenchyma *Bot.*
pleurocrypta *Crust.*
pneumonia *Path.*
polar *Embryol. Zool.*
praxia *Path. Psych.*
proctitis *Path.*
proctium *Path.*
prososthenia *Pal.*
prostatitis *Path.*
protaspis *Tril.*
psalis *Ent.*
psettus *Ich.*
psilorhynchus *Ich.*
psoriasis *Path.*
pteron *Ent. Ornith.*
-um -al
ptochus *Ent.*
pycnomorphous *Histol.*
pyramidal *Anat.*
quinonoid *Org. Chem.*
rachis -idial *Anthozoa*
radium *Chem.*
rectal *Anat.*
reflexia *Med.*
regulin *Prop Rem.*
renal *Anat.*
rhotacism *Philol.*
rhythmia *Physiol.*
rosanilin(e *Dyes*
rosolic *Org. Chem.*
saccharic *Org. Chem.*
-in -one -onic -ose
sacral *Anat.*
sageceras *Malac.*
sagittal *Anat.*

para- Cont'd
salicyl(ic *Chem.*
salpingitis *Path.*
sapiolite *Min.*
saprophytism *Bot.*
scaphium *Ent.*
scarlet *Path.*
scelus -id(ae -oid *Crust.*
scepsis *Ent.*
schematic
scorpis *Ich.*
secodes *Ent.*
secretion *Path.*
selene -ic *Meteor.*
seleuca *Arach.*
semidin(e *Chem.*
sepiolite *Min.*
septal *Anat.*
serum *Med.*
sicyonis *Zooph.*
sigmatism(us *Phon.*
silicic *Inorg. Chem.*
sinoidal *Anat.*
sipho *Pal.*
soma *Cytol.*
sorbic *Chem.*
specific *Med.*
spelaeum *Porif.*
spermatozoid *Cytol.*
sphaerocera *Ent.*
sphen *Ent.*
sphenoid(al *Comp.*
sphex
squalodon *Pal.*
stannic *Chem.*
steatosis *Med.*
stemon(al *Bot.*
stenocrobylus *Ent.*
sternum -al *Anat.*
sthenia *Histol.*
stichaster *Echin.*
stichy *Bot.*
stigma -atic *Ent.*
strophe *Bot.*
strophiinae *Pal.*
struma *Path.*
style *Anat. Bot.*
suchia -ian *Herp.*
sycites *Ent.*
symbiont *Bot.*
symbiosis *Bot.*
sympathetic *Neurol.*
synapsis *Cytol.*
synaptic -ist *Cytol.*
syndesis *Cytol.*
synovitis *Path.*
syphilis *Path.*
-itic -osis
systole *Physiol.*
tagma *Bot.*
tangential *Geom.*
taracticus *Ent.*
tarsium -ial *Ornith.*
tartaric *Chem.*
tartramide *Chem.*
tenon *Anat.*
terminal *Anat.*
theca *Ent.*
thecium *Bot.*
thelium -iaceae *Bot.*
thenardite *Min.*
theria -ian *Mam.*
thermic *Phys.*
thermotropic *Bot.*
thesin *Mat. Med.*
thymia *Ps. Path.*
thyrin *Biochem.*
thyroid(al *Anat.*
thyroidectomy -ize
thyropriva *Biochem.*
-al -ic
title
toloid(in *Mat. Med.*
tolu- *Chem.*
ene idine ol
tomium -ial *Ornith.*

para- Cont'd
tomous *Min.*
tonia *Med.*
tophan *Mat. Med.*
topiae *Med.*
topism
toxin *Mat. Med.*
tracheal *Bot.*
trachelophorus *Ent.*
trachyceras *Pal.*
transapical *Bot.*
transverson *Bot.*
treme *Ent.*
trichosis *Med.*
trium *Annel.*
troch *Annel.*
trophia -y -ic *Path.*
tropism *Bot.*
tuberculous -osis *Path.*
tungstic -ate *Chem.*
tylopus *Pal.*
type -ic(al
typhlitis *Path.*
typhoid *Path.*
typton *Crust.*
umbilical *Anat.*
urethral *Anat.*
uterine *Path.*
vaginal *Anat.*
vaginitis *Path.*
vane *Naval*
vauxite *Min.*
vertebral *Anat.*
vesical *Anat.*
vivianite *Min.*
xanthin(e *Chem.*
xylene *Chem.*
zoa(n *Spong.* zoon *Biol.*
zygocera *Ent.*

παράβασις (Schol. Ar.)
parabasis *Gr. Dr.*
παραβάτης (Iliad)
parabates *Gr. Mil.*

παράβημα (-ατος)
parabema -atic *Arch.*

παραβλέπειν to see wrong
parableptic *Ophth.*
παράβλεψις (Plut.)
parablepsis -ia -y *Ophth.*
παραβλώψ squinting
Parablops *Ent.*

παραβολή a placing beside
hemiparabola *Math.*
palaver(er ist ment
parable (N.T.)
parabola -ar(y (*Math.*)
parabolaster
parabole *Rhet.* (Isocr.)
parabole *Geom.*
-iform -imber -ism -ist
-ization -ize(r
parabolograph *Mech.*
parol(e ist
semi-parabola
παραβολικός (Clem. Al.)
parabolic *Geom. Rhet.*
al(ly alness
planoparabolic
semiparabolic(al
παραβολοειδής in Gr. as *Rhet.*
paraboloid(al *Math.*
παράβολος orig., reckless
parabolanus
parabolus *Old Med.*

παράβυσμα stuffing
parabysma -ic *Path.*

παραγράμμα (σκώμματα) (Arist.)
paragram(matist

παράγραφος (Heph.) But Ath. uses **παραγραφή** for the modern sense of paragraph
paraf(f)le
paragraph
er ic(al(ly ism ist(ical ize ly y
paraph
pilcrow

παραγῶν P. pr. of **παράγειν** to mislead
paragite *Min.*
Paragoceras *Pal.*
paragonite(schist *Min.*
paragonitic *Min.*
παραγωγή (Apoll.)
paragoge *Philol.*
-ic(al(ly -ize

παράδειγμα model; example
paradigm *Gram. Rhet.*
παραδειγματίζειν (Polyb.)
paradigmatize -ation
παραδειγματικός (Philo)
paradigmatic(al(ly

παραδεισιακός (Dion. P.)
paradisiac(al(ly
παράδεισος a park (Xen.)
paradise
-(a)ic(al(ly -(i)al -ian
-paradise
dis em in un
Paradisea *Ornith.*
-ean(a -eid(ae -einae -eine -eoid
Paradisia *Ent.*
Paridisornis *Ornith.*
parvis(e *Eccl.*

παραδιαστολή (Quintil.)
paradiastole -ary *Rhet.*

παραδιόρθωσις (Plut.)
paradiorthosis

παραδοξία wondrousness
paradoxy
παραδοξο- Comb. of **παράδοξος**
paradoxo-
laimus *Helm.*
nycteris *Pal.*
παραδοξογράφος (Tzetz.)
paradoxographical
παραδοξολογία (Plut.)
paradoxologia -y
παράδοξος (Plato)
paradox
al er ia(l ic(al(ly icality icalness
Paradoxides *Crust.*
-idian -(id)id(ae -idoid
paradoxism -ist
Paradoxornis -ithinae
paradoxure *Mam.*
-inae -in(e -us

παραδρομίς (Vitruv.)
paradrome
paradromis *Gr. Athl.*
παράδρομος (Clem. Al.)
paradromic

παραζώνια daggers (Hesych.)
parazonium *Gr. Ant.*

παράθεσις juxtaposition
parathesis *Gram. Gr. Ch. Philol. Print. Rhet.*
παραθετικός admonitory
parathetic

παραίνεσις advice
par(a)enesis -ize
παραινετικός hortatory
par(a)enetic(al

παράκαιρος ill-timed
Paracaerius *Ent.*

παρακέντησις (Galen)
celioparacentesis *Surg.*
paracentesis & -etic *Surg.*
παρακεντητήριον (Galen)
paracenterion -ium

παρακλητική = **ὀκτάηχος**
paracletice -on *Gr. Ch.*
Παράκλητος (N.T.)
paraclete *Eccl.*
Paracletus *Ent.*

παρακμαστικός past prime
paracmastic(al *Biol.*

παρακμή decay (Plut.)
paracme -asis *Biol.*

παρακοπή (Hipp.)
paracope -ic *Path.*

παράκτιος on the beach
Paractocrinus *Pal.*
-idae
παράλαμψις (Galen)
paralampsis *Path.*

παραλειπόμενα (Plato)
paralipomena -on
παράλειψις omission
paralepsis -ia -y *Rhet.*
para(l)lipsis *Rhet.*

παραλήρημα nonsense
paralerema *Path.*
παραλήρησις (Hipp.)
paraleresis
παράληρος delirious
paralerous

παράλιος by the sea
paralian -ious

παραλλάγμα (Hipp.)
parallagma *Surg.*
παραλλακτικός (Procl.)
parallactic(al(ly
παράλλαξις aberration
odontoparallaxis *Dent.*
parallax *Astron.* (Ptol.)
parsec *Astron.*

παραλληλεπίπεδον (Euclid)
parallelepiped(on
-(on)al ous
παραλληλίζειν (Eust.)
parallelize(r -ation
παραλληλισμός (Eust.)
parallelism
παραλληλο- Comb. of **παράλληλος**
geoparallelotropism -ic
parallelo-
drome -ous *Bot.*
graph *Math.*
hedron *Crystal.*
meter
pora *Pal.*
somus *Ent.*
steric *Phys.* -ism *Chem.*
tropic -ism *Bot.*
type *Bot.*
παραλληλόγραμμον (Euclid)
parallelogram
anti- circum- contra-
parallelogramish
parallelogramm(at)ic(al-(ly
παράλληλος (Arist.)
antiparallel *Geom.*
demiparallel
imparalleled
Paralichthys
parallel
able arity er ist(ic less ly wise

parallel-
geotropism *Bot.*
odon(tidae *Zool.*
odus *Pal.*
paralleli-
nerved -ate -ous
venous -ose *Bot. Ent.*
parallelith *Archaeol.*
somatoparallelus *Terat.*
ultraparallel
unparallel
able ed(ly (ed)ness

παραλογία (Greg. Nyss.)
paralogia -y *Logic*
παραλογίζεσθαι (Arist.)
paralogize *Logic*
παραλογισμός (Arist.)
paralogism(ic(al *Logic*
παραλογιστής (Arist.)
paralogist *Logic*
παραλογιστικός (Arist.)
paralogistic *Logic*
παράλογος unexpected
paralogian
Paralogopsis *Pal.*

παράλυσις (Theophr.)
palsical -ness
palsification
palsify
palsy
palsywort
paralysis
-paralysis *Med.*
acro angio cysto entero gastro hemi irido l(a)emo laryngo metro myelo myo nephro neuro pharyngo phreno pneumono procto prosopo pseudo rachi(o) senso steth talo
paralyze
-ant -ation -er
paralyzers *Bot.*
unparalyzed
παραλυτικός (N.T.)
paralytic(al(ly
-paralytic *Med.*
angio anti neuro post sub sympathetico

παραμέση (Arist.)
paramese *Music*
παράμεσος next the middle
Paramesus *Ent.*

παραμήκης oblong; oval
Holoparamecus *Ent.*
Paramecium *Zool.*
-iidae -ina -ine
Paramecus *Ent.*

παραμορφυέιν to transform
paramorphosis *Min.*

παραμυθητικός consolatory
paramuthetic

παρανατελλῶν rising near
paranatellon *Astrol.*
παρανήτη (Arist.)
paranete *Music*

παρανθεῖν to wither
paranthine -ite *Min.*

παράνοια delirium
paranoea(c(al *Ps. Path.*
paranoeic *Ps. Path.*
paranoia(c *Ps. Path.*
paranoid(ism *Ps. Path.*
pototromoparanoea

παράνομος lawless
Paranomocerus *Ent.*

παράνυμφος a best man
paranymph(al

παράπηγμα a tablet
parapegm(a *Gr. Ant.*
παράπλασις transformation
cardioparaplasis *Terat.*
paraplasis *Biol.*
παράπλασμα a monster
paraplasm(a -ic *Path.*
παράπλαστος
paraplastic *Path.*
παράπλευρον at the side
parapleuritis *Path.*
parapleurum -on -a *Ent.*
παραπληγία = παραπληξία
paraplegia *Path.*
-ic -iform -y
paraplejapyrin *Mat.*
-paraplegia *Path.*
hemi pseudo
παραπληκτικός (Hipp.)
paraplectic *Path. Vet.*
παραπληξία hemiplegia
paraplexia -us *Path.*
παραπληροματικός (Dem. Phal.)
parapleromatic *Rhet.*
παραπόδιον at the feet
parapod(ium *Zool.*
al ia(l iata iate
παράρθρημα (Galen)
pararthreme *Surg.*
παρασάγγης (Herod.)
parasang *Meas.*
παρασιτικός (Lucian)
parasitic
al(ly alness
-parasitic
anti bi ecto endo ento hemi holo hyper im intra micro pseudo semi super zoo
Parasitica
-parasitica
ecto endo
pygoparasiticus *Terat.*
παράσιτος (Araros)
antiparasitin *Med.*
diparasitized *Med.*
Parasita *Zool.*
parasite
-al -aster -ism -ize(d -oid
-parasite
eco ecto endo ento epi hemi holo hyper idio im micro necro noso occo phyto pseudo super xeno zoo
parasiticide -al
parasitifer *Biol.*
-parasitism
auto eco hyper oeco poly pseudo semi super xeno
parasito-
genic *Med.*
logy -ical -ist *Biol.*
phobia *Med.*
trope -ic -ism -y *Med.*
trophism *Med.*
supparasitate -ion
unparasitized
παρασκευαστικός (Xen.)
parasceuastic
παρασκευή preparation
parasceuological
parasceve *Eccl.*
παρασκήνια (Dem.)
parascene -ium *Gr. Th.*
παρασπάειν to wrest aside
paraspadia *Med.*

παρασπασμός (Plutarch)
paraspasm *Med.*
παραστάς (Vitruv.)
parastas *Arch.*
παράστασις a putting forth
Parastasia *Ent.*
παραστάται testicles
antiparastata *Anat.*
antiparastatitis *Path.*
parastata -ic *Anat.*
παραστατικός presentative
parastatic *Zool.*
παράστρεμμα (Hipp.)
parastremma *Path.*
παρασυνάγχη (Galen)
parasynanche *Path.*
παρασύναξις (Justinian)
parasynaxis *Law.*
παρασύνεσις (Hipp.)
parasynesis -etic *Philol.*
παρασύνθεσις (Phavor.)
parasynthesis *Philol.*
παρασύνθετον (Apoll.)
parasyntheton *Philol.*
παρασύνθετος (Apoll.)
parasynthetic *Philol.*
παρασχιστής (Diod.)
paraschite *Egyptol.*
παράταξις marshalling
paratactic(al(ly *Gram.*
parataxis *Gram.*
παρατήρησις observation
paratereseomania *Med.*
παράτονος stretched beside
paratonic(ally *Bot. Path.*
παρατράγῳδος bombastic
paratragoedia -iate
παράτριμμα (Galen)
paratrimma *Med.*
παράτριψις friction
paratripsis *Physiol.*
paratriptic *Physiol.*
παραφερνα (Pandect.)
parapherna(l *Rom. Law*
paraphernalia(n
παραφίμωσις (Galen)
paraphimosed *Med.*
paraphimosis *Med.*
paraphimotic *Med.*
παραφορά (Aretaeus)
paraphora -ic *Path.*
παράφραγμα bulwark; screen
paraphragm(al *Crust.*
παράφρασις (Hermog.)
paraphrase
-able -er -ia -ian -is -ist
unparaphrased
παραφράστης
paraphrast(er
παραφραστικός (Aphthon.)
paraphrastic(al(ly
παραφρόνησις (Sept.)
paraphronesis *Path.*
παραφρονία (N. T.)
paraphronia *Ps. Path.*
παραφρόνιμος deranged
Paraphronima *Crust.*
-id(ae -oid
παραφροσύνη (Hipp.)
paraphrosyne *Path.*
παράφυσις (Theophr.)
paraphysagone *Bot.*
paraphyse *Bot.*
-ate -es -iferous -is

παραφωνία
paraphonia -ic -y *Music*
παράχροος faded
parachroous
parachrose *Min.*
πάρδαλις the pard (Il.)
pardal(e
παρδαλωτός spotted
pardalote *Ornith.*
-inae -us
πάρδος = πάρδαλις
pard
Pardanthus *Bot. Med.*
Pardosuchus *Pal.*
παρεγκεφαλίς (Arist.)
parencephalon *Anat.*
-itis -ocele *Path.*
παρέγχυμα (Galen)
ectoparenchyma *Zool.*
extraparenchymal *Med.*
interparenchymal
intraparenchymatous
merenchyma -atous *Bot.*
parenchym(e a al(e atic atous(ly
ous *Anat. Bot. Zool.*
parenchym-
alium *Spong.*
ata -ic *Helm.* -itis *Path.*
ella ula *Embryol.*
epatitis *Path.*
-parenchyma *Bot.*
phloem pseudo
pseudoparenchyme -atous
παρεδρία attendance
paredrial
πάρεδρος coadjutor
paredrite *Min.*
paredrus
parhedral
παρειά the cheek
Orthopareia *Ent.*
Pareiasaurus *Pal.*
-ia(n -idae -ius
Pareiasuchus *Pal.*
Pareioplitae *Ich.*
-paria *Pal.*
Hypo Opistho Pro Ptycho
proparian *Tril.*
Scleropariae -ei *Ich.*
Spanoparea *Ent.*
παρέκτασις extension
parectasis -ia *Med.*
-parectasis *Med.*
prostato spleno
παρεκτροπή a diverting
parectropia *Ps. Path.*
παρέλκειν to draw aside
coroparelcysis *Ophth.*
παρέλκων redundant
parelcon *Gram.*
παρεμβολή (Dion. H.)
parembole *Rhet.*
παρέμπτωσις (Dion. H.)
paremptosis *Rhet.*
παρένθεσις (Hermog.)
parenthesis
-ist -ize
παρένθετος (Eust.)
interparenthetical(ly
parenthetic(al(ly
πάρεργον a bye -work
parergon
-al -(et)ic -y
πάρεσις remission (Dion H.); paralysis (Hipp.)
paresis *Path. Philol.*
-paresis *Path.*
angio entero gastro hemi irido molybdo mono myo para

-paresis Cont'd
pneum(on)o poly pseudo psycho tabo vaso
pareso-
analgesia *Path.*
πάρετος relaxed
paretic(ally *Path.*
-paretic
hemi para
πάρευνος lying with
pareunia *Med.*
παρηγμένον alteration
paregmenon *Rhet.*
παρηγορικός soothing
paregoric(al *Med.*
παρήλιον (Arat.)
parhelion -ium *Meteor.*
-iacal -ic
παρήορος (Iliad)
pareoros *Gr. Ant.*
παρθένια songs of maids
parthenion *Gr. Mus.*
παρθενικος virginal
parthenic
παρθενιον (Hipp.)
parthenic -(ic(in(e *Chem.*
Parthenium *Bot.*
παρθένιος maidenly
partheniad *Lit.*
parthenian *Gr. Ant.*
παρθενο- Comb. of παρθένος
partheno-
carpy -ic *Bot.*
chlorosis *Path.*
cissus *Bot.*
genesis -ic *Biol.*
genetic(ally *Biol.*
genitiv(e *Biol.*
geny -ic -ous *Biol.*
gonidium *Bot. Protozoa*
latry
logy *Path.*
mixis *Bot.*
plasty *Surg.*
sperm *Bot.*
spore *Bot.*
-parthenogenesis
hetero homo iso pedo pseudo tycho
-parthenosperm
eu hemi
Παρθενόπη a Siren
Parthenope -ean *Astron.*
Parthenope *Crust.*
-ian -id(ae -ine -inea(n -oid
παρθένος a maiden
parthembryosperm *Bot.*
parthenapogamy -ous
parthenism
Parthenos *Gr. Ant.*
parthogenesis *Biol.*
Παρθενών (Dem.)
Parthenon *Gr. Temples*
Παρθυαία (Strabo)
Parthian
Παριανός of Paros
Parian *Ceram. Geog.*
parianite *Min.*
παρίσθμια (Hipp.)
paristhmia *Path.*
παρίσθμιον a tonsil
paristhmion -ic *Anat.*
paristhmiotome
paristhmitis -ic *Path.*
πάρισον (Arist.)
parison(al ic *Rhet.*
πάρισος nearly equal
pariso-
crinidae *Pal.*
logy

Παρμενίδης Parmenides
Parmenidean *Phil.*
πάρμη a buckler
Parmelia *Bot.*
-iaceae -iaceous -iei -ioid
parmelin -iine *Org. Chem.*
Παρνασσός Mt. of Phocis
Parnassia(n *Bot.*
Parnassian(ism *Lit.*
Parnassius *Ent.*
-ian -iidae -iinae
Parnassus *Geog. Lit.*
παροδικός of a πάροδος
parodic(al *Math.*
παροδίτης traveler
Parodites *Ent.*
πάροδος a passage
parode *Gr. Drama*
Parodiceras *Pal.*
parodos *Gr. Ant.*
παροικία (Eus.)
deparoichialize -ation
extraparo(i)chial(ly
intraparochial
parish
en ing ion(al ioner(ship
paroch *Eccl.*
parochial
ism ity ization ize ly ness
parochian
parochin(er
paroece -ian *Eccl.*
paroissien *Eccl.*
πάροικος dwelling near
paroecious *Bot.*
ly ness
paroecism *Bot.*
Paroecus *Ent.*
paroicous *Bot.*
παροιμία saying (Aesch.)
paroemia -ial *Rhet.*
paroemio-
grapher graphy
logy -ist
παροιμιακόν (Heph.)
paroemiac(al *Pros. Rhet.*
παρόμοιον similar
par(h)omoeon *Gram.*
παρομολογία (Quintil.)
paromologetic
paromologia -y *Rhet.*
παρονομασία (Dion. H.)
paronomosia *Rhet.*
-ial -ian -iastic -y
paronomastic(al(ly
πάροξυς pointed
paroxy-
claenus *Pal.*
ethira *Ent.*
noticeras *Pal.*
stomina *Helm.*
παροξυσμός (Hipp.)
interparoxysmal
paroxysm(ic
paroxysmal *Geol.*
-(al)ist -ally
παροξύτονος (Jo. Alex.)
paroxytone -ic -ize
παρόπτησις (Orisbas.)
paroptesis *Med.*
παρόρασις (Galen)
parorasis *Path.*
παρόρειος Fr. ὄρος
Paroreodon *Pal.*
πάρος before
paroscope
παρουλίς (Galen)
parulis *Path.*
παρουσία advent
par(o)usia *Rel.*

parousiamania *Eccl.*
parusia *Rhet.*
παροψίς a dainty
Paropsis *Ent.*
παρρησία frankness
parrhesia -y *Rhet.*
παρρησιαστικός (Arist.)
parrhesiastic
πάρυγρος rather wet
Parygrus *Ent.*
παρυπάτη (Arist.)
parhypate *Gr. Music*
παρυφή woven border
Paryfenus *Pal.*
paryphodrome *Bot.*
παρυφής bordered robe
Leucoparyphus *Ent.*
Paryphus *Ent.*
παρῳδία (Arist.)
parody
-iable -ial -ious -ist(ic-(ally -ize
παρῳδικός burlesque
parodic(al *Lit.*
παρώμαλος nearly even
Paromalus *Ent.*
παρωνυμία a by-name
meroparonymy *Med.*
παρώνυμον (Dem.)
paronym *Philol.*
ic ization ize ous y
παρωνυχία (Hipp.); (Diosc.)
panaritium *Path.*
paronychia *Path.*
-ial -ic
Paronychia *Bot.*
-i(ac)eae -ietum
παρωτίς (-ίδος) (Galen)
auriculoparotidean *Anat.*
hydroparotitis *Med.*
Parotia *Ornith.*
parotia *Path.*
parotic *Anat. Zool.*
parotid *Anat.*
eal ean
ectomy *Surg.*
itis -ic *Path.*
oncus *Path.*
parotido- *Med.*
auricularis
scirrhus
sclerosis
parotis *Anat. Path.*
parotitis -ic *Path.*
parotoid *Zool.*
πᾶσι- Comb. of **πᾶς** all
pasi-
graph(y -ic(al
laly
machus *Zool.*
thoa -oid(oe -ooid
Πασιτέλης
Pasitelean *Gr. Art*
Πασιφάη Wife of Minos
Pariphaea *Crust.*
-aeid(ae -aeoid
πάσμα a plaster
pasma *Med.*
πάσπαλος sorghum
paspalism *Tox.*
Paspalum -oid *Bot.*
Πασσαλορυγχῖται (Epiph.)
passalorhync(h)ite -ae
πάσσαλος a peg
Passaloecus *Ent.*
Passalora *Fungi*
passalus *Bot.*
Passalus -id(ae *Ent.*
πάσσειν to embroider
Calopasta *Ent.*

παστάς porch; chamber
pastas *Gr. Arch.*
πάστη (Ar.)
paste(board
pastel(leteer
pastel(l)ist
paster(er
παστοφορεῖον (Phot.)
pastophorion -ium *Eccl.*
παστοφόρος (Diod.)
pastophor(us *Archaeol.*
πασχα Passover (Sept.)
Antipasch *Eccl.*
pasch(ite *Eccl.*
pasque(flower
πασχάλιος (Proc.)
paschal(ist *Eccl.*
-paschal *Eccl.*
ante bi di tri
παταγεῖον a golden stripe
patagium *Zool.*
-ial -iate
-patagium *Zool.*
ecto meso plagio uro
πάσχειν to suffer
Rarely if ever used
Πάταικοι (Herod.)
Pataecus *Ich.*
-id(ae -oid
πατάνη a flat dish
Patanemys *Pal.*
paten(er *Eccl.*
πατέειν to tread, trample
Heliopates *Ent.*
πατήρ father
misopaterist
patero-
phobia
sauridae *Pal.*
πάτος a path
ichthyopatolite *Pal.*
πατρ- Stem of **πατήρ**
patr-
onomatology
πάτρα fatherland
synpatric -y *Biol.*
πατριάζειν (Poll.)
patrize
-ate -ation
πατριάρχης (Sept.)
antipatriarch *Eccl.*
archpatriarch
patriarch
acy al(ly (al)ism ate dom ess ize ship
protopatriarchal
unpatriarchal
πατριαρχία (Epiph.)
patriarchy
πατριαρχικός (Greg. Naz.)
patriarchic(al(ly
πατρίς of one's fathers
Phylopatris *Ent.*
πατριώτης one of a **πάτρα**
patriot
ess ism less ly ship
unpatriot
ism ized
πατριωτικός
antipatriotic
pseudopatriotic
patriotic(al(ly
unpatriotic(ally
πατρο- Comb. of **πατήρ**
patro-
cliny -ic -ous *Biol.*
genesis *Biol.*
gony
latry
logy -ic(al -ist *Eccl.*

πατρωνυμία (Eust.)
patronymy
πατρωνυμικός (Dion. H.)
patronymic(al(ly
πατρώνυμος (Ignat.)
patronym
παῦλα a rest, pause
apaulogamy -ic *Bot.*
paulocardia *Med.*
paulospore *Bot.*
Παυλικιανοί (Eus.)
Paulician -ism *Eccl.*
Παῦλος Paul (Clem. R.)
Paulinism *Eccl.*
-ist(ic -ize
Paulism *Eccl.*
-ist(ine -ite
ultrapauline *Eccl.*
παυρο- Comb. of **παῦρος**
Eurypauropus *Ent.*
-(od)id(ae -oid
pauro-
metabola -ous *Ent.*
mys *Pal.*
pod(a -ous *Ent.*
pus podid(ae podoid
Protopauropus *Ent.*
Sympauropsylla *Ent.*
παῦρος little; few
paur-
odontidae *Mam.*
onychella *Ent.*
παυσι- Comb. of **παῦσις**
pausimenia *Physiol.*
παῦσις a stopping (Sept.)
menopausic *Physiol.*
-pause *Med.*
dia gonado meno tropo
pause
-ably -al -ation -er -ingly
ful(ly less(ly ment
Πάφιος of Paphos
Paphia -ian -iidae *Conch.*
Paphian *Gr. Ant.*
πάχης fleshy
Pachasura *Ent.*
πάχνη hoar frost (Od.)
Pachnephorus *Ent.*
pachnolite *Min.*
παχνήεις frosty
Pachneus *Ent.*
πάχος thickness
pachometer *Phys.*
παχυ- Comb. of **παχύς**
eupachy-
crinidae *Pal.*
discus *Malac.*
pachy-
ac(*or* k ria *Med.*
acris *Ent.*
(a)emia *Med.*
blepharon -osis *Path.*
brachys *Ent.*
campili -ous *Mol.*
cardia -ian *Zool.*
carpous *Bot.*
cephala *Crust. Ent.*
cephala *Ornith.*
-inae -in(e
cephalia *Med.*
-y -ic -ous
cerapis *Ent.*
cerus *Ent.*
chelonus *Ent.*
choeromyia *Ent.*
cholia -ic *Path.*
cladous *Bot.*
clema *Bot.*
cnema *Ent.*
colpismus *Gynec.*
colus *Ent.*
cormus *Bot.*

pachy- Cont'd
craerus *Ent.*
cynodontoidae *Pal.*
deroserica *Ent.*
desmoceras *Malac.*
dinium *Prot.*
discoides *Malac.*
dissus *Ent.*
domus *Conch.*
-id(ae -oid
emia *Path.*
-ic -ous -y
geneia *Ent.*
genelus *Pal.*
glossa(e *Herp.*
-al -ata -ate -ous
glossia *Med.*
gnatha -idae -ous
gonosaurus *Pal.*
gyrus *Bot.*
haemic -ic -ous *Path.*
hematous *Path.*
hymenia -ic *Path.*
hyrax *Pal.*
lebias *Pal.*
leptomeningitis *Path.*
meningitis -ic *Path.*
meninx *Anat.*
meter
mura *Pal.*
nema *Cytol.*
odont
onyx *Ent.*
ophis *Herp.*
ornis *Ornith.*
osteus *Pal.*
ostosis *Path.*
ote -us *Zool.*
otia -ous *Otol.*
pegma *Porif.*
peritonitis *Path.*
peza *Ent.*
phaedusa *Pal.*
phallus *Malac.*
phymus *Ent.*
pleuritis *Path.*
pod(ous
poda *Conch. Ent. Herp.*
prosop *Pal.*
protasis *Ent.*
pterous *Zool.*
pygus *Crust.*
rhamphus *Ornith.*
salax *Pal.*
salpingitis *Path.*
salpingoothecitis
salpingoovaritis
saurian *Herp*, -us *Pal.*
scaphidium *Ent.*
scelis *Ent.*
sceptron *Pal.*
selis *Porif.*
soma *Ent.*
somia *Med.*
sternum *Ent.*
stichous *Bot.*
stola *Ent.*
tarsus *Ent.*
tene *Cytol.*
teuthidae *Pal.*
theca *Pal.*
therium
thrissops *Pal.*
tomella *Ent.*
trachelus *Ent. Pal.*
tragus *Pal.*
tylus *Pal.*
vagin(al)itis *Path.*
Palaeopachygnatha
peripachymeningitis
Zygopachynema *Bot.*
παχυδάκτυλος
pachydactyl(e *Ornith.*
-i -ous
pachydactyly *Anat.*

παχυδερμία (Hipp.)
pachydermia(l *Path.*
παχύδερμος (Arist.)
pachyderm *Zool.*
a al ata atoid ic
pachyderma -atosis *Path.*
pachydermatocele *Path.*
pachyderm(at)ous(ly -ness *Bot. Zool.*
παχυλός thickish
Pachylis *Ent.*
Pachyloceras *Ent.*
pachylosis *Path.*
Pachylus *Ent.*
Uropachylus *Arach.*
παχύνειν to make thick
pachynosis *Bot.*
Pachynotelus *Ent.*
παχύνσις a thickening
pachynsis *Med.*
-pachynsis *Med.*
blepharo myo
παχυντικός (Diosc.)
pachyntic *Med.*
παχύπους (Arist.)
Pachypus *Arach. Ent. Mam.*
παχύρριζος (Theophr.)
pachyrhized *Chem.*
Pachyrhizus *Bot.*
παχύρρυγχος
pachyrhynchous
παχύς thick
acropachy *Path.*
gastropacha *Ent.*
Lepachys *Bot.*
pach(a)emia *Med.*
Pachauchenius *Ent.*
Pachdyta *Ent.*
Pacholenus *Ent.*
Pachyma *Fungi*
pachymenia -ic *Path.*
Pachypops *Ich.*
Pachysandra *Bot.*
Procerapachys *Pal.*
Propachastrella *Pal.*
Stethopachys *Ent.*
Trachypachys *Ent.*
παχύτης thickness
pachyte *Bot.*
Pachytes *Ent.*
pachytic *Med.*
παχύτριχος (Arist.)
Pachytrichius *Ent.*
pachytrichous
παχυφύλλος (Manass.)
pachyphyllous *Bot.*
παχυχειλής (Arist.)
pachychilia *Anat.*
πεδανός short
Pedanus *Ent.*
πέδη a fetter
sympeda -ae *Bot.*
πέδησις a bending
parapedesis *Path.*
πεδιακός of the plain
Pediacus *Ent.*
πεδιάς (-άδος) flat, level
pediad *Crystal.*
πέδιλον sandal, shoe
Pedilanthus *Bot.*
Pedilophorus *Ent.*
Pelidus -idae *Coleop.*
Pelidnopedilon *Ent.*
πεδινός of the plain
pedinaxon *Spong.*
Pedinoblattina *Pal.*
Pedinus *Ent.*
πεδιο- Comb. of **πεδίον**
apedioscope
pedio-
coccus
hyus *Pal.*

pedio- Cont'd
philus *Phytogeog.*
phyt(i)a -ium
πεδίον a plain
cypripedin *Org. Chem.*
Cypripedium *Bot.*
diaped *Math.*
Holopedium -iidae *Zool.*
Merismopedia *Bact. Bot.*
Selenipedium *Bot.*
pedi-
algia *Path.*
aspis *Ent.*
astrum -eae *Algae*
ocaetes *Zool.*
oecetes *Ornith.*
pedion *Crystal.*
pedionite *Geol.*
πεδιονόμος plain-dwelling
pedionomite
πέδον ground
pedology -ical *Agric.*
Pedonoeces *Ent.*
πέζα Pl. of πεζός (Plato)
Amblypeza *Pal.*
Bipezia *Pal.*
Palaeotanypeza *Pal.*
-peza *Ent.*
Haplo Oedo Pachy Platy Poly
Pezetaera *Ent.*
πέζις (Theophr.)
Peziza *Fungi*
-aceae -aceous -ae(*or* i)form -ales -ineae -oid
pezizaxanthine *Pigments*
pezizin(e *Pigments*
Pseudopeziza *Fungi*
πεζο- Comb. of πεζός
pezo-
graph
phaps *Ornith.*
phycta *Ent.*
πεζός on land
Eremopezus *Pal.*
Lagopezus *Ent.*
πείθειν to persuade
pith- *Ther.*
iatic -ism
iatric
πεῖνα hunger
p(e)inotherapy *Ther.*
πεινάειν to hunger
-pinus *Ent.*
Thino Xylo
πειρᾶν to try, attempt
p(e)irameter
zoopery -al -ist
πειραστικός tentative
akidopeirastic *Med.*
peirastic(al(ly
πειρατεία (Eus.)
piracy
πειρατής (Polyb.)
archpirate
pirate
-(e)ry -ess -ism -ize -ous(ly
Pirates *Ent.*
-inae -ine
πειρατικός (Plutarch)
piratic(al(ly
πεισιστρατίδαι (Herod.)
Pisistritid *Gr. Hist.*
πέκειν to comb; shear
Pecopteris *Ferns*
-idae -oid
Pseudopecopteris *Ferns*
πεκτήρ(-ῆρος) a shearer
Hemipecteros *Ent.*
Pecteropus *Ent.*
πελαγικός (Plutarch)
eupelagic *Bot.*
pelagic
-pelagic *Biol.*
allo auto bathy chimo nycti spani tycho
πελάγιος of the sea
pantopelagian
pelagious
-ial -ian
πελαγο- Comb. of πέλαγος
pelago-
dyptes *Ornith.*
nemertes -idae
philus phyta
saur(us *Pal.*
thuria -iidae *Echin.*
πέλαγος the sea
archipelago -ian -ic
Indopelagia
Notopelagia *Geog.*
pelagia *Path.*
Pelagiada
Pelagius -iidae *Mam.*
pelagite *Min.*
pelagium *Phytogeog.*
-ad -ian -ic
Pelagornis
pelagosite *Geol.*
πελαργικός of the stork
pelargic
πελαργο- Comb. of πελαργός
pelargo-
morph(ae -ic *Ornith.*
πελαργός the stork (Ar.)
Pelargi *Ornith.*
pelargone *Org. Chem.*
-aldehyde -ate -ene -enin -ic -idin -in -yl
Pelargonium -ieae *Bot.*
Pelargopsis
Πελασγικός (Iliad)
Pelasgic
Πελάσγιος (Aesch.)
Pelasgian
Πελασγοί (Herodotus)
Pelasgi
πέλεια the rock pigeon
Chamaepelia *Ornith.*
Melopelia *Ornith.*
πελεκάν (Arist.)
pelecan
Pelecanus
-id(ae -iformes -ine -oid(es inae in(e)
pelican(ry
πελεκῖνος a water-bird
Pelecinomimus *Ich.*
Pelecinus *Ent.*
-id(ae -oid
πελεκο- Comb. of πέλεκυς
peleco-
discus *Malac.*
pselaphus *Ent.*
πελεκοειδής axelike
pelecoid *Geom.*
πελεκυ- Comb. of πέλεκυς
pelecy-
ophrya *Protozoa*
pod(a ous *Conch.*
stoma *Ent.*
protopelecypod
πέλεκυς an axe
Argyropelecus -inae
Gasteropelecus *Ich.*
Pelecium *Ent.*
pelecus
Πελίας Jason's father
Pelias *Herp.*
πελιδνός livid
Pelidna *Ornith.*
pelidno- *Ent.*
pedilon phora
πελιδνότης a livid spot
Pelidnota -idae *Ent.*
πελίδνωμα a livid spot
pelidnoma *Med.*
πελίκα "pelvis"
pelico-
chirometresis *Med.*
logy *Anat.*
meter
πελίκη bowl, basin
pelike *Gr. Archaeol.*
πελιός livid, dark (Hipp.)
Chrysopelea *Herp.*
Peliocypas *Ent.*
Pelionetta *Ent.*
Peliusa *Ent.*
πελίωμα (Hipp.)
peliom(a *Min.*
pelioma *Path.*
πελίωσις a livid spot
peliosis *Path.*
πέλλα a wooden bowl
-pellic
(hyper)dolicho lepto mesati meso platy
πελλαῖος dusky
Pellaea *Bot.*
πέλμα (-ατος) the sole
Cladopelma *Malac.*
Eupelmus -inae *Ent.*
Heteropelma *Ornith.*
-pelma *Ent.*
Gongro Hetero Oo Phaeno
pelma -atic
Pelmagathis *Ent.*
pelmato-
gram
pora *Pal.*
pus *Ent.*
zoa(n zoic zoon *Echin.*
-pelmous *Ornith.*
antio desmo hetero nomo schizo sym syn
Stenopelmatus *Ich.*
Πελοπίδαι sons of Pelops
Pelopid *Gr. Myth.*
Πελοπόννησος the Morea
Peloponnesian
Πελούσιον
Pelusium -iac- ian
Πέλοψ (-οπος) (Iliad)
pelopium *Chem.*
-ate -ic
Trissopelopia *Ent.*
πελτάριον Dim. of πέλτη
peltarion *Conch.*
πελταστής targeteer
peltast *Cl. Ant.*
Peltastes *Echin.*
-peltastes *Ent.*
Erio Trigono
πελταστικός (Plato)
Peltastica *Ent.*
πέλτη a shield
Apeltes -inae -ine *Ich.*
Brochopeltis *Arach.*
Cephalopeltis -ina *Zool.*
Chloropeltis *Prot.*
-idea -ina
Cyclopeltis *Bot.*
Cystopelta *Malac.*
Dasypeltis *Herp.*
-id(ae -inae -oid
Dipeltis *Crust.*
-id(ae -oid
epipeltate *Bot.*
hypopeltate *Bot.*
Leuropeltis *Ent.*
Myrmopelta *Ent.*
pelta *Bot. Cl. Ant.*
Peltandra -eae *Bot.*
Peltarthopterus *Ent.*
peltate(d ly *Bot. Zool.*
-ation -atifid
peltatodigital *Bot.*
peltecleis *Crust.*
Peltidium *Crust.*
-iid(ae -ioid
pelti- *Bot.*
ferous folious form nervate(d
Peltigera *Bot.*
-in(e -ous
peltiger(on)ic *Chem.*
Peltinus *Ent.*
peltoid
peltoideus *Bot.*
Peltops *Ornith.*
Plethopeltis *Pal.*
Polypeltidae *Pal.*
Simopelta *Ent.*
Stegopelta *Pal.*
Tranopeltoides *Ent.*
Uropeltis *Herp.*
-id(ae -oid(ea(n
Xenopelta *Ent.*
Xenopeltis *Herp.*
-id(ae -inae -in(e -oid
πελτο- Comb. of πέλτη
pelto-
caris *Crust.*
cephalus -idae
chelys -yidae
cochlydes *Gastrop.*
gaster *Crust.*
gastrid(ae -oid *Crust.*
stega *Pal.*
Tranopeltoxenos *Ent.*
πελτοφόρος
Peltophorus *Ent.*
-a -um
πέλυξ (-υκος) pelvis
acanthopelyx *Anat.*
peluco-
graphy logy
pelycalgia *Med.*
pelyco- *Med.*
chirometresis gram graphy logy meter metry
Pelycodus -oid *Mam.*
Pelycosauria(n *Herp.*
Pelycosimia *Pal.*
pelycozona *Anat.*
πελώριος monstrous
hemipeloric *Bot.*
πέλωρος huge
peloria -ian -iate *Bot.*
-ic -ism -ization -ize
Peloropsis *Ich.*
Pelororrhincus *Ent.*
πέμπελος ?chattering
Eupempelus *Ent.*
Pempelia *Ent.*
πεμφηρίς a kind of fish
Parapempheris *Ich.*
Pempheris *Ich.*
-idid(ae -idoid
πέμφιξ a blister
Pemphigus *Ent.*
-inae -oid
pemphigus -oid -ous
pemphix *Path.*
πεμφρηδών a wasp
Pemphredon *Ent.*
id(ae inae oid
πέμψις a sending
Pempsamacra *Ent.*
πενέστης a laborer
penest *Gr. Hist.*
Penestes *Ent.*
πένης a workman
Peneoenanthe *Ornith.*
Penesilurus *Ich.*
πενθέειν to bewail
Penthe *Ent.*
πενθημιμερής (Draco)
dipenthemimeres *Pros.*
penthemimer(is -al
πένθιμος mournful
Penthimus *Ent.*
πένθος sorrow
Penthus -ina *Ent.*
πενία poverty
-paenia *Med.*
lympho plastocyto
Penia *Ent.*
-penia *Med.*
alkali cyto eosino erythro leuco(cyto) lympho monocyto neutro plastocyto thrombo thyro
-penic *Med.*
leucocyto leuco
thrombopeny *Med.*
πενίδιον (?)
penide -iate
πενιχρός needy
Penichroa *Ent.*
πεντ- Stem of πέντε
cyclopent- *Org. Chem.*
ane anol anone ene enone
dipentene *Chem.*
isopentyl *Chem.*
oxypentact *Spong.*
pent-
acantha *Ent.*
acanthous *Bot.*
achenium *Bot.*
acid *Chem.*
acron
acrostic
act(inal
acta -ae -idae *Echin.*
actaea *Biol.*
actin(e -al -id(a *Spong.*
actula
acular
adelphous *Bot.*
al *Chem.*
aldose *Org. Chem.*
ammino- *Chem.*
ander *Bot.*
andria(n -(i)ous *Bot.*
ane -ol(id -one *Chem.*
angle angular
arch *Bot.*
arinus *Bot.*
arsic *Pros.*
arthrocis *Ent.*
atomic *Chem.*
axial *Spong.*
az- *Chem.*
ane ine ole
ene *Org. Chem.*
-diacid -ol -one -yl
ine -ine -yl *Chem.*
ite -ol *Chem.*
oid -ole *Chem.*
one -ene *Chem.*
ose *Chem.*
-azone -id(e -oid
osuric *Med.*
ox- *Chem.*
azole id(e
stemon *Bot.*
yl(ic -ene *Chem.*
-pentose *Chem.*
metasaccharo methyl tetrodo
pyropentylene *Chem.*
subpentangular
πεντα- Comb. of πέντε
cyclopenta- *Org. Chem.*
decane diene
hemipentacotyl *Bot.*
inpentahedron *Geom.*
penta-
basic *Chem.*
bromide *Chem.*
camarus *Bot.*
capsular

penta- Cont'd
carbon *Chem.*
carpellary *Bot.*
ceras *Ent.*
ceros *Ich.*
-otid(ae -otina -otoid
chlor(o- -id(e *Chem.*
chromic *Chem.*
coccus *Bot.*
compound *Chem.*
cosane *Org. Chem.*
cosmia *Ent.*
cotyl *Bot.*
crinin *Chem.*
crinus *Echin.*
-id(ae -ite(s -itidae
-oid(ea
crita *Ent.*
cyanic *Org. Chem.*
cycle
cyclic *Bot.*
cystida *Pal.*
decagon *Geom.*
decahydrate *Geom.*
decanaphthenic *Chem.*
decane *Geom.*
decane *Chem.*
dec(at)oic *Chem.*
decine *Chem.*
decyl(ic *Chem.*
desma *Bot.*
diene -one *Chem.*
dodecahedron *Geom.*
erythrite *Org. Chem.*
fid *Bot.*
fluoride *Chem.*
gamist
glossal
glot
glucose *Chem.*
graph(ic
gyn(ia(n -(i)ous *Bot.*
haloid -ide *Chem.*
hedron *Math.*
-(ic)al -oid -ous
hexahedron -al *Crystal.*
hydric -ated *Chem.*
hydrocalcite *Min.*
iodide iodo- *Chem.*
lemma *Logic*
lepton *Coins*
lobate *Crin.*
logy -ic *Phil.*
lophodon(t *Mam.*
methylene *Chem.*
diamin
phonic *Music*
phylax *Bot.*
phyletic *Bot.*
ploid(y *Bot.*
pterous *Bot.*
pterygii *Ich.*
ptych *Art Eccl.*
rhoptra *Ent.*
sepalous *Bot.*
silicate *Chem.*
some -ic *Biol.*
spast *Mech.*
spermous *Bot.*
spheric(al *Math.*
sterigmatic *Bot.*
sti(g)m *Geom.*
style -os *Arch.*
sulphid -uret *Chem.*
thionic -ate *Chem.*
toma -id(ae *Ent.*
-inae -ine -oid(ea(n
tone -ic *Music*
tremite(s -id(ae *Echin.*
triacontane *Chem.*
vaccine *Bact.*
valent -ence -ency
πεντάγραμμον (Luc.)
pentagram(matic
πεντάγωνον (Plutarch)
circumpentagon *Math.*

pentagon(on *Geom.*
al(ly ary oid
pentagonohedron *Geom.*
πεντάγωνος (Arist.)
brachypentagonoides
Pentagonaster *Echin.*
id(ae oid
pentagonous
πενταδάκτυλος (Arist.)
pentadactyl(e *Zool.*
a ate i ism oid ous
πεντάδραχμον (Poll.)
pentadrachm(on *Coins*
πενταθλητής (Arist.)
pentathlete *Gr. Athl.*
πένταθλον (Pindar)
pentathlon -ic
πεντακίς five times
pentakisdodecahedron
πεντακοντάλιτρος
pentacontalitre
πεντακόσιοι five hundred
hydroxypentacosanic
πενταλόγιον (Theodoret)
pentalogue
πένταλφα (Solom.)
pentalpha
πενταμερής in five parts
Pentamera -al -an *Ent.*
-pentamera -ous *Ent.*
Crypto Sub
pentamere -ism -y *Zool.*
pentamero-
crinus -idae *Pal.*
pentamerous(ly *Bot.*
πεντάμετρος (Draco)
pentameter *Pros.*
pentametrist -ize
πεντάμυρον (Alex. Trall.)
pentamyron *Med.*
πενταπέτηλον = πεντάφυλλον
pentapetalous -ose *Bot.*
πενταπετές = πεντάφυλλον
Pentapetes *Bot.*
πεντάπολις (Herod.)
pentapolis -itan
πεντάπους of five feet
pentapody *Pros.*
πεντάπτωτον (Priscian)
pentaptote *Gram.*
πενταρχία (Arist.)
pentarchy -ical *Pol.*
πένταρχος (Leo)
pentarch *Pol.*
πεντάς (-άδος) a body of five
pentad
pentadic(ity *Chem.*
πεντάστιχος of five lines
pentastich *Pros.*
pentastichous -y *Bot.*
πεντάστομος of five mouths
pentastom(e *Helm.*
a id(ae ida(n oid(ea
ous um us
πεντασύλλαβος (Draco)
pentasyllabic -ism
pentasyllable
πεντάτευχος (Origen)
Pentateuch(al *Bible*
pentateuch *Surg.*
πενταφάρμακον
pentapharmacon *Med.*
πεντάφυλλος five-leaved
bipentaphyllous
pentaphylloideous

pentaphyllous *Bot.*
πένταχα five-fold
pentachonium *Music*
πεντάχορδον (Poll.)
pentachord *Music*
πέντε five
-iaceae -iaceous -iad
pen-
dactylism
decagon
thiazole -idene *Chem.*
thiophane *Chem.*
triacontance *Chem.*
pennol -one *Chem.*
pentacle
pente-
compound decagon
lateral reme
Penthorum -aceae *Bot.*
Πεντελικός of Pentele
Pentelic (i)an
πεντετηρικός quinquennial
penteteric *Gr. Ant.*
πεντήκοντα fifty
pentecont(a-
glossal
πεντηκοντάδραχμον
pentecontadrachm *Coins*
πεντηκοντάλιτρον (Diod.)
pentecontalitre
pentekontalitron
πεντηκόνταρχος (Dem.)
pentecontarch *Gr. Mil.*
πεντηκοντήρ (Thuc.)
penteconter *Gr. Mil.*
πεντηκοντήρης (Polyaen.)
penteconter *Gr. Naval Arch.*
πεντηκοσταριον
pentecostarion *Gr. Ch.*
πεντηκοστή (Sept.)
Pentecost(al *Eccl.*
πεντηκοστήρ = πεντηκοντήρ
pentecoster *Gr. Mil.*
πεντηκοστύς (Thuc.)
pentecosty(s *Gr. Mil.*
πεντήρης quinquereme
penteres *Gr. Naval Arch.*
πεντώβολος (Ar.)
pentobolus *Coins*
πεντώγκιον quincunx
pentonkion *Coins*
πέος penis (Ar.)
peo- *Med.*
tillomania tomy
πεπασμός a concoction
pepastic(al *Med.*
πέπερι pepper
pep
peperine -o
Peperomia *Bot.*
pepper
corn(ish er ette gross
ily iness ish mint pot
wood wort y
πεπερο- Comb. of πέπερι
Peperonota *Ent.*
πεπλίς (Diosc.)
Peplis *Bot.*
πεπλογραφιά (Cicero)
peplography
πέπλος a full robe
Callipepla *Ent. Ornith.*
peplos -um -us *Costume*
Phainopepla *Ornith.*
peplus *Ent.*
Chalepo Hemi Poecilo Tracho Trigono

Πεπουζανοί (Basil.)
Pepuzian *Eccl. Hist.*
Πεπουζῖται (Soz.)
Pepuzite *Eccl. Hist.*
πεπτικός digestive
peptic(al
-peptic
a brady chloro coly
hyper hypo koly meta
mycotico proteo
πεπτόν cooked
ectopeptase *Biochem.*
pept-
amin(e *Biochem.*
arnis *Diet.*
ase *Biochem.*
enzym *T.N.*
id(e idase *Biochem.*
odolytic *Biochem.*
inotoxin *Tox.*
ize(r *Colloids*
-ability -able -ation
peptician -ity
-peptid *Chem.*
iod(o) lipo poly
-peptide *Chem.*
di poly tetra thiopoly
toxo tri
pepto-
bromeigon *Mat. Med.*
crinin *Biochem.*
gaster gastric
gen(y -ic -ous
hydrochloric *Chem.*
peptoid *Biochem.*
iodeigon *Mat. Med.*
lysis *Biochem.*
mangan *Med.*
medullin *Mat. Med.*
nephridium -ia *Helm.*
nutrine *Mat. Med.*
ovarin *Mat. Med.*
thyroid(in *Mat. Med.*
toxin(e
zym *Biochem.*
pepton(e
ate ic ification ization
ize(r oid
pepton- *Path.*
(a)emia uria
-peptone *Biochem.*
amphi ampho anti
hemi histo meta muco
para pro pseudo toxi
toxo
propeptonuria *Path.*
repeptize -ation *Chem.*
toxopeptine *Bact.*
tryptamine *Biochem.*
tryptophol *Org. Chem.*
πέπων (-ονος) cooked, ripe
pepo *Bot.*
pepon
peponium -ida *Bot.*
Peponocyathus *Pal.*
περ intensive
per- *Chem.*
oxide (Thomson)
περαίνειν to penetrate
peranosis *Bot.*
περαιός beyond water
peraeon *Ent.*
peraeopod *Ent.*
περαίων carrying over
pereicleis *Crust.*
pereion *Crust.*
pereiopod(ite *Crust.*
πέραν on the other side
Peranaster *Echin.*
πέρας (-ατος) limit, end
Amphiperas *Conch.*
-id(ae -oid
peratodynia *Path.*
Περγαμηνή from Pergamum

emparchment
parchemin(er
parchment
arian er ize y
Pergamene -eous -ian
pergamentaceous
pergamin -yn (*T. N.*)
πέρδεσθαι to break wind
lycoperdine *Org. Chem.*
Lycoperdon *Bot.*
-aceae -aceous -ales
-oid
πέρδιξ (-ικος) (Soph.)
partridge -er
Perdix *Ornith.*
-icidae -icinae -icine
-perdix *Ornith.*
Dendro Tetrao
πέρθειν to destroy, sack
-pertha *Ent.*
Phyllo Rhizo Xylo
περί around
aceperimidine *Chem.*
antiperi-
coelous *Ornith.*
aperispermic -ous *Bot.*
Aploperistomi -atous
endoperi- *Path.*
arteritis myocarditis
neuritis
epiperispermicus *Bot.*
gingivopericementitis
hydroperinephrosis *Med.*
hydroperion *Anat.*
iridoperiphacitis
isopericoelous *Ornith.*
naphthaloperine *Chem.*
peraphyllum *Bot.*
perembryum *Bot.*
peri- περι-
achene *Bot.*
acinal -ous *Bot.*
adenitis *Path.*
adventitial *Anat.*
algia -ic *Path.*
alienitis *Path.*
ampullary *Anat.*
amygdalitis *Path.*
anal *Anat.*
andra -icus -um *Bot.*
angiocholitis *Path.*
angioma *Path.*
angitis *Path.*
aortic *Anat.*
aortitis *Path.*
apical *Dent.*
appendicitis *Path.*
appendicular *Path.*
arctic
areum *Astron.*
arterial *Anat.*
arteritis -ic *Path.*
arthritis *Path.*
articular *Anat.*
aster *Astron.*
asteridae *Pal.*
astron -um -al *Astron.*
atrial *Anat.*
axial *Anat.*
axillary *Anat.*
axonal *Anat.*
blast(ic -ula *Embryol.*
blastesis *Bot.*
branchial *Anat.*
bronchial -iolar *Anat.*
bronch(iol)itis *Path.*
brosis *Path.*
bulbar bursal *Anat.*
c(a)ecal *Anat.*
c(a)ecitis *Path.*
callus -idae *Coleop.*
calycius *Bot.*
calyphe *Pal.*
cambium -ial *Bot.*
canalicular *Anat.*

peri- Cont'd
capsular *Med.*
carboxyl *Chem.*
caulome *Bot.*
cellular *Biol.*
cementitis *Dent.*
cementoclasia *Dent.*
cementum -al *Dent.*
center -re *Phys.*
centric *Bot.*
centron *Phys.*
-um -al -ic
cerebral *Anat.*
cera *Crust.*
-id(ae -oid
chaena -aceae *Fungi*
chaeta *Ent.*
chaeta *Annel.*
-id(ae -ous
chaete -ium -ial *Bot.*
cholangitis *Path.*
cholecystitis *Path.*
chondritis -ic *Path.*
chondrium -ial *Anat.*
chondroma -e *Path.*
chord(al *Anat.*
choroidal *Anat.*
chrome *Neurol.*
chyle -ous *Bot.*
chymate *Dent.*
clasia *Dent.*
claustral *Anat.*
coccium *Bot.*
coelous *Ornith.*
col(on)itis *Path.*
colpa -idae *Prot.*
colpitis *Path.*
coma *Ent.*
conch(al *Zool.*
conchal *Anat.*
conchitis *Path.*
conodon *Pal.*
corneal *Anat.*
corollatus *Bot.*
cortical *Anat.*
cowperitis *Path.*
coxitis *Path.*
crocotus *Ent.*
cyclone -ic *Meteor.*
cyon *Mam. Pal.*
cystium -ic *Anat.*
cyst(omat)itis *Path.*
cytial -ula *Embryol.*
dectomy *Surg.*
dendritic *Anat.*
dentium -al *Dent.*
dentoclasia *Dent.*
derm(al *Bot. Zooph.*
dermic
dermiose *Phytopath.*
dermis *Bot. Zool.*
dermium *Fungi*
diastole -ic *Physiol.*
didymis *Anat.* -itis
diverticulitis *Path.*
dodecahedral *Crystal.*
dontia -al -ist *Dent.*
dontoclasia *Dent.*
ductal *Med.*
duodenitis *Path.*
echocrininae *Pal.*
encephalitis *Path.*
enchyma *Bot.*
endothelioma *Tumors*
endymal *Anat.*
enteritis *Path.*
enteron -ic *Emb. Zool.*
ependymal *Anat.*
epithelioma *Tumors*
ergates *Ent.*
ergopus *Ent.*
fascicular *Anat.*
fibrum -al -ous *Spong.*
fistular *Anat.*
foliary *Bot.*
follicular *Anat.*

peri- Cont'd
folliculitis *Path.*
galacteum -ic *Astron.*
gamium *Bot.*
gangliitis *Path.*
ganglionic *Anat.*
gastric *Anat.*
gastritis *Path.*
gastrula -ar -ation
gemmal *Biol.*
genesis *Biol.*
genetic *Biol.*
glandular *Anat.*
glandulitis *Path.*
glial *Med.*
gloea *Prot.*
glossitis *Path.*
glottic *Anat.*
glyph *Arch.*
gnathic *Anat.*
gon *Geom.*
gonadial *Biol.*
gone *Bot. Zool.*
-ium -(i)al
gynand(r)a *Bot.*
gyne -y *Bot.*
-ial -ium -ous
hadromatic *Bot.*
hammus *Ent.*
helion *Astron.*
-ium -ial -ian
hepatic *Anat.*
hepatitis *Path.*
hermenial *Logic*
hernial -iary *Anat.*
hysteric *Anat.*
insular *Anat.*
intestinal *Anat.*
jejunitis *Path.*
jove *Astron.*
karyon *Cytol.*
karyoplasm *Cytol.*
keratic *Ophth.*
keronion *Astron.*
labyrinth(itis *Otol.*
lampsis *Ent.*
laryngial *Anat.*
laryngitis *Path.*
lecithal *Oology*
lenticular *Ophth.*
leptomatic *Bot.*
ligamentous *Anat.*
lob(ul)ar *Anat.*
logic *Org. Chem.*
logy *Biol.*
lopa *Ent.*
loph *Spong.*
lymph(ial atic *Anat.*
lymphadenitis *Path.*
lymphan(e)itis *Path.*
lymphangial *Anat.*
madarous *Path.*
mastitis *Path.*
medullary *Anat.*
melitae *Bot.*
meningitis *Path.*
meristem *Bot.*
metritis -ic *Path.*
metrium -ial -ic *Anat.*
metrosalpingitis *Path.*
micropylar *Bot.*
midine -one *Org. Chem.*
monerula -ar *Emb.*
morph(ism ic ous *Min.*
morula -ar *Embryol.*
myelis *Anat.*
myelitis *Path.*
myoendocarditis *Path.*
mys(i)itis *Path.*
mysium -ial *Anat.*
nectarial *Bot.*
nephritis -ic *Path.*
nephrium -(i)al -ic
neptunium *Astron.*
nerve *Anat.*
neuritis -ic *Path.*
neurium -(i)al *Anat.*

peri- Cont'd
nuclear *Cytol.*
nucleolar *Bot.*
ocular *Anat.*
odic *Chem.*
-ate -id(e -idase -uret
odocasein *Mat. Med.*
odontia *Dent.*
-al -ist -itis -ium
odontoclasia *Dent.*
odontology *Dent.*
oesophageal *Anat.*
-itis *Path.*
omphalic *Anat.*
onychia *Path.*
onychium *Anat.*
onyx *Embryol.*
onyxis *Path.*
oophoric *Anat.*
-itis *Path.*
oothecitis *Path.*
ophthalmia -ic -itis
ophthalmium *Ornith.*
ophthalmus *Ich.*
ople -ic *Zool.*
opta *Ent.*
optic *Anat.*
opticon *Ent.*
optometry
oral *Anat.*
orbita -al *Anat.*
orb(it)itis *Path.*
orchitis *Path.*
orthocoelous *Ornith.*
orycta *Ent.*
ostracum -al *Zool.*
otic *Anat.*
ovaritis *Path.*
ovular *Embryol.*
pachymeningitis *Path.*
pancreatic -itis *Path.*
papillary *Anat.*
penial *Anat.*
pericarditis *Path.*
petalous *Bot. Zool.*
phac(*or* k)itis *Path.*
pharyngeal *Anat.*
phialoporous *Bot.*
phlebitis -ic *Path.*
phloem(atic *Bot.*
phoria *Ophth.*
phragm *Bot.*
phyll(um -ia *Bot.*
phylla -idae *Prot.*
phyllogeny *Bot.*
planeta
plasm *Bot.*
plast(ic id *Biol.*
plegmatic *Geom.*
pleura *Anat.*
pleuritis *Path.*
plexis *Crust.*
pneustic *Ent.*
podal *Ent.* podium *Bot.*
polar
polygonal
portal *Anat.*
proct(al ic ous *Zool.*
proctitis -ic *Path.*
prostatic -itis *Path.*
ptychus -idae *Pal.*
pylaea(n *Radiol.*
pylephlebitis *Path.*
pylic *Anat.*
pyloric *Anat.*
pyrist
rectal *Anat.*
rectitis *Path.*
renal *Anat.*
rhinal *Anat.*
salpingitis *Path.*
salpingoovaritis *Path.*
salpinx *Anat.*
sarc(al ous *Zool.*
saturnium *Astron.*
sclerium *Anat.*

peri- Cont'd
scope -ic(al(ly -ism
scyphe *Bot.*
sigmoiditis *Path.*
sinuous
sinu(s)itis *Path.*
siphonia -idae *Prot.*
som(e *Zool.*
a(l atic ial
sperm *Bot.*
al ic atus
spermatitis *Path.*
spheric(al
sphinctes *Mol.*
splanchnic *Anat.*
splanchnitis *Path.*
splenic *Anat.*
splenitis -ic *Path.*
spondylic *Anat.*
spondylitis *Path.*
sporangium *Bot.*
spore -inium *Bot.*
sporium *Fungi*
-i(ac)eae -iaceous -iales
staphyline *Anat.*
stedion(iidae *Ich.*
stem *Bot.*
stemones *Bot.*
stethium *Ent.*
strumitis *Path.*
strumous *Anat.*
stylicus *Bot.*
synovial *Anat.*
systole -ic *Physiol.*
tectic *Phys. Chem.*
tendineum *Anat.*
tendinitis *Path.*
tenon *Anat.*
testis
tetragonal *Cryst.*
thallium *Bot.*
thece *Bot.*
-ium -ial -ioid
thelioma *Tumors*
thelium -ial *Anat.*
thoracic *Anat.*
thyr(e)oiditis *Path.*
tomous *Min.*
tonsillar -itis *Path.*
tracheal *Ent.*
trachelizus *Ent.*
treme -a -atous *Conch.*
tricha(n *Zool.*
trichal -ic -ous(ly
trochanteric *Anat.*
trochoid *Geom.*
trophic *Ent.*
typhlic *Anat.*
typhlitis -ic *Path.*
umbilical *Anat.*
ungual *Anat.*
uranium *Astron.*
ureteral -ic *Anat.*
ureteritis *Path.*
urethral -itis
uterin(e *Anat.*
vaginal -itis
vasal *Bot.*
vascular -itis
venous *Anat.*
ventricular *Anat.*
vertebral *Anat.*
vesical *Anat.*
visceral -itis *Path.*
vitellin(e *Anat.*
xenitis *Path.*
xylematic *Bot.*
xylic *Bot.*
zonium *Bot.*
perureteric *Anat.*
perureteritis *Path.*
perylene *Org. Chem.*
phthaloperine -one
properi-
meristem *Bot.*
stome -a(l *Biol.*

tympanoperiotic *Anat.*
περίακτος (Plutarch)
periactus *Gr. Th.*
periaktos
περιανθής with flowers all round
perianth *Bot.*
eous eus ial ianus ium
perianthomania
perianth *Bot.*
pseudo supra
περίαπτον an amulet
periapt *Obs.*
περίαπτος hung round
periapticon *Ent.*
Periaptodes *Ent.*
περίβασις a going round
Peribasis *Ent.*
περιβλέπειν gaze around
Periblepusa *Ent.*
περίβλεπτος admired
Peribleptus *Ent.*
περίβλεψις a gazing
periblepsis *Path.*
περίβλημα a covering
periblem *Bot.*
περίβολος an enclosure
peribolos -us *Arch.*
περίβρωτος gnawed round
Peribrotus *Ent.*
περίγειον (Anna Comn.)
perigee -eal -ean
περιγλωττίς (Ath.)
periglottis *Anat.*
περιγραφή outline, sketch
perigraph(e ic
περιδέξιος ambidextrous
Peridexia *Ent.*
περιδέραιος round the neck
perideraea -ia *Obstet.*
Perideraeus *Ent.*
περίδεσμος a band
peridesm(ic *Bot.*
peridesmitis *Path.*
peridesmium *Anat.*
περιδινής whirled round
Peridiniales *Bot.*
peridinine *Chem.*
Peridinium *Prot.*
-iid(ae -ioid
περίδρομος (Xen.)
peridrome -os *Arch.*
περιείλησις (Orisbas)
perielesis *Music*
περιεργία officiousness
periergia -y *Rhet.*
περιηγής circular
Perieges *Ent.*
περιήγησις description
periegesis
περιηγητικός (Plutarch)
periegetic
περιθήκη a lid, cover
peritheca(l *Corals*
pseudoperithecium *Bot.*
περικάρδιον (Galen)
endopericarditic *Path.*
intrapericardiac *Med.*
-pericardial *Anat.*
endo intra peritoneo pleuro pneum(on)o pseudo reni reno sterno sub viscera
-pericarditis *Path.*
cardio chylo endo fibro hydro mediastino myo peri phreno pleuro pneumo pyo
-pericardium *Anat.*
chylo h(a)em(at)o hemopneumo hydro-

-pericardium Cont'd
(pneumo) pneumo
(hemo hydro pyo)
pyoperi pyopneumo
reni reno
pericardiac -o- *Anat.*
phrenic *Anat.*
pericardi-
centesis ectomy *Surg.*
pericardio-
lysis *Surg.*
mediastinitis *Path.*
phrenic *Anat.*
pleural *Anat.*
rrhaphy *Surg.*
symphysis *Med.*
thyroid *Anat.*
tomy *Surg.*
pericarditis -ic *Path.*
pericardium *Anat.*
-ial -ian -ic
pericardosis *Path.*
pyopericardia *Med.*
sternopericardiac *Med.*
περικάρπιον pod, shell
pericarp *Bot.*
ial ic ium oidal
pericarpium *Med.*
περικεφαλαία helmet
perikephalaia *Archaeol.*
περικεφάλαιον helmet
perikephalaion *Archaeol.*
περικεφάλαιος
pericephalic *Anat.*
pericephalomeningitis
περικλαδής with branches all round
pericladium *Bot. Zool.*
περίκλασις a breaking round
periclase *Min.*
-ia -is -ite
περικλείστος far-famed
Periclistus *Ent.*
περικλειτός far-famed
Pericleites *Pal.*
Περικλῆς Pericles
Periclean *Gr. Hist.*
περικλινής sloping
periclinal(ly *Geol.*
pericline *Bot.*
-al(ly -ales -es
pericline *Min.*
περίκλινον a couch cover
pericline -ium *Bot.*
περίκομψος elegant
Pericompsus *Ent.*
περικοπή outline; passage
pericope *Eccl. Lit. Pros.*
pericopic
περικόπτειν to clip
Pericoptus *Ent.*
περικράνιον (Galen)
pericrane -ium
-ial(ly -ics -itis -y
subpericranial
περίκυκλος spherical
pericycle -ic *Bot.*
Pericyclidae *Pal.*
pericycloid *Geom.*
περιλάμπειν to beam round
Perilampus -inae *Ent.*
περιληπτικός comprehensive
perileptic
περίλυπος very sad
Perilypus *Ent.*
περίμετρον (Herod.)
perimeter(less
perimetr-
al ic(al(ly y
photoperimeter

περίνεον (Hipp.)
colpoperineo- *Surg.*
plasty rraphy
episioperineorrhaphy
perinaeum -eal *Anat.*
perinauxis *Surg.*
perine *Bot.*
-perineal *Anat.*
extra gluteo intra ischio sacro urethro
perineo-
cele *Path.*
plasty -ic *Surg.*
rrhaphy -ia *Surg.*
scrotal
stomy *Surg.*
synthesis *Surg.*
tomy *Surg.*
vaginal *Anat.*
vaginorectal *Anat.*
vulvar *Anat.*
perineum *Anat.*
perinium *Bot.*
urethroperineoscrotal
περιοδευτικός systematic
periodeutic
περιοδικός (Plutarch)
aperiodic(al(ly *Path.*
periodic(ity
-periodic
anti bi co equi homo multi photo pseudo
periodical
ism ist ize ly ness
περιοδο- Comb. of περίοδος
periodo-
gram
graph *Meteor.*
logy
scope *Med.*
περίοδος (Arist.)
gastroperiodynia *Path.*
period(ize
περίοικος dwelling round
Desmediaperioecia *Pal.*
peri(o)ecians *Geog. Gr. Hist.*
Perioeci -ic -id
περιοργής wrathful
Periorges *Ent.*
περιόρισμα an enclosure
Periorisma *Ent.*
περιόστεον (Galen)
antiperiostin *Prop. Rem.*
-periosteal *Anat.*
extra intra muco osteo sub(capsulo)
-periosteum *Med.*
mecco odonto
-periostitis *Path.*
cemento osteo poly
periost(eum *Anat.*
eal eitis (e)oma (e)osis eous
periost(eo)edema *Med.*
periosteo-
alveolar *Anat.*
edema *Med.*
medullitis *Path.*
myelitis *Path.*
phyte *Path.*
rrhaphy *Surg.*
tome -y *Surg.*
subperiosteally *Anat.*
subperiosteocapsular
περιπατητης walker round
peripatetian -ism *Phil.*
περιπατητικός (Epict.)
peripatetic *Phil.*
al(ly an ate ism
περιπατητικαί (Cicero)
Peripatetics *Phil.*

περίπατος walking; discourse
peripatize *Phil.*
peripatos -us *Phil.*
Peripatus *Ent.*
-id(ae -idea(n -oid
περιπέτεια (Arist.)
peripetia -y *Gr. Dr.*
περιπλοκή interlacing
Periploca -eae *Bot.*
periplocin *Mat. Med.*
περίπλους sailing round
periplus *Naut.*
περιπνευμονία (Aretae)
peripneumonia *Path.*
-itis -y
-peripneumonia *Path.*
hydro pleuro pseudo
περιπνευμονικός (Plut.)
puripneumonic(al *Path.*
περίπτερος (Polyb.)
peripter(os *Arch.*
al e ous y
Peripterocrinus *Pal.*
peripterous *Bot. Ornith.*
περιπτυχή enfolding
Periptychus -idae *Pal.*
περιπύημα (Hipp.)
peripyema *Path.*
περίσκιοι (Strabo)
Periscii -ian
περισπώμενον (Dion. H.)
perispome -enon *Gram.*
περισσο- Comb. of περισσός
perisso-
dactyl(e -i *Zool.*
-a -ate -ic -ous
gomphus *Ent.*
metra *Echin.*
phlebia *Pal.*
ploid *Bot.*
περισσολογία (Isocr.)
perissology -ical
περισσός prodigious
Nothoperissops *Ent.*
perissed *Chem. Zool.*
Perissias *Ich.*
perissodont *Zool.*
Perissus *Ent.*
περισσοσύλλαβος (Stephan. B.)
perissosyllabic
περισταλτικός (Galen)
antiperistaltic *Med.*
peristalsis *Physiol.*
-peristalsis
a anti dys eu hyper
peristaltic(ally *Physiol.*
peristaltin *Mat. Med.*
περίστασις surroundings
peristasis *Gr. Arch.*
περίστατος surrounded
peristalith *Archaeol.*
περιστερά pigeon, dove
peristerite *Min.*
περιστερεών dovecote
Peristeria *Bot.*
περιστέριον (Diosc.)
peristerion *Bot.*
περιστερο- Comb. of περιστερά
peristero- *Ornith.*
morph(ae ic ous
phily
pod(e ae an ous
περιστεροειδής (Arist.)
peristeroid(eae *Ornith.*
περιστερών = περιστερεών
peristeronic *Ornith.*
περιστολή (Galen)
peristole -ic *Physiol.*

-peristole
entero pharyngo
περιστόμος
Diploperistomi -ic *Bot.*
peristome *Bot. Zool.*
-a -ata -ate -atic -(i)al -ian -idae -ium
Peristomoecia *Pal.*
-peristomous *Bot.*
diplo haplo
περιστρέφειν to whirl
peristrephic(al
περιστροφή (Plato)
peristrophe
περίστυλον (Diod.)
peristyle *Arch.*
-ar -ium -on -os
περίσφαλσις (Hipp.)
perisphalsis *Surg.*
περίσχεσις surrounding
Perischoechinoidea
περισωρεύειν heap round
Perisoreus *Ornith.*
περιτομή (Sept.)
peritomy *Surg.*
-ist -ize
περιτόναιον (Hipp.)
aeroperitonia *Med.*
hydroperitonia *Med.*
intraperitoneally *Med.*
-peritoneal *Anat.*
ecto extra inguino intra para pleuro pneumo pre pro retro sub subabdomino sym trans tubo vaso viscero
-peritoneum *Anat.*
chole chylo h(a)em(at)o hydraero hydro(pneumo) pleuro pneumo pyo(pneumo) sero
periton(a)eum -(a)eal
peritonealgia *Med.*
peritoneo-
centesis *Surg.*
lysis *Med.*
pathy *Path.*
pericardial *Anat.*
pexy *Surg.*
plasty *Surg.*
scope -y *Med. App.*
tomy *Surg.*
vaginal *Anat.*
peritonism *Med.*
peritonitis -al -ic *Path.*
-peritonitis *Path.*
ecto endo hepato locho metro myo pachy pelvi pneumo pseudo pyo-(pneumo) salpingo
peritonize -ation *Surg.*
pleuroperitonaeal *Anat.*
puboperitonealis *Anat.*
retroperitoneally *Anat.*
subperitoneo- *Anat.*
abdominal pelvic
venoperitoneostomy
περιτροπή a turning
peritrope -al
περίτροπος whirled
peritropous -al *Bot.*
περιτρόχιον (Papp.)
peritrochium *Mech.*
περίτροχος circular
paritroch(al *Zool.*
περιττός = περισσός
Perittotresis *Arach.*
περιφέρεια (Arist.)
periphaericus *Bot.*
-peripheral
disco ento epi infra spini(*or* o)

peripheraphose *Ophth.*
peripherico-
terminalis *Bot.*
periphery
-ad -ial -(ic)al(ly -ous
subperiphaericus *Emb.*
περιφερο- circular
periphero- *Anat.*
central ceptor mittor neural
peripherophose *Ophth.*
περιφίμωσις (Paul. Aeg.)
periphimosis *Path.*
περιφορά revolution
periphor(anth)ium *Bot.*
περίφρακτος (Luc.)
periphractic *Geom.*
περίφραξις a fencing round
periphraxis *Gram. Rhet.*
periphraxy *Geom.*
περίφρασις (Dion. H.)
periphrase -is *Rhet.*
περιφραστικός (Eust.)
periphrast(ic(al(ly *Rhet.*
περίφυσις (Theophr.)
periphyse -is *Bot.*
περιχαρεία (Plato)
perichareia *Med.*
περιχώρησις rotation
perichoresis *Theol.*
πέρκη the perch
Micropercops *Ich.*
-perca *Ich.*
Chelido Dino Lucio Micro Myctero Pogono Psammo Salmo Satano Sini Xystro
Perca *Ich.*
-id(ae -idal -iform(es -ina(e -ine -oid(ae ea(n ei eous es)
perc- *Ich.*
anthias
ichthys
ilia
ophis -id(ae -oid
opsis -id(ae -oid
percaglobulin *Biochem.*
perch
percine *Biochem.*
perco- *Ich.*
morph(i(c ous
πέρκίς = πέρκη (Diosc.)
Percis *Ich.*
περκνόπτερος (Arist.)
percnopter(us inae
περκνός dusky
percnosome(s *Cytol.*
πέρκος a hawk (Arist.)
Percus *Ent.*
πέρνα a ham (Strabo)
Perna *Conch.*
-idae -ite
Perniphora *Ent.*
περόνη (Hipp.)
antiperonosporin *Med.*
ilioperoneal *Anat.*
peronarthrosis *Anat.*
perone -eal -eus *Anat.*
peroneo- *Anat.*
calcaneus -eal
tarsal tibial
Peronia *Zooph.*
perono-
merus *Ent.*
myrmex *Ent.*
Peronospora *Fungi*
-aceae -aceous -ales
-(in)eae -oides -ous
trochus *Ent.*
tibia(*or* io) peroneal

περόνιον Dim. of περόνη
peron(a)eum *Anat.*
peronium -ial *Zool.*
πέρπερος braggart
Perperus *Ent.*
περσέα (Theophr.)
Persea -eaceae *Bot.*
perseite -ol *Org. Chem.*
perseulose *Org. Chem.*
Περσέπολις (Strabo)
Persepolitan
Περσεύς (Iliad)
percylite *Min.*
Perseus *Astron. Myth.*
Περσεφόνη (Hes.)
Persephone *Myth.*
Proserpina *Conch.*
-id(ae -oid
Proserpina -e *Myth.*
Περσηΐς Fr. Περσεύς
Perseid *Astron.*
Περσίζειν (Xen.)
Persism *Philol.*
περσικόν (Diosc.)
peach
blow en ery iness let wort y
Περσικός (Herod.)
Persic(ize
Persica
persicaria -y *Herb.*
persicot
Περσίς (Herod.)
Neo-Persian
Persian
ist ization ize
persiennes
πεσσο- Comb. of πεσσός
pesso-
graptis *Ent.*
mancy
pteryx *Pal.*
πεσσός an oval stone
Hydropesium *Pal.*
pessoi *Gr. Games*
πεταλισμός (Diod.)
petalism *Gr. Pol.*
πεταλο- Comb. of πέταλον
petalo-
bacteria
brissus *Pal.*
cera -ous *Ent.*
coccus *Bact.*
crinidae *Pal.*
mania -y *Bot.*
stemum -ones *Bot.*
sticha -ous *Echin.*
trypella *Bot.*
πέταλον a leaf
acropetally *Bot.*
andropetablar *Bot.*
Apetala *Bot.*
-oid -ose -ous(ness
Chrysopetalidae *Helm.*
curvipetality *Bot.*
depetalize
Dichapetalaceae -eous
dispetal
eleutherotepalous *Bot.*
hexapetaloid(eous *Bot.*
hypopetale(*or* i)ous *Bot.*
Lasiopetaleae *Bot.*
lophopetalin *Org. Chem.*
Lysiopetalum *Ent.*
-id(ae -oid
Mystropetalon -eae *Bot.*
olopetalarius *Bot.*
parapetaloid -ifera *Bot.*
peripetalous *Zool.*
-petalae *Bot.*
A Chori Dialy Gamo Hexa Mono Neuramphi Poly Sym

petal
ase atus ed in(e less ly
-petal *Bot.*
andro poly pseudo
petali-
ferous form gerous
petalite *Min.*
Petalodus *Ich.*
-odont(id(ae -oid
petaloid(al *Bot. Echin.*
petaloideous *Bot.*
petalon *Eccl.*
-petalous *Bot.*
a alterni andro aniso anti apo bi cata chori deca dialy di dodeca eluthero ennea epi gamo grammo haplo hebe hemi hepta hetero hexa homo hypo intra iso macro micro mono ocho octo oligo oppositi oxy para peri plani platy pleio pluri poly protero scyto steno sticto sym syn tetra tri uni
petalum -ous -y *Bot.*
-petalum *Bot.*
Dicha Lasio Lopho Meso Para Rhapto Sarco Schizo Zygo
-petaly *Bot.*
a adeno chasmo cleisto hypo
quinquepetaloid *Echin.*
rectipetality *Bot.*
Scytopetalaceae *Bot.*
semipetaloid(eus *Bot.*
subpetaloid *Bot.*
Sympetaleae *Bot.*
syntepalous *Bot.*
Syriopetalum *Arach.*
tetrapetalose *Bot.*
tripetaloid(eous *Bot.*
tripetalose *Bot.*
πεταλώδης leaflike
petalode -ic -y *Bot.*
Petalodes *Ent.*
πετασίτης (Diosc.)
Petasite(s *Herbs*
πέτασμα a thing spread out (Arist.)
Petasma *Crust.*
πέτασος a brimmed hat
Petasia *Conch. Ent.*
petaso-
phora *Ornith.*
spore *Phytogeog.*
petasus *Gr. Ant.*
Petasus *Acal.*
πεταυριστης a tumbler
petaurist(a *Mam.*
ic inae in(e
πέταυρον springboard
Petaurus *Mam.*
-inae -ine -ite
πετεινός volatile
petinine *Chem.*
πέτεσθαι to fly
Nyctopetus *Ent.*
Tachypetes -idae *Ornith.*
πέτρα a rock
Empetrichthys *Ich.*
endopetrion *Bot.*
Glossopetrae *Pal.*
petrad -ium *Bot.*
petralite
petralogy
petran *Bot.*
Petranthus *Ornith.*
petrary *Mil.*
petre
petrescent -ence -ency
petrical

Petricola *Conch.*
-id(ae -oid -ous
petrifaction -ive
petrific(ate ation
petrify fiable fier
petroccipital *Anat.*
petrochthium *Phytogeog.*
petrochthophilus
Petrochthophyta
petrol(eum
ean ene eous eur eus iferous in(e ist ization ize
petrolatum *Pharm.*
petroleocrat
Petrornis *Ornith.*
petrosum *Ich.*
petrous
petroxolin *Ointments*
pier
pietra dura
pietra serena
πετραῖος of a rock
eupetreous *Bot.*
petrean -eity
πετρο- Comb. of πέτρος
micropetrology -ist
petro-
basilar *Anat.*
bium -ieae *Bot.*
blast
cellule *Petrog.*
chelidon *Ornith.*
chemical *Chem. Petrog.*
crania *Pal.*
drome -us *Mam.*
fracteur
gale *Ornith.*
gen *Min.* -ic *Petrog.*
genesis *Fuels Geol.*
genous *Med.*
geny *Petrog.*
glyph(y -ic
graph(er -ic(al(ly -y
hyoid *Anat.*
logy -ic(al(ly -ist
mastoid *Anat.*
mys
myzon *Ich.*
id(ae oid
myzont *Ich.*
ia id(ae oid
occipital *Anat.*
pharyng(a)eus
phila -ous *Conch.*
philus *Phytogeog.*
phyta -es *Phytogeog.*
pseudes *Mam.*
silex -iceous *Petrol.*
sphenoid(al
sphere *Geol.*
squamous -osal *Anat.*
staphylinus *Anat.*
stearin(e
sulfol *T. N.*
tympanic *Anat.*
Πέτρος Fr. πέτρος a stone (Clem. R.)
parakeet
parnel
parrot
er ism ize let ry y
parsleypiert
peter
ish kin ling man
petrel
Petrine *Eccl.*
-ism -ist -ize
Petrist *Eccl.*
pierrette
pierrot(ism
pre-Petrine *Eccl. Hist.*
sphenopetrosal *Anat.*
squamopetrosal *Anat.*
subpetrosal *Anat.*

πετροσέλινον (Diosc.)
parsley(piert
petroselic *Org. Chem.*
petroseline -um *Bot.*
πετρώδης stony
petrod- *Phytogeog.*
ad ium
petrodo-
philus phyta
πευκέδανον (Theophr.)
peucedanin(e *Org. Chem.*
Peucedanum *Bot.*
-eae -eous
πεύκη the pine
Ctenopeuca *Ent.*
Peucaea *Ornith.*
peucil(e *Chem.*
Peucites *Pal. Bot.*
peucyl *Chem.*
πέφρικα Perf. of φρίσσειν
Pephricus *Ent.*
-πεψία as in δυσπεψία
-pepsia *Med.*
ana auto brady hemoglobino hyper hypo oligo proto
-pepsy *Med.*
brady hypo
πέψις digestion (Arist.)
metapepsis *Geol.*
pepsin(e
ate ia iferous
hydrochloric *Biochem.*
-pepsin *Biochem.*
anti helico iso lacto pro pseudo
-pepsine *Biochem.*
lacto pro
-pepsinia *Med.*
a hyper hypo
pepsinogen(ous
pepsis *Med.*
-pepsis *Med.*
narco oligo sym
Pepsis *Ent.*
pepsorthin *Mat. Med.*
steapsin(ogen
πήγανον rue
peganite *Min.*
Peganum *Bot.*
Πήγασος (Hesiod)
Pegasus *Myth.*
-arian -ean
Pegasus *Ich.*
-ean -id(ae -oid
πηγή water; fount
acratopega
Pegantha -idae *Bot.*
thermopegology
-πηγία as in ἁμαξοπηγια
bibliopegy
-ic -ist(al -istic(al
πῆγμα (-ατος) a frame
Gasteropegmata *Conch.*
Helicopegmata -ous
micropegmatite -ic
Pachypegma *Porif.*
pegma -e
pegmatite -ic -oid *Min.*
pegmatize -ation *Petrog.*
πηγο- Comb. of πηγή
pego-
logy
mancy
my(i)a *Ent.*
scapus ?*Ent.*
πηγός solid, strong
Colipeges *Ent.*
pteropegum *Ent.*
-al -ous
πηγυλίς icy-cold
Pegylis *Ent.*

πηδάλιον a rudder
Pedalion *Helm.*
id(ae oid
πηδεῖν to leap, bound
Polypedotes -idae *Herp.*
πήδησις a leaping
h(a)ematopedesis *Path.*
metapedesis *Psych.*
pedesis *Phys.*
πηδητής a leaper
Pedetes *Mam.*
-idae -inae -in(e
πηδητικός springing
pedetic *Phys.*
πηκτικός freezing
inopectic *Path.*
isopectic *Meteor.*
pectic(ate *Chem.*
-pectic *Chem.*
meta para pyro
πηκτίς a harp (Herod.)
pectis *Gr. Music*
πηκτός congealed, frozen
galapectite *Min.*
magnesiumpectolite
mangan(o)pectolite *Min.*
pectize -able -ation
pectase *Biochem.*
pectin *Chem.*
ase ogen ose ous
-pectin *Chem.*
amylo meta para proto
pecto-
caulus *Helm.*
cellulose *Chem.*
lite -ic *Min.*
pectose -ic -inase *Chem.*
Pectostraca(n -ous *Crust.*
pectous *Chem.*
πηλαμύς (-ύδος) a tunny
Pelamys -yd *Ich.*
πήληξ (-ηκος) a casque
Dipelicus *Ent.*
Pelex *Zool.*
Pelicoidea *Zool.*
πήλινος of clay
pelinite
Πήλιον Mt. in Thessaly
pelion *Echin.*
Pelion(tidae *Zool.*
pelionite *Min.*
πηλίος "pelvis" (?)
oophoropeliopexy *Surg.*
πηλο- Comb. of πηλός
pelo-
bates *Herp.*
-id(ae -oid
bius *Ent.*
-iid(ae -ioid
chroma *Ent.*
dera *Helm.*
dryas -yadidae
dytes *Herp.*
-id(ae -oid
genety *Bot.*
genous *Phytogeog.*
gonus -inae
h(a)emia *Path.*
lithic *Petrog.*
medusa *Herp.*
-id(ae -oid
mys
nomus *Ent.*
pathy *Med.*
phila *Ent.*
phile -ae -ous *Bot.*
phytes *Bot.*
psammogenous *Bot.*
therapy *Ther.*
πηλοπατίδες heavy boots
Pelopatis *Arach.*
πηλοποιός a potter
Pelopaeus *Ent.*

πηλός clay, mud
antigropelos *Dress*
helopelite *Geol.*
hemipelic
oligopelic *Agric.*
pelite *Petrol.*
pelitic *Geol.*
pelochthium *Phytogeog.*
pelochtho- *Phytogeog.*
philus phyt(i)a
Pelophis *Herp.*
planktopelite *Geol.*
sapropel *Bot.*
skleropelit *Geol.*
Sympelus *Ent.*

πήμων baneful
-pemon *Ent.*
Hylo Phloeo Xylo

Πηνέιος Peneus River
Penaeus *Crust.*
-aeid(ae -aeidea(n -ae-oid(ean
Peneian

Πηνελόπη (Herod.)
Penelope -ean -ize *Lit.*
Penelope *Ornith.*
-idae -inae -in(e

πήνη woof; spool
diapenidion *Obs.*
Penopus *Ich.*
πῆνος a web (Hesych.)
panicle(d *Anat. Bot.*

-πηξία as in ἀπηξία (Ptol.)
calcipexy *Histol.*
colloidopexy *Physiol.*
-pexia *Surg.*
colo desmo hystero ino organo spleno syncho trachel(ectom)o
-pexy *Surg.*
adnexo annexo caco cholecysto collo colo (hepato) colpo(hystero recto) costopneumo cysto endothyr(e)o entero epiplo esothyro ex(o)hystero exothymo exothyro funiculo gastro(hystero) hepato hystero(cysto laparohystero latero ligamento masto mazo meso(colo sigmoido) myonephro nephro(colo) omento (spleno) oophoro(pelio) orchido orchioorgano peritoneo phlebo phrenocolo pneum(on)o procto(cocco) proteo rectococcy romano salpingo scapulo sigmoido spermoloro spleno trachel(ectom)o tracheo tuboadnexo typhlo vagina(*or* o) ventrohystero

πῆξις fixation
colopexo(s)tomy *Surg.*
glycopexis -ic *Biochem.*
hem(at)opexis -in *Med.*
organopexil *Ther.*
pexin(ogen *Biochem.*
-pexis *Surg.*
entero ligamento spermoloro spleno
proteopexic *Physiol.*
sympexis *Cytol.*
toxopexic *Med.*

πήρα a pouch
Compopera *Crust.*
Orthoperus *Ent.*
Peradectes *Pal.*
Perameles *Mam.*
-id(ae -ine -oid
Peranema -idae *Protozoa*
Perathereutes *Pal.*
perencephaly *Path.*
perenchyma *Bot.*
Perodipus *Zool.*
πηρίδιον Dim. of πήρα
Peridei *Lichens*
-iiform -iene -ioidei
peridium *Bot.*
-ial -iole -iolum
peridium -ial *Bot.*
endo epi exo pseudo

πηρο- Comb. of πηρός
pero- *Terat.*
brachius branch cephalus chirus cormus dactylus dicticus pus somus
pero-
dactylism
gnathus *Mam.*
-inae -in(e
medusae -an *Zooph.*
myscus *Mam.*
pod(a -ous *Herp.*
spondylia(n *Herp.*
πηρομηλής maimed
Peromela -ous *Zool.*
Peromeles -ia *Herp.*
peromelus *Terat.*
πηρός maimed
Gyioperus *Ent.*
perodynia *Path.*
peroid *Bot.*

πῆχυς forearm
pechy-
agra *Path.*
ptila *Ent.*

πῖ the letter π
pi *Math.*

πιάζειν = πιέζειν
Piazomias *Ent.*
Piazorhynchites *Ent.*
πιαλέος = πίων
pialin *Chem.*
pialy
πιαντικός fattened
piantic *Bact.*
piantification
πῖαρ fat
piarh(a)emia *Med.*
πιαρός fat, rich
piaro-
pus *Bot.*
rhynchia *Pal.*
Piarus *Ent.*

πιέζειν to press
Parapiezops *Ent.*
pedopiezia *Geol.*
Pieza *Ent.*
piez(*or* s)esthesia *Psych.*
πιέζω Pres. of πιέζειν
piezo-
chemical chemistry
cnemus *Ent.*
crystallization
deres *Ent.*
electric(ity
electrification
luminescence
magnetism *Phys.*
meter metry -ic
trachelus *Ent.*
tropism *Bot.*

Πιερία (Iliad)
Pierian *Lit.*
Πιερίς (-ίδος) a muse
Pieris *Ent.*
-ian -id(ae -(id)inae -idine

πίεσις pressure
hyperpiesia *Med.*
-piesis *Med.*
eccentro hyper oto
πιεστός compressible
isopiestic(ally *Meteor.*
Piestotomus *Ent.*
Piestus *Ent.*

πιθανολογία (Plato)
pithanology
πιθανότης plausibility
Pithanotes *Ent.*

πίθηκο- Comb. of πίθηκος
pitheco-
lobium *Bot,*
logical
metric
πιθηκόμορφσο (Lyc.)
pithecomorphic
πίθηκος an ape
Archaeopithecidae *Pal.*
Arctopithecini *Mam.*
cynopithec- *Mam.*
id(ae inae ine oid
galeopithec- *Mam.*
id(ae ine oid
Heopitheci -ine *Mam.*
hesperopithecine *Mam.*
neopithecine -i *Mam.*
Nesopithecidae *Mam.*
Notopithecidae *Mam.*
Nyctipithec- *Mam.*
-inae -in(e
pal(a)eopithecine -i
Parapithecidae *Pal.*
pithecan *Mam.*
pithecanthrope -us
-i -ic -idae -oid
Pithecia *Zool.*
-ian -iinae -iine -ioid
Pitheculites *Pal.*
Pithecus *Mam.*
-pithecus *Mam.*
Anthropo Arcto Caeno Coeno Cyno Galeo Neso Nycti Presby Pro Semno
-pithecus *Pal.*
Archi Crypto Dryo Gripho Gritho Hadro Hespero Liby Moeri Palaeopro Para Simo Siva
Pithelemur *Mam.*
semnopithec(e *Mam.*
idae inae in(e oid
πίθηξ = πίθηκος
Nannopithex *Pal.*

πιθο- Comb. of πίθος
pitho-
deres *Ent.*
phora -aceae *Algae*
πιθοιγία (Plut.)
Pithoegia *Gr. Fest.*
πίθος wine cask
pithode *Cytol.*
pithos *Gr. Ant.*

πικρ- Stem of πικρός
picr-
aconitin(e *Chem.*
adenia *Bot.*
adonidin *Mat. Med.*
aena *Bot.*
amic -ide -ine *Chem.*
amnia -ieae *Bot.*
ic ate(d -in *Chem.*
ite *Min.*
odus *Pal.*
ol *Trade*
olonic *Org. Chem.*
osmine *Min.*
yl *Chem.*
πικρά Fem. of πικρός
hierapicra *Pharm.*
kickery-pickery *Pharm.*
picra *Pharm.*
πικρασμός bitterness
picrasmin
πικρίς (Theophr.)
Picris *Bot.*
πικρο- Comb. of πικρός
picro-
carmin(e *Histol.*
chromite *Min.*
clase *Geol.*
cleidus *Pal.*
crichtonite *Min.*
crocin *Chem.*
crystallization *Geol.*
cyanic *Chem.*
dendron *Bot.*
erythrin *Chem.*
formal *Chem.*
glycin *Chem.*
ilmenite *Min.*
lappaconitine *Chem.*
lichenin *Org. Chem.*
lite *Min.*
mel *Org. Chem.*
merite *Min.*
nigrosin *Staining*
nitrate *Chem.*
pharmacolite *Min.*
phylla *Ent.*
podophyllin *Chem.*
pyrin *Chem.*
roccelline *Org. Chem.*
rrhiza *Bot. Mat. Med.*
saccharometer *Med.*
sclerotin *Chem.*
thomsonite *Min.*
tic tin *Org. Chem.*
titanite *Min.*
toxic *Org. Chem.*
-id(e -(in)in(e -(in)-inic
toxinism *Tox.*
xena *Ent.*
πικρόν Neut. of πικρός
erysimupicron *Chem.*
πικρός sharp, bitter
monopicrate *Org. Chem.*
pickle *etc.*
-picrin *Chem.*
bromo chlor(o) gentio glauco lacto lactu margoso pini scilli sena xantho
-picrine *Chem.*
glauco scilli xantho
-picrite *Petrog.*
pal(a)eo xantho
Xylopia -ieae *Bot.*
xylopicros
πικρόφυλλος
picrophyll(ite *Min.*
πικτίς (-ίδος) (Ar.)
Mimopictis *Ent.*

πίλεος pileus (Polyb.)
pileo-
phorus *Ent.*
rhiza *Bot.*
trichius *Ent.*
πιλίδιον Dim. of πῖλος
pilidion *Gr. Ant.*
Pilidium *Bot. Conch. Helm.*
πίλινος made of felt
Leptopilina *Ent.*
Pilinothrix *Ent.*
πιλίον Dim. of πῖλος
pampilion
πιλο- Comb. of πῖλος
metapilocarpine *Chem.*
pilo-
bolus -eae *Fungi*
carp(id)ene -(id)in(e
carpus *Bot.*
ceras *Cephal.*
crinus *Pal.*
cystic *Path.*
lite *Min.*
pilo- Cont'd
pic pyl *Org. Chem.*
taxitic *Mih.*
Proteropiloceras *Pal.*
πῖλος felt; a ball
Aegagropilae *Algae*
aegagropile -a
apilary *Bot.*
caryopilite *Min.*
Dipilus *Pal.*
egagropilus *Tumors*
homopilopic *Org. Chem.*
hyalopilitic *Petrog.*
neuropile *Neurol.*
pilite *Min.*
pilos *Gr. Dress*
pilos(in)ine *Org. Chem.*
Scutopiloxys *Ent.*
spongiopilin(e *Med.*
uranopilite *Min.*

πιμελή soft fat, lard
Pimelea *Bot.*
Pimelepterus *Ich.*
-id(ae -inae -oid
Pimelia *Ent.*
pimelic -ate *Org. Chem.*
pimelite *Min.*
pimelitis *Path.*
pimeloma *Path.*
pimelo-
mera *Ent.*
metopon *Ich.*
pterygium *Med.*
pus *Ent.*
rrh(o)ea *Path.*
pimelorthopnoea *Path.*
pimeluria *Path.*
pimelyl *Org. Chem.*
Pimephales *Ich.*
πιμελώδης fatty
pimelode -us *Ich.*
-ella -id(ae -inae -ine -oid

πίμπλημι fill, glut
Mesopimpla *Pal.*
Pimpla *Ent.*

πινακ- Stem of πίναξ
benzopinacol(in(e
benz(o)pinacone
menthopinacone
merodypnopinac-
olene oline one
pinacol *Org. Chem.*
ic in(e yl
pinacone *Org. Chem.*
pinakenchyma *Bot.*
πινακίδιον Dim. of πίναξ
pinakid *Spong.*
πινάκιον Dim. of πίναξ
pinakiolite *Min.*
πινακο- Stem of πίναξ
pinaco-
ceras *Cephal.*
cyte -al *Spong.*
dera *Ent.*
πινακοειδής like a tablet
pinacoid(al *Crystal.*
-pinacoid(al *Crystal.*
brachy clina macro ortho
πινακοθήκη (Strabo)
pinacothek -eca *Gr. Art*
πίναξ a tablet, board
pina-
chrom(e -y *Dyes*
cyanol *Dyes Photog.*
flavol *Dyes Photog.*
kryptol *Dyes Photog.*
lic *Chem.*
type *Photog.*
verdol *Dyes Photog.*
pinax *Cl. Ant.*
pinenchyma -atous *Bot.*
pinkes *Bible*
pinnacites *Cephal.*

pivalic *Org. Chem.*
-oin -one -yl
πιναρός squalid
Pinarus *Ent.*
Πινδαρικός (Plutarch)
Pindaric(al *Lit.*
Πίνδαρος (Plato)
Pindar *Hist. Lit.*
ism ist ize
πίνειν to drink
pinocytosis *Cytol.*
pinometer *Bot.*
πίννα (Arist.)
Palaeopinna *Conch.*
Pinna *Conch.*
-aceous -id(ae
pinnadiform *Ich.*
Pinnatopora *Zool.*
πιννοτήρης (Arist.)
pinnot(h)ere *Crust.*
Pinnotheres *Crust.*
-ian -id(ae -oid
πίνος dirt, filth
Geopinus *Ent.*
Neopinophilus *Ent.*
Pinophilus *Ent.*
πῖος = πιων
Liopiophila *Ent.*
πιότης fatness
Piotes *Ent.*
πίπερι = πέπερι
homopiperon- *Org. Chem.*
al yl(ic
Piper *Bot.*
(ac)eae aceous ales
piper- *Org. Chem.*
ate az(id)in(e azinium ic idein(e idyl ine ovatin(e oyl ylene
piperism *Tox.*
piperitious
piperivorous
piperon- *Org. Chem.*
al yl(ic yloin
πίπερις = πεπερίς
Macropiper *Bot.*
πιπιζεῖν to give to drink
Pipiza *Ent.*
πίπρα (Arist.)
Pipra *Ornith.*
-id(ae -inae -in(e -oid
πίπτειν to fall
Piptadenia -ieae *Bot.*
Piptanthus *Bot.*
Piptomeris *Bot.*
πιρωμις (Herod.)
Myrmapiromis *Ent.*
πίσος pulse; ?pea (Theophr.)
pisi-
anax *Ent.*
form *Anat.*
metacarpal *Anat.*
rhynchia *Pal.*
pisidium *Conch.*
-iid(ae -ioid
piso-
hamatus *Anat.*
lite -ic *Petrol.*
odonophis *Ich.*
uncinatus *Anat.*
-pisolite *Geol.*
bio eu pseudo
πίσσα pitch
pisselaeum *Arts*
-pissite *Min.*
chalco pyro urano
πισσάσφαλτος (Diosc.)
pissasphalt(um
πισσόκηρος (Arist.)
pissoceros
πισσώδης like pitch
Pissodes *Ent.*

πιστάκη pistachio tree
Pistacia *Bot.*
πιστάκια (Diosc.)
pistache -io
pistacinic -(in)olic *Chem.*
pistacite
πιστικός faithful
pistic
πίστις trust, faith
Alytopistis *Ent.*
pist(i *or* il)ology *Theol.*
πιστός liquid; trusty
autopisty
Pistia *Bot.*
-iaceae -iodeae
pistomesite *Min.*
-pistus *Ent.*
Chryso Micro
πίττα = πίσσα
eupittone -ic *Chem.*
pittacal *Org. Chem.*
pitta(*or* i)cite *Min.*
pittizite *Min.*
pitto-
notus *Ent.*
spore -um *Bot.*
-(ac)eae -aceous -ad
pittylen *Mat. Med.*
uropittin(e *Biochem.*
πιτυ- Stem of πίτυς
Pityoidolepis *Pal.*
Pityophis
πίτυλος beating
Pitylus *Ornith.*
-inae -in(e
πιτυο- Comb. of πίτυς
pityo-
bius *Ent.*
myrmex *Pal.*
phthorus *Ent.*
πιτυοκάλπη (Diosc.)
Pityocampa *Ent.*
πιτυρίασις (Galen)
pityriasis *Path.*
πιτυροειδής branlike
pityroid *Med.*
πίτυρον bran (Theophr.)
Pityrosporum *Fungi*
πίτυς the pine (Il.)
denispimaric *Org. Chem.*
-pitys *Bot.*
Araucario Archaeo Hypo Sciado
Trypopitys *Ent.*
πίων fat
carb(o)isopropoxy *Chem.*
carbopropoxy *Org. Chem.*
Catapionus *Ent.*
cycloprop- *Org. Chem.*
ane anol ene enone
diisopropyl(oxalic *Chem.*
diprop- *Org. Chem.*
aesin argyl(ate ylamin(e ylketone
eupion(e *Chem.*
Haemapium *Zool.*
isoproperyl *Org. Chem.*
isopropyl *Chem.*
acetic amine ene toluene
Metapiocrinus *Pal.*
nitropropiol *Chem.*
oxypropylene *Mat. Med.*
pi-
azin(e *Org. Chem.*
azthiole *Org. Chem.*
odes *Ent.*
orthopn(o)ea *Med.*
oxemia *Path.*
pio-
epithelium *Med.*
mera *Ent.*
phila -idae *Ent.*
scope
Pionea *Ent.*

pionemia *Path.*
Pionus *Ornith.*
-inae -ine
polypiosis *Path.*
prop- *Org. Chem.*
aldehyde
ane -ol -one
anolysis
argyl
amine ate ic
enoic -ol -one
enyl
amine ic idene
idene
ine -yl
oxy-
yl
amin(e ate ation benzene ene glucosamin(e ic idene
ylacet-
ate ic ylene
propi- *Org. Chem.*
olic -ate
one
-al -amid(e -ate -ic -in yl
propio- *Org. Chem.*
betaine in nitril(e phenous
-propionic *Org. Chem.*
guanido hydroxy ortho oxy per silico sulfo thioamino
propionylphenetidin
proponal *Mat. Med.*
proposote *Mat. Med.*
quinopropylin *Chem.*
silicopropane *Chem.*
trichloropropane *Chem.*
tripropionin *Org. Chem.*
πλαγά = πληγη
plaga -ate *Zool.*
πλαγγών a doll
Plangone *Ent.*
πλαγι- Comb. of πλάγιος
Desmeplagioceia *Pal.*
Notoplagioecia *Bryozoa*
Paraplagiorchis *Helm.*
plagi-
anthus *Bot.*
aulax *Mam.*
-acid(ae -acoid
hedral *Crystal.*
odon(t odus *Zool.*
opisthen *Ent.*
πλαγίαυλος cross-flute
plagiaulos *Music*
πλαγιο- Comb. of πλάγιος
geoplagiotropism *Bot.*
plagio-
cephalic *Anthrop.*
-ous -us -y
cephalic *Path.*
-ism -ous -y
chetae *Pal.*
citrite *Min.*
clase clastic
clinal *Geol.*
coelus *Ornith.*
dera *Ent.*
dromous *Bot.*
gonus *Ent.*
grammus *Ich.*
graph *Math.*
heliotropism *Bot.*
lepis *Ent.*
patagium *Zool.*
phototaxy *Prot.*
phototropic -ism *Bot.*
podopsis *Pal.*
pus *Crust.*
pyga *Ent.*
saurus *Pal.*

plagio- Cont'd
scion *Ich.*
sternum *Pal.*
stome *Ich.*
-a -ata -(at)ous -i
stomum *Helm.*
-id(ae -oid
suchus *Herp.*
toma *Zool.*
tremata *Herp.*
triaene *Spong.*
trochus *Ent.*
tropism -ic(ally *Bot.*
tropy -ous *Bot.*
photoplagiotropy -ic
πλάγιον Neut. of πλάγιος
bismutoplagionite
plagionite *Min.*
πλάγιος aslant, oblique
plagal *Music*
πλαγκτο- Comb. of πλαγκόν
plankto-
graph logy
pelite *Geol.*
phyte *Bot.*
πλαγκτόν roaming
hypoplanktic *Biol.*
plankton(ic *Biol.*
planktono-
krit *Mech.*
planktont *Bot.*
-plankton *Biol. Bot.*
antho chaeto cryo desmo disco elaio epi eu gaso hali(*or* o) hel(e)o hemi hidro holo hyphalmyro hypo kolla kremasto limno macrophyto mega mero meso micro nanno neidio nero phago phlyktio phyto potamo pseudo raphido sapro scotica sira skapho solenia sphaera stagno styli thalasso tricho tripos tycho zoo
-planktonic
epi hemi holo hylo mero meso
πλάγος the side
plage
πλαδαρός flaccid (Hipp.)
pladarosis *Tumors*
πλαδάρωμα = πλάδος
pladaroma *Tumors*
πλάδος moisture
pladobole(s *Phytogeog.*
πλάζειν to wander
plazolite *Min.*
πλαίσιον an oblong body
Plaesiomiinae *Pal.*
Plaesius *Ent.*
πλακ- Stem of πλάξ
Chalcoplacis *Ent.*
-placid *Zool.*
(an)echino mono pol
Lioplacis *Ent.*
placea *Bot.*
placodont
a ia id(ae oid
Placodus *Herp.*
placoid(al *Zool.*
Placoidea *Ich.*
-ean -ei -es -ian
placula *Biol.*
-ar -ate
-placula(r -ate
diplo mono
Placuna -idae *Conch.*
Sphaeroplacis *Ent.*
πλακο- Comb. of πλάξ
Eoplacophora *Pal.*

Otoplacosoma *Arach.*
placo-
bdella *Zool.*
branchia *Conch.*
-id(ae -oid
cerus *Ent.*
chelys *Pal.*
chromatic *Biol.*
derm(i *Ich.*
al ata atous id oid
ganoid(ei -ean *Ich.*
pharynx *Ich.*
phora(n -ous *Conch.*
phytes *Bot.*
plast
saurus *Herp.*
-id(ae -oid
scytus *Pal.*
telia *Pal.*
Polyplacophora *Conch.*
-an -e -ous
Teleoplacophora *Conch.*
πλακοῦντ- Stem of πλακοῦς
placunt- *Path.*
itis oma
πλακουντοειδής = πλακουντώδης
placuntoides *Anthrop.*
πλακουντώδης cakelike
Thalloplacentodes *Bot.*
πλακοῦς a flat cake
Aplacophora *Conch.*
-an -ous
cotyloplacenta *Bot.*
discoplacenta
-al -ation
Discoplacentalia (n
ectoplacenta *Embryol.*
extraplacental
inter(utero)placental
intraplacental
malloplacenta *Embryol.*
Placusa *Ent.*
zonoplacental(ia *Mam.*
πλακώδης flat
placode *Embryol.*
Placodes *Ent. Lichens*
placodine & -ite *Min.*
placodiomorph *Bot.*
placodium *Bot.*
-ialine -in -ioid
πλαν- Stem of πλάνος
Aeroplana *Pal.*
Geoplana *Helm.*
-id(ae -oid
Haliplana *Ornith.*
Leptoplana *Helm.*
-id(ae -oid
Otoplana *Helm.*
-id(ae -oid
Planagetes *Ent.*
planarthragra *Path.*
planuria -y *Path.*
πλανής wanderer
planont *Bot.*
πλάνησις wandering
coproplanesis *Med.*
phacoplanesis *Ophth.*
πλανήτης (Arist.)
antiplanet *Optics*
Periplaneta
-planetary *Astron.*
extra inter supra ultra
planet
al esimal hood ist less oid(al ule
planetarium
-ian -ily -y
Planetes *Ent.*
planeto-
geny graphy
logy -ic -ist
πλανητικός (Arist.)
anaplanatic *Optics*
aplanat(ic(ally *Optics*

aplanatism *Optics*
diplanetic -ism *Bot.*
planetic(al
planeticose
πλανητός wandering
planetous -us *Bot.*
-πλανία as in ἀλιπλανία
angioplany *Med.*
-plania *Med.*
angio arterio cholo galacto h(a)emato leukocyto meno pyo spermato spilo uro
πλανο- Comb. of πλάνος
aplano- *Bot.*
gametangium
spore
plano-
blast(ic *Zool.*
cera -id(ae -oid *Helm.*
coccus *Bact.*
conical
cylindric(al
cyte *Cytol.*
dema *Ent.*
ferrite *Min.*
gamete *Bot.*
graph(y -ic -ist *Surv.*
horizontal
lite *Geol. Pal.*
meter metry
parabolic
plastid *Bot.*
sarcina *Bact.*
some *Biol.*
spherical
spore
symmetry
planogamete *Bot.*
a iso mega
πλανομενον Part. of πλανάω wander
planomenon *Bot.*
πλάνος roaming
Polyplanus *Ent.*
πλανοστιβής trodden by wanderers
Planostibes *Ent.*
πλανώδης wandering
Planodes *Ent.*
planodia *Med.*
πλάξ (πλακός) anything flat and broad
Gonoplax *Crust.*
-acid(ae -acoid
leucoplacia -y *Path.*
myeloplaque *Cytol.*
-plakia *Path.*
leuc(*or* k)o malac(*or* k)o melano
-plax *Conch.*
Crypto hypo meso meta proso siphono
-plax *Pal.*
Archaeo Branchio
Polyplaxiphora *Conch.*
Ptenoplax -acidae *Zool.*
spiloplaxia *Med.*
Trichoplax *Pal.*
-acid(ae -acoid
πλασις a moulding
cataplasis *Histol.*
Coenoplase *Pal.*
colpohyperplase *Path.*
ectoplasy *Psych.*
esemplasy
hom(o)eoplasy *Histol.*
hyperplasic *Path.*
hyperplasy *Histol.*
ideoplasy *Ps. Phys.*
metaplasis *Biol.*
metaplasy *Cytol.*
neoplase *Min.*
-plasia *Bot.*
cata hetero homo hyper

-plasia *Med.*
a achondro allo anangio anerythro bio cata chondrallo chondrodys dys(chondro) hetero hom(o)eo homo homoio hyper hypo keto macro meta micro myelodys neo proso pseudometo tarso thyroa
-plasy *Bot.*
callus(heter homoo meta) (cata hetero homoo hypno polla proso
πλάσμα (-ατος) image, figure
aplasmodiophorus *Bot.*
apoplasmodial *Bot.*
autoplasmotherapy
bacterioplasmin *Bact.*
bioplasmin(ogen *Cytol.*
deutoplasm- *Embryol.*
igenous ogen
ferroplasma *Mat. Med.*
geloplasm *Prop. Rem.*
glyceroplasma *Mat. Med.*
granuloplasm *Prot.*
h(a)emoplasmodium
homoplasmy *Biol.*
ideoplasm *Psych.*
mesoplasm *Prot.*
metaplasmorphism
metaplasmosism *Cytol.*
mythoplasm
onomatoplasm *Phil.*
plasm(a
plasm-
al(ogen *Biochem.*
(am)eba *Prot.*
aphaeresis *Med.*
apsis *Cytol.*
ase *Biochem.*
ation
-ive -or -ure
exhidrosis *Path.*
ic
in(e ic *Chem.*
ode *Biol.*
-ial -iata -iate -iation
-ic -ium
odio-
carp(ous *Fungi*
gens *Cytol.*
phora -us *Fungi*
-(ac)eae -aceous -ales
oma *Biol.*
on *Diet.*
organ *Bot.*
-plasm *Med.*
anangio andro angioneo archi archo arrheno axo bio caryo centro(dento) chrom(at)o cino citio cyto(hyalo) cytulo dermato desmoneo deutero deuto disco ecto endo ento ergasto ergo exo germ gyno hetero hyalo hypo idio karyo(hyalo mito) kineto kino lympho meta mito morpho myco myo neo neuro nucleo(hyalo idio) oo ovo oxy pan para perikaryo phthino polio proto(gono) pseudo(neo) sarco som(at)o spermo spongio sporo stereo thely tropho zoo
-plasm *Bot.*
andro arrheno cato dermato epi gameto

-plasm Cont'd
gono gyno hetero hygro hypno necro nucleo peri phyto proso pseudo reticulo somato spermato xeno
-plasm *Bot.*
hygro hystero xeno
-plasm *Biol. Med.*
archo cytohyalo deutero endo ergasto grano hyalo hydro idio karyo morpho myco neo nucleoidio oo proto sarco stereo sym
-plasma *Prot.*
Ana Histo Piro Toxo Trypano
plasma- *Cytol.*
cule haut some
plasmatic(al *Biol.*
-plasmatic *Biol.*
allo bacterio di ecto ergasto idio mono proto
plasmatosis *Cytol.*
-plasmia *Med.*
apo hydro hyper(glyco) lympho mio oligo poly tuberculo
-plasmic *Biol. Med.*
a archo bio caryo chromo crypto cyto deuto ecto endo ergasto homo hyalo idio interproto karyo(mito) kino meta morpho myco neuro oo ovo proto sarco spongio sporo stereo tropho
-plasmic *Bot.*
andro epi deuto gyno hetero intraproto nucleo oo spermato
plasmo-
chyma *Biol.*
cyte *Cytol.*
cytoma *Histol.*
derma -al *Bot.*
desmus -a -ic *Cytol.*
dieresis *Bot.*
ditrophoblast *Embryol.*
doma -ism -ous -y *Biol.*
gamy *Bot.*
gen(y *Biol.*
genesis *Biol.*
gony *Biol.*
logy *Biol.*
lyse lysis *Cytol.*
lyte lytic(ally *Cytol.*
lyze(d *Cytol.*
-ability -able -ation
metric *Bot.*
nema *Bot.*
para *Fungi*
phaga *Zool.*
phagy -ism -ous *Biol.*
pora *Pal.*
ptyse *Bot.*
ptysis *Bact. Cytol.*
rrhexis *Cytol.*
schisis *Cytol.*
some -a *Biol.*
sphere
synagy *Bot.*
tomy *Cytol.*
tropic -ism *Med.*
zyme *Biochem.*
-plasmosis *Path.*
ana histo piro pyro
plasome *Biol.*
proplasm(ic(s *Phil.*
protolithoplasm *Min.*
protoplasmal -ist
pseudoplasmodium *Bot.*

psychoplasm(ic
staphyloplasmin *Tox.*
Stereoplasmoceras *Pal.*
Strongyloplasmata *Biol.*
symplasma *Biochem.*
πλασματο- Comb. of πλάσμα
plasmato-
gennylicae *Bot.*
parous *Mycol.*
rrhexis *Biol.*
some *Bot.*
πλάσσων moulding
plasson *Biol.*
ellum ity
πλαστης modeller
Acaeroplastes *Crust.*
-πλαστία as in ἀπλαστία, θεοπλαστία
anaplastia *Cytol.*
heteroplastia *Surg.*
hydroplasty *Elec.*
ideoplasty -ia *Ps. Phys.*
organoplasty *Biol.*
orthoplasty *Biol.*
-plasty *Surg.*
allo anaero aneurysmo angio arterio arthro auto(cysto) balano batracho blepharo blepharophry bone broncho cantho cardio cerato chalino ch(e)ilo cheilostomato chiro choledocho colpo(cysto perineo core(o) coro cranio cysto(clytro) dermato(auto hetero) dermo dura elytro entero epidermato episio esophago fascia fascio galvano gastro(entero) genito geny(chilo) genyo glosso gantho helco hernio hetero(auto osteo) heterosteo homeosteo homo hypo kerato kine labio laryngo lymphangio malo mammilla margino mel(on)o metopo morio myo(tenonto) myringo neo nephropyelo neuro oesophago omento ophthalmo orcheo orchido(celio) orchio oscheo osteo oto palato partheno pelvio perineo peritoneo phallo pharyngo posthio procto(cysto elytro) pyelo pyloro quenuthoraco rhino(cheilo meta) sphinctero staphylo stomato syndesmo tarso(cheilo) teno tenonto(myo) tend(in)o thely thoraco(pneumo) trachelo tracheo uranisco urano(staphylo) uretero urethro uveo vagino xantho zoo
prosoplasty *Bot.*
πλαστική (Arist.)
galvanoplastics
kineplastics *Surg.*
phelloplastic(s *Arts*
plastics *Dent. Surg.*
plastique
proplastics *Gr. Sculp.*
πλαστικος (Plato)
alloplastic *Biol.*
antiketoplastic *Biochem.*

autoplastic *Biol. Geol.*
cheoplastic *Dent.*
ectoplastic *Zool.*
endoplastic(a *Prot.*
entoplastic
esemplastic
fibrinoplastic *Chem.*
galvanoplastic(ally
galvanoplastique
ideoplastic *Ps. Phys.*
ketoplastic *Biochem.*
metalloplastic
metaplastic *Gram.*
morioplasticy
plastic
al(ly ine ism ity ize(r
-plastic *Biol. Cytol.*
agranulo bio cyto hom(o)eo idio meso mono nucleo organo ortho para peri poly
-plastic *Bot.*
amylo cata ergo geno homo hypo meta pleuro proso
-plastic *Med. Surg.*
achondro anaero anangio anerythro anti arthro auto blepharo cantho colpo core(o) coro cysto(elytro) derm(at)o desmo deuto dia elytro embryo fibro granulo gyno h(a)em(at)o hetero histometa homo hyper hypo interproto iso kerato kino melo myelo myo neo neuro ligo oscheo osteo oto perineo physio posthio procto radio rhino sarco sero staphylo stomato syngenesio teno thrombo urano urethro zoo
plastigmat *Photog.*
plastilina *Arts*
poroplastic *Arts*
proplastic *Gr. Sculp.*
semiplastic
teleplastic *Phil.*
thermoplastic
xyloplastic
zymoplastic *Chem.*
πλαστο- Comb of πλαστός
apoplastogamous *Bot.*
hypoplastotype *Min.*
metaplastology *Biol.*
plasto-
chondria *Cytol.*
cyte -osis *Cytol.*
cytop(a)enia *Med.*
dynamia -ic *Biol.*
gamy -ic *Biol.*
geny *Biol.*
graphy *Modeling*
mere *Cytol.*
meter *Phys.*
microps *Ent.*
polypus *Ent.*
some *Biol. Cytol.*
tephritis *Ent.*
type *Bot. Geol. Pal.*
polyplastocytosis *Med.*
-plastocyte *Cytol.*
megalo micro ortho poikilo
πλαστογραφία (Joseph.)
photoplastography
plastography
πλαστολογέειν to lie
Plastologus *Ent.*
πλαστος moulded
apoplastidy *Bot.*

autoplast *Geol.*
blepharoplastoid *Bot.*
caseoplastein *Chem.*
cyanoplastid *Pigm.*
cytoplast *Surg.*
eleoplast *Biochem.*
endoplast *Prot.*
endoplastid *Cytol.*
endoplastule -ar *Infus.*
erythroplastid
etioplast
gypsoplast
heteroplastid(e *Biol.*
Hexaplasta *Ent.*
iconoplast
interplastidic *Bot.*
meloplast
metaplast *Gram.*
metaplastic *Bot.*
monoplastid *Cytol.*
odontoplast
Oligoplastina *Prot.*
placoplast
-plast -πλαστος as in κηρόπλαστος
-plast *Biol.*
allo archi auto bio chondro chroto cyto elaeo gymno h(a)emato idio karyo libro linino meso mono myelo nucleo oo osteo peri phoro phragmo poly rhizo rhodo sarco
-plast *Bot.*
amido amylo archi basi blepharo chloro-(phyllo) chromo dermo(syn) ecto elaio eleo endo geno gymno-(sym) hydro karyo-dermato leuco macro megachloro meri meta microchloro mito necro nemato neo phaeo phragmo rhizo rhodo sidero sparsio spermato sphaero stato sym syn tele tono tropho
plastein *Chem.*
plastid(e ium *Biol.*
-plastid *Bot.*
amido amylo aplano chloro chromo gymno leuco meta onto peri plano pro rhodo tele
-plastide *Bot.*
amylo hydro
plastido-
genetic *Biol.*
zoa *Protozoa*
plastidome *Cytol.*
plastidule -ar -ic *Biol.*
plastin(oid *Biol.*
-plastin *Chem. Med.*
basicaryo basicytopara chloro cyto fibr(in)o hemo karyo neuro (oxy)para thrombo
plastoid *Bot.*
polyplastid(e *Biol.*
Polyplastina *Zool.*
protoplast(id *Morphol.*
rhinoplast(os *Surg.*
stabiloplast *Diatoms*
zincporoplast *Surg.*
zygoplast *Prot.*

πλάστρα earrings
Clidoplastra *Herp.*

πλαταμώδης broad and even
Platamodes *Ent.*

πλαταμών a flat thing
Platamus *Ent.*

πλατανιστής (Pausan.)
Platanist(a *Mam.*
-id(ae -oid

πλάτανος (Ar.)
plane *Bot.*
Platanaster(idae *Pal.*
platan(e -us *Bot.*
-aceae -aceous -eous -ine

πλάταξ (Ath.)
Platax *Ich.*
-acid(ae -acoid

πλατεῖα (Xenophon)
piazza
-etta -ian less
place
able -er ful less ly man(ship ment monger
plateia *Gr. Arch.*

πλατειασμός (Quintil.)
plateasm *Philol.*
platiasmus *Path.*

πλάτη a blade
antiplatelet *Med.*
Plategeocranus *Pal.*

πλάτος breadth
platetrope -y *Anat.*
platometer -metry

πλατυ- Stem of πλατύς
Hoploplatystoma *Ent.*
Neoplatycrinus *Pal.*
Palaeoplatyceras *Pal.*
platy-
amomphus *Ent.*
an *Anat.*
aspistes *Ent.*
ate *Anthrop.*
auchenia *Ent.*
axum *Pal.*
basic *Craniom.*
brachy cephalic -ous
bregmate -ic *Craniom.*
bregmete *Craniom.*
ceras -oid *Gastrop.*
cerium *Ferns*
chamaecephalic
chelys *Pal.*
chiria *Ent.*
chora *Ent.*
clymenia *Pal.*
cnemia *Crust.*
-ic -ism -um -y
codon *Bot.*
coelia *Ent.*
-ian -idae -ous
coelian c(o)elous *Anat.*
coelostoma *Ent.*
colpus *Pal.*
cope *Ent.*
coryphe *Pal.*
crania *Med.*
cranial *Anthrop.*
cranium *Pal.*
crinus *Crin.*
-id(ae -ite -oid(ea
cyrtean *Anat.*
cyte *Cytol.*
dactyl(e *Herp.*
a ous us
dolichocephalic -ous
elmia -inthes *Helm.*
gastric
genia *Ent.*
gobis *Ent.*
gonidium -ia *Bot.*
gonus
helminth(a -es *Helm.*
hexacrinus *Pal.*
hieric *Anat.*
histrix *Pal.*
holmus *Ent.*
laemus *Pal.*
lekanic *Anthrop.*
lichas *Pal.*
lobate *Bot.*

platy- Cont'd
lobium -eae *Bot.*
lophus
machaerota *Ent.*
merella *Pal.*
meria -y -ic *Anthrop.*
mesaticephalic
mesocephalic
meter *Elec.*
mischus *Ent.*
miscium *Bot.*
monas *Prot.*
mylacris *Pal.*
myoid *Histol.*
odont *Zool.*
omus *Ent.*
ope -ia -ic *Craniol.*
opuntia *Bot.*
ostoma *Gastrop. Pal.*
pellic *Anat.*
petalous *Bot.*
peza -id(ae -oid *Ent.*
phippic *Anat.*
phyma *Ent.*
pod(e *Conch. Ornith.*
a ous
podia *Med.*
poecilus *Ich.*
proctus *Ent.*
psaris *Ornith.*
psilla -us *Ent.*
-id(ae -oid
ptera -id(ae -oid *Ich.*
pterna *Pal.*
pteryx *Ent.*
-ygid(ae -ygoid
scapus *Ent.*
scope -ic *Optics*
some -a -ata *Ent.*
sperm(ic -um *Pal. Bot.*
stega *Pal.*
stemon *Bot.*
sternum -idae *Turtles*
stethus *Ent.*
stigmat *Photog.*
systrophus *Ent.*
troktes *Ich.*
trope *Anat.*
xantha *Ent.*
Plioplatycarpus *Herp.*
-id(ae -oid
subplaty- *Anthrop.*
cnemia hieric

πλατυαύχην broad-necked
Platyauchenia *Ent.*

πλατυγάστωρ flat-bellied
Platygaster(inae *Ent.*

πλατύγλωσσος (Arist.)
platyglossous
-al -ate
Platyglossus *Ich.*

πλατύκαρπος (Diosc.)
platycarpous *Bot.*

πλατύκερκος flat-tailed
Platycercus *Ornith.*
-idae -inae -in(e

πλατύκερως flat-horned
Platycerus *Ent.*

πλατυκέφαλος flat-headed
platycephalic *Craniom.*
-oid -ous -y
Platycephalus *Ich.*
-id(ae -inae -oid(ea(n

πλατυκορία (Aretaeus)
platycoria *Path.*

πλατυκὸς = πλατυς
platic(ly *Astrol.*

πλατύνειν to widen
Platynaspis *Ent.*
platynite *Min.*
Platynosum *Ent.*
Platynus *Ent.*

πλατύνωτος broad-backed
platynote *Herp.*
-a(l -us

πλατύουρος broad-tailed
plature -(o)us *Helm.*
platyurous *Zool.*

πλατύπους flat-footed
Blepharoplatypus *Ent.*
Platypus *Ent. Mam. Ornith.*

πλατυπρόσωπος flat-faced
Platyprosopus *Ent.*

πλατύπυγος broad-bottomed
platypygous *Zool.*

πλατύρρις broad-nosed
hyperplatyrrhine
platy(r)rhine *Mam.*
-a(e -i(an
platy(r)rhine *Craniom.*
-ic -ism -y
Platyrhinoidis *Ich.*

πλατύρρυγχος broad-beaked (Arist.)
Platyrhinchites *Ent.*
Platyrhinchus *Ornith.*
-i -inae -in(e -ous
Platyrhinchus *Ent. Herp.*

πλατύς broad
amphiplatyan *Anat.*
autoplate
chloroplatin- *Chem.*
ate ic ite ous
coleoplatyan *Anat.*
cyrtoplatyan *Comp.*
Deroplatus *Ent.*
electroplate -ing
erythroplate *Photog.*
Monoplatus *Ent.*
plaice
plat
plat-
acanthomys -yinae
elminth(a es *Helm.*
ephemera *Pal.*
esthes *Ent.*
helminth(a es ic
ichthys *Ich.*
ode -a -es -oid *Helm.*
omma *Ent.*
ophrys *Ich.*
opic *Craniom.*
osam(m)in(e *Chem.*
oso- *Chem.*
osphinae *Pal.*
Platalea *Ornith.*
-eid(ae -eiform -einae -eoid
plate
ful less let man -en -er(esque
plateau(lith
Plateosaurus -idae *Pal.*
platform
ally er ish ism ist(ic less y
platinam(m)in(e *Chem.*
platinic -ate *Chem.*
platinichloric -id *Chem.*
platiniferous
platinite *Elec. Metal.*
platinize -ation
platinode *Elec.*
platinoid *Chem.*
platino-
chloric -id *Chem.*
cyanic -id(e *Chem.*
iridium *Min.*
nitrite *Chem.*
type *Photog.*
platinum -ous
platoscope *Phys. App.*
platter
platy

Pteroplateae -inae *Ich.*
Rhinoplatia *Ent.*
somoplatus *Ent.*
Stenoplatys *Ent.*
Uroplata *Ent.*
Uroplates *Herp.*
-id(ae -oid(ea(n

πλάτυσμα a plat
platysma -al *Anat. Med.*

πλατύστερνος broad-breasted
Platysternae -al *Ornith.*

πλατύστομος wide-mouthed
Platystoma *Conch. Ent. Ich.*
platystomous
Platystomus *Mam.*

πλατυστός widest
platystencephalia
-ic -ism -y

πλατύσχιστος broad-clefted
Platyschistae *Ich.*

πλατύσωμος broad-bodied
Platysomus *Ich.*
-id(ae -oid

πλατύφυλλος broad-leaved
platyphyllous -in(e *Bot.*

πλατυώνυχος broad-nailed
Platyonychus *Crust.*
-id(ae -oid

Πλάτων Plato
Neoplatonism -ist
Platonea *Pal.*
Platonia *Bot.*
Platonian *Phil.*
Platonism -ist(ic *Phil.*

Πλατωνίζειν (Origen)
Platonize
-ation -ed -er

Πλατωνικός (Strabo)
Neoplatonic(ian
Platonic
al(ly alness ian ism

πλέγμα plaited work
Euryplegma -atidae
periplegmatic *Geom.*

πλέθρον a hundred feet
plethron -um *Meas.*

πλεῖστος most
pleisto-
cene -ic *Geol.*
dox
gyps *Pal.*
mere *Bot.*
seismic *Seismol.*
seist *Seismol.*
Plistoptychia *Malac.*

Πλειάδες (Iliad)
Pleiad(es *Astron.*
Pleiade *Lit.*
pleiades *Anat.*
pleiadic *Chem. Phys.*

πλείων more
antipleion *Bot. Meteor.*
macropleionian *Meteor.*
Miopliocene *Geol.*
plei(*or* j)apyrin *Med.*
-pleiite *Min.*
arsenio cata natron-cata
pleio-
bar *Meteor.*
blastus *Bot.*
cene *Geol.*
chasium -ial *Bot.*
chromia *Path.*
cyclic *Bot.*
cytosis *Med.*
geny *Bot.*

pleio- Cont'd
masthus *Anat.*
mastia -ic *Anat.*
mazia *Anat.*
mereous -y *Bot.*
morphic *Bot.*
-ism -ous -y
petalous -y *Bot.*
phyllous -y *Bot.*
pyrenium *Bot.*
spermous *Bot.*
sporous *Bot.*
taxis -y *Bot.*
thalamous *Bot.*
tomy *Bot.*
trachea *Bot.*
typy *Bot.*
xeny *Bot.*
zygous *Bot.*
pleion *Bot.*
pleion(ian *Meteor.*
pleiontism *Bot.*
plio-
batrachus *Pal.*
cene -ic *Geol.*
dolops *Pal.*
hippus *Mam.*
loph(us *Mam.*
-id(ae -oid(ea
merinae *Pal.*
merops *Pal.*
phloeinae *Pal.*
platycarpus *Herp.*
-id(ae -oid
saur(us *Herp. Pal.*
ian id(ae oid
therme *Geol.*
tron *Elec.* (*T. N.*)
postpliocene *Geol.*
Propliothecus *Pal.*
thermopleion *Meteor.*

πλέκειν to plait
Diplecolobeae *Bot.*
Oxoplecia *Pal.*
Plecia *Ent.*
pleco-
lepidous *Bot.*
pter(a(n -ous *Ent.*
stomus *Ich.*
Plecotus -inae -in(e

πλεκτός twisted
paraplectenchyma
plect-
ascineae *Fungi*
enchyma -atous
oidea(n *Prot.*
oidothyris *Pal.*
onycha *Ent.*
plecto-
branchus *Ich.*
comia *Bot.*
discus *Pal.*
gnath *Ich.*
i(an ic ous
mycetes *Bot.*
nephric(a *Helm.*
pter(a -ous *Ent.*
spodyl(e -i -ous *Ich.*
spondyly *Anat.*
thyris *Pal.*
prosplectenchyma
Therioplectes *Ent.*

πλέξις weaving
enteroplex(y *Med.*
Euplexoptera -ous *Ent.*
metaplexus *Anat.*
Periplexis *Crust.*
phonoplex *Elec.*

πλεο- Comb. of πλέων
pleo- = πλείων
chroic -istic *Bot.*
chroism *Crystal.*
-oic -oitic -oous
chromatism -ic *Crystal.*
cleis *Crust.*
coma *Ent.*

pleo- Cont'd
gamy -ic -ous *Bot.*
genetic *Bot.*
geny *Bot.*
mastia *Anat.*
mazia *Anat.*
megalomus *Ent.*
morph *Chem. Biol.*
morphic *Bot.*
-ism -ist -ous -y
nectria *Bot.*
phagism *Bot.*
phyletic *Bot.*
pod(a -ate -on *Crust.*
psidium -ic *Chem.*
rhacus *Arach.*
spora -aceae *Fungi*
trophic *Bot.*
-pleogamy *Bot.*
andro eri gyno
Propleopus *Mam.*

πλέον Neut. of πλέος
pleon *Bot.*
pleon-
asterophora *Pal.*
osteosis *Med.*

πλεονασμός excess
pleonasm(ic(al *Rhet.*
pleonasm(us *Gram. Med.*

πλεόναστος abundant
pleonast *Rhet.*
pleonaste *Min.*
pleonastic(al(ly *Gram.*

πλεονέκτης grasping
pleonectite *Min.*

πλεονεκτικός greedy
pleonectic

πλεογεξία greediness
pleonexia *Path.*

πλέος full
Ecpleopus -odidae *Zool.*

πλευρ- Stem of πλευρά
pleur-
acanth(us *Ich.*
-id(ae -ini -oid
ale -ia *Herp. Spong.*
algia -ic *Path.*
anthous *Bot.*
apophysis -ial *Zool.*
arthron
aspidotherium -iidae
ecbolic *Zool.*
embolic *Zool.*
emphytic *Zool.*
enchyma -atous *Bot.*
istion *Pal.*
ite -ic *Ent.*
odont(es
odynia -y -ic *Path.*
oid *Anat.*
ophthalma -ic *Conch.*
osteite *Anat.*
osteon -eal *Ornith.*
ostosis *Path.*
otus *Ich.*

πλευρά rib; side
Acanthopleurella *Pal.*
aeropleuria *Path.*
Anisopleura -ous *Conch.*
Apleuri *Ich.*
arthropleure -a *Pal.*
Brochopleurus *Pal.*
Cercidopleura -ous *Herp.*
chylopleura *Med.*
Coelopleurum *Ent.*
Dipleura -ic *Biol.*
dipleurula *Zool.*
Dizugopleura *Pal.*
endopleural *Bot.*
endopleurite -ic *Crust.*
Eodipleurina *Pal.*
epipleur(a *Zool.*
Eupleurodus *Pal.*
hoplopleurid(ae -oid *Ich.*
Isopleura(n -ous *Conch.*

Koilopleura *Malac. Pal.*
Liopleurodon *Pal.*
Macropleurodus *Ich.*
Mesopleura *Ent.*
metapleur(e a *Ent.*
Monopleura *Conch.*
-id(ae -oid
osteopleura *Path.*
peripleura *Anat.*
pleura *Anat. Zool.*
-al -ic
-pleura *Bot.*
endo exo hypo
-pleural *Anat.*
cerebro costo dorso inter intra pericardio pharyngo somato splanchno sub viscero zygo
-pleural *Zool.*
aniso brachy di epi eudi iso macro meso meta pedo pro pteno ptycho
pleurum *Zool.*
-pleurus *Ent.*
Poly Rhopalo Schizo Trigono
Pogonopleura *Ent.*
propleurum *Ent.*
Ptenopleura *Mam.*
Ptychopleura *Zool.*
Remopleurides *Pal.*
Rhabdopleura *Helm.*
-ae -id(ae -oid -ous
somatopleure -a -ic *Emb.*
somatosplanchnopleuric
splanchnopleura -e -ic
Temnopleurus *Echin.*
-id(ae -inae -in(e -oid
Tetrapleurodon *Ich.*
Tetrazygopleura *Biol.*
transpleural *Surg.*
zygopleura *Morphol.*

πλευριτικός (Hipp.)
antipleuritic *Med.*
pleuritic(al(ly *Path.*

πλευρῖτις (Hipp.)
pl(e)urisy *Path.*
pleuritis *Path.*
pleuritogenous *Path.*
-pleuritis *Path.*
gastro pachy peri pneumo

πλευρο- Comb. of πλευρόν
bronchopleuropneumonia
cerebropleurovisceral
dipleuro-
branchia -iate *Conch.*
cystis *Pal.*
genesis *Biol.*
genetic *Biol.*
Hypleurochilus *Ich.*
monopleurobranch
ia(n iata iate
Parapleurocrypta *Crust.*
pleuro-
blastic *Bot.*
brachia *Zool.*
branch *Crust.*
-ia(l -iata -iate
branchus *Conch.*
-id(ae -oid
bronchitis *Path.*
caris *Pal.*
carp(i(c -ous *Bot.*
cele *Path.*
centesis *Surg.*
centrum -al *Anat.*
cera *Conch.*
-id(ae -oid
cerebral *Zool.*
cholecystitis *Path.*
chondrite *Zool.*

pleuro- Cont'd
chord(al *Zool.*
clysis *Med.*
coccoid -aceous *Bot.*
coele *Conch.*
colic *Anat.*
collesis *Path.*
conch(a(e *Zool.*
crinus *Pal.*
cutaneous *Physiol.*
cystidae *Pal.*
cystidia *Bot.*
deles *Herp.*
-id(ae -oid
dere(s -a(n -ous *Herp.*
desmatidae *Pal.*
dictyum
discous *Bot.*
discus *Malac. Pal.*
esophageus *Anat.*
genic -ous *Path.*
genous *Bot.*
grammous *Ich.*
gynous *Bot.*
gyrate -ous *Bot.*
hepatitis *Path.*
hoplites *Pal.*
lepis *Ich.*
-idal -idid(ae -idoid
leura -idae
lith *Path.*
marginal
melus
monas -adidae
myax *Zool.*
-acid(ae -acoid
nautilus *Cephal.*
nect *Ich.*
ae eiformes es id(ae inae ism oid(ea(n
pathia -y *Path.*
pedal *Zool.*
pericardial *Anat.*
pericarditis *Path.*
peripneumonia -y
periton(a)eum -(a)eal
phorites *Malac. Pal.*
phorous *Pelec.* -us
phyllidia *Conch.*
-iid(ae -ioid
plastic *Bot.*
plegia
pneumonia -y -ic *Path.*
pneumonitis *Path.*
pneumonolysis *Surg.*
podium *Ent.*
pous *Bot.*
ptera *Mam.*
pterygii -ian *Ich.*
pulmonary *Anat.*
pyesis *Path.*
pygia -ial *Conch.*
rhizal *Bot.*
-eae -(e)ous
rrhagia *Path.*
rrh(o)ea *Path.*
saurus -idae *Pal.*
scopy *Med.*
sigma *Bot.*
soma -us *Terat.*
spasm *Path.*
sperm(ic *Bot.*
spondylia(n *Herp.*
sporangium *Bot.*
spore *Bot.*
sternum *Herp.*
-id(ae -oid
stict(i *Ent.*
stira *Ent.*
stomellina *Pal.*
tetanus *Path.*
toma *Conch.*
-id(ae -inae -ine -oid
tomaria *Conch.*
-iid(ae -ioid
tomy *Surg.*

pleuro- Cont'd
tonus -ic *Path.*
transversalis
tribe -al *Bot.*
trochus *Pal.*
tropous *Bot.*
typhoid *Path.*
visceral *Zool.*
Pseudopleuronectes *Ich.*

πλευρόθεν from the side
pleurothotonos -ic *Path.*

πλευρόν = πλευρά
Ctenopleuron *Pal.*
epipleuron *Zool.*
planeropleuron *Ich.*
pleuron *Anat. Zool.*
-pleuron *Ent.*
meso meta pro
Pleuronea *Pal.*
Pleuronichthys *Ich.*

πλευστικός ready for sailing
aeropleustic *Aviation*
pleuston *Bot.*
-pleuston *Bot.*
phyto pseudo

πλέων full
hydropleon *Phys. Chem.*

πλέων sailing, swimming
pleon(al ic *Crust.*

πλέως filled, full
Oenoplia *Bot.*
pleodont *Zool.*

πλήγανον a stick, rod
Pleganophorus *Ent.*

πληγή a blow, a stroke
Plegacerus *Ent.*
Plegaderus *Ent.*
plegaphonia *Med.*
Plegepoda *Protozoa*
-plegia *or* -y *Suffix*
plegnic
plegometer
psychoplege *Med.*
pteri(*or* o)plegistic
-πληγία Comb. of πληγή as in καταπληγία
-plegia *Med.*
blepharo broncho cardio cephalo colico cyclo cysto di entero esophago facio gastro glosso irido isthmo lalo laryngo logo mono-(myo) myelo nephro oisophago ophthalmo palato pam pan pharyngo phreno pleuro poly procto prosopo(di) pseudo quadri rachio seleno semi stauro tetra theo thermo tri urano
-plegic *Med.*
cyclo cysto di logo mono ophthalmo pharyngo post prosopo psycho
-plegy *Path.*
nephro ophthalmo pam pharyngo phreno

πληθο- Comb. of πλῆθος
pletho-
bolbina *Pal.*
genesia *Ent.*
meria *Terat.*
peltis *Pal.*
spongiae *Spong.*

πλῆθος a great number
plethea -ean *Bot.*
pletheoblasteas *Bot.*
Rhinoplethes *Ent.*

πληθυσμός increase
plethysmo-
gram graph *Med. App.*
graphy -ic(al(ly
-plethysmograph *Med.*
aero sphygmo
πληθώρη fullness
metroplethora
pantoplethora
plethora
-etic(al -iness -y
πληθωρικός (Galen)
antiplethoric
deplethoric
plethoric(al(ly
πλήκτης a striker
-plectes *Ornith.*
Micro Xantho
πληκτρο- Comb. of πλῆκτρον
plectro-
frondicularia *Pal.*
genium *Ich.*
glyphidodon *Ich.*
phanes *Ornith.*
phenax *Ornith.*
poma *Ich.*
pterus *Ornith.*
-id(ae -inae -in(e -oid
πλῆκτρον plectrum (Hom.)
Adeloplectron *Ent.*
auscultoplectrum *Med.*
diplectrum *Ich.*
Gonioplectrus *Ich.*
Hypoplectrus *Ich.*
Plectranthias *Ich.*
Plectranthus *Bot.*
plectre -on
Plectria *Ent.*
Plectridium *Bact.*
Plectromus *Ich.*
plectrum *Anat. Ent. Music Ornith.*
Plectrypops *Ich.*
polyplectron -um *Music*
Polyplectron *Ornith.*
-oninae -um
Temnoplectron *Ent.*
πληκτροφόρος with spurs
Plectrophorus *Ent.*
πλημμυρεῖν to overflow
plemmirrulate
πλημοχόη water vessel
plemochoe *Archaeol.*
πλήμυρα floodtide
plemyrameter *Mech.*
πλήξιππος horse-driving
Plexippus *Ent.*
-πληξία as in ἡμιπληξία
-plexia *Path.*
cysto holo pago paro seleno
πλῆξις a stroke
diaplexus *Anat.*
isoplexis *Bot.*
plexalgia *Med.*
plexichronometer
plexi(*or* o)meter *Med.*
plexodont *Anat. Zool.*
plexor
πλήρης full
euplere(s *Mam.*
-id(ae -inae -ine -oid
isoplere *Thermodyn.*
πληρο- Comb. of πλήρης
plero-
cercoid *Med.*
cestod(e cestoid *Helm.*
morph *Min.*
πληροφορία certainty
pleorphoria -y
πλήρωμα complement
pleroma -e -al -atic *Phil.*
plerome -al -atic *Bot.*
πλήρωσις a filling up
odontoplerosis *Deut.*
plerosis *Med.*
πληρωτικός (Diosc.)
plerotic *Med.*
πλησι- Stem of πλεσίος
plesi-
addax *Pal.*
arctomys
aster(idae *Spong.*
oidischia *Pal.*
ophthalmus *Ent.*
ops -opidae *Ich.*
opsis *Malac.*
πλησιασμός approach
plesiasmy *Bot.*
Aithurus Aves Z
πλησιο- Comb. of πλησίος
plesio-
biosis *Biol.*
chelys *Herp.*
-yid(ae -yoid;
cyonoidae *Pal.*
cyprinella *Pal.*
lepidotus *Pal.*
metacarpi *Mam.*
-al(ia(n -ian
morphism *Crystal.*
-ic -ous
saur(us *Herp.*
-i(a(n -id(ae -oid
schendyla *Arach.*
siro *Pal.*
sticha *Ent.*
type
tectoplesiotype *Bot. Pal.*
πλησίος near, close
Hylaplesia -idae *Zool.*
Plesictoidae *Pal.*
sideroplesite *Min.*
Stenoplesictis *Pal.*
symplesite *Min.*
πλῆσις fullness
Ceroplesis *Ent.*
πλήσσειν to strike
orthoplessimeter *Med.*
plessesthesia *Med.*
plessigraph *Med.*
plessimeter *Med.*
plessimetry -ic *Med.*
plessite *Min.*
πλίνθος (Vitruv.)
plinth(os *Arch.*
iform less
plinthite *Min.*
plinthodermatium *Pal.*
plinthoid *Math.*
Plinthus *Ent.*
subplinth *Arch.*
πλοῖον a ship
Euploeinae *Ent.*
Ploeosoma *Ent.*
πλόκαμος a lock of hair
plocamo-
branchia -iate *Conch.*
cera *Ent.*
Plokamostrophus *Arach.*
πλοκεύς a braider
Euploceus *Ornith.*
Ploceus *Ornith.*
-eid(ae -eiform -einae -ein(e -eoid
πλοκή twining
neuroploca *Neurol.*
Orthoploceae -eous *Bot.*
ploce *Rhet.*
Plocederus *Ent.*
πλόκιον Dim. of πλόκος
Plocia *Ent.*
πλόκιος twined
Plociopterus *Ent.*
πλοκο- Comb. of πλόκος
ploco-
carpium *Bot.*
ceras *Ent.*
cidaris *Echin.*
compsus *Ent.*
scelus *Ent.*
πλόκος braid; chaplet
Plocaria *Algae*
Polyplocotes *Ent.*
-πλοος as in τριπλόος
Enneapla
-ploid *Bot.*
aneu artio deca dys ennea hendeca hepta hetero hexa multi octo ortho penta perisso pluri poly
-ploid *Genetics*
poly tetra
-ploidy *Bot.*
aneu artio dys hetero penta poly
πλουσιο- Comb. of πλούσιος
pl(o)usiocracy
πλούσιος wealthy
Plusia *Ent.*
-iid(ae -ioid
Plusiotes *Ent.*
πλουτ- Stem of πλοῦτος
plutarchy *Pal.*
Πλουτάρχειος of Plutarch
Plutarchian
Πλούταρχος Plutarch
Plutarchic(al(ly
πλουτο- Comb. of πλοῦτος
pluto-
democracy
latry
logy -ist
mania *Path.*
nomy -ic -ist
πλουτοκρατία (Xen.)
plutocracy
plutocrat(ic(al
πλοῦτος wealth
Plutella *Ent.*
id(ae -oid
Πλοῦτος (Hesiod)
Plutus *Myth.*
Πλούτων (Aesch.)
endoplutonism -ist
exoplutonism *Geol.*
Pluto *Myth.*
Plutonic(al
-plutonic *Geol.*
endo exo hydro
Plutonism -ist -ize
plutonometamorphism
Πλουτώνιον (Strabo)
plutonium
Πλουτώνιος of Pluto
Plutonian
Πλυντήρια (Xen.)
Plynteria *Ath. Fest.*
πλώιμος sea-worthy
Ploima *Helm.*
-an -ate
πλωτήρ a seaman
Ploteres *Ent.*
ploteric *Biol.*
Πλωτῖνος
Plotinus *Phil.*
-ian -ic(al -ism -ist -ize
πλωτός sailing
plotophytes *Bot.*
Plotus *Ornith.*
-id(ae -oid
Semiplotus *Ich.*
-ina -inae
πνεία breath
antipnein *Biochem.*
pnein *Biochem.*
πνεῦμα wind; breath
neum(e *Music*
-atize -ic
phonopneumomassage
pneuma
pneum-
adenia *Zooph.*
apostema *Path.*
arox *Vit.*
arthrosis *Path.*
ascos *Med.*
ectasis *Path.*
ectomy *Surg.*
in *Mat. Med.*
pneuma-
drome
gram
scope *Med. App.*
telectasis *Physiol.*
thorax
type *Diag.*
pneume -ic
pneumo-
colon *Med.*
derma *Path.*
pneumodograph *Med.*
dynamics *Phys.*
empyema *Path.*
galactocele *Path.*
hemo- *Path.*
pericardium thorax
hydro- *Path.*
metra
pericardium
thorax
hypoderma *Path.*
kidney *Med.*
pyopericardium *Path.*
pyothorax *Path.*
rachis *Med.*
radiography *Med.*
scope *Med. App.*
serosa *Med.*
serothorax *Med.*
statics
thermomassage *Med.*
thorax *Path.*
uria *Med.*
ventriculi-
cubography *Med.*
pyopneumo- *Med.*
cholecystitis pericardium peritoneum peritonitis thorax
sympneuma
-atic -ism
πνευματ- Stem of πνεῦμα
panpneumatism *Phil.*
pneumat-
h(a)emia *Med.*
hodium *Bot.*
inuria *Med.*
ism ist ize(d
itic *Geol.*
ode *Bot.*
urgy
uria *Path.*
πνευματικός (Arist.)
pneumatic
al(ly ity o-
-pneumatic
auto cardio electro gastro hydato hydraul(ic)o hydro
-pneumatical
hydraulo
pneumatics
-pneumatics
entero hydraulo
πνευματο- Comb. of πνεῦμα
hydatopneumatolithic
pneumato-
cardia *Med.*
chemical
cyst *Bot.*
cyst(ic *Ornith. Zooph.*
dyspn(o)ea *Med.*
gen(ic -ous *Geol.*
genetic *Geol.*
gram graph
graphy
hydatogenic -ous *Geol.*
lit(h)ic *Petrol.*
logy -ic(al -ist
lysis *Geol.*
lytic *Geol.*
meter metry
morphic
nomy *Theol.*
phany *Theol.*
philosophy
phobia
phony -ic
phore -ous
pyrist
(r)rhachis *Path.*
scope *Med. App.*
tactic taxy *Bot.*
therapeutics *Med.*
therapy *Med.*
thorax *Path.*
psychopneumatology
πνευματομάχος (Athan.)
Pneumatomachian *Eccl.*
pneumatomachy -ist
πνευματόμφαλος (Galen)
pneumatomphalocele
πνευμάτωσις inflation
hydropneumatosis
pneumatosis -ic *Med.*
πνεύμονες Pl. of πνεύμων
adelopneumon(a *Conch.*
Dipneumona *Echin. Ich.*
Dipneumoneae *Ent.*
Dipneumones *Arach.*
Monopneumona *Ich.*
-es -ia(n -ous
Phaneropneumona *Bot.*
-pneumonous
di phanero tetra
Pseudopneumona
Tetrapneumona *Arach.*
-es -ian -ous
Tetrapneumona *Echin.*
πνευμονία (Plutarch)
pneumonia -y *Path.*
-pneumonia
broncho(pleuro) hydro necro para phthisio pleuro pseudo spleno typho
-pneumony
phthisio pleuro
πνευμονικος (Proclus)
opisthopneumonic *Mol.*
pneumonic(a *Path.*
-pneumonic *Med.*
gastro hepato meta pleuro post
πνεύμων the lungs
antipneumo-
coccic *Med.*
toxin *Tox.*
apneumia *Terat.*
bronchopneumonitis
Coelopneumata *Zool.*
costopneumopexy *Surg.*
mesopneumon *Anat.*
pleuro-
pneumonolysis *Surg.*
pneumonitis *Path.*
pneumo-
actinomycosis *Path.*
bacillus -in *Bact.*

pneumo- Cont'd
bacterin *Bact.*
branchia -iata
bulbar -ous *Anat.*
cace
carcinoma *Path.*
cele *Path.*
centesis *Surg.*
cephalus *Med.*
chirurgia *Surg.*
cholosis *Path.*
chysis *Path.*
coccemia *Path.*
coccus *Bact.*
-al -ic -ous
coniosis *Path.*
derm *Conch.*
a (at)idae is
dermon *Conch.*
id(ae oid
edema *Path.*
enteritis *Path.*
erysipelas *Path.*
gastric *Anat.*
gram
graph(y -ic
laelaps *Arach.*
lith *Path.*
lithiasis *Path.*
logy -ic(al
malacia *Path.*
massage *Med.*
melanosis *Med.*
meter metry
metrograph
mycosis *Path.*
paludism *Path.*
paresis *Path.*
pericarditis *Path.*
pericardium -ial *Anat.*
peritoneum -eal *Anat.*
peritonitis *Path.*
pexy *Surg.*
phora -ous *Echin.*
phthisis *Path.*
phymata *Path.*
physis *Anat.*
pleuritis *Path.*
protein *Biochem.*
pyelography *Med.*
rrhagia *Path.*
septicemia *Med.*
skeleton -al
therapy *Ther.*
thyra *Comp. Anat.*
toca -ous *Zool.*
tomy *Surg.*
toxin *Chem.*
typhoid *Path.*
typhus *Path.*
typosis *Path.*
pneumon-
algia *Path.*
ectasis -ia *Path.*
ectomy *Surg.*
edema *Path.*
(a)emia *Path.*
itis -ic *Path.*
odynia *Path.*
ypostasis *Path.*
pneumona-
cacia *Path.*
telectasis *Path.*
pneumono-
cace *Path.*
carcinoma *Path.*
cele *Path.*
c(*or* k)entesis *Path.*
chirurgia *Surg.*
chlamyda -ate *Conch.*
cirrhosis *Path.*
coniosis *Path.*
enteritis *Path.*
erysipelas *Path.*
lith(iasis *Path.*
melanosis *Path.*

pneumono- Cont'd
mycosis *Path.*
paludism *Path.*
paralysis *Path.*
paresis *Path.*
pathy *Path.*
pericardial
pexy *Surg.*
phlebitis *Path.*
phore -ous *Echin.*
phthisis
pome -a -ous *Conch.*
(r)rhagia *Path.*
rrhaphy *Surg.*
rrhea *Path.*
sarcy *Path.*
pneumonosis *Path.*
therapy *Ther.*
tomy *Surg.*
Pneum(o)otoca -ous
pneumous
pneupome *Zool.*
pseudopneumococcus
seropneumothorax
thoracopneumoplasty
πνεῦσις a blowing
-pneusia -ate *Echin.*
Adeto Steno
pneusiobiognosis *Med.*
pneusis *Physiol.*
pneusometer *Med.*
πνευστικός (Galen)
adetopneustic *Echin.*
amphipneustic *Ich.*
holopneustic
-pneustic *Ent.*
meta peri
πνευστός breathed (Galen)
amphipneust(a -ea *Ich.*
Branchiopneusta *Conch.*
Dipneusta -al *Conch. Ich.*
Dipneusti *Ich.*
enteropneust(a al *Zool.*
Nephropneusta(n *Conch.*
Pharyngopneusta(l *Zool.*
πνέω to blow, breathe
pneo-
biognosis
biomantia -ic(s
dynamics *Physiol.*
gaster gastric
graph
manometer
meter metry
phore *Med. App.*
scope
πνιγαλίων nightmare
pnigalion *Med. Pal.*
πνῖγος choking
pnigophobia *Med.*
πνικτός strangled
Pnictopora -inae *Pal.*
πνῖξις a stifling
pnixis *Path.*
πνοή a blast
Pnoepyga *Ornith.*
pnoium *Phytogeog.*
-πνοια as in ἀποπνοια
apn(o)eal *Path.*
-pn(o)ea *Med.*
a bromo hyper oligo pimelortho piortho poly spano tachy thermopoly traumato
-pn(o)eic *Med.*
a es poly thermo
πνόος = πνοή
Amphipnous *Ich.*
-id(ae -oid
Branchiopnoa *Crust.*
-an -ic
Coelopnoa *Zool.*
Dermatopnoa *Conch.*
Diplopnoi *Ich.*

Dipnoa(n -oi -oid *Ich.*
dipnoous *Zool.*
hematopneic *Physiol.*
Monopnoa *Herp.*
Πνύξ (Aristophanes)
Pnyx *Ath. Topog.*
πόα grass, meadow
Poa *Bot.*
po- *Bot.*
aceae aceous ad ales etum ion ium
Poacites *Bot.*
Poatrephes *Pal.*
Pooecetes *Ornith.*
-poium *Bot.*
hygro meso xero
xeropoad *Phytogeog.*
ποδ- Stem of πούς
acanthopod(a ous *Ent.*
acephalopodus *Terat.*
Actinopoda *Echin.*
adelopod(e *Zool.*
adenopodous *Bot.*
Aeluropoda -ous *Mam.*
aistopod(a -ous *Herp.*
Alectoropodes -ous
amblypod *Mam. Pal.*
a ia ous
amphipode *Crust.*
al an iform
anarthropod(a ous *Zool.*
ancylopod(a ous *Mam.*
anomalopod *Ornith.*
Anomopoda -ous *Herp.*
aphyllopodous *Bot.*
Aporopoda
Arachnopoda *Crust.*
Archichaetopoda *Zool.*
arthropod *Zool.*
a(l an ous
Asthenopodes *Ent.*
baenopod *Arthrop.*
brachiopod(e *Zool.*
a ist ous
Brachipodes *Ornith.*
-ine -ous
branchiogasteropod
a(n ous *Conch.*
branchiopode *Crust.*
-an -idae
cephalopod(e *Zool.*
a al an ic ous
cercopod *Zool.*
chaetopod *Helm.*
a es an ous
cheilopodiasis *Med.*
chenopod *Bot.*
al iaceae iaceous iales
chilopod *Ent.*
a(n iform ous
chiropod *Mam.*
a ous
chiropod- *Ther.*
ical ism ist(ry
Cirrhopodes *Crust.*
Cochliopodidae *Ent.*
coenopodous *Bot.*
coleopod *Zool.*
condylopod(a ous *Zool.*
copepodam *Crust.*
Cormopoda *Zool.*
Crossopodia *Pal.*
Cryptopoda *Crust.*
-ia -id(ae -oid
Cynopoda -ous *Mam.*
decapodal -an *Crust*
decapodiform *Ent.*
Derepodichthys -yidae
diplopod *Ent.*
a ic ous
Discopoda -ous *Conch.*
duopod
elasmapod(a -ous *Echin.*
Embrithopoda *Pal.*
Energopoda *Ent.*
Eretmopodes *Ornith.*

Euphyllopoda
Eupoda *Ent.*
Eupodia *Echin.*
Eupodotis *Ornith.*
exopod *Crust.*
gasteropod *Conch.*
a(n idae ous
Gasteropodophora *Zool.*
gastropod(a(n ous
glossopode *Bot.*
gonopod *Crust.*
Gymnopoda -ous *Conch.*
gymnopodal *Bot.*
h(a)emapod(ous *Zool.*
Haplopoda *Pal.*
Haplopodea(n *Crust.*
Haptopoda *Pal.*
helcopod *Path.*
helicopod *Med.*
hemipod(e *Ornith.*
an ii ius
heptapody -ic *Pros.*
heteropod *Conch.*
a(n al ous
heteropodal *Neurol.*
hexapod *Meas.*
hexapod(e *Ent.*
a(n al ous
Hippopodius -iidae *Zool.*
Histopodes *Eccl. Hist.*
Holopoda -ous *Conch.*
homoeopodal *Neurol.*
hymenopode *Bot.*
hyphopode *Bot.*
hypophyllopodous *Bot.*
Hypopodus *Acarida*
isopode -an *Crust.*
isopodiform *Ent.*
isopodimorphous *Ent.*
leptopod(a ia(n *Conch.*
Leptopodia *Crust.*
-(i)id(ae -(i)inae -iin(e -ioid
Lernaepoda *Crust.*
-ian -id(ae -oid
Lipopod(a *Prot.*
Lophopoda *Helm.*
lycopod(e -in(e *Chem.*
lycopodite(s *Pal.*
lycopod- *Bot.*
al iaceae iaceous (i)ales ieae ineae inous
malacopod(a -ous *Ent.*
mastigopod(a -ous *Prot.*
megalopod(ous
megapod(e *Ornith.*
an id iid(ae iinae ioid
meropodite *Anat.*
mesopod *Bot.*
mesopod *Conch.*
mesopodiale *Anat.*
metapod(e ia ialia
metapodial(e *Anat.*
Metapodius *Ent.*
micropodal -ic -ous
monopode -ous *Anat.*
monopode *Ethnol.*
monopode *Bot.*
Mycetopoda *Conch.*
-id(ae -oid
Myriapod *Arthrop.*
a(n ous
myriapodiasis *Path.*
myriopod(a ous *Ent.*
myxopod(a ous *Prot.*
Nectopod(a *Conch. Zool.*
Nematopoda *Crust.*
nematopode -ous *Mol.*
neuropod ous *Zool.*
notopod(a al ous *Ent.*
oopod(a(l *Ent.*
oostegopod *Crust.*
ophthalmopod *Crust.*
ornithopod(a ous *Herp.*
Ornithopoda *Pal.*
orthopod(a ous *Herp.*
Oxypoda *Ent.*

Oxyuropoda *Pal.*
pachypod(ous
Pachypoda *Zool.*
pagiopod(a ous *Ent.*
Paractinopoda *Zool.*
pauropod(a ous *Ent.*
pelecypod(a ous *Conch.*
peraeopod *Ent.*
pereiopod *Crust.*
peripodal *Ent.*
peristeropod(e *Ornith.*
an es ous
peropod(a ous *Herp.*
phallopod *Arthrop.*
Phygopoda *Ent.*
phyllopode *Bot.*
phyllopod- *Crust.*
al an iform
Physapoda *Ent.*
physopod(a *Zool.*
phytomastigopod *Bot.*
Plagiopodopsis *Pal.*
pleopodon *Crust.*
platypod *Conch. Ornith.*
a e ous
Plegepoda *Prot.*
pod-
abrus *Ent.*
al *Zool.* alic *Obstet.*
anencephalia *Terat.*
arthritis *Path.*
arthrocace *Path.*
arthrum -al *Ornith.*
asteroid *Anat.*
axineae *Bot.*
axon(aceae *Fungi*
axonia -ial *Zool.*
edema *Path.*
elcoma *Path.*
encephalus *Terat.*
etium -iiform *Bot.*
iatry -ist *Med.*
ica *Ornith.*
ischnus *Ent.*
istra *Ent.*
isus *Ent.*
ite -ic *Crust.*
odynia *Path.*
ophthalma (q. v.)
Arach. Conch. Crust.
(o)ura *Ent.*
-an ellae -id(ae -oid
yperidrosis *Path.* -ous
-poda -ποδα as in τετράποδα (Herod.)
-pod(a ous *Crust.*
amphi aschizo branchio choristo cirrho cope deca eucope euiso gnatho iso lophyro noto ostraco panto phyllo pleo poicilo stoma(to) tetradeca thoraci
-podite *Crust.*
basi carpo coxo(*or* a) dactylo endo epi exo gnatho ischio mero pereio pleo pro proto
-poditic *Crust.*
basi carpo coxo(*or* a) endo exo mero pro proto
Podilymphus *Ornith.*
-podous -ποδος as in τετράποδος
Polygonopoda
polypod(e a ous *Conch. Ent. Helm.*
Proarthropoda *Pal.*
propodus *Crust.*
prosopodiplegia *Path.*
protocephalopod
protogasteropod
protopelecypod
Protopoda *Crust.*
pseudophyllopodous

pseudopod *Biol.*
al ian ic
Pseudopoda *Infus.*
pulmogasteropod(a
pulmonogast(e)ropod(a
pygopod *Ornith.*
es ine ous
rhabdopod *Ent.*
Rhaphidopodus *Ent.*
rhizopod *Prot.*
a al an ic ist ous
sauropod(a -ous *Herp.*
scaphiopod *Herp.*
id(ae inae oid
scaphopod *Conch.*
a an ous
scleropodous *Bot.*
siagonopod *Crust.*
siphonopod(a ous *Conch.*
Spirobranchiopoda
staminalpode *Bot.*
steganopod *Ornith.*
a(n es ous
Stelmatopoda *Helm.*
stemapod *Ent.*
stomapodiform *Crust.*
stylopod *Bot.*
synaphipod *Crust.*
Taenopodites *Pal.*
taxeopod(a ous *Mam.*
tetradecapodan *Crust*
theriopod
theropod(a ous *Herp.*
thusanopoda ous *Conch.*
trachelopod(a an ous
Trichopodus *Ent.*
trochalopod(a ous *Ent.*
tylopod(a *Zool.*
tylopodous *Mam.*
uropod(a(l *Arthop.*
ventropodal *Zool.*
Xenopoda *Pal.*

ποδάγρα (Arist.)
antipodagron *Mat. Med.*
podagra *Path.*
-al -e -ism -ous

ποδαγρικός (Plutarch)
antipodagric(al *Ther.*
podagric(al
Podagricus *Ent.*

ποδαγρός gouty
Podager *Ornith.*
inae ine
Podagrion *Ent.*

ποδαλγία (Poll.)
chiropodalgia
podalgia *Path.*

ποδαλγός (Greg. Naz.)
Podalgus *Ent.*

Ποδαλείριος (Iliad)
Podalyria -ieae *Bot.*
podalyrin *Org. Chem.*

ποδανιπτηρ a foot-pan
podanipter *Cl. Ant.*

πόδαργος swift-footed
podarg(ue *Ornith.*
Podargus *Ornith.*
-id(ae -inae -in(e -oid

ποδεών a narrow end
podeon *Ent.*

-ποδία as in πολυποδία
chiropody *Ther.*
hexapody *Pros.*
-podia *Med. Terat.*
acephalo atelo crypto helico mono oxy platy trago
taxeopody *Mam.*

πόδιον Dim. of πούς
acropodium *Art*
metapodion *Ent.*
monopodially *Bot.*
myxopodia *Bot.*
neuropodion *Zool.*
pew
age dom ful less
podial
-podial *Bot.*
dicho glosso mono rhizo
-podial *Zool.*
meso meta neuro noto opistho proto pseudo ptero
podion *Zool.*
Podionops *Ent.*
podium *Anat. Arch. Bot. Zool.*
-podious *Bot.*
acantho
-podious *Zool.*
acantho mega
-podium *Bot.*
Aego carpo cheno Clino coleo cono dicho disco epi glosso hypho hypo Leonto lyco meso mono peri phyllo poly pseudo sperma(*or* o) stylo thermo xero xylo
-podium *Zool.*
acro axio axo basi brachi filo lobo meso myxo neuro noto opistho pleuro proto pseudo ptero Pterygo rhizo
polypodioid *Bot.*
pseudopodiospore *Bot.*

ποδισμός a dance (Poll.)
podismus *Path.*

ποδίστρα a foot-trap
Podistra *Ent.*

ποδο- Comb. of πους
chilopodomorphous *Ent.*
chiropodology *Ther.*
Helicopodosoma *Arach.*
picropodophyllin *Chem.*
ichthyopodolite *Geol.*
podo-
branch *Crust.*
ia iata iate
bromidrosis *Med.*
carp(us *Bot.*
eae ic idae ineous ous
cephalous *Bot.*
cnemis *Herp.*
-id(ae -oid
conus *Radiol.*
copa -ous *Crust.*
coryne -idae
ctinus *Arach.*
derm *Anat. Zool.*
dynamometer *Med.*
gram graph *Med. App.*
gyn(e ium *Bot.*
icus ous us
lasia *Ent.*
lithus *Pal.*
logy -ist
mancy
mere *Crust. Ent.*
meter metry
pholis *Ent.*
pyllic -in(e *Chem.*
phyllo- *Chem.*
quercitin toxin
phyllous *Zool.*
phyllum *Bot.*
pter(a
pterous *Bot.*
pteryx *Pal.*
scaph(er
scopy
somata -ous *Crust.*
sperm(ium *Bot.*
sphaera -ose *Fungi*
stemon *Bot.*
-(on)aceae -(on)aceous -ad
podo- Cont'd
sthenic
stomata -ous *Zool.*
syncarpy *Bot.*
theca -al *Ent. Ornith.*
thecus *Ent.*
trochilitis *Path.*
zamites
spermatopodophorum
subpodophyllous *Zool.*

ποδώκης swift-footed
Podoces *Ornith.*
Podokesaurus -idae *Pal.*

ποη- Comb. of ποα
Poebates *Ent.*
Poephila

ποηφάγος eating grass
Poephaga *Zool.*
ous -us

ποιεῖν to make
nosopoeus *Med.*
odinopean *Med.*
odynopoeia *Obstet.*
superhexapoeian

ποίημα (Cratinus)
mythopoem
poem
et ist ing let
Poemandres *Lit. Hist.*

ποιηματικός (Plutarch)
poematic

ποίησις a making
bibliopoesy
chylopoesis *Physiol.*
cyclopoesis *Chem.*
mythopoesis
poesis
poesy
-poiesis *Med.* -ποίησις as in αἱματοποίησις
anhemato chylo dyshemato erythro gone galacto h(a)ema(*or* o) hidro horm(on)o leuko lymph(adenoleuk)o myxo patho uro
posy
uropoesis *Anat.*

ποιητής (Herod.)
archpoet
depoetize
mythopoet
poet
ess hood less ling ly ship
poetaster(ism -y
poetastry -es -ic(al
poeticule poetito
poetize(r -ation
unpoetized

ποιητικη (Plato)
chrysopoetics *Alchemy*
poetics

ποιητικος creative (Arist.); poetical (Isocr.)
agathopoietic *Ethics*
chrysopoetic *Alchemy*
cosmopoietic *Phil.*
cyclopoietic *Chem.*
depoeticize
musicopoetic
mythopoetic
oenopoetic *Arts*
onomatopoetic(ally
organopoietical
pharmacopoietical
poetic
al(ly (al)ness ality ian ism ize
poetico-
antiquarian
architectural
grotesque
philosophic
-poetic *Med.* pyro chole galacto noso
-poietic *Med.* -ποιητικός as αἱματοποιητικός
angio ankylo choele chylo erythro galacto gone gono h(a)ema-(*or* o) hidro horm(on)o leuco lympho nephro noso patho pharmaco pyro sanguino sarco spermato uro
prosopoetical
pseudopoetic
rhythmopoetic
unpoetic(al(ly ness

ποιητο- Comb. of ποιητής
poetomachia

ποιητός made
poietin *Biochem.*
hem(at)o nephro

ποιήτρια poetess
poetry
-ess -ize less

ποικιλ- Stem of ποικίλος
poecil-
ictis *Mam.*
oid *Ich.*
onym(y -ic *Nomencl.*
poikilonymy

ποικίλη (Aeschin.)
poecile *Gr. Art*

ποικιλο- Comb. of ποικίλος
poecilo-
blast *Physiol.*
chrus *Ent.*
cyte -osis
cythemia *Path.*
cyttaria *Ent.*
dermis *Bot.*
dynamous *Biol.*
genesis *Biol.*
poikilo-
blast *Cytol.*
cyte *Cytol.*
cythemia *Path.*
cytosis *Path.*
derma *Path.*
dynamic *Bol.*
plastocyte *Cytol.*
sakos *Pal.*
therm *Physiol.*
thermism -al -ic *Biol.*
geny *Biol.*
gony *Biol.*
mere *Biol.*
myrma *Ent.*
peplus *Ent.*
pod(a ous *Crust.*
spondylus *Pal.*
thermal *Zool.*
ic(al ous
thorax *Ent.*

ποικίλος mottled, pied
micropoikilitic
Platypoecilus *Ich.*
Poecilia *Ich.*
-iid(ae -ioid
Poeciliopsis -inae *Ich.*
Poecilistes *Ich.*
poecilite -ic *Geol. Petrol.*
Poecilus *Ent.*
Pseudopoecilia *Ich.*

ποιμενική (Plato)
poimenics *Theol.*

ποιμενικός pastoral
poimenic *Theol.*

ποιμήν a shepherd
Poemenesperus *Ent.*

ποινή blood-money
penology -ic(al -ist
?philopena
Poenopsis *Ent.*

ποιός of what sort
Lophopoeum *Ent.*
poiology -ical

ποιῶν P. pr. of ποιεῖν
electropoion

ποκάς (-άδος) hair
Pocadium *Ent.*

πολέμαρχος war leader
polemarch *Gr. Govt.*

πολεμίζειν (Iliad)
polemize

πολεμική the art of war
polemics

πολεμικός (Thuc.)
overpolemical
polemic
al(ly ist

πολεμιστής combatant
antipolemist
polemist

πολεμο- Comb. of πόλεμος
polemo-
cacophthalmia *Path.*
mania
scope -y

πολεμόειν to make hostile
Polemon *Ent.*

πόλεμος battle
polemophthalmia *Path.*

πολεμώνιον (Diosc.)
Polemonium *Bot.*
-iaceae -iaceous -iales -ietum

Πολιάς (-άδος) (Herod.)
poliadic

πολιανός (?) "gray"
polianite *Min.*

πολιο- Comb. of πολιός
polio-
encephalitis *Path.*
encephalo- *Path.*
(meningo)myelitis pathy
myelitis *Path.*
myelo- *Path.*
encephalitis pathy
neuromere *Anat.*
plasm *Cytol.*
ptila -inae -in(e
pyrites *Min.*
saurus -idae *Pal.*
stola *Ent.*

πόλιον (Theophr.)
poly *Herbs*

πολιορκητικός (Polyb.)
poliorcetic(s *Mil.*

πολιός gray
leucopoliin *Biochem.*

πόλις a city
cosmopolism(s
poliad
policlinic *Med.*
polis *Games*
-polis *Suffix* -πολις
cosmo electro mega porko psycho theatro

πολιστής city founder
Polistes *Ent.*
Polistotrema *Ich.*

πολιτάρχης (N. T.)
politarch(ic *Anc. Hist.*

πολιτεία citizenship; civil polity; a commonwealth
cosmopolicy
interpolity
mispolicy
police
man(ship
policeocracy
policy
-ial -ian -ize(r

polity
-ian -ist -ize(r
theopolity
πολίτης a citizen
Apolites *Ent.*
hagiopolitan
paltripolitan(ship
topopolitan *Biol.*
tropicopolitan *Biol.*
πολιτική (Plato)
metapolitics
politics
πολιτικός (Thuc.)
antipolitical
archpolitician
clericopolitical
depoliticalize
ethicopolitical
geopolitical
hieraticopolitical
impolitic
al(ly ly ness
interpolitical
metapolitic
al ian
politic
ious ist ize less ly
political
ism ization ize ly ness
politicaster
politician
ess ism ize
politico
politique
politico-
arithmetical
commercial
ecclesiastical
economical
ethical
geographical
judicial
mania
military
moral
orthodox
phobia
religious -ionist
scientific
social
theological
pseudopolitic(ian
semipolitical
superpolitical
theopolitics -ician
unpolitic
al ly ness
πολίωσις a growing gray
trichopoliosis *Med.*
πολλάκις often
pollakiuria *Path.*
πολλαχῇ often
pollac(h)anthic *Bot.*
pollachigenus *Bot.*
pollaplasy *Bot.*
πολλοί Pl. of πολύς
poll *Academic*
pollarchy
pollodic *Neurol.*
πόλος an axis (Arist.)
antipole
apolar *Anat. Phys.*
circumpolarize -ation
contrapolarize -ation
depolarize(r -ation
dipolarize -ation
dipole -ar *Chem. Phys.*
electropolar
geopolar *Astron.*
hiliopolar *Astron.*
herpolhode *Math.*
heteropolar(ity *Chem.*
homopolar(ity *Chem.*
homopolic -ar *Morph.*
intrapolar
isopolar
magnetipolar
metapole *Math.*
micropolariscope
micropolarization *Chem.*
monopolar(ity *Phys.*
myopolar *Anat.*
octopolar(ity *Elec.*
parapolar *Emb. Zool.*
peripolar
photopolarigraph
photopolarimeter
pluripolar *Biol.*
polar
ian ic ily istic ite ity ly
ward y
polari-
(bi)locular *Bot.*
graphic *Phys.*
meter metry -ic
scope -y -ic(ally -ist
strobometer
strobometrograph
Polaris *Astron.*
polarize
-ability -able -ation
-er
polarograph(ic *Chem.*
pole
polestar
poleward(s
polhode *Geom.*
polocyte *Cytol.*
poloid *Geom.*
polos *Archaeol.*
polotropism *Bot.*
quadripolar *Bot.*
quadrupole *Elec.*
repolarization
semipolar *Phys. Chem.*
spectrepolarigraph
spectrepolarimeter
spectrepolariscope
spheropolar *Geom.*
subpolar
sympolar *Geom.*
telepolariscope
tetrapolar *Biol.*
transpolar
tripolar *Bot.*
unipolar
unpolarizable
unpolarized
zincopolar *Elec.*
πόλτος porridge
poltophagy
πολυ- Comb. of πολύς
antipolyneuritic *Chem.*
arsenpolybasit *Min.*
autopolygraph
dermatopolyneuritis
Eopolychaetus *Pal.*
epipolyarch *Bot.*
eupolyzoon -oa(n
glycopolyuria *Path.*
gymnopolyspermous
heteropoly *Chem.*
isopoly *Inorg. Chem.*
monopolylog(ue ist
poly-
achne *Spong.*
acid *Chem.*
acoustic(s
acrodes *Pal.*
act *Spong.*
actine -al -ia
ad *Chem.*
adamite
adenia *Path.*
-itis -osis
adenoma -atosis
adenous *Bot.*
aemia *Path.*
(a)esthesia
(a)esthetic
affectioned
poly- Cont'd
alcohol *Org. Chem.*
alcoholism *Tox.*
algesia *Med.*
am *Bot.*
amine *Org. Chem.*
amylose *Org. Chem.*
angium *Pal.*
angle angular
anthy *Bot.*
arch *Bot.*
argite *Min.*
arinus *Bot.*
arsenite *Min.*
arteritis *Path.*
arthric *Med.* -ous *Zool.*
arthritis -ic -ous *Path.*
arthrodactylous
arthron *Ent.*
articular *Med.*
ascosoecia *Pal.*
ase *Biochem.*
aster *Bot.*
atomic(ity *Chem.*
autography
avitaminosis *Biochem.*
axial axile
axon *Spong.*
axonic *Neurol.*
azin -ole *Org. Chem.*
bacterium *Bact.*
basic(ity *Chem.*
basite *Min.*
bathic *Zool.*
bigamia -y
blast(ic *Embryol.*
blastus *Bot.*
blennia *Med.*
bothris *Ent.*
brachia -us *Terat.*
branch *Conch.*
ia(n iata iate
bromid(e *Chem.*
buny -ic -ous *Anat.*
buttoned
camarous *Bot.*
carboxylic *Chem.*
cardia *Med.*
carpellary *Bot.*
caryon *Bot.*
cellular
central -ic
centrus *Ich.*
-id(ae -oid
ceptor *Biochem.*
cesta *Ent.*
characteristic
chasium -ial *Bot.*
chloral *Mat. Med.*
chlorid(e *Chem.*
chnous
cholia *Path.*
chorion(ic *Bot.*
choris *Bot.*
chromasia *Path.*
chromatia *Staining*
chromatism *Chem.*
chromatophil(e ia ic
chromosomic *Bot.*
chromy *Bot.*
chronic *Bot.*
chronicon *Lit.*
chruch(ism ist
chylia *Med.*
ciliate *Bot.*
cinnamic *Org. Chem.*
cistina *Prot.*
cleis *Ent.*
clinic *Med.*
clonia *Path.*
clony -al -us *Bot.*
coccus *Bot.*
coelia -ian *Zool.*
component *Chem.*
conic
cope -id(ae -oid *Crust.*
poly- Cont'd
coria *Terat.*
cormic *Bot.*
cotylea *Conch.*
cotyledon(y ous *Bot.*
cotyledonary *Zool.*
cotylous *Bot.*
cracy
crase -ite *Min.*
crinus *Pal.*
crotism -ic *Med.*
ctenes -id(ae -oid *Ent.*
ctesis *Ent.*
cyanide *Chem.*
cyesis *Gynec.*
cyrtida -an
cystic *Path.*
cystid(ae -idea(n
cystin(e -a(n *Prot.*
cyth(a)emia -ic *Path.*
cyttaria(n *Prot.*
delphous
demic *Phytogeog.*
denominational
dental *Elec.*
derm *Bot.*
diabolism -ic(al -ist
digital
dimensional
disperse -oid *Colloids*
doggery
dolops *Pal.*
domous *Ent.*
drometry *Math.*
dromic *Math.*
dymite *Min.*
dynamic
eidism -ic *Zool.*
electronic
embryony -ate -ic
enzymatic *Biol.*
epic
erg(id)ic *Bot.*
ethnic
fenestral
florous *Bot.*
foil *Arch.*
fold *Phys.*
formin *Mat. Med.*
ganglionic
garchy
gastria(n -ic
gastrica *Zool.*
gastrophora *Helm.*
gastrulation
gen *Chem.*
gene *Geol. Petrol.*
geneous
genesis -ic -ist
genetic(ally
genist *Anthrop.*
germ *Ent.*
glandular *Med.*
globulia -y -ism *Med.*
glossary
glycerol *Org. Chem.*
glycolid *Org. Chem.*
gonetum *Bot.*
gordius *Helm.*
-iid(ae -ioid
gram(mar
groove -ed
halite *Min.*
halogen *Chem.*
hirma *Ent.*
hybrid(ic *Biol.*
ideia -eic -eism *Psych.*
infection
karic *Bot.*
karyocyte *Cytol.*
ketide *Org. Chem.*
kont *Bot.*
krikos *Prot.*
laminated
lemma *Rhet.*
lepidous *Bot.*
poly- Cont'd
lepis -idetum *Bot.*
leptic *Med.*
linguist
lith *Arch.*
lithionate *Min.*
lobular
lobus *Ent.*
lophus *Ent.*
lychnous
magnet
mania *Path.*
masthus *Terat.*
mastia -ic -ism -y
mastiga *Zool.*
-ate -ina -ous
mastigote *Bact. Bot.*
mastodon *Mam.*
ont(id(ae ontoid
matype *Print.*
mazia *Terat.*
membered *Chem.*
meniscous *Zool.*
metallism
metameric *Anat.*
metasilicate *Chem.*
meter
methylene *Chem.*
metochia -ic *Rhet.*
micrian
micro-
bial bic *Med. Zool.*
lipomatosis *Tumors*
scope
tome *Surg. App.*
mignite *Min.*
mixic *Biol.*
moechus *Ent.*
molecular *Chem.*
molybdate *Chem.*
morphosis *Zool.*
myaria(n *Helm.*
myerial *Comp. Anat.*
myoclonus *Path.*
myodae *Ornith.*
-i(an -ous
myoid *Ornith.*
myositis *Path.*
mythy *Lit.*
naphthene -ic *Chem.*
nary *Phys. Chem.*
neme -us *Ich.*
-id(ae -iform-oid
nephria -ious *Ent.*
nesia -ian -ic *Geog.*
neural -ic *Neurol.*
neuris *Bot.*
neuritis -ic *Path.*
nitro *Org. Chem.*
nodal
nome -ic
nomial(ism -ist
nuclear *Chem.*
nuclear -eate(d *Biol.*
nucleolar
nucleosis *Med.*
nucleotid(e *Biochem.*
nym *Lit.*
odic *Music*
odon(t(ia -id(ae -oid
odontal *Elec.*
odontia *Zool.*
oecism -(i)ous *Bot.*
oestrum -ous *Zool.*
onomous -y
onychia
ophthalmia *Terat.*
ophthalmus *Annel.*
opia opy *Path.*
opsia opsy *Path.*
optilus *Ent.*
optron -um
orama
orchis -(id)ism *Med.*
orexia *Path.*
organic

poly- Cont'd
orrho- *Path.*
men(ing)itis menosis
ose *Chem.*
ovulatus *Bot.*
oxide *Inorg. Chem.*
oxymethylene *Chem.*
oza *Ent.*
pad page
pantograph
papilloma *Path.*
parasitism *Med.*
paresis *Path.*
pathia *Path.*
ped
pedates -idae
peltidae *Pal.*
peptid(e *Chem.*
periostitis *Path.*
petal(ae -ous *Bot.*
peza *Ent.*
phalangism *Med.*
phase(r -al *Elec.*
phenol *Org. Chem.*
oxidase *Biochem.*
phida *Ent.*
phobia *Path.*
pholophis *Herp.*
phosphate *Chem.*
phote -al
phrasia *Path.*
phylesis *Biol.*
phyletic(ally *Biol.*
phylladea *Bot.*
piety
pinnate
piosis *Path.*
placid
placophore -a(n -ous
plane *Aero.*
planus *Ent.*
plasmia *Med.*
plast(ic -id(e *Biol.*
plastina *Zool.*
plastocytosis *Med.*
plaxiphora
plectron -um *Music*
plectron(inae *Ornith.*
plegia *Path.*
pleurus *Ent.*
plocotes *Ent.*
ploid *Genetics*
ploid(y *Bot.*
pn(o)ea (o)eic *Med.*
pod(e a ous *Zool.*
podium -ioid *Bot.*
pogon *Bot.*
posthides *Helm.*
proctus *Porif.*
prene *Chem.*
prianida -an *Prot.*
prion *Ich.*
prism(atic
proctus *Porif.*
prothesis -y *Gram.*
prothetic *Gram.*
protodont(ia -id *Zool.*
psychism -ic(al *Phil.*
pteriocarpus *Pal.*
pyrene -ous
rhipidium *Porif.*
ricinoleic *Chem.*
rrhaphis *Ent.*
rrh(o)ea *Med.*
sacchar- *Org. Chem.*
-id(e ine ose(s
salicylid(e *Chem.*
saprobia -ic *Bot.*
schisis *Ent.*
scope -ic *Optics Surg.*
sensuous(ness
sepalous *Bot.*
septate
serial
sialia *Path.*
sided

poly- Cont'd
siderite *Min.*
silicic -ate *Chem.*
sinu(s)itis *Path.*
siphonic -ous *Prot.*
siphonia -ic -ous *Bot.*
soil
solv(e)ol *Chem.* (*T. N.*)
soma *Bot.*
somitic *Zool.*
sperm(at)ous
sphenodon *Pal.*
spire *Zool.*
spondyly *Anat.*
sporangium -iate *Bot.*
spore(d -ic *Bot.*
sporea -ean *Prot.*
stat *Elec. App.*
stauria *Eccl.*
staurium -on *Eccl.*
stachyous *Bot.*
stele -ic -ous -y *Bot.*
stemonous *Bot.*
stethoscope
stichia *Anat.*
stigm *Geom.*
stigmatic
stigmous *Bot.*
stromatic *Bot.*
sulph- *Chem.*
-id(e -onic -uration -uret
suspensoid *Colloids*
syllogism -istic *Logic*
symmetry -ical(ly
synodic
synthesis -ism
syphilide *Med.*
tasted
taxic *Bot.*
telluride *Chem.*
terpene *Chem.*
teuthidae *Pal.*
thalamacea -eous
thalamia(n *Prot.*
thalamic *Bot.*
thalamic -ous *Zool.*
thallea *Bot.*
thecium -ial *Prot.*
thelemism
theleus *Bot.*
thelia -ism *Med.*
therm *Phys. Chem.*
thionic -ate *Chem.*
tomous -y *Bot. Logic.*
tone -y -ic *Music*
tope -ian *Math.*
topic *Biol.* -ical *Rhet.*
topism *Bot.*
tragic
treta *Pal.*
troch(a(l -ous *Zool.*
trophia -y -ic *Chem.*
tungstic -ate *Chem.*
type -age *Print.*
typic(al
typal *Biol.*
uresis
uria -ic *Path.*
valent -ence *Chem.*
vanadate *Inorg. Chem.*
voltine
xene *Min.*
xenus -id(ae -oid *Ent.*
xeny *Fungi*
zoa(l zoan zoic *Zool.*
zoarium -ial -y *Zool.*
zoism *Zool.*
zoic *Anthrop.*
zome *Geom.*
zonal
zonium *Ent.*
-iid(ae -ioid
zoon(ite *Zool.*
zoum zooid *Zool.*
zygosis *Bot.*
proeupolyzoon *Zool.*

Propolymastodon *Pal.*
stethopolyscope *Med.*
thermopolypn(o)ea -(o)eic
thiopolypeptide *Chem.*

πολυάδελφος (Poll.)
polyadelph(ia(n ous *Bot.*
polyadelphite *Min.*

πολυαιμία (Arist.)
poly(h)(a)emia *Path.*

πολυάκανθος (Theophr.)
Polyacanthia *Ent.*
polyacanthid *Echin.*
polyacanthous *Bot.*

πολυαλθής (Diosc.)
Polyalthia *Bot.*

πολυάνδριον (Plut.)
polyandrion -ium *Gr.*

πολυάνδριος (Philo)
Poliandria(n -(i)ous
polyandry
-ian -ic -(ian)ism -(i)-ous -ist

πολυάνθεα (Nic. Th.)
polyanthea(n

πολυανθής blooming
Polyanthes *Bot.*
ous -os -ous -us

πολυάργυρος (Herod)
polyargyrite *Min.*

πολυαρχία (Thuc.)
polyarchy
-(ic)al -ist

πολύβιος with much life
Polybia *Ent.*

πολυβόρος voracious
Polyborus *Ornith.*
-inae -ine

πολύγαλον (Diosc.)
Polygala *Bot.*
-(ac)eae -aceous -inae
polygalic -ate *Org. Chem.*

πολυγαμία (Philo)
poligamy
-ious -ist(ic -ize

πολύγαμος (Poll.)
dioeciopolygamous
polygam(ia(n *Bot.*
polygamic(al(ly
polygamodioecium -ious
polygamous(ly

πολυγενής of many families (Poll.)
polygenous
-ic -ism -ist(ic -y

πολύγλωττος (Lyc.)
polyglot
polyglott-
al(ly ic ish ism ist ize ous
polyglottology

Πολύγνωτος (Plato)
Polygnotan *Painting*

πολυγόνατον (Diosc.)
Polygonatum -eae *Bot.*

πολυγονεῖσθαι to spread
polygoneutic -ism *Ent.*

πολύγονον (Diosc.)
polydatogenol *Chem.*
polydatoside *Org. Chem.*
polygonin *Org. Chem.*
Polygonum *Bot.*
-aceae -aceous -ales -etum -ic

πολύγραμμος many-striped
polygram(matic

πολυγραφία (Diog. L.)
polygraphy -ic(al

πολυγράφος (Diog. L.)
polygraph(er

πολυγύναιος (Ath.)
polygyn *Bot.*
ia(n ic(us (i)ous
polygyny -ist

πολύγυρος (Jo. Chrys.)
polygyral
polygyria *Anat.*
Polygyrus *Bot.*

πολυγωνο- Comb. of πολύγωνος
polygono-
metry -ic *Math.*

πολύγωνον (Arist.)
polygon
ar ate ic(ally
-polygon *Math.*
circum in
polygonation *Surg.*

πολύγωνος (Arist.)
peripolygonal
polygonous -al(ly
subpolygonal

πολυδαιμων
polyd(a)emonism -istic

πολύδακρυς tearful
Polydacrys *Ent.*

πολυδάκτυλος (Arist.)
polydactyl(e
ism ous us y

πολυδερκής far-seeing
Polyderces *Ent.*

πολύδεσμος strong-bound
Polydesmaster *Pal.*
Polydesmus *Ent.*
-id(ae -oid(ea(n

Πολυδεύκης (Iliad)
pollucite *Min.*
Pollux *Myth.*

πολυδίψιος very thirsty
polydipsia *Path.*

πολύδροσος very dewy
Polydrosus *Ent.*

πολύεδρον (Plut.)
polyhedro-
metry -ic
polyhedron *Math.*
-al -ic(al -oid -ous

πολύεργος elaborate
polyergic
Polyergus

πολυήρης
polyeres *Gr. Nav.*

πολύθεος (Philo)
polytheous
-eism -eist(ic(al(ly -eize

πολυΐστωρ very learned
polyhistor(y -ian -ic

πολύκαρπος fruitful
Polycarpa -on *Bot.*
-ic -(ic)ous -y
Polycarpidea(n *Crust.*

Πολυκάων (Paus.)
Polycaon *Ent.*

πολύκερως many-horned
Polycera *Conch.*
-id(ae -oid

πολυκέφαλος many-headed
polycephalist
Polycephalopora *Pal.*
polycephalous -ic *Bot.*

πολύκλαδος many-branched
polyclad(e -ose *Spong.*
polyclad(e *Helm.*
ida idea(n
polycladous -y *Bot.*

Πολύκλειτος (Plato)
Polyclitan

πολυκοιρανίη rule of many
polyc(h)oerany

πολύκομος of much hair
Polycomus *Ent.*

πολύκοσμος (Hesych.)
Polycosmites -idae *Pal.*

πολύκυκλος (Hesych.)
polycyclic -y *Bot.*
polycyclopharic *Chem.*

πολύλιθος very stony
polylithic

πολυλογία loquacity
polylogy

πολυμαθής knowing much
polymath

πολυμαθιά (Plato)
polymathy ic -ist

πολυμελής many-membered
polymelia *Terat.*
-ian -ius -y
polymelous

πολυμερης manifold
depolymerize *Org. Chem.*
-ate -ation
heteropolymer *Chem.*
photo(de)polymerization
polymer *Chem.*
ic(ular id(e ism ization ize(r one ous
Polymera *Pal.*
polymeria -ismus *Terat.*
polymerism *Zooph.*
polymero-
somata -ous *Arach.*
polymery *Bot.*
repolymerize -ation

πολυμηχανία readiness
polymechany

πολύμιτος many-threaded
polymite -us *Zool.*

Πολύμνια Lyric Muse
Poly(hy)mnia *Myth.*

πολυμνιος full of moss
polymnite

πολυμορφος manifold
eteopolymorphism
polymorph *Chem. Biol.*
Polymorpha *Ent.*
-i -ina -inae
polymorphean -ic
polymorphism *Biol.*
-istic -ous -y
polymorpho-
cellular
cyte *Cytol.*
nuclear -eate
polymorphous *Music*
sympolymorphism *Bot.*

πολυμυξία (?)
Polymixia *Ich.*
-iid(ae -ioid

Πολυνοη Dau. of Nereus
Polynoe -oid(ae *Helm.*

πολυόμματος many-eyed
polyommatous
Polyommatus *Ent. Helm.*

πολυποδία (Arist.)
polypodia *Terat.*
polypody *Bot. Zool.*

πολυπόδιον (Theophr.)
polypod(e ium *Bot.*
i(ac)eae iaceous

πολύπονος full of pain
polyponous

πολύπορος of many pores
polypore -us *Fungi*
-a -aceae -aceous -oid -ose
polyporite *Pal.*
polyporous -ic
polyporol *Org. Chem.*
Pseudopolyporus *Pal.*

πολυποσία (Hipp.)
polyposia -ist *Path.*

πολύπους (-οδος) octopus (Od.); *Med.* (Hipp.)
Archipolypoda *Ent. Pal.*
-an -ous
Blastopolypidae
hydropolyp(inae *Zool.*
interpolypal
machopolyp *Zooph.*
Plastopolypus *Ent.*
polyp
al ary ean id(e ine ite oid(al
polyparia
-ian -ium -ous -y
polyperythrin
Polypi *Zooph.*
-aria(n -arium -dom -er -fer(a -ferous -form -gerous -parous
polypo-
medusae -an *Zooph.*
morpha -ic *Zooph.*
stem
style -ar *Zool.*
tome *Surg.*
trite *Surg.*
polyposis *Med.*
polypous -ose *Path. Zool.*
polypstem
polypstock
polypus
-polypus *Path.*
colpo elytro fibro hystero metro oto procto rhino
pulpopolypus *Octopod.*
scyphopolyp *Zooph.*
πολυπράγματος (Procl.)
polypramatism
-ic(al -ist -y
πολυπραγμοσύνη (Polyb.)
polypragmosynig -ic
πολυπράγμων officious
polypragmon
etic ic ist y
πολύπτερος (Arist.)
Polypterus *Ich.*
-id(ae -oid(ei
πολύπτυχον of many folds
policy(holder *Ins.*
polyptych *Archaeol.*
Polyptychella *Pal.*
Polyptychodon
πολύπτωτον (Quint.)
polyptoton *Rhet.*
πολύπτωτος (Eust.)
polyptote *Gram.*
πολύρριζος (Theophr.)
polyrhizous -a(l *Bot.*
πολύς many; much; very
polachena *Bot.*
Polanisia *Bot.*
polarch(y -ical -ist
Poleumita *Pal.*
polexostylus *Bot.*
polianthea -es *Bot.*
poliaxial *Bot.*
politon(alit)y *Music*
poloicous *Bot.*
πολυσαρκία fleshiness
polysarcia -osis *Path.*
πολύσαρκος very fleshy
polysarcous -ia *Bot.*
πολυσήμαντος (Eust.)
polysemant(ic
πολύσημος = πολυσήμαντος
polysemous
πολυσκελής
polyscelia -us *Terat.*
πολύσπαστον (Plut.)
polyspast *Mech.*

πολυσπερμία
polyspermia *Biol.*
-ic -ism -y
πολύσπερμος (Arist.)
polysperm(al
πολύσπορος fruitful
polysporous *Bot. Zool.*
πολύστικτος much-spotted
Polysticta *Ornith.*
Polystictus *Fungi*
πολύστιχος (Strabo)
polystichous *Bot.*
-oid -um
πολύστομος many-mouthed
Polystomata *Spong.*
polystome -a -(at)ous
Polystomella *Foram.*
polystomium *Zooph.*
Polystomum *Helm.*
-ata -(at)idae -ea(n -eae
πολύστυλος (Strabo)
polystyle -ar -ous *Arch.*
πολυσύλλαβος (Dion. H.)
polysyllabic
al(ly ism ity
polysyllabilingual
polysyllabism
polysyllable
πολυσύνδετον (Diomed.)
polysyndeton *Rhet.*
-etic(ally
πολυσύνθετος (Eus.)
polysynthetic
al(ly ism
polysynthetism -ize
πολυσχημάτιστος (Poll.
polyschematist -ic
πολυσώματος of many bodies
polysomatous -ic
πολυτελής costly
Polyteles *Ent.*
polytelite *Min.*
πολύτεχνος prolific
polytechnic
al ian um -ics
πολυτοκία fecundity
polytoky
πολυτόκος prolific
polytocous *Bot. Zool.*
πολύτριχον (Galen)
polytrich(um *Bot.*
aceae aceous etum osus
πολύτριχος very hairy
polytrichia *Terat.*
polytrichosis *Med.*
polytrichous *Bot.*
polytricho- *Ent.*
phora phyes
πολύτροπος much-turned
polytropic
polytropism *Bot.*
Polytropus *Ent.*
πολυυδρία (Theophr.)
polyhydramnios *Gynec.*
polyhydria *Path.*
polyhydric *Chem.*
polyhydruria *Path.*
πολυφαγία overeating
polyphagia *Path. Zool.*
-ian -ic -ist -y
πολυφάγος (Hipp.)
polyphagous
πολυφάρμακον (Iliad)
polypharmacon *Med.*
-al -ia -ist -y

Πολύφημος (Od.)
Polypheme -ian -ic -ous
Polyphemus *Crust.*
-id(ae -oid
πολύφλοισβος (Iliad)
polyphloesboian
-oic -oism -o(tato)tic
πολυφόρος bearing much
polyphore *Bot.*
polyphorous
πολυφραδής very wise
Polyphrades *Ent.*
πολυφυής manifold
polyphyodont *Zool.*
polyphyodontism *Dent.*
πολύφυλλος (Theophr.)
polyphyllo-
geny *Bot.*
polyphyllous *Bot.*
-ine -y
πολυφωνία (Plutarch)
polyphony
-ic(al -ism -ist
πολύφωνος many-toned
polyphone
-ian -ium -ous
πολυχαίτης
polychaetal *Annel.*
polychaete *Helm.*
-a -an -ous
polychateous *Zool.*
πολύχειρ many-handed
polycheiria *Terat.*
πολύχοος prolific
polychotomous -y *Zool.*
πολύχορδος many-stringed
polychord
πολυχρησια (Theophr.)
polychresty -ic(al *Med.*
πολύχρηστος very useful
polychrest *Med.*
πολύχροος variegated
polychroic
ism -ite
πολυχρώματος = πολύχροος
polychromate
-ic -ist -ize -ous
πολύχρωμος = πολύχροος
polychrome *Art*
-in(e -ism -ist -ize -ous -y
polychrome *Chem.*
polychromia -emia *Path.*
polychromic
πολύχρως (Arist.)
Polychrus
πολυώνυμος of many names
polyonym
al ic ist ous y
πολύωτος many-eared
polyotia -ical *Terat.*
πομπη (Plato)
hypnopompic *Psych.*
pomp
al atic(al ery less osity oso ous(ly ousness
πομπίλος (Ath.)
pompilid *Ich.*
Pompilus *Ent.*
-id(ae -oid
πομφόλυξ a water bubble
ch(e)iropompholyx *Path.*
pompholyx -ygous *Chem.*
πομφὸς a blister (Hipp.)
pomphus *Path.*
πόνειν to toil
Melipona *Ent.*

πονηρά Fem. of πονηρός
Electroponera *Pal.*
Ponera *Ent.*
-id(ae -oid
πονηρός wicked
ponerology *Theol.*
πονο- Comb. of πόνος
pono- *Med.*
gen graph palmosis phobia
πόνος work; pain
aponal *Prop. Rem.*
apone *Mat. Med.*
aponea -ia -ic *Med.*
aponoea -oia *Ps. Path.*
Booponus *Ent.*
ponos *Path.*
Ποντικός (Herod.)
chrysopontin *Org. Chem.*
eupontic *Bot.*
Pontic *Geog.*
rhapontic *Org. Chem.*
-icin(e -in
rhaponti(*or* o)genin
ποντο- Comb. of πόντος
ponto-
leon *Pal.*
philus *Phytogeog.*
phyta *Phytogeog.*
poria *Mam.*
-iid(ae -iinae -iin(e -ioid
Ποντοπόρεια a Nereid
Pontoporeia *Crust.*
-eiid(ae -eioid
πόντος the sea
Limapontia *Conch.*
-iid(ae -ioid
pontium *Phytogeog.*
pontophidian
ποο- Comb. of πόα
poo- *Phytogeog.*
phil(o)us
phyte -a -ic
spiza *Ornith.*
xeropoo- *Phytogeog.*
philus phyta
ποοφαγος = ποηφάγος
Poophagus *Ent.*
πόπανον a round cake
Popanoceras *Cephal.*
πορεια walking
opisthopor(e)ia *Path.*
poriomania *Ps. Path.*
πορευειν to convey
Euryporus *Ent.*
Nyctoporis *Ent.*
Tachyporus *Ent.*
πορευτικός walking
anaporetic *Bot.*
πορθεῖν to destroy
Diaporthe *Bot.*
Portheus *Pal. Ich.*
Porthochelys *Pal.*
Proportheus *Pal.*
πορθητής a destroyer
Chasmaporthetes *Mam.*
Porthetes *Ent.*
πορθμός a firth
Porthmornis *Ornith.*
πόριμος inventive
porime *Math.*
πόρισμα a corollary
porism(atic(al(ly *Math.*
ποριστικός (Arist.)
poristic(al *Logic.*
πόρκης a ring or hoop
Porcellaria *Gastrop.*
πορνη a prostitute
pornerastic
πορνο- Comb. of πὸρνη
porno-
cracy crat *Pol.*
lagnia *Med.*

πορνογράφος (Ath.)
pornograph
er ic ist y
πορο- Comb. of πόρος
aeroporotomy *Surg.*
Nesoporogaster *Arach.*
poro-
brissus *Pal.*
clinus *Ich.*
cottus *Ich.*
crinidae *Pal.*
cyte *Spong.*
gam(y -ic -ous *Bot.*
logy
meter
mitra *Ich.*
mya *Conch.*
-yid(ae -yoid
plastic *Arts*
scope *Mech.*
sphaerella *Pal.*
stoma -atous *Conch.*
tomy *Surg.*
type *Engrav.*
Pteroporopterus *Ent.*
zincporoplast *Surg.*
πὸρος a pore (Plato)
acanthopore *Pal.*
Acropora *Zool.*
Amphiporus -id(ae -oid
Amplexopora -idae
atriopore -al *Zool.*
Aulacoporus *Arach.*
aulopore -idae *Corals*
autopore *Zool.*
biporose *or* -ous *Bot.*
blastoneuropore *Emb.*
blastopore -al -ic *Emb.*
Cellepora *Helm.*
-e -id(ae -ite -oid
Ceramoporoida *Pal.*
Ceriopora *Helm.*
-id(ae -oid
Chenendoporinae *Pal.*
chondroporosis *Physiol.*
Chorizogynopora *Helm.*
Circoporus -idae *Prot.*
coelomopore *Zool.*
Coscinopora -id(ae *Zool.*
cryptopore -ous *Bot.*
Cyclicopora *Helm.*
-id(ae -oid
Cycloporidium *Pal.*
dactylopore *Zool.*
-a -ic -idae
Diastatopora *Helm.*
-id(ae -oid
Dictyopora *Coel.*
Digonopora -ous *Helm.*
Diplogonoporus *Helm.*
diplopore -ita -ite *Zool.*
diporidium *Bot.*
Discoporella -idae *Zool.*
Distichopora -idae *Zool.*
Escharipora -idae *Zool.*
Fistulapora -idae *Zool.*
Frondipora *Helm.*
-id(ae -oid
gastropore *Zool.*
Glossoporidae *Zool.*
gonopore *Zool.*
h(a)ematomyelopore
heliopore *Zooph.*
-a -idae -inae
Heteropora *Zool.*
hypoporosis *Med.*
interporiferous
Isopora -idae *Zooph.*
Ithyporoidus *Ent.*
Laoporus *Pal.*
Leeporina *Pal.*
Leptocheiloporinae *Pal.*
Lichenopora -idae *Zool.*
Maeandripora *Zool.*
megalopore *Conch.*
Membranipora -idae

mesopore *Cytol. Helm.*
metapore -us *Anat.*
micropore *Conch.*
-a -idae -ous
Millepora -e -(e)ous -id-(ae -iform -ina -ine -ite -oid *Zooph.*
Monogonopora *Helm.*
-ic -ous
monticuliporoid(ea(n
myelopore *Anat.*
Myoporum *Bot.*
-aceae -aceous -ad -ineae -ineous
nephridiopore *Biol.*
nephropore *Biol.*
neuropore *Embryol.*
nullipore -ous *Zool.*
oripore *Zool.*
osteoporosis -otic *Path.*
osteoporous *Med.*
Pennatopora *Zool.*
periphialoporous *Bot.*
phaneroporous *Bot.*
phialopore -ic *Bot.*
phonopore -ic *Elec.*
phyllopore *Bryozoa*
Pinnatopora *Zool.*
Pontaporia *Mam.*
-iid(ae -iinae -iin(e -ioid
-pora *Pal.*
Actino Anortho Aosti Aprutino Aulacostraco Badoglio Baltico Bapto Batracho Cadorni Carydio Castano Coelo Dacryo d'Annunzio Diacantho Diamanta Diazi Diplosteno Distelo Echino Fistuli Franco Gortani Hallo Haplocephalo Hapsido Hespero Ichno Marssono Morphasmo Mystrio Nemato Opisthornitho Orso Paraphyllo Parallelo Pelmato Phragmo Phryno Plasmo Pnicto Polycephalo Revalo Rhammato Rhinio Sandalo Sonnino Telo Tholo Tricephalo Tylo
poral
Porambionites *Brach.*
porandrous *Bot.*
pore
-porella *Pal.*
Anthraco Corymbo Gemelli Hippo Phracto Phragmo Praso
porencephalia -y *Med.*
-ic -itis -on -ous -us
porenchyma *Bot.*
Poria *Fungi*
Porichthys *Ich.*
poricidal *Bot.*
-poridae *Pal.*
Andrio Bracheo Calpido Cteno Dishelo Lagyno Myagro Oto Taracto Thoraco
porifer(a *Spong.*
-al -an -ata -ous
poriform *Bot. Spong.*
Porina *Bryozoa Lichens*
porinin *Chem.*
porion *Craniom.*
porite(s -id(ae -oid
porodinic *Biol.*
poroids *Bot.*
poromphalocele *Path.*
porose -ity -ness
porosimeter *Phys.*
porous(ly ness

Proporus -idae *Turb.*
pseudopore *Spong.*
pseudopolyporus *Pal.*
pseudoporencephaly
Retepora -e *Helm.*
-id(ae -oid
Rhizoporidium *Pal.*
ringporous *Bot.*
Sceloporus *Herp.*
Schistacanthoporinae
Schizoporites *Zooph.*
siphonopore *Coel.*
Sphaleroporus *Ent.*
Stathmepora *Bryozoa*
Stomatopora -oid *Corals*
stromaporidium *Pal.*
Stromatopora *Zooph.*
-id(ae -oid -ous
Syringopora *Coelent.*
telopore *Embryol.*
Tinoporus -inae *Prot.*
Trachypora *Corals*
Trematopora *Bryozoa*
Trochopora *Bryozoa*
Tubipora -aceae -aceous -e -id(ae -ite -oid -ous
Tubulipora -e *Helm.*
-id(ae -oid
Typhloporus *Ent.*
ultraporosity *Chem.*
uniporous *Bot.*
πόρπαξ (-ακος) handle
Porpacus *Ent.*
πόρπη a brooch
diporpa *Helm.*
otoporpa(l *Zooph.*
Porpita *Zooph.*
-id(ae -oid
πόρταξ a calf
Portax *Mam.*
πορφυρ- Stem of πορφύρα
porphyr-
aspis *Ent.*
ate ation *Biochem.*
exide *Biochem.*
ic in(e *Chem. Geol.*
inogen *Biochem.*
inuria *Med.*
oid *Petrol.* oidin *Chem.*
oxime oxin *Chem.*
uria *Path.*
πορφύρα purple (Herod.)
feldspathize -ation
feldspathoid *Petrol.*
h(a)ematoporphyr-
ia inuria *Med.*
oidin *Biochem.*
isopurpurate *Chem.*
mesoporphyrinogen
outpurple
-phyre *Petrog.*
aphano argillo augito calci feldspar felso grano hauyno hornblendeo kerato labrado lampro leuc(it)o mela mica mimo olivino ortho oxy quartzo sidero vitro
-phyric *Petrog.*
a augito alfer(fem) chryso felso grano hauyno lampro leucito oligo ortho quartzo sandino sphero vitro
porphin *Biochem.*
Porphyra *Algae*
-eae -aceous
porphyre -ic
-porphyric
augito sphero
porphyrize -ation
porphyrous
-porphyrin *Chem.*
(a)etio copr(at)o coto

-porphyrin Cont'd
cyano erythro glauco h(a)emato hemido hemino hemo hexahydrohemato lepido meso oo oxyhemato phono phyco phyllo phylo proto pyrro rhodo rubi spongio sterco turaco urino uro(hemato)
purple(ly -ness
purply -ish
purpur(e
Purpura *Conch.*
-aceae -acean -aceous -id(ae -iform -inae -ine -inurous -oid
purpuric *Chem.*
-ase -ate -eous -in
purpurifera -ous *Zool.*
purpurigenous
-purpuric *Chem. Med.*
iso meta neuro
-purpurin *Chem.*
aplysio benzo bili delta flavo iso xantho
-purpurine *Chem.*
delta flavo helio
purpurinuria *Med.*
purpuriparous
purpuri(*or* a)scent *Zool.*
purpurous -ic *Med.*
πορφύρεος dark red
porphyrisma -us *Path.*
purpureal -ean -ein
purpureo-
purpurite *Min.*
purpurize
purpurogenous *Arts*
purpuroxanthin *Chem.*
Πορφύριος Porphyry
Porphyrian *Phil.*
πορφυρίτης (Eus.)
porphyrite *Petrog.*
-al(ly -ic(al(ly
-porphyritic
glomero micro pseudo semi sub
porphyry
rhomb(en)porphyry
πορφυρίων (Ar.)
Porphyrio *Ornith.*
-ioninae -ionin(e
πορφυρο- Comb. of πορφύρα
porphyro-
genetic -ive
leucus *Bot.*
phora *Ent.*
rhynchus *Ent.*
typhus *Path.*
πορφυρογέννητος (Porph.)
porphyrogene
porphyrogenite
-ism -ure -us
Ποσειδῶν God of Water
Poseidon *Myth.*
Poseidonia *Pelec.*
Poseidonomya *Pelec.*
Ποσειδώνιος of Poseidon
Poseidonian *Myth.*
πόσθη penis
aposthia *Terat.*
balanoposthitis *Path.*
Polyposthides *Helm.*
posthetomy -ist *Surg.*
posthioplasty -ic *Surg.*
posthitis *Path.*
postholith *Med.*
ποσθία eyelid stye
Metaposthia *Helm.*
πόσις thirst
aposia *Med.*

hematoposia *Ther.*
oligoposis *Med.*
ποσο- Comb. of πόσος
poso-
logy -ical -ist -ize
mania *Med.*
πόσος how many or much
Alloposus *Conch.*
-id(ae -oid
ποταμ- Stem of ποταμός
potam-
ad eae ium *Phytogeog.*
anthodes *Ent.*
ian *Zool.* ic *Geog.*
ites *Herp.*
ποταμο- Comb. of ποταμός
palaeopotamology *Geol.*
potamo-
biidae *Crust.*
choerus *Mam.*
gale -id(ae -oid *Mam.*
galist
graphy
logy -ical -ist
meter
philous
philus *Ent.*
phobia
phyta *Phytogeog.*
plankton
spongiae *Spong.*
ποταμογείτων (Diosc.)
Potamogeton *Bot.*
aceae aceous etum
ποταμός a river
autopotamic *Algae*
Hyopotamus *Mam.*
-idae -inae -ine
Merycopotamus *Mam.*
-id(ae -oid(ea
Myopotamus *Zool.*
potamicolous *Bot.*
tychopotamic *Phytogeog.*
ποτή flight
Hematopota *Ent.*
ποτηριο- Comb. of ποτήριον
poterio-
ceras *Conch.*
-atid(ae -atoid
crinus *Crin.*
-inae & -ites *Pal.*
ποτήριον chalice; (Diosc.)
poterion *Gr. Ch.*
Poterium -ieae *Bot.*
ποτηριοφόρος
Poteriophorus *Ent.*
πότης (-ητος) a drink
potetometer *Bot.*
ποτικός fond of drink
potick(*or* ck)omania
πότος drinking
poto-
cytosis
mania
meter *Soils*
πούς foot. See ποδ-, ποδο-
Chelyposaurus *Pal.*
Cyclopia -ic *Bot.*
cyclopin(e *Org. Chem.*
h(a)ematope *Ornith.*
Holopus *Echin.*
-id(ae -oid
Hoplopus *Arach.*
-id(ae -oid
hypopial *Bot.*
liopus *Anthrop.*
lycopin *Org. Chem.*
Nedyopus *Arach.*
Nemopanthes *Bot.*
ornithopus *Geol.*

orycterope *Mam.*
peropus *Terat.*
pleuropous *Bot.*
Propomacrus *Ent.*
pterygopous *Bot.*
-pus -πους as in πολύπους
-pus *Bot.*
Cysto Dactylo Lyco Ornitho Piaro Rhizo Strepto
-pus *Conch.*
Brachy Cheno Hippo
-pus *Crust.*
Branchi(o) Cera Diarthro Hectarthro Hyperoedesi Lepido Mastigo Oncino Parahexa Plagio
-pus *Ent.*
Acentro Asarco Bardisto Brachy Colosso Dasytoxistro Dia Ephimero Epitarsi Eurypauro Exartemato Gonato Habro Hadro Haplo Henico Heterogyro Hystricho Iphi Lasio L(e)io Lepto Macrogyro Mano Margaro Mesocoelo Metrio Monogyro Nyctero Pacto Pauro Pectero Pelmato Periergo Pimelo Priono Protopauro Psectro Psellio Scipo Soleno Spongo Stauro Stero Stizo Sympiezo Tera Tetragyro Trigono
-pus *Herp.* Xystro Chelo Ecpleo Hallo Pseudo Pygo Scaphio Xeno
-pus *Ich.*
Agrio Ateleo Etro Lepido Peno Pholido
-pus *Mam.*
Ae(*or* i)luro Caeno Choero Crosso Orycterо Propleo Spalaco Triplo Za
-pus *Ornith.*
Analci Brachy Centro Conto Cratero Erio H(a)emato Lepto Netta(*or* o) Phaeo Ptilono Scytalo Stegano
-pus *Pal.*
Eotylo Gale Palaeoholo Paratylo Proholo
pygope *Herp.* Salto
Saltoposuchus *Pal.*
Stelechopus *Zool.*
Thaumaceratopus
xanthopous *Bot.*
-πραγία as in δυσπραγία
miopragia *Med.*
πραγμα deed, affair
App. unused
πραγματ- Stem of πράγμα
pragmat-
agnosia *Ps. Path.*
amnesia *Ps. Path.*
ism ist(ic -ize(r *Phil.*
πραγματικός practical
pantopragmatic
pragmatic
al(ity alness ism ly
unpragmatic
πραεῖα Fem. of πρᾶος
Praia *Ent.*
πραι- Fr. L. prae
Praeaceratherium *Pal.*
Praeglyphioceras *Pal.*

πραικόκιον
apricot(ine
plumcot *Hort.*
Πραίνεστος (Strabo)
Praenestine *Geog.*
πρακτικη (Plato)
practic
pratique
πρακτικός practical
ch(e)iropractic -or *Ther.*
impractic-
ability able(ness ably
al
mispractise
practic
ability able(ness ably
ant ate
practical
ism ist ity ization ize
ly ness
practice -er -ian
practicum *Educ.*
practise -able -er
practitioner(y -al
practive(ly
unpractic-
able(ness al(ly ality
alness
unpractis-
able ed(ness
Πράμνιος (Ar.)
Pramnian *Wines*
-πραξία as in ἀνεκπραξία
-praxia *Med. Psych.*
dys echo hyper hypo
para
πρᾶξις doing, transaction
actinopraxis *Med.*
ch(e)iropraxis *Ther.*
echopraxis *Ps. Path.*
homeopraxis *Biol.*
ideopraxist
malpraxis
orthoprax(is -y *Med.*
praxinoscope
praxiology *Med.*
praxis *Zool.*
radiopraxis
zoepraxiscope
zoopraxinoscope
zoopraxiscope
zoopraxography -ical
Πραξίλλειος (Heph.)
Praxillean *Pros.*
Πραξιτέλειος
Praxitelean *Art*
πρᾶος mild, gentle
Praogena *Ent.*
Praon *Ent.*
Praonetha *Ent.*
πράσινος leek-green
prasin(e -ous *Min.*
Prasina *Conch.*
-id(ae -oid
πράσιος = πράσινος
prase *Min.*
praseo-
dimium -ate *Chem.*
lite *Min.*
prasiform *Min.*
prasi(o)lite *Min.*
-prasis *Ent.*
Chryso Hypo
πρασίτης (Diosc.)
prasites
πρασο- Comb. of πράσον
praso-
chrome *Min.*
dymium *Inorg. Chem.*
lite *Min.*
phagus phagy
porella *Pal.*

πρασοειδής leek-green
prasoid
πρασοκουρίς (Arist.)
prasocoride *Ent.*
Prasocuris *Ent.*
πράσον a leek
biliprasin *Biochem.*
Callipráson *Ent.*
Prasona *Ent.*
πρέμνον stump, stem
Premna *Bot.*
Premnoblatta *Pal.*
πρεμνώδης like a trunk
Tanypremnodes *Ent.*
πρέπειν to be visible
Euprepia -iidae *Ent.*
πρεσβυ- Comb. of πρέσβυς an old man
hyperpresbyopia
presby-
ac(o)usia *Otol.*
atry *Med.*
cusis *Otol.*
ophrenic *Med.*
opia -ic -y *Ophth.*
otic *Otol.*
pithecus *Zool.*
sphacelus *Med.*
πρεσβυτέριον (N. T.)
archpresbytery
pan-Presbyterian
presbyterian
-ism ize(d ly
presbyterio-
episcopal
presbyterium -ion
presbytery
πρεσβύτερος (N. T.)
arch(i)presbyter *Eccl.*
archpriest(hood -ship
co(m)presbyter
presbyter
al ate e ess ial(ist ially
-presbyterial
arch com retro
πρεσβύτης age
presbyte
presbytiatrics *Med.*
presbytia -ic -ism *Path.*
Presbytinae *Zool.*
πρηνής prone
Prenanthes *Bot.*
prenoid *Bot.*
Prenolepis *Ent.*
πρηνίζειν throw headlong
Praniza *Crust.*
-id(ae -oid
πρηστήρ gust; serpent
prester
Πριάπειος of πρίαπος
Priape
-ian -iform -ish
Priapean -ic *Physiol.*
Πριαπίζειν to be lewd
priapize
Πριαπισμός (Galen)
priapism
Πρίαπος God of gardens
Priapichthys *Ich.*
priapitis *Path.*
Priapocephalus *Helm.*
Priapus *Helm.*
-acea -id(ae -oid(ea(n
Priapus *Myth.*
πρίειν to gnash
Priobium *Ent.*
Priolomus *Ent.*
πρίζειν to saw
Holoprizus *Ent.*
πρῖνος the oak (Hesiod)
Priniops *Ornith.*
Prinos *Bot. Mat. Med.*

πριονο- Comb. of πριων
priono-
belum *Arach.*
ceras *Pal.* -us *Ent.*
delphis *Mam.*
dera *Ent.*
desmacea *Conch.*
-ean -eous
desmatic *Conch.*
glossa -ate *Conch.*
merus *Ent.*
mysis *Crust.*
pus *Ent.*
rhynchia *Pal.*
scelia *Ent.*
πρῖσις a sawing
lithoprisy *Surg.*
odontoprisis *Dent.*
pris(opt)ometer *Arts*
πρίσμα (Euclid)
-prism
anti bi brachy clino
deutero hemi macro
micro ortho poly proto
prism *Crystal. Geom. Optics*
al atic(al(ly ate(d atid
atine atize ed ic odic
oid(al -y
-prismatic
di hemi poly tetarto
prismatico-
clavate
Prismatomonas *Prot.*
prismenchyma *Bot.*
prismoptometer *Ophth.*
prismosphere *Optics*
πριστηρο- Comb. of πριστήρ a saw
Pristerophorus *Ent.*
πρίστης a sawyer; a saw
Pristacanthus *Pal. Ich.*
Pristancylus *Ent.*
Pristaulacus *Ent.*
Pristigaster *Ich.*
Pristiophorus *Ich.*
-id(ae -oid
Pristodontus *Ich.*
-id(ae -oid
pristoid *Ich.*
πρίστις a whale (Arist.)
Centropristes *Ich.*
Hemipristis *Ich.*
Miopristis *Ent.*
Myripristis *Ich.*
Onchopristis *Pal.*
Orthopristis *Ich.*
Oxypristis *Pal.*
Pristimerus *Ent.*
Pristis *Ich.*
-id(ae -oid
Stethopristes *Ich.*
πριστός sawn
Pristocera *Ent.*
πρίων a sawyer; a saw
Amphiprion *Ich.*
Diploprion(tinae *Ich.*
Diprion *Pal.*
idae idian
Diprionomys *Pal.*
Essoprion *Pal.*
Hypoprion *Ich.*
Lissoprion *Pal.*
lithopone
lithoprione *Surg.*
monoprionid(ian *Pal.*
Palaeoprionodon *Pal.*
Polyprion *Ich.*
pri-
acanthus *Ich.*
-id(ae -ina -ine
odon *Zool.*
-ont(es inae)
prio-
cerous *Ent.*
notus *Ich.*

Prion *Ornith.*
eae id(ae inae
prion-
acalus *Ent.*
ace *Ich.*
istius *Ich.*
iturus *Ent. Ornith.*
ium *Bot.*
odes *Pal.*
odoceras *Pal.*
odon *Mam.*
-ont(ea inae in(e)
oid
oplus *Ent.*
ops opid(ae inae
in(e oid) *Ornith.*
urus *Ent.*
us id(ae oid *Ent.*
Pseudopriacanthus *Ich.*
Rhynchoprion *Ent.*
Strophoprion *Pal.*
tetraprionidian *Zooph.*
Toxoprion *Pal.*
πρό before; rather than
antiprothrombin *Chem.*
biprophyllatus *Bot.*
Endoprothallae *Bot.*
euryprognathous
Exoprothallae *Bot.*
extraprothallial *Bot.*
heteroprothally *Bot.*
inguinoproperitoneal
interproglottidal *Zool.*
intraprothalloid *Bot.*
isoprothally *Bot.*
kysthoproptosis *Gynec.*
Liopropoma *Ich.*
macropro-
myelocyte *Cytol.*
thallium *Bot.*
megaprothallus *Bot.*
microprothallus *Bot.*
nasoprognathism -ic
Neoproaetus *Pal.*
Palaeopropithecus *Pal.*
panprodactylous *Ornith.*
pro-
agglutinoid *Biochem.*
agonic *Path.*
ailurus *Pal.*
amnion -otic *Embryol.*
amphibia *Zool.*
ampycus *Arach.*
ampyx *Pal.*
angiosperm *Bot.*
ic ous y
anthostrobilus *Bot.*
anthropos *Pal.*
antithrombin *Chem.*
arthri -ous *Ich.*
arthropoda *Pal.*
attas *Zool.*
baptismal
basid *Fungi*
beloceras *Pal.*
bion(ta *Biol.*
bothrium *Ent.*
cardium *Anat.*
carp(ium *Bot.*
catalectic *Pros.*
cathedral *Eccl.*
cellose *Org. Chem.*
cephalic *Anat.*
cerapachys *Pal.*
cercoid *Helm.*
cerebrum -al *Anat.*
cerite -ic *Crust.*
ceritherium -idae *Pal.*
cerosaurus *Pal.*
cerus *Ent.*
chelyna *Ent.*
chlorite *Min.*
choanite(s *Cephal.*
chondral *Physiol.*
chondriomes *Bot.*
chordal *Embryol.*

pro- Cont'd
chorion(ic *Embryol.*
choroptera *Pal.*
chromatin *Biol.*
chromogen *Biochem.*
chromosome *Bot.*
chymosin *Biochem.*
cladosictis *Pal.*
clisis *Gram.*
clitic *Gram.*
cnemial *Anat.*
coelia(n -ous *Zool.*
colophonia(n *Zool.*
colpochelys *Pal.*
compsognathus *Pal.*
conia *Ent.*
coracoidal *Anat.*
cormophyta *Bot.*
cosmopolites *Ent.*
cranaus *Arach.*
cryptic(ally *Biol.*
cupressocrinus *Pal.*
deltidium *Emb. Mol.*
diaene *Spong.*
dialogue
dicyonidon *Pal.*
dimorphomyrmex *Pal.*
dioxys *Ent.*
dissoconch *Zool.*
domitidae *Pal.*
ectoprocton *Polyzoa*
electrotermes *Pal.*
embryo(nic *Bot.*
emptosis *Chronol.*
encephalon -us *Terat.*
enzym(e *Embryol.*
epimeron -al *Ent.*
episphales *Ent.*
episternum -al *Ent.*
erythro- *Cytol.*
blast cyte
estrum -ous *Biol. Vet.*
ethnic *Philol.*
eupolyzoon *Zool.*
gametange -ium *Bot.*
gamete -al -ation *Bot.*
gametophyte *Bot.*
gamic -ous *Embryol.*
ganochelys *Pal.*
ganoid *Ich.*
ganosaur(ia(n *Herp.*
gaster *Embryol.*
gastrin *Biochem.*
genital *Anat.*
geoesthetic *Bot.*
geotropic -ism *Bot.*
geria *Biol.*
glossy *Geol.*
glottic -idean *Anat.*
glottidization *Biol.*
glottis -id *Helm.*
gnathi *Ethnol.*
gnathi *Craniom.*
-ic -ous -y
gnathite *Crust.*
gnathodes *Ich.*
gnathous *Bot.*
goneate *Myriap.*
gonyleptoides *Arach.*
grammatic -ist
gymnasium
gymnosperm(ic -ous
halecites *Pal.*
hauericeras *Pal.*
halopus *Pal.*
hydrotropic -ism *Bot.*
hylobates *Pal.*
hyracodon *Pal.*
hysteroceras *Pal.*
idonite *Min.*
invertase *Biochem.*
jodin *Chem.*
karyogamete *Bot.*
-isation
kinase *Biochem.*
kinesis *Bot.*
kosmial

pro- Cont'd
lecanites *Pal.*
limnocyon *Pal.*
lycaon *Ent.*
mammal(ian *Zool.*
mastax *Pal.*
megaloblast *Cytol.*
meristem(atic *Bot.*
merops *Ornith.*
-ope(s -opidae -opinae
merycochoerus *Pal.*
metallid(e *Chem.*
metatropic *Bot.*
microps *Ich.*
mitosis *Bot.*
mnesia *Psychics*
monaene *Spong.*
morph *Biol.*
morphology*Biol.*
-ical(ly -ist
mycele -ium -ial *Bot.*
myelocyte *Cytol.*
myliobates
mystriosuchus *Herp.*
naus *Anat.*
nephridiostome *Cytol.*
nephros -on *Zool.*
-ic -idian -idium
neusticosaurus *Pal.*
niceras *Pal.*
nomotherium *Pal.*
nothacanthus *Pal.*
notogrammus *Ich.*
notum -al *Ent.*
nucleus *Biol.*
nymph(al *Ent.*
ochotona *Pal.*
(o)estrum *Vet.*
oncholaimus *Helm.*
opic *Anthrop.*
osteon *Anat.*
ostracum -al *Conch.*
otic *Comp. Anat.*
pachastrella *Pal.*
paedeutic(al -ics
pa(e)sin *Mat. Med.*
palaeochoerus *Pal.*
palatherium *Pal.*
palinal
parepteron -al *Ent.*
paria(n *Tril.*
pepsin(e *Chem.*
peptone *Biochem.*
peptonuria *Path.*
perimeristem *Bot.*
peristome -a(l *Biol.*
peritoneal *Anat.*
phase *Biol.*
phasic *Bot.*
phatnic *Anat.*
phloem *Bot.*
phoraula *Ent.*
photo- *Bot.*
tactic taxis
tropism
phragm(a *Ent.*
phyllocrinus *Pal.*
phyll(on -um *Bot.*
-atus -oid
physeter *Pal.*
phytogams *Bot.*
pithecus *Mam.*
plasm(ic(s *Phil.*
plastid *Bot.*
pleopus *Mam.*
pleuron -um -al *Ent.*
plex(us *Anat.*
pliothecus *Pal.*
podus -ite -itic *Crust.*
polymastodon *Pal.*
pomacrus *Ent.*
portheus *Pal.*
porus -idae *Turb.*
postscutellum -ar *Ent.*
praescutellum -ar *Ent.*
psiloceras *Ent.*

pro- Cont'd
pteridophyte *Bot.*
pterodon *Pal.*
pterus *Ich.*
pterygium -ial *Zool.*
pupa -al *Ent.*
pygidium *Ent.*
pyrin *Chem.*
rachias *Arach.*
rachis -idial *Zool.*
renal *Embryol.*
rhinal *Anat.*
rrhaphy *Surg.*
sapogenin *Org. Chem.*
saur(ia(n *Pal.*
saurolophus *Pal.*
scalops *Pal.*
scapula -ar *Ich.*
scholium
sciurus *Pal.*
scolex -ecine *Embryol.*
scopus *Ent.*
scorpius *Ent. Pal.*
scut(ell)um -ar *Ent.*
selachius -ian *Biol.*
selenic
serozyme *Biochem.*
siloxan *Inorg. Chem.*
siphon(al -ata -ate
some *Conch. Crust. Zool.*
-a(l -atic
sorus -al *Bot.*
spalax *Pal.*
sphygmic *Med.*
sporange -ium *Bot.*
sporoid *Fungi*
stady *Bot.*
stalia *Spong.*
stelic *Bot.*
stemmate -ic *Zool.*
stenoneuridae *Pal.*
stenus *Ent.*
sthenic *Anat.*
sthenops *Pal.*
stoma -al *Embryol.*
tanytarsus *Ent.*
tarsal *Anat.* -us *Ent.*
taxis *Geol.*
teles -id(ae -oid *Mam.*
telotherium *Pal.*
tetraceros *Pal.*
tetrad *Cytol.*
thalassoceras *Pal.*
thallium *Bot.*
-atae -ial -ic -iform
-in(e -oid -us
thallogams *or* -ia *Bot.*
thamnodes *Ent.*
thoracotheca *Ent.*
thorax -acic *Ent.*
thrombin -ase *Chem.*
thylacinus *Pal.*
thymia *Psych.*
titanotherium *Pal.*
tonic
toxin *Biochem.*
-ogenin -oid
tracheate -a *Ent.*
trachodontidae *Pal.*
tremate -a *Zool.*
triaene *Spong.*
trochal *Mol.*
trochula *Embryol.*
tropic *Bot.* -ites *Pal.*
trypsin *Chem.*
type -us *Arch.*
typotheroides *Mam.*
vampyrus *Pal.*
xylem *Bot.*
ymnion *Pros.*
zoic *Geol.*
zonal *Med.*
zone *Biochem.*
zoosporange *Bot.*
zygapophysis *Anat.*
zygosis *Terat.*

pro- Cont'd
zymogen *Biochem.*
synprocryptic *Biol. Phil.*
ultroprophylaxis

προάγειν to lead on
Proagosternus *Ent.*

προαίρεσις purpose; policy
proairesis

προαλίζειν gather before
proalizer

προαναφορά former rising
proanaphora(l *Eccl.*

προάνθησις first bloom
proanthesis *Bot.*

προᾳσμα a prelude
proasma *Music*

προαύλιον vestibule
proaulion *Gr. Ch.*

προβάλλειν to put forward
Problerhinus *Ent.*

προβάτιον a little sheep
Probatus *Ent.*

πρόβλημα (Plato)
problem
atary atist atize ist(ic

προβληματικός (Arist.)
problematic(al(ly

προβολή projection
probole -istic

πρόβολος a projection
Proboloides *Pal.*
Proboloptila *Ent.*

προβοσκίς (-ίδος) (Arist.)
Eproboscidea *Ent.*
Proboscarius *Ent.*
proboscide *Her.*
proboscideous *Bot.*
Proboscidifera *Conch.*
-ous
proboscis
-ic -id(i)al -idate -idian
-(id)iform -igerous
-ised
Proboscis *Zool.*
-ida(e -idea(n -oid
promuscis *Ent.*
pseudoproboscis *Ent.*

προβούλευσις
probouleutic *Gr. Hist.*

προγλωσσίς (Poll.)
proglossis *Anat.*

πρόγνωσις (Hipp.)
prognose
prognosis *Med.*
-prognosis
electro sero

προγνώστης foreknower
prognostes

προγνωστικός (Plut.)
prognostic
able al(ly ant ian on
ous
prognosticate
-ion -ive -or(y
prognostify

προγονικός ancestral
progonic *Geol.*

πρόγονος forefather
progono-
chelys *Pal.*
taxis *Pal.*
zoic *Geol.*

πρόγραμμα (Dem.)
program
ma me mer (on)ist

προγύμνασμα (Arist.)
progymnasma *Rhet.*

προδέκτωρ a foreshewer
Prodector *Ent.*

προδιάγνωσις (Hipp.)
prodiagnosis *Med.*

προδίδωμι betray
Prodidomus *Arach.*
-id(ae -oid

Πρόδικος (Clem. A.)
Prodician *Theol.*

πρόδομος (Iliad)
prodomos *Arch.*

προδότης a betrayer
Prodotes *Ent.*

προδρομία forwardness
prodromy

πρόδρομος precursor
prodrome *Med.*
-a(l -atic(ally -ic -ist
-ous -us
prodromus *Gr. Arch.*

προεδρία front seat
proedria *Gr. Ant.*

προεῖδον to foresee
proidonite *Min.*

προζυμίτης (Cerul.)
proxymite *Eccl. Hist.*

προηγούμενος prior
proegumene
-al -ic(al -ous

πρόθεσις shewbread (N. T.); a preposition (Dion. H.)
oligoprothesis -ic *Gram.*
oligoprothesy *Philol.*
polyprothesis -y *Gram.*
prothesis *Eccl. Gram. Surg.*

προθετικός (Dion. H.)
oligoprothetic *Philol.*
polyprothetic *Gram.*
prothetic(al(ly *Gr. Ch.*

πρόθυρον porch (Od.)
porthyrum -on *Arch.*

προίκτης a beggar
Proictes *Ent.*
Proictinia *Pal.*

προκατάληψις (Arist.)
procatalepsis *Rhet.*

προκαταρκτικός (Galen)
procatarctic(al *Med.*

προκάταρξις (Pandect)
procatarxis *Med.*

προκείμενον (Horol.)
prokeimenon *Gr. Ch.*

προκελευσματικός (Dion. H.)
proceleusmatic *Pros.*

προκέφαλος (Draco)
procephalic *Pros.*

Πρόκνη Wife of Tereus, changed into a swallow
Iridoprocne *Myth.*
Procnias *Ornith.*
-iatid(ae -iatinae -iatin(e
Progne *Myth. Ornith.*

Πρόκρις (Apollod.)
Procris *Ent.*

Προκρούστης Stretcher
Procrustes *Ent.*
procrustean
-esian ism ize

Προκύων (Arat.)
Procyon(ian *Astron.*
Procyon *Mam.*
ian id(ae iform(ia inae
in(e oid

προλεγόμενον said prior
prolegomenon *Lit.*
-al -ary -ist -ous

προλεκτικός foretelling
prolectite *Min.*

προληπτικός anticipative
proleptic(al(ly
proleptics *Med.*

Proleptic(us *Bot.*

πρόληψις preconception
prolepsis -arian

πρόλογος (Arist.)
prolog(ue
ist os uer uist uize(r us

πρόμαχος champion
promachos *Myth.*
Promachus *Ent.*

Προμηθεύς (Hesiod)
hyperpromethia *Psych.*
Promethea(n *Ent.*
promethean *Arts*
Prometheically
Prometheus *Ent. Myth.*

προμηθής provident
Promethichthys *Ich.*

προμήκης elongated
Promeces *Ent.*
Promecops *Ent.*

πρόμος a chief
Promopalaeaster(idae

πρόναος (Diod.)
pronaos *Arch.*

προνο- as in προνομαια
Pronocera *Ent.*

Προνόη Dau. of Nereus
Pronoe *Crust.*
-oid(ae

προνομαία proboscis
Pronomaea *Ent.*

προξενητής agent
proxenet(e -a *Gr. Ant.*

προξενία (Thuc.)
proxeny *Gr. Pol.*

πρόξενος a public guest
proxene -us

πρόοδος a going before
prodophytium
Proodophytia *Phytogeog.*

προοίμιον (Pindar)
proem
ial(ly iate y
prooemion
-iac -ium

προπάθεια (Plut.)
propathy -ic *Path.*

προπαιδεία (Plato)
propaedia

προπαροξύτονος (Draco)
proparoxytonos *Phon.*
-e -ic -ous *Gram.*

προπερισπώμενον(Schol. Ar.)
properispome -enon

προπίνειν (Anacreon)
propine -ation

πρόπλασμα a model
proplasm(a *Gr. Sculp.*

προπλάσσειν mould before
proplastic(s *Gr. Sculp.*

προπόδιος before the feet
propodial *Ent.*
propodium -ial(e *Conch.*
propodium -ial(ia *Anat.*

πρόπολις (Diosc.)
propolis *Bees*
propolisin *Mat. Med.*
propolize -ation *Bees*

πρόπομα (Ath.)
propomate

Προποντίς (Herod.)
Propontic *Geog.*

πρόπτωμα (Galen)
proptoma *Path.*

πρόπτωσις (Diosc.)
metroproptosis *Path.*
proptometer *Med. App.*
proptosis *Path.*

προπύλαια (Herod.)
Propylaea *Ath. Topog.*
propylaeum *Arch.*

πρόπυλον before the gate
propylite -ic *Petrol.*

propylization
propylon *Arch.*
προπωλέω to make a sale
propolist
προσ- Comb. of πρός from; at; to; against; in respect of; besides
Aprosphyma *Malac.*
pros-
aerotaxis *Bot.*
chairlimnetic *Bot.*
chemotactic *Bot.*
chemotaxis *Bot.*
colla *Bot.*
eliscothon *Pal.*
embryum *Bot.*
encephal(on ic *Anat.*
enchyma -atous *Bot.*
enneahedral -ous *Cryst.*
enthesis *Bot.*
epilogism *Logic*
ethmoid *Ich.*
galvanotaxis *Bot.*
geotropic *Bot.*
heliotropic -ism *Bot.*
hydrotaxis *Bot.*
osmotaxis *Bot.*
phototaxis *Bot.*
physes *Bot.*
plectenchyma *Bot.*
syllogism *Logic*
thermotaxis *Bot.*
thigmotaxis *Bot.*
προσάρτημα appendage
prosarthema *Crust.*
προσαύλειος rustic
Prosaulius *Ent.*
προσαφή a touching
Prosapha *Ent.*
προσευχή prayer
proseuche -a
προσήλυτος (N. T.)
proselyte
-ation -er -ess -ism
-ist(ic -ization -ize(r
unproselyte
προσθαφαίρεσις (Ptol.)
prosthaphaeresis
-etical *Astron.*
πρόσθεμα appendage
prosthema *Anat. Zool.*
πρόσθεν forwards
prosth-
arsenia *Conch.*
encephalon *Anat.*
odontia -ist *Dent.*
πρόσθεσις a putting to
prosthesis *Gram. Pros. Surg.*
προσθετικός adding
prosthetic *Surg.*
ally -ics -ist
πρόσθετος applied
Prostheta *Ent.*
προσθέων running forward
prosthe(*or* i)on *Anat.*
προσθήκη appendage
prostheca -al *Ent.*
πρόσθιος front part
prosthion(ic *Craniom.*
Prosthiostomum *Helm.*
-id(ae -oid
προσθο- Comb. of πρόσθεν
prostho-
branchia
lytic *Biol.*
triprosthomerous *Zool.*
προσκεφάλαιον a pillow
Proscephaladeres *Ent.*
προσκήνιον (Polybius)
proscenium *Arch.*
πρόσκοπος foreseeing
Proscoporrhinus *Ent.*

προσλαμβανόμενος (Plut.)
proslambanomenos
πρόσληψις an assumption
proslepsis *Phil.*
πρόσνευσις (Ptol.)
prosneusis *Astron.*
προσοδιακός (Heph.)
prosodiac(al(ly *Pros.*
προσόδιον processional
prosodion *Gr. Ant.*
πρόσοδος approach
prosodus -al *Spong.*
προσπελάτης approacher
Prospelates *Ent.*
πρόσταξις an arranging
prostaxia *Biochem.*
προστάς (Vitruv.)
prostas *Gr. Arch.*
προστάτης one who stands before and protects
opoprostatin *Prop. Rem.*
prostaden *Mat. Med.*
prostate *Anat.*
-a -ic(a
-prostate
ante anti
prostat-
algia *Path.*
auxe *Med.*
ectomy *Surg.*
elcosis *Med.*
eria *Ps. Path.*
ism *Ps. Path.*
itis -ic *Ps. Path.*
odynia *Med.*
oncus *Path.*
-prostatic *Anat.*
ante anti extra intra ischio peri pre pubo urethro vesico sub
-prostatitis
anti extra para peri
prostato-
cele *Path.*
cirrhus *Path.*
cystitis *Path.*
cystotomy *Surg.*
lith(us *Path.*
megaly *Med.*
meter
myomectomy *Surg.*
parectasis *Path.*
rrh(o)ea *Path.*
scirrhus *Path.*
tomy *Surg.*
toxin *Tox.*
vesiculitis *Path.*
vesical *Anat.*
πρόστερνος on the breast
Prosternodes *Ent.*
prosternum -al *Ent.*
προστομαῖον door-frame
prostomaion *Gr. Arch.*
προστόμιον (Poll.)
prostomium *Zool.*
-ial -iate
πρόστομος pointed
Prostomus *Ent.*
πρόστυλος (Vitruv.)
prostyle -os -ic *Arch.*
-prostyle
hexa mono pseudo tetra tri
πρόστυπος embossed
prostypus *Bot.*
προσυλλογισμός (Arist.)
prosyllogism *Logic*
-istic(al
προσφιλής grateful
Prosphilus *Ent.*

πρόσφυσις (Hipp.)
prosphysis *Path.*
προσφύω make grow to
prosphyodont *Zool.*
πρόσω onwards
Paraprososthenia *Pal.*
proso-
branch(ia *Conch.*
(ial)ism iata iate cline
c(o)ele -ia *Anat.*
demic *Med.*
detic *Med.*
diencephal(on -ic
gaster *Anat.*
gnathous *Anthrop.*
gyre -ate -ous *Zool.*
plasia *Histol.*
plasm plasy *Bot.*
plasty -ic *Bot.*
plax *Mol.*
poetical
pulmonate -a *Conch.*
pyle -ar *Spong.*
προσώδης stinking
Prosodes *Ent.*
προσῳδία an accent (Arist.)
prosody
-ial -ian -ist
προσῳδικός For προσοδιακός
prosodic(al(ly *Pros.*
προσωνομασία For παρωνομασία
prosonomasia *Rhet.*
προσωπεῖον a mask
prosopium *Anat. Ornith.*
-ial
Prosopius *Ent.*
προσωπίς (Diosc.)
Prosopis *Bot. Zool.*
προσωπο- Comb. of πρόσωπον
prosopo-
cephala *Conch.*
cera *Ent.*
conus *Ent.*
diaschisis *Surg.*
diplegia
graphy
latry
logy -ical -ist
meter
neuralgia *Path.*
paralysis *Path.*
plegia -ic *Path.*
rrheuma *Path.*
schisis *Terat.*
spasm(us *Path.*
sternodynia *Terat.*
thoracopagus *Terat.*
tocia *Obstet.*
προσωποληψία (N. T.)
prosopolepsy -ian
πρόσωπον the face
chamaeprosope -y
Dolichoprosops *Pal.*
erythroprosopalgia
hyperprosopon *Ich.*
leptoprosope -y
Loxoprosopon *Ent.*
Mesoprosop(on *Pal.*
mesoprosopon *Crust.*
Pachyprosop *Pal.*
proso-
cephala *Gastrop.*
pagus *Terat.*
prosop-
algia -ic *Path.*
androphila *Ent.*
antritis *Path.*
ectasia *Med.*
ite *Min.*

prosop- Cont'd
ogmus *Ent.*
oniscus *Ent.*
-prosopia
atelo lepto mega schisto
-prosopic *Anthrop.*
chamae lepto meso ortho
-prosopus *Ent.*
Crio Eury Oxy
-prosopus *Pal.*
Cheno Lopho Machaero
-prosopus *Terat.*
hetero mono schisto
προσωποποιία (Dion. H.)
prosopop(o)eia -ey *Rhet.*
-(o)eial -(o)eic(al
-πρόσωπος as in μικροπρόσωπος
-prosopous *Craniom.*
dolicho hypermega hypermicroilepto (meso)-mega ortho submega submicro
προτακτικός prepositive
protactic
πρότακτος put in front
Protactoclymenia *Pal.*
πρότασις that put before
Pachyprotasis *Ent.*
protasis *Gram. Pros. Rhet.*
προτατικός (Arist.)
protatic(ally
προτείνειν to hold out
Protenomus *Ent.*
Protinus *Ent.*
προτέμνειν to cut short
Protemnodon *Pal.*
πρότερος before
aproterodont *Herp.*
proter-
andry -ous(ly *Bot.*
anope *Path.*
anthous *Bot.*
proterical *Bot.*
protero-
base *Petrol.*
blastic -ese *Geol.*
chersis *Pal.*
glossa -ate *Herp.*
glyph(a -ic -ous *Herp.*
gynous -y *Bot. Zool.*
petalous *Bot.*
piloceras *Pal.*
Proterops *Ent.*
pterae *Ich.*
saur(us *Herp.*
-ia(n -id(ae -oid
sepalous *Bot.*
spongia *Biol. Zool.*
suchidae *Pal.*
there -ium *Pal.*
-iid(ae -ioid
thesis *Biol.*
tome *Zool.*
type(s *Morphol.*
zoic *Geol.*
-proterandry *Bot.*
eco phyto
-proterogyny *Bot.*
eco phyto
προτίμησις preference
protimesis
προτομή animal face; bust
Brachyprotoma *Pal.*
protome *Gr. Ant.*
Stenoprotome *Pal.*

προτρεπτικός instructive
protreptic(al
πρότυπον (Pliny)
protypon *Arch.*
προῦνον (Alex. Trall.)
diaprune *Pharm.*
plum
plumcot *Hort.*
plumist
Polyprunida(n *Prot.*
prulaurasin *Org. Chem.*
prunase *Biochem.*
prune
-asin -etin -etol *Chem.*
prunicyanin *Org. Chem.*
pruniferous & -iform
prunitrin *Org. Chem.*
prunoid(ea(n *Prot.*
prunol *Org. Chem.*
Prunophracta(n *Prot.*
προῦνος = προῦνον
prunus *Bot. Ceram.*
προφανής conspicuous
Prophanes *Ent.*
πρόφασις (Hipp.)
prophasis *Med.*
προφέρειν to present
aprophoria *Ps. Path.*
προφητεία (N. T.)
foreprophecy
propheciographer
prophecy(monger
prophesy
-iable -ier
postprophecy
προφήτης (Pindar)
archprophet
mimoprophet
prophet
ess hood ism ization ize less ly ry ship
prophetocracy
προφητικός (Philo)
mimoprophetic
prophetic
al(ity (al)ly alness ism o-
unprophetic(al(ly
προφορά utterance
homoeoprophoron *Rhet.*
προφορικός (Philo)
prophoric
προφυλακτικόν
prophylacticon *Med.*
προφυλακτικός (Galen)
prophylactic(al(ly *Med.*
prophylact- *Dent.*
odontia odontist
προφυλάσσειν to guard
prophylaxis *Med.*
-propylaxis *Med.*
leuko sero
πρόχειλος (Strabo)
prochilous
πρόχοος a jug (Iliad)
prochoos *Gr. Ant.*
πρόχρονος of former times
prochronic
-ism -ize
πρόχωμα a dam
Prochoma *Ent.*
προχώρησις a going forth
hyperprochoresis
prochoresis *Physiol.*
πρόχωσις a deposit made by water
prochosium *Phytogeog.*
προῳδός (Heph.)
proode *Gr. Odes*
πρύμνα stern
Aeprymnus *Zool.*
Hypsiprimnodon(tine
Hypsiprimnus *Mam.*
-inae -ine -oid

πρυμνησια stern cables
Prymnesium *Prot.*
πρυμνόν lower end
prymno-
desma *Ich.*
pteryx *Ent.*
rhopala *Ent.*
πρυτανεία (Dem.)
prytany *Gr. Pol.*
πρυτανεῖον (Herod.)
prytaneum *Gr. Pol.*
πρύτανις ruler (Pind.)
prytan(is ize *Gr. Pol.*
πρωθύστερον (Schol. Eur.)
prothysteron *Rhet.*
πρωί early
proicene *Geol.*
πρώιος precocious
proiogony *Biol.*
prospory *Bot.*
πρωιότης (Theophr.)
proi(*or* e)otia *Med.*
πρωκτο- Comb. of πρωκτός
procto-
cele *Path.*
clysis *Med.*
cneme -ic *Zool.*
coccopexy *Surg.*
colitis *Path.*
colonoscopy *Med.*
cysto- *Surg.*
plasty tome tomy
d(a)eum -eal *Emb.*
elytroplasty *Surg.*
logy -ic(al -ist
lopha *Ent.*
menia *Path.*
notus -id(ae -oid *Conch*
paralysis *Path.*
pexy *Surg.*
phanes *Ent.*
phobia -y *Med.*
plasty -ic *Surg.*
plegia *Path.*
polypus *Path.*
ptoma *Path.*
ptosis *Path.*
rrhagia *Path.*
rrhaphy *Surg.*
rrhea *Path.*
rrheuma *Path.*
scirrhus *Path.*
scope -y -ic *Med.*
sigmoidectomy *Surg.*
sigmoiditis *Path.*
spasm(us *Med.*
stenosis *Path.*
stomy *Surg.*
tome -y *Surg.*
toreusis *Surg.*
tresia *Surg.*
trete -us *Lizards*
trypes -id(ae -oid *Ent.*
valveotomy *Surg.*
-proctostomy *Surg.*
colo cysto ileo sigmoido uretero
πρωκτός anus; tail
archiproctum *Bot.*
Cryptoprocta *Mam.*
-id(ae -inae -ine -oid
cytoproct *Infus.*
Echinoprocta *Zool.*
endoproct *Helm.*
Euproctimyia *Ent.*
paraproctium *Anat.*
periproct(al ic *Zool.*
periproctitic *Path.*
Polyproctus *Porif.*
proct-
acanthus *Ent.*
agra *Path.*
algia -y *Path.*

proct- Cont'd
atresia -y *Path.*
ectasia *Med.*
ectomy *Surg.*
encleisis *Med.*
eurynter *Med.*
itis *Path.*
odynia *Path.*
oncus *Path.*
ucha -ous *Helm.*
-procta *Helm.*
A Ecto Endo Ento
-proctia *Path. Terat.*
a ankylo entero hemo
-proctitis *Path.*
colo para peri
-proctous *Zool.*
a echino ecto endo ento peri pseudo
-proctus *Ent.*
Labio Mega Physo Platy Tany
-proctus *Pal.*
Chauno Cornu Eu Helio Schizo Typhlo
proectoprocton *Polyzoa*
pseudoproct *Echin.*
sigmoidoproctectomy
πρῷρα prow
Dinoprora *Ent.*
Prorastomus -idae *Mam.*
Prorodon(idae *Infus.*
Zaprora -idae *Ich.*
πρωτ- Stem of πρῶτος
coracoprotacid *Anat.*
Diprotodon *Mam.*
-ont(ia id(ae oid)
hexaprotodont *Anat.*
metaprotaspis *Zool.*
Microprotopis *Crust.*
-id(ae -oid
Paraprotaspis *Tril.*
polyprotodont *Zool.*
ia id
prot-
acmon *Pal.*
actinium *Chem.*
agon *Chem.*
albic -inic *Biochem.*
albin -(in)ate *Biochem.*
albumose *Bot. Chem.*
alcyonacea(n *Zool.*
alcyonaria *Coel.*
amin(e *Biochem.*
ammida *Pal.*
amnion *Biol.*
amniota *Zool.*
am(o)eba *Prot.*
-an -ic -oid
amphirhin(e *Biol.*
andry *Bot. Zool.*
-ic -ism -ous(ly
anomalopia *Ophth.*
anthesis *Bot.*
anthocyan *Chem.*
archoides *Ent.*
argentum *Chem.*
argol *Chem.*
arthraster *Pal.*
-eridae -erinae
Aryan
ascineae *Fungi*
aspis *Tril.*
astacus -ine *Biol.*
aulopsis *Pal.*
axocrinus *Pal.*
axonia -ial *Morph.*
embryo(nic *Biol.*
encephalon *Anat.*
enchyma *Bot.*
encrinus *Pal.*
ephemeroidea *Pal.*
evangel(ion *Theol.*
ist ium
helminth(a -ic *Prot.*
helmis *Biol.*

prot- Cont'd
homo *Anthrop.*
hyalosomea(l *Oology*
ichnite *Pal.*
iode *Mat. Med.*
iodid(e *Chem.*
ioduret *Chem.*
ion *Chem.*
octin *Biochem.*
odont(a *Zool.*
oecium *Bryozoa*
olenus *Tril.*
one *Biochem.*
onta *Bot.*
onym
opin(e *Org. Chem.*
opsis *Ophth.*
ornis *Pal.*
ornoceras *Pal.*
orohippus *Pal.*
orosaurus -ia(n *Pal.*
orthoptera *Pal.*
ovum *Embryol.*
oxide(e -ate -ize *Chem.*
ungulate -a *Mam.*
ureter *Anat.*
yle *Phil.*
ylin *Mat. Med.*
Πρωταγόρας (Plato)
Protagoreanism *Phil.*
πρωταγωνιστής (Plut.)
protagonist
πρωτάρχης (Manetho)
protarch *Eccl.*
πρωτερική (Ath.)
proterical *Bot.*
πρωτεῖον first place
autoproteolysis *Chem.*
chloroproteinchrome
deproteinate
deproteinize -ation
Deproteobacteria
hyperproteosis *Diet.*
mycoprotein(iz)ation
oxyproteinic *Chem.*
prote- *Biochem.*
antigen ane ase ate atic ic id(in idogenous ose
-protease *Biochem.*
anti coli ecto leuco leuko lympho
-proteic *Biochem.*
alloxy chromoxy oxy xantho
-proteic *Biochem.*
chondro chromo erythro epi ferro gluco glyconucleo helico lacto lecitho myo nucleo phospho(ferro gluco) sulpho thyr(e)o
-protein *Biochem.*
aborto bacterio chondro chromo desamino ferro glyco(nucleo) helico hemo hemo(chromo) homo immun(o) iodo ion lacto lecitho lipo melano meta micro myco myo nitro nucleo(glyco) oleonucleo ovo paranucleo phospho(gluco) phycochromo pneumo sclero sulpho tebe thyr(e)o toxo tuberculo typho xantho
protein
aceous ate oid ous phobia uria
proteino-
chrome -ogen *Chem.*
therapy *Ther.*
proteo-
chemotropic *Bot.*

proteo- Cont'd
clastic *Biochem.*
fication *Bact.*
gens *Mat. Med.*
hydrolysis *Org. Chem.*
hydrolytic *Org. Chem.*
lipin *Biochem.*
lysis -e -in *Biochem.*
lytic *Biochem.*
metabolic -ism
peptic *Physiol.*
pexy -ic *Physiol.*
sere *Bot.*
synthesis *Org. Chem.*
therapy *Ther.*
toxin *Tox.*
-proteoid *Bot.*
homo hypo meso
-proteose *Biochem.*
deutero dys gluco hetero myo proto
proteosotherapy
proteosuria *Med.*
proteuria -ic *Med.*
tebeprotin *Biochem.*
xanthoproteinic
Πρωτεύς a sea god
Hemoproteus *Prot.*
Protea *Bot.*
-e(ac)eae -eaceous -ead -eales -eoid
Protean(ly
proteiform *Zool.*
Proteina *Rhiz.*
Proteinus -ae *Ent.*
proteo-
didelphys
fication *Bact.*
lepas *Crust.*
-id(ae -oid
lite *Petrog.*
morpha(n *Prot.*
morphic *Bact.*
myxa(n *Prot.*
saurus *Ich.*
soma -al *Biol. Spor.*
Proteus *Amphib. Myth.*
Proteus *Herp.*
-eida(n -eidae -eidea(n -eoid
Protonopsis *Herp.*
-id(ae -oid
πρώτιστος the very first
protist(a(n -c *Biol.*
protistoid *Cytol.*
protisto-
graptus *Pal.*
logy -ist *Biol.*
πρωτο- Comb. of πρῶτος
amphiprotostele *Bot.*
archprotopope
biproto- *Anat.*
ventral vertebral
Euprotoscalpellum *Pal.*
glucoprotocatechuic
interproto- *Med.*
metamere plasmic plastic vertebral
intraprotoplasmic *Bot.*
methylprotocatechuic
ovoprotogen *Biochem.*
proto-
abbaty
actinium *Chem.*
albumen *Chem.*
alkaloid *Org. Chem.*
apostate
Arabic
architect
Aryan
ascineae
Babylonian
basidiomycetes -ous
benthon *Bot.*
berberine *Org. Chem.*
beris *Pal.*

proto- Cont'd
biont *Bot.*
bishop
blast *Cytol.*
blastic *Embryol.*
blastoderm
blattiniella *Pal.*
blattoidea *Pal.*
botanist *Bot.*
boysia *Pal.*
branchiate -a *Pelec.*
broch *Cytol.*
brochal *Gynec.*
bromide *Chem.*
busycon *Pal.*
canonical
carbide
carbohydrate *Cytol.*
carinate *Ornith.*
caris *Crust.*
caryon *Cytol.*
caseose *Chem.*
catechuic *Org. Chem.*
-ualdehyde
Caucasic
caulome *Bot.*
caulon(idae *Polyps*
Celtic
cephalopod
ceras -atidae *Pal.*
cercal *Biol.*
cere *Zool.*
cerebron -al *Ent.*
cerebrum *Anat.*
chemist(ry
chlorid(e -uret *Chem.*
chlorophyl(l(ine
chorda(ta -ate *Zool.*
chrome *Biochem.*
chromosome *Cytol.*
chronicler
chrysictinae *Pal.*
chrysis *Pal.*
cimex *Pal.*
cirripedia *Pal.*
cladous *Bot.*
cladus *Spong.*
clastic *Biochem. Geol.*
cneme *Zooph.*
coccus *Algae*
-aceae -aceous -al(es -idae -oid(eae
coelom(a *Zooph.*
ata ate ic
collenchyma *Bot.*
conch(al -ial *Biol.*
cone(ul)e -id *Mam.*
Corinthian
corm(al *Bot.*
cranium *Ent.*
curarin *Tox.*
cyanid(e *Chem.*
derm *Histol.*
derma -state *Bot.*
dermium *Fungi*
-aceae -ieae
devil
dichobune *Pal.*
dinifer(idae *Prot.*
dipnoan *Ich.*
discineae *Fungi*
dochae *Phytogeog.*
dolium *Pal.*
dome *Crystal.*
doric *Arch.*
dynastic *Hist.*
Egyptian
Elamite
elastose *Chem.*
element *Chem.*
ephippium *Crust.*
epiphyte -ic *Bot.*
erythrocyte *Cytol.*
Etruscan
fluorine *Chem.*
foraminifer
forester

proto- Cont'd
gamophyta *Bot.*
gamy -ous *Biol.*
gaster gastric *Emb.*
gasteropod
gelatose
gen *Med.*
genid(e *Chem.*
genesis *Biol.*
genetic *Biol.*
gin(e *Petrol.*
globulose *Chem.*
god
gonidium *Bot.*
gonocyte *Bot.*
gonocyte *Cytol.*
gonoplasm
gospel
gram
grammoceras *Pal.*
graph
Greek
groomship
gyny -ous *Bot. Zool.*
gyrodactylus *Helm.*
hadrome *Bot.*
Hellenic
hematoblast *Cytol.*
hemicryptophytes
hemiptera *Pal.*
heresiarch
hippus *Pal.*
history -ian -ic
human
hydra *Hydr.*
hydrogen *Chem.*
ideal
iodid(e *Chem.*
Ionic *Arch.*
justiciaryship
karyon *Bot.*
kionoceras *Pal.*
kosin *Chem.*
lampas *Pal.*
lemur *Pal.*
lepidoptera *Ent.*
leptome *Bot.*
leukocyte *Cytol.*
lichas *Pal.*
lichesteric *Org. Chem.*
limulus *Pal.*
lithic -ite *Anthrop.*
lithionite *Min.*
lithoplasm *Min.*
log(ue y ic *Biol.*
loph *Dent.*
lysis *Org. Chem.*
magnate
mala(n -ar *Ent.*
Malay
mantis *Ent.*
Mark Matthew
mecoptera *Pal.*
Mede
medicus *Old Med.*
meristem *Bot.*
merit(e -ic *Protozoa*
meryx *Pal.*
mesal *Ent.*
metal
metaphrast
meter *Ophth.*
metrocyte *Cytol.*
microcotyle *Helm.*
monadina *Bact.*
monas *Prot.*
Mongol
morph(ic *Bot.*
mutilla *Pal.*
mycelium *Cytol.*
Mycenean
myces -etaceae *Fungi*
myosinose *Chem.*
myxa *Bot.*
myxoid *Biol.*
natural
nauplius *Embryol.*

proto- Cont'd
necrodes *Ent.*
negro
neideres *Pal.*
neme -a(l -atal -atoid
nemertini *Nem.*
nephridium
nephron -os -ic
neuretus *Pal.*
neuron *Neurol.*
nitrate *Chem.*
nontronite *Min.*
notator
novelist
nucleate -a *Zool.*
nuclein (T. N.)
organism *Biol.*
ornithoid *Zool.*
palaeaster *Pal.*
papaverine *Org. Chem.*
paraffin *Org. Chem.*
parent
pathic *Psych.*
patriarchal
pattern
pauropus
pectin *Biochem.*
pelecypod
pepsia
perlidae *Ent.*
phloem *Bot.*
phocaena *Pal.*
Phoenician
phosphide
phrynus *Pal.*
phyceae *Pal.*
phyll(um *Bot.*
phyllin(e *Org. Chem.*
pilio *Pal.*
plasm(a
al(at)ic ist
plast(id *Morph.*
plastine *Phys.*
plot
pod(a ite itic *Crust.*
podium -ial *Conch.*
pope *Gr. Ch.*
porphyrin *Biochem.*
primitive
prism *Crystal.*
proteose *Chem.*
protestant
psyche *Phil.*
psychic *Biol.*
pter(e *Ich.*
an i idae ous us
pteridophyta
pterygian *Ich.*
ptychopsis *Pal.*
ptychus *Pal.*
pyramid
rebel
Renaissance
rrhopala *Ent.*
sal *Mat. Med.*
salt
sclerenchyma *Bot.*
scriniary
seismograph
Semitic
silicic *Inorg. Chem.*
sinner
siphon(ula *Conch.*
siphonogamic *Bot.*
siren *Pal.*
social
solanus *Pal.*
solution
somite -ic *Zool.*
sorex *Pal.*
spasm *Path.*
spermatoblast *Emb.*
sphaeric *Geol.*
sphargis *Pal.*
sphyraenidae *Pal.*
spira *Pal.*
spondyli *Ich.*

proto- Cont'd
spongia(n -idae
spore *Bot.*
sporophyte *Bot.*
stapedifera *Zool.*
stega -idae *Pal.*
stele -ic -y *Bot.*
stigma *Pal. Bot.*
stoma(l *Biol.*
strophes *Bot.*
style *Anat. Mam.*
sulph- *Chem.*
ate id(e uret
sulpuga *Pal.*
symphyla(r *Ent.*
syngnatha -ous *Ent.*
synthetic *Bot.*
syphilis *Path.*
systematic
taxites *Algae.*
tergite *Ent.*
thallogamae *Bot.*
thallus *Bot.*
theca -al *Polyps*
theme *Philol.*
there -ia(l -ium *Mam.*
thorax *Ent.*
toxin -oid *Tox.*
tracheate -a *Ent.*
traitor
troch(al *Zool.*
troph(ic -ism -y *Bot.*
typic
typographer
tyrant
veratr(id)in(e *Chem.*
vermiculite *Min.*
vertebra -al *Embryol.*
vertebrate -a *Zool.*
vestiary
xylem *Bot.*
zeuga -idae *Pal.*
zeugma
zo- *Zool.*
a(n (an)al ic
zoacide *Med.*
zoagglutinin *Biochem.*
zoal *Bot.*
zoary
zonea(n *Crust.*
zonite *Ent.*
protozoo-
cidal *Zool.*
logy -ist
phag(e *Cytol.*
philous *Bot.*
zygote *Biol.*

πρωτόγαλα (Galen)
protogala *Obstet.*

πρωτογενής primeval
protogeneous
protogenes *Biol.*
-al -ic
protogenist

πρωτόγονος first born
Protogonos
protogonous

πρωτοδίακονος (Eust.)
protodeacon
πρωτοκήριος
Protocerius *Ent.*
πρωτόκολλον (Justinian)
protocol
ar ic ist ize(r
πρωτόμαρτυρ (Epiph.)
protomartyr
πρωτομύστης (Achill. Tat.)
protomist *Eccl.*

πρῶτον Neut. of πρῶτος
proton *Embryol.*

πρωτονοτάριος (Phot.)
prot(h)onotary
-ial -iat ship

πρωτοπάθεια (Galen)
protopathia -y
πρωτόπαλος first to fight
Protopalus *Ent.*
πρωτοπαπᾶς (Porph.)
protopap(p)as *Gr. Ch.*
πρωτόπλαστος first-formed
protoplast(a ic *Prot.*
πρωτοπρεσβύτερος (Socr.)
protopresbyter *Eccl.*

πρῶτος first
carb(o)isopropoxy *Chem.*
carbopropoxy *Org. Chem.*
cycloprop- *Org. Chem.*
anol ene inone
diisopropyl *Chem.*
oxalic
diprop- *Org. Chem.*
aesin argyl(ate
dipropyl *Org. Chem.*
amin(e ketone
isopral *Mat. Med.*
isoproperyl *Org. Chem.*
isopropyl *Chem.*
acetic amine
ene toluene
nitropropiol *Chem.*
nucleoprotamin(e
oxypropylene *Mat. Med.*
oxyprotsulphonic
prop-
aldehyde *Org. Chem.*
ane -ol -one *Chem.*
anolysis *Org. Chem.*
argyl *Org. Chem.*
amine ate ic
enoic -ol -one *Chem.*
enyl *Org. Chem.*
amine ic idene
idene *Org. Chem.*
ine -yl
onal *Mat. Med.*
oxy- *Org. Chem.*
propio- *Org. Chem.*
betaine in nitril(e
phenone
propiolic -ate *Chem.*
propione *Org. Chem.*
-al -amid(e -ate -ic -in
-propionic *Chem.*
guanido hydroxy ortho
oxy per silico sulfo
thioamino
propionyl *Org. Chem.*
phenetidin *Mat. Med.*
proposote *Mat. Med.*
propyl *Chem.*
acetate acetic acetylene amin(e atea tion
benzene ene ic idene
glucosamin(e
Protaceratherium *Pal.*
protal *Med.*
protan (T. N.)
protar *Photog.*
Protasolanus *Pal.*
protenema *Mosses*
quinopropylin *Chem.*
silicopropane *Chem.*
tetrapropionate *Chem.*
trichloropropane *Chem.*
tripropionin *Org. Chem.*

πρωτοσπαθάριος (Porph.)
protospathaire
protospatharius
πρωτότυπον (Poll.)
prototype
-al -ic(al(ly -on -y
prototyp-
embryo -onic *Biol.*
πρωτόφυτος first-born
protophype *Bot.*
-a -ic

protophytology
πταίρειν to sneeze
ptaeroxylon *Bot.*
πταρμική (Diosc.)
Ptarmica *Bot.*
πταρμικός (Hipp.)
ptarmic(al *Med.*
πταρμός sneezing (Hipp.)
ptarmus *Med.*
πτελέα the elm (Iliad)
Ptelea *Bot.*
ptelea -ein *Org. Chem.*
pteleiform *Anthrop.*
pteleo(r)rhin(e *Craniol.*
-πτερα as in δίπτερα
τετράπτερα (Arist.)
-ptera *Ent.*
Aniso Anommato
Aphani(*or* o) Archi
Brachy Bucephalo
Coscino Dermato
Dictyo Diplo Drepano
Elytro Encho Ephemero Euortho Euplex-(*or* c)o Gono Gripo
Gymno Haltico Hemi
Hetero Homalo Iso
Lepido(scio) Leucophoro Lipo Loncho
Macrolepido Meco
Microlepido Nedino
Neolepido Neuro(ortho) Ortho Oxystylo
Palaeo(dictyo hemi
lepido) Phanero Phylo
Pleco Plecto Protolepido Psegmo Pseudoneuro Psilo Rhadino
Rhip(id)o Scalaeo
Soleno Spheno Stego
Strepsi Stylo Thallo
Thri Thysano Trapezo
Tricho Tromo Ulo
Xanio Xantho Xero
Zero Zygo
-ptera *Ornith.*
Chelido Colleto Croteo
Senio Taenio
-ptera *Pal.*
Emphylo Mecyno Prochoro Protohemi Protomeco Protortho
Sphaero Syntono
πτέρινος feathered
Pterinea *Pelec.*
Pterineinae *Pal.*
πτερίς (-ίδος) a fern
Allopterites *Pal.*
botryopterid(ae *Bot.*
Cliopteria *Pal.*
coenopterid *Pal.*
Eriopterites *Pal.*
Eusphenopteris *Biol.*
hydropterid(e)ae *Bot.*
Leiopterinae *Biol.*
lepidopterid *Bot.*
mesopteridetum
Polypteriocarpus *Pal.*
Propteridophyta *Bot.*
Protopteridophyta
pterampelid *Bot.*
ptereosere *Bot.*
Pteriacea *Mol.*
pterid *Bot.*
eae eous etum oid oma
pteridichnites *Pal.*
pterido-
graphy -ia
logy -ical -ist *Bot.*
mania
pharynx *Helm.*
philism -ist
phylla *Pal.*
phyte -a -ic -ous *Bot.*
sperm(ae *Bot.*
-al -ic -ous

pterido- Cont'd
spermaphyta -ic *Bot.*
telus *Ent.*
theca *Pal.*
pterigraphia -y *Bot.*
pterigraphilist *Bot.*
Pteris -oid *Bot.*
-pteris *Bot.*
Caryo Caulo Cerato Cyclo Cysto Dicrano Dictyo Glosso Gonio Megalo Neuro Odonto Ornitho Peco Phego Pseudopeco Ptycho Rachio Schizo Scoleco Stemmato Struthio Taenio Zygo
-pteris *Pal.*
Aletho Ana Aphyllo Archaeo Dryo Eo-spermato Eremo Lacco Leseuro Lino Loncho Microphyllo Neotto Palaeo Pteryo Rhaco Sageno Spheno Stauro Stereo
pteritannic *Org. Chem.*
-pteroid *Bot.*
dryo peco spheno taenio zygo
Pteropsida *Bot.*
xeropteridetum *Bot.*
zygopterid(ean *Bot.*
πτέρνα the heel
pterna *Ornith.*
-pterna *Pal.*
Lito Mega Platy
pternalgia *Med.*
-pternodus *Pal.*
A Micro
πτερο- Comb. of πτερόν
chiroptero- *Bot.*
philae -ous
Clastopteromyia *Ent.*
lepidoptero
logy -ical -ist
philae *Bot.*
neuropterology -ical *Ent.*
orthopterology *Ent.*
-ical -ist
ptero-
bates *Ent.*
bdella *Helm.*
bothris *Ent.*
branchia *Conch. Helm.*
-iate -ious
callis *Ent.*
cardiac *Crust.*
carpin *Org. Chem.*
carpus -ous *Bot.*
carya *Bot.*
caulon -ous *Bot.*
cephala *Zool.*
cera -os *Conch.*
cerian *Geol.*
chelidon *Ornith.*
chilus *Ent.*
cles *Ornith.*
-etes -id(ae -oid
clomorphae -ic *Ornith.*
coccus *Bot.*
colus *Ent.*
coma *Ent.*
coptus *Ent.*
ctenus *Ent.*
cymba(ta -ata *Spong.*
cynes *Mam.*
dactyl(e -us *Herp. Pal.*
i(an ic id(ae oid ous
dicera *Ent.*
dina -idae *Zool.*
genius *Ent.*
glanis *Ich.*
glossus *Ent. Ornith.*
-al -in(e
gonus *Bot.*

ptero- Cont'd
gramma *Ent.*
grapher -y -ic(al
lasia *Ent.*
lepis -idae *Pal.*
lichas *Pal.*
lite *Min.*
logy -ic(al *Ent.*
loma *Ent.*
lophia *Ent.*
morpha *Mites*
mys *Mam.*
nepionites *Pal.*
paedes -ic *Ornith.*
pappi *Ornith.*
paria *Pal.*
pegum -al -ous *Ent.*
phryne *Ich.*
phyllum *Pal. Bot.*
plateae -inae *Ich.*
plegistic
podium -ial *Conch.*
poropterus *Ent.*
ptochus *Ornith.*
-id(ae -oid
rhine -a *Ornith.*
saur(ia(n -idae *Herp.*
spermum -ous *Bot.*
spondylus *Pal.*
spore(s -a *Bot.*
stichites *Pal.*
stichus *Ent.*
stigma(l -atic(al *Ent.*
theca *Ent. Conch.*
-id(ae -oid
thorax *Ent.*
trichina *Arach.*
trachea *Mol.*
eacea -eidae
xanium *Ent.*
zamites *Pal. Bot.*
πτερόν feather; wing. See -πτερα, πτερο-, -πτερος
acanthoptere -an *Ich.*
Actinopteri -an *Ich.*
Actinopteria *Pal.*
Anarthropteri *Ich.*
Arthropteropsis *Ent.*
-id(ae -oid -ous
Balaenoptera *Mam.*
-id(ae -inae -ine -oid
Bathypterois -idae *Ich.*
Beloptera *Conch.*
-id(ae -oid
belopteron *Anat.*
Brachypterae -es -i
Callospilopteron *Ent.*
Cephaloptera *Ich.*
-ae -id(ae -oid
Ceratoptera -ina *Ich.*
chaetopterin *Chem.*
Chaetopterus -oid *Helm.*
chiropter(a(n *Mam.*
Colopterus -idae
ctenodipter- *Ich.*
idae inae ini oid
Ctenopterus *Pal.*
cyclopter- *Ich.*
id(ae ina ine oid(ea(n oidae oidei
cyclopterin *Chem.*
Cynopterus *Mam.*
Dactylopterus *Ich.*
-id(ae -oid(ea(n
dermatoptere -an *Ent.*
diaphano-
pterites *Zool.*
pteroidea *Pal.*
dictyopteran *Ent.*
diplopter- *Ent.*
idae inae ine oidea
Diplopterus *Ornith.*
docoptere -i *Ich.*
Dollopterus *Pal.*

Drypterus *Ich.*
-id(ae -oid
Eopsilopteron *Pal.*
epiptere *Ich.*
epipteric *Anat.*
Eupterotidae *Ent.*
Eurypterus *Crust.*
-id(ae -ida(n -ina(e -ine -oid(ea
Gasteropteron *Conch.*
-id(ae -oid
Gonopteridae *Ent.*
gyropter *Arts*
Hapalopteroidea *Pal.*
helicopter -re *Arts*
Helipterum *Bot.*
hemipter *Ent.*
al an ist on
Hemipteridae *Ich.*
hemipteroid(ea *Pal.*
Hemitripterus *Ich.*
-id(ae -inae -oid
heteropter(an *Ent.*
Hoplopterus *Ornith.*
hypopterate *Bot.*
Hypopteron -al *Ornith.*
intrapterion *Anthrop.*
lepidopter *Ent.*
al an er ist
lepidopteric *Chem.*
leucopterin *Biochem.*
Lonchopteris *Ent.*
-id(ae -oid
lysopter(i *Ich.*
Machaeropterus *Ornith.*
macrolepidopter(ist
Malacopteri *Ich.*
Malapterurus *Ich.*
-id(ae -ina -ine -oid
Mecynopteridae *Pal.*
megachiropter(a(n *Mam.*
Megaloptera *Bot.*
Megaptera *Mam.*
-inae -in(e
Megapterites *Pal.*
Mesohemipteron *Pal.*
mesoparapteral -on -um
metaparapteral -on *Ent.*
Microchiroptera(n *Mam.*
microlepidopter(an ist
Micropteres *Bot.*
Mixopterus *Pal.*
monopterid(ae -oid *Ich.*
nanopterum *Ornith.*
neuropter *Ent.*
al an ist oid(ea on
neurorthopter(an
notopterid(ae -oid *Ich.*
Onychopterus *Pal.*
Opisthopterae *Ich.*
ornithopter *Mech.*
Ornithopterus *Herp.*
-a -id(ae -oid
orthopter *Ent.*
al an oid(ea on
orthopter *Mech.*
palaeodictyopteran *Ent.*
parapteral *Ent. Ornith.*
-on -um
phaneropterid(ae *Ent.*
philopterid(ae -oid *Ent.*
Physaloptera *Helm.*
pimelapter- *Ich.*
id(ae inae oid
Plagopterinae *Ich.*
Platyptera *Ich.*
-id(ae -oid
plecopter(an *Ent.*
plectopter *Ent.*
Plectropterus *Ornith.*
-id(ae -inae -in(e -oid
Pleuroptera *Mam.*
Plociopterus *Ent.*
podopter(a *Bot.*
proparepteral -on *Ent.*
Propterodon *Pal.*
Proteropterae *Ich.*

protopter(e *Ich.*
i idae
pseudoneuropter(an *Ent.*
Pseudophacopteron *Ent.*
Pseudopterodon *Pal.*
ptera *Craniom.*
Pteracantha *Ent.*
Pteraclis -eidae *Ich.*
Pteranodon *Herp.*
-ont(es ia id(ae oid)
pterapophysial *Anat.*
Pteraspis *Ich.*
-idian -idid(ae -idoid
Pteraster(id(ae -oid
pteratus *Bot.*
ptere -eal *Zool.*
pterergate *Ent.*
Pterichthyomorphi *Ich.*
Pterichthys *Ich.*
-yid(ae -yoid
pteridium
Pteria -iid(ae -ioid
pterion *Craniom.*
pteriplegistic
Pterodon *Pal.*
pteroid *Zool.*
Pteromalus *Ent.*
-idae -inae -ine
pteron *Arch. Archaeol. Craniom. Spong.*
Pteronidia -iidae *Pal.*
Pter(on)ura *Mam.*
-pterus *Ent.*
Archartho Cymato Delo Diastello Hyalo Leptino Mado Peltarthro Philo Sclero Scolo Scuto Semano Sphaero Steno Strongylo Temno Thyreo Tomo Tropido Uro Zono
-pterus *Ich.*
Ambly Cyclo Dactylo Deca Dory Geny Hadro Hemi(tri) Mono Nemi Noto Opistho Pimele Plago Pro Proto Tetragono Trachy Xeno
pteryla -ium *Ornith.*
pterylo *Ornith.*
graphy -ic(al(ly
logy -ical
pterylosis
Ptilopteri *Ornith.*
Rhagnopteri *Ich.*
Rhinoptera *Ich.*
rhipipter(an *Ent.*
Rhombopteria *Pelec.*
rupopteral *Anat. Herp.*
Sciuropterus *Mam.*
strepsipteral -an *Ent.*
Sympterura *Pal.*
Sypharopteroidea *Pal.*
Taenioptera *Ornith.*
-inae -in(e
Tarsopterus *Pal.*
Tetragonopterinae *Ich.*
Thysanopther(an *Ent.*
Tomopteris *Helm.*
-id(ae -oid
Trachypterus *Ich.*
-id(ae -oid
trichopter(an *Ent.*
Trochalopteron
uropteran *Ent.*
xanthopterin *Biochem.*
Xiphidiopterus *Ornith.*
zygopterid(es *Ent.*
πτερόπους wing-footed
Archaeopteropus *Pal.*
pterope -us *Mam.*
-pod(al id(ae oid ous)
pteropod(e -a(n *Conch.*

-πτερος as in δίπτερος
-pterous *Bot.*
aniso epi hexa mono penta podo tri
-pterous *Ent.*
aphani(*or* o) brachy dermato dicho euplex-(*or* c)o gymno hemi hetero homalo hyalo iso lepido macrolepido meco microlepido neuro (neur)ortho phylo pleco plecto pseudoneuro rhip(id)o stego strepsi thysano tricho
-pterous *Zool.* (Misc.)
acantho actino anarthro cephalo chiro cyclo dactylo diplo doco hexa iso lepto lyso malaco megachiro microchiro ornitho pachy panto proto
πτεροφόρος winged
pterophore *Ent.*
-a -id(ae -inae -oid -us
-pterophora
Gastero Stomato
πτερυγ -Stem of πτέρυξ
archaeopteryg- *Pal.*
id(ae oid
brachypteryg- *Ornith.*
inae ine
coniopteryg- *Ent.*
idae oid
Diplopteryga -ous *Ent.*
Glyphipterygidae *Ent.*
macropterygid(ae
micropteryg- *Ent.*
id(ae oid
odontoperyg- *Ornith.*
id(ae oid
Odontopterygia *Pal.*
Palaeochiropterygidae
palapteryg- *Ornith.*
idae inae in(e
platypteryg- *Ent.*
id(ae oid
pteryg-
ostium *Ent.*
ura -ous *Crust.*
trichopteryg- *Ent.*
id(ae oid
urapteryg- *Ent.*
id(ae -oid
πτερύγιον Dim. of πτέρυξ
basipterygioid *Ich.*
chiropterygian -ious
Crossopterygidae *Ich.*
Dipterygii -ian *Bot.*
Hypopterygei *Bot.*
-iaceae
Ichthyopterygia(n *Herp.*
loxopterygin(e *Chem.*
Loxopterygium *Bot.*
micropterygious *Zool.*
monopterygious *Ornith.*
Onychopterygia *Ent.*
pteryg- *Anat. Ent. Surg.*
ial iate ion ium
-pterygia *Ich.*
Acantho Actino Crosso Rhipido
-pterygial *Biol. Zool.*
archi basi inter meso meta pro
-pterygian *Ich.*
acantho actino chondro crosso deca dermo di malaco mon pleuro proto rhipido xeno
-pterygii *Ich.*
Acantho Actino Chondro Crosso Deca Dermo Di Ennea

pterygii- Cont'd
Gastero Malaco Mono
Osteo Penta Pleuro
-pterygious *Ich.* Xeno
acantho actino chondro crosso deca malaco
-pterygium *Ich.* osteo
basi crosso meso meta
mixi ptycho stylo
-pterygium *Med.*
archi chiro pimelo
pseudo symblepharo
sym
-pterygium *Zool.* (Misc.)
ichthyo myxo pro
pterygiophore *Ich.*
pterygium *Bot.*
Sauropterygia(n *Zool.*
Trichopterygia(n *Zool.*
Uropterygius *Ent.*

πτερύγινος winged
pterigynus *Bot.*

πτερυγο- Comb. of πτέρυξ
palatopterygoquadrate
pterygo-
blast *Ich.*
branchiate *Conch.*
faceting
genea *Ent.*
lepis *Pal.*
malar
mandibular *Ornith.*
maxillary *Anat.*
metopinae *Pal.*
palatal -in(e *Anat.*
pharyngeus *Anat.*
-eal -ean
phore *Med.*
podium *Ich.*
pous *Bot.*
pteris *Pal.*
quadrate
spermous *Bot.*
sphenoid *Anat.*
spinous -osus *Anat.*
staphyline -us *Anat.*
stome -ial -ian *Crust.*
trabecular *Crust.*

πτερυγοειδής (Galen)
pterygoid *Aero. Anat.*
al ean eus
-pterygoid *Anat.*
ecto ento hemi inter
palato quadr(at)o salpingo spheno
-pterygoid *Zool.*
epi meso meta
-pterygoideus *Anat.*
ecto ento

πτερυγώδης = πτερυγοειδής
pterygode -a *Ent.*

πτερύγωμα (Galen)
pterygoma *Med.*

πτερυγωτός winged
pterygote -a *Ent.*
pterygot-
idae *Pal.* us *Crust.*
-pterygota -ism -ous
A Ana endo exo
-pterygote -ic
endo exo

πτέρυξ a wing
Pteryx *Ent.*
-pteryx -πτερυξ as in μικροπτέρυξ
-pteryx *Ent.*
Aniso Charto Conio
Glyphi Gone Gyna
Homoeo Meno Micro
Oulo Platy Prymno
Rhago Rhino Scia
Thyrido Tricho Ura
-pteryx *Ich.*
Di Hoplo Za
-pteryx *Ornith.*
a Aph(an)a Brachy
Eurya Macro Odonto
Pala Pseudhemi
Stelgido Tetra
-pteryx *Pal.*
Anomalo Archaeo Elo
Lao Palaeochiro Pesso
Podo
Saccopteryx *Mam.*

πτέρωμα (Vitruv.)
pteroma *Arch.*

πτερωτός feathered
Diplopterotesta *Pal.*
pterotic *Zool.*
Pterotoceras *Pal.*
Pterotus *Ent.*

πτηνο- Comb. of πτενός
Caloptenobia *Ent.*
pteno-
dera *Ent.*
glossa -ate *Conch.*
lasia *Pal.*
phytia *Phytogeog.*
plax -acidae *Zool.*
pleura -al *Mam.*
psila *Ent.*

πτηνοθαλής deciduous
ptenothalium *Phytogeog.*
-ophilus -ophyta

πτηνός volatile
Caloptenus *Ent.*
el(a)eopten(e *Chem.*
oleopten(e *Chem.*
Ptenidium *Ent.*
stearoptene *Chem.*

πτηνόφυλλος
ptenophillium *Phytogeog.*
-ophilus -ophyta

πτῆσις flight
Isepipteses -ial *Ornith.*

πτιλο- Comb. of πτίλον
Pseudoptilophyllum *Pal.*
ptilo-
cercus cerque *Mam.*
ceroides *Ent.*
crinus *Pal.*
dactyla *Ent.*
doxa *Ent.*
genesis
geonys *Ornith.*
-atid(ae -atinae
-atin(e -atoid
lite *Min.*
mylacris *Pal.*
paedes -ic *Ornith.*
phyton *Pal.*
pteri *Ornith.*
rhis
sphen *Ent.*
ptylo-
cheles *Crust.*
-id(ae -oid

πτίλον down (of birds)
Anthoptila -id(ae *Zooph.*
Archaeoptilites *Pal.*
clinoptilolite *Min.*
coleoptile -um *Bot.*
Echinoptilium *Zool.*
endoptile *Bot.*
exoptile *Embryol.*
Glossiptila -ina *Ornith.*
Glossoptila -inae -ine
Heteroptilus *Crust.*
Holoptilus -idae *Ent.*
Homaloptila *Ent. Pal.*
Hydroptila *Ent.*
-id(ae -oid
hypoptilum -ar *Anat.*
Leptoptila -us *Ornith.*
Lioptilornis *Ornith.*
macroptilus *Bot.*
mesoptile *Ornith.*
microptilus *Bot.*
neossoptile *Ornith.*
Omoptilus *Pal.*
Oxynoptilus *Ent.*
Panyptila *Ornith.*
Pechyptila *Ent.*
Phalaenoptilus *Ornith.*
Polioptila *Ornith.*
-inae -in(e)
Proboloptila *Ent.*
Pseudoptilops *Ent.*
Ptilichthys *Ich.*
-yid(ae -yoid
ptilinum *Ent.*
Ptilium *Ent.*
Ptilodus *Pal.*
ptilono-
pus -inae *Ornith.*
rhynchus *Ornith.*
-idae -inae -in(e
Ptilotis *Ornith.*
Rhabdoptilidae *Pal.*
Semotilus *Ich.*
teleoptile *Ornith.*
trichoptile -ar *Ornith.*
Zonoptilus *Ent.*

πτίλωσις (Galen)
ptilosis *Ornith. Path.*
trichoptilosis *Path.*

πτιλωτός winged
Ptilota *Ent.*

πτισάνη peeled barley
ptisan(ery *Med.*

Πτολεμαικός (Strabo)
Ptolemaic(al

Πτολεμαῖος Ptolemy
Ptolemaean
Ptolemaid *Cosmog.*
-aism -aist

πτυαλίζειν (Hipp.)
ptyalize

πτυαλισμός (Hipp.)
ptyalism *Med.*
-ptyalism *Med.*
glyco hypo melito
oligo

πτύαλον spittle
melitoptyalon *Med.*
ptyal-
a(*or* o)gog(ue -ic *Med.*
ectasis *Med.*
in ose *Chem.*
inogen *Chem.*
ptyalo-
cele *Tumors*
genic *Med.*
lith(iasis *Med.*
rrhea *Med.*

πτυάς a serpent (Galen)
ptyas *Herp.*

πτύγμα a thing folded
ptygmatic *Geol.*
ptygmatis *Gastrop.*

πτύγξ eagle-owl (Arist.)
?Phenacoptygnia *Pal.*
Ptynx *Ornith.*
?Scotiaptex *Ornith.*

πτύελον = πτύαλον
Eoptyelus *Ent.*

πτυκτός folded
Ptyctodus *Ich.*
-ontid(ae -ontoid

πτύξις a folding
Cryptoptyxis *Pal.*
ptyxis *Bot.*

πτύον winnowing fan
Deroptyus *Ornith.*
ptyocrinous *Cytol.*

πτύσις a spitting
albuminoptysis *Med.*
h(a)emoptysis *Path.*
-ic(al
plasmoptyse *Bot.*
plasmoptysis *Bact. Cytol.*
pseudohemoptysis *Med.*
pyoptysis *Path.*

πτύσμα spittle (Hipp.)
ptysm-
agog(ue *Med.*
ati(*or* o)schesis

πτύξ a fold, layer
Dasyptyx *Myriapoda*
Hapaloptyx *Crust.*
Omphaloptyx *Malac.*

πτυχ- Stem of πτύξ
Hemiptychus *Ent.*
mesoptychial *Herp.*
Oecoptychoceras *Pal.*
palaeoptychology
Protoptychopsis *Pal.*
Protoptychus *Pal.*
pseudoholoptic *Ent.*
ptych-
agnostus *Pal.*
atractus *Conch.*
-id(ae -oid
igene *Geol.*
itinae *Pal.*
odus *Ich.*
-ont(id(ae oid)
otis *Bot.*
ptycho-
carpus *Bot.*
cheilus *Ich.*
crinidae *Pal.*
deres *Ent.*
derus *Lizards*
laemus *Ent.*
lepis *Ich.*
paria *Tril.*
phaedousa *Pal.*
pleura(l
pteris *Bot.*
pterygium -ial *Ich.*
rhynchia *Pal.*
sperma *Bot.*
sphenodon *Pal.*
thyris *Pal.*
zoon *Lizards*
ptygodere -us *Herp.*
skepptychigene *Geol.*
Sternoptyx *Ich.*
-ychid(ae -ychoid

πτυχή = πτύξ
Aptychus *Conch. Pal.*
Ctenoptychius *Ich.*
Dyptichosteus *Pal.*
Holoptychius *Ich.*
-ian -iid(ae -ioid

πτύχιον Dim. of πτύξ
coeloptychium *Zool.*
Loboptychium *Porif.*
Mioptychia *Pal.*
Plistoptychia *Malac.*
-πτυχος as in τρίπτυχος
pentaptych *Art Eccl.*

πτυχώδης in folds
ptychode *Bot.*
Ptychodes *Ent.*

πτωκός timorous
Pteroptochus *Ornith.*
-id(ae -oid

πτῶμα a fall; carcass
ophthalmoptoma *Path.*
pathomain *Biochem.*
phosphoptomain(e
proctoptoma *Path.*
ptomaic *Chem.*
ptomaine(d -ic *Chem.*
-(a)emia *Med.*
otoxism *Tox.*
Ptomaphila *Ent.*
ptomatin *Path.*
ptomatopsia *or* -y *Med.*
ptoma(to)tropin(e *Chem.*
toxicomaine *Path.*
-πτωσία as in ἀδιαπτωσία
-ptosia *Path.*
aedoeo aorto entero
gastro hepa(to) hystero metro nephro
splanchno spleno staphylo ventro
-ptosia Cont'd

πτώσιμος fallen
Ptosima *Ent.*

πτῶσις a falling
aptosochromatism
enteroptotic *Path.*
-ptosis *Bot.*
antho carpo clado
phyllo
-ptosis *Path.*
aedoeo aorto archo
blepharo cardio ceco
ciono colpo cysto
elytro entero esophago
gastro(colo entero)
glosso hepa(to) hystero
irido kiono kystho-(pro) metro nephro-(colo) onycho ophthalmo orchido pano
phosphato phreno
procto pseudo pyloro
splanchno spleno-(nephro) staphylo
tarso thyro uvula(*or* o)
ventro viscero
ptosis *Path.*
-ed -ic
ptotic *Path.*

πτωτικός inflexible
anaptotic *Philol.*

πτωτός fallen
epiphytotic -isms *Bot.*
Homoeoptotus *Pal.*

πτωχο- Comb. of πτωχός
ptocho-
cracy
gony
logy

πτωχός beggarly
Paraptochus *Ent.*
Ptocadica *Ent.*

πτωχοτροφεῖον poor-house
ptochotrophia *Med.*

Πυανέψια (Plut.)
Pyanepsia *Ath. Fest.*

Πυανεψιών Oct.-Nov.
Pyanepsion *Gr. Cal.*

πυάνιον mixed pulse
Pyanisia *Ent.*

πυγ- Stem of πυγή
pyg-
aera *Ent.*
algia *Med.*
osteus *Ich.*
urus *Echin.*

πυγαῖος of the rump
Pygiopsylla *Ent.*

πύγαργος antelope; eagle
pygarg(ue us *Mam.*

πυγή the rump
Apygia *Brachiop.*
Ceratopygidae *Pal.*
Condylopyginae *Pal.*
cytopyge *Prot.*
dasypygal *Zool.*
dipygus *Terat.*
Discopyge *Ich.*
Dorypygella *Pal.*
epipygium *Ent.*
epipygus *Terat.*
Eurypyga *Ornith.*
-id(ae -oid(ea(n
Heteropygii -ian *Ich.*
Macropygia *Ornith.*
Megalopygid(ae *Ent.*
Odontopygia *Ent.*
Pachypygus *Crust.*
Pleuropygia(l *Conch.*
Pnoepyga *Ornith.*

-pyga *Ent.*
Campso Horato Plagio Psilo
pygal(e *Zool.*
-pygal *Anat.*
antero postero supra
-pyge *Ent.*
Euxantho Megalo Pycno Thrinco
-pyge *Pal.*
aniso dictyo skemmato
-pygus *Ent.*
Dicereo Disso Idio Spatho Trupheo Xantho
Sapyga *Ent.*
-id(ae -ites -oid
steatopyga *Physiol.*
-ia -ic -ous -y
stenopygium *Ent.*
sternopygus *Ich.*
-id(ae -oid
taeniopygia *Ornith.*
Xanthopygia *Ornith.*
πυγίδιον Dim. of πυγή
propygidium *Ent.*
Pygidiphorus *Ent.*
pygidium -ial *Ent.*
Pygidium *Ich.*
-ial -iid(ae -ioid
πυγμαιο- Comb. of πυγμαῖος
Pygmaeothrips *Ent.*
πυγμαῖος dwarfish
pigmy(weed
pygm(a)ean
pygmy
dom hood ism ship
πυγο- Comb. of πυγή
pygo-
branchia *Gastrop.*
-iata -iate -ious
caris *Crust. Pal.*
didymus *Bot. Zool.*
melus -es -ian *Terat.*
page -us *Terat.*
parasiticus *Terat.*
pe -us *Herp.*
-odid(ae -odoid(ea
pod(es *Ornith.*
-ine -ous
style -ed *Ornith.*
πυγοσκελίς (Hesych.)
Pygoscelis *Ornith.*
πυγοστόλος of long train
Pygostolus *Ent.*
πυδαρίζειν dance a fling
Pydaristes *Ent.*
πύελος trough, tub, vat
diastematopyelia *Med.*
nephropyeloplasty
pneumopyelography
pyel-
ectasis *or* -ia *Med.*
enephrosis *Path.*
itis -ic *Path.*
-pyelitis *Path.*
coli(cysto) encyo nephro uretero
pyelo-
cystitis *Path.*
cystostomosis *Surg.*
gram graph (y *Med.*
lithotomy *Surg.*
meter metry *Med.*
nephritis -ic *Path.*
nephrosis *Path.*
plasty *Surg.*
plication *Surg.*
scopy *Med.*
tomy *Surg.*
pyelon *Radiog.*
ureteroneopyelostomy
ureteropyelo- *Med.*
graphy (neo)stomy nephritis
πύησις (Arctae.)
pleuropyesis *Path.*
pyesis *Path.*
Πυθαγόρας (Herod.)
Pythagorite
Πυθαγόρειος (Arist.)
Neo-Pythagorean(ism
non-Pythagorean
Pythagorean
ism ize ly
Πυθαγορίζειν (Alex.)
Pythagorize(r *Phil.*
Πυθαγορικός (Arist.)
Pythagorical(ly
-ian -ism
Πυθαγορισμός (Alex.)
Pythagorism *Phil.*
Πυθαγοριστής (Ath.)
Pythagorist *Phil.*
πύθειν to rot
Pythium *Fungi*
Πυθία (Herod.)
Pythia *Conch. Gr. Orac.*
Πυθιάς (-άδος) (Pindar)
Pythias *Gr. Ant.*
Πυθικός (Aesch.)
Pythic
Πύθιος Delphian
pythiambic *Pros.*
Pythian
Πυθο- Comb. of Πύθων
pytho-
ceropsis *Pal.*
genesis
genetic
genic -ous
Πυθοκτόνος (Orphica)
pythoctonos *Gr. Ant.*
Πυθώ Delphi
Pytho -id(ae -oid *Ent.*
Πύθων a serpent slain by Apollo
python(ess -issa
python(ic *Cl. Ant.*
Python *Herp.*
id(ae iform oid(ea(n
Pythonichthys *Ich.*
pythonine -ae *Mam.*
pythonism -ist -ize
pythonomorph *Herp.*
a ic ous
Πυθωνικός inspired
pythonic(al
πυκν- Stem of πυκνός
pseudopycnidial *Bot.*
pycn-
ambates *Ent.*
anthemum *Bot.*
aspide(ae -ean *Ornith.*
aster *Spong.*
iaspore *Fungi*
id(e ia(l ium *Bot.*
idiophore *Bot.*
idiospore *Bot.*
is *Bot.*
ite *Min.*
ium ial *Fungi*
odus odont(es *Ich.*
-i -id(ae -ini -oid(ei
opsis *Ent.*
osteus *Pal.*
-pycnid(ia *Bot.*
macro micro
-pycnidium *Bot.*
cerato clino
πυκνο- Comb. of πυκνός
apyknomorphous *Cytol.*
ar(a)eopicnometer
parapycnomorphous
pycno-
aspideae -ean
pycno- Cont'd
bela *Ent.*
cephalous *Bot.*
cerus *Ent.*
chlorite *Min.*
coma *Bot.*
conidium *Mycol.*
coris *Ent.*
desma *Pal.*
gaster *Porif.*
glypta *Ent.*
gonidium *Bot.*
gonum *Crust.*
-id(a(e -idea(n -ides -oid(ea(n
hydrometer
lepas *Pal.*
merus *Ent.*
meter
metochia -ic *Gram.*
morphic -ous *Cytol.*
notus *Ornith.*
-id(ae -inae -in(e -oid
phytia *Bot.*
pogon *Ent.*
pyge *Ent.*
schema *Ent.*
spore *Bot.*
stachous *Bot.*
thorax *Ent.*
xylic *Bot.*
-pycnospores *Bot.*
macro micro
pykno-
cardia *Med.*
chlorite *Min.*
(epi)lepsy *Med.*
hemia *Med.*
phrasia *Med.*
sphygmia *Med.*
urinopyknometer
πυκνόν (Plutarch)
mesopycni *Music*
pycnon *Music*
πυκνός close; compact
isopyc(nal nic *Phys.*
πυκνόστυλος (Vitruv.)
pycnostyle *Arch.*
πύκνωσις condensation
(hetero)pycnosis *Cytol.*
pycnosis *Bot. Phys.*
-pyknosis *Med.*
desmo erythro
πυκνωτικός (Diosc.)
posthycnotic *Cytol.*
pyc(*or* k)notic *Phys.*
πυκτός = πτυκτός
Pyctoderes *Ent.*
πυλ- Stem of πύλη
pyl-
angium -ial *Anat.*
emphraxis *Path.*
Πυλαγόρας (Dem.)
pylagore -as *Gr. Pol.*
πυλάρτης gate keeper
Pylarus *Ent.*
πύλη gate; entrance
aelipy(*or* i)le *Arts*
aeropyle *Bot.*
Amphipyleae -ean *Prot.*
apopyle *Spong.*
Cannopylea(n *Prot.*
diapyle *Surg.*
micropyle *Bot.*
-ar -iferous
micropyle -ar *Spong.*
Monopyl *Prot.*
-aria(n -eae
perimicropylar *Bot.*
peripylic *Anat.*
prosopyle -ar *Spong.*
pyla *Anat.*
-pylaea(n *Prot.*
Mono Peri Tri
pyle -ar -ic *Anat.*
pyle-
phleb- *Med.*
ectasis
itis -ic
thrombophlebitis
thrombosis *Path.*
pylon *Arch. Aero.*
πυλίς(-ίδος) postern
Dipylidium *Vet.*
πυλο- Comb. of πύλη
pylo-
cyte *Spong.*
meter *Med. App.*
phora *Ent.*
πύλος = πύλη
Pylus *Ent.*
πυλών a gateway
Tripylum *Helm.*
πυλωρός (Galen)
gastropylorectomy
pylor-
algia *Med.*
ectomy *Surg.*
idea(n *Moll.*
istenosis *Path.*
itis *Path.*
-pyloric
cardio gastro juxta peri pre uro
pyloro-
cleisis *Path.*
dilator *Med. App.*
diosis *Surg.*
gastrectomy *Surg.*
plasty *Surg.*
ptosis *Path.*
schesis *Path.*
scirrhus *Path.*
spasm *Path.*
stenosis *Path.*
stomy *Surg.*
pylorus -ic *Anat. Eccl.*
πύξ = πύγη
Sphaeropyx *Ent.*
πυξίδιον a box
Pyxidiceras *Ent.*
pyxidium *Bot.*
πυξίς a box (Diosc.)
Odontopyxis *Ich.*
pyx *Anat. Eccl. Naut.*
Pyxicola
Pyxidanthera *Bot.*
pyxidate(d *Bot.*
pyxie *Bot.*
pyxis *Astron. Bot. Conch. Ent. Gr. Ant. Herp.*
pyxol *Soaps*
πυο- Comb. of πυον
antipyogenic *Med.*
apyogenous *Med.*
biopyoculture *Med.*
dacryopyorrhea *Med.*
hemipyocyanin *Chem.*
hydropyonephrosis *Med.*
necropyoculture *Bact.*
nonpyogenic
otopyorrh(o)ea *Path.*
physopyosalpinx
pneumopyo-
pericardium *Med.*
thorax *Path.*
pyo-
blennorrh(o)ea *Path.*
cele *Med.*
c(o)elia *Med.*
cenosis *Med.*
cephalus *Med.*
chezia *Med.*
coccus -al -ic *Bact.*
colpos -ocele *Path.*
nephrosis & -otic *Path.*
ovarium *Path.*
pericardium *Path.*
-ia -itis
peritoneum -itis *Path.*
phylactic *Path.*
pyo- Cont'd
physometra *Path.*
plania *Path.*
h(a)emia -ic *Med.*
h(a)emothorax *Path.*
labyrinthitis *Path.*
luene *Bact.*
lymph *Path.*
metra -ium *Gynec.*
metritis *Path.*
nephritis -ic *Path.*
nephrolithiasis *Path.*
ctanin(e
culture *Bact.*
cyanic *Bact.*
-ase -in -ol
cyano- *Bact.*
bacterin
genic lysin
cyst(is *Path.*
cyte *Physiol.*
pneumo- *Med.*
cholecystitis pericardium peritoneum & -itis thorax
po(i)etic *Path.*
ptysis *Path.*
rrhagia *Path.*
rubin *Biochem.*
salpingitis *Path.*
salpingo- *Path.*
oophoritis oothecitis
salpinx *Path.*
sapr(a)emia *Path.*
septh(a)emia *Path.*
septic(a)emia -ic *Path.*
seroculture *Bact.*
spermia *Med.*
therapy *Ther.*
thorax *Path.*
toxinemia *Path.*
ureter *Med.*
xanthin *Chem.*
xanthose *Pigments*
uropyometer *Med. App.*
πυοειδής like pus (Arist.)
pyoid *Med.*
πύον pus
antipyic *Med.*
antipyonin *Mat. Med.*
apy(et)ous *Mat. Med.*
apyonin *Ophth.*
archepyon *Med.*
cryptopyic *Med.*
portopyaemic *Path.*
py(a)emia -ic *Path.*
pyarthrosis *Path.*
pyecchysis *Path.*
pyedema *Path.*
pyemesis *Path.*
pyemid *Path.*
pyencephalus *Path.*
pyesis *Med.*
pyic *Physiol.*
pyin *Biochem.*
pyonoma *Path.*
pyophthalmitis *Path.*
pyuria *Path.*
septicopy(a)emia -ic
πυοποίησις (Stephan.)
pyopo(i)esis *Med.*
πυόρροια (Diosc.)
dacryopyorrhea *Path.*
otopyorrh(o)ea *Path.*
pyorrh(o)ea(l *Path.*
πῦρ fire; fever (Hipp.)
anthrapyridinone
antipyralgos *Prop. Rem.*
antipyrinomania
apyrol *Prop. Rem.*
benzobispyraxol(e
benzopyracridine
camphopyrazolon
carbopyridic *Chem.*
clinopyroxine
Conulopyrina *Pal.*

dipyre *Min.*
dipyridyl *Chem.*
hyperpyr(a)emia *Med.*
isopyre *Min.*
metapyric *Petrog.*
naphthyridine *Chem.*
neopyrenol *Pharm.*
oxypyruvic *Chem.*
peripyrist
phagopyrism(us *Diet.*
phagopyrosis *Med.*
phenylpyrazol *Chem.*
phycopyrine *Prot.*
pneumatopyrist
psychopyrism -ist
pyr *Photom.*
pyr-
  acene *Org. Chem.*
  acetosalyl *Mat. Med.*
  acid *Chem.*
  acon(it)in(e *Chem.*
  allolite *Min.*
  aloxin *Mat. Med.*
  amidol -on(e *Dyes*
  amine *Dyes Photog.*
  an -ano -anol *Chem.*
  an *Mat. Med.*
  anometer *Phys.*
  antin *Chem.*
  anthrene *Org. Chem.*
  anthridine *Org. Chem.*
  anthr(id)one *Chem.*
  antimonite *Min.*
  antin *Mat. Med.*
  aphrolith *Min.*
  arenyte *Chem.*
  argillite
  argyrite *Min.*
  azin(e -(in)o- *Chem.*
  azole *Org. Chem.*
    -idine -(id)one -ium -yl
  ee
  emia *Med.*
  ene -ic *Chem.*
  ergy
  esthema *Ent.*
  esthes *Ent.*
  geometer *Phys.*
  heliometer -ric
  ic *Geol.*
  ischius *Ent.*
  ium *Bot.*
  oleter
  one -in -ium *Chem.*
  orthite *Min.*
  osin(e -ol *Chem.*
  osmalite *Min.*
  othonid(e *Chem.*
  oxam *Org. Chem.*
  oxonium -(it)ine
  ozone *Pharm.*
  uria -ic *Chem.*
  uvic *Org. Chem.*
    -aldehyde -ate -in -o- -(o)yl
  yl(ene ium *Org. Chem.*
pyra-
  lestes *Ent.*
-pyra *Path.*
  galacto lochio locho neuro ochro phleg-m(at)o rheum(at)o sapro septo steno stheno stoma synte-(cty)co tracheo trau-mato
-pyran *Chem.*
  acenaphtho benzo naphtho(thio) quino thio
-pyrazine *Chem.*
  acenaphtho dimethyl naphtho
-pyridin *Chem.*
  di hydro isodi methyl oxy trimethyl
-pyridine *Chem.*
  acenaphtho anthra di hydro isodi oxy
-pyrimidine *Chem.*
  anthra benzodi
-pyrin *Chem. Pharm.*
  aceto aco amido(anti) anili antily anti benzo betasulpho bromo chi-no chloranti coca di-chloranti eu ferri(*or* o) ferrisali formo hypno iodanti iodo isoanti isonitrosoanti kalmo methylanti monochlor-anti naphtho para-pleja pheno picro pleia pleja pro quino reso sal(i) sulpho thio toli toly zinco
-pyrine *Chem. Pharm.*
  aceto aco amido anilo anti antibenzene formo imino neo phenanti pheno pseudoanilo reso sali seleno thio
-pyrone *Chem.*
  anthra benzo hydroxy-(dimethyl) naphtho (thio) oxy thio
-pyrylium *Org. Chem.*
  benzo naphtho
selenopyronine *Chem.*
Spilopyra *Ent.*
thiopyronine *Org. Chem.*
Zalopyr *Ich.*

πυρά hearth
pyre -al
πυράκανθα (Diosc.)
pyracanth(a us *Bot.*
πυραλίς (-ίδος) (Pliny)
Pyralis *Ent.*
  -id(ae -ida(n -idean -ideous -idian -iform(ia -idina -idin(e -oid

πυραμιδ- Stem of πυραμίς
bipyramidal
obpyramidal *Geom.*
postpyramidal *Hist.*
protopyramid
-pyramid *Anat.*
  post pre ventri
-pyramid *Crystal.*
  brachy clino hemi macro ortho tetarto tetra tri
-pyramidal *Anat.*
  extra para post pre sub
-pyramidal *Crystal.*
  hemi semi tri
pyramid *Anat. Arch. Crystal. Geom. Zool.*
  al(ly -y
pyramidal(e is *Anat.*
pyramidate(d *Ent.*
Pyramidella *Conch.*
  -aceae -id(ae -oid
pyramid(al)ism -ist
pyramidize
pyramidocepyalic
pyramidoid(al *Geom.*
pyramidon *Music*
πυραμιδικός (Iambl.)
pyramidic
  al(ly alness
πυραμίς (Herod.)
Pyrameis *Ent.*
pyramical
pyramidion
pyramis *Anat.*
Pyramistomia *Pal.*
Pyramitoma *Pal.*
πυραμοειδής (Arist.)
pyramid(al *Geom.*

πυραυστης singed with pyrausta
Pyraustidae *Ent.*

πυργίτης (Galen)
Pyrgita *Ornith.*

πυργο- Comb. of πύργος
Catapyrgodesmus *Zool.*
pyrgo-
  cephaly -ic *Anthropom.*
  cystis *Pal.*
  logist

πυργοειδής towerlike
pyrgoidal *Geom. Math.*
pyrgoides *Craniom.*

πύργος a tower (Iliad)
Pyrgops *Ent.*
Trachypyrgula *Pal.*

πύργωμα a fenced city
purgom *Min.*

πύρεθρον (Diosc.)
pyrethric *Org. Chem.*
  -in(e -ol -onic
pyrethrum *Bot.*

πυρεκτικός (Galen)
pyrectic *Path.*

πυρέσσειν to have fever (Old dicts. offer πύρεξις
antipyresis *Ther.*
eupyrexia *Path.*
hyperpyrexis *Path.*
  -ia(l -ic
pyrexia *Path.*
  -ial -ic(al -y
subpyrexis

πυρετικός febrile (Ptol.)
pyretic *Path.*
-pyretic
  alexi ante anti galacto hydro hyper intra meta
pyreticosis *Path.*

πυρετο- Comb. of πυρετός
pyreto- *Med.*
  aetiology
  gen(ic -in -ous
  genesis -ia genetic
  graphy -ia
  logy
  lysis
  typhosis

πυρετός fever (Hipp.)
galactopyretos -us *Path.*
hydropyretos *Path.*
pyretoid *Med.*

πυρετοφόρος (Schol. Soph.)
Pyretophorus *Ent.*

πυρήν fruit-stone
amphipyrenin *Biol.*
Apyrenaemata -ous *Zool.*
apyrine *Prot.*
eupyrene *Cytol.*
oligopyrene
polypyrene
pyrene -a *Bot.*
pyren-
  aemata -ous *Zool.*
  -(a)emia *Path.*
  arium -ius *Bot.*
  eola *Pal.*
  estes *Ornith.*
  ic in *Biochem.*
  odean -(e)ine -eous
  ol(ine *Mat. Med.*
  opsidian *Bot.*
  ous *Bot.*
  ula -aceae *Lichens*
-pyrenous *Bot.* -πυρηνος as in διπύρηνος
  a hexa mono poly tetra tri

Πυρηνη Pyrenees
Pyren(ees
  -(a)ean
pyreneite *Min.*

πυρήνιον Dim. of πυρήν
pyren(id)ium *Lichens*
-pyrenium *Bot.*
  pleio pseudo

πυρηνο- Comb. of πυρήν
pyreno-
  carp(ic -ous *Bot.*
  chaeta *Fungi*
  lichen(es *Bot.*
  lysis *Cytol.*
  mycete(s -ineae -ous
  soma *Cytol.*

πυρηνοειδής (Galen)
pyrenoid *Bot. Chem.*

πυρι- Comb. of πῦρ
ovopyriform
pyri-
  bole *Min.*
  tegium *Eccl.*
  xenic

πυρίκαυστος burnt
pyricaust *Min.*
  aceae aceous

πυρίτης (Diosc.)
-pyrite *Min.*
  argento argyro arseno chalco cobalt(nickel) cupro di glauco leuco pharmaco sidero spathio
-pyrites *Min.*
  polio sulphur xantho
pyrite *Min. & Chem.*
  -aceous -es -ic(al -ifer-ous -ification -ify -iza-tion -ize -oid -ose -ous -y
pyrito-
  bituminous
  hedron -al *Crystal.*
  logy

πυρίχρως (Arist.)
pyrichrolite *Min.*

πυρο- Comb. of πῦρ
bipyrobole *Min.*
chromipyrophosphoric
electropyrogenic *Phys.*
ferropyrophosphate
gelpyrophyllite *Min.*
homopyrocatechol
hydatopyrogen(et)ic
klinopyroxene *Min.*
methylpyrocatechin
pseudopyrophyllite *Min.*
pyro-
  acetic acid *Chem.*
  alizaric *Chem.*
  antimonic -ate *Chem.*
  arsenic -(i)ate *Chem.*
  aurite *Chem.*
  ballology *Mil.*
  belonite *Min.*
  benzoline
  bitumen(ous *Min.*
  cain *Mat. Med.*
  calymma *Ent.*
  camphretic *Chem.*
  catechin -(in)ol *Chem.*
  catechinuria *Med.*
  catechuic *Chem.*
  cephalus *Ornith.*
  chemical(ly
  chlore -ite *Min.*
  cholesteric *Chem.*
  chroa -oid(ae *Ent.*
  chroite *Min.*
  chromic -ate
  chrotite *Min.*
  cinchonic *Chem.*
  citric -ate *Chem.*
  clasite

pyro- Cont'd
  clastic *Petrog.*
  coll *Chem.*
  columbate *Chem.*
  comenic *Chem.*
  condensation *Phys.*
  cone -ite
  cresol *Chem.*
  crystalline *Geol.*
  cusparine *Org. Chem.*
  derus -inae *Ornith.*
  dextrin(e *Chem.*
  electric(ity *Min.*
  electrification *Phys.*
  electrolyte -ic
  engraver
  fellic *Chem.*
  ferrin *Mat. Med.*
  form *Mat. Med.*
  fuscin *Chem.*
  gallic *Org. Chem.*
    -ate -ein -in(e -ol
  gen *Elec. Med.*
  genesis -ia
  genetic
  genic -ous *Geol. Path.*
  glucic
  glycerin(e *Chem.*
  glycide
  gnomic *Phys.*
  gnostic(s *Min.*
  graph(er
  graphy -ist -(it)ic
  gravure
  guaicic -in(e *Chem.*
  guanazole *Org. Chem.*
  guanite
  heliometer -ric
  japaconitine *Chem.*
  kinic
  later latry
  lignic *Chem.*
    -ate -(e)ous -ite
  lithic *Chem.*
  lithofellic *Chem.*
  logy -ical -ist
  luminescence *Phys.*
  lulite *Min.*
  lysis lytic *Phys.*
  magnetic *Phys.*
  malic -ate
  mania -iac(al
  maric *Chem.*
  mecazonic *Org. Chem.*
  meconic *Org. Chem.*
    -ate
  melane & -ine *Min.*
  mellitic -ein *Chem.*
  meride *Petrog.*
  metallurgy -ical
  metamorphism -ic
  meter metry -ic(al(ly
  morphous -ite *Min.*
  motor
  mucic *Org. Chem.*
    -amide -ate -ite -onic -ous -uric -yl
  naphtha *Chem.*
  nema -(at)aceae
  nixis *Ther.*
  nomy -ics
  paraffin *Fuels*
  pectic *Chem.*
  pen *Arts*
  pentylene *Chem.*
  phan *Photog.*
  phane -ite -ous *Min.*
  phile -a -ous *Phytogeog.*
  phobe *Bot.*
  phobia *Path.*
  phone *Music*
  phosphamic -ate *Chem.*
  phosphate *Chem.*
  phosporic -yl *Chem.*
  phosphorite *Min.*
  phyllite -ization *Min.*
  physalite *Min.*

pyro- Cont'd
phyte *Bot.*
pissite *Min.*
plasmosis *Path.*
puncture
quinol *Chem.*
racemic -ate *Chem.*
radioactivity *Phys.*
ray *Phys.*
retin(ite *Chem.*
rudite *Petrog.*
sal (T. N.)
schist *Geol.*
sclerite *Min.*
scope -y
siderite *Min.*
silver
some *Ascid.*
-a -atidae -id(ae
-iidae -oid
sophy
sorbic
sphere *Geol.*
stat(e
stearin *Chem.*
stereotype
stibite *Min.*
stilpnite *Min.*
sulphate & -ite *Chem.*
sulphuric -yl *Chem.*
tannic *Org. Chem.*
tantalate *Chem.*
tartaric *Chem.*
-(e)ous -ite
tartranil(ic -ate *Chem.*
tartrate & -ite *Chem.*
tartrimide *Chem.*
technic(al(ly -ician
technite *Min.*
techny -ian -ist
tect
tereb(inth)ic *Chem.*
theology
therium *Pal.*
thionium *Org. Chem.*
toxin *Chem.*
trichus *Ent.*
tri(tar)taric *Chem.*
tungstic -ate *Chem.*
uranate *Chem.*
uric *Chem.*
vanadic -ate *Chem.*
xanthin(e *Chem.*
xanthogen *Chem.*
xene(perthite *Min.*
-ic -ite
xenolite *Petrog.*
xyle -ic -in(e *Chem.*
-pyrometer *Phys.*
chromo electro micro
spectro stereo
-pyromucic *Chem.*
iso sulfo
-pyrotartaric *Chem.*
carbo iso oxy sulfo
xylopyrography
zirconpyroxenes *Min.*
πυροβόλος fire-darting
pyrobology
pyroboly -ic(al -ist
πυροεργής (Manetho)
pyrurgian *Med.*
πυρομαντεία (Isidore)
pyromancy
-manter -mantic
πυρομαχεῖν (Basil)
pyromachia
πυρός wheat
agropyretum *Bot.*
Agropyron -um *Bot.*
fagopyrism *Path.*
Fagopyrum *Bot.*
πυροφόρος
pyrophor
pyrophore *Chem.*
-ic -ine -ous -us
pyrophore -us *Ent.*
πυρόχρως (Galen)
eisenpyrochroit *Min.*
ironpyrochroite *Min.*
eupyrchroite *Min.*
pseudopyrochroeite *Min.*
πυρράκης ruddy
Pyrrhacita *Ent.*
Πυρρικός of Pyrrhus
Pyrrhic *Gr. Pol.*
πυρρίχη war dance
pyrrhic(al *Gr. Ant.*
πυρρίχιος (Longinus)
pyrrhic(ius *Pros.*
πυρριχιστής a dancer
pyrrhicist *Gr. Ant.*
πυρρο- Comb. of πυρρός
pyrrho-
chrome
corax *Ornith.*
-acinae -acin(e
coris -id(ae -oid *Ent.*
lite *Min.*
loxia *Ornith.*
pappus *Bot.*
phyll *Pigments*
pin(e *Chem.*
siderite *Min.*
pyrro-
coline *Org. Chem.*
diazole *Chem.*
flavine *Chem.*
phyllin *Biochem.*
porphyrin *Biochem.*
πυρρός red, tawny
bilipyrrhin *Pigments*
birrus *Costume*
carbopyrride *Org. Chem.*
carbopyrrolic *Chem.*
cholepyrrhin(e *Med.*
hematopyrrolid(in)ic
hemopyrrol(id)ine *Chem.*
oxyproline *Biochem.*
phycopyrrhine *Pigments*
phyllopyrrolidine *Chem.*
prolyl *Org. Chem.*
pyrid- *Org. Chem.*
azin azo- azone
ic eine il
in(e inium ino-
izin one yl
pyrido- *Org. Chem.*
phthalan -ide
stilbene
pyrimid- *Org. Chem.*
azole in(e inium o- ol
one yl
pyrind- *Org. Chem.*
an ene igo ole oxyl
pyrium *Chem.*
pyroid *Org. Chem.*
pyrol(eic
pyrranthracene *Chem.*
pyrranthraquinone
pyrrh(o)arsenite *Min.*
pyrrhite *Min.*
pyrrhous
Pyrrhula -inae -in(e
pyrrindole *Org. Chem.*
pyrrindoquinone *Chem.*
-pyrrol
phyto
-pyrrol(e
benzodi chito crypto
h(a)emo homo krypto
phyllo xantho
-pyrrole
anthra phono tri
pyrrol *Org. Chem.*
-enine -ic -(id)in(e
-(id)one -idyl -o-
pyrr(o)yl *Org. Chem.*
pyrsteradian *Phys.*
πυρρότης redness
chalcopyrrhotite *Min.*
pyrrhotine & -ite *Min.*
pyrrhotism *Pigments*
πυρρούλας (Arist.)
pirol *Ornith.*
Πύρρων (Diog. L.)
Pyrrho
Pyrrhon- *Phil.*
ean ian ic ism ist(ic ize
πυρώδης fiery
Pyrodes *Ent.*
pyrodin *Chem.*
πυρωπός gold bronze
pyrope *Min.*
Pyropus *Ent.*
πύρωσις fever (Diog. L.)
glossopyrosis *Med.*
pyrosis *Path.*
πυρωτικός burning
antipyrotic *Med.*
pyrotic *Med.*
πυσματικός (Sext. Emp.)
pysmatic
πύωσις (Galen)
pyosis -in *Path.*
-pyosis *Path.*
arthro dacryo enceph-
alo gonecysto nephro
oto spondylo tracheo
uretero
πώγων a beard
(an)isopogonous *Ornith.*
Lissopogonus *Ent.*
Ophiopogoneae *Bot.*
Oxypogon *Ornith.*
philopogon
-pogon *Bot.*
Andro Calo Ophio
Rhizo
-pogon *Ent.*
Cerato Eury Macro
Pyeno
-pogon *Ich.*
Adena Micro
Pogonephidza *Ent.*
pogonic
Pogonichthys *Ich.*
Pogonus *Ent.*
Pogostemon *Ornith.*
πωγωνίας bearded
Micropogonius *Ornith.*
Pogonia *Bot.*
Pogonias *Ich. Ornith.*
πωγωνιάτης bearded
pogoniate *Ornith. Zool.*
πωγώνιον Dim. of
πώγων
Eupogonius *Ent.*
pogoniasis *Physiol.*
pogonion *Craniom.*
pogonium
πωγωνο- Comb. of
πώγων
pogono-
basis *Ent.*
chaerus *Ent.*
logy -ist
perca *Ich.*
pleura *Ent.*
rhynchus *Ornith.*
-inae -in(e
scopus *Ent.*
tomy
πωγωνοτροφία (Plut.)
pogonotrophy
πώλης a dealer
Artopoles *Crust.*
-polist
papyro xylo
πῶμα (-ατος) lid; drink
Anoplopoma *Ich.*
-id(ae -oid
Anthopoma *Polyps*
Apomatostoma *Conch.*
Arthropoma *Conch.*
-ata -atous
Eleutheropomi *Ich.*
Eocoelopoma *Pal.*
Eupomotis *Ich.*
Glyptopomus *Pal.*
Lepiopomus
Lepomis -inae *Ich.*
Lyopomata -ous *Zool.*
Lyopome -i -ous *Ich.*
Menopoma *Herp.*
-atidae -e -idae
Mystropomus *Ent.*
Pneumonopoma *Conch.*
-e -ous
pneupome *Zool.*
-poma *Ich.*
Anoplo Liopro Macro
Plectro Trachy
poma *Anat.*
Pomacanthus *Bot.*
Pomacentrus *Ich.*
-id(ae -oid
pomadasis
Pomaderris *Bot.*
pomarin(e *Ornith.*
pomatic
pomato-
branchiate -a *Gastrop.*
chilus *Ent.*
delphis *Mam.*
rhin(e *Ornith.*
Pomatomus -id(ae -oid
Pomodon *Ich.*
Pomolobus *Ich.*
pomology *Phil.*
-ic(al(ly -ist
Pomotis *Ich.*
Pomoxys *Ich.*
Rhinopoma -e *Mam.*
-astes -atin(e
πωματίας a snail
(Diosc.)
Nodopomatias *Malac.*
Pomatias *Conch.*
-iid(ae -ioid
Pomatiopsis *Conch.*
-id(ae -oid
πῶρος soft stone; callus
Maderpora *Zooph.*
-acea(n -aceae -al
-aria(n -id(ae -idan
-iform -igenous -oid
madrepore
-ian -ic -ite -itic
poro-
cele *Med.*
cephalus *Helm.*
-iasis -osis *Path.*
keratosis *Path.*
phorus *Ent.*
poros *Geol. Petrog.*
porotic *Med.*
πωρώδης like tufa
porodic *Petrog.*
-in(e -ite -itic
porodous *Geol.*
πώρωμα callus (Hipp.)
poroma *Med.*
πώρωσις hardening
hyperporosis *Med.*
porosis *Med.*

ῥᾶ Fr. Rha, the Volga
(Diosc.)
Rha *Bot.*
rhabarb
rhabarbarum *Org. Chem.*
-ate -ic -in(e -one
rhapontic *Bot.*
rhapont(ic)in(e *Chem.*
rhaponti(*or* o)genin
ῥαββί my Master
(N. T.)
rabbi(ship
rabbin
ate dom ic(al(ly ish
rabbin Cont'd
ism istic(al(ly ite ize
ship
ῥαβδο- Comb. of ῥάβδος
adenosarcorhabdomy-
oma
rhabdo-
bunus *Pal.*
carpos *Pal. Bot.*
chondroma *Path.*
coel(e *Helm.*
-ian -(id)a(n -ous
colpus *Pal.*
crepid(a *Spong.*
cyst *Cytol.*
drax *Spong.*
lith(ic *Petrog.*
logy -ical
mere *Zool.*
mesodon(tidae
myo- *Tumors*
blastoma chondroma
myxoma sarcoma
myoma *Tumors*
nema -id(ae -oid *Helm.*
phane -ite *Min.*
phobia *Ps. Path.*
pholis *Ent.*
phora(n -ous *Zooph.*
phyton *Pal.*
pleura(e *Helm.*
-id(ae -oid -ous
pod *Ent.*
ptilidae *Pal.*
sarcoma *Tumors*
scytus *Ent.*
sebastes *Ich.*
some *Zool.*
sophy
sphaera *Nat. Hist.*
sphere
styla
synrhabdosome *Pal.*
ῥαβδοειδής like a rod
rabdoid *Bot.*
rhabdoid(al *Bot.*
ῥαβδομαντεία (Cyrill.)
rhabdomancy
rhabdomanty -ic -ist
ῥάβδος a rod or wand
Acrorhabdus *Ich. Pal.*
eleutherorhabdic *Ich.*
ferrorhabdite *Min.*
heterorhabdic *Biol.*
homorhabdic *Biol.*
Macrorhabdus *Crust.*
micror(h)abd(us *Spong.*
rhabd(al *Spong.*
rhabd-
ammina -ia
ia
ichnite(s *Geol.*
ina *Pal.*
ite *Ent. Helm. Min.*
-ic -iform
itis *Path.*
ium *Anat.*
osa *Spong.*
osteus *Mam.*
-eid(ae -eoid(ea
ous us *Bot. Spong.*
-rhabd *Spong.*
clado crico disco hydro
micro stato
-rhabdite *Zool.*
pseudo sterno tergo
Trirrhabda *Ent.*
ῥαοβδοῦχος staff-bearer
Rhabduchus *Ent.*
ῥαβδώμα a bundle of
rods
rhabdom(al *Zool.*
rhabdome *Spong.*
ῥαβδωτός made with
rods

Rhabdotum *Porif.*
ῥαγάς (-άδος) a rent, chink
rhagades *Path.*
rhagadiform *Med.*
rhagadiose *Bot.*
-ῥαγια as in αἱμορραγία
antiblennorhagic
episiorhagia
lochiorrha(e)gia *Gynec.*
lymphorrhage
-rrhagia *Path.*
archo balano blenno broncho chole colpo cysti(*or* o) dermato dysmeno elytro encephalo entero episophago gastro hepato laryngo leuco lochio lympho masto melano meningo meno metro myelo nephro odonto oesophago omphalo ophthalmo oto oulo pancreato phallo pharyngo phatno phlegmo pleuro pneum(on)o procto pyo rhino sebo spleno stomato thelo tracheo ulo uo uretero urethro uro
-rrhagic *Path.*
blenno lympho meno metro
-rrhagy *Path.*
meno oesophago oulo spleno ulo
ῥαγίον Dim. of ῥάξ
Neorhagio *Ent.*
rhagio-
crin *Cytol.*
morpha *Ent.*
ῥαγο- Comb. of ῥάξ
rhago- *Ent.*
chila dera pteryx
ῥαγός Gen. of ῥάξ
Acrorrhagus *Zooph.*
Hyporrhagus *Ent.*
ῥαγώδης like grapes
Rhagodia *Bot.*
ῥαδαλός flickering
Rhadalus *Ent.*
Ῥαδάμανθυς Bro. of Minos
Rhadamantine
Rhadamanthus *Myth.*
-ean -ine -ous(ly
ῥαδινός slim, taper
rhadino- *Ent.*
ceras ptera somus
Rhadinophis *Herp.*
ῥᾴδιος easy, ready
Rhodia *Ent.*
ῥᾳθυμο- Comb. of ῥᾴθυμος
rathymo-
dyta *Ornith.*
scelis *Ent.*
ῥᾴθυμος easy-going
Rathymus *Ent.*
ῥαιβο- Comb. of ῥαιβός
rhaebo-
crania *Anthropom.*
scelia *Anthropom.*
scelis *Ent.*
sterna *Ent.*
rhebo-
crania scelia
ῥαιβοειδής
r(h)aeboides *Ich.*
ῥαιβός crooked, bent
rh(a)ebosis *Path.*
Rhaebus *Ent.*

ῥαιστο- Fr. ῥαίειν to smash
rh(a)estocythemia *Med.*
ῥακο- Comb. of ῥάκος
rhaco-
chilus *Ich.*
gnathus *Ent.*
notus *Ent.*
phorus
phyllum *Pal. Bot.*
pteris *Pal. Bot.*
ῥάκος a ragged garment
Haplorhacus *Arach.*
Rhororhacos -idae
Pleorhacus *Arach.*
ῥακτός broken, rugged
Rhactorhynchia *Pal.*
ῥακώδης ragged
Neorhacodes *Ent.*
Rhacodes *Ent.*
ῥάκωμα a rag (Ar.)
rhacoma *Med.*
Ῥαμέσσης Rameses
Ramessid(e *Hist.*
ῥάμμα a hem or seam
Rhammatopora *Pal.*
ῥαμνο- Comb. of ῥάμνος
rhamno- *Org. Chem.*
cathartin
chrysin
citrin
diastase *Biochem.*
fluorin
galactoside
glycoside
heptose
hex-
ite onic ose
lutin
mannoside
nigrin
sterin
xanthin(e
ῥάμνος (Theophr.)
chrysorhamnin
isorhamnose
rhamn(us *Bot.*
aceae aceous ad al(es eae eous
rhamn- *Org. Chem.*
al ase azin egin (et)in inose ite
rhamnicogenol
rhamnicoside
rhamnol -onic
rhamnose
-id(e -yl
xanthorhamnin(e
Ῥαμνούσιος of Rhamnus
Rhamnusian
Rhamnusium *Ent.*
ῥαμφάζομαι to have a beak
Rhamphastos *Ornith.*
-id(ae -inae -oid
ῥάμφος a beak, neb, bill
Anisorhampus *Ent.*
Chenoramphus
Coleorhamphi *Ornith.*
Dasyrhamphomyia *Zool.*
Doryrhamphinae *Ent.*
Euramphaea -aeidae
hemir(h)amph(us *Ich.*
idae inae ine
Leucorhamphus *Zool.*
-id(ae -oid
Macrorhamphosus *Ich.*
-id(ae -oid
Oxyrhamphus *Ornith.*
rhamph-
alcyon *Ornith.*
ichthys -yid(ae *Ich.*
odon *Ornith.*
rhampho-
batis *Ich.*

rhampho- Cont'd
celus *Ornith.*
chromis *Ich.*
cottus *Ich.*
-id(ae -inae -oid(ea
dermogenys *Ich.*
leon *Reptilia*
lyssa *Ent.*
micron *Ornith.*
phila *Ent.*
rhyncus *Herp.*
-id(ae -inae -ine -oid
theca -al *Ornith.*
Rhamphosus *Ich.*
-id(ae -oid
Rhamphus *Ent.*
-rhamphus *Ent.*
Cyllor Dory
-rhamphus *Ich.*
Eulepto Hemi Nomo
-rhamphus *Ornith.*
Brachy Coleo Dasy Hypo Macro Oxy Pachy Sarco Synthlibo Xipho
ῥανίς a drop
Rhamis *Ent.*
ῥαντίζειν to sprinkle
rantize
ῥαντισμός a sprinkling
rantism
ῥαντός sprinkled, spotted
Rhantus *Ent.*
ῥάξ (ῥαγός) a grape
Haloragis *Bot.*
-(ac)eae -idaceae -idaceous -inaceae
?raceme *etc.*
rhagite *Min.*
rhagon *Spong.*
ate ose
rhagonophthalma
rhax *Spong.*
ῥαπτός stitched
Leptorhaptus *Ent.*
Rhaptopetalum *Bot.*
ῥᾷστος very easily
rastolyte *Min.*
ῥαφανο- Comb. of ῥάφανος
Raphanocera *Ent.*
ῥάφανος cabbage; radish
raphania -y *Path.*
raphan(id)in *Org. Chem.*
raphanol *Org. Chem.*
Raphanus -eae *Bot.*
rhaphania *Tox.*
ῥαφή a seam, suture
Cyclorrhapha -ous *Ent.*
Ortho(r)rhapha *Ent.*
-ous -y
pseudoraphe *Bot.*
raphe -al *Anat. Bot. Ornith.*
raphidiospore *Bact.*
-ῥαφία as in γαστρορραφία
canthorraphy
cionoraphia
colpoperineorraphy
enterorr(h)aphy
-ia -ic
oophoraphy
-rrhaphy *Surg.*
achillo aneurysmo angio annulo aorto arterio auto blepharo capsulo cardio celio cholecysto(entero) choledocho colpo(hystero) cysto elytro(episio) endoaneurysmo entero epigastro epiplo episio(elytro

-rrhaphy Cont'd
perineo) gastrohystero glosso hepato hephestio hernio hymeno hystero(gastro trachelo) laparo meato meningeo meningo(myelo) myo nephro neuro omento oophoro orchido orchio osteo palato pericardio perineo periosteo phlebo pneumono procto pro rhino salpingo spleno staphylo(pharyngo) symphysio syndesmo tarto teno trachelo(syringo) uranisco urano(staphylo) urethro ventrocysto
uranorr(h)aphy -ia
ureterorr(h)aphia
ῥαφιδο- Comb. of ῥαφίς
raphido-
plankton *Bot.*
rhynchus *Ent.*
rhaphido-
dera *Ent.*
gnatha *Ent.*
phyllum *Bot.*
podus *Ent.*
ῥαφίς a needle
Alloioraphium *Pal.*
Cannoraphis -idae
Chalinoraphis -inae *Zool.*
exraphidian *Bot.*
Homoraphidae *Spong.*
Megaloraphium *Pal.*
Megaraphidia *Pal.*
Phymararaphininae *Pal.*
Polyrrhaphis *Ent.*
raphi-
ankistron *Surg.*
glossa *Ent.*
graph *Arts*
lite *Min.*
oid
raphid *Bot.*
e(s ian ines
raphid *Spong.*
raphidazin
Raphidia *Ent.*
-ian -iid(ae -iferous -ioidea
Raphiophoridae *Pal.*
Raphiosaurus *Pal.*
raphis *Bot.*
raphite *Min.*
rhaphid *Spong.*
rhaphidian *Bot.*
Rhaphidopsis *Bot.*
Rhaphis *Bot.*
Sphaearphides *Bot.*
ῥαχία surf; beach
Prorachias *Arach.*
Rachianectes *Mam.*
Rachicallis *Bot.*
ῥαχιδ- Stem of ῥάχις
atelo(r)rachidia *Terat.*
cerebrachidia *Anat.*
hyporrhachidian
-rachidian *Anat.*
(en)cephalo intra meningo musculo
-rhacidian *Anat.*
bracho cephalo cereb hypo intra meningo
ῥάχις (-ιος) the spine; a ridge
acephalorachia *Terat.*
aporachial *Bot.*
Arthrorachinae *Pal.*
hydrorrhachis *Path.*
hypor(h *or* rh)achis
koilorachic *Anat.*

kurtorrhachic
metarachis -idial *Zool.*
orthorachic *Anat.*
pararachis -idial
pneumatorrhachis *Path.*
prorachis -idial *Polyps*
rachi-
agra *Path.*
al *Anat. Bot.*
albumini- *Med.*
meter metry
algia -ic -itis *Path.*
analgesia *Med.*
anesthesia *Med.*
centesis *Surg.*
form *Bot.*
glossa -ate *Conch.*
graph *Med.*
lysis *Surg.*
odont(id(ae *Ophid.*
odynia *Med.*
pagus *Terat.*
paralysis *Path.*
phyma *Path.*
rheuma *Path.*
schisis *Path.*
tome -y *Surg.*
tomi *Herp.*
tomous *Pal.*
rachides *Anat. Bot. Zool.*
-ial -ian
Rachidion *Ent.*
Rachilla *Bot.*
rachinomorph(o)us *Bot.*
rachio-
campsis *Path.*
centesis *Med.*
chysis *Med.*
cocainization *Med.*
cyphosis *Med.*
meter *Med. App.*
myelitis *Path.*
paralysis *Path.*
plegia *Path.*
pteris *Bot.*
scholioma *Path.*
scoliosis *Path.*
tome -y *Surg.*
rachis *Anat. Bot. Zool.*
-rachis *Med.*
endo h(a)emato hydro pneumo schisto
rachisagra *Path.*
-rachischisis *Path.*
cranio cryptomero holo mero meso
rachitism *Bot.*
Rachycentron -idae *Ich.*
rhac(h)eola *Bot.*
Rhachilla *Bot.*
-rhachis *Med.*
endo h(a)emato pneumato schisto
-rhachischisis *Path.*
holo
rhacialgia -ic -itis *Path.*
rhacimorphous *Bot.*
rhaciomyelitis *Path.*
rhaciotome -y *Surg.*
Rhaciotomi *Pal.*
rhacis *Bot.*
rhacisagra *Path.*
rhacischisis *Path.*
-rrhachia *Med.*
acephalo (hyper)glyco
Trimerorhachis *Herp.*
-id(ae -oid
Trirrhachis *Ent.*
ῥαχίτης of or in the spine
Rhachitopis *Ent.*
ῥαχῖτις Fem. of ῥαχίτης
antir(h)achitic *Ther.*
antirachitically *Chem.*
cephalorachitis *Chem.*
hydrorachitis *Path.*

r(h)acitis *Path.*
-ic -ism
scoliorachitic *Med.*
ῥαχιώδης with surf
Rhachiodes *Ent.*
ῥαψῳδία epic recital
rhapsody -ize
ῥαψῳδικός (Plato)
rhapsodic(al(ly
ῥαψῳδο- Comb. of ῥαψῳδός
rhapsodomancy
ῥαψῳδός (Herodotus)
rhapsode
-er -ism -ist(ic
Ῥέα Mother of Zeus
Rhea *Myth.*
Rhea *Ornith.*
-eae -eid(ae -eoid(eae
ῥέγκειν to snore
?rhincospasm *Med.*
ῥέγμα that which is dyed
Rhegmoza *Ent.*
ῥέδη a wagon
teuthred- *Pal.*
ella inites
ῥεῖθρον a stream; its bed
Reithrodon *Mam.*
ῥεῖν to flow
trachorheite *Geol.*
ῥεμβασμός a wavering
rhembasmus *Ps. Path.*
ῥεμβός roving
Rhembus *Ent.*
ῥέος current
antirrheoscope *Psych.*
batoreometer *Elec.*
fieldrheostat *Elec.*
hydrorheostat *Elec.*
microrheometer *Phys.*
-metric(al
rheo-
basis *Neurol.*
chord *Elec.*
cline
crat *Elec.*
electric *Elec.*
graph *Elec.*
meter *Elec.*
metry -ic *Elec.*
motor *Elec.*
philae *Bot.*
phore -ic *Elec.*
scope -ic *Elec.*
stat(ic(s *Elec.*
tachygraphy *Psych.*
tactic *Physiol.*
tan *Elec.*
taxis *Biol.*
tome *Elec.*
trope *Elec.*
tropism -ic *Bot.*
ῥεῦμα orig., a flow; (Hipp.)
metrorheuma *Gynec.*
rheum(a y *Path.*
rheum- *Path.*
arthritis arthrosis ides ophthalmia
rheumasan *Med. Soap*
rheumat- *Path.*
algia oid(al(ly osis
rheumato- *Path.*
celes celis pyra
-rrheuma *Path.*
mero neuro procto prosopo rachi scelo stetho
zooreme *Biol.*
ῥευματίζειν (Porphyr.)
rheumatize *Path.*
ῥευματικός (Arist.)
antirheumatic *Med.*
antirheumatin -ol *Mat.*
rheumatic -ics
-al(ly -ness -y
rheumatitic *Geol.*
ῥευματισμός (Diosc.)
arthrorheumatism *Path.*
pseudorheumatism -ic
rheumatism(al
-atic -oid
rheumatiz
ῥῆγμα a rupture; abscess
Regma *Bot.*
Rhegma *Ich.*
rhegma *Med.*
ῥήγνυμι break loose
Rhegnopteri *Ich.*
ῥῆγος a rug, blanket
regolith *Geol.*
ῥῆμα a word, saying; verb
rhematology
rheme
ῥηματικός (Dion H.)
rhematic *Gram.*
ῥηνο- Comb. of ῥήν lamb
Rhenocrinus *Pal.*
-idae -ites
ῥηξι- Comb. of ῥῆξις
rhexi- *Histol.*
genetic genous
ῥῆξις bursting; rupture
caryorhexy *Cytol.*
rhexis *Path.*
-rhexis *Biol. Med.*
arterio cardio caryo enter irido karyo metro(salpingo)
-rrhexis *Biol. Med.*
angio cardio caryo chromatino clido colpo desmo entero erythro-(cyto) hepato histo hystero myo oario omphalo(neuro) onycho ophthalmo ovario phlebo plasm(at)o tricho
rhexolytic *Cytol.*
trichlorrhexomania
ῥῆον = ῥᾶ
rheic *Bot.*
rheinamide *Org. Chem.*
rhein(e -ic *Org. Chem.*
rheinolic *Org. Chem.*
rheonigrin *Org. Chem.*
rheonine *Org. Chem.*
rheotannic *Org. Chem.*
Rheum *Bot.*
rheumic *Org. Chem.*
-ate -in
ῥῆονβαρβαρόν
rhubarb
ative in y
rhubarbarum *Org. Chem.*
-ic -in
ῥῆσις a passage (Plut.)
rhesis *Rhet.*
Ῥῆσος (Iliad)
Rhesus *Ent. Mam.*
ῥητίνη resin
betuloret(in)ic *Chem.*
georetic
pyroretinite
-retin *Chem.*
apo atractyli bolo chryso cinchoni cyclami echi erythro indi lupuli phaeo pyro quini rhodeo rhodo rubi sali sapo(na)
-retin Cont'd
sopho syco tec(or k)o
-retine *Chem.* xylo cyclami lupuli quini rubi sali sopho xylo
Retinospora *Bot.*
Retinosporites *Pal.*
rhod(e)oretinic
rhodeoretinol(ic
scleretinite *Min.*
xyloretinine & -ite
ῥητορεία (Plato)
rhetory
ῥητορίζειν
rhetorize
ῥητορική (Plato)
outrhetoric
rhetoric
ate ation ian(ism ly
ῥητορικός (Isocrates)
rhetoric(al(ly
unrehetorical
ῥήτωρ a public speaker
rhetor
ial ian iously ism
ῥηχίη = ῥαχία
Rechias *Ich.*
ῥηχώδης thorny, rough
Rhechodes *Ent.*
ῥῖγος frost, cold
rhigolene *Chem.*
Rhigus *Ent.*
ῥίγωσις a shivering
angiorhigosis *Med.*
ῥιζ- Stem of ῥίζα
rhiz-
anth(eae -ous *Bot.*
antoicous *Bot.*
odont(a -idae *Herp.*
odontropy *Dent.*
odontrypy *Dent.*
odus *Herp.*
onic *Org. Chem.*
onychium -ial *Anat.*
opsis *Pal.*
oristic *Math.*
ote -a -ic *Helm.*
ula *Bot.*
ῥίζα a root
Amblyrhiza *Mam. Pal.*
Anomalorhiza *Zooph.*
Arrhizae *Bot.*
Astrorhiza *Prot.*
-idae -idea(n
coleornizatus *Bot.*
isophlorizen *Org. Chem.*
jateo(r)rhizine
jatrorrhizine
Lamprorhiza *Ent.*
Leperiza *Bot.*
mycorrhize -one
Ophioriza *Bot.*
phlor- *Org. Chem.*
acetophenone amin(e ate etic etin(e in ol one ose yl
phlori(d)z- *Org. Chem.*
ate in(e inize
phlorogluc- *Org. Chem.*
ic id(e in (in)ol ite
picrorrhiza *Mat. Med.*
Pleurorhizeae -eous
rhiz- ῥιζ-
el idium *Bot.*
in(a e (ace)ous *Bot.*
inia *Pal.*
-rhiza *Bot.* -ῥιζα as in φλοιόρριζα
Balsamo Coleo Corallo dactylo exo Geisso Hydro Jateo mega meso-cauleo pileo Rhodo
-rhizae *Bot.*
A Basidio Climaco
-rhizae Cont'd
Endo Exo Lio Monacro
-rhizal *Bot.*
a climaco coleo endo exo hetero hydro myco noto pleuro
rhize *Bot.*
-rhize *Bot.*
monacro myco phyllo pseudo stigma
-rrhiza *Bot.*
Jateo Picro pseudo-myco Osmo Xantho
-rrhizal *Bot.*
a chordo myco noto
synorhizus *Bot.*
Xylorrhiza *Ent.*
ῥιζάγρα (Paul. Aeg.)
rhizagra *Old Dent. App.*
ῥιζικός of or for the root
rhizic *Math.*
ῥιζο- Comb. of ῥίζα
(an)arhizophyte(s *Bot.*
Neorhizobius *Ent.*
Nothorhizobius *Ent.*
rhizo-
bia -ic *Bact.*
bius *Ent.*
carp(eae *Bot.*
-ean -ian -ic -ous
caul(us *Polyps*
cephala(n -on -ous
cholic *Biochem.*
clon *Spong.*
collesy *Bot.*
conin -olein *Chem.*
corm *Bot.*
crinidae *Pal.*
crinoid -us
ctonia *Fungi*
ctoniose *Phytopath.*
dermis *Bot.*
flagellate -a *Prot.*
gen(ic -ous -um *Bot.*
genetic *Bot.*
glyphus *Ent.*
lithophytes *Bot.*
mania *Bot.*
mastigoid *Bot.*
melic *Anat.*
monas -adidae *Prot.*
morph(a *Prot.*
-ic -oid -ous
mys *Mam.*
neure *Cytol.*
pertha *Ent.*
philous *Bot.*
phydium -ial *Fungi*
physis *Bot.*
phyte *Bot.*
plast *Bot. Prot.*
pod(a *Prot.*
-al an ic ist ium ous
podial *Bot.*
pogon *Fungi*
poridium *Pal.*
pus *Bot.*
spalax *Pal.*
stome -a(e *Zooph.*
-ata -(at)ous -eae -ean -ella -idae -ous
taxis -y *Bot.*
tetrachis *Pal.*
thamnion *Bot.*
trogus
rhyzobiolite *Geol.*
rizopatronite *Min.*
ῥιζοειδής
endorhizoids *Bot.*
rhizoid *Bot. Zool.*
al eous
-ῥιζος as in φλοιόρριζος
-rhizous *Bot.* (Theophr.)
a caulo endo epi exo
-rhizous Cont'd
mega oligo pleuro
ῥιζοτομία (Theophr.)
rhizotomist *Bot. Old Med.*
rhizotomy *Surg.*
ῥιζούμενον taking root
rhizumenon *Bot.*
ῥιζοφάγος eating roots
Rhizophaga *Mam.*
-an -ous
rhizophagist *Bot.*
ῥιζοφόρος bearing roots
Microrhizophora *Pal.*
rhizophore *Bot.*
-a -(ac)eae -aceous -etum -ous
ῥιζόφυλλος with leaves from the roots
rhizophyll(a *Bot.*
aceae aceous ous
ῥίζωμα mass of roots
rhizome *Bot.*
-a -atic -atose
stigmarhizome *Bot.*
trizomal *Math.*
ῥιν- Comb. of ῥίν or ῥίς
rhin-
acanthin *Org. Chem.*
acanthus *Bot.*
aesthesis -ia
aesthetics
al
algia *Path.* -in *Mat.*
andrus *Ent.*
anthin *Path.*
anthocyanin *Biochem.*
anthogen *Path.*
anthus -aceae *Bot.*
aspis -oides *Ent.*
aster *Zool.*
edema *Med.*
encephal(ia -us *Terat.*
encephalon *Anat.*
-a -i -ic -ous
enchysis *Med.*
eurynter *Med.*
ichthys *Ich.*
ism *Med. Phon.*
itis *Path.*
ochetus *Ornith.*
-id(ae -oid
odon(t(id(ae -oid *Ich.*
odyne *Pharm.*
odynia *Path.*
omalus *Ent.*
ommectomy *Surg.*
ophis -idae
optia *Ophth.*
orchilus *Ornith.*
ortha *Ornith.*
otia *Ent.*
-rhinitis *Path.*
arachnoendopharyngo
Rinoncus *Ent.*
ῥίν = ῥίς
Acanthorhina *Pal.*
Acanthorhini *Zool.*
Allorhina *Ent.*
Amblyrhinae *Pal.*
Amphirhina -e *Zool.*
ar(h)inencephalia -us
arhinia *Terat.*
astegorrhine *Craniom.*
atretorrhinia *Med.*
basirhinal *Anat.*
birhinia *Terat.*
Brachyrhinodon *Pal.*
Captorhinidae *Pal.*
Ceratorhina *Ornith.*
Chonerhinus *Ich.*
-id(ae -oid
cirrohiny -al *Anat.*
Crossorhinus *Ich.*
-id(ae -oid
Crypsirhina *Ornith.*
ectorhinal

Erirhinus -idae *Ent.*
Gephyrrhina -e *Zool.*
Gymnorhinus *Ornith.*
-a(l -inae -ine
Heterorhina *Ent.*
holorhiny -al *Ornith.*
lepto(r)rhin(e *Craniom.*
ian ic ism
mega(r)rhine *Zool.*
meso(r)rhin(e *Anthrop.*
al ean ia(n y
meso(r)rhin(i)ium
mono(r)rhin(e -a(l *Biol.*
mono(r)rhinous *Zool.*
Ogmorhinus *Mam.*
perirhinal *Anat.*
phyllorhine *Mam.*
-a -inae -in(e
pomatorhin(e *Ornith.*
postrhinal *Anat.*
prorhinal *Anat.*
protamphirhin(e *Biol.*
Psilorhinus *Ornith.*
pteleo(r)rhin(e *Craniol.*
pterorhin(a *Ornith.*
rhine -al -ous
-rhinus *Ent.*
Aplo Cono Listro
Physo Proble Proscopo
-rhinus *Pal.*
Alopeco Angisto Callo
Dolicho Ictido Mega
Mesati Meso Meta
Skylaco Teleo
-(r)rhin(e -ῥινος as in
μεγαλόρρινος, στενόρρινος
-rrhinus *Ent.*
Ecemno Enapto
Glarido Glochino
Grapho Hadro Netta
Ortho Paracampto Peloro Rhombo Rhytido
Sclero Soleno Sophrono
Sphaero Strongylo
Tany Tmeso Toxo
Trigono Tropido
sagmatorhin(e *Ornith.*
Schizorhinae -al -y
siphonorhin(e -ian
siphorhinal -ian *Ornith.*
stegorrhine *Craniom.*
strepsi(r)rhine -a -i *Mam.*
ticho(r)rhine *Pal.*
Xenorhina *Herp.*
-id(ae -oid
ῥῖνα a file or rasp
Dirrhina *Ent.*
ῥινάριον a skin-salve
Rhinaria *Ent.*
Rhinarium *Ent.*
ῥίνη a shark
Galeorhininae *Ich.*
Rhina -ae *Ich.*
-rhinus -id(ae -oid
Ceto Echino Galeo
Scylliorhinoidea
ῥινίον Dim. of ῥίνη and ῥίς
Rhinioglossa *Conch.*
rhinion *Craniom.*
Rhiniopora *Pal.*
ῥινο- Comb. of ῥίν or ῥίς
chromorhinorrhea *Med.*
dacryorhinostomy
eurhino-
delphis -idae *Pal.*
saurus
laryngorhinology *Med.*
otorhinolaryngology
pharyngorhinoscopy
rhino-
antritis *Path.*
blennorrhea *Path.*
brachys *Ent.*

rhino- Cont'd
byon *Med.*
canthectomy *Surg.*
carcinoma *Path.*
caris *Pal.*
cartus *Ent.*
caul *Anat.*
cephalus *Terat.*
cheiloplasty *Surg.*
chenus *Ent.*
chilus *Ophid.*
chimaera -idae *Zool.*
cleisis *Path.*
coele -ia(n -ic *Anat.*
coeta *Ent.*
cola *Ent.*
crypta *Ornith.*
cyllus *Ent.*
dacryolith *Med.*
derma -idae *Herp.*
edema *Med.*
gale -idae -inae *Zool.*
genous *Path.*
lalia *Med. Phon.*
laryngitis *Path.*
laryngology *Path.*
liparis *Ich.*
lite lith(ic *Path.*
lithiasis *Path.*
logy -ical -ist
lophus *Mam.*
-id(ae -inae -in(e
-oid
macer(id(ae -oid *Bnt.*
manometer *Med. App.*
metaplasty *Surg.*
meter
miosis *Med.*
necrosis *Path.*
pharyngeal *Path.*
pharyngitis *Path.*
pharyngo- *Path.*
cele lith
pharynx *Path.*
phonia *Med.*
phor(e -ium *Conch.*
phryne *Herp.*
-id(ae -oid
phylla *Mam.*
phyma -atous *Path.*
plast(os -ic -y *Surg.*
platia *Ent.*
plethes *Ent.*
polypus *Med.*
pome -a *Mam.*
-astes -atin(e
ptera *Ich.*
pteryx *Ent.*
reaction *Med.*
rhynchidius *Ent.*
rrhagia *Path.*
rrhaphy *Surg.*
rrh(o)ea(l *Path.*
salpingitis *Path.*
scapha *Ent.*
sclerin *Mat. Med.*
scleroma *Path.*
scope -ic -y *Med.*
scopelus *Ich.*
simus *Ent.*
sphenal *Ich.*
sporidium *Sporozoa*
-iosis *Path.*
stegnosis *Med.*
stenosis *Med.*
theca -al *Ornith.*
tmetus *Ent.*
tragus *Ent.*
triacis *Ich.*
ῥινόβατος (Arist.)
Rhinobatus *Ich.*
-id(ae -oid
ῥινόκερως (Strabo)
rhino
rhinoceros *Mam.*
-al -(ont)id(ae -ontina

rhinoceros Cont'd
-(ont)in(e -oid
rhinocerial -ical *Anat.*
rhinocerot *Mam.*
ic id(ae iform(ia ine
oid(ea(n
ῥινός skin; hide
Moschorlimus *Herp.*
-ῥινος see ῥίν
ῥιπίδιον Dim. of ῥιπίς
Polyrhipidium *Porif.*
rhipidion *Gr. Ch.*
rhipidium *Bot.*
Rhipidius *Ent.*
ῥιπίς (-ίδος) fan for fire
Callirrhipis *Ent.*
Eurhipidura(e -ous
Hemirhipus *Ent.*
rhipi- *Ent.*
cephalus
cera -id(ae -oid
phorus -id(ae -oid
pter(a(n ous
rhipid-
andrus *Ent.*
istia(n -ious *Ich.*
ure -a *Crust.*
rhipido-
cera *Ent.*
cystidae *Pal.*
glossa(l -ata -ate
gorgia *Polyzoa*
mellidae & -inae *Pal.*
phorus -id(ae
ptera -ous *Ent.*
pterygia(n *Ich.*
taxis *Pal. Spong.*
Ripicera -idae
ripidolite *Min.*
Ripidura
Ripisoecia *Bryozoa*
Xenorhipis *Ent.*
ῥίπτειν to throw, hurl
Metarrhiptae -ous
ῥιπτός thrown, hurled
Rhiptoglossa(e -ate -i
ῥίς the nose
Cyclaris *Ornith.*
Ptilorhis
Siphonoris *Ornith.*
Temnorhis *Ornith.*
ῥίψ wicker-work
Rhips *Helm.*
Rhipsalis *Bot.*
ῥόγχος = ῥέγχος (in old dicts.)
rhonchus -(i)al *Path.*
ῥοδ- Comb. of ῥόδον
rhod- *Org. Chem.*
acene
allin *Mat. Med.*
amin(e *Spong.*
ammin(e -ium
an(ic ate ide ine
ane *Mat. Med.*
anometric
anthe *Bot.*
eine eite *Org. Chem.*
ellus *Colors*
ic (i)ate iene *Chem.*
im(e *Org. Chem.*
iola *Bot.*
ite *Chem. Min.*
ium *Chem.*
ol *Photog.* (*T. N.*)
opsin *Chem.*
ora -eae *Bot.*
osochromic *Chem.*
ous *Chem.*
uline *Dyes* (*T. N.*)
ymenia *Algae.*
-iaceae -aceous -iales
-rhodaceous *Bot.*
(a)thio endothio
ῥοδαλός = ῥόδινος

rhodalite *Min.*
rhodalose *Min.*
ῥόδεος of roses
epirhodeose *Org. Chem.*
rhodeo- *Org. Chem.*
hexonic hexose
retin(ol -(ol)ic
tetrose
rhodeonic -eose *Chem.*
Rhodeus -eina *Ich.*
rhodio- *Inorg. Chem.*
chlorid(e
ῥοδίζειν to be like roses
rhodizite *Min.*
rhodizonic -ate *Chem.*
ῥόδινος of roses
rhodinal -ic -ol *Chem.*
ῥοδίτης rose-flavored
Rhodites *Ent.*
ῥοδο- Comb. of ῥοδον
rhodo-
arsenian *Min.*
bacteria(ceae *Bact.*
charis *Ent.*
chrome *Min.*
cladonic *Org. Chem.*
coccus *Bact.*
crinus *Echin.*
-id(ae -ite -oid
cyte *Physiol.*
derma *Malac.*
gen *Org. Chem.*
genesis *Pigments*
hemin *Biochem.*
leucus *Colors*
lite *Min.*
logy -ist *Bot.*
phane *Pigments*
phosphite *Min.*
phyceae -eous *Algae*
phylactic *Pigments*
phylaxis *Pigments*
phyll(in *Chem.*
phyllite *Min.*
phyllous *Bot. Min.*
phyta *Algae*
plast *Cytol.*
plast(id *Bot.*
porphyrin *Biochem.*
retin(ic *Chem.*
rhiza *Bot.*
sperm(eae *Algae*
-in -ous
sporeae *Algae*
staurotic *Occult*
stethia *Ornith.*
tannic
thamnus *Bot.*
tilite *Min.*
typos *Bot.*
xanthin *Biochem.*
ῥοδοδάφνη (Diosc.)
rhododaphne
ῥοδόδενδρον = ῥοδοδάφνη
oleander
Oleandra *Bot.*
oleandrin(e *Org. Chem.*
oleandrism *Tox.*
rhododendrin -ol *Chem.*
rhododendron
rhododendronetum *Bot.*
ῥοδόμελι rose-honey
rhodomel
Rhodomela -aceae *Algae*
ῥόδον the rose
cynarrhodium *Bot.*
electrorhoidiol *Chem.*
eurhodinol *Org. Chem.*
h(a)emor(*or* rh)odin
hydrorhodonite *Min.*
oorhodein(e *Chem.*
-rhodin *Chem.*
eu h(a)emo lipo phyto
taxo ur(o)
-rhodine *Chem.*
eu indo thujo

rhodonite *Min.*
r(h)odagen *Mat. Med.*
urorhodinogen *Chem.*
Ῥοδόπη Rhodope
Rhodope *Conch.*
-id(ae -oid
Ῥόδος Rhodes
Rhodian
rhodusite *Min.*
ῥοδόχροος rose-colored
calciorhodochrosite
rhodochro(i)site *Min.*
zincorhodochro(i)site
ῥοδῶπις rosy-faced
Rodopis *Ent.*
ῥοία a flow, flux (Hipp.)
-ῥοια as in διάρροια, κατάρροια
aporrhoea *Obs.*
cryptorhetic *Physiol.*
graphorrhea *Ps. Path.*
logorrh(o)ea *Psych.*
medorrhinum *Mat. Med.*
-rhea *Path.*
dermato ichor stear ur
-rhoea *Path.*
ichor stear ur
-rrhea *Path.*
agalo albumino ammoni amyxo archo
atopomeno azoto balanoblenno bromomeno
broncho(blenno) cholo
chromorhino colostro
colpo crypto(meno)
cysto dacryo(blenno
cysto h(a)emo) dermato gastro(albumo
blenno chrono hydro
myxo) glyco gonoblenno hidro lacto logadoblenno lympho lymphoto meconio medo
meningo meta metroleuco myxo oligomeno
omphalo othemo otoblenno phatno phlegmo pneumono procto
ptyalo rhinoblenno
spanomeno tubo ureo
-rrhoea *Path.*
chylo lithuro muco uro
-rrh(o)ea *Bot.*
melano xantho
-rrh(o)ea *Path.*
ameno blenno coelio
cysti dysmeno entero
galacto gastro(succo)
h(a)em(at)o hepato
hydro laryngo leuco
lochio melano meno
metro ophthalmo-(blenno) orrho pimelo
pleuro poly prostato
pyoblenno rhino saccharo(galacto) sebo sialo spermato steato
stomato succho tricho
ulo urethro(blenno)
xantho
-rrh(o)eal *Path.*
ameno blenno dysmeno leuco oto rhino
-rrh(o)eic *Path.* sebo
ameno crypto leuco
meno oto sebo
-rrhoic *Path.*
dysmeno sebo
seborrh(o)eid(e *Path.*
ῥοιάς (-άδος) a poppy
apor(h)ein(e *Org. Chem.*
rheadine *Org. Chem.*
rhoeadic -in(e *Org. Chem.*
rhoeagenin(e *Org Chem.*
rhoesas *Bot.*

ῥοικός crooked
Rhoe(or oi)cius *Ent.*
ῥομβο- Comb. of ῥόμβος
dirhombohedron *Geom.*
Neorhombolepis *Pal.*
pseudorhombohedral
rhombo-
chirus *Ich.*
clase *Min.*
coele -ia(n -ic *Anat.*
dera *Ent.*
dodecahedral *Crystal.*
ganoid(ea -ei *Ich.*
gen(e a ic ous *Helm.*
hedron -al(ly -ic *Math.*
pteria *Pelec.*
rrhinus *Ent.*
sternus *Ent.*
trirhombohedral *Crystal.*
ῥομβοειδής (Hipp.)
anomorrhomboid
brachyrhomboides
rhomboid(al(ly *Bot.*
rhomboid(es -al(ly
rhomboid(eus *Anat.*
al(ly ea es eum
-rhomboidal
anomo bi clino ovo
sub tri
rhomboidovate
ῥόμβος a wheel; a rhomb
clinorhombic *Crystal.*
klinorrhombic *Bot.*
orthorhombic *Crystal.*
pectinirhomb *Zool.*
Phrynorhombus *Ich.*
pseudoorthorhombic
rhomb(ed -ic(al *Geom.*
rhomb-
arsenite *Min.*
encephalon *Anat.*
(en)porphyry *Petrol.*
eous
eus *Bot.*
icosidodecahedron
oplites *Ich.*
ovate
rhombi-
chirus
cuboctahedron
fer(a i ous *Ich.*
ferous *Crystal.*
folious *Bot.*
form *Ent.*
formis *Bot.*
octaedron
rhombus *Geom. Ich.*
rhumb
semirhomb *Echin.*
subrhombic
ῥόος a stream, current
rho- *Phytogeog.*
ad ium
rhoo- *Phytogeog.*
philus phyta
ῥοπαλίζειν wield a club
Rhopalizus *Ent.*
ῥοπαλικός like a club
rhopalic -ism *Pros.*
ῥοπαλο- Comb. of ῥόπαλον
rhopalo-
brachium *Ent.*
cera -al -ous *Ent.*
dina -id(ae -oid *Echin.*
melus *Ent.*
merus *Ent.*
nema *Helm.*
pleurus *Ent.*
scelis *Ent.*
siphum *Ent.*
styla *Ent.*
ropalo-
cera(l -ous *Ent.*
nema *Helm.*

ῥόπαλον a club, cudgel
Dinorrhopala *Ent.*
Gastrorhopalus *Ent.*
Liporrhopalum *Ent.*
Protorrhopala *Ent.*
Prymnorhopala *Ent.*
Rhopalus *Ent.*
rhopal-
androthrips *Ent.*
istes *Ent.*
ium *Zool.*
odon *Herp.*
odontus *Ent.*
ura -id(ae -oid *Helm.*
Ropalodon *Herp.*
Stenorrhopalus *Ent.*
ῥοπαλοφόρος club-bearing
Rhopalophora *Ent.*
ῥοπή inclination
androrhopy *Biol.*
cladoropy -ic *Bot.*
Dirrhope *Ent.*
gyn(a)er(h)opy *Biol.*
nauropometer *Naut.*
phylloropy -ic *Bot.*
Rhopaea *Ent.*
ῥοπτόν something absorbed
rhoptometer *Bot.*
ῥόπτρον (trap)knocker
Europtron *Ent.*
Hexarhoptra *Ent.*
Pentarhoptra *Ent.*
Rhoptria *Ent.*
rhoptro- *Ent.*
centrus cerus meris
myrmex pus
Rhoptrum *Ent.*
Rhoptrura *Herp.*
Tetrarhoptra *Ent.*
ῥοῦς sumach (Diosc.)
Rhus *Bot.*
ῥύαξ (ῥυακος) a torrent
metarhyacolite
rhyacad -ium *Phytogeog.*
rhyaco-
bates *Ent.*
labis *Ent.*
lite *Min.*
phila -id(ae -oid *Ent.*
philus *Ornith.*
phyta *Phytogeog.*
ryacolite *Min.*
ῥυγχ- Comb. of ῥύγχος
rhynch-
acis *Ent.*
(a)ea(n *Ornith.*
aspis *Ornith.*
eta -idae *Prot.*
ias *Ich.*
ites -id(ae -oid *Ent.*
odes *Ent.*
odont(id(ae -oid -us
odus *Ich.*
ops *Ornith.*
opid(ae opinae opin-(e opoid
ote -a(l -ous *Ent.*
otus -ous *Ornith.*
uchus *Ent.*
ῥύγχαινα with large snout
Rhyuchaena *Ornith.*
Rhynchaenus *Ent.*
ῥυγχίον Dim. of ῥύγχος
Rhygchium *Ent.*
ῥυγχο- Comb. of ῥύγχος
Dirhynchocystis *Prot.*
rhyncho-
bdella *Helm.*
-idae -oidei
cephala -ia(n *Herp.*
cerithium *Pal.*

rhyncho- Cont'd
ceti -us *Mam.*
coele -a -um *Helm.*
-an -ic -ous
coelom(ic *Helm.*
cyon(id(ae oid *Mam.*
daeum *Helm.*
flagellate -a *Prot.*
gnathous *Craniom.*
lepis *Pal.*
lite *Conch.*
lophus -idae *Arach.*
nycteris *Mam.*
phanes *Ornith.*
phore -us -a(n -ous
prion
saur us *Herp.*
-ia(n -id(ae -oid
spora -eae -ous *Bot.*
stome *Helm.*
tetra *Pal.*
treminae *Pal.*
rhyncosporetum *Bot.*
ῥύγχος snout; muzzle; beak
Arrhynchia *Helm.*
Auchenorhyncha *Ent.*
-an -i -ous
Brachyrhynchinae *Ent.*
Campylorhynchus
-inae -ine -ous
Ceratorhynca *Ornith.*
conchorhyncus *Conch.*
Conorhynchidae *Ich.*
Cryptorhyncia -idae *Ent.*
Dermorhynci -ous
Dolirhynchops *Pal.*
Echinorhynchiss *Helm.*
-id(ae -oid
Gnamptorhyncus *Crust.*
Kinorhyncha *Helm.*
Leptorhynchoides *Helm.*
Menorhynca -ous *Ent.*
Microrhyncus *Zool.*
Nematorhynca *Helm.*
Neorhynchus -idae *Crust.*
Odontorhynci -ous
Ornithorhynchus *Mam.*
-id(ae -oid -ous
Otiorhynchus *Ent.*
-id(ae -inae -in(e -oid
Phonorhynchoides *Helm.*
Piazorhynchites *Ent.*
Pogonorhynchus
-inae -in(e
Ptilonorhynchus
-idae -inae -in(e
Rhamphorhyncus *Herp.*
-id(ae -inae -ine -oid
Rhinorhynchidius *Ent.*
-rhyncia *Pal.*
Acantho Burmi Calci Capilli Cardinio Costi Cymato Cunei Curti Flabelli Furcici Gibbi Globi Gnatho Grandi Granuli Holco Homoeo Kutchi Linei Maxilli Nanni Parvi Piaro Pisi Priono Ptycho Quadrati Recti Rhaeto Rimi Rudi Russi Squami Steno Stolido Strii Tetra Trico Tropido
Rhynchonella *Conch.*
-id(ae -oid(ea
Rhynchosia *Bot.*
-rhync(h)us -ῥυγχος as in πλατύρρυγχος
-rhynchus *Ent.*
Brachy Hybor Larino Liparo Neohybor Nysso Otio Porrho Raphido Temno Tropio

-rhynchus *Helm.*
Echino Giganto Hapalo Tetra Trypano
-rhynchus *Herp.*
Anoplo Thaumato
-rhynchus *Ich.*
Callo Cono Hyalo Parapsilo Scaphi
-rhynchus *Ich.*
-id(ae -oid
Aspido Aulo Belono Gono Palaeo
-rhynchus *Ornith.*
Acantho Ana Bary Calypto Campylo Catambly Chasmo Cymbi Mega Neo Pogono Ptilono Scaphi Spheno Tropido Xantho Xeno Xipho
-rhynchus *Pal.*
Belono Emydo Hadro Longo Stege
Rhyncolus *Ent.*
-rhyncus *Ent.*
Ceuth Crypto
-rhyncus *Helm.*
Myzo
-rhyncus *Herp.*
Ambly Rhampho
-rhyncus *Ich.*
Noto Onco Trachy
-rhyncus *Ornith.*
Ephippio Galbalcy Harpo Ibido Scapho Simo Xiphidio
-rhyncus *Pal.*
Allo Chely Crypto Gonio
-rrhynchus *Ent.*
Cubico Stephano Sympiezo Systello Tany
scaphirhynchine -ae *Ich.*
Stenorhynchus *Mam.*
-inae -ine -ous
Tetrarhynchus *Helm.*
-id(ae -oid
Trachyrhyncinae *Ich.*
ῥυζεῖν to snarl
Rhyzaena *Mam.*
ῥυηφενής abounding
Rhyephenes *Ent.*
-ρυθμία as in ἀρρυθμία
allorrhythmia -ic *Path.*
ῥυθμητικός (Longinus)
rhythmetic(al
ῥυθμίζειν scan; order; train
rhythmize -able -ation
rhythmizomenon
ῥυθμικός (Plato)
hyperrhythmical
idio(r)rhythmic *Gr. Ch.*
isorhythmic *Pros.*
rhythmic -ics
rhythmical
ity ly ness
unrhythmic(al
ῥυθμο- Comb. of ῥυθμός
rhythmo-
meter
phone *Med. App.*
poetic
therapy *Ther.*
urorhythmography *Med.*
ῥυθμοποιία (Plutarch)
rhythmopoeia
ῥυθμός measured motion; state; form
monorhythm(ic
rhyme *etc.* (infl. in sp.)
rhythm(us
ed er ist less
-rhythmia *Med.*
a allo (auto)psycho dys para tachy

-rhythmic *Med.*
a allo
semirhythm
ῥυκάνη a plane
Rykanes *Ent.*
ῥυμός = τάξις (Hesych.)
Rymandra *Bot.*
ῥυ + -ο- Fr. root of ῥεῖν
See ῥύαξ
rhyo-
basalt *Petrog.*
crystal *Geol.*
lite -ic *Petrog.*
stomaturia *Physiol.*
-rhyolite *Petrog.*
apo eo trachy
ῥυπαρία filth (Plut.)
rhyparia *Med.*
ῥυπαρογράφος (Pliny)
rhyparographer
-ic -ist -y
ῥυπαρός filthy, dirty
Rhyparida *Ent.*
Rhyparus *Ent.*
ῥύπασμα filth
Rhypasma *Ent.*
ῥυπο- Comb. of ῥύπος
rhypo-
bius *Ent.*
chromus *Ent.*
phaga -ous -y *Ent.*
phobia *Ps. Path.*
rupo-
phobia *Path.*
ptereal *Anat. Batr.*
ῥυπογράφος = ῥυπαρογράφος
rhypography *Art*
rupography -ical
ῥύπος filth
Rhyphus *Ent.*
-id(ae -oid
rupia *Path.*
-al -ioid -itic
Rupicapra *Mam.*
-inae -in(e
ῥυπτικός fit for cleansing
rhyptic(al
Rhypticus *Ich.*
-id(ae -inae -oid
ῥύσιον prey
Rhysium *Ent.*
ῥυσίπολις saving the city
Rhysipolis *Ent.*
ῥύσις flow
phymatorrhysin
rhysimeter
rhysion -ium *Phytogeog.*
ῥυσο- Comb. of ῥυσός
Rhysophora *Ent.*
ῥυσός shrivelled
Rhyssa *Ent.*
ῥύσ(σ)ημα a wrinkle
Rhyssemus *Ent.*
ῥυσσο- = ῥυσο-
Rhyssonotus *Ent.*
ῥυσ(σ)ώδης Fr. ῥυσός
Rhyssodes *Ent.*
-id(ae -oid
ῥυτή (Nic. Al.)
rue
ruta *Bot.*
-aceae -aceous -al(es -eae
rut(a)ecarpine *Chem.*
rutic *Org. Chem.*
-ate -inose -oside
rutylene *Org. Chem.*
ῥυτιδο- Comb. of ῥυτιδόειν
rhytido- *Ent.*
cephalus dera deres gnathus lomia nota phora rrhinus somus

rytidocarpus *Bot.*
ῥυτιδόειν to shrivel
Rhytidactis *Zooph.*
Rhytidiochasma *Malac.*
ῥυτιδόφλοιος with shrivelled rind
Rhytidophloeus *Ent.*
ῥυτίδωμα a wrinkle
Rhytidoma -e *Bot.*
ῥυτίδωσις (Galen)
r(h)ytidosis *Ophth.*
ῥυτίς a pucker
Callirhytis *Ent.*
Dermorrhytis *Ent.*
Rhytina *Mam.*
-id(ae -oid
ῥυτισμα a patch
Rhytisma *Fungi*
ῥυτόν a drinking-cup
thyton *Gr. Ant.*
ῥῶ the letter ρ
rho *Alphabet*
ῥωγάς ragged
Rhogas *Ent.*
Rhogostoma *Prot.*
Ῥωμαικός (Polybius)
Romaic
Ῥωμαικά (Mal.)
Romaika
Ῥωμαῖος (Eus.)
Romaean
ῥωμαλέος strong of body
Eurhomalea *Pal.*
Ῥωμανία (Athan.)
Romania
ῥωπογραφία (Cicero)
rhopography
ῥωπογράφος painter of petty subjects
rhopographer
Ῥῶς (Tzetz.)
Russ(ia(n *etc.*
ῥῶσις a strengthening
enterorose *Diet.*
ῥωτακίζειν
rhotacism(us *Philol.*

σᾶ Fem. of σῶς (Arist.)
Sapyga *Ent.*
-id(ae -ites -oid
Σαβάζια (Strabo)
Sabazia *Gr. Rel.*
Σαβαῖοι the Sabaei (Strabo)
Sab(a)ean *Geog.*
Sab(a)eanism
Sabaism
σάβανον a towel (Clem. Al.)
Sab(b)anon *Gr. Ch.*
Σαβαώθ (Sept.)
Sabaoth
Σαββατίζειν to keep Sabbath
Sabbatize(r -ation
Σαββατικός (Josephus)
Sabbatic
al(ly alness
Σαββατισμός (N. T.)
Sabbatism(al
Σάββατον (Sept.)
sabbat
Sabbatarian(ism
Sabbatary
Sabbath
ary ine ize less ly
Sabbatharian *Hist.*
Sabbatine *Hist.*
Sabbatist *Hist.*
σαγάπηνον a gum (Diosc.)
sagapen(e um
σάγαρις (Herodotus)
sagaris *Anc. Weapons*
σάγδας an unguent
Omphalosagda *Malac.*
σαγή pack(saddle)
Ombrosaga *Ent.*
Parasageceras *Pal.*
Sagebranchus
Saghatherium -iidae *Pal.*
σαγήνη a seine (Lucian)
Sagenaria *Pal. Bot.*
sagene *Arts*
Sagenichthys *Ich.*
sagenite -ic *Min.*
seine -er -ing
σαγηνο- Comb. of σαγήνη
sageno-
crinidae & -oidea *Pal.*
pteris *Pal. Bot.*
σάγμα (-ατος) = σαγή
Sagmarius *Astron.*
sagmatorhin(e *Ornith.*
σαγμάριον a pack-horse
Sagmarius *Astron.*
Σαδδουκαῖοι (N. T.)
Sadducees
-(a)ean -aic(al -eeic -(ee)ism -eeist -(ee)ize
σαθρός decayed
sathro-
genes *Ent.*
philous *Phytogeog.*
phyta -ia *Phytogeog.*
σαινουρίς (-ίδος) Fem. of σαίνουρον
Saenuridomorpha *Helm.*
Saenuris *Helm.*
-id(ae -oid
σαίνουρον wagging the tail
Sainouron *Prot.*
Σαιτικός of Sais (Plato)
Saitic *Hist.*
σακκο- Comb. of σάκκος
sacco-
branchia *Ascid.*
-iate -inae
branchus *Ich.*
cirrus *Helm.*
-id(ae -idea -oid
(co)ma *Crinoids Pal.*
crininae *Pal.*
glossa(e *Conch.*
mys *Mam.*
-yid(ae -yinae -yin(e -yoid(ea(n
pharynx *Ich.*
-yngid(ae - yngina -yngoid
phytes *Bot.*
pteryx *Mam.*
spore(s *Bot.*
stomus *Mam.*
σάκκος a bag (Herod.)
Clistosaccus *Crust.*
cnidosac *Zooph.*
entosac(al *Anat.*
hematosac *Ich.*
Laemosaccus *Ent.*
Lobosaccus *Crust.*
nectosac(h *Zooph.*
sac *Biol. Path.*
Saccammina *Pal.*
-opsis
Saccatae *Zooph.*
saccate(d *Bot.*
sacciferous *Anat. Bot. Zool.*
sacciform *Anat. Bot. Zool.*
saccine
saccos *Gr. Cost. & Eccl.*
saccule -us
-ar(ian -ate(d -ation
Sacculina *Crust.*
-idae -in(e
sacculo-
cochlear *Anat.*
utricular *Anat.*
saccus *Anat. Biol.*
sack
cloth en er et ful ing let moth pipe y
sacque
sakkos *Gr. Ch.*
sporosac *Zooph.*
σακκοφόρος (Plut.)
Saccophora -e *Conch.*
Saccophori *Eccl.*
Saccophorus *Ent. Mam.*
σακο- Comb. of σάκος
saco-
discus *Ent.*
glossa(e *Conch.*
thamnus
σάκος a shield
Poikilosakos *Pal.*
Sacodes *Ent.*
σακτός stuffed
sactosalpinx *Path.*
σάκχαρ(ον sugar
desaccharify -ication
hydrosacre *Obs.*
metasaccharon(ic
metasaccharopentose
parasaccharone -ic
picrosaccharometer
sacchar- *Org. Chem.*
aceous ate(d etin ic id(e
amid
an
ascope
ase *Biochem.*
ephidrosis *Med.*
in(e
ate(d eish ic ity
inol *Mat. Med.*
ite *Min.*
ize -ation
oid(al *Chem. Geol.*
on(e ate ic
ose -an
osuria *Path.*
ous *Org. Chem.*
ulmic -in *Org. Chem.*
-saccharase *Biochem.*
di taka visco
sacchari- *Org. Chem.*
ferous
fy -ication -ier
meter
metry -ic(al
-saccharic *Org. Chem.*
epi (galacto)meta ido iso kali mano para
-saccharid(e *Org. Chem.*
di mono poly tetra tri
-saccharin *Org. Chem.*
(galacto)meta iso para seleno
-saccharine *Org. Chem.*
elaeo muc(os)o poly seleno
saccharo- *Org. Chem.*
biose
bacillus *Bact.*
butyric *Chem. Med.*
chemotropic *Bot.*
colloid
galactorrh(o)ea *Med.*
genic
lactonic
lytic
metabolic -ism
meter metry
myces *Fungi*
saccharo- Cont'd
mycete(s *Fungi*
-aceae -aceous -al(es
mycetic -osis *Med.*
mycolysis *Med.*
phylly *Bot.*
rrh(o)ea *Physiol.*
scope
triose
-saccharose *Org. Chem.*
mono nitro para poly tri
-saccharum *Chem. Med.*
el(a)eo hydro oleo
saccharum *Bot.*
saccharumic
saccholactic -ate
saccholate
sacculmic
-ate -in
sulphosaccharate
urosaccharometry *Med.*
σαλαμάνδρα (Arist.)
gerrymander(er *Pol.*
salamander(ship
salamanderin *Tox.*
salamanderite *Trade*
Salamandra *Herp.*
-id(ae -iform -inae -in(e -oid(ea(n -oides
salamandrian -ous -y
samandar(id)ine *Chem.*
Σαλαμίς (Iliad)
Salamis *Acal. Ent.*
-inian
σάλαξ (-ακος) a miners' sieve
Eusalacia *Pal.*
Pachysalax *Pal.*
Salax *Ent.*
σάλος a tossing
Saliasterias *Echin.*
σάλπη (Arist.)
salp
Salpa *Ascid.*
-acea -acean -ian -id -idae -iform -iformes -oid
σαλπιγγ- Stem of σάλπιγξ
celiosalpingoothecectomy
palatosalpingeus *Anat.*
salping-
ectomy *Surg.*
emphraxis *Surg.*
ian ic *Anat.*
ion *Craniom.*
itis -ic *Path.*
oeca -id(ae -oid *Prot.*
us *Ent.*
ysterocyesis *Physiol.*
-salpingectomy *Surg.*
celio laparo oophoro ovario
-salpingitis *Path.*
endo metro myo pachy para peri(metro) pyo rhino
σαλπιγγο- Comb. of σάλπιγξ
celiosalpingotomy
gastrosalpingotomy
hysterosalpingo- *Surg.*
oothecectomy oophorectomy stomy
laparosalpingo-
(oophoro)tomy
metrosalpingorrhexis
pachysalpingo- *Gynec.*
oothecitis ovaritis
perisalpingoovaritis
pyosalpingo- *Path.*
oophoritis oothecitis
salpingo-
catheterism *Med.*
cele *Med.*
cyesis *Obstet.*
maleus nasal *Anat.*
oophorectomy *Surg.*
oophoritis *Path.*
oophorocele *Path.*
ovariotomy *Surg.*
ovaritis *Path.*
palatal -ine *Anat.*
peritonitis *Path.*
pexy *Surg.*
pharyngeus -eal *Anat.*
pterygoid *Anat.*
rraphy
scope *Med. App.*
staphylin(e -us *Anat.*
stenochoria *Med.*
(stoma)tomy *Surg.*
stomy *Surg.*
ureterostomy *Surg.*
sphenosalpingo-
staphylinus *Anat.*
ureterosalpingostomy
σαλπιγγωτός trumpeting
Salpingotus *Mam.*
σαλπιγκτής a trumpeter
Salpinctes *Ornith.*
σάλπιγξ a trumpet
Salpiglossis *Bot.*
-id(ae -idea
salpinx *Anat. Ent.*
-salpinx *Anat. Path.*
h(a)em(at)o hydro- (para) meso metro oto peri (physo)pyo sacto
Salpornis *Ornith.*
Urosalpinx *Conch.*
Σαμαρείτης (N. T.)
Samaritan
ish ism
σαμβύκη (Arist.)
sambuca *Mil. Music*
σαμβυκιστής (Euphor.)
sambucist *Music*
Σαμοθρᾴκιος (Herod.)
Samothracian *Geog. Rel.*
Σάμιος of Samos
Samian
Samiot(e
Σάμος Isl. near Ephesus
Samotherium *Pal.*
Σαμοσατηνός
Samosatenian *Eccl. Hist.*
σαμπῖ nine hundred
Sampi *Alphabetics*
Σαμψαῖοι (Epiph.)
Sampsaean *Eccl. Hist.*
σαμψύχινον (Diosc.)
sampsuchine
σανδάλιον Dim. of σάνδαλον
sandal(ing
σάνδαλον In pl., sandals
hipposandal
sandal
Sandalopora *Pal.*
Sandalus *Ent.*
σανδαράκη (Arist.)
sandarac
sandaracin *Chem.*
σάνδιξ = σάνδυξ
sandix
σάνδυξ a bright red
sandyx *Arts*
σανιδώδης flat
sanidodes *Med.*
σανίς (-ίδος) a plank; tablet
margarosanite *Min.*
natronsanidine *Min.*

Sanidaster *Spong.*
sanidin(e ic *Min.*
sanidinite *Petrog.*
sanidinophyric *Petrog.*
σάνταλον (Salmas.)
durasantalin *Org. Chem.*
ec(*or* k)santalic *Chem.*
-al -ol
norecsantalic -ol *Chem.*
sandal
tree wood wort
sanders
santal(um *Bot.*
aceae aceous es
santalic *Org. Chem.*
-al -ate -ene -in -yl
santene *Org. Chem.*
-ic -ol -one
teresantalic *Org. Chem.*
-ane -ol
σαντονικόν (Galen)
santonic(a *Bot. Chem.*
-id(e -in(e
σαντόνιον (Diosc.)
desmotroposantonin
-osis
santon- *Org. Chem.*
an(ic ene ous
σαπέρδης a salted fish
Saperda *Ent.*
σαπρο- Comb. of σαπρός
polysaprobic *Bot.*
sapro-
bia *Bot.*
biosis *Phil.*
dil *Geol.*
gen(ic -ous *Bact.*
genous *Bot.*
geophytes *Bot.*
harpages *Ornith.*
legnia *Fungi*
-i(ac)eae -iales
legnious *Bot.*
legnized *Path.*
lite -ic *Geol.*
myiophilae -ous *Bot.*
myza -id(ae -oid *Ent.*
pel(ic -ite *Min.*
phagan -ous *Ent.*
phile -ous *Bact.*
phyte *Bot.*
-al -ic(ally -ism
plankton *Bot.*
pyra *Path.*
sites *Ent.*
stomous -us *Phys.*
symbiotic *Bot.*
typhus *Path.*
zoic *Med.*
zoite *Biol.*
-saprobia *Bot.*
Meso Oligo Poly
-saprophyte *Bot.*
hemi holo meso sero
-saprophytic *Bot.*
hemi holo semi
-saprophytism *Bot.*
endo para symbio
σαπρός putrid
asaprol *Mat. Med.*
pyosapr(a)emia *Med.*
sapr(a)emia -ic *Path.*
sapranthracon *Petrog.*
saprin(e *Org. Chem.*
Saprinus *Ent.*
saprium *Bot.*
saprodontia -in *Dent.*
saprol *Com.*
traumatosaprosis *Path.*
σαπφείρινος (Arist.)
sapphirin(e *Min.*
sapphirine -a *Crust.*
-id(ae -oid
σαπφειρίτης = σάπφειρος
sapphirite *Min.*
σάπφειρος lapis lazuli
indigo-sapphire
saphirol *Dyes* (*T. N.*)
sapphire
-ed -ic
water-sapphire
Σαπφικός (Hephaest.)
Sapphic(s *Lit. Pros.*
Σαπφώ (Herodotus)
Sapphism -ist
Sappho *Astron. Ornith.*
Σαρακηνικός (Genes.)
Saracenic(al -an
saracenicum
Σαρακηνός (Marcian)
Saracen
ian ism ly
sarrasin
sarsen
et ish ry
σαργός (Arist.)
Archosargus
sargo(n -us
Sargus *Ent.*
Sargus -ine *Ich.*
Σαρδανάπαλος (Herod.)
Sardanapalus
-ian -ical -ize
σαρδάνιος bitter, scornful;—of laughter. Later conformed to Σαρδόνιος
sardonic(al(ly
σάρδη = σαρδήνη
Gymnosarda *Ich.*
sardel(le
σαρδήνη (Galen)
Sardina *Ich.*
sardine
Σαρδιανός of Sardis
Sardian *Geog.*
σάρδιον the Sardian stone
sard *Min.*
sardachate *Min.*
σάρδιος = σάρδιον
sardius *Gems*
Σαρδόνιος (Polybius)
sardiasis *Path.*
Sardi(*or* o)nian
sardinian(ite *Min.*
σαρδόνυξ(Pliny)
sardoin
sardonyx
σαρισοφόρος (Polybius)
Sarisophora *Ent.*
σάρισ(σ)α a pike (Theophr.)
sarissa *Gr. Weapons*
σαρκ- Stem of σάρξ
acrosarc(um *Bot.*
amphisarca *Bot.*
anasarca -ous *Bot. Path.*
caulosarc *Bot.*
chitosarc *Zool.*
coenosarc(al -ous *Zooph.*
cytosarc *Cytol.*
ectosarc(ous *Prot.*
endosarc(ous *Prot.*
entosarc *Zool.*
episarc(*or* k)in(e *Chem.*
Eusarcus *Zool.*
granulosarcoid *Path.*
Halisarca *Spong.*
-idae -ina -ine
hyposarca *Path.*
perisarc(al -ous *Zool.*
Planosarcina *Bact.*
pneumonosarcy *Path.*
psychosarcous
sarcenchyme atous
sarcolin(e *Min.*
sarcopside *Min.*
Sarcoptes *Arach.*
-ic -id(ae -inae -oid
sarcosin(e -ic *Chem.*
sarcostosis *Path.*
sarc(os)yl *Biochem.*
sarcous *Physiol.*
Sarcura *Ich.*
scirrhosarca *Path.*
σαρκάζειν to sneer
sarcast
σαρκασμός (Herodian)
sarcasm
(at)ical(ly atize ous
σαρκαστικός (old L. & S.)
sarcastic
al(ly (al)ness
σαρκίδιον Dim. of σάρξ
sarcidium *Path.*
Sarcid(i)ornis *Ornith.*
σαρκικός fleshly; carnal
sarcic *Eccl.*
Sarcicobrachiata *Zool.*
sarkical *Phil.*
σάρκινος fleshy
sarcin(e -ic *Chem.*
sarcinoid(ea *Zool.*
sarkinite *Min.*
σαρκίον Dim. of σάρξ
Sarciophorus *Ornith.*
σαρκο- Comb. of σάρξ
adenosarcorhabdomyoma
chlorosarcolymphadeny
ichthyosarcolite *Pal.*
lymphosarcoleukemia
natronsarkolith *Min.*
neurosarcokleisis *Surg.*
sarco-
acid
adenoma *Tumors*
basis *Bot.*
batus -idae *Bot.*
blast(ic *Biol. Prot.*
carcinoma *Path.*
carp *Bot.*
caul *Bot.*
cephalus -eae *Bot.*
chromogen *Biochem.*
cinoma *Path.*
coptes *Path.*
cyst *Histol.*
cystidia(n *Sporozoa*
cystin *Tox.*
cystis *Prot.*
-id(ae -idea(n -oid
cyte *Cytol.*
derm(a *Bot.*
dictyum *Prot.*
enchondroma *Tumors*
epiplocele *Path.*
epiplomphalus *Path.*
-ocele
genic -ous *Physiol.*
glia *Histol.*
gnomy *Psych.*
gnosis
lactic -ate *Biochem.*
lemma -ic -ous *Anat.*
lemur *Pal.*
lite *Min.*
lobe *Bot.*
logy *Anat. Med.*
-ic(al -ist
lysis *Histol.*
lyte lytic *Histol.*
matrix *Protozoa*
melane -in *Biochem.*
mere *Anat.*
myces *Fungi*
petalum *Bot.*
phile -ous -us *Mam.*
phyte -eae *Bot.*
plasm(a -ic *Histol.*
plast(ic *Embryol.*
sarco- Cont'd
poietic *Physiol.*
rhamphus *Ornith.*
saurus *Herp. Pal.*
sepsis *Tox.*
septum *Zooph.*
some -a *Physiol.*
sperm *Bot.*
spongus *Fungi*
spores *Bot.*
sporid(i)a *Protozoa*
sporidiosis *Path.*
sporidiotoxin *Chem.*
stemma *Bot.*
stigma *Bot.*
style *Physiol. Zooph.*
testa -al *Bot.*
theca *Cytol. Zooph.*
therapeutics *Ther.*
therapy *Ther.*
tome *Surg. App.*
thlasis -ia *Path.*
-sarcolite *Min.*
ferri iron soda
σαρκοβόρος carnivorous
Sarcoborinae *Ich.*
σαρκοειδής fleshy
sarcoid *Biol.*
sarcoid(ea es *Spong.*
σαρκοκήλη (Galen)
hydrosarcocele
sarcocele *Path.*
σαρκοκόλλα (Diosc.)
sarcocol(l(a *Bot.*
sarcocollin *Org. Chem.*
σαρκόμφαλον (Galen)
(epiplo)sarcomphalocele
sarcomphalon -um
sarcomphalus *Bot.*
σαρκοπυώδης (Hipp.)
sarcopyodes *Physiol.*
σαρκοφαγία flesh diet
sarcophagy
σαρκοφάγος carnivorous;—applied to a limestone used for coffins
Sarcophaga *Ent.*
-an -idae -inae
Sarcophaga *Mam.*
sarcophagous
-al -ist -ize
sarcophagus -e
σαρκώδης fleshy
ectosarcode -ous *Prot.*
endosarcode -ous *Prot.*
sarcode -al -ic *Biol.*
sarcode *Bot.*
-aria -ea -ic -ina -ous
Sarcodes -y *Bot.*
σάρκωμα (Galen)
sarcoma *Bot. Path.*
-sarcoma *Tumors*
adeno(chondro myxo) angio(myo carcino chloro(lympho chondro(myxo cylindro cyst(aden)o deciduo enchondro fibro(myxo glio granulo hyper l(e)iomyo leuco lipo lymph(angi)o melano myelo myo myxo myxo(chondro)fibro neuro osteo(chondro papillo psammo rhabdo(myo sclero xantho
sarcomatoid *Path.*
sarcomatosis *Path.*
leuco- lympho- melano-
sarcomatous *Path.*
lympho- myo- myxo- osteo-
σάρκωσις (Aretaeus)
sarcosis *Path.*
-sarcosis
(cyst)hyper malaco meten osteo syn
σαρκωτικός (Galen)
sarcotic(al *Med.*
Σαρμάτης
Sarmatian *Geog. Geol.*
σάρξ flesh; the body
See σαρκ-, σαρκο-
σάρον a broom
Sarophorus *Ent.*
sarothamnine *Org. Chem.*
Sarothamnus *Bot.*
σαρος a cycle of sixty sixties
saros *Antiq. Astron.*
σαρωτης a sweeper
Omosarotes *Ent.*
σάρωτρον a broom
sarothro- *Ent.*
cera crepis
Sarothrum -us *Ent.*
Σαταν (Sept.)
pan-Satanism
persatanize
Satan
ism ist(ic ity ize ry ship
satano-
logy
perca *Ich.*
phany
phobia
super-Satanize
Σαταν̂ς = Σατάν (Sept.)
Satanas
Σατανικός (Alex. A.)
Satanic
al(ly alness
σατραπεία (Herodotus)
satrapy
σατράπης (Xenophon)
archsatrap
satrap
al ate er ess ial ian
σατραπικός (Arist.)
satrapic(al
σάττειν to pack, load, stuff
Eusattus *Ent.*
σατύρα Fem. of σάτυρος
satyra
σατυρίασις (Aretaeus)
satyriasis *Path.*
σατυρικός (Plato)
satyric(al
σατύριον (Diosc.)
satyrion
satyrium *Bot.*
σατυρίσκος Dim. of Σατυρός
saturisks
satyrisk *Antiq.*
σατυρισμός (Galen)
satyrism *Path.*
Σατυρο- Comb. of Σατυρός
satyromania(c
Σάτυρος (Hesiod)
satura -esque
Saturus *Ent. Zool.*
satyr
al esque ess
Satyrus *Ent.*
-id(ae -inae -ine -oid
σαῦλος waddling
Myrmosaulos *Ent.*
Saula *Ent.*
σαύρα = σαῦρος (Herod.) -σαυρα as in χλωροσαῦρα
Chamaesaura -idae *Zool.*
Cyclosaura *Herp.*
Dendrosaura *Zool.*

Geissosaura -ous *Zool.*
Nyctisaura -ian *Zool.*
Nyctosaurinae *Pal.*
Strobilosaura -an *Herp.*
σαυρο- Comb. of σαῦρος
Prosaurolophys *Pal.*
sauro-
batrachia(n *Herp.*
cephalus *Ich.*
-id(ae -oid
cetus *Zool.*
crotaphous *Herp.*
chore -y *Bot.*
derma *Path.*
dipteridae & -ini
gnathae -ism -ous
graphy
lophus -inae *Pal.*
phagous *Ornith.*
philous -y *Bot.*
pod(a -ous *Herp.*
pterygia(n *Zool.*
thera *Ornith.*
-inae -in(e
σαυροειδής
sauroid *Path. Zool.*
sauroidal
Sauroidea *Zool.*
Sauroidei *Ich.*
sauroidichnite(s *Pal.*
σαυροκτόνος Epith. of Apollo
sauroctonos *Art.*
Σαυρομάτης (Herod.)
Sauromatian *Hist.*
σαῦρος a lizard (Herod.); a sea fish (Arist.)
Acanthosauridae *Prot.*
Alepidosaurina *Ich.*
Aleposauridae *Ich.*
Aspidosaurinae *Pal.*
Cete(*or* i)osauria *Herp.*
Chaosauros *Herp. Pal.*
elasmosaur *Herp.*
Eosauravus *Pal.*
hadrosaur inae *Herp.*
Halosauropsis *Ich.*
halosaurian *Ich.*
Hydrosauria *Herp.*
Ophisauridae *Herp.*
ornithosaur(ia(n *Geol.*
Palaeosaurii *Pal.*
Par(e)iasaurius *Pal.*
Pterosauridae *Herp.*
saur-
anodon(t(id(ae -oid
avus *Pal.*
ia ian *Herp.*
iasis *Path.*
ichnite(s *Pal.*
ichthys -yii -yidae
ischia(n *Herp.*
odon(t(idae *Ich.*
omalus *Zool.*
ophidia(n *Herp.*
opsid(a -es -(i)an *Zool.*
ornia *Zool.*
ornithes -ic *Zool.*
urae -an -ous *Ornith.*
urus *Bot.*
-(ac)eae -(ac)eous -ean
-saur *Pal.*
camara cete(o) cotylo cyclo dino enalio galeo hylaeo ichthyo moso nano palaeo pelago protero simo stego titano
-saur(ia(n *Herp.*
megalo notho ophio progano ptero rhyncho thero
-sauri *Herp.*
Auto Megalo Meso

-sauri Cont'd
Micro Mono Notho Plesio Pro Thero
sauri-
derma osis
-sauria(n *Pal.*
Aeto Archego Archi Branchio Cetio Coeluro Cotylo Cyclo Deutero Diadecto Diapto Dino Dolicho Droma Emydo Enalio Eretmo Eunoto Hali Homoeo Ichthyo Lepido Mastodon Meso Micro Moro Moso Pachy Palaeo Par(e)ia Pelyco Plesio Pro Protero Protoro Simo Stego Synapto Trachelo
-saurian *Herp.*
phyto steno teleo thecodonto
-sauridae *Pal.*
Aeto Anchi Ankylo Anthraco Archego Aspido Alanto Atopo Basilo Branchio Campto Capito Cerato Cerco Cetio Cochleo Congo Dolicho Dyro Gale(o) Homoeo Ichthyo Labro Mastodon Meso Metopo Moro Moso Nytho Par(e)ia Patero Plateo Plesio Pleuro Podoke Polio Protero Spino Stego Tremato
-saurid -oid *Pal.*
aeto anchi anthraco archego atlanto basilo branchio dolicho galeo homoeo ichthyo labro mastodon meso moro moso plesio plio protero stego
saurio-
coprolite *Pal.*
saurus -ous *Zool.*
-saurus *Herp.*
-id(ae -oid
Amphi Elasmo Gerrho Glypto Hadro Megalo Mixo Notho Ophio Phyto Placo Rhyncho Teleo Xeno
-saurus *Herp.*
Cete(*or* i)o Champso Daco Dipso Hydro Ophi Steno Thecodonto Zygo
-saurus *Ich.*
-id(ae -oid
Alepi(do) Halo
-saurus *Ich.*
Alepo Bathy Hoplo
-saurus *Pal.*
Acompso Acro Adelo Aeto Alamo Algao Allo Anchi Anima Ankylo Anthraco Apato Archego Aristo Arriba Aspido Atlanto Bapto Basilo Brady Branca Branchio Bronto Broomi Camara Campta Capito Centro Cerato Cerco Chao Chasmo Chelido Chelypo Cheneo Chiro Chlamydo Cimoli(a) Congo Corytho Cteno Dactylo Datheo Delphino Deutero Di-

-saurus Cont'd
cerato Dicraeo Dolicho Dollo Dromaeo Dromico Drypto Dynamo Dysaloto Edmonto Eitelo Elaphro Elcabro Elo Embritho Eo Erepto Eretmo Eubrachio Eurhino Gale (o) Geo Gerano Glauco Gorgo Gripho Grypo Hali Haltico Hecato Heleo Hercyno Hiero Homoeo Hylaeo Hypacro Ichthyo Ictido Kentr(ur)o Koilokio Krito Labro Lamia Lao Lario Leip Lesto Lyco Macroscele Mastodon Meso Microlepto Mormo Moro Moso Myctero Myo Nano Nao Noteo Omphalo Ophthalmo Pachy(gono) Palaeo Pappo Par(e)ia Paroto Partano Pelago Plagio Plateo Plesio Pleuro Plio Podoke Polio Popo Procero Prolystro Proneustico Proteo Protero Protoro Puerco Raphio Rhoeto Sarco Scalopo Scymno Sello Shasta Simo Skylaco Spino Stego Stenaro Stephano Styraco Thescelo Titano Tomico Toro Trachelo Tremato Tricho Trocho Tylo Tyranno Varano
saury(pike
scelidosaur(us *Herp.*
ian id(ae iform oid
Stephanosaurinae *Pal.*
teleosaur *Herp.*
σαφανής = σαφηνής
Saphanus *Ent.*
σαφηνής = σαφής
saphena(l -ous *Anat.*
σαφής clear, plain
Sapholytus *Ent.*
Σαώ a Nereid
Sao *Trilobitis*
σέβασις reverence
Sebasius *Ent.*
σεβάσμιος venerable
Sebasmia *Ent.*
σεβαστο- Comb. of σεβαστός
sebasto-
lobus *Ich.*
mania *Psych.*
σεβαστός august
Sebastes *Ich.*
-inae -ine -odes -oid
-sebastes *Ich.*
Eo Rhabdo
Sebastichthys *Ich.*
Sebastopsis *Ich.*
Σειληνός (Pindar)
Silen(us *Myth. Zool.*
Silene *Bot.*
-(ac)eae -aceous -al(es
σειρά a cord, string
endosphaerosira *Bot.*
siraplankton *Bot.*
sphaerosirian *Bot.*
Σειρηδών = Σειρήν
siridon *Zool.*
Σειρήν (Od.)
Lepidosiren *Ich.*
id(ae idea oid

siren
aic eal iacal ian ie ize
-siren *Pal.*
Archaeo Eo Proto
Sirenia *Mam.*
-ian id(ae -oid
sirenoid *Ich.*
ea(n ei
sirenomelia -us *Terat.*
Sirex *Ent.*
-icid(ae -icoid(ea
Xanthosirex *Ent.*
Σειρηνικός (Schol. Od.)
sirenic(al(ly
σειρίασις (Paul Aeg.)
s(e)iriasis *Path.*
Σείριος the dog-star (Hesiod)
Sirius -ian *Astron.*
σειρο- Comb. of σειρά
seiro-
lytic *Bot.*
spore -a -ic *Bot.*
σεῖσις concussion
seisesthesia *Psych.*
σεισμο- Comb. of σεισμός
microseismo-
meter metry metrograph
seismo-
gram
graph(er
graphy -ic(al
meter
metrograph
metry -ic(al
scope -ic
tectonic *Geoll*
therapy *Med.*
tropism *Bot.*
-seismograph
macro micro proto
σεισμολόγιον a treatise on earthquakes
microseismology
seismologue
seismology
-ic(al(ly -ist
σεισμός an earthquake (Eur.)
aseismatic
bradyseismism -ical
myoseism(ia *Med.*
-seism
bathy brady macro mega micro tachy tele
seism
-al -etic -ic(al -icity -ism
seism(a)esthesia *Psych.*
-seismal
brady co homo iso meizo meso
seismantic
seismetrograph
-seismic
a brady co homo iso macro mega meizo micro pene pleisto tele
seismon(ast)ic *Bot.*
seismotic
σειστός shaken (Ar.)
isoseist *Meteor.*
pleistoseist *Seismol.*
σεῖστρον a rattle
sistroid *Math.*
sistrum *Music*
xylosistron *Music*
σείσων bean toaster
Seison *Rotifera*
σείω shake
Seiurus *Ornith.*
-a -inae -in(e

siotropism *Bot.*
Σειών
Zion
er ism ist ite less ward
σελαγεῖν to illume
Lepidoselaga *Ent.*
σέλας a flesh, light
selagraph *Bot.*
Selasia *Ent.*
σελασφόρος
Selasphorus *Ornith.*
σέλαχος Pl., σελάχη sharks (Arist.)
Cladoselache *Ich. Pal.*
-ea -ian -id(ae -oid
Chlamydoselachus *Ich.*
-ian -id(ae -oid
Euselachii *Ich.*
Palaeoselachii -ian *Ich.*
Proselachiiss -ian *Ich.*
selache *Ich.*
-ia -ian -ii -oid -oidei
selachology -ist
selachostome -i -ous
selachyl *Org. Chem.*
Σελευκίδης
Seleucid(ae *Hist.*
-an -ian -ic
σελευκίς (Pliny)
Paraseleuca *Arach.*
Seleucides *Ornith.*
σελήνη the moon
benzoselenazole
benzoxselenol(e
geoselenic
hydroselenic *Chem.*
-ate -uret
paraselene -ic *Meteor.*
phen(o)selenazine
piaselenole
proselenic
selen-
aria -iid(ae -ioid *Helm.*
aspis
hydric *Chem.*
iasis
ic *Chem.*
-(i)ate -ato- -azin(e -azol(e -id(e -iet -in -iol -ino-
indigo *Org. Chem.*
indirubin *Org. Chem.*
ium *Chem.*
od *Phys.*
odont(a -y *Mam.*
ole *Org. Chem.*
onine *Org. Chem.*
onium *Org. Chem.*
ono- onyl *Org. Chem.*
ous *Chem.*
oxide *Inorg. Chem.*
sulfur *Min.*
tellurium *Min.*
yl *Chem.*
seleni-
dera *Ornith.*
ferous gerous
pedium *Bot.*
scope
uret(ed *Chem.*
-selenid(e *Chem.*
di hydro mono sulpho
-selenodont *Anat.*
buno sub tetra
sulphoselene *Mat. Med.*
xanthoselenonium
Σελήνη Moon-Goddess
Selene -ian *Myth. Astron.*
σεληνίς an ivory crescent
Selenis *Ent.*
σεληνίτης (Diosc.)
baroselenite *Min.*
selenite *Chem. Min.*
Selenites *Conch. Ent.*
-id(ae -oid

selenitic(al
selenitiferous *Petrol.*
selenitish -ous
σεληνο- Comb. of σελήνη
benzoselenodiazole
Mimoselenopalpus *Ent.*
seleno- *Org. Chem.*
aldehyde
bismutite *Min.*
centric *Astron.*
cyanic -ate
cyano-
gen platinate
diphenylamine
fluorescein *Dyes*
furan
gamia
graph(er
graphy
-ic(al(ly -ist
hemoglobin *Biochem.*
logy *Geol.*
-ical(ly -ist
mercaptan -ide
naphthene
phene -ol
phorus *Ent.*
phosphate
phosphoric
plegia plexia *Med.*
pselaphus *Ent.*
pyr(on)ine
saccharin(e
scope
sulfide *Inorg. Chem.*
topography -ic(al
tropic -ism -y *Bot.*
urea
xanthene
xanthylium
σέλινον parsley (Od.)
celeriac
celery
celinene -ol *Org. Chem.*
selinene -ol *Org. Chem.*
Selinum *Bot.*
Σελινοῦς a city of Sicily
Selinus *Ent.*
σελίς a plank; a sheet
Halmaselus *Pal.*
Pachyselis *Porif.*
σέλλα Fr. L. *sella*
-sella *Pal.*
Trepo Zygo
Sellosaurus *Pal.*
σελμίς a noose
Zygoselmis -idae *Prot.*
σεμνο- Comb. of σεμνός
semno-
cosma *Ent.*
dema *Ent.*
pithec(e us *Mam.*
idae inae in(e oid
σεμνός revered
Pausemna *Ent.*
Semnus *Ent.*
Σεραπεῖον (Plutarch)
Serapeum *Egyptol.*
-eion -eium
Σέραπις Eg. Nile god
Serapias
Serapis -ic *Egypt. Rel.*
Serapis *Conch. Ent.*
Σεραφείμ (Sept.)
Seraph(im -ism
seraphine -a *Music*
Σεραφικός (Sept.)
seraphic
al(ist ism
Σερβωνίς (Herodotus)
Serbonian *Geog.*
σέρις endive? (Diosc.)
Haliseris -ites *Bot.*
Halyseris -eae *Bot.*

Hyoseris -idae *Bot.*
Σέριφος Isl. in Aegean
Seriphus *Ich.*
σέσελι (Theophr.)
cicely *Plants*
Seseli *Plants*
Σήθ (N. T.)
Sethic *Bil.*
-inian -ite
Σηθιανοί (Hippol.)
Sethian *Eccl. Hist.*
σηκός pen; chapel; trunk
Sechium *Bot.*
sekos *Gr. Ant.*
σηκώδης chapel-like
Parasecodes *Ent.*
Σήμ Shem (N. T.)
Shemite
-ic(ize -ish -ism
σῆμα (-ατος) a sign, token
aposematically *Zool.*
Centrosema *Bot.*
chronosemic
diaposematism *Biol.*
electrosemaphore
eusemin *Mat. Med.*
mesosemia *Ent.*
nectarosema *Bot.*
Notosema *Ich.*
pseud(o)aposematic
-sema *Ent.*
Chresto Diglypho
Gleno Lyto Oto Psilo
Semanopterus *Ent.*
semaphore
-ic(al(ly -ist
semaphoretic *Math.*
semasphere *Elec.*
sematic *Biol.*
-sematic *Biol.*
(pseud)allo (pseud)apo
epi pseudo(apo) syn-
apo zoo
semato-
graphy -ic -ist
logy
sematrope *Mil.*
-seme -ia *Craniom.*
mega meso micro
semic *Pros.*
-semic *Pros.* -σημος as in ὀκτάσημος
ennea (hen)deca
synaposemat(ic)ism
teleseme *Elec.*
σημαία mil. standard
Oligosemia *Herp.*
σημαιο- Comb. of σημαία
semaio-
stomato *Zooph.*
σημαιοφόρος (Plut.)
Semaiophora *Ent.*
σημαντικός significant
semantics *Philol.*
semantology *Philol.*
σημαντός emphatic
semantus *Pros.*
σήμαντρον sounding-plate
agiosymandron -um *Eccl.*
hagiosamantron *Eccl.*
semantron *Gr. Ch.*
σημασία signification
asemasia *Ps. Path.*
semasiology *Philol.*
-ical(ly -ist
σημειο- Comb. of σημεῖον
Eosemionotus *Pal.*
semeio-
graphy *Med.*
logy -ic(al -ist *Med.*
notus -idae *Pal.*
phorus -ous *Ich.*

semeio- Cont'd
ptera *Ornith.*
tellus *Ent.*
sialosemeiology *Diag.*
urosemiology *Diag.*
σημεῖον a sign, token
Semecarpites *Pal.*
Semecarpus *Bot.*
semeion *Pros.*
σημείωσις (Galen)
semeiosis *Med.*
σημειωτική (Galen)
semeiotics *Med.*
σημειωτικός (Porphyr.)
oristicosemeiotic *Meas.*
semeiotic(al
σημειωτός noted
Semiotus *Ent.*
σημο- Comb. of σῆμα
semo-
charista *Ent.*
stomae -(e)ous *Zooph.*
tilus *Ich.*
σημύδα (Theophr.)
Samyda -aceae *Bot.*
σηπεδών (Hipp.)
seped(on)ogenesis
sepedon *Med.*
σηπετός = σηπεδών (Hesych.)
sepetonous *Med.*
σηπία cuttle-fish
Belosepia *Mol. Pal.*
-id(ae -oid
Eusepii *Biol.*
Idiosepion *Conch.*
-iid(ae -ioid
sepia -ian -ic *Art.*
Sepia *Conch.*
-acea(n -aceous -arian
-ary -idaceous -iid(ae
-ioid(ea(n'
Sepiola *Conch.*
-id(ae -idea -oid(ea(n
σηπιδάριον Dim. of σηπία
Sepiadarium *Conch.*
-iid(ae -ioid
σηπίδιον Dim. of σηπία
Sepidium -idae *Ent.*
σήπιον cuttle-fish bone
parasepiolite *Min.*
sepiolite -ic *Min.*
sepion -ium
sepiost(aire *Conch.*
σηπο- Comb. of σήπειν rot
sepometer *Meteor.*
σηπτικός (Arist.)
antiseptic *Med.*
al(ly iform in ism ist
ize
antiseptin(e & -ol *Med.*
antiseption *Med.*
aseptic *Surg.*
al(ly ism ity ize
bronchisepticin *Med.*
oversepticize *Med.*
pyoseptic(a)emia -ic
septic
al(ly ity ize
-septic
a anti coly koly lubra
meno pre(anti) uro
septic(a)emia -ic *Med.*
-septicemia *Path.*
auto pneumo pyo
strepto
septicin(e *Chem.*
septico-
(a)emia *Med.*
phlebitis *Path.*
py(a)emia -ic *Path.*
zymoid *Biochem.*
septimetritis *Path.*

σηπτόν Neut. of σηπτός
septon *Chem.*
σηπτός putrified
asept- *Med.*
ify in(ol ol(in ule
pyosepth(a)emia *Med.*
sept-
(a)emia *Med.*
ectomy *Surg.*
ous
septo-
diarrhoea *Med.*
genic *Med.*
germ
maxillary *Ich. Ornith.*
meter *Med.*
nasal
pyra *Path.*
sporiose *Phytopath.*
sporium *Bot.*
tomy *Surg.*
-septol
a china cupria entero
hydrargo (oxy)quina
σήρ silkworm (Paus.)
Javanaseris *Pal.*
Lophoseris *Coel.*
-idae -inae
σήραγξ cavern; pore (Plato)
serangitis *Path.*
Σῆρες a people of India
Seres -ean -ian
σηρικο- Comb. of σηρικός
serico-
carpus *Bot.*
derus *Ent.*
stoma -id(ae -oid *Ent.*
σηρικός -όν silken; silk
holosericeous *Bot. Ent.*
Pachyderoserica *Ent.*
serge
seri-
culture -al -ist
culus *Ornith.*
fic form
graph *Textiles*
lophus *Ornith.*
meter *Arts*
positor
seric
sericeo-
sericeous *Bot. Zool.*
sericic *Chem.*
-ate(d -in(e
sericite -ic *Min.*
sericitization *Petrog.*
serictery -ium *Ent.*
sericum *Surg.* -us *Ent.*
serin(e *Chem.*
silk
en(ly ette iliness ily
worm y
σής a moth (Pindar)
Sesia *Ent.*
-iid -iidae -iinae -iin(e
σησαμῆ (Geop.)
sesame
Sesamodon *Pal.*
σησάμινος (Diosc.)
sesamin(e *Org. Chem.*
σησαμοειδής (Theophr.) (Hipp.)
sesamoid (e)al
sesamoiditis *Vet.*
σήσαμον sesame seed, fruit, or oil
sesamitis *Path.*
sesamol *Org. Chem.*
Sesamum *Bot.*
σήσαμος = σήσαμον
sesamus
Σηστιάς of Sestus
Sestiad *Lit.*

σηστός sifted
seston *Bot.*
sestonology *Bot.*
σῆστρον a sieve
Sestrosphaera *Pal.*
σήψ (σηπός) a serpent whose bite causes thirst (Arist.)
Alloseps *Ent.*
Sepidae -ea *Herp.*
sepiform *Herp.*
Seps *Herp.*
σῆψις putrefaction
antisepsin *Mat. Med.*
asepsin(e *Mat. Med.*
oxysepsin *Bact.*
sepsin(e *Med.*
sepsis *Med.*
-sepsis *Med.*
a coli encephalo endo
entero exo h(a)emato
meno sarco stomato
typho uro
sepsometer *Med. App.*
urosepsin *Tox.*
-σθένεια as in ἀσθένεια
-sthenia *Path.*
adenohyper angio a-
myo heminyo hyper
hypo neuro(para)
para(pro)
σθένιας Epith. of Athena
Sthenias *Ent.*
σθενο- Comb. of σθένος
stheno-
chire
meter -ry *Med.*
pyra *Med.*
σθένος strength; might
amasthenic *Photog.*
calc)clinohypersthene
cal(l)isthenic(s -al -ium *or* -eum
disthene *Min.*
Dorysthenes *Ent.*
hypersthene -ic -ite *Min.*
hypersthenuria *Med.*
hyposthenuria *Med.*
kinosthenic *Math.*
Laemosthenes *Ent.*
Megasthena -e -ic *Mam.*
metasthenic *Ent.*
Microsthena -e -ic *Mam.*
prosthenops *Pal.*
siderosthene *Trade*
sthenadelpha *Ent.*
sthenia -ic *Path.*
-sthenic *Med.*
amyo aniso hyper
hypo mero meso podo
pro zymo
sthenosize *Textiles*
urosthene-ic *Zool.*
σιαγών the jawbone
hyposiagonarthritis
Siagon *Crust.*
Siagona *Ent.*
siag(on)antritis *Path.*
siagonopod *Crust.*
σιαλ- Stem of σίαλον
sial-
aden *Anat.*
adenitis *Path.*
adenoncus *Tumors*
agogue -ic *Med.*
aporia *Med.*
emesis *Med.*
ine *Physiol.*
oid
σιαλικός (Galen)
sialic *Physiol.*
σιαλίς a kind of bird (Ath.)
Leptosialis *Ent.*

Sialis *Ent.*
-ia -id(ae -ida(n -oid
σιαλισμός (Galen)
sialism(us *Path.*
σιαλιστήριον a bridle-bit
sialisterium *Ent.*
σιαλο- Comb. of σίαλον
aerosialophagy *Physiol.*
sialo-
adenitis *Path.*
aerophagy *Physiol.*
ang(i)itis *Path.*
dochitis *Path.*
duct(il)itis *Path.*
genous *Med.*
gogue -ic *Physiol.*
lith
lithiasis *Path.*
logy *Med.*
rrh(o)ea *Path.*
schesis *Path.*
semeiology *Diag.*
syrinx *Med.*
zemia *Med.*
σίαλον saliva
angiosialitis *Path.*
antisiala(*or* o)gogue
antisialic *Med.*
asialia *Med.*
hyposialadenitis *Path.*
oligosialia *Path.*
polysialia *Path.*
σιαλοχόος (Galen)
sialochous
Σίβυλλα a prophetess (Ar.)
sibyl(la
sibyll-
ianist ic ine ism
Σιβυλλιστής (Plutarch)
sibyllist(ic
σιγή silence
Cod(on)osiga *Prot.*
-id(ae
σίγλος a shekel
siglos *Music Num.*
σίγμα the letter Σ
Pleurosigma *Bot.*
sigma *Alph.*
Sigmagraptus *Pal.*
sigmaspire -al *Spong.*
sigmate -ion
sigmatic -ism(us
sigmella *Spong.*
Sigmistes *Ich.*
Sigmodon(& (es *Mam.*
σιγματίζειν (Eust.)
parasigmatism(us *Phon.*
sigmatize
σιγματο- Comb. of σίγμα
sigmato-
phore -a -ous
σιγματοειδής = σιγμοειδής
sigmatoid *Anat.*
σιγμοειδής C-shaped
mesosigmoidopexy
proctosigmoidectomy
sigmoid(al(ly
sigmoid- *Med.*
ectomy itis
-sigmoid *Anat.*
dolicho ileo inter mega(recto meso recto vesico
-sigmoiditis
meso peri procto
sigmoido- *Surg.*
pexy proctectomy proctostomy rectostomy scope scopy stomy
-sigmoidostomy *Surg.*
ceco ileo uretero(trigono vesico

σίγραι a wild swine
Echinosigra *Zool.*
σίδη water-lily? (Theophr.)
Sida -eae *Bot.*
Sida *Crust.*
-id(ae -oid
Sidalcea *Bot.*
σιδηρ- Stem of σίδηρος
sider-
actis -id(ae -oid
aphthite *Metal.*
azote -ite *Min.*
ic
ism(us *Med.*
onym
osis *Path.*
σιδήριος of iron or steel
sidereous
σιδηρίτης (Strabo)
aerosiderite *Meteors*
asiderite *Geol. Med.*
siderite -ic *Bot. Min.*
-siderite *Min.*
antho aphro arsenio carpho chalco erythro holo hyalo hypo io litho mangano melano meso oligo pharmaco phospho poly pyrrho pyro sph(a)ero spora stilpno sys xantho
sporadosiderite *Meteor.*
σιδηρῖτις (Diosc.)
Sideritis *Bot.*
σιδηρο- Comb. of σίδηρος
aerosiderolite *Meteor.*
sidero-
borine *Min.*
calcite
chalcite *Min.*
chrome
clepte
conite
crinus *Pal.*
dot *Min.*
dromophobia
ferrite *Min.*
genous *Med.*
gnost *Elec.*
graph(y *Engrav.*
-ic(al -ist -ite
lite lith(ic *Meteors*
magnetic
mancy
melane *Petrog.*
natr(ol)ite *Min.*
phil(ous *Histol.*
philes *Bot.*
phobes *Bot.*
phobia *Ps. Path.*
phone *Ophth.*
phyllite *Min.*
phyre *Geol.*
plasts *Bot.*
plesite *Min.*
pyrite *Min.*
scope
stat(ic *Astron.*
sthene *Trade*
til tyl *Min.*
xylon *Bot.*
σιδηροδάκτυλος
Siderodactylus *Ent.*
σίδηρος (Iliad)
antisideric *Chem.*
asiderosis *Med.*
hagiosidere -on *Gr. Ch.*
h(a)emosiderin *Biochem.*
h(a)emosiderosis *Path.*
Metrosideros -eae *Bot.*
oligosideric *Chem.*
siderous -ose *Petrol.*
xanthosiderin *Biochem.*
σιδηρουργία (Poll.)

siderurgy -ic(al *Metal.*
Σιδώνιος of Sidon (Herod.)
Sidonian
σίελον = σίαλον
Siela *Ent.*
Σικανός (Thuc.)
Sicanian
Σικελία (Pindar)
Siciliana *Dances*
Sicily
-ian -ienne
Siculo-
Moresque Punic
Siculodes *Ent.*
-id(ae -ina(n -in(e -oid
Σικελιώτης (Thuc.)
Siceliot
Σικελός Sicilian
Sicelomyrmex *Ent.*
σίκερα (Sept.)
cider
ish ist kin y
σίκιννις a dance of satyrs
sicinnis -ian *Gr. Drama*
σίκλος = σίγλος
shekel
sicle *Coins*
σικύα ?a melon (Arist.)
sikyotic *Bot.*
σικύδιον Dim. of σίκυος
Sicydium *Ich.*
σίκυος cucumber (Ar.)
Ampelosicyos *Bot.*
Sicyos -yoideae *Bot.*
σικυώνη melon, gourd
Parasicyonia *Zooph.*
Σικυώνιος (Thuc.)
Sicyonian *Geog.*
σικχασία nausea
sicchasia *Path.*
σίλλος squint-eyed
sillometer
σιλλογράφος Fr. σίλλος satirical poem
sillograph
er ist
σίλλυβος thistle (Diosc.)
Silybum *Bot.*
σίλουρος (Aelian)
Penesilurus *Ich.*
silure -us *Ich.*
-ian -id(e -idae -idan -ine -oid(ea -oidei
σίλφη insect, beetle
Chrysosilpha *Ent.*
Silpha *Ent.*
-al -id -idae -oid
silphology -ic *Ent.*
Silphomorpha *Ent.*
Sylph *Ent.*
σίλφιον assafoetida?
Silphium *Pal.*
silphium *Plants*
σίμαλος = σιμός
Simalurius *Arach.*
σίμβλον beehive; hoard
Simblum *Fungi*
σιμή
sima *Gr. Arch.*
σιμο- Comb. of σιμός
simo-
bius *Arach.*
cyon(idae *Pal.*
dactylus *Ent.*
lestes *Pal.*
pelta *Ent.*
pithecus *Pal.*
rhyncus *Ornith.*
saur(us -ian *Pal.*
σιμός snub-nosed

Simenchelys *Ich.*
-yid(ae -yoid
simesthesia *Med.*
Simia *Mam.*
-iad -ial -iidae -iinae -iin(e -ioid
simian
simious(ness
simous
-simus *Ent.*
Dactylo Rhino
Σίμων
antisimoniacal
simony
-er -iac(al le ly ness re) -ial -ical(ly -ient(ly -ier -ious -ism -ist -ite
Σιμωνιανός (Just. Apol.)
Simonian(ism *Eccl.*
Σίναι or Σινᾶ Sinai
Sinesian *Geog.*
Sinetic *Geog.*
Sinify -ication
Siniperca *Ich.*
Sinitic
Σιναῖον of Sinai
Sinaean -aic
Σιναῖτις of Sinai
Sinaitic
σίναπι mustard (N. T.)
merosinigrin *Org. Chem.*
sinamin(e *Org. Chem.*
sinapic *Org. Chem.*
-ate -in(e -ite -olin(e
Sinapis *Bot.*
sinapiscopy *Med.*
sinigrin(ase *Chem.*
σιναπίζειν (Matthaei Med. from Pallad.)
sinapize *Med.*
σιναπισμός (Diosc.)
sinapism -istic *Med.*
σινδών (Herod.)
sindon (less *Arts*
Σινικός
Sinic
al ism ization ize
Sinico-
Sinism
Σινωπίς Sinope
Sinoper -ian
sinopite *Min.*
sinopole
σίνος harm, bane
sino-
caris *Pal.*
cystis *Pal.*
dendron *Ent.*
phloeus *Ent.*
tagus *Ent.*
therium *Pal.*
xylon *Ent.*
-sinus *Ent.*
Dendro Hyle Phloeo
σίντωρ ravenous
Sintor *Ent.*
Σίνων (Soph.)
Sinon(ism
Σινώπη Sinope
Palaeosinopa *Pal.*
Σινωπικός of Sinope
Sinopic
σίον (Theocr.)
sion *Plants*
σιπαλός purblind
Sipalocyon *Pal.*
Sipalus
Σίπυλος Sipylus
sipylite *Min.*
σιρο- Comb. of σιρός
siro-
genes *Ent.*
gonimium *Lichens*

σιρός corn pit
ensile
-age -ist
Plesiosiro *Pal.*
silage
silo
Siro -onidae *Arach.*
-σις Fem. action suffix as in γένεσις
colpeurynsis *Surg.*
dysperistalsis *Med.*
dysthyreosis *Med.*
-eurysis *Surg.*
colp hyster metr
gastroxynsis *Path.*
σίσαρον (Diosc.)
siser *Bot.*
σισύμβριον (Theophr.)
Sisymbrium *Bot.*
σισύρα goatshair cloak
Sisyra *Gr. Dress*
Sisyrium *Ent.*
Sisyrodonta *Ent.*
σισυριγχίον (Theophr.)
Sisyrinchium -eae *Bot.*
Σισύφειος (Ar.)
Sisyphean
Σισύφιος = Σισύφειος
Sisyphian
Σίσυφος (Odyssey)
Sisyphism -ist
Sisyphus *Ent. Myth.*
σιτάριον Dim. of σῖτος
Sitaris *Ent.*
σιτάρχης commissary
sitarch *Gr. Mil.*
σιτευτής one who feeds
Siteutes *Ent.*
σίτησις feeding
Saprosites *Ent.*
σιτίον food, orig. of grain
sitiergia *Ps. Path.*
sitio-
logy
mania
phobia
σιτο- Comb. of σῖτος
heterositostanol *Chem.*
sito-
drepa *Ent.*
logy
mania
phobia -ic
stanol -one *Biochem.*
stene -one *Biochem.*
sterol *Biochem.*
therapy *Ther.*
toxicon
toxin -ism *Path.*
tropism *Cytol.*
σῖτος grain; bread; food
allelositism *Bot.*
coenosite *Biol.*
ecosite *Biol.*
metasitism *Bot.*
oikosite *Biol.*
omphalosite *Terat.*
Trogosita *Ent.*
id(ae -oid
σιτοφάγος eating grain
Sitophagus *Ent.*
σιττη the nuthatch (Arist.)
Acanthisittidae *Ornith.*
Geositta *Ornith.*
Sitta *Ornith.*
-ella -idae inae ine
σιτώνης grain buyer
Sitones *Ent.*
σιφνεύς a mole (Lyc.)
Siphneus *Mam.*
-einae -ein(e
σίφων a siphon
Adelosiphonia -ic *Conch.*

amphiphyllosiphony *Bot.*
Anomalosipho *Pal.*
antisiphonal *Conch.*
Asiphon- *Conch.*
acea ea ia iata iate ida
Bathysiphon *Pal.*
chamaesiphoneous *Bot.*
circumsiphonal
cladosiphonic *Bot.*
Conosiphon *Ent.*
dictyosiphon *Bot.*
ectosiphon *Pal.*
endosipho- *Conch.*
blade coleon cone cylinder funicle tube
endosiphon(al *Conch.*
Eurysiphe *Bot.*
-aceae -aceous -eae
esiphonal -ate *Zool.*
Eurysiphonella *Pal.*
Eusiphonia *Conch.*
-acea -aceous
Glossiphonia *Zool.*
Haplosiphonia -iate
Holosiphona- ate *Zool.*
macrosiphon *Conch.*
ula(r ulate
microsiphon(ales *Conch.*
microsiphonula *Conch.*
-ar -ate -ation
microsiphuncle *Biol.*
monosiphonic *Conch.*
monosiphonous *Bot.*
parasipho *Pal.*
Perisiphonia -idae
phragmosiphon
phyllosiphonic -y *Bot.*
Polysiphonia
polysiphonic -ous *Prot.*
prosiphon(al *Conch.*
protosiphon(ula *Conch.*
pseudosiphon(al *Conch.*
pseudosiphuncle *Zool.*
Retrosiphonatae *Conch.*
Rhopalosiphum *Ent.*
Schizosiphon *Bact.*
Schizosiphona *Conch.*
scytosiphon *Bot.*
(ac)eae aceous
sipho *Zool.*
sipho-
coryne *Ent.*
rhinal -ian *Ornith.*
some *Hydrozoa*
stoma *Ich.*
siphoid *Trade*
siphon
age al ed ic iform less
Siphon *Bot.*
(ac)eous ales eae eus
siphonal *Zool.*
siphon-
anth(ae -ous *Zooph.*
apter(a -ous *Ent.*
aria -iid(ae -ioid *Conch.*
ata ate(d *Conch. Ent.*
ea *Bot.*
et *Ent.*
ia(ta *Conch.*
ida *Conch. Ent.*
ifera -ous *Conch.*
iphyton *Bot.*
ium -ial *Ornith.*
oma *Tumors*
ula *Zooph.*
-siphonata *Conch.*
A Annulo Pro Retro
-siphonate *Conch.*
A endo pro retro schizo
siphuncle(d
Siphunculata *Ent.*
siphunculo-
morpha -ic *Helm.*
siphunculus *Conch.*
-ar -ate(d
Siphunculus *Helm.*
-acea(n -aceous -ar

Siphunculus Cont'd
-id(ae -ida -iform -ina -oid(ea
Sirosiphon *Algae*
-(ac)eae -(on)oid
thermosiphon(ic *Phys.*
σιφωνο- Comb. of *σίφων*
asiphonogen *Bot.*
protosiphonogamic
siphono-
branchiate -a *Conch.*
chlamydate *Conch.*
cladus *Algae*
-aceae -aceous
dentalium *Conch.*
-iid(ae -ioid
gam(a(e *Bot.*
gamy -ic -ous *Bot.*
glyph(e *Zooph.*
gnathus *Ich.*
-id(ae -oid
phrentis *Ich.*
phytum *Bot.*
plax
pod(a -ous *Conch.*
pore *Coel. Hydrozoa*
rhin(e -ian *Ornith.*
ris *Ornith.*
some(s -a *Zooph.*
stele -ic *Bot.*
stome *Conch. Crust.*
-a(ta -(at)ous
thyrid *Pal.*
treta *Conch.*
-acea -id(ae -oid
zooid *Coel. Hydrozoa*
σιφωνοφόρος
Siphonophora *Ent.*
-id -idae oid
Siphonophora(e *Zooph.*
-al -an -e -ous
Σιωνίτης (Damasc.)
Sionite *Eccl. Hist.*
σιωπηλός silent
Siopelus *Ent.*
σκαζών (*-οντος*) limping
scazon *Pros.*
tian tic
σκαιο- Comb. of *σκαιός*
skeocytosis *Med.*
hyper- hypo- normo-
σκαιός left
Scaevola *Bot.*
σκαλεία hoeing
Scalaeoptera *Ent. Pal.*
σκαληνο- Comb. of *σκαληνόν*
discalenohedron *Geom.*
scalenohedron -al
σκαληνοειδής (Hipp.)
scalenoidal
σκαληνόν (Arist.)
scalenon -um *Geom.*
σκαληνός uneven, unequal
(medi)scalene -us *Anat.*
scalene -ity -ous *Geom.*
σκαλίς a bowl (Hesych.)
Scalibregma *Helm.*
-id -ida(e -oid
Scalidia *Ent.*
Scalitina *Pal.*
σκάλοψ a mole (Ar.)
Proscalops *Pal.*
Scaloposaurus *Pal.*
Scalops *Mam.*
Σκάμανδρος (Iliad)
Scamander *Geog.*
σκαμβός crooked, bent
Scambus *Ent.*
σκάμμα leaping-place
skamma *Gr. Athl.*

σκαμμωνία (Theophr.)
scammony
-ial -iate -ic -in -olic -ose
σκαμμωνίτης (Diosc.)
scammonite
σκανδαλίζειν (N. T.)
escandalize *Obs.*
scandalize(r -ation
σκάνδαλον (N. T.)
scandal
ist led ler ous(ly ousness
scanmag *Slang*
slander
er ful(ly ing(ly ous(ly ousness
σκάνδιξ chervil (Ar.)
Scandicineae *Bot.*
Scandix *Bot.*
σκαπάνη a mattock
Scapanes *Ent.*
Scapanodon *Pal.*
Scapanus *Mam.*
σκᾶπος = *σκῆπτρον*
Pegoscapus *Ent.*;
Platyscapus *Ent.*
scape -us *Arch. Bot. Ent. Ornith.*
scapel *Bot.*
scapiform *Bot. Min.*
scapigerous *Bot.*
scapolite *Min.*
scapolitization *Petrog.*
Scapomegas *Ent.*
sulphato-scapolite *Min.*
σκάπτειν to dig
Geoscaptus *Ent.*
σκαπτήρ a digger
Scopterus *Ent.*
σκαπτός dug
Scaptobius *Ent.*
Scaptodon *Pal.*
Scaptolenus *Ent.*
Scaptophilus *Ent.*
σκαρθμός a leaping
Tachyskarthmos *Arach.*
σκαρῖτις Fr. *σκάρος* (Pliny)
Scarites -id *Ent.*
σκαριφᾶσθαι to sketch
scarify
-ication -icator -ifier
Scariphaeus *Ent.*
scarred -y
σκάρος a fish
Pseudoscarus *Ich.*
Scarus *Ich.*
-id(ae -ina(e
σκάρτης nimble
Scartella *Ich.*
Scartichthys *Ich.*
σκατ- Stem of *σκῶρ*
scat-
acratia *Med.*
emia *Med.*
imus *Ent.*
ol(e *Org. Chem.*
oxyl *Org. Chem.*
skatol -oxyl
σκατο- Comb. of *σκατός*
scato-
logia -y -ic(al
mancy manter
nomus *Ent.*
scope
skatology -ic
σκατός Gen. of *σκῶρ*
skatosin *Chem.*
σκατοφάγος eating dung
Scatophaga *Ent.*
-e -ian -ic -(in)ae -ous -y

Scatophagus *Ich.*
-id(ae -oid(ea(n
σκαῦρος with projecting ankles
Scaurus *Ent.*
σκάφη a tub; bowl; skiff
Scapha *Anat. Ent. Pal.*
-scapha *Ent.*
Aniso Hydro Morpho Psilo Rhino
scaphage
scaphander *or* -re
Scaphander *Conch.*
-andrid(ae -android
Scaphaspis *Pal.*
scaphism
scaphite(s *Conch.*
-id(ae -oid
-scaphula *Ent.*
Cosmo Tropido
σκαφηφόρος bowl-carrier
scaphephorus *Gr. Ritual*
σκαφίδιον Dim. of *σκαφίς*
Scaphidium -iidae *Ent.*
Iso- Pachy-
Scaphidopsis *Ent.*
σκάφιον Dim. of *σκάφη*
scaphio-
criminae *Pal.*
pod(id(ae -inae -oid
pus *Herp.*
scaphium *Bot. Ent. Gr. Ant.*
-scaphium *Ent.*
Para Pheno
σκαφίς Dim. of *σκάφη*
scaphi-
coelia *Ent.*
coma *Ent.*
dema *Ent.*
domorphus *Ent.*
durus *Ornith.*
-inae -ous
notus *Ent.*
nus *Ent.*
rhynchus *Ich. Ornith.*
-inae -ine
soma *Ent.*
Scaphodius *Ent.*
σκαφο- Comb. of *σκάφος*
scapho-
brya *Ferns*
calcaneal *Anat.*
cephalism *Craniom.*
-ic -ous -us -y
cerite -ic *Anat.*
cuboid *Anat.*
cuneiform *Anat.*
derus *Ent.*
gnathite -ic *Crust.*
hydrocephalus -y
lunar(e *Anat.*
pod(a(n -ous *Conch.*
rhyncus *Ornith.*
trapezium *Zool.*
skaphoplankton *Bot.*
subscaphocephaly
σκαφοειδής bowlshaped
scaphoid *Anat.*
al es eum
-scaphoid *Anat.*
astragalo calcaneo cuneo tibio talo
scaphoid(ea *Zool.*
scaphoiditis *Path.*
σκάφος = *σκάφη*
podoscaph(er
σκελε- Comb. of *σκέλος*
Sceleacantha *Ent.*
Sceleodia *Ent.*
sceletopy *Anat.*
σκελεαγής leg-breaking
Sceleages *Ent.*
σκελετόν a mummy; (Galen)

deskeletonize
Silicoskeleta *Prot.*
skelet(izat ion
-skeletal
a derm(at)o ecto endo epi exo neuro pneumo sclero silico splanchno viscero
skeleto-
geny -ous
graphy
logy
topy
trophic
skeleton
ess ian ic ization ize(r less ly tal wise y
-skeleton
auto chondro chordo derma derm(at)o ecto endo exo melo neuro pneumo pseudo sclero splanchno zono
σκελετώδης mummy-like
Skeletodes *Ent.*
σκελίς (*-ίδος*) a rib of beef
Araeoscelis -idia *Pal.*
Brachyscelides *Ent.*
Limnoscelis *Pal.*
Notosceles *Crust.*
Odontoscelia *Ent.*
Scelida *Ent.*
scelidate
Scelides *Mam.*
scelidosaur(us *Herp.*
ian id(ae iform oid
scelidothere -ium *Pal.*
-scelis *Ent.*
Canthylo Haplo Harpo Nemato Pachy Psectra Psilo Rathymo Rhaebo Rhopalo Steno Temno Trachy Trigono Xeno Xipho
Toxoscelus *Ent.*
σκελο- Comb. of *σκέλος*
mesoscelocele *Path.*
scelo-
combosis
physa *Ent.*
porus *Herp.*
rrheuma *Path.*
σκέλος (*-εος*) leg
discelion
diskeles *Gr. Numism.*
Gigantoscelus *Pal.*
Lophosceles *Ent.*
Monosceli *Myth.*
Ornithoscelida(e -an
Parascelus *Crust.*
-id(ae -oid
polyscelia -us *Terat.*
Prionoscelia *Ent.*
Pygoscelis *Ornith.*
rh(a)eboscelia
scel-
algia *Path.*
odonta *Ent.*
oncus *Path.*
-scelus *Ent.*
Hadro Neotoxo Ploco Sympiezo
skelalgia *Path.*
skelos *Anat.*
σκελοτύρβη (Galen)
scelotyrbe *Path.*
σκέμμα (*-ατος*) a question
skemmatite *Min.*
Skemmatopyge *Pal.*
σκέπασμα a covering
Scepasma *Pal.*
σκεπάστρα a bandage
Enscepastra *Ent.*

σκεπας a covering
Macroscepis *Bot.*
σκέπη a covering
hede(*or* y)scepe *Bot.*
(hetero)sepalody *Bot.*
sepaloid *Bot.*
-sepalous *Bot.*
aniso anti deca dialy di eleuthero epi gamo hepta hexa oligo macro mono penta poly protero steno syn tetra
σκεπτικός (Galen)
overscepticism
sceptic
al(ly alness ism ity ize ly
skeptophylaxis *Med.*
σκευο- Comb. of σκεῦος a utensil; thing
skeuo-
biomorph *Art*
morph(ic *Art*
σκευοφόριον pyx (Anast.)
sceuophorion *Gr. Ch.*
σκευοφυλάκιον sacristy
sceuophylacium *Gr. Ch.*
σκευοφύλαξ sacristan
sceuophylax *Gr. Ch.*
σκέψις speculation
aeroscepsis -y *Zool.*
omphaloskepsis
σκηνή a tent; stage; acting
helioscene
interscene
postscenium *Arch.*
prescene
scena -arist -ary
scenario(ist -ize
scene
ful -ish -ist ry
Scenedesmus -etum *Bot.*
scenonym
σκηνικός theatrical
scenic (al(ly
semiscenic
σκηνίτης tent-dweller
scenite
σκηνογραφία (Arist.)
scenography
σκηνογραφικός (Strabo)
scenographic(al(ly
σκηνογράφος (Diog. L.)
scenograph(er
σκηνοπηγία feast of tents
scenopegia *Eccl.*
σκηνοποιός tent-making
Scenopinus *Ent.*
id -idae
σκηπτοῦχος sceptred
?skepptychigene *Geol.*
σκῆπτρον staff; sceptre
Pachysceptron *Pal.*
sceptre *or* -er
-al -ed dom less -rous -y
sceptrella -iform *Spong.*
unsceptre
σκῆτος
skete *Gr. Ch.*
σκῆψις a pretext
Parascepsis *Ent.*
Scepsis *Ent.*
σκιά a shadow
chromasciopticon *Optics*
chroma(to)sciameter
dentiaskiascope *Dent.*
Ophioscion *Ich.*
phonendoskiascope *Med.*
Plagioscion *Ich.*
retinosciascopy
scioptic(on -ics
scioptric
sciuroid *Bot.*
Scopus *Ornith.*
-id(ae -oid
skia-
gram(matic(ally
meter *Radiog.*
metry
philus *Ent.*
pteryx *Ent.*
scope -ic -y
sophy
σκιαγραφία (Plato)
orthoskiagraphic *Photog.*
orthoskiagraphy *Med.*
sc(*or* k)iagraphy
-ic(al(ly
stereoskiagraphy *Radio*
σκιαγράφος sketching
orthoskiagraph *Med.*
sc(*or* k)iagraph(er
σκιάδειον (Theophr.)
Sciadium -iaceae *Bot.*
σκιαδεύς (Arist.)
Sciadeichthys *Pal.*
σκιαδηφόρος carrying an umbrella or sunshade
Sciadephorus *Moll.*
skiadephoros *Gr. Ritual*
σκιαδο- Comb. of σκιάς
sciado-
phyllum *Bot.*
pitys *Bot.*
σκιάζειν to overshadow
Sciades *Ent.*
σκιαθηρικός for a sundial
sciatheric(al(ly
σκίαινα (Arist.)
Cynoscion *Ich.*
Sciaena *Ich.*
-id(ae -iform(es -inae -oid(ea
Sciaenops *Ich.*
σκιαμαχία (Plutarch)
sc(*or* k)iamachy
Σκιάποδες (Ar.)
Sciapodes -ous *Myth.*
σκιαρός = σκιερός
Sciara -inae *Ent.*
σκιάς (-άδος) canopy, arbor;
scias -iad *Bot.*
σκίγκος a lizard (Diosc.)
Scincus *Herp.*
-id(ae -idoid -iform -oid(ea -oidian
scink scinque
σκιερός shady; dark (Hipp.)
scieropia *Path.*
σκίλλα (Theophr.)
Scilla -eae *Bot.*
scilla *Pharm.*
scillain -ine *Org. Chem.*
scillidiuretin *Org. Chem.*
scillipicrin *Org. Chem.*
scillocephalous -us *Terat.*
squill(a -ian
squilloid(ea *Zool.*
σκιλλιτικός (Diosc.)
scillitic *Pharm.*
skillitin(e *Chem.*
squillitic *Med.*
σκιμβάζειν to limp
Scimbalium *Ent.*
σκινδαψός an ivylike tree
scindapse
Scindapsus *Bot.*
σκιο- Comb. of σκιά
Lepidoscioptera *Ent.*
scio-
bius *Ent.*
cincla *Ornith.*
scio- Cont'd
mancy mantic
philous *Phytogeog.*
phyll *Bot.*
phyte -a -ia *Bot.*
theism
σκιογραφία = σκιαγραφία
sciography
σκιοθηρικός = σκιαθηρικός
sciotheric(al(ly
σκιομαχία (Galen)
sciomachy
σκίουρος (Oppian)
Neosciuromys *Pal.*
Prosciurus
Pseudosciurus *Pal.*
-id(ae -oid
sciuromorph *Mam.*
-a -ic -inae -ine
Sciuropterus *Mam.*
Sciurus *Mam.*
-id(ae -inae -in(e -oid
squirrel
fish ish tail
squirrellian
σκίπων a staff
Scipopus *Ent.*
Σκιροφορία (Clem. Al.)
Sk(*or* c)irophoria
Σκιροφοριών June-July
Sc(*or* k)irophorion
σκίρρος (Hipp.)
scirrencanthus *Tumors*
scirrh- *Path.*
oid oma
ophthalmia
ose -ity
scirrho- *Path.*
blepharoncus
gastria
sarca
scirrhus -ous *Path.*
-scirrhus *Path.*
adeno cysto dacryadeno gastro haemo hepato masto melano metro oario orchio parotido procto prostato pyloro spleno
σκιρτάειν to leap, bound
Dendroscirtus *Ent.*
Scirtes *Ent.*
σκιρτοπόδης spring-footed
scirtopod(a ous *Ent.*
Σκίταλος lechers
Scitala *Ent.*
σκληρ- Comb. of σκληρός
scler-
adenitis *Path.*
anth(us *Bot.*
eae ium
(at)itis *Path.*
ectasia *Path.*
ectome *Surg. App.*
ectomy *Surg.*
-iridectomy *Surg.*
ema -ia *Path.*
encephalia -y *Path.*
enchyme -a(tous *Bot.*
erythrin *Pigments*
ified *Bot.*
in *Bact.*
iritomy *Surg.*
ite -ic *Zool.*
ites *Bot.*
iticotomy *Surg.*
itis *Path.*
ization *Biol.*
onychia *Path.*
osteous *Anat.*
urus *Ornith.*
-inae -in(e
σκληραγωγία hardy training
scleragogy -ist
σκληρία hardness
Scleria -ieae *Bot.*
σκληριάσις (Galen)
scleriasis *Path.*
σκληρο- Comb. of σκληρός
acroscleroderma *Path.*
iridosclerotomy *Surg.*
megasclero-
phora(n *Spong.*
mesosclerometer *Mech.*
microsclero-
meter *Min.*
phora -ous *Spong.*
sclero-
anthin *Chem.*
baris *Ent.*
base -ic(a *Zooph.*
basis *Zooph.*
blast(ic *Bot. Zool.*
blastema -ic *Embryol.*
brachia *Brachiop.*
-iata -iate
cataracta *Ophth.*
cauly *Phytogeog.*
cele
chiton *Ent.*
choroiditis *Path.*
chroa *Ent.*
clase -ite *Min.*
coccus *Ent.*
conjunctival -itis
cornea -eal *Anat.*
crinidae *Pal.*
crystalline *Chem.*
cyperaceae *Bot.*
dactylia -y *Path.*
derm(ataceae *Fungi*
derm(i -ic *Ich.*
derm *Polyps*
derma *Path.*
-(at)itis -(at)ous -ia -ic
derma *Zooph.*
-ata -(at)ous -ic
dermata *Conch. Herp.*
-atous -ous
dermite -ic *Arthrop.*
derris *Fungi*
erythrin *Chem.*
gen(ia *Bot.*
genic -ous *Physiol.*
genous *Ich.*
-idae -oid
gnathus *Ent.*
gonidia *Bot.*
gummatous *Path.*
iodin *Chem.*
iritis *Path.*
keratitis *Path.*
keratoiritis *Path.*
lytic *Med.*
meninx *Anat.*
mere *Anat. Physiol.*
meter *Crystal.*
metric *Phys.*
mochlus -idae *Pal.*
mucin *Chem.*
mycetae *Fungi*
notus *Ent.*
nyxis *Surg.*
oophoritis *Path.*
oothecitis *Path.*
optic
pariae *Ich.*
parei *Zool.*
pathia *Path.*
phelloid *Bot.*
phyte *Bot.*
podous *Bot.*
protein *Biochem.*
pterus *Ent.*
rrhinus *Ent.*
sclero- Cont'd
sarcoma *Path.*
septum *Zool.*
skeleton -al *Anat.*
soma *Ent.*
spathite *Min.*
spora *Bot.*
sporose *Phytopath.*
stenosis *Path.*
stoma -inae *Helm.*
stomy *Surg.*
testa *Bot.*
thamnus -idae *Spong.*
thrix *Med.*
tome *Surg.*
tomy -ic *Surg.*
trachelus *Ent.*
trichia *Med.*
xanthin *Chem.*
zone *Anat.*
σκληρόδερμος (Arist.)
See also σκληρο-
scleroderm(a *Zool.*
σκληροειδής (Hesych.)
scleroid *Bot. Zool.*
σκληροκάρδιος (Sept.)
Sclerocardius *Ent.*
σκληρός hard
astrosclerid *Bot.*
brachysclerid *Bot.*
cilioscleral *Anat.*
cladosclereids *Bot.*
corneosclera *Ophth.*
dermosclerite *Zooph.*
deutosclerous *Anat.*
epicorneascleritis
episclera -al *Anat.*
episcleritis *Path.*
Haplascleridae *Spong.*
hyposcleral -ous *Surg.*
hyposclerite *Min.*
keratoscleritis *Ophth.*
macrosclereids *Bot.*
megasclere *Spong.*
-ic -on -ous -um
microsclere *Spong.*
-on -ous -um
Neosclerus *Ent.*
Nephroscleria *Path.*
Osteosclereids *Bot.*
otoscler(on)ectomy *Surg.*
perisclerium *Anat.*
protosclerenchyma *Bot.*
pyrosclerite *Min.*
rhinosclerin *Mat. Med.*
sclera(l *Anat.*
sclere *Spong.*
scleretinite *Min.*
scler(e)id *Bot.*
Scleron *Ent.*
sclerous *Ornith. Path.*
sklererythrin *Biochem.*
skleropelit *Geol.*
skleroseptum *Zool.*
stomsclerenchyma
subscleral *Anat.*
σκληρότης hardness
diasclerotic *Pysch.*
endosclerotium *Bot.*
episclerotitis *Path.*
exosclerotes *Bot.*
microsclerote *Bot.*
picrosclerotin *Chem.*
sclerotic(a -(ic)al *Anat.*
sclerot(in)ic *Chem.*
sclerotic-
ectomy *Surg.*
itis *Path.*
oid
-sclerotic *Path.*
angio anterio myo sub phlebo pre
sclerotico-
choroiditis *Path.*
nyxis *Surg.*

sclerotico- Cont'd
puncture
tomy -ia *Surg.*
Sclerotinia *Fungi*
-ial -iose
sclerotisectomia
sclerotitis -ic *Path.*
sclerotium -(i)oid *Zool.*
sclerotium *Bot.*
-e -iet -(i)oid -iose
sclerotized *Art.*
σκληροφθαλμία (Paul Aeg.)
sclerophthalmia *Path.*
σκληρόφυλλος (Theophr.)
sclerophyllous -y *Bot.*
σκλήρωμα (Hipp.)
scleroma *Path.*
-scleroma *Path.*
ino laryngo pharyngo rhino
σκλήρωσις = σκλήρωμα
antisclerosin *Mat. Med.*
sclerosis *Bot.*
sclerosis *Path.*
-al -e(d -ic -ing
-sclerosis *Path.*
adeno angio arterio athero cardio centro- (osteo) cerebro cranio dermato encephalo ino myelo myo nephro neuro osteo oto pan parotido phaco phlebo pre pseudo splanchno utero veno
σκνίψ (Arist.)
sciniph
σκολιο- Comb. of σκολιός
autoscoliotropous *Bot.*
scolio-
cystidae *Pal.*
kyphosis *Path.*
meter *Anat. Med.*
mus *Pal.*
rachitic *Med.*
tone *Med. App.*
skoliotropic *Bot.*
σκολιόγραπτος (Arist.)
scoliograptic
σκόλιον banquet song
sc(*or* k)olion *Gr. Music*
σκολιός aslant; crooked
Scolia *Ent.*
-iid(ae -ioid
Scoliodon *Sharks*
scolite *Helm.*
σκολίωμα a bend, curve
rachioscholioma *Path.*
scolioma *Path.*
σκολίωσις crookedness
kyphoskoliosis & -iotic
scoliosiometry *Med.*
scoliosis *Path.*
-scoliosis *Path.*
cnemo cypho kypho lordo rachio
scoliosometer *Med. App.*
scoliotic *Path.*
-scoliotic *Path.*
kypho
σκολόπαξ (Arist.)
scolopac- *Ornith.*
eous id(ae inae in(e oid(ean oideae
Scolopax *Ornith.*
σκολόπενδρα (Arist.)
scolopender -ra *Ent. Ich.*
Scolopendra *Ent.*
-id(ae -iform -inae -in(e -oid
Scolopendrella *Ent.*
-id(ae -oid

σκολοπένδριον (Theophr.)
Scolopendrium -ieae *Bot.*
σκολοπο- Comb. of σκόλοψ
scolopophore *Ent.*
σκόλοψ a stake
scolopsia *Surg.*
scolopsite *Min.*
Scolopterus *Ent.*
σκόλυμος (Theophr.)
Scolymus *Bot.*
σκολύπτειν to clip
Scolyptus *Ent.*
Scolytus *Ent.*
-id -idae -oid
σκόμβρος (Arist.)
Chloroscombrus *Ich.*
-inae -ine
Scomber *Ich.*
-id(ae -ina(e -ine -ini -oid(ea es inae)
Scomberesox *Ich.*
-oc(id(ae -inae -in(e -oid)
Scomberomorus *Ich.*
-inae -in(e
Scombraphodon *Pal.*
scombrid(ae *Ich.*
-idal -iform(es -inae -in(e -oid(ea(n -oidea -oides
scombrin(e *Biochem.*
Scombrolabrax *Ich.*
scombron *Chem.*
Scombrops *Ich.*
Σκόπας (Pausanias)
Scopaic *Art*
σκοπεῖν behold, consider
actinoscopic *Photochem.*
Geoscopus *Ent.*
panorthoscopic *Photog.*
scandiscope
-scope
-scopic *Bot.*
acro basi endo exo
σκοπελοειδής rocky
scopeloid *Craniom.*
σκόπελος a headland
Scopelus *Ich.*
-id(ae -idan -iform -inae -ine -oid
-scopelus *Ich.*
Dasy Pseudo Rhino
-σκοπία Fr. σκοπεῖν as in ἀεροσκοπία
abdominoscopy *Med.*
actino(stereo)scopy *Med.*
aedoeoscopy *Med.*
aerocystoscopy *Med.*
aerourethroscopy *Med.*
algeoscopy *Med.*
algoscopy *Chem.*
anthroposcopy
antroscopy *Med.*
astigmatoscopy *Ophth.*
auriscopy *Surg.*
autolaryngoscopy *Med.*
aut(o)ophthalmoscopy
autoscopy -ic *Ophth.*
bacterioscopy *Bact.*
-ic(ally -ist
bioscopy *Med.*
broncho(esophago)scopy
capillaroscopy *Med.*
celoscopy *Med.*
ceratoscopy *Med.*
cerebroscopy *Med.*
cheiloangioscopy *Med.*
choloscopy *Med.*
chromatoscopy *Phys.*
chromocholoscopy *Med.*
chromocystoscopy *Med.*
chromoscopy *Med.*
chromoureteroscopy

chronoscopy -ic(ally
cinemamicroscopy
c(o)elioscopy *Med.*
colonoscopy *Med.*
coroscopy *Ophth.*
cranioscopy *Med.*
-ic -ist
craniotonoscopy *Med.*
cryoscopy -ic *Phys.*
cryptoscopy *Optics*
crystalloscopy *Crystal.*
cytoscopy *Cytol.*
dactyloscopy
deuteroscopy -ia -ic
diaphanoscopy
diopt(r)oscopy *Ophth.*
dynamoscopy
electrobioscopy
endodiascopy *Med.*
endoscopy -ic *Med.*
entoscopy -ic *Med.*
esophago(gastro)scopy
-ic *Med.*
e(o)sophoscopy -ic
esthesioscopy *Med.*
fibrinoscopy *Diag.*
fluoroscopy -ic
galvanoscopy -ic
gastrodiaphanoscopy
gastroduodenoscopy
gastroscopy -ic *Med.*
gelo(to)scopy
geoscopy -ic
glossoscopy *or* ia *Med.*
h(a)ema(to)scopy *Med.*
h(a)ematospectroscopy
h(a)emoscopy *Med.*
helioscopy
hematalloscopy *Med.*
hemocryoscopy *Med.*
heteroscopy *Optics*
hydatoscopy
hygroscopy
-ic(al(ly -icity
hypopharyngoscopy
inoscopy *Diag.*
irrigoradioscopy *Med.*
keratoscopy *Surg.*
kinetoscopy *Diag.*
koroscopy *Ophth.*
kryoscopy -ic
laparogastroscopy
laparoscopy *Med.*
laparothoracoscopy
laryngoscopy *Surg.*
-ic(al(ly -ist
laryngostroboscopy -ic
macroscopy -ic(al(ly
manoscopy *Phys.*
meatoscopy
megaloscopy -ic
metalloscopy -ic *Med.*
meteoroscopy -ist
metrechoscopy *Diag.*
metroscopy *Med.*
microcryoscopy *Chem.*
microcrystalloscopy
micros. *Abbr.*
microscopy
-ic(al(ly -ics -ist -ize
microspectroscopy -ic
mixoscopia -ic
morphoscopy -ic *Biol.*
nauscopy *Naut.*
necroscopy -ic(al *Med.*
oesophogoscopy -ic *Med.*
omaplatoscopy *Folklore*
oneiroscopy -ist
ooscopy
ophthalmoscopy
-ic(al(ly -ist
organoscopy
orneoscopic(s -ist
orniscopy -ic -ist
ornithoscopy -ist
orthoscopy *Ophth.*

osteoscopy *Anat.*
otoscopy -ic(al *Surg.*
palmoscopy *Path.*
pelvioscopy *Med.*
pelviscopy *Med.*
pelvoscopy *Med.*
peritoneoscopy *Med.*
phantasmoscopia
pharyngo(rhino)scopy
phenoscopy
phonacoscopy *Diag.*
phonoscopy *Med.*
photofluoroscopy
photomicroscopy -ic
photoscopy -ic *Med.*
physioscopy
phytoscopy -ic
pleuroscopy *Med.*
podoscopy
polariscopy
polemoscopy
pressinervoscopy
proctocolonoscopy
proctoscopy -ic *Med.*
pseudoscopy -ic(al(ly
pupilloscopy *Optics*
pyeloscopy *Med.*
pyroscopy
radioscopy -ic *Phys.*
radiostereoscopy *Med.*
rectoromanoscopy *Med.*
retinosciascopy
retinoscopy *Ophth.*
-ic(ally -ist
rhinoscopy -ic
ro(e)ntgenoscopy
scatoscopy
sciascopy -ic
-scopy *Suffix*
scotoscopy
seroscopy *Diag.*
sigmoidoscopy *Med.*
sinapiscopy *Med.*
skiascopy -ic
spectroscopy *Phys.*
-ic(al(ly -ist
sphygmoscopy *Med.*
spiroscopy *Med.*
splanchnoscopy *Med.*
stereofluoroscopy *Med.*
stereoscopy
-ic(al(ly -ism -ist
stethoscopy
-ic(al(ly -ist
stomachoscopy *Med.*
stomatoscopy *Med.*
stroboscopy -ic(al *Phys.*
telectroscopy *Phys.*
telephotoscopy
theoscopy -ic(al(ly
thoracoscopy -ia
tracheobronchoscopy
tracheoscopic -ist
transcondomoscopy
trichoscopy
ultramicroscopy -ic(al
umbrascopy *Med.*
uranoscopy *Astron.*
uranostomatoscopy
urethroscopy -ic(al
urinocryoscopy *Med.*
urinoscopy -ic -ist
uroscopy -ic -ist
ventriculoscopy *Med.*
ventroscopy
zooscopy -ic
-σκόπιον or -σκοπεῖον Fr. σκοπεῖν as in ὑδροσκόπιον, κεραυνοσκοπεῖον, ἡλιοσκόπιον
adrenalinoscope *Med.*
aero-
bioscope *Med.*
clinoscope *Phys.*
coniscope *Phys.*
cystoscope *Med.*

aero- Cont'd
diaphthoroscope *Phys.*
scope *Biol. Meteor.*
-ic(ally
urethroscope *Med.*
aethrioscope *Meteor.*
agglutinoscope *Med.*
album(in)oscope *Med.*
alethoscope *Optics*
aleuroscope *Ind. Chem.*
altiscope *Arts*
amblyoscope *Arts*
amicroscopic
anaglyphoscope *Photog.*
anamorphoscope *Optics*
anarithmoscope *Arts*
anascope *Photog.*
anemoscope *Meteor.*
angioscope *Biol.*
anomaloscope *Ophth.*
anorthoscope -ic *Toys*
anoscope *Med.*
anthrophotoscope
antirrheoscope *Psych.*
antispectroscopic
antroscope *Med.*
apedioscope
aphenge(*or* o)scope
aphenoscope
astigm(at)oscope *Ophth.*
astrometeoroscope
astroscope *Astron.*
astrospectroscopic
atmidoscope *Meteor.*
auriscope *Surg.*
auscultoscope *Med.*
autechoscope *Med.*
autofundoscope *Ophth.*
autolaryngoscope
aut(o)ophthalmoscope
autoscope *Ophth. Psych.*
autostethoscope *Med.*
barocyclonoscope
barogyroscope *Mech.*
baroscope -ic(al(ly *Phys.*
bioscope
bronchoscope *Med.*
butyroscope *Ind. Chem.*
caloriscope *Med.*
cardioscope *Med.*
cathoscope
catoptroscope *Med.*
cavascope *Med.*
cel(i)oscope *Med.*
ceratoscope
chemoscopic *Biochem.*
chiloangioscope *Med.*
chroma(*or* o)scope
chromatoscope *Astron.*
chromatroposcope
chromeidoscope
chromoscope
chromostroboscope
chronoscope
ciliariscope *Ophth.*
cleptoscope
clinoscope *Optom.*
coelioscope *Surg.*
colloidoscope *Chem.*
colonoscope *Med.*
colposcope *Med.*
comparoscope *Micros.*
conchoscope *Med.*
coniscope *Meteor.*
conoscope
cosmoscope
cryoscope *Med.*
cryptoscope -ic *Optics*
cyclonoscope
cycloscope
cylindroscope *Photog.*
cymoscope *Elec.*
cystoscope *Surg.*
-ic(al(ly
cystourethroscope *Med.*
debuscope *Arts*
delineascope

dentiaskiascope *Dent.*
dermatoscopic *Zool.*
devioscope
diaphanoscope *Photog.*
diascope *Med.*
diastoloscope *Optics*
dichroiscope *Optics*
dichrooscope *Optics*
dichroscope -ic *Crystal.*
dietheroscope
dipleidoscope *Astron.*
diploscope *Ophth.*
disperscope *Colloids*
dissocioscope *Mech.*
dromoscope
dynamoscope
ebullioscope -ic
echoscope *Med.*
eido(lo)scope
electrocystoscope *Med.*
electroendoscope *Med.*
electroscope -ic *Med.*
electrostereoscope *Med.*
embryoscope -ic *Med.*
endodiascope *Med.*
endoscope *Med.*
endostethoscope *Med.*
endotoscope *Med.*
engyscope
enteroscope *Med.*
epidactyloscope
epidiascope
episcope
erythrophytoscope
erythroscope *Optics*
esophagoscope *Med.*
(o)esophoscope
euryscope *Photog.*
euscope *Sc.*
exoscopic(ally
fantasmascope
fanta(*or* o)scope
flora(*or* i)scope *Optics*
fluroscope
fontactoscope *Chem.*
galactoscope
galvanoscope
gasoscope
gastroscope *Med.*
glottiscope *Surg.*
gonioscope *Med.*
graphoscope
gyroscope -ic
h(a)ema(to)spectroscope
h(a)em(at)oscope
hagioscope -ic *Arch.*
haloscope
haploscope -ic *Ps. Phys.*
heliochromoscope
helioscope -ic
hemorrheumascope
heteroscope *Optics*
horismascope *Med.*
hydrodiascope *Ophth.*
hydroscope
hygrospectroscope
hypnoscope
hypo(pharyngo)scope
hysteroscope *Med.*
iconoscope
inductoscope *Elec.*
iridoscope
iriscope
isocryoscopic *Chem.*
isoscope
isoteniscope *Chem.*
kaleidoscope -ic(al(ly
keratoiridoscope *Ophth.*
keratoscope *Surg.*
kinescope
kinesiscope
kinetoscope -ic
kinetosc(*or* k)otoscope
kleptoscope
koniscope
kromskop *Med.*
kumascope -ic *Elec.*
kyma(*or* o)scope
lactoscope
lanternoscope *Photog.*
laparoscope
laryngendoscope *Med.*
laryngostroboscope *Med.*
leucoscope *Optics*
lithoscope -ist *Med.*
lychnoscope -ic *Arch.*
macroscope *Bot.*
magnetoscope
magniscope *Photog.*
malingeroscope *Ophth.*
manoscope *Phys.*
meatoscope
megalethoscope
megaloscope
megascope -ic(al(ly
melanoscope
meridianoscope
metalloscope
metamorphoscope *Arts*
metroradioscope
metroscope *Med. Phys.*
microbioscope
microkonoscope *Min.*
micromotoscope *Photog.*
micromyeloscope *Photog.*
microphonoscope *Med.*
microphotoscope
micropolariscope
microscope -al -ial -ic
Microscopium *Astron.*
microspectroscope
microstethoscope *Med.*
microzooscopic
mirrorscope *Optical.*
misoscopist
mixoscope
monostereoscope
mutoscope -ic *Photog.*
myochronoscope *Psych.*
myoscope
myringoscope *Med.*
myrioscope
nasoscope *Med.*
negatoscope *Photog.*
neomonoscope *Photog.*
nephelescope
nepheloscope *Meteor.*
nephodoscope *Meteor.*
nephoscope -ic
nooscopic
novoscope *Med.*
oculometroscope *Ophth.*
odontoscope
odor(o)scope
oesophagoscope
oleomargariscope
ombroscope
omniscope
ondo(*or* a)scope *Elec.*
ooscope -ic
opeidoscope *Acoustic*
ophthalmo-
diaphanoscope *Ophth.*
fundoscope *Ophth.*
leucoscope *Optics*
metroscope *Ophth.*
scope
orthoscope -ic
orthostereoscope -ic
oscilloscope
osteoscope *Med.*
otheoscope
otoscope *Surg.*
ozonoscope -ic
pagoscope
panelectroscope *Med.*
pantascope -ic
pantoscope -ic
paroscope
periodoscope *Med.*
periscope -ic(al(ly -ism
peritoneoscope *Med.*
perspectoscope
phacoidoscope
phacoscope -ic *Physiol.*
phak(*or* c)oscope *Med.*
phaneroscope *Med.*
phantascope
phantasmascope
phantasmoscope
phantoscope
pharyngoscope *Med.*
pharynphotoscope
phenakistoscope
pholescope
phonacoscope *Med.*
phoneidoscope -ic
phonendo(skia)scope
phonoscope
phoroscope *Elec.*
phosphoroscope
photochromoscope
phorofluoroscope *Med.*
photogastroscope
photohelioscope
photomicroscope
photonephoscope
photoscope -ic
photospectroscope
phycoscope *Bot.*
physioscope
physiurgoscope -ic
phytentoscope *Bot.*
pioscope
platoscope *Phys.*
platyscope -ic *Optics*
pluvioscope
pneoscope
pneumascope *Med.*
pneumatoscope *Med.*
pneumoscope *Med.*
polariscope -ic -ist
polemoscope
polygonoscope
polymicroscope
polyscope -ic *Optics Surg.*
polystethoscope
poroscope *Mech.*
praxinoscope
prelaryngoscopic
proctoscope *Med.*
projectoscope
pseudoscope
pseudostereoscope
-ic -ism *Optics*
psychoscope
pyroscope
radioscope *Phys.*
rectoromanoscope *Med.*
rectoscope *Surg.*
reflectoscope
refractoscope *Med.*
retinoscope -al *Ophth.*
rheoscope -ic *Elec.*
rhinoscope *Med.*
roentgenoscope *Med.*
romanoscope *Med.*
rotascope
saccharascope
saccharoscope
salpingoscope *Med.*
scatoscope
schistoscope *Chromatics*
sciascope
scintilla(*or* o)scope *Med.*
-scope (scientific apparatus, esp. for observation)
scotographoscope
scotoscope
seascope -ist
seismoscope -ic
seleniscope
selenoscope
sideroscope
sigmoidoscope *Med.*
skiascope
sniperscope *Mil.*
spectro-
microscope -(ic)al(ly
polariscope
scope *Phys.*
spectrotelescope
sphincteroscope *Med.*
sphinthariscope -ic
sphygmocardioscope
sphygmo(mano)metroscope
sphygmoscope
spinthariscope -ic *Phys.*
spiroscope *Med.*
stanhoscope
statoscope
stauromicroscope
stauroscope -ic(ally
stephanoscope *Phys.*
stereo-
chromoscope
monoscope
phant(asm)ascope
phoroscope
scope
telescope
stethendoscope *Surg.*
stethopolyscope *Med.*
stethoscope
stomatoscope *Med.*
strioscope -ic *Physics.*
stroboscope
subjectoscope *Psych.*
submicroscopic *Micros.*
synchr(on)oscope
synthescope *Med.*
tachistoscope *Ps. Phys.*
tachoscope
tachyscope
teinoscope
telectroscope *Phys.*
telegraphoscope
telelectroscope
telemicroscope
telengiscope
teleocope *Elec.*
telepolariscope
telespectroscope
telestereoscope
theatroscope
thermo-
electroscope
hygroscope
laryngoscope *Med.*
scope -ic(al(ly *Phys.*
thoracoscope
tonoscope *Psych.*
tonsilloscope *Med. App.*
triboluminiscope *Phys.*
tribophosphoroscope
trichiniscope *Med.*
trichinoscope *Med.*
trocheidoscope *Phys.*
tropostereoscope
typoscope *Ophth.*
ultramicroscope
umbrascope *Phys.*
uranoscope *Astron.*
uranostomatoscope
uretercystoscope *Med.*
ureterocystoscope *Med.*
urethra(*or* o)scope *Med.*
urinoscope
uroscope
uteroscope *Med.*
vaginoscope *Med.*
variscope *Photog.*
verascope *Photog.*
veriscope *Med.*
vibroscope -ic
vistascope
vitaletiscope *Photog.*
vitascope -ic
volumenoscope
volumescope
watertelescope
zeoscope *Phys.*
zoeoptroscope *Photog.*
zoepraxiscope
zoogyroscope
zoopraxi(no)scope
zymoscope *Chem.*
σκοπός watcher; a mark; aim (Plato). See -σκόπιον, -σκοπία
Dactyloscopus *Ich.*
-id(ae -oid
Dryoscopus *Ornith.*
Leptoscopus *Ich.*
-id(ae -oid
Phylloscopus -ine
Pogonoscopus *Ent.*
Proscopus *Ent.*
scope(less
scopo-
logy
phobia *Ps. Path.*
Scopodes *Arach.*
Straboscopus *Ent.*
Toposcopus *Ent.*
σκορδίνημα = σκορδινησμός
scordinem(i)a *Med.*
σκορδινησμός (Hipp.)
scordinismus *Path.*
σκόρδιον (Diosc.)
diascordium *Med.*
Scordium *Bot.*
σκόροδον garlic
scorodite *Min.*
σκόρπαινα (Ath.)
Scorpaena *Ich.*
-id(ae -inae -oid(ea(n
Scorpaenichthys *Ich.*
scorpene *Ich.*
σκορπιακή (Tertull.)
scorpiac *Med.*
σκορπιο- Comb. of σκόρπιος
scorpio-
locust
teleia *Ent.*
σκορπιοειδής (Diosc.)
scorpioid *Bot.*
al ea es
scorpioid *Zool.*
σκορπίος scorpion (*Arach.*, *Astron.*, *Bot.*, *Ich.*)
Carcinoscorpius *Zool.*
Eoscorpius *Pal.*
Glyptoscorpius *Pal.*
Parascorpis *Ich.*
Proscorpius *Ent. Pal.*
pseudoscorpion(es *Ent.*
Scorpio -iid *Astron.*
Scorpion *Ich.*
ididae inidae
scorpion
ist ly oid wort
Scorpio(n *Arach.*
es ic id(ae ida idea(n
seascorpion
Trigonoscorpio *Pal.*
σκορπίουρος (Diosc.)
Scorpiurus *Bot.*
σκοταῖος in the dark
Scotaeus *Ent.*
σκοτασμός a being dark
phacoscotasmus *Ophth.*
Scotasmus *Ent.*
σκοτεινο- Comb. of σκοτεινός
scoteinography
σκοτεινός dark; obscure
Scotinauges *Ent.*
Scotinus *Ent.*
σκότεος Gen. of σκότος
scoteography
σκοτία darkness
scotia *Arch.*
Scotiaptex *Ornith.*

σκοτιός dark
scoticaplankton *Bot.*
scotiolite *Min.*
σκοτο- Comb. of σκότος
kinetoscotoscope
scoto-
baenus *Ent.*
bius *Ent.*
chares *Ent.*
derus *Ent.*
dinia *Path.*
dytes *Bot.*
gram *Photog.*
graph *Photog.*
graphoscope
graphy -ic *Photog.*
meter -ry *Ophth.*
pais *Ent.*
philus *Bot.*
phobia *Ps. Path.*
phyta -ia *Bot.*
scope -y
therapy *Ther.*
tropism *Bot.*
skoto-
philous *Bot.*
tropism *Bot.*
σκοτοδεῖπνος Fr. δειπνεῖν
Scotodipnus *Ent.*
σκοτοδινία (Hipp.)
scotodinia *Path.*
σκοτοιβόρος = σκοτοδεῖπνος
Scotoebarus *Ent.*
σκότος darkness
axioscotic *Photog.*
scot-
ophis *Ophid.*
ornis *Ornith.*
σκοτώδης dark; dizzy
Scotodes *Ent.*
σκότωμα vertigo (Polyb.)
phacoscotoma
scotoma *Path.*
-atous -e -ia -y
σκοτωματικός (Diosc.)
scotomatical *Path.*
σκότωσις (Galen)
hemiscotosis *Ophth.*
σκυβαλικτός dirty, mean
Scybalicus *Ent.*
σκύβαλον dung; offal
scybala -ous -um *Path.*
σκύδμαινος = σκυθρωπός
Scydmaenus *Ent.*
-id(ae -oid
Σκυθία Scythia
Scythiac -ian
Σκυθίζειν to be Scythian
Scythized
Σκυθικός (Aesch.)
Scythic(al
Σκυθίς Scythian
Scythis *Ent.*
Σκυθισμός (Epiphan.)
Scythism(us *Old Hist.*
σκυθρός angry, sullen
Scythrops *Ornith.*
σκυθρωπάζειν to look sullen
Scythropasus *Ent.*
σκυθρωπασμός (Plutarch)
scythropasmus *Path.*
σκυθρωπός sullen; gloomy
Scythropus *Ent.*
σκύλαξ (-ακος) puppy, whelp
Scylacognathus *Pal.*
Skylacoides *Pal.*
Skylacops *Pal.*
Skylacorhinus *Pal.*
Skylacosaurus *Pal.*
σκύλιον dog-fish (Arist.)
Hemiscyllium *Ich.*
-iid(ae -ioid
Palaeoscylium *Ich.*
scylliodont(es -idae
Scylliorhinus *Ich.*
-id(ae -oid(ea(n
scyllite -ol *Org. Chem.*
Scyllium *Ich.*
-iidae -ioid(ea
Σκύλλα (Odyssey)
Scylla *Myth.*
Scyllaea *Conch.*
-aeid(ae -aeoid
σκύλλαρος hermit crab
Scyllarus *Crust.*
-ian -idae -oid
σκῦλον In pl., spoils
Omoscylon *Ent.*
σκύλος a hide
Cyphoscyla *Ent.*
σκυμνο- Comb. of σκύμνος
scymno-
gnathus *Pal.*
saurus *Pal.*
σκύμνος a cub, whelp
scymnol *Biochem.*
Scymnus *Ich.*
-id(ae -oid
σκυτάλη a staff, baton
scytale *Gr. Ant. Her.*
Scytale *Herp.*
-idae -inae -ine
Scytalichthys *Ich.*
Scytalina -idae *Ich.*
scytalo-
crinus *Echin.*
pus *Ornith.*
Scytalophis *Ich.*
σκυτάλιον
Pseudoscytalia *Porif.*
σκύτινος leathern
Mesoscytina *Ent.*
scytinum *Bot.*
σκυτίς Dim. of σκῦτος
Cartescytis *Bryozoa*
σκυτο-Comb. of σκῦτος
scuto-
piloxys *Ent.*
pterus *Ent.*
scyto-
blastema *Embryol.*
dermata -ous *Echin.*
monas *Prot.*
-adina -adine
nema *Bot.*
-(ac)eae -aceous-(at)oid -atous
nemin *Org. Chem.*
petalaceae -eous *Bot.*
siphon *Bot.*
aceous (ac)eae
σκυτοδεψικός of curriers
scytodepsic *Arts*
σκῦτος a hide, thong
Apheloscyta *Ent.*
Ioscytus *Ent.*
Lophoscytus *Arach.*
Placoscytus *Pal.*
Rhabdoscytus *Ent.*
scytitis *Path.*
Trigonoscuta *Ent.*
σκυτώδης like leather
Scytodes *Arach.*
-id(ae -oid
σκυφίον Dim. of σκύφος
Actinoscyphia *Zooph.*
σκυφο- Comb. of σκύφος
scypho-
branch(ii *Ich.*
crinidae *Pal.*
geny *Bot.*
scypho- Cont'd
mancy
medusae *Zooph.*
-an -oid
phore -i -ous *Ich.*
polyp *Zooph.*
stome -a *Zooph.*
zoa *Zooph.*
σκυφοειδής (Ath.)
scyphoid *Anat. Med.*
σκύφος a cup or can
Dasyscypa *Fungi*
Opisthoscyphus *Ent.*
periscyphe *Bot.*
Scypha *Bot.*
scyphate *Arch.*
scyphi-
ferous *Bot.*
form *Bot. Zool.*
phorous *Bot.*
stome *Zool.*
-a -oid -ous
scyphidium *Prot.*
scyphos *Gr. Ant.*
Scyphula *Zooph.*
Scyphus *Bot.*
-ose -ulus
subscyphiform *Bot.*
σκωληκίασις (Theodot.)
scoleciasis *Path.*
σκωληκο- Comb. of σκώληξ
scoleco-
lithus
logy *Med.*
morph(a -ic *Conch.*
morphic *Helm. Path.*
philus *Helm.*
pteris *Bot.*
sporae *Fungi*
trichum -ose *Bot.*
σκωληκόβρωτος worm-eaten
scole(co)brotic *Med.*
Scolecobrotus *Ent.*
σκωληκοειδής worm-shaped
scolecoid *Anat.*
ectomy *Surg.*
itis *Path.*
σκωληκοφάγος (Arist.)
scolecophagous -us
σκώληξ a worm
antiscol(et)ic *Ther.*
Desmoscolex *Helm.*
-ic(id(ae -icoid
Deutoscolex *Zool.*
Eudesmoscolex *Herp.*
Geoscolex *Helm.*
-icid(ae -icoid
Haliscoleina *Annel.*
Malacoscolices -in(e
Megascolex *Helm.*
metascolex(*or* z)ite *Min.*
Nematoscolices -in(e
Ophryscolex *Infus.*
-ecidae
proscolex *Embryol.*
-ecine
pseudoscolex *Helm.*
Scoleces *Helm.*
-id(a -iform -ina -ine
scolec(*or* s)imorphic
scolecite *Bot. Min.*
scolecitis *Path.*
Scolecophidia(n *Herp.*
scolectomy *Surg.*
scoledochostomy *Surg.*
scolesis *Path.*
scolex *Helm.*
-scolex *Chiefly Helm.*
Scolithus *Pal.*
Trichoscolices *Helm.*
Typhloscolex *Helm.*
-ecid(ae -ecoid
σκωλο- Comb. of σκῶλος a pointed stake
Scolomys *Mam.*
σκῶμμα (-ατος) a jest, scoff
scomm
atism atizing
σκωμματικός satirical
scommatic(al(ly
σκωπαῖος a dwarf
Scopaeus *Ent.*
σκώπτης a scoffer
Galeoscoptes *Ornith.*
Or(e)oscoptes *Ornith.*
Scoptes *Ent.*
σκωπτικός jesting
scoptic(al(ly
σκῶρ ordure
scoracratia *Med.*
scoret(a)emia *Tox.*
σκωρία slag (Arist.)
escorial *Mining*
scoria *Metal.*
scoriac(eous
scoriated -ion
scoriform
scorify -ication -ier
scorium
σκώψ a small owl
Megascops *Ornith.*
Scops *Ornith.*
σμαράγδινος (N. T.)
smaragdine
σμαραγδίτης (Sept.)
smaragdite
σμάραγδος (Herod.)
emerald(ine
smaragd(us ian
smaragdochalcite
σμῆγμα a soap (Hipp.)
odontosmegma *Dent.*
smegma -atic *Physiol.*
σμηγματοθήκη
smegmatotheke
σμηκτικός purgative
smectic(s
σμηκτίς (Hipp.)
smectis
smectite *Min.*
σμήλη (Alex. Trall.)
smelite *Min.*
σμῆριγξ = μῆριγξ
Smeringaspis *Ent.*
Smeringocera *Ent.*
σμήρινθος = μήρινθος
Smerinthus *Ent.*
σμῆρις = σμύρις (Diosc.)
emery
emerylite *Min.*
σμικρός = μικρός
Smicra *Ent.*
Smicronyx *Ent.*
σμῖλαξ (Theophr.)
smilacin *Org. Chem.*
Smilax *Bot.*
-aceae -aceous -acina
σμίλη knife; chisel
Eusmilus *Zooph.*
-ia -idae -iinae
Smilepholcia *Ent.*
Smilodon *Mam.*
σμιλι- Comb. of σμίλη
Smilicerus *Ent.*
σμίνθος a mouse (Aesch.)
Sminthurus *Ent.*
-id(ae -oid
σμινύη = δίκελλα
Sminyothrips *Ent.*
Σμυρναῖος of Smyrna
Smyrnaean
-ian -iot(e
σμύρνιον (Diosc.)
Smyrnium -ieae *Bot.*
σμωδικός for bruises
Smodicus *Ent.*
σοβάς capricious
Sobas *Ent.*
σόγχος (Theophr.)
Sonchus *Bot.*
Σόδομα (Sept.)
Sodom(ic
sodomy
Σοδομίτης (Sept.)
sodomite
-er -ess -ish -ry
Σοδομιτικός (Orig.)
sodomitic
al(ly alness
σολοικίζειν (Herod.)
solecize -er
σολοικισμός (Arist.), from Σόλιο a colony in Silicia
solecism
σολοικιστής (Lucian)
solecist(ic(al(ly
σόλοικος erring in taste
soloecal
σολοικοφανής (Dion. H.)
soloecophanes
Σολομών (Sept.)
Solomon
ian ic(al
σόλος a lump of iron
solos *Gr. Athl.*
Σόλων (Herod.)
Solon
ian ic ist
Σούνιον Sunium
Sunius *Ent.*
σοῦχος crocodile (Strabo)
Desmatosuchia
mesosuchious
-suchia(n *Herp.*
Eu Meso Para
-suchidae *Pal.*
Desmato Libyco Mystrio Ornitho Protero Rhine Spheno Stegomo
-suchus *Herp.*
Plagio Promystrio Therio
-suchus *Herp. Pal.*
Archaeo Arcto Batracho Coelo Deino Desmato Erpeto Erythro Eu Grypo Hyaeno Ictido Leidyo Libyco Lyco Meso Myctero Pardo Pareia Phryno Rhine Saltopo Spheno Stegomo Trematio Trocho
σοφία skill; wisdom
Sophetim
sophia -ian
sophio-
logy -ic
meter
-sophy
-σοφία as in φιλοσοφία
anthroposophy -ist
chirosophy -ical -ist
gastrosophy
gymnosophy *Phil.*
helicosophy *Geom.*
hypnosophy -ist
kallisophy
mysteriosophy
ontosophy *Phil.*
pal(a)eosophy
physiosophy -ic
phytosophy
psilosophy
psychosophy -ist

pyrosophy
rhabdosophy
sciasophy
theanthroposophy
zoosophy
σοφικός of or for wisdom
sophic(al(ly
σόφισμα an artifice
sophism
sophomore -ic(al(ly
theosopheme
σοφιστής an expert; teacher; hence, a quibbler (Plato)
antisophist
harrisoph
sophist
er(ed ress ry
Trisophista *Ent.*
σοφιστικός (Plato)
desophisticate -ion
sophistical
ly ness
sophisticant
sophisticate
-ation -ator -ative
sophisticism
unsophisticate(d(ness
unsophistification
σοφο- Comb. of σοφός
sopho-
mania *Ps. Path.*
meter
spagyric
Σοφόκλειος (Dion. H.)
Sophoclean
σοφός skilled, wise. See -σοφία, σοφο-
-σοφος as in φιλόσοφος
bibliosoph
blurbosopher
bumposopher
chirosopher
demonosopher
gastrosoph(er
gymnosoph(ical
psilosopher
σπάδιξ bough torn off
antispadix *Conch.*
cyrtospadix *Bot.*
spadiceous -ose *Bot.*
spadici- *Bot.*
floral florous form
spadix *Bot. Conch. Zooph.*
σπαδών cramp (Hipp.)
anaspadia(s *Med.*
epispadia(s -iac -ial *Path.*
σπάδων (Diod.)
spado -onic
σπαδωνισμός (Zonar.)
spadonism
σπαθη- Comb. of σπάθη
spathe-
bothrium *Helm.*
gaster -ric *Ent.*
σπάθη a sword blade
espathaceous *Bot.*
Microspathodon *Ent.*
Neospathegaster *Ent.*
sclerospathite *Min.*
spado
spatha *Archaeol.*
spathe *Bot.*
-a -aceous -al -ate -ed -er -ic -iform -ose -ous
spathebill *Ornith.*
spatheful
Spathelia *Bot.*
-ella -ellula -illa
Spathochus *Ent.*
spathulatine *Org. Chem.*
Spathura
Spathyema *Bot.*
spatula -e

spatula Cont'd
-ar(y -ate(d -ation -ose -ous
spatulamancy
Spatularia -iidae *Ich.*
spatuliform
spatuligerous
uranospathite *Min.*
uranspath
σπαθίνης a young deer
Spathinus *Ent.*
σπαθίον Dim. of σπάθη
spathio-
caris *Pal.*
pyrite *Min.*
Spathius *Ent.*
σπαθίς (-ιδος) = σπάθη
Spathidicerus *Ent.*
σπαθο- Comb. of σπάθη
Spathopygus *Ent.*
σπαθομήλη a flat probe
Spathomeles *Ent.*
σπάλαξ (-ακος) a mole
Palaeospalax *Mam.*
Prospalax *Pal.*
Rhizospalax *Pal.*
Spalacopsis *Ent.*
Spalacopsylla *Ent.*
Spalacopus *Mam.*
-pod(-id(ae -inae -in(e -oid)
Spalax *Mam.*
-ac(-id(ae -inae -ine -oid)
σπᾶν to draw
semisphagyrist
spagyric(al -ist *Alch.*
σπάνιος rare, scarce
spaniolitmin *Org. Chem.*
Spanioneura *Ent.*
σπανο- Comb. of σπανός
spano-
menorrhea *Med.*
parea *Ent.*
pn(o)ea *Med.*
σπανός = σπάνιος
span-
(a)emia -ic *Path.*
andry *Bot.*
anthus *Bot.*
spanipelagic *Biol.*
σπάραγμα a shred
sparagmite *Petrol.*
σπαραγμός a spasm
sparagmus *Med.*
σπαράκτης one who tears
Sparactus *Ent.*
σπάραξις a mangling
Sparaxis *Bot.*
σπαράσσειν to tear, rend
Sparasses *Bot.*
Sparassodonta *Pal.*
sparassol *Org. Chem.*
σπαργάειν to swell
Metoposparga *Ent.*
σπαργάνιον (Diosc.)
Sparganium *Bot.*
-iaceae
σπάργανον (Diosc.)
sparganum *Bot.*
-iaceous -ietum
σπαργάνωσις = σπάργωσις
sparganosis *Path.*
σπάργωσις distention
mastospargosis *Path.*
spargosis *Path.*
σπαρνός = σπανός
Sparna *Ent.*
σπάρος (Arist.)
Sparisoma *Ich.*
Sparus -id(ae *Ich.*
-idal -inae -ine -oid(ae
Σπάρτα Sparta
Spartacism -ist

Spartan
hood ic ism ize ly
σπάρτη = σπάρτον
Spartecerus *Ent.*
Σπαρτιάτης (Eur.)
Spartiate
σπαρτίνη cord (Ael.)
macrospartinetum *Bot.*
Spartina -etum *Bot.*
σπάρτον (Arist.)
esparto *Bot.*
Spartium *Bot.*
-eilene -einium *Chem.*
spartoid *Bot.*
σπάρτος broom
hemisparteilene *Chem.*
oxyspartein(e *Mat. Med.*
σπαρτός sown
spirospart *Biol.*
σπάσις traction; suction
h(a)emospasia *Med.*
heterospasis *Org. Chem.*
myospasia *Med.*
nephrospasis *Med.*
σπασμός (Herod.)
myospasmia *Med.*
spasm(a *Med.*
-spasm *Med.*
anestheto angio anti arterio blepharo bronch(i)o cardio ch(e)iro clono coelo colpo cysto dactylo entero epi esoph(ag)o gastro glosso grapho gyro hemi idio laryngo logo mono myelo myo neuro oesoph(ag)o pharyngo phreno pleuro procto prosopo proto pyloro rhinco stetho urethro vaso xyro
spasmadrap *Med.*
spasmatic(al
spasmatomancy
spasmed
spasmic
spasmo-
dermia *Med.*
lygmus *Med.*
phile -ia -ic *Med.*
toxin(e *Chem.*
spasmotin *Chem. Pharm.*
spasmus -y
-spasmus *Med.*
colpo laryngo neuro oesophago palmo pharyngo procto prosopo
tetanospasmin *Med.*
σπασμώδης (Hipp.)
antispasmodic
spasmodic
al(ly alness
spasmodism -ist
spasmodized
spasmodology
spasmodous
σπαστία spasm
coleospastia *Med.*
σπαστικός absorbent
spastic *Med.*
ally ity
Spastica *Prot.*
-σπαστικός Fr. σπᾶν as in περισπαστικός
-spastic *Med.*
angio cysto h(a)emo idio vaso
-σπαστον as in πολύσπαστον
hemospast *Med.*
pentaspast *Mech.*
tetraspaston *Mech.*

σπαταγγης (Arist.)
Spatangus *Echin.*
-id(ae -ida -ina(e -ite -oid(ea(n -oida(n
σπειρ- Stem of σπεῖρα
spir-
adenitis *Path.*
adenoma *Path.*
anthes -y -ic *Bot.*
arsyl *Chem.*
aster *Spong.*
astrose -a *Spong.*
axon *Spong.*
idionia *Pal.*
orbis *Helm.*
σπεῖρα a coil; a rope
Acrospeira *Fungi*
acrospire *Arts Bot.*
Amphispira *Helm.*
bispirous *Bot.*
Chaetospira *Zool.*
chromospire *Cytol.*
Clisiospira *Conch. Pal.*
conchospiral *Conch.*
cyclospiridae *Pal.*
diplospire *Conch.*
Diplospirellinae *Pal.*
dispiran *Org. Chem.*
Eospirifer *Pal.*
hydrospire -ic *Echin.*
Kokenspira *Pal.*
Leptospira *Fungi*
Meristospira *Pal.*
Microspira *Bact.*
monospirous -us *Bot.*
Oospiroides *Pal.*
polyspire *Zool.*
Protospira *Pal.*
pseudospiracle *Zool.*
sigmaspire -al *Spong.*
spiral
-iform -ity -ize -ly -oid
Spirale *Brachiop.*
spiralozooid *Zooph.*
spirated -ion
spire -ed
spiri-
ferous *Geol. Pal.*
form
gerous
gnath(a -ous *Ent.*
Spirifer *Conch.*
-acea(n -id(ae -inae -ine -oid -ous
spirillo-
lysis *Biochem.*
tropic ism *Bact.*
spirillosis *Path.*
Spirillum *Bact.*
-aceae -aceous -ar -iform
spiritrompe *Ent.*
spiroid
spirol(e *Chem.*
spirous
Spirula *Conch.*
-id(ae -ite -oid
spirule -ar -ate
subspiral *Conch.*
toxaspire -al *Spong.*
σπειραῖα (Theophr.)
Spiraea *Bot.*
-aceae -(a)eic
spiraic -aein *Org. Chem.*
spiroil *Org. Chem.*
ate ic ide ous
σπειραχθής with heavy coils
Spirachtha *Ent.*
σπείρημα a coil
auxospireme *Cytol.*
dispirem(e ous *Biol.*
speirema *Lichens*
spirem(e *Cytol.*
σπειρικός spiral (Procl.)
spiric(al

spiricle *Bot.*
σπεῖρο- Comb. of σπεῖρα
antispirochetic *Med.*
bronchospirochetosis
Euspirocrinidae *Pal.*
hydrospirometer *Med.*
Microspironema
speiro-
gonimium *Bot.*
stichies *Bot.*
spiro-
bacteria *Bact.*
branchia(ta -iate *Zool.*
branchiopoda
ceras *Conch.*
chaeta -ales *Prot.*
ch(a)ete -al *Bact.*
ch(a)etosis *Vet.*
chetalytic *Bact.*
chetemia *Med.*
cheticide -al *Bact.*
chetotic *Med.*
cheturia *Med.*
cyclane *Org. Chem.*
cyclic *Org. Chem.*
desmus *Pal.*
fibrillae *Biol.*
gonimium *Bot.*
graph *Mech. Med.*
graph(id)in *Chem.*
graphis *Helm.*
gyra -ate -etum *Algae*
ism *Bot.*
jector
lobeae -ous *Bot.*
loculine *Zool.*
monas *Prot.*
nema *Prot.*
phase *Bot.*
phore *Med.*
phototropous *Bot.*
phyton *Bot.*
schaudinnia *Biol.*
scope -y *Med.*
soma *Bact.*
spart *Biol.*
stylinidae *Pal.*
ylic -ous *Chem.*
zooid *Zooph.*
σπέος cave (Odyssey)
Speolepta *Ent.*
speos *Egyptol.*
Speotrechus *Ent.*
Speotyto *Ornith.*
σπερμ- Comb. of σπέρμα
sperm-
acoce -ae *Bot.*
acrasia *Physiol.*
amoebae *Bot.*
angium *Bot.*
arium -y *Zool.*
ase *Biochem.*
ation -ive
ectomy *Surg.*
idium *Bot.*
estes *Ornith.*
-inae -in(e
odophorum *Bot.*
oon *Embryol.*
ovary -ism *Biol.*
ovum *Biol.*
ule -um *Biol.*
σπέρμα seed; semen; race
allosperm *Embryol.*
antispermy *Med.*
archisperm(ae *Embryol.*
aspidos(perm)ine
Atherospermaceae
atherospermin(e
azoospermal *Path.*
campylospermate
cochlioispermate
Cochlospermaceae -eous
cystospermitis *Path.*

dispermin(e *Chem.*
dispermy -ic *Embryol.*
dyspermasia *Med.*
epi(peri)spermicus
geissospermin(e
gymnospermism
iodospermin
Lepidospermae *Pal.*
leptospermol *Chem.*
menisperm- *Bot.*
aceae aceous ad ales
menisperm *Chem.*
ate ia ic ina in(e
myrospermin *Chem.*
nematospermia *Zool.*
ovispermary *Zool.*
ovispermiduct *Mol.*
pansperm *Biol.*
paramenispermine
psorosperm *Prot.*
iae ial ic iform
psorosperm- *Path.*
iasis osis
Pteridospermaphyta -ic
-sperm *Bot.* -σπερμον as in μελανόσπερμον (Diosc.)
acro angio antho apo arche archi autembryo autendo azygo blastembryo blastendo carpo chloro chryso coelo endo epi eupartheno exo gamo geitonembryo gymno hemipartheno hypno hypo lepto melano meni meso meta mono oo parthembryo partheno peri platy pleuro podo preangio proangio progymno pseudo pterido radio rhodo sarco syn tropho xenembryo xenendo zoo zygo
sperm(a
ation ative ic in(e ism ist ous y
sperma-
ceti
chromatin *Biochem.*
duct *Zool.*
nucleinic *Biochem.*
phore *Bot.*
phyte -a -ic *Bot.*
podium *Bot.*
theca -al *Zool.*
toxin *Med.*
-sperma *Bot.*
Aspido Athero Calamo Lepido Onco Ptycho
-spermae *Bot.*
Angio Antho Arche Archi Centro Coelo Gymno Meta(gymno) Micro Pterido
-spermal *Bot.*
angio deca gymno meni mono peri pterido tetra
spermduct *Anat.*
-spermeae *Bot.*
Acro Batracho Chloro Ciono Desmio Gongylo Hemiangia Hormo Lepto Melano Ortho Rhodo
spermi-
ducal duct *Anat.*
fication ferous
-spermia *Bot.*
angio gymno
-spermia *Path.*
azoo dys hem(at)o necro oligo(necro zoo) pyo

-spermic *Bot.*
a angio aperi endo epi gymno meta mono peri platy pleuro proangio progymno pseudo pterido radio
-spermium *Bot.*
amphi podo pseudo tropho zoo
-spermous *Bot.* -σπερμος as in πολύσπερμος, γυμνόσπερμος, ὀλιγόσπερμος
amphi angio(mono) anomo aperi axo campylo chloro coelo conio cyclo deca di ennea epiphyllo exendo gymno (poly tetra) hepta hexa hyalo hypophyllo leuco melano meta micro mono multi nomo octo ortho penta pleio poly preangio proangio progymno pseudo pterido ptero pterygo rhodo stereo syn tergi tetra trachy tri xantho
-sperms *Bot.*
archiangio archigymno hemiangio phyllo proangio pseudogymno
-spermum *Bot.* stachyo
Antho Batracho Cardio Castano Cochlo Echino Geisso Lepto Lopho Meni Molopo Osteo Physo Platy Podo Ptero Trachelo Uro
spermum *Bot.*
-spermum *Pal.*
Cephalotaxo Holco Lageno Lias Megalo Micro Neuro Nummalo Radio Samaro
-spermy *Bot.* Schizo
angio gymno hetero mono pheno proangio syn(apto)
spherospermia *Zool.*
statospermus *Bot.*
trispermum *Med.*
zoosperm(ium *Physiol.*
σπερμαγόνος = σπερμογόνος
spermagone ium *Bot.*
σπερματ- Stem of σπέρμα -σπέρματος as in γυμνοσπέρματος, πολυσπέρματος
aspermatous *Path.*
aspidospermatine *Chem.*
panspermat- *Biol.*
ic ism ist
perispermatitis *Path.*
perispermatus *Bot.*
spermat-
al *Bot.*
ange ium *Bot.*
emphraxis *Physiol.*
id *Zool.*
iferous *Bot.*
igerous *Bot.*
in *Biochem.*
ism ist *Biol.*
itis *Path.*
oid oon *Biol.*
ovum uria *Path.*
spermatic -ous
-spermatous *Bot.*
angio chloro di gymno mono poly tetra
zoospermatic *Bot.*
σπερματίζειν (Sept.)
spermatize

σπερματικός (Arist.)
spermatic(al(ly *Biol.*
-spermatic
a hyper oligo
σπερμάτιον Dim. of σπέρμα
spermatio-
genous *Bot.*
phore *Bot.*
spermatium *Bot.*
σπερματισμός (Theophr.)
spermatism
-spermatism
a azoo brady dys oligo
σπερματο- Comb. of σπέρμα
Eospermatopteris *Pal.*
hematospermatocele
paraspermatozoid *Cytol.*
spermato-
al
blas(ic *Biol.*
cele *Path.*
cidal
conidium *Bot.*
cyst(is ic
ectomy *Surg.*
idion *Bot.*
itis *Path.*
cyte *Bot.*
-al -ic -ium
gamete *Bot.*
gemma *Biol.*
genesis *Biol.*
genetic *Biol.*
genous *Bot.*
geny -ic -ous *Biol.*
gone -ium -ial -ic *Bot. Ent. Med.*
gonidium *Bot.*
idium *Algae*
kalium *Bot.*
kinetic *Bot.*
logy -ical -ist
lysis -in *Biochem.*
lytic *Biochem.*
mere -ite *Embryol.*
pathia -y *Path.*
philus
phobia *Ps. Path.*
phore -al -ous *Biol.*
phyte -a -ic *Bot.*
plania *Physiol.*
plasm(ic *Bot.*
plast *Bot.*
podophorum *Bot.*
poietic *Med.*
rrh(o)ea *Path.*
schesis *Path.*
sphaeria *Bot.*
spore *Biol.*
strote *Phytogeog.*
thamnia *Bot.*
theca *Zool.*
tomy *Surg.*
toxin *Med.*
zoicide *Med.*
zoon *Biol.*
-al -an -ic -id -oid(al
-spermatoblast *Cytol.*
deuto proto
σπερμεῖον = σπέρμα
spermioteleosis *Cytol.*
σπερμο- Comb. of σπέρμα
aspidospermotype
Leptospermocarpum
spermo-
blast(ic
carp(ous *Bot.*
center *Embryol.*
coccus *Embryol.*
derm *Bot.*
duct *Anat.*
gastrula *Embryol.*

spermo- Cont'd
gemma *Bot.*
lith *Path.*
logy -ical -ist *Biol.*
loropexis *or* -y *Surg.*
lysin *Med.*
lytic *Med.*
neuralgia *Path.*
nucleus *Embryol.*
phila *Ornith.*
-inae -ine
philus *Mam.*
-e -inae -ine
phlebectasia *Path.*
phore -(i)um *Biol.*
phyte -a -ic *Bot.*
plasm
podium *Bot.*
sphere *Cytol.*
spiza *Ornith.*
spore *Physiol.*
theca *Bot.*
toxic *Med.* -in *Chem.*
type *Bot.*
-spermatoxin *Biochem.*
anti auto
σπερμογόνος bearing seed
spermogone *Bot. Physiol.*
-iferous -ium -oid -ous
σπερμολόγος seed picker
spermologer
Spermologus *Ent.*
σπερμοφάγος eating seeds
Spermophagus *Ent.*
Σπερχειός Rapid (Iliad)
Spercheus *Ent.*
Sperchopsis *Ent.*
σπηλαιο- Comb. of σπήλαιον
spelaeo-
logy -ical -ist *Geol.*
myrmex *Ent.*
phryne *Herp.*
σπήλαιον cave
Paraspelaeum *Porif.*
spel(a)ean
σπῆλυγξ (-υγγος) = σπήλαιον
speluncean -ous
spelunk
σπίγγος = σπίνος
Orospingus *Ornith.*
σπιδής rugged
Pseudospidodera *Helm.*
σπίζα a finch (Arist.)
Spiza *Ornith.*
-spiza *Ornith.*
Aero Calamo Cyano Dendro Eu Geo Limno Melo Oreo Palaeo Psammo Spermo
Spizaetus *Ornith.*
Spizella *Ornith.*
-inae -ine
spizin(e *Ornith.*
σπιθαμή a span
spithama *Meas.*
σπιθαμιαῖος broad
spithamaeus
σπιλαδ- Stem of σπιλάς a crag
spilado- *Phytogeog.*
philus phyta phytia
σπίλος a spot, stain
Callosphilopteron *Ent.*
Euspilaria *Ent.*
-spila *Ent.*
Eu Zygo
Spilanthes *Bot.*
spilo-
chalcis *Ent.*
gale *Mam.*

spilo- Cont'd
mastax *Pal.*
mene *Ent.*
micrus *Ent.*
phora *Ent.*
plania *Path.*
plaxia *Med.*
psylla *Ent.*
pyra *Ent.*
Spilornis *Ornith.*
spilosite *Petrog.*
spilus *Anat. Ent. Path.*
-spilus *Ent.*
Lygaeo Mega Sticho
σπίλωμα filth (Sept.)
spiloma *Med.*
σπιλωτός soiled
Spilotes *Herp.*
σπίνα a fish
Palaeospinax *Ich.*
Spinax *Ich.*
-acid(ae -acoid
σπινθαρίς a spark
spinthariscope -ic *Phys.*
σπινθήρ a spark
spinthere *Min.*
Spintheria *Ent.*
spintherism(us *Path.*
spint(her)ometer *Phys.*
spintheropia *Path.*
σπίνος finch; a stone (Theophr.)
Spinus *Ornith.*
uranospinite *Min.*
σπλαγχν- Stem of σπλάγχνον
splanchn-
apophysis -ial *Anat.*
ectomize *Surg.*
ectopia *Physiol.*
elmintha *Path.*
emphraxis *Med.*
esthesia *Physiol.*
esthetic *Physiol.*
eurysma *Path.*
odynia *Path.*
oid
σπλαγχνικός (Diosc.)
splanchnic(al *Anat.*
-splanchnic *Anat.*
neuro parieto peri somat(ic)o splanchnica tris
σπλαγχνο- Comb. of σπλάγχνον
somatosplanchnopleuric
splanchno-
blast *Embryol.*
cele *Path.*
coele *Med.*
derm *Embryol.*
diastasis *Med.*
grapher -y -ical
lith *Med.*
lithiasis *Path.*
logy -ical -ist
megaly *Path.*
pathy -ia *Path.*
pleure *Anat.*
-a -al -ic
ptosis -ia *Med.*
sclerosis *Med.*
scopy *Med.*
skeleton -al *Anat.*
somatic *Anat.*
tomy -ical *Anat.*
tribe *Surg. App.*
σπλάγχνον viscus
perisplanchnitis *Path.*
Splanchnum *Bot.*
-aceae -aceous
trisplanchnia -itis *Path.*
σπλήν (Herod.)
hypersplenia -ism

laparosplenectomy
lien(al -culus *Anat.*
lienitis *Path.*
lieno- *Anat.*
cele *Path.*
gastric
intestinal
malacia
medullary
myelogenous
myelomalacia
pancreatic
renal
toxin *Tox.*
megalosplenia *Path.*
perisplenitis -ic *Path.*
spleen
ful(ly ish(ly ishness
less wort y
splen-
adenoma *Path.*
(a)emia *Path.*
algia -y -ic *Path.*
atic ative
atrophy -ia *Path.*
auxe *Path.*
ceratosis *Med.*
cule -ar -us *Anat.*
ectama *Path.*
ectasis *Path.*
ectomy *Surg.*
-ist -ize
ectopy -ia *Path.*
elcosis *Path.*
emphraxis *Med.*
eolus *Med.*
epatitis *Path.*
etic(al(ly -ness
etive etize
icterus *Path.*
iferrin *Mat. Med.*
ification ify *Path.*
iform *Med.*
in *Mat. Med.*
ization *Path.*
odynia *Path.*
oid
oma *Tumors*
oncus *Path.*
(unc)ulus *Anat.*
σπληνικός of, in the spleen
splenic
al ness
-splenic
gastro micro pancreatico peri phren-(ic)o post
σπληνίον a compress; spleenwort
chrysosplene -ium *Bot.*
splenial *Anat.*
-splenial *Anat.*
angulo dentary post pre sub
spleniatic *Anat.*
splenium -ius *Med.*
σπληνῖτις of the spleen
-splenitic *Path.*
anti epi
splenitis -ic *Path.*
-splenitis *Path.*
epi hepato
splenitive
σπληνο- Comb. of σπλήν
laparosplenotomy *Surg.*
metasplenomegalic *Path.*
omentosplenopexy *Surg.*
presplenomegalic *Path.*
spleno-
blast *Cytol.*
cele *Path.*
ceratosis *Med.*
cleisis *Med.*
colic *Anat.*
cyte *Cytol.*

spleno- Cont'd
diagnosis *Med.*
graphy -ical
hemia *Med.*
hepato-
megalia *or* -y *Med.*
laparotomy *Surg.*
logy -ical *Anat.*
lymph(atic *Med.*
lysin *Med.*
lysis *Histol.*
malacia *Path.*
medullary *Med.*
megalia -y *Path.*
myelo-
genic -ous *Path.*
malacia *Path.*
nephric *Anat.*
nephroptosis
pancreatic *Anat.*
parectama *Med.*
parectasis *Med.*
pathy *Path.*
pexis -ia -y *Surg.*
phraxis -ia *Path.*
phrenic *Anat.*
phthisis *Med.*
pneumonia *Path.*
ptosis -ia *Med.*
rrhagia -y *Med.*
rrhaphy *Surg.*
scirrhus *Path.*
tomy -ical *Surg.*
toxin *Tox.*
σπογγιά a sponge (Ar.)
axospongium *Spong.*
calcisponge *Spong.*
euspongiate *Spong.*
iodospongin *Mat. Med.*
Myxospongida(n *Spong.*
osteospongioma *Tumors*
proterospongia *Biol.*
protospongian
sponge
ful less let
-er -ous
spongi-
aria -ian *Spong.*
ole *Bot.*
olin *Org. Chem.*
osa *Anat.*
ose -ity
ositis *Path.*
osus *Bot.*
ous(ness
Spongia *Spong.*
-iae -ian -idae -iid(ae -ioid
-spongia *Spong.*
Astylo Dictyo Eu Grapto Hippo Hyalo Ozo Protero
-spongiae -ian *Spong.*
Calci Carneo Cerato Chondro Cornacu Demo Fibro Hyalo Myxo Plethro Potamo Silici(*or* o) Spiculi
-spongidae *Spong.*
Dictyo Maeandro Proto
Spongilla *Spong.*
-id(ae -ine -oid
spongio-
blast *Biol.*
carpeae *Bot.*
cyte *Cytol.*
fibrous
lite -ic *Pal.*
logy -ist
pilin(e *Med.*
plasm(ic *Biol.*
porphyrin *Arts*
zoon *Spong.*
spongite
spongitic

-spongium *Med.*
cyto myelo neuro tropho
spongy -ily -iness
tropospongia(l -ian *Med.*
σπογγο- Comb. of σπόγγος
spongo-
blast *Biol.*
clast *Biol.*
lith
logy -ical -ist
mere -al *Spong.*
phyll *Bot.*
pus *Ent.*
sterol *Biochem.*
type *Etching*
zoon *Spong.*
σπογγοειδής spongy (Hipp.)
spongoid(al
σπόγγος = σπογγιά
Sarcospongus *Fungi*
σπογγώδης = σπογγοειδής
Spongodieae *Algae*
σποδιός ashy
chlorspodiosite *Min.*
fluorspodiosite *Min.*
spodiomyelitis *Path.*
spodiophyllite *Min.*
spodiosite *Min.*
σποδο- Comb. of σποδός
spodo-
chlamys *Ent.*
chrous *Colors*
genic -ous *Path.*
mancy mantic
phagous *Med.*
phorous *Physiol.*
σποδός wood-ashes
spode -ium
spodization -er
σποδούμενος burnt to ashes
spodumene -ite *Min.*
σπονδειακός (Plut.)
holospondaic *Pros.*
spondaic(al *Pros.*
spondiac
σπονδειασμός (Plut.)
spondiasm
σπονδεῖος (Dion. H.)
spondee -ean *Music*
spondee -eus *Pros.*
σπονδιάς = σποδιάς
Spondiaecarpum *Pal.*
Spondias -eae *Bot.*
σπονδύλιον Dim. of σπόνδυλος
spondylium -ioid *Zool.*
σπόνδυλος a vertebra
diplospondylism -y *Ich.*
isospondyle *Ich.*
hyospondylotomy *Surg.*
Lepospondyli *Pal.*
lepospondylous *Herp.*
Leptospondylii -ous
merospondyle *Ich.*
monospondylic *Zool.*
Palaeospondylus *Ich.*
-id(ae -oid
perispondylic *Anat.*
perispondylitis *Path.*
plectospondyl(e *Ich.*
plectospondyly *Anat.*
polyspondyly *Anat.*
Protospondyli *Ich.*
Pterospondylus *Pal.*
spondyl(e *Anat. Zool.*
spondyl-
algia *Path.*
arthritis *Path.*
arthrocace *Path.*

spondyl- Cont'd
erpeton *Pal.*
exarthosis *Path.*
is id(ae *Ent.*
itis -ic *Path.*
izema *Med.*
-spondyli(e -ous *Ich.*
Astero Cyclo Diplo Iso Mero Plecto Tecto
-spondyli -ous *Herp.*
Phyllo Stereo Temno
-spondylia(n *Herp.*
Herpeto Pero Pleuro Sucho
spondylo-
cace
diagnosis *Med.*
didymia *Terat.*
(di)dymus *Terat.*
dynia *Path.*
listhesis -etic *Path.*
pathy -ia *Path.*
pyosis *Path.*
schisis *Med.*
se sis *Path.*
syndesis *Surg.*
therapeutics
therapy -ist
tomy *Surg.*
spondylous *Anat.*
Spondylus *Conch.*
-id(ae -oid
-spondylus *Pal.*
Desmo Leuro Poecilo Stephano Stereo Tri
Streptospondylus *Herp.*
-ian -ine -ous
Suchospondylous *Herp.*
sympiesospondyly *Ich.*
tectospondyl *Ich.*
zygospondyline
σπορα a sowing; seed
Acystosporae *Prot.*
Amerosporae *Biol.*
Angiospores *Bot.*
anisospore *Radiol.*
antiperonosporin *Med.*
antisporangism *Bot.*
aplanosporangia *Bot.*
archesporial *Bot.*
arthrospore *Bact. Bot.*
-ic -ous
asporulate *Bot.*
chlamydospore -um *Prot.*
cladosporid *Bot.*
Cnemidospora *Zool.*
Cyclospora *Prot.*
Cyclosporales *Bot.*
Disporea -ous *Zool.*
ectospore -a *Zool.*
Ectosporium *Bact.*
Endospora *Zool.*
Endosporium *Bact.*
haemosporid(ian *Bact.*
heminthosporious -oid
heterosporeous *Bot.*
homosporangic *Bot.*
Isospora *Zool.*
Leucospori *Fungi*
macrosporoid *Bot.*
Menospora -idae *Prot.*
microsporia -in(e *Path.*
Monosporea -ean *Prot.*
myxosporidian *Prot.*
Oligosporea(n -ous *Prot.*
perispor- *Fungi*
i(ac)eae iaceous iales
peronospor- *Fungi*
(ac)eae aceous ales ineae oides
phaeozoosporeous *Bot.*
pittospor- *Bot.*
(ac)eae aceous ad
Pleosporaceae *Fungi*
Polysporea -ean *Prot.*
prosporangoid *Fungi*
Retinosporites *Pal.*

rhync(h)osporetum *Bot.*
Sarcosporida *Prot.*
sarcosporidiotoxin
sclerosporose *Bot.*
septosporiose *Bot.*
spor-
al *Bot.*
ange -ium *Bot.*
-ia(l -idium -iferous -iferism -iform -iody -iogenic -ioid -iole -iolum -iophore(-ous -um) -iospore -ism
angite *Geol.*
ation *Biol.*
etia *Bot.*
id(ium *Bot.*
eus ifera iferous igerus iole iolum
idiosis *Path.*
oid
ont *Bot. Prot.*
ous
ule -ar -ate -ation -oid
uli- *Bot.*
ferous genous gerous
spora-
siderite
-spora *Bot.*
Aglao Asco Calypto Chlamydo Gleno Hemi Naemo Neocosmo Oo Perono Physali Pleo Ptero retini(*or* o) Rhyncho Sclero Seiro Tetra Tino
-sporae *Bot.*
Allanto Anemo Angio Archigymno Chalico Dictyo Didymo Endo Gamo Hyalo Phaeo Scoleco Stauro
-sporal *Bot.*
amphi exo inter intra sub theca theco
-sporange *Bot.*
hypno macro mega meio micro oo pro(zoo) pseudo tetra tricho zoo zygo
-sporangial *Bot.*
carpo inter tricho zoo
-sporangiate *Bot.*
ambi bi diplo eu lepto macro micro mono pluri poly
-sporangiophore *Bot.*
macro micro zoo
-sporangium *Bot.*
andro anthero carpo clino dictyo epi eu gymno gyno hetero homo hypno hypo lepto macro(aplano) mega micro mono oo peri pleuro poly pro pseudo tetra(d) tricho zoo zygo
spore *Biol.*
case ling
-spore *Biol. Med.*
chroni(zoo) cyto enh(a)em(a)to exoto gyno mastigo meri oxy raphidio sperm(at)o
-spore *Bot.*
aco acro aec(id)io aeciotelio agamo(hypno) allo amphi andro aplano arche archi arthro asco auto auxo azygo basidio bi blastenio brady caeomo carpho carpo centro chalmydo cilio como conidio creato cysto diplo endo ento

spore Cont'd
epi epiteo exo flagelli gametozoo gloeo gonidio gymno gynandro gyno haplo hemi hypno iso(andro gyno) kino lopho macro-(andro aplano gyno stylo zoo) mega meio meso micro(aplano stylo zoo) mono myxo octo oidio onco oo partheno paulo peri petaso phaeo phragmato pitto plano pleuro poly pregameto primo proto pseudo(podio zygo) ptero pycnia pycnidio pycno quarto quinto sacco schizo serio sph(a)ero stato stigmato stylo tachy tekno telento telio tertio tetra theco tricho tropho ured(in)o zoallo zoandro zoidio zoozygo zygo(zoo)
-sporeae *Bot.*
Chloro(zoo) Hetero Iso Oo Phaeo(zoo) Phragmo Pitto Pseudo Rhodo Rhyncho Schizo Tino Zoo Zygo
-spored *Bot.*
mono myria poly theca theco
sporenrest
-spores *Bot.*
Aco Azygo Centro Gloeo Homo Lopho Macropycno Micropycno Oidio Osmo Ptero Sacco Sarco Synzoo
spori-
cide -al *Med.*
desm *Bot.*
dochium *Fungi*
fera -ous *Bot.*
fication
genous
parous -ity
phyllary *Bot.*
-sporic *Bot.*
amphi arthro asco carpo epi hetero homo hypno iso macro meso micro oo poly seiro telento tetra tri uredo zygo
-sporidia *Prot.*
Acysto Am(o)ebo Gymno Hemato Haemo Haplo Histo Micro Myxo Neo Sarco Telo
-sporidiosis *Path.*
lympho rhino sarco
-sporidium *Prot.*
h(a)emato haplo myxo rhino
-sporiferous *Bot.*
carpo mono oo telento uredo zoo
-sporinium *Bot.*
exo meso peri
-sporium *Bot.*
apio arche Botryo clado clasterio coleo conio cylindro dimero entomo epi exo gloeo helico helmintho hetero macro Mystro Perio Septo tolypo
-sporon *Bot.*
Megalo Micro Tricho
Sporongonites *Pal.*
-sporosis *Path.*
gleno hemi micro oo tricho
-sporous *Bot.*
a acro amphi angio apo arthro asco auxo basidio bi brady chloro diversi ecto endo exo gymno gynandro hetero homo idioandro iso lino micro mono myrio myxo octo oo perono phaeo pleio pluri rhyncho stylo syn tachy tetra theca theco tri uredo
-sporum *Bot.*
chlamydo di Pitto Pityro tricho
-spory *Bot.*
apo euapo homo iso panapo pro
subarchesporial *Bot.*
tetraspor- *Bot.*
aceous inc
zoospore *Zool.*
-ic -ous
Σποράδες (Ap. Rh.)
Sporades *Astron. Geog.*
σποραδικός (Arist.)
sporadic
al(ly alness ity
σποράς (-άδος) scattered
sporadial
sporado-
ceras *Pal.*
neure *Neurol.*
phytium *Phytogeog.*
siderite *Meteor.*
σπορητός sown grain
sporetia *Bot. Cytol.*
Sporetus
σπορο- Comb. of σπόρος
aposporogony *Bot.*
asporo- *Bot.*
cystes genic genous mycetes
Endosporozoa *Prot.*
Eusporophyta *Bot.*
macrosporo-
phore *Bot.*
phyl(l(ary *Bot.*
zoite *Sporozoa*
megasporo- *Bot.*
carp cyte genesis
merisporocyst *Bot.*
microsporo- *Bot.*
carp cyte genesis phore phyll(ary
zoite *Prot.*
monosporogony *Mycol.*
pansporoblast *Prot.*
sporo-
agglutination *Diag.*
antheridic *Bot.*
blast *Bot.*
bolus -a *Bot.*
carp(ium eae *Bot.*
chnus -aceae *Bot.*
cide
cladium *Algae*
conidium *Bot.*
cyst(a -ic *Bot. Helm. Prot.*
cyte *Bot.*
derm(ium *Bot.*
dochium -ial *Fungi*
duct
gamia -y *Bot.*
gelite *Min.*
gemma *Bot.*
gen(ic -ous *Bot.*
genesis
geny *Cytol.*
gone -ium -ic -y *Bot.*
logical logist
sporo- Cont'd
mycetes *Bot.*
phase *Bot.*
phila *Ornith.*
phore -ic -ous *Bot.*
phyas *Bot.*
phyl(l(um *Bot.*
phyllary *Bot.*
phyllody *Bot.*
phyte -ic *Bot.*
plasm(ic *Cytol.*
sac *Zool.*
some *Bot.*
stegium *Bot.*
strote *Phytogeog.*
thalamia *Bot.*
theca *Bact.*
thrix *Bact.*
trichosis *Path.*
trichum *Bact.*
zoite
zoitoblast
zoon *Prot.*
-al -an -ic -id -oid
-sporophyll *Bot.*
antetropho macro mega micro
-sporophyte *Bot.*
carpo meta proto tetra
trophosporosome *Bot.*
zoosporocyst *Bot.*
zygosporophore *Bot.*
σπορός, ὁ = σπορά, ἡ Words referred to σπορός are listed under σπορά -σπορος as in πολύσπορος
σπύραθος a ball of dung
Spyrathus *Ent.*
σπυρίδιον Dim. of σπυρίς
Spyridia -eae *Algae.*
Spyridiocrinidae *Pal.*
σπυρίς (-ίδος) a basket
spyris *Gr. Furniture*
Spyroidea(n *Prot.*
Streptospyrilli *Bact.*
tholospyrid(a *Prot.*
Στα Root, as in στάσις
prostalia *Spong.*
Σταγειρείτης Epith. of Arist.
Stagirite -ic
Στάγειρος a city in Mac.
Stagirism
στάγμα a drop
miostagmin *Biochem.*
stagma -oid
stagmalite *Min.*
stagmatite *Min.*
σταγών (-ονος) a drop
Stagonolepidae *Pal.*
viscostagonometer *Phys.*
σταδιο- Comb. of στάδιον
stadiometer
σταδιοδρόμος (Pindar)
stadiodromos *Gr. Arch.*
στάδιον approx. a furlong; a race-course (Pind.)
stade *Bot.*
stade -ia -ic *Meas.*
stadion -ium
σταδιονίκης Fr. νικᾶν
stadionicest
στάδιος steady
prostady *Bot.*
στάθμη carpenter's rule
Stathmepora *Bryozoa*
σταθμο- Comb. of σταθμός
stathmo-
graph
notus *Ich.*
σταθμός a post (Od.)
Stathmodon *Pal.*
στακτή oil of myrrh
stacte
στακτός trickling
chalcostaktite *Min.*
stactometer
στάλαγμα a drop
stalagma
stalagmite -ic(al(ly
substalagmite -ic *Min.*
σταλαγμός a dripping
Acrostalagmus *Fungi*
stalagmo-
meter *Phys.*
metry -ic *Phys.*
scope *Phys.*
soma *Ent.*
stalagmon *Colloids*
stalagmone *Biochem.*
σταλακτικός dripping
pseudostalactical
stalactic(al
σταλακτός (Diosc.)
pseudostalakitite *Geol.*
stalactiform
stalactite
-al -ed -ic(al(ly -iform -ious
στάλσις a contraction
-stalsis *Physiol.*
ana anti(peri) aperi brady (brady)dia retro
σταλτικός contractile
centrostaltic *Physiol.*
retrostaltic *Path.*
στάμνος a jar
stamnos *Gr. Ant.*
στάξις dripping
staxis *Path.*
-staxis *Med.*
cysti(*or* o) entero gastro metro urethro
στασι- Comb. of στάσις
stasi-
basi(*or* o)phobia *Path.*
metric *Surv.*
metry *Med.*
morphia -y *Med.*
morphy -ic *Biol.*
phobia *Ps. Path.*
-στασια as in ἀστασιά
dichostasy *Zool.*
hydrostasy *Obs.*
isostas(*or* c)y *Geol.*
-stasia *Med.*
amyo galacto h(a)emo meno phlebo
στασίαρχος a group leader
stasiarch
στασίδιον a seat (Euchol.)
stasidion *Gr. Ch.*
στάσιμον (Arist.)
stasimon *Gr. Drama*
στάσιμος steady
Stasimus *Ent.*
στάσις a standing still
blennostasin(e *Pharm.*
clistase *Bot.*
dichostasis *Zool.*
grecostasis *Archaeol.*
halistase *Oceanog.*
mesostasis -ic *Petrog.*
stasad -ium *Phytogeog.*
stase -is *Bot.*
stasis *Gr. Ch. Path.*
-stasis *Med.*
bacterio blenno copro cyto electrohemo entero galacto h(a)emo hetero laryngo lympho meno ophthalmo phlebo thrombo
staso- *Phytogeog.*
philus phyta
thelystasin *Biochem.*
στατήρ (Herod.)
distater *Gr. Coins*
stater *Gr. Coins*
Statira *Ent.*
-στάτης as in ὑδροστάτης
aerostat *Aeronautics*
bacteriostat *Med.*
blepharostat *Surg.*
catheterostat *Surg.*
coelostat *Mech.*
cryostat *Phys.*
equilibristat
ergostat *Med. App.*
fieldrheostat *Elec.*
goniostat
gyrostat
h(a)emostat *Med. Surg.*
heliostat
humidostat
hydroh(a)emostat *Med.*
hydrorheostat *Elec.*
isoclinostat *Mech.*
isogoniostat *Mech.*
klinostat
manostat *Mech.*
microstat *Elec.*
ophthalmostat *Surg.*
ophthalmostatometer -ry
orbitostat *Craniom.*
photostat
polystat *Elec. App.*
polystation *Tel.*
pyrostat(e
rheostat *Elec.*
siderostat *Astron.*
thermostat
στατική an astringent herb
Statice -eae *Bot.*
στατική the art of weighing (Plato)
statics *Phys.*
-statics
aero bio cyto electro geo grapho gyro h(a)ema(*or* o) hydraulico hydro magneto metallo phyto pneum(at)o psycho rheo stereo thermo
στατικός (Arist.)
aerostatic(al *Aeronautics*
biostatic(al *Biol.*
catastatic
cyclostatic *Org. Chem.*
dynamostatic
electrostatic(al(ly
eustatic *Geol. Phys. Geog.*
geostatic
graphostatic(al
gyrostatic(ally
h(a)ema(*or* o)statical
heliostatic
heterostatic *Elec.*
hylostatic(al
idiostatic *Elec.*
isostatic(al(ly
katastatic *Biol.*
magnetostatic
photostatic(ally
psychostatic(al(ly
rheostatic *Elec.*
siderostatic *Astron.*
sociostatic
static(al(ly
-static *Bot.*
epi homo hydro hypo meso xero
-static *Med.*
astro bacterio bio blenno clino h(a)ema(*or* o) hemato meno

statico-
dynamic *Sociol.*
kinetic *Sociol.*
stereostatic *Mech.*
streptostatic *Org. Chem.*
thermostatic(ally
στατός placed, standing
abstat *Phys.*
catastate(s *Biol.*
c(*or* k)linostat *Bot.*
clinostatism *Med.*
hemostatin *Mat. Med.*
hyperstate
interstate
intrastate
katastate(s *Biol.*
meiostates *Biol.*
mesostate(s *Biol.*
metastate *Biol.*
pupillostatometer
Saorstat *Gov.*
stat- *Phys.*
coulomb farad volt
statenchyma *Bot.*
stato-
blast(ic *Biol.*
cracy
cyst *Biol.*
cyte *Biol.*
genesis *Biol.*
genetic(ally *Biol.*
geny *Biol.*
latry
lith *Biol. Zool.*
meter *Med. App.*
plast(s *Bot.*
rhabd *Zool.*
scope
spermus *Bot.*
sphere *Cytol. Spong.*
spore *Bot.*
-statolith *Bot.*
amylo chloro
σταυράκιον Dim of σταυρός
stauracin *Eccl.*
σταυρίδιον Dim .of σταυρός
stauridium *Zool.*
σταυρίον Dim. of σταυρός
polystauria -ium *Elec.*
staurion *Craniom.*
σταυρο- Comb. of σταυρός
stauro-
baryte *Min.*
cleis *Ent.*
gamia -ic *Bot.*
glossicus *Ent.*
lite lith(ic *Min.*
logy
medusae -an *Zooph.*
microscope
phyll(us *Bot.*
plegia *Pal. Bot.*
pteris *Pal. Bot.*
pus *Ent.*
scope -ic(ally
somes *Bot.*
sporae *Fungi*
typous *Min.*
typus *Herp.*
-id(ae -oid
σταυροειδῶς
styridophytus *Bot.*
σταυροθεοτοκίον
staurotheotokion *Gr. Ch.*
σταυρολάτρης
staurolatrian -y
σταυρός a cross
Acanthostauridae *Prot.*
Eurystaura *Ent.*
heterostaural *Morph.*
homostaura -al *Morph.*
Hyalostaura *Fungi*

polystauron *Eccl.*
pseudostauros *Bot.*
Rhodostaurotic *Occult*
staur-
actin(e *Spong.*
axonia(l *Biol.*
Stauri *Spong.*
Stauria -iidae *Polyzoa*
stauros *Bot.*
staurus *Spong.*
σταυροφόρος (Method.)
staurophore *Gr. Ch.*
σταύρωμα a palisade
stauromatic *Bot.*
σταυρωτός cruciform
staurotide *Min.*
-iferous
σταφίς raisins (Hipp.)
Haematostaphis *Bot.*
σταφὶς ἀγρία
Staphisagria *Bot.*
staphisagriated *Pharm.*
staphisagric -in(e *Chem.*
σταφυλ- Stem of σταφυλή
staphyl-
(a)ematoma *Path.*
ea -aceae -aceous *Bot.*
ectomy *Surg.*
edema *Path.*
itis *Path.*
oncus *Med.*
osis *Path.*
σταφυλάγρα (Hipp.)
staphylagra
σταφυλή bunch of grapes
Arctostaphylos *Bot.*
-etum -us
Distaphyla *Ent.*
hypsistaphylia *Anat.*
leptostaphyly *Craniom.*
peristaphylitis *Path.*
staphyle *Anat.*
σταφυλῖνος
staphyline *Anat. Min.*
-staphyline *Anat.*
brachy lepto meso pterygo salpingo stylo
-staphylinia *Craniom.*
meso
-staphylinic *Craniom.*
lepto
staphylinopharyngeus
-staphylinus *Anat.*
palato petro petrygo pharyngo (spheno)salpingo
Staphylinus *Ent.*
-id(ae -ideous -iform -ine -oid(ea(n
Xantholinus -iform *Ent.*
σταφύλιον Dim. of σταφυλή
staphylion *Anat.*
σταφυλο- Comb. of σταφυλή
antistaphylo-
coccic *Med.*
lysin *Biochem.*
staphylo-
angina *Path.*
bacterin *Bact.*
coccus *Bact.*
-al -ia -ic
-omycosis
cystis *Helm.*
dermatitis *Path.*
dialysis *Path.*
edema *Med.*
hematoxin *Biochem.*
hemia *Med.*
kinase *Biochem.*
leukocydin *Tox.*
lysin *Bact.*
mycosis *Med.*

staphylo- Cont'd
pharyngeus *Anat.*
-orrhaphy *Surg.*
plasmin *Tox.*
plasty -ic *Surg.*
ptosis -ia *Path.*
rrhaphy -ic *Surg.*
schisis *Med.*
streptococcia *Med.*
tomy *Surg.*
toxin *Bact. Med.*
uranostaphylo- *Surg.*
plasty rrhaphy
σταφυλοτόμον (Paul. Aeg.)
staphylotome *Surg. App.*
σταφύλωμα (Diosc.)
staphyloma *Ophth.*
-atic -atous -y
σταχυ- Stem of σταχύς
Schizostachyum *Bot.*
stachy-
chrysum *Bot.*
deae *Bot.*
ose *Org. Chem.*
tarpheta *Bot.*
urus *Bot.*
-aceae -aceous
-stachyous *Bot.*
hetero mono poly tri
Tristachycera *Ent.*
σταχυο- Comb. of σταχύς
stachyo-
crinus *Pal.*
sperms *Bot.*
stoma *Ent.*
στάχυς an ear of corn
Hydrostach
-eous ydaceae
Macrostachya *Pal. Bot.*
monostach(ous *Bot.*
pycnostachous *Bot.*
stachydrine *Chem.*
Stachys *Bot.*
-stachys *Bot.*
Calamo Gyro Hydro Phyllo Psilo
στέαρ tallow, suet
cocostearyl *Chem.*
distearophosphate
distearyl *Org. Chem.*
oleostearate *Chem.*
psyllostearyl *Biochem.*
ricinostearolic *Chem.*
steapsin(ogen) *Biochem.*
stear- *Chem.*
amide ate enic entin erate erin ic iform in(e inery oid one oxylic yl
stear-
ol(ic *Math. Med.*
osis *Path.*
rrh(o)ea *Path.*
schist *Min.*
-stearic *Chem.*
coco (di)hydroxy el-(a)eo neuro oxy
-stearin *Chem.*
eleo ergo lauro mono oleo(di) palmito petro pyro tri
-stearine *Chem.*
oleo petro
stearinolipoids *Bot.*
stearo-
chlorhydrin *Chem.*
conotum *Biochem.*
dermia *Path.*
dipalmitin *Org. Chem.*
elaidic *Org. Chem.*
lactone *Chem.*
laur(et)in *Chem.*
ptene *Chem.*
sulfonic *Org. Chem.*

stethal *Chem.*
tristear ate *Chem.*
urostealite *or* -lith *Chem.*
στεατ- Stem of στέαρ
steat-
adenoma *Path.*
in(um *Pharm.*
itis *Path.*
ization
ornis *Ornith.*
-ith(-ic -id(ae -in(e -oid)
osis *Path.*
-steatosis *Path.*
a para
στεατίτης of dough
steatite -ic(al *Min.*
sulfosteatite *Expl.* (*T. N.*)
sulphosteatite *Chem.*
στεατο- Comb. of στέαρ
hyposteatolysis *Med.*
steato-
cryptosis *Med.*
gene -ous *Med.*
lysis *Biochem.*
lytic *Biochem.*
meter
pathic *Med.*
pyga *Physiol.*
-ia -ic -ous -y
rrh(o)ea *Path.*
zoon *Zool.*
στεατοκήλη (Galen)
steatocele *Path.*
στεατώδης like tallow
asteatodes *Path.*
στεάτωμα (Galen)
steatoma -atous *Path.*
-steatoma *Path.*
chole ino osteo
στεγανο- Comb. of στεγανός
stegano-
chamaephytium *Bot.*
cryptophytium *Bot.*
gram
grapher
graphy -ical -ist
pus *Ornith.*
-od(a(n -odes -odous
sticha *Ent.*
στεγανός waterproof
Steganophthalmia
-ata -ate -(at)ous -ic
steganous *Med.*
στεγαστός covered
Stegastopsis *Ent.*
στέγειν to conceal
stegmonth *Gynec.*
στέγη roof; house
amblystegietum *Bot.*
Amphistegina *Foram.*
Aulosteges *Brachiop.*
basibranchiostegal *Ich.*
brachistegia *Bot.*
branchiostege *Ich.*
-al -an -i -ite -ous
Calostega *Ent.*
Calystegia *Bot.*
cephalostegite *Crust.*
Cryptostegia *Zool.*
distegous *Ich.*
Entomostega -ous *Prot.*
gastrostege -al *Zool.*
Gephyrostegus *Pal.*
gnathostegite *Crust.*
Heterosteginoides *Pal.*
hypsistegoid *Craniom.*
Leiostegium *Pal.*
monostegous *Infus.*
omostegite *Zool.*
oostegite -ic *Crust.*
Peltostega *Pal.*
Physostegia *Bot.*
Platystega *Pal.*

Protostega -idae *Pal.*
schistostega -aceae *Bot.*
steg-
ium *Bot.*
mata *Bot.*
odon(t *Mam.*
oid *Craniom.*
omosuchus -idae *Pal.*
omus *Pal.* ops *Pal.*
urous *Ich.*
Stegerhynchus *Pal.*
-stegium *Bot.*
gyno sporo stylo
urostege -al -ite *Herp.*
Xenostegium *Arach.*
στέγνωσις (Galen)
stegnosis *Med.*
-stegnosis *Med.*
archo rhino steno theco uretero
στεγνωτικός (Diosc.)
stegnotic *Med.*
στεγο- Comb. of στέγος
astegorrhine *Craniom.*
oostegopod *Crust.*
stego-
alpheon *Crust.*
carpi -ic -ous *Bot.*
ceph(al *Pal.*
cephala *Herp.*
-i(a(n -ous
cephalus *Crust.*
-id(ae -oid
ceras *Pal.*
chelys -yidae *Herp.*
crotaphous *Zool.*
gnatha -ous *Conch.*
lophodon *Pal.*
myia *Ent.*
myrmex *Ent.*
pelta *Pal.*
ptera -ous *Ent.*
rrhine *Craniom.*
saur(us *Herp. Pal.*
-ia(n -id(ae -oid
στέγος = στέγη
Words referred to στέγος are listed at στέγη
στεῖρος sterile
Pleurostira *Ent.*
Steironema *Bot.*
Stira *Ent.*
Stirastoma *Ent.*
Stiretrus *Ent.*
Stirodonta *Pal.*
Trichostiria *Ent.*
Xenostira *Ent.*
στείρωσις barrenness
steirosis *Path.*
στελγιδο- Comb. of στελγίς
Stelgiopteryx *Ornith.*
στελγίς (-ίδος) = στλεγγίς
Stelgis *Ich.*
στέλγιστρον = στλεγγίς
Stelgistrops *Ich.*
stelgistrum *Ich.*
στελεόν a handle
Steleoneura *Ent.*
-στελέχης as in βραχυ-μονο-πολυ-(Theophr.) ? -stelic. See στήλη
στελεχο- Comb. of στέλεχος
stelecho-
pus *Zool.*
tokea -ean *Zool.*
στέλεχος tree trunk
stelechite *Trade*
στέμμα a garland
Agrostemma *Bot.*
Cryptostemma *Arach.*
-id(ae -oid(ae

Halistemma -atidae *Zool.*
Haplostemmae *Bot.*
prostemmate -ic *Ent.*
Sarcostemma *Bot.*
stemma
-atiform -atous *Zool.*
-stemma *Ent.*
Di Loro Macro
στεμματο- Comb. of στέμμα
stemmato-
derus *Ent.*
pterus
στεν- Stem of στενός
eustenin *Mat. Med.*
sten-
amma *Ent.*
arosaurus *Pal.*
aspidius *Ent.*
aspis *Ent.*
asteridae *Pal.*
bronchus *Ent.*
ellipsoid *Anthrop.*
elmis *Ent.*
lytra(n -ous *Ent.*
eosaurus -ian *Herp.*
idia *Ent.*
ion *Craniom.*
ochrus *Arach.*
odontes *Ent.*
odus *Ich.*
ol *Mat. Med.*
olis *Ent.*
omalus *Ent.*
omus *Ent.*
opsis *Ornith.*
otis *Ent.*
ous *Ent.*
urothrips *Ent. Pal.*
us(a *Ent.*
στενο- Comb. of στενός
asteno-
gnathus *Pal.*
sphere *Geol.*
thura *Malac.*
Diplostenopora *Pal.*
dolichostenomelia *Med.*
electrostenolysis
electrostenolytic(al(ly
hypsistenocephaly
-ic -ism *Craniom.*
Parastenocrobylus *Ent.*
Prostenoneuridae *Pal.*
salpingostenochoria
steno-
bathic *Zool.*
bia *Ent.*
bothrus *Ent.*
bregmate -ic *Craniom.*
cara *Ent.*
carabus *Crust.*
cardia -iac *Path.*
carpus
cephaly *Craniol.*
-ia -ic -ous -us
cerus *Ent.*
chila *Ent.*
chrome -y *Print.*
-atic
cnema *Ent.*
coenose *Bot.*
colus *Ent.*
compressor *Dent. App.*
coronine *Anat.*
corus *Ent.*
corynus *Ent.*
corys *Echin. Pal.*
cranial *Path.*
crates *Ent.*
crepis *Ent.*
crotaphy -ia *Craniom.*
cyphus *Ent.*
cysts *Bot.*
cythara *Ent.*
dactylus *Ent.*

steno- Cont'd
derm(a *Mam.*
ata (at)in(e atous inae
derus *Ent.*
dictyoneura *Pal.*
gale *Pal.*
gaster *Ent.*
glossa *Ent.*
gnathus *Ent.*
graph(er
graphy -ic(al(ly -ist
gymnocnemia *Ent.*
gyra -id(ae -oid *Conch.*
haline *Bot.*
lampra *Ent.*
logy
lophus *Ent.*
lysis *Phys. Chem.*
lyte *Phys. Chem.*
mela *Ent.*
meter *Surv.*
morph *Biol. Bot.*
morphus *Ent.*
mycteria *Path.*
myites *Pal.*
mylus *Pal.*
myrmex *Ent.*
neurella -idae *Pal.*
notum *Ent.*
pelmatus *Ich.*
petalous *Bot.*
phile
phlepsia *Ent.*
photic *Bot.*
platys *Ent.*
plesictis *Pal.*
pneusia -ate *Echin.*
protome *Pal.*
pneusia -ate *Echin.*
psylla *Ent.*
pterus *Ent.*
pygium *Ent.*
pyra *Med.*
rhopalus *Ent.*
rhynchus *Mam.*
-ia -inae -ine -ous
saurus
scelis *Ent.*
sepalous *Bot.*
soma *Ent.*
sphenus *Ent.*
sphere *Geol.*
stegnosis *Path.*
stenosis *Path.*
stola *Ent.*
stoma *Herp.*
-id(ae -oid
stomata -ous *Zooph.*
stome -ia -y *Path.*
synusic *Bot.*
taphrum *Bot.*
tarsia *Ent.*
telegraphy
therium *Ent.*
thermic -al *Bact.*
thermic -al -y *Bot.*
thoe *Crust.*
-oid(ae -ooid
thrips *Ent.*
toka -ous *Zooph.*
tomus
tropic *Bot.*
type -er
typy -ic -ist
στενοθώραξ (Galen)
stenothorax *Anat.*
στενοκορίασις (Veget.)
stenocoriasis *Ophth.*
στενόν Neut. of στενός
Stenonaster *Pal.*
στενόπους narrow-footed
Stenopus *Crust.*
-id -idae -oid
-idea -idian

στενός narrow
Neostenodontus *Ent.*
Stenus(a *Ent.*
-stenus *Ent.*
Neo Pro Tarso Trachelo
στενοτράχηλος narrow-necked
Stenotrachelus *Ent.*
στενόφυλλος (Theophr.)
stenophyllous
-ism *Bot.*
στενοχωρία crampedness
stenochoria *Med.*
stenochory -ic *Bot.*
Στεντόρειος (Arist.)
stentorious
-ial -ian(ly ly ness
Στεντορόφωνος
stentorophonic(al(ly
Στέντωρ (Iliad)
stentor *Mam.*
Stentor *Myth.*
Stentor *Prot.*
ik(ae in(e oid
stentorin *Biochem.*
stentoronic
στενυγρός = στενός
Stengyra *Ent.*
στένωμα contraction
-stenoma *Path.*
cardio core(o) uretero
στενωπεῖον a narrow way
steno(a)eic *Med.*
στένωσις narrowing
colpostenotomy *Surg.*
karyostenotic *Cytol.*
pharyngostenia *Path.*
Stenosides *Ent.*
stenosis *Path.*
-al -ed
-stenosis *Path.*
angio aorto archo arterio blepharo bronch(i)o cardio colpo cranio dacryo dermo elytro entero episio esophago gastro hemado karyo laemo laryngo metro oesophago pharyngo phlebo procto pylori- (*or* o) recto rhino sclero steno theco thoraco tracheo typhlo uretero urethro
stenotic
στενώτερος Compar. of στενός
stenoterous *Art.*
στερέμνιος hard, firm
Steremnius *Ent.*
στερεμνιώδης solid
Steremniodes *Ent.*
στερεο- Comb. of στερεός
astereocognosy *Ps. Path.*
astereognosis *Ps. Path.*
diastereomer(ic *Chem.*
macro-stereochemistry
motostereochemistry
orthostereoscopic
photostereogram
photostereograph
pseudostereoscopic -ism
stereo *Print.*
stereo-
agnosis *Path.*
arthrolysis *Surg.*
auscultation *Med.*
baris *Ent.*
bate -ic *Arch.*
binocular
blastula *Bact.*
caulic *Org. Chem.*
centric *Chem.*
chemical(ly *Chem.*

stereo- Cont'd
chemistry *Chem.*
chromatic(ally
chromatize
chrome -y
-ic(ally
chromoscope
clumps *Print.*
cognosy *Psych.*
comparer -ator
configuration *Chem.*
dermus *Ent.*
electric *Elec.*
fluoroscopy *Med.*
gastrula *Embryol.*
gennylae *Bot.*
glyph
gnathus *Mam.*
gnosis -ia *Psych.*
gnostic *Psych.*
gram
graph(y -ic(al(ly
hydraulic
isomer *Chem.*
ic ide ism ization
lepis *Ich.*
meric *Chem.*
meter *Chem.*
micrometer
mita *Ent.*
monoscope
mould
movies *Photog.*
myrmex *Ent.*
nema -ata *Bot.*
neura *Zool.*
neural *Anat.*
obstruction *Chem.*
phant(asm)ascope
phoroscope
photo-
(micro)graph
graphy -ic
physics *Phys.*
planigraph *Phys.*
planula *Biol.*
plasm(a -ic *Biol.*
plasmoceras *Pal.*
position *Chem.*
pselaphus *Ent.*
pteris *Pal.*
pyrometer *Phys.*
relation *Chem.*
roentgenograph
scope -y
-ic(al(ly -ism -ist
skiagraphy *Radio.*
spermous *Bot.*
spondyli -ous -us *Herp.*
static(s *Mech.*
stoma *Ent.*
taxis *Biol.*
telemeter
telescope
tomy *Geom.*
-ic(al(ly -ist
trope -ic -ism *Biol.*
type -er(y
typy -ic(ally -ist
-stereoscope
electro mono ortho pseudo pyro tele tropo
-stereoscopy
actino radio
telestereograph(y
στερεομετρία (Arist.)
stereometry -ic(al(ly
στερεός solid, firm
cholestan(e *Biochem.*
anol anone ene enone
cholester- *Chem.*
ase ate ic ide ilene ilin in(e inic inize ol one yl ylamine ylene
cholester-
(a)emia *Path.*

cholester- Cont'd
olemia *Path.*
(in *or* ol)uria *Path.*
cholestero- *Med.*
genesis genic
hydrothorax
cholestyl *Chem.*
coprostane -ol *Chem.*
ergostane -ol *Org. Chem.*
heterositostannol *Chem.*
hydrostereids
hypercholesterin(*or* ol)-emia
hypocholester(ol)emia
isocholestrin *Biochem.*
isostere *Chem. Meteor.*
isosterism *Chem.*
Metasterocystis *Pal.*
panstereorama
parallelosterism *Chem.*
phytosteral *Biochem.*
pyrsteradian *Phys.*
sitostanol -one *Biochem.*
sitostene -one *Biochem.*
steradian *Geom.*
stere *Meas.*
-stere *Meas.*
centi deca deci hecto iso kilo milli
steregon *Geom.*
Sterelmintha *Helm.*
-ic -ous
sterenchyma *Bot.*
stereodontaceous *Bot.*
Stereoma *Ent.*
stereopsis *Ophth.*
stereopticon
Stercornithes -ic *Pal.*
steresol *Mat. Med.*
Stereum *Fungi*
Stereus *Ent.*
sterhydraulic *Mech.*
steric(al(ly *Chem.*
-steric
chole holo iso parallelo protoliche pyrochole
-sterin *Chem.*
agro anthe bio bombice caulo chole copro ergo euony fungi hippocopro homoeuony isochole kaulo kopro myo oxychole parachole phreno physo phyto rhamno slanuto stella taraxa xantho
steroid *Biochem.*
-sterol *Chem.*
agro ambro anthe bombice caulo chole chorto clytia ergo enony eupho hemo hippocopro homoeuony homotaraxa hydrochole isochole kopro lipochole myo olea oxychole phreno phyto sanco sito soja spongo stigma taraxa verba vero vita xantho zoo
-sterolin *Chem.*
phyto stigma
sterometer *Physiol.*
Steropus *Ent.*
stigmastane -ol -one
stigmasteryl *Org. Chem.*
succisterene *Chem.*
στερέωμα a foundation
hydrostereome *Bot.*
stereom(e atic *Bot.*
stereomic *Chem.*
στερεωτικός (Matth. Med. from Orisbas)
stereotica *Surg.*

στέρησις deprivation
-steresis *Med.*
glosso irido kali(*or* o) metro odonto osteo ovario thermo tricho
στερητικός depriving
kali(*or* o)steretic *Path.*

στέριφος = στερεός
Steriphus *Ent.*

στερν- Comb. of στέρνον
stern-
acanthus *Ent.*
algia -ic *Path.*
aspis *Helm.*
-id(a -idid(ae -idoid
aulax *Ent.*
ebra -al *Anat.*
ite -ic *Anat. Zool.*
odynia *Path.*
onuchal *Anat.*
oplites *Ent.*
oplus *Ent.*
oxi -an -ine *Ent.*
uchus *Ent.*

στερνο- Comb. of στέρνον
prosoposternodymia
sterno-
cera *Ent.*
chondro- *Anat.*
scapularis
clavicular(is *Anat.*
cleidal *Anat.*
-omastoid(eus
coelopsis *Ent.*
coracoid(eus *Anat.*
costal(is *Anat.*
coxal *Anat.*
dymia -us *Terat.*
facial(is *Anat.*
glossal -us *Anat.*
goniometer *Med. App.*
humeral *Anat.*
hyoid(eus -ean *Anat.*
lophus *Ent.*
mancy
mastic *Anat.*
mastoid(eus *Anat.*
maxillary -is *Anat.*
pagia -us *Terat.*
pericardiac -ial *Anat.*
phorus *Arach.*
psylla *Ent.*
ptyx *Ich.*
-ychid(ae -ychoid
pygus *Ich.*
-id(ae -oid
rhabdite *Ent.*
scapular(is *Anat.*
thaerus *Herp.*
-id(ae -oid
there *Herp.*
thyroid(eus *Anat.*
tomis *Ent.*
tracheal(is *Anat.*
tribe -al -ous *Bot.*
trypesis *Surg.*
vertebral *Anat.*
substernomastoid

στέρνον breast, chest
antesternon *Ent.*
asternia *Med.*
Cinosternum *Herp.*
-id(ae -oid
clidostern(a(l *Herp.*
Cremnosterna *Ent.*
Dactylosterna(l *Herp.*
endosternal *Crust.*
-ite -itic
endosternum *Herp.*
entosternite
entosternum -al *Herp.*
episternite *Ent.*
Eurystern *Herp.*
id(ae oid
Firmisternia *Herp.*
-(i)al -ous
homalosternal -ii
hyosternum -al *Herp.*
Kinosternon -idae *Zool.*
Lachnosterna *Ent.*
lepidostern- *Herp.*
idae oid
Lobosterni *Pal.*
mesosterneber *Anat.*
-ebra(l -ite
Orthosterni *Pal.*
Plagiosternum *Pal.*
Platysternum -idae
Pleurosternum *Herp.*
-id(ae -oid
Rhaebosterna *Ent.*
schistasternia *Terat.*
Sterna *Ornith.*
-inae -ine
sternad -al(is *Anat.*
-sternal *Anat.*
a acromio chondro cleido costo coxo epi hyo infra inter meso meta omo para pelvi postomo quarti quinti retro supra vertebro xiphi(*or* o)
Sternias *Ich.*
sterniform *Ent.*
sternon *Anat.*
sternum *Anat. Zool.*
-sternum *Anat.*
epi hemi hyo meso meta omo para pelvi postomo xiphi(*or* o)
-sternum *Ent.*
Acro Caino Cecheno Pachy Stroggylo Tricho
-sternum -al *Ent.*
ante ento (mes)epi meso metepi proepi
-sternus *Ent.*
Disso Gripho Proago Rhombo Temno Thylaco Tmesi Tropi
Tretosternon -inae *Herp.*
tropidosternal -i *Ornith.*
urosternite *Anthrop.*

στερνώδης broad-breasted
Sternodes *Ent.*

Στερόπης Lightner
Steropes *Ent.*

στερρο- Comb. of στερρός
sterrho- *Phytogeog.*
philus phyta
sterro-
blastula *Biol.*
gastrula *Biol.*
lophus
metal *Alloys*
planula *Biol.*
στερρός
Onosterrhus *Ent.*
sterraster *Spong.*
-ral -rosa -rose
sterrhad -ium *Phytogeog.*
sterrhid(ae *Ent.*

στεφανη a coronal
stephane *Archaeol.*
στεφανηφόρος crowned
stephanephoros *Gr. Govt.*
στεφάνιον Dim. of στέφανος
stephanion *Craniom.*
-ial -ic
στεφανο- Comb. of στέφανος
stephano-
beryx *Ich.*
-ycid(ae
stephano- Cont'd
blastus -idae *Pal.*
care *Pal.*
carpus *Bot.*
cephala *Ent.*
ceras *Conch.*
-atid(ae -atoid
contae -an *Algae*
crinus *Crin.*
deres *Ent.*
psylla *Ent.*
rhynchus *Ent.*
saurus -inae *Pal.*
scope *Phys.*
spondylus *Pal.*
thrips *Ent.*
zygomatic *Anat.*

στέφανος crown; wreath
bistephanic
callistephin(ium *Chem.*
diplostephanous *Bot.*
haplostephanous *Bot.*
Holcostephanidae *Pal.*
interstephanic
Stephanollona *Pal.*
stephanome *Meteor.*
Stephanops *Ent.*
stephanos *Archaeol.*
stephanoum *Bot.*
Stephanus -idae *Ent.*
στεφανοῦχος crowned
Stephanucha *Ent.*
στεφανοφόρος
stephanophore
Stephanophorus *Ornith.*
στεφανώδης wreathed
stephanodophytum *Bot.*
στεφανωτίς (Theophr.)
Stephanotis *Bot.*

στέφος a crown
Callistephus *Bot.*
Stephodiplosis *Ent.*
Stephoidea(n *Prot.*
Stephomma *Echin.*

στηθ- Stem of στῆθος
steth-
(a)emia *Path.*
arteritis *Path.*
aspis *Ent.*
endoscope *Surg.*
ylic *Chem.*
στηθιαῖος of the breast
stethiaeum *Ornith.*
στηθίδιον Dim. of στῆθος
stethidium *Ent.*
στηθίον Dim. of στῆθος
mesostethium *Ent.*
Peristedion(iidae *Ich.*
peristethium *Ent.*
Stizostedion *Ich.*
στηθο- Comb. of στῆθος
microstethophone
stetho-
baropsis *Ent.*
cardiagraph *Med.*
catharsis *Med.*
chysis *Path.*
c(*or* k)yrtograph *Med.*
goniometer *Physiol.*
gram
graph(y -ic
mela *Ent.*
menia *Gynec.*
meter
metry -ic
my(os)itis *Path.*
pachys *Ent.*
paralysis *Path.*
phone *Med. App.*
phonometer *Med.*
polyscope *Med. App.*
pristes *Ich.*
rrheuma *Path.*
scope -y
-ic(al(ly -ist
spasm *Path.*
-stethoscope *Med. App.*
auto endo micro poly
στῆθος the breast
Haplostethops *Ent.*
Lepidostethaspis *Ent.*
Rhodostethia *Ornith.*
Stethon *Ent.*
-stethus *Ent.*
Elasmo Glypho Haplo Masto Ortho Otheo Platy Spheno Tribo Xeno Ypsilo
-stethus *Ich.*
Colo Hoplo
Trichostetha *Ent.*

στήλη block, slab, post
anthostele *Polyps*
brachysteles *Bot.*
Macrostelineae -ian
Monosteliniae -ian
stela *Archaeol.*
stelar *Bot.*
stele *Arch. Archaeol. Bot.*
-stele *Bot.*
actino amphihaplo amphipro atacto dictyo dimeri eu gamo(meri) haplo-(meri) meri mono-(meri) poly proto pseudo schizo siphona soleno trimeri
-stelic *Bot.* ? -στελέχης
a atacto dialy dictyo-(mero) dimeri eumeri gamo(meri) haplomeri hystero mono multi poly pro proto pseudo schizo siphona soleno tetrameri trimeri
Stelmatopoda *Helm.*
stelography
-stelous *Bot.*
mono poly schizo
-stely *Bot.*
a atacto dialy dictyo eu gamo mono poly proto schizo soleno
στηλίδιον Dim. of στήλη
Stelidiocrinidae *Pal.*
stelidium *Bot. Porif.*
στηλίς (-ίδος) Dim. of στήλη
Stelidota *Ent.*
στηλιτευτικός (Greg. Naz.)
steliteutic
στηλο- Comb. of στήλη
Distelopora *Pal.*
stelolemma *Bot.*

στῆμα stamen (Hesych.)
exostema *Bot.*
Lacistema *Bot.*
-(ac)eae -aceous
stemapod *Ent.*
Trichostema *Bot.*
στημόνιος (Theophr.)
-stemonous *Bot.*
adeno allago aniso brachybio cheiro clado di haplo hetero hexa iso macro m(e)io obdiplo oligo poly stylo symphyo

στήμων warp; thread
calycostamen *Bot.*
dialystaminous *Bot.*
diastaminous *Bot.*
diplosteminous -y *Bot.*
epistaminelis *Bot.*
gynostemium *Bot.*
heterostaminody *Bot.*
isostemony *Bot.*
Lepistemoneae *Bot.*
obdiplostemony *Bot.*
parastemonal *Bot.*
Petalostemum *Bot.*
podostemad *Bot.*
Podostem(on)aceae -eous
Pogostemon *Ornith.*
-stemon *Bot.*
allago Calli cylindrobasio Lepi para Podo Pent Platy stylo
Stemona *Bot.*
-aceae -aceous
-stemones *Bot.*
peri petalo phyco
Stemonidium *Ich.*
Stemonitis -aceae *Bot.*

στήριγμα a support
arthrosterigma *Bot.*
sterigma *Bot.*
-atic -um
-sterigmatic *Bot.*
di hepta hexa mono octo penta tetra tri
Sterigmatocystis *Fungi*

Στησιχόρειος (Plutarch)
Stesichorean *Lit. Pros.*

στήσομαι Fut. med. of ἵστημι check, stop
stesomy *Bot.*

στιβαρός sturdy
Stibara *Ent.*

στιβειά a treading
Orthostibia *Ent.*

στίβι (Pliny)
h(a)ematostibiite *Min.*
stibenyl *Chem.*
stibethyl *Chem.*
stibialism *Med.*
-stibian *Min.*
chondro lampro magneto melano
stibianite *Min.*
stibiated *Med.*
stibiatil *Min.*
stibic *Chem.*
-ial -id
stibiconite *Min.*
stibin(e *Org. Chem.*
-ic -o- -yl
stibio-
bismuthinite *Min.*
columbite *Min.*
domeykite *Min.*
ferrite *Min.*
luzonite *Min.*
tantalite *Min.*
-stibite *Min.*
chalco mangano pyro
stibium -ious *Chem.*
stiblite *Min.*
stibnite *Min.*
-stibnite *Min.*
meta plumbo
stibonic -o- *Org. Chem.*
stibonium *Chem.*
triethylstibin
trimethylstibin
triphenylstibinsulphid

στίβος footprint
stibogram

στίγμα prick, mark, brand
astigmagraph
astigmation
astigmia -ic -ism
astigmo-
meter metry scope
centrostigma(l *Morph.*
Melanostigma *Ich.*
physostigmal *Org. Chem.*
physostigmia *Chem.*
physostigminism *Toxin*
polystigmous *Bot.*
pseudostigma *Zool.*
pterostigma -l *Ent.*
-stigm *Math.*
hexa penta poly tetra tri

-stigma *Bot.*
Acantho Nectaro
Physo Proto Sarco Syn
-stigma *Ent.*
Crypto Lathro para
ptero
stigma -al
Stigmaphorus *Ent.*
stigmarhize *Bot.*
stigmarhizome *Bot.*
Stigmaria *Geol. Pal. Bot.*
-arian -arioid
stigmastane *Org. Chem.*
-ol -one
stigmasterol(in *Chem.*
stigmasteryl *Org. Chem.*
-stigmin(e *Chem.*
(pseudo)physo
stigmonose *Bot.*
stigmonym
stigmula *Bot.*
synstigmous *Bot.*
στιγμ(ι)αῖος minute
Stigmeus *Ent.*
στιγματ- Stem of στίγμα
anastigmat(ic *Ophth.*
astigmat- *Ophth. Optics*
ic(al(ly ism izer
astigmato- *Opth. Optics*
meter scope scopy
Astigmat(ic)ae *Bot.*
brachybiostigmatic -ous
distigmatic *Bot.*
Infrastigmata(l *Ent.*
laterostigmatal
macrobiostigmatic -ous
metastigmate -a *Ent.*
monostigmatous *Bot.*
orthostigmat *Optics*
parastigmatic *Ent.*
plastigmat *Photog.*
platystigmat *Photog.*
polystigmatic
poststigmatal *Zool.*
pseudostigmatic *Zool.*
pterostigmatic(al *Ent.*
stigmat *Photog.*
Stigmatae *Bot.*
stigmatal *Ent.*
stigmatate -ed
Stigmatea *Fungi*
Stigmatella
stigmatic(s
cal(ly alness
Stigmaticae *Bot.*
stigmatiferous *Bot.*
stigmatiform *Ent.*
stigmatism
stigmatist *Eccl.*
stigmatoideus *Bot.*
stigmatose *Bot.*
stigmatosis *Path.*
substigmatal
suprastigmatal
synstigmatous -icus *Bot.*
tristigmatic -ose *Bot.*
στιγματίας one tattooed
Stigmatium *Ent.*
στιγματίζειν to brand
restigmatize
stigmatize -ation
unstigmatized
στιγματο- Comb. of στίγμα
stigmato-
dermia *Med.*
meter *Ophth. App.*
mycosis *Bot.*
spore *Bot.*
trachelus *Ent.*
στιγματοφορός
Stigmatophorina *Ent.*
στιγμή a prick, point
Leucostigma *Malac.*

stigme *Palaeog.*
stigmeology
στιγμός a pricking
stigmo-
dera *Ent.*
myrmex *Ent.*
στίγων = στιγματίας
Stigonema -eae *Bot.*
stigonomancy
στίζειν to prick, tattoo
Ceratostizus *Ent.*
στίζω Pres. ind. of στίζειν
stizo-
cera *Ent.*
lobium *Bot.* -in *Med.*
pus *Ent.*
stedion *Ich.*
(σφαιρι)στική ball-play
sticke *Games*
στικτο- Comb. of στικτός
sticto-
cranius *Ent.*
lophus *Ent.*
mys *Mam.*
petalous *Bot.*
phaula *Ent.*
somus *Ent.*
spilus *Ent.*
στικτός punctured
Decastis *Pal.*
laparostict(i *Ent.*
leucosticte *Ornith.*
Phyllosticta *Fungi*
phyllostictose *Phytopath.*
pleurostict(i *Ent.*
-sticta *Ent.*
Ecto Laparo Tetra
Sticta -is *Bot.*
-iform
stictaic *Org. Chem.*
stictaurin *Org. Chem.*
stictein *Org. Chem.*
στίλβειν to gleam
Astilbe *Bot.*
stilbazole -ine *Org. Chem.*
Stilbella *Bot.*
stilbene *Org. Chem.*
-stilbene *Chem.*
furo oxy pyrido
stilbid *Bot.*
stilbin *Org. Chem.*
Stilbiscus *Ich.*
stilbite *Min.*
-stilbite *Min.*
epi hypo sph(a)ero
tolustilbazine *Chem.*
στιλβο- Comb. of στιλβός
stilbo-
mimus *Ent.*
nema *Helm.*
στιλβός glistening
Sphaerostilbus *Ent.*
stilbum *Fungi*
στίλη a drop, a bit
Stilodes *Ent.*
στιλπνός glittering
pyrostilpnite *Min.*
stilpno-
chloran(e
melane
siderite
στίξις puncture
hemostix *Med. App.*
osteostixis *Surg.*
stylostixis *Med.*
styxis *Med.*
στίξ = στίχος
Diplostix *Ent.*
στιφρός solid, sturdy
stiphro-
myrmex *Ent.*

stiphro- Cont'd
stola *Ent.*
thyris *Pal.*
στίχα Acc. of στίξ
Plesiosticha *Ent.*
στιχάριον a tunic
sticharion *Gr. Ch.*
στιχηρόν a modulus
stichiron *Gr. Ch.*
-στιχία as in πολυστιχία
orthostichy *Bot.*
parastichy *Bot.*
στιχίδιον Dim. of στίχος
stichid(ium *Bot.*
στιχικός of verses
stichic(al(ly
στιχο- Comb. of στίχος
arkyostichochrome
Astichomyia *Ent.*
sticho-
carpus *Bot.*
chrome *Neurol.*
cyrtid(a(n *Prot.*
cystiaae *Pal.*
dactyline -ae *Polyps*
glossa *Ent.*
logy
mancy
metry *Palaeog.*
-ic(al(ly
tomus *Ent.*
στιχομυθία (Poll.)
stichomythia *Gr. Drama*
-ic -y
στίχος a row, a line
acromerostich *Lit.*
Acrostichum -oid *Bot.*
Amphistichus *Ich.*
Chaetostichia *Ent.*
chromostichon *Pros.*
Ctenostichus *Ent.*
decastich
Derostichus *Ent.*
Desmosticha -ous *Echin.*
diplostic *Bot.*
eteostic(hon
heptastich(ous *Pros.*
Heterostichus *Ich.*
monostich *Bot.*
monstichodont *Zool.*
ogdoastich
Parastichaster *Echin.*
Petalosticha *Echin.*
Phloeostichus *Ent.*
polystichia -oid *Anat.*
Polystichum *Bot.*
Pterostichites *Pal.*
Pterostichus *Ent.*
speirostichies *Bot.*
steganosticha *Ent.*
stich
Stichaeus *Ich.*
Stichaster *Echin.*
id(ae oid
stichos *Gr. Ch. Paleog.*
telestich *Lit.*
-στιχος as in πολύστιχος
-stichous *Bot.*
a aniso diplo haplo iso
moni(*or* o) octa(*or* o)
ortho pachy triplo
-stichous *Zool.*
desmo diplo mono
petalo
στλεγγίς = ξύστρα
stlengis *Gr. Impl.*
στοά roofed colonnade
stoa *Arch.*
Stoastomops *Malac.*
στοιχάς (-άδος) in rows
Stechados *Plants*
stoechas *Plants*

στοιχειο- Comb. of στοιχεῖον
stoicheio-
logy -ical *Logic Phys.*
metry -ic(al
στοιχεῖον a component
astoichiometric *Chem.*
stechiology *Physiol.*
στοιχειωματικοί (Ptol.)
stoicheiomatic(al
στοιχειωτικός elementary
stoicheiotical
στοιχηδόν in a row
stoichedon *Epig.*
στοῖχος a row
Orthostoechus *Ich.*
στολή raiment; a robe
Lethostole *Ich.*
-stola *Ent.*
Achyro Athlo Axyro
Brachy Hebe Lasio
Micro Omio Pachy
Polio Steno Stiphno
Tany Trachy Tricho
stola *Ant.*
stolated
stole -ed
Stolephorus *Ich.*
-id(ae -oid
στολίς (-ίδος) a robe; a fold
Stolidorhynchia *Pal.*
Stolidotus *Pal.*
στόμα the mouth
acephalostomus *Terat.*
actinostomial *Bot.*
Agchylostoma *Helm.*
aglossostoma *Terat.*
Agonostomus -a -inae
amblystome -a -id(ae
Ambystoma *Herp.*
-id(ae -oid
Amphistoma *Helm.*
-id(ae -oid -um
Anastomus *Ornith.*
inae -ine
Anchorastomacea *Crust.*
Anc(*or* k)ylostomum -a
Anostoma *Gastrop.*
Anostominae *Ich.*
Anthostomella *Fungi*
Antrostomus *Ornith.*
Aphanostoma *Helm.*
-id(ae -oid
Aploperistomi *Mosses*
Apomatostoma *Conch.*
Archaeostoma *Zool.*
archeostoma *Biol.*
Aulostoma *Ich.*
-id(ae -idan -oid(ea(n
-us
Bathystoma *Ich.*
Batostomellina *Pal.*
Batrachostomus *Ornith.*
Bdellostoma *Ich.*
-id(ae -oid
Belostoma *Ent.*
-ida -idae -ides -oid
-um
Branchiostoma *Ich.*
-id(ae -oid
Camarostoma *Arach.*
Campostoma *Ich.*
-inae -ine
Cannostomae *Zooph.*
Catostomus -i *Ich.*
-id(ae -ina(e -ine -oid
Ceratostomella *Mycol.*
Chilostomella -idae *Zool.*
Chondrostoma *Ich.*
-i -inae
Cirrostome -i -id(ae *Ich.*
Clathrostoma *Prot.*
Cnestrostoma *Ich.*
Codonostoma *Zooph.*

coilomostoma *Zool.*
Craspedostoma *Zool.*
Craterostomum *Helm.*
Cubostomae *Zool.*
Cyclostoma *Ich.*
-al -es -ia(n
Cyclostomus *Conch.*
-id(ae -inae -oid
Derostoma -um *Helm.*
-id(ae -oid
Deuterostoma *Zool.*
Diastoma *Zool.*
endostome -a *Bot. Crust. Path.*
Entomostoma *Conch.*
epistom(e a(l ian *Zool.*
epistomeous *Bot.*
erythrostomum *Bot.*
Etheostoma *Ich.*
-id(ae -inae -oid(ae
-oidei
Eurystomus -on *Zool.*
Gasterostomum *Helm.*
-id(ae -oid
gastrosto- *Med.*
gavage lavage
gastrostoma *Med.*
-ize -osis
Gastrostomus *Ich.*
Ginglystoma *Ich.*
-id(ae -inae -oid
Glaniostomi *Ich.*
Gnathostoma *Zool.*
Gon(i)ostoma -inae *Ich.*
Gymnostomaceae -ean
Harpostomus *Ent.*
Helostoma *Ich.*
-id(ae -oid
Heterostoma *Zool.*
Himantostomopsis *Ent.*
Holastomi *Ich.*
Holostomum -idae *Helm.*
Hypostoma -ial *Zool.*
hypostomium *Ferns*
Hypostomus *Ich.*
-idae -idan -ides -inae
Leiostomaster *Echin.*
Leiostomus *Ich.*
Liostomaster *Pal.*
Lipostoma *Prot.*
lipostomism
lipostomosis & -otic
Kathetostoma -inae *Ich.*
lagostoma *Terat.*
Lagostomus *Mam.*
-idae -inae -ine
Lophiostomaceae *Bot.*
macrostoma *Terat.*
Macrostoma *Helm.*
-id(ae -oid -um
Macrostomia *Conch.*
-id(ae -oid -um -us
Mecynostomites *Ent.*
Megastoma *Prot.*
Megastome *Conch.*
Melastom- *Bot.*
-(ac)eae -aceous -ad
Merostoma -e *Crust.*
Mesostoma *Helm.*
-id(a -idae -oid -um
Metastoma *Zool.*
-ial -ium
Monostomae -ea(n
Monostomum *Helm.*
-id(ae -oid
Moxostoma *Ich.*
Mylostoma *Ich.*
-id(ae -oid
Myzostomum *Helm.*
-ea(n -id(a -idae -idan
-oid
neostoma *Embryol.*
Nephrostoma -ial *Zool.*
Nettastoma -idae *Ich.*
Nisostomia *Pal.*
Oesophagostoma -um
Palaeostoma *Embryol.*

Palaeostomoxys *Ent.*
Paltostomopsis *Pal.*
Paroxystomina *Helm.*
peristoma *Zool.*
-al -ial -idae -ium
peristomial -ium *Bot.*
peristomian
Peristomoecia *Pal.*
Pharyngostomum *Helm.*
Phyllostoma *Zool.*
-id(ae -inae -in(e -oid
Physostomi *Ich.*
Plagiostoma -i *Ich.*
Plagiostomum *Helm.*
-id(ae -oid
Plecostomus *Ich.*
Pleurostomellina *Pal.*
Polystomella *Foram.*
prestomial -ium *Zool.*
properistoma(l *Biol.*
Prorastomus -idae *Mam.*
Prosthiostomum *Helm.*
-id(ae -oid
prostoma(l *Embryol.*
protostoma(l *Biol.*
psalistoma *Crust.*
pterygostomial -ian
pyelocystostomosis
Pyramistomia *Pal.*
Rhizostoma *Zooph.*
-ae -eae -ean -ella
Rhizostomidae
Saccostomus *Mam.*
saprostomus *Phys.*
Sclerostoma -inae *Helm.*
Scyphistoma -oid *Zool.*
Scyphostoma *Zooph.*
Selachostomi *Ich.*
Semostomae -eous *Zooph.*
Sericostoma *Ent.*
-id(ae -oid
Sinustomia *Pal.*
Siphonostoma *Conch.*
Siphostoma *Ich.*
Solenostomus *Ich.*
-i -id(ae -oid
Stenostoma *Herp.*
-id(ae -oid
stenostome *Path.*
Stoastomops *Malac.*
-stoma *Bot.*
Adeno Antho Calo Cerato Crypto Dasi Gyro Lophio Mela Peri Tulo
-stoma *Ent.*
Aethrio Belo Brachy Briaro Coleo Drimo Eccopto Echio Gyalo Hoploplaty Orego Paramecyno Pelecy Platycoelo Serico Stachyo Stereo Stira
-stoma *Pal.* Tany Basi Diatino Di(s)temno Eripho Kele Platyo Pseudomecyno Schizo Soleno Telo Tomi
stoma *Bot. Pal. Zool.*
stomad(a)eum *Embryol.*
-(a)eal
stomal *Bot.*
stomalacia *Path.*
stomalgia *Path.*
stoman *Mat. Med.*
stomapathia *Path.*
Stomaphis *Ent.*
stomapod *Crust.*
iform ous
stomapyra *Path.*
stomatomia -y *Surg.*
stomatyphus *Path.*
-stome -στόμιον as in περιστόμιον
-stome *Biol. Bot.*
actino archeo archi

-stome Cont'd
carpo cerato ci endo lageno mega nephridio noto peri pronephridio properi
-stome *Zool.*
amby ana anc(*or* k)ylo archaeo arthro branchio camara cato chilo codono cteno cyclo cyto endo epi etheo eury gnatho holo hydro hypo loma macro malaco meso meta nephro ooecio oxy panto peri phyllo physo plagio pterygo rhizo rhyncho scyphi(*or* o) selacho siphono soleno tany teleo theco
stomemorrhagia *Med.*
-stomiasis *Path.*
amphi anc(*or* k)ylo (o)esophago
stomidium *Anat.*
stomium *Biol. Ferns*
stomoxyd *Chem.*
Stomoxys *Ent.*
-(y)id(ae -yoid
stomsclerenchyma
Tanystoma -in(e *Ent.*
Taphrostomia *Pal.*
Teleostomi -ian *Ich.*
Tetrastoma *Helm.*
Thoastoma *Crust.*
Tomistomidae *Pal.*
Trachystome *Herp.*
Tranestoma *Crust.*
Trichostomum *Bot.*
Trigonostomum *Ent.*
Tristoma *Helm.*
-eae -ean -id(ae -oid -um
Trypanostoma *Conch.*
Tulostomaceae *Fungi*
ureterostoma *Anat.*
-osis *Path.*
xerostoma *Path.*
zanclostomus *Ornith.*

στομακακη (Strabo)
stomacace -y *Path.*

στοματ- Stem of στόμα
Anastomatinae *Ornith.*
cryptostomate *Bot.*
cyclostomatid -oid
diastomatic *Zool.*
etheostomatine -ae *Ich.*
Lobostomatin(in)ae
lophiostomate *Bot.*
macrostomatous *Terat.*
peristomate *Bot.*
phyllostomat-
id inae in(e oid
rhizostomaturia *Med.*
stomat-
algia *Path.*
elcia
ia id(ae -oid *Conch.*
iferous *Bot.*
itis -ic *Path.*
ium
oda ode *Prot.*
odynia *Path.*
ose *Mosses*
osis *Med.*
-stomata -ous *Zool.*
A Angio Archaeo Brachy Ch(e)ilo Cyclo Disco Eury Gnatho Gymno Holo Hymeno Hypo Lipo Mero Mono Oxy Panto Physo Plagio Podo Poro Rhizo Siphono Steno Trachy Trepo Tricho

-stomata *Zool.*
Atelo Cormo Echino Epi Etheo Excentro Gonio Panto Peri Semaeo Tany
-stomatal *Bot.*
a hypo
stomate -al -ous *Bot.*
-stomate -ous *Zool.*
cteno cyclo deutero entomo telo
-stomate *Zool.*
epi gnatho holo panto tany
-stomatic *Bot.*
amphi hyper hypo peri
-stomatidae *Zool.*
Amby Aulo Bdello Belo Branchio Cyclo Gastero Gingly Meso Mono Mylo Stropho
-stomatous *Biol.*
archeo odonto
-stomatous *Bot.*
a amphi aploperi centro crypto hyper hypo lophio
-stomatous *Zool.*
branchio cirro phyllo soleno

στοματικος (Diosc.)
stomatic(al
substomatic

στόματο- Comb. of στόμα
cheilostomatoplasty
hysterostomatotomy
stomato-
blast *Cytol.*
cace *Path.*
catharsis
coelus *Ent.*
crinoidea *Echin.*
d(a)eum *Embryol.*
dendron *Zooph.*
dysodia *Med.*
gastric *Zool.*
gnath *Zool.*
graph *Bot.*
graphia *Anat.*
logy -ical -ist
malacia
menia *Gynec.*
morphous *Bot.*
mycosis *Path.*
necrosis *Path.*
noma *Med.*
panus *Path.*
pathy *Path.*
phora -ous *Prot.*
plasty -ic *Surg.*
pod(a -ous *Crust.*
pora -oid *Corals*
pterophora
rrhagia *Med.*
rrh(o)ea *Path.*
scope -y *Med.*
sepsis *Path.*
theca *Ent.*
thrips *Ent.*
tomy *Surg.*
typhus *Path.*
uranostomatoscope

στομαχικός (Diosc.)
stomachic
al(ly ness

στόμαχος (Plutarch)
antestomach *Ornith.*
extrastomachal
forestomach *Anat.*
stomach
-ache(y -al -ate -er -ful(ly -fulness -less-(ness -osity -ous(ly -y
stomachalgia *Med.*
stomachodynia *Med.*

stomachoscopy *Med.*

-στομία occurs with ἀθυρο-, εὐρυ-, κακο-, κοιλο-, etc.; but the surgical sense requires στομόειν +
-stomia *Med. Terat.*
aacephaloaglossoatelo caco hydro hygro lipo macro ozo steno xero
-stomy *Med. Terat.*
lipo steno
-stomy *Surg.*
appendico(cecoentero) arthro caeco ceco(ileo sigmoido) cholangio-(gastro) cholecystentero cholecysto(colo duodeno gastro ileo jejuno) cholecysto (duodeno entero) colo-(colo pexo procto recto) cysto(colo procto recto) dacryorhino duodeno(chole)-cysto entero jejuno) ectocolo ectokelo entero(cholecysto colo entero) epididymovas esophago(entero gastro) fallo fistuloentero gastro(colo duodeno entero(colo esophago gastro jejuno nesteo) hepatico(duodeno entero gastro) hepatocholangio(cysto) duodeno entero gastro) hepato(duodeno) hydatido hysterosalpingo ileo(colo ileo procto recto sigmoido transverso) jejuno(colo ileo) laparo(colo entero gastro) laryngo lumloculo lymphatico neo nestio oesophago-(entero) oophoro-ovariopancreatico-(cholecysto duodeno) procto pyloro recto salpingo(uretero) sclero scoledoco sigmoido(procto recto) thoracotracheotyphlo-(uretero) uretercysto uretero(colo cysto(neo trigono)entero neocysto neopyelo procto pyelo(neo recto salpingotrigono)sigmoido uretero) urethro uterocystovaso(epididymo) veno(peritoneo veno) vesicosigmoido

στομίας a hard-mouthed horse (Suidas)
Leptostomias *Ich.*
Stomias *Ich.*
-iatid(ae oid

στόμιον Dim. of στόμα
Stomion *Ent.*
stomion *Gr. Arch.*
telostomiate *Zool.*

στομίς a bridle-bit
Stomis *Ent.*

στομο- Comb. of στόμα
stomo-
cephalus *Terat.*
chord(al *Zool.*
d(a)eum *Embryol.*
-(a)eal

-στομος as in πολύστομος
macrostomous *Terat.*
saprostomous *Phys.*

-stomous *Bot.*
a actino aniso gymno haploperi ortho
-stomous *Zool.*
amphi angio batracho brachy canno cirro cubo cyclo cyto eury glanio gnatho holo hypo lipo malaco mero myzo nephro odonto osteo oxy phyllo physo plagio rhizo scyphi selacho semo siphono soleno tany teleo theco

στομώδης (Soph.)
Stomodes *Ent.*

στοργή affection
storage

στορέννεσθαι to be spread
Storeosomus *Ent.*

στορεύς spreader
Storeus *Ent.*

στόρθη a spike (Hesych.)
Storthodontus *Ent.*

Στουδίτης
Studite *Eccl.*

στοχαστικός able to hit
stochastic(al(ly

στραβισμός (Galen)
strabism(us *Path.*
al(ly ic(al
strabismo-
meter metry

στραβο- Comb. of στραβός
strabo-
meter metry
scopus *Ent.*
tome -y *Surg.*

στραβός oblique (Galen)
Metastrabus *Ent.*
straboni *Ophth.*
Strabus *Ent.*

στραγγαλιά a knot
Strangalia

στραγγαλίζειν to choke
strangalesthesia
strangle
-able -ment -er
strangulate(d -ation
strangullion *Vet.*

στραγγαλιώδης knotted
Strangaliodes *Ent.*

στραγγουρία (Hipp.)
strangury -ious *Path.*

στραταρχία (Philo)
stratarchy *Mil.*

στρατήγημα with Doric α (Xen.)
stratagem
(at)ic(al(ly atist itor ous

στρατηγητικός (Plato)
strategetic(al(ly

στρατηγία (Xen.)
strategy
-ian -ist

στρατηγική (Plato)
strategics

στρατηγικός (Plato)
strategic
al(ly ian

στρατηγός (Herod.)
strategos -us

στράτιος warlike
stratio-
ceros *Ent.*
mys *Ent.*
-yid(ae -yoid

σρατιωτής soldier
estradiot *Obs.*
stratiote *Mil.*
Stratioteae *Bot.*
Stratiotes *Bot. Ent.*

στρατιωτικὸς (Plato)
stratiotic
στρατο- Comb. of στρατός
strato-
cracy crat(ic
graphy -ic(al(ly *Mil.*
logy -ical
sphere *Geog. Meteor.*
στρατοπεδάρχης (Dion. H.)
stratopedarch *Hist.*
στρατός army
stratarithmetry *Mil.*
Στρατων (Strabo)
Stratonic *Phil.*
al ian
στρεβλο- Comb. of στρεβλός
streblo-
cera *Ent.*
soma *Pal.*
στρεβλός twisted
streblosis *Med.*
στρέμμα a twist; winding
stremma *Meas. Surg.*
stremmatograph *Mech.*
στρεπτ- Stem of στρεπτός
strept-
anthus *Bot.*
aster *Spong.*
astrose -a *Spong.*
axis *Conch.*
-id(ae -oid
ophiurae -id *Zool.*
στρεπτο- Comb. of στρεπτός
antistrepto-
coccal -ic *Med.*
coccin *Mat. Med.*
diplostreptococcus *Path.*
staphylostreptococcia
strepto-
angina *Med.*
bacilli *Bact.*
bacteria *Bact.*
branchia(te *Conch.*
carpus *Bot.*
cocc(a)emia *Med.*
coccolysin *Med.*
coccus *Bact.*
-al -eae -ic(osis -ous
colysin *Med.*
cyte *Med.*
dajus *Crust.*
dermatitis *Path.*
labis *Ent.*
leukocidin *Tox.*
lysin *Med.*
mycosis *Path.*
mytilus *Pal.*
neura(l -ous *Conch.*
pus *Bot.*
septicemia *Path.*
spondylus *Herp.*
-ian -ine -ous
spyrilli *Bact.*
static *Org. Chem.*
stylic(a -ate *Herp.*
thrix *Bact.*
-icial -icosis
toxin *Biochem.*
trichal *Med.*
-iasis -osis
στρεπτός pliant; curved
archistrept *Bot.*
Palistreptus *Ent.*
streptoi *Gr. Dress*
στρέφειν to turn; twist
antistrephon *Logic*
Bracanastrepha *Ent.*
epistrephogenesis *Biol.*
Ommastrephes *Conch.*
-id(ae -oid
strepho-
tome *Surg.*
trichial *Bot.*
στρεψι- Comb. of στρέψις
strepsi-
las -ainae *Grnith.*
nema *Cytol.*
ptera(l -an -ous *Ent.*
(r)rhine -al -i *Mam.*
tene *Cytol.*
στρεψίκερως (Pliny)
strepsicere
Strepsiceros *Mam.*
στρέψις a turning
arteriostrepsis *Surg.*
Astrepsineura *Conch.*
biastrepsis *Bot.*
phlebostrepsis *Surg.*
στρῆνος arrogance
Strenoceras *Pal.*
στρίγξ (-ιγγός) an owl
Stringocephalus
-id(ae -oid *Conch.*
Stringops
-opidae -opinae
στρίξ (-ιγός) = στρίγξ
Striges *Ornith.*
-id(ae -iformes -inae -in(e
Strigia *Ent.*
Strigops *Grnith.*
-opid(ae -opoid
Strix *Ornith.*
στροβίλινος (Diosc.)
strobiline *Bot. Zool.*
στροβιλο- Comb. of στρόβιλος
strobilo-
myces *Fungi*
phagous -us *Ornith.*
saura(n *Herp.*
στροβιλοειδής conical
strobiloid *Bot. Zool.*
στρόβιλος a fir cone
anthostrobiloid *Bot.*
Eustrobilus *Pal.*
strobila(e *Helm. Zooph.*
Strobilanthes *Bot.*
strobil(iz)ation *Helm.*
strobile *Bot. Zool.*
-aceous -ate -iferous -iform
strobilure -us *Herp.*
Strobilus *Bot. Herp.*
-strobilus *Bot.*
antho euantho mega micro proantho
στρόβος a twisting
chromostroboscope *Toys*
laryngostroboscope -y -ic
lepidostroboid *Pal. Bot.*
polaristrobometer
polaristrobometrograph
strob(ic *Phys.*
strobo- *Phys.*
graph(ic
scope -y -ic(al
-strobus *Pal.*
Cedro Echino Eugmato Lepido Pino
Zamiostrobus *Bot.*
στρογγυλ- Stem of στρογγύλος
strongyl-
aspis *Ent.*
aster
hexactine *Spong.*
oxea -eate *Spong.*
urus *Ent.*
στρογγυλο- Comb. of στρογγύλος
Pseudostrongylosoma
strongylo-
centrotus *Echin.*
cephalus *Arthrop.*
clad *Spong.*
crinus *Pal.*
gaster *Ent.*
gnathus *Ent.*
hexactine *Spong.*
morphus *Ent.*
plasmata *Biol.*
pterus *Ent.*
rrhinus *Ent.*
soma *Myriap.*
sternum *Ent.*
στρογγύλος rounded
eustrongylus
microstrongylon *Spong.*
oxystrongylus -ous
-strongyle *Spong.*
amphi clado micro oxy triaeno
strongyle -on *Spong.*
-ate -ote
Strongylia *Ent.*
strongyl(oid)osis *Path.*
Strongylus *Helm.*
-id(ae -oid(es
strongylus *Spong.*
-strongylus *Helm.*
Cephalo Hyo Meta Tricho
Xenostrongylus *Ent.*
στρογγυλότης roundness
Strongylotes *Ent.*
στρομβο- Comb. of στρόμβος
Stromboceras *Ent.*
στρόμβος a conch; a snail
stromb(us *Conzh.*
id(ae iform ine ite oid
strombuli-
ferous *Bot.*
form *Bot. Geol.*
στρουθίον soapwort
osthol *Org. Chem.*
ostruthin -ol *Org. Chem.*
struthiin *Org. Chem.*
στρουθίων (Greg. Naz.)
estrich estrige
ostrich
Struthio *Ornith.*
-ian -idea -iform -ioid-(ea -ious
struthio-
laria *Conch.*
-iid(ae -ioid
lithus
pteris *Bot.*
Struthiones *Ornith.*
-id -idae -oid
-iform(es -inae -in(e
Struthiornithes
στρουθοκάμηλος = στρουθίων
struthiocamel(us
στρουθοκέφαλος
Struthiocephalus *Pal.*
στρουθόπους
Struthopus *Herp. Pal.*
στροφ- Stem of στροφή
stroph-
anthic *Org. Chem.*
-idin -igenin -in(e -us
antho-
biase *Biochem.*
biose *Org. Chem.*
anthus *Bot.*
ism *Bot.*
oid(al *Geom.*
ulus *Path.*
στρόφαλος a top
Strophalosia *Moll.*
Strophalosiinae *Pal.*
στροφή a turning; a twist; a strophe (Pherecr.)
angiostrophy *Surg.*
apostrophion -ization
astrophe *or* -y *Bot.*
atlantoepistropheal
cholestrophane *Chem.*
deuterostrophy
enstrophe *Ophth.*
estafa(dor(a
geostrophism *Bot.*
heliostrophism *Bot.*
hyperstrophy
heterostrophe *Conch.*
-ic -ous -y
Leptostrophia *Pal.*
octastrophic *Pros.*
palistrophia *Med.*
parastrophe *Bot.*
Parastrophiinae *Pal.*
protostrophes *Bot.*
strophe *Bot. Pros.*
Stropheodonta *Moll.*
Strophes *Bot.*
strophic(al(ly
στροφίγγιον a pivot
Strophingia *Ent.*
στροφικός turned (Hesych.)
cyclostrophic *Meteor.*
geostrophic *Meteor.*
hyperstrophic *Zool.*
στρόφιον Dim. of στρόφος
pseudostrophiole
strophiole -ate *Bot.*
Strophionocercus *Ent.* (?)
στροφο- Comb. of στρόφος
stropho-
cephalus -y *Terat.*
gastra *Ent.*
genesis *Embryol.*
graptus *Pal.*
mania *Bot.*
mena *Conch.*
-id(ae -oid
prion *Pal.*
soma *Ent.*
stomatidae *Pal.*
styles *Bot.*
taxis *Bot.*
στρόφος a band or cord
Phagostrophus *Myriap.*
Plokamostrophus *Arach.*
pseudostrophanthin
?strap strop
στρυφνός astringent
stryphnic *Chem.*
στρύχνος (Theophr.)
genostrychnine *Chem.*
oxystrychnin(e *Chem.*
strychnia *Org. Chem.*
-ic -idine -ism -olin(e
strychnine *Org. Chem.*
-olic -olone -onic
strychninomania *Tox.*
Strychnos *Bot.*
στρῶμα (-ατος) a cover for a bed, seat, or table
Actinostroma *Hydrozoa*
Actinostromella *Pal.*
blastostroma *Embryol.*
cytostromatic *Cytol.*
Dermatostroma *Pal.*
diastrome *Geol.*
intrastromal
Leptostromaceae *Fungi*
myostroma *Histol.*
myostromin *Biochem.*
pseudostroma *Anat.*
pseudostromatism
-stroma *Bot.*
Chaeto Clado hypho
-stroma Cont'd
hypo Lepto pseudo Xylo
stroma(l *Biol. Bot.*
Stromaporidium *Pal.*
stromatic *Bot.*
-stromatic *Bot.*
di mono poly
stromatiform *Bot.*
stromatoid *Bot.*
stromatous *Bot. Med.*
xylostrom atoid *Fungi*
στρωματεύς a coverlet
Stromateus *Ich.*
-eid(ae -eine -eoid(es
στρωμάτιον Dim. of στρῶμα
Stromatium *Ent.*
στρωματο- Comb. of στρῶμα
stromato-
logy *Gelo.*
lysis *Cytol.*
pora *Zooph.*
-id(ae -oid -ous
στρωτός spread, laid
-strote *Phytogeog.*
carpo phyto spermato sporo thallo
Στύγιος Fr. Στύξ
Stygia-icola *Ent.* (Aesch.)
Stygial -ian
stygius *Bot.*
στυγνός hated; gloomy
Stygnobia *Ent.*
στυλ- Stem of στῦλος
styl-
agalma(t)ic *Arch.*
amblys *Crust.*
aster(acean -id(ae -oid *Zooph.*
ephorus -idae *Ich.*
iderus *Ent.*
idium *Bot.*
-eae -iaceae -iaceous
iferous *Bot. Zool.*
iform
in(e *Bot.*
ion *Craniom.*
iplankton *Bot.*
ommata -ous *Conch.*
-ophora -ous
ops *Ent.*
opid(ae opization
opized opoid
osteophyte *Med.*
στυλίς Dim. of στῦλος
Dimorphostylis *Crust.*
-stylis *Bot.*
Micro Nema
στυλίσκος (Orisbas)
styliscus *Med. App.*
στυλίτης a pillar-man
stylite(s -ism *Eccl. Hist.*
στυλιτικός (Eust.)
stylitic *Eccl. Hist.*
στυλο- Comb. of στῦλος
macrostylospore *Bot.*
microstylospore *Bot.*
microsctylotyle *Spong.*
Orystyloptera *Ent.*
stylo-
anthes
capsa *Pal.*
ceras *Prot.*
cerite *Crust.*
cidaris *Echin.*
dactylus *Crust.*
-id(ae -oid
gnathus *Pal.*
gomphus *Ent.*
gonidium *Bot.*
lite -ic lithic *Petrog.*
meter metric
phorum *Bot.*
pod(ium *Bot.*

stylo- Cont'd
ptera *Ent.*
pterygium *Biol.*
somus *Ent.*
spore -ous *Bot.*
stegium *Bot.*
stemon -us *Bot.*
sti(*or* y)xis *Med.*
tegium *Bot.*
typite *Min.*
στυλοβάτης (Plato)
stylobate -ia -ion *Arch.*
στυλοειδής (Galen)
styloid *Anat. Zool.*
-στυλον as in τετράστυλον, μεσόστυλον
hecatonstylon *Arch.*
-στυλος Comb. of στῦλος
monostylous *Arch.*
-style *Arch.*
cyclo cyrto di dodeca ennea hepta mono ortho penta tylo
-stylos *Arch.*
dodeca ennea penta
-stylous *Bot.*
amphibolo aristo brachy di dolicho hetero-(di) homo iso macro meso micro mon sys tri
στῦλος a pillar
Agustylus *Pal.*
amphistylar *Arch.*
amphistyly -ic *Comp.*
Arthrostylus -idae
aurostyle *Photog.*
blastostyle -ar *Zooph.*
brevischistostyle *Bot.*
caenostyly -ic
cephalostyle *Anat.*
Ceratostylus *Ent.*
Cercospora -ella *Bot.*
cercosporellose
cladostyle *Spong.*
Coelostilina -idae *Pal.*
Corynostylus *Bryozoa*
cricostyle *Spong.*
cyclostylar *Arch.*
dendrostyle *Anat. Zool.*
Desmostylidae *Pal.*
Diplostylus *Pal.*
endostyle -ic *Ascid.*
enstyle
euhyostylic -y *Anat.*
exostylus *Bot.*
gonostyle *Zool.*
Gonostylus -aceae *Bot.*
gynostyle *Zool.*
hectastyle
Heligmostylus *Pal.*
heptastylar *Arch.*
heterostyled -ia -ism *Bot.*
holostylic *Bot.*
homostylism *Bot.*
-ed -ia -ic
hyostyly -ic *Anat.*
Idiostyla *Ent.*
isostyled *Bot.*
macrostyle *Bot.*
mesostyle -ic *Bot.*
metastyle *Bot.*
methyostylic -y *Ich.*
metrostyle
microstylar *Arch.*
microstyle *Spong.*
monimostylic(a(te *Herp.*
monostylar *Arch.*
monostylar *Conch.*
neostyle *Mech.*
Notostylopidae *Mam.*
pal(a)eostyly -ic *Anat.*
Pantostylops -idae *Mam.*
parastyle *Anat. Bot.*
peristylicus *Bot.*
polexostylus *Bot.*
polypostyle -ar *Zool.*
protostyle *Anat. Mam.*
pygostyle(d *Ornith.*
Rhabdostyla
Rhopalostyla *Ent.*
sarcostyle *Physiol.Zooph.*
Semistylifera *Pal.*
Sphaerostylus *Ent.*
spirostylinidae *Pal.*
Streptostylic(a(te *Herp.*
Strophostyles *Bot.*
style(d *Bot.*
stylon-
ites *Pal.*
urus *Crust.*
Stylosanthes *Bot.*
-styly *Bot.*
aniso enantio hetero-(di tri) holo homo hom(o)etero sinistro
subendostylar *Anat.*
systylius -us *Bot.*
triaenostyle *Spong.*
tylostylar -e *Spong.*
tylostylote *Spong.*
unistylist
urostylar -e *Amphib.*
vaccinostyle *Med.*
zygostyle
στῦμα (-ατος) (Plato Com.)
stymatosis *Med.*
Στυμφάλιος (Herod.)
Stymphalian *Myth.*
Στυμφαλίς (-ίδος) (Ap. Rh.)
stymphalid -ist
Στύξ (Στυγός) (Iliad)
Stychus *Ent.*
Styginidae *Pal.*
Stygogenes *Ich.*
Styx *Myth.*
στύπη tow (Phryn.)
stypage *Med.*
stype *Med. App.*
stypium *Pharm.*
στυπο- Comb. of στύπος
stypo-
cladius *Ent.*
triclida *Ent.*
trupes *Ent.*
στύπος a stem, stump
Stypodon *Ich.*
στυπτικός (Diosc.)
ferrostyptin *Mat. Med.*
hemostyptic *Med.*
hyostiptic *Med.*
styptarnin *Mat. Med.*
styptic
al(ness ity ize ness
stypticin(e *Chem.*
stypticite *Min.*
stypticus *Bot.*
styptol *Mat. Med.*
xylostyptic *Chem.*
στυρακ- Stem of στύραξ
styracite -ol *Org. Chem.*
στυράκινος of storax
styracin(e *Org. Chem.*
στύρακος Gen. of στύραξ
Styracosaurus *Pal.*
στύραξ (-ακος) (Herod.)
bistyryl *Org. Chem.*
carbostyril *Biochem.*
-carbostyril *Chem.*
hydro iso naphtho
distyr- *Org. Chem.*
anic ene enic inic
metastyrol -(ol)ene *Chem*
naphthostyril *Org. Chem.*
storax
styceric -inol *Chem.*
Styrax *Bot.*
-ac(ac)eae -acaceous
styrene *Org. Chem.*
styrogallol *Org. Chem.*
styrol(e -olene *Chem.*
styrone *Org. Chem.*
styryl(ic ene *Org. Chem.*
στυφελός acid
Styphelia *Bot.*
στυφλός = στυφελός
Styphlus *Ent.*
στυφνός = στρυφνός (Dict.)
paristyphnin
styphnic -ate *Chem.*
στῦψις (Hipp.)
stypsis *Med.*
στωικός Fr. στοά (Strabo)
hyperstoic
stoic
al(ness (al)ly
unstoic
συ- Comb. of σύν before σ and a consonant
susomus *Terat.*
σύαγρος a wild boar
Syagrus *Ent.*
συάκιον Dim. of σύαξ a fish
Syacium *Ich.*
σύβαξ swinish
Sybax *Ent.*
Σύβαρις city in Italy
Sybaris *Ent. Geog.*
Συβαρισμός (Phryn.)
Sybarism -ist
Συβαρίτης (Herod.)
sybarite
-al -an -ish -ism
Συβαριτικός (Ar.)
sybaritic
al(ly an
σύβρα = τύρβα
Cylindrosybra *Ent.*
συβώτης swineherd (Od.)
sybotism
συβωτικός (Plato)
sybotic
συγαγχη (Diosc.)
synanche *Med.*
συγγαμια
asyngamia *Bot.*
-ic -y
syngame *Bot.*
syngamy *Embryol.*
-ic(al -ous
συγγενής akin
syngenic *Biol.*
syngenite *Min.*
syngese *Bot.*
-ia(n -ious
συγγραφή a writing
syngraph
συγκαλυπρος wrapped up
Syncalypta *Ent.*
συγκατάθεσις sanction
synkatathesis *Phil.*
συγκατηγόρημα
syncategorem
συγκατηγορηματικός
syncategoregmatic(al(ly
συγκελλίτης (Cassian.)
syncellite *Gr. Ch.*
σύγκελλος a cell mate
syncell(us *Gr. Ch.*
συγκλίνειν to lean together
asynclitism *Obstet.*
geosyncline -al *Geol.*
syncline *Geol.*
-al(ly -ical
synclinore *Geol.*
-ial -ian -ium
synclitic -(ic)ism *Obstet.*
σύγκολλος glued
sygolliphyton -um *Bot.*
συγκοπή a cutting up; *Gram.* (Plut.); *Med.* (Galen)
syncop-
al *Med.*
ate(d ation *Gram.*
ic
ism ist
ize -ation *Mus. Rhet.*
syncope *Gram. Med. Music Path. Pros.*
συγκόπτειν to cut up
Syncoptozus *Ent.*
συγκοπτικός = συγκοπή
syncoptic(al *Path.*
σύγκρασις mixture
Syncrasis *Ent.*
syncrasy
tetrasyncrasy
συγκρητίζειν
syncretize
συγκρητισμός (Plut.)
syncretism
-ic(al -icism -ion -ist-(ic(al
σύγκρισις comparison
syncrisis *Rhet.*
συγχεῖν to confound
eusynchite *Min.*
συγχόνδρωσις (Galen)
synchondrosis
-ial(ly *Anat.*
synchondrosteotomy
σύγχρισμα (Diosc.)
synchrism *Med.*
συγχρονίζειν (Clem. A.)
synchronize(r -ation
συγχρονισμός (A. Gell.)
asynchronism
synchronism(ical
synchronist(ic(al(ly
σύγχρονος coeval (Pallad.)
asynchronogomism *Bot.*
asynchronous
dyssynchronous
synchrone *Math.*
synchronous(ly ness
synchrony
-al -eity -ic(al(ly icity
σύγχροος of like color
Synchroa *Ent.*
σύγχυσις confusion
synchysis *Gram. Path.*
synchysite *Min.*
συγχυτικός confounding
synchytic
συγχώρησις concession
synchoresis *Rhet.*
συζυγία yoking; a pair
asyzygetic *Math.*
syzygant *Math.*
syzygetic(ally *Mech.*
syzygiacal
syzygial *Astron. Zool.*
syzygium *Biol.*
syzygy *Anat. Astron. Math. Pros. Theol.*
συζυγιός bound together
syzygiology *Anat. Phys.*
συζυγίτης a comrade
Syzygites *Ent.*
σύζυγος paired
Syzygops *Ent.*
Συήνη a city in Egypt
syeneid *Geol.*
syenite -itic *Petrol.*
συκαμινος (Theophr.)
sycamine
συκῆ fig tree (Od.)
erinocyce *Hort.*
συκίτης fig-like
Parasycites *Ent.*
sycite *Geol.*
συκο- Comb. of σῦκον
syco-
ceric -yl(ic *Chem.*
mancy
retin *Chem.*
typus -idae *Conch.*
συκόμορος (Diosc.)
sycamore
σῦκον a fig
Dyssycus *Spong.*
Sycon(es *Spong.*
-id(ae -oid
Syconaria(n -iate
syconium -us *Bot.*
sycose *Chem.*
συκοφάγος fig-eating
Sycophaga *Ent.*
συκοφάντης slanderer
sycophant
cy ish(ly ism ize
ly ry
Sycophantes *Ent.*
-omorphus *Ent.*
συκοφαντία slander
sycophancy
συκοφαντικός (Dem.)
sycophantic(al(ly
σύκωμα = σύκωσις
sycoma *Path.*
σύκωσις (Hipp.)
sycosis -iform *Path.*
συλ- = σύν before λ
Sullimnophora *Ent.*
συλάειν to strip
Nyctosyles *Ent.*
συλλαβή (Aesch.)
bisyllabism
syllab(e
arium ary atim ation
ification ify ism ist
syllable
-syllable
deca dodeca multi quadri quinque septi sexi
tessaradecasyllabon
-συλλαβία as in τρισυλλαβία
asyllabia *Gram. Path.*
συλλαβίζειν (Plut.)
syllabize
συλλαβικός (Drac.)
imparisyllabic(al
missyllabication
parisyllabic(al *Gram.*
syllabic
al(ly ate ation ness
-syllabic
bi deca dodeca ennea hepta multi quadri quindeca quinque sexi
-syllabical
a quadri
tautosyllabic *Phon.*
συλληπτικός collective
sylleptic(al(ly
σύλληψις *Med.* (Arist.); *Rhet.* (Apollon. D.)
syllepsis *Gram. Rhet.*
syllepsis *Gynec.*
-(i)ology
συλλογή collection
sylloge
συλλογίζεσθαι (Arist.)
syllogize(r -ation
συλλογισμός (Arist.)
syllogism -ist
-syllogism
cata epi mono poly pros
συλλογιστικός (Arist.)
syllogistic(al(ly

-syllogistic
hypo mono poly
syllogistry
συμ- Comb. of συν
asymblasty *Bot.*
cosymmedian *Geom.*
dermosymplast(y *Bot.*
gymnosymplast *Bot.*
sym-
bathocrinites *Pal.*
blepharon *Patg.*
-opterygium *Path.*
-osis *Path.*
borodon(t *Pal.*
branch(ia *Ich.*
iate idea ii us
brachydactylia *Med.*
center -ral -ry *Geom.*
median *Geom.*
mela *Ent.*
melia(n -us *Terat.*
metallism *Econ.*
palmograph *Phys.*
patry -ic *Biol.*
pauropsylla *Ent.*
peda(e *Bot.*
pelmous *Ornith.*
pelus *Ent.*
pepsis *Path.*
peritoneal *Surg.*
petalous -(e)ae *Bot.*
pexis *Cytol.*
phallangism *Med.*
phenomena(l
phonesis *Philol.*
phonetic *Music Philol.*
phyllode -ium *Bot.*
-phyllous *Bot.*
-otriaene *Spong.*
plasma *Biochem. Biol.*
plast *Bot.*
pneuma
-atic -ism
polar *Geom.*
polymorphism *Bot.*
psychograph(y -er
pterura *Pal.*
pterygium
Typhlosymbranchus *Ich.*

σύμβασις agreement
symbasis -ic(al(ly *Biol.*

συμβιῶν living with (Theophr.)
symbio-
philes *Bot.*
saprophytism *Bot.*
trophic *Bot.*
symbion(t *Biol.*
-symbiont *Biol.*
macro micro para
-symbiontic *Bot.*
auto hetero
συμβίωσις a living with
symbiosis *Biol.*
-symbiosis *Biol.*
myrmeco para
συμβιωτής comparison
symbiote -ism *Biol.*
Symbiotes *Ent.*
συμβιωτικός (Greg. Nyss.)
symbiotic(al(ly *Biol.*
-symbiotic *Biol.*
myrmeco sapro

συμβολαιογραφία
symbolaeography
συμβολή a joining
Cyrtosymbole *Pal.*
Symbolia *Ent.*
συμβολικός (Lucian.)
asymbolic(al
symbolic -ics
(al)ly al(ness

συμβολο- Comb. of σύμβολον
symbolo-
fideisme
graphy
latry
logy -ical(ly -ist
phobia
thyris *Pal.*
συμβολογραφία
symbolography
σύμβολον sign; symbol (Arist.)
asymbolon *Ps. Path.*
symbol
ism ist(ic(al(ly ization
ize(r ry
symbolon *Eccl.*
συμμαθητής schoolmate
Symmathetes *Ent.*
συμμαχία an alliance
symmachy
συμμετρία (Plato)
symmetry
-ial -ian -iated -ious(ly
-ist -ization -ize
-symmetry
anti bi centro dis hemi
holo mero mono ortho
plano poly pseudo tetarto tetra un
unsymmetrized
συμμετρικός (Poll.)
symmetric
al(al)ly ian ity (al)ness
-symmetric
bi centro euthy hemi
holo mono ortho per
pseudo tetarto un
-symmetrical
bi centro euthy hemi
mero mono ortho per
poly pseudo radio tetarto un
-symmetrically
bi euthy mono ortho
poly pseudo
σύμμετρος commensurate
symmetral
Symmetranthus *Bot.*
symmetricarpus *Bot.*
symmetro-
mania *Ps. Path.*
phobia
symmetroid *Geom.*
σύμμηρος of closed thighs
Symmerus *Ent.*
σύμμιξις commixture
symmixis *Bot.*
συμμορία a company
symmory *Ath. Govt.*
σύμμορφος similar
symmorph(ic ism
symmorpho-
ceras *Ent.*
συμμύστης fellow-priest
symmist
συμπάθεια (Arist.)
dissympathy
intersympathy
sympathizer *Ophth.*
sympathy
-eal -ic(al(ly -ism -ist
-izant -ize(r -izingly
unsymaphiz-
ability able ed ing(ly
unsympathy
συμπαθής (Plato)
sympatheoneuritis *Path.*
συμπαθητικός (Pamphil.)
parasympathetic *Neurol.*
spinosympathetic
sympath(et(ic)ectomy

sympathetic
al(ly ism ity ness
sympathetico- *Neurol.*
paralytic
tonia -ic
sympatheticus *Anat.*
sympathetoblast
sympathico- *Neurol.*
blast neuritis pathy
tonia tonic tripsy trope
tropic
sympathicus *Anat.*
unsympathetic(ally
vagosympathetic *Anat.*
συμπαθο- Comb. of συμπαθής
sympatho-
blast *Embryol.*
συμπαικτής playfellow
sempect *Eccl.*
συμπιέζειν to compress
sympiezo-
cera *Ent.*
meter *Phys.*
pus *Ent.*
rhynchus *Ent.*
scelus *Ent.*
συμπίεσις compression
sympieso-
meter *Phys.*
spondyly *Ich.*
συμπλεκτικός plaiting
symplectic *Anat. Zool.*
συμπλησιάζειν
ferrisymplesite *Min.*
symplesite *Min.*
συμπλοκή combination
symploce *Rhet.*
σύμπλοκος entwined
Symplocarpus -eae *Bot.*
Symplocos *Bot.*
-aceae -aceous -ium
συμπολιτεία (Polyb.)
sympolity *Gr. Pol.*
συμποσιακός (Plut.)
symposiac(al
συμποσίαρχος (Xen.)
symposiarch
συμποσιαστικός (Nicet. Eug.)
symposiast(ic
συμπόσιον (Pindar)
symposium
-ial -ion
συμποτικός convivial
sympotical
σύμπους (-οδος) with the feet together
sympode *Bot.*
-ia(l(ly -ium
sympodia *Terat.*
sympodial(ly *Anat.*
sympous
sympus *Terat.*
συμπρεσβύτερος (N.T.)
sympresbyter
σύμπτωμα (Plato)
monosymptom *Med.*
symptom
atize ical ize less
symptomato-
graphy
logy -ical(ly -ist
lytic *Med.*
symptomo-
logy lytic
συμπτωματικός causal
monosymptomatic *Med.*
symptomatic(al(ly
σύμπτωσις a meeting
symptosis *Math.*
σύμφημος agreeing with
symphemia

συμφιλία accordance
symphily *Ent.*
-ism -ous
συμφορά chance; mishap
Symphora *Ent.*
συμφορεῖν to collect
Symphoricarpus -ous
σύμφορος useful
symphorol *Trade*
συμφράττειν to pack
symphrattic -ism *Geol.*
συμφρονεῖν to agree with
symphronistic
συμφυής congenital
asymphynote *Conch.*
semisymphyostemonous
Symphurus *Ich.*
symphy-
antherous *Bot.*
carpous *Bot.*
note *Conch.*
symphyo-
cephalus *Terat.*
genesis *Bot.*
genetic *Bot.*
stemonous *Bot.*
thrips *Ent.*
συμφυλέτης of one's φυλή
Symphyletes *Ent.*
σύμφυλος congener
Protosymphyla(r *Ent.*
Symphyla -ous *Ent.*
συμφυσιο- Comb. of σύμφυσις
symphysio-
logy *Bot.*
rrhaphy *Surg.*
tome -y -ist
σύμφυσις growth into one
karyosymphysis *Bot.*
presymphysial *Anat.*
-symphyseal *Anat.*
gonio post retro
symphysia -y *Anat.*
-ial -ian -is
symphysiectomy *Surg.*
symphysion *Craniom.*
-symphysis *Med.*
blepharo cardio dactylo pericardio
symphysodactylia *Path.*
συμφυτικός (Galen)
symphytic(ally *Med.*
συμφυτός inborn, inbred
Symphyta *Ent.*
symphytic *Bot.*
symphytism *Gram.*
symphytize
symphyto-
gyn(o)us *Bot.*
thelus *Bot.*
συμφωνία (Plato)
symphan
symphonia
-ial -ic(al -ous(ly
ultrasymphonic
συμφωνιακός (Cic.)
symphoniac(al(ly
σύμφωνος harmonious
pansymphonicon *Music*
symphona
symphonance *Elec.*
symphonous
συν with, together
acrosphenosyndactylia
amphitrisyncotyl *Bot.*
Asyncritus *Pal.*
asynovia *Med.*
asyntrophy *Med.*
Episynlestes *Ent.*
genosyntype *Biol.*
hemisyngynicus *Bot.*
intrasynovial
perisynovial *Anat.*

podosyncarpy *Bot.*
postsynsacral *Ornith.*
presynsacral *Ornith.*
Protosyngnatha -ous
pseudosyncarp *Bot.*
suprasyntoxoid
tenosynitis *Path.*
trisyncotyledonous
συν-
syn-
acmy -ic *Bot.*
acral *Crystal. Geom.*
albumose *Biochem.*
aldoxime *Org. Chem.*
algia -ic *Path.*
androdium *Bot.*
anthema *Path.*
antherology *Bot.*
-ical -ist
antherus *Bot.*
-(e(ae -icus -ous
anthesis *Bot.*
anthetic *Bot.*
anthody *Bot.*
anthrene *Org. Chem.*
anthrin -ose *Org. Chem.*
anthy -ic -(i)ous *Bot.*
anticryptic *Biol. Phil.*
aposematic *Biol. Phil.*
-(ic)ism
apsid(a(n *Herp.*
aptera -ous *Ent.*
arch *Bot.*
arthrodia(l(ly *Anat.*
arthrophysis *Med.*
ascidiae -ian *Ascid.*
aspis *Ent.*
axidea(n *Crust.*
branchus *Ich.*
-id(ae -oid
cain *Mat. Med.*
canthus *Path.*
carides -ian *Crust.*
carp *Bot.*
-ia -ium -ous -y
carpha *Bot.*
caryo- *Bot.*
cyte phyte
caryon *Bot.*
cathartis *Ent.*
celom *Anat.*
centric
cephalic -us *Terat.*
cephalocele
cerebrum -al *Zool.*
chilia *Med.*
chiria *Med.*
chirocrinus *Pal.*
chirus *Ich.*
chondrotomy *Surg.*
chorion *Bot.*
chorology -ic *Bot.*
chronogamy *Bot.*
chronograph
logy -ical
scope *Phys.*
chytrium *Fungi*
-iaceae -iaceous
citiotoxin
cladei -ous *Bot.*
clase *Geol.*
clastic *Geom.*
clitic -(ic)ism *Obstet.*
clonus -ic *Path.*
coryne *Zooph.*
-id(ae -oid
cotyledon(s *Bot.*
-(on)ous
cotyl(y *Bot.*
cracy *Pol.*
craniate *Craniom.*
cranterian *Anat. Rept.*
crypse *Biol. Phil.*
cryptic *Biol.*
crystallization
cyanin *Pigments*
cyte -ial -ium *Biol.*

syn- Cont'd
cytiolyse -in *Biol.*
cytioma *Path.*
cyt(i)otoxin *Tox.*
dactyl(e *Ornith. Terat.*
ae i ia ic ism ize(d
ous us
dendrium *Zooph.*
diagnostic *Biol.*
didactic *Educ.*
dimorphic -ism *Bot.*
dinium -ial *Bot.*
diploid *Bot.*
dipnomyia *Ent.*
ecology -ic(al *Bot.*
elasma *Ent.*
ema *Ent.*
encephalia -us *Terat.*
encephalocele
energy
entognath(i -ous *Ich.*
epigonic *Biol.*
ergastic *Philol.*
ethnic
gamete *Bot.*
gamus -idae *Helm.*
genesioplastic *Surg.*
genesis *Biol.*
genetic *Biol. Geol. Zool.*
genetics *Bot.*
gignoscism *Psych.*
gnath(us *Ich.*
-a -i -id(ae -oid -ous
gonidium *Bot.*
gonimium *Bot.*
grammae *Bot.*
gynous -y *Bot.*
haploid *Bot.*
harmonic(al *Math.*
idrosis *Med.*
kari(*or* y)on *Bot.*
karyophyte *Biol.*
k(*or* c)inesis *Physiol.*
kinetic *Physiol.*
nema *Bot.*
oc(h)reate *Bot.*
ocil *Spong.*
ococcus *Bact.*
onycha *Ent.*
ophthalmia -us *Terat.*
ophthalmy *Bot.*
ophyty *Bot.*
orhizus *Bot.*
orthographic
oscheos *Med.*
osomus *Ent.*
osteo-
graphy
logy
tome -y *Surg.*
ost(e)osis *Physiol.*
osteous
ostose
ostotic
otis -us -ic *Terat.*
otus *Mam.*
oum *Bot.*
pelmous
petalous *Bot.*
phoria *Pal.*
phyllodium *Bot.*
plast *Bot.*
procryptic *Biol. Phil.*
rhabdosome *Graptolites*
sacrum -al *Anat.*
sarcosis
sepalous *Bot.*
sperm(ous -y *Bot.*
sporous *Bot.*
stigma *Bot.*
-aticus -(at)ous
tan *Leather Org. Chem.*
tenosis *Anat.*
tepalous *Bot.*
thease *Org. Chem.*
thermal *Med.*

syn- Cont'd
topy *Biol.*
tornocrinus *Pal.*
toxoid *Med.*
tractory *Geom.*
tractrix *Geom.*
tremata -ous *Conch.*
triploid *Bot.*
tripsis *Surg.*
trope *Anat.*
-al -ic -y
troph *Bot.*
-ic -ism -y
type -ic(ism -ous *Bot.*
xiphosura *Crust.*
zigia *Bot.*
zoic *Bot.*
zoochory *Bot.*
zoospores *Bot.*
-syncotyly *Bot.*
amphi hemi
-syndactyly *Med.*
ectro megalo
-synovitis *Path.*
arthro derma(*or* o) osteo para sero tendo teno

συνάγειν to collect
plasmosynagy *Bot.*
συναγρίς a sea-fish (Arist.)
Synagris *Ent.*
συναγωγή (N.T.)
dissynagogue
synagog(ue
al ian (ue)ism (ue)ist uish
συναγωγικός (Origen)
synagogical
συνάδελφος (Xen.)
synadelphic *Bot. Zool.*
synadelphite *Min.*
synadelphus *Terat.*
συναθλητής (Eus.)
synathletic
συναθρο- collect
synathrophytum *Bot.*
συνάθροισις (Arist.)
synathroisis *Med.*
συναθροισμός (Plut.)
synathroismus *Rhet.*
συναίρεμα a union
synaerema *Gram.*
Synairema *Ent.*
συναίρεσις a contracting
syneresis *Biochem.*
syn(a)eresis *Gram.*
synerize *Colloids*
συναίσθησις (Arist.)
synaesthesis -ia -y *Psych.*
synesthesialgia *Med.*
συναίτιον joint cause
synaetion *Med.*
συνακτικός cumulative
synactic *Med.*
συναλλαγματικός of or for contracts (Schol. Thuc.)
synallagmatic(al(ly *Law*
συναλλακτικός (Dion. H.)
synallactic
συναλοιφή (Draco)
synal(o)epha -e *Gram.*
συναξάριον (Menaea)
synaxarion -ium *Gr. Ch.*
συναξαρίστης
synaxarist *Gr. Ch.*
σύναξις (Orig.)
synaxis -y *Eccl. Hist.*
συναπτή Fem. of συναπτός
Synapte *Gr. Ch.*

συναπτικός copulative
intersynapticular
pseudosynapicula(r
synaptic(al(ly *Zool.*
-synaptic *Biol.*
para post pre pseudo telo
synapticula *Zool.*
-ar -ate -um
συναπτός linked
parasynaptist *Bot.*
Synapta *Echin.*
-id(ae -oid
synaptase *Biochem.*
synaptene *Cytol.*
synaptiole *Anat. Zool.*
synapto-
crinus *Pal.*
mys *Mam.*
neura *Pal.*
phleps *Ent.*
plus *Ent.*
sauria(n *Herp.*
spermy *Bot.*
thrips *Ent.*
Synaptus *Ent.*
telosynaptos *Bot.*
συνάρθρωσις (Galen)
synarthrosis *Anat.*
συναρμογή a combination
Synarmoge *Pal.*
σύναρμος joined
synarmophytus *Bot.*
συναρμοστής deputy gov.
Synarmostes *Ent.*
σύναρσις support, aid
Synarsis *Ent.*
συνάρτησις a junction
synartesis *Pros.*
synartete -ic
συναρχία (Dion C.)
synarchy *Pol.*
συνασκητής (Athan.)
synascete *Gr. Ch.*
συναστρία (Ptol.)
synastry -ia *Astrol.*
συναύγεια (Plut.)
synaugeia *Phil.*
συναυλία a concert (Plato)
synaulia *Music*
συνάφεια (Terent. M.)
synaphe(i)a *Pros.*
συναφή = σύναψις
Synaphaeta *Ent.*
synaphe *Music*
synaphipod *Crust.*
Synaphobranchus *Ich.*
-id(ae -ina -oid
synaphymenitis *Path.*
συναφίστημι join in revolt
synaphosis *Bot.*
σύναψις junction, union
synapse *Anat.*
synapsis *Anat. Biol. Ent.*
-synapsis *Cytol.*
para post pre telo
σύνδεσις colligation
spondylosyndesis *Surg.*
syndesis *Bot.*
-syndesis *Biol.*
meta para telo
συνδεσμικός conjunctive
Syndesmica *Ent.*
σύνδεσμος ligament
osteosyndesmological
syndectomy *Surg.*
syndesm- *Med.*
ectopia itis osis otic
syndesmo-
graphy
logy

syndesmo- Cont'd
ma *Path.*
n *Bot.*
(o)dontoid *Anat.*
pharyngeus *Anat.*
plasty *Surg.*
rrhaphy *Surg.*
tomy *Surg.*
συνδετικός copulative
polysyndetic(ally *Rhet.*
syndetic(al(ly *Anat.*
σύνδικος defendant's advocate
syndic
ate ateer ation ator
syndical
ism ist(ic ize
Syndicus *Ent.*
συνδρομή concurrence
hemisyndrome *Diag.*
syndrome -ic
συνδυασμός coupling
syndyasmus -ian
σύνδυο two together
syndyo-
ceras *Mam. Pol.*
graptus *Pal.*
συνέδριον a council
Sanhedrim
-in(ic -(in)ist
synedrion
-(i)al -ium
σύνεδρος sitting with
synedrous -al *Bot.*
συνείδησις conscience
syneidesis *Theol.*
συνεκδοχή (Clem. A.)
synecdoche -ism *Gram.*
συνεκδοχικός (Athanas.)
synecdochic(al(ly *Gram.*
συνεκτικός efficient
synectic *Math. Med.*
al ity
συνεκφώνησις=συνίζησις
synecphonesis *Gram.*
συνέπεια (Dion. H.)
synepy *Rhet.*
συνεργεῖν to cooperate
synergid(a -al *Bot.*
συνεργητικός cooperative
synergetic(al *Physiol.*
συνεργία cooperation
asynergia -y -ic *Path.*
dyssynergia *Med.*
synergy *Physiol.*
-ia -ic(al(ly
συνεργός helper
synergism *Theol.*
-ist(ic(al(ly
synergize
Synergus *Ent.*
συνερκτικός cogent
Synercticus *Ent.*
σύνεσις comprehension
synesis *Gram. Rhet.*
συνετός sagacious
Syneta *Ent.*
συνεχεια sequence
blepharosynechia *Path.*
synechia *Path.*
synech(i)ology -ical
synechotome -y *Surg.*
synecology *Biol.*
συνέχειν to secure
synecht-
enterotomy *Surg.*
συνεχής continuous
synechism -ist *Phil.*
Synechorchis *Helm.*
συνήθης intimate
synethere(s *Mam.*
-inae -in(e

συνθεσις (Plato)
photosynthometer *Bot.*
resynthesize *Chem.*
synthalin *Pharm.*
synthescope *Med. App.*
synthesis
-ist -ize(r
-synthesis
amylo chemo dia electro osteo perineo photo phyto poly proteo thermo velo
συνθέτης a composer
synthete
συνθετικός (Plato)
asynthetic *Bot.*
camphothetic
chemosynthetic *Bot.*
megasynthetic
monosynthetic *Philol.*
oligosynthetic *Philol.*
photosynthetic(ally *Bot.*
resynthetic *Chem.*
synthetic
al(ly ism
συνθετισμός (Galen)
synthetism(us *Surg.*
σύνθετος compound
synthetist -ize(r
Synthetodus *Pal.*
synthetograph
σύνθημα signal; sign
diplosyntheme *Rhet.*
disyntheme
syntheme *Math.*
συνθλίβειν to compress
synthlibo-
notus *Ent.*
rhamphus *Ornith.*
σύνθρονον seat for clergy
synthronus *Eccl.*
σύνθωκος sitting with
Synthocus *Ent.*
συνίζησις (Drac.)
postsynizetic
synizesis *Bot. Gram. Path. Pros.*
-synizesis *Bot.*
post pre
-synizesis *Med.*
metro myo
συννεύρωσις (Galen)
synneurosis *Anat.*
σύννομος gregarious
synnomic *Anthrop.*
συνοδία company
asynodia *Med.*
συνοδικός *Astron.* (Ptol.); *Eccl.* (Greg. Naz.)
polysynodic
synodic
al(ly ate
συνοδίτης of a σύνοδος
Synodita *Ent.*
synodite
συνοδοντίς a tunny (Ath.)
Synodontomys *Pal.*
σύνοδος a meeting
antisynod
sene
synod
al(ly (al)ian (al)ist ar atic ial y
συνόδους In pl., fish with teeth together
Synodus *Ich.*
-ontid(ae -oid
συνοικείωσις (Arist.)
synoeceosis *Rhet.*
συνοικεσία = συνοίκια
synoecesia *Gr. Ant.*
συνοίκια (Thuc.)
synoecia *Ath. Fest.*

συνοικίζειν to associate
synoecize
συνοικισμός marriage
synoecism *Gr. Ant.*
σύνοικος dwelling with
syn(o)ecious *Bot.*
Synoecus *Ent. Ornith.*
synoic(i)ous *Bot.*
συνοπτικός seeing as a whole (Plato)
ensynopticity
Mimosynopticus *Ent.*
synoptic(al(ly
Synopticus *Ent.*
synoptist(ic
σύνοπτος in full view
Synoptura *Arach.*
σύνορος conterminous
synoro-
genetic *Geol.*
συνούλωσις (Sept.)
synulosis *Med.*
συνουλωτικός (Greg. Naz.)
synulotic *Med.*
σύνουρος conterminous
synura *Prot.*
συνουσία a gathering
eurysynousia *Bot.*
hemicryptophytosynusia
stenosynusic *Bot.*
synousiacs *Library*
synusia -ium *Bot.*
synusiologic *Bot.*
συνουσιαστής a companion
synusiast *Eccl.*
σύνοφρυς with brows in one
Synophrus *Ent.*
synophrys
σύνοχος (Galen)
synocha *Path.*
-al -oid -ous -us
συνοψίζειν (Psell.)
synopsize
σύνοψις (Plato)
synopsis
σύνταγμα (-ατος) an arrangement
syntagma *Cl. Ant.*
Syntagma *Pal.*
syntagma -ata *Bot.*
syntagmatite *Min.*
συντακτικός composing
syntactic(al(ly *Bot. Gram. Math.*
syntactician
unsyntactical
σύνταξις (Plutarch)
photosyntax *Chem.*
syntax *Gram.*
ian ical ist
syntaxis *Anat.*
σύνταφος buried with
Syntaphocerus *Ent.*
συντέλεια a joint body
Suntelia *Ent.*
συντελικός tax-sharing
syntelic *Anthrop.*
συντετραίνειν to bore through and meet
Syntetremis *Ent.*
σύντεχνος fellow-worker
syntechne *Phil.*
syntechne -ic *Biol.*
σύντηγμα colliquament
Syntegmodus *Pal.*
συντηκτικός (Aretae.)
synte(cty)copyra *Path.*
syntectic(al *Path.*
σύντηξις (Hipp.)
syntexis *Physiol.*

συντήρησις preservation
synderesis -ize
synteresis *Med. Theol.*
συντηρητικός (Galen)
synteretic(s
συντομη a cutting short
syntome *Rhet.*
συντομία conciseness
syntomia -y *Rhet.*
συντομο- Comb. of σύντομος
syntomo-
crinus *Pal.*
neurum *Ent.*
Xanthosyntomogaster
σύντομος abridged
Syntonium *Ent.*
συντονια tension
syntony *Elec.*
-ic(ally -ism -ization -ize(r
συντονο- Comb. of σύντονος
syntono-
ptera *Pal.*
συντονολυδιστὶ (Plato)
syntono-Lydian *Music*
σύντονος intense; severe
syntone -ic -ous *Music*
syntonin *Chem.*
συντρίβειν to crush
dy(s)syntribite *Petrog.*
συντριήραρχος (Dem.)
syntrierarch(y *Gr. Hist.*
σύντροφος (Hipp.)
syntrophus *Med.*
συνωμοσία conspiracy
synomosy *Gr. Ant.*
συνωνυμία (Arist.)
synonymy
συνώνυμος (Arist.)
desynonymize -ation
synonym
al(ly ist ity ize ous(ly ousness
synonymic(s
al(ly on
Συράκουσαι Syracuse
Syracusan
Συρακούσιος
Syracusian
Συρία Syria (Herod.)
Syrian
ic ism ize
Συριακός (Strabo)
Syriac
al ism ist ize
Syriasm
Syriatic
Συριάρχης (Apocr.)
Syriarch
συριγγ- Stem of σῦριγξ
firesyringe *Mech.*
fountainsyringe
glucosyringic *Org. Chem.*
monosyringa *Porif*
seringa(hood *Plants*
seringous *Plants*
Syringa -eae *Bot.*
syringadenoma *Tumors*
syringadenous *Anat.*
syringe(ful
syringeal *Ornith.*
Syringia -ium *Ent. Pal.*
syringin -enin *Chem.*
syringitis *Path.*
syringoid *Anat.*
συριγγο- Comb. of σῦριγξ
hydrosyringomyelia
syringo-
bulbia *Path.*
c(o)ele *Path.*
coelia *Path.*

syringo- Cont'd
coelomata -ic *Spong.*
cyst(aden)oma *Tumors*
dendron *Pal. Bot.*
encephalia *Med.*
-omyelia
grade *Coel.*
meningocele *Path.*
myelia -ic *Anat.*
myelitis *Path.*
myelocele *Path.*
myelus *Terat.*
myon *Anat. Ornith.*
pora *Coel. Corals*
thyris *Brachiop.*
trachelosyringorrhaphy
συριγγοτόμον
syringotome *Surg. App.*
συριγγοτόμος (Galen)
(dacryo)syringotomy
συρίγγωμα a fistula
syringoma *Tumors*
συρίγγωσις (Orisbas)
myosyringosis *Path.*
συριγμός (Diosc.)
syrigmophonia *Med.*
syrigmus *Med.*
σῦριγξ (-ιγγος) a musical pipe; *Anat.* (Arist.)
syrinx
-syrinx *Anat.*
colpocysto dacryo masto sialo
Συρίζειν (Sext. Emp.)
Syrism
Σύριος Syrian (Strabo)
Syriologist
Syriopetalum *Arach.*
σύρμα (-ατος) (Poll.)
syrma -atic *Gr. Th.*
συρμαία a purge (Hipp.)
syrmaea *Ant.*
συρμαισμός (Hipp.)
syrmaism *Antiq.*
Συρο- Comb. of Συρός Syrian
Syro-
Arabian
Chaldaic -ean
Συροφοῖνιξ (Luc.)
Syro-Phoenician
συρράπτειν sew together
Syrrhaptes *Ornith.*
-inae -in(e
σύρριζος rooted in one
Surrhizus *Ent.*
syrrhizoristic *Math.*
συρτιδ- Stem of Σύρτις
syrtid- *Phytogeog.*
ad ium
syrtido- *Phytogeog.*
philus phyta
Σύρτις (Herod.)
Syrtis *Geog.*
σύρφος a gnat
Syrphus *Ent.*
-ian -id(ae -oid
συσ- Comb. of σύν before σ
sus-
siderite *Min.*
somus *Terat.*
(o)toxin *Chem.*
σῦς = ὗς
Metasyocrinus *Pal.*
συσσάρκωσις (Galen)
syssacrocis -ic *Med.*
συσσιτία (Plato)
syssitia *Gr. Ant.*
συσσίτιον public mess
syssition *Gr. Ant.*

συσταλτέον as if "short"
Systaltoceras *Ent.*
συσταλτικός (Arist.)
athermosystaltic *Med.*
systaltic
thermosystaltic -ism
σύστασις composition
systasis
συστατικός (Diog. L.)
systatic(al -ics
συστατός constructed
Systales *Ent.*
συστέλλειν to contract
systello-
phytum *Bot.*
rrhynchus *Ent.*
σύστενος tapering
Systena *Ent.*
-ognathus *Ent.*
σύστημα (Plato)
cyclosystem
homosystemic
intersystem
system
ed ic(al(ly ist less oid wise
systematism -ist
system(at)ize(r -ation
systematology
systematy *Biol.*
unsystematized -able
συστηματικός (Plut.)
systematic
al(ly ality ian ness -ics
-systematic
a deutero hemi holo inter mero proto tetarto
unsystematic(al(ly
σύστοικος coordinate
Systoechus *Ent.*
συστολή contraction; *Gram.* (Dion. H.; *Med.* (Galen)
asystolism *Path.*
systole *Physiol. Pros.*
-ated -ic
-systole *Med.*
a dys eu extra hemi hyper hypo inter para peri pre sphygmo tachy
-systolic *Med.*
a eu hyper mero meso peri post pre tele
systolo-
cranius *Ent.*
meter *Med. App.*
soma *Ent.*
σύστρεμμα (Hipp.)
systremma *Med.*
συστροφή a rolling up
Platysystrophus *Ent.*
systrophe *Bot.*
-ic -ion
σύστυλος with columns standing close (Vitruv.)
ar(a)eosystyle *Arch.*
systyle *Arch.*
systylus *Bot.*
-ius -ous
συσφίγγειν to condense
Kaliosysphinga *Zool.*
σῦφαρ wrinkled skin
Sypharopteroidea *Pal.*
συχνο- Comb. of συχνός many
sychno-
carpous *Bot.*
dymite *Min.*
σφαγή the throat
Sphagebranchus *Ich.*

sphagitis *Path.*
Sphagolobus *Ornith.*
σφαγιασμός slaying by piercing the throat
sphagiasmus *Med.*
σφάγιον a victim
sphagion *Gr. Rel.*
σφάγιος slaying; fatal
sphagian
σφαγῖτις jugular (Galen)
sphagitid(es *Anat.*
σφάγνος a moss (Diosc.)
hygrosphagnium *Bot.*
sphagniopratum
sphagno-
logy -ist *Bot.*
philous *Bot.*
phytes *Bot.*
Sphagnum *Bot.*
-aceae -(ac)eous -ales -ei -etum -icolous -ion -ose -osus -ous
σφαδασμός a spasm
Sphadasmus *Ent.*
σφαιρ- Stem of σφαῖρα
sphaer-
alcea *Bot.*
anthus *Bot.*
aphides *Bot.*
ella -ose *Bot.*
ellaria(n *Prot.*
enchyma *Prot.*
esthesia *Med.*
exochus *Tril.*
ia *Fungi*
iaceae iacei iaceous iaform iales
ite *Min.*
ites *Bot. Ent.*
opsis *Fungi*
-(ac)eae -(ac)eous -ales
ula ule *Bot.*
σφαῖρα a ball; a globe
archesphera *Bot.*
asph(a)erinia *Physiol.*
asthenosphere
atmosphere
-ic(al(ly -ics -ization
-atmospheric
extra hydro super
biospheric *Bot.*
blastosphaera *Emb.*
blastospheric *Emb.*
calcosphaeritic *Zool.*
chrom(at)ospheric
circumspheral
clathrosphaerid(a *Prot.*
cnidosphere *Zooph.*
cosphered
Echinosphaeridae & -ite(s
elaiospheres *Bot.*
Elytrosphaera *Ent.*
ensphere
Entosphaerida *Prot.*
esphere *Coins*
Ethmosphaera -idae *Zool.*
hematospherinemia *Med.*
holospheric
hydrospheric *Bot.*
hypersphere *Math.*
insphere -ation
intersphere -al
leucospheric *Astron.*
lithospheric *Bot.*
Lyosphaera *Ich.*
megalosphere -ic
megasphere *Foram.*
Mesosphaeram *Bot.*
microsphaerose
microsphere -ic *Bact.*
microspherulitic *Petrol.*
Mycosphaerella -aceae
mycosphaerellose
onc(h)osphere *Helm.*

oosphere -ic *Biol.*
orisphere *Geom.*
planispheral -ic -ium
planospherical
plasmosphere
Platnosphaera
Podosphaera -ase *Fungi*
Porosphaerella *Pal.*
prismosphere *Optical App.*
pseudosphere *Geom.*
pseudospherulite -ic
reensphere
resphere
rhabdosphere
semasphere *Elec.*
semisphere
Sestrosphaera *Pal.*
sorosphaeres *Bot.*
-sphaera *Bot.*
Cerco Endo Micro
-sphaera *Prot.* Podo Aulo C(a)eno Canno Coeno Collo Halo Mago Rhabdo
sphaeraplankton *Bot.*
sphaericephalic *Craniom.*
-sphaerite *Min.*
bismuto mangano ura-
spheraster *Spong.* no
sphere
-able -al(ity -ation -less -iform -ify
-sphere -σφαίριον as in ἡμισφαίριον
-sphere *Astron.*
chrom(at)o leuco nephelo photo plani
-sphere *Bot.*
acantho archi bio carpo cocco coeno cysto geo gono limo phragmo soro zoo(zygo) zygo cosmo
-sphere *Cytol.*
astro blasto centro chondrio chromidio ecto ento kino oncho somo spermo stato
-sphere *Geol.* tropho aero asteno bary centro cosmo geo hydro litho pal(a)eo petro pyro steno strato terra tropo vivo
sphereometer
spheresthesia *Med.*
-spherite *Biol. Petrol.*
belon chromato globo grano mangano
spherotocephalus
spherula(r -ate -e
spherulite *Geol. Min. Pal.*
-ic -ize -oid
sphery
statosphere *Spong.*
subsphere
Tektonosphaere *Pal.*
Trochosphaera *Conch.*
trochosphere *Biol.*

σφαιρίδιον Dim. of σφαῖρα
Sphaeridia *Ent.*
Sphaeridium *Echin.*
-ia(l -iidae -iinae

σφαιρικά (Euclid)
spherics *Math.*
σφαιρικός (Plutarch)
aspheric *Optics*
bispherical *Bot.*
Disphaericus *Ent.*
heliospherical
helispheric(al
hyperspherical *Math.*
monospherical
pentaspheric(al *Math.*
perispheric(al
photospheric *Astron.*
protosphaeric *Geol.*
pseudospherical *Geom.*
semispheric(al
Sphaericosoma *Ent.*
spheric
al(ly alness ist ity
sphericle
spherico-
subphotospheric
subspherical(ly
tetraspheric(al *Math.*
trochospheric(al *Biol.*
σφαιρίον Dim. of σφαῖρα
Actinosphaerium *Rhiz.*
Amphisphaeriaceae *Bot.*
aposphaeriose *Phytopath.*
gonosph(a)erium *Bot.*
Phaeosphaeria(n *Prot.*
Photosphaeria -ium
-sphaeria *Bot.*
Amphi Apo Calo Lasio Lepto Spermato Tricho
Sphaerion *Ent.*
Sphaerium *Mol.*
Sphaerius *Ent.*
-id(ae -oid
σφαιριστήριον ball-court
sphaeristerium *Cl. Ant.*
spheristerion
σφαιριστική ball play
sphairistic
σφαιρο- Comb. of σφαῖρα
Allasphaerocera *Ent.*
atmospherology *Phys.*
Disphaerocephalus *Pal.*
endosphaerosira *Bot.*
Parasphaerocera *Ent.*
sphaero-
bacteria *Bact.*
belum *Arach.*
blast(us *Bot.*
carpous *Bot.*
caulus *Ent.*
cephalus *Bot.*
ceratidae *Pal.*
charis *Ent.*
chorisis *Bot.*
cladinidae *Pal.*
cobaltite *Min.*
coccus -aceae *Algae*
crinidae *Pal.*
dactyl(e -us *Ornith.*
derma *Ent.*
derus *Ent.*
gaster *Arach. Ent.*
hexaster *Spong.*
lite -ic *Petrog.*
magnesite *Min.*
mere *Zool.*
metopa *Ent.*
morphites *Pal.*
morphus *Ent.*
n(a)ema *Fungi*
phorus -aceae *Lichens*
phracta(n *Radiol.*
phytum *Ferns*
placis *Ent.*
plast *Bot.*
ptera *Pal.* -us *Ent.*
pyx *Ent.*
rrhinus *Ent.*
siderite *Min.*
sirian *Bot.*
some *Cytol.*
spore *Bot.*
stilbite *Min.*
stilbus *Ent.*
stylus *Ent.*
theca *Fungi*
thecose *Phytopath.*
therium *Ent.*
-ian -iid(ae -ioid
sphaero- Cont'd
trichium *Prot.*
zoon zoum *Prot.*
-oa -oid(ae
sphero-
bacteria -ium *Bact.*
blast *Bot.*
conic *Math.*
crystal *Bot. Petrol.*
cylinder *Ophth.*
cylindric *Math.*
dactyl(us *Herp.*
gastric *Ent.*
genic *Bot.*
gram *Math.*
graph *Naut.*
lith *Biochem.*
logy *Math.*
mania -iac
mere *Zool.*
meter
phyric *Petrog.*
polar *Geom.*
porphyric *Petrol.*
quartic *Math.*
siderite *Min.*
some *Zool.*
spermia *Zool.*
spore *Bot.*
stilbite *Min.*
tetrahedral *Geom.*
σφαιροειδές (Archimed.)
spheroid *n.*
σφαιροειδής globular
semispheroid(al
Sphaerioidaceae *Bot.*
sphaeroid
Sphaeroidea(n *Prot.*
Sphaeroidothyris *Pal.*
spheroid
al(ly ic(al (ic)ity
Spheroides *Ich.*
spheroiding *Dent. Med.*
spheroidism *Math.*
spheroidize -ation *Metal.*
subspheroidal
σφαιρομαχία ball game
sph(a)eromachy
σφαίρωμα a round thing
Coelosphaeroma *Pal.*
Sphaeroma *Crust.*
-ian -id(ae -oid
sphaerome *Bot.*
Spheroma *Arthrop.*
-ian -idae
σφαιρών fishing-net
Sphaeronidae *Pal.*
σφαιρωτός rounded
Sphaerotus *Ent.*
σφακελισμός (Hipp.)
sphacelism(us *Path.*
σφάκελος gangrene
sphacel(us *Path.*
ate(d ation
sphacela(*or* o)derma
sphacele *Bot.*
-a -aria -ia -ium -oma
sphacelic *Org. Chem.*
-iine -inic -ous
sphacelotoxin *Chem.*
-sphacelus *Med.*
acro presby
σφαλερο- Comb. of σφαλερός
sphalero-
carpium *Bot.*
porus *Ent.*
σφαλερός deceptive
Eusphalerum *Ent.*
sphalerite *Min.*
σφάλλειν to overthrow
Sphallenum *Ent.*
σφάλμα an error (Herod.)
sphalm(a
σφαλός a kind of δίσκος
Acrosphalia *Ent.*
σφενδόνη a sling
sphendone *Archaeol.*
σφετερίζειν to usurp
(a)spheterize
σφετερισμός (Arist.)
aspheterism *Econ.*
σφηκο- Comb. of σφήξ
spheco-
morpha *Ent.*
theres *Ornith.*
σφήν a wedge
acanthosphenote *Echin.*
Curimosphena *Ent.*
diplosphene *Pal.*
ectosphenotic *Anat.*
Entosphenus *Ich.*
hyposphene *Herp.*
leucosphenite *Min.*
sphen-
aspis *Pal.*
ethmoid(al *Zool.*
ic *Geom.*
ion *Craniom.*
occipital *Anat.*
odon(t(i(d(ae -oid
oeccus
oenas *Ornith.*
omite *Min.*
onchus *Ich.*
ophrya
opsida *Bot.*
orbital *Anat.*
osis *Surg.*
otic *Zool.*
otomorpha *Pal.*
ura *Ornith.*
-sphen *Ent.*
Para Ptilo
-sphenal *Anat. Zool.*
diplo hypo osteo rhino zygo
sphene *Min.*
-sphenodon *Herp. Pal.*
Apara Poly Ptycho
Stenosphenus *Ent.*
zygosphene *Anat. Herp.*
σφηνάριον Dim. of σφήν
Sphenaria *Ent.*
Sphenariopsis *Ent.*
σφηνίσκος Dim. of σφήν
sphenisco-
morph(ae ic *Ornith.*
Spheniscus *Ornith.*
-an -idae -iformes -inae -ine -oid
σφηνο- Comb. of σφήν
acrosphenosyndactylia
Eusphenopteris *Biol.*
spheno-
basilar -ic *Anat.*
cercus *Ornith.*
chloris *Prot.*
clase *Min.*
clymenia *Pal.*
corynus *Ent.*
ethmoid(al *Anat.*
frontal *Anat.*
gnathus *Ent.*
grapher
graphy -ic -ist
malar *Anat.*
mandibular *Anat.*
manganite *Min.*
maxillary *Anat.*
merus *Ent.*
monas -adidae *Prot.*
occipital *Anat.*
orbital *Anat.*
palatine -al *Anat.*
parietal *Anat.*
petrosal *Anat.*
phalos *Pal.*
pharyngeus *Anat.*
spheno- Cont'd
phorus *Ent.*
phycus *Pal.*
phyllum *Bot.*
-aceae -aceous -ales
pselaphus *Ent.*
ptera *Ent.*
pteris -eid *Pal. Bot.*
pteroid *Bot.*
pterygoid *Anat.*
rhync(h)us *Ornith.*
salpingo-
staphylinus *Anat.*
squamosal *Anat.*
squamous *Anat.*
stethus *Ent.*
suchus -idae *Pal.*
temporal *Anat.*
thecus *Ent.*
tresia *Obstet.*
tribe *Obstet.*
tripsy *Obstet.*
turbinal -ate *Anat.*
vomerine *Anat.*
zamites *Pal. Bot.*
zygomatic *Anat.*
σφηνοειδής wedge-like
esosphenoiditis *Path.*
sphenoid(al *Anat.*
-sphenoid
ali basi bi di dis ecto ento ethmo fronto meso occipito orbito para petro post pre pterygo squamo temporo zygomatico
-sphenoidal
ali basi ethmo(pre) fronto occipito osto oto orbito para parieto petro post pre squamo sub super supra temporo
sphenoides *Anat. Coel.*
sphenoideum *Anat.*
sphenoiditis *Path.*
sphenoido- *Anat.*
auricular frontal parietal
σφηνοκέφαλος (Strabo)
sphenocephalous *Terat.*
-ia -ic -us -y
σφήξ (σφηκός) a wasp
Sphecia *Ent.*
-id(ae -ina -oid(ea
spheide
Sphex *Ent.*
-egid(ae -egoid(ea
-sphex *Ent.*
Para Schisto
σφιγγ- Stem of σφίγξ
Hesperisphinges *Ent.*
Litosphingia *Ent.*
sphing-
al ian
sphing- *Ent.*
id iform ina ine oid
Sphingidae *Ent. Herp. Mam.*
Sphingites -idae *Pal.*
σφίγγειν to bind fast
sphing- *Biochem.*
amine oin ol (os)in(e
sphingo-
corse *Ent.*
meter *Mech.*
myelin(ic *Biochem.*
Sphingure -us *Mam.*
-inae -ine
sphingo-
notus *Ent.*
philae -ous *Bot.*
σφιγκτήρ (Paul. Aeg.)
blepharosphincterotomy
sphincter *Anat.*
-ate -ial -ic

sphincter-
algia *Med.*
ectomy *Surg.*
ismus *Med.*
sphinctero-
lysis *Ophth.*
plasty *Surg.*
scope *Med. App.*
tomy *Surg.*
Sphinctomyrmex *Ent.*
sphinctriform *Bot.*
sphinsteric
sphinstrate
σφιγκτός bound tight
Perisphinctes *Mol.*
-sphinctes *Pal.*
Caumo Disco Kranao
Sphinctodere *Ent.*
Σφίγξ (-ιγγός) (Herod.)
criosphynx *Archaeol.*
hieracosphynx *Archaeol.*
Sphinx *Ent.*
Sphinx
ian ily ine(ness
σφοδρός violent
sphodro- *Ent.*
phoxus somus
Sphodrus -oides *Ent.*
σφραγίς seal, signet
?(Proto)Sphargis *Herp.*
sphragid(e ite *Min.*
sphragis *Gr. Jewelry*
σφραγιστής a sealer
sphragistes *Egyptol.*
σφραγιστικός
sphragistic(s
σφραγῖτις sealing earth
sphragitid
σφριγᾶν to be full of sap
sphrigosis *Bot.*
σφριγώδης in full strength
Sphrigodes *Ent.*
σφυγμικός (Galen)
sphygmic *Physiol.*
-sphygmic *Physiol.*
pre pro
Sphygmica *Prot.*
σφυγμο- Comb. of σφυγμός
cardiosphygmogram
sphygmo-
bolo- *Med.*
gram meter -ry
cardio- *Med.*
gram graph
scope
cephalus *Path.*
chronograph
dyna(mo)meter *Med.*
genin *Mat. Med.*
graph(y -ic *Med.*
logy *Med.*
(mano)meter *Med.*
manometroscope *Med.*
metric *Med.*
metrograph *Med.*
metroscope *Med. App.*
oscillometer *Med. App.*
palpation *Med.*
phone -ic *Med.*
plethysmograph *Med.*
scope -y *Med.*
systole *Med.*
tonograph *Med.*
tonometer *Med.*
viscosimetry *Med.*
-sphygmograph *Med.*
cardio chrono hydro pan
volumesphygmo-
bolometer *Med.*
σφυγμοειδής = σφυγμώδης
sphygmoid

σφυγμός pulsation
sphygmanometer
sphygmia *Med.*
brady micro pykno
sphygmism *Bot.*
sphygmus *Physiol.*
σφυγμώδης (Galen)
sphygmodic *Physiol.*
-σφυξία as in ἀσφυξία
-sphyxia *Med.*
hyper hypo micro
σφύξις = σφυγμός
sphyximeter *Physiol.*
σφῦρα a mallet
Sphyrapicus *Ornith.*
sphyrectomy *Surg.*
σφύραινα (Arist.)
Protosphyraenidae *Pal.*
Sphyraena *Ich.*
-id(ae -ine -oid
Sphyraenops *Ich.*
Sphyrna *Ich.*
-id(ae -ine -oid
σφυρήλατον hammered
sphyrelaton *Art*
σφυρο- Comb. of σφῦρα
Sphyropicus *Ornith.*
sphyrotomy *Surg.*
σφυρόν ankle
Sphyracus *Ent.*
sphyrion -ium *Phytogeog.*
σχάδων larva (Arist.)
schadon
schadonophane *Arach.*
σχέδη a tablet
cedula -e
enschedule
schedule
σχεδίασμα (Cic.)
schediasm *Rhet.*
σχεδιαστής improviser
Schediastes *Ent.*
σχέδιος off-hand
Schedius *Ent.*
sketch
ability able er ily iness ingly ist y
σχεδο- Comb. of σχέδος parsing; a riddle
schedo-
centrus *Ent.*
philus -iform *Ich.*
σχένδυλα ?tongs
Plesioschendyla *Arach.*
σχέσις relation (Hephaest.); checking (Hipp.)
schesis *Rhet.*
-schesis *Med.*
galacto hemati hidro lochio meni(*or* o) pyloro sialo spermato uro
σχετικός (Hipp.)
schetic(al(ly
-schetic *Med.*
hemati meno
σχῆμα figure; manner
schema
-schema *Ent.*
Micto Nemato Pycno Tetragono
schem(at)ist
scheme
-er less ry
σχηματίζειν to give form to
Schematiza *Ent.*
schematize
σχηματικός (Nicom.)
paraschematic
schematic(al(ly
σχηματισμός (Arist.)
schematism
σχηματο- Comb. of σχῆμα

schemato-
logetically
mancy
σχηματολόγιον (Euchol.)
schematologion *Gr. Ch.*
σχίζα a splint; a cleft
Euschizus *Ent.*
-schiza *Ent.*
A Chilo Genyo Hetero Tri Tricho
σχίζειν to split, part
Schidonychus *Ent.*
Schizaea *Bot.*
-aceae -a(c)eous -aeoid -e
Schizanthus *Bot.*
schizatrichia *Path.*
schizaxon *Neurol.*
Schizeopsis *Pal.*
Schizephebocerus *Ent.*
schizodinic *Zool.*
Schizodon *Mam.*
schizodont(a *Conch.*
Schizonycha *Ent.*
Schizoramma *Pal.*
Schizotus *Ent.*
Tremoschizodina *Pal.*
σχιζο- Comb. of σχίζειν
schizo-
basis *Pal.*
bolites *Org. Chem.*
brachiella *Pal.*
carp(ic -ous *Bot.*
cephaly *Ethnol.*
cera *Ent.*
chelus *Ent.*
choerus *Helm.*
chroal *Tril.*
clymenia *Pal.*
coele -a -ic -ous *Zool.*
cotyly *Bot.*
cyte -osis *Cytol.*
gamy *Biol.*
genesis *Biol.*
genetic(ally *Bot.*
genic -ous *Bot.*
genius *Ent.*
gnath(ae *Ornith.*
-ism -ous
gonia -y *Biol.*
-ic -ous
gregarinea *Prot.*
laenaceae -eous *Bot.*
lavella *Pal.*
lite -ic *Min.*
lysigenous *Bot.*
lytic *Biol.*
merous *Bot.*
mycete(s *Biol.*
-ic -ous
mycosis *Path.*
nemertea(n *Helm.*
-ina -in(e -ini
neura *Ent.*
neurites *Pal.*
pelmous *Ornith.*
petalon *Bot.*
phallus *Ich.*
philus *Ent.*
phora *Ent.*
phrenia *Ps. Path.*
-ic -osis
phthirus *Ent.*
phyceae -eous *Bot.*
phyllum *Fungi*
phyte -a(e *Biol.*
pleurus *Ent.*
porites *Zooph.*
proctus *Pal.*
pteris *Bot.*
rhinae -al -y *Ornith.*
siphon *Bact.*
siphona -ate *Conch.*
somes *Bot.*
spermum *Pal.*

schizo- Cont'd
spore *Algae*
sporeae *Bact.*
stachyum *Bot.*
stele -ic -ous -y *Bot.*
stoma *Pal.*
tarsia -ian *Ent.*
thecal *Ornith.*
themia -ic *Ps. Path.*
tracheal *Bot.*
trachelus *Ent.*
trichetum *Bot.*
trichia *Anat.*
trocha -ous *Helm.*
trypanum *Sporozoa*
-osis *Path.*
zoite *Biol.*
σχιζόπους (-οδος) with parted toes (Arist.)
aschizopod(a -ous *Crust.*
schizopod *Conch. Crust.*
-a(l -idae -ous
Schizopus *Ent.*
σχίζων (-οντος) P. pr. of σχίζειν
schizont *Prot.*
σχινδύλησις splintering
schindylesis -etic *Anat.*
σχῖνος mastic tree
schinopsis *Bot.*
Schinus *Bot.*
σχίσις cleavage (Plato)
heteroschisis *Bot.*
Polyschisis *Ent.*
schisiophone *Elec.*
-schisis *Med.*
cardio celo cheilognatho chilo cranio(rachi) cryptomerorachi cysto erythrocyto gastro gnatho holor(h)achi holo irido merorachi mesorachi palato peni plasmo prosopo(dia) r(h)achi spondylo staphylo thoraco(celo gastro) trachelo tracheo tricho urano
σχίσμα (Iren.)
Anaschisma *Pal.*
Cataschisma *Pal.*
dischisma *Bot.*
iridoschisma *Ophth.*
odontoschism *Dent.*
schism
ic less
schisma *Acoustics*
schismarch
schismatism
-ist -ize
Schismobranchiata
trischism
uranoschism *Med.*
σχισματικός (Cyprian.)
schismatic
al(ly alness ating o-
σχισματο- Comb. of σχίσμα
branchia -iate *Conch.*
schismato-
σχιστόν Neut. of σχιστός
schist(ic *Acoustics*
σχιστός divided, cleft
anaschistic *Bot. Cytol.*
brevischistostyle *Bot.*
diaschistic *Petrog.*
Engyschistae -ous *Ich.*
pyroschist *Geol.*
schist(ic ify *Geol.*
-schist *Bot.*
aniso apo eu euthy iso
-schist *Cytol.*
brady hemi

schistaceous *Bot.*
Schistides *Arach.*
schisto-
cephalus *Terat.*
choanites *Conch.*
c(o)elia *Terat.*
coelus *Terat.*
cormus *Terat.*
cystis *Path.*
cyte *Cytol.*
cytosis *Path.*
gams -ae *Bot.*
genia *Ent.*
glossia *Terat.*
id *Geol.*
melia -us *Terat.*
meter *Med. App.*
phallus *Malac.*
prosopia -us *Terat.*
rhachia r(h)achis *Path.*
scope *Chromatics*
se sity *Bot. Geol.*
soma *Helm.*
somia -us *Terat.*
somiasis *Path.*
sphex *Ent.*
stega -aceae *Bot.*
sternia *Terat.*
thorax *Terat.*
trachelus *Terat.*
schistous *Biol. Geol.*
schistus *Geol.*
stearschist *Min.*
tetrachistic *Biol.*
Trachyschistis *Ent.*
zest(ful(ly
σχοίνανθος a rush
schoenanth *Bot.*
σχοινικός of rushes
Schoenicus *Ent.*
σχοινίον Dim. of σχοῖνος
Schoenionta *Ent.*
σχοινο- Comb. of σχοῖνος
schoenocaulon *Bot.*
σχοινοβατής rope dancer
schoenobatist
σχοινοβατικός
schoenobatic
σχοῖνος measure; cord
sch(o)ene *Meas.*
Schoenasteridae *Pal.*
Schoenus *Bot.*
-schoenus *Ent.*
Hetero Lepto
σχολάρχης (Diog. L.)
scholarch(ate *Hist.*
σχολαστικός a scholar; pedant
interscholastic(ism
Neo-Scholastic(ism *Phil.*
prescholastic
scholaster
scholastic
al(ly ate(d ism izing ly
unscholastic
σχολή a school (Herod.)
antischool
proscholium
scholar
dom hood ian ism ity ize less like(ly liness ly ship
scholist
school
able age ation day dom ed ery fellow(ship ful house ing(ly ish keeper less ma'am man mate mistress ric room ward
schoolboy
dom hood ism ish
schoolgirl
hood ism ish(ness y

schoolmaster
hood ing ism ish(ness ly ship
scoleye
underschool
unscholar(like ly
unschool(ed

σχολιάζειν (Porph.)
scholiaze
σχολιαστής (Eust.)
scholiast(ic ing
σχολικός (Arist.)
scholical
σχολιογράφος
scholiographer
σχόλιον a comment (Cic.)
schole -ian -y
scholion -ium

σώζειν to save; keep
cres- *Org. Chem.*
aurin idin(e otyl oxy ylene
-cresalol *Mat. Med.*
meta ortho para
-cresol *Org. Chem.*
bromo hetero heto homo iodo meta methyl naphtho ortho(dinitro) para pix pyro tri-(nitro)
cresylite *Expl.*
iodocresin *Mat. Med.*

σώζεω
kreosal -olid *Mat. Med.*
kresapin *Mat. Med.*
kres(at)in *Mat. Med.*
kreso(fuchsin *Mat. Med.*
kresol
kresosteril *Mat. Med.*
metacresanytol *Chem.*
sozal *Chem.*
sozalbumin *Chem.*
sozin *Chem.*
-sozin *Chem.*
hemo myco toxico toxo
sozo-
borol *Mat. Med.*
branchia -iate *Batr.*
gen
iodol(ic -ate *Chem.*
sozol(ic *Chem.*
Sozura -ous *Batrach.*
tricresolamin *Chem.*
vapocresolin *Mat. Med.*

Σῶθις
Sothic *Egyptol.*

Σωκράτης Socrates
Socratism
Σωκατίζειν (Alciphro)
Socratize
Σωκρατικός (Arist.)
Socratic
al(ly ism
Σωκρατιστής
Socratist

σωλήν a channel, a pipe
dacryosolenitis *Ophth.*
ectosolenian *Zool.*
entosolenian *Zool.*
Gymnosolen *Pal.*
Leucosolenia -iidae
Neosolen *Malac.*
Protosolanus *Pal.*
Pseudosolaneae *Bot.*
Psilosolen *Bryozoa*
Solen *Conch.*
acea(e acean aceous id(ae oid
solen *Surg.*
solenaidy *Bot.*
Solenconchae *Conch.*
Solenella -inae
soleniaplankton *Bot.*
soleniform *Pelec.*
Soleniscus *Ent.*
solenite *Ich.*
Solenodon(t(id(ae -oid
Solenopsidae *Pelec.*
typhlosolar *Zool.*
typhlosole *Ich.*

σωληνάριον Dim. of σωλήν
Solenaria *Ent.*
solenarium *Surg.*

σωλήνιον Dim. of σωλήν
solenium -ial *Coel.*

σωληνο- Comb. of σωλήν
soleno-
conch(a(e -ia *Conch.*
coris *Ent.*
cyclus *Ent.*
cyte *Zool.*
gastra -es *Conch.*
genys *Ent.*
glyph(a -ia -ic -ous
gyne
mya -yidae *Conch.*
ptera *Ent.*
pus *Ent.*
rrhinus *Ent.*
stele -y -ic *Bot.*
stoma *Malac. Pal.*
stome -us *Ich.*
-(at)ous -i -id(ae -oid

σωληνοειδής grooved
solenoid *Elec. Med.*
solenoidal(ly *Elec. Math.*

σῶμα (-ατος) the body
actinosome -a *Zool.*
Amblysoma -us *Moles*
Anthosoma *Crust.*
-id(ae -oid
Aulosoma *Porif.*
baenosome *Arthrop.*
Boreosomus *Pal.*
cacosomium
Calosoma *Zool.*
cephalosome *Zool.*
Chaetosoma *Helm.*
-id(ae -oid
choanosomal *Anat.*
chromosome *Cytol.*
-al -atic -ic
-chromosomal *Bot.*
aequi inter pluri poly tri
-chromosome *Bot. Cytol.*
eu hemi hetero homo idio mixo proto pseudo
-chromosomes *Bot*
haplo hetero meta myxo quadri
Cinclosoma *Ornith.*
coenosome *Zool.*
Cyphosoma *Echin.*
-id(ae -oid
Dendrosoma -idae *Infus.*
deutosomite *Ent.*
Dictysomorphus *Ent.*
Diplosomus *Ascid.*
-id(ae -oid
Discosoma *Zooph.*
-idae
disoma *Zool.*
Dorosoma *Ich.*
-id(ae -oid
Echinosoma *Zool.*
ectosome -al *Spong.*
electrosome *Med.*
endosome -al *Spong.*
ensomphalus *Terat.*
Epithetosoma *Helm.*
-id(ae -oid
Goniosoma *Herp.*
gonosome -al *Zooph.*
gymnosome *Conch.*
-ous
Helcosoma *Zool.*
hemisome *Zool.*
Henotosoma *Helm.*
heterosome -ous *Ich.*
hexasomic *Bot.*
hydrosome -al *Ent.*
Hymenosoma -id(ae
ischnosoma *Zool.*
kuttarosome *Ophth.*
Lacosomidae *Ent.*
Lamprosoma *Herp.*
Lamprosomella *Ent.*
Leptosomus *Ent.*
-idae
Leptosomus *Ornith.*
-id(ae -(at)oid
leucosomes -ata *Bot.*
liposome *Histol.*
Loxosoma *Helm.*
-id(ae -oid
Lygosoma *Herp.*
Lysastrosoma *Echin.*
macrosomic *Anat.*
macrosomite -ic *Ent.*
macrosomous
medusome *Zool.*
Megasominae *Ent.*
merosome -al *Zool.*
mesoma -atic -e *Conch.*
mesomula *Embryol.*
metasom- *Geol.*
asis at(ic ism ist osis
metasomatome -ic *Emb.*
metasome -a *Conch.*
microsom- *Anat.*
ous
microsome- *Bot.*
microsomite -ic *Zool.*
Mimosoma *Myriap.*
monochromosomic *Bot.*
monosomian *Terat.*
Neamblysomus *Mam.*
nectosome
neurosome *Neurol.*
nucleocentrosome *Prot.*
opisthosomal *Crust.*
pentasomic *Biol.*
perisom(e *Zool.*
a(l ial
phyllosome -a *Crust.*
plasome *Biol.*
platysome *Ent.*
polysomitic *Zool.*
prochromosome *Bot.*
prosome -a(l *Conch.*
proteosomal *Biol.*
proteosome *Sporoz.*
prothyalosome -a(l
protosomite -ic *Zool.*
pyrosome -a *Ascid.*
-id(ae -iidae -oid
rhabdosome *Zool.*
sarcosome -a *Med. Zool.*
Schistosoma *Helm.*
schistosomiasis *Path.*
siphonosome(s -a *Zooph.*
siphosome *Hydrozoa*
som-
andric
asthenia *Med.*
esthesis -ia *Psych.*
esthetic *Psych.*
ite -al -ic *Zool.*
soma -al *Bot. Physiol.*
soma-
cule *Biol.*
phorus *Ent.*
plant
plasm
tome -ic *Biol.*
-soma *Arach.*
Acro Anti Helicopodo Otoplaco Pseudo-strongylo Trocho
-soma *Biol.*
cyrto plasmo proteo
-soma *Bot.*
carpo Crosso micro poly Xantho zygo
-soma *Cytol.*
caryomicro centro endo karyo(micro) para pyreno
-soma *Ent.*
Chely Chylizo Cordylo Crino Diapro Enicmo Eripho Evanio Gloeo Gnypeto Hydro Ischno Lampro Lepido Lepro Mallo Mega Mychthi Nao Nema Pachy Phalacro Phascolo Phris Phymato Platy Ploeo Scaphi Sphaerico Stalagmo Steno Stropho Systolo Taphro Tarphio Thyreo Trachy(phloio) Trago Trichio Tropido
-soma *Ich.*
Cichla Doro Gobio Ischno Oreo Spari
-soma *Med. Terat.*
a aspalo giganto hyper(giganto mega meso micro nano) hypo(giganto mega meso micro nano) mega nano nucleomicro pleuro
-soma *Pal.*
Aspi Aspido Diaphano Dolicho Oma Palaeo Permo Streblo
-soma *Prot.*
Apio Atomia Proteo
-some *Bot.*
chromidio deka di(s) dodeka endo ennea hendeka mono octo penta plasmato sporo teicho tri trophosporo
-some *Cytol.* zygo
acro allo archi(*or* o) auto caryo centro choano chondr(i)o chromo cteto cyto(micro) dermato deuthyalo diplo electo hyalo idio karyo-(micro) kineto macro-(centro) microcentro mito mono nucleolo-centro oo percno plano plasma(*or* o) plasto sphaero tropho
-somes *Bot.*
brachy elaio gamo haplo hetero kineto myxo pangeno percno schizo stauro
-somia *Terat.*
ageno celo diplo macro(genito) meromicro micro nano pachy poly schisto
somo-
mecus *Ent.*
platus *Ent.*
psychosis *Ps. Path.*
sphere *Embryol.*
-somus *Ent.*
Dora Gyrio Lepto Metallo Paepalo Parallelo Phortico Rhadino Rhyparo Rhytido Sclero Sphodro Sticto Storeo Stylo Syno Ulo
-somus *Ich.*
Alepo Allo Argyro
-somus *Terat.* Chro ageno celo hemi nano pero pleuro poly schisto su(s)
spherosome *Zool.*
spirosoma *Bact.*
synrhabdosome *Zool.*
taeniosome -i -ous *Ich.*
Teleosomi *Crust.*
Tersomius *Pal.*
tetrasomic *Bot.*
Thecosome *Conch.*
Tigrisoma *Ornith.*
Trichosoma *Helm.*
trisomic *Bot.*
trophosomal *Biol.*
trypanosomacide *Med.*
trypanosome -a(l *Prot.*
trypanosomiasis *Path.*
trypanosomic -id(e *Med*
urosome -ite -itic *Zool.*
Xiphosoma *Helm.*

σωματ- Stem of σῶμα
Chaetosomatidae *Helm.*
Cyphosomatidae *Echin.*
Dimerosomata -ous *Ent.*
diplosomatia *Terat.*
Discosomatidae *Zooph.*
Dorosomatidae *Ich.*
Epithetosomatidae *Helm.*
exsomatized *Med.*
ferrosomatose *Mech.*
Gymnosomata -ous
Heterosomata -ous *Ich.*
Holosomata -ous *Zool.*
Hydrosomata -ous *Ent.*
Leptosomatidae *Ent.*
macrosomatia *Anat.*
-ic -ism -ous
mesosomatous *Med.*
Metasomatic *Conch.*
microsomatia *Anat.*
-ic -ous
monosomatic *Min.*
Nodosomata *Pal.*
perisomatic *Zool.*
philosomatist
Phyllosomata *Zool.*
Platysomata *Ent.*
Podosomata -ous *Crust.*
prosomatic *Conch. Crust.*
Psilosomata *Zool.*
Pyrosomatidae *Ascid.*
somat-
algia *Path.*
archous *Cytol.*
asthenia *Med.*
eria *Ornith.*
esthetic *Med.*
ism ist *Phil.*
ose *Med.*
-somata -ous *Arach.*
Adelarthro Dimero (Mono)mero Polymero
-somata -ous *Prot.*
Mono Tricho Trypano
somata -ia *Bot.*
somatal
-somatous -σωματος as in δισώματος
thecosomate -a -ous
trypanosomate *Prot.*
trypanosomatosis *Path.*
urosomatic *Zool.*

σωματίζειν to embody
Somatidia *Ent.*

σωματικός
asomatic *Bot.*
ecsomatics *Med.*
psychosomatic
somatic(al(ly
-somatic *Anat.*
extra splanchno
somatico- *Anat.*
splanchnic visceral
Somaticus *Ent.*
telesomatic *Psychics*

σωμάτιον Dim. of σῶμα
Somatium *Ent.*

σωματο- Comb. of σῶμα
anthroposomatology
asomatophyte *Bot.*

somato-
blast *Zool.*
ceptor *Neurol.*
chrome *Cytol.*
cyst(ic *Zooph.*
derm *Embryol.*
didymus *Terat.*
dymia *Terat.*
etiological *Med.*
gen *Bot.*
genesis *Genet.*
genetic *Biol.*
genic *Biol.*
gnosy
graphy
logy -ic(al(ly -ist
pagus *Terat.*
parallelus *Terat.*
pathic *Neurol.*
phyte(s -ic *Bot.*
plasm(a *Biol.*
pleure -a(l -ic *Emb.*
psychic(al *Psych.*
psychosis *Ps. Path.*
splanchnic
-opleuric *Zool.*
tomy *Surg.*
tridymus *Terat.*
tropism -ic(ally *Bot.*
σωματοειδής corporeal
somatoid *Cryst.*
σωματώδης = σωματοειδής
Somatodes *Ent.*
σώρευμα what is heaped
soreuma *Bot.*
soroma -ate *Bot.*
-soroma *Bot.*
mega micro
σωρός a heap (Hesiod)
anasorium *Biol.*
cystosore *Cytol.*
diasorcymes *Biochem.*
Dissorophidae *Pal.*
esorediate *Bot.*
Hybosorus *Ent.*
(sera)sorcymes *Biochem.*
soros *Gr. Arch.*
sorosphaeres *Bot.*
sorus *Bot.*
-sorus *Bot.*
amphi Campto mega micro uredo
suprasoriferous
unisorous *Bot.*
σῶς safe, sound
Soomylacris *Pal.*
σωστέος to be saved
Sostea *Ent.*
σωστικός able to save
Sosticus *Arach.*
Σωσύλος (Anth. P.)
Sosylus *Ent.*
Σωτάδης Sotades
Sotadean -ic(al *Pros.*
σωτήρ a savior
chirosoter *Prop. Rem.*
creos- *Chem.*
al in(e ol(id
creosomagnesol *Med.*
creosote
-al -ic
Dendrosoter *Ent.*
eosote *Mat. Med.*
ichthosote
kreosotal
oleocreosote *Mat. Med.*
omphalosoter -or *Surg.*
paracreosotic *Chem.*
phenococreosote *Med.*
soterocyte *Cytol.*
soterology
σωτηρία deliverance
diisoteria *Gr. Ant.*
soterialogy

σωτηρικός = σωτήριος
autosoteric
heterosoteric *Theol.*
σωτήριος delivering
soteriology -ic(al
σωφρονίζειν to chasten
sophronize
σωφρονικός temperate
Sophronica *Ent.*
σωφρονιστής a chastiser
sophronist
σωφροσύνη sense, sobriety
sophrosyne
σώφρων of sound mind
Sophron *Ent.*
Sophronorrhinus *Ent.*

-τ- in Greek stems
egotism
-ist(ic(al(ly -ize
τάγμα a brigade, order
inotagma -ata *Histol.*
neurotagma *Neurol.*
paratagma *Bot.*
tagma -atic *Bot.*
ταγός a ruler or leader
tagus *Gr. Hist.*
-tagus *Ent.*
Meco Sino Tauro
ταινία a ribbon, fillet
cryptot(a)enene *Chem.*
Cystotaenia *Zool.*
Eutainia *Herp.*
Ichthyotaenia -iidae
solitaenia *Mat. Med.*
t(a)enia *Anat. Archaeol. Arch. Surg.*
-taenia *Ent.*
Lepido Meta Xantho
-taenia *Helm.*
Balano Nematopara
-taenia *Pal.*
Heligmo Micro
T(a)enia *Zooph.*
-ian -iata(e -iate
t(a)eniacide
T(a)eniada *Helm.*
t(a)eniasis *Path.*
taen(i)i-
cide -al
form(es *Ich.*
fuge
phobia
taen(i)idium *Ent.*
taeniole -a -ata -ate
t(a)eniotoxin *Tox.*
taenite *Min.*
-tene *Cytol.*
amphi diplo lepto(zygo) pachy strepsi synap zygo
tenial *Med.*
ταινίειν
Taenodema *Ent.*
Taenopodites *Pal.*
ταινιο- Comb. of ταινία
taenio-
branchia -iate *Ascid.*
campsa *Ent.*
ceras *Conch.*
glossa -ate *Conch.*
lite *Min.*
lobus *Ent.*
myia *Ent.*
phyllum *Pal. Bot.*
psetta *Ich.*
ptera *Ornith.*
-inae -in(e
pteris -idae *Ferns*
pteroid *Pal. Bot.*
pygia *Ornith.*
some -i -ous *Ich.*

taenio- Cont'd
toca *Ich.*
toxin *Biochem.*
τακερός melting
isotac *Meteor.*
τακτικά (Xenophon)
tactic(al(ly
tactic(s
tactician
ary ist ize
tacnode *Geom.*
-τακτικός as in προτακτικός, συντακτικός
-tactic Esp. *Biol. Bot.*
aero aphoto apophoto chaeto chemio chemo cyto electro eosino galvano geo gono helio hetero homo hydro leuko ortho osmo panto phobochemo photo phyllo pneumato prophoto proschemo quadri quinque rheo thermo thymo tono topo-(chemo) traumato
-tactically
chemio geo photo thymo
phyllotactical *Bot.*
τακτός ordered
amphitactism *Bot.*
Antitactes
chemotactism *Cytol.*
heterotactous *Bot. Geol.*
zygotactism *Bot.*
ταλαιπωρία exercise
Talaeporia *Ent.*
-iid(ae -ioid
τάλαντον orig., a balance
talent
ed less
ταλάντωσις an oscillating
isotalantous *Meteor.*
-osan -ose
τάλας wretched
Talanus *Ent.*
Talapena *Pal.*
ταλαύρινος with bull's-hide shield
Talaurinus *Ent.*
Ταναγραῖος (Xenophon)
Tanagraean -ine *Gr. Ant.*
ταναιήκης long-pointed
tanaecium *Bot.*
Ταναΐς the river Don
Tanais *Crust.*
-aid(ae -aid a(n -aoid
ταναός outstretched
Tanaocrinidae *Pal.*
Tanaos *Ent.*
Tanarthrus *Ent.*
Ταντάλειος (Euripides)
Tantalean
Ταντaλίδης (Aeschylus)
Tantalid *Myth.*
Ταντaλίζειν (Anacreon
tantalize(r -ation
-ingly -ingness
Τάνταλος Tantalus (Od.)
ekatantalum *Chem.*
-tantalate *Chem.*
columbo flu(or)o per pyro
-tantalic *Chem.*
fluo per
tantalic *Chem.*
-ate -ium -um
tantalism *Psych.*
-tantalite *Min.*
calcio mangan(o) neo stibio urano yttro

tantaloniobate *Chem.*
tantalous
tantalum *Min.*
-iferous -ite
tantalus *Furniture*
Tantalus *Ornith.*
-inae -in(e
ταμιευτικός thrifty
isotamieutic *Med.*
τανυ- long. Fr. root ταν-
Palaeotanypeza *Pal.*
Tany- *Ent.*
arches carpa cerus chilus cnema gaster mecus premnodes proctus rrhinus rrhynchus stola
Tanygnathus *Ornith.*
tanystome *Ent.*
-a -ata -ate -in(e -ous
-tanytarsus *Ent.*
Hexa Pro
τανυσίπτερος long-winged
Tanysiptera *Ornith.*
τανύσφυρος long-ankled
Tanysphyrus *Ent.*
τάξεως Gen. of τάξις
taxeopod *Mam.*
a ous y
ταξι- Comb. of τάξις
anataximorphosis
apotaximorphosis
ataxinomic *Bot.*
ichthyotaxidermy
taxi-
corn(es -ate -ous *Ent.*
dermy
-al -ic -ist -ize
gnomic *Bot.*
nomy -ic -ist
tery *Morph.*
-ταξία Comb. of τάξις as in ἀσυνταξία
heterotaxic *Med.*
homotaxy -ia *Geol.*
-eous -ial(ly -ic
-taxia *Med.*
amyo dys hetero
-taxy *Biol. Bot.*
adelpho antho bio carpello caulo geo m(e)io oligo (ortho)photo phyllo phyto plagiophoto pleio pneumato rhizo traumato
-taxy *Med.*
hetero noso
-taxy *Zool.*
chaeto entomo zoo
ταξίαρχος (Herodotus)
taxiarch *Gr. Mil.*
τάξις array; order
aplotaxene *Org. Chem.*
aposmotaxis *Chem.*
ataxite *Petrog.*
ataxoadynamia *Med.*
ataxonomic *Bot.*
Cephalotaxospermum
electrotaxis
eutaxiology -ical *Phil.*
eutaxite -ic *Petrog.*
Eutaxocrinus *Pal.*
homotaxis *Geol.*
osmotaxis -ic *Phys.*
oxygenotaxis
phytotaxonomy *Bot.*
pilotaxitic *Min.*
Progonotaxis *Pal.*
protaxis *Geol.*
Prototaxites *Algae*
Rhipidotaxis *Pal.*
tax-
aspidea(n -eae *Ornith.*
ism *Bot.*

tax- Cont'd
ite -ic *Petrog.*
oid(s *Bot.*
orchis *Helm.*
y *Bot.*
-taxic *Biol. Med.*
chemio chemo cyto poly prea thermo
taxis *Arch. Biol. Bot. Gr. Ant. Morph. Philol. Psych. Surg.*
-taxis *Biol. Bot.*
aero antho apaero aphoto aphydro apo-(chemo galvano photo thermo) aposmo argo baro caulo chemo chromato cyto diaphoto galvano geo gono hapto helio hetero hydro leuco lympho neurobio neutro phobochemo (phobo)photo phyllo pleio prophoto pros-(aero chemo galvano hydro osmo photo thermo thigmo) pseudophoto rheo rhizo stereo stropho thermo thigmo tono topo-(chemo photo) traumato tropho zygo
-taxis *Med.*
allelo anemo chemio hydro metro noso thermo
taxology
taxonomy
-er -ic(al(ly -ist
τάξος the yew tree
Cephalotaxus *Bot.*
Palaeotaxodioxylon *Pal.*
taxetum *Bot.*
Taxocrinus *Echin.*
-id(ae -ites -oid(ea
Taxodium *Bot.*
-ieae -iinae
Taxus *Bot.*
ταπεινο- Comb. of ταπεινός
tapeino-
cephalic -ism -y
tapino-
cephalic -ism -y
cephalus *Herp.*
-id(ae -oid
phobia -y
phyma *Ent.*
tarsus *Ent.*
ταπεινός low; mean; poor
Tapeinidium *Pal.*
Tapina *Ent.*
Tapinotus *Ent.*
ταπείνωμα humility
Tapinoma *Ent.*
ταπείνωσις lowness
tapinosis *Rhet.*
tapinotically
τάπης a carpet
tape
Tapes *Conch.*
ταπήτιον Dim. of τάπης
tapesium *Bot.*
tapester
tapestry
tapet(e -al
tapetum *Anat. Bot.*
tapis
tapisser(y
tapiter
ταραγμα disturbance
taragma *Path.*
taragmite *Geol.*
ταράκτης a disturber
Taractes *Ich.*
-oporidae *Pal.*

ταρακτικός disturbing
Parataracticus *Ent.*
τάρανδος reindeer
tarand(us *Mam.*
Tarandean *Geol.*
Tarandichthys
Tarandocerus *Ent.*
Τάραντα
tarantato
tarantella -e *Dance*
tarantism(us *Med.*
tarantula
-ar(y -ate -in -(ar)ize
-ous
tarantulism *Psych.*
tarente -ola
Ταραντῖνος
Tarentine
ταράξιππος (Pausanias)
taraxippos -us *Gr. Ant.*
τάραξις disorder (Hipp.)
tarassis *Path.*
taraxac(er)in *Mat. Med.*
Taraxacum *Bot.*
taraxasterin -ol *Chem.*
taraxigen *Med.*
taraxis *Path.*
ταραχή tumult
hypertarachia *Med.*
Neotarache *Ent.*
Tarache -ia *Ent.*
ταραχώδης turbulent
Tarachodes *Ent.*
τάρβος terror; alarm
-tarbus *Pal.*
Disco Hetero Meta Trigono
τάρπη wicker basket
Tarpa *Ent.*
ταρσο- Comb. of ταρσός
metatarso- *Anat.*
digital phalangeal
tarso-
cheiloplasty *Surg.*
clasis *Path.*
malacia *Path.*
mela *Anat.*
metatarsal *Anat.*
metatarsus *Ornith.*
orbital *Ophth.*
phalangeal *Anat.*
phlebiopsis *Pal.*
phyma *Path.*
plasia *Surg.*
plasty *Surg.*
pterus *Pal.*
ptosis *Med.*
rrhaphy *Surg.*
stenus *Ent.*
tarsal *Anat.*
tibial *Anat.*
tomy *Surg.*
ταρσός frame, crate; mat; instep; eyelid; wing; tail
acrotarsium -ial *Ornith.*
Brachytarsi *Zool.*
entometatarse *Ornith.*
Epitarsipus *Ent.*
Macrotarsi(us -ian *Zool.*
mesometatarse *Anat.*
metatarsale *Anat.*
metatarsalgia *Path.*
paratarsium -ial *Ornith.*
tars-
adenitis *Ophth.*
al(e e(n *Anat.*
algia *Path.*
ectomy *Surg.*
ectopia *Path.*
ia *Arts*
ier *Zool.*
ipes *Mam.*
-ed(id(ae -edinae
-edine -edoid
-tarsal *Anat.*
inter(meta) medio meso meta retro tibia tibio(meta)
-tarsia *Ent.*
Holo Phalaro Schizo Steno
-tarsian *Ent.*
holo schizo
tarsitis *Path.*
Tarsius *Zool.*
tarsus *Anat. Zool.*
-tarsus *Anat.*
epi meso(meta) meta tibia tibio
-tarsus *Ent.*
Hexatany Idio Pachy Pro(tany) Tapino Tino Tylo
-tarsus -al *Ornith.*
hypo tibio
Thyrsotarsa *Ent.*
Ταρτάρειος (Euripides)
Tartareous
-eal -ean
Ταρτάριος = Ταρτάρειος
Tartarian
ταρταρον tartar
aminoglutarich *Chem.*
cupritartrate *Chem.*
detartarizer *Chem.*
glut- *Chem.*
aconate aconic am(in)ic amin(e
glutar- *Org. Chem.*
aldehyde anilic azin(e ic imide
glutatheion *Biochem.*
paratartramide *Chem.*
phosphotartrate *Chem.*
pyrotartaric *Chem.*
-(e)ous -ite
pyrotartranil(ate ic
pyrotartrate & -ite *Chem.*
pyrotartrimide *Chem.*
pyrotritaric *Chem.*
tartar *Chem. Physiol.*
ated eous ic in(ated ish ization ize ous(ness yl
tartareous *Bot.*
-tartaric *Chem.*
anti carbopyro di dihydroxy dioxy ethyl iso(tri) levo meso meta molybdo oxypyro para phospho pyro pyrotri sulfopyro
tartarum *Arts*
tartr-
alic -ate *Chem.*
amic -ate -id(e *Chem.*
anil *Org. Chem.*
ate ic ide
ate(d *Chem.*
azin(e *Dyes*
elic -ate -ite *Chem.*
ethylic -ate *Chem.*
imide *Chem.*
ous *Chem.*
oxalate *Chem.*
yl(ic *Chem.*
tartramethane *Chem.*
tartratoferric *Chem.*
tartro-
bismuthate *Chem.*
methylic -ate *Chem.*
phen *Chem.*
sulfate *Chem.*
vinic *Chem.*
tartron-
amic -ide *Org. Chem.*
ic ate *Chem.*
uric *Org. Chem.*
yl(urea *Chem.*
xyloglutaric *Org. Chem.*
Τάρταρος nether abyss
Tartar *Myth.*
ism ization ize
Tartarology
Tartarus *Myth.*
ταρφειός thick, close
Isotarphius *Ent.*
Stachytarpheta *Bot.*
Tarphiosoma *Ent.*
Tarphius *Ent.*
τάσις (-εως) tension; force
hydrotasimeter *Elec.*
iridotasis *Ophth.*
microtasimeter *Elec.*
myotasis *Physiol.*
taseometer
tasimeter
tasimetry -ic
thalpotasimeter
Τασκοδρυγῖται (Epiph.)
Ascodrugitans *Eccl.*
Tascodrugitae *Eccl.*
τάσσειν to arrange
orthotast *Surg. App.*
Τατιανός Tatian
Tatianic -ist *Eccl. Hist.*
τατός that can be stretched
euthytatic *Phys.*
homotatic *Mech.*
metatatic(al(ly *Phys.*
myotatic *Physiol.*
Ochlerotatus *Ent.*
ταῦ the letter τ
tau *Alphabet*
Tauidion *Ich.*
Ταυρικός (Herod.)
Tauric *Geog.*
Ταυρίσκος Dim. of Ταῦρος
tauriscite *Min.*
ταυρο- Comb. of ταῦρος
chenotaurocholic *Chem.*
hydrotaurocholic *Chem.*
tauro-
carbam(in)ic *Biochem.*
ceras *Ent.*
cerastes *Ent.*
chenocholic *Chem.*
choleic *Biochem.*
cholemia *Med.*
cholic -ate *Chem.*
latry
serpentine
tagus *Ent.*
ταυροβολικός
taurobolic *Gr. Epig.*
ταυροβόλος bull sacrifice
taurobolium -y
ταυροκέφαλος bull-headed
taurocephalous *Myth.*
ταυρόκολλα (Polybius)
taurocol(l(a
ταυρομαχία bull-fight
tauromachy
-ia(n -ic
ταυρόμορφος bull-formed
tauromorphous
ταῦρος a bull; *Astron.* (Arat.)
androtauric
tauriform
taurin(e *Chem. Zool.*
Tauroma *Ent.*
Taurorgus *Ent.*
Taurus -id -ine *Astron.*
Ταῦρος Mt. Taurus
Taurian *Geog.*
ταυρώψ bull-faced
Taurops *Pal.*
ταὐτό the same
tautegory -ical *Rhet.*
ταὐτο-
tauto-
baryd *Math.*
chrone *Math.*
-ism -ous
clin *Min.*
graphical
hedral *Crystal.*
menial *Gynec.*
mer *Chem.*
ic ism ize y
meral -ic *Neurol.*
morphous *Crystal.*
syllabic
zonal(ity *Crystal.*
ταὐτογενής of the same kind
tautogeneity *Biol.*
tautogenize *Biol.*
ταὐτολογία (Dion. H.)
tautology
-ic(al(ly -icalness -ism
-ist -ize(r
ταὐτολόγος (Anth. P.)
tautologous(ly
ταὐτόμετρος
tautolite *Min.*
tautometric(al
ταὐτοούσιος (Epiph.)
taut(o)ousious -ian
ταὐτοπάθεια reflexiveness
tautopathy
ταὐτοποδιά (Schol. Ar.)
tautopody -ic *Pros.*
ταὐτοφωνία (Eust.)
tautophony -ic(al
ταὐτώνυμος of the same name
tautonym -ic -y *Morphol.*
ταφή burial
taphephobia
ταφο- Comb. of τάφος
tapho-
phobia
xenus *Ent.*
zous *Mam.*
τάφος tomb; burial
bibliotaph
ic ion ist
Leucotaphus *Ent.*
taphian *Zool.*
Taphos *Ent.*
tritaph *Archaeol.*
ταφρεία = τάφρος
Taphria *Ent.*
ταφρο- Comb. of τάφρος
taphro-
deres *Ent.*
philus *Phytogeog.*
phyta *Phytogeog.*
soma *Ent.*
stomia *Pal.*
τάφρος a ditch or trench
Deretaphrus *Ent.*
Stenotaphrum *Bot.*
taphrad -ium *Bot.*
taphrenchyma *Bot.*
Taphria *Bot.*
-ina -inose
τάχεος Gen. of τάχος
tacheo-
graphy
meter metry -ic
ταχινός = ταχύς
Tachina *Ent.*
-aria(n -id(ae -inae
-in(e -oid -us
Tachinoceras *Ent.*
Xenotachina *Ent.*
τάχιστος swiftest
tachistoscope *Ps. Phys.*
τάχος swiftness
h(a)emo(*or* a)tacho-
meter metry
noematacho- *Ps. Phys.*
graph meter metric
photohematachometer
phototacho- *Med.*
meter metry -ic(al
tacho-
dometer
gram graph(y
meter metry -ic
scope
ταχυ- Comb. of ταχύς
hydrotachylite *Min.*
hydrotachymeter
rheotachygraphy *Psych.*
tachy-
analysis *Geol.*
aphaltite *Min.*
baptes *Ornith.*
cardia(c *Path.*
celle *Ent.*
cnemis *Ent.*
diagnosis *Geol.*
didaxy *Educ.*
dyta *Ornith.*
genesis *Bot.*
gonus *Ent.*
graphy
iater
iatria -y
lasma *Pal.*
lyte -ic *Petrol.*
marptis *Ornith.*
meter metry -ic *Surv.*
notus *Ent.*
petes -idae *Ornith.*
phagia *Med.*
phasia *Psych.*
phemia *Psych.*
phore *Elec.*
phrasia
phrenia *Ps. Path.*
phylaxis *Med.*
pn(o)ea *Med.*
porus *Ent.*
rhythmia *Med.*
scope
seism *Seismol.*
skarthmos *Arach.*
spore -ous *Bot.*
systole *Med.*
thanatous *Med.*
tome *Surg.*
type
ταχύγλωσσος talking fast
Tachyglossa -us *Mam.*
-al -ate -id(ae -oid
ταχυγράφος a scrivener
flammentachygraph
tachygraph
er ic(al ist
tachygrapho- *Surg.*
meter metry
ταχυδρόμος fast-running
tachydrome *Ornith.*
-ian -ous
ταχυκίνητος quick-moving
Tachycinetas *Ornith.*
ταχύνειν to hurry; speed
Tachynoderus *Ent.*
ταχύπους swift-footed
Tachypus *Ent.*
ταχύς swift
tach(h)ydrite *Min.*
tachiol *Pharm.*
tachisurin(e -ae *Ich.*
Tachys *Ent.*
Tachysurus -inae *Ich.*
ταχυτής swiftness
Tachyta *Ent.*
ταώνιος of a peacock
phyllotaonin *Biochem.*
ταώς a peacock
Taognathus *Pal.*
Taonurus

τέγος a roof
diplotegis *Bot.*
embryotegs *Bot.*
enallostega *Anat. Zool.*
-tegium *Bot.*
diplo embryo gyno stylo
Tegulithyris *Pal.*
τεθηλῦος flourishing
tethelin *Mat. Med.*
τείνειν to extend, stretch
angiotenic *Path.*
azotenesis *Path.*
Elytroteinus *Ent.*
neote(i)nia -ic -y *Biol.*
Teinistion *Pal.*
teinoscope
tino-
ceras *Mam.*
-atid(ae -atine -atoid
leucite *Bot.*
phyllus *Ent.*
porus -inae *Prot.*
spora -eae *Bot.*
tarsus *Ent.*
τεινεσμός (Hipp.)
tenesmus -ic *Med.*
τείρειν to rub away
tirad -ium *Phytogeog.*
τείχο- Comb. of τεῖχος
teichosome *Bot.*
ticho-
droma -inae -in(e
drome *Bot.*
(r)rhine *Pal.*
τεῖχος a wall
leptotichus *Bot.*
teichopsia *Path.*
τειχοσκοπία (Schol. Eur.)
teichoscopy *Lit.*
τεκνο- Comb. of τέκνον
tecnology
τεκνογονία (Arist.)
tecnogonia *Obstet.*
τέκνον a child
tecnono(*or* y)my -ous
teknonymy -ous
teknospore *Bot.*
τεκτόναρχος = ἀρχιτέκτων
Tectonarchinae *Ornith.*
τεκτονική (Plato)
areotectonics *Mil.*
tectonics
τεκτονικός
geotec(h)tonic
seismotectonic *Geol.*
tectonic *Arch. Biol. Geol.*
tectonic *Surg.*
tectonist
τέκτων a worker in wood
isotectonism *Crystal.*
tecto-
branchi *Ich.*
cephaly -ic *Craniom.*
chrysin *Chem.*
cymba *Pal.*
logy -ical *Biol.*
paratype *Bot. Pal.*
plesiotype *Bot. Pal.*
spondyl(i(c -ous *Ich.*
Tecton *Ent.*
type *Bot. Pal.*
viatecture
τεκτωνία carpentry
Tectona *Bot.*
Τελαμῶνες = Ἄτλαντες
Telamon *Arch.*
τελέαρχος (Plutarch)
telearch *Gr. Govt.*
τελεῖν to make perfect
telesia *Gems*
τελειο- Comb. of τέλειος
aecioteliospore *Bot.*
dysteleologue *Bot.*
teleio-
chrysalis *Prot.*
phan
telio-
chordon *Music*
spore
stage
τέλειος made perfect
Palaeoteleia *Pal.*
Scorpioteleia *Ent.*
teleianthus -ous *Bot.*
telium *Fungi*
Triteleia *Bot.*
τελείωσις consummation
spermioteleosis *Cytol.*
teleiosis
τελειωτικός perfective
teleiotical
τελεο- Comb. of τέλεος
anthropoteleology -ical
antiteleology *Phil.*
ateleological
dysteleology *Phil.*
-ical -ist
panteleologism *Phil.*
teleo-
branchia(te *Conch.*
cephal(i -ous *Ich.*
ceras *Pal.*
coma *Ent.*
cydnus *Ent.*
desmacea(n -eous
gyrous *Ornith.*
logy
-ic(al(ly -ism -ist
mitosis *Path.*
morph *Archaeol.*
phore *Zooph.*
phyte *Bot.*
placophore *Conch.*
ptile *Ornith.*
rhinus *Pal.*
roentgenogram
roentgenography
scope *Elec.*
saur(us *Herp.*
-ian -id(ae -oid
somi *Crust.*
stome *Ich.*
-ata (at)ous -i -ian
temporal
zoa zoic zoon *Biol.*
theoteleology -ical
τέλεος complete
tele-
odont(a *Ent.*
organic *Biol.*
ost(ean *Ich.*
ostei -eous *Ich.*
phragmoxylon *Pal.*
stich *Lit.*
telial *Bot.*
τελεσιουργικός fitted for working its end
telesirugic(s
τέλεσις completion
telesis *Sociol.*
τέλεσμα (Pseudo-Just.)
talisman(ic(al
telesm
telesmatic(al(ly
τελεστήριον a place for initiation
telesterion *Gr. Ant.*
τελεστικός mystical
telestial
telestic *Phil.*
τελευτή completion, end
teleuto- *Bot.*
conidium
form
gonidium
sorus
spore -ic -iferous
τελικός final
autotelic *Phil.*
heterotelic *Psych.*
telic
telics *Sociol.*
τελλίνη a shell-fish
Tellena *Ent.*
Tellina *Conch.*
-acea(n -aceous -id(ae
-iform -ite -oid
τέλμα (-ατος) a pool
Gonotelma *Pal.*
telmatad -ium *Phytogeog.*
Telmatodon *Pal.*
τελματο- Comb. of τέλμα
telmato-
dytes *Ornith.*
logy -ical
philus *Ecol. Ent.*
phyta *Ecol.*
τέλος (-εος) end
angiotelectasis *or* -ia
Brachyteles *Mam.*
choletelin *Chem.*
Crossotelos *Pal.*
Eutelolairnus *Helm.*
eutelolecithal *Biol.*
Homotelus *Arach. Pal.*
Isotelus *Zool.*
Leiotelus -inae *Arach.*
osteotelangiectasia
Pachynotelus *Ent.*
pneum(on)atelectasis
Proteles *Mam.*
-id(ae -oid
Protelotherium *Pal.*
Pteridotelus *Ent.*
telangi- *Med.*
ectasia(-ic -y) ectatic ectodes (ect)oma itis osis
Telanthera *Bot.*
teleclexis *Biol. Phil.*
telencephal(on *Embryol.*
ize ization
teleo-
phobia
plast(id)s *Bot.*
trocha *Helm.*
telo-
blast(ic *Embryol.*
branchiata *Conch.*
cera *Ent.*
cinesis -ia *Cytol.*
dendr(i)on *Neurol.*
gamae *Bot.*
gonidium *Bot.*
kinesis *Cytol.*
lecithal *Embryol.*
lemma *Anat.*
mitic *Cytol.*
nism
phase -ic *Biol.*
phragma *Anat.*
pora *Pal.*
pore *Embryol.*
sporidia *Prot.*
stoma *Pal.*
stomiate *Zool.*
synapsis *Cytol.*
synaptic -os
syndesis *Bot.*
tism *Physiol.*
tremata -ous *Zool.*
troch(a(l -ous *Helm.*
type
Xyloteles *Ent.*
τέλσον limit
Acanthotelson *Crust.*
-id(ae -oid
telson *Crust.*
Τελχῖν an early Cretan
Telchines *Myth.*
τέμενος a domain, glebe
temenos *Gr. Ant.*
τέμνειν to cut, sever
autotemnon -ic -ous *Biol.*
Distemnostoma *Pal.*
Ditemnostoma *Pal.*
Temnaspis *Ent.*
temno-
basis *Ent.*
chila -idae *Ent.*
gomphus *Ent.*
laemus *Ent.*
lectypus *Pal.*
phthalus *Ent.*
pis *Ent.*
plectron *Ent.*
pleurus *Echin.*
-id(ae -inae -in(e -oid
pterus *Ent.*
rhis *Ornith.*
rhynchus *Ent.*
scelis *Ent.*
spondyli -ous *Herp.*
sternus *Ent.*
taia *Pal.*
thorax *Ent.*
trionyx *Pal.*
Tritemnodon *Pal.*
Τέμπη the vale of Tempe
Tempe ean
τενθρηδών a wasp
Tenthredo *Ent.*
-ella -inid(ae -inites -inoidea -onid(ae -onoid
τενοντ- Stem of τένων
tenont-
itis *Path.*
odynia *Path.*
osteoma *Path.*
τενοντάγρα (Cael. Aur.)
tenontagra *Path.*
τενοντο- Comb. of τένων
myotenontoplasty *Surg.*
tenonto-
graphy
lemmitis *Path.*
logy
(myo)plasty *Surg.*
myotomy *Surg.*
phyma *Path.*
phyte
thecitis *Path.*
tomy *Surg.*
trotus
Τέντυρα a city in Egypt
Tentyria *Ent.*
τένων a tendon
achillotenotomy *Surg.*
myotenositis *Path.*
myotenotomy *Surg.*
syntenosis *Anat.*
tenalgia *Med.*
tenalgin *Prop. Rem.*
tenatome *Surg.*
tenectomy *Surg.*
te(i)nodynia *Med.*
teno-
desis *Surg.*
graphy *Med.*
logy
myoplasty *Surg.*
myotomy *Surg.*
phony *Med.*
phyte *Med.*
plasty -ic *Surg.*
rrhaphy *Surg.*
steosis *Path.*
suture
syn(ov)itis *Path.*
tome *Surg.*
tomy *Surg.*
-ia -ist -ize
vaginitis *Path.*
tenomectomy *Surg.*
-tenon *Anat.*
endo epi meso para peri
tenonectomy *Surg.*
tenonitis *Path.*
tenonometer *Ophth.*
tenonostosis
tenotomania *Med.*
τεράμων softening
Teramocerus *Ent.*
τέρας monster
hemitery -ic *Med.*
idiotery *Bot.*
phytoterosia *Phytopath.*
taxitery *Morphol.*
teramorphous
Terapous *Ent.*
Teras *Ent. Terat.*
τεράστιος monstrous
Terastiozoon *Ent.*
τερατ- Stem of τέρας
terat-
oid *Path.*
oma -atous *Path.*
ornis *Pal.*
osis *Path.*
τέρατα Pl. of τέρας
hemiterata -atic(s
terata *Biol.*
-ical -ism
τερατο- Comb. of τέρας
terato-
blastoma *Gynec.*
genesis
genetic
genic -ous
geny
lite *Min.*
nympha *Bot.*
phobia *Gynec.*
scopy
τερατολογία a telling of marvels
diploteratology
phytoteratology -ic -ist
teratology
-ic(al -ist
τερατωδία marvellousness
Teratodia *Ent.*
τερατωπός
Teratopus *Ent.*
τερεβίνθινος (Xen.)
austraterebinthine
τερέβινθος
diterebene *Chem.*
firpene *Chem.*
heroterpin *Mat. Med.*
homoterpene -ylic
homoterpineol -ene
ioderpin *Mat. Med.*
iod(o)terpen *Mat. Med.*
oxyterephthalic *Chem.*
pyrotereb(inth)ic *Chem.*
sylveterpin(ol eol *Chem.*
teraconic *Chem.*
teracrylic *Chem.*
terebenthene *Chem.*
terebentic *Chem.*
terebic *Chem.*
-ate -(il)ene -(il)enic -ilic -inic
terebinth(in(e -en -ial -ic -inous -ious
terebinthina -ate *Pharm.*
terebinthinism *Tox.*
Terebinthus *Bot.*
-aceae -aceous
terecamphene *Chem.*
terephthal- *Org. Chem.*
al aldehyde aldehydic amide ate ic onic yl
teresantal- *Org. Chem.*
ane ic ol
terpacid *Pharm.*

terpadiene *Org. Chem.*
terpan(ol
terpene(less *Org. Chem.*
-terpene
di eu hemi homo hydro iso sesqui subero
terpenism *Tox.*
terpenoid *Scents*
terpenoresin *Org. Chem.*
terpilene -ol *Org. Chem.*
terpin *Org. Chem.*
-ene -enol -eol(ate -olene -yl
terpinoid *Perfumes*
triterpene *Org. Chem.*
turpentine
-ic -ous -y
turpentole *Mat. Med.*
turps

τερεῖν to bore
ioterium *Herp.*
terabdella *Med. App.*
Xyloterus *Ent.*

τερέτισμα twittering
teretism

τερέτριον a small gimlet
Teretrina *Pal.*
Teretrius *Ent.*

τερηδών the wood-worm
Teredo *Conch.*
Teredops *Malac.*
Teredus *Ent.*

τέρμα an end, limit
diaterma *Anat.*
Miotermes *Pal.*
phloe(*or* oio)terma *Bot.*
Proelytrotermes *Pal.*
terma -atic *Anat.*
terminad *Neurol.*
Xestotermopsis *Pal.*

τέρπειν to gladden
terpodion *Music*
terpometer *Psych.*
τερπνός delightful
Terpnissa *Ent.*
τέρψις enjoyment
terpsiphone *Ornith.*
Τερψιχόρη Muse of Dance
Terpsichore *Myth.*
-eal(ly -ean

τεσσαρα- Comb. of τέσσαρες
tessara-
decad
decasyllabon
glot
phthong
tomic
τεσσαρακοστή a fortieth
tessarakost
τέσσαρες = τέσσερες
monotessaron
tessarace *Geom.*
tessaract *Math.*
Tessaroma *Ent.*
τεσσαρεσκαιδεκαέδρον
tessarescaedecahedron
τέσσερες four
ditesseral *Crypt.*
holotesseral
semitesseral
tessera
-aic -al -arian -arious -ate
tesseract *Math.*
tesseratomic
Tesseroceras *Ent.*
Tesserodon *Ent.*

τετανικός (Diosc.)
tetanic(al(ly *Med.*
subtetanic

τετανο- Comb. of τέτανος
tetano-
cannabin(e *Chem.*
lysin *Biochem.*
meter *Med. App.*
motor *Surg.*
phil(ic *Tox.*
phleps *Ent.*
spasmin *Med.*
toxin(e
τέτανος (Hipp.)
antitetanic *Med.*
antitetanin *Bact.*
antitetanolysin *Bact.*
bronchotetany *Med.*
cannabitetanin *Mat.*
gutturotetany
laurotetanin(e *Org. Chem*
tetania *Path.*
tetanin(e *Chem.*
tetanus -y *Path.*
-iform -igenous -illa -ism -izant -ization -ize -oid
-tetanus *Path.*
holo impf kopf pleuro pseudo
τετάνωθρον (Diosc.)
tetanothrum *Mat. Med.*

τεταρτημόριον one fourth
tetartemorion *Gr. Ant. Mus. Numism.*
τεταρτο- Comb. of τέταρτος
tetarto-
cone -oid *Dent.*
hedron *Crystal.*
-al(ly -ic(al(ly -ism -y
hexagonal *Crystal.*
phyia *Path.*
pyramid *Crystal.*
symmetry -ic(al
systematic *Crystal.*
τέταρτος fourth, quarter
Mecotetartus *Ent.*
tetanthrene *Org. Chem.*
tetarcone *Anat.*
tetartahydrated *Chem.*
tetartanop(s)ia *Ophth.*
tetartoid *Crystal.*
tethracene *Org. Chem.*

τετρ- = τετρα- Used before vowels
antitetraizin *Mat. Med.*
benzotetrazole *Chem.*
benzotetronic *Org. Chem.*
cyclooctatetrene *Chem.*
heptatetrazine *Chem.*
hexamethylen(e)
tetramin(e *Chem.*
tetrammonium *Chem.*
manneotetrose *Chem.*
microtetrod *Spong.*
oxytetract *Spong.*
ozotetraz- *Org. Chem.*
ine one
protetrad *Cytol.*
rhodeotetrose *Org. Chem.*
tetr-
acanthous *Bot. Zool.*
acid *Chem.*
acron *Geom.*
act
actine *Spong.*
-a -al -ose
actinell- *Spong.*
-id(ae -ida(n -in(e
adenous *Bot.*
aldan *Org. Chem.*
alidine *Org. Chem.*
alolalone *Org. Chem.*
alyl *Org. Chem.*
amic -in(e *Org. Chem.*

tetr- Cont'd
ammine -o- *Chem.*
ander *Bot.*
andria(n -(i)ous *Bot.*
ane *Chem.*
anophthalmus *Terat.*
ant *Geom.*
anthrimide *Org. Chem.*
aphthol -ene *Chem.*
aptative
arinus *Bot.*
arpages *Ent.*
aster *Cytol.*
atomic *Chem.*
axial axile
axon *Spong.*
-ia(n -id(a
azene azin(e *Chem.*
azo- *Chem.*
azole -ium *Chem.*
azone *Chem.*
azotic *Chem.*
-ization -ize
azyl *Chem.*
emimeral
evangelium
ic inic *Chem.*
iodide *Chem.*
isus *Ent.*
ite -a -ol *Org. Chem.*
ode *Spong.*
odon *Ich.*
-ont(id(ae -ontoid
odonic -in *Org. Chem.*
odono-
pentose *Chem.*
toxin *Biochem.*
ol(ic *Chem.*
olaldehyde *Org. Chem.*
onal -ic *Chem.*
onerythrin(e *Chem.*
onin *Org. Chem.*
onychia *Crust.*
onymal
ops *Ent.*
ose *Chem.*
otus *Terat.*
oxalate *Chem.*
oxide oxy- *Chem.*
yl(ate -ene -(en)ic
ylamine *Chem.*
yldermatitis *Path.*
τετρα- Short for τέτορα = τέσσαρα
gymnotetraspermus *Bot.*
hemitetracotyledon *Bot.*
mesotetrasilicic *Chem.*
pertetraboric -ate *Chem.*
Protetraceros *Pal.*
Rhynchotetra *Pal.*
tetra-
amylose *Org. Chem.*
basic *Chem.*
belodon *Herp.*
blastic -us *Biol.*
boric -ate *Chem.*
bothynus *Ent.*
brachius *Terat.*
branch(ia(ta -iate
bromid(e *Org. Chem.*
bromo-
fluorescin *Trade*
camara *Pal.*
camarous *Bot.*
carbonimid(e *Chem.*
carboxylic *Org. Chem.*
carpellary *Bot.*
caulodon *Mam.*
cera *Bot.*
ceras *Mam.*
ceratium *Ent.*
ceratops *Pal.*
ceratothrips *Ent.*
ch(a)enium *Bot.*
chatae *Ent.*
-eae -ina -ous
chlorid(e *Chem.*

tetra- Cont'd
chlormethane *Chem.*
chlor(o)ethane *Chem.*
chromatic *Ophth.*
chromic -ist *Ophth.*
clade *Spong.*
-ina -in(e -ose -ous
clasite *Min.*
clone *Spong.*
coccous -us *Biol.*
coral *Zooph.*
-alla -allia(e
cosane *Chem.*
crepid *Spong.*
crotic *Med.*
cyclic *Bot. Org. Chem.*
cystida *Pal.*
tetradec- *Chem.*
ane atyl (en)oic en(yl) (in)ene ylene ylic
tetradeca-
naphthene -ic *Chem.*
pod(a(n -ous *Crust.*
tetrademe *Biol.*
diapason *Music*
diploid *Bot.*
don *Ich.*
dynamia *Bot.*
-ian -(i)ous
fluorid *Chem.*
foli(o)us -iate *Bot.*
galacturonic *Chem.*
gamelia(n *Zooph.*
genic -ous *Bact.*
glenes *Ent.*
glot(tic(al
glucosan *Org. Chem.*
gonid(ang)ium *Bot.*
graptus *Pal.*
gyn(ia(n -(i)ous *Bot.*
gyropus *Ent.*
hexacontane *Chem.*
hexosan *Org. Chem.*
hydric -ated *Chem.*
hydro- *Chem.*
benzoic gen
naphthalene
hydroxide *Chem.*
icosic -ane *Chem.*
iodide *Chem.*
iodo- *Org. Chem.*
kont *Bot.*
leioclone *Spong.*
lemma *Logic*
lobus *Ent.*
logue
lophodon(t *Mam.*
lophus *Ent.*
masthous
mastia *Gynec.*
mastigate *Prot.*
mastigote *Bact.*
mazia *Gynec.*
meles *Bot.*
meryx *Mam.*
metaphosphate
methide *Org. Chem.*
methyl(ene -enic
benzene endiamin
putrescin
mitiasis *Path.*
mitus *Bact.*
morium *Ent.*
myrmeclone *Spong.*
nephric *Ent.*
neura *Ent.*
nitro- *Org. Chem.*
nitrol *Mat. Med.*
nomial *Math.*
nuclear *Org. Chem.*
nucleate *Bot.*
nucleotide -ase *Chem.*
nychus *Arach.*
-id(ae -inae -ine
odes *Ent.*
odon(t(id(ae *Ich.*
-ontoid(ea(n

tetrademe Cont'd
ommatus *Ent.*
opes *Ent.*
otus *Terat.*
peptide *Chem.*
petalous -ose *Bot.*
phalangeate *Anat.*
phenol *Chem.*
phleba *Ent.*
phony *Music*
phosphate *Chem.*
phosphorus -ide *Chem.*
phyletic *Bot.*
phyline *Min.*
phyllidea(n *Helm.*
phyllous *Bot.*
phyllus *Ent.*
pinine *Org. Chem.*
plegia *Path.*
pleurodon *Ich.*
pneumona *Arach.*
-es -ian -ous
polar *Biol.*
prionidian *Zooph.*
propionate *Chem.*
prostyle *Arch.*
psilus *Ent.*
pteryx *Ornith.*
pyramid *Crystal.*
pyrenous *Bot.*
questrous *Bot.*
rhoptra *Ent.*
rhynchia *Pal.*
rhynchus *Helm.*
-id(ae -oid
saccharid(e *Chem.*
salicylic *Org. Chem.*
schistic *Biol.*
selenodont *Anat.*
sepalous *Bot.*
sil(ic)ane *Chem.*
somic *Bot.*
spaston *Mech.*
spermal -(at)ous *Bot.*
spheric(al *Math.*
sporange -ium *Bot.*
spore -a *Bot.*
-aceous -ic -ine -ous
sporiferous *Bot.*
sporophyte *Bot.*
stemma
-id(ae -oid
sterigmatic *Bot.*
sticta *Ent.*
stigm *Geom.*
stoma *Helm.*
sulphide *Chem.*
symmetry *Biol.*
syncrasy
thecal *Bot.*
theism -eite *Theol.*
thian(e thio- *Chem.*
thionic -ate *Chem.*
toma *Ent.*
top *Math.*
tri(a)contane *Chem.*
trichomonas *Prot.*
triploid *Cytol.*
vaccine *Bact.*
valent *Chem.*
-ence -ency
zomal *Geom.*
zooid *Biol.*
zygopleura *Biol.*
τετράβραχυς (Schol. Ar.)
tetrabrach(ys *Pros.*
τετραγαμιά (Theoph.)
tetragamy *Sociol.*
τετράγναθος with four paws
tetragnath(ian *Arach.*
τετραγράμματον (Clem. Al.)
Tetragrammaton
-ical -onic
τετράγραμμον (Eus.)
tetragram *Geom. Philol.*

τετραγωνία (Theophr.)
Tetragonia *Bot.*
τετραγωνισμός quadrature
tetragonism
tetragonist(ic(al
τετραγωνο- Comb. of τετράγωνος
tetragono-
derus *Ent.*
pterus -inae *Ich.*
schema *Ent.*
τετράγωνον (Plato)
tetragon *Astrol. Fort. Geom.*
tetragonel *Her.*
τετράγωνος square
tetragonal(ly ness *Astrol. Bot. Crystal. Geom. Her. Zool.*
-tetragonal *Crystal.*
di holo peri pseudo
tetragonites *Zool.*
Tetragonops *Ornith.*
tetragonous *Bot.*
tetragonum -us *Anat.*
Tetragonurus *Ich.*
-id(ae -oid
tetragophosphite *Min.*
τετραδ- Stem of τετράς four
tetrad(ic *Biol. Chem. Math. Music*
tetradogenesis *Bot.*
tetradsporangium
τετραδάκτυλος four-toed
tetradactyl
e ity ous y
τετραδαρχία = τετραρχία
tetradarchy
τετραδεῖον a quaternion
tetradium *Coral*
τετράδιον = τετραδεῖον
Tetradia *Ent.*
Τετραδῖται (Const.)
tetradite *Eccl. Hist.*
τετράδραχμον
tetradrachm *Coins*
a al on
τετράδυμος fourfold
tetradymite *Min.*
tetradymous *Bot.*
τετράεδρον (Theol.)
icositetrahedroid *Crystal.*
tetraedron
tetrahedron -oid
-tetrahedron
hex(a) hexacis icosi tetrakis tris
τετράεδρος (Theol.)
tetraedral
tetrahedral(ly
-ic(al -id -ite
-tetrahedral
di hex(a) hexacis sphero tetrakis tris
τετραετηρίς a period of four years
tetraeteris -id
τετρακαιδεκα- fourteen
tetrakaidekahedron
τετράκερως four-horned
tetracerous *Zooph.*
-ata -atous
τετράκις four times
tetractomy *Theol.*
tetrakis- *Chem.*
azo-
dodecahedron *Crystal.*
hexahedron *Crystal.*
tetrahedron
τετρακότυλος (Theophil.)
tetracotyl(ean *Biol.*

τετρακτύς ten as the sum of the first four numbers
Tetractocrinus *Pal.*
tetractys(m *Phil.*
τετράκωλον (Herodian)
tetracolon -ic *Pros.*
τετραλογία (Arist.)
tetralogy -ic(al *Gr. Drama*
τετραμερής quadripartite
pseudotetrameral
Tetramera *Ent. Pal.*
-tetramera *Ent.*
Pseudo Sub
tetrameral
tetramerale *Spong.*
Tetrameralia(n *Zooph.*
tetrameric *Biol. Med.*
tetramerism -ous *Bot.*
tetrameristelic *Bot.*
-tetramerous *Ent.*
crypto pseudo sub
τετράμετρον (Arist.)
tetrameter *Pros.*
τετράμορφος (Eur.)
tetramorph(ic *Art.*
tetramorphic *Nat. Hist.*
tetramorphism -ous
τετραπλᾶ (Origen)
tetrapla *Bible*
τετράπλευρον (Arist.)
Terebellum *Astron.*
tetrapleura -al *Biol.*
tetrapleuron *Arch.*
τετραπλόος fourfold
tetraplocaulous *Bot.*
tetraploid(y *Biol.*
tetraplous
τετράποδα (Herodotus)
tetrapod
Tetrapoda *Ent.*
tetrapodichnite(s *Geol.*
tetrapodology
τετραποδια (Heph.)
tetrapody -ic *Pros.*
τετράποδος = τετράπους (Polyb.)
tetrapodous
τετράπολις of four cities
tetrapolis -itan
τετράπους four-footed
tetrapous
tetrapus *Terat.*
τετράπτερος (Arist.)
tetrapter(a(n ous *Ent.*
tetrapter *Ich.*
tetrapterous *Bot.*
τετράπτυχος four-fold
tetraptych *Art*
τετράπτωτος of four cases
tetraptote *Gram.*
τετράπυλον (C.I.)
tetrapylon *Arch.*
τετράρχης (Strabo)
tetrarch(ate *Gr. Govt.*
-tetrarch *Bot.*
epi hypo
τετραρχία (Euripides)
tetrarchy
τετραρχικός (Strabo)
tetrarchic(al
τετράσημος (Drac.)
tetraseme -ic *Pros.*
τετρασκελής four-legged
tetrascelus *Terat.*
tetraskele -ian
tetraskeles *Numism.*
τετράστιχον in four rows
tetrastich *Pros.*
al ic ism
τετραστιχός
tetrastichiasis *Anat.*
tetrastichous *Bot. Zool.*

τετράστοον antechamber
tetrastoon *Arch.*
τετράστυλος (Vitruv.)
tetrastyle *Arch.*
-ic -ous
τετρασύλλαβος (Drac.)
tetrasyllabic(al
tetrasyllable
τετράτονον (Mus. Vett.)
tetratone -on *Music*
τετραφαλαγγαρχία (Arr.)
tetraphalangarchia
τετραφάρμακον (Philo)
tetrapharmacon *Mat.*
-al -um
τέτραχα in four parts
Rhizotetrachis *Pal.*
tetrachocarpium *Bot.*
tetrachotomy -ous *Bot.*
τετράχειρ four-handed
tetrachirus *Terat.*
τετράχορδον (Arist.)
tetrachord *Music*
al on
τετράχρονος (Longinus)
tetrachronous *Pros.*
τετραῴδιον a canon (Theoph.)
tetraodion *Gr. Ch.*
τετράων pheasant; grouse
Tetrao *Ornith.*
-onid(ae -oninae onin(e -onoid
Tetraononomorphae
Tetraonychus -idae
Tetraoperdix *Ornith.*
tetraophasis *Ornith.*
τετρώβολον (Aristophanes)
tetrobol(on *Gr. Coins*
τεττιγονία (Arist.)
Tettigonia *Ent.*
-ian -iid(ae
τέττιξ grasshopper; a golden cicada
tettix *Ent. Gr. Dress*
τευθίς a cuttlefish
Architeuthis *Cephal.*
Ascoteuthis *Malac.*
Belemnoteuthis -idae
Chiroteuthoides
Cirroteuthis *Ich.*
-id(ae -oid
Enoptroteuthis *Malac.*
-teuthidae *Pal.*
Cylindro Oxy Pachy Palaeo Poly
-teuthis *Conch.*
-id(ae -oid
Chiro Desmo Enoplo Onycho Thysano
-teuthis *Pal.*
Acantho Acro Acruro Aulaco Coelo Cuspi Dactylo Geo Holco Homalo Mega Mucro Oxy Palaeo Xipho
Teuthis *Ich.*
-idid(ae -idoid(ea(n
teuthology -ist
Teuthophrys *Prot.*
Teuthredella *Pal.*
Teuthredinites *Pal.*
τεύκριον (Diosc.)
teucrin *Org. Chem.*
Teucrium *Bot.*
Τευκρίς of Teucer (Aesch.)
Teucrian
τεῦτλον the beet
teutlose *Chem.*
τευχο- Comb. of τεῦχος
Teuchomerus *Ent.*

τεῦχος a vessel; book
Heptateuch *Bible*
Hexateuch(al *Bible*
Lamproteucha *Ent.*
τέφρα ashes (Iliad)
tephramancy
τεφραῖος = τεφρός
Tephraea *Ent.*
τεφρο- Comb. of τεφρός
hydrotephroite *Min.*
tephro-
chlaena *Ent.*
coma *Ent.*
cyon *Pal.*
ite *Min.*
malacia *Med.*
mancy mantia
myelitis *Path.*
τεφρός ash-colored
leucotephrite *Min.*
Plastotephritis *Ent.*
Tephreus *Bot.*
tephrite -ic -oid *Min.*
tephrosal -in *Org. Chem.*
Tephrosia -ius *Bot.*
tephrylometer *Med. App.*
τεφρώδης like ashes
Tephrodornis
τέφρωσις cineration
tephrosis *Mortician*
τέχνη an art, craft (Arist.)
Idiotechna *Ent.*
pantechnetheca
pyrotechnite *Min.*
techniphone
technism
-τεχνία as in πολυτεχνία
agrotechny *Agric.*
atechny
halotechny -ic
heptatechnist *Obs.*
hydrotechny
logarithmotechny
mat(a)eotechny
metallotechny
mnemotechny
odontotechny *Dent.*
onomatechny
phytotechny
psychrotechny
pyrotechny
-ian -ist
siderotechny *Metal.*
theotechny
-al -ic -ist
thymia(sio)techny
zootechny *Anthrop.*
zymotechny
τεχνικόν Neut. of τεχνικός
pantechnicon
technicon
τεχνικός artistic; systematic; technical (Plato)
aerotechnical
atechnic(al
chemicotechnical
electrotechnic(al
hydrotechnic(al
iatrotechnique *Med.*
intechnicality
mnemotechnic
microtechnic -ique
monotechnic
nomotechnic
palaeotechnic
pantechnic
phytotechnic
psychotechnical
pyrotechnic
al(ly ian
technic
ian ism ist s

technical
ism ist ity ize ly ness
technico-
logy -ical
philist
-technics
balneo callo chreo electro ethno galvano hydro iatro mnemo opto psycho pyro zoo zymo
technique
tonotechnic
untechnical(ly
zootechnic(al
zymotechnic(al
τεχνίτης an artisan
Technites *Ent.*
τεχνο- Comb. of τέχνη
techno-
causis *Med.*
chemical
geography -er
lithic *Anthrop.*
logue
mechanic
nomy -ic
τεχνογράφος writing on art
ethnotechnography
technographer -ic -y
τεκνοκτονία infanticide
tecnoctonia
τεχνολογία systematic treatment, orig. of grammar (Plutarch)
technology -ic(al -ist
-technology
electro hydro radio zymo
τζυκάνιον a game like golf
chicane
-er -ery
τήθυον (Arist.)
Tethyae -ydes *Ascid.*
Tethyonidea *Ascid.*
Τηθύς Wife of Oceanus
Tethya *Spong.*
-yid(ae -yoid
Tethys *Astron. Myth.*
Tethys *Conch.*
-yid(ae -yoid
τήκειν to cause wasting
hyalotechite *Min.*
lutec- *Min.*
ine ite
melanotekite *Min.*
tac(*or* k)osis *Vet.*
tec(*or* k)oretin *Chem.*
tecosis *Vet.*
τηκόλιθος (Paul. Aeg.)
tecolithus *Med.*
τηκτικός able to dissolve
-tectic *Phys. Chem.*
hyper peri
τηκτός molten; soluble
tectite *Geol. Min.*
tektonosphaere *Pal.*
τηλ- Comb. of τῆλε
tel-
acoustic *Psychics*
(a)esthesia *Psychics*
aesthetic
autogram
autograph(y
-ic -ist
automatics
ectrograph
ectroscope -y *Phys.*
electric *Elec.*
electro-
cardiogram *Med.*
graph
scope
energy -ic *Psychics*
engiscope

tel- Cont'd
entogonidium
entospore
ergy -ic(al(ly *Psychics*
erpeton *Herp.*
-idae -oid
erythrin
harmonium -y *Elec.*
iconograph
lograph(ic
optic *Psychics*
osmic
pher
-age -man -way
τηλαυγής far-shining
Telaugis *Ent.*
τηλε- Comb. of τῆλε to or at a distance
phonotelemeter
phototelephony
radiotelegram
radiotelephony
stereotelemeter
tele-
anemograph *Meteor.*
autogram
autograph
barograph
barometer
bolites *Org. Chem.*
cardiogram *Med. App.*
cardiography *Med.*
centric *Optics*
chirograph
cinesia *Ps. Phys.*
cryptograph
dactyl
diastolic *Physiol.*
dynamic
focal
gnathus *Pal.*
gram
ese m(at)ic
graph(er -ese
gra(pho)phone
graphoscope
graphy -ic(al(ly -ist
hydrobarometer
iconograph
kin *Elec.*
kinesis *Psych.*
kinetic
lograph
logue
manometer
mechanic(s
mechanism
metacarpal
meteorograph(y -ic
meter
metro-
graph(y -ic
metry -ic(al -ist
microscope
mitosis *Bot.*
mnemonike *Psychics*
motor *Mech.*
negative *Photog.*
neuron -ite *Neurol.*
objective *Photog.*
otherapeutics
path(y *Psychics*
-ic(ally -ist -ize
pathetic *Psychics*
pheme
phone
-er -ic(al(ly -ist -y
phonograph(y -ic
pnonus *Ornith.*
phorus *Ent.*
-idae -inae
phote -al -ic -y
photo
photograph(er
photography -ic
photoscopy

tele- Cont'd
plastic *Phil.*
polariscope
positive *Optics*
post
radiography
radiophone
rontgenographic
scribe *Elec.*
scriptor
seism(ic *Seismol.*
seme *Elec.*
somatic *Psychics*
spectroscope
stereo-
graph(y
scope
syphilis *Path.*
systolic *Physiol.*
therapy *Ther.*
thermo-
gram graph
meter metry
topometer
type -ic
typograph
vision
write(r
-telegraph
auto magneto pan photo radio re typo
-telegraphic
photo radio uni
-telegraphy
electro pan photo radio steno typo
-telephone
magneto micro mono pan photo radio thermo
-telephonic
micro mono pan
τηλεβόλος far-striking
Telebolus *Ent.*
τηλέγονος born afar
telegonic -ous -y *Biol.*
τηλεδαπός from afar
Teledopus *Ent.*
τηλεσκόπος far-seeing
phototelescope -ic
spectrotelescope
stereotelescope
telescope
-ic(al(ly -iform -ist -y
Telescopium *Astron.*
telesmeter
water-telescope
τηλεφανής conspicuous
Telephanus *Ent.*
τηλέφιλον love-in-absence
Telephila *Ent.*
τηλέφιον a sedum (Hipp.)
Telephium *Bot.*
τηλία a rimmed table
Placotelia *Pal.*
τηλο- Comb. of τηλοῦ = τῆλε
telo-
dynamic *Mech.*
meter
τηλουρός distant
Telura *Ent.*
τηλωπός seen from afar
Telopes *Ent.*
τῆξις a dissolving
hemotexis *Path.*
-τηρ Masc. agent suffix, as in σωτήρ
Deleaster *Ent.*
-eurynter *Surg. App.*
colp hyster metr proct rhin urethr
metranoikter

τηρεῖν to hold
aerteriversion *Surg.*
arteriverter *Surg. App.*
-τηριον Suffix of place from nouns in -τηρ, later -της, as in μοναστήριον, κοσμητήριον
-teria (Doubtful)
accoma boba cafe groce dresse radio
osme(*or* a)terium *Ent.*
sericterium -y *Ent.*
thermoterion
τιάρα Persian head-dress
tiar(a -(a)ed
Tiarechinus *Mam.*
Tiarella *Bot.*
Τίγγις Tingis (Strabo)
-tingis *Ent.*
Calo Neo Nycto Xeno
τίγρις (Arist.)
tiger
antic ette hood ish(ly ishness ism kin ling ly ness ocious y
tigress
Tigridia *Bot.*
tigrin(e
tigrology *Zool.*
tigrone *Zool.*
τιγροειδής (Dion. C.)
tigroid *Med.*
tygro- *Path.*
lysis lytic
(τί)θη(μι) place, put
synthease *Org. Chem.*
τιθύμαλος a spurge (Diosc.)
tithymal *Herb.*
Τιθωνός Bro. of Priam
Tithonian *Geol.*
tithonic(ity *Optics*
-ized -ization
tithono-
graph(y -ic -ist *Photog.*
meter type *Photog.*
τίκτειν to engender
tictology *Obstet.*
τίλλειν to pull
glossotilt *Med. App.*
Phyllotillon *Pal.*
Tillicera *Ent.*
tillodont(a *Mam.*
ia idae
Tillus *Ent.*
τιλλο- Comb. of τίλλειν
peotillomania *Med.*
tillo-
morpha *Ent.*
therium *Mam.*
-iid(ae -ioid
trichotil(l)omania
τίλμα = σπασμός (Galen)
tilma *Med.*
τιλμός hair-plucking (Hipp.)
tilmus *Med.*
τιλός down, flock, fibre
chrysotile *Min.*
rhodotilite *Min.*
sideroti(*or* y)l *Min.*
Trachytila *Pal.*
uranotil(e *Min.*
xylotil(e *Min.*
τῖλος a thin stool (Poll.)
tiglic *Chem.*
-ate -ine -inic
τίλτος shredded
Mniotilta *Ornith.*
-eae -id(ae -ine -oid
τιμ- Comb. of τιμή
Timaspis *Ent.*

τιμαρχία = τιμοκρατία
Timarcha -omela *Ent.*
timarchy
τιμή honor; worth
xenotime -ite *Min.*
τίμιος honored; prized
Timiobius *Arach.*
Τιμόθεος Timotheus
timothy
τιμοκρατία (Plato) (Arist.)
timocracy
τιμοκρατικός (Plato)
timocratic(al
Τίμων Timon (Ar.)
Timonian
-ism -ist -ize
τιμωρός avenging
Timorechinidae *Pal.*
timoro-
cidaris *Pal.*
crinus *Pal.*
phyllum *Pal.*
Timorus *Ent.*
Τισιφόνη one of the Erinyes, the avenger of blood
Tisiphone *Ent. Herp. Myth.*
τιταίνειν to stretch, strain
Titaena *Ent.*
Τιτάν
Titan *Astron. Myth.*
titan *Geol. Myth.*
esque ess ian ism
Titanichthys *Zool.*
Titanites & -oides *Pal.*
Τιτᾶνες Pl. of Τιτάν
ferrotitanium *Chem.*
picrotitanite *Min.*
titan(ium *Chem.*
ate ation ian ic ico iferous ous
titan-
augite *Min.*
biotite *Min.*
eisenglimmer *Min.*
hydroclinohumite
icohydric *Chem.*
ioferrite *Min.*
ious *Min.*
ite -ic *Min.*
melanite *Min.*
ox Paints (T.N.)
oxide *Chem.*
yl *Chem.*
-titanate *Chem.*
columbi(tantalo) ferro fluo hydro meta
-titanic *Chem.*
ferro fluo meta peri xantho
-titanite *Min.*
picro yttro
titano- *Chem. & Min.*
cyanide ferrite fluorid(e livine magnetite morphite silicate
Τιτανο- Comb. of Τιτάν
Protitanotherium *Pal.*
titano-
baris *Ent.*
later latry
lepas *Pal.*
mys *Pal.*
saur(us *Pal.*
there -ium *Pal.*
-ian -iid(ae -iinae -iin(e -ioid
theriomys *Pal.*
Τιτανικός (Plato)
titanic(al(ly
Τιτανομαχία (Diod.)
titanomachy *Myth.*

τίτανος (Arist.)
titanos *Alch.*
Τίτυρος Doric for σάτυρος
Tityre -tu
Tityrus *Myth.*
τίτυρος (Heysch.)
Tityra *Ornith.*
-inae -in(e
τίφη ?water-spider
Archaeotiphe *Pal.*
Tiphia *Ent.*
τῖφος a pool
tiphad -ium *Phytogeog.*
tipho- *Phytogeog.*
philus phyto
Τληπόλεμος Son of Hercules
Tlepolemus *Ent.*
τμῆμα a section, piece
tmema
-tmema *Bot.*
brachy diplo dolicho
τμῆσις a cutting
diatmesis *Biol.*
Tmesidera *Ent.*
Tmesiphorus *Ent.*
tmesis *Gram. Rhet.*
Tmesisternus *Ent.*
Tmesorrhinus *Ent.*
τμητικός cutting
tmetic *Med.*
τμητός cut
Rhinotmetus *Ent.*
τοιχογραφία (Aretae.)
toichography
τοῖχος a wall; side
Cylicotoichus *Helm.*
-τοκεια Fr. τόκος as in αἰνοτοκεία, δυστοκία
amphitoky *Biol.*
-al -ous
ampho(tero)toky *Emb.*
deuterotocia *Biol.*
deuterotoky -ous *Zool.*
distoc(*or* k)ia *Gynec.*
dysaponotocy *Obstet.*
hysterotomatokia *Surg.*
-tocia *Obstet.*
brady embryo mogi prosopo tomo xero
τοκο- Comb. of τόκος
toco-
dynamometer
genetic *Biol.*
gony *Biol.*
graph *Med. App.*
logy -ical -ist *Obstet.*
mania
meter *Med. App.*
tokocyte *Spong.*
τόκος child(birth)
Branchiotoca *Zool.*
Embiotoca *Ich.*
-id(ae -inae -ine -oid
epitoc(*or* k)e -al *Helm.*
gonotokont *Cytol.*
Gymnotoc(*or* k)a -ous
Pneumotoka -ous
Skenotoca *Hydrozoa*
Stelechotocea(n
Stenotoka -ous *Zooph.*
Taeniotoca *Ich.*
tocanalgin *Mat. Med.*
tocosin *Mat. Med.*
tocus *Gynec.*
τολυπεύειν to wind off
Tolypeutes *Mam.*
-inae -in(e
τολύπη a ball, esp. of wool
?Tolyphus *Ent.*
tolypite *Min.*

tolypo-
sporium *Fungi*
thrix *Bot.*
trichetum *Bot.*
τομάριον Dim. of τόμος
Pleurotomaria *Conch.*
-iid(ae -ioid

Τόμαρος Mt. Tmarus
Tomarus *Ent.*

τομή a cutting; section
coretomedialysis *Surg.*
hemitomus *Bot.*
Ichthyotomi -ous *Pal.*
Ischyrotomus *Pal.*
Isotoma *Ent.*
isotomic -ous *Biol.*
Leptotomus *Pal.*
Neotoma -e *Mam.*
Pachytomella *Eng.*
pentatom- *Ent.*
-inae -ine -oidea(n
Phytotoma *Ornith.*
-id(ae -oid
phytotomous *Ent.*
Pleurotoma *Conch.*
-id(ae -inae -ine -oid
Pomatomus *Ich.*
-id(ae -oid
Pyramitoma *Pal.*
Rachitomi *Herp.*
Rhachitomi -ous *Pal.*
somatomic *Biol.*
Sternotomis *Ent.*
-toma *Ent.*
Cleido Deca Dodeca Ellipo Eury Hadro Iso Mono Penta Plagio Tetra Tria Tricteno Trigono Triplo
-tome *Biol. Bot. Embryol.*
angio bio derma geo iso mono opistho protero soma
tomi-
ange *Bot.*
parous *Biol.*
stoma -idae *Pal.*
tomiange *Bot.*
-tomid(ae -oid *Ent.*
eury mono penta tricteno
tomie(s *Bot.*
tomiogone *Bot.*
-tomus *Ent.*
Di Hendeca Phalacra Phlebo Piesto Sticho Tricteno
Trochotoma *Gastrop.*

-τομία Fr. τόμος as in λιθοτομία
androtomy *Anat.*
anthropotomy *Anat.*
-ical -ist
autotomy *Biol.*
-ic -ize -ous
herpetotomy -ist *Zool.*
hippotomy
-ical -ist
malacotomy *Zool.*
-ic -ist
merotomy *Histol.*
microtomy
-ic(al -ist
morphotomy *Biol.*
ornithotomy
-ical(ly -ist
papyrotomia
phytotomy -ic -ist *Histol.*
plasmotomy *Cytol.*
pleiotomy *Bot.*
pogonotomy
polychotomy -ous *Zool.*
polytomy *Biol. Logic*
pulpotomy *Dent.*
radicotomy *Neurol.*
stereotomy *Geom.*
-ic(al(ly -ist
tenotomania *Surg.*
tetrachotomy -ous *Bot.*
tetractomy *Theol.*
-tomy *Surg.*
achillo(teno) adeno aedoeo aeroporo albugineo alveolo amydalo aneurysmo angio(neuro) ankylo antro aorto antro apic(e)o aplo aponeuro appendico arthro attico(antro) bdello bio bipubio blasto(mero) blepharo-(sphinctero) brachio broncho c(a)esaro cantho caps(ul)o cardio ceco celio(colpo elytro entero gastro hystero myomo salpingo) cephalo cerato cheilo cholangio cholecysto-(colo) choledocho chondro cicatrico cili-(ar)o ciono cirso clavico cleido clitor(id)o coarcto coelio coleo colo(pexo recto) colpo-(celio cysto hystero my(om)o steno uretero(cysto) condylo core(*or* o) costo crani-amphi cranio crico-(tracheo thyreo) cycl(ic)o cystico cystidolaparo cystidotrachelo cystifell(e)o cysti dacryo(syringo) dermo desmo dido duodeno-(cholecysto choledocho) echinococco ectopo elytro embryo encephalo entero(cholecysto) entomo epicysto epididymo episio (o)esophago etro eviscero fallo fascio feli fibromyo freno gasterhystero gastro(colo colpo elytro entero hystero metro salpingo trachelo tubo) glosso gonarthro heb(oste)o helo hemicranio hepatico-(docho) hepato hernio-(entero) histo holo hydro(dictio) hymeno hyospondylo hyovertebra hypocysto hypoderma hyposcheo hystero(cervico laparo myo (o)vario stoma-(to) tracheolo) ichthyo ileo(colo) iliocolo irido(sclero) iri(*or* o) ischiohebo ischiopubo jejuno kelo kerato kio lacrimo laparo(cholecysto colo colpo(hystero) cyst(id)o elytro entero gastro hepato hystero ileo kelypho myomo nephro salpingo(oophoro) spleno trachelo typho utero) laryngotracheo lithocysto lithonephro loxo lumbocolo lymph(angi)o malleo mammo mast(oid)o meato mediastino metra(*or* o) myomo myoten(ont)o myo myringo necro nephro neuro nympho oario oesophago omen-
-tomy Cont'd
to onco oophoro ootheca(*or* o) ophthalmo-(myo) orbito orcheo orchido orthoarterio ossiculo osteo oste(o)-arthro oto ovario pancreaticogastro pancrea(to) parovario pelvi(o) pericard(i)o perineo periost(e)o peritoneo pharyngo phlebophthalmo phrenico pleuro plico pneum(on)o poro posthe procto(cysto valveo) prosta prostato(cysto) pubertro pubio pyelo rachi(o) recto(cysto) rhacio rumeno sacro salpingo(ovario stoma) scleriri scleritico sclero sclerotico septo sequestro somato spermato sphinctero sphyro splanchno spleno-(laparo) spondylo staphylo stero stoma(to) strabo stricturo symphysio synchondr(oste)o syndesmo synech(tenter)o synosteo syringo tachy(o) tarso tendo teno tenonto-(myo) therio thermotracheo thoraco(broncho) thureo thyreoido thyro(chondro crico thyroidio tonsillo trachelo tracheo(laryngo) transthoraco turbino tympano typhlo ule uretero urethro utero uvula(*or* o) vagino vago varico vaso ventro vesico vesiculo vestibulo valv(ul)o
trichotomy
-ic -ism -ist -ize -ous(ly
xiphopagotomy *Terat.*
xylotomy
-ic -ist -ous
zootomy
-ic(al(ly -ist

τομικός of or for cutting
anautotomic
coorthotomic *Math.*
ovariotomics *Surg.*
tessaratomic
tomice *Art*
Tomicosaurus *Pal.*
Tomicus *Ent.*

τομο- Comb. of τομός
hysterotomotokia
osteotomoclasis -ia
tomo-
branchia *Zool.*
cephalus *Ent.*
derus *Ent.*
glossa *Ent.*
gnathus *Pal.*
mania
pteris *Helm.*
-id(ae -oid
pterus *Ent.*
tocia *Obstet.*

-τομον Fr. τόμος as in λιθοτόμον
ankylotomus *Surg. App.*
farinatome
geotome *Bot. App.*
iridectome *Ophth.*
microtome
-tome *Surg. App.*
adeno(ma) amnio
adeno(ma) amnio
-tome Cont'd
amygdalo ankylo antro aponeuro arterio arthro atrio broncho capsulo cephalo cera-(to) chondro cibiso ciono celec corec cirso concho costo cranio cyclo cysti dacryocysti(*or* o) derma(to) ecchondro electro embryo en encephalo esophago (o)esopho fistula gastro gono-(nephro) greffo helo hernio histo hymeno hystero irido kera(to) kibisi kio labi lacrimo laparo laryngo lympha(*or* o) meato metra metro(urethro) myelo myo myringo nephro neur(o) oesophago osteo ovario paristhmio periost(e)o pharyngo polymicro polypo procto(cysto) rachi(o) recto rhachio sarco sclerec sclero strabo strepho symphysio synecho synosteo tena tendo teno thyro tonsill(ec) tracheo turbino urethra(*or* o) utero uvula(*or* o) vagina

-τομος Comb. of τόμος as in λιθοτόμος τρίacrotomous *Min.* τομος
androtomous *Bot.*
axotomous *Crystal.*
ditrichotomous(ly *Bot.*
euotomous
monotomous *Min.*
paratomous *Min.*
peritomous *Min.*
polytomous *Bot. Logic*

τόμος a cut, slice. See τομή, -τομία, τομο-
harmotome *Min.*
-ic -ite
hecatontome *Obs.*
kaliharmotom
metatome *Arch.*
rheotome *Elec.*
stenotomus

τόμος a volume (Diog. L.)
tome
cide ful let

τομός cutting sharp
tomial -ium *Ornith.*
Tomoxia *Ent.*

τοναριον a pitch-pipe
tonarion

-τονια Comb. of τόνος as in μονοτονία ὀπισθοτονία
catatoni(a)c *Ps. Path.*
echophotony *Psych.*
heterotonia
holotonia -ic -y
hypotonus -ic(ity
isotonia -ic(ity *Chem.*
karyotonic *Path.*
katatoniac *Ps. Path.*
polytonia *Music*
sympath(et)icotonic
-tonia *Med.*
acromyo amyo angiohyper angiohypo hemi-(hyper hypo) hyperiso hypermyo hypo(myo) iso karyo kata myo para(myo) sympath(et)ico vago
-tony *Med.*
dys(arterio) hemivago hypo myo neuro vago
vagotonic *Med.*
τονικός (Arist.)
biotonics *Physiol.*
hyperisotonic *Chem.*
myotonicity *Med.*
semitonic(ally *Eloc.*
tonic
al(ly ity ize
-tonic *Bot.*
allasso auxo hyper hypo iso meta thely
-tonic *Med.*
angio aniso anti bio clonico gastrohyper h(a)ema musculo myo neuro utero vaso(hyper hypo)
-tonic *Music*
hetero meso omni poly semi sub super
-tonic *Phon.*
antepre post pre pro semi sub
tonico-
balsamic
clonic *Med.*
stimulant
τονο- Comb. of τόνος
aerotonometric *Med.*
craniotonoscopy *Med.*
ophthalmotonometry
Oxytonocera *Ent.*
sphygmotonograph *Med.*
tono-
bole(s *Bot.*
clonic *Med.*
desmus *Arach.*
gram graph
graphy -ic *Physiol.*
meter metry -ic
mitter
phant
plast *Bot.*
scope *Psych.*
tactic *Bot.*
taxis *Bot.*
technic
tropism *Bot.*
-tonometer
aero microaero myo ophthalmo sphygmo thermo

τόνος strain; tone; mode
acromyotonus *Med.*
acrotonous *Bot.*
Amphiton *Spong.*
anelectrotonus *Med.*
-ic(ally
anticheirotonus *Med.*
atonality *Music*
baroxyton *Music*
basitonus *Bot.*
binotonous *Music*
cardiotonin *Med.*
catelectrotonus *Physiol.*
-ic(ally -ous
chordotonal *Anat.*
demitone
detonize -ation
detune *Radio*
distone
duotone *Photoengr.*
echitone *Mat. Med.*
ecotone *Phytogeog.*
electrotone -ic(ity -ize -ous -us
entone(ment
episthotonus *Path.*
flautone *Music*
foottone *Music*
galvanotonus -ic *Med.*
geotonus -ic *Bot.*
graphotone *Engrav.*

hematone Prop. Rem.
hemicatatonistic Med.
heterotonous(ly Music
intertonic
iodotone -al Mat. Med.
isophytotone -ous
katelectrotonus Bot.
kyphotone Med. App.
lithotony
microtonal Music
multiple-tuned Radio
myotone -us Med.
neurotone Mat. Med.
orthotonos -us -ic Path.
paramyotone -us Path.
pentatone -ic Music
phorotone
phototonus -ic Bot.
pleur(oth)otonus -ic
politonality Music
polytone Music
pretone Philol.
Proochotona Pal.
scoliotone Med. App.
semitone Music
septonate Music
sesquitone Music
stodtone Phon.
subsemitone Music
thermotonus Bot.
ton
tonal(ity -ist -ly
tonaphasia Psych.
tone -ed -er -ist -less(ness
-tone -τονον as in δίτονον
tonesis Bot.
toninervin Mat. Med.
triotonol Mat. Med.
trophotonus Bact.
tune -er -ist some
tun(e)able(ness -ably
tuneful(ly -ness
tuneless(ly -ness
undertune
untunable(ness -ably
untune(d
untuneful(ly -ness
untonality
untone(d Ling.
uritone
vastonin Mat. Med.

τόνωσις a stretching
tonosis Bot.

τόξαρχης captain of archers
toxarch Gr. Mil.
τοξευτής an archer
Toxeutes Ent.
τοξήρης having a bow
Eutoxeres Ornith.

τοξικόν bow poison
antitoxigen Med.
atoxogen Mat. Med.
atoxyl(ic ate Chem. Med.
autotox- Tox.
aemia ide
chloracetoxim Med.
cinchotoxol -yl Chem.
cytost Biochem.
detoxicate(d Tox.
detoxify -ication Tox.
digitoxigenin Biochem.
digitoxinose Biochem.
dixgenic Org. Chem.
ectotoxemia Tox.
epitheliotoxization Cytol.
epitox(on)oid Chem.
galactotoxismus Tox.
gitotoxigenin Org. Chem.
ichthyotoxim Tox.
intoxicable
intoxicant
-intoxicant auto

intoxicate
-ed(ly -edness -ingly
-ion -ive -or
-intoxication
auto dis endo hetero
noso self thyro
iodoatoxyl Mat. Med.
mycotoxin(iz)ation Med.
neurotoxia Neurol.
neurotoxical Tox.
nosotoxosis Tox.
ostreotoxismus Tox.
picrotoxia -id(e Chem.
picrotoxinic Chem.
-in(e -ism
prototox(e)oid Tox.
protoxogenin Biochem.
pyotoxinemia Path.
quinot- Org. Chem.
icine idine in(on)e
rubatoxan Org. Chem.
(supra)syntoxoid Tox.
thermotoxy Phytopath.
tox-
(a)emia -ic Path.
albumic Med.
albumin -ose Chem.
amin(e Biochem.
an(a)emia Path.
ascaris Helm.
enzym(e Tox.
idium Ent.
ifera Gastrop.
odon(t(a -ia Mam.
-id(ae -oid
-toxemia Path.
auto coli ecto gono
hepato lymph(oid)o
ophio radio
toxi-
campsa -idae
cide Med.
derma -ic -itis Path.
ferous Physiol.
gene Geol.
genone Org. Chem.
gnomic
haemia Path.
infection -ious
meter Chem. Anal.
mucin Tox.
peptone Tox.
phagus
phobia -iac
phoric
tabellae Pharm.
therapy
tuberculid Med.
-toxic Biochem. Med.
a acaro ana anti auto
bacterio cardio cellulo
chromo cyto ecto endo
exo gastro h(a)ema(to)
hepato hetero hyper
ichthyo iso leuc(or k)o
nephro neuro noso picro spermo thymo thyr(e)o uro xantho zymo
toxic
al(ly ant ate ation ity
toxic(a)emia Path.
-toxication Tox.
auto de entero
-toxicity
auto hyper hypo leuko
noso uro
toxico-
dendric -ol Org. Chem.
dendrum -on Bot.
genic Med.
h(a)emia -ic Path.
hemy Path.
id
logy -ical(ly -ist
maine Path.
mania
mucin Tox.

toxico- Cont'd
pathy -ic Path.
phagy -ous Path.
phis -idia Herp.
phobia
phylaxin Med.
sis Path.
sozin Biochem.
traumatic
-toxicon
crea galacto ichthyo
kreo mytilo sito tyro
-toxicosis Tox.
auto endo thyro
-toxicum
allanto ichthyo vinceto
toxin(e
an ic -icide
toxin-
(a)emia Path.
osis Path.
-toxin Biochem.
acyto allo amanito
ana anaphyla(cto) androme(do) anthropo
anti(anti cyto keno
leuco neuro pneumo
spermo) apo asebo auto(cyto nephro neuro
spermo) bacterio bapti
bio botulismo bromato
bufo chino chryso cicu
cincho contra crotalo
crypto cynancho cyno-
(thyro) cyto deutero
digi diphthero echidno
ecto (o)enantho endo-
(anti thelio) entero
epithelio ergo erysipelo
erythro exo galacto
gastro gi gono grayano
grippo h(a)ema h(a)emo(lymphocyto) haliichthyo hemato hemi
hepato hetero(cyto)
hypno ichthyo immuno infusorio iso-
(cyto nephro) keno
kino koso kreo lacto
leuco leuko(cyto) lieno
lupino lympho(cyto)
malo meno metro myda myelo mytilo necrocyto nephro neuro noso nucleo oinantho
ophio ophthalmo oxy
para pept(in)o phyto
picro placentocyto
pneumo podophyllo
prostato proteo proto
pseudo pyro sapo sarcosporadio scilli(or o)
secalin sero sito spasmo sperma sperm(at)o
sphacelo spleno staphylo(hema) strepto
sucholo suplago sus(o)
syncyt(i)o syphi t(a)enio tetano tetrodo
thermo thymo thyr(e)o(anti) tito tricho
trito tuberculo tubo
typho tyro urechi uro
vince xantho zoo
-toxine Biochem.
anti bapti chryso cincho digi ergo myda
mytilo pept(in)o scilli(or o) spasmo tetano
trito typho tyro
toxis Med.
-toxis Med.
anaphyla auto h(a)emo hetero
-toxism Tox.
bromato crea creo entero galacto ichthyo

-toxism Cont'd
kreo mytilo ptomaino
sito tyro zootropho
toxo-
alexin Bact.
genin Biochem.
globulin Tox.
inan Chem.
infection Med.
lecithid -in Tox.
mucin Bact.
pept- Biochem.
-ide -ine -one
pexic Med.
phil(ous Chem.
phore -ic -ous Chem.
phylaxin Chem.
protein Biochem.
sozin Org. Chem.
toxon Biochem.
toxonoid -osis Path.
toxynon Mat. Med.
tuberculotoxoidin
ultratoxon Tox.
urotoxia -y Tox.
τοξικός of or for the bow
Toxicum Ent.
τοξο- Comb. of τόξον
Neotoxoscelus Ent.
toxo-
campa Ent.
-id(ae -oid
cara Helm.
chelys Pal.
glossa -ate Conch.
logy
nema Prot.
notus Ent.
plasma Prot.
prion Pal.
rrhinus Ent.
τόξον a bow
embryotoxon Ophth.
gerontoxon Anat.
Macrotoxus Pal.
toxaspire -al Spong.
toxius Spong.
toxon Spong.
Toxylon Bot.
τοξότης a bowman
Toxotes Ich.
-id -idae -oid
Toxotus Ent.
τοπ- Comb. of τόπος
top-
(a)esthesia Physiol.
algia Med.
onym Anat. Biol.
al ic(al ist
onymy Anat. Philol.
τοπάζιον (Pliny)
topazion
τόπαζος yellow topaz
pseudotopaz Min.
topaz(ine -y
Topaza -ine Ornith.
topazolite Min.
τοπάρχης (Sept.)
toparch(ical Pol.
τοπαρχία (Sept.)
toparchy -ia
τόπια Pl. dim. of τόπος
topia Rom. Ant.
-iaria(n -iarist -iarius
-iary
-τοπία Fr. τόπος as in ἀτοπία
dystopy -ia -ic Med.
heterotopy -ia Anat. Biol. Path.
-ic -ism -ous
holotopy
homoeotopy Rhet.
homotopy -ic
idiotopy Biol.

isotopy -ic -ism Chem.
pseudoheterotopia Med.
pseudoisotopy Chem.
skele(to)topy Anat.
syntopy Biol.
τοπικά (Arist.)
topica Med.
topics Log. Rhet.
τοπικός (Arist.)
polytopical Rhet.
topic
al(ly ality
τοπο- Comb. of τόπος
atopognosis or -ia
ditopogamy Bot.
teletopometer
topo-
algia Med.
anesthesia Med.
chemical Phys. Chem.
chemotactic Bot.
chemotaxis Bot.
gnosis Psych.
graph
latry
logy -ic(al(ly -ist
morph Biol.
narcosis Med.
neura(l Zooph.
neurosis Path.
phobia
phone
phototaxis Bot.
phylaxis Med.
politan Biol.
scopus Ent.
tactic Bot.
taxis Bot.
thermesthesiometer
tropism Bot.
tropy Chem. Crystal.
type -ic(al Biol.
τοπογραφία (Proclus)
craniotopography
phototopography -ic(al(ly
selenotopography -ic(al
topographometric
topography
-ist -ize
τοπογραφικός (Eust.)
medicotopographical
phytotopographical
topographic(al(ly -ics
topographico-mythical
τοπογράφος (Diod.)
topographer
τόπος a place
anatopism Art.
atopic Med.
autotopnosia Ps. Path.
Cactotopia
Eutopia(n
heterotope Chem.
heterotopic -ism -ous
isotope Chem.
metatopic Bot.
monotopic Bot.
neotopism Biol.
nomotopic Med.
paratopiae Med.
paratopism
polytope -ian Math.
polytopic -ism Biol.
tetratop Math.
Utopia
-iaize -iast -ical -ism
-ist(ic
Utopian
ism ist ize(r
τορδύλιον (Diosc.)
Tordylium Ich.
τόρευμα work in relief
toreumato-
graphy logy

τόρευσις a boring
proctotoreusis *Surg.*
τορευτής worker in relief
toreutes *Arts*
τορευτική (Pliny)
toreutics
τορευτικός (Clem. Al.)
toreutic
τορευτός chased
Eutoreutus *Helm.*

τορητός pierced
Toretocnemus *Pal.*

τόρμος a hole
Odon(to)tormae -ic
tormodont *Ornith.*

τόρνευμα turner's chips
Torneuma *Ent.*
τορνευτής a turner
Torneutes *Ent.*
τορνο- Comb. of τόρνος
Syntornocrinus *Pal.*
torno-
ceratea *Pal.*
dinium *Prot.*
doxa *Ent.*
graphy *Meteor.*
τόρνος tool to make circles
Colpotorna *Ent.*
Eutornus *Ent.*
Tornaria(n *Zool.*
tornhexactine *Spong.*
Tornus -al *Ent.*
τορνωτός rounded
tornote *Spong.*

τορός piercing
Hylotorus *Ent.*
Torosaurus *Pal.*

τορυνη a ladle
Toryna *Ent.*

Τουρκο- Comb. of Τοῦρκοι
Turco-
logist
mania
phil(e ism
phobe -ist
Τοῦρκοι the Turks
Turc(*or* k)ism -ize
Τουρκόπουλοι
turcopole *Hist.*

τραγάκανθα (Theophr.)
tragacanth(a *Gums*
in(e ose *Org. Chem.*
tragasol *Gums*
τραγέλαφος goat-stag
tragelaph *Myth.*
Tragelaphus *Mam.*
-inae -in(e
τραγηματοπώλης (Heysch.)
tragematopolist
τραγίζειν Fr. τράγος
Tragidion *Ent.*

τραγικός (Aristophanes)
melotragic
polytragic
supertragical
tragic(ize ly ness
tragical(ity ly ness
tragi-
catastrophe
comedy -ian -ietta
comic(ity -al(ly
comioperatical
comipastoral
tragicoheroicomic
untragic(al

τράγιον (Arist.)
tragion -ium *Herbs*

τραγίσκος Dim. of τράγος
Tragiscus *Ent.*

τραγο- Comb. of τράγος
Neotragocerus *Pal.*
trago-
cephala *Ent.*
cerus *Ent.*
desmoceras *Malac.*
drama
phonia -y *Med.*
podia *Med.*
soma *Ent.*
τραγομάσχαλος (Ar.)
tragomaschalia *Med.*
τραγόπαν goat-Pan
tragopan *Myth. Ornith.*
τραγόπους goat-footed
Tragopus *Ent.*
τραγοπώγων (Theophr.)
Tragopogon *Bot.*

τράγος a goat
hippotragine -ae *Mam.*
Nanotragulus *Mam.*
oreotragine *Mam.*
pal(a)eotragine -ae *Mam.*
quercetagetol *Org. Chem.*
Tragops *Mam.*
tragule -us *Mam.*
-id(ae -ina(e -ine -oid-(ea(n
tragus *Bot. Zool.*
-tragus *Ent.*
Crato Epi Nemo Phloeo Rhino
-tragus *Mam.*
Eleo Hippo Lopho Neo Neso Oreo
-tragus *Pal.*
Myo Pachy Pseudo

τράγος part of the ear
tragus
-al(ism -icus

τραγῳδία (Aristophanes)
tragedy
-ial -ian(ess -ienne -ietta -ious(ly -ist -ization -ize
-tragedy
comi melo
τραγῳδικός (Aristophanes)
tragedical

Τραλλιανός (Strabo)
Trallian *Art*

τρανής piercing, clear
Tranes *Ent.*
Tranestoma *Crust.*
τρανο- Comb. of τρανής
trano-
peltoides *Ent.*
peltoxenos *Ent.*

τράπεζα (dining) table
trapeza *Gr. Furn.*
Trapezidera *Ent.*
τραπέζιον a small table; trapezium (Arist.)
acromiotrapezius *Anat.*
clavotrapezius *Anat.*
scaphotrapezium *Zool.*
spinitrapezius
subtrapezial *Anat.*
trapeze -ist
trapezian *Crystal.*
trapezium *Geom.*
-ate -et(te -ia -ial -iform
trapezium *Anat. Astron.*
trapezius -ial *Anat.*
τραπεζῖται money-changers
trapezitae
τραπεζο- Comb. of τραπέζιον
trapezo-
hedron -al *Crystal.*
ptera *Ent.*

τραπεζοειδής (Strabo)
subtrapezoidal
trapezoid(al *Crystal.*
trapezoideum *Geom.*
trapezoidiform *Geom.*
τραπεζοφόρον sideboard
trapezophoron *Gr. Ch.*
τραπεζοφόρος table-bearer
trapezophoros *Gr. Ritual*

τραπελός easily turned
Trapelus *Herp.*

τραυλισμός (Hipp.)
traulism

τραῦμα a wound
dystraumia *Med.*
neurotrauma *Med.*
trauma *Med.*
traumasthenia *Med.*
traumatropic -ism *Biol.*
τραυματ- Stem of τραῦμα
traumatol *Mat. Med.*
traumatosis *Path.*
τραυματίζειν to wound
traumatize *Med.*
τραυματικός (Diosc.)
traumatic(ally *Path.*
-traumatic
hystero post toxico
traumaticin *Mat. Med.*
τραυματισμός (Suid.)
hysterotraumatism
traumatism *Path.*
τραυματο- Comb. of τραῦμα
traumato-
cace *Path.*
comium *Med.*
logy
nesis *Surg.*
pathy *Path.*
pn(o)ea *Path.*
pyra *Path.*
saprosis *Path.*
tactic *Bot.*
taxis -y *Bot.*

τράφηξ plank; stake; spear
Traphecocorynus *Ent.*

τραχεῖα Fem. of τραχύς
atracheate -a *Crust.*
Atrachia *Conch.*
Eutracheata *Ent.*
intratracheally
Macrotrachia *Zool.*
pleiotrachea
prototracheate -a *Ent.*
protracheate -a *Ent.*
pseudotracheal *Ent.*
Pterotrachea *Mol.*
-eacea -eidae
pulmotrachea *Arach.*
-earia -eary -eate
sternotracheal(is *Anat.*
trach-
enchyma *Bot.*
itis *Path.*
trache-
agra algia *Path.*
al(is *Anat.*
aria(n *Zool.*
ary *Bot.*
ate -a *Arach.*
id(e al *Bot.*
itis *Path.*
ole -ar *Ent.*
ome *Bot.*
trachea *Anat. Bot. Zool.*
-eal -ean
-trachea *Ent.*
ecto endo pseudo
tracheaectasy *Med.*
-tracheal *Anat.*
broncho crico extra in-

-tracheal Cont'd
fra intra laryngo retro sterno
-tracheal *Bot.*
meta para peri schizo
-tracheitis *Path.*
endo laryngo
tracheo-
aerocele *Med.*
branchia *Ent.*
bronichial *Anat.*
bronchitis *Path.*
bronchoscopy *Med.*
cele *Path.*
esophageal *Anat.*
fistulization *Med.*
laryngeal *Anat.*
-otomy *Surg.*
oesophageal
pathia -y *Path.*
pexy *Surg.*
pharyngeal *Anat.*
phone *Ornith.*
-ae -es -in(e -ous
phonesis *Med.*
phony *Med.*
phyma *Path.*
plasty *Surg.*
pyosis *Path.*
pyra *Path.*
rrhagia *Med.*
schisis *Path.*
scopic -ist *Med.*
stenosis *Path.*
stomy *Surg.*
tome *Surg. App.*
tomy -ist -ize
-tracheotomy *Surg.*
crico laryngo thermo

τραχηλίζειν grip by the neck
Trachelizus *Ent.*
-trachelizus *Ent.*
Meta Peri
τραχηλισμός (Plutarch)
trachelism(us *Med.*
τραχηλο- Comb. of τράχηλος
hysterotrachelorrhaphy
Paratrachelophorus
trachelo-
acromial(is *Anat.*
brachys *Ent.*
branchia -iate *Conch.*
bregmatic *Obstet.*
cele *Med.*
cerca *Prot.*
-id(ae -oid
clavicular(is *Anat.*
cyllosis
cyphosis
cyrtosis
cystitis *Path.*
lingual
(lo)gy -ist *Med.*
lychnus *Ent.*
mastoid(eus *Anat.*
myitis *Path.*
occipital(is *Anat.*
pexia -y *Surg.*
phanes *Ent.*
phora *Ent.*
phyllum *Prot.*
-id(ae -oid
plasty *Surg.*
rrhaphy *Surg.*
sauria -us *Pal.*
scapular *Anat.*
schisis *Path.*
spermum *Bot.*
stenus *Ent.*
syringorrhaphy
tomy *Surg.*
-tracheolotomy
cyst(id)o gastro hystero laparo

τράχηλος the neck, throat
Areotrachelus *Crust.*
costotrachelian *Anat.*
endotrachelitis *Path.*
hematotrachelos *Gynec.*
heptotrachelus *Herp.*
macrotrachelous *Biol.*
schistotrachelus *Terat.*
trachel(ate
trachel-
agra *Med.*
alis *Anat.*
ectomy -ia *Surg.*
-opexy
(h)ematoma *Tumors*
ia(n iate *Ent.*
-ida(n idae ides
itis *Path.*
odynia *Path.*
trachelipod(a(n -ous
trachelium *Anat.*
Trachelius *Prot.*
-iid(ae -ioid
Trachelus *Ent.*
-trachelus *Ent.*
Cono Cyrto Haplo Hoplito Lobo Oncylo Pachy Piezo Psilo Schizo Sclero Stigmato

τράχουρος horse-mackerel
Trachurops *Ich.*

τραχυ- Comb. of τραχύς
Paratrachyceras *Pal.*
trachy-
acanthid *Ich.*
andesite *Petrol.*
aphthora *Ent.*
basalt *Petrol.*
carpous -us *Bot.*
cephalus *Herp.*
ceras *Conch.*
ceratinae *Pal.*
chromatic *Cytol.*
comus *Ornith.*
deras *Ent.*
deres *Ent.*
dermochelys *Pal.*
dolerite *Petrog.*
glossa -ate *Conch.*
kele *Ent.*
lichas *Pal.*
lobium *Bot.*
medusae -an *Zooph.*
mene *Bot.*
merus *Ent.*
nema *Zooph.*
-atidae -id(ae -oid
note -us *Ich.*
notus *Porif.*
ostracus *Pal.*
pachys *Ent.*
phloeosoma *Ent.*
pholis *Ent.*
phonia -ous *Path.*
poma *Ich.*
pora *Corals*
psammia *Pal.*
psamnia *Zooph.*
pterus *Ich.*
-id(ae -oid
pyrgula *Pal.*
rhyncus -inae *Ich.*
rhyolite *Min.*
scelis *Ent.*
schistis *Ent.*
soma *Ent.*
spermous *Bot.*
stola *Ent.*
stome -ata -atous
thela *Zooph.*
tila *Pal.*
usa *Ent.*

τραχύς rugged; rough
phloeotrachides *Bot.*

Protrachodontidae *Pal.*
Trachichthyidae *Ich.*
Trachichthyoides *Pal.*
trachidermis
Trachinocephalus *Ich.*
Trachinotus -inae *Ich.*
Trachinus *Ich.*
-id(ae -oid(ea -oidei
tracho-
dema *Ent.*
don(t(id(ae -oid *Herp.*
medusae -an *Zooph.*
nurus *Ich.*
peplus *Ent.*
rheite *Geol.*
τραχύτης roughness
trachyte *Petrol.*
-ic -oid
τράχωμα roughness
pseudotrachoma *Path.*
trachoma -atous *Path.*
τρεῖς, τρία three
Philotria *Bot.*
τρέμειν to tremble
tremo-
gram graph
phobia *Med.*
τρέπειν to turn (toward)
electrepeter
trepo-
nema *Prot.*
memiasis *Path.*
nemicide -al *Med.*
nemosis *Path.*
sella *Pal.*
stomata -ous *Polyzoa*
τρεπτικός changeable
atreptic *Tumors*
τρέχειν to run
Trechicus *Ent.*
trechometer *Bot.*
Trechus *Ent.*
-trechus *Ent.*
Agono Haplo Hygro Oro Typhlo
τρέψις a turning
katatrepsis *Ent.*
τρῆμα a hole, orifice
Brachytremidae *Pal.*
branchiotreme
Cyclotrema *Conch.*
derotreme *Herp.*
gymnotremoid *Bot.*
helicotrema *Anat.*
monotreme -a -ous *Mam.*
Nototrema *Herp.*
paratrema *Ent.*
pentatremite(s *Echin.*
-id(ae
peritreme -a *Conch. Ent.*
Polistotrema *Ich.*
Rhynchotreminae *Pal.*
Tertrema *Pal.*
Thelotremaceae *Lichens*
Trema *Bot.*
tremalith *Bot.*
Tremandra *Bot.*
-(ac)eae -aceous
Tremarctos *Mam.*
Trematis *Brachiop.*
tremato-
notus *Conch.*
pora *Bryozoa*
saurus -idae *Pal.*
suchus *Pal.*
-trema *Helm.*
Cathario Dero Halio Lepido Micro
-trema -id(ae -oid *Ich.*
Di Hepta
-trema *Ich.*
Crypto Miny Neodi
Tremex *Ent.*
Tremoctopus *Conch.*
-odid(ae -odoid
tremognoster *Zool.*
Tremops *Pal.*
Tremoschizodina *Pal.*
-tremus *Ich.*
Aniso Eumikro Genya Letho
τρηματ- Stem of τρῆμα
derotremate -a -ous *Herp.*
monotremate -a -ous
nototrematous *Herp.*
peritrematous *Conch.*
Plagiotremata *Herp.*
protremate -a
thelotrematous -oid *Bot.*
-tremata -ous *Conch.*
A Di Neo Syn Telo
trematoid(ea *Helm.*
Trematopsidae *Pal.*
τρηματώδης (Arist.)
trematod(e a *Helm.*
Trematodes *Ent.*
τρήρων Shy; a trembler
Treron *Ornith.*
id(ae inae in(e oid
τρῆσις perforation
atresia *Path.*
-ial -(iet)ic
-atresia *Med.*
colp dacryagog gyn hedr urethr
Perittotresis *Arach.*
sphenotresia *Obstet.*
-tresis *Surg.*
litho nephro
τρητός perforated
Acrotreta -idae *Ich.*
Acrotretacea(n -aceous
Ametretus *Pal.*
Arctitreta *Pal.*
catotretous *Zool.*
Enantiotreta -ous *Prot.*
Eptatretus -idae *Ich.*
Hyperotreta *Ich.*
-e -i -ous
Mycotretus *Ent.*
Phyllotreta *Ent.*
Polytreta *Pal.*
proctotrete -us *Lizards*
Siphonotreta *Conch.*
-acea -id(ae -oid
tretenterate -a *Mol.*
Tretonea *Pal.*
Tretosternon -inae *Herp.*
τρηχύς = τραχύς
Speotrechus *Ent.*
τρι- Comb. of τρίς or τρία
amphitrisyncotyl *Bot.*
anatricrotic -ism *Med.*
Atrimetra *Pal.*
aurotrisulfide *Chem.*
carbopyrotritaric
catatricrotic -ism *Path.*
cholatrienic *Org. Chem.*
cyanurtriamid(e *Chem.*
cyclotriolefin *Chem.*
ditrigonially
ditrita- *Inorg. Chem.*
hemitri-
cotyledon *Bot.*
cotyly
hydrated *Chem.*
glyph
pterus *Ich.*
-id(ae -inae -oid
hepatrilobin *Org. Chem.*
heterotristyly *Bot.*
hypertridimensional
isotrimorphism *Crystal.*
-ic -ous
isotritartaric *Chem.*
lithiomanganotriphyllite
manninotriase *Chem.*
mesotrisilicic -ate *Chem.*
oxytroid
Pseudotrionyx *Herp.*
-ychidae -ychoid
pyrotri(tar)taric *Chem.*
semitrigynous *Bot.*
Stypotriclida *Ent.*
subtrihedral *Anat.*
Temnotrionyx *Pal.*
tetratricontane *Chem.*
-triazin(e *Org. Chem.*
benzo(hepta diox naph(tho) phenan
-triazol(e *Org. Chem.*
acenaphtho benzo naph(tho) oso thio
-triene *Org. Chem.*
chola (cyclo)hepta cycloocta hexa nona
-triose *Org. Chem.*
hexa hexo mannino mele saccharo
tri-
acanthodes -inae
acanthus *Ich.*
-id(ae -oid
acanus *Ent.*
Ace *Geom.*
acetic -ate -in *Chem.*
-amid(e -on(alk)amine
achaenium *Bot.*
acid *Chem.*
acis -iae *Ich.*
acrorhize -ae *Bot.*
acrus *Ent.*
act(inal -ine *Spong.*
adelphia -ous *Bot.*
adenum *Bot.*
alate
allylamin *Chem.*
amid(e amin(e *Chem.*
ammatus *Ent.*
ammino- *Cehm.*
ammonium *Chem.*
amylose *Org. Chem.*
ander *Bot.*
andria(n -(i)ous
anguloid
annulate
antelope *Austral.*
anthema
anthous *Bot.*
anthrimide *Org. Chem.*
aps(id)al *Arch.*
arachin *Org. Chem.*
arch(ist *Bot.*
arctic
arinus *Bot.*
arthrus *Crust.*
aster *Biol.*
atomic *Chem.*
axon(ia(n -id *Spong.*
az- *Org. Chem.*
ane elain ene in(e
azo- *Org. Chem.*
ate benzene ic
azol(e *Org. Chem.*
ic(id)ine o- one yl
basic(ity *Chem.*
behenin *Chem.*
benzamide *Org. Chem.*
benzoin *Org. Chem.*
blastic *Zool.*
blastus *Bot.*
blemma
brach(ial *Archaeol.*
brachius *Terat.*
brachys *Ent.*
bracteate *Bot.*
brom- *Chem.*
aloin (beta)naphthol cannabinol hydrin id(e inated methane phenol phenyl resorcin salol
bromo- *Chem.*
benzene
butyrin *Chem.*
tri- Cont'd
butyr(in)ase *Biochem.*
capr(o)in *Org. Chem.*
caprylin *Org. Chem.*
capsular
carinate
carpellary *Bot.*
carpellite *Pal.*
carpous *Bot.*
caudate
cellular
central -eity
cercomonas *Ent.*
cerotin *Org. Chem.*
chalcite *Min.*
chasium *Bot.*
chlor- *Chem. & Med.*
acetic aldehyde ate butylalcohol ethane ethylene ic id(e hydrin inated methane nitromethane phenol
chloro- *Chem. Med.*
ethylene lactic methylchloroformate propane trivinyl
chromatic
-ism -ist
chrome -ate -ic
chromosomal *Bot.*
clad(a -id(a -idea
clasite *Min.*
cleidus *Pal.*
clinic -ate *Crystal.*
clinohedric *Crystal.*
cnemus *Ent.*
coccous -ose *Bot.*
component *Chem.*
condyla *Ent.*
conodon(t(a *Mam.*
-id(ae -oid -y
consonantalism
corhynchia *Pal.*
cornute
coryphean
corythodes *Ent.*
cosane -ic *Org. Chem.*
cosmites *Pal.*
cosyl(ic *Org. Chem.*
cotyl(ous *Bot.*
cotyledonous -y *Bot.*
crania *Ent.*
crepidius *Ent.*
cresol(amin *Chem.*
ctenotomus *Ent.*
-a -id(ae -oid
cube *Math.*
cyanic -ate *Chem.*
cyanogen *Org. Chem.*
cycl- *Org. Chem.*
al ene enic ic ol
cycle -er -ist
cyclo- *Org. Chem.*
octane
cycly -ic *Bot.*
cyrtida(n *Prot.*
d(a)emonism
daily
dec- *Chem.*
ammine ane (at)oic (at)ylene ene yl(ic
deca- *Chem.*
hydrated molybdate naphthenic
der *Spong.*
dermic *Med.*
diametral
diapason *Music*
dodecahedral *Crystal.*
dynamous *Bot.*
elaidin *Org. Chem.*
elasmus *Ent.*
elcon *Surg. App.*
encephalus *Terat.*
entoma *Ent.*
erucin *Org. Chem.*
tri- Cont'd
ethyl(ic *Chem.*
amin(e stibin
fluormethane *Chem.*
folianol *Org. Chem.*
fol(it)in *Org. Chem.*
foliosis *Vet.*
formin *Org. Chem.*
formoxime *Org. Chem.*
fulmin *Org. Chem.*
gastric *Anat.*
gener *Bot.*
genic *Chem.*
glenus *Ent.*
glot
glucose -an *Org. Chem.*
glycerid(e *Chem.*
glycolamidic *Chem.*
goneutic -ism *Ent.*
gram(mic
grammatic -ism
graph(y -ic
gyn(e *Bot.*
-ia(n -ic -(i)ous
gyra *Pal.*
hedron -al *Crystal.*
hemimer(is -al *Pros.*
hexahedral *Crystal.*
hexosan *Org. Chem.*
hybrid(ism *Bot.*
hydr- *Chem.*
ate(d ic ide ol oxyhydrocalcite *Min.*
hydrogen *Chem.*
hypostatic
icosane *Chem.*
indole *Org. Chem.*
iniodymus *Terat.*
iod(o- *Chem.*
iodid(e *Chem.*
iodomethane *Chem.*
iothyris *Pal.*
ketone *Chem.*
ketopurin *Chem.*
lobita(e *Crust.*
lobite -a -ic *Pal.*
lobitoceras *Pal.*
loburus *Pal.*
logical
logue
machy
mannose *Org. Chem.*
mastiga(*or* o)te *Bact.*
mastix *Prot.*
-igid(ae -igoid
mellitic *Chem.*
membral
meristele -ic *Bot.*
mesic *Chem.*
mesitic *Chem.*
metallic -ism
metaphosphate *Chem.*
methyl *Org. Chem.*
amin(e (ethyl)ene endiamine enimine ethylane ic pyridin stibin
metric(al *Crystal. Pros.*
microps *Ent.*
modal(ity *Bot.*
monoecism -ious *Bot.*
monthly
morphine *Org. Chem.*
mytis *Ent.*
negative *Phys. Chem.*
neural *Anat.*
neuric *Neurol.*
neurocephala *Ent.*
nitr- *Chem.*
ate ation id(e in ol
nitro- *Chem.*
benzene benzol carbolic cellulose cresol glycerin methane naphthalene phenol resorcinol toluene toluol xylene xylol

tri- Cont'd
nol *Expl.*
nomial(ly *Biol. Math.*
nomialism -ist *Biol.*
nomy
nophenon *Mat. Med.*
nuclear *Org. Chem.*
nucleoides *Pal.*
ocean(e *Org. Chem.*
octahedral *Crystal.*
octile *Astrol.*
ocular
ode *Elec.*
odon(t(es *Ich.*
-id(ae -oid(ea(n -oidei
odontophorus *Helm.*
oecia *Bot.*
-ism -ious(ly -ous
olefin(e *Org. Chem.*
olein *Chem.*
onal *Chem.*
onyx *Herp.*
-ychid(ae -ychoid(ea(n
opa -idae *Gastrop.*
orchis -id *Terat.*
-(id)ism
orophus *Ent.*
orthogonal *Geom.*
ose *Org. Chem.*
osteum *Bot.*
otonol *Mat. Med.*
ox- *Org. Chem.*
ane id(e in ole
oxy- *Org. Chem.*
anthracene anthraquinone benzophenon methylene pyrin
oxys *Ent.*
ozonide *Chem.*
paschal *Eccl.*
peptide *Chem.*
personalism -ist
petalous *Bot.*
-oid(eous -ose
phase(r -ic *Elec.*
phen- *Chem.*
amin etol in
pheno- *Chem.*
quinone
phenyl *Org. Chem.*
albumin amin(e ated carbinol ene methane methyl rosaniline stibinsulphid
phleps *Ent.*
phony *Music*
phosgene *Org. Chem.*
phosphonucleic *Chem.*
phragium
phyletic *Bot.*
phyllome *Bot.*
physite *Eccl. Hist.*
plegia *Path.*
polar *Bot.*
positive *Phys. Chem.*
potassium *Chem.*
prosthomerous *Comp.*
propionin *Org. Chem.*
prostyle *Arch.*
pterous *Bot.*
pylaea(n *Prot.*
pylum *Helm.*
pyramid(al *Crystal.*
pyrenous *Bot.*
pyrrole *Org. Chem.*
quinoyl *Org. Chem.*
rhombohedral *Crystal.*
rhomboidal *Crystal.*
ricinolein *Org. Chem.*
rrhabda *Ent.*
rrhachis *Ent.*
sacchar- *Org. Chem.*
id(e ose
salt *Chem.*
schism

tri- Cont'd
schiza *Ent.*
sil(ic)ane *Chem.*
sodium *Chem.*
some -ic *Bot.*
sophista *Ent.*
spermous *Bot.*
spermum *Med.*
splanchnia *Med.*
-ic -itis
spondylus *Pal.*
sporic -ous *Bot.*
stachycera *Ent.*
stachyous *Bot.*
stearin -ate *Chem.*
sterigmatic *Bot.*
sti(g)m *Geom.*
stigmatic -ose *Bot.*
stoma -um *Helm.*
-eae -ean -id(ae -oid
stylous *Bot.*
syncotyledonous *Bot.*
syncotyls *Bot.*
tane -ic -ol *Org. Chem.*
teleia *Bot.*
temnodon *Pal.*
terpene *Org. Chem.*
thiane *Org. Chem.*
thienyl *Org. Chem.*
thiin *Org. Chem.*
thi- *Chem.*
ane enyl in
thio- *Chem.*
aldehyde
phosphate
thiodoformaldehyd
thionic -ate *Chem.*
thrinax *Bot.*
ton *Expl.*
triacontane *Org. Chem.*
tylodon *Mam.*
uret *Org. Chem.*
-ontid(ae -ontoid
uris *Bot.*
-idaceae -idaceous
-idales
xeny *Bot.*
zomal *Math.*
zygous *Bot.*
trotol
trotyl *Expl.*
unitri(valent *Phys. Chem.*
τρια- = τρεῖς
tria-
crinidae *Pal.*
crinites *Pal.*
deme *Biol.*
gonal
log(ue
toma *Ent.*
τριαδ- Stem of στιάς
triad(ism ist
τριαδικός threefold
triadic(al(ly *Chem. Gr. Ch. Math. Pros.*
τρίαινα a trident
-aene *Spong.*
anadi anamon di microdi mon prodi promon orthodi orthomono
triaene *Spong.*
-a -osa -ose
-triaene *Spong.*
amphi(mesodicho) ana centro crico dic(h)amphi dicho(phyllo) dichoxy ditricho lopho meso micro(dicho) ortho(dicho phyllo (trich)oxy) phyllo plagio pro symphyllo tricho
τριαινο- Comb. of τρίαινα
triaeno-
pholis *Herp.*

triaeno- Cont'd
strongyle *Spong.*
style *Spong.*
tyle *Spong.*
τριακαίδεκα thirteen
triakaidekaphobia
τριάκις thrice
Pseudotriakis -id(ae *Ich.*
Rhinotriacis *Ich.*
triakis-
octahedron -id
tetrahedron -al
τριάκοντα thirty
octocaitriacontahedron
triacontahedron -al
triacontane
-triacontane *Org. Chem.*
di do hen hexa nona penta pen tetra tri
triacontylene *Org. Chem.*
τριακονταετηρίς thirty year period or festival
triacontaeterid
τριακονταρχία (Xenophon)
triacontarchy *Gr. Hist.*
τριακοντάς (-άδος) thirty
triaconted
τριακοντήρης (Ath.)
triaconter *Gr. Navy*
τριαρχία triumvirate
triarchy
τρίαρχος chief ruler; with three branches
triarch *Bot.*
-triarch *Bot.*
epi hypo meso
triarch(ate *Pol.*
τριάς a triad; the Trinity
trias *Geol. Gr. Ch. Hist. Music*
Triassic *Geol.*
triasso- *Pal.*
caris chelys lestes psyche psylla
Τριβαλλοί the Triballi
Triballus *Ent.*
τριβάς (-άδος) rubbing
tribade -ism -y
τρίβειν to beat
-tribe -al -ous *Bot.*
noto pleuro sterno
tribo- *Phys.*
electric
fluorescent -ence
luminescent -ence
luminoscope
meter
phosphorescent -ence
phosphoroscope
τρίβη grinding, rubbing
hydrotribium *Phytogeog.*
hydrotribo- *Phytogeog.*
philus phyta
tribium *Phytogeog.*
τρίβολος three-pointed
Hydrotribulus *Pal.*
triblet *Arts*
Tribolium *Ent.*
Tribolocara *Ent.*
Triboloceratidae *Cephal.*
Tribulus -oid *Bot.*
τρίβον as in λίθον τρίβον
-tribe *Surg. App.*
angio basio cephalo histo osteo spheno splanchno vaso
τρίβος track; path; rubbing
Tribonema *Algae.*
Tribonyx *Ornith.*
Tribostethus *Ent.*
Tribotropis *Ent.*

-tribus *Ent.*
Phloeo Phyto Xylo
τρίβραχυς (Heph.)
tribrach *Pros.*
ic us ys
τρίβων coarse cloth
tribon *Gr. Dress*
τριγαμία (Basil)
trigamy -ist
τρίγαμος (Stesich.)
trigamous
τρίγλα a red mullet
Trigla *Ich.*
-id(ae -oid(ea(n
Triglops *Ich.*
Triglopsis *Ich.*
τρίγλυφος (Euripides)
triglyph *Arch.*
al ed ic(al
-triglyph
di hemi inter mono
τριγλώχιν (Simon.)
Triglochin -id *Bot.*
triglochinin *Org. Chem.*
τριγωνικός (Iambl.)
trigonic(al *Geom.*
τριγωνο- Comb. of τρίγωνος
trigono-
carpum -us *Bot.*
cephale -us -ous *Zool.*
cephalus *Terat.*
cephaly -ic *Anthrop.*
cerus -ous *Cephal.*
cuneate
desmus *Ent.*
dodecahedron *Crystal.*
genium *Ent.*
gnatha *Ent.*
martus *Pal.*
meter
metry *Math.*
-ic(al(ly -ician
peltastes *Ent.*
peplus *Ent.*
phallus *Ich.*
phylla *Ent.*
pleurus *Ent.*
pselaphus *Ent.*
pus *Ent.*
rrhinus *Ent.*
scelis *Ent.*
scorpio *Pal.*
scuta *Ent.*
stomum *Ent.*
tarbus *Pal.*
toma *Ent.*
type *Geom.*
ureterotrigono- *Surg.*
enterostomy
sigmoidostomy
τριγωνοειδής (Arist.)
trigonoid(al *Geom.*
τρίγωνον a triangle
trigon al(ly
trigonate *Ent.*
trigone -um *Anat.*
Trigonia *Conch.*
-iacea(n -iid(ae -ioid
trigonid *Comp. Anat.*
trigonite *Min.*
trigonitis *Path.*
trigonon *Music*
τρίγωνος triangular
ditrigonal(ly *Math.*
Microtrigonus *Ent.*
Nanotrigona *Ent.*
obtrigonal -ate *Geom.*
postrigonal *Ent.*
pseudotrigonal *Crust.*
subtrigonal -ate
trigon-
alys *Ent.*
-(y)id(ae -yoid

trigon- Cont'd
aspis *Ent.*
el(la *Bot.*
ellin(e *Org. Chem.*
ellite(s *Conch.*
es *Bot.*
odont *Comp. Anat.*
oecia *Bryozoa*
on ops urus *Ent.*
ous *Bot.*
Trigona *Ent.*
τρίδακνος (Pliny)
Tridacna *Conch.*
-acea(n -id(ae -oid
τριδάκτυλος three-toed
tridactyl(a ous *Ornith.*
τρίδειρος three-necked
Amphitridera *Spong.*
dichotrider *Spong.*
τρίδραχμον (Poll.)
tridrachm *Gr. Meas.*
τρίδυμος threefold
somatotridymus *Terat.*
tridymite *Min.*
tridymus *Bot.*
τριετηρικός (Plutarch)
trieteric(s *Gr. Chron.*
-ical -ican
τρίζειν to shrill; twang
Tetrizus *Ent.*
τριήμερος of three days
trihemeral
τριημιολία (Polyb.)
trihemiolia *Gr. Nav. Arch.*
τριημιτόνιον (Plut.)
trihemitone -ion *Gr.*
τριημιωβόλιον (Ar.)
trihemiobol *Gr. Coins*
τριηραρχιά (Lys.)
trierarchy
τριηραρχικός (Dem.)
trierarchic (al
τριήραρχος captain of a trireme (Herod.)
trierarch(al
τρίησις piercing
nephrotriesis *Surg.*
τριθεΐα (Caesarius)
tritheism -eist(ic(al
τριθεΐτης (Greg. Naz.)
tritheite *Theol.*
τριθημιμερής
trithemimeral *Pros.*
τρικέρατος three-horned
Triceratops *Pal.*
τρικέφαλος three-headed
tricephal(ic ous
Tricephalopora -inae *Pal.*
tricephalus *Terat.*
τρικήριον (Euchol.)
tricerion -ium *Gr. Ch.*
τρικλινιάρχης (Petron.)
tricliniarch
τρικλίνιον (Theopomp.)
triclinium
-ial -iary
τρίκροτος with triple stroke
tricrotic *Physiol.*
-ism -ous
τρίκωλον (Dion. H.)
tricolon -ic *Pros.*
τρίλιθον (Jo. Malal.)
trilith(on ic *Gr. Arch.*
τριλογιά (Arist.)
trilogy *Gr. Drama*
-ic(al -ist
τρίλοφος with three crests
Trilophodon(t *Mam.*
Trilophomylacris *Pal.*
trilophous *Spong.*

τριμελής (Plutarch)
trimelic *Gr. Music*
τριμερής tripartite
Eutrimerocephalus *Pal.*
hemitrimerous *Bot.*
Pseudotrimera *Ent.*
-al -ous
trimer(ic -ide *Chem.*
Trimera(n -ous *Ent.*
trimere *Spong.*
Trimerella *Brachiop.*
trimeresure -us *Helm.*
trimerite *Min.*
trimerize -ation *Chem.*
trimero-
ceras *Cephal.*
cystis *Pal.*
phrys *Ent.*
rhachis *Herp.*
iid(ae -oid
trimerous -y *Bot.*
τρίμετρος (Herodotus)
trimeter *Pros.*
τρίμηνος of three months
Trimenornis *Ornith.*
τρίμηνον (Polybius)
trimenon *Gynec.*
τρίμορφος three-formed
trimorph *Crystal.*
trimorpism *Bot. Crystal. Zool.*
-ic -ous
trimorphy *Bot.*
τριν- = τρι-
trinopticon
Τρινακρία Sicily
Trinacria(n *Geog.*
trinacrite *Min.*
τριξός = τρισσός
Trixagus *Ent.*
τριοδίτης street-lounger
Triodites *Ent.*
τρίοδος a meeting of three roads
microtriod *Spong.*
orthotriod *Spong.*
triod *Spong.*
τρίπλαξ triple
Agcotriplax *Ent.*
Triplax *Ent.*
τριπλάσιος thrice as much
triplasy *Bot.*
triplasy -ian -ic *Pros.*
τριπλόος (Pindar)
triple
-ed -et -fold -ness
triplite *Min.*
triplo-
blastic *Biol.*
blastica *Ecol.*
caulous -escent *Bot.*
clase *Min.*
id *Surg.*
pus *Mam.*
-id(ae -odid(ae -o-doid
toma *Ent.*
triploid(ity y *Biol.*
-triploid *Bot. Cytol.*
di hypo syn tetra
triploidite *Min.*
triplonychus *Ent.*
triplopia -y *Path.*
triplostichous *Bot.*
τριποδία (Schol. Ar.)
tripody *Pros.*
Τρίπολις a league of three cities
Tripoli *Geog.*
-ine -itane
tripolite *Chem. Min.*
τριπρόσωπος three-faced
triprosopus *Terat.*

τρίπους (-οδος) (Iliad)
tripod
(i)al ian ic(al
tripos
triposplankton *Bot.*
tripus *Terat.*
τρίπτης one that rubs
chalcotript
τριπτός rubbed; pounded
antitriptic *Med.*
endotryptase
glycyltryptophan
lithotriptic *Surg.*
-ist -on -or
tryptic *Biochem.*
-ase -one
trypto-
gen(e *Biochem.*
lysis *Biochem.*
phan *Org. Chem.*
tryptonemia *Med.*
τρίπτυχος of three plates
triptic(h
triptych(on *Cl. Art.*
-yca -yque
τρίπτωτος with three cases
triptote *Gram.*
τρισ- Comb. of τρίς thrice
tris-
azo- azoxy- *Org. Chem.*
diapason *Music*
nitrate *Chem.*
octahedron -al *Crystal.*
tetrahedron -al *Crystal.*
τρισάγιον Holy, Holy, Holy
Trisagion -ios -ium *Eccl.*
τρίσημος = τρίχρονος
triseme -ic *Pros.*
τρισκαίδεκα thirteen
triskaidekaphobia *Psych.*
τρισκελής three-legged
triskele -ion
triskeles -is *Numism.*
τρισμέγιστος Epith. of Hermes
trismegist
ian ic
τρισμός spasm (Hipp.)
antitrismus *Med.*
hysterotrismus *Gynec.*
trismoid *Obstet.*
trismus *Path.*
τρίσπαστον a triple pulley
trispast(on *Mech.*
τρισσός threefold
trisso-
chyta *Ent.*
pelopia *Ent.*
τριστιχία (Galen)
tristichia *Med.*
τρίστιχος of three rows
tristich(ic *Pros.*
tristichous *Bot.*
Tristychius *Ich.*
τρισύλλαβος (Dion. H.)
trisyllabic(al(ly
trisyllabism -ize
trisyllable
τριτ- Stem of τρίτος
trita- *Inorg. Chem.*
mercuride
silicide
trit-anopsia *Ophth.*
archy
encephalon *Embryol.*
opin(e *Chem.*
ovum *Biol.*
oxid(e *Chem.*
urus *Zool.*

trita- Cont'd
yl(ic ene *Chem.*
ylhydrid *Chem.*
τριταγωνιστής (Dem.)
tritagonist *Gr. Drama*
τριταιοφυής (Hipp.)
tritaeophya *Path.*
τρίτ (ερος) By analogy with δεύτερος
triterosilicate *Chem.*
τριτο- Comb. of τρίτος
trito-
cere -acone *Zool.*
cerebrum *Anat. Zool.*
-on -al
chirognathite *Crust.*
chorite *Min.*
cone -id *Anat. Zool.*
conid *Dent.*
cosmia *Ent.*
dynamea *Crust.*
macrus *Ent.*
mesal *Ent.*
vertebra(l
toxin(e *Chem.*
zooid *Biol.*
τρίτομος thrice-cut
Camptotritoma *Ent.*
Tritoma *Ent.*
tritomite *Min.*
Tritomophasma *Ent.*
τρίτονος of three tones
tritone -ous *Music*
τρίτος third
tetrita -carbonate *Chem.*
Τρίτων Son of Poseidon
Geotriton *Herp.*
Lissotriton *Ich.*
Ototriton *Pal.*
Triton
ess ic ize ly
Tritonia *Bot.*
Tritonia -ium *Conch.*
-(i)id(ae -(i)oid
Tritonimanzilia *Pal.*
τριφανής of triple appearance
triphane *Min.*
τριφάρμακον (Nilus)
tripharmacum
τριφάσιος threefold
Triphasia *Bot.*
τρίφθογγος (Tzetz.)
triphthong(al *Phonol.*
τρίφθος waste matter
triphthemia *Med.*
τρίφυλλος three-leaved
triphyllous *Bot.*
Triphyllus *Ent.*
τρίφυλος of three tribes
triphylin(e *Min.*
triphylite *Min.*
τριχ- Stem of θρίξ
alumotrichite *Min.*
amphitrichous *Bot.*
camptotrich *Zool.*
ceratotrich *Biol.*
chalcotrichite *Min.*
colleottrichum *Mycol.*
colletotrichose
cymotrichous *Anthrop.*
dermotrich *Zool.*
Gast(e)rotricha(n -ous
halotrichine & -ite *Min.*
hemitrichous *Bot.*
Herpotrichia *Fungi*
Heterotricha(l -ous *Prot.*
Heterotrichum *Bot.*
Holotricha(l -ous *Infus.*
Hypotricha -ous(ly *Prot.*
Isotricha *Infus.*
-ia -idae -ina
l(e)iotrichi *Anthrop.*
-es -an -ous
Leptotrichia *Bact.*

Lissotriches *Anthrop.*
-(i)an -ous
Lophotrichea *Bact.*
-ic -ous
melanotrichous *Anthrop.*
microtrichal -ous *Bot.*
Monotricha *Bact.*
-an -ous
Opisthotrichum *Prot.*
orthotrichum -aceae *Bot.*
Peritricha *Zool.*
-al -an -ous(ly
peritrichic *Bact.*
-al -ous(ly
Pyrotrichus *Ent.*
schizotrichetum *Bot.*
scolecotrichose
Scolecotrichum *Bot.*
Sporotrichum *Pal.*
strephotrichial *Bot.*
streptotrichal *Med.*
Thambotricha *Ent.*
tolypotrichetum *Bot.*
Trica *Bot.*
trich-
actia *Ent.*
(a)esthesia *Path.*
angia *Anat.*
angiectasis -ia *Path.*
aspis *Ent.*
atrophia *Path.*
auxe -is *Med.*
echodont *Mam.*
echus *Mam.*
-id(ae -ina -in(e
-oid(ea(n
ia *Path.*
ia -idae *Crust.*
idium *Bot.*
illum *Ent.*
ite -ic *Bot. Min. Spong.*
itis *Path.*
ius *Ent.*
odon(tid(ae oid *Ich.*
onyx *Ent.*
oon *Bot.*
uriasis *Path.*
uris *Helm.*
trichi-
aceae *Fungi*
aspiphenga *Ent.*
form *Bot.*
-trichia *Med.*
achromo glosso leuco lipo micro oligo schiza(*or* o) sclero
Udotriches *Algae.*
-aceae -acean
ulotrichi *Anthrop.*
-an -ous
Urotrichus *Mam.*
Zonotrichia *Ornith.*
τριχα triply
orthotrichoxytriaene
Trichasaurus *Pal.*
trichotomy
-ic -ism -ist -ize -ous(ly
trichotriaene -a *Spong.*
τρίχαλος cloven in three
-trichalus *Ent.*
Lepto Micro
τριχάς (Arist.)
Trichas -inae *Ornith.*
τρίχειλος three-lipped
Trichilia -ieae *Bot.*
τριχῆ = τρίχα
Tricheops *Ent.*
τριχίας hairy one
trichio-
campus *Ent.*
dera *Ent.*
soma *Ent.*
trichiure -us *Ich.*
-id(ae -iform(ed -oid

τριχίασις (Galen)
trichiasis *Path.*
-trichiasis
hyper strepto
τρίχινος of hair
pseudotrichin- *Path.*
-iasis osis
Pterotrichina *Arach.*
Trichina *Helm.*
-al -atous -id(ae -iferous -oid
Trichinella -idae *Helm.*
trichin(ell)iasis *Path.*
trichin(ell)osis *Path.*
trichiniscope *Med. App.*
trichinitis *Path.*
trichinize -ation *Med.*
trichinophobia
trichinosed *Path.*
trichinosis *Path.*
trichinotic *Path.*
trichinous *Path.*
τρίχιον Dim. of θρίξ
actinotrichium *Anat. Ich.*
dermotrichium *Zool.*
epitrichium -ial *Embryol.*
Pileotrichuis *Ent.*
Sphaerotrichium *Prot.*
τριχίς a bony anchovy
Trichis *Ent.*
τριχισμός = τριχίασις
trichismus
τριχο- Comb. of θρίξ
ditricho- *Combin.*
phora *Ent.*
tomous(ly *Bot.*
triaene *Spong.*
Ectotrichophyton *Fungi*
hypertrichophobia *Med.*
phytotrichobezoar *Med.*
Polytrichophora *Ent.*
Polytrichophyes *Ent.*
pseudotrichophore *Algae*
Tetratrichomonas *Prot.*
tricho-
(a)esthesia *Med.*
bacteria *Bact.*
-inae -ium
bezoar *Vet.*
blast *Bot.*
branchia *Crust.*
-ial -iata -iate
cardia *Med.*
carpous *Bot.*
cephala *Ent.*
cephaliasis *Path.*
cephalus *Helm.*
-id(ae -oid
cera *Crust.*
-id(ae -oid
chlamys *Ent.*
cladus -ose *Spong.*
clasis -ia *Physiol.*
cnemus *Ent.*
cosmetes *Ent.*
cryptomania *Med.*
cryptosis *Path.*
cyst(ic *Prot.*
dectes *Ent.*
deres *Ent.*
derma *Fungi*
desma *Ent.*
dragma *Spong.*
dyschroia
epithelioma *Path.*
esthesiometer *Med.*
fibro-
acanthoma
epithelioma
gen(ous *Med.*
glossia *Med.*
gnathus *Ent.*
gomphus *Ent.*
gonium *Bot.*
gramma -inae *Ent.*
gyne -ial -ic *Bot.*

tricho- Cont'd
helix *Helm.*
hyalin *Med.*
lepis *Ent.*
lith *Med.*
logy -ia -ical -ist
loma *Bot.*
mania *Ps. Path.*
mesia *Ent.*
monas *Prot.*
-adid(ae -adoid
mycetes *Bact.*
myc(et)osis *Path.*
mycterus *Ich.*
-idae -inae -ine -oid
nocardiasis *Path.*
nocardiosis *Path.*
nosis -us *Med.*
notus *Ich.*
-id(ae -oid
pathophobia *Med.*
pathy -ic
phagy -ia *Med.*
phobia *Med.*
phocin(e -ae *Mam.*
phore *Bot. Zool.*
-ic -ous
phorum *Bot.*
phorus *Ent. Pharm.*
phorus -etum *Bot.*
phya *Ent.*
phyte -on -ic *Bact.*
phytin *Bact.*
phytosis *Path.*
plankton *Bot.*
plax *Pal.*
-acid(ae -acoid
podus *Ent.*
poliosis *Med.*
pselaphus *Ent.*
psetta *Ich.*
psylla *Ent.*
pter(a(n -ous *Ent.*
pterygia(n
pteryx *Ent.*
-ygid(ae -ygoid
ptile -ar *Ornith.*
ptilosis *Path.*
rrhexis *Path.*
rrhexomania *Med.*
rrh(o)ea *Path.*
schisis *Path.*
schiza *Ent.*
scolices *Helm.*
scopy *Med.*
soma *Helm.*
somata -ous *Prot.*
sphaeria *Fungi*
sporange -ium -ial *Bot.*
spore -um *Bot.*
sporon *Fungi*
sporosis *Path.*
stema *Bot.*
steresis *Ent.*
sternum *Ent.*
stetha *Ent.*
stiria *Ent.*
stola *Ent.*
stomata -ous *Prot.*
stomum *Bot.*
strongylus *Helm.*
syphilis -osis
thallic *Bot.*
theca *Ent.*
thecium *Fungi*
thorax *Ent.*
tillomania *Path.*
toxin *Biochem.*
triaene -a *Spong.*
trophy *Med.*
tropis *Conch.*
-id(ae -oid

τριχοειδής like hair
trichoid
τριχολάβιον tweezers
Tricholabiodes *Ent.*
tricholabion *Med.*
τριχολαβίς = τριχολάβιον
tricholabis

τριχόμαλλος hair-fleeced
Trichomallus *Ent.*
τριχομανές (Theophr.)
Trichomanes -oid *Bot.*

τρίχορδος of three strings
trichord *Music*
τριχόφυλλος (Theophr.)
trichophyllous *Bot.*

τρίχρονος of three shorts
trichronous *Pros.*
τρίχροος of three colors
trichroic *Phys.*
trichroism *Phys.*
Trichrous *Ent.*
τριχρώματος three-colored
phototrichromatic

τριχώδης like hair
Ectrichodes *Ent.*
-ia -iinae
Trichoda -al *Prot.*
trichod-
angeitis *Path.*
arteriitis *Path.*
Trichodes *Bot. Ent.*
trichodophlebitis *Path.*
τρίχωμα a growth of hair
trichoma *Path.*
-atose -atosis
trichomaphyte
trichome -a -ic *Bot.*
τρίχωσις hairiness
aertryckosis *Bact.*
trichosis *Path.*
-trichosis *Med.*
eu hetero hyper hypo oligo para sporo strepto
τριχωτός hairy
Trichoton *Ent.*

τρῖψις friction
antitripsin *Mat. Med.*
bacteriotrypsin *Mat.*
dystrypsia *Med.*
endotrypsin *Biochem.*
lithotripsia *Surg.*
-lithotripsy
chole(cysto docho) hepatico
protrypsin *Biochem.*
Tripsacum *Bot.*
-tripsis
angio apo basio bio h(a)emocyto litho odonto syn xero
-tripsy
basio cephalo cleido litho neuro omphalo spheno sympathico
tripsis *Mech. Med.*
trypase *Biochem.*
tryps- *Chem.*
ase in(ized (in)ogen

τριώβολον half-drachma
triobol(on *Gr. Coins*
ar(y us
τριῴδιον three ode κανών
triode -ion *Gr. Ch.*
τριώνυμος of three names
trionym(al *Biol.*

τρομο- Comb. of τρόμος
protromoparanoea
tromo-
mania *Path.*
meter *Seismol.*
metry -ic(al *Seismol.*
ptera *Ent.*

τρόμος a quivering
cardiotromus *Med.*
protromania *Path.*

τρομώδης trembling, timid
Trombicula *Acar.*
trombidiasis *Path.*
trombidiosis *Path.*
Trombidium *Acar.*
-ea(n -iid(ae -ina -ioid-(ea(n

τρόπαιον trophy (Thuc.)
trop(a)eolin(e *Org. Chem.*
Tropaeolum *Bot.*
-aceae -aceous
tropaeum -aion *Gr. Ant.*
-(a)eal
trophy
untrophied

τροπάριον a short hymn
troparion -y *Gr. Ch.*

τροπή a turning; change. See also τρόπος
actinotropic *Biol.*
Aipotropus *Arach.*
anemotropy *Med.*
anisotrope *Biol. Phys.*
-al -ic(al(ly -icity -ism -ous -y
antitropical *Bot.*
antitrope -y
apotropiac *Old Med.*
azeotrope *Phys. Chem.*
barotrope *Mech.*
bathmotropic -ism *Biol.*
chroma(*or* o)trope *Dyes Optical App.*
chromatroposcope
cycloidotrope *Mech.*
desmotropo- *Org. Chem.*
artemisin
santonin -ous
dexiotrope
-ic(ally -ism -ous
dextrotropic -ous
dystropous *Ent.*
eidotrope -ic *Arts*
enantiotropy -ic(ally
enorthotrope *Mech.*
euthytropic *Seismol.*
gyrotrope *Elec.*
hemitrope *Bot. Crystal. Ent.*
-al -ic(al -ism -ous -y
hesperotropismus *Geol.*
heterotropy *Embryol.*
inhibitrope *Psych.*
isotropic -ism *Biol.*
isotropylcocaine *Chem.*
kalotrope *Arts*
laeotropic -ism -ous
leucotrop(e *Dyes*
lipotropy
lyotrope *Phys. Chem.*
magnetropism
melotrope *Art*
merotrope -ize *Chem.*
metatropic -y *Petrog.*
monotropic -y *Math.*
monotropically *Chem.*
morphotropic *Crystal.*
-ism -y
neurotropy *Histol.*
oikotropic *Psych.*
oligotropic *Ent.*
ophthalmotrope -y
ophthalmotropometer
organotropy *Med.*
panatrope *Music*
parasitotropy *Med.*
phototrope -ically *Chem.*
platatropy *Anat.*
Protropites *Pal.*
rheotrope *Elec.*
rhizodontropy *Dent.*
sematrope *Mil.*
stereotrope *Biol.*
-ic -ism
syntropy -al *Biol.*
thaumatrope -ic(al *Phys.*
thaumatropy *Biol.*
thigmotropic -ism *Biol.*
topotropy *Chem. Crystal.*
traumatotropic -ism
trop-
al *Geom.*
aris *Bot.*
esis *Phil.*
etry *Ling.*
ism *Biol.*
ist(ic(ally *Biol.*
-tropal *Bot.*
amphi ana anti campto camptuli campylo hetero homo leco lyco ortho semiana
-trope *Anat. Med.*
adreno blemma eso gonado organo parasito pitui plata platy sympathico syn thymo thyro vago
trope *Eccl. Geom. Logic Phil. Rhet.*
trophotropic -ism *Biol.*
-tropia *Ophth.* -τροπία
ana ano cata eso exo hetero hyper hypo kato
-tropic *Bot.*
acarpo aero agamo ageo ahelio aitio anti aphelio aphoto apogeo apohydro auto(carpo nycti) calori carpo chemo clino dexio dia(geo photo thermo) dromo dys(photo) ectro electro endo epi(geo) eu(photo) eury exendo exhomo exo galvano game(*or* o) geo(nycti) gono hemi(meta) hetero homo hydro leio meso(meta) mesto mono neo nycti ortho(helio photo) osmo parahelio parallelo parathermo plagio(photo) postcarpo pro(geo hydro meta) prosgeo proshelio proteochemo radia radio rheo saccharochemo seleno semiana skolio somato steno thermo xero
-tropic *Chem. Phys.*
aeolo allelo aniso azeo chromo enantio eolo h(a)emo histo hydro hylo lyo morpho photo thauma thixo zoe
-tropic *Med.*
adreno amphi anemo arthro bacterio cartilago chrono cyto dermo dromo ergo eso etio exo gonado h(a)emo le(i)o lipo neuro noso onco organo osmo parasito pitui plasmo spirillo sympathico syn syphilo thymo thyro tuberculo vago
-tropically *Bot.*
aphelio apogeo chemo geo plagio somato
-tropin *Biochem. Med.*
ampho anti bacterio cello chemo chino hemo thely uro
-tropine *Biochem.*
homo leuco uro
-tropism *Bot.*
acro aeroido aitio anaclino antho aphapto aphelio apherco aphoto apogeo apohydro auto calori campto campylo carpo chemo clino cryo dia(geo photo thermo) dromo elco elec(tro) epi exo galvano gamo geo(dia plagio) gono hapto helc(*or* k)o helioturgo hemi hertzo homalo hydro kataklino klinogeo mechano mono narco nycti ortho osmo para(helio) parallel(geo) parortho phobophoto piezo plagio(helio photo) polo pro(geo hydro photo) proshelio radia rheo scoto seismo seleno sio skoto somato thermo tono topo xero zeno
-tropism *Chem. Phys.*
aeolo alcaleo allelo aniso chromo desmo hydro hylo mero morpho photo
-tropism *Med.*
adreno anemo baro chrono cyto dromo gonado homo neuro organo osmo oxy oxygeno parasito pitui plasmo sito spirillo thermo thymo thyro vago
tropotentry *Ling.*
unitrope
zoetrope *Phys.*
zootrope *Optics*

-τροπία as in ἀλλοτροπία, ἐντροπία, κακοτροπία
-tropy *Bot.*
chemo dys mesto ortho photoplagio plagio pseudodys seleno
-tropy *Chem. Phys.*
aeolo allelo aniso chromo(iso) desmo enantio eolo eu exendo exhomo exo geo hemi(ortho) homo hylo mero mono morpho phaso photo pseudoiso pseudomono thixo

τροπικός (Artist.)
tropic (al(ly
-tropic
inter neo pal (a)eo sub
-tropical
circum extra holo inter intra neo pal(a)eo semi sub supra ultra
Tropicalia (n *Zoogeog.*
tropicalize
-tropics
inter sub
tropo-
drymium *Phytogeog.*
phil(ous *Phytogeog.*
phyll *Bot.*
phyte -ic *Phytogeog.*
politan *Nat. Hist.*

τρόπις (-ιδος) a ship's keel
Amphitropis *Prot.*
Calotropis *Bot.*
Oxytropidoceras *Pal.*

Trichotropis *Conch.*
-idid(ae -idoid
tropeic *Ich.*
tropi-
gnorimus *Ent.*
phlepsia *Ent.*
sternus *Ent.*
Tropidia *Pal.*
tropidial *Spong.*
tropido-
baris *Ent.*
caulus *Ent.*
dema *Ent.*
deres *Ent.*
gaster *Herp.*
lepis *Herp.*
leptinae *Pal.*
leptus *Brachiop.*
notus
phorus *Ent.*
pterus *Ent.*
rhinus *Ent.*
rhynchia *Pal.*
rhyncus *Ornith.*
scaphula *Ent.*
soma *Ent.*
sterni -al *Ornith.*
tropio-
caris -id(ae -oid *Crust.*
rhynchus *Ent.*
tropis *Bot. Ent. Spong.*
Tropites *Conch.*
-id(ae -oid
Tropocalymma *Ent.*
-tropis *Ent.*
Adelo Aphanto Auto Campto Diastato Diplo No Oxy Tribo

τροπολογία (Phot.)
tropology -ize
τροπολογικός (Eust.)
tropologic(al(ly

τρόπος a turn, way, manner. See also τροπή
tropo-
meter *Anthrop. Horol. Ophth.*
pause
sphere
stereoscope
troptometer *Mech.*

-τροπος as in ἀλλότροπος (Arist.)
-tropous *Bot.*
amphi ana anti autoortho autoscolio camptuli campylo dys gonio hemi(ana gamo hetero homo lyco ortho plagio pleuro pseudodys semi pleuro pseudodys semiana spirophoto

τροφεῖον (Suidas)
lagotrophy
ornithotrophy

τροφή food; nurture
Atrophytes *Fungi*
dendrotrophe
Ectotrophi -ous *Bot.*
embryotroph(e *Emb.*
embryotropha *Bot.*
Entotrophi -ous *Bot.*
hydrotrophe *Mech.*
Jatropha -ic *Bot.*
limitrophe *Med.*
-ic -ous
monotrophic *Zool.*
neurotrophasthenia
peritrophic *Ent.*
polytrophic *Biochem.*
skeletotrophic
-troph *Bot.*
ecto endo hetero meta proto syn

troph-
(o)edema *Path.*
ema *Gynec.*
esy -ial *Path.*
ilegic *Biol.*
ism *Physiol.*
-trophism *Biol. Med.*
gono meta organo parasito proto syn
trophy *Bot.*

-τροφία as in ἀτροφία, κακοτροφία, παιδοτροφία
hypertrophied *Bot. Med.*
-ical -ous
nosotrophous
-trophia *Biol. Bot. Med.*
acardio alogo amyo anencephalo angiodys chondrodys clado dys hemidys hetero meta metryper myo(hyper) noso osteodys para phyto poly
-trophy *Biol. Bot. Med.*
abio allo alogo amphi amyelo amyo an(a)emo anomalo asyn auto (chondro)dys dis embryo endo epi exo galacto geo h(a)emo hem(at)odys hemihyper hetero hydro hyper(myo) hypo iso lipo lymphadenohyper lympho meta nephrohyper neuro noso onto onycho osteo para photo phylo pogono poly proto pseudohyper semiecto syn tricho

τροφικός Fr. τροφή
trophic *Physiol.*
al(ly ity
theriotrophical
-trophic *Biol.* mixo
abio hetero histo idio
-trophic *Bot.*
allo amphi auto ectendo ecto endo epi eu exo hyper iso meso meta myco myrmeco myxo oligo para pleo proto symbio syn
-trophic *Med.*
allo amyo ana anencephalo angio brady hyper lipo neuro organo para sub tuberculo vaso viscero

τρόφιμος nutritious
trophime -ous *Bot.*

τροφο- Comb. of τροφή
acrotrophoneurosis
antetrophosporophyll
ditrophophytes *Bot.*
dystropho-
dextrin *Biochem.*
neurosis *Neurol.*
plasmoditrophoblast
tropho-
blast(ic *Embryol. Path.*
blastoma *Tumors*
calyx *Mam.*
chromatin *Bot.*
chromidia *Cytol.*
cromatin *Cytol.*
cyte *Cytol. Ent.*
derm disk *Embryol.*
dynamics *Physiol.*
gon(e *Bot.*
lecithus -al *Embryol.*
logy *Physiol.*
nema *Bot. Ich.*
neurosis *Path.*

tropho- Cont'd
neurotic *Path.*
nosis -us *Path.*
nucleus *Cytol.*
pathy
phyll *Bot.*
phyte *Bot.*
plasm(ic *Biol.*
plast *Bot.*
pollen *Bot.*
some -al *Biol.*
sperm(ium *Bot.*
sphere *Embryol.*
spongia(l -ian *Anat.*
spongium *Cytol.*
spore -osome *Bot.*
taxis *Biol. Bot.*
therapy *Diet.*
tonus *Bact.*
tropic -ism *Biol.*
zooid zoite *Prot.*

τροφός feeder, nurse
ornithotrophe
trophi -al *Ent.*
trophis *Bot. Foods*

τροφοφόρος nourishing
trophophore *Spong.*
-ic -ous

Τροφώνιος (Herod.)
Trophonian *Myth.*

τροχ- Stem of τροχὸς
troch-
acea(n *Conch.*
al ate *Zool.*
eidoscope
elminth *Helm.*
id(ae *Conch.*
iferous iform *Zool.*
in(ian *Anat.*
ite -ic *Pal.*
iter(ian *Anat.*
ol *Org. Chem.*
orizocardia *Med.*

τροχαικός (Schol. Ar.)
trochaic(al(ity *Pros.*

τροχαῖος (Plato)
trochee(ize *Pros.*

τροχαλός running
trochalo-
nota *Ent.*
pod(a -ous *Ent.*
pteron
Trochalus *Ent.*
-trochalus *Ent.*
Hetero

τροχαντήρ (Galen)
antitrochanter *Zool.*
pelvitrochanterium *Anat.*
trochanter *Anat.*
-ian ic
trochanter *Ent.*
in(e inian
-trochanteric *Anat.*
bi hypo ilio infra inter peri sub tendino

τροχιά track of wheels
cytotrochin *Biochem.*

τροχιλέα (Arist.)
trochilic(s *Mech.*

τροχιλία (Hipp.)
ectotrochlea *Ornith.*
epitrochlea(r *Anat.*
intertrochlear
podotrochilitis *Path.*
supratroch(i)lear *Anat.*
trochlea *Anat.*
trochlear *Anat.*
iform is y
trochleate *Bot.*

τροχίλος (Herod.) (Vitruv.)
Oreotrochilus *Ornith.*
trochil(ium *Ornith.*
trochile -us *Arch.*

Trochilus *Ornith.*
-id(ae -(id)in(e -idist
-inae -oid

τροχίσκος Dim. of τροχός
Hemitrochiscidae *Pal.*
trochiscus -ate *Old Med.*
trochisk

τροχο- Comb. of τροχός
trocho-
blast *Embryol.*
cardia *Med.*
carpa *Bot.*
cephalia -y -ic *Craniol.*
ceracone *Conch.*
ceras *Conch.*
-an -atid(ae -atoid
coelome -ata *Zool.*
cyst- *Pal.*
-idae -ites -oides
dendron *Bot.*
-aceae -oides
ic *Org. Chem.*
lites *Cephal.*
meter
nema *Gastrop.*
phora *Helm.*
phore *Embryol.*
pora *Bryozoa*
saurus *Pal.*
soma *Arach.*
sphaera *Conch.*
sphere -ic(al *Biol.*
suchus *Pal.*
therium *Pal.*
toma *Gastrop.*
turbella *Pal.*
zoa zoic zoon *Zool.*

τροχοειδής circular
epitrochoid(al *Geom.*
hypotrochoid(al *Geom.*
peritrochoid *Geom.*
trochoid(al(ly *Anat. Conch. Geom.*
trochoides *Anat.*
trochoideus *Ent.*

τροχός a wheel
actinotrocha *Emb.*
architroch *Emb.*
cephalotrochic *Helm.*
Ditrocha -al *Ent.*
entrochal *Geol.*
entrochite *Pal.*
Eotrochus *Zool.*
Nototrocha *Annel.*
paratroch *Annel.*
polytroch(a(l -ous *Zool.*
posttrochal *Zool.*
pretrochal
prototroch(al *Annel.*
protrochal *Mol.*
protrochula *Embryol.*
-troch *Helm.*
branchi cephalo meso tel(e)o
trocha -al *Helm.*
A Actino Amphi Branchi Cephalo Gastro Holo Meso Schizo Tel(e)o Zyzo
troche *Pharm.*
trocheameter
-trochous *Helm.*
a cephalo holo meso shizo tel(e)o zygo
trochus *Cl. Ant. Conch.*
-trochus *Ent.*
Holo Perono Plagio
-trochus *Pal.*
Bathy En Paludo Pleuro Strepto

τρύβλιον a cup, bowl
tryblia *Gr. Vases*
Tryblidium -aceae

τρύγγας = πύραργος
tring(a *Ornith.*
eae id(ae inae ini oid(es
Palaeotringa *Ornith.*

τρυγών turtledove
Geotrygon *Ornith.*
Trygon *Ich.*
-id -idae -oid
Xiphotrygon *Ich.*

τρύειν to rub down
Phloeotrya *Ent.*
tryptamine *Biochem.*
tryptophol *Org. Chem.*

τρῦμα a hole
truma *Bot.*
Tryma *Bot.*

τρύμη a hole
Diatryma *Pal.*
Trymodera *Ent.*

τρῦπα a hole
Atrypa *Conch.*
-id(ae -oid
trypa *Helm.*
-trypa *Pal.*
Acantho Caryno Cycloido Cypho Hemi Lissa
-trypella *Pal.*
Acantho Lepto Petalo
trypiate *Zool.*
-trypina *Pal.*
Acantho Erido Lepto
trypo-
chete *Cytol.*
dendron *Ent.*
naeus *Ent.*
pitys *Ent.*

τρυπᾶν to bore, pierce
odontotryp(h)y *Dent.*
rhizodontrypy *Dent.*
-try(*or* u)pes *Ent.*
Allo Gastro Geo Hylo Procto Stypo Xylo
Trypethelium *Bot.*
-iaceae -ioid
trypo-
graph(ic -ize
xylon -us *Ent.*

τρυπάνη = τρύπανον
Ammotrepane *Annel.*
Eutrypanus *Ent.*

τρυπανο- Comb. of τρύπανον
trypano-
cide -al *Med.*
lysis lytic *Med.*
plasma *Prot.*
rhynchus *Helm.*
san *Dyes*
somacide *Med.*
some -a *Prot.*
-al -ata -ate -atous
somatosis *Path.*
somiasis *Path.*
somic -id(e *Med.*
stoma *Conch.*

τρύπανον borer; trepan (Hipp.)
autotrepanation *Med.*
careotrypanosis *Path.*
Diplotrypina *Pal.*
electrotrephine *Surg.*
Schizotrypanum -osis
trepan *Mil. Mining Surg.*
ation ize ner ning
trepha *Surg.*
trephine -ation *Surg.*
trypaflavine *Mat. Med.*
trypan *Pharm.*
trypanid(e *Med.*
Trypanidius *Ent.*
trypanon *Gr. Ant.*
Trypanophis *Prot.*
tryparsamid(e *Pharm.*

τρύπημα a thing bored
Trypematella *Pal.*

τρυπησις a boring
trypesis *Surg.*
cephalo- cranio- sterno-
τρυπητής borer
Trypeta -es *Ent.*
-id -idae -inae -in(e
τρυσίβιος wearing out life
Trysibius *Ent.*
τρυσσός = τρυφερός
Tryssus *Ent.*
τρυτάνη scales
tron(e
age (ag)er man
τρύφαξ a debauchee
Tryphactothrips *Ent.*
τρυφερός dainty, delicate
Trypherus *Ent.*
τρυφή delicacy
Trupheopygus *Ent.*
τρυχηρός tattered
Brachytrycherus *Ent.*
Trycherus *Ent.*
τρώγειν to chew, gnaw
Dendrotrogus *Ent.*
geotragia *Med.*
Phloeotrogus *Ent.*
rhizotrogus
trogo-
dendron *Ent.*
derma *Ent.*
lemur *Pal.*
phloeus *Ent.*
sita *Ent.*
-id(ae -oid
xylon *Ent.*
Trogus *Ent.*
Xylotrogi *Ent.*
τρώγλη a gnawed hole
Troglichthys *Ich.*
Troglops *Ent.*
τρωγλο- Comb. of τρώγλη
troglo-
chaetus *Helm.*
phila *Ent.*
Τρωγλοδύται Cave-Men
troglodyte
-al -an -ish -ism
Troglodytes *Ornith.*
-id(ae -inae -ine -oid
Τρωγλοδυτικός (Strabo)
troglodytic(al
Troglodytica *Ent.*
τρώγων P.pr. of τρώγειν
trogon(es *Ornith.*
-id(ae -ine -oid(ean -oideae
Trogonophis *Herp.*
-id(ae -oid
Τρωικός (Iliad)
Troic
Τρωΐλος (Iliad)
troilus *Ent.*
Troilus -os *Myth.*
Τρώιος (Iliad)
Trojan
τρώκτης nibbler
-troctes *Ich.*
Ozo Platy
trout
τρωκτός gnawed
troctolite *Min.*
τρώξ a gnawer
Diglossotrox *Ent.*
Eschatroxus *Ent.*
Trogodes *Ent.*
Trox *Ent.*
-ogid -ogonidae
τρῶμα = τραῦμα
neurotroma *Med.*
τρῶσις a wounding
neurotrosis *Med.*

τρωτός vulnerable
tenontotrotus *Med.*
Trotomma *Ent.*
τυγχάνειν to hit; happen
Seldom, if ever, used
τυλεῖον Dim. of τύλη
tylion *Craniom.*
τύλη = τύλος
cystotyle *Bot.*
-tyle *Spong.*
amphi clado cricamphi triaeno
tylhexactine *Spong.*
tylon *Spong.*
τυλο- Comb. of τύλος
microtylostyle *Spong.*
tylo-
cerus *Ent.*
clad *Spong.*
dendron *Bot.*
deres *Ent.*
notus *Ent.*
phora *Bot.*
phorin *Mat. Med.*
phorites *Pal.*
pod(a ous *Mam.*
pora *Pal.*
pterus *Pal.*
saurus
stoma -aceae *Fungi*
style -ar *Spong.*
style *Arch.*
stylote *Spong.*
tarsus *Ent.*
-tylopus
Eu Mega Para
τυλόεις callous, knobby
Tylois *Ent.*
τύλος callus; pad
Atylus *Crust.*
-id(ae -oid
Oncotylus *Ent.*
-id(ae -oid
Pantylidae *Pal.*
Tritylodon *Mam.*
-ontid(ae -ontoid
tylarus *Ornith.*
Tylenchus *Helm.*
tylose *Bot.*
Tylosurus *Ich.*
tylus *Ent.*
Tylus -id(ae -oid *Crust.*
-tylus *Ent.*
Cyrto Dia Lyro Noto Onco Pachy
τυλώδης like a callus
Tylodes *Ent.*
τύλωμα (Hesych.)
derma(to)tyloma *Path.*
entyloma *Fungi*
tyloma *Path.*
Tylomus *Ent.*
τύλωσις (Galen)
dermatotylosis *Path.*
ectylosis *Path.*
tylosis *Bot. Path.*
tylotic *Path.*
τυλωτός knobbed
centrotylote *Morph.*
microtylote *Spong.*
oxytylote -ate *Spong.*
tylote -ate *Spong.*
tyloxea -eate *Spong.*
τύμβος (Pindar)
entomb
tomb
ic less let stone
untomb(ed
τυμπανίας (Aretae.)
tympany -ous *Path.*
τυμπανίζειν to beat a drum
tympanize
τυμπανικός (Alex. Trall.)
tympanic
al ity

-tympanic *Anat.*
antro carotico ento epi extra hypo intra masto meso orbito osteo petro post pre squamo sub supra vesiculo
τυμπάνιον Dim. of τύμπανον
tympanion *Craniom.*
τυμπανισμός drumming
tympanism *Path.*
τυμπανιστής drummer
tympanist *Music*
τυμπανίστρια fem. drummer
tympanistria *Ornith.*
τυμπανίτης = τυμπανίας
gastrotympanites *Path.*
tympanites -ic(al -is
τυμπανο- Comb. of τύμπανον
tympano- *Anat.*
cervical
Eustachian
hyal hyoidal
malleal
mandibular
mastoid(itis *Path.*
occipital
periotic
phonia -y *Med.*
phorus *Ent.*
squamosal
somatosis
stapedial
temporal
tomy *Surg.*
τυμπανοειδής like a drum
tympanoid *Anat. Bot.*
τύμπανον kettle-drum
antrotympanitis *Path.*
subtympanitic *Med.*
timbester
timbre
timbrel(ler
timbrer
timbro-
logy
mania(n -ist
phily
-ic -ism -ist
timpano *Music*
tymp *Metal.*
tympan *Anat. Arch. Music Print.*
tympanal
-tympanal *Anat.*
aero supra tubo
tympanectomy *Surg.*
tympania *Med.*
tympanichord(al *Anat.*
tympaniform *Anat. Bot.*
Tympanuchus *Ornith.*
tympanum *Anat. Arch. Bot.*
-tympanum
epi h(a)emato hemo hydro
vesiculotympanitic *Anat.*
Τυνδαρίδαι Castor and Pollux
Tyndaridae -es *Myth.*
τύντλος mud
Tyntlastes *Ich.*
τυπάς a mallet, hammer
Tupistra *Bot.*
-τυπία as in ὁμοτυπία, πρωτοτυπία
amphitypy *Biol.*
anthracotypy *Arts*
artotypy *Arts*
autotypy *Photog.*
callitypy *Print.*
catatypy -ic *Photog.*
chemitypy *Etching*
chiasmatypy *Cytol.*

chromo(arto)typy
collotypy -ic *Photog.*
crystallotypy *Print.*
daguerrotypy -ic(al -ist
dichotypy -ic *Bot.*
electrotypy -ic -ist
heliotypy *Photog.*
homotypy *Biol. Bot.*
idiotypy *Bot.*
lateritypy -ic
lithotypy -ic *Arts*
logotypy
megatypy *Photog.*
papyrotypy *Photog.*
phonotypy
-ic(al(ly -ist
photochromotypy
phototypy
-ic(ally -ist
photozincotypy
physiotypy
pleiotypy
semiphonotypy
stenotypy -ic -ist
stereotypy
-ic(al(ly -ist
stigmatypy -ic *Arts*
thermotypy -ic *Phys.*
τυπικόν ritual
typicon -um *Gr. Ch.*
τυπικός conformable
apotypic *Biol.*
attypic(al(ly *Biol.*
etypic(al(ly *Biol.*
hypotypic(al
polytypic
prototypic
subtypical *Biol.*
typic
al(ly ality alness
unitypic *Bot.*
τυπο- Comb. of τύπος
architypographer *Print.*
electrotypograph
Eutypomys *Pal.*
palaeotypographist
prototypographer
Protypotheroides *Mam.*
stereotypographer
teletypograph
typo-
cosmy *Phil.*
crat(ic
etching
graph(er
graphy -ia
-ic(al(ly -ist -ize
gravure
lite *Geol.*
lithography -ic
logy -ic(al -ist *Phil.*
-ize(r
mania
meter metry
phil
phone *Music*
phorus *Ent.*
photograph
radiography
scope *Ophth.*
scribe script
telegraph(y
therium *Mam.*
-iid(ae -ioid
thetae theter
-typographic
chromo electro phono photo
-typography
auto chromo helio kalo palaeo photo stereo xylo
τύπος impression; form; type (Plato)
Agriotypus -idae *Ich.*
antetype

arch(i)type
artotype *Arts*
authotype
bitype -ic
cacotype
calotypist *Photog.*
cameotype
cerotype
chirotype *Palaeog.*
coenotypic *Morphol.*
color(i)type *Arts*
cotype *Zool.*
daguerrotyper
Daulotypus *Ent.*
deutogenotypic *Morph.*
ecotypical *Bot.*
electrotyper -ing
emolliotype
ferrotyper *Photog.*
fluorotype
genotypist -ical
glossotype *Phon.*
graphotype -ic
gynetype *Zool.*
hagiotype
hallotype
hemitype -ic *Zool.*
heterotyp(ic)al *Biol.*
homoeotypical *Biol.*
homotyp(ic)al *Biol.*
homotyposis *Biol.*
hypertype -ic(al
hypoplastotype *Min.*
icotype
Idiotypa *Ent.*
idiotype -ic *Chem.*
indotype
isotype -ic *Cryst. Zoogeog.*
linotyper -ist *Print.*
lipotype -ic *Zoogeog.*
lithotype *Arts*
logotype
macrotype -al *Zool.*
macrotypous *Min.*
manutype -er
megatype *Photog.*
mesotype *Min.*
metatype -ic *Sociol.*
microtype -al *Zooph.*
mimeotype
mimotype -ic *Zool.*
monotype *Print.*
-al -ic(al
monotypous *Biol.*
necrotype -ic *Pal.*
ootype *Trematoda*
optotype
overtype *Elec.*
pal(a)eotype -ic(al(ly
panta(*or* o)type
paratype -ic(al
phenotypical(ly *Biol.*
phonotype
phrenotype -ic(s
physiognotype *Arts*
physiotype *Arts*
pianatype *Elec.*
plastotype *Bot. Geol. Pal.*
plesiotype
pneumatype *Diag.*
pneumotyposis *Path.*
polytypage *Print.*
polytypal *Biol.*
pretypify
proterotypes *Morphol.*
protype -us *Arch.*
pseudotypic *Morph.*
pyrostereotype
Rhodotypos *Bot.*
Staurotypus *Herp.*
-id(ae -oid
stenotype -er
stereotype -er(y
stylotypite *Min.*
Sycotypus -idae *Conch.*
syntypicism *Bot.*
syntypous *Bot.*

tachytype
teletype -ic *Elec.* (*T.N.*)
writer
telotype
Temnolectypus *Pal.*
thermotype
topotypical *Biol.*
trigonotype *Geom.*
typ-
acanthid *Echin.*
archical
embryo *Emb.*
ism ist
odontia *Mam.*
onym(al ic *Biol.*
orama *Mech.*
type
-al -er -ful -fy -less
-setter write(r
-type -τυπον as in ἀντίτυπον, ἀρχέτυπον, πρωτότυπον
typify -ication -ier
-type *Morphol.*
auto clasto coeno heauto lecto protero pseudo
-type *Biol. Bot.*
aspidospermo bio chiasma(*or* o) clono eco fibro geno(holo lecto syn) haplo hetero(homo) holo hom(oe)o hypo iso(holo lecto) meta mono neo ortho parallelo ph(a)eno phyllo plasto prosthetero spermo sub syn tecto(para plesio) topo
-type *Photog.*, etc.
ambro amphi amylo antho argento aristo asphalto auro auto calo cata(lyso) chemi chroma chromo(collo photo) chryso collo collodio crystallo cyano daguerro dallas diaphano duo energia ferro gelatino gillo helio(chromo) helleno hyalo intaglio kalli kalo lambro leim mega mela(i)no melo mezzo opalo ozo palladio pano papyro photo-(chromo collo electro grapho hyalo litho mezzo vitro zinco) pina platino poro spongo stanno talbo tin tithono transfer(r)o vitro zinco
-type *Print.*
alber(t) apyro calli electro lino mono poly polyma
-typic *Biol. Bot.*
allo ana autogeno bio geno haplo isogeno meta pheno syn topo
-typic *Photog., etc.*
calo chromo helio hetero hom(oe)o
-typose *Bot.* ana apo
-typous *Min.*
brachy ortho stauro
undertype *Elec.*
zootype -ic
τύπτειν to strike
Paratypton *Crust.*
typtology -ical -ist
τυραννία (Ath.)
tyranny
τυραννίζειν (Dem.)
outtyrannize
tyrannize -er
τυραννικός royal, despotic
tyrannic
al(ly ly alness
τυραννίς sovereignty
tyrannis
τυραννο- Comb. of τύραννος
tyranno-
phobia
saurus *Pal.*
τυραννοκτονικός
tyrannoctonic
τύραννος despotic ruler
archtyrant
prototyrant
tyrandise
tyranness -ial -ious -ish -ity
tyrannicide -al
Tyranniscus *Ornith.*
tyrannism *Ps. Path.*
tyrannous(ly -ness
Tyrannula *Ornith.*
-in(e -us
Tyrannus *Ornith.*
-id(ae -inae -ine -oid-(ean -oideae
tyrant
ess ly ry ship
τύρβη tumult
scelotyrbe *Path.*
τύρευσις cheese-making
tyreusis *Path.*
Τύριος of Tyre (Aesch.)
Tyrian *Geog.*
τυρο- Comb. of τυρός
tyro-
borus *Arach.*
genous
glyphus *Arach.*
-id(ae -inae -in(e
leucin *Chem.*
mancy
phagus *Arach.*
sal *Mat. Med.*
thrix *Bact.*
toxicon *Biochem.*
toxin(e *Biochem.*
toxism *Biochem.*
Τυρογλύφος name of a mouse
Tyroglyphus *Arach.*
-id(ae -inae -in(e
τυρός cheese (Iliad)
antityrosinase *Biochem.*
homotyrosol *Org. Chem.*
tyramin *Mat. Med.*
tyratol *Mat. Med.*
tyrein *Biochem.*
tyremesis *Path.*
tyriasis *Path.*
tyrosamine *Org. Chem.*
tyrosin(e *Biochem.*
-ase -uria
tyrosis *Path.*
tyrosol -yl *Org. Chem.*
tyroxin *Biochem.*
Τυρρηνοί (Aesch.)
Tyrrhene -ian
Τυρρηνός Etruscan
Tyrrhenaria *Malac.*
Τυρταῖος Tyrtaeus
Tyrtaean *Lit. Music*
τύρωμα a thing curdled
tyroma *Path.*
-atosis -atous
τυτθός little, small
Tytthonyx *Ent.*
τυτώ the night-owl
Speotyto *Ornith.*
τύφειν to smoke
Omotyphus *Ent.*
τύφη cat's tail (Theophr.)
Typha *Bot.*
-aceae -aceous -etum
Typhaeus *Helm.*
-id(ae -oid
τυφλο- Comb. of τυφλός
laparotyphlotomy *Surg.*
Ototyphlonemertes
-idae
typhlo-
albuminuria *Med.*
bius *Arach.*
cele *Path.*
dicliditis *Path.*
empyema *Med.*
gobius *Ich.*
graph
hepatitis *Path.*
lexia *Ps. Path.*
lithiasis *Med.*
logy *Med.*
molge *Amphib.*
myrmex *Ent.*
pexia -y *Surg.*
porus *Ent.*
proctus *Pal.*
scolex *Helm.*
-ecid(ae -ecoid
sole -ar *Ich.*
stenosis *Path.*
stomy *Surg.*
symbranchus *Ich.*
tomy *Surg.*
trechus *Ent.*
ureterostomy *Surg.*
τυφλόν (Galen)
epityphlitis *Path.*
epityphlon *Anat.*
paratyphlitis *Path.*
perityphlic *Anat.*
perityphlitic *Path.*
τυφλόν caecum (Galen)
typhl-
atonia -y *Med.*
ectasis *Path.*
ectomy *Surg.*
typhlon *Anat.*
τυφλός blind
Lipotyphla *Mam.*
Menotyphla -ic *Mam.*
Typhlichthys *Ich.*
typhloid
typhope(s *Helm.*
Typhlophthalmi(c *Helm.*
Typhlops *Helm.*
-opid(ae -opoid(ea(n
τύφλωσις blindness (Hipp.)
typhlosis *Path.*
nipho- nycto-
τυφλώψ blind-faced
Leptotyphlops *Herp.*
-opid(ae -opoid
τυφο- Comb. of τῦφος
typho-
adynamic
bacillosis *Path.*
bacterin *Bact.*
bia *Ent.*
chiton *Malac.*
deictor *Meteor.*
genic *Path.*
hemia *Path.*
in *Mat. Med.*
lumbricosis *Path.*
lysin *Med.*
malaria(l *Path.*
paludism *Path.*
phor *Med.*
pneumonia *Path.*
protein *Biochem.*
remittent *Med.*
rubeloid *Path.*
sepsis *Path.*
toxin(e *Bact.*
τῦφος vapor; fever stupor; *Med.* (Hipp.)
autotyphization *Med.*
Typhaceae *Bact.*
Typhaea *Ent.*
typh(a)emia *Path.*
typhase *Bact.*
typhia -ic -ization *Path.*
typhine -ia
Typhis -id(ae -oid *Crust.*
typhonia -ium *Med.*
Typhonium *Bot.*
typhula *Bot.*
typhus -ose -ous *Path.*
-typhus *Path.*
adeno broncho ileo laryngo nephro ochro pneumo porphyro sapro stoma(to) thanato
τυφώδης (Hipp.)
typhodial *Med.*
typhoid *Path.*
al ette
-typhoid *Path.*
anti arthro broncho colo laryngo meningo nephro ortho para pharyngo pleuro pneumo post pseudo tonsillo
Τυφωεύς a Giant
Typhoean *Myth.*
τυφωμανία (Hipp.)
typhomania *Path.*
τυφων (Arist.)
typhon *Meteor.*
typhoon
Τυφῶν Father of Winds
Typhon *Myth.*
Τυφωνικός (Plutarch)
Typhonic *Myth.*
typhonic *Meteor.*
Τυφώνιος (Phot.)
Typhonian *Myth.*
τύφωσις "delirium"
pyretotyphosis *Med.*
typhosis -e *Path.*
τυχαῖος accidental
Pseudotychius *Ent.*
Tychius *Ent.*
τύχη fortune, luck, hap
Capnotycha *Ent.*
tychasm *Phil.*
tychasticism *Phil.*
tychastics *Ind. Med.*
Tyche *Myth.*
Tychea *Ent.*
tychism *Phil.*
tychistic *Phil.*
tychite *Min.*
tycho-
limnetic *Bot.*
parthenogenesis
pelagic *Phytogeog.*
plankton *Bot.*
potamic *Phytogeog.*
Τυχίος Maker (Iliad)
Lepidotychius *Ent.*
Tychius *Ent.*
τύψις a beating
Distypsidera *Ent.*

ῠ Used for its shape
Hyodon *Ich.*
-ont(ies -id(ae -oid)
Hyopsodus *Pal.*
-ont(-a -id(ae)
Hypleurochilus *Ich.*
Ὑάδες seven stars in Taurus
Hyades *Astron. Ent. Myth.*
ὕαινα Fr. ὗς (Herodotus)
Borhyaena *Pal.*
Cynhyena *Mam.*
euhyaenine
Hyaena *Mam.*
hyaen-
anche *Bot.*
anchin *Tox.*
arctos -idae -inae -ine
ia *Mam.*
-id(ae -iform(es-inae
-ine -oid
ictis *Zool.*
odon -ontid(ae -ontoid
hyaeno- *Pal.*
gnathus suchus
hyena
-aform -asic -ia -ic -oid
hyenanchin *Tox.*
Neohyaenodon *Pal.*
Pseudoborhyaena *Pal.*
Ὑακίνθια (Herodotus)
Hyacinthia *Gr. Fest.*
ὑακίνθινος (Odyssey)
hyacinthine
jacinthine
ὑάκινθος, ὁ a dark flower; ἡ a blue stone (?sapphire)
hyacinth *Bot. Her. Min. Ornith.*
hyacinthian
jacinctine -ous
jacinth(ous
jagounce
water-hyacinth
Ὑάκινθος (Eur.)
Hyacinthus *Myth.*
ὑάλεος = ὑάλινος
Hyalaeus *Conch.*
-(ae)acea -(a)ea -eidae
ὑάλινος of glass
angiohyalinosis *Med.*
ceratohyalin(e *Biochem.*
flavohyaline *Ent.*
fulvohyaline *Optics*
fuscohyaline *Ent.*
holohyalin(e *Petrog.*
hyalin(e *Chem.*
hyalinosis *Path.*
hyalinuria *Med.*
hypohyalin(e *Petrog.*
keratohyalin(e
semihyaline
subhyaline
trichohyalin *Med.*
ὑαλο- Comb. of ὕαλος
cytohyaloplasma *Cytol.*
hyalo-
allophane *Min.*
clast
crinus *Pal.*
derma *Pal. Porif.*
dictyae *Fungi*
didymae *Fungi*
enchondroma *Tumors*
gen *Biochem.*
gnathus *Ich.*
graph(er -y
melan *Petrol.*
micte *Petrol.*
mitome *Cytol.*
mucoid *Ophth.*
nema *Spong.*
-atidae -id(ae -oid
nyxis *Ophth.*
phagia
phane *Min.*
phobia
phragmiae *Fungi*
pilitic *Petrog.*
plasm(ic *Anat. Biol.*
plasma *Cytol.*
pterus -ous *Ent.*
rhynchus *Ich.*
serositis *Path.*

hyalo- Cont'd
siderite *Min.*
some *Cytol.*
spermous *Bot.*
spongia(e *Pal. Zool.*
sporae *Fungi*
staurae *Fungi*
stelia *Spong.*
tekite *Min.*
type *Photog.*
-hyaloplasm *Cytol.*
cyto karyo nucleo
-hyalosome *Cytol.*
deut pro
photohyalo-
graphy type
Prothyalosoma(l *Oology*
ὑαλοειδής like glass
hematohyaloid
hyaloid(a -ean *Anat.*
hyaloidin *Biochem.*
hyaloiditis *Path.*
subhyaloid
tympanohyoidal
ὕαλος glass (Plato)
Deloyala *Ent.*
-hyal *Anat.*
basi cerato crico epi- (cerato) glosso inter pharyngo stylo thyro tympano uo uro
-hyal *Zool.*
apo basi branchi ento epi hypo para
hyalescent -ence
hyalite *Min.*
hyalithe *Arts*
hyalitis *Path.*
hyaloma *Path.*
hyalose *Chem.*
hydrohyalus *Arts*
Ὑβλαῖος of Hybla (Strabo)
Hybl(a)ean *Geog.*
ὑβος humpbacked
hyb-
odontology *Ich.*
odus *Ich.*
-ont(-ei -es -id(ae
opsis *Ich.*
hybo-
aspis *Arach. Pal.*
clonius *Ent.*
codon(idae *Zooph.*
crinites *Pal.*
crinus -idae -oid
cystidae *Pal.*
rrhynchus *Ent.*
sorus *Ent.*
Neohyborrhynchus *Ent.*
ὕβρις wanton violence
hybris *Ethics*
ὑβριστικός wanton
hubristic
ὑγιαντός curable
hygiantic(s
ὑγιαστικός curative
hygiastic(s
ὑγεία late form of ὑγίεια
hygeial
hygeist(ic
hygiopon *Mat. Med.*
Ὑγεία goddess of health
Hygeia(n *Astron. Myth.*
ὑγίεια health
hygieist
ὑγιεινός wholesome, healthy
antihygienic
hygiene
-al -ic(al(ly -ics -ism -ist -ization
ὑγιο- Comb. of ὑγεία
hygeio-
later latry

hygeio- Cont'd
logy
hygio-
genesis
logy
ὑγρο- Comb. of ὑγρός
antigropelos *Dress*
atmometrohygrometer
barothermohygrograph
hygro-
blepharic *Anat.*
chasy -astic *Bot.*
deik *Meteor.*
derma
drimium *Bot.*
geophila *Bot.*
graph
logy -ical(ly
med *Med. App.*
medry *Med.*
meter
metry -ic(ity -ical
morphic -ism *Bot.*
phily *Biol.*
phile -ae -ous *Bot.*
phant
phila -e -eae *Conch.*
phobia *Psych.*
phorbium *Bot.*
phorus *Fungi*
phyte(s -ia -ic
plasm(a *Bot.*
poium *Bot.*
scope
scopy -ic(al(ly -icity
spectroscope
sphagnium *Bot.*
statics
stomia *Path.*
thermal
trechus *Ent.*
hyther *Meteor.*
isohygrometric *Meteor.*
mesohygromorphic *Bot.*
nonhygrometric
thermohygro-
graph *Meteor.*
scope
ὑγρονομος walking the water
Hygronoma *Ent.*
ὑγροπόρος having its path in the water
Hygropora *Ent.*
υγρος fluid
arsenohygrol *Mat. Med.*
hygr.
aulic *Obs.*
echema *Med.*
emometry *Med.*
ic in(e inic *Chem.*
oma -atous *Path.*
ophthalmia -y -ic
othygroma *Otol.*
ὑγροφανής of moist look
hygrophanous -eity *Bot.*
ὑδατικος watery, moist
hydatic(al
Hydaticus *Ent.*
ὑδατίς (-ίδος) a drop of water
hydathode *Bot.*
hydatid(es -inous *Path.*
hydat(id)iform
hydatigenous
Hydatina *Helm.*
-id(ae -oid
hydatoma *Path.*
hydatosis
ὑδατισμός (Cael. Aur.)
hydatism *Med.*
ὑδατο- Comb. of ὑδατίς
hydato-
cele *Path.*
genic -ous *Geol. Petrog.*

hydato- Cont'd
morphic *Geol.*
phytia *Bot.*
pneumatic
pneumatolithic
pyrogenetic
pyrogenic
scopy
stomy *Surg.*
pneumohydato-
genic genous *Geol.*
ὑδατοειδής (Galen)
hydatoid *Anat. Ophth.*
ὑδατός
hydatos *Pol. Title*
ὑδερώδης dropsical
Hyderodes *Ent.*
ὑδνο- Comb. of υδνον
homohydnocarpic
hydno-
bius *Ent.*
carpic *Org. Chem.*
carpus *Bot.*
ceras -ina *Pal.*
resinotannol *Chem.*
ὕδνον (Theophr.)
hydnoid
Hydnora *Bot.*
-aceae -aceous
Hydnum *Fungi*
-aceae -aceous
ὑδρ- Comb. of ὕδωρ
acet(o)hydroxamic
acetochlorohydrose
aldehydrase *Biochem.*
anhydr(a)emia *Path.*
benzohydroxamic
carbohydraturia *Med.*
conhydrinium
cyanhidrosis *Path.*
dehydr- *Chem.*
acetic (at)ase asy ater emia ion
diahydric *Phys.*
dihydr- *Chem.*
azone iodid(e
dihydroxy- *Chem.*
acetone acid phthalophenone stearic
dihydroxyl *Chem.*
succinic tartaric
hexahydroxybenzene
-hydrate *Chem.*
boro brom carb(o) chlor cryo cyan de deca di dicosi dodeca ennea fluo(r) hemi hepta hexa icosi iod(o) mono nona octa octo- (deca) oxal oxy penta- deca protocarbo quadro re sulf sulph(o) tri
-hydrated *Chem.*
deca di dodeca ennea hemiennea hemitri henicosi hepta(cosi deca) hexa(deca mono octa octo(deca) penta tetarta tetra tri(deca)
-hydration *Chem.*
de hal pre re
-hydrazid(e *Chem.*
carbo di(azo benz)
-hydrazin(e *Chem.*
acetyl phenyl
-hydric *Chem.*
brom chlor cryo cyan di ferricyano fluo(r) hexa iod(o) manganicyan mono octa oxal oxy penta persulphocyan poly selen sulf sulph(o) tellur tetra titanico tri xanth

-hydrid(e *Chem.*
carbo hexa mon tri trityl
-hydrin *Chem. Med.*
benzoid bromo chlor(o) cinchon con cyan dichlor(o) epibromo epichlor epicyan kalo imino iod(o) moniod monochlor(o) nin stearchlor tribrom trichlor
-hydrine *Chem.*
con halo pseudocon quin stac
-hydrite *Min.*
di hexa tac(h)
-hydrol *Chem. Med.*
benz(o) casein di per tri xant zincper
-hydrone *Chem.*
quin thymoquin toluquin
-hydrosis *Path.*
cyan nephro nep
-hydrous *Chem. Phys.*
aero carb(on)o
-hydroxide *Chem.*
meta metho ortho per tetra
-hydroxy- *Chem.*
de di para per tri
-hydryl *Chem.*
benzo sulf sulph
hydr-
acarine -a *Arach.*
acellulose *Bot.*
acetin *Chem.*
achne *Ent.*
-id(ae -oid
acid *Chem.*
acrylic -ate *Chem.*
actinia *Zooph.*
-ian -iid(ae -ioidea(n
actomma *Zooph.*
ad *Bot. Ecol.*
adenitis *Path.*
adenoma *Path.*
adephaga(n -ous *Ent.*
(a)emia -ic *Path.*
aeroperitoneum *Med.*
ales -algae *Bot.*
amid(e amin(e *Chem.*
amnion -ios *Path.*
amyl *Mat. Med.*
anencephaly *Path.*
angea *Bot.*
-aceae -aceous -ead -eae
angin -enol *Org. Chem.*
ant
anth *Zooph.*
arch *Bot.*
archus *Pal.*
archy *Obs.*
arenite *Min.*
argillite *Min.*
arthrosis *Path.*
arthrus *Path.*
as *Bot.*
aspis *Herp.*
-(id)id(ae -idoid
astic -eine -onic *Chem.*
astin(e -ic -in(e -um
astis *Bot.*
ate(d -(at)ion *Chem.*
hydratropic *Chem.*
az- *Chem.*
i- (iaz)ide idine ido ineinate inic inooate oic one onium onooxime ulmin(e yl
ed(a)ema *Path.*
encephal *Path.*
ic oid on us
encephalocele *Path.*
enterocele *Path.*

hydr- Cont'd
epigastrium *Med.*
esculin *Chem.*
iatic *Ther.*
iatric(s *Ther.*
hydriatry -ist *Ther.*
hydric(s
Hydrictis *Mam.*
hydrid(e *Chem.*
iform
in *Chem.*
hydrind- *Org. Chem.*
acene amine anthracene anthraquinone antin ene one
hydroid- *Chem.*
ate ic id(e ol
oarian *Path.*
oecia *Ent.*
oecium -ial *Zooph.*
oid *Bot. Chem. Zooph.*
oida *Zooph.*
oidea(n *Bot. Zooph.*
ol(ase *Biochem.*
olein *Mat. Med.*
olate(d -ation *Chem.*
oloxide
oma *Med.*
on *Dyes*
onal *Mat. Med.*
onate -ation *Chem.*
one *Phys. Chem.*
onette *Mech.*
onium *Chem.*
ophis *Herp.*
-id(ae -inae -oid
ophite *Min.*
ophthalmia *or* -y
-ic -os -us
oscheocele *Path.*
otis *Path.*
oureter(osis *Med.*
ous
ovarium *Gynec.*
hydrox- *Chem.*
acetone amic amino amyl idated id(e idion imate imic imido imino o- onic onium
hydroxy-
Chem.: acetic acetin(e acid ammonia aromatic dimethylpyrone malonic pentacosanic stearic sulphid succinic
Min.: apatite
Med.: acetone aminopropionic caffein cholin codein
hydroxyazo- *Chem.*
benzene carbamid(e comenic
hydroxyl *Chem.*
amide aminate(d amination amin(e ate ation carbamid(e -ic inolein ization ize urea
ula *Zool.*
urus -eae *Bot.*
uresis *Path.*
uret -et(t)ed
(o)uria -ic *Path.*
uric -ilate *Chem.*
hyperchlorhydric *Path.*
-idation
hyperhydric *Histol.*
Hyphydrus *Ent.*
hypochlorhydric *Path.*
isodehydracetic
mesohydrism -y *Chem.*
methylphenylhydrazin
nephydrotic *Med.*
oligohydramnion -ios
oxyhydrat- *Min.*
marialith mejonite
Parahydraspis *Pal.*
perhydridase *Biochem.*

phenylhydr-
  azone oxylamin
polyhydramnios
polyhydruria *Med.*
sulphuryl *Chem.*
xanthophyllidrine
ὕδρα (Hesiod)
hydra *Astron. Myth. Zool.*
Protohydra *Hydr.*
ὑδραγωγός bringing water
hydragog(ue *Med.*
  al ic(al(ly y
hydragogin *Mat. Med.*
ὑδραίνειν to water
Hydraena *Ent.*
ὑδράργυρος quicksilver
hydrargochlorid(e *Chem.*
hydrarguent *Mat. Med.*
hydrargyre -um *Chem.*
  -al -ate -ation -ic -ous
hydrargyria *Tox.*
  -iasis -ism -osis -ysm
hydrargyroiodohemol
hydrargyrol *Mat. Med.*
hydrargyroseptol *Med.*
hygrol *Ointments*
iod(o)hydrargyrate
ὑδραυλικόν (Ath.)
hydraulicon
ὑδραυλικός (Math. Vett.)
haemataulics
hydraulic(s
  al(ly ian ity
hydraulist
ster(eo)hydraulic *Mech.*
ὑδρεῖον a water-bucket
Hydreionocrinidae *Pal.*
ὑδρέλαιον (Galen)
hydrelaeon -aeum *Med.*
-υδρία Comb. of ὕδωρ
  as in ἀνυδρία, ἐνυδρία
achlorohydria
-chlorhydria *Path.*
  a ana eu hyper hypo
olig(h)ydria *Med.*
poly(h)idria *Path.*
polyhydria *Path.*
ὑδρία a water-pot
hydria *Archaeol.*
Hydriae *Ent.*
hydrid(ae *Zooph.*
ὑδριάς of the water (Nonn.)
hydriad *Myth.*
ὑδριο- Comb. of ὑδρία
hydrio-
  crinidae *Pal.*
  menidae *Gr. Ritual*
ὑδριοφόρος (Poll.)
hydriophore *Gr. Ritual*
ὑδρο- Comb. of ὕδωρ
aerohydro-
  dynamic *Phys.*
  pathy *Ther.*
  plane *Aviation*
  therapy *Ther.*
anhydromyelia *Path.*
aphydrotaxis *Bot.*
aphydrotropic -ism *Bot.*
apohydrotropic *Bot.*
aquohydroigneous *Geol.*
chemihydrometry
chlorhydro- *Chem.*
  sulphuric
cholesterohydrothorax
cyclohydroplane
decahydronaphthalene
dehydro- *Chem.*
  cholalic choleic condensation genase genate(d genization genize(r indigo morphine mucic sulfid(e

deut(o)hydroguret *Chem.*
dihydro- *Chem.*
  bromid(e chlorid(e collidin coridin lutidin(e resorcin
ethylhydrocuprein *Mat.*
Gehydrophila *Conch.*
  -ian -ous
geohydrology -ist
glaucohydroellagic *Chem.*
halohydrocarbon *Chem.*
hexahydro- *Chem.*
  benzene carvacrol hematoporphyrin thymol
hydro-
  a *Path.*
  acid *Chem.*
  acridin(e *Chem.*
  adenitis *Path.*
  adipsia *Path.*
  aeric *Path.*
  aeroplane
  airplane
  anisoin *Chem.*
  anthracene *Chem.*
  apatite *Min.*
  appendix *Med.*
  aromatic *Chem.*
  atmospheric
  barometer
  bata -idae *Ornith.*
  bates *Ent.*
  benzamide *Chem.*
  benzoic -oin *Chem.*
  berberine *Chem.*
  bia -iid(ae -ioid *Conch.*
  bilirubin *Chem.*
  biosis *Biol.*
  biotite *Min.*
  biplane
  bius *Ent.*
  blepharon *Path.*
  boracite *Min.*
  borofluoric *Chem.*
  branch(ia -iata -iate
  bromic -ate -id(e *Chem.*
  bromoplatinic *Chem.*
  calcirudite *Petrol.*
  calcite *Min.*
  campa -id(ae -oid *Ent.*
  camphene *Chem.*
  canthari *Ent.*
  carbide *Chem.*
  carbon *Chem.*
    aceous ate ic ous uret(ted
  carbostyril *Chem.*
  cardia *Path.*
  car(r)otin *Chem.*
  carpic -y *Bot.*
  caryaceae
  castorite *Min.*
  caulus -i -ine *Zooph.*
  cellulose *Chem.*
  cena -id(ae -oid *Conch.*
  cenosis *Med.*
  cephalis *Zool.*
  ceramic
  cerin *Ointments*
  cerus(s)ite *Min.*
  charis -etum *Bot.*
  chelidon *Ornith.*
  chimous *Bot.*
  chinconuria *Med.*
  chinon(e *Pharm.*
  chinonine *Chem.*
  chlorauric *Chem.*
  chloric *Chem.*
    -ate -id(e -uret
  chloroplatinic *Chem.*
  choerus *Mam.*
    -id(ae -inae -oid
  cholecystis *Path.*
  cholesterol *Mat. Med.*
  chore -ic *Phytogeog.*
  choreutes *Ent.*

hydro- Cont'd
  chromate *Chem.*
  chrome *Bot.*
  cinchonin(e *Chem.*
  cinnamic -id(e *Chem.*
  cladium *Zooph.*
  clastic *Petrog.*
  cl(e)istogamy *Bot.*
  cleys *Bot.*
  clinohumite *Min.*
  cobalticyanic *Chem.*
  coele *Embryol.*
  coelia *Path.*
  collidin(e *Chem.*
  colpos *Gynec.*
  conion *Med. App.*
  conite *Min.*
  cope *Zool.*
  corallin(e *Zooph.*
    ae ia(n ina
  corax *Ornith.*
  cores -isae -isan *Ent.*
  coridin(e *Chem.*
  cotarnia -in(e *Chem.*
  cotoin *Chem.*
  cotyle -eae *Bot.*
  coumaric -in(e *Chem.*
  cranium *Med.*
  croconic *Chem.*
  cryptophytes *Bot.*
  cuprite *Min.*
  curcumin(e *Chem.*
  cyanic -ate -ide *Chem.*
  cyanite *Min.*
  cyanuric *Chem.*
  cycle -ist *Mech.*
  cyclic *Org. Chem.*
  cyon(inae *Ich.*
  cyst(is -ic *Path. Zool.*
  cystoma *Path.*
  damalis -idae *Zool.*
  diascope *Ophth.*
  dictiotomy *Ophth.*
  dictyon(eae *Bact. Bot.*
  diffusion
  dolomite *Min.*
  drome
  dromica(n *Ent.*
  dynamic(al -ics
  dynamometer
  electric(ity
  electrization *Ther.*
  electrothermic
  encephalocele *Med.*
  ergotinine *Chem.*
  extract(or
  ferri(*or* o)cyanic -ate
  fluate *Chem.*
  fluo- *Chem.*
    boric silicate silicic zirconic
  fluoric -anic -ide *Chem.*
  foil *Aviation*
  franklinite *Min.*
  fuge *Zool.*
  gallein *Chem.*
  galvanic
  gams *Bot.*
  gastrum -eae *Algae*
  gel(e *Biol.*
  gen *Chem.*
    ase ate ation ator etted id iferous ium ization ize oid ous uret(ed
  genomonas *Bact.*
  geology -ical
  ger *Bot.*
  glossa *Tumors*
  gnosy
  gode *Elec.*
  goethite *Min.*
  graph(er -ally
  graphy -ic(al(ly
  guret -et(t)ed *Chem.*
  haderite *Min.*
  h(a)ematite *Min.*

hydro- Cont'd
  h(a)emostate *Med.*
  h(a)emothorax *Path.*
  h(a)emy *or* -ia -ic *Path.*
  halide *Chem.*
  halogen(ide *Chem.*
  harmose *Bot.*
  hematonephrosis *Med.*
  herderite *Min.*
  hyalus *Arts*
  hymenitis *Path.*
  hystera -ic *Path.*
  igneous
  iodic -ide *Chem.*
  ionometer *Anal. Chem.*
  isatin *Chem.*
  kineter *Mech.*
  kinetic(al -ics *Phys.*
  lagus *Ich.*
  larioidea(n *Zooph.*
  latry
  leucite *Min.*
  lite *Min.*
  lith(e *Chem.* (*T.N.*)
  logy -ic(al(ly -ist
  lutidin *Chem.*
  lutite *Geol. Petrol.*
  lymph *Chem.*
  lysis lyst *Chem.*
  lyte lytic *Chem.*
  lyze -able -ate -ation
  magnesite *Min.*
  mance(r *Obs.*
  mancy
  mania -iac(al *Path.*
  me *Bot.*
  mechanical -ics
  meconic *Chem.*
  medusa *Zooph.*
    -ae -an -ida -inae -oid
  megatherm *Bot.*
  melanothallite *Min.*
  meningitis *Path.*
  meningocele *Path.*
  metallurgical(ly
  metallurgy
  metamorphism *Geol.*
    -ic -osis
  meteor(ic
  meteorology -ical
  meter
  metra *Path.*
  metra -id(ae -oid *Ent.*
  metrograph
  metry -ic(al
  mica -aceous *Min.*
  mineral
  monoplane *Aero.*
  morphosis *Bot.*
  morphy *Bot.*
  muconic *Chem.*
  muscovite *Min.*
  myelia -us *Path.*
  myelocele *Path.*
  myoma *Tumors*
  mys *Mam.*
    -yid -yin(e -yinae
  naphthol *Pharm.*
  naphthylamin *Ophth.*
  nardetum *Bot.*
  nasty -ic *Bot.*
  nemateae *Bot.*
  nephelite *Min.*
  nephros *Path.*
    -osis -otic
  neurosis *Path.*
  nitric *Chem. Path.*
  nitride -ite -ous *Chem.*
  nitrogen *Chem.*
  nitroprussic *Chem.*
  oligocythemia *Path.*
  oxide *Chem.*
  oxygen *Chem.*
  paracoumaric *Chem.*
  parasalpinx *Med.*
  parotitis *Med.*

hydro- Cont'd
  path *Ther.*
  pathy -ic(al -ist -ize
  perbromide *Chem.*
  pericardium -itis *Path.*
  perinephrosis *Med.*
  perion *Anat.*
  peripneumonia *Path.*
  peritoneum -ia *Path.*
  permeable *Bot.*
  peroxid *Chem.*
  persulfide *Chem.*
  pesium *Path.*
  phane -ous *Min.*
  phasianus *Ornith.*
  phil(e -ic -ous *Bot.*
  philae *Bot.*
  philus *Ent.*
    -id(ae -oid -ous
  phlogopite *Min.*
  phlorone *Chem.*
  phone *Naval App.*
  phosphate *Chem.*
  phthalic *Chem.*
  phyceae *Bot.*
  phyll(s *Bot.*
    (ac)eae -(i)aceous -(i)um
  physocele *Path.*
  physometra *Gynec.*
  phyte -a -ium
  phytic *Org. Chem.*
  phytography
  phytology
  phyton -um *Zooph.*
  piper(ic *Bot.*
  pirin *Mat. Med.*
  plane *Mech.*
  planula *Zooph.*
  plasma -ia *Med.*
  plast(ids *Bot.*
  plasty *Elec.*
  platinocyanic *Chem.*
  pleon *Phys. Chem.*
  plutonic *Geol.*
  pneumatic
  pneumatosis *Med.*
  pneumo- *Med.*
    gony pericardium peritoneum thorax
  pneumonia *Path.*
  polyp(inae *Zool.*
  potassic *Chem.*
  propulsion
  psyche *Ent. Pal.*
    -id(ae -oid
  psychosis *Psych.*
  pterid(ae -eae *Bot.*
  ptila -id(ae -oid *Ent.*
  pult(ic *Mech.*
  pyonephrosis *Med.*
  pyretos -ic *Path.*
  pyridin(e *Chem.*
  quin- *Chem. & Med.*
    icin idin in(e ol(in(e on(e
  r(rh)achis *Path.*
  rachitis *Path.*
  renal
  rhabd *Zool.*
  rheostat *Elec.*
  rhiza(l *Bot.*
  rhodonite *Min.*
  rudite *Petrol.*
  saccharum
  salpinx *Path.*
  salt *Chem.*
  sarcocele *Path.*
  sauria -us *Zool.*
  scapha -id(ae -oid *Ent.*
  selen- *Chem.*
    ate ic id(e uret
  sere *Bot.*
  silicarenite *Petrol.*
  silicilutite *Petrol.*
  silicirudite *Petrol.*
  silicite *Min.*

hydro- Cont'd
silicon -ate -ic *Chem.*
sodic sol *Chem.*
some -a(l -ata -atous
sorbic *Chem.*
sphere *Meteor. Phys. Geog.*
spheric *Bot.*
sphygmograph *Med.*
spire -ic *Echin.*
spirometer *Med. App.*
sporae *Bot.*
stachys *Bot.*
-ydaceae -ydaceous
stasy *Obs.*
static *Bot.*
stereids *Bot.*
stereome *Bot.*
stome *Zool.*
stomia *Path.*
sudopathy *Math.*
sudotherapy *Ther.*
sulph- *Chem.*
ate id(e ite
sulphanion *Chem.*
sulphocyanic *Chem.*
sulphur- *Chem.*
-et(ed -ic -ous -yl
synthesis *Chem.*
syringomyelia *Path.*
tachylite *Min.*
tachymeter
tactic *Bot. Cytol.*
talcite *Min.*
tasimeter *Elec.*
taxis *Biol. Physiol.*
technic(al -ics
technology
techny
telluric -ate(s *Chem.*
tephroite *Min.*
terpene *Chem.*
theca -al *Zooph.*
therapeutic(s *Ther.*
therapy -ic(s *Ther.*
thermal *Geol.*
thiocyanic *Chem.*
thion *Inorg. Chem.*
ate ic ite ous
thion(ammon)emia
thionuria *Med.*
thomsonite *Min.*
thorax -acic *Path.*
titanate *Chem.*
tomy *Med.*
tribium *Bot.*
tribophilus *Bot.*
tribophyta *Bot.*
tribulus *Pal.*
trophe *Mech.*
trophy *Bot.*
tropism -ic *Bot. Phys.*
tympanum *Path.*
vane *Naut.*
xanthic *Chem.*
zinc(*or* k)ite *Min.*
zo- *Zooph.*
a(l an ic on
-hydrochloric *Chem.*
nitro pepsin pepto
-hydrogen *Chem.*
airo mono proto tetra tri
-hydrolist *Chem.*
amylo cyto
-hydrolysis *Chem.*
amylo auto cyto proteo zymo
-hydrolytic *Chem.*
cyto per proteo
-hydrometer *Chem.*
micro pan pycno thermo
-hydroquinone *Chem.*
anthra chlor oxy thym(o) tolu xylo
hyperhydrochlor(id)ia
hyphydrogamy -ic(ae
hypohydrochloria *Med.*
isohydrosorbic *Chem.*
mesohydrophytic
nitrohydro- *Org. Chem.*
carbon
cellulose
octahydro- *Chem.*
octohydroacridin *Chem.*
orohydrography *Physiog.*
-ic(al
oxhydro-
carbon *Chem.*
cephalus *Terat.*
gen *Chem.*
palaeohydrography *Geol.*
parhydrobia *Pal.*
pentahydrocalcite *Min.*
perhydrogenize *Chem.*
physohydrometra *Path.*
pneumohydro- *Path.*
metra
pericardium
polyhydro- *Chem.*
prohydrotropic -ism *Bot.*
proshydrotaxis *Bot.*
pseudohydronephrosis
rehydrogenation *Chem.*
rehydrolyze *Chem.*
subhydrocalcite *Min.*
sulphyhydro- *Chem.*
telehydrobarometer
tetrahydro- *Chem.*
benzoic
naphthalene
thermohydrology
titanhydroclinohunnite
trihydrocalcite *Min.*

ὑδροκέφαλον (Galen)
hydrocephalocele
hydrocephalus *Path.*
-e -ic -itis -oid -ous -y
scaphohydrocephalus -y

ὑδροκήλη (Galen)
hydrocele *Path.*
-hydrocele
cephal entero oscheo

ὑδροκηλικός (Galen)
hydrocelic *Path.*

ὑδροκιρσοκήλη (Galen)
hydrocirsocele *Path.*

ὑδρόμαντις (Strabo)
hydromantic(al(ly

ὑδρόμελι = μελίκρατον
hydromel
hydromellitic *Chem.*
hydromellonic *Chem.*

ὑδρομύστης (Petavius)
hydromysta -es *Eccl.*

ὑδρόμφαλον (Galen)
hydromphalum *Path.*

ὑδρόμφαλος (Galen)
hydromphalus *Path.*

Ὑδροπαραστάται (Basil)
hydroparastatae -es *Eccl.*

ὑδροπόρος = υγροπορος
Hydropore *Echin.*
Hydroporus *Ent.*

ὑδροπότης water-drinker
hydropot
Hydropotes *Zool.*

ὕδρος a water-snake
Hydrus *Astron. Herp. Myth.*

ὑδρόρροια (Polyb.)
gastrohydrorrhea
hydrorrh(o)ea *Path.*

ὑδροσκόπιον (Synes.)
hydroscope *Mech.*
-ic(al -icity -ist

ὑδροστάτης (Proclus)
hydrostat
ic(al(ly ician ics ist
Hydrostatica *Zool.*

ὑδρότης moisture
hydrotimeter
hydrotimetry -ic

ὑδροφαντική (Geop.)
hydrophantic *Obs.*

ὑδροφοβία (Celsus)
hydrophobia
-iac -ial -ian -(i)ous -y
hydrophobin *Tox.*
hydrophobinum *Mat.*
hydrophobophobia
pseudohydrophobia

ὑδροφοβικός (Diosc.)
antihydrophobic *Ther.*
hydrophobic(al

ὑδροφόβος (Arr. Epict.)
hydrophobe -ous

ὑδροφορία
hydrophoria *Gr. Ant.*

ὑδροφόρος water-carrier
Hydrophora(n -ous
hydrophore
hydrophoros *Gr. Ritual*

ὑδροφύλαξ (-ακος) (Pandect)
hydrophylacium

Ὑδρόχαρις Water Grace
Hydrocharis *Bot.*
-aceae -aceous -ad
-id(aceae -aceous -eae
-ian -inae) -idae -itaceae -itaceous

ὑδροχόος water-pourer
Hydrochus *Ent.*

ὑδρωπικός dropsical
ant(i)hydropic *Ther.*
antihydropin *Mat. Med.*
hydropic(al(ly -ics
hydropicolen(e *Chem.*
hydropigenous *Med.*

ὕδρωψ (Hipp.)
dropsical(ly -alness
dropsied
dropsy
hydropotherapy *Ther.*
hydrops(ia *or* -y *Path.*
hydropsic(al *Path.*
hydroptic(al

ὕδωρ water
aldehyde *Chem.*
-ase -ate -ene -ic -in(e
-aldehyde *Chem.*
acet acr acryl agnotobenz anis butyr cinnam coumar croton cum(in) di dibromacet el enanth eth fur(fur) glutar glycer glyco glycol hept hex homoanis keto malon met metaform naphth ox oxy(benz) par(acet) paraform petargon perchlor perill phthal pinon prop protocatechu pyruval resorc salicyl seleno semi succin sulf(*or* ph) sulphopar terephthal tetrol thio trichlor trithio(doform) veratral xylal
-aldehydic *Chem.*
malon (tere)phthal
aldehydo- *Chem.*
chyaz(o)ic *Chem.*
cinnamaldehydum
elydoric *Painting*
hyc(h)lorite *Prop. Rem.*
hycyan *Mat. Med.*
hydant- *Chem.*
ate oic oin
hydrastic *Org. Chem.*
-eine -(in)in(e -inic -inum -onic
Hydrastis *Bot.*
hyzone *Chem.*
ketonaldehydemutase
norhydrastinin
paraldehydism *Tox.*
Philydor *Ornith.*
inae ine
thiohydantoin *Chem.*

ὑετο- Comb. of ὑετός
hyeto- *Meteor.*
graph(ic(al graphy logic(al logy meter metrograph metry

ὑετός rain
hyetal *Meteor.*
Hyetornis *Ornith.*
isohyet *Geog. Meteor.*
al ose

υἱός a son
Helohyus -yidae *Pal.*

ὑλαῖος of the wood, wild
hylaeo-
batrachus *Zool.*
champsidae *Pal.*
saur(us *Pal.*
Hylaia *Ent.*

ὑλακτικός (Arist.)
hylactic

ὑλακτισμός (Nicet. Byz.)
hylactism(us

ὑλάρχιος ruling matter
hylarchic(al

ὑλάστρια wood-fetcher
Hylastes *Ent.*
Metahylastes *Ent.*

ὕλη wood, matter; *Phil.* (Arist.); *Med.* (Galen)
aceanthrylene *Org. Chem.*
acenaphth *Org. Chem.*
enyl ylene
acet- *Org. Chem.*
alyl enyl imidyl naphthylamin onyl(idine oxyl
acetophenylene *Dyes*
acetyl *Chem.*
acetonate acetone ate ation ator bromid cellulose chlorid glycin hydrazin ic id(e in izable ization ize salicylic thymol tropein
acetylene
-ation -carbamid -diurein -ic -urea -yl
acidyl acridyl *Chem.*
acrosyl *Mat. Med.*
acryl *Org. Chem.*
aldehyde amide ate ic yl
acrylonitrile *Org. Chem.*
acrylophenone *Chem.*
acyl *Org. Chem.*
ate ation ogen oin oxy-
adenyl(ic *Chem.*
alanyl *Org. Chem.*
alcoxylate *Org. Chem.*
alkaryl *Org. Chem.*
alkoxyle *Org. Chem.*
alkyl *Chem.*
amin(e ate ation ene ic idine ize ogen
allophanyl *Org. Chem.*
allotrylic *Med.*
allyl *Chem.*
amin(e ate ation ene ic in
alphyl(ate *Chem.*
amenyl *Chem.*
amidox(al)yl *Chem.*
amyl *etc.* See ἄμυλον
anesthyl *Mat. Med.*
anisoyl *Org. Chem.*
anisyl(idene *Org. Chem.*
anthr- *Org. Chem.*
acyl an(o)yl aquinonyl yl
antihyloist *Phil.*
antimonyl *Chem.*
aralkyl(idene *Chem.*
archyl(e *Chem.*
argatoxyl *Chem.*
aroxyl *Org. Chem.*
arsendimethyl *Chem.*
arsenophenyl- *Chem.*
ene glucin
arsenyl *Org. Chem.*
arsyl(ene *Org. Chem.*
aryl(ate -ide -ido- *Chem.*
asaryl *Org. Chem.*
ascaryl *Org. Chem.*
atophanyl *Mat. Med.*
atoxyl *Chem.*
atropyl *Chem.*
auryl *Chem.*
azimethylene *Chem.*
azodiphenyl *Chem.*
azophenylene *Chem.*
basyl(ous *Chem.*
batyl *Biochem. Org. Chem.*
behenyl -oylic *Chem.*
benz- *Chem.*
anthronyl enyl hydril ilyl
benzo- *Chem.*
dithylium fluorenyl hydryl pyrilium
benzolacetylperoxide
benzoyl- *Chem.*
ate ation ene
benzulic *Chem.*
benzyl
amin(e ate ation ene enic ic
berberylene *Org. Chem.*
bi- -yl *Org. Chem.*
acet benz des fluor(en) ind naphth phen styr tol vin
biphenylene *Org. Chem.*
bornyl(ene *Chem.*
boryl *Chem.*
brassylic *Chem.*
bromethylene *Chem.*
butenoyl *Org. Chem.*
butyl *Chem.*
ation ic ine
butylhypnal *Mat. Med.*
butylmercaptan *Chem.*
buzylene *Chem.*
cacodyliacol *Mat. Med.*
camph- *Org. Chem.*
anyl enil(ol)yl enylic
camphoroyl *Org. Chem.*
camphoryl *Org. Chem.*
ene ic idene
camphyl(ic *Org. Chem.*
cantharidyl *Org. Chem.*
capril(ic *Chem.*
capronylene *Org. Chem.*
caproyl *Chem.*
capryl *Chem.*
amin(e ate ene ic in one yl
caprylonitrile *Chem. Org.*
carb- *Org. Chem.*
amyl (an)ilyl yl(amine
carbonyl *Org. Chem.*
amic ene ic
carnaubyl *Org. Chem.*
carv(acr)yl(amine *Chem.*
carvenyl *Org. Chem.*
caryl(amine *Chem.*
cedryl *Org. Chem.*
cellutyl *Dyes*
cerebronyl *Biochem.*

cerotyl *Chem.*
ceryl(e -ene -ic *Chem.*
cetyl *Chem.*
ate ene ic id(e
chaulmoogryl *Org. Chem.*
chlorbenzyl *Chem.*
chlorovinyldichloroarsin
chloryl *Chem. Pharm.* (T.N.)
cholesteryl *Org. Chem.*
amine ene
cholestyl *Org. Chem.*
chromenyl *Org. Chem.*
chromisalicylic *Chem.*
chromu(*or* y)le *Bot.*
chromyl(e *Chem.*
chrysofluorenyl *Chem.*
cinamyl *Org. Chem.*
cinchoninyl *Org. Chem.*
cinchotoxyl *Org. Chem.*
cinnam- *Org. Chem.*
enyl oyl- ylidene
cinnyl *Chem.*
citryl *Org. Chem.*
cluytyl *Org. Chem.*
cocayl *Chem.*
cocceryl *Chem.*
cocostearyl *Chem.*
coniferyl *Chem.*
conylene *Chem.*
costyl *Org. Chem.*
coumaryl *Org. Chem.*
cresotyl *Org. Chem.*
cresylene *Org. Chem.*
cresylite *Expl.*
crotonyl(ene *Chem.*
crotyl *Chem.*
cumenyl *Org. Chem.*
cum(in)yl *Org. Chem.*
cyanuryl *Org. Chem.*
cyclo- *Org. Chem.*
butylamin(e
geranyl
glycylglycin(e
hexadienyl
hex(en)yl
hexylamin(e
methylamin(e
oct(en)yl
pentyl
cymyl *Chem.*
dammaryl *Chem.*
deacetylate -ation *Chem.*
dealkylation *Org. Chem.*
debenzoylate *Org. Chem.*
debenzylation *Org. Chem.*
decalin *Chem.*
decamethylene *Chem.*
decarbonylization *Chem.*
decarboxyl(iz)ation
decatyl(ene *Org. Chem.*
decinyl *Org. Chem.*
decyl(ene -(en)ic *Chem.*
decylyl *Chem.*
demethyl- *Org. Chem.*
ate (iz)ation o-
desyl(ene -amin(e *Chem.*
diacetyl(ene *Chem.*
diacetylomorphin *Med.*
diacylamid(e *Org. Chem.*
dialkyl(ic amin(e *Chem.*
diallyl *Chem.*
dibenzanthronyl *Chem.*
dibenzyl(amin(e *Chem.*
dibutyl(acetone *Chem.*
dibutylcarbonoxid *Chem.*
dicacodyl(e *Chem.*
dicarboxyl(ic *Chem.*
dicetyl *Chem.*
dichlor(o)- *Chem.*
(di)ethylsulphid
dwinylchloroarsin
ethylarsin
methylether
diethyl(amin(e *Chem.*
diformyl *Org. Chem.*

dihydroxyl *Chem.*
ene succinic tartaric
diiodosalicylic *Chem.*
diisoamyl *Chem.*
diisobutyl(glycolic *Chem.*
diisopropyl(oxalic *Chem.*
dilactylic *Org. Chem.*
dinaphthyl *Chem.*
diphenyl *Org. Chem.*
amin(e chlorarsin cyanarsin ene enimide ethanolone ketone methane urea
diphthalylic *Org. Chem.*
dipropargyl *Org. Chem.*
amin(e ate ketone
dipyridyl *Chem.*
disacryl *Chem.*
distearyl *Chem.*
dithienyl *Org. Chem.*
dithiosalicylic *Org. Chem.*
ditolyl *Org. Chem.*
docosyl *Org. Chem.*
dodecatyl(ic *Org. Chem.*
dodecyl(ene *Org. Chem.*
duodecyl *Org. Chem.*
durylic -yl *Org. Chem.*
eic(*or* k)osylene *Chem.*
elaidyl *Org. Chem.*
elayl(e *Org. Chem.*
(o)enanthyl
erucyl *Org. Chem.*
ethanoyl *Org. Chem.*
ethe(*or* i)nyl *Org. Chem.*
ethoxalyl *Org. Chem.*
ethyl *etc.* See αἰθήρ
fenchyl(ene *Org. Chem.*
ferri(*or* o)salicylic *Chem.*
ferrocarbonyl *Org. Chem.*
ferryl *Chem.*
ficoceryl(ic *Org. Chem.*
flaerylium *Org. Chem.*
fluoboryl *Chem.*
fluorenyl *Org. Chem.*
fluoryl(ene *Org. Chem.*
formyl(ate -ation *Chem.*
fumaryl *Org. Chem.*
furfuracridyl(ur)ic *Chem.*
furfuryl *Org. Chem.*
amide idene
furomethyl *Org. Chem.*
gallocarboxylic *Chem.*
gall(o)yl *Org. Chem.*
galyl *Mat. Med.*
gennyl *Org. Chem.*
acetate amine
gennylangium *Bot.*
gennyleion *Bot.*
glioxyl *Chem.*
amide ase
glucosyl *Org. Chem.*
glyceryl
glycidyl *Chem.*
glycolyl(urea *Biochem.*
glycyl *Chem.*
glycin tryptophan
glyoxalyl *Org. Chem.*
gu(a)iacyl *Org. Chem.*
guanyl(ic *Org. Chem.*
haloalkyl *Org. Chem.*
helohylad *Bot.*
helohylium *Bot.*
hemaformyl *Mat. Med.*
hemellitylic *Org. Chem.*
hendecyl *Chem.*
heneicosyl(ene *Chem.*
heptadecyl(ic -ene *Chem.*
heptamethylene *Chem.*
heptenyl(ene *Org. Chem.*
heptinyl *Org. Chem.*
heptyl(ic amine ene
hexadecyl(ic ene *Chem.*
hexal(in *Org. Chem.*
hexalet *Mat. Med.*
hexamethyl- *Org. Chem.*
ated en(e)amin(e en-

hexamethyl- Cont'd
diamin en(e)tetramin(e enetetrammonium enimine ene enated
hexdecyl(ic *Chem.*
hexenyl *Org. Chem.*
hexoyl(ene *Org. Chem.*
hexyl(ic ene *Org. Chem.*
amin(e resorcinol
hippuryl *Org. Chem.*
histidyl *Biochem.*
homo-
fenchyl *Org. Chem.*
mesityl *Org. Chem.*
myristicyl *Org. Chem.*
piperonyl(ic *Chem.*
salicylic *Org. Chem.*
terpenylic *Org. Chem.*
thujyl *Org. Chem.*
veratryl *Org. Chem.*
hydracrylic -ate *Chem.*
hydramyl *Mat. Med.*
hydrazyl *Org. Chem.*
hydronaphthylamin
hydrosulphuryl *Chem.*
hydroxamyl *Chem.*
hydroxydimethylpyrone
hydroxyl *Chem.*
amide ate ation carbamid(e ic inolein ization ize urea
hydroxylamin(e
ate(d ation
hyl(a- *Combin.*
Hyla -id(ae -oid *Herp.*
hylad -ium *Bot.*
Hylaplesia -idae *Zool.*
hylasmus *Obs.*
hylastic(ally *Obs.*
hyle *Eccl. Hist. Logic Phil.*
Hylecoetus *Ent.*
hylephobia *Psych.*
Hylesinus *Ent.*
hylism *Phil.*
hylium -ion -oids *Bot.*
hyloma *Tumors*
hylonism *Phil.*
hypnodylic -ism
hypochromyl *Chem.*
hypohyloma *Tumors*
ichthulin(ic *Chem.*
idryl *Chem.*
imidazolyl *Org. Chem.*
incarnatyl *Org. Chem.*
ind- *Org. Chem.*
anyl azyl(ic enyl(ene olyl onyl oxyl(ic oxylcarboxylic oxyluria
indyl *Org. Chem.*
iodarsyl *Mat. Med.*
iodoatoxyl *Mat. Med.*
iodoethylformin *Mat.*
iodosyl *Mat. Med.*
iodyl *Chem.*
iodylin -oform *Mat. Med.*
isatrophylcocain *Mat.*
isoallyl *Chem.*
isobenzyl *Chem.*
isobutyl(ene *Chem.*
isopentyl *Chem.*
isophalyl *Chem.*
isopral *Mat. Med.*
isoproperyl *Org. Chem.*
isopropyl *Chem.*
acetic amine ene toluene
isotropylcocaine *Chem.*
isoxylene *Chem.*
itrosyl *Mat. Med.*
kessyl *Org. Chem.*
ketyl *Org. Chem.*
kolloxylin(e *Chem.*
kronethyl *Mat. Med.*
lactyl *Chem.*
lactyltropein *Mat. Med.*

lauryl(ene *Chem.*
leucinethylester *Biochem.*
lithiosalicylate *Chem.*
loranthyl *Org. Chem.*
lubanyl *Org. Chem.*
magnesyl *Org. Chem.*
malonyl(urea *Org. Chem.*
mandelyl *Org. Chem.*
marsyle *Mat. Med.*
melissyl(ic -ene *Chem.*
menaphthyl *Org. Chem.*
menth(ox)yl *Org. Chem.*
mesityl *Chem.*
enate ene enic (en)uric
mesohyloma *Histol.*
metacetyl(ic *Chem.*
metaphenylene *Chem.*
methyl *etc.* See μέθυ
monacetylmorphin
monethyl(ic *Chem.*
monocarboxylic *Chem.*
monomethyl *Chem.*
ated ic xanthin
monotanyl *Org. Chem.*
morphinbromethylate
mucyl *Org. Chem.*
myricyl(ic *Org. Chem.*
myristyl *Org. Chem.*
naphtho-
benzyl -pyrylium -yl-(ene
naphthyl
amin(e ene ic
naphthylenediamine
narcyl *Mat. Med.*
natryl *Chem.*
neoarsycodyl *Mat. Med.*
neobornyl *Org. Chem.*
nicot(in)yl *Org. Chem.*
nicotylia *Org. Chem.*
nitrocaprilic *Chem.*
nitrosalicylic *Chem.*
nitrosodimethylaniline
nitrosyl(e -ic *Chem.*
nitroxyl *Chem.*
nonamylene *Chem.*
nonenyl *Org. Chem.*
nonyl *Chem.*
amine ene (en)ic
octa(*or* o)decyl *Chem.*
octoyl *Org. Chem.*
octyl *Org. Chem.*
ene (en)ic
odmyl *Chem.*
odyl(e
ic(ally ism ist ization ize
odylis *Mat. Med.*
oenanthyl *Org. Chem.*
ate (id)ene ic ous
oleyl *Org. Chem.*
oonyle *Bot.*
opianoyl *Chem.*
opolaxyl *Mat. Med.*
orcyl *Org. Chem.*
orhylion *Bot.*
oroxylin *Mat. Med.*
orthomethyl-
acetanilid *Mat. Med.*
orthorylene *Chem.*
orylic *Chem.*
osmyl *Chem.*
othyl *Chem.*
oxalethylin(e *Chem.*
oxalmethylin(e *Chem.*
oxalyl(e *Chem.*
oxamethylane *Chem.*
oxamyl *Org. Chem.*
oxy- *Chem.*
acetylene acrylic alkyl benzyl ethyl lic mesitylene methylamin methylene phenyl propylene
palmitoxylic *Org. Chem.*
palmityl *Org. Chem.*
paraacetophenolethyl

paraphenylene *Chem.*
parasalicyl(ic *Chem.*
pelargonyl *Org. Chem.*
pentadecyl(ic *Chem.*
pentadiamin *Chem.*
pentamethylene *Chem.*
pentenyl *Chem.*
pentinyl *Chem.*
pentyl(ic -ene *Chem.*
perchlorethylic *Chem.*
perchlormethylformate
pericarboxyl *Chem.*
permethylate *Chem.*
perylene *Org. Chem.*
peucyl *Chem.*
phenac(et)yl *Org. Chem.*
phenacylidene *Org. Chem.*
phenacylidin *Org. Chem.*
phenanthryl(ene *Chem.*
phenetyl *Org. Chem.*
phenmethylol *Mat. Med.*
phenol-
carboxylic *Org. Chem.*
sulfonyl *Org. Chem.*
phenosafranin(e *Chem.*
phenosal *T.N.*
phenosalyl *Chem.*
phenyl *etc.* See φαιν-
phloryl *Chem.*
phosphenyl *Org. Chem.*
phosphoryl(ation *Chem.*
phosph(o)uranylite *Min.*
phosphyl *Chem.*
phthalidyl *Org. Chem.*
phthalyl(ene *Org. Chem.*
physodylic *Org. Chem.*
phytyl *Org. Chem.*
picol(in)yl *Org. Chem.*
picryl *Org. Chem.*
pilopyl *Org. Chem.*
pimelyl *Org. Chem.*
pinacolyl *Org. Chem.*
piperidyl *Chem.*
piperonyl(ic -oin *Chem.*
piperoyl *Org. Chem.*
piperylene *Org. Chem.*
pirylene *Org. Chem.*
pittylen *Mat. Med.*
pivalyl *Org. Chem.*
Plasmatogennylicae *Bot.*
plumbethyl *Chem.*
plumbomethyl *Chem.*
poly-
carboxylic *Chem.*
methylene *Org. Chem.*
oxymethylene *Chem.*
salicylid(e *Chem.*
pontacyl *Dyes* (*T.N.*)
prolyl *Org. Chem.*
propargyl *Org. Chem.*
amine ate ic
propenyl *Org. Chem.*
amine ic idene
propinyl *Chem.*
propionyl *Org. Chem.*
prophenetidin *Mat. Med.*
propyl *Org. Chem.*
acetate acetic acetylene amin(e ate ation benzene ene ic idene glucosamin(e
protyle *Phil.*
protylin *Mat. Med.*
pseudocumyl *Org. Chem.*
pseudoind(ox)yl *Chem.*
psychodyl
psychohylism -ist
psyllostearyl *Biochem.*
pteryla -ium *Ornith.*
pterylography *Ornith.*
-ic(al(ly
pterylology -ical *Ornith.*
pterylosis
pulegyl *Org. Chem.*
pyracetosalyl *Mat. Med.*
pyrazolyl *Org. Chem.*
pyridyl *Org. Chem.*

pyrimidyl *Org. Chem.*
pyrindoxyl *Org. Chem.*
pyromucyl *Org. Chem.*
pyropentylene *Chem.*
pyrophosphoryl *Chem.*
pyrosulf(*or* ph)uryl
pyrrolidyl *Org. Chem.*
pyrr(o)yl *Org. Chem.*
pyruv(o)yl *Org. Chem.*
pyryl(ene -ium *Chem.*
quartenylic *Chem.*
quaterphenyl *Org. Chem.*
quinaldyl *Org. Chem.*
quindecylic *Chem.*
quinolyl *Org. Chem.*
quinonyl *Org. Chem.*
quinopropylin *Org. Chem.*
quinoyl *Org. Chem.*
reacetylation *Org. Chem.*
reacetylize *Org. Chem.*
remethylate *Org. Chem.*
resodicarboxylic *Chem.*
resorcyl *Org. Chem.*
 aldehyde ic
rhamnosyl *Org. Chem.*
rutylene *Chem.*
salicyl *Chem.*
 acetol age al aldehyde amic amid(e anilid ase ate ato- ic id(e idene imide ism ite ize o- ol ous urate uret uric yl
salicyl-
 bromanilid *Prop. Rem.*
 quinin *Mat. Med.*
 resorcinol *Mat. Med.*
saligenyl *Chem.*
salosalicylide *Org. Chem.*
salylic *Chem.*
santalyl *Org. Chem.*
sarcosyl *Biochem.*
sarcylic *Chem.*
scatoxyl *Org. Chem.*
scopolyl *Org. Chem.*
selachyl *Org. Chem.*
selenodiphenylamine
selenonyl *Org. Chem.*
selenoxanthylium *Chem.*
selenyl *Org. Chem.*
setacyl *Dyes* (*T.N.*)
sexiphenyl *Org. Chem.*
silicylene *Chem.*
silyl *Chem.*
skatoxyl *Chem.*
sodaphthalyl *Mat. Med.*
sodyl *Chem.*
spirarsyl *Chem.*
spiroylic -ous *Chem.*
stann(eth)yl *Chem.*
stearoxylic *Chem.*
stearyl *Chem.*
Stereogennylae *Bot.*
stethylic *Chem.*
stibenyl *Chem.*
stibethyl *Chem.*
stibinyl *Chem.*
stigmasteryl *Org. Chem.*
styryl(ic -ene *Org. Chem.*
suberonyl(ene *Chem.*
suberyl *Chem.*
 amine ene ic
succinamyl *Org. Chem.*
succinyl(ic *Chem.*
sulfamyl *Org. Chem.*
sulfethyl *Chem.*
sulfhydryl *Chem.*
sulfindylic -ate *Chem.*
sulfinyl *Chem.*
sulfocarboxylic
sulfomesitylenic *Chem.*
sulfonyl(ice *Chem.*
sulfoxyl *Chem.*
sulphamylic -ate *Chem.*
sulphethyl(ate *Chem.*
sulphoindylic *Chem.*

sulphonethylmethane
sulphoxylic *Chem.*
sulphur(os)yl *Chem.*
sulphydryl *Chem.*
sycoceryl(ic *Chem.*
tanacetyl *Org. Chem.*
tannyl *Mat. Med.*
taroxylic *Org. Chem.*
tartaryl *Org. Chem.*
tartrethylic -ate *Chem.*
tartromethylic -ate
tartronyl(urea *Chem.*
tartryl(ic *Chem.*
tauryl(ic *Biochem.*
tephrylometer *Med.*
teracrylic *Chem.*
terephthalyl *Chem.*
terpenyl *Org. Chem.*
 amine ic
terpinyl *Org. Chem.*
testiiodyl *Mat. Med.*
tetracarboxylic *Chem.*
tetradecatyl *Chem.*
tetradecenyl *Chem.*
tetradecyl(ic -ene *Chem.*
tetralyl *Org. Chem.*
tetramethyl *Org. Chem.*
 benzene
 endiamin
 ene
 putrescin
tetrasalicylic *Org. Chem.*
tetrazyl *Org. Chem.*
tetryl *Org. Chem.*
 amine ate ene (en)ic
 dermatitis *Path.*
theacylon *Pharm.*
thenoyl *Org. Chem.*
thienyl *Chem.*
thiocarbyl(amine *Chem.*
thioethylamin *Chem.*
thioindoxyl *Org. Chem.*
thionyl *Chem.*
 amin chlorid
thiophosphoryl *Chem.*
thiosalicylic *Chem.*
thioxydiphenylamin
thioxylene
thujamenthyl *Org. Chem.*
thujyl *Org. Chem.*
thymyl *Chem.*
 amine ic
titanyl *Chem.*
tolaylamine *Org. Chem.*
toluoxyl *Org. Chem.*
toluyl *Org. Chem.*
 amine ene ic
triacontylene *Org. Chem.*
triallylamin *Chem.*
triazolyl *Org. Chem.*
tribromphenyl *Chem.*
tricaprylin *Org. Chem.*
tricarbalylic *Chem.*
tricarboxylic -ate *Chem.*
trichlor-
 butylalcohol *Mat.*
 (o)ethylene *Org. Chem.*
 omethylchloroformate
 otrivinyl *Mat. Med.*
tricosyl(ic *Org. Chem.*
tridec(at)ylene *Chem.*
tridecyl(ic *Chem.*
triethyl(ic
 amin(e aminic stibin
trimethyl *Org. Chem.*
 amin(e (ethyl)ene endiamine enimine ethylane ic pyridin stibin
trioxymethylene *Chem.*
triphenyl *Org. Chem.*
 albumin amin(e ated carbinol ene methane methyl rosaniline stib- insulphid
triquinoyl *Org. Chem.*
trithienyl *Org. Chem.*
trityl(ic -ene *Chem.*

tritylhydrid *Chem.*
tropyl *Org. Chem.*
 trotyl *Expl.*
tubarsyl *Mat. Med.*
tylcalcin *Mat. Med.*
tyllithin *Mat. Med.*
tylmarin *Mat. Med.*
Ulaema *Ich.*
uncarboxylated *Chem.*
undecenyl *Org. Chem.*
undecyl *Org. Chem.*
 ene (en)ic o-
unphenylated *Org. Chem.*
uranyl(ic *Chem.*
urethylan(e *Mat. Med.*
valeroxyl *Chem.*
valeryl(ic *Chem.*
valyl(e ene *Org. Chem.*
vanadyl *Chem.*
vanill(o)yl *Org. Chem.*
veratroyl
veratrye *Org. Chem.*
 amine idene
vetivenyl *Org. Chem.*
vinyl *Org. Chem.*
 amine ic idene
xanthomethylic *Chem.*
xanthyl *Org. Chem.*
 ate ic ium
xenyl(ic -ene *Chem.*
xerohylad -ium *Bot.*
xylenyl(amine *Org. Chem.*
xyloyl *Org. Chem.*
xylyl *Org. Chem.*
 amine ene ic
zirconyl *Inorg. Chem.*

ὑλικός material (Arist.)
hylic(s *Phil.*
 ism ist

ὕλλος the ichneumon
Hyllus *Pal.*

ὑλο- Comb. of ὕλη
gennylozooid *Bot.*
hylo-
 bius *Ent.*
 brotus *Ent.*
 charis *Ornith.*
 choerus *Mam.*
 cichla *Ornith.*
 cola *Bot.*
 crinidae & -ites *Pal.*
 gamy *Bot.*
 genesis *Biol.*
 geny *Biol.*
 gnosy
 gony
 idealism
 ism -ist *Theol.*
 logy *Theol.*
 mania *Phil.*
 morphism *Phil.*
  ic(al -ist -ous
 mys *Zool.*
 pathism *or* -y *Phil.*
  -ian -ic -ist
 pemon *Ent.*
 philus *Bot.*
 phyte -a -ic *Phytogeog.*
 static(al
 theism -ist(ic(al *Theol.*
 torus *Ent.*
 tropism -ic -y *Chem.*
 trupes *Ent.*
 zoism *Phil.*
  -oal -oic(al -oist- (ically
-hylophilus *Bot.*
 helo xero
-hylophyta *Bot.*
 helo xero

ὑλοβάτης haunter of woods
hylobate(s *Mam.*
 -inae -ine
Prohylobates *Pal.*

ὑλόβιος living in woods
hylobian
ὑλοκουρός cutting wood
Hylacurus *Ent.*
ὑλονόμος living in woods
Hylonomus *Herp.*
 -id(ae -oid
ὑλοτόμος cutting wood
Hylotoma *Ent.*
 -idae -ous
ὑλουργός a carpenter
Hylurgus *Ent.*
ὑλοφάγος eating wood
hylophagous
ὑλώδης wooded
hylod- *Phytogeog.*
 ad ium
Hylodes *Ornith.*
hylodo- *Phytogeog.*
 philus phyte
ὑλωρός a forester
Hylorops *Ent.*
Hylorus *Ent.*

ὑμέναιος wedding (song)
hymenaic
hymeneal(ly
hymenean
ὑμένιον Dim. of ὑμην
hymeni-
 colar -ini *Bot.*
 ferous *Bot.*
hymeniophore *Bot.*
hymenium *Bot.*
ὑμενο- Comb. of ὑμήν
hymeno-
 callis *Ent.*
 camarota *Ent.*
 caris -id(ae -ina *Pal.*
 cephalus *Ich.*
 chaete *Fungi*
 dictin -yonin(e *Chem.*
 dictyon *Bot.*
 gaster(es -ales -aceae -inae *Fungi*
 geny *Phys.*
 graphy
 lepis *Helm.*
 lichen(es *Bot.*
 logy -ical
 mycete(s *Bot.*
  -al -ineae -oid -ous
 pappus -eae *Bot.*
 phore -eae -um *Bot.*
 phyllum *Bot.*
  -aceae -aceous -eae
 pode *Bot.*
 rrhaphy *Surg.*
 soma -id(ae *Crust.*
 stomata -ous *Infus.*
 tome *Surg. App.*
 tomy *Surg.*
ὑμενοειδής membranous
hymenoid *Anat.*
ὑμενόπτερος (Strabo)
hymenopter *Ent.*
 a al an ist on ous
hymenopterid *Bot.*
hymenopterism *Tox.*
hymenopterology
 -ical -ist
Microhymenoptera *Ent.*
ὑμενώδης = ὑμενοειδής
hymenodes *Bot.*
Ὑμήν god of marriage
Hymen
Hymenantheae -era *Bot.*
ὑμήν membrane
blennymenitis *Path.*
endhymenine *Bot.*
exhymenine *Bot.*
Gnathymenus *Ent.*
hymen(ic -(i)al *Anat.*
hymenitis *Path.*
-hymenitis
 hydro ino orrho phlegm synap

Hymenoplia *Ent.*
hymenula -um *Bot.*
Kallimenia -eae *Bot.*
neohymen *Med.*
pachy(hy)menia -ic *Path.*
phlegmymenitis *Path.*
polyorrhomenitis *Path.*
polyorrhomenosis *Path.*
pseudohymenium *Bot.*
Rhodymenia *Algae*
 -iaceae -iaceous -iales
subhymenial *Bot.*
subhymenion
Ὑμήττειος of Hymettus
Hymettian -ic
ὑμνογράφος (Philo)
hymnographer -y
ὑμνολογία (Symm.)
hymnology -ist
ὑμνολογικός (Anast.)
hymnologic(al(ly
ὕμνος (Odyssey)
hymn
 al ar(y arium er ic ish ist less
hymnicide
hymnification
proymnion *Pros.*
ὑμνῳδιά (Euripides)
hymnody -ist
ὕν(ν)ις a ploughshare
Hoplunnis *Ich.*
Hynnis *Ich.*
Macrohynnis *Ent.*
ὑο- Comb. of υ
euhyostyly -ic
geniohyoglossus -al
hyo-
 basioglossus *Anat.*
 branchial *Anat.*
 epiglottic -(id)ean
 ganoid(ei -ean *Ich.*
 glossus -al *Anat.*
 hypoplastral *Pal.*
 mandibular *Anat.*
 mental *Anat.*
 pharyngeus *Anat.*
 plastron -al *Herp.*
 potamus *Mam.*
  -idae -inae -ine
 scapular *Anat.*
 seris *Bot.*
 sternum -al *Anat.*
 strongylus *Helm.?*
 styly -ic *Anat.*
 suspensorial *Anat.*
 vertebrotomy *Surg.*
ὑο- Comb. of ὗς
hyo-
 boops *Pal.*
 cephalous
 choladienic *Biochem.*
 cholic -alic -anic *Chem.*
 desoxybilianic *Chem.*
 desoxycholic *Biochem.*
 glychocholic -ate
 glycodesoxycholic
 lithus *Conch.*
  -es -id(ae -oid
 taurocholic *Chem.*
 therium *Mam. Pal.*
 thyroid *Herp.*
methyostyly -ic *Ich.*
uohyal
uorrhagia
ὑοειδής (Galen)
basihyoidal *Anat. Zool.*
hyoid *Biol. Embryol.*
hyoid *Anat.*
 (e)al (e)an
-hyoid *Anat.*
 acromio basi cerato cleido genio infra intra mandibulo mylo occipito omo petro pre

-hyoid Cont'd
sterno stylo supra tem- poro thyro
-hyoidean *Anat.*
epiglotto genio mylo omo post sterno stylo thyro
-hyoideus *Anat.*
cerato genio mylo omo sterno stylo thyro
omohyoideous *Anat.*
ὑός Gen. of ὑς
-hyus *Pal.*
Anthraco Diamanto Dino Eo Genio Limno Lophio Pedio
ὑοσκυαμῖνος of henbane
genhyoscyamine
hyosc(yam)in(e *Chem.*
norhyoscyamin
pseudohyoscyamin
ὑοσκύαμος henbane
hyoscamia *Org. Chem.*
Hyoscyamus -eae *Bot.*
ὑπ- Comb. of ὑπό
hemihypalgesia *Path.*
hyp-
abyssal *Petrog.*
acidemia *Med.*
acidity *Med.*
acrosaurus *Pal.*
acusis -ia *Path.*
(a)emia *Path.*
(a)esthesia -ic *Path.*
agnostus *Pal.*
albuminosis *Path.*
alelomorph *Bot.*
algesia *Path.*
algetic *Path.*
algia -ic *Path.*
allelomorph(ic *Biol.*
amnesia *Psych.*
amnion -ios *Med.*
anakinesis *or* -ia *Med.*
anisognathism -ous
antherus *Ent.*
anthium -ial *Bot.*
anthodium *Bot.*
antrum *Anat.*
apophysis -ial *Anat.*
arcuale *Anat.*
argyrite *Min.*
arterial *Anat.*
aulax *Ent.*
axial *Anat.*
azoturia *Med.*
encephalon *Med.*
enchyme *Embryol.*
eosinophil *Staining*
erythrocythemia *Med.*
hedonia *Med.*
hidrosis *Med.*
hydrogamy -ic(ae *Bot.*
hydrus *Ent.*
idiomorphic(ally *Geol.*
inosis inotic *Path.*
isomerous *Odontog.*
isotonic *Med.*
oaria(n *Anat. Ich.*
onychium -ial *Anat.*
onychon -um *Path.*
onym
oogamy *Bot.*
ophthalma *Ent. Zool.*
oscheotomy *Surg.*
osmia *Med.*
osmotic *Phys. Chem.*
ostracum *Zool.*
oxis -id(aceae -ideae
Hypsipops *Ich.*
Pachypops *Ich.*
Plectrypops *Ich.*
υπαετος a vulture (Arist.)
Gypaetos *Ornith.*
-i -inae

Gypagus *Ornith.*
ὕπαιθρος under the sky
hyp(a)ethral *Arch.*
hypaethron -os *Arch.*
upaethral *Phil.*
upaithric *Phil.*
υπακοη obedience
hypakoe *Gr. Ch.*
ὑπακτικος purgative
hypactic *Med.*
ὑπαλλαγή (Dion. H.)
hypallage -ize *Rhet.*
ὑπαλλακτικός Fr. ὑπαλλαγή
hypallactic *Rhet.*
ὑπαντή reception (Cyrill.)
hypante *Gr. Ch.*
Ὑπαπαντή feast of Simeon's meeting Christ
hypapante *Gr. Ch.*
ὕπαρξις existence
hyparxis *Phil.*
υπασπιστης shield-bearer
hypaspist *Gr. Ant.*
ὑπάτη (Plato)
hypate *Gr. Music*
ὕπατον = ὑπάτη
hypaton *Music*
ὕπατος the highest
Hypatium *Ent.*
υπεναντιον opposed
hypenantion *Bot.*
ὑπερ-
hyper-
abelian *Math.*
absorption *Phys.*
acanthosis *Path.*
acid(ity *Phys. Chem.*
acidaminuria *Med.*
action activity *Med.*
acusis *or* -ia *Path.*
acuity acute(ness
adenosis *Path.*
adiposis -ity *Math.*
adrenalemia *Med.*
adrenalism -ia *Med.*
(a)emia -ic *Path.*
(a)esthesis *or* -ia -ic
(a)esthete aesthetic
albuminosis *Path.*
algesis *or* -ia -ic *Path.*
algetic *Path.*
alimentation
alkalescence *Med.*
alkaline -ity *Med.*
alonemia *Med.*
aminoacidemia *Med.*
anabolic -ism *Path.*
anakinesis -ia *Med.*
anarchy
anisogamy *Bot.*
antha *Ent.*
aphia -ic *Physiol.*
aphrodisia
apophysis -ial
archy
asthenia *or* -y *Path.*
auxesis *Path.*
azotemia *Path.*
azoturia *Path.*
bilirubinemia *Med.*
blastosis *Med.*
brachycephal(ic -y
brachyuranic *Craniom.*
branchial *Anat.*
b(o)ulia
byssal
Calvinism -ian -ist(ic
capnia *Med.*
carbamidemia *Med.*
carbureted *Chem.*

hyper- Cont'd
cardia *Path.*
catalectic *Pros.*
catalexis *Pros.*
cathartic *Med.*
cementosis
cenesthesia *Med.*
cenosis *Path.*
chim(a)era *Bot.*
chlorhydria -ic *Path.*
chlor(hydr)idation
chloric -id *Chem.*
cholesterin(*or* -ol)emia
cholia *Path.*
chromasia *Path.*
chromasy *Bot.*
chromatic *Path.*
chromatic -in *Staining*
chromatopsia *Med.*
chromatopsis *or* -y
chromatosis *Cytol.*
chromemia *Med.*
chromia -ism *Cytol.*
chromic *Phys. Chem.*
climax
coagulability *Chem.*
complex *Math.*
composite
conic *Math.*
conscious(ness
coracoid *Anat. Ich.*
coria
cosmic
crinism *Med.*
critic
al(ly ism ize
cryalgesia *Path.*
cryesthesia *Med.*
crysaesthesia *Med.*
cyanotic *Med.*
cycle *Math.*
cycloid(e *Geom.*
cyesis *Path.*
cyrtosis *Path.*
dactylia *or* -y *Anat.*
dapedon *Pal.*
deify
dermatosis *Path.*
determinant *Math.*
diapason *Music*
diapente *Music*
diastole *Med.*
diatessaron *Music*
diazeuxis *Music*
dichobune *Pal.*
dicrotism -ic -ous *Path.*
diemorrhysis *Path.*
distention
distributive *Math.*
ditone -os *Music*
diuresis *Path.*
dolichocephal(ic -y
dolichopellic *Craniom.*
dontogeny *Dent.*
dorian *Music*
dromic *Bot.*
dulia -y -ic(al *Eccl.*
dynamia -ic *Med.*
elliptic *Math.*
emesis -ic *Path.*
emetic *Path.*
emotivity *Med.*
encephalus *Terat.*
endocrinism *Med.*
endocrisia *Med.*
energetic
eosinophilia -ic *Path.*
ephidrosis *Med.*
epinephry *Med.*
equatorial
equilibrium *Med.*
esophoria *Ophth.*
ethical
ethisia
ethism
eutectic -oid *Biochem.*

hyper- Cont'd
excitability *Physiol.*
exophoria *Ophth.*
extension
faisceau *Geom.*
fine
flexion
focal *Photog.*
fuchsin *Math.*
function(ary *Physiol.*
gamy -ous
gas(eous
gasia *Med.*
genesis
genetic
genitalism *Med.*
geometry -ic(al *Math.*
geusesthesia *Med.*
geusia *Path.*
gigantosoma *Med.*
globulia -ism *Med.*
glyc(a)emia -ic *Path.*
glyci(*or* y)stia *Med.*
glycogenolysis *Med.*
glycoplasmia *Med.*
glycorrhachia *Med.*
glycosemia *Path.*
glycosuria *Path.*
goddess
gon *Photog.*
gonadism *Med.*
hedonia -ism *Med.*
hemoglobinemia *Med.*
hepatia *Med.*
heredity
hexapod(a -ous *Zool.*
hidrosis *Path.*
hydric *Histol.*
hydrochlor(id)ia *Path.*
hypercytosis *Med.*
hypocytosis *Med.*
hypostasis
hypsistous
ideal *Mat. Med.*
ideation
immune -ity *Med.*
immunize -ation *Med.*
ingestion *Med.*
inosemia *Path.*
inosis -osed -otic *Path.*
internopathy *Path.*
involution *Physiol.*
ionian -ic *Music*
isotonia *Med.*
isotonic *Chem. Med.*
ite *Petrol.*
Jacobean *Math.*
katabolism *Physiol.*
keratomycosis *Path.*
keratosis *Path.*
kinesis *or* -ia *Path.*
kinetic *Path.*
koria *Med.*
lactation *Med.*
latinistic
lethal *Med.*
leucocytosis *Path.*
lip(oid)emia *Med.*
liposis *Med.*
lithic -uria *Path.*
logia logism
lydian *Music*
mallus *Ent.*
mastia *Physiol.*
mature
medication *Med.*
megacranious *Craniom.*
megalia
megaprosopous
megasoma *Med.*
megethes *Pal.*
mesaticephalic
mesosoma *Med.*
metabolism *Med.*
metamorphism -ic *Ent.*
metamorphosis -otic

hyper- Cont'd
metaphorical
metaplasia *Med.*
metatropy -ic *Bot.*
meter metron -ic(al
microprosopous
microsoma *Med.*
mineralization *Chem.*
mixolydian *Music*
mnesia *or* -ia *Psych.*
motility *Med.*
myotonia *Med.*
myotrophy *Med.*
myriorama *Arts*
nanosoma *Med.*
natural
neocytosis *Med.*
nephia *Ent.*
nephroid -oma *Path.*
nic *Trade*
nidation
nitr(a)emia *Med.*
nitrogenous
noia *or* noea *Ps. Path.*
normal
normocytosis *Med.*
note
nutrition *Med.*
odontogeny *Dent.*
oidesipus *Crust.*
ol *Mat. Med.*
ontomorph *Anthrop.*
onychia *Med.*
opia -e -ic *Ophth.*
ops *Ent.*
opsia *Ophth.*
orchidism *Med.*
orexia -y -ic *Path.*
organic
orthocytosis *Med.*
orthodox(y
orthognathous
orthognathy -ic *Zool.*
osmia *Psych.*
osmic *Chem. Psych.*
osmotic *Phys. Chem.*
osphresis *or* -ia
osteogeny -ic
ostosis -otic *Path.*
ovaria *Gynec.*
oxemia *Med.*
oxidation *Chem.*
oxygen- *Chem.*
ate(d ation ized
oxymuriate -ic *Chem.*
parasite -ic -ism *Ent.*
pearlitic *Metal.*
pencil *Geom.*
pepsia *Path.*
pepsinia *Med.*
peptic *Physiol.*
perfection
peristalsis *Physiol.*
personal
phalangism -eal -y
pharyngeal *Anat.*
phasia -ic *Path.*
phenomenal *Phil.*
phonia *Med.*
phoria *Ophth.*
phoric *Petrol.*
phosphatemia *Med.*
phosphine *Mat. Med.*
phosphorescence
phosphoric
phrenia *Psych.*
physical(ly -ics *Psych.*
piesis *or* -ia *Med.*
pietic *Med.*
pigmented -ation *Med.*
pinealism *Med.*
pituitarism *Med.*
plane *Math.*
plasia -ic *Path.*
plasia *Bot.*
plasm(a -ia *Path.*

hyper- Cont'd
plastic *Histol.*
plasy *Histol.*
platyrrhine *Anthrop.*
pn(o)ea *Med.*
porosis *Med.*
praxia *Psych.*
presbyopia *Ophth.*
pressure *Engin.*
prochoresis *Physiol.*
promethia *Psych.*
prosopon *Ich.*
proteosis *Diet.*
pselaphesia *Med.*
pulmonary
purist
pyr(a)emia *Med.*
pyretic *Path.*
pyrexis *Path.*
-ia -ial -ic
rational
reflexia *Med.*
resonant -ance
rhythmical
salivation *Med.*
sarcoma *Path.*
sarcosis *Path.*
secretion
sensibility
sensitive(ness
sensitize -ation *Chem.*
sensual *Psych.*
skeocytosis *Med.*
solid *Math.*
somnia *Med.*
space spatial *Geom.*
spermatic
sphere *Math.*
spherical *Math.*
sphyxia *Med.*
spiritual
splenia -ism *Med.*
state
sthene -ic -ite *Min.*
sthenia -ic -uria *Path.*
stoic
stomatic -ous *Bot.*
strophic *Zool.*
strophy
suprarenalism *Med.*
surface *Math.*
susceptibility *Med.*
systole -ic *Med.*
tarachia *Med.*
tectic *Phys. Chem.*
tension -ive -or *Med.*
thelia *Med.*
therm *Meteor.*
thermal *Phys.*
thermalgesia *Med.*
therman *Mat. Med.*
thermesthesia *Med.*
thermia *or* -y -ic *Med.*
thymism -ization *Med.*
thyrea -eosis *Med.*
thyroid(ation osis ism ization
tonic *Bot.*
toxic(ity *Tox.*
trichia *Med.*
trichophobia *Med.*
trichosis *Med.*
tridimensional *Math.*
trophy *Bot. Path.*
-ied -ic(al -ous
trophytes *Bot.*
tropia *Med.*
type -ic(al
uric(a)emia *Med.*
vaccination *Med.*
vascular(ity
venosity
viscosity *Med.*
ὑπέρ over; beyond; above
adenohypersthenia *Path.*
angiohypertonia *Med.*
anisohypercytosis *Cytol.*
bathyhyperesthesia *Med.*
(calo)clinohypersthene
colpohyperplasia *Path.*
cysthypersarcosis *Med.*
gastrohyper- *Med.*
neuria tonic
hemihyper- *Path.*
aesthesia idrosis metria tonia trophy
isohypercytosis *Med.*
lymphadenhypertrophia
metryper- *Gynec.*
cinesis emia esthesia trophia
myohypertrophia *Med.*
nephrohypertrophy *Med.*
odontohyperesthesia
panhyper(a)emia *Path.*
podyperidrosis *Path.*
pseudohypertrophy -ic
thermohyper- *Med.*
algesia
(a)esthesia
tophyperidrosis *Path.*
urohypertension *Chem.*
vasohypertonic *Med.*
ὑπέρα an upper rope
Hypera *Ent.*
ὑπεραιόλιος
hyper-Aeolian *Gr. Music*
ὑπεραλγής (Polybius)
hyperalgia *Path.*
ὑπερασπιστής a protector
hyperaspist *Gr. Ant.*
ὑπερβατικός (Thuc.)
hyperbatic(ally *Gram.*
ὑπέρβατον (Quintil.)
hyperbaton *Gram. Rhet.*
ὑπερβολαῖον (Pherecr.)
hyperbolaeon *Gr. Music*
ὑπερβολη *Math.* (Apollon. de Con.); *Rhet.* (Arist.)
hyperbola *Math.*
-atoid -iform -ism -oid-(al
hyperbole *Rhet.*
-ism -ist -ize -y
hyperbolic(al(ly *Math.*
hyperbolograph
orihyperbola -oid *Geom.*
semihyperbole -ical
ὑπερβολικός (Polybius)
hyperbolic *Rhet.*
al(ly ly
Ὑπερβόρεοι (Homer)
Hyperboraeus *Geolg.*
ὑπερβόρεος
hyperboreal -ean(ism
ὑπερδισύλλαβος (Arcad.)
hyperdissyllable
ὑπέρθεσις transposition; a prolonged fast
hyperthesis *Gr. Ch. Philol. Pros.*
ὑπερθετικός superlative
hyperthetic(al *Philol. Pros.*
ὑπέρθυμος vehemently angry
hyperthymia *Psych.*
ὑπερθύριον lintel (Od.)
hyperthyrion *Arch.*
ὑπέρθυρον cornice (Vitruv.)
hyperthyrum *Arch.*
ὑπεριάστιος Fr. Ἰαστιος
hyperiastian *Gr. Music*
ὑπέρικον (Galen)
hypericin *Org. Chem.*
Hypericum -on *Bot.*
-aceae -aceous -ales -ineae
Ὑπεριων the Sun-God (Il.)
Hyperia *Crust.*
-ian -(i)id(ae -iidea(n -iidina -iidin(e -ioid
Hyperion(ic *Myth.*
ὑπερκάθαρσις (Hipp.)
hypercatharsis *Med.*
ὑπερκατάληκτος (Drac.)
hypercatalectic *Pros.*
ὑπερμετρία excess (Ptol.)
hypermetria *Med.*
ὑπέρμετρος excessive
hypermeter *Pros.*
hypermetron -ic(al
hypermetropia
-e -ic -y *Ophth.*
ὑπερνεφελος above the clouds
hypernephelist
ὑπέρνομος transgressing the law
hypernomian
hypernomic *Med.*
ὑπέροξυς very keen (Hipp.)
hyperoxide *Obs.*
ὑπερουράνιος (Plato)
hyperuranian
ὑπέροχος eminent
hyperochality *Obs.*
ὑπέρπυρον a Byz. gold coin
hyperper *Numism.*
ὑπερτέλειος more than perfect
hypertely -ic *Biol.*
ὑπερτονος overstrained
hypertonia -ic(ity *Psych.*
hypertonus *Med.*
ὑπερφρύγιος (Ath.)
hyper-Phrygian *Gr.*
υπερῷον being above; the upper story
hyperoitis *Path.*
hyperoon *Anat. Gr. Ant.*
Hyperoodon(idae *Mam.*
hypero-
artia *Ich.*
-ian -ii -ious
dapedon *Herp. Pal.*
treta *Ich.*
-an -e -i -ous
ὑπηνεμιος (-ιον) full of wind
hypenemious *Obs.*
hypenemy *Obs.*
υπήνη moustache, beard
Hypena *Ent.*
-id(ae -oid
Upeneus *Ich.*
ὑπναλέη (Solinus)
hypnale *Obs.*
υπνικός (Aretae.)
hypnic
ὑπνο- Comb. of υπνος
agamohypnospore *Bot.*
dypnopinac- *Org. Chem.*
ene in ol -one
hypno-
analgesic *Med.*
anesthetic *Med.*
bate -ia *Psych.*
cyst *Prot.*
genesis
genetic
geny -ic -ous
graphy
hypno- Cont'd
lepsis *or* -y *Path.*
leptic *Psych.*
logy -ic(al -ist *Psych.*
narcosis *Psych.*
phila *Ent.*
philous
phobia *or* -y -ic
plasm *Bot.*
plasy *Bot.*
pompic *Psych.*
pyrin *Mat. Med.*
scope
sophy -ist
sperm *Bot.*
sporange -ium *Bot.*
spore -ic *Bot.*
thallus *Bot.*
therapy *Ther.*
toxin *Tox.*
zygote *Bot.*
merodipnopinac- *Chem.*
olene oline olone
neurhypnology *Med.*
neurohypnology -ist
neurypnology *Med.*
-ical -ist
ὕπνον (Theophr.)
Hypnea *Algae*
-eaceae -eaceous -eae
Hypnum *Mosses* (ea -aceae -aei -etum -oid-
ὕπνος sleep
ahypnia *Path.*
anypnia *Med.*
butylhypnal *Mat. Med.*
Cryptohypnus *Ent.*
dypnone *Org. Chem.*
hypn-
acetin *Mat. Med.*
aesthesia *or* -ia -ic
agog(ue -ic *Med.*
al *Chem.*
algia *Med.*
apagogic *Med.*
oetic *Psych.*
oid(al -ic -ization
one *Chem.*
osia osis
osigenesis
-hypnosis
an auto hemi idio para self
Ilypnus *Ent. Ich.*
narcohypnia *Med.*
narcohypnia *Med.*
salypnone *Mat. Med.*
Zalypnus *Ich.*
ὑπνώδης drowsy
Hypnodes *Ornith.*
hypnodylic -ism
ὑπνωδία sleepiness
hynody *Zool.*
ὑπνωτικόν (Plut.)
hypnotic
ὑπνωτικος narcotic
ant(i)hypnotic *Ther.*
autohypnotic
-ism -ization
dehypnotize
hypnotal *Mat. Med.*
hypnote -ic *Bot.*
hypnotic(ally
hypnotism -ist(ic
hypnotize(r
-ability -able -ation
hypnotoid
hypohypnotic *Med.*
idiohypnotic
neurohypnotic *Psych.*
-ism -ist
phrenhypnotic *Psych.*
phrenohypnotism
posthypnotic *Psych.*
ὑπο-
hypo-
achene *Bot.*
acidity activity *Med.*
adenia *Med.*
adrenalemia *Med.*
adrenalism *Med.*
adrenia *Med.*
(a)eolian -ic *Gr. Music*
aeolic *Metal.*
alimentation *Diet.*
alkaline -ity *Med.*
alonemia *Med.*
aminoacidemia *Med.*
antimonate *Chem.*
ascidium *Bot.*
azotic -ide *Inorg. Chem.*
azoturia *Med.*
baropathy *Path.*
basal *Bot.*
benthos -(on)ic *Biol.*
blast(ic -us *Biol. Bot.*
borate *Inorg. Chem.*
borus *Ent.*
bosca *Ent.*
branchia -ial *Anat.*
branchia *Conch. Ich.*
branchiaea *Conch.*
-iaeid(ae -iaeoid
bromus -ite *Chem.*
b(o)ulia *Path.*
caffeine *Org. Chem.*
calcemia *Med.*
capnia *Med.*
carp(ium *Bot.*
carpogean *Bot.*
carpogenous *Bot.*
castanum
cathartic *Med.*
cenesthesia *Med.*
center *Seismol.*
centrum *Anat. Herp.*
cephalus *Ent.*
-id(ae -oid
cerebric *Biochem.*
chil(e -ium *Bot.*
chloremia *Med.*
chlorhydria -ic *Path.*
chlorin -ite -ous *Chem.*
chlorization *Med.*
chloruria *Med.*
chnus -aceae *Fungi*
cholester(ol)emia *Med.*
chordal *Anat.*
chromatic *Path.*
chromatism -osis
chromemia *Med.*
chromia *Med.*
chromyl *Chem.*
chrosis *Med.*
chylia *Med.*
cl(e)idium -ian *Ornith.*
clydoma *Ich.*
c(o)elon *Embryol.*
colon
coma -idae *Infus.*
condylar
cone *Anat.*
-id -ule -ulid
coprus *Ent.*
copula *Bot.*
coracoid *Anat.*
corism
cotyl(ar -ous *Bot.*
cotyleal *Ich.*
cotyledonous -ary *Bot.*
crea *Bot.*
-eaceae -eaceous -eales
crinidae *Pal.*
crinism *Med.*
crystalline *Petrog.*
ctenes *Ent.*
cycle -oid(al *Geom.*
cystic *Biol.*
cystotomy *Surg.*
cytosis *Path.*

hypo- Cont'd
dactylum *Ornith.*
derm(a *Bot.*
derma *Ent. Zool.*
dermal
dermale -ium *Spong.*
dermataceae *Fungi*
dermatic(ally
derm(at)oclysis *Med.*
dermatomy *Surg.*
dermic(al(ly
diapason *Music*
diapente *Music*
diatessaron *Music*
diazeuxis *Music*
dicrotous -ic *Path.*
ditone *Music*
dynamia *Med.*
dynamic
elimination -ator
ellipsoid *Geom.*
ema *Med.*
endocrinism *Med.*
endocrisia *Med.*
eosinophilia *Path.*
epinephrinism *Chem.*
epinephry *Med.*
equilibrium *Med.*
esophoria *Ophth.*
esthetic
eutectic *Metal.*
eutectoid *Phys. Chem.*
exophoria *Ophth.*
function *Med.*
gastral(e *Spong.*
gene -ic -ous *Geol.*
genesis *Geol.*
genetic
genitalism *Med.*
genous *Bot.*
geusia *Path.*
gigantosoma *Med.*
globulia *Path.*
glossal *Anat.*
glossitis *Path.*
glucemic *Med.*
glucoxanthine *Chem.*
glycemia *Med.*
gnathism -ous *Ornith.*
gnathous *Terat.*
hypogon(ae *Bot.*
gonadism *Med.*
gyn *Bot.*
ae ic ous y
halous -ite *Chem.*
hemia *Med.*
hepatia *Med.*
hidrosis *Med.*
homus *Ich.*
hyal *Ich.*
hyalin(e *Petrog.*
hydrochloria *Med.*
hyloma *Tumors*
hypnotic *Med.*
hypophysism *Med.*
idrosis *Med.*
inosemia *Path.*
iodic -ite -ous *Chem.*
ionian *Music*
ischuim *Zool.*
isotonic *Physiol.*
jacobian *Math.*
kinesis *or* -ia *Physiol.*
kinetic *Mech.*
kolasia *Med.*
lagus *Pal.*
lampsis *Ent.*
lepidoma *Tumors*
lepis -ideae *Bot.*
lethargy
leucocytosis *Path.*
leuk(a)emia *Path.*
leukomatosis *Path.*
liposis *Path.*
lithic *Bot.*
lithus *Ent.*
locrian *Music*

hypo- Cont'd
logism *Math.*
lophinae & -ites *Pal.*
lymphemia *Med.*
lytrum -eae *Bot.*
mania *Med.*
mastia *Gynec.*
mazia *Gynec.*
medication *Med.*
megasoma *Med.*
melancholia *Ps. Path.*
mere -al *Spong.*
mesosoma *Med.*
mesus *Ich.*
metabolism *Med.*
metria *Med.*
micron -ous *Biol. Phys.*
microsoma *Med.*
mixolydian *Music*
mesis -ic *Ps. Path.*
motility *Med.*
myces *Fungi*
mycteri *Mam.*
myotonia *Physiol.*
myxia *Path. Physiol.*
nanosoma *Med.*
nasty -ic(ally *Bot.*
neocytosis *Med.*
neuria *Path.*
nitric -ite -ous *Chem.*
noetic *Psych.*
nym *Bot.*
orthocytosis *Med.*
osmious *Chem.*
ovaria *Med.*
pancreatism *Med.*
parathyreosis *Med.*
parathyroidism *Med.*
paria *Pal.*
peltate *Bot.*
pepsia *or* -y *Physiol.*
pepsinia *Med.*
peptic *Physiol.*
petaly -(e *or* i)ous *Bot.*
phalangia -ism *Anat.*
phare -a *Spong.*
pharyngoscope -y
pharynx -ynged *Ent.*
phloeodal -ic *Bot.*
phloeous *Bot.*
phloeus *Ent.*
pholis *Ent.*
phonia *Med.*
phonic -ous *Music*
phoria *Ophth.*
phosphate & -ite
phosphoric -ous *Chem.*
phrenia -ic -osis *Path.*
phyll *Bot.*
ium ous um y
phyllopodous *Bot.*
phyllospermous *Bot.*
phyical -ics *Theol.*
pial *Bot.*
pitys *Bot.*
plankton -(on)ic *Biol.*
plasia *or* -y *Path.*
plasm *Med. Physiol.*
plastic *Bot.*
plastotype *Min.*
plastron -al *Zool.*
plasty -ic *Path.*
plax *Conch.*
plectrus *Ich.*
pleura *Bot.*
podium *Bot.*
podus *Ascar.*
porosis *Med.*
prasis *Ent.*
praxia *Med. Psych.*
proteoid *Bot.*
pressure *Meteor.*
prion *Ich.*
pselaphesia *Path.*
psetta *Ich.*
pterate *Bot.*
pteron -al *Ornith.*

hypo- Cont'd
pterygei -iaceae *Bot.*
ptilum -ar *Anat.*
ptyalism *Path.*
quebrachin(e *Chem.*
radial -ii -ioli *Ornith.*
-iolus -ius
reflexia *Med.*
r(h)achis -idian *Ornith.*
rhamphus *Ornith.*
rrhagus *Ent.*
sarca *Path.*
scleral -ous *Surg.*
sclerite *Min.*
scope *Mil. App.*
secretion *Med.*
sensitive *Med.*
sensitization *Med.*
siagonarthritis *Path.*
sialadenitis *Path.*
siderite *Min.*
skeletal *Anat.*
skeocytosis *Med.*
soda *T.N.*
sperm *Bot.*
sphene -al *Herp.*
sphyxia *Med.*
sporangium *Bot.*
static *Bot.*
steatolysis *Med.*
sthenia *Path.*
-iant -ic -uria
stilbite *Min.*
stoma -e -ial -ous *Zool.*
stomata -ous *Zool.*
stomatal -ic -ous *Bot.*
stomium *Ferns*
stomus *Ich.*
-ata -atous -idae
-idan -ides -inae
stroma *Fungi*
styptic *Med.*
sulphate & -ite *Chem.*
sulphur(ic -ous *Chem.*
suprarenalism *Med.*
syllogistic *Rhet.*
systole *Path.*
tarsus -al *Ornith.*
tensic *Biochem.*
tension -ive -or *Med.*
tetrarch *Bot.*
thalamus *Anat.*
thallium -ine -inic
thallus -i -ine *Lichens*
theca -al *Infus. Zool.*
thecium -ial *Bot.*
thenemus *Ent.*
theria -ian *Biol. Pal.*
thymia -ism *Psych.*
thyrea -(e)osis *Med.*
thyroid *Med.*
ation ea ism
tonia -y -ic(ity -us
tonic *Bot.*
toxicity *Tox.*
triarch *Bot.*
tricha -ous(ly *Prot.*
trichosis *Path.*
triploid *Bot.*
trochanteric *Anat.*
trochoid(al *Geom.*
trophy *Biol. Physiol.*
tropia *Ophth.*
tympanic *Anat. Zool.*
type *Biol.*
typic(al
valva *Bot.*
vanadic -al -ious *Chem.*
varia *Gynec.*
vitaminosis *Diet.*
xanthic -in(e *Chem.*
xylon -ous *Fungi*
zeugma *Gram.*
zoa -oan -oic *Zool.*
zygal *Zool.*
ὑπό beneath; under
angiohypotonia *Med.*
anisohypocytosis
antihypo *Photog.*
bathyhypesthesia *Med.*
hemihypoesthesia *Med.*
hemihypotonia *Med.*
hyohypoplastral *Pal.*
hyperhypocytosis *Med.*
mesohypo-
blast *Embryol.*
cephalic *Craniom.*
monohypogynia *Bot.*
opohypophysin *Prop.*
photohyponasty *Bot.*
-ic(al(ly
pneumohypoderma *Med.*
pneumonhypostasis *Med.*
hypo *Photog.*
isohypocytosis *Chem.*
thermohyp(o)esthesia
urohypotensine *Chem.*
vasohypotonic *Med.*

ὑποβάκχειος (Dion. H.)
hypobacchius *Gr. Pros.*

ὑποβολή substitution
hypobole *Rhet.*

ὑπογάστριον abdomen
hypogastrium *Anat.*
-ia -ic(al
hypogastro-
cele *Path.*
didymus *Terat.*
iliohypogastric

ὑπόγειον (Herodianus)
hypogeum *Arch.*

ὑπόγειος under the earth
hypog(a)eal -(a)ean
Hypogaei *Fungi*
hypog(a)eic -(a)e ate
hypog(a)eous *Bot.*
hypogee *Archaeol.*
hypogeiody *Math.*
hypogeocarpous *Bot.*

ὑπογλύφειν to scoop out
Hypoglyptus *Ent.*

ὑπογλωσσίς (Hipp.)
hypoglossis *Anat. Path.*
Hypoglossus *Ich.*

ὑπογλωττίς = ὑπογλωσσίς
hypoglottis -idian *Anat. Ent. Med.*

ὑπογονάτιον kneeling cushion
hypogonation

ὑπόγραμμα "a signature"
hypogram

ὑποδειγματικος (Sext. Emp.)
hypodigmatical

ὑποδέειν to shoe
Hypodetus *Ent.*

ὑποδερμίς the prepuce
Hypodermiae *Fungi*
Hypodermis *Bot. Ent.*

ὑπόδησις a binding beneath
Hypodesis *Ent.*

ὑποδιάκονος (Cyprian)
hypodeacon

ὑποδιαστολή (Eust.)
hypodiastole *Gr. Gram.*

ὑποδιδάσκαλος (Plato)
hypodidascal

ὑπόδρομος a bower (Ael.)
hypodrome *Arch.*

ὑποδώριος Fr. Δωριος
hypo-Dorian *Gr. Music*
hypodoric -on *Gr. Music*

ὑπόζευξις (Diomed.)
hypozeuxis *Gram.*

ὑποθεναρ (Galen)
hypothenar *Anat.*

ὑπόθερμος warm (Galen)
hypothermal
hypothermia -ic -y *Med.*
hypothermolysin *Chem.*

ὑπόθεσις (Plato)
hypothesis
-ist -ize(r

ὑποθετικός (Arr. Epict.)
hypothetic(al(ly
hypothetico-
disjunctive *Logic*
hypothetist -ize(r

ὑποθήκη = ὑπόθεσις
hypothec(a
al arious ary
hypothecate
-ed -ion -ive -or(y
rehypothecate
-ion -or

ὑποιάστιος hypo-Ionian
hypoiastian -ic *Gr. Music*

ὑποκάθαρσις (Hipp.)
hypocatharsis *Med.*

ὑπόκαυστον (Vitruv.)
hypocaust(um *Archaeol.*

ὑποκείμενον substratum
hypokeimenometry

ὑποκιστίς (Diosc).
hypocist(is *Bot.*

ὑποκόλοβος part maimed
Hypocolobus *Ent.*

ὑποκόρισμα coaxing name (Demosthenes)
hypocorism

ὑποκοριστικός
hypocoristic(al(ly

ὑποκρατήριον crater stand
hypocrater *Gr. Vases*
hypocrateri- *Bot.*
form morphous

ὑπόκρισις (Sept.)
hypocrisy
-e -ify -is

ὑποκριτής (Sept.)
archhypocrite
hypocrite
-al -ess -ish -ism -ize
-less -ly -ness
Hypocrites *Ent.*
Hypocritichthys *Ich.*

ὑποκριτικός (Luc.)
hypocritic(al(ly

ὑπολημνίσκος (Epiphan.)
hypolemniscus *Gram.*
hypolemnisk *Gram.*

ὑπολαίς (Arist.)
Hypolais *Ornith.*

ὑπολέθριος dangerous
Hypolethria *Ent.*

ὑποληπτικός (Def. Plat.)
hypoleptically

ὑπολύδιος Fr. Λύδιος
hypo-Lydian *Gr. Music*

ὑπομανικόν
hypomanik(i)on

ὑπομένειν to stay behind
hypomenous *Bot.*

ὑπομήκης rather long
Hypomeces *Ent.*

ὑπόμνημα a memorial
Ypomnema *Bot.*

ὑπομνηματικός (Diog. L.)
hypomnematic

ὑπομνηστικός suggestive
hypomnestic

ὑπομόχλιον (Arist.)
hypomochilon *Mech.*
hypomochlion *Mech.*

ὑπόνοια a covert meaning
hyponoia *Theol.*
ὑπονομεύειν to undermine
Yponomeuta *Ent.*
-id(ae -oid
ὑπόνομος underground
hyponome -ic *Conch.*
hyponomoderma *Path.*
ὑποπόδιον a footstool
hypopodium -ial *Bot.*
ὑποπους having feet
hypopus -al *Zool.*
ὕποπτος suspected
Hypoptus *Ent.*
ὑποπύγιον rump (Arist.)
hypopygium -ial *Ent.*
ὑπόπυον an ulcer (Galen)
hypopyum -on *Path.*
ὑπόρρινος under the nose
hypo(r)rhined
ὑπόρυθμος proportioned
hypor(r)hythmic *Pros.*
ὑπόρχημα (Plato)
hyporchem(a e *Gr. Odes*
ὑπορχηματικός (Dion. H.)
hyporchematic *Gr. Odes*
ὑπόρχησις dancing to song
uporchesis *Gr. Ant.*
ὑπόσαθρος part rotten
hyposathria *Bot.*
ὑποσκηνια (Ath.)
hyposcenium *Gr. Theat.*
ὑποσπαδίας (Galen)
hypospadia(s *Anat.*
-iac -ial -ic
ὑπόστασις support
hyperhypostasis
hypostase *Bot.*
hypostase -is -y *Theol.*
hypostasize -ation *Theol.*
ὑποστατικός (Arist.)
hypostatic(al(ly *Biol.*
hypostatize -ation
trihypostatic
ὑποστερνος (Heysch.)
hyposternal *Anat.*
hyposternum -al *Herp.*
ὑποστιγμη a comma
hypostigma *Paleog.*
ὑποστολη evasion
hypostle
ὑποστροφη recurrence
hypostrophe *Med. Rhet.*
ὑπόστυλος on pillars (Diod.)
hypostyle *Arch.*
ὑπόστυψις (Theophr.)
hypostypsis *Med.*
ὑποσυναφή (Mus. Vett.)
hyposynaphe *Music*
ὑπόσφαγμα (Sext. Emp.)
hyposphagm(a *Med.*
ὑποτακτικὸς subjunctive
hypotactic *Gram.*
ὑπόταξις subjection
hypotaxia *Med.*
hypotaxis *Gram.*
ὑποτείνουσα (Plato)
hypot(h)enuse -al *Geom.*
ὑποτελής tributary
Hypotelus *Ent.*
ὑποτραχήλιον (Vitruv.)
hypotrachelium *Arch.*
ὑποτριόρχης (Arist.)
Hypotriorchis *Ornith.*

ὑποτύπωσις (Quintil.)
hypotyposis *Rhet.*
ὑπουδαῖος subterranean
Hypudaeus *Mam.*
ὕπουλος festering
Hypulus *Ent.*
ὑπουργια (Hipp.)
hypurgia *Med.*
ὑπόφαιος grayish
hypophaeus *Bot.*
ὑποφήτης an interpreter
hypophet *Phil.*
ὑποφορα objection (Hermog.)
ant(i)hypophora
hypophora *Rhet.*
ὑποφρύγιος (Plut.)
hypo-Phrygian *Gr. Music*
υποφυγή a refuge
hypophyge *Arch.*
ὑπόφυσις (Galen)
dyshypophysia -ism
hypophypophysism
hypophyseal
hypophysectomy -ize
hypophyseo-
lysin *Biochem.*
privic -ous *Med.*
hypophysin *Biochem.*
hypophysis *Anat. Bot.*
-e -ial
-hypophysis *Anat.*
ante neuro para pre post
ὑποχοιρίς (Theophr.)
Hypochocris -idae *Bot.*
ὑποχόνδρια (Hipp.)
hyp
hypochonder -re
hypochondria
-ial(ly -iasis -iasm -iast
-iatic -ic(al(ly -ist
hypped -ish
ὑποχουδριακός (Galen)
ant(i)hypochondriac
hypochondriac
al(ly ism
ὑποχόνδριον (Hipp.)
hypochondrium -y
ὕπτιος downside up
Gasteruption *Ent.*
Hyptiocheta *Ent.*
Hyptis *Bot.*
hyptolide *Org. Chem.*
ὑπωμία Fr. ὦμος
Hypomia *Ent.*
ὑρακ- Stem of ὕραξ
Archaeohyracidae *Pal.*
Hyraces -id(ae -iform
-ina -oid(ea(n *Mam.*
hyraceum -ium *Chem.*
Hyrach(y)us *Pal.*
Hyracodon *Mam.*
-ont(id(ae -ontoid
hyracothere -ium *Mam.*
-ian -iinae -iine
Metahyrachyus *Pal.*
Myohyracidae *Pal.*
Palaeohyracidae *Pal.*
Prohyracodon *Pal.*
ὕραξ a mouse
Hyrax *Mam.*
-hyrax *Mam. Pal.*
Buno Dendro Megalo Mixo Pachy
ὗς the wild swine. See ὑο-; ὑός
ὕσγινον (Nic. Th.)
hysginus *Bot.*
ὕσσωπος (Diosc.)
hyssop *Plants*
hyssopin *Org. Chem.*

Hyssopus -idae *Bot.*
ὕστατος last
Hystatoceras *Pal.*
Hystatus *Ent.*
ὑστέρα the womb; ovary
celiohyster- *Surg.*
(oothec)ectomy
embryusterulcia *Obstet.*
hydrohystera -ic *Path.*
hyster-
algia *or* -y -ic *Path.*
angium -iaceae *Fungi*
anthous *Bot.*
ectomy *Surg.*
elcosis *Path.*
eurynter *Med. App.*
eurysis *Med.*
ia
iac(ism *Psych.*
iform *Path.*
ism *Psych.*
itis *Path.*
odynia *Path.*
oncus *Path.*
opia *Ps. Path.*
hystero-
bubonocele *Path.*
carcinoma *Path.*
carpus -inae *Ich.*
catalepsy *Path.*
c(*or* k)ataphraxis *Surg.*
cele *Path.*
cerircotomy *Surg.*
cleisis *Surg.*
crystallization *Chem.*
cystic *Path.*
cystocleisis *Surg.*
cystopexy *Surg.*
epilepsy *Med.*
epileptic *Med.*
epileptogenic *or* -ous
erotic *Ps. Path.*
frenic -atory *Med.*
gastrorrhaphy *Surg.*
geny -ic -ous *Med.*
hysteroid(al *Med.*
hysterope *Ps. Path.*
laparotomy *Surg.*
lite *Min.*
lith(iasis *Path.*
logy *Path.*
loxia *Gynec.*
lysis *Gynec.*
malacia *Gynec.*
mania *Path.*
meter *Gynec.*
metry *Gynec.*
myoma *Gynec.*
myomectomy *Surg.*
myotomy *Surg.*
narcolepsy *Ps. Path.*
neurasthenia *Path.*
neurosis *Path.*
oophrectomy *Surg.*
oothecectomy *Surg.*
ovariotomy *Surg.*
pathy -ic *Gynec.*
pexy *or* -ia *Surg.*
phore *Med.*
phyme *Bot.*
polypus *Path.*
psychosis *Gynec*
ptosis *or* -ia *Gynec.*
rrhaphy *Surg.*
rrhexis *Path.*
salpingo- *Surg.*
oophorectomy oothecectomy stomy
scope *Med. App.*
stoma(to)tomy *Surg.*
syphilis *Ps. Path.*
tome *Surg. App.*
tomotokia *Surg.*
tomy *Surg.*
trachelorrhaphy *Surg.*
trachelotomy *Surg.*

hystero- Cont'd
traumatic -ism *Path.*
trismus *Gynec.*
vaginenterocele
-hysterectomy *Surg.*
colpo cuneo etro gastro laparo my(om)o oophoro ovario pan
-hysteropexy *Surg.*
colpo ex(o)gastro laparo ventro
-hysterorrhapy *Surg.*
colpo gastro
-hysterotomy *Surg.*
celio colpo gaster gastro laparo(colpo)
hysterovariotomy *Surg.*
laparohysterooophorectomy
panhysterocolpectomy
perihysteric *Anat.*
salpingohysterocyesis
ὑστερη matrix
hystrella *Bot.*
ὑστερησις deficiency
hysteresimeter *Elec.*
hysteresis -ial -ic *Phys.*
ὑστερητικός
hysteretic(ally *Elec.*
ὑστερικός (Hipp.)
ant(i)hysteric
hysteric
al(ly ics ism ize
hystericky
hysterico-
neuralgic
ὑστερο- Comb. of ὕστερος
hystero-
base *Petrol.*
genetic *Petrol.*
graphium *Fungi*
lysigenous *Bot.*
lysis *Gynec.*
morphous *Geol.*
phyte -a -al -ic *Fungi*
plasm *Bot.*
stele *Bot.*
ὑστερογενής
hysterogen *Petrol.*
ic ous
hysterogenite *Geol.*
ὑστερολογία last first
hysterology *Rhet.*
ὕστερον πρότερον
hystero(n)proteron
hysteroproterize
ὕστερος latter, later
hystazarin *Chem.*
Hysterarthron *Ent.*
Hysterium *Fungi*
-iaceae -iales -(i)ineae -ioid
Monhysterides *Helm.*
Prohysteroceras *Pal.*
ὕστριξ the porcupine
Hystrix *Mam.*
-icid(ae -icinae -icine -icoid
hystrixite *Min.*
Platyhistrix *Pal.*
ὑστριχ- Stem of ὕστριξ
hystricomorph(a *Mam.*
ic ine ous
Hystrichopus *Ent.*
Hystriciella *Ent.*
Hystricomantis *Ent.*
Hystricurus *Pal.*
ὑστριχίς (Hippiatr.)
hystriciasis *Path.*
hystricism(us *Path.*
-υτης Masc. of -τα- after stems in -υ-
Oedemutes *Ent.*

-υτικός as in ἀποδακρυτικός Adj. suffix with nouns in -υσις
empiricutic *Obs.*
ὕφαιμος blood-shot (Hipp.)
hyph(a)emia
υφαινειν to weave
Hyph(a)ene *Bot.*
Hyphaenis *Ent.*
Psaryphis *Ent.*
ὑφαιρέειν to filch away
Hyphaereon *Ent.*
ὑφαίρεσις omission
hyph(a)eresis *Philol.*
ὑφάλμυρος salty
hyphalmyroplankton
ὑφαντης a weaver
Hyphantes *Ornith.*
Hyphantornis *Ornith.*
ὑφαντός woven
Hyphantus *Ent.*
ὑφαντρία Fem. of ὑφαντης
Hyphantria *Ent.*
ὑφαρπάζειν to filch away
Hypharpax *Ent.*
ὕφασμα a web, a robe
hyphasma *Bot. Gr. Ch.*
hyphasmine *Biochem.*
ὕφεαρ (Theophr.)
hyphear *Plants*
ὑφέν (Plutarch)
hyphen
ate(d ation ic ization ize
ὑφη tissue
cerebrohyphoid *Med.*
Chionyphe *Fungi.*
ethmyphitis *Path.*
gonohyphema *Bot.*
hypha -al *Fungi*
hyphema *Lichens*
hyphenchyma *Bot.*
hyphidium *Bot.*
hyphidrosis *Med.*
hypho *Fungi*
hypho-
drome -ous *Bot.*
genic *or* -ous *Med.*
loma *Fungi*
mycete(s -ic -ous
mycic -ous -osis *Path.*
pode -ium *Mycol.*.
stroma *Bot.*
thallium *Bot.*
Leiohyphe *Porif.*
Myelohyphae *Fungi*
ὑφηγητικός (Diog. L.)
hyphegetic
ὕφος a web
Hyphus *Ent.*
Pheryphes *Ent.*
ὑψ- Comb. of ὕψι
hyps-
agonus *Ich.*
alograph
odon(tidae *Pal.*
odont *Anat. Zool.*
urus -al *Ich.*
ypops *Ich.*
semihypsodont(y
ὑψηλός lofty
hypselodont(y *Zool.*
Hypselogenia *Ent.*
Hypselomus *Ent.*
Hypselus *Ent.*
ὕψι on high, aloft
brachyhypsicephalic
hypsi-
brachycephali *Ethnol.*
-ic -ism -ous

hypsi- Cont'd
cephaly -ic *Craniom.*
comatides *Helm.*
cometes *Ich.*
conchy -ic -ous
cranial *Craniom.*
dolichocephaly -ic -ism
dont *Zool.*
oma *Ent.*
primnodon(tine *Mam.*
primnus *Mam.*
-inae -ine -oid
staphylia *Anat.*
stegoid *Anthrop.*
stenocephaly -ic -ism
hypsium *Phytogeog.*
mesohypsicephalic
ὑψίβατος high-placed
Hypsibates *Ornith.*
ὑψιλοειδής Υ- shaped
hypsiloid *Gram.*
upsiloid *Med.*
ὗ ψιλόν
hypsiliform
upsilon
ism ized
Upsilon *Helm.*
ypsiliform
ypsilo-
lophus *Ent.*
stethus *Ent.*
ὑψίλοφος high-crested
Hypsilophodon *Herp.*
-ont(id(ae -ontoid
Hypsilophodontida *Pal.*
Ὑψιστάριος (Greg. Naz.)
Hypsistarian -y *Eccl.*
ὕψιστος highest
hyperhypsistous
Ypsistoceras *Ent.*
ὑψο- Comb. of ὕψος
aerohypsometer *Phys.*
helypsometer *Photog.*
hypso-
barometer -metric
bathymetric
blennius *Ich.*
cephaly -ic -ous
chrome -ic(ally *Chem.*
flore *Phys. Chem.*
graphy -ic(al *Geog.*
isotherm *Meteor.*
kinesis *Med.*
meter
metopus *Ent.*
metry -ic(al(ly -ist
phobia *Path.*
phyl(l(um *Bot.*
ar(y -ous
psetta *Ich.*
thermometer
isohypsometric
thermohypsometer
ὑψόλοφος = ὑψιλοφος
Hypsolophodon(t(idae
ὕψος height
isohyp *Meteor.*
isothermohyps *Meteor.*
ὑψόφωνος with shrill voice
hypsophonous
ὕψωσις a glorifying
hypsosis *Eccl.*

φαγ- Stem of φαγεῖν to eat
acridophagus
antiphagin *Bact.*
Aphidiphagi *Ent.*
Autophagi -eae *Ornith.*
Buphagus *Ornith.*
-id(ae -oid
Campi(*or* o)phaga
-id(ae -oid
cardophagus *Hum.*
chromatophagus *Pigment*
Conopophagidae *Ornith.*
Coprophagi -(i)an *Ent.*
Coralliophaga *Conch.*
Coriphagus *Pal.*
Cryptophagus *Ent.*
-id(ae -oid
Geophagus *Ich.*
Glyciphagus *Ent.*
gynophagite
haliophag *Biol.*
Heterophagi *Ornith.*
Hippophagi
karyophage *Sporozoa*
Lichenophagus *Ent.*
Limnophagae *Zool.*
Lithophagus *Moll.*
-a -i -idae
Mallophagidae *Ent.*
Meliphagus *Ornith.*
-id(ae -idan
microphag *Histol.*
monophagia *Diet.*
-ian -ize
Musophagi -id(ae *Ornith.*
Mycetophagus *Ent.*
-id(ae -oid
myrmecophage *Mam.*
-id(ae -oid
Nothofagus *Bot.*
Nucleophaga *Zool.*
Onthophagus *Ent.*
osteophagus
panphagin *Vet.*
phag-
ont *Bot.*
-phaga *Ent.*
Blasto Boro Echidno Entomo Geode Mallo Phyllo Phyti Rhypo Seto Xylo
-phaga *Mam.*
Botano Carpo Entomo Glosso Myrmeco
-phaga *Ornith.*
Bu Campsi(*or* o) Carpo Conopo Croto Helmintho Meli Muso
-phagan *Zool.*
entomo mallo meli phyllo phyti phyto sapro xylo
-phage *Biol. Med.*
bacterio erythro hem(at)o hepato macro micro myo neurono onycho osteo ostreo pigmento protozoo
-phagine -ae *Zool.*
bu campsi(*or* o) croto glosso meli muso myrmeco seto
-phagism *Biol. Med.*
bio geo mecono mono opio plasmo pleo
-phagist *Biol. Med.*
copro geo mecono micro myo onycho onygo ostreo phyllo
phytophagic *Zool.*
Plasmophaga *Zool.*
protozoophag *Cytol.*
Strobilophagus *Ornith.*
toxiphagus
tyrophagus *Arach.*
vitellophag *Embryol.*
Xylophaga *Conch.*
xylophage -us *Ent.*
-i -id(ae -ides -oid
φαγαινα = φαγέδαινα
phagaena *Path.*
φαγέδαινα (Hipp.)
phaged(a)ena *Path.*
-ism -ous
φαγεδαινικός (Plutarch)
phaged(a)enic(al *Path.*
φαγεδαίνωμα (Pallad.)
phaged(a)enoma *Path.*
-φαγία Comb. of φαγεῖν as in πολυφαγία
ac(*or* k)reophagy -ist
addephagia *Med.*
adelphophagy *Bot.*
aerophagia *Med.*
aerosialophagy *Physiol.*
allotriophagy *Path.*
amylophagia *Med.*
aphagia *Med.*
arsen(ic)ophagy *Med.*
autophagy
bacteriophagia -ic -y
bibliophagy -ic -ist
biophagy *Physiol.*
bradyphagia *Med.*
cheilophagia *Med.*
chthonophagia -y *Path.*
coprophagy
corvophagist
cytophagy *Biol.*
dysphagia -ic -y *Path.*
endophagy
episcopophagy
euphagia *Med.*
exophagy
gametophagia *Biol.*
gamophagia *or* -y
geophagia *or* -y *Med.*
glycyphagia
hematophagia *or* -y *Biol.*
heterophagy *Bot.*
hippophagy
-ism -ist(ical
hyalophagia
isophagy
karyophagy *Bot.*
mycophagy -ist
neuronophagia -y *Cytol.*
odyn(o)phagia *Med.*
onychophagy -ia
oophagy
opiophagy
-phagy *or* -ia
phagyphany
phytophagy
placentophagy
plasmophagy
poltophagy
prasophagy
psomophagia -y *Med.*
rhypophagy *Ent.*
sialoaerophagy *Physiol.*
skatophagy *Med.*
tachyphagia *Med.*
theanthropophagy
theophagy
-ite -ous
thermophagy
toxicophagy *Path.*
trichophagy -ia *Med.*
φαγο- Comb. of φαγεῖν
phago-
borus *Ich.*
cyte *Cytol.*
-able -al -ibility -ic(al -in -ism -ize -ose -osis
cyto- *Cytol.*
blast lysis lytic
dynamometer *Med.*
k(*or* c)aryosis *Cytol.*
logy
lysis lytic *Cytol.*
mania *Ps. Path.*
phana *Ent.*
plankton *Bot.*
pyrism(us *Diet.*
pyrosis *Med.*
strophus *Myriap.*
therapy *Ther.*
-phagocyte *Med.*
cilio hemo macro micro vitello
-phagocytic *Med.*
anti autoerythro hemo
-phagocytosis *Med.*
cyto hemo neurono
-φαγος Comb. of φαγεῖν as in ἀνθρωποφάγος
See φαγ-, -φαγία
-phagous *Biol. Med. Zool.*
acrido antho aphidi(*or* o) arachno arto auto batracho cancro carcino carpo copro creato cyto endo entomo erythro exo geo geode folio fuci h(a)emato halio hetero hippo iso limno litho mallo meli myceto myco myrmeco oo ostreo plasmo phl(o)eo phthiro phyllo phyti phyto praso rhypo sapro sauro socio spodo strobilo termito thalero toxico xylo
Φαέθων (-οντος) (Od.)
Phaethon *Myth.*
ian ic(al
Phaethon(idae *Ornith.*
Phaethonichthys *Ich.*
phaethontal -ic(al
phaethontid(ae -oid
phaeton
eer ette ian ic
φαεινος shining
Phainopepla *Ornith.*
-φαης Comb. of φάειν to shine as in ἀστροφαής
Lychnophaes *Ent.*
Φαιακία
Phaeacian
φαίδιμος shining; famous
Phaedimus *Ent.*
Φαιδρανασσα a Nymph
Phaedranassa *Bot.*
φαιδρός bright
Phaidrometopon *Ornith.*
φαιδρωπός bright-looking
Phaedropus *Ent.*
φαιν- Stem of φαινειν to show, appear. Used chiefly in *Chem.*
acenaphtho
phenazonium
acetophen-
etide onine
acetothiophenide
alphyl(ate
aphanimere *Bot.*
arsenophenylglucin
arsphenamin(e ize
azoxyphenetole
benzophen- *Org. Chem.*
(ox)azine azonium
etide
carbdiphenylamide
chryso(di)phenic
chrysophenazin(e
crystophene *Geol.*
dephenol- *Pharm.*
ate ization ize
diphen- *Org. Chem.*
diphenyl- *Org. Chem.*
amin(e chlorarsin cyanarsin enimide ethanolone ketone methane urea
dopa *Biochem.*
ethylphenylcarbamate
glucophenetidin
grammapheny
Gyrophaena *Ent.*
homophenetole
homophenous
indophen-
azine ol(oxydase
iodophen- *Mat. Med.*
acetin ochloral
isophenous *Bot.*
methylphen-
acetin
morpholin *Mat. Med.*
ylhydrazin
mycophenolic
myophaena *Biol.*
naphtho-
phenazine
phthalazine
neoarsphenamin
Omophaena *Ent.*
oxyphen- *Chem.*
acetin ic ylethylamin
paracetophenolethyl
paramidophenetol
phaenantherous -y *Bot.*
phed(i)uretin *Mat. Med.*
phen-
acain *Mat. Med.*
acet-
(ol)in(e uric yl
acoden *Mat. Med.*
acyl(idene idin
algin *Mat. Med.*
amide
amin *Mat. Med.*
amylol
andyne *Mat. Med.*
anthr-
azine azino- ene idin(e idone indene ol(in(e one yl(ene
anthra-
quinone
antipyrine
antriazine
arsazine -ic
arsenamin *Mat. Med.*
arsine
ate *Chem.* atol *Med.*
azarsine -ic
azin(e azone
azonium
az(o)thionium
azoxime
azoxonium
e(ne
enyl
eserine
ethyl
etidin(e
etidinuria *Med.*
etol(e
etyl
hybrid *Bot.*
ic
icate idin *Mat. Med.*
methylol *Mat. Med.*
miazin *Mat. Med.*
-phen *Chem. Med.*
azo cinco citro cyma euro iodo(thio) lacto mercuro meta neocinco noso olio sali salo tartro trino
-phene *Biol. Chem. Med.*
arseno bio eco geno homo iso (ace)naphthothio ozo penthio phos salo seleno thio zim
-phenetidin *Chem. Med.*
acet mono paracet para propionyl
-phenetidine *Chem. Med.*
acet para
-phenin *Chem. Dyes Med.*
aceto amygdo auro

-phenin Cont'd
chloro chryso cya di
flavo indo iodo lacto
roso sali salo tri
-phenine *Chem. Med.*
auro azo chloro cya di
gallo lacto oxy photo-
aceto roso thio
phenol *Org. Chem.*
anthrone ase ate(d car-
boxylic ic id in ization
ize naphthalin(e oid
quinin sulfonyl sul-
phonate sulphonic uria
-phenol *Chem. Med.*
anthra arseno azo bro-
mo chloro chryso cymo
diamido(benzo) dini-
tro dio euro glyco
hermo indigo indo io-
do leucoindo mentho
mono(brom chlor) ni-
tr(os)o orthochloro
oxy paramido para-
mono paranitroso poly
seleno sulpho telluro
tetra thio tri(brom
chlor nitro trypto)
-phenone *Org. Chem.*
aceto acrylo anthra
butyro capro crotono
dihydroxyphthalo gal-
laceto gallobenzo lauro
orcaceto oxyaceto oxy-
benzo paramedoaceto
phloraceto phthalo
propio resaceto reso-
benzo valero veratro
phenose
phenox- *Org. Chem.*
arsine arsinic azin(e
azonium ide in thin(e
thionium
phenoxy- *Org. Chem.*
caffein proprandiol
phenychinolin *Mat. Med.*
phenyl *Chem. Med.*
acetamid(e acetic
acetylene alanin a-
min(e ate ation benza-
mid bor(ac)ic bromo-
acetonitril carbylamin
chinaldin chinolin ene
ethyl(alcohol amin
barbituric malomylu-
rea) (ga)lactosazone
glucoazone glycin(ol
glycol(ic glyoxylic hy-
drazine hydrazone hy-
droxylamin ia ic imide
methane methyl(ace-
tone carbinol ic pura-
zol quinolin) on oxa-
mic oxid(e quinaldin
sulphuric urea urethan
-phenyl *Chem. Med.*
bi di oxy phos quater
quino sexi ter tri-
(brom)
-phenylene *Org. Chem.*
aceto arseno azo bi di
meta para
Phosphaenus *Ent.*
polyphenoloxidase
selenodiphenylamine
sulfarsphenamine
sulpharsphenamin
thenoyl
thiophanthrene
thiophenic
thioxydiphenylamin
toluphenazine & -one
trioxybenzophenon
triphen-
amin etol
triphenyl- *Org. Chem.*
albumin amin(e ated

triphenyl- Cont'd
carbinol ene methane
methyl rosaniline stib-
insulphid
unphenylated
xanthophenic

φαίνειν to show, appear
See φαιν-, φαινο-
phan(o- *Combin.*
phen(o- *Combin.*

φαινο- Comb. of φαίνειν
aphenoscope *Phys. App.*
dipheno- *Org. Chem.*
Paraphaenodiscoides
phaeno-
biotic *Geol.*
carpous *Bot.*
coelia -ian
ecology *Bot.*
gam(ia -ic -ous *Bot.*
glyphis *Ent.*
logy *Biol. Meteor.*
-ic(al(ly -ist
pelma *Ent.*
type -ical *Bot.*
zygous *Anthrop.*
pheno-
barbital *Anat.*
chron(ic *Phrenol.*
clast *Geol.*
co *Mat. Med.*
coelia *Zool.*
coll *Chem.*
creosote *Mat. Med.*
cryst(ic *Crystal.*
crystal(lic *Cryst.*
crystalline *Cryst.*
cyanine *Arts*
flavin *Arts*
gam(ia -ic -ous *Bot.*
geneserine *Org. Chem.*
iodin *Mat. Med.*
lipoid *Mat. Med.*
logy -ic(al(ly ist *Biol.*
lysis *Chem.*
mercazine *Org. Chem.*
methol *Org. Chem.*
morpholine *Org. Chem.*
naphthacridine *Chem.*
pyrin(e *Chem.*
quin(one *Chem.*
resorcin *Mat. Med.*
rosamine *Org. Chem.*
safranin(e *Org. Chem.*
sal *T.N.* salyl *Chem.*
scaphium *Zool.*
scopy
selenazine *Org. Chem.*
spermy *Bot.*
succin(ate *Org. Chem.*
sulphonephthalin
thiarsine *Org. Chem.*
thiazine *Org. Chem.*
thioxin -onium *Chem.*
type -ic(al(ly *Biol.*
zygous *Craniom.*
phytophenology -ical
tripheno- *Org. Chem.*
quinone

φαινόμενον (Paul)
airphenology
antephenomenal(ism
epiphenomenal(ism -ist-
(ic) *Phil.*
epiphenomenatical
epiphenomenon
footphenomena *Physiol.*
hyperphenomenal *Phil.*
isoph(a)enomenal
isophenological *Phren.*
metaphenomenon -al
panphenomenalism *Phil.*
phenomenal(ly
ism ist(ic(ally ity iza-
tion ize

phenomenology
-ical(ly -ist
phenomenon
-ic(al -ism -ist(ic -ize
-ous
synphenomena(l

φαινομηρίς with bare
thigh
Phaenomeris *Ent.*

φαῖνοψ bright-eyed
Phaenops *Ent.*

φαιός dun colored
chlorophaeus *Colors*
haemopheic *Biochem.*
hemaph(a)eism *Med.*
Paraphiomys *Pal.*
Phaea *Ent.*
-phaea *Ent.*
Meso Xantho
-phaedusa *Pal.*
Pachy Palaeo
-phaein *Med.*
antho bili cholo uro
ph(a)eism
-phaeite *Min.*
chloro clino lepido
phaeo-
chrome *Staining*
chrotes *Ent.*
chrous
conchia -ian *Protozoa*
cyst *Cytol. Protozoa*
cystin(e -a -ic *Protozoa*
daria -ian *Prot.*
dictyae *Bot.*
didymae *Fungi*
dium -ellum *Prot.*
gloea *Prot.*
gromia -ian *Prot.*
morpha *Ent.*
phaeosic -in *Chem.*
phore *Algae*
phragmiae *Fungi*
phyceae -ean -eous
phyl(l *Bot.*
phyte *Bot* -in *Biochem.*
plast *Algae*
pus
retin *Chem.*
sphaeria -ian *Prot.*
spore -(e)ae -ous *Fungi*
thamnion -ieae *Algae*
zoosporeae -eous *Algae*
phaiophyll *Bot.*
Phaius *Bot.*
-phein *Med.*
bili cholo h(a)ema hae-
mo uro
pheo-
chromoblast *Embryol.*
phorbin -ide *Chem.*
phycophaein(e *Biochem.*
phyllophaein *Chem.*
Ptychophaedousa *Pal.*

φάκελος bundle, fagot
Phacelia -ieae *Bot.*
Phacellias *Bot.*
Phacellus -ate *Zooph.*
Phacelobarus *Ent.*

φακη a dish of lentils
Phaca *Bot.*
Phacecorynes *Ent.*
Phacemastix *Ent.*

φακο- Comb. of φακός
ophthalmophacometer
phaco- *Ophth.*
cele centocele *Path.*
ch(o)ere -us *Zool.*
-id(ae -inae -in(e
-oid
cyst(itis *Ophth.*
cystectomy *Ophth.*
discaria(n *Prot.*
eresis *Ophth.*
glaucoma *Ophth.*

phaco- Cont'd
lite *Min.*
malacia *Path.*
metachoresis *Path.*
metecisis *Ophth.*
meter
palingenesis *Med.*
planesis *Ophth.*
sclerosis *Path.*
scope -ic *Physiol.*
scotasmus *Ophth.*
scotoma *Path.*
therapy *Ther.*
zymase *Biochem.*
phako-
lysis *Ophth.*
meter *Med. App.*
scope *Med. App.*
pseudophaco-
ceras *Pal.*
pteron *Ent.*

φακοειδής (Arist.)
phacoid(al
phacoidoscope

φακος lentil; a body spot
aphacia -ic -ous *Terat.*
chalcohpacite *Min.*
iridoperiphacitis *Ophth.*
periphac(*or* k)itis *Path.*
Phacidium *Fungi*
-iaceae -iales -iinae
phacitis *Path.*
Phacodus *Pal.*
Phacopidella *Pal.*
Phacops *Crust.*
-opid(ae -inae -oid
Phacus *Prot.*

φακωδης freckled
Phacodes *Ent.*

φακωτος lentil-like
Phacotus -idae *Prot.*

φαλαγγ- Stem of φα-
λαγξ
brachyphalangia *Anat.*
hyperphalangy *Anat.*
hypophalangia *Anat.*
phalangarthritis *Path.*
phalange *Gr. Ant.*
-al -ar -eal -ean -ian
-phalangeal *Anat.*
carpo hyper (meta)-
tarso
phalangette *Anat.*
phalangial *Anat.*
-ian -ic -ine
phalangigrade -a *Mam.*
-phalangism *Med.*
hyper hypo poly
phalangist(a *Mam.*
er idae inae -ine
Phalangium *Pal.*
symphallangism *Med.*
tetraphalangeate *Anat.*

φαλαγγιον (Plato)
Graecophalangium
phalange -ium *Arach.*
-ian -id(ae -ida(n -ide-
a(n -ides -iform -iid(ae
-(i)oid(ea -y
phalanger *Mam.*
-id(ae -inae -ine -oid
phalangious *Zool.*
phalangitis *Path.*
Phalangium *Bot.*

φαλαγγίτης (Polybius)
phalangite *Gr. Mil.*

φαλαγγο- Comb. of φα-
λαγξ
phalango-
gonia *Ent.*
logy *Zool.*

φαλαγγωσις (Galen)
phalangosis *Path.*

φαλαγξ (Iliad)
maniphalanx *Anat.*
metacarpophalanx -an-
geal
pediphalanx *Med.*
phalanstere -y *Sociol.*
-ial -ian(ism -ic -ism
-ist(ic
phalanx(ed
phalarsiphytes *Bot.*

Φαλαικεῖος (Heph.)
Phalaecean ian *Pros.*
Phaleuc(i)ac -ian *Pros.*
Phaleusic *Pros.*

φάλαινα a whale (Arist.)
Balaena *Mam.*
-id(ae -inae -oid(ea(n
Balaeniceps *Ornith.*
-ipitid(ae -ipitoid
Balaenoptera *Mam.*
-id(ae -inae -ine -oid
Neophalaena *Zool.*
Phalaena -ae *Ent.*
-ian -id(ae -oid
Phalaenopsis -idae *Prot.*
Phalaenoptilus *Ornith.*

φαλακρο- Comb. of φα-
λακρός
phalacro-
corax *Ornith.*
-acid(ae -inae -ine
-oid
soma *Ent.*

φαλακρός bald
Phalacratomus *Ent.*
Phalacrus *Ent.*

φαλάκρωσις (Galen)
phalacrosis *Path.*

φάλανθος bald in front
Phalantha *Ent.*

φάλαρα bosses or disks
Aphalara -inae *Ent.*
Leucophalera *Ent.*
phalara *Arts*
Phalarodon *Pal.*
Phalarotarsa *Ent.*
phalera -ate(d *Archaeol.*

φαλαρίς (Diosc.); (Arist.)
Phalaris -ideae *Bot.*
phalarope -us *Ornith.*
-odid(ae -odoid

φαλαρισμος (Cicero)
Phalarism

φαληριαειν to be patched
with white
Phaleria *Ent.*

φαληρίς = φαλαρίς
Phaleris *Ornith.*
-idinae -idine

φαλληφορία (Plutarch)
phallephoric

φαλλικός (Aristophanes)
phallic
al ism ist

φαλλο- Comb. of φαλλός
phallo-
campsis *Med.*
carcinoma *Path.*
crypsis *Med.*
plasty *Surg.*
pod *Arthrop.*
rrhagia *Med.*

φαλλοβάτης (Lucian)
phallobates *Gr. Ritual*

φαλλός membrum virile
Acrophalli*Helm.*(Herod.)
dendroheliophallic *Phil.*
epiphallus *Conch.*
Heterophallina *Ich.*
ichthyophallic
macrophallus *Anat.*
microphallus *Anat. Ent.*

Phallaceae *Fungi*
-aceous -ales
phall-
algia -ic *Path.*
aneurysm *Med.*
ankylosis
iform *Med.*
in *Chem.*
ism -ist
itis *Path.*
odynia *Med.*
oid
oideae -ei *Fungi*
oncus *Path.*
phallus
-phallus *Bot.*
Amorpho Pachy Schisto
-phallus *Helm.*
Cotylo Opistho
-phallus *Ich.*
Arthro Aulo Schizo Trigono
Pseudophallia *Gastrop.*
φάλος helmet peak?
Sphenophalos *Pal.*
φαν- Root of φαίνειν, φανερός, etc. in the sense of light
aerophane *Fabrics*
Buphane *Bot.*
buphan(it)ine *Org. Chem.*
cellophan *Ind. Chem.*
chromophan(e *Chem.*
cymophan ous *Min.*
cytophane *Cytol.*
holophane
hydrophanous *Min.*
idiocylophanous *Crystal.*
idiophanism -ic -ous
indophan(e *Chem.*
isophan *Morphol.*
isophane *Biol. Phrenol.*
karyophan *Cytol.*
kyanophane *Pigments*
lithophane -ic -y *Arts*
monophanous
myophan(e *Infus.*
Phanacis *Ent.*
phane -oid *Org. Chem.*
-phane *Min.*
chloro cymo ferriallo glauco hedy hyalo(allo) hydro kibdelo melino plumballo pyro rhabdo urano
-phanes *Ent.*
Eremo Procto Pseudo Trachilo Xesto
-phanes *Ornith.*
Centro Plectro Rhyncho
-phanic *Chem. Min.*
chloro crypto glauco mello pino xantho
-phanite *Min.*
chalco collo di dolero fluocollo lithioglauco meli melino pyro rhabdo
photophane *Photog.*
pyrophan *Photog.*
pyrophan -ous *Min.*
rhodophane *Pigments*
schadonophan *Arach.*
teleiophan
thiophane
urophanic -ous *Path.*
xanthophane *Chem.*
xylophane
φαναζω appear
dryophantin *Bot.*
φαναῖος giving light
Phanaeus *Ent.*
-phanaeus *Ent.*
Copro Mega

φαναριον Dim. of φανός
Phanar
Φαναριωτης
Phanariot
φανερο- Comb. of φανερός
nanophanerophytium
phanero-
biolite *Geol.*
branchiate -a *Conch.*
carpae -ous *Zooph.*
cephala -ous *Zool.*
chroeus *Ent.*
codonic *Zooph.*
cotyledoneae *Bot.*
crystalline
ctena *Ent.*
dactyla *Ornith.*
doxa *Ent.*
gam *Bot.*
ia(n ic ous y
genic *Petrog.*
glossa(e -al -ate *Herp.*
glossous *Zool.*
mania *Path.*
meric -ous *Petrog.*
phlebia *Ferns*
phyte(s -ion *Bot.*
pleuron *Ich.*
pneumona -ous *Bot.*
porous *Bot.*
ptera -id(ae *Ent.*
scope
zela *Ent.*
zoic *Zool.*
zonia -iate *Echin.*
-phanerophyte(s *Bot.*
macro mega meso micro nano
φανερόν the manifest
phaneron *Psych.*
φανερός evident
Aphaneramma *Pal.*
Aphaneri *Biol.*
holophanerous *Ent.*
phaneranth(er)us *Bot.*
Phaneri *Bot.*
phaneric *Petrol.* -ite *Min.*
Phanerodon *Ich.*
phaneroid *Geol.*
Phanerops *Ent.*
Phanerosteus *Pal.*
φανή a torch
Chalcophana *Ent.*
Φάνης (Herodotus)
Phanes *Orphic Rites*
Vanessa *Ent.*
-inae -oid
-φανής as in χρυσαφανης
See φαν-
-phan(e(s *Suffix*
-φάνια as in θεοφάνια
menophania *Physiol.*
phagyphany
-phany
pneumatophany *Theol.*
Satanophany
φανός bright
astrophanometer
Paraphanolaimus *Helm.*
Phagonophana *Ent.*
Phanomeris *Ent.*
-phanus *Ent.*
Chloro Cirro Io
φανταζειν make manifest
Phantazoderus *Ent.*
φαντασία appearance; hence, imagination (Plato); image (Plutarch)
fancy
-ical -ied -ier -iful(ly -ifulness -ify -iless

fantascope
fantasy
-er -ia -ied -ious -ist
phantasia -ist -y
Φαντασιασταί (Eust. Mon.)
Phantasiast *Eccl. Hist.*
φαντασιαστικος (Plut.)
ph(*or* f)antasiastic
φάντασις an image
Phantasis *Ent.*
φαντασμα a vision, image
fantasm(a
al(ly alian ality atic(al ic(al(ly
fantasmagoria *or* -y
-ial -ic(al -ist
fantasmascope
fantasmatography
laryngophantom *Med.*
ophthalmophantom
phantasm(a
phantasmagoria -y
-iacal -ial -ian -ic(al -ist
phantasmal
ian ity ly
phantasmascope
phantasmatic(al(ly
phantasmatography
phantasmic(al
phantasmist
phanto-
plex scope
phantom
atic ic(al(ly ish(ly ist ize(r ry y ship
stereophant(asm)ascope
φαντασμός = φαντασμα
fantasmo-
genesis
genetic(ally
graph
logy -ical
phantasmo-
genesis
genetic(ally
gnomy
graph
logy -ical
scope
scopia *Ps. Path.*
φανταστής a boaster
fantast(ry
φανταστικός (Plato)
fantasque
fantastic
al(ly alness ate ism ity ly ness
fantastico
phantastic
φανταστός (Arist.)
phantast
-φαντης as in ἱεροφάντης
hygrophant
-phant
tonophant
-φαντικός as in ἱεροφαντικός
calophantic
φαντός visible
phantascope
φάος daylight; light
phaometer
φαραγξ a chasm or gully
Pharax *Ent.*
Φαραω (N.T.)
Pharaoh
Φαράων (Josephus)
Pharaonian -ic (al
φαρέτρα a quiver
Pharetrolaimus *Helm.*

φαρετρεων = φαρέτρα
Pharetrones *Spong.*
Φαρισαικος (Basil.)
pharisaic
al(ly ism ness
Φαρισαῖος (N.T.)
Pharis(a)ean -ian
Pharisee(ism
φαρκις (-ίδος) a wrinkle
Pharcidonotus *Pal.*
φαρμακεία (Hipp.)
pharmacy
-ian -ist -ize
zoopharmacy
φαρμακευτής (Philo)
pharmaceutist
φαρμακευτική (Diog. L.)
pharmaceutics
φαρμακευτικός (Plato)
pharmaceutic(al(ly
φαρμακο- Comb. of φάρμακον
pharmaco-
diagnosis *Diag.*
dynamic(al -ics
endocrinology *Med.*
gnosis -ia -y *Bot.*
gnostical(ly -ics
graphy
lite *Min.*
logy -ia -ical(ly -ist
mania -iac(al
mathy
meter
morphic
oryctology *Pharm.*
pedia -y -ic(s
phobia *Ps. Path.*
poietic(al
siderite *Min.*
theon
therapy *Ther.*
pharmakopyrite *Min.*
picropharmacolite *Min.*
φαρμακον a drug, remedy, philtre, posion
antipharmic *Med.*
dodecapharmacum *Med.*
pharmacon -al -um
φαρμακοποιία (Diog. L.)
pharmacopoeia
-oeial -oeian -oeist
pseudopharmacopian
φαρμακοποσία (Hipp.)
pharmacoposia *Med.*
φαρμακοπώλης druggist
pharmacopole
-ic -ist -itan -y
φαρνακειον
Pharnaceum *Bot.*
Φάρος Pharos (Od.)
Pharian
φαρος a lighthouse
hypophare -a *Spong.*
melophare *Arts*
phare -os
Pharus -idae *Brach.*
pharo-
chilus *Ent.*
logy
macrus *Ornith.*
pharos
Pharus *Arach. Bot. Conch. Ent.*
Prepopharus *Ent.*
radiophare *Radio*
φαρσοφορος standard-bearer
Pharsaphorus *Pal.*
φαρυγγ- Stem of φαρυγξ
Apharyngea -eal *Helm.*
glossopharyngeum *Anat.*
hypopharynged *Ent. Ich.*

infrapharyngeal *Ich.*
petropharyng(a)eus
pharyng-
algia -ic *Path.*
ea *Helm.*
ectomy *Surg.*
emphraxis *Med.*
eus -(e)al -ic *Anat.*
itis -ic *Path.*
-pharyngeal *Ant.*
bucco cephalo chondro cranio crico epi glosso-(labio) hyper labio-(glosso) laryngo mandibulo maxillo naso oro oto peri post ptero retro rhino salpingo stylo sub supra thyreo tracheo
-pharyngeus *Anat.*
cephalo chondro glosso hypo laryngo occipito palati petro ptero salpingo spheno staphyl(in)o stylo syndesmo
-pharyngitis *Path.*
adeno laryngo naso rhino
pteropharyngean *Anat.*
thyropharyngean *Anat.*
φαρυγγο- Comb. of φαρυγξ
hypopharyngoscope -y
pharyngo-
amygdalitis *Path.*
branch(ia(l -iate -ii
cele *Path.*
dynia *Path.*
epiglottic -idean *Anat.*
glossus -al *Anat.*
gnath(i -ous *Ich.*
graphy -ic *Anat.*
hyal *Anat.*
k(*or* c)eratosis *Path.*
laryngeal *Anat.* -itis
lepis
lith *Med.*
logy -ical *Physiol.*
maxillary *Anat.*
mycosis
nasal *Anat.*
nema *Helm.*
(o)esophagus *Anat.*
oral *Anat.*
palatine -us *Anat.*
paralysis *Path.*
pathia -y *Path.*
peristole *Med.*
plasty *Surg.*
plegia -ic -y *Path.*
pleural *Anat.*
pneusta(l *Zool.*
rhinitis *Path.*
rhinoscopy *Med.*
rrhagia *Path.*
scleroma *Path.*
scope -y *Med.*
spasm(us *Path.*
staphylinus *Anat.*
stenia -osis *Path.*
stomum *Helm.*
therapy *Ther.*
tome *Surg.*
tonsilitis *Path.*
typhoid *Path.*
xerosis *Med.*
rhinopharyngo- *Path.*
cele lith
staphylopharyngorrhaphy *Surg.*
φαρυγγοτομια (Paul. Aeg.)
pharyngotomy *Surg.*
φαρυγξ the throat
Acanthopharynx *Helm.*
Cyathopharynx *Ich.*

Cytopharynx *Prot.*
epipharynx *Ent.*
Eupharynx *Ich.*
-yngid(ae -yngoid
hypopharynx *Ent. Ich.*
Loganiopharynx *Pal.*
Mylophara(*or* o)don *Ich.*
pharynphotoscope
pharynx *Anat.*
-pharynx *Anat.*
laryngo meso naso retro rino
Placopharynx *Ich.*
Pteridopharynx *Helm.*
Saccopharynx *Ich.*
-yngid(ae -yngine -yngoid

φάσγανον a sword
Phasganocnema *Ent.*

φασήολος (Galen)
phaselin *Chem.*
phasemy *Bot.*
phaseo- *Org. Chem.*
mannite
sapogenin
phaseolin *Org. Chem.*
phaseolsenatin *Chem.*
Phaseolus *Bot.*
-eae -ite(s -ous

-φασία as in ἀφασία
acataphasy *Ps. Path.*
embolophasia *Rhet.*
heterophasiac *Path.*
-phasia *Path. Psych.*
(a)cata agito brady dys endo heter hyper mono tachy
-phasic *Path. Psych.*
dys endo hetero hyper

φασιανος a pheasant
Hydrophasianus *Ornith.*
Palaeophasianus *Pal.*
Phasianella *Conch.*
-id(ae -oid
Phasiani *Conch.*
Phasianomorphae -ic
Phasianurus *Ornith.*
Phasianus *Ornith.*
-id(ae -inae -ine -oid
Phasidus *Ornith.*
pheasant(ry
sea- water-

Φᾶσις the river Phasis
Oreophasis *Ornith.*
-inae -in(e

φάσις an appearance
antiphase *Chem.*
biphase -ic
Ceriphasis *Conch.*
-ia -iidae
cophasal
dephase(d
diphase(r -ic *Elec.*
heterophasis *Med.*
hexaphase *Ent.*
inphase *Elec.*
isophasal *Astron.*
Leucophasia *Ent.*
metaphasis *Cytol.*
monophase -ic *Elec.*
multiphase -er *Elec.*
paraphase -ic *Biol.*
paraphasis *Comp. Anat.*
phasameter *Elec.*
-phase *Bot. Cytol.*
dicaryo dihaplo diplo haplo inter meta pro spiro sporo telo
phase -al -ic -less
phaseometer *Elec.*
phaser -ing *Elec.*
phasis
phasotropy *Chem.*
polyphase(r -al *Elec.*
prophasic *Biol.*
Psychophasis *Ent.*
sporophase *Bot.*
telophasic *Biol.*
Tetraophasis *Ornith.*
triphase(r -ic *Elec.*
uniphase(r *Elec.*
Xylophasis *Ent.*

φάσκον (Theophr.)
Phascum *Bot.*
-aceae -aceous -eae

φασκωλος a wallet, purse
Phascogale *Mam.*
-inae -in(e
Phascolarctos *Mam.*
-id(ae -inae -in(e -oid
phascolo-
ictis *Mam.*
me mys *Mam.*
-yid(ae -yoid
soma
Phascolonus *Pal.*

φάσμα phantom; portent
Archaeophasma *Pal.*
isophasm *Meteor.*
phasm(a
Phasma *Ent.*
-id(ae -ina -oid
Phasmomantis *Ent.*
Tritomophasma *Ent.*

φάσσα the ring dove
phassachate *Min.*

φάτνη a manger, trough
phatne *Dent.*
phatno-
rrhagia rrhea
prophatnic *Anat.*

φάτνωμα a (tooth) socket
phatnoma *Dent.*

φαττάγης (Aelianus)
phatagin *Zool.*

φαυλο- Comb. of φαῦλος
phaulo-
graphic
merinthus *Ent.*

φαῦλος paltry; plain
Phaula *Ent.*
Stictophaula *Ent.*

φαῦσις a giving light
Anthracophausia *Pal.*
Phausis *Ent.*

φάψ wild pigeon
Phaps *Ornith.*
-apinae -apin(e
-phaps *Ornith.*
Geo Ocy Otidi Pezo

Φάων Phao(n, Sappho's lover
Dendrophaonia *Ent.*

φεγγίτης = σεληνίτης
ph(*or* f)engite *Min.*

φεγγο- Comb. of φέγγος
phengo-
misetes *Ent.*
phobia *Med.*

φέγγος lustre, light
-phenga *Ent.*
Neoleuco Trichiaspi

φεγγώδης shining
Phengodes *Ent.*

Φειδίας Phidias
Phidin -iac(an *Gr. Sculp.*

φειδός thrifty
Polyphida *Ent.*
rhizophydium *Fungi*

φειδωλή thrift
Electropheidole *Ent.*
Pheidole *Ent.*

Φείδων King of Argos
Fidonia *Ent.*

φελλεύς stony soil
phellad -ium *Phytogeog.*

φελλο- Comb. of φελλεύς
phello- *Phytogeog.*
philus phyta

φελλο- Comb. of φελλός
phello-
derm(al *Bot.*
gen(ic *Bot.*.
genetic *Bot.*
plastic(s *Art.*

φελλός cork bark
phell-
andral -ene *Org. Chem.*
andrium *Bot.*
em(a *Bot.*
-phelloid *Bot.*
chori pseudo sclero

φελόνιον Fr. L. *paenula* cloak
phelonion

φενακισμός quackery (Dem.)
phenac(*or* k)ism

φενακιστής = φέναξ
phenacist
phenakistoscope

φενακο- Comb. of φέναξ
phenaco-
bius *Ich.*
brycon *Ich.*
coelus *Pal.*
lemur *Pal.*
psyche *Pal.*
ptygnia *Pal.*

φέναξ a quack, cheat
Acarophenax *Arach.*
phenacite *Min.*
phenacodus -ontidae
Phenacops *Pal.*
Plectrophenax *Ornith.*

φέρειν to bear
Abothrophera *Herp.*
Bothrophera *Herp.*
cerophер(ary -fer
chronopher *Elec.*
Dinifera *Prot.*
-ida -ous
idiopher *Bot*
metaphery *Bot.*
opsonopheric *Cytol.*
phero- *Ent.*
cera psophus
Pheryphes
Phialophera *Fungi*
telpher
age man way
uropherin *Chem.*

Φερεκράτειος (Heph.)
Pherecrtean *Pros.*
-ian -ic

φερμα fruit of bearing
Pherma *Crust.*

φηγός the oak
Epiphegus *Bot.*
Phegopteris *Bot.*

φήμη voice
Aglaophemia *Hydroids*
aphemesthesia *Ps. Path.*
heterophemism
-ist(ic -ize
Lypophemus *Ent.*
mythopheme
telepheme

-φημία as in πολυφημία
aphemic *Path.*
heterophemy *Path.*
-phemia *Med. Psych.*
a atax(i)o brady dys hetero ko tachy

φθάνειν to outstrip
phthanite *Min.*

φθαρτικός destructive
phthartic *Med.*

φθαρτολάτρης a worshipper of the corruptible
Phthartolatra(e *Eccl.*

φθέγξις speech
aphthenxia *Path.*

φθείρ a louse
Ichthyophthira(n *Ich.*
microphthire -a *Ent.*
Phtheirichthys *Ent.*
Phthiriomyiae *Ent.*
phthiriophobia *Med.*
Phthirius *Ent.*
phthirophagous
phytophthire -ia(n *Ent.*
Schizophthirus *Ent.*

φθείρειν to corrupt
phth(e)ir(a)emia *Path.*

φθειρίασις (Plutarch)
phth(e)iriasis *Med.*

φθίειν to decay, pine away
phthisozoics

φθινο- Comb. of φθίειν
phthino-
branchii *Ich.*
plasm *Path.*

φθινώδης (Hipp.)
phthinode *Path.*
phthinoid *Path.*

φθισικός consumptive
antiphthisic(al *Ther.*
phthisic(al -icky
tisical(ness
tisick

φθίσις (Herodotus)
antiphthisin *Mat. Med.*
phthisergate *Ent.*
phthisin *Mat. Med.*
phthisio- *Med.*
genesis genetic genic logy mania phobia pneumonia *or* -y therapeutic(s therap(eut)ist therapy
phthisis *Path.*
bysso cysto entero galacto gastro hepato iodo laryngo limo litho mesentero metro nephro ophthalmo (pan)-myelo pneum(on)o pre pseudo spleno uro
phthisoremid *Mat. Med.*
phthisuria *Path.*

φθόγγος the voice; a sound
heterophthongia *Med.*
phthongal
phthongometer
tesseraphthong

φθόνος malice
Phthonosteres

φθορα corruption
Aphthoroblattina *Pal.*
blastophthoria -ic *Emb.*
Entomophthora *Bot.*
-(ac)eae -ales -ineae -ous
mycophthorous *Fungi*
Phthora *Ent.*
Phthoracma *Ent.*
Phytophthora *Fungi*
thelyphthoric

φθόρος = φθορα
-phthorus *Ent.*
Dryo Pityo Myco Phloeo

φιάλη a broad bowl
Cryptophialus *Crust.*
-id(ae -oid
Fialoides *Pal.*
phial(e *Cl. Ant. Eccl.*
ful in(e
phialea -ula *Bot.*
phialide *Comp. Anat.*
Phialura *Ornith.*
vial

φιαλο- Comb. of φιάλη
periphialoporous
phialo-
coele celian *Bot.*
derm *Bot.*
phera *Bot.*
phloios *Pal.*
pore -ic *Bot.*

φιβάλεως a kind of fig
Phibalomyia *Ent.*

Φιγάλεια (Herodotus)
Phigalian

φιλ- Stem of φίλος
phil-
acte
atelomania -iac
ately
-ic(al(ly -ism -ist(ic
ernus *Ent.*
eurus *Ent.*
harmonic *Music*
ichthys *Crust.*
-yid(ae -yoid
onthus -idae
orchidaceous
orea *Ent.*
oxygenous
ydor *Ornith.*
inae in(e

φιλαγαθος (Arist.)
Philagathes *Ent.*

φίλαγρος (Lucian)
Philagra *Ent.*

Φιλαδέλφεια (N.T.)
Philadelphia(n(ism
philadelphite *Min.*

φιλαδελφία brotherly love
philadelphy -ian

φιλάδελφον (Ath.)
Philadelphus *Bot.*

φιλαθλητής (Plutarch)
philathletic

φιλάμπελος loving vines
Philampelus *Ent.*

φίλανδρος loving men
philander(er

φιλανθής fond of flowers
Philanthus *Ent.*
-id(ae -oid

φιλανθρωπια kindliness
philanthropy (Isocr.)
-ism -ist(ic -ize
pseudophilanthropist
theophilanthropy
-ic(al -ism -ist

φιλανθρωπινος
philanthropine
-ism -ist

φιλάνθρωπος humane
philanthrope
-al -ic(al(ly
theophilanthrope
unphilanthropic

φιλάνθρωπος (Diosc.)
philanthropos *Herbs*

φιλαργυρια covetousness (Isocrates)
philargyry
-ist -ous

φιλάρχαιος (Plutarch)
philarchaist

φιλαυτία self-regard
philautia *or* -y (Plut.)

φιλεῖν to love
Philepitta *Ornith.*
-id(ae oid

φιλέλλην (Herodotus)
Philhellene
-ic -ism -ist

φιλέταιρος fond of or true to one's comrades
Philetaerobius *Ent.*
Philetaerus *Ornith.*
φιλημάτιον a little kiss
Philematium *Ent.*
φιλήνωρ fond of one's
Philenor *Ent.* husband
-φιλής as γυναικοφιλής, δημοφιλής, παιδοφιλής. See also φίλος
Anglophil(e
bibliophil(e ic ous
Celtophil
coprophil(e ous *Path.*
Ententophil(e *Pol.*
Francophil(e
Gallophil(e ism
gastrophile
-ism -ist -ite
Germanophile -ist
Grecophil(e
hippophile
Hispanophile
ichthyophile -ist
iconophile -ism -ist
Indophile -ism -ist
Japanophile
Jud(a)eophilism
negrophil(e
ism ist(ic
Russophile -ism -ist
Slavophil(e ism
Teutophil(e
theatrophil(e
Turcophil(e ism
φίλησις affection
Philesia *Bot.*
-φιλία as in ἀντιφιλία (Arist.), προσφιλία
algophily -ist *Ps. Path.*
bibliophily
-ism -ist(ic
cacophonophily -ist
coprophilist *Ps. Path.*
galeophilia
hygrophilia *Biol.*
hypereosinophilic
iconophily
microphily
necrophily *Ps. Path.*
nemophily -ist
oenophilist
opsonophilia *Biochem.*
ornithophily -ist -ite
pal(a)eophilist
pedophilic *Gynec.*
peristerophily *Ornith.*
-philia *Med.*
alcoholo algo azuro baso calci chromato copro glyco h(a)em(at)o h(a)emorrha hemoglobino hypereosino hypoeosino necro neutro patho pedo polychromato spasmo thrombo zoo
-philia *Staining*
aneosino iodo sudano
-phily *Bot.*
acaro anemo(ento) chasmo (di)entomo geo myrmeco ombro xero zoido zoo
timbrophily
-ic -ism -ist
toxophily
zoophilic -ism
φιλίατρος (Galen)
philiater
φιλιππία love of riding
philhippy -ic
Φιλιππικός (Polybius)
Philippic -al -ize
Φιλιππίζειν (Demosthenes)
philippize
-ate -er
Φίλιπποι
Philippian
Φίλιππος Philip
antiphilippizing
philip
Philippine -o
Philippism -ist(ic
phip
Φιλισταῖος
Philistean -ee
philister
Φιλιστία
Philistia -ian
Φιλιστῖνοι
Philistine
-ian -ic -ish -ism -ize -ly
φιλ(λ)υρέα (Theophr.)
phillygenin *Org. Chem.*
Phillyrea *Bot.*
phillyrin *Org. Chem.*
φιλο- Comb. of φιλεῖν
Limnophilomyia *Ent.*
philo-
botanic -ist
brutish -ist
catalase *Biochem.*
cryptica *Ent.*
cynism -y -ic(al
cytase *Cytol.*
dina *Helm.*
-id(ae -oid
dramatic -ist
epiorcian
felist
galist
garlic
gastric
genitive(ness
graph(ic *Topog.*
hela *Ornith.*
kleptic
lithus *Ent.*
mathematic(al
melanist
mycus -id(ae -oid
mystic
natural
neism
nexis -idae
noist
pena
phloeus *Ent.*
phyga *Ent.*
pogon
progeneity
progenitive(ness
pterus *Ent.*
-id(ae -oid
somatist
thalpus *Ent.*
thaumaturgic
theosophical
thion *Chem.*
zoic -ism zo(on)ist
φιλόβιβλος (Strabo)
philobiblian
-ic(al -ist
φιλογύναιος (Arist.)
philogynaeic -eity
φιλογυνία (Plutarch)
philogyny
-ist -ous
φιλόδενδρον fond of trees
Philodendron *Bot.*
-eae -ist -oid(eae
φιλοδεσπότης
philodespot
φιλόδημος (Arist.)
philodemic
φιλόδοξος (Plato)
philodox(ical
φιλόθεος (Arist.)
philotheism
philotheist(ic
φιλόθερμης (Theophr.)
philotherm *Bot.*
Philothermus *Ent.*
φιλοθέωρος (Arr. Epict.)
philotheorist
φιλοκαλία (Diodorus)
καλός
philocaly -ist
φιλόκαλος loving beauty
Philocalus *Ent.*
φιλόκομος fond of one's hair
philocome -al *Perfumes*
φιλοκτέανος covetous
Philocteanus *Ent.*
Φιλοκτήτης (Iliad)
Philoctetes *Ent.*
φιλόκυβος fond of dice
philocubist
φιλολογία (Plutarch)
neophilologist
philology
-ist -ize
pseudophilology
φιλολογικός
neophilological
philologic(al(ly
unphilological
φιλόλογος (Eratosthe-
philolog(ue nes)
aster er ian
φιλομαθής (Plato)
philomath(ic(al
φιλομαθία love of learning
philomathy
φιλόμαχος warlike
Philomachus *Ornith.*
φιλομήλα (Demosthenes)
philomel(ian *Lit.*
Philomela *Myth. Ornith.*
philomene *Lit.*
φιλόμουσος (Plato)
philomuse
philomusical
φιλομυθία (Strabo)
philomythy -ic -ie
φιλοξενία hospitality
philoxeny -ist
φιλόπατρις patriotic
philopatridomania *Ps.*
φιλοπάτωρ loving one's
philopater father
φιλόπλουτος loving
philoplutary riches
philoplutonic
φιλοπόλεμος (Homer)
philopolemic(al
φιλόπονος loving toil
Philoponist *Eccl. Hist.*
Philoponites *Pal.*
φιλόπορνος Fr. πορνη harlot
philopornist
φιλορνιθία (Arist.)
philornithic
-φιλος as in ἀλληλόφιλος, γαστρόφιλος, παιδόφιλος, χρυσόφιλος
-philous *Biochem. Biol. Bot. Cytol.*
acaro achromo acido aero alkalino allago ammo ampho anemo anilino anthropo auto baso bio calci cantharo chasmo chimono chiono chiroptero chrom(at)o coneo copro cyano dendro entomo
-philous Cont'd
erythro fuchsino gentiano geo gypso halo helio hemero hemichimono hydro hygro iodino kyano leuco litho malaco melitto meso methyleno microaero microzoo musco myrmeco necro(coleoptero) nemo nitro oceano oligonitro ombro ornitho(copro) oxy pelo photo potamo protozo psammo rhizo sapromyio sathro scio sidero sphagno sphingo subxero sudano toxo tropo xero zodio zoido zoo zooidio
-philous *Zool.*
ammo antho dorylo hydro hypno limno petro phyto sapro sarco termito thermo xylo
See φίλος
-philus *Phytogeog.*
acro acto aelo agro aigialo aiphyllo aithalo also amatho ammochtho anco brysso chalcido cherado chledo conophoro corypho creno crymo drimy enantio eremo euroto helioxero helo(lochmo) helorgado histo hylo hylodo lauro limnodo litho lochm(od)o lopho macroaero macrothermo melangeo mesochthono mesothermo namato nomo notero ochtho opo orgado oxygeo oxylo oxyly pago pedio pelago pelochtho petrochtho petr(od)o phello phreto ponto poo potamo psamathro psammo psilo ptenophillo ptenothallo pyro rhoo rhyaco scoto skoto spilado staso sterrho syrtido taphro telmato thalasso thino tipho xerohylo xeropoo
φίλος beloved; loving
ailurophile
ammophiletum *Bot.*
astrophel *Lit.*
biophilism -ist
Bryophilopsis *Ent.*
canophilist
carbophilous *Chem.*
caryophil(lin *Med.*
chimaphilin *Chem.*
Coralliophilus *Conch.*
-a -id(ae -oid
corundophilist *Geol.*
cosmophilite
Creniphilites *Pal.*
cynophilist
Dantophilist
demophil(ism
dendrophil
Dermatophili *Ent.*
dermatophiliasis *Path.*
dichromophilism
Dinophilus -ea -idae
Drosophilidae *Ent.*
Elophilae *Ent.*
Eremophila *Ornith.*
excitophile *Ent.*
Gehydrophila *Conch.*
-ian -ous
Geophilus *Conch.*
-a(n -ian -id(ae -inae -oid -ous
gynophilian
Haematophilina -e -ic
Haemophila *Ornith.*
h(a)emophile -iac *Med.*
halophilism
Heliophilus *Pal.*
Helminthophila *Ornith.*
Hemophilus *Bact.*
hydro-
philus -id(ae -oid *Ent.*
tribophilus *Bot.*
hygrophil(e -a -eae
hygrophilious *Bot.*
Limnophila *Conch.*
Limnophilus *Ent.*
-id(ae -oid
Melitophili -ine *Ent.*
Mycetophila *Ent. Pal.*
-id(ae -oid
myrmecophilism *Bot.*
necrophile *Path.*
-ism -ous -us
neophilism *Path.*
neurophilic *Diet.*
neutrophil(e ic ous *Med.*
nyctophile -us *Zool.*
ophiophilism -ist
orchidophilist
organophil(ic ism *Med.*
osmophilic *Med.*
Pagophila *Ornith.*
pamphlet
age ary (e)er ette ful ic(al
pantophile
Petrophila *Conch.*
-phil *Chem.*
ampho(chrom(at)o antigen(t)o basometachromo carmino chroma cyano cyto erythro(sino) fuchsino gentiano hypeosino indulino iodino iodo karyochromato megoxy microxy monochrom(at)o orthochromo photo reflexo sidero sudano tetano toxo
-phil(e *Bot. Chem.*
achromato acido ametaneutro anilino astro azuro baso chrom(at)o copro dichromo halo hydro isochromato litho lyo ombro orthoneutro oxy polychromato xero
-phila *Bot.*
Also Ammo Chima Gypso Hygrogeo Myrmeco Nemo
-phila *Ent.*
Antho Aphro Calolimno Chledo Chloe Ctenomyo Dile Droso Entomio Hypno Lipio Melano Microdroso Myceto Myro Notho Pelo Pio Prosopandro Ptoma Rhampho Rhyaco Thalpo Thiasso Troglo
-philae *Bot.*
Aero Areno Canthar Geo Hydro Hygro Lepidoptero Magma Malaco (Micro)melitto (Micro)myio Ornitho Paludo Pelo Rheo Sapromyio Sphingo Turfo Zoo
-phile *Bot.*
andro anemo anthropo

-phile Cont'd
calci diatom droso hygro meso myrmeco pelo psammo uro zoo
-phile *Chem.*
complimento iodo iso lipoido metachromo metaneutro oligonitro organo safrano
-philes *Bot.*
Gypso Psammo Sidero
-philic *Biol. Bot. Chem.*
acido ampho azuro baso chrom(at)o cyano fuchsino halo h(a)em(at)o hemoglobino hemolyso heterocomplimento hydro isocomplimento lyo meso microaero oligonitro ombro opsono oxy photo polychromato psychro tetano thio zoido
-philite *Min.*
corundo kalio lithio natro
Philus *Ent.*
-philus *Ent.*
Agarico Carpo Copro Creo Cryptophyso Deraso Gastero Gastro Helo(hylo) Lacco Limne Limno Mene Mimolitho Neopino Notio Ontho Phrygano Pino Potamo Rhyparo Schizo Scia Scoptro Scoto Telmato Xylo
-philus *Ornith.*
Aegialo Campe(*or* o) Cori Eremo Phoenico Psomo Rhyaco
Phoenicophilus *Ornith.*
-inae -in(e
physiophilist
phytophil(e *Zool.*
Piophilidae *Ent.*
Poephila
pteridophilism -ist
pterigraphilist *Bot.*
pyrophile -a
Rhyacophila *Ent.*
-id(ae -oid
saprophile *Bact.*
saccophile -us *Zool.*
Schedophilus -iform *Ich.*
Scolecophilus *Helm.*
spasmophile -ic *Med.*
spermatophilus
Spermophila *Ornith.*
-inae -ine
Spermophilus *Mam.*
-e -inae -ine
Sporophila *Ornith.*
stenophile
technicophilist
termitophile *Ent.*
thamnophile *Ornith.*
-a -inae -ine -us
theopanphilist
thermophil(e ic *Bact.*
thermophilist
thiophil *Ecol.*
tobaccophil(e
toxophilism
toxophilite -ic
tropophil *Phytogeog.*
typophil
xenophilism
Xylophili -an *Ent.*
zoophilism *Bot.*
-ist -ite

φιλοσόφημα (Arist.)
philosophema *or* -e

φιλοσοφία (Plato)
foolosophy
intraphilosophic
medicophilosophical
musicophilosophical
philosophy
-ism -ist(ry -istic(al -ization -ize(r ship
physicophilosophy -ical
physiophilosophy -ic(al
pneumatophilosophy
poetico-philosophic
pseudophilosophic(al
theophilosophic

φιλοσοφο- Comb. of φιλόσοφος
philosopho-
-cracy -phobia

φιλόσοφος (Pythagoras)
archphilosopher
aroph *Obs.*
dephilosophize
foolosopher
neophilosopher
philosoph(e
aster(ing astry ate ation dom ling uncle
philosopher -(r)ess
craft ess ling ship
philosophic(al(ly -icophilosophication
philosophicide
physiophilosoph(er

φιλοστοργία affection
philostorgy

φιλότεχνος fond of art
philotechnic
-ical -ist
Philotechnus *Ent.*

φιλοτιμία ambition
philotimy

φίλτατος best beloved
Heliophiltatus *Pal.*

φίλτρον a love-charm
philter *or* -re
philterer
philtrum -ous

φίλυδρος (Theophr.)
Philhydrus -ous *Ent.*
Phylydrum -ous *Bot.*
-aceae -aceous

φίλυμνος loving song
philhymnic

φίλυπνος loving sleep
Philypnus *Ich.*

Φίλων Philo
Philonian *Phil.*
-ic -ism -ist -ize

φίμωσις (Diosc.)
blepharophimosis *Path.*
Phimosia *Ent.*
phimosiectomy *Surg.*
phimosis *Path.*
-osed -otic

φλεβ- Stem of φλέψ
Monophlebites *Ent.*
Phanerophlebia *Ferns*
phleb-
angioma *Path.*
(arteri)ectasia *Path.*
ectasis -y *Path.*
ectomy *Surg.*
ectopia -y *Path.*
emphraxis *Path.*
enterata -e *Conch.*
enteric -ism *Zool.*
phlebepatitis *Path.*
-phlebia *Pal.* esp. *Ent.*
Anhomalo Cheli Cymeno Esbeno Hetero Melino Perisso
phlebin *Org. Chem.*
phlebismus *Med.*
phlebitis -ic *Path.*

-phlebitis *Path.*
celo dermo endo galacto hepato locho lymphangio (meningo)osteo meso metro omphalo peri(pyle) pneumono pyle(thrombo) septico thrombo trichodo
phleboedesis *Arthrop.*
phleboidal
phlebophthalmotomy
pylephlebectasis *Med.*
spermophlebectasia *Med.*
Tetraphleba *Ent.*

φλέβιον Dim. of φλέψ
Oligophlebiella *Ent.*
Tarsophlebiopsis *Pal.*

φλεβο- Comb. of φλέψ
Erasmiphlebohecta *Ent.*
phlebo-
cholosis *Path.*
genous *Physiol.*
gram graph
graphy -ical
lite -ic lith(ic
lithiasis *Med.*
logy -ical *Med.*
metritis *Path.*
morpha *Fungi*
myomatosis *Path.*
nema *Ent.*
pexy *Surg.*
rrhaphy *Surg.*
rrhexis *Path.*
sclerosis -otic *Path.*
stasis -ia *Med.*
stenosis *Path.*
strepsis *Surg.*
thrombosis *Path.*

φλεβορραγία (Hipp.)
phleborrhage -ia *Path.*

φλεβοτομία (Galen)
phlebotomania *Med.*
phlebotomy *Surg.*
-ist -ization -ize
-phlebotomy *Surg.*
arterio- hepato- ophthalmo-

φλεβοτομικός
phlebotomic(al(ly

φλεβοτόμον (Lucian)
phlebotome *Surg. App.*

φλεβοτόμος opening veins
Hebetomus *Ent.*

φλεβώδης full of veins
Phlebodium *Bot.*

Φλεγέθων
phlegethontal -ic *Gr.*
Phlegethontius *Ent.*

φλέγμα (Herodotus)
dephlegm *Chem.*
ate(dness ation ator(y
phlegm(a
ed less y
(h)ymenitis *Path.*
phlegmo- *Path.*
pyra rrhagia rrhea
saucefleme
ureterophlegma *Med.*

φλεγμαγωγός (Galen)
phlegmagog(us
al ic

φλεγμασία (Hipp.)
phlegmasia *Path.*
-phlegmasia *Path.*
uretero utero

φλεγματικός (Alex. Aphr.)
phlegmatic
al (al)ly ism ness ous

φλεγματο- Comb. of φλέγμα
phlegmatopyra *Path.*

φλεγμονή (Hipp.)
adenophlegmon *Path.*
phlegmon *Path.*
ic oid ous
pseudophlegmon *Path.*

φλέψ a vein
-phleps *Ent.*
Di- Eury- Liparo- Synapto- Tetano- Tri-
Stenophlepsia *Ent.*
Tropiphlepsia *Ent.*

φλέως a marsh plant
Phleum *Bot.*
phleumetum *Bot.*

φλογ- Stem of φλόξ
melanophlogite *Min.*

φλογιστόν burnt up
antiphlogistin *Prop.*
antiphlogiston *Chem.*
-ian -ic
dephlogisticate -ation
phlogistian -in *Chem.*
phlogistic
al ate ation
phlogisticozymoid
phlogiston(ist *Chem.*
rephlogisticate
semiphlogisticated

φλογο- Comb. of φλόξ
phlogo-
cyte -osis *Med.*
gen(ic -ous *Med.*
genetic *Path.*

φλογωπός fiery-looking
hydrophlogopite *Min.*
natro(n)phlogopite *Min.*
phlogopite *Min.*

φλόγωσις inflammation
metrophlogosis *Path.*
phlogosin *Chem.*
phlogosis *Path.*
-osed -otic

φλοι- Stem of φλοιός
Phloebium *Ent.*
phloem *Bot.*
parenchyma
Phloeterma *Bot.*

φλοινος of φλεως
Pliophloeinae *Pal.*

φλοιο- Comb. of φλοιός
phloeo-
borus *Ent.*
charis -ina -ini *Ent.*
dalis *Ent.*
droma *Ent.*
glymma *Ent.*
pemon *Ent.*
phagous *Ent.*
phora -ous *Prot.*
phthorus *Ent.*
sinus *Ent.*
stichus *Ent.*
trachides *Bot.*
tragus *Ent.*
tribus *Ent.*
trogus *Ent.*
trya *Ent.*
phloioterma *Bot.*
Trachyphloeosoma *Ent.*

φλοιός the bark of trees
Dictyophloios *Pal.*
erythrophlein(e *Chem.*
erythrophleum *Bot.*
hypophloeous *Bot.*
isophlorizen *Chem.*
Lepidophloios *Pal.*
Leptophloeum *Pal.*
periphloematic *Bot.*
Phialophloios *Pal.*
phlein *Org. Chem.*
Phloea *Ent.*
-oeid(ae -oeoid
phloeum *Bot.*

-phloem *Bot.*
lepto meta peri pro proto
-phloeum *Bot.*
endo epi meso
-phloeus *Ent.*
Bronto Hypo Laemo Nomo Philo Sino Trogo Zeto
-phloic *Bot.*
amphi ecto endo
phloionic *Org. Chem.*

φλοιώδης like rind or bast
Ectophloeodes *Bot.*
Enterophleodes *Lichens*
epiphloeodic -al *Bot.*
hypophloeodic -al *Bot.*
phloeodes *Bot.*

φλομίς mullein (Diosc.)
Phlomis *Bot.*

φλόξ a flame
Phlox *Bot.*
phloxin *Chem.*
worm *Ent.*
wort *Bot.*

φλόος = φλοιός
hydrophlorone *Chem.*
phlo-
baphene -ic *Org. Chem.*
batannin *Org. Chem.*
phlor- *Org. Chem.*
acetophenone
amin(e
ate etic etin(e -in
phlori(d)zate -in(e -inize
phloro- *Org. Chem.*
gluc-
iec ied(e -in -(in)ol -ite
phlorol -one -ose -yl

φλύαρος silly talk(er
phlyarologist
Phlyarus *Ent.*

φλυζάκιον (Hipp.)
phlyzacium -ious *Path.*

φλύκταινα blister (Hipp.)
Neophlycticeras *Pal.*
phlyct(a)ena
-ar -ia -ous
phlyct(a)enophthalmy
phlyctenule
-a(r -osis
Phlyctinus *Ent.*

φλυκταινοειδής (Hipp.)
phlyct(a)enoid

φλυκταινώδης blister-like
Phlyctaenodes *Ent.*

φλυκταίνωσις (Hipp.)
phlyctenosis -e *Path.*

φλυκτίς = φλυκταίνα
Chrysophlyctis *Fungi*
phlyktioplankton *Bot.*

φλύσις (Galen)
emphlysis *Path.*
galactophlysis *Med.*
phlysoremid *Mat. Med.*

φοβερός dreadful; afraid
Euphoberia *Ent.*
-iid(ae -ioid

φοβητος to be feared
Phobetus *Ent.*

-φοβία as in ὑδροφοβία
acarophobia *Ps. Path.*
acrophobia *Psych.*
ae(*or* i)lurophobia
aerophobia *or* -y -ic *Med.*
agoraphobia *Ps. Path.*
aichmophobia *Ps. Path.*
airphobia
albuminophobia *Med.*
algophobia *Neurol.*

amaxophobia *Ps. Path.*
amychophobia *Ps. Path.*
androphobia *Med.*
anemophobia *Med.*
anginophobia *Ps. Path.*
Anglophobia -e -iac -ic -ist
anthophobia
anthropophobia *Ps.Path.*
aphephobia
apiphobia
astra(po)phobia
astrophobia
atax(i)ophobia
aurophobia
automysophobia
autophoby
bacteriophobia
ballistophobia
basiphobia
basophobia
bathophobia
batophobia
batrachophobia
belonephobia
bibliophoby
bogiphobia
cainotophobia
calisphobia
cancer(o)phobia
carcinomatophobia
cardiophobia
carnophobia
cathisophobia
catoptrophobia
cenophobia
ceraunophobia *or* -y
cherophobia
cholera(*or* o)phobia
chromatophobia
cibophobia
claustrophobia -ic
cleisiophobia
cl(e)ithrophobia
cleptophobia
coitophobia
colorophobia
cremnophobia
crystallophobia
cynophobia
cypridophobia
cypriphobia
defecalalgesiophobia
demonophobia
dermatopathophobia
dermatophobia
dermatosiophobia
dextrophobia
domatophobia
doraphobia
ecophobia
epistolophobia
ergasiophobia
ergophobiac
erotophobia
erythrophobia
Francophobia
galeophobia
Gallophobia
gatophobia
genetophobia
gephyrophobia
Germanophobia -ist
gymnophobia
gynephobia
h(a)em(at)ophobia
hagiophobia
haphephobia
heliophobia -ic
helminthophobia
hemaphobia
hierophobia
hippophobia
hyalophobia
hydrophobophobia
hygrophobia
hylephobia
hypertrichophobia
hypnophobia *or* -y -ic
hypsophobia
ichthyophobia
iophobia
isolaphobia
Judae(o)phobia
Jud(a)eophobia -ism
kainophobia
kathis(i)ophobia
kenophobia
keraunophobia
kleptophobia
lalophobia
lepraphobia
levophobia
lyssophobia
maieusiophobia
megalophobia
melissophobia
meningitophobia
metallophobia
microbiophobia
microphobia
molysmophobia
monophobia
musicophobia
musophobist
mysophobia
mythophobia
necrophobia -ic -y
negrophobia(c -ist
neophobia
noctiphobia
nosophobia
nyctophobia
ochlophobia -ist
odontophobia
odynophobia
oecophobia
oenophobist
oikophobia
ombrophobia -y
onomatophobia
ophidiophobia
p(a)ediophobia
pamphobia
panophobia
pantaphobia
papaphobia -ist
papyrophobia
paraphobia
parasitophobia
paterophobia
pathophobia -y
pediculophobia
pellagraphobia
pharmacophobia
phengophobia
philosophophobia
phobia
-phobia Esp. in *Ps. Path.*
phobophobia
phonophobia -y
photaugiaphobia
photophobia -ic
phthiriophobia
phthisiophobia
pneumatophobia
pnigophobia
politicophobia
polyphobia
ponophobia
poperyphobia
potamophobia
proctophobia -y
proteinphobia
psychrophobia -y
pyrophobia
rectophobia
rhabdophobia
rhypophobia
rupophobia
Russophobia -ism -ist
satanophobia
scabiophobia
scopophobia
scotophobia
sidero(dromo)phobia
sitiophobia
sitophobia -ic
spermatophobia
stasibasi(*or* o)phobia
stasiphobia
symbolophobia
symmetri(*or* o)phobia
syphilophobia -ic
tabophobia
taen(i)iphobia
taphe(*or* o)phobia
tapinophobia -y
teleophobia
teratophobia
Teut(on)ophobia
thalassophobia
thanatophobia
theatrophobia
theophobia -ist
thermophobia
tonitru(*or* o)phobia
topophobia
toxi(co)phobia -iac
tremophobia
triakaidekaphobia
trichinophobia
tricho(patho)phobia
triskaidekaphobia
tuberculophobia
tyrannophobia
venereophobia
xenophobia -ic -y
zoophobia

φοβο- Comb. of φόβος
phobo-
chemotactic *Bot.*
chemotaxis *Bot.*
phobia *Path.*
phototaxis *Path.*
phototropism *Bot.*

φόβος flight; hence, fear
agoraphobe *Ps. Path.*
anemophobe -ae *Bot.*
calciphobe -ae *Bot.*
chemozoophobe *Bot.*
chionophobe *Bot.*
chromophobe -ic *Cytol.*
erythrophobe
Francophobe
Gallophobe
gentianophobic -ous
Germanophobe -ic
halophobe *Bot.*
heliophobe *Bot. Path.*
Hibernophobe
Judae(o)phobe
Jud(a)eophobe
lyophobe -ic *Chem.*
motorphobe *Psych.*
myrmecophobic -ist *Bot.*
negrophobe
ombrophobe -ic *Bot.*
phob-
anthropy
elius *Ent.*
-phobe -phobous -φοβος as in θεόφοβος, ὑδρόφοβος
Phobos *Astron.*
-phobous *Bot.*
anemo calci chemozoo chiono halo helio hemero microzoo ombro xero zoo
photophobe -ism -ous
photophobophthalmia
pyrophobe *Bot.*
Russophobe
Serbophobe
siderophobes *Bot.*
Slavophobe -ist
Teut(on)ophobe

Teutophobism
thermophobous *Pal.*
Turcophobe -ist

φοιβάς (-άδος) a prophetess
Phoebades *Gr. Cults*

Φοίβη Dau. of Uranus
Phoebe *Ich. Myth.*

Φοῖβος the Bright or Pure
Phobian *Astron.*
phoebium *Chem.*
Phoebus -ean *Myth.*

φοινιγμός (Galen)
phenigmus *Path.*
phoenigm *Path.*

φοινικ- Stem of φοῖνιξ
chlorophoenicite
leucophoenicite
Phoenicaceae *Bot.*
-aceous -ales -eae
Phoenicantha *Bot.*
phoenic(e)in -ine *Chem.*
phoenicismus -istic *Path.*
phoenicite *Min.*
phoenicity
phoenicle

Φοινικήιος (Herod.)
Ph(o)enician(ism
Ph(o)enic(ian)ize
phoenicean -eous *Arts*
ph(o)enicious
post-Phoenician

φοινικο- Comb. of φοῖνιξ
phoenico-
philus -inae -in(e *Orith.*

φοινικόπτερος ?flamingo
phoenicopter(us *Ornith.*
id(ae iformes oid(eae oidean ous

φοινικός dark-red *Ent.*
Phoenicus

φοινίκουρος (Arist.)
phoenicurous *Ornith.*

φοινικοφαης ruddy-glancing
Phoenicophaes *Ornith.*
-ainae -ain(e

φοινικόχρως purple
phoenicochroite *Min.*

φοῖνιξ red; palm; date; fabulous bird
Englerophoenix *Bot.*
phenicin(e *Chem.*
phenix
phenixin *Mat. Med.*
Phoenicercus *Ornith.*
ph(o)enix(ity
ph(o)enixin *Chem.*

Φοῖνιξ
Punic
al ean eous
punicin *Chem.*

φοινώδης blood red
phenodin *Biochem.*

φοῖτος insanity
limophoitos *Path.*

φολιδ- Stem of φολις
pholid-
echinus *Pal.*
ichthys *Ich.*
osis *Zool.*
Pseudopholidops *Pal.*

φολιδο- Comb. of φολίς
pholido-
chlamys *Ent.*
lite *Min.*
pus *Ich.*

φολιδωτός (Arist.)
pholidote *Zool.*
Pholidotus *Ent.*

φολίς a horny scale
Acanthopholidae *Pal.*
Chloropholus *Ent.*
Conopholis *Bot.*
Goniopholis *Herp.*
-idid(ae -idoid
Macropholidus *Herp.*
Pholiota *Bot.*
-pholis *Ent.*
Hypo Leuco Podo Rhabdo Trachy
-pholis *Herp.*
Gonio Triaeno
Polyphpholophis *Herp.*

φολκός Epith. of Thersites
Pholcus *Arach.*
-id(ae -oid
pholque
Smilepholcia *Ent.*

φονο- Comb. of φόνος
phonohemin *Biochem.*

φόνος murder
Palaeophonus *Ent.*
Thelyphonus *Arach.*
-id(ae -idea(n -oid

φοξῖνος (Arist.)
Phoxinus *Ich.*

φοξο- Comb. of φοξός
Phoxomela *Ent.*

φοξός pointed
Sphodrophoxus *Ent.*

φορβεία a mouthband
phorbeia *Gr. Music*

φόρβειος the eye pupil
Macrophorbia *Zool.*

φορβή pasture, fodder
forb *Bot.*
pheophorbin -ide *Chem.*
-phorbium *Bot.*
hygro meso xero

φόρησις a being borne
phoresis *Elec.*
-phoresis *Chem.*
cathodo electro(cata) kata photo
-phosreis *Med.*
ana cata ionto kata patho

φορητός carried
cataphoretic *Med.*
electrophoretic *Chem.*
photophoretic *Chem.*

-φορία as in καρποφορία
-phoria *Med. Ophth.*
ana ano cato cyclo eso(cata) euthy exo-(cata) hetero hyper-(eso exo) hypo(eso exo) iso kato ortho peri pseudo
-phoric
cyclo eso exo hetero

φόρμιγξ a cithara or lyre
phorminx *Gr. Music*

φορμίον (Galen)
Phormium *Bot.*

φορμίς a small basket
centrophormium *Cytol.*

φορο- Comb. of φορός
apophorometer *Chem.*
diphorophyll *Bot.*
Leucophoroptera *Ent.*
phoro-
blast *Histol.*
cyte -osis *Histol.*
meter metry *Optics*
nomia *Phys.*
-ic(ally -ics -y
plast *Histol.*
scope *Elec. Med. App.*
tone
zoon -ooid *Ascid.*
stereophoroscope

φορος bearing
actinophor *Mat. Med.*
actinophore *Ich.*

acyanophoric *Bot.*
aerophore *Med.*
aesthetophore *Biol.*
agglutinophore -ic *Chem.*
androphore -um *Zooph.*
anesthesiophore -ic *Med.*
Anthophorabia *Ent.*
anthophore -um *Ent.*
Anthophoridae *Ent.*
antrophore *Surg.*
aplasmodiophorus *Bot.*
Ascophora *Helm.*
ascophoric *Bot.*
Aspidophorus *Brachiop.*
-a -oides
aurophore *Siphon*
Balanophora *Bot.*
-aceae -aceous -eae
balanophorin *Org. Chem.*
biophor(e ic id *Biol.*
Biophores *Bot.*
biphore -a
blastophore *Embryol.*
-al -ic
cadophore *Zool.*
calcophorous *Biol.*
Calycophorae *Zooph.*
cephalophore *Conch.*
ceratophore *Helm.*
Cestraphori -an *Ich.*
Chaetophora *Bot.*
-aceae -aceous
Chaetophora *Helm.*
Chaetophorites *Pal.*
Chelophora
Chlamydophora(n *Prot.*
chlamydophore *Mam.*
-idae -inae -us
chlamyphore *Mam.*
-id(ae -oid -us
Chlorophora *Bot.*
chondrophore -idae
chroma(to)phore *Cytol. Pigments Zooph.*
chromatophoric -oma
chromophore -ic -ous
chylophoric *Anat.*
Cladophora *Bot.*
-aceae -aceous -ales
cnidophore *Zooph.*
collectocy(*or* i)stophore
collophore *Ent.*
Comephorus *Ich.*
-id(ae -oid
Commiphora *Bot.*
conophorium *Bot.*
Cordylophora *Polyzoa*
craniophore
Crotalophorus
cryophorus -ic *Phys.*
cryptophor
ctenophore *Zooph.*
-al -ic
cyanophoric *Chem. Bot.*
Cyclophorus *Conch.*
-id(ae -oid
Cymatophoridae *Ent.*
cystophore *Mam.*
-a -inae -ine
Cytophora *Prot.*
Dematophora *Mycol.*
dephophore *Leather*
Dictyophorida *Ent.*
Dipterophora *Pal.*
discophore -ae *Zooph.*
eccoproticophoric *Chem.*
ec(*or* k)phore *Psych.*
-ia -ization -ize
electrophore -ic -ous
electrophorus *Elec.*
Electrophorus *Ich.*
-id(ae -oid
electrosemaphore
elytrophore
Eoplacophora *Pal.*
epigynophorius *Bot.*

Epomophorus *Zool.*
ergophore *Biochem.*
erythrophore *Biochem.*
excretophore
fluorophore *Chem.*
gastrophore *Surg. App.*
Gelasinophorus *Porif.*
Gephyrophora *Pal.*
gluciphore *Chem.*
Goniophora *Pal.*
gonophore -ic -us *Bot. Physiol. Zooph.*
grammatophore *Zool.*
gyn(a)ecophore -al -ic
gynophore -ic *Bot. Zool.*
Gyrophora -aceae -ic *Bot.*
gyrophoric *Bot. Org. Chem.*
haptophor(e -ic -ous *Biol.*
haptophorica *Med.*
hedyophore *Chem.*
Helophoridae *Ent.*
hemophoric *Anat.*
heterophoralgia *Ophth.*
Hexasterophora *Spong.*
Histiophorus *Ich. Mam.*
-id(ae -oid
homobiophorid *Biol.*
Hormiphora *Coel.*
Hymenophoreae *Bot.*
hyperphoric *Petrol.*
hysterophore *Med.*
Ictiophoridae *Ich.*
indophor *Chem.*
isophorone *Chem.*
Istiophorus -idae *Zool.*
katharophore
Kynephorus *Helm.*
Lichnophora *Infus.*
-idae -inae
lithiophorite *Min.*
Lophiophora *Porif.*
Lophophora(l *Bot.*
Lophophorus *Ornith.*
-inae -in(e
luminophore -ic *Chem.*
Macrophysaliophora
Mastophorus *Porif.*
Megasclerophora(n
melanophore *Cytol.*
Microrhizophora *Pal.*
Microsclerophora *Spong.*
Monophoraster *Pal.*
myophore *Conch.*
myophoric *Brachiop.*
myophrisca *Biol.*
nectophore *Zool.*
nematophore *Coelent.*
-a(n
odontophore *Mol.*
-a(l -an
Odontophorus *Ornith.*
-inae -in(e
oligophorous
ombrophore *Med. App.*
ommatophore *Mol.*
Oncophora *Porif.*
Onychophori -an *Ent.*
ophthalmophore -ium
orthophoric *Optics Path.*
osmophore *Chem.*
osteophor(e *Surg. App.*
ostracophore -i *Ich.*
oxygenophore *Mech.*
ozonophore *Cytol.*
parachromophore -ic
pathophoric *Med.*
Phloeophora *Prot.*
phonophore -i -ous
phor-
acanthus *Pal.*
anthium *Pal.*
ia *Optics*
idae *Bot.*
opter *Opt. App.*
optometer

-phora(n *Conch. Zooph.*
Acephalo Aplaco Astero Axono Basommato Calyco Cephalo Chondro Concho Cteno Disco Gasteropodo Gasteroptero Glosso Gnatho Nautilo Phragmo Physo Placo Polyplaco Rhabdo Sepio Stylommato Theco Xeno
Phora -id *Ent.*
-phora *Ent.*
Anoplo Antho Diammato Dictyo Ditricho Grono Habro Hetero Homalo Micrognatho Onycho Pelidno Perni Phyma Polytricho Porphyro Pristero Pseudaphro Psoro Pylo Rhyncho Rhyso Rhytido Schizo Spilo Sullimno Trachelo Xyalo Zeugo
-phore -ic -ous -φορος as in καρποφόρος, φυλλοφόρος
-phore *Bot.*
adeno andro(gameto) anther(idi)o arche(*or* i)gonio asco basidio carpo chloro chrom(at)o clathro conidio droso elatero gameto gonidio gono gynandro gyno(gameto) hymen(i)o lopho macrospor(angi)o microspor(angi)o phaeo pseudotricho pycnidio sperma(tio) sperm(at)o spor(angi)o theca tricho zoosporangio zygo-
-phorous *Bot.* sporo adeno andro asco conidio gono hormo isidio scyphi spermato spor-
-phorous *Med.* (angi)o adeno aero choano chromato gnatho gono hemato parachromato patho spodo
-phorous *Zool.*
acephalo ac(*or* k)erato andro antho aplaco axono basommato calyco cephalo chaeto chondro cnido cteno disco glosso gnatho gono gyn(a)eco hexastero labido microsclero mitre myo nemato odonto ommato onycho ophthalmo ostraco phloeo phragmo physo placo pleuro pneum(at)o pneumono polyplaco pseudocerato rhabdo rhyncho scypho semio spermato stomato stylommato tricho
-phorum *Bot.*
andro calathi cephalo hymeno spermatopodo sperm(od)o sporangio stylo tricho
-phorus *Ent.*
Calymato Cratero Dictenio Eurino Grammo Harmo Harpi Heleno Helo Mysto Pachne Paratrachelo Pedilo Pilio Plegano

-phorus Cont'd
Poro Pygidi Rhip(id)o Rhyncho Saro Seleno Soma Spheno Stigma Tele Thoraco Tmesi Tropido Typo
-phorus *Pal.*
Buno Canthelio Cledo Histionoto Lopado
photophore
physaliphore *Biol.*
Physiphora *Hydrozoa*
physophore *Zooph.*
-ae -id(ae -ida -oid
Pithophora -aceae *Algae*
Plasmodiophora *Fungi*
-(ae)eae -aceous -ales -us
Pleonasterophora *Pal.*
pleurophorites *Malac.*
Pleurophorus *Conch.*
pneophore *Med. App.*
pneumatophore
pneumonophore *Echin.*
Pneumophora *Echin.*
Polygastrophora *Helm.*
polyplacophore *Conch.*
Polyplaxiphora
precipitinophoric *Phys.*
precipitophore *Biochem.*
Pristiophorus
-id(ae -oid
Prophoraula *Ent.*
psychophore
pterygiophore *Ich.*
pterygophore *Med.*
Raphiophoridae *Pal.*
resinophor(ous *Chem.*
retinophora(e *Zool.*
rhacophorus
rheophore -ic *Elec.*
rhinophor(e -ium *Conch.*
Rhipi(do)phorus *Ent.*
-id(ae -oid
rhizophoretum *Bot.*
rhynchophore -an *Ent.*
sapiphore *Chem.*
Sarciophorus
scolopophore *Ent.*
scopophorine
scyphophore -i *Ich.*
semaphore -ic(al(ly -ist
semaphoretic *Math.*
Semiophorus *Ich.*
sepiophore *Conch.*
sigmatophore *Spong.*
-a -ous
somnaphor
spermatophore -al *Biol. Bot. Zool.*
spermophorium *Biol.*
Sphaerophorus -aceae
spirophore *Med.*
sporophoric *Bot.*
Sternophorus *Arach.*
Stolephorus *Ich.*
-id(ae -oid
Stomatophora *Prot.*
stomatopteraphora
Stylephorus -idae *Ich.*
Synphoria *Pal.*
tachyphore *Elec.*
tannophore *Org. Chem.*
teleophore *Zooph.*
teleoplacophore *Conch.*
Telephorus *Ent.*
-idae -inae
thalamephoros -us *Ant.*
Thalamophora *Prot.*
Thecophora *Herp.*
Thelephora -us *Fungi*
-(ac)eae -(ac)eous -oid
thermophore *Phys.*
thermopsychrophorous
Thyreophora *Pal.*
toxiphoric

toxophore -ic -ous *Chem.*
trichophore -us *Ent.*
trichophoric
trichophorus *Pharm.*
Trichophorus -etum *Bot.*
Triodontophorus *Helm.*
Trochophora *Helm.*
trochophore *Embryol.*
Tulophorites *Pal.*
Tylophora *Bot.*
tylophorin *Mat. Med.*
Tympanophorus *Ent.*
typhophor *Med.*
xantholeucophore *Chem.*
Xenophorus *Conch.*
-id(ae -oid
Zanclophorus *Helm.*
zymophore -ic -ous

φορτικός fit for carrying
Oxyphortica *Ent.*
Phorticosomus *Ent.*

φορυκτός stained
Phoryctus *Ent.*

Φορωνίς Phoronean
Phoronis *Helm.*
-idid(ae -idoid

φράγμα a fence, enclosure
arthrophragm *Anat.*
cephalophragm(a(tic
costodiaphragmitis *Path.*
cystiphragm *Helm.*
Diphragmida *Zool.*
endophragm(a(l *Crust.*
Hyalophragmiae *Fungi*
Megaphragma *Ent.*
mesophragm(a(l *Ent.*
metaphragm(a(l *Ent.*
periphragm *Bot.*
Phaeophragmiae *Fungi*
phragma *Bot. Zool.*
phragmatic
phragmatospore *Bot.*
Phragmidiothrix *Bact.*
Phragmidium *Fungi*
phragmiger *Bot.*
prophragm(a *Ent.*
telophragma *Anat.*
triphrag ium

φραγμίτης growing in hedges
Phragmites -etum *Bot.*

φραγμός = φράγμα
Cryptophragmus *Pal.*
Diphragmoceras *Zool.*
phragmo-
basid *Fungi*
ceras *Moll.*
cone -ic *Zool.*
cytteres *Ent.*
phora -ous *Conch.*
phragmoid *Fungi*
plast *Bot. Cytol.*
pora -ella *Pal.*
siphon
sphere *Bot.*
sporeae *Fungi*
Tetraphragmoxylon *Pal.*

φρακτος fenced
acanthophract *Prot.*
a ae an ida ous
ethmophract *Zool.*
pamphract
Phractamphibia *Herp.*
Phractoporella *Pal.*
Prunophracta(n *Prot.*
Sphaerophracta(n

φρασις(εως) speech
hemiphrase *Music*
holophrasis -ic
phrasm
palimphrasis
phrase
-al -er -ical -ify -iness

phrase Cont'd
-ing -less -man -mark
-monger(er -y
phraseo-
gram
graph(y -ic
logy -ic(al(ly -ist
-phrasia *Med.*
a ango brady dys echo embolo pali(n) poly pseudopara pykno tachy
rephrase
unphrased

φράσσειν to fence in
urethrophraxis *Med.*

φραστηρ an expounder
Phrasterothrips *Ent.*
φραστικός expressive
holophrastic
monophrastic
neophrastic

φρατρία a brotherhood
phratria -y
subphratric *Evolution*
subphratry *Pol.*
φρατριακός (Demosthenes)
phratriac
φράτωρ one of a φρατρία
Phrator *Ent.*
phrator *Gr. Ant.*
phratral *Gr. Ant.*

φρεατ- Stem of φρεαρ tank
phreatic
Phreatichthys *Ich.*
Phreatus *Ent.*
φρεατο- = φρεατ-
phreatophytes *Bot.*

φρεν- Stem of φρην
phren-
algia
asthenia *Anat. Psych.*
hypnotic *Psych.*
iatric
phrenico-
colic gastric hepatic splenic tomy
phrenodynia *Med.*
phrenosin(e -(in)ic *Chem.*
phrenosis *Psych.*

φρεναπάτης soul-deceiver
Phrenapates *Ent.*

φρένησις = φρενῖτις
enfrenzy
frenzy
-ic(al -ied -ily -iness
parafren(e)sic
paraphrenesis *or* -ia *Path.*
phrenesis -ia(c *Path.*
phrensy -ic
φρενητικός (Epict.)
frantic
(al)ly (al)ness
franzy *Dial.*
frenetic(al(ly
phrenetic(al(ly
ness ula
phrenitic
φρενιτικός (Hipp.)
paraphrentic *Path.*
φρενῖτις (Hipp.)
paraphrenitis
phrenition
phrenitis *Path.*
phrentic

φρενο- Comb. of φρην
cynophrenology
phreno-
cardia *Med.*
colic *Anat.*

phreno- Cont'd
colopexy *Surg.*
costal *Anat.*
gastric *Anat.*
glottic *Anat.*
gram
graph(y
hepatic
hypnotism
logy -er -ic(al(ly -ist -ize
magnetic -ism
mesmerism
narcosis *Path.*
nomy
paralysis *Path.*
pathia -ic -y
pericarditis *Path.*
physiognomy -ist
plegia -y *Med.*
ptosis *Med.*
spasm *Med.*
splenic *Anat.*
sterin -ol *Biochem.*
type -ic(s

φρενοβλάβεια Fr. βλάβη hurt
phrenoblabia *Ps. Path.*

φρεορυκτης a well-sinker
Phreoryctes *Helm.*
-id(ae -oid

φρήν breast; heart; mind
hebephreniac *Ps. Path.*
hypophrenosis *Ps. Path.*
phren
ic(s ism(us ula us
-phrenia *Path. Psych.*
a cata hebe hyper hypo ideo lipo neo oligo para pfropfhebe presbyo schizo tachy
-phrenic *Anat. Psych.*
gastro hebe hypo ideo idio musculo oligo pericardi(ac)o schizo spleno sub
schizophren(osis *Ps.*
Siphonophrentis *Pal.*
zaphrenitis *Pal.*
Zaphrentis -idae *Zooph.*

φρητίον a small φρέαρ
phretiad -ium *Phytogeog.*
phreto- *Phytogeog.*
philus phyta

φρικασμός a shuddering
phricasmus *Path.*

φρικτο- Comb. of φρικτος
phrictopathic *Med.*
φρικτός horrible
-phrictis *Ent.*
Atopo Echino

φριξο- Comb. of φρίξ a bristling (of hair)
Phrixometra *Echin.*

φρίσσειν to bristle
Phrissoma *Ent.*

φρονεῖν to think
phronetal

φρονημα thought; spirit
phronema *Anat.*
phronetum -ic *Anat.*

φρονήσις good sense
aphronesia *Ps. Path.*
phronesis

φροντιστήριον a school
phrontisterion -ium -y
φροντιστης a thinker
phrontist

φρύγανα (Theophr.)
Phrygana *Bot.*
φρυγανο- Comb. of φρύγανον
Phryganophilus *Ent.*

φρυγανον a dry stick
Nannophryganea *Ent.*
Phryganea *Ent.*
-eid(ae -eides -eoid
Phryganopsis *Ent.*

φρυγειν to roast or fry
fry (prob. fr. Latin)

Φρυγιος of Phrygia
Phrygian(ize

φρυνη a toad (Arist.)
Caulophryne *Ich.*
Dendrophryniscus *Herp.*
-id(ae -oid
Linophryne
Phrynesthis *Ent.*
phrynin *Chem.*
Pterophryne *Ich.*
Rhinophryne *Herp.*
-id(ae -oid
Spelaeophryne *Herp.*
Thalassophryne *Ich.*
φρυνο- Comb. of φρυνος
antiphrynolysin *Tox.*
phryno-
colus *Ent.*
lysin *Chem.*
pora *Pal.*
rhombus *Ich.*
soma *Lizards*
suchus *Pal.*

φρῦνος = φρύνη
Phrynus *Arach.*
-id(ae -ida -ides -oid
Protophrynus *Pal.*
Thelyphrynus *Pal.*

Φρύξ a Phrygian
Gymnophryxe *Ent.*

φυάς (-άδος) a shoot, sucker
heterophyadic *Bot.*
homophyadic *Bot.*
sporophyas *Bot.*

φυγαδεύειν to banish
Ceratophygadeuon *Ent.*

φυγάς a fugitive
Heliophygus *Ent.*
Phygasia *Ent.*

φυγή flight
galactophygous *Gynec.*
Notiophygus *Ent.*
Philophyga *Ent.*
photophygous *Bot.*
Xerophygus *Ent.*
φυγο- Comb. of φυγη
Ergasiophygophytes
phygo-
blastema *Lichens*
galactic *Med.*
poda *Ent.*

φυειν to produce, grow
antrophyum *Bot.*
ascophyses *Bot.*
dysphuistic
Eriophyes -idae *Zool.*
onychophosis *Med.*

φυή growth
Heterophyes *Helm.*
Phiomys *Pal.*
-phya *Ent.*
Macro Tricho
-phyes *Ent.*
Chaeto Habro Polytricho
phyo-
gemmarium -ian

φυκίς ?the forked hake
Phycis -inae *Ich.*
Urophycis *Ich.*

φυκῖτις a precious stone
Phycita -id(ae *Ent.*
phycite *Min.*
Phycitimorpha *Ent.*

φυκο- Comb. of φῦκος
phyco-
brya *Bot.*
bryophytes *Bot.*
cecidia *Phytopath.*
chrom(e *Algae*
aceae aceous acetum
chromo-
phyceae -eous
protein *Biochem.*
chrysin *Chem.*
cyan(in(e *Algae*
cyanogen *Org. Chem.*
domatia *Bot.*
erythrin(e *Biochem.*
graphy
haematin *Algae*
lichenes *Bot.*
logy -ical -ist
mater *Algae*
myces *Fungi*
mycete(s -eae -ous
nomus *Ent.*
phaein(e *Biochem.*
phyta *Bot.*
porphyrin *Pigments*
pyrine *Protozoa*
pyrrhine *Pigments*
scope *Bot.*
stemones *Bot.*
xanthin(e *Biochem.*

φῦκος seaweed
cyanophycean in *Bot.*
fucivorous *Zool.*
fucohexonic *Org. Chem.*
fucoid(es -al -eae *Bot.*
fuconic *Org. Chem.*
fucose -an *Org. Chem.*
fucoxanthin *Org. Chem.*
fucus *Arts*
Fucus -ous *Bot.*
fucusol
myxophycin *Bot.*
phaeophycean *Algae*
-phyceae *Bot.*
Chloro Crypto Cyano Hydro Melano Myxo Nemato Phaeo Proto Rhodo Schizo Zygo
-phyceous *Bot.*
chloro cyano phaeo rhodo schizo
phycic *Chem.*
-phycus *Pal.*
Nemato Palaeo Spheno
phykenchyma *Algae*

φυκτός to be shunned
-phycta *Ent.*
Ne Pezo

φυκωμα a cosmetic
phycoma *Algae*

φυλακιστής a jailer
phylacist

φυλακτ- Stem of φύλαξ
phylacto-
carp(al *Hydrozoa*
l(a)ema -ata -atous
φυλακτήριον an amulet
philatory
phylacter(y -ium
ed ic(al ian ize
Phylacteris *Ent.*
φυλακτικός preservative
anaphylactia *Med.*
-in -ize
anaphylacto- *Biochem.*
gen(ic
genesis
toxin
anaphylatoxin & -is
antianaphylactin *Chem.*
-phylactic *Ther.*
a ana antic(*or* k)ata apo ec epi eso

Phylacticus *Ent.*
pyophylactic *Med.*
rhodophylactic *Pigments*
φύλαξ a guard, protector
chartophylacum
endophylaxination *Tox.*
Melambiophylax *Ent.*
Nesophylax *Ornith.*
Pentaphylax *Bot.*
phylacogogic *Med.*
Phylax *Ent.*
φύλαξις protection
dysphylaxia *Med.*
ectophylaxination
phylaxin *Biochem.*
-phylaxin *Biochem.*
myco tox(ic)o
phylaxis *Med.*
-phylaxis *Med.*
a(an anti)ana apo cata ec epi exohemo kata pro skepto tachy topo ultrapro
prophylaxy *Med.*
rhodophylaxis *Chem.*

φυλαρχία (Arist.)
phylarchy -ic(al
φύλαρχος (Herodotus)
phylarch

φυλετικός (Plato)
monophyletic *Zool.*
monophylitic *Zool.*
ontophyletic *Psych.*
phyletic(al(ly *Biol.*
-phyletic *Biol. Bot.*
di hetero hexa homo inter intra penta pleo poly tetra tri
polyphyletically
φυλετισμός
phyletism *Eccl.*

φυλή clan, local group
-φυλία as in συμφυλία
anaphyl(o)-
embryonic *Biol.*
diagnosis *Med.*
phyle -ic *Gr. Pol.*
phylesis *Biol.*
-phylesis *Biol.*
mono poly
-phyly *Biol.*
blasto cormo histo morpho organo physio
tetraphyline *Min.*

φυλλάζειν to get leaves
apophyllite *Min.*

φυλλάριον Dim. of φύλλον
phyllary *Bot.*
-phyllary *Bot.*
cata hypso macrosporo microsporo sporo

φυλλάς (-άδος) foliage
phyllade *Bot.*
polyphylladea *Bot.*

φυλλεῖα small herbs
Diphulleia *Prot.*
-φυλλία as in ἀειφυλλία
-phylly *Bot.* στενοφυλλία
amylo aniso anthero antiketero chylo coleo cory epi gyno hetero iso lepyro mediananiso mega megalo meio ovario pleio saccharo sclero

φύλλινος of leaves
phyllin *Chem.*
-phyllin *Bot. Chem.*
aetio caulo cerato cyano digito erythro etio glauco glycy hemo macro metachloro micro(picro)podo phyllo proto pyrro rhodo rubi theo xantho

phylline *Bot.*
-phylline *Bot. Chem.*
caulo epi macro micro podo proto(chloro theo xantho
φύλλιον Dim. of φύλλον
paraphyllium *Bot.*
Phyllium *Ent.*
Φυλλίς Fr. φύλλον
Phy(*or* i)llis *Lit.*
φυλλίς foliage
Phyllis *Bot.*
φυλλίτης of leaves
anthophyllitic *Min.*
asterophyllite(s *Pal. Bot.*
eisenanthophyllit *Min.*
phyllite -ic *Min.*
-phyllite *Min.*
antho astro baryto chalco cryo ferroantho gano gelpyro helio kera lampro lithio-manganotri magnesio mangano metachalco molybdo nema okto phospho (pseudo)pyro radio rhodo sidero spodio thermo uran(o) xantho zeo zeu
Phyllites *Pal. Bot.*
pyrophyllitization *Min.*
φυλλῖτις (Diosc.)
Phyllitis *Bot.*
φυλλο- Comb. of φύλλον
amphiphyllosiphony
aphyllopodous *Bot.*
Aphyllopteris *Pal.*
autophyllogeny *Bot.*
caulophyllo- *Org. Chem.*
sapogenin saponin
chlorophyllo-
gen *Biochem.*
plast *Bot.*
dichophyllotriaene
Diphyllobothrium *Helm.*
Diphyllocera *Ent.*
epiphyllospermous *Bot.*
keraphyllocele *Vet.*
Lithophyllodendron *Pal.*
Microphyllopteris *Pal.*
orthophyllotriaene
Paraphyllopora *Pal.*
periphyllogeny *Bot.*
phyllo-
bioides *Ent.*
biology -ic *Bot.*
blastus *Bot.*
bothrium *Helm.*
-iid(ae -ioid
branchia(e *Crust.*
-ial -iate
branchus *Conch.*
-id(ae -oid
cactus *Hort.*
campyli *Mol.*
carid(a(n *Crust.*
carpous -ic *Bot.*
caulon *Bot.*
ceras *Cephal.*
chromogen
clad(e -ium *Bot.*
ioid ous
cladoxylon *Pal.*
colly *Bot.*
crinidae *Pal.*
cyanic -ic *Chem.*
cyst(ic *Zooph.*
decta *Ent.*
dermia *Porif.*
dulcin *Biochem.*
erythrin *Biochem.*
fuscin
gen(ous *Bot.*
genetic *Bot.*
glossum *Bot.*
graptus

phyllo- Cont'd
harpax *Ent.*
hemin *Biochem.*
hemochromogen *Chem.*
lobeae *Bot.*
maeus *Ent.*
mania *Bot.*
medusa -idae
metalla *Ent.*
morph(ic ous y *Bot.*
morphosis *Bot.*
necrosis *Bot.*
pertha *Ent.*
phaein *Chem.*
phaga(n -ous *Ent.*
phagist
phyllin *Biochem.*
phyte *Bot.*
pod(a *Crust.*
al an iform ous
pode -ium *Bot.*
pore *Bryozoa*
porphyrin *Biochem.*
pseuste(s *Ornith.*
ptosis *Bot.*
pyrrol(e -idene *Chem.*
rhine *Mam.*
-a -inae -ine
rhize *Bot.*
ropy -ic *Bot.*
scopus -ine *Ornith.*
siphony -ic *Bot.*
some -a *Crust.*
somata *Zool.*
sperms *Bot.*
spondyli -ous *Pal.*
stachys *Bot.*
sticta -ose *Bot.*
stome -a *Zool.*
-(at)id(ae -(at)inae -(at)in(e -(at)oid
tactic(al *Bot.* -(at)ous
taonin *Biochem.*
taxis -y *Bot.*
tillon *Pal.*
treta
triaene *Spong.*
type *Bot.*
xanthin(e *Chem.*
xera *Ent.*
-al -ated -ic -inae
zooid *Medusae* -ize
podophyllo- *Chem.*
quercitin toxin
Prophyllocrinus *Pal.*
pseudophyllo-
mimus *Ent.*
podous *Bot.*
symphyllotriaene *Spong.*
φυλλόειν clothe with
Phylloma *Ent.* leaves
φυλλομαντεια (Psell.)
phyllomancy
-φυλλον as in μυριόφυλλον (Diosc.)
-phyll(um *Bot.*
φύλλον a leaf
achlorophyllaceous
biprophyllatus
blastophyllum *Embryol.*
Brachyphylloideae *Pal.*
Calyptrophyllum *Arach.*
Camptophyllia *Crust.*
ceratophyll- *Bot.*
(ac)eae (ac)eous etum
chlorophyll- *Bicohem.*
an ase id(e in
Chylophyllae -ous *Bot.*
clisiophyll(um id *Conch.*
Conchophylla *Crust.*
-an -ous
cormophyllaceous *Ferns*
cyathophyll- *Zooph.*
id(ae inae ine oid(ea(n
Cyrtophyllum *Ent.*
Cystiphyllidae *Helm.*

Diphylla *Zool.*
-id(ae -idea(n
Diphyllidia -iid(ae *Zool.*
echlorophyllose *Bot.*
Endophyllaceae *Bot.*
Epiphyllae *Bot.*
Gymnophila *Crust.*
-an -ous
helophylium *Bot.*
Heterophylii -ous *Conch.*
hydrophyll- *Bot.*
(ac)eae aceous ium
hymenophyll- *Bot.*
(ac)eae aceous
Indophyllia *Pal.*
Lamprophyllum *Ent.*
Litophyllus *Arach.*
Megalophylla *Bot.*
megaphylous -idae *Bot.*
meioph *Bot.*
mesophyllic *Bot.*
Metachlorophylla *Bot.*
microphylloid *Bot.*
myriophylletum *Bot.*
Myrtophyllum *Prot.*
Notophylla *Crust.*
-an -ous
Oligophylla *Bot.*
Periphylla -idae *Prot.*
Periphyllia *Bot.*
phillilesia *Phytopath.*
Philotria *Bot.*
phyll(a *Bot.*
phyll-
actinia -ose *Bot.*
aescitamin *Org. Chem.*
anthus -eae *Bot.*
aurea *Bot.*
erythrin *Bot.*
ic
idia *Conch.*
-iid(ae -ioid
idiobranchiate -a
idium *Biol.*
iform *Bot.*
oid(al -eous
ornis *Ornith.*
ula -e *Bot.*
-phyll *Bot. Chem.*
alkachloro allochloro andro anilo antetro-phosporo basi carpo cata chloro chromo chryso(chloro xantho) clado coleo cyano di-phoro diplo entero-chloro epi erythro etio gameto gonidio haplo helio(xero) hemi hetero hydro hypso iso-photo lepto litho ma-cro(sporo) medicago mega(sporo) meio me-lano meri meso micro-(sporo) nano necro-chloro neutro peri phaeo phaio pro proto-(chloro pseudo pyrrho rhodo scio spongo sporo stauro tropho tropo xantho
-phylla *Ent.*
Callo Chari Dia Megisto Picro Trigono
Phyllachora *Fungi*
-phyllum *Bot.* (& Pal.)
Alisma Brachy Bryo Bulbo Calo Campylo Caulo Cerato Cercidi Chryso Citro Clado Coleo Cteno Dictyo Endo Grammato Harpe Hymeno Lauro Leio Lepido Meso Muso Myrio Myrsi Paradi Paraphoto Podo Ptero

-phyllum Cont'd
Rhaco Rhaphido Schizo Sciado Spheno Taenio Xero Zygo
-phyllum *Bot.*
cata encho epi(di) hydro hypso idio meso para pera peri pro proto sporo
-phyllum *Pal.*
Cratero Cysti Diptero-carpo Gonio Grabau Helentero Lebe Lophocarina Pseudoptilo Psygmo Timoro Vepresi
-phyllum *Zooph.*
Amygdalo Aphro Chondrio Cosmo Cyatho Diphy Helio Lekano Leno Pseudo-zono Zono
Pleurophillidia *Conch.*
-iid(ae -ioid
podophyllic -ous *Chem.*
prophyll- *Bot.*
atus oid on
Pseudophyllidea *Helm.*
Pteridophylla *Pal.*
Rhinophylla *Mam.*
Semiphyllidia -iidae
sphenophyll- *Bot.*
aceae aceous ales
subpodophyllous *Geol.*
Tetraphyllidea(n *Helm.*
Tetraphyllus *Ent.*
Tinophyllus *Ent.*
Trachelophyllum *Prot.*
-id(ae -oid
xanthophylins -idrine
zygophyll- *Bot.*
(ac)eae aceous
φυλλορρόος leaf-shed-
Phyllirhoe *Conch.* ding
-oid(ae -ooid
-φυλλος Comb. of φύλλον as in ἑπτάφυλλος, λευκόφυλλος
-phyllous *Bot.*
achloro adeno agamo allago aniso anomo apo argyro arti brachy cerato chiono chori choristo chryso coleo dasy deca dia dialy eleuthero endeca endo ennea epi exo gamo gymno hecato hendeca hetero hexa homoeo hypso ino iso ithy kera lepido litho macro malaco mega meso micro nomo octo oligo pleio poro quadri rhodo sclero sym tetra thero xantho xipho
-phyllus *Bot.*
aci aio bipenta codio melano stauro
φυλλοτόκος producing leaves
Phyllotocus *Ent.*
φυλλοφόρος bearing leaves
Palaeophyllophora *Pal.*
phyllophore -ous *Bot.*
φυλλώδης (Theophr.)
Diphyllodes *Ornith.*
euphyllode *Bot.*
phyllode *Bot.*
-ial -ic -in(e)ous -iniation -ium -y
pseudophyllodic
sporophyllody *Bot.*
symphyllode -ium *Bot.*

synphyllodium
φύλλωμα foliage (Diod.)
amylom(e
antephyllome *Bot.*
phyllome -a -ic *Bot.*
triphyllome *Bot.*
φυλο- Comb. of φῦλον
phylo-
blatta *Pal.*
cycle -ic *Ethnol.*
genesis *Biol. Bot.*
genetic *Biol. Bot.*
geny -al -ic -ist *Biol.*
gerontic *Biol. Ethnol.*
graphy *Ethnol.*
logy -ical *Biol.*
mylacris *Pal.*
neanic *Biol.*
nepionic *Biol.*
patris *Ent.*
porphyrin *Biochem.*
ptera -ous *Ent.*
trophy *Biol.*
xanthin *Biochem.*
phytophylo- *Bot.*
genetic geny
φῦλον a tribe, race
Hesperophylum *Ent.*
phyl-
embryo(nic *Embryol.*
ephebic *Ethnol.*
phylon -um *Biol.*
subphylum -ar *Biol.*
φῦμα inflamed swelling
antiphymin *Mat. Med.*
Aprosphyma *Malac.*
Chonophyma *Pal.*
dioctophyme *Helm.*
hysterophyme *Bot.*
Omphyma *Zooph.*
-phyma *Ent.*
Bryo Chalco Dicrano Tapino
-phyma *Med.*
adeno arthro cephalo em encephalo epi hepato metro oario omphalo onycho osteo rachi rhino scrofulo syphilo tarso tenonto thyr(e)o tracheo urethro
phyma *Path.*
phymacerite *Crust.*
Phymaphora *Ent.*
Phymaraphininae *Pal.*
Phymata -id(ae -oid(a
phymatiasis *Path.*
phymatic *Path.* -in *Chem.*
Phymatoceras *Cephal.*
phymatoid *Path.*
phymatorrhysin *Pigment*
phymatosis *Path.*
Phymatosoma *Ent.*
phymo-
chrom *Mat. Med.*
lepra
-phymus *Ent.*
Acro Brachy Pachy Platy
pneumophymata
rhinophymatous
φυμάτιον Dim. of φῦμα
Phymatioderus *Ent.*
phymatiosis *Path.*
φυματώδης like tumors
Phymatodes -eus *Bot.*
φύξηλις cowardly
Phyxelis *Ent.*
φύξιον a place of refuge
Phyxium *Ent.*
φυομαι spring from
calyphyomy *Bot.*
φυραμα dough
Diphyrama *Ent.*

φυσ- Stem of φυσις
physiatric(al -ics
φῦσα bellows; wind
Anthophysa *Infus.*
Cryptophysophilus *Ent.*
Dermatophysa *Arach.*
Dermophysa
Diplophysa *Zool.*
ethmophysal *Ich.*
lithophyse -a(l *Petrol.*
Merophysia *Ent.*
Ostariophysi *Ich.*
-an -eae -ial
Physa *Gastrop.*
-id(ae -iform -inae -oid
physagog(ue *Med.*
Physapoda *Ent.*
physharmonica *Music*
Scelophysa *Ent.*
φυσάειν to blow, distend
Physea *Ent.*
φυσαλέος full of wind
Physalia *Zooph.*
-iae -ian
φυσαλλίς bladder, bubble
Macrophysaliophora
Physaliadae & -(i)dae
physal(l)iform *Med.*
physalin *Chem.*
physaliphore *Biol.*
physalis *Bot. Cytol.*
Physalispora *Fungi*
physalite *Min.*
physallization *Chem.*
Physalodes *Bot.*
Physaloptera *Helm.*
pyrophysalite *Min.*
φυσάριον Dim. of φῦσα
Physarum *Fungi*
-aceae -ia
φύσημα an inflation
gastrophysema *Spong.*
Haliphysema *Prot.*
-ata -id(ae -oid
physem *Phon.*
physema *Bot.*
Physemaria -ian *Zool.*
Physemus *Ent.*
φυσητήρ blowpipe; whale
physeter *Mam.*
idae inae in(e oid(ea
physetoleic *Chem.*
Prophyseter *Pal.*
φυσητός blown out
Physetops *Ent.*
φυσι- Comb. of φύσις
physi-
anthropy
nosis *Path.*
phora *Hydrozoa*
theism -eistic
urgic
urgoscope -ic
φυσιάειν to puff, pant
Physimerus *Ent.*
φυσικά (Arist.)
metaphysic(s
al(ly ian(ism ist ize ous
neurometaphysical
pamphysicism *Phil.*
parametaphysical
physic
-physic
anti cata meta psycho
physician
ary cy ed er ess less ly ship
physicism -ist
-physicist
astro geo meta photo psycho
physics
-physics
aero astro bio cata chemico cyto geo histo hyper hypo iatro macro meta micro morpho myo psycho stereo zoo
physique
unmetaphysic(al
φυσικο- Comb. of φυσικός
biophysicochemical *Biol.*
physico-
astronomical
biological *Biol.*
chemical(ly
chemist(ry
genic *Med.*
geographical(ly
intellectual
logic(al logist
mathematics -ical
mechanical
medical
mental
miraculous
morph(ic -ism
philosophy -ical
physiological
psychical
theology -ical
theosophical
therapeutic(s
therapy
φυσικός (Arist.)
dephysicalize
eidophysikon
physical
ist ity ly ness
-physical
aero anti astro cata chemico etho extra geo helio hyper hypo iatro macro mathematico medico micro myo pam para photo psycho super theo ultra un zoo
-physically
hyper un
physicum *Educ.*
φυσιο- Comb. of φύσις
physio-
chemical
cracy
crat(ic(al
cratism -ist
genesis *Biol.*
genetic *Biol.*
geny -ic *Biol.*
gnostic
gnosy
gony
grapher
graphy -ic(al(ly
later latry
lith *Archaeol.*
medical(ism -ist
metry -ic
nomy
pathology -ical
pathy -ic
philist
philosoph(er
philosophy
phyly *Biol.*
plastic
psychic
psychology -ical
radiogram
scope -y
sociological
sophy -ic
therapy
type -y *Arts*
zeography *Geog.*
-physiography *Biol.*
anthropo bio micro pal(a)o
φυσιογνωμία (Stob.)
geophysiognomy
phisnomy
phiz
phrenophysiognomy -ist
physiognomy
-er -ist(ry -istic -ize
physiognotype *Arts*
physionotrace
φυσιογνωμικός
physiognomic(al(ly -ics
φυσιογνωμονικός (Sext. Emp.)
physiognomonic(al(ly
φυσιολογία (Arist.)
abiophysiology
(a)esthophysiology
biophysiology *Biol.*
-ical -ist
cerebrophysiology
cytophysiology *Cytol.*
electrophysiology -ical -ist
esthesiophysiology
histophysiology -ical
metaphysiology
-ical -ist *Phil.*
neurophysiology -ical
pal(a)eophysiology *Min.*
physiology
-er -ian -ist -ize
phytophysiology -ical
psychophysiology
-ic(al(ly -ist
radiophysiology -ical
serophysiology *Physiol.*
symphysiology *Bot.*
zoophysiology
φυσιολογικός (Galen)
physiologic(al(ly
-physiological
anatomico chemico ethnico extra physico un-
φυσιολόγος (Arist.)
physiologus
φύσις nature (from growth)
anthropophysite
antiphysis
aparaphysate *Bot.*
basecphysis *Zool.*
Dinophysisacuta *Prot.*
Dyophysite -ic(al *Eccl.*
metaphyseal *Anat.*
morphophysis *Biol.*
Nothophysis *Ent.*
nucleophyses *Fungi*
opohypophysin *Prop.*
organophysis *Biol.*
physitism
pneumophysis *Anat.*
prosphyses *Bot.*
pseudoparaphyses *Bot.*
rhiz(i)ophysis *Bot.*
synarthrophysis *Med.*
triphysite *Eccl. Hist.*
φυσίωσις a puffing up
physiosis *Med.*
φύσκη a sausage; blister
chrysophyscin *Chem.*
Physcia -ioid *Lichens*
physcion *Org. Chem.*
φύσκος = φύσκη
Physcomitrium -icae *Bot.*
φύσκων fat-paunch
physconia -ic -y *Path.*
physcophia *Path.*
φυσο- Comb. of φῦσα
hydrophyso- *Med.*
cele metra
physo-
calymma *Bot.*
carpous -us *Bot.*
cele *Path.*
cephalus *Path.*
clist(i(c -ous *Ich.*
coelia *Path.*
coryna *Ent.*
crotaphus *Ent.*
derma *Fungi*
gastrism *Path.*
gastry -ic -ism *Ent.*
gnathus *Ent.*
grade -a -ous *Zooph.*
h(a)emometra *Path.*
hydrometra *Path.*
lobium *Bot.*
loesthus *Ent.*
metra *Path.*
mycetes *Fungi*
nect(ae -ous *Zooph.*
nota *Ent.*
phore *Zooph.*
-a(e -an -id(ae -ida -oid
pod(a *Zool.*
proctus *Ent.*
pyosalpinx *Gynec.*
rhinus *Ent.*
spermum *Bot.*
stegia *Bot.*
sterin *Chem.*
stigma *Bot.*
stigmia -al -in(e *Chem.*
stigminism *Tox.*
stome *Ich.*
-ata -(at)ous -i
venine *Org. Chem.*
pseudophysostigmin(e
pyophysometra *Gynec.*
φυσώσης windy
physod- *Org. Chem.*
(al)ic in yl
Physodes *Lichens*
φυτ- Stem of φυτόν
phyt-
agglutinin *Biochem.*
albumin -ose *Chem.*
ane -ic -ol *Org. Chem.*
ase *Biochem.*
aster
ate *Org. Chem.*
elephas -antinae *Bot.*
ene -ic *Org. Chem.*
entoscope *Bot.*
eris *Phytogeog.*
ic in *Org. Chem.*
iform
iphaga(n -ous *Ent.*
ivorous
oid *Bot.*
ol *Biochem. Org. Chem.*
oma -ata *Bot.*
onymia *Bot.*
optocecidia *Phytopath.*
optose -is *Phytopath.*
optus -id(ae -oid
osis *Path.*
yl *Org. Chem.*
φυταλιος fostering
Phytalus *Ent.*
φυτεῖον See φυτον
phytum *Bot.*
φύτευμα (Diosc.)
Phyteuma *Bot.*
φυτο- Comb. of φυτόν
autophytograph(y
bryophytogeographic
erythrophytoscope
hemicryptophyto-synusia
hydrophytography
hydrophytology
isophytotone -ous
macrophytoplankton
microphytology
Mycophytophytes
pal(a)eophytology
-ical -ist
phyto-
benthon *Phytogeog.*
bezoar
biology -ical *Biol.*
blast(ea *Bot.*
branchiate *Crust.*
cecidia *Bot.*
chemy -ical -istry
chlore *Bot.* -in *Biochem.*
chrome *Bot.*
coenosium *Bot.*
collite *Min.*
colloid *Chem. Colloids*
coris -id(ae -oid *Ent.*
crene -eae *Bot.*
cyst *Bot.*
dectes *Ent.*
derma *Fungi* -ata *Path.*
dichogamy *Bot.*
domatia *Bot.*
dynamics *Bot.*
ecology -ical -ist
flagellata *Bot.*
flagellida *Bot. Zool.*
gamy
gelin *Algae*
gen(ous *Bot.*
genesis *Biol.*
genetic(al(ly *Biol.*
genic *Petrol.*
geny *Biol.*
geogenesis *Bot.*
geography -er -ic(al(ly
globulin
glyphy -ic
gnomy -ical
gnosis *Bot.*
gonidium *Bot.*
graph(er *Bot.*
graphy -ic(al -ist *Bot.*
haematins *Pigments*
lacca *Bot.*
-aceae -aceous -ad
laccic -in *Org. Chem.*
laema *Ent.*
latry
lite lith *Bot.*
lithology -ical -ist
logy -ic(al -ist
lysis *Bot.*
mania
mastigoda(n *Prot.*
mastigopod *Bot.*
melan(e *Biochem.*
melin
mer *Bot.*
meter -ric -ry *Bot.*
monadina *Bot.*
monas *Bact.*
monera *Bot.*
morphic
morphology *Bot.*
morphosis *Bot.*
myia -yidae *Ent.*
myxaceae *Fungi*
nomy *Bot.*
pal(a)eontology
-ical -ist
parasite *Bot.*
pathogenic *Phytopath.*
pathology
-ic(al -ist
phaga *Zool.*
-an -ic -ous
phagy
phenology -ical *Bot.*
phil(e -ous *Zool.*
phthire -ia(n *Ent.*
phthora *Fungi*
phylogenetic
phylogeny *Bot.*
physiology -ical

phyto- Cont'd
plankton *Prot.*
plasm *Bot.*
pleuston *Phytogeog.*
precipitin *Med.*
proterandry *Bot.*
psyche *Biol. Phil.*
pyrrol *Biochem.*
rhodin *Biochem.*
saurus *Herp.*
-ian -id(ae -oid
scopy -ic
sociology -ical *Bot.*
sophy
statics *Bot.*
steral -in -ol(in *Chem.*
strote(s *Phytogeog.*
synthesis *Biochem.*
taxonomy *Bot.*
taxy *Morphol.*
techny -ic
teratology -ic -ist
terosia
thallea *Bot.*
theology
toma *Ornith.*
-id(ae -oid -ous
tomous *Ent.*
tomy -ist *Histol.*
tonic *Bot.*
topographical
toxin *Tox.*
tribus *Ent.*
trichobezoar *Med.*
trophia *Bot.*
vitellin
xylin *Chem.*
zoa(n zoid zoon zoum
zoaria *Zool.*
zoida *Prot.*
zooflagellata *Bot.*
Prophytogams *Bot.*

φυτόν a plant, tree
-φυτον as in ἡλιόφυτον, ζωόφυτον
acidosteophyte *Anat.*
allophytoid *Bot.*
antiphytosin *Mat. Med.*
apophytial *Bot.*
Astrophyton *Echin.*
-(on)id(ae -(on)oid
chamaephytion *Bot.*
cormophytasters *Bot.*
endophytal -ically *Bot.*
endophytous *Ent.*
entomophytal *Bot.*
entophyte *Biol.*
-al -ic(ally -ous
eophyte -ic -on *Pal.*
epiphyte *Bot.*
-aceous -al -ic(al(ly -ism(s -oid -otic -ous
euphytoid *Bot.*
Glossophytia *Bot.*
h(a)ematophyte *Bact.*
harpagophytum *Bot.*
Histophytia *Bot.*
Holophyta *Pal.*
holophyte -ic -ism *Biol.*
hydrophytic *Chem.*
Hydrophyton -us *Zooph.*
hysterophytal *Fungi*
isophytoid *Biol.*
keratophyte -a *Zool.*
lepidophytal *Pal. Bot.*
lithophyte *Bot. Zool.*
-ic -on -ous
lophophyte -ic *Spong.*
Mesophytia *Bot.*
microgametophyte -ic
microphytal *Bot.*
Myrmeciophytum *Pal.*
nosophyte -a *Path.*
oceanophyticus *Bot.*
osteo(chondro)phyte
osteophytic -is *Path.*
panhistophyton *Histol.*
paraphyte -on *Med.*
periosteophyte *Path.*
phaeophytin *Biochem.*
phanerophytion
-phyta *Bot.*
Acaro Agamo Ano Antho Bryo Caryo Cerato Chloro Chryso Cormo Embryo Euspcro Euthallo Gypso Histo Hydrotribo Hystero Lauro Meta Myxo(thallo) Namato Oo Opo Phyco Procormo Protopterido Pterido(sperma) Rhodo Schizo Scio Sperma Sperm(at)o Thallo
-phyta *Phytogeog.*
Acro Acto Agro Aigialo Aiphyllo Aithallo Amatho Ammochtho Anco Bathy Chalic(id)o Chiono Cledo Conophoro Corypho Creno Dendro Drimy Enantio Eremo Euroto Geo Halo Helohyla Helolochmo Helorgado Hydro Hylo Limn(od)o Litho Lochm(od)o Lopho Macrothermo Melangio Nomo Oceano Ochtho Orgado Oro Oxygeo Oxylo Oxyly Pago Pedio Pelago Pelochtho Petro Petrochtho Phello Phreto Ponto Poo Potamo Psamatho Pteno(phyllo thallo) Rhoo Rhyaco Sathro Scoto Spilado Staso Sterro Syrtido Taphro Telma Thalass(i)o Thino Tipho Xero(hylo poo) Xylo
phytadiene *Org. Chem.*
-phytae *Bot.*
Cherado Schizo
-phyte *Bot.*
aero amorpho amphi anaero ana(rhizo) andro anemo ano antho anthropo arthro asomato aulo auto axo bentho bio bryo carnivoro carpo(sporo) cerato chasmo(chomo) chomapo conifero copro coromo crymo cryo crypto cteno cuma cycado derm(at)o diodo disso ecto embryo endo ento eo epi eremo erico eugamo exochomo gameto gamo geo(crypto) ginkgo gloeo gyno gypso halo hemiauto hemiepi hemisapro hetero holo(sapro) hydro hygro hyl(od)o hystero iso leimonapo lepido litho macro mentagra meri mesochthono meso(phanero sapro thermo) meta(gamo sporo) micro(thermo) myco myrmeco myxo nitro oceano ombro oo ortho oxy para phaeo phanero phyllo plankto poo progameto protoepi protosporo psammo pterido pyro rhizo sap-
-phyte Cont'd
ro sarco schizo scio sclero skio somato sperma sperm(at)o sporo teleo tetrasporo thalass(i)o thallo thero trichoma tricho tropho tropo ustero Xenio xero zygo
-phytes *Bot.*
Amphi(crypto) Ansio Aphtha Apo Archaeo Arhizo Chamae Charo Cherso Cycado Ditropho Drymo Dysso EmoEndolithoEphemero Epoiko Eremio Ergasialipo Ergasiapo Ergasio(phrygo) Eugeo Exolitho Geo Helio Helo Hemero Hemicrypto Heterogeo Holendo Hydrocrypto Hygro Hypertro Kenapo Litho Macrophanero Mega(phanero) Microphanero Mycophyto Myrmeco Nanophanero Oekio Pelo Petro Phalarsi Phanero Phreato Phycobryo Placo Ploto Protohemicrypto Pseudocormo Rhizolitho Saprogeo Sphagno Xerogeo
-phytia *Phytogeog.*
Acro Euroto Geo Halo Helio Hydato Hygro Litho Macrothermo Melangio Mesochthono Mesothermo Microthermo Oro Oxygeo Oxylo Pago Pedio Pelochtho Proodo Psamso Pteno Pycno Sathro Scio Scoto Spilado Xero
-phytic *Bot.*
acaro anti auto bryo carpo ceno chamae copro cormo crymo cuma dermato disso ecto embryo endo epi gameto geo halo hemi(endo epi sapro) hetero holo(sapro) homo hygro hylo hystero lepido litho macro meri meso(hydro xero) meta micro myco myrmeco neo nitro ombro oo pal(a)eo poo protoepi psammo pterido(sperma) sapro semi(meso sapro xero) somato sperma sperm(at)o sporo thallo tricho tropo xero zygo
-phytism *Bot.*
acaro cuma endo(sapro) epi halo holo meso (para)sapro symbiosapro xero
-phytium *Phytogeog.*
bathy chiono crypto hydro meso nanophanero pago pedio prodo sporado stegano(chamae crypto)
Phyton *Ent.*
phyton(ic *Bot.*
-phyton *Bot.*
Achyro Ectotricho Endodermo Epidermo Glosso Lepido Lopho Meta Nemato Para
-phyton Cont'd
Psilo Siphoni Sphaero Spiro Sygolli Thurso
-phyton *Pal.*
Dictyo Gingko Himanto Johanno Mega Ptilo Rhabdo
-phytosis *Path.*
actino ana chromo dermato epidermo lopho metana tricho
-phytous *Bot.*
anti entomo epi hetero litho pterido thalass(i)o
-phytum *Bot.*
achasco ac(h)lythro achyro meso omople ostario siphono stephanodo sygolli synarthro systello
pseudomorphytus *Bot.*
Psychrophytus *Bot.*
saprophytal -ically *Bot.*
Sarcophyteae *Bot.*
sero(sapro)phyte *Med.*
stylosteophyte *Med.*
Styridophytis *Bot.*
Synarmophytus *Bot.*
sync(*or* k)aryophyte
synophyty *Bot.*
ten(ont)ophyte *Med.*
Thalassophyta -ous
trichophytin *Bact.*
zymophyte *Bact.*

φυτόσκαφος dug for plants
Phytoscaphus *Ent.*

φωΐς a blister
Phoma *Fungi*
phomose *Phytopath.*

Φώκαια city in Ionia
Phocea *Astron.*

φώκαινα the porpoise
Phocaena *Mam.*
-inae -in(e
phocenic *Chem.*
-ate -in(e

φώκη a seal
Desmatophoca *Pal.*
Histriophoca *Zool.*
Leptophoca *Pal.*
phoca *Mam.*
-acean -aceous -al -id(ae -iform -inae -in(e -oid(ea(n
Phocodon(t(ia -ic *Mam.*
phocomelia *Terat.*
-e -ous -us -y
Protophocaena *Pal.*
trichophocine -ae *Mam.*
ulophocine -ae *Mam.*

Φωκίς Phocis
Phocian *Geog.*

φωλάς (Ath.)
Pholadomya *Conch.*
-yid(ae -yoid
Pholas *Conch.*
-ad(-acea -ian -id(ae -idea(n -inea -ite -oid)

φωλεός a hole or cave
oulopholite *Geol. Min.*

φωλεύειν to lurk in a hole
Pholeogryllus *Ent.*
Pholeuon *Ent.*

φωλίς a scale (Arist.)
Lingulapholis *Pal.*
Micropholidae *Pal.*
pholerite *Min.*
Pholis -id(ae -oid *Ich.*

φωνασκητής = φωνασκός
phonascetics *Music*

φωνασκός singing-master
phonascus *Music*

φωνεῖν to speak, call
Diplophoneus *Ornith.*

φωνή a sound, speech
-φωνον as in ἡμίφωνον (Arist.)
acouphone *Elec.*
actinophone -ic *Phys.*
aeolophon *Music*
aerophone *Acoustics*
ammoniaphone *Med.*
Anglophone
aphonic *or* -ous *Philol.*
aquaphone *Sc. App.*
audiphone *Elec. Med.*
auriphone *Med. App.*
autophon *Music*
auxetophone *Mech.*
bathyphon *Music*
biophotophone *Mech.*
cameraphone *T.N.*
cardiophone *Med. App.*
cataphonic(s *Phys.*
ceraunophone *Meteor.*
cholerophone *Path.*
cryptophone
dentaphone *Med. App.*
dentiphone
dermatophone
detectaphone *Elec.*
dictaphone
dynamophone
dyophone *Acoustics*
eidophone
ekphonize *Psych.*
electrophone -oide
eophone
Francophone *Philol.*
geophone *Mil. App.*
gramophone
graphophone -ic
Haplophonae -ous
harmoniphon
headphone *Elec.*
heautophonics *Optics*
hydrophone *Naval App.*
hypophonic -ous *Music*
ideophone -ous *Phon.*
idiophone *Sc. App.*
inductophone
isoceraunophonic *Meteor.*
isophone
kaleidophon(e *Phys.*
keraulophon(e
keraunophone -ic *Meteor.*
kinetophone *Cinema*
lithophone *Surg.*
magnetophone
magnetotelephone
megaphone -ic
melophonic -ist *Music*
Mesophonus *Pal.*
metaphony *Philol.*
-ical -ize
micro-
audiphone
graphophone
phone -ic -ous
phonics *Acoustics*
stethophone *Med.*
telephone -ic
miophone *Med.*
monotelephone -ic
motophone *Elec.*
multiphone *Phys.*
myophone *Physiol.*
Myophonia *Infus.*
octaphonic *Music*
octiphonium *Music*
odophone
optophone *Optics*
organophonic *Music*
orthophonia -ic -y
oscillophone *Elec.*
ossiphone *Otol.*

osteophone -y *Mech.*
otophone
pantelephone -ic *Elec.*
pentaphonic *Music*
pholescope
phonacoscope -y *Med.*
phonal
phonate *Physiol.*
-ation -atory
phonauto-
gram
graph(ic(ally
phone
-phone *Music*
angelo auto caruso clefto dy harmoni heckel melo metallo organo pyro sarruso saxo sono sonoro sousa typo vibra vibro xylo
phoneidoscope -ic
phonendo(skia)scope
phonesthetic *Music*
phonic(s
phonikon *Music*
phonism *Psych.*
phonophone *Phys.*
phonopsia *Psych.*
phonorganon -um
photo-
graphophone
phone -ic -y
telephone -y
pneumatophony -ic
pseudophone *Acoustics*
radiophone -ic(s -y
radiotelephone -y
railophone
rhythmophone *Med.*
sanusophone
sarrusophonist
saxophonist
schisiophone *Elec.*
siderophone *Ophth.*
sommerophone
sphygmophone -ic *Med.*
stethophone
surasophone *Music*
techniphone
telegra(pho)phone
telephone
-er -ic(al(ly -ist -y
teleradiophone
terpsiphone *Ornith.*
theatrophone
thermophone
thermotelephone
topophone
tracheophone *Ornith.*
-ae -es -in(e -ous
uniphonous
vitaphone
waterphone
xylophonic *Music*
zonophone

φώνημα a sound made
phoneme *Psych.*

φώνησις a speaking
phonesis *Ethnol.*
symphonesis *Philol.*
tracheophonesis *Med.*

φωνητικός (Diog. L.)
acrophonetic *Philol.*
antiphonetic *Philol.*
ideophonetics *Phon.*
phonetic(al(ly -ics
-ician -(ic)ism -(ic)ist
-(ic)ize -(ic)ization
phonetico-
grammatical
hieroglyphic
ideographic
symphonetic *Music*
unphonetic(ness

-φωνια as in κακοφωνια
acrophony -ic *Philol.*
aegophonic *Path.*
aerophony -ics *Phys.*
angelophony
apophony *Philol.*
autophonic -ous *Med.*
baryphonic -ous *Path.*
bronchophonic -ism
dermatophony
diphonia
echophony *Med.*
(a)egophonic *Path.*
hom(o)eophony
-phonia *Med.*
acouo aego amphoro auto bary cardi cholero diplo hetero hyper hypo mogi neuro nycto odyno olo para plega rhino surigmo trago tympano xeno
-phony *Med.*
(a)ego (algo)broncho amphoro auto bary echo egobroncho hetero kinesi laryngo osteo pectoro tendo teno tracheo trachy trago tympano
-phony *Music*
tetra tri
psychophony -ic

φωνο- Comb. of φωνή
autophonometry
cosmophonography
electrocardiophonogram
fallphonometer
microphonoscope
phono-
camptic(s *Phys.*
card
cardiogram *Med.*
cardiography *Med.*
cinematography
dacine *Ent.*
dacne *Ent.*
dynamograph
glyph
gram
grammatic
gram(m)ic(ally
graph(er
graphy -ic(al(ly -ist
kinetograph
lite -ic *Petrog.*
logy -er -ic(al(ly -ist
mania
massage
meter metry -ic
motor *Mech.*
myoclonus *Med.*
nosus *Path.*
pathia *or* -y
phobia *or* -y
phone *Phys.*
phore -i -ous *Physiol.*
phote
plex *Elec.*
pneumomassage *Otol.*
pore -ic *Elec.*
porphyrin *Biochem.*
postal
pyrrole *Biochem.*
rhynchoides *Helm.*
scope
scopy *Med.*
telemeter
type -er
typographic
typy -ic(al(ly -ist
zenograph
-phonograph
electrocardio kineto magneto micro tele

semiphonotypy
stethophonometer
telephonography ic

φωνόμιμος (Ptolemy)
phonomime -ic *Music*

-φωνος as in κακοφωνος
aegophonous *Music*
macrophonous
malacophonous
-phonous
trachyphonus *Med.*
φώρ a thief; a bee
Phoradendron *Bot.*
Phororhacos -idae

φῶς light
aphose *Ophth.*
centra(*or* o)phose *Ophth.*
Diaphus *Ich.*
echophotony *Psych.*
periphera(*or* o)phose
phos-
acid *Chem.*
gen(e -ic -o- *Org. Chem.*
genite *Min.*
is *Psych.*
muriate -ic *Org. Chem.*
nitric *Org. Chem.*
ote *T.N.*
oxyd(able -ate *Chem.*
oxygen(ate *Chem.*
phaenus *Ent.*
-phose *Psych.*
chromo cyano erythro iono xantho
-phosgene *Org. Chem.*
thio tri
phossy *Colloq.*

φωσφόρος bringing light
hypophosph- *Chem.*
ite orous
lithophosphor *Chem.*
methylphosphin *Med.*
monoamino-
diphosphatid
monophosphatid
myophosphatese *Chem.*
nonphosphorized
oligophosphaturia *Med.*
oxyphosphazo- *Chem.*
perphosphotungstate
phosferrin *Mat. Med.*
phosiron *Chem.*
phospham *Chem.*
-ic -id(e -idic
phosphammonium *Chem.*
phosphane -ion *Chem.*
phosphate(d -ation
-ase -ese -ic -id(e -ization -ize -ol
-phosphate *Chem.*
hypo lacto meta myo nitr(at)o ortho oxy para per poly pyro seleno silico sub sulfo super tetra(meta) thio trimeta trithio ultra zymo
phosphato- *Chem.*
calcium ferric iodic
meter *Med. App.*
ptosis *Med.*
phosphaturia -ic *Path.*
phosphaz- *Org. Chem.*
ide ine o-
phosphene -yl *Org. Chem.*
phosphergot *Mat. Med.*
phosphethyl(ic *Chem.*
phosphid(e *Chem.*
phosphimic -ine *Chem.*
phosphine -ic -ous *Chem.*
phosphite *Chem.*
phospho-
albumin carnic chalcite
ferrite *Min.*

phospho- Cont'd
ferroproteid *Chem.*
globulin *Chem.*
glucoprotein -eid
glyceric -ate *Chem.*
gummite
phosphole *Org. Chem.*
lipin -id(e *Biochem.*
lite *Chem.*
logy *Biol.*
molybdic -ate *Chem.*
nuclease *Biochem.*
phyllite *Min.*
proteid -ein(e *Chem.*
ptomain(e *Chem.*
siderite *Min.*
tage *Wines*
tartaric tartrate *Chem.*
tungstic -ate *Chem.*
uranylite *Min.*
vinic *Chem.*
wolframic *Chem.*
phosphonic -ate -ium -o-
phosphor(e
ana ane ate(d eal ent eous esce escence escent et(ic et(t)ed ic(al iferous ize
phosphor-
amide *Chem.*
enesis *Path.*
gummite *Min.*
(h)idrosis *Med.*
ism(us *Path.*
ist *Lit.*
ite -ic *Min.*
-phosphoric *Chem.*
hypo lacto litho meta molybdo nucleo oleo ortho para permono pyro seleno sub sulfo thio tungsto
phosphoro-
chalcite *Min.*
gen(ic *Chem.*
graph(y -ic
necrosis *Med.*
scope
phosphoruria *Path.*
phosphorus -ous
phosphoryl(ation *Chem.*
phosphure -et -et(t)ed
phosphuria *Path.*
phosphyl *Chem.*
phostonic *Org. Chem.*
photophosphorescent
protophosphide
pyrophosph- *Chem.*
amic oryl
pyrophosphorite *Min.*
rephosphorize -ation
rhodophosphite *Min.*
semiphosphorescent
subphosphite *Chem.*
sulfophosph- *Chem.*
ite orous
sulphophosphoric
tetragophosphite *Min.*
tetraphosph- *Chem.*
ide orus
thiophosphoryl *Chem.*
tribophosphorescent
-ence
tribophosphoroscope
triphosphonucleic *Chem.*
urophosphometer *Med.*
zymophosphatese

φωτ- Stem of φως
acrophotodynia *Path.*
anorthophotic *Chem.*
chemiphotic *Biol. Chem.*
diaphote
euphotide *Petrog.*
holophote -al(ly *Optics*
isophote -al *Optics*
milliphot *Phys.*

monophote -al *Elec.*
orthophotic *Photog.*
phonophote
phot *Phys.*
phot-
algia *Path.*
anamorphosis *Optics*
antitypimeter *Phys.*
photal
phote *Med.*
photechy *Photog.*
photeolic *Bot.*
photerythrous *Photog.*
photesthesis *Med.*
photic(s
-photic *Bot.*
a di eu eury iso steno
photodynia *Ophth.*
photon *Phys.*
photopsia -y *Path.*
photoptometer -metry
photorama
photrum *Bot.*
photuria *Path.*
Photuris *Ent.*
polyphote -al
pseudophotesthesia
telephote
-al -ic -y
Zaphotias *Ich.*

φωταυγεια glare
photaugiaphobia *Med.*

Φωτεινιανοί (Epiph.)
Photinian(ism *Eccl. Hist.*

φωτεινός shining
Photinia *Bot.*
Photinus *Ent.*

φωτισμός illumination
photism *Psych.*

φωτιστής light giver
Aphotistes *Bot.*

φωτιστικός enlightening
photistic

φωτο- Comb. of φῶς
antiphotogenic *Chem.*
astrophotometrical
chromophotolithograph
chronophotogram
electrophoto-
micrography
therapy
isophotophyll *Bot.*
lithophotogravure
microphoto-
gram graphically
nonphotobiotic
paraphotophyllum
photo
photo-
acetophenine *Chem.*
actinic
active -ation -ity
aesthetic
algraphy *Photog.*
anhydride *Photochem.*
aquatint
autographic
auxesis *Bot.*
bacterium *Bact.*
bathic *Geol.*
bia *Fungi*
bibliography
biotic *Bot.*
blast *Bot.*
bromide *Photochem.*
bromination
calque *Photog.*
campsis
catalysis *Photochem.*
-lyst -lytic -lyzer
caustic
cauterize -ation
cautery
cell *Elec.*
cellulose *Org. Chem.*

photo- Cont'd
cephalic *Craniom.*
ceptor *Neurol.*
ceramic(s -ist
chemical(ly
chemigraphy
chemist(ry
chlorid(e *Photochem.*
chorination *Photochem.*
chrome -(at)ic -y
chromo- *Photog.*
graphy
lithograph
scope
type typy
chronograph(y -ic(al(ly
cleistogamy *Bot.*
cliny *Bot.*
clistogamy -ic *Bot.*
collograph(y -ic
collotype
combustion *Chem.*
copy
crayon
current *Elec.*
cyanide *Chem. Photog.*
decomposition *Chem.*
densitometer *Photog.*
depolymerization
dermatic -ism *Path.*
dimer *Photochem.*
drama
dramatic(s -ist
drome -y *Phys.*
dynamic(al -ics
dysphoria *Path.*
effect *Photochem.*
elastic(ity *Phys.*
electric(al -ity
electro-
graph *Meteor.*
lytic *Photog.*
motive
type -ing
electron *Chem. Phys.*
element *Elec.*
engrave -ing
epinasty -ic(ally *Bot.*
equilibrium
etch(ing
expansion *Phys.*
filigrane
fluoroscope -y *Med.*
galvanic *Elec.*
galvanograph(y -ic
gastroscope
gelatin
gen *Oils* (*T.N.*) *Zool.*
gene *Optics*
genesis *Bact.*
genetic(ally
genic(ally -ity *Biol.*
genize genous
geny -ic(ally *Photog.*
glyph(ic -ography
glyptic -ography
gram
grammatical
grammeter
grammetry -ic(al
graph
-able -ee -er
grapho-
meter
phone
type
graphy
-ic(al(ly -ist -ize
graver
gravure -ist
gyric
haloid -ide *Photochem.*
harmose *Bot.*
heliograph(y -ic
heliometer
helioscope

photo- Cont'd
hematachometer *Med.*
hyalography
hyalotype
hyponasty -ic(al(ly
inactivation
inhibition *Photochem.*
ink
intaglio
iodide *Photochem.*
ionization *Photochem.*
isomeric *Photochem.*
-ism -ization
kinesis *Bot.*
k(*or* c)inetic *Bot.*
kinetics *Phys.*
lepsy *Bot.*
linol *T.N.*
lithograph(er -ic -y
lithotype
logy -ic(al -ist
longitude
luminescent -ence
lysis *Bot. Chem.*
lyte -ic *Chem.*
lytic *Chem.*
macrograph *Photog.*
magnetic -ism
magnetograph
mania
mapper -ing
mechanics -ical *Photog.*
metal *Photochem.*
metallograph(y
meteor(ometer *Meteor.*
meter
methemoglobin *Chem.*
metrograph *Oceanog.*
metry -ic(al(ly -ician
-ist
mezzotype
microgram
micrograph(er -ic -y
microscope -ic -y
morphosis *Biol.*
nasty -ic *Bot.*
nectes *Ich.*
nephograph
nephoscope
nosos -us *Path.*
oxidation -ive *Chem.*
papyrograph(y
pathy -ic *Photog.*
perceptive *Biol.*
perimeter
periodic *Bot.*
phane *Photog.*
phil(ic -ous *Biol. Med.*
phobe -ism -ous *Bot.*
phobia -ic
phobophthalmia *Path.*
phone -ic -y
phore
phoresis *Phys. Chem.*
phoretic *Phys. Chem.*
phosphorescent
phygous *Bot.*
physical -ist *Phys.*
pile
pitometer *Phys.*
plagiotropy -ic *Bot.*
plastography
play(er -wright
polarigraph
polarimeter
polymerization *Chem.*
print(er -ing
process
radiometer *Phys.*
reaction *Photochem.*
reception -ive *Chem.*
receptor *Neurol.*
refractor
regression
relief
retrogression *Photog.*

photo- Cont'd
rocket
salt
santonic -in *Chem.*
scope -ic -y
sculpture -al
sensibilize *Chem.*
sensitive(ness *Chem.*
sensitize(r -ation
sensory *Physiol.*
spectroheliograph
spectroscope -y -ic(al
sphaeria -ium *Crust.*
sphere -ic *Astron.*
stable *Photochem.*
stat(ic(ally
stationary *Photochem.*
stereo- *Photog.*
gram graph
sulphate *Chem.*
survey(ing
syntax *Chem.*
synthesis *Bot.*
synthetic(ally *Bot.*
synthometer *Bot.*
tachometer
tachometry -ic(al
tactic(ally -ism *Biol.*
taxis -y *Biol.*
telegraph(y -ic
telephone -y
telescope -ic
theodolite
therapeutic(s
therapy -ic
thermic *Phys.*
thiocyanate *Chem.*
tint
tirage
tonus -ic *Bot.*
topography -ic(al(ly
transparency *Optics*
trichromatic
trope *Photochem.*
-ic(al(ly -ism -y
trophy *Bot.*
type -ic(ally -ist -y
typography -ic
visual *Optics*
vitrotype
voltaic *Elec.*
xylography
xylon -in *Chem.*
zinc(o
zinco-
graph(y ic(al
type -y
-photograph
auto chromo chrono hema hemo macro pyro spectro stereo tele typo
-photographic
astro chromo chrono mega metro micro pyro stereo tele
-photography
aero astro cata chromo chrono cysto helio iso litho macro mega metro micro multi phono pyro radio spectro tele urano
-photometer
chromo electro helio holo micro pyro spectro urano
-photometric
a eu pan pseudo spectro
-photometry
astro spectro
-photoscope
anthro dia micro pharyn tele

-phototactic *Biol.*
a pro
-phototaxis *Biol.*
a dia phobo pro pros pseudo topo
-phototaxy *Biol.*
ortho plagio
-phototropic *Biol.*
a dia dys eu ortho para plagio
-phototropism *Biol.*
a dia para phobo plagio pro
-phototype
chromo
spectrophoto-
electric *Phys.*
graphical
metrically
spirophototropous
stereophoto-
micrograph
subphotospheric
telephotographer
ultraphotomicrograph

χαβάζιος Error for χαλάζιος
chabasie *Min.*
chabasite *Min.*
chabazite *Min.*
metachabozite *Min.*
silverchabazite *Min.*

χαίνειν to yawn, gape
ach(a)enium *Bot.*
-ach(a)enium *Bot.*
di pent tetra tri
ach(a)enocarp *Bot.*
Achaenodon *Pal.*
achene -odium *Bot.*
-achene *Bot.*
epi hypo peri
akene -ium *Bot.*
chaen-
actis *Bot.*
ichthys *Ich.*
-yid(ae -yoid(ae
on *Ent.*
opsis -id(ae -oid *Ich.*
Chaenolobus *Bot.*
Chaina *Zool.*
-aceae -acean -id(ae
Gastrochaena *Conch.*
-id(ae -oid
gastrochene -ite *Conch.*
Palaeochenoides *Pal.*
Perichaena -aceae *Bot.*
polachena *Bot.*

χαίρειν to rejoice
Aleochara -ini *Ent.*
Aleocharopsis *Pal.*
Anthochaera *Ornith.*
chero- *Ps. Path.*
mania phobia
Pogonochaerus *Ent.*
proschairlimnetic *Bot.*

χαιρέφυλλον
Chaerophyllum *Bot.*
chervil *Plants*

χαίτη loose hair; mane
Acanthochaetodon *Ich.*
Achaeta -ous *Helm.*
Achaetops *Ornith.*
Achaetothorax *Ent.*
achetinous *Zool.*
Anisochaetodon *Ich.*
antispirochetic *Med.*
Archichaetopoda *Zool.*
bronchospirochetosis
chaet-
(h)elmintha *Helm.*
etes *Corals Pal.*
ites -idae *Corals Pal.*

chaet- Cont'd
odon *Ich.*
-ont(id(ae -ontiform -ontinae -ontoid-(ea(n -ontoidei
omnium -iaceae *Mycol.*
chaeta *Zool.*
-chaeta *Ent.*
Acato Clino Eremo Hyptio Macro Micro Peri
-chaetes *Ent.*
Conno Eu Ulo
chaeti-
fera -i -ous *Helm.*
gerous *Zool.*
chaeto-
ceras *Ent.*
cercus *Ornith.*
cloa *Bot.*
cosmetes *Ent.*
derm *Conch.*
a ata atidae id(ae oid ous
gnath *Helm.*
a(n i ous
mallus *Bot.*
meristes *Ent.*
mus *Ent.*
notus *Helm.*
id(ae -oid
opisthes *Ent.*
ops *Mam. Ornith.*
phora *Bot. Pal.*
-acea -(ace)ous -ites
phye *Ent.*
plankton *Bot.*
pod *Helm.*
a(n es ous
pterin *Chem.*
pterus *Helm.*
-id(ae -oid
soma *Helm.*
-atidae -id(ae -oid
spira *Zool.*
stichia *Ent.*
stroma *Mycol.*
tactic *Ent.*
taxy *Ent.*
ura *Ornith.*
-inae -ine
Connochaetes *Mam.*
Crepidochetus *Ent.*
Dichaetae -ous *Ent.*
Dichaetomyia *Ent.*
Diplochaetes *Pal.*
discachatae *Min.*
Eopolychaetus *Pal.*
eremochaetous *Ent.*
Euchaetopsis *Crust.*
Hexachaetae -ous *Ent.*
hymenochyte *Fungi*
Metopochaetus *Ent.*
oligochaete *Helm.*
-a -ae -ous
Orthochetae *Pal.*
Paraparchites *Pal.*
Perichaeta *Annel.*
-id(ae -ous
perichaete *Bot.*
-ial -ium
Plagiochetae *Pal.*
Pyrenochaeta *Fungi*
Rhyncheta -idae *Prot.*
spiroch(a)ete *Bact.*
-a -ales -icide(-al)
-alytic
spirochet- *Med.*
emia otic uria
Tetrachaitae *Ent.*
-eae -ina -ous
Troglochaetus *Helm.*
trypochete *Cytol.*
Xenochaetina *Ent.*

χαιτήεσσα maned, shaggy
Chaetoessus *Ich.*
-ina -ine
χάλαζα hailstone
chalaza *Bot. Zool.*
-al -e -ian
chalaziferous
χαλάζιον Dim. of χάλαζα
chalazion -ium *Path.*
pseudochalazion *Ophth.*
χαλαζο- Comb. of χάλαζα
chalazo-
dermia *Path.*
gam(y -ic -ous *Bot.*
χαλαζώδης like hail
Chalazodes *Pal.*
χαλαρός loose, relaxed
Chalaraspis *Crust.*
-idae -idid(ae -idoid
Chalarathoraca *Zool.*
Chalarodon *Herp.*
Chalarostylis *Crust.*
Chalarus *Ent.*
χάλασις a loosening
achalasia *Physiol.*
blepharochalasia *Physiol.*
χαλαστικος laxative
chalastic *Med.*
chalastodermia *Path.*
χαλαστόν a chain
Chalastinus *Zool.*
Χαλβάνη (Theophr.)
galban(um
Χαλδαίζειν (Philo)
chaldaize
Χαλδαικός (Ath.)
Chaldaic
-aical -ic
Syro-Chaldaic
Χαλδαῖος (Herodotus)
Chald(a)ean(ize *Philol.*
Chalda(e)ism *Philol.*
Chaldee *Philol.*
Syro-Chaldean
χαλεπός hard to bear
chalepo- *Ent.*
peplus somus
Chalepus *Ent.*
χαλι- Comb. of χάλις
Chalicorus *Ent.*
χαλικο- Comb. of χάλιξ
chalico-
mys *Mam.*
phyta *Phytogeog.*
sporae *Bot.*
therium *Mam.*
-iid(ae -ioid(ea(n
thyra *Pal.*
χαλικώδης (Theophr.)
chalicodad -ium
chalicodo- *Phytogeog.*
philus phyta
χαλινο- Comb. of χαλινός
Chalino-
plasty *Surg.*
raphis -inae *Zool.*
χαλινός a bridle
chalin-
ophides -ia *Herp.*
opsis -idae *Prot.*
ula *Prot.*
ura- *Ich.*
Chalina *Zool.*
-eae -idae -inae -ine -oid
Euchalina -inae *Spong.*
χάλιξ a pebble gravel
chalicium *Bot.*
χάλις sheer wine
Bunochalis *Arach.*

χαλκανθον (Diosc.)
chalcanth(um
chalcanthite
-chalcanthite *Min.*
cobalt manganese
colcothar *Chem.*
χαλκευτής a coppersmith
Chalceutis *Ent.*
Χαλκηδόνιος (Herod.)
Chalcedonian -ic *Eccl.*
χαλκηδών (N.T.)
azurchalcedony *Min.*
cassidony *Bot.*
c(h)alcedon *Min.*
chalcedony
-ic -ize -ous
chalcedonyx *Min.*
pseudchalcedonite *Min.*
Χαλκιδικός of Chalcis
Chalcidic *Geog. Philol.*
chalcidicum
Χαλκίς Chalcis
Chalcidian *Geog. Philol.*
χαλκίς (-ίδος) (Arist.)
Chalcis *Herp.*
-id(ae -ides -idian -idid(ae -idiform -idine -idoid(ea
Spilochalcis *Ent.*
χαλκῖτις containing copper
chalcitis *or* -ites *Min.*
χαλκο- Comb. of χαλκός
chalco-
alumite *Min.*
arsenian *Min.*
chlore -is *Min.*
cite *Min.*
drya *Ent.*
graph(er *Engrav.*
graphy -ic(al -ist
lampra *Ent.*
lamprite *Min.*
lestes *Ent.*
lite *Min.*
lithic *Ethnol.*
mancy
menite *Min.*
morphite *Min.*
phacite *Min.*
phana *Ent.*
phanite *Min.*
phyllite *Min.*
phyma *Ent.*
pissite *Min.*
placis *Ent.*
pyrite *Min.*
pyrrhotite *Min.*
siderite *Min.*
staktite *Min.*
stibite *Min.*
theca *Ent.*
trichite *Min.*
tript
chromochalcography -ic
melanochalcographer
metachalco(phyl)lite
χαλκοειδής like copper
kalchoid *Alloys*
χαλκοπληθής full of brass
Chalcoplethis *Ent.*
χαλκός copper; metal
chalcacene *Org. Chem.*
Chalcas *Bot.*
Chalcis *Ent.*
-id(ae -idea -idian -i-did(ae -ididan -idiform -idoid(ea
chalcite *Min.* (*Obs.*)
-chalcite *Min.*
coni leuco melano natro parauri phosph(or)o sidero smaragdo tri uran(o)

chalc(*or* k)one *Org. Chem.*
chalcosine *Min.*
chalcosis *Med.*
chalkitis *Ophth.*
melakalcuranite *Min.*
χαλοῦν to relax
chalone -ic *Biochem.*
χαλυβηίς
Chalybean
χάλυβος steel
chalybeous -eate *Chem.*
chalybite *Min.*
luochalybite *Min.*
χαμαί on the ground
Camelina *Bot.*
Chamaea *Ornith.*
-iidae -inae -ine
chamae-
cephalous -ic -y
conchous -ic -y
cranial *Craniom.*
cristoid *Bot.*
dorea *Bot.*
lirin *Mat. Med.*
lirium *Bot.*
pelia *Ornith.*
phytes -ic -ion *Bot.*
prosope -ic -y
saura -idae *Herp.*
siphoneous *Bot.*
chamelerin *Chem.*
platychamaecephalic
steganochamaephytium
χαμαιδάφνη (Theophr.)
Chamaedaphne *Bot.*
χαμαίδρυς (Theophr.)
germander
χαμαικυπάρισσος
Chamaecyparis *Bot.*
χαμαιλέων (Arist.)
Chamaeleon *Herp.*
ic idae tid(ae toid
Chamaelops *Ent.*
chameleon (ic ize
χαμαίμηλον (Diosc.)
camomile
chamazulene *Org.Chem.*
χαμαίρωψ (Pliny)
Chamaerops *Bot.*
χαμηλός creeping
chamelognathous
χάμψαι crocodile
-champsa *Herp. Pal.*
Brachy Emydo Erythro Noto
champso-
cephalus *Ich.*
saurus *Herp.*
Champsodon *Ich.*
Hylaeochampsidae *Pal.*
χάνος open mouth
Chanos *Ich.*
-(e)id(ae -(e)oid(ae -i -oides
χάος (Hesiod)
chao-
genous logy
mancy
theistic *Theol.*
chaos
chaotic(al(ly -alness
gas
gaso-
electric
gen(e -ic -ous
gasolier
gasoline
meter
metry -ic(al
plankton *Bot.*
scope
hypergas(eous
nebulochaotic
oxy(coal)gas *Chem.*

pyrogas (T.N.)
semichaotic
thermochaotic
ultragaseous
χαρα delight
Chara *Bot.*
-aceae -aceous -(ac)etum -ad(s -ales
characin *Org. Chem.*
χαράδρα a ravine
Charadronota *Ent.*
χαραδριός a yellow bird
Charadrius *Ornith.*
-iadae -ian -iid(ae -iiform(es -iinae -iine -ine -ioid -iomorph(ae -iomorphic
χαρακτήρ a graving tool or its mark; hence, distinctive mark or nature
biocharacter *Bot.*
c(h)aract (*Obs.*)
Caractacaster *Pal.*
character
ed ial(ly ist less(ness y
characterology
microcharacter *Zool.*
uncharacter(ed
χαρακτηρίζειν (Philo)
characterize
-able -ation -er
mischaracterize
uncharacterized
χαρακτηρικός (Dion. H.)
characterical
χαρακτηρισμός (Clem. Al.)
characterism
χαρακτηριστικός (Sext. Emp.)
characteristic
al(ly (al)ness
polycharacteristic
uncharacteristic(ally
χαραξ a sea-fish (?rud)
Charax *Ent. Conch.*
Luciocharax *Ich.*
χαρι- Comb. of χάρις
Chariesthes *Ent.*
χαριδῶτις Epith. of Hermes
Charidotis *Ent.*
χαρίεις graceful
Chariodactylus *Ent.*
Chariphylla *Ent.*
χάρις favor, grace
Ammochares *Helm.*
-id(ae -idea -oid
Anacharis *Bot.*
-chares *Ent.*
Crepido Scoto Zono
Charis *Ent.*
-charis *Ent.*
Phloeo Rhodo Sphaero Thino Xylo
Dinocharis -idae *Helm.*
(H)Eleocharis *Bot.*
Hylocharis *Ornith.*
Limnochares *Arach.*
-id(ae -oid
Miolithocharis *Pal.*
Phloeocharis *Ent.*
-ina -ini
Semocharista *Ent.*
χάρισμα favor, grace
charism(a(tic *Eccl.*
χαριστικός bounteous
charisticary *Eccl. Hist.*
χαρο- Comb. of χάρα
Charophytes *Bot.*
χαροπός glad-eyed
Charopus *Ent.*
χάρτης a leaf of paper
card

carte
cartel
carteneograph
carton(nage
cartoon(ery -ist
cartouche
cartridge
cartulary
catoose -ed *Her.*
chart
charta *Med. Pol. Hist.*
chartaceous *Bot.*
Charte *Hist.*
charter
able age er house less master
Chart(er)ism -ist *Pol.*
chartreuse
Chartreux *Eccl.*
chartulary *Law*
panchart
phonocard
χαρτίον Dim. of χάρτης
chartin *Gr. Ch.*
χαρτο- Comb. of χάρτης
carto-
gram
graph(er
graphy
-ic -ical(ly -ist
logy
mancy
charto-
grapher graphy -ic(al(ly -ist) logy mancy
meter phylacum
Chartopteryx *Ent.*
Χάρυβδις (Odyssey)
Charybd(a)ea *Zooph.*
-eid(ae eoid
Charybdis *Myth.*
Χάρων (Eur.)
Charon(ian ic *Myth.*
χάσις separation
-chasium -ial *Bot.*
mono pleio poly
-chastic *Bot.*
hygro xero
-chasy *Bot.*
hygro mono xero
χάσκειν to open
Achascophytum *Bot.*
χάσμα (Hesiod)
chasm
al atical ed y
chasma *Path.*
chasmantherous -y *Bot.*
Chasmaporthetes *Mam.*
chasmo-
chomophyte *Bot.*
cleistogamy *Bot.*
-ic -ous
gamy -ic -ous *Bot.*
petaly *Bot.*
philous -y *Bot.*
phyte *Phytogeog.*
rhynchus *Ornith.*
saurus *Pal.*
isochasm(ic -en *Math.*
Rhytidiochasma *Malac.*
uraniscochasma *Med.*
χάσμη a gaping
Chasme *Ent.*
χασμός as if = χάσμα (Hipp.)
Euchasmus *Ent.*
χασμώδης always yawning
Chasmodes *Ich.*
χαυλιόδων = χαυλιόδους
Chauliodon *Ich.*
-ont(id(ae -ontoid
χαυλιόδους
Chauliodus *Ich.*

χαύλιος (Gramm.)
Chaulelasmus *Ornith.*
Chauliodes *Ich.*
chauliognathous *Ent.*
Leptochauliodes *Ent.*
χαύναξ a gaper
Chaunax *Ich.*
-acidae -acinae
χαυνο- Comb. of χαῦνος
chauno-
derus *Ent.*
proctus *Pal.*
χαῦνος gaping; spongy
Chauna *Ornith.*
χέειν to pour
cheoplastic *Dent.*
chyometer *Meas. App.*
χέζειν to defecate
allochetia *Med.*
-chesia *Med.*
dys uro
-chezia *Med.*
allo h(a)emato pyo
χειά a hole
panochia *Path.*
χειλάριον Dim. of χεῖλος
Chilarium *Bot.*
chilary *Bot.*
χειλο- Comb. of χεῖλος
Acanthocheilonema
cheilo-
angioscopy *Med.*
cystidia *Bot.*
dipterus -idae *Ich.*
drome -ous *Bot.*
glossa *Crust.*
gnathopalatoschisis
gnathus *Med.*
mania *Bot.*
palatognathus *Med.*
phagia *Med.*
podiasis *Med.*
stomata -ous *Zool.*
stomatoplasty *Surg.*
tomy *Surg.*
chilo-
angioscope *Med. App.*
bolbina *Pal.*
branchus *Ich.*
-id(ae -ina -oid
cace *Path.*
corus *Ent.*
dipterus *Ich.*
-id(ae -oid
gnath(a(n *Ent.*
-iform -omorphous
malacia *Path.* -ous
mastix *Protozoa*
mastixiasis *Path.*
menea *Ent.*
monas -adidae *Zool.*
morpha *Ent.*
mycterus *Ich.*
plasty *Surg.*
pod(a(n *Ent.*
-iform -omorphous
-ous
schisis *Med.*
schiza *Ent.*
stome *Herp.*
-ata -atous
stomella -idae *Zool.*
Euchiloneuropsis *Ent.*
genychiloplasty *Surg.*
Leptocheiloporinae *Pal.*
rhinocheiloplasty *Surg.*
tarsocheiloplasty *Surg.*
χεῖλος a lip; brim
-χειλος as in παχύχειλος
ach(e)ilous -ary *Bot.*
Acrochilus *Chubs*
Amblych(e)ila *Ent.*
Apatochilina *Pal.*
Apocheilichthys *Ich.*

cheil-
anthes
ectropion *Ophth.*
-ch(e)ilia *Med.*
a ankylo atelo macro
micro syn
-ch(e)ilous *Med.*
a macro micro
-cheilus *Ich.*
Aplo Haplo Ptycho
Mylo
chil-
algia *Path.*
idium *Zool.*
itis *Path.*
odon *Conch.*
-chila *Ent.*
Gymno Haplo Rhago
Steno
Chiliferidae *Prot.*
-chilus *Ent.*
Chremasto Hexagono
Lobo Orecto Pharo
Pomato Ptero Tany
Dicrochile *Ent.*
Galactochiloides *Malac.*
Gnathochilarium *Ent.*
Gymnochilinae *Ent.*
Hypleurochilus *Ich.*
hypochil(e -ium *Bot.*
Lagochila *Ich.*
megach(e)ile *Ent.*
-idae -ous
Mesocheilus *Pal.*
mesochil(ium *Bot.*
Nemachilus *Ich.*
Ochetochilus *Pal.*
Odontochile *Pal.*
Rhacochilus *Ich.*
Rhinochilus *Ophid.*
Temnochila -idae *Ent.*
χείλωμα a lip
chiloma *Mam.*
χεῖμα winter cold
Chimaphila *Bot.*
chimaphilin *Org. Chem.*
chimation *Med.*
isocheim(e *Meteor.*
-al -ic
χειμαίνειν to be stormy
isoch(e)imene -al *Meteor.*
χειμών winter
brachychimous *Bot.*
brachy(thero)zerochimous
Chimonanthus *Bot.*
chimono- *Bot.*
chimopelagic *Biol.*
chlorous philous
hemichimonophilous *Bot.*
hydrochimous *Bot.*
isoch(e)imonal *Meteor.*
χείρ the hand
acephaloch(e)iria -us
ach(e)iria *Terat.*
-iac -ous -us
Actinoch(e)iri -ous *Ich.*
Adenoch(e)irus *Helm.*
aerochir *Med.*
alloch(e)iria *Path.*
amphich(e)iral *Arch.*
aspidoch(e)irote -ae
ateloch(e)iria -ous *Terat.*
cheir
cheir-
anthic *Org. Chem.*
anthus *Bot.*
olein *Mat. Med.*
olin(e *Org. Chem.*
onym
urinae *Pal.*
chir-
acanthus
al(ity *Optics*
alcol *Prop. Rem.*
anthodendreae

chir- Cont'd
arthritis *Path.*
ella -idae *Zool.*
ization *Ethnol.*
ol *Mat. Med.*
otes *Herp.*
-id(ae -oid
Chirus *Ich.*
-id(ae -inae -oid
Coptochirus *Ent.*
Cryptochirus *Crust.*
dyschiria *Ps. Path.*
Galechirus *Pal.*
Hammatochaerus *Zool.*
heterochiral *Optics*
homocheiroline *Chem.*
homochiral(ly
macroch(e)ir(i)a -ous
megalochirous *Anat.*
microch(e)iria -ous *Anat.*
Ogmochirus *Pal.*
Ornithocheir- *Pal.*
inae odeae
perochirus *Terat.*
Platychiria *Ent.*
polycheiria *Terat.*
rhombichirus
Rhombochirus *Ich.*
sthenochire
synchiria *Med.*
Synchirus *Ich.*
χειραγρα (Ptol.)
ch(e)iragra *Path.*
chiragric(al
χειραλγιά (Jo. Chrsy.)
chiralgia *Med.*
χειραψία (Cael.)
adenoch(e)irapsology
chirapsia -y *Med.*
χειρο- Comb. of χείρ
Amphichiromys *Pal.*
Bichirocrinus *Pal.*
cheiro-
belus *Malac.*
galeus *Mam.*
glossa *Bot.*
gnostic *Psych.*
kinesthesia *Psych.*
kinethetic *Psych.*
megaly *Path.*
pompholyx *Path.*
practic *Ther.*
praxis *Ther.*
spasm *Path.*
stemonous *Bot.*
chiro-
centrodon *Ich.*
centrus *Ich.*
-id(ae -oid(ei
cephalus *Crust.*
colus *Herp.*
cosmetics
crinidae *Pal.*
dota *Echin.*
gale -eus *Mam.*
gnomy -ic -ist
gnostic *Psych.*
gymnast *Music.*
lepis *Ich.*
logy -ia
-ical(ly -ist
megaly *Med.*
meles *Mam.*
meter *Med. App.*
mys *Mam.*
-yid(ae -yiformes
-yinae -yini -yoid(es
nectes *Ich.*
-id(ae -oid
plasty *Surg.*
pod(a -ous *Mam.*
podalgia *Path.*
podology
pody -ist(ry
-ical -ism
pompholyx *Path.*

chiro- Cont'd
practic -or *Ther.*
praxis *Ther.*
pter(a(n -ous *Mam.*
pterophilae -ous *Bot.*
pterygium *Anat.*
-ian -ious
saurus *Herp. Pal.*
sophy
-er -ical -ist
soter *Prop. Rem.*
spasm *Path.*
teuthis *Conch.*
-id(ae -oid
teuthoides *Malac.*
theca *Armor Eccl.*
therium -ian *Herp.*
thrix *Ich.*
trichid(ae trichoid
thyris -id *Pal.*
type *Palaeog.*
Dichirocrinus *Pal.*
Heterochiromys *Pal.*
macrochiropter(a(n
megachiropter(a(n -ous
Pachychoeromyia *Ent.*
Palaeochiropteryx -ygidae *Pal.*
peli(*or* y)cochirometresis
Synchirocrinus *Pal.*
telechirograph
tritochirognathite *Crust.*
χειροβαλίστρα (Porph.)
cheiroballista *Gr.*
χειρόγραφον handwriting
chirograph
al ary er ic(al ist y
χειροδίκης one who asserts his right by hand
Chirodica *Ent.*
χειρομαντεία
chiromancer -ist
chiromancy -ist
χειρόμαντις (Poll.)
chiromant
ic(al -ine ist
χειρομαχία
chiromachy *Obs.*
χειρονομία gesticulation
chironomy -ic *Eccl.*
χειρονόμος (Ptoch.)
Calochironomus *Ent.*
chironomer *Eccl.*
Chironomus *Ent.*
-id(ae -oid
χειρόπλαστος
chiroplast(ic *Music*
χειροσκοπικός (Suidas)
chiroscopical
χειροτένων with long arms
Chirotenon *Ent.*
χειροτονία voting by hands
chirotonia *or* -y *Gr. Ant.*
χειρουργιά (Hipp.)
chirurgy *Surg.*
-ery -ic(al
enterochirurgia
medicochirurgical
neurosurgery
odontochirurgical
pneum(on)ochirurgia
surgery
surgical
surgiology
χειρουργός (Plutarch)
chirurgeon(ly
Halimochirurgus *Ich.*
-id(ae -oid
neurosurgeon
surgeon
cy ry ship
Χείρων a Centaur
Chiron *Ent. Myth.*

χειρωτός tameable
dendroch(e)irote *Echin.*
-ae -ous
χελιδονία (Pliny)
celidony *Gems*
χελιδονίας the spring wind
chelidonian
χελιδονίζειν to twitter, sing
chelidonize
χελιδόνιον (Theophr.)
celandine *Bot.*
chelalbin *Org. Chem.*
chelerythrin(e *Chem.*
chelidamic *Chem.*
chelidon- *Chem.*
amic ate ia ic in(e inic
Chelidonium *Bot.*
homochelidonin *Chem.*
xanthochelidonic
χελιδόνιος of the swallow
celidony *Bot.*
Chelidonius *Ornith.*
χελιδών the swallow
chelido-
morphae *Ornith.*
perca *Ich.*
ptera *Ornith.*
saurus *Herp. Pal.*
xanthin(e *Chem.*
chelidon *Anat.*
-chelidon *Ornith.*
Calli Dendro Gelo Hydro Petro Ptero
χελυ- Comb. of χέλυς
chely-
etes
morpha *Ent.*
notus *Conch.*
phora *Ent.*
phorus *Ich.*
rhynchus *Pal.*
soma *Ent.*
zoon *Pal.*
χέλυδρος a kind of serpent
Chelydra *Herp.*
-adae -id(ae -inae
-oid(ae
chelydron
χελύνη = χεῖλος
Prochelyna *Ent.*
χέλυς a tortoise
Acichelidae *Herp.*
Amphichelydia(n *Herp.*
Aromachelynina
chelichnite *Pal.*
chelodine(s -a *Herp.*
cheloid *Herp.*
Chelopus *Herp.*
Chelyposaurus *Pal.*
Chelys *Herp.*
-y(d)id(ae -ydoid(ae
-yoid(ea(n
-chelys *Herp.*
Aci Aroma Daco Dermo Eretmo Macro
Plesio Thalasso
-chelys *Herp.*
-yid(ae -yoid
Dermo Plesio
chelys *Music Myth.*
-chelys *Pal.*
Archaeo Colosso Concho Cosmo Desmato
Hoplo Idio Naiado
Naomi Nepetuno Placo
Platy Portho Procolpo
Progano Progono Sontio Stego Toxo Trachydermo Triasso Xeno
Desmatochelyidae *Pal.*
Dirochelys -yoidae
Peltochely(idae
Stegochelyidae *Pal.*

χελωνάριον Dim. of χελώνη
Chelonerium *Ent.*
χελώνη a tortoise
Archelon *Pal.*
Chelone *Bot.*
Chelone *Herp.*
-ea -ia(d -ian -(i)id(ae -ioid -oid(ea(n
chelonin *Mat. Med.*
chelonite *Pal.*
Chelonus *Ent.*
χελωνο- Comb. of χελώνη
chelono-
batracia *Herp.*
cephalus *Pal.*
graphy *Zool.*
logy -ist
χελωνός sea-tortoise
Pachychelonus *Ent.*
χέννιον a quail
Chennium *Ent.*
χέραδος silt
cherad- *Phytogeog.*
ad ium
cherado- *Phytogeog.*
philus phyta
χέρας gravel (Gramm.)
urocheras *Med.*
χερνής needy
chernogens *Bot.*
χερνής a day laborer
Chernes *Arach.*
-etid(ae -etoid
Hesperochernes *Arach.*
χερνιβεῖον a basin
chernibeion *Gr. Ritual*
χερνίτης (Theophr.)
chernites *Marbles*
χέρρος Gen. of χείρ
Cherrus *Ent.*
Χερσόνησος lit., land island
Chersonese *Geog.*
χέρσος dry (land)
chersad & -ium *Ecol.*
chersian & -ite *Zool.*
Chersobatae *Herp. Ich.*
chersophytes *Phytogeog.*
Chersus *Herp.*
-id(ae -oid
Proterochersis *Pal.*
χέρσυδρος a water serpent
Chersydrus -idae *Herp.*
χεῦμα that poured
chimiosis *Bot.*
χήλη a claw
Achelata *Crust.*
-ate -ia -(i)id(ae -ioid
anisochele -a *Spong.*
chela -ate *Zool.*
chelate -ion *Chem.*
-cheles *Crust.*
-id(ae -oid
Ptylo Thaumasto
chelicer(e *Zool.*
-a -al -ate
chelide *Chem.*
cheloid -oma *Tumors*
Chelophora
Chelura *Crust.*
-acea -id(ae -oid
-chelus *Ent.*
Hoplo Listro Schizo Xantho
cryptochelate -a *Crust.*
Euchelata -e *Crust.*
Heterochelae *Zool.*
Homochelae *Zool.*
Isochela *Spong.*
precheliceral *Ent.*
subchela *Zool.*
-ate -iform

χηλόειν to notch
Cheloderus *Ent.*
χημ(ε)ία alchemy
alchemy
-(ist)ic(al(ly -ister -istry -ize
apochemotaxis *Bot.*
astroalchemy -ist
biochemics -icy
chemasthenia *Med.*
chemesthesis *Biochem.*
chemi-
glyphic *Engr.*
graph *Print.*
er ic y
gravure *Engr.*
hydrometry
luminescent -ence
nosis *Path.*
photic *Biol. Chem.*
type -y *Etching*
chemiatry *Old Med.*
-iater -iatric
chemic(al(ly
-aled -ize -ization
-chemic
bio galvano meta micro thermo
-chemical
auto bio(physico) dendro electro ergo galvano geo histo iatro macro magneto medico meta micro moto optico palaeo petro photo physico physio phyto piezo pneumato pyro radio semi stereo super techno thermo topo zoo
-chemically
electro macro micro photo pyro stereo thermo
chemico- *Chem.*
astrological biology-(-ic) capillary dynamic electric galvanic genesis graph histological medical mineralogical physics(-al) physiological technical vital
chemicocautery *Surg.*
chemics *Chem.*
chemiotactic *Physiol.*
chemiotaxis -ic *Physiol.*
chemism
-chemism
anti cyto geo
chemist(ry
-chemist
astro bio electro galeno geo iatro photo physico proto thermo
-chemistry
abio actino astro bio collo cyto dendro electro geo histo iatro immuno litho macro-(stereo) magneto medico meta micro moto-(stereo) patho photo physico phyto piezo proteo proto psycho radio spectro stereo thermo zoo
chemo-
centrum *Cytol.*
cephalus *Terat.*
ceptor *Biol.*
coagulation *Med.*
immunity *Chem.*
immunology *Chem.*
kinesis *Physiol.*
kinetic *Physiol.*
lysis lyze *Chem.*

chemo- Cont'd
lytic *Chem.*
morphosis *Biochem.*
nastic *Bot.*
receptor *Biol.*
reflex *Biochem.*
resistance *Cytol.*
scopic *Biochem.*
synthesis *Bot.*
synthetic *Bot.*
tactic(ally *Cytol.*
tactism *Biochem. Bot.*
taxis -ic *Cytol.*
therapeutic(s *Ther.*
therapy *Ther.*
tropism *or* -y *Biochem.*
-ic(ally -in
zoophobe -ous *Bot.*
chemosmosis & -otic
chemy
chymod *Chem.*
dechemicalize
homoisochemite *Min.*
neo-alchemical
phobochemo- *Bot.*
tactic taxis
photochemigraphy
phytochemy
proschemo- *Bot.*
tactic taxis
saccharochemotropic
topochemo- *Bot.*
tactic taxis
unchemicalled
zoochemy
χήμη the cockle
Chama *Conch.*
-acea(n -aceae -id(ae -iform -ite -oid
Chamostrea *Conch.*
-eid(ae -eoid
Pseudochama
χήμωσις (Galen)
chemosed *Path.*
chemosis *Path.*
chemotic *Path.*
χήν the goose
Chen *Ornith.*
Chenendoporinae *Pal.*
Chenopsis *Ornith.*
Neochen *Ornith.*
Rhinochenus *Ent.*
χηνεῖος of a goose
Cheneosaurus *Pal.*
Cheniothyris *Pal.*
χηνίσκος Dim. of χήν
cheniskos *Gr. Naval Arch.*
χηνο- Comb. of χήν
cheno-
chol(al)ic *Chem.*
derus *Ent.*
desoxybilianic *Chem.*
morph(ae- ic *Ornith.*
pod *Bot.*
al iaceae iaceous iales ium
prosopus *Pal.*
pus(idae *Conch.*
ramphus
taurocholic *Chem.*
taurochenocholic *Chem.*
χθαλαμός near the ground
Cthalamus *Crust.*
-id(ae -oid
χθόνιος in the earth
chthonian -ic
χθονο- Comb. of χθών
chthono-
graphy
phagia -y
mesochthono- *Bot.*
philus
phyta -ia
nosochthono- *Path.*
graphy

-χθονος Comb. of χθών as in αὐτόχθονος
-chthonous *Biol.*
allo hetero
χθών the ground
Chthonascidiae *Ascid.*
chthonosology
heterochthon(ous *Biol.*
χῖ the letter χ
chiaster *Spong.*
χιάζειν to mark with χ
Chiasognathus *Ent.*
chiastre *Surg.*
χίασμα lines crosswise
acanthochiasmid(ae -oid
chiasm(a(l -ic *Anat.*
chiasm(al *Rhet.*
chiasma *Bot.*
Chiasmodon *Ich.*
-ontid(ae -ontoid
Chiasmodus *Ich.*
chiasmotype *Bot.*
postchiasmatic *Med.*
χιασμός a crossing like χ
Chiasmus *Ent.*
chiasmus *Rhet.*
χιαστός put crosswise
chiastic(ally *Rhet.*
chiasto-
lite *Min.*
meter *Ophth.*
neura *Conch.*
-al -ous -y
χιλια- Comb. of χίλιοι
chilia(h)edron *Geom.*
χιλιάγωνος (Archim.)
chiliagon *Geom.*
χιλιάρχης (Herod.)
chiliarch *Gr. Mil.*
χιλιαρχία (Xen.)
chiliarchy *Gr. Mil.*
χιλιάς (-αδος) a thousand
chiliad(al ic
χιλιασμός (Irenaeus)
chiliasm *Theol.*
χιλιασταί (Isidore)
chiliast(ic(al(ly *Theol.*
χίλιοι a thousand
kilampere *Elec.*
kilerg *Elec.*
kilo
ampere *Elec.*
calory -ie
cycle *Radio*
dyne *Phys.*
erg *Elec.*
gauss *Elec.*
gram(me
grammeter -metric(al
joule *Elec.*
liter
maxwell *Elec.*
meter metrical
stere
volt (ampere *Elec.*
watt *Elec.*
kilurane *Meas.*
χιλιόμβη After ἑκατόμβη
chiliomb *Obs.*
χιλιοστύς (Xenophon)
chiliostys *Gr. Mil.*
χιλός green fodder
Cetochilus *Crust.*
-id(ae -oid
Χίλων one of the Seven Sages
Chilonic *or* -ian *Lit.*
Χίμαιρα lit., she-goat
Chimaera *Ich.*
-id(ae -oid
chimera
-al(ly -ic(al(ly -icalness -ize -oid
hyperchim(a)era *Bot.*

mixochimaera *Bot.*
Rhinochimaera -idae
χιονο- Comb. of χιών
chiono-
doxa
graph *Meteor.*
meter *Meteor.*
morph(ae -ic *Ornith.*
philous *Bot.*
phobe -ous *Bot.*
phyllous *Bot.*
phyta -ium *Bot.*
Χίος Chios (Il.)
Chian *Geog.*
Sciot(e *Geog.*
χιτών a frock; tunic; case ξανθοχίτων
chit- *Org. Chem.*
amic aric enol
chitin(e *Chem.*
ize ization oid ous
chitino- *Chem.*
arenaceous calcareous genous
Chiton *Conch.*
aceae elloidea id(ae oid
chiton *Gr. Ant. Zool.*
chitonitis *Path.*
chitopyrrol(e *Org. Chem.*
chitosarc *Zool.*
chitose *Chem.*
-amin -an
Cryptochiton *Conch.*
endochite *Bot.*
Euchitonia *Radiol.*
-iid(ae
exochite *Bot.*
Haplochiton *Ich.*
id(ae oid
Helminthochiton *Zool.*
Ischnochiton(id(ae *Pal.*
Lophochiton *Malac.*
mesochite *Bot.*
neurochitin *Org. Chem.*
Oligochiton *Malac.*
Sclerochiton *Ent.*
Typhochiton *Malac.*
χιτώνιον a woman's shift
chitonion *Gr. Dress*
χιτωνίσκος a short frock
chitoniscus *Gr. Dress*
χιών snow
chio-
cocca *Bot.*
decton(aceae *Bot.*
genes *Bot.*
lite *Min.*
Chion *Ent.*
chion-
ablepsia *Path.*
anthin *Org. Chem.*
anthus *Bot.*
aspis *Ent.*
is *Ornith.*
(id)id(ae (id)oid oidea
ium *Bot.*
uphe *Fungi*
Hedychium *Bot.*
isochion *Meteor. Phys.*
χλαῖνα a cloak; wrapper
chlaena *Gr. Ant.*
Chlaenaceae -aceous *Bot.*
Chlaenius *Ent.*
-iadae -ida -ides -iidea -iini -ites
Euchlaena *Bot.*
Haptochlaena *Malac.*
Hemichlaena *Bot.*
-eae -idae
myoclena *Bot.*
Neochlaenodon *Pal.*
Notho(c(h)laena *Bot.*
Tephrochlaena *Ent.*

χλαμυδ- Stem of χλαμύς
acrochlamydeal *Bot.*
archchlamydeous *Bot.*
balanochlamyditis *Path.*
chlamyd-
ate *Conch.*
eous ia *Bot.*
odon(tidae *Prot.*
ophrys *Prot.*
-chlamyda *Conch.*
Pneumono Siphono
-chlamydate *Conch.*
a pneumono siphono
-chlamydeae -eous
A Archi Di Diplo Meta Mono(di)
Siphonoclamyda -ate
χλαμυδο- Comb. of χλαμύς
chlamydo-
bacteria *Bact.*
-iaceae -iaceous -iales
concha *Conch.*
-id(ae -oid
dera *Ornith.*
gonidium *Fungi*
monas *Prot.*
-adidae -adina
moneta *Bot.*
myxa *Prot.*
phora(n *Prot.*
phore -us *Mam.*
-idae -inae
saurus *Herp.*
selachus *Ich.*
-ian -id(ae -oid
spore -a -um *Bot. Prot.*
thrix *Bact.*
zoa *Biol.*
χλαμύς a cloak
chlamyphore *Mam.*
-id(ae -oid -us
chlamys *Gr. Dress*
-chlamys *Ent.*
Argyro Chryso Pholido Spodo Tricho
χλανιδωτός in a χλανίς
Euchlanidota *Helm.*
χλανίς a woollen mantle
chlanis *Gr. Ant.*
Euclanis *Helm.*
-id(ae -oid
χλευαστής a mocker
Chleuastes *Ent.*
χλῆδος rubbish
chled- *Phytogeog.*
ad ium
chledo- *Phytogeog.*
philus phyta
χλίδων an anklet
Chlidonia *Helm.*
iid(ae -ioid
χλοανθής budding
chloanthite *Min.*
χλόη a green shoot
Chaetocloa *Bot.*
Chloebius *Ent.*
chloephila *Ent.*
cholochloin *Chem.*
colechloin *Chem.*
Echinochloa *Zool.*
epichloe *Fungi*
Halochloa(e *Algae*
Hierochloe -oa *Bot.*
χλοηφάγος herbivorous
Chloephaga *Ornith.*
χλώασμα (Hipp.)
chloasma *Path.*
χλωρ- Stem of χλωρος
chlor-
acetic *Chem.*
-ate -ization -ol -one
acetoxin *Mat. Med.*
acid

chlor- Cont'd
(a)emia *Path.*
agogic *Anat.*
al *Chem.*
al- *Chem. Med. Pharm.*
amid(e caffeine camphoroxim formamid ic id(e in ism ist ization ize oin ose oxim(e urethan
albacid *Mat. Med.*
albin *Chem.*
albino *Bot.*
alum *Pharm.*
alumite *Min.*
amid(e -in(e *Chem.*
amyl(ite *Chem.*
anemia -ic *Path.*
anhydride *Chem.*
anil(e -ate -ic *Chem.*
anion *Chem.*
anodyne *Mat. Med.*
anol *Photog.* (*T.N.*)
anth(us *Bot.*
-aceae -(ace)ous -y
antine *Dyes* (*T.N.*)
antipyrin *Mat. Med.*
apatite *Min.*
ascens *Colors*
astrolite *Min.*
ate *Chem.*
aurate *Metal.*
auric *Chem.*
az- *Chem.*
ene ide ol
benzene *Chem.*
benzyl *Chem.*
brightism *Path.*
brom (*T.N.*)
butanol *Mat. Med.*
camphor *Chem. Med.*
cosane *Prop.*
ella *Algae*
enchyma *Histol.*
ene *Org. Chem.*
ephidrosis *Med.*
etic *Min.*
etone *Chem.*
(h)aema *Helm.*
-ea -id(ae -oid
hydric -ate -in *Chem.*
hydro-
quinone
sulphuric
id(e *Chem.*
id- *Chem.*
ate ation ic in(ic ion
idemia *Med.*
idimeter *Med.*
idize -able -ation
idolum *Ent.*
idrometer *Med.*
imid(e *Org. Chem.*
imino- *Org. Chem.*
in(e *Chem.*
ate ation ator iferous ize ous ureted
ina *Bot.*
inus *Colors*
iod- *Chem.*
ic id(e ine oform
isatic -ine *Chem.*
isol *Med.*
ites *Bot.*
lyptus *Mat. Med.*
manganokalite *Min.*
methan(e *Chem.*
methyl *Chem.*
natrokalite *Min.*
odize
odyne *Mat. Med.*
ol *Chem.*
olin *Mat. Med.*
oma *Path.*
onium *Chem.*
opal *Min.*

chlor- Cont'd
ophyr *Petrog.*
ops *Ent.*
opsis *or* -ia -ic *Ophth.*
osin *Mat. Med.*
osis *Bot. Path.*
osmic *Chem.*
otic *Path.*
ous
oxyl *Prop. Rem.*
ozone *Chem.*
picrin
salol *Chem.*
spodiosite *Min.*
sulphic *Petrol.*
sulphonic *Chem.*
urated *Chem.*
uremia *Med.*
uret(t)ed *Chem.*
uria *Med.*
utahlite *Min.*
yl *Chem. Pharm.*
Χλωρίς Mo. of Nestor
Chloris *Bot. Myth.*
Sphenochloris *Prot.*
χλωρίς (Arist.)
Chloris *Ornith.*
χλωρῖτις (Pliny)
chlorite *Min.*
-ic -ite -oid
chloritize -ation *Geol.*
-chlorite *Min.*
lepto mangano meta ortho pro pyc(*or* k)no pyro talco zono
pseudochloritis *Pal.*
χλωρο- Comb. of χλωρός
acetochlorohydrose
achloro-
hydria
phyll(ace)ous
chloro-
acetone *Chem.*
acetophenone *Chem.*
amine *Org. Chem.*
an(a)emia *Path.*
arsenate *Chem.*
arsenian *Min.*
assimilation *Biol.*
aurate *Chem.*
benzene *Chem.*
bromid(e *Chem.*
caffein *Chem.*
calcite *Min.*
carbon *Chem.*
ates ic ous
chromic -ates *Chem.*
chrous
coccum *Algae*
-aceae ine oid
codide *Org. Chem.*
cosan(e *Pharm.*
cruorin *Biochem.*
cruoro- *Biochem.*
chromogen *Biochem.*
hematin *Biochem.*
cyanic *Chem.*
cyperaceae *Bot.*
cyst *Cytol.*
form
ic in ism ization ize
fucine *Pigments*
galum *Bot.*
gen- *Chem.*
ate ic in(e
globin *Pigments*
gonidium *Bot.*
gonimus *Lichens*
iodide *Chem.*
iodolipol *Mat. Med.*
irid- *Chem.*
-ate -ic -ite
leucite *Min.*
leukemia *Path.*
lymphosarcoma *Path.*
magnesite *Min.*

chloro- Cont'd
manganokalite *Min.*
melanite *Min.*
mercuriate *Chem.*
meter *Chem.*
methane *Chem.*
metry -ic(al
monadina *Prot.*
morphid(e -in *Chem.*
myeloma *Path.*
nitrid(e *Chem.*
palladic -ates *Chem.*
peltis *Prot.*
-idea -ina
peptic *Biochem.*
percha *Mat. Med.*
phaeite *Min.*
phaeus *Colors*
phane *Min. Pigments*
phanic *Chem.*
phanus *Ent.*
phenin(e *Dyeing*
phenol *Chem.*
phoenicite *Min.*
pholus *Ent.*
phore & a *Bot.*
phyceae -eous *Bot.*
phyll *Bot.*
aceous an ar ian ic iferous igenous igerous in oid ose ous
phyll- *Biochem.*
an ase id(e in ogen
phyllite *Min.*
phylloplast *Bot.*
phyta *Bot.*
pic(*or* k)rin *Chem.*
plast(id *Bot.*
plastin *Chem.*
platinic *Chem.*
-ate -ite -ous
plumbate *Chem.*
proteinchrome *Chem.*
sarcoma *Tumors*
scombrus *Ich.*
-inae -ine
sperm *Algae*
-eae -(at)ous
spinel *Min.*
sporeae -ous *Algae*
stannate *Chem.*
statoliths *Bot.*
sulphinic -onic *Chem.*
thionite *Min.*
thrix *Ent.*
triangulum *Prot.*
vaporization *Bot.*
vinyldichloroarsin
xiphite *Min.*
xylon *Bot.*
xylonin(e *Org. Chem.*
zincate *Min.*
zoosporeae *Bot.*
-chlorophyll *Biochem.*
alka allo chryso entero neo proto
dechloro- *Org. Chem.*
dichloro- *Chem.*
benzene diethylsulphid divinylchloroarsin hydrin methane urea
echlorophyllous *Bot.*
enterochlorophyl
hemichlorogenic *Chem.*
hexachloro- *Chem.*
hydrochloroplatinic
iodchloroform *Mat. Med.*
megachloroplast *Bot.*
metachlorophyllin *Chem.*
microchloroplast *Bot.*
monochloro- *Chem.*
-hydrin methane
nitrochloroform
orthochloro- *Chem.*
phenol salol

oxychloro- *Chem.*
parachloro- *Chem.*
phenol salol
paradichloro- *Chem.*
benzene
paramonchloro-
phenol *Ointments*
pentachloro- *Chem.*
perchloro- *Chem.*
quinone
protochlorophyl(l(ine
silicochloroform
tetrachloroethane *Chem.*
trichloro- *Chem. & Med.*
ethylene methylchloroformate lactic nitromethane propane trivinyl
χλωροειδής (Theophr.)
chloroid
χλωρός light green
achloropsia *Ophth.*
antichloren *Prop. Rem.*
antichloristic *Ind. Chem.*
antichlorotic *Ther.*
arabinochloralose *Med.*
borochloretone *Med.*
bromochloralum *Chem.*
chalcochloris
chimonochlorous *Bot.*
-chloral *Mat. Med.*
galacto iodopheno meta poly quino tanno xylo
-chlorate *Chem.*
auri hydro methoper monoper oxy per tri
chlore *Bleaching*
-chlore *Chem.*
eu lepido thallo
-chlore *Min.*
clino cosmo melan pyro xylo
chlorehematin *Chem.*
-chlorhydria *Path.*
ana eu hyper hypo
-chlorhydrin *Chem.*
di epi mono stearo
-chloric *Chem.*
eu galacto hydrargo hydro hyper iododi keto muco nitrohydro oxy pepsinhydro peptohydro per platini(*or* o) pre tri
-chlorid *Chem.*
acetyl auri auro benzotri bi collodio deuto dihydro gelatino hexa hydrargo hydro hyper iodo mono oxy penta per platini(*or* o) poly proto rhodio sesqui sub sulpho ter tetra thionyl tri
-chloride *Chem.*
auro colloido dihydro ferri fluor gelatino hydro mercuri metho mono octo osmio oxy(bromo) penta per(oxy) plumbi poly proto pseudo rhodio sesqui sub sulpho super tetra thio tri
chlorimeter *Med.*
-chlorin *Chem.*
antho anti cholo eu h(a)emato hypo phyto
-chlorine *Chem.*
anti eu
chrysochlore -is *Ent.*
-id -idid(ae -(id)oid -ous
clitochlore *Phytogeog.*

dechloridation *Diet.*
-ination -uration
dechlorinization *Chem.*
dichlor- *Chem.*
acetic alantipyrin amin(e benzene -benzol -(di)ethylsulphid ethylarsin hydride methane methylether
diphenylchlorarsin
endochlorites *Bot.*
erythrochloropia *Ophth.*
ethylchlorurethan *Med.*
ethyldichlorarsin
formochlorol *Mat. Med.*
galactochlorose *Chem.*
glucochloralic *Org. Chem.*
gymnochlorites *Bot.*
hyc(h)lorite *Prop. Rem.*
hydrochlor- *Chem.*
auric uret
hyperchlorhydric -idation *Path.*
hyperchloridation *Med.*
hyperhydrochlor(id)ia
hypochlor- *Med.*
emia *Med.*
hydric *Path.*
ite ous *Chem.*
ization *Med.*
uria *Med.*
hypohydrchloria *Med.*
isochlor *Chem.*
kosmochlor *Min.*
mannochloralic -ose
mechlor(in)ic *Chem.*
melanchlor *Min.*
melanochlorous
methyldichlorarsin
methylformate *War Gas*
monochlor- *Chem.*
acetic anthracene
alantipyrin
inated
methan(e
phenol
oochlorin *Oology*
overchlorinate *Chem.*
oxychlorin *Surg.*
oxychloruret *Chem.*
parachloralide & -ose
parthenochlorosis *Path.*
pentachlor *Chem.*
perchlor- *Chem.*
acetate aldehyde atobenzene ethylic -idate -idation -inated -ination -uret
phytochlore *Bot.*
prechlorination *Chem.*
protochlorination *Chem.*
protochloruret *Chem.*
stilpnochloran(e *Min.*
superchlorination *Chem.*
tetrachlor- *Chem.*
ethane methane
trichlor- *Chem. & Med.*
acetic aldehyde butylalcohol ethane ethylene hydrin inated methane nitromethane phenol
urochloralic *Biochem.*
Xanthochlorus *Ent.*
xylochloralic & -ose
xylochloric *Min.*
Zoochlorella(e *Algae*

χλωρότης greenness
Chlorota *Ent.*
chlorotile *Min.*

χνόος fine down
-chnus -aceae *Fungi*
Hypo- Sporo-

χνοώδης downy
Chnoodes *Ent.*

χοάνη a funnel
choana -al -ate *Anat.*
Choana -ate *Prot.*
choanite *Zooph.*
-choanite(s *Conch.*
cloe holo macro meta micro mixo ortho pro schisto
-choanitic *Conch.*
cloio diplo holo mixo
choano-
cyte -al *Spong.*
flagellata *Prot.*
-e -ida -um
phorous *Anat.*
some -al *Anat.*
choanoid(eus *Anat.*
-choanoid(a(l *Conch.*
ellipo holo
Cyrtochoanites *Pal.*

χοϊκός of earth or clay
Exochoecia *Pal.*

χοῖνιξ a dry measure
choenix *Gr. Ant.*

χοιρίδιον Dim. of χοῖρος
Choeridium *Ent.*

χοιρο- Comb. of χοῖρος
choero-
lophodon *Pal.*
pus *Mam.*

χοιρογρύλλιος (Sept.)
cherogril *Zool.*
Choerogryl *Zool.*

χοιροκέφαλος
Choerocephalus *Ent.*

χοῖρος a pig
Agriochoerus *Pal.*
-idae -inae -ine
Choerodon *Pal.*
Choerops *Mam.*
-opinae -opine
-choerus *Pal.*
Agrio Mega Micro Promeryco Propalaeo Xeno
Halichoerus *Zool.*
Halichores *Ich.*
Hydrochoerus *Mam.*
-id(ae -inae -ine -oid
Hylochoerus *Zool.*
Hypochoeris -idae *Bot.*
Microchoeridae *Pal.*
phacoch(o)ere -us *Zool.*
-id(ae -inae -in(e -oid
Potamochoerus *Mam.*
Schizochoerus *Helm.*

χοιρώδης swinish
Choerodes -ia(n *Ent.*

χολ- Stem of χολή
chol- *Chem.*
alic amin(e ane anic ate eate eic ein enic
chol-
(a)emia -ic *Path.*
ang(e *or* io)itis *Path.*
angio- *Surg.*
(gastro)stomy tomy
auxanol *Prop. Rem.*
mesis -ia *Path.*
erythrin -ogen *Chem.*
in(e ic *Biochem.*
itic *Biochem.*
lepidanic *Biochem.*
onic *Chem.*
osis uria *Path.*
col-
alin *Mat. Med.*
amin(e *Biochem.*

χολαγωγός (Galen)
anticholagogue *Med.*
cholagog(ue *Med.*

χολέρα (Hipp.)
anticholerin *Mat. Med.*
choler
cholera -aic *Path.*
choleraphobia *Med.*
cholerase *Biochem.*
choleriform *Med.*
cholerigenous *Med.*
cholerine *Med.*
cholerization *Med.*
cholero-
mania *Med.*
phobia *Med.*
phone -ia *Path.*
choleroid *Med.*
cholerol *Prop. Rem.*
paracholera *Path.*

χολερικός (Diosc.)
choleric
al(ly ly ness
melancholeric
uncholeric

χολή gall, bile
acholuria *Physiol.*
autocholecystectomy
benzochol *Chem.*
cadechol *Chem.*
chola- *Chem.*
diene -ic
triene -ic
-cholalic *Chem.*
cheno dehydro desoxy hyo
-cholate *Chem.*
(hyo)glyco tauro
chole- *Chem.*
camphoric chloin chroin chrome cyanin(e fulvin globin hematin prasin telin verdin
chole- *Med.*
chysis hemia peritoneum po(i)etic pyrrhin(e rrhagia steatoma(tous therapy uria
cholecyst(is ic *Anat.*
cholecyst- *Med. Surg.*
algia ectasia ectomy endysis itis
-cholecystitis *Path.*
angio peri pleuro polypneumo
cholecysto- *Med. Surg.*
(colo)tomy (entero)-rrhaphy gram graphy lithiasis lithotripsy pexy
cholecysto . . . stomy
colo duodeno entero gastro ileo jejuno
-choleic *Chem.*
desoxy glyco sulpho tauro
cholelith *Med.*
iasis ic urin
cholelitho- *Surg.*
tomy tripsy trity
choleo-
camphoric *Chem.*
cholest- *Biochem.*
an(e anol anone ene enone ol yl
cholester- *Chem.*
ase ate ic ide ilene ilin in(e inic inize ol one yl(amine ene ine)
cholester- *Med.*
(a)emia inuria olemia (ol)uria
cholestero-
genesis genic *Chem.*
hydrothorax *Med.*
cholestrophane *Chem.*
-cholitis *Path.*
angio periangio
coleol *Biochem.*
duodeno-
chol(e)angitis *Path.*
cholecysto(s)tomy
duodeno- Cont'd
mesocolic
dyscholic *Path.*
enterocholecysto(s)tomy
formocholine *Org. Chem.*
glycocholonic *Org. Chem.*
hepatocholangio . . . stomy *Surg.*
-(cysto)duodeno- -entero- -gastro-
heterocholesta(*or* e)none
homocholane & -ene
hydrocholecystis *Path.*
hydrocholesterol *Med.*
hydroxycholin *Mat. Med.*
hyochol- *Biochem.*
adienic anic
hypercholesterin(*or* ol)-emia *Med.*
hypocholester(ol)emia
ileocholosis *Path.*
isocholanic *Chem.*
isocholest(e)rin *Biochem.*
isocholesterol *Biochem.*
isocholin(e *Biochem.*
isthmocolosis *Path.*
ketocholanic *Biochem.*
lactocholin(e *Chem.*
laparocholecystotomy
lipocholesterol *Biochem.*
loimocholosis *Path.*
oxycholesterin -ol *Chem.*
oxycholin(e *Chem. Pharm. Tox.*
pachycholic *Path.*
pancreatico-
cholecystotomy *Surg.*
paracholesterin *Biochem.*
pericholangitis *Path.*
pneumocholosis *Path.*
pyritocholesteric *Chem.*
sucholo- *Tox.*
albumin toxin

χοληδόχος gall bladder
choledoch(us al ous
choledochitis *Path.*
choledocho- *Surg.*
duodenostomy enterostomy lithiasis lithotomy lithotripsy plasty rrhaphy stomy tomy
choledography *Med.*
choledology *Med.*
duodenocholedochotomy

-χολία as in μελαγχολία
-cholia *Med.*
ana bacteria caco dys eu h(a)emoglobino hyper ischo oligo pachy para poly
-choly
alli caco leuco

χολικός bilious
cholic *Biochem.*
anthropodesoxy benzo cheno(desoxy tauro) dehydro desoxy gallodesoxy glyco hyo-(desoxy glycho(desoxy tauro) litho paraglyco rhizo tauro-(cheno)

χολο- Comb. of χολή
cholo-
chloin chlorin *Chem.*
chrome *Chem.*
crinus *Pal.*
cyanine *Chem.*
gaster *Ich.*
lith(ic -iasis *Path.*
logy
ph(a)ein *Path.*
plania *Med.*
rrhea *Med.*
scopy *Med.*
chromocholoscopy
colo-
gen *Mat. Med.*
genetic *Path.*
gestin *Prop. Rem.*
h(a)ematin *Biochem.*
hemothorax *Med.*

χολοειδής like bile
anthropocholoidanic
choloid *Biochem.*
anic (in)ic

χονδράκανθος (Arist.)
Chondracanthus *Crust.*
-id(ae -oid

χονδρίλλη (Diosc.)
Chondrilla -idae *Bot.*

χονδρίον Dim. of χόνδρος
chondrio- *Cytol.*
cont(e(s lysis mite mere some sphere
chondriome -a *Cytol.*
Chondriophyllum *Porif.*
chromochondrium *Cytol.*
desmochondria *Cytol.*
plastochondria *Cytol.*
mitochondria(l -ium
prochondriomes *Cytol.*

χονδρο- Comb. of χόνδρος
achondro- *Path.*
plasia plastic
adenochondro-
sarcoma *Tumors*
basioceratochondroglossus *Anat.*
chondro-
adenoma *Tumors*
albuminoid *Biochem.*
angioma *Path.*
blast *Cytol.*
blastoma *Tumors*
carcinoma *Tumors*
clast *Cytol.*
conia *Cytol.*
costal *Anat.*
cranium -ial *Anat.*
cyte *Cytol.*
dendrin *Org. Chem.*
dendron *Bot.*
dysplasia *Physiol.*
dystrophia *or* -y
endothelioma *Path.*
fibroma *Tumors*
form *Mat. Med.*
ganoid(ea(n *Ich.*
gen(ous *Histol.*
genesis *or* -ia *Physiol.*
genetic *Physiol.*
geny *Physiol.*
glossal & -us *Anat.*
glucose *Chem.*
graphy -ic *Anat.*
lipoma *Path.*
logy -ic *Anat.*
malacia *Path.*
meter *Weighing App.*
metra *Echin.*
mitome *Cytol.*
mucin *Histol.*
mucoid *Physiol. Chem.*
myces *Mycol.*
myoma *Tumors*
myxoma *Tumors*
myxosarcoma *Tumors*
pharyngeal -eus *Anat.*
phore *Conch.*
-a -idae -ous
plast *Cytol.*
porosis *Physiol.*
proteid -ein *Biochem.*
pterygii *Ich.*
-ian -ious
sarcoma(tous *Path.*
septum *Anat.*
skeleton *Anat.*
some *Cytol.*

chondro- Cont'd
spongiae -ian *Spong.*
sternal *Anat.*
stibian *Min.*
stoma *Ich.*
-i -inae
thyra *Malac.*
tome *Surg. App.*
tomy *Surg.*
xiphoid *Anat.*
dyschondroplasia
ecchondrotome *Surg.*
enchondrosarcoma
myxochondrofibrosarcoma
osteochondro- *Tumors*
fibroma sarcoma
phyte *Path.*
sternochondroscapularis
synchondrotomy *Surg.*
thyrochondrotomy *Surg.*
χόνδρος a groat; cartilage
chondr-
al *Anat.*
algia *Path.*
alloplasia *Physiol.*
arsenite *Min.*
arthrocace *Path.*
ectomy *Surg.*
enchyma -atous *Spong.*
estes *Ornith.*
ic
idene -idine *Biochem. Org. Chem.*
ify -fication *Physiol.*
igen(ous *Histol.*
iglucose *Chem.*
in(e *Biochem.*
inogen *Histol.*
ite -ic *Geol. Min.*
ites *Bot.*
itis *Path.*
ium *Chem. Min.*
odynia *Path.*
oid *Anat.*
oitic -in *Chem.*
oituria *Path.*
oline *Med.*
oma -atous *Tumors*
ome *Cytol.*
os *Anat.*
ose *Chem.*
-amin(e -aminic -amino -ic -idin -in-(ic
osia -iidae *Spong.*
osis *Physiol.*
osseous *Histol.*
ostean *Physiol.*
osteoma *Path.*
osteus *Ich.*
-ei -eid(ae -eoid e-ous
ostosis *Physiol.*
ule *Min.*
us *Anat.*
-chondral *Anat.*
endo inter pro sub vertebro
-chondritis *Path.*
fibro ino osteo peri
-chondroma *Tumors*
adeno angio arthro ec en fibro(en) hyaloen ino lipo masto myxo-(en) osteo(en) osteo-lipo peri rhabdo(myo) sarco(en)
-chondrosis *Path.*
ec en epi masto
-chondrotic
ec en epi
costochondral *Anat.*
enchondromatous *Path.*
entochondrostosis *Med.*
fibrochondrosteal

Halichondria(e *Spong.*
-iid(ae -(i)oid -ina -ine
mesochondrium *Anat.*
microchondrite *Geol.*
neurochondrite *Anat.*
osteochondromatosis
osteochondrous *Histol.*
perichondritic *Path.*
perichondrium -ial *Anat.*
perichondrome *Path.*
pleurochondrite *Zool.*
χονδρώδης granular
chondrodin(e *Chem.*
chondrodite -ic *Min.*
χοραγικός
choragic *Gr. Ant.*
χοραγός = χορηγός
Choragus *Ent.*
choragus *or* -os *Gr. Ant.*
χοραύλης chorus flutist
carol
carol(l)er
χορδάριον Dim. of χορδή
chordaria *Bot.*
iaceae iaceous
χόρδευμα a sausage
Chordeuma *Ent.*
-id(ae oid
χορδή string of gut; chord
Achordata *Zool.*
achordate *Anat.*
Acrochodiuratidae *Pal.*
acrochord(us *Herp.*
-id(ae -oid
Acrochordaninae *Pal.*
Adelochorda *Zool.*
cephalochord *Embryol.*
Cephalochorda *Biol.*
-chord *Music*
anemo bi clavi harmoni harpsi hepta hexa lyra lyri pan quadri rheo septi septima
chord(al *Music*
-chord(al *Zool.*
neuro pleuro stomo
chorda(l *Algae Anat.*
chordacentrum -us *Zool.*
-chordal *Anat.*
a bi cephalo epi hypo noto para peri pre pro subnoto tympani
chordate -a *Zool.*
chordaulodon *Music*
Chordeiles *Ornith.*
chordel *Math.*
chorditis *Path.*
chordoid *Histol.*
chordoma *Path.*
Chordonia -ium *Zool.*
clavichordist *Music*
cord
age aille ed elier(e elle er
cordilla *Agric.*
cordillas *Textiles*
Cordillera(n *Geog.*
cording *Textiles*
cordite *Expl.*
cordleaf *Bot.*
cordol *Chem.*
cordon(nier
cordonazo
cordonnet(te *Textiles*
corduroy
Exochorda *Bot.*
harpsichordist *Music*
Hemichorda -ata -ate
hexachordal *Music*
holochordate
intrachordal
mesochord *Obstet.*
myochorditis *Path.*

notochord *Embryol.*
organochordium *Music*
Parachordodes *Helm.*
perichord *Anat.*
Protochorda *Zool.*
-ata -ate
subchordal
teliochordon *Music*
tympanichord *Anat.*
unchorded
urochord(a(l -ate
χορδο- Comb. of χορδή
chordo-
centra *Histol.*
meter *Meas.*
rrhizal *Bot.*
skeleton *Embryol.*
tonal *Anat.*
χορεία a dance
Chorea *Ent.*
chorea *Path.*
-eal -eatic -eiform -eoid
-chorea *Path.*
hemi labi(o) mono orchi ortho pseudo
-choreic *Path.*
labi(o) post
choreo-
athetosis *Med.*
dromia *Ent.*
chore(o)-
graph
er ic(al(ly y
mania
choriography
salpingostenochoria
χορεῖος of a chorus
chore(e(us -eic *Pros.*
χορευτής a choral dancer
Achorutes *Ent.*
Acrochoreutes *Ent.*
choreutes *Gr. Drama*
Hydrochoreutes *Ent.*
χορηγια office of χορηγός
chora(*or* e)gy *Gr. Ant.*
χορηγικός (Xen.)
choregic *Gr. Ant.*
χορήγιον army supplies
choragium *Gr. Ant.*
χορηγός chorus leader
choregus *Gr. Ant.*
χοριαμβικός (Hephaest.)
choriambic *Pros.*
χορίαμβος (Heph.)
choriamb(us *Pros.*
χορικός of a choral dance
choric(al *Drama*
χόριο- Comb. of χόριον
chorio-
adenoma *Tumors*
blastosis *Path.*
capillaris *Anat.*
capillary *Ophth.*
carcinoma *Tumors*
cele *Ophth.*
epithelioma *Tumors*
retinal *Anat.*
retinitis *Path.*
neurochorioretinitis
χορ(ι)οειδής (Galen)
choroid(al ea *Anat.*
-choroid
pre post retinal sub supra
-choroidal
peri sub supra
-choroidea
ecto ento meso supra
chor(i)oiditis *Path.*
-choroiditis *Path.*
cyclo irido(cyclo) neuro retino sclero sclerotico

choroido- *Path.*
cyclitis eremia iritis retinitis
χόριον membrane, afterbirth
amniochorial *Embryol.*
chorial *Comp. Anat.*
chorioma *Path.*
chorion(ic *Comp. Anat. Embryol.*
-chorion *Embryol.*
allanto endo epi exo mallo omphalo pro
chorionarius *Bot.*
chorionepithelioma
-chorionic
endo mono pro sub
chorionin *Mat. Med.*
Chorioptes -ic *Ent.*
polychorion(ic *Bot.*
polychoris *Bot.*
synchorion *Bot.*
χορο- Comb. of χορός
antichoromanic *Ther.*
Chorodecta *Ent.*
choromania *Path.*
χοροδιδάσκαλος (Ar.)
chorodidascalus *Gr. Ant.*
χορός a dance; a chorus
antechoir
antichorus *Drama*
choir
master organ screen wall wise
choral(e *Music*
-eon -ist -ly
choraula *Eccl.*
chorist
er(ship ic ry
chorus(er
retrochoir
retrochorally
semichorus -ic *Music*
χόρτος grass
Calochortus *Bot.*
chortosterol *Chem.*
χρεῖος useful
Chreolepis *Ich.*
chreotechnics
Chrionema *Ich.*
χρεώστης a debtor
Chreostes *Ent.*
χρῆμα a thing of use
achrematite
chrematheism
crematography
χρηματιστής a business man
chrematist *Econ.*
χρηματιστική (Plato)
chrematistics *Econ.*
χρηματιστικός (Plato)
chrematistic *Econ.*
χρῆσις use
bibliochresis
chresard *Ecol.*
χρηστικός (Plutarch)
bibliochrestic
chrestic
χρηστο- Comb. of χρηστός
Chrestosema *Ent.*
χρηστομάθεια (Proclus)
chrestomathy -ic(al
χρηστός useful
Cerichrestus *Ent.*
chrestomathic(s
χρῖσμα a scented unguent cream
cake cups er(y iness ometer sacs y
chrism(a *Eccl.*
al(e arium ary ation atize atory
chrismatin(e *or* -ite *Min.*

chrisom *Eccl.*
creme
cremometer
decream *Foods*
hoplochrism
rhusma
Χριστιανος (N.T.)
ante-Christian
antichristian
-ism -ity -ize
arch-Christianity
cretin *Path.*
ic ism ization ize oid ous
cretinogenetic
Christian
dom(ed hood ism ity ize(-ation -er) less liness ly ness
christianite *Min.*
christianography
Crypto-Christian
dechristianize -ation
Epichristian
extra-christian
Neo-Christian(ity
Pagano-Christian
ism ize
pal(a)eo-Christian
pan-Christian
pre-Christian(ic
pseudo-Christian(ity
rechristianize
semichristianized
unchristian
ity ize(d like ly ness
Χριστο- Comb. of Χριστός
Christo-
centric latry logy(-ical -ist -ize) pathy phany
Χριστολυταί (Damasc.)
Christolyte -ae *Eccl.*
Χριστός the anointed (N.T.)
chrismon *Chr. Rel.*
Christ
cross(row dom ed hood iad ic icide icolist id iform less like(ness liness ly tide ward
Christadelphian(ism *Rel.*
christen
dom er ing
Christmas(s
ing tide y
mischristen
pseudo-Christ(ology
rechristen
unchristen(ed
unchristlike(ness
unchristly -iness
χροα color
achroacyte *Anat.*
achroacytosis *Path.*
achroin *Mat. Med.*
Aethochroi *Ethnol.*
allochroism *Med.*
amphichro(it)ic *Med.*
cholechroin *Chem.*
chroatol *Chem.*
Chroococcus *Bot.*
-aceae -aceous -oid
chroolepid *Lichens*
chroopsia *Path.*
cryptochroism *Phys.*
cyanochroia *Path.*
-oic -oous
cyanochroite *Min.*
dichroscope -ic *Crystal.*
dyschroa *Path.*
eisenpyrochroit *Min.*
endochroa *Bot.*
erythrochroic -ism
eupyrochroite *Min.*
glaucochroite *Min.*

Hemichroa *Bot.*
holochroal *Crust.*
ironpyrochroite *Min.*
leucochroi(c *Anthrop.*
Lissochroa *Ent.*
Leptochroa -ous
Mesochroi(c *Ethnol.*
Myochrous *Ent.*
parachroia -ea *Med.*
pleochroic *Crystal.*
-oism -oitic -oous
pleochro(ist)ic *Bot.*
Pyrochroa -oid(ae *Ent.*
pyrochroite *Min.*
radiochroism *Phys.*
schizochroal *Tril.*
Sclerochroa *Ent.*
thermochroic *Phys.*
-oism -oology
urochroa *Ornith.*
xanthochroia -oism

χροία skin, surface
Phanerochroeus *Ent.*

χρόμις (Arist.)
Chromis *Ich.*
-(id)id(ae -id(es ian inae ine) -(id)oid
-chromis *Ich.*
Hetero Lipo Mylo Para Pseudo Rhampho

χρονικα (Plutarch)
chronicle
-er -ist
chronique
polychronicler
protochronicler
unchronicled

χρονικόν Neut. of χρονικός
chronicon
polychronicon *Lit.*

χρονικός (Plutarch)
chronic
al(ly ity
subchronic *Med.*

χρονο- Comb. of χρόνος
chrono-
barometer *Horol.*
genesis *Biol.*
gram
grammatic(al(ly
grammatist
grammic
isotherm(al *Meteor.*
meter(er
metry -ic(al(ly
nomy
pher *Elec.*
photogram *Photog.*
photograph(y ic
scope
scopy -ic(al(ly
semic
spygmograph *Photog.*
stichon *Pros.*
thermal
thermometer
tropic -ism *Med.*
-chronograph
auto electro ortho panto photo sphygmo syn
-chronometer
algesi algo electro fall micro oligo plexi radio
electrochrono-
graphic
metry -ic
gastrochronorrhea *Med.*
myochronoscope *Psych.*
photochronography -ic-(al(ly
synchrono-
gamy *Bot.*
scope *Phys.*

χρονογραφια (Polybius)
chronography
-ic(al(ly -ist

χρονογράφος chronicler
chronograph(er

χρονοκράτωρ (Ptol.)
chronocrator *Astrol.*

χρονολογία (Old dicts.)
archaeochronology
autochronology
chronology
-ist -ize
geochronology
pseudochronologist
synchronology -ical

χρονολογικός (Old dicts.)
astrochronological
chronologic(al(ly
unchronological(ly

χρονολόγος (Old dicts.)
chronologer

χρόνος time
achronism
anachronic(al(ly
anachronous(ly
antichronism
-ical(ly
bichrone *Mech.*
bichronic *Bot.*
brachistochrone *Mech.*
-ic -ous
chronal(ist
chronanagram
chronaxia *Elec.*
chronaximeter *Med.*
chrondriosome *Embryol.*
chronispore *Biol.*
chronist
chronizoospore
chronosteon -eal *Anat.*
diachronic
dischronation *Ps. Path.*
dyschronous *Psych.*
geochrone -ic -y *Geol.*
heptachronous *Pros.*
hexachronous *Pros.*
holochrone *Math.*
homoeochronous *Biol.*
homochronic -ous *Biol.*
mesochrone
michron *Phys.*
octachronous *Pros.*
oligochrone
parachronism
-istic -ize
phenochron(ic *Phenol.*
polychronic *Bot.*
pseudochronism
teutochrone *Math.*
-ism -ous

-χροος Comb. of χρῶς as in μελάγχροος
-chrous *Bot.* ξανθόχροος
chloro galo myo phaeo spodo
hameatochroos *Bot.*
isochroous *Bot.*

χρυσ- Stem of χρυσος
anthrachrysone *Chem.*
chrys-
aline *Chem.*
amine *Chem.*
ammin(e *Dyes (T.N.)*
amm(in)ic *Chem.*
amphora *Bot.*
anilic -in(e *Org. Chem.*
anisic *Chem.*
anthous *Bot.*
arobin -ol -um *Chem.*
arone *Org. Chem.*
atropic *Chem.*
aur(e)in *Chem.*
azin -ol *Chem.*
ean einic *Chem.*
ellus *Colors*

chrys- Cont'd
emys *Zool.*
ene -ic *Chem.*
eolin *Chem.*
eus *Colors*
idin(e in(ic *Chem.*
olin one *Chem.*
opal *Min.*
opsis *Bot.*
orin *Alloys*
otis ure *Ornith.*

χρυσαλλίς (Arist.)
Chrysalidocarpus *Bot.*
chrysalis
Chrysalis *Ent.*
-id(al an ian ism oid)
chrysaloideus *Bot.*
Nymphochrysallis *Acar.*
Pseudochrysalis *Ent.*
Teleiochrysalis *Prot.*

χρυσάνθεμον (Diosc.)
chrysanthemum
-ine *Chem.* -ous

χρύσασπις with gold shield
Chrysaspis *Ent.*
chrys(o)aspid *Gr. Ant.*

χρυσάορος Fr. ἄορ sword
Chrysaora *Zooph.*

χρυσελεφάντινος (Schol. Ar.)
chryselephantine *Arts*

χρύσινος golden
Chrysina *Ent.*

χρυσίς gold plate
Chrysis *Ent.*
-id(es id(ae oid)
Protochrysis *Pal.*
-idinae
Thallochrysis *Prot.*

χρυσίτης like gold
chrysites *Colors*

χρυσο- Comb. of χρυσός
chryso-
aristocracy
bothris *Ent.*
cetraric *Chem.*
chlamys *Ent.*
chlore -is *Ent.*
-id(id(ae oid) -oid -ous
chlorophyll *Pigments*
chrome *Pigments*
cracy crat
creatinin(e *Biochem.*
diphenic *Org. Chem.*
eriol *Org. Chem.*
fluorene *Org. Chem.*
fluorenyl *Org. Chem.*
form *Mat. Med.*
gen *Chem.*
gonidium *Bot.*
gonimus *Lichens*
hermidin *Bot.*
in(e *Dyes Org. Chem.*
ketone *Org. Chem.*
lepic *Org. Chem.*
logy *Econ.*
magnet
monas *Prot.*
myia *Ent.*
myxa *Fungi*
pelea *Herp.*
petalidae *Helm.*
phen- *Org. Chem.*
azin(e ic in ol
phlyctis *Fungi*
phyllous *Pigments*
phyll(um -ous *Bot.*
phyric *Petrol.*
physcin *Org. Chem.*
phyta *Bot.*
pontin *Org. Chem.*
quinone *Org. Chem.*
retin *Chem.*
rhamnin *Chem.*

chryso- Cont'd
silpha *Ent.*
sperm
splene -ium *Bot.*
tannin *Chem.*
thamnus *Bot.*
thannine *Chem.*
tile *Min.*
tolu- *Chem.*
azin(e idin(e
toxin(e *Chem.*
xanthophyll *Pigments*
Liochrysogaster *Ent.*
Parachrysodema *Ent.*

χρυσοβάλανος (Galen)
Chrysobalanus *Bot.*

χρυσοβήρυλλος (Pliny)
chrysoberyl *Min.*

χρυσόβουλλον (Porph.)
chrysobull *Eccl.*

χρυσογραφία (Aristeas)
chrysography
lith(os)ochrysography

χρυσοδίνης golden-eddying
Chrysodina *Ent.*

χρυσοειδής (Plato)
chrysoid *Metal.*
chrysoidin(e *Chem. Dyes*

χρυσόθριχ golden-haired
Chrysothrix *Mam.*

χρυσόκαρπος (Diosc.)
chrysocarpous *Bot.*

χρυσόκολλα gold solder
chrysocolla *Min.*

χρυσόλιθος (Diod.)
bleizinkchrysolith *Min.*
chrysolite -ic *Min.*
neochrysalite *Min.*
pseudochrysolite *Min.*

χρυσόλοφος gold-crested
Chrysolophus *Ornith.*

χρυσομηλολόνθιον cockchafer
chrysomel(a *Ent.*
id(ae ideous oid

χρυσομήτρις (Arist.)
Chrysometris *Ornith.*

χρυσομίτρης Epith. of Bacchus
Chrysomitra *Zooph.*

χρυσόπρασος (N.T.)
chrysoprase -us *Min.*
Chrysoprasis *Ent.*

χρυσός gold. See χρυσ-, χρυσο-
Acanthachryson *Ent.*
ergochrysin *Tox.*
euchrysine *Dyes (T.N.)*
Glenochrysa *Ent.*
helichryze
heliochrysin *Chem.*
phycochrysin *Chem.*
rhamnochrysin *Chem.*
sanocrysin(e *Pharm. (T.N.)*
stachychrysum *Bot.*
tectochrysin *Chem.*

χρυσοστομικὸς
chrysostomic

χρυσοφανής of gold sheen
chrysophan(e
ate ic in ol
Chrysophanus *Ent.*

χρυσόφιλος fond of gold
chrysophilite *or* -ist

χρυσοφόρος wearing gold
Chrysophora *Ent.*

χρυσοχόος goldsmith
Chrysochus *Ent.*

χρυσόχροος gold-colored
chrysochrous

χρυσωπις golden-eyed
Chrysopida *Ent.*

χρυσωψ gold-colored
Chrysops *Ent.*
-opa -opid(ae
-chrysops *Ent.*
Lepido Neo

χρωικος colored
-chroic *Suffix*
Chroicocephalus *Ornith.*

χρῶμα complexion; color
achroma -asia *Path.*
actiniochrome *Chem.*
acritochromacy *Optics*
adenochrome *Mat. Med.*
adrenochrome *Mat. Med.*
aequichromosomal *Bot.*
alcaptochrome *Biochem.*
allochromasia *Med.*
amblychromasia *Chem.*
amph(i)arkyochrome
amphichrome -y *Bot.*
amphichromophil *Chem.*
anachromasis *Cytol.*
anhalochromy *Chem.*
anhydrochromic
anisochromia *Med.*
anochromasia *Biochem.*
antichrome *Pigments*
argochrom(e *Pharm. (T.N.)*
arkyochroma *Neurol.*
arkyostichochrome
autochrome -y *Photog.*
auxochrome -ous *Chem.*
basichromiole *Cytol.*
basometachromophil
bathochrome -ic *Dyes*
bathychrome *Dyes*
bichrome *Arts*
bichromic -ate *Chem.*
biscroma *Music*
blepharochromidrosis
callichroma
caryochrome *Neurol.*
cathalochromy *Chem.*
Centrochromus *Ich.*
chlorochromic -ates
chlorocruorochromogen
chloroproteinchrome
chole(*or* o)chrome *Chem.*
chrom-
aceae *Bact.*
aci *Phys. Chem.*
(a)esthesia *Psych.*
affin *Zool.*
affin(e *Biochem.*
affinopathy *Path.*
ammine *Chem.*
an(il -ol -one *Chem.*
azurine *Dyes (T.N.)*
diagnosis *Med.*
eidocrase *Min.*
eidoscope
epidote *Min.*
esthesia *Psych.*
(h)idrosis *Path.*
idio-
gamy some *Bot.*
sphere *Cytol.*
idium *Bot. Cytol.*
-ial -iation -ian -iosis
ine *Chem.*
iole *Cytol.*
ism *Chem.*
(it)ite *Min.*
ol *Fuels*
one *Org. Chem.*
onium *Phys. Chem.*
opsia *Path.*
optometer *Psych. App.*
optometrical
ous
oxylproteic *Biochem.*
u(*or* y)le *Bot. Chem.*
chroma *Colors, Music*
chroma-
meter *Music*

chroma- Cont'd
phil *Cytol.*
phore *Bot. Pigments Zooph.*
sciameter *Optics*
sciopticon *Optics*
scope *Colors*
telopsia *Ophth.*
trope *Dyes, Optics*
troposcope *Optics*
type *Photog.*
-chrome *Suffix*
chrome *Chem. Pigment*
-ene -eno -enyl -ic-(ize
chromi-
acetate *Chem.*
ferous
oxalic *Org. Chem.*
phosphite *Org. Chem.*
pyrophosphoric
chromiometer
chromium *Chem.*
chromo *Printing*
chromo-
artotypy *Photog.*
bacterium *Bact.*
blast *Cytol.*
chalcography -ic
choloscopy *Med.*
chondrium *Cytol.*
collo- *Photog.*
graph(-ic -y)
type
crater *Path.*
crinia *Path.*
cyanine *Chem.*
cyclite *Min.*
cyclograph *Print.*
cystoscopy *Med.*
cyte *Anat.*
cytometer *Med. App.*
dermatosis *Path.*
form *Pharm.* (*T.N.*)
gen(e -ic -ous *Chem.*
genesis *Bact. Bot.*
genetic *Biochem.*
gram *Photog.*
graph
hercynite *Min.*
isomerism *Org. Chem.*
isotropy *Org. Chem.*
leucite *Bot.*
lipoid *Biochem.*
lipoids *Bot.*
lith(ic *Photog.*
lithograph *Photog.*
-er -ic -y
lithotint *Photog.*
lume *Med. App.*
lysis *Cytol.*
mere -ic *Cytol.*
meter *Chem. Metal.*
monadina *Protozoa*
nema *Cytol.*
paric -ous *Bact.*
phan(e *Chem.*
phil(e -ic -ous *Histol.*
phobe -ic *Histol.*
phore -ic -ous *Chem.*
phose *Psych.*
photo-
graph(-ic -y) litho-graph type
photometer *Phys.*
phyll *Cytol.*
phytosis *Med.*
picotite *Min.*
plasm(ic *Cytol.*
plast(id *Bot. Cytol.*
proteid -ein *Biochem.*
pseudomerism *Chem.*
pyrometer *Phys.*
radiometer *Med.*
rhinorrhea *Med.*
scope -y *Med.*

chromo- Cont'd
silicate
some *Cytol.*
-al -(at)ic
sphere -ic *Astron.*
spire *Cytol.*
stroboscope *Toys*
tellurate *Chem.*
therapy *Ther.*
toxic *Med.*
trope *Dyes Optics*
tropy *Chem.*
-ic -ism
type -ic -y *Photog.*
typography -ic *Photog.*
ureteroscopy *Med.*
xylograph(y *Print.*
chromy *Pigments*
chrysochrome *Pigments*
collochromate *Print.*
cytochrome *Neurol.*
dermochrome *Print.*
Dichromanassa *Ornith.*
dichromasy *Ophth.*
dichromated *Photog.*
dichromic -ate *Chem.*
dichromic -ism *Psych.*
dichromophil(e
-ism *Staining*
dyschromasia *Path.*
dyschromia *Path.*
echinochrome -ogen
enarkyochrome *Neurol.*
endochrome *Bot. Zool.*
Eodichroma *Pal.*
eriochrome *Dyes*
erythrochromia *Med.*
euchrome
euchromosome *Cytol.*
ferrichromic *Chem.*
ferrochrome
ferrochromite *Min.*
ferrochromium
fluochromate *Chem.*
gigantochromoblast
gryochrome *Neurol.*
gyrochrome *Cytol.*
h(a)emachrome *Biochem.*
h(a)ematochrome *Algae*
h(a)emochrome *Physiol.*
h(a)emochromo-
gen *Biochem.*
meter metry *Med.*
halochromism -y *Chem.*
haplochromosomes *Bot.*
helichromotype *Photog.*
heliochrome -ic *Photog.*
heliochromoscope *Photog.*
hemaurochrome *Pigment*
hemichromosome *Cytol.*
hemochromoprotein
hepatochrome -ate *Chem.*
heptachromic *Ophth.*
heterochromia -ous
heterochromosomes *Bot.*
heterochromy *Bot.*
hexachromic *Ophth.*
hydrochromate *Chem.*
hydrochrome *Bot.*
hyperchrom- *Med.*
asia emia ic ism
hyperchromasy *Bot.*
hyper(cyto)chromia
hypochrom(em)ia *Med.*
hypochromyl *Chem.*
hypsochrome -ic(ally
idiochrom(e *Org. Chem.*
idiochromic -in *Cytol.*
idiochromidia *Cytol.*
idiochromosome(s *Biol.*
interchromosomal *Bot.*
isochrome *Optics*
jodchromate *Min.*
karyochrome *Neurol.*
katachromiasis *Cytol.*

kodachrome *Photog.* (*T. N.*)
kosmochromit *Min.*
kromskop *Med. App.*
lactochrome *Chem.*
leochromus *Bot.*
lepidochrome *Chem.*
-ic -ogen -oid -y
lithochrome -y *Arts*
-ic(s -ography
machromin *Chem.*
macronormochromoblast
magnochromite *Min.*
mercurochrome *Mat.*
merochrome *Chem.*
meta-
chromasy *or* -ia
-ic -isin -ism
chrome -ic *Staining*
chromophil(e *Staining*
chromosomes *Bot.*
chromy *Bot.*
metallochrome -y *Elec.*
metrochrome *Meas. App.*
mixochromosome *Cytol.*
mono-
chromasy & -ate
chromate *Chem.*
chromator *Optics*
chromophil *Staining*
chromosomic *Bot.*
myochrome *Chem.*
myxochromosomes *Bot.*
naphthochroman -one
ni(cho)chrome *Alloys*
oligochrome
-(a)emia *Med.*
organochromium *Chem.*
orthochrome -ize
-ization *Dyes Photog.*
orthochromophil
ovochromin *Biochem.*
oxychromic *Chem.*
pantochrome -ic
-ism *Phys. Chem.*
parachrome -a *Biol.*
parachromophore -ic
Pelochroma *Ent.*
pentachromic *Chem.*
perchromic -ate *Chem.*
perichrome *Neurol.*
ph(a)eochrome *Staining*
pheochromoblast
photochrome *Photog.*
-(at)ic -y
photochromo- *Photog.*
graphy
lithograph
scope
type typy
phycochrom(e *Algae*
aceae aceous acetum
phycochromo-
phyceae -eous *Algae*
protein *Biochem.*
phyllo(hemo)chromogen
phymochrom *Mat. Med.*
phytochrome *Bot.*
picrochromite *Min.*
pinachrom(e -y *Dyes & Photog.*
pleiochromia *Path.*
plurichromosomal *Bot.*
polychromasia *Path.*
polychromosomic *Bot.*
polychromy *Bot.*
pontachrome *Dyes* (*T. N.*)
prasochrome *Min.*
prochromo-
gen *Biochem.*
some *Bot.*
proteinochrome
-ogen *Chem.*
protochrome *Biochem.*
-osome *Cytol.*

pseudo-
chrom(a)esthesia *Med.*
chrome -osome *Cytol.*
chromia *Path.*
chromidrosis *Med.*
psychrochrome *Psych.*
-aesthesia
pyrochromic -ate
pyrrhochrome
quadrichromosomes *Bot.*
radiochrometer *Phys.*
rhodochrome *Min.*
rhodosochromic *Chem.*
Rhypochromus *Ent.*
sarcochromogen *Chem.*
semichrome
serochrome *Pigments*
siderochrome
solvatochromism *Chem.*
somatochrome *Cytol.*
spectrochrome *Ther.*
stenochrome *Print.*
-atic -y
stereochrome -y
-ic(ally -oscope
stichochrome *Neurol.*
sulphochromic
tannochrom *Mat. Med.*
tetrachromic -ist *Ophth.*
thermochromism *Chem.*
thiochrom- *Org. Chem.*
an ite one ous
thymochrom *Mat. Med.*
trichrome -ic -ate *Chem.*
trichromosomal *Bot.*
trophochromidia *Cytol.*
urochrome -ogen *Chem.*
xanthochrome *Biochem.*
-ia *Med.*
xenochroma *Bot.*
xylochrome *Biochem.*

χρωματ- Stem of χρῶμα
chromat-
in(ic *Biol.*
ino- *Cytol.*
lysis rrhexis
ism ize *Chem.*
oid *Staining*
opsia -y *Ophth.*
optometer *Ophth.*
optometry *Ophth.*
uria *Path.*
-chromatin *Biochem.*
basi(para) cyto hyper idio meta oxy para pseudo sperma tropho
-chromatism *Biol. Chem.*
amphi ana aptoso batho di homoeo homo hetero hypo meta pleo poly
-chromatism *Med.*
di para
-chromatopsia
dis dys hyper para
-chromatopsis
dys hemi hyper
-chromatopsy
dis dys hyper
-chromatosis
h(a)ema h(a)em(at)o hyper hypo meta os-teohema para poly
dichromat(e *Psych.*
dichromata *Med. Optics*
dyschromatoptic
heterochromatism *Optics*
monochromatism -ist
orthochromatism *Photog.*
panchromatization
polychromatia *Staining*
stereochromatize
trichromatism -ist

χρωματικός
acritochromatic *Optics*
allochromatic *Phys.*

amblychromatic *Cytol.*
amphichromatic *Chem.*
anachromatic *Med.*
anisochromatic *Ophth.*
apochromatic *Optics*
auxochromatic *Dyes*
bathochromatic *Dyes*
bichromatic
chromatic(s *Colors Music*
al(ly ism
chromaticity *Cytol.*
coccochromatic *Bot.*
cytochromatic *Neurol.*
dichromatic *Psych. Zool.*
heterochromatic *Optics*
hyperchromatic *Path.*
hypochromatic *Path.*
idiochromatic *Min.*
isochromatic *Optics*
leptochromatic *Med.*
lithochromatic(s
metachromat(in)ic
monochromatic(ally
orthochromatic *Photog.*
oxychromatic *Staining*
panchromatic *Photog.*
placochromatic *Biol.*
pleochromatic *Crystal.*
pseud(o)isochromatic
stereochromatic(ally
tetrachromatic *Ophth.*
trachychromatic *Cytol.*
trichromatic

χρωματο- Comb. of χρῶμα
chromato-
blast *Embryol.*
dysopia *Ophth.*
gen(ous
graph *Optics*
graphy *Colors*
kinopsia *Psych.*
logy *Colors*
lysis lytic *Cytol.*
mere *Cytol.*
meter
pathy -ia -ic
phagus *Pigments*
phil(e *Biol.*
-ia -ic -ous
phobia *Path.*
phore *Bot. Cytol. Zooph.*
phoroma *Tumors*
plasm *Biol.*
pseudopsis *Ophth.*
sciameter *Optics*
scope *Astron. Optics*
scopy *Phys.*
sphere -ic *Astron.*
spherite *Biol.*
taxis *Cytol.*
-chromatophil
a amphi iso karyo mono poly
-chromatophile
a iso poly
lithochromatography -ic
parachromatophorous
polychromatophil -ia -ic

χρως (-ωτός) skin; its color ξανθόχρως
calciorhodochrosite *Min.*
Chrosomus *Ich.*
Chrosperma *Bot.*
chrotic
Chrozophora *Bot.*
Drosochrus *Ent.*
Hapalochrus *Bot.*
Poecilochrus *Ent.*
χρῶσις coloring
Chrosis *Ent.*
h(a)emachrosis *Path.*
hematochrosis *Path.*
heterochrosis *Biol.*
hypochrosis *Med.*

metachrosis *Ent.*
thermochrosis -e -y *Phys.*
χρωτός Gen. of χρώς
chrotoplast *Cytol.*
Oochrotus *Ent.*
ozochrotia *Med.*
Phaeochrotes *Ent.*
pyrochrotite *Min.*
χυδαι- Stem of χυδαῖος
Chydaeopsis *Ent.*
χυδαῖος common
Chydaeus *Ent.*
χύδην at random
chydenanthin *Org. Chem.*
chydenanthogen *Chem.*
Chydenanthus *Bot.*
χυλάριον Dim. of χυλός
chylariose *Chem.*
χυλίζειν to extract juice
Chylizosoma *Ent.*
χυλο- Comb. of χυλός
chylo-
  caula -ous -y *Bot.*
  cele *Path.*
  cyst(ic *Anat.*
  derma *Med.*
  gaster gastic *Anat.*
  logy *Med.*
  micron *Histol.*
  pericarditis & -ium
  peritoneum *Path.*
  phoric *Anat.*
  phylly -ae -ous
  pleura *Med.*
  po(i)esis *Physiol.*
  po(i)etic *Physiol.*
  rrh(o)ea *Path.*
  thorax *Path.*
χυλοειδής like juice
chyloid
χυλός juice; chyle (Galen)
achylous *Path.*
blastochyle *Embryol.*
chyl-
  aceous *Physiol.*
  angioma *Path.*
  aqueous *Physiol.*
  emia *Med.*
  idrosis *Med.*
  (os)uria *Path.*
  ous
chyle
-chyle -ous *Bot.*
  endo peri
-chylema *Cytol.*
  cyto en karyo nucleo
chyli- *Physiol.*
  facient fact(ion ive ory) ferous fic(ation atory) form fy
-chylia *Med.*
  a eu hetero hypo oligo poly
h(a)ematochyluria
mochylic *Chem.*
pseudochylous *Med.*
χύλωσις (Plutarch)
chylosis *Physiol.*
χύμα a liquid (Arist.)
cytochym(a *Cytol.*
diachyma *Bot.*
plasmochyma *Biol.*
χυμεία = χημ(ε)ία
alchymy, *etc.*
χυμός juice; taste
antichymosin *Chem.*
chyme *Physiol.*
  -aqueous -ase -iferous -ification -ify -ogen -osin(ogen -ous
desmachyme *Spong.*
  -atous -ic
ecchymoma *Path.*
endochyme *Zool.*
ischochymia *Path.*
melanchyme *Min.*
nucleochyme *Biol.*
oligochymia *Med.*
panchymagogue
parachymosin *Biochem.*
perichymate *Dent.*
prochymosin *Biochem.*
Xanthochymus *Bot.*
χύσις a pouring out
chusite *Min.*
-chysis *Med.*
  chole meta pneumo rachio stetho
χυτός poured; fluid
Ascochyta *Fungi.*
ascochytose *Phytopath.*
Trissochyta *Ent.*
χυτρα earthen pot
chytra *Gr. Vases*
χυτραῖος of earthenware
Enchytraeus *Helm.*
  -aeidae -aeoides -aeoididae
χυτρίδιον a small pot
Chytridium *Bot.*
  -iaceae -iaceous -ial(es
χυτρίον Dim. of χύτρα
Cladochytrium -iacea
Synchytrium *Fungi*
  -iaceae -iaceous
χυτρο- Comb. of χύτρα
Chytrocrinus *Pal.*
χωλεύειν to be lame
Choleva *Ent.*
χωλιαμβικός
choliambic *Pros.*
χωλίαμβος (Dem. Phal.)
choliamb(us ist *Pros.*
χωλόπους lame-foted
Choloepus *Mam.*
Cholopus *Mam.*
  -odinae -odine
χωλός lame
Cholus *Ent.*
χώλωσις (Hipp.)
phlebocholosis *Path.*
χῶμα mound, bank
chasmochomophyte *Bot.*
chomapophyte
chomatocephalus
exochomophyte *Bot.*
isochomous *Bot.*
χωνη = χοανη
chon-
  erinus *Ich.*
    -id(ae -oid
  -etes -iform *Conch. Pal.*
chone *Anat.*
-chone -a *Spong.*
  ecto endo eu
χωνο- Comb. of χώνη
chono-
  phyma *Pal.*
  thrips *Ent.*
χώρα place; land; country
parachor *Phys. Chem.*
Platychora *Ent.*
Theatrochora *Ent.*
χωρεπίσκοπος country bishop
chorepiscopus -al *Eccl.*
χωρεῖν to withdraw; go on; spread
achoresis
-chore *Bot.*
  anemo anthropo auto bio blasto bolo broto crystallo hydro sauro zoo
-choric *Bot.*
  auto eury hetero homalo hydro zoo
-chorous *Bot.*
  anemo anthropo bolo myrmeco zoo
-chory *Bot.*
  auto endozoo epi eury myrmeco sauro synzoo zoo
isochor(e ic *Phys. Chem.*
trilochorite *Min.*
χῶρι asunder
chori- *Bot.*
  petalae -ous
  phelloid
  phyllous
  sepalum -ous
χωρίζειν to separate
chorization *Bot.*
Chorizema *Bot.*
Chorizogynopora *Helm.*
Dichorisandra *Bot.*
χωρίζοντες separators
chorizont(es *Hom. Crit.*
  al ic ist
χώρισις separation
chorisis *Bot.*
-chorisis *Bot.*
  cyclo epipedo sphaero
χώρισμα a separated space
chorisma *Bot.*
χωρισμός separation
chorism
cytochorism *Cytol.*
gonochorism(us *Biol.*
  -ismal -ist(ic
χωριστός separated
chorista *Med.*
choristate *Bot.*
Choristes *Conch.*
  -id(ae -idean -oid
Choristida *Spong.*
Choristium *Ich.*
choristo-
  blastoma *Path.*
  ceras *Conch.*
  dera -an *Herp. Pal.*
  phyllous *Bot.*
  pod(a ous *Crust.*
  psylla *Ent.*
choristoma *Path.*
χωρίτης a rustic
Chorites *Ent.*
χωρο- Comb. of χῶρος
choroisotherm *Meteor.*
chorologic *Bot.*
idiochorology *Bot.*
palaeochorology *Geol.*
Prochoroptera *Pal.*
synchorology -ic *Bot.*
χωροβάτης (Vitruv.)
chorobates *Gr. Surv.*
χωρογραφία (Polybius)
chorography *Geog.*
χωρογραφικός (Strabo)
chorographic(al(ly *Geog.*
χωρογράφος (Strabo)
chorograph(er *Geog.*
χωρομετρία (Strabo)
chorometry *Surv.*
χῶρος country
anachorism *Lit.*

ψαθυρο- Comb. of ψαθυρός
Psathyroceras *Ent.*
ψαθυρός friable, loose
osteopsathyrosis *Path.*
psathyrite *Min.*
Psathyrus *Ent.*
psaturose *Min.*
ψαλίδιον Dim. of ψαλίς
Psalidium *Ent.*
ψαλιδο- Comb. of ψαλίς
psalido-
  coptus *Ent.*
  crinus
  dect *Dent. Mam.*
  gnathus *Ent.*
ψαλίς (-ίδος) scissors
Dissopsalis *Pal.*
kephalepsalis *Surg.*
Psalidura *Ent.*
psalis *Anat.*
-psalis *Ent.*
  Eu Micro Para
psalistoma *Crust.*
ψαλιστός clipped
Psalistus *Ent.*
ψάλλειν pluck; play; sing
psallenda *Eccl.*
psalloid *Anat.*
ψαλμογράφος (Psell.)
psalmograph
  er ist y
ψαλμικός (Isid.)
psalmic
ψαλμός (Sept.)
psalm
  ist(er istry less y
ψαλμῳδιά (Eus.)
psalmody
  -ial -ic(al -ist -ize
ψαλτήριον (Arist.)
psalter(y *Music*
  -er -ian -ion -ium
psalter -ial -ium *Anat.*
psaltress
psaltry
santir -our *Music*
ψάλτρια female harper
Dasypsaltria *Ent.*
Eopsaltria *Ornith.*
Psaltria *Ornith.*
psaltriparous *Ornith.*
ψάμαθος sea sand
psamath- *Phytogeog.*
  ad ium
psamatho- *Phytogeog.*
  philus phyta
Ψαμμήτικος (Arist.)
Psammetichus *Ent.*
ψαμμίον grain of sand
Trachypsammia *Zooph.*
ψαμμισμός burying in sand
psammismus *Path.*
ψαμμίτης sandy
psammite -ic *Geol. Petrog.*
ψαμμο- Comb. of ψαμμός
pelopsammogenous *Bot.*
psammo-
  aetus *Ornith.*
  bia -iid(ae -ioid *Conch.*
  carcinoma *Path.*
  cincla *Ornith.*
  cryptus *Ent.*
  genous -ity *Bot.*
  lithic *Geol.*
  logy -ist
  nemata *Spong.*
  perca *Ich.*
  phile(s -ous *Bot.*
  phyte -ia -ic *Bot.*
  sarcoma *Path.*
  sere *Bot.*
  spiza *Ornith.*
  therapy
ψάμμος sand
Amphipsammus *Pal.*
Areopsammus *Pal.*
Eupsamma -idae *Zool.*
fibropsammona *Tumors*
hemipsammic
oligopsammic *Bot. Geol. Petrol.*
perpsammic *Phytogeog.*
psamma *Bot. Path.*
psamm-
  arch etum *Bot.*
  inae *Spong.*
  odontia
  odus *Ich.*
    -ontid(ae -ontoid
  oecus *Ent.*
  oma *Path.*
  ophis *Herp.*
    -id(ae -inae -in(e
psammous
psammurgical
Trachypsammia *Pal.*
uropsammus *Path.*
ψαμμώδης sandy
Psammodes *Ent.*
ψάρ a starling
Notiospar *Ornith.*
Platypsaris *Ornith.*
Psaris *Ornith.*
ψαρός = ψάρ
Cryptopsarus *Ich.*
psarocolius
psarolite *Pal.*
psaronite *Pal.*
Psaronius *Pal. Bot.*
Psaryphis *Ent.*
ψαρώνιος
Xylopsaronius *Pal.*
ψεδνός thin, bare
Psednoblennius *Ich.*
ψελιουμένη
pseliumene *Gr. Num.*
ψελλίζειν falter in speech
Psellis *Ent.*
ψέλλιον necklace
Pselliodes *Arach.*
Pselliopus *Ent.*
Syllis *Helm.*
  -ian -id(ae -oid
ψελλισμός stammering
psellism(us *Path.*
psellismology -ist
ψευδ- Comb. of ψευδής
benzopseudoxazole
chromatopseudopsis
Indopseudodon *Malac.*
pseud-
  acanthus *Ent.*
  aconin -itin(e *Chem.*
  acousis *Psych.*
  acousma *Psych.*
  acranthic *Bot.*
  acromegaly *Med.*
  actinomycosis *Path.*
  aesthesia *Psych.*
  aethria *Ent.*
  agnostus *Pal.*
  agraphia *Ps. Path.*
  albuminuria *Med.*
  allosematic
  almedia *Bot.*
  alopex *Mam.*
  ambulacra(l -um
  amitosis *Bot.*
  amnesia *Psych.*
  amoeboid
  amphimeryx *Pal.*
  amphora *Gr. Ant.*
  amygdaloid(al *Geol.*
  amygdule *Geol.*
  andry
  angina *Path.*
  ankylosis *Med.*
  annual
  annulus *Mosses*
  anthias *Ich.*
  anthis -ic *Bot.*
  aphia *Path. Psych.*
  aphrophora *Ent.*
  apogamy *Bot.*
  aposematic *Biol. Phil.*
  arachna *Arthrop.* -ae *Arach.*
  arrhenia *Med.*
  arthritis *Med.*

pseud- Cont'd
arthrosis *Med.*
astacus *Crust. Pal.*
astarte *Pal.*
ataxic *Path.*
atoll
axine *Zool.*
axis *Bot.*
barydia *Ent.*
echeneis *Ich.*
echis -ic *Helm.*
elephant
elytron -um *Ent.*
embryo(nic
emys -yidae *Turtles*
encephalic -us *Terat.*
endromis *Ent.*
entoptic *Psych.*
epiploon -oic *Ornith.*
episematic *Biol. Phil.*
esthesia *Psych.*
haemal *Zool.*
halcyon *Ornith.*
halteres
(h)elminth *Helm.*
hemipteryx *Ornith.*
holoptic
homonymic *Biol.*
idea *Psych.*
imago -inal *Ent.*
inoma *Path.*
inulin *Org. Chem.*
iphtheritic *Med.*
isochromatic *Ps. Phys.*
odont *Zool.*
oidia *Bot.*
ol *Chem.*
oliva -inae
omus *Ent.*
oniscus *Ich.*
-id(ae -oid
onychium *Ent.*
oothrix *Crust.*
operculum *Conch.*
-a -ar -ate
ophidia(n *Herp.*
opsia *Path.* opsis *Ent.*
optics *Psych.*
orca *Cetac.*
orexia *Med.*
organic
orthoceras *Pal.*
oscines -in(e *Ornith.*
osculum *Spong.*
osmia *Path.*
ova -al *Embryol.*
ova *Ent.*
ovary -ian -ium *Ent.*
ovum *Emb. Ent.*
ψευδαπόστολος (N.T.)
pseudapostle
pseudapostolical
ψευδεπίγραφος (Polyb.)
pseudepigraph
a(l ic(al ous y
ψευδεπίσκοπος (Adam.)
pseudepiscopy -acy
ψευδεπώνυμος (Phot.)
pseudeponymous
ψευδής false, untrue
Petropseudes *Mam.*
pseudimago -inal *Ent.*
Pseudis *Herp.*
pseudism
ψευδισόδομος (Vitruv.)
pseudisodomon *Arch.*
-ous -um

ψευδο- Comb. of ψευδής
chromopseudomerism
pseudo-
acacia *Bot.*
acid *Chem.*
aconitin(e *Chem.*
acromegaly *Med.*
actinomycosis *Path.*
adiabat(ic *Meteor.*

pseudo- Cont'd
adventive *Bot.*
agraphia *Ps. Path.*
albuminuria *Med.*
alkaloid *Chem.*
alveolar *Med.*
amoeboid
angina
angle
anilopyrine *Org. Chem.*
ankylosis *Med.*
annulus
anorexia *Med.*
apoplectic
apoplexy
aposematic
apostle
appendicitis *Path.*
apraxia *Ps. Path.*
aquatic *Bot.*
archaic
archaism -aist
Aristotelian
arthrosis *Med.*
articulation *Zool.*
ascetic
asthma *Med.*
asymmetry *Org. Chem.*
ataxia *Med.*
autoicous *Bot.*
axis *Bot.*
bacillus
bacterium
bard
base *Chem.*
baselow *Path.*
basidia *Ent.*
basidium *Bot.*
beat *Phon.*
becquerelia *Pal.*
biatorine *Bot.*
Bible
blaps *Ent.*
blepsis -ia *Path.*
boleite *Min.*
bombus *Ent.*
bombyces *Ent.*
-ine -ini
borhyaena *Pal.*
bos *Pal.*
brachium -ial *Ich.*
branch(ium *Ich.*
-ia(l -iate
brookite *Min.*
bulb(il -ous *Bot.*
bulbar *Path.*
calcareous *Bot.*
calculi
cambium *Bot.*
capillitium *Bot.*
capitulum
carcinoid *Crust.*
carcinoma *Med.*
cardinal *Conch.*
cardita *Pal.*
carnites *Pal.*
carp(ous *Bot.*
cartilaginous *Med.*
cast *Med.*
Catholic(al -ism
cellulose *Bot.*
center *Biol.*
centri -ic(ity *Biol.*
centris *Ent.*
centrum -ous *Zool.*
cephalocele *Path.*
cephalodium *Bot.*
cephalus *Ent.*
cepitulum *Mites*
ceratitis *Zool.*
ceratophorous *Zool.*
cercaria *Zool.*
cerebrin *Chem.*
ceros *Helm.*
-id(ae -oid -otidae
chalazion *Ophth.*

pseudo- Cont'd
chalcedonite *Min.*
chama
chancre *Med.*
china *Bot.*
chloride *Org. Chem.*
chloritis *Pal.*
chorea *Med.*
Christ(ology
Christian(ity
chrom(a)esthesia *Med.*
chrome -atin *Cytol.*
chromia *Path.*
chromides *Ich.*
-idae -oid
chromidrosis *Med.*
chromis *Ich.*
-id(ae -oid
chromosome *Cytol.*
chronism
chronologist
chrysalis *Ent.*
chrysolite *Min.*
chylous *Med.*
cilium *Bot.*
circus *Ornith.*
cirrhosis *Med.*
citizen
cladosictis *Pal.*
classic(al(ity
classicism
Clementine
clistogamy -ous *Bot.*
cnemodes *Ent.*
codein *Med.*
coele -ian -ic *Anat.*
coelom(e *Zool.*
colloid *Biochem.*
coloboma
columella(r *Corals*
columna *Pal.*
commissure -a(l
concha *Ornith.*
conchoid *Bot.*
cone *Ent.*
conglomerate *Geol.*
conhydrine *Chem.*
conjugation *Biol.*
cormophytes *Bot.*
corneous *Mam.*
cortex *Bot.*
costa *Zooph.* -ate *Bot.*
cotunnite *Min.*
cotyledon(ae eae *Bot.*
coxalgia *Med.*
crangonyx *Crust.*
cranion *Ent.*
cremnops *Ent.*
creodi *Pal.*
crisis *Path.*
critic(ism
crocidolite *Min.*
croup *Path.*
crystalline *Geol.*
cubic(al
cum- *Org. Chem.*
-(id)ine -yl
cuma -id(ae -oid *Crust.*
cyclosis *Biol.*
cyesis *Physiol.*
cylindroid *Med.*
cyphella(e *Lichens*
cyst *Bot. Path. Zool.*
dacus *Ent.*
deltidium *Brachiop.*
dementia *Med.*
dera *Ent.*
derm *Spong.*
deweylite *Min.*
diabase *Petrog.*
diartema *Pal.*
diastolic *Med.*
dichotomy
dictya *Ent.*
dike *Geol.*
diorite *Petrog.*

pseudo- Cont'd
diphtheria -itic
distance *Geom.*
dramatic
dysentery *Med.*
dystropy -ous *Bot.*
(o)edema *Med.*
education
elaters *Bot.*
electrolyte *Phys. Chem.*
element *Chem.*
embryonic *Med.*
emphysema *Path.*
encephalitis *Path.*
endometritis *Path.*
enthusiast
ephedrin(e *Chem.*
ephemer *Bot.*
epinasty *Bot.*
episcopacy
equality
erysipelas -atous *Path.*
erythrin *Chem.*
esthesia *Psych.*
eucryptite *Min.*
evangelism -ist
exophoria *Ophth.*
exposure *Dent.*
farcy *Vet.*
favosites *Pal.*
fecundation *Biol.*
fertility *Bot.*
fertilization
fever *Med.*
fibrin *Biochem.*
filaria(n *Protozoa*
fluctuation *Path.*
foliaceous *Bot.*
form *Chem.*
fouguea *Pal.*
fracture *Med.*
fruit
galena *Min.*
gametange *Bot.*
gamy *Bot.*
ganglion *Anat.*
gaster *Spong.*
gastrula *Embryol.*
gaylussite *Min.*
gelocus *Pal.*
general *Path.*
generic *Biol.*
gentility
genus *Biol.*
geogenous *Bot.*
geometry
geus(a)esthesia *Med.*
geusia *Path.*
geustia *Path.*
geyser
ginitzia *Pal.*
glacial *Geol.*
glanders *Vet.*
glauconia *Pal.*
glioma *Path.*
globulin *Biochem.*
glossothyris *Pal.*
glottis *Anat.*
glucosazone *Biochem.*
gonococcus *Bact.*
gonorrhea *Med.*
Gothic
granular *Bot.*
gryphes *Ornith.*
gymnit *Min.*
gymnosperms *Bot.*
gyn *Lit.*
gyne -ous -y *Ent.*
gyrate *Bot.*
h(a)emal *Zool.*
halide *Chem.*
hallucination -ory
halter *Ent.*
haustorium *Bot.*
heart *Conch.*
helion *Meteor.*

pseudo- Cont'd
hemoglobin *Biochem.*
hemoptysis *Med.*
hermaphrodite -ism
hernia *Med.*
heterosite *Min.*
heterotopia *Med.*
hexagonal *Crystal.*
holoptic *Ent.*
hybridation *Bot.*
hydronephrosis *Med.*
hydrophobia *Path.*
hymenium *Bot.*
hyoscyamin *Mat. Med.*
hypertrophy -ic *Path.*
icterus *Med.*
ileus *Med.*
impregnation *Bot.*
indole *Org. Chem.*
ind(ox)yl *Org. Chem.*
influenza *Path.*
ion *Bot. Chem.*
Isidore -ian
ism
iso-
chromatic
merism *Org. Chem.*
metric *Crystal.*
topy *Chem.*
tropy *Phys. Chem.*
jade jadeite *Min.*
jaundice *Med.*
jervine *Chem.*
julis *Ich.*
klase *Geol.*
labium -ial *Myriap.*
lamellibranchia *Conch.*
lamina -ated *Bot.*
larix *Bot.*
lasius *Pal.*
lateral *Bot.*
latex *Bot.*
laumontite *Min.*
laven(t)ite *Min.*
legislator
leuc(*or* k)(a)emia
leucemic *Path.*
leuchaemia *Path.*
leucite
leucocite *Path.*
leucocythemia *Path.*
leucodermis *Bot.*
liber *Bot.*
libethenite *Min.*
lichen *Bot.*
limax *Prot.*
lingula *Pal.*
linoptes *Ent.*
liogenys *Ent.*
lipoma *Path.*
literary
lobar
lobes *Bot.*
logia *or* -y *Ps. Path.*
lops *Pal.*
loris *Pal.*
lucina *Pal.*
lunule *Brachiop.*
lupus *Path.*
luxation *Anat.*
lymphocyte *Cytol.*
lyssa *Ps. Path.*
macchia *Bot.*
machla *Ent.*
malachite *Min.*
malaria *Path.*
mallomonas *Prot.*
mamma *Embryol.*
mamory
mania -iac
maqui *Bot.*
mecynostoma *Pal.*
megacolon *Med.*
meionite *Min.*
meiosis *Bot.*

pseudo- Cont'd
melania *Conch.*
-iid(ae -ioid
melanin(e
melanosis *Med.*
membrane -ous *Path.*
memory
mendipite *Min.*
meningitis *Path.*
meningocele *Path.*
menstruation
mer(ism -ic -y *Chem.*
mesial *Anat. Ich.*
mesoderm *Cytol.*
mesolite *Min.*
metallic
metamerism -iz *Zool.*
metaplasia *Histol.*
mica
mictic *Bot.*
military
mitosis & -otic *Biol.*
mixis *Bot.*
mnesia *Ps. Path.*
monacanthus *Ich.*
monadaceae *Bact.*
monas *Bact.*
monaspis *Pal.*
mono-
carpous -y *Bot.*
clinic
cotyledon(ous *Bot.*
cyclic *Pal.*
gonic *Hered.*
tropy *Chem.*
morph(ism *Min.*
-ic -ose -osis -ous
morphia-
ine *Chem.*
morpholite *Geol.*
morphytus *Bot.*
morula -ar *Embryol.*
Moses
motor *Med.*
mucin *Chem.*
multilocular *Bot.*
multiseptate *Bot.*
mycorrhiza *Bot.*
mycosis *Path.*
myopia *Ophth.*
mythodes *Ent.*
myxoma *Cytol.*
narcotic -ism *Med.*
navicella(r *Protozoa*
navicula(r *Protozoa*
nemathecium -ia *Bot.*
neoplasm *Path.*
neuroma *Tumors*
neuropter *Ent.*
a(n ous
nipple *Anat.*
nitrol(e *Org. Chem.*
nitrosite *Org. Chem.*
nodule *Bot.*
nuclein *Chem.*
nucleole -us *Oology*
nucleus *Bot. Pal.*
nystagmus *Path.*
ochronosis *Med.*
(o)edema *Med.*
oidischia *Pal.*
optogram *Ophth.*
orthoclase *Min.*
orthorhombic
osteomalacia *Med.*
ozocerite *Min.*
pallium *Conch.*
paralysis *Path.*
paraphrasia *Ps. Path.*
paraphyses *Bot.*
paraplegia *Path.*
parasite -ic *Biol. Min.*
parasitism
parenchyme -a(tous
pareis *Path.*
parthenogenesis *Biol.*

pseudo- Cont'd
pathy
patriot(ic
patron
pecopteris *Bot.*
pedicillaria *Echin.*
pediform *Zool.*
pedogenesis *Zool.*
pedogenetic *Zool.*
pelade *Med.*
pelletierin *Mat. Med.*
pepsin *Physiol.*
peptone *Biochem.*
perianth *Bot.*
pericardial *Med.*
peridium -ial *Fungi*
periodic *Math.*
peripneumonia
perithecium *Bot.*
peritonitis *Med.*
perspective
petal *Bot.*
peziza *Fungi*
phacoceras *Pal.*
phacopteron *Ent.*
phallia *Gastrop.*
phanus *Ent.*
pharmacopian
phelloid *Bot.*
philanthropy
phillippsia *Pal.*
phillipsite *Min.*
philology
philosophia -ical
pholidops *Pal.*
phone *Acoustics*
photaesthesia *Psych.*
photometric *Bot.*
phototaxis *Biol.*
phthisis *Path.*
phyll *Bot.*
phyllidea *Helm.*
phyllodic *Bot.*
phyllomimus *Ent.*
phyllopodous *Bot.*
physostigmin(e *Chem.*
pigmentation
pirssonite *Min.*
pisolite *Geol.*
plankton *Bot.*
plasm *Path.*
plasmodium *Bot.*
plegia *Path.*
pleuronectes *Ich.*
pleuston *Bot.*
pneumococcus *Bact.*
pneumona *Gastrop.*
pneumonia
pod(ian -(i)al -ic *Biol.*
poda *Infus.*
podiospore *Biol.*
podium *Biol.*
poecilia *Ich.*
poetic
politic(ian
polyporus *Pal.*
pore *Spong.*
porencephaly *Med.*
porphyritic *Petrog.*
possession *Psychics*
pregnancy
presentiment
priacanthus *Ich.*
priest
primitive
proboscis *Ent.*
proct(ous *Echin.*
prostyle *Arch.*
psychology
psyra *Ent.*
pterodon *Pal.*
pterygium *Med.*
ptilophyllum *Pal.*
ptilops *Ent.*
ptosis *Med.*
punicin *Mat. Med.*

pseudo- Cont'd
pupa -al *Ent.*
pus *Batrach.*
pycnidial *Bot.*
pyrenium *Bot.*
pyrochroeite *Min.*
pyrophyllite *Min.*
rabies *Ps. Path.*
racemic -ism *Chem.*
ramose *Bot.*
ramulus *Algae*
raphe *Bot.*
ray *Geom.*
reaction *Bact.*
reduction *Cytol.*
religious
reversal
rhabdite *Helm.*
rheumatism -ic *Path.*
rhize *Bot.*
rhombohedral *Crystal.*
romantic
scalpellum *Pal.*
scarlatina *Med.*
scarus *Ich.*
schloenbachia *Pal.*
science scientific
sciurus *Pal.*
-id(ae -oid
sclerosis *Path.*
scolex *Helm.*
scope
scopelus *Ich.*
scopy -ic(al(ly
scorpion(es *Ent.*
scytalia *Porif.*
sematic *Zool.*
sensation *Psych.*
septate *Bot. Zooph.*
septum *Corals*
sessile *Zool.*
siphon(al *Mol.*
siphuncle *Zool.*
skeleton
social
solaneae *Bot.*
solution
sperm(ium - ic-ous *Bot.*
sphere -ical *Geom.*
spherulite -ic *Petrol.*
spidodera *Helm.*
spiracle *Zool.*
sporange -ium *Bot.*
spore -eae *Mycol.*
squamate *Zool.*
stalactical
stalaktite *Geol.*
stauros *Bot.*
stele -ic *Bot.*
stella *Meteor.*
stereoscope *Optics*
-ic -ism
stigma -atic *Zool.*
stipules *Bot.*
stratum *Geol.*
stroma *Anat. Mycol.*
stromatism *Petrog.*
strongylosoma *Arach.*
strophanthin *Chem.*
strophiole *Bot.*
structure *Histol.*
struvite *Min.*
suchia *Zool.*
sulphocyanin *Chem.*
sylvian *Anat. Zool.*
symmetric(al(ly
symmetry *Crystal.*
synaptic *Bot.*
synapticula(r *Corals*
syncarp *Bot.*
syphilis -itic *Path.*
tabes *Path.*
terminal *Bot.*
ternary *Phys. Chem.*
tetanus *Path.*
tetragonal *Crystal.*

pseudo- Cont'd
tetramera(l -ous *Ent.*
textoma *Histol.*
thanatus *Path.*
theca(l(ia *Anthozoa*
therapy
thersitea *Pal.*
thrill *Med.*
thryoneus *Ent.*
thryptodus *Pal.*
thylacinus *Pal.*
topaz *Min.*
toxin *Chem.*
trachea -eal *Ent.*
trachoma *Path.*
tragus *Pal.*
triakis -id(ae *Ich.*
trichiniasis *Path.*
trichinosis *Path.*
trichophore *Algae*
trigonal *Crust.*
trimera(l -ous *Ent.*
trionyx *Herp.*
-ychid(ae -ychoid
tropin(e *Chem.*
tsuga *Bot.*
tubercle *Path.*
tuberculoma & -osis
tumor *Path.*
turbinal *Anat. Zool.*
turbinolidae *Corals*
tychius *Ent.*
type -ic *Morphol.*
typhoid
uniseptate
urea -ate -ic *Org. Chem.*
vacuole *Histol.*
varial -iola *Path.*
vascular *Bot.*
velum -ar *Hydrozoa*
ventricle *Anat.*
vermicule -us *Path.*
vessels *Bot.*
vicosity
viperae -in(e *Ophid.*
vitellus *Ent.*
vivipary *Bot.*
volcano -ic
vomer *Ich. Pal.*
wavellite *Min.*
whorl *Bot.*
wollastonite *Min.*
xanthin(e *Biochem.*
xanthoma *Path.*
xiphophon *Ich.*
zonophyllum *Zooph.*
zooglea *Bact.*
zygospore *Bot.*
Subpseudoscalpellum
ψευδογραφημα (Arist.)
pseudographeme
ψευδογραφία (Ath.)
pseudography
ψευδογράφος (Arist.)
pseudograph
er ize
ψευδοδίπτερος (Vitruv.)
pseudodipter *Arch.*
al(ly on ous
ψευδοδοξία (Strabo)
pseudodoxy
ψευδόδοξος (Galen)
pseudodox(al
ψευδόθυρον a secret door
pseudothyrum *Cl. Arch.*
ψευδολατρεία (Cyrill.)
pseudolatry
ψευδολογία (Isocr.)
pseudology
ψευδολογικός
pseudological(ly
ψευδολογιστής (Lucian)
pseudologist
ψευδολόγος lying
pseudologer

ψευδομαντεία (Cyrill.)
pseudomancy -tic
ψευδόμαντις (Herod.)
pseudomantis -ist
ψευδομάρτυς (Laod.)
pseudomartyr(dom
ψευδοπερίπτερος (Vitruv.)
pseudoperipteral -on -os
ψευδοπροφήτης (Clem. Alex.)
pseudoprophet
ess ic(al

ψεῦδος an untruth; the false. See *ψευδ-*, *ψευδο-*

ψευδοσοφία false wisdom
pseudosophy
ψευδόσοφος falsely wise
pseudosoph
er ical
ψευδόστομα (Strabo)
Used in altered sense.
pseudostoma -atous *Zool.*
pseudostome *Zool.*
Pseudostomidae *Mam.*
pseudostomin(e
pseudostomosis & -otic
ψευδόστομος (Strabo)
pseudostomous
ψευδώνυμος (Aesch.)
polypseudonymous
pseudonym(e
al ic ity ous(ly ousness

ψεῦμα a lie
Pseumatocoris *Ent.*
ψεύστης a liar
Phyllopseuste(s *Ornith.*

ψεφαρός gloomy
Psepharobius *Ent.*
ψεφηνός dark, obscure
Psephenus -idae *Ent.*
ψέφος darkness
Psepholax *Ent.*

ψῆγμα scrapings, chips
Psegmoptera *Ent.*
ψήκτρα a scraper
Psectascelis *Ent.*
psectro- *Ent.*
cephalus cera pus

ψηλαφάειν to grope, touch
Pselaphidium *Ent.*
pselapho- *Ent.*
gnath(a -ous
theca
Pselaphus *Ent.*
-i -id(ae -oid
-pselaphus *Ent.*
Camaco Meco Peleco
Seleno Spheno Stereo
Tricho Trigono
ψηλάφησις touch
apselaphasid *or* -ia *Path.*
hyperpselaphasia *Path.*
hypopselaphesia *Path.*
pselaphis -ia *Psych.*

ψην the gall insect
Psen *Ent.*
Psenoceras *Ent.*
ψηνός a bald head
Eupsenius *Ent.*

ψῆττα a kind of flat-fish
Parapsettus *Ich.*
Psetta *Ich.*
-aceous -idae -inae
-in(e -us
-psetta *Ich.*
Cyclo Eo Gastro Hypo
Hypso Ino Lio Lopho
Lyo Taenio Tricho
Psettichthys *Ich.*
Psettodes *Ich.*
-id(ae -oidea(n

ψήφισμα a decree
psephism(a *Athen. Pol.*
ψηφολόγος a juggler
Psephologa *Ent.*
ψῆφος a pebble
psephite -ic *Geol. Petrog.*
Psephodus *Ich.*
psephomancy
Psephurus *Ich.*
Psephus *Ent.*
ψῖ the letter ψ
psicain(e *Pharm.*
ψίειν to chew up
myopsin *Biochem.*
ψίζειν to feed on pap
Psidium *Bot.*
ψιθυρισμός whispering
psithurism
ψίθυρος whispering
apsithyria *Ps. Path.*
Psithurus *Ent.*
ψιλ- Stem of ψιλός
psil-
acestes *Ent.*
enchus *Helm.*
ischium *Ent.*
oma *Path.*
omma *Ent.*
oniscus *Ent.*
onyx *Ent.*
ψιλάνθρωπος merely human
psilanthropia *Theol.*
-ic -ism -ist -y
ψιλο- Comb. of ψιλός
Parapsilorhynchus *Ich.*
Propsiloceras *Ent.*
psilo-
bites *Pal.*
cephalus -inae *Ich.*
ceras *Pal.*
-an -atite
cnemis *Ent.*
dermata -ous *Herp.*
dora *Ent.*
hinus *Ornith.*
laena *Ent.*
logy
mastix *Ent.*
melan(e -ic -ite *Min.*
merus *Ent.*
notus -idae *Ich.*
paedes -ic *Ornith.*
philus *Phytogeog.*
phyton *Bot.*
ptera *Ent.*
pyga *Ent.*
scapha *Ent.*
scelis *Ent.*
sema *Ent.*
solen *Bryozoa*
somata *Zool.*
sopher sophy
stechys *Bot.*
trachelus *Ent.*
ψιλός bare, mere, thin
Apsilus *Ich.*
Catopsilia *Ent.*
Eopsiloteron *Pal.*
Eriopsilus *Ent.*
Lampsilus *Conch.*
Meropsilus *Ent.*
Psila *Ent.*
-idae
psilad *Bot.*
Psiliglossa *Ent.*
psilocolous *Bot.*
Ptenopsila *Ent.*
Tetrapsilus *Ent.*
uropsile -us *Mam.*
ψιλότης nakedness
Psilotus *Ent.*
ψίλωθρον a depilatory
psilother -re -(r)in -ron

ψίλωσις (Eust.) (Hipp.)
pulosis *Gram. Path.*
ψιλωτικός
psilotic *Gram. Path.*
ψίττα = σίττα
Calopsitta *Ornith.*
-inae -ine
Rhynchopsitta *Ornith.*
ψιττακός a parrot
psittac = psittacus
psittacinite *Min.*
Psittacirostra *Ornith.*
psittacism *Psych.*
psittaco-
fulvin(e *Chem.*
morphae -ous *Ornith.*
Psittacula -us *Ornith.*
-inae -in(e
Psittacus *Ornith.*
-ean -eous -i -id(ae -inae -in(e -ini -oid -osis -ous
-psittacus *Ornith.*
Cyclo Gymno Lopho Melo Necro
ψιχ- Stem of ψίξ a crumb
Psichacro *Ent.*
ψόα (Hipp.)
-psoas -oatic *Anat.*
ilio- parvi
psoas *Anat.*
-oadic -oatic
psodymus *Terat.*
psoitis *Path.*
ψόφος a sound or noise
Pheropsophus *Ent.*
Psophia *Ornith.*
-iid(ae -ioid
ψῦγμα (-ατος) ?a fan
Psygmatocerus *Ent.*
ψυγμός dampness
Psygmophyllum *Pal.*
ψυδράκιον (Diosc.)
psydracium -ious *Path.*
ψύδραξ a blister
xanthopsydracia *Path.*
ψυδρός = ψευδής
Psydrus *Ent.*
ψυκτήρ a wine-cooler
psyc(*or* k)ter *Gr. Ant.*
ψυκτικός cooling (Hipp.)
psyctic
ψύλλα a flea
Psylla -id(ae -oid *Ent.*
-psylla *Ent.*
Acantho Agasto Choristo Platy Pygio Spalaco Spilo Steno Stephano Sterno Sympauro Triasso Tricho- Uro Xantho Xeno Xesto Xipho
psyllic *Biochem.*
Psylliodes *Ent.*
Psyllites *Pal.*
Psyllopa *Ent.*
psyllostearyl *Biochem.*
ψύλλιον (Diosc.)
psylly -ium *Herbs*
Ψύλλοι Cyrenaic snake charmers
psyllic
ψύλλος = ψύλλα
Platypsillus *Ent.*
-id(ae -oid
Thespesiopsyllus *Crust.*
Ψύρα an islet near Chios
Pseudopsyra *Ent.*
Psyra *Orth.*
ψυχ- Stem of ψυχή
psych-
alg(al)ia *Ps. Path.*
algy

psych- Cont'd
alia *Ps. Path.*
andric
anopsia
asthenia -ic *Ps. Path.*
ataxia *Ps. Path.*
eclampsia *Ps. Path.*
iater
iatry -ia
-ic(al -ics -ist
lampsia *Ps. Path.*
oda -id(ae -oid *Ent.*
odometer *Psych.*
odometry *Psych.*
odyl
onomy
optic
urgy
ψυχαγωγικός (Plato)
psychagogic(al(ly
ψυχαγωγός (Eurip.)
psychagog(ue
ψυχαῖος of the soul
psycheometry
ψυχη the soul
algopsychalia *Ps. Path.*
Halopsyche -idae *Zool.*
Hydropsyche *Ent.*
-id(ae -oid
neuropsychiatry *Med.*
Omphalopsychi *Phil.*
-ic -ist -ite -os
panpsychist *Phil.*
-psyche
auto coeno cyto deuto epi histo meso meta noo noto phyto proto thymo
-psyche *Pal.*
Hydro Meso Phenaco Triasso
psycheism *Med.*
psychinosis *Neurol.*
psychism -ist
-psychism
anthropo archaeo mono pal(a)eo pan poly theo
psychosin *Biochem.*
Ψυχη mistress of Eros
Psyche -ean *Astron.*
Psyche *Ent.*
-ian -id(ae -oid
-ψυχία as in μεγαλοψυχία
apsychia -y *Path.*
misopsychia
oligopsychia *Med.*
ψυχικός (Arist.)
psychic
al(ly ism ist
-psychic
allo anthropo auto bio ceno cerebro endo eroto ethno meso myo neo neuro pal(a)eo pan physio poly proto somato visuo
-psychical
auto bio infra meta neuro physico physio poly somato
(meta)psychics
ψυχο- Comb. of ψυχή
autopsychorhythmia
myopsychopathy
neuropsychopathy -ic
psycho-
algalia *Ps. Path.*
analysis -ist
analy(*or* i)st
analytic(al(ly
analyze(r
asthenics *Ps. Path.*
auditory

psycho- Cont'd
biology -ical
blast
catharsis *Psa.*
central
chemistry *Psych.*
chrome *Psych.*
-aesthesia
coma *Path.*
cortical *Med.*
curative
dynamic(s
dynamism *Psych.*
educational
epilepsy *Neurol.*
ethical
fugal
galvanic *Psych.*
genesis
genetic(al(ly
genia *Path.*
geny -ic -ous
geusic
gnosis -y
gnostic *Psych.*
gram
graph(er
graphy -ic -ist
historical
hylism -ist
kinesia *Psych.*
kym *Psych.*
lagny *Psych.*
latry
lepsis -y
leptic
log(ue -er -ism
logy -ic(al(ly -ics -(ic-al)ism -ist -ization -ize
machy
mancy mantic
mechanics
meter
metry -ic(al(ly -ist -ize
monism
moral
morpha -e *Ent.*
motor
neural
neurology
neurosis & -otic *Path.*
nomic(s
nosema *Ps. Path.*
nosis *Path.*
nosology *Path.*
optic
osmic
pannychy
-ian -ism -ist(ic -ite
paresis
path(y -ia -ic -ist -osis
pathology -ic(al -ist
pedagogic(al
petal
phasis *Ent.*
phony -ic
phore
physic(al -icist -ics
physiology
-ic(al(ly -ist
plasm(ic
plege -ic *Med.*
pneumatology
polis
pyrism -ist
reaction *Biochem.*
reflex
rhythmia
sarcous
scope
sensory -ial
sexual(ity
sociological
somatic
sophy -ist

psycho- Cont'd
static(al(ly -ics
technics -ical
theism
therapeutic(al -ics -ist
therapy
vital
zoic
-psychological
biblico bio empirico ethn(ic)o hetero idio medico neuro non palaeo pathologico zoo
-psychologist
bio neuro zoo
-psychology
bio ethno nisto idio meta neuro palaeo patho pseudo zoo
sympsychograph(er y
ψυχογονία (Plutarch)
psychogony
ψυχογονικός (Jo. Lyd.)
psychogonic(al
ψυχοδαίκτης soul-killing
psychodectic *Phil.*
ψυχοειδής spiritual
psychoid *Psych.*
ψυχοπομπός guide of souls
psychopomp
al os ous
ψυχορραγία death struggle
psychorr(h)agia -ic -y
ψυχοστασία (Aesch.)
psychostasia -y
ψυχρο- Comb. of ψυχρός
psychro-
algia *Med.*
cleistogamy *Bot.*
esthesia *Med.*
graph *Bot.*
kliny *Bot.*
master *Ich.*
meter *Meteor.*
metry -ic(al *Meteor.*
mnestra *Ent.*
philic *Bact.*
phobia -y *Med.*
phytes *Bot.*
techny
therapy
thermopsychrophorus
ψυχρολούτης
psychrolute -ist
Psychrolutes *Ich.*
ψυχρός cold, chill
isopsychric *Phys.*
ψυχροφόρον (Galen)
psychrophore *Surg.*
ψύχωσις (Clem. Alex.)
psychosis *Path. Psych.*
-psychosis
allo auto cerebro dendro encephalo gerio hydro hystero mono myo nephelo neuro somato somo syphilo
psychotic
ψυχώτρια vivifying
Psychotria -eae *Bot.*
psychotrin *Chem.*
ψχεντ
pschent *Egyptol.*
ψώειν to rub, grind
Psoa *Ent.*
ψωλός one circumcised
Psolus *Echin.*
-id(ae -oid
ψωμίζειν to feed by bits
Psomeles *Ent.*

ψωμο- Comb. of ψωμός morsel
psomo-
phagia *or* -y *Med.*
philus *Ornith.*
ψώρα scurvy, mange, canker
autopsorin
Melampsora *Fungi*
-aceae
psora *Path.*
Psoralea *Bot.*
Psorelcosis *Med.*
psorenteria -itis *Path.*
psorin(um *Med.*
psorize
psorophthalmia *Path.*
-ic -y
ψωραλέος mangy
Parosela *Bot.*
ψωρίασις (Diosc.)
psoriasis *Path.*
-iatic -ic -iform
-psoriasis
gyro para
ψωρικός (Plutarch)
antipsoric *Ther.*
psoric *Path.*
ψωρο- Comb. of ψωρός
psoro-
comium *Med.*
lyma *Ent.*
phora *Ent.*
sperm(iae *Prot.*
-ial -ic -iform
zoa *Parasites*
ψωροειδής (Diosc.)
psoroid *Path.*
ψωρός itchy, mangy
Psoroptes *Mites*
-ic -ous
ψώρωσις = ψώρα
psorosis *Phytopath.*
ψῶχος dust, sand
Allopsochus *Ent.*
Psocus *Ent.*
-id(ae -in(e -ina -oid

ῳαριον Dim. of ᾠόν
Endoarii -ian *Zooph.*
Exoarii -ian *Zooph.*
hydroarion *Path.*
hypoaria(n *Anat. Ich.*
mesarium -ial *Zool.*
oarialgia *Med.*
oario-
cele *Path.*
cyesis *Obstet.*
pathy -ic *Path.*
phyma *Path.*
rrhexis
scirrhus *Path.*
oarioncus *Path.*
oaritis -ic *Path.*
oariotomy *Surg.*
oarium *Anat.*
paroarium -ion *Biol.*
ὠβά= the Attic of φρατρία
obe *Spartan Govt.*
Ωγύγης Ogyges
Ogygia *Crust.*
-iid(ae -ioid
Ὠγύγιος (Aesch.)
Ogygian *Myth.*
Ogygiocarinae *Pal.*
Ὠιδεῖον the Odeum Fr. ᾠδή
od(e)ion -eum *Arch.*
ᾠδή a song
chordaulodion *Music*
epiodion *Music*
ode -ic(all -ist
-let -ling -man

Polymyodae *Ornith.*
-i(an -oid -ous
polyodic *Music*
terpodion *Music*
-ώδης Comb. of εἶδος as in καυλώδης, κυνώδης, τυφώδης
achenodium *Bot.*
Aenigmatodes -idae *Pal.*
arillode -ium *Bot.*
Campodea *Ent.*
-eae -ean -eid(ae -eiform -eoid(ea -idae
Chauliodes *Ich.*
cormode *Bot.*
cytode *Cytol.*
Diplodia *Mycol.*
gymnocytode *Cytol.*
gymnode *Zool.*
gymnodinium *Bot.*
h(a)emoplasmodium
Harpagodes *Zool.*
Heteromastigoda(n *Prot.*
Isomastigoda *Ent. Prot.*
lepocytode *Cytol.*
Leptocletodes *Crust.*
lymphangiectodes *Med.*
metacestode *Helm.*
Myxocystodea(n *Prot.*
Ocnodus *Ent.*
-odes *Bot.*
Carp Ectophloc Mes Physal Valerian
-odes *Ent.*
Atarb Cautir Celet Centroloph Corm Ellips Eudian Eukinet Euloph Glyph Gnaphal Hapl Hieroglyph Jonth Lagyn Megacri Mothon Necr Nepi Nochel Noth Oest Pall Periapt Pi Prostern Psylli Rhynch Sac Sicul Tetra Tricholabi Tricoryth Trog Ul Xanth Zygaen
Ornithocheirodea *Pal.*
Parachordodes *Helm.*
Phaeodium *Prot.*
-aria(n -ellum
pithode *Cytol.*
plasmode -ium *Biol.*
-ial -iata -iate -iation
plasmodio- -ic
carp(ous *Fungi*
gens *Cytol.*
phora -us *Fungi*
-(ac)eae -aceous
plasmodoma *Biol.* -ales
-ism -ous -y
platode(s -a *Helm.*
plerocestod(e
pollinodium -ial *Bot.*
Prionodes *Ich.*
Prionodoceras *Pal.*
Prognathodes *Ich.*
Pselliodes *Arach.*
Psettodes *Ich.*
-id(ae -oidea(n
pseudoplasmodium *Bot.*
Psychoda *Ent.*
-id(ae -oid
pyrenodean *Bot.*
-(e)ine -eous
Sceleodia *Ent.*
Scopodes *Arach.*
Siculodes *Ent.*
-id(ae -in(e -ina(n -oid
staminode *Bot.*
-ium -y
stomatode -a *Prot.*
Taxodium *Bot.*
-ieae -iinae
thallodal -ic *Bot.*

-ωδία as in ἀρθρωδία
-ody *Bot.*
carpell (hetero)petal (hetero)sepal (hetero)stamin pistill sporangi squam synanth
theody
ὠδίς (-ῖνος) travail, pain
idiodinic *Zool.*
ocyodinic *Obstet.*
odinopean *Obstet.*
parodinia
porodinic *Biol.*
schizodinic *Zool.*
-ωδυνία as in ἀνωδυνία. See ὀδύνη
ὠθέειν to thrust, force away
othenometer *Neurol.*
otheoscope
Otheostethus *Ent.*
ὠκαλέος = ὠκύς
Ocalea *Ent.*
Ὠκεανίδες
Oceanid(es *Myth.*
Ὠκεανῖτις of the ocean
Oceanites *Ornith.*
-idae -ides -inae -ine
Ὠκεανός Son of Uranus
cisoceanic
interoceanic
ocean
-er -et -ful -ic -ous
-ward(s -ways -wise
oceanad -ium *Bot.*
Oceania -ian
Oceanica -an
oceano-
grapher -ic(al(ly -y
logy
philous *Bot.*
oceanophyte -a -icus *Bot.*
Oceanus *Myth.*
Oceanus -id(es *Mol.*
pal(a)eoceanography
suboceanic
ὤκιμον basil (Diosc.)
ocimene *Org. Chem.*
Ocimum -eae *Bot.*
ocyme
ὠκύδρομος swift-running
ocydrome -us *Ornith.*
-inae -ine
ὠκύπους swift-footed
ocypode -a(n *Crust.*
-ian -id(ae -oid(ea(n
Ὠκυρόη Dau. of Oceanus
Ocyroe -oidae *Coel.*
ὠκύς swift
Ocyanthias *Ich.*
ocyodinic *Obstet.*
Ocyphaps *Ornith.*
Ocyurus *Ich.*
Ocyusa *Ent.*
xalostocite *Min.*
Xenocys *Ich.*
Zalocys *Ich.*
ὦλαξ = αὖλαξ
Osphyolax *Ich.*
Psepholax *Ent.*
ὠλέκρανον (Arist.)
olecran *Path.*
arthritis
arthrocace -y
arthropathy
olecranon *or* -um *Anat.*
-ial -ian -ioid
ὠλένη elbow, lower arm
Dicrolene *Ich.*
Helicolenus *Ich.*
monolene *Ich.*
Olenecamptus *Ent.*
-olenus *Ent.*
Hopl Mec Pach Scapt

Protolenus *Tril.*
Ὦλενος a city of Achaia
Olenus *Pal.*
-ellus -idae -idian
ὤλεσις destruction
patholesia *Med.*
ὦλξ a furrow
Panolcus *Ent.*
ὠμ- Comb. of ὦμος
om- *Path.*
agra algia arthritis arthrocacy itis odynia
omacephalus *Terat.*
-ωμα as in καρκίνωμα Fr. -ματ- added to verb stems in -οω as ἀξίωμα from ἀξιόω
acanthoma
acestoma
adamantinoma
adamantoblastoma
adeno-
chondroma cystoma (liomyo)fibroma lipoma lipomatosis lymphoma my(ofibr)oma myxoma
adenoma
-atoid -atome -atosis -atous
adipofibroma
adipoma -atous
angio-
ceratoma fibroma glioma gliomatosis lipoma lymphoma myoma
angioma
-atosis -atous
archiblastoma
arteriomyomatosis
asteroma *Fungi*
astrocytoma
astroma
batonoma
blastocoeloma *Embryol.*
blastoma
-atoid -atosis
blepharoadenoma
botryomycoma
branchioma
caeoma *Bot.*
caulome -ic *Bot.*
cavernoma
celiomyomectomy
celiomyomotomy
cementoma
cephal(h)(a)ematoma
cephaloma
ceratoangioma
ceratoma
cheloma
chloroma
chloromyeloma
chondro-
adenoma angioma blastoma endothelioma fibrous lipoma myoma myxoma
chondroma(tous
chondrosteoma
chordoma
chorioadenoma *Tumors*
chorioma
chorio(n)epithelioma
choristoblastoma
choristoma
chromatophoroma
chylangioma
cladome -ic *Spong.*
colloma
colpomyomectomy
colpomyomotomy
cylindroadenoma
cylindroma -atous
cystadenoma

cystadenosarcoma
cysto-
epithelioma fibroma myoma myx(oaden)oma
cystoma -atous
cystomatitis
cytoma
dacryoma
deciduoma
dentinoma
dermatoma
dermatomyoma
desmocytoma
dictyoma
didermoma *Terat.*
durematoma
ecchondroma
ecchymoma
elastoma
embryoma
enameloma
encephaloma
enchondroma -atous
endome *Bot.*
endometrioma
endost(e)oma
endothelio-
blastoma inoma myoma myxoma
endothelioma
enterocystoma
entyloma *Fungi*
ependymoma
epicytoma
epidermoma
epilepidoma
epinephroma
episiohaematoma
epithelioblastoma
epithelioma -atous
epulofibroma
erythroblastoma -atosis
exome *Bot.*
fibro-
myxoma neuroma osteoma papilloma psammoma
fibrolipoma -atous
folliculoma
framb(o)esioma
frondome *Bot.*
galactoma
ganglioma
ganglioneuroma
gliablastoma
glioma -atosis -atous
glyo-
myoma myxoma neuroma
granuloma
-atous -atosis
gyroma
hadromase *Org. Chem.*
hadrome -al *Bot.*
hadromestome *Bot.*
hadromin(e *Org. Chem.*
h(a)emangioma
h(a)ematolymphangioma
h(a)ematoma -atous
hamarto(blasto)ma
helcoma *Path.*
hemangiomatosis
hemendothelioma
hepatoma
heteradenoma
hidradenoma
hidrocystoma
histioma
histoma
hyaloenchondroma
hyaloma
hyalomitome *Cytol.*
hydatoma
hydradenoma
hydrocystoma

hydroma
hydromyoma
hydrostereome *Bot.*
hygroma -atous
hyloma
hypernephroma
hypoclydoma *Ich.*
hypohyloma
hypolepidoma
hysteromyoma
hysteromyomectomy
ino-
chondroma cystoma epithelioma inoma leiomyoma myoma myxoma neuroma steatoma
interstitialoma
karyomitome *Cytol.*
keratoangioma
keratoma
laparomyom(ec)tomy
l(e)iomyo-
blastoma fibroma
l(e)iomyoma
lepidoma
leproma -atous
leuc(*or* k)ocytoma
leukomyoma
liomyoma
lipo-
blastoma chondroma fibroma my(x)oma
lipoma *Path.*
-atoid -atosis -atous
lupoma *Path.*
lymphadenoma
-atosis -atous
lymphangioma -atous
-endotheli(oblast)-
-fibr-
lymphendothelioma
lympho-
adenoma blastoma cytoma granuloma -atosis
lymphoma *Path.*
-atosis -atous
madaroma -atic
malacoma
mastadenoma
mastochondroma
melanoblastoma
meliceroma
mening(a)ematoma
meningioma
meso-
cytoma hyloma lepidoma thelioma
metrofibroma
metromalacoma
mitome *Protoplasm*
mycetoma *or* -y -atous
mycofibroma
mycoma *Fungi*
myelo-
blastoma cytoma lymphangioma plaxoma
myeloma
-atoid -atosis
myo-
cytoma fibroma lipoma
myoma -atous -atosis
myomohysterectomy
myoneuroma
myosteoma
myxo-
blastoma chondroma cylindroma cystoma enchondroma fibroma -atous glioma inoma lipoma myoma neuroma papilloma
myx(o)adenoma
myxoblastoma
myxoma -atous
naevolipoma
narcoma -atous
nephradenoma
neurinoma -atosis
neuro-
blastoma cytoma epithelioma fibroma -atosis glioma inoma -atosis
neuroma -atosis
nevolipoma
odontoblastoma
odontoma -e -ous
-oma -atosis -atous
-oma -atosis -atous Chiefly *Med.*, esp. *Tumors*
omphaloma
oophoroma
ophthalmomelanoma
orchi(d)omyeloma
orchiencephaloma
organoma
oscheoma
osteo-
blastoma cephaloma chondrofibroma chroma -atosis cystoma encephaloma enchondroma fibroma lipochondroma spongioma
osteoma -atoid
osteospongioma
oth(a)ematoma -atous
othygroma
papilloadenocystoma
papilloma
-atosis -atous
parablastoma
paracanthoma
paraganglioma
peri-
angioma chondroma cystomatitis endothelioma epithelioma ost(e)oma thelioma
phlebangioma
phlebomyomatosis
phytoma -ata
pimeloma
placentoma
placuntoma
pladaroma *Tumors*
plasmocytoma
plasmodoma *Biol.*
-ism -ous -y
plasmoma
plastoid
polyadenoma -atosis
polymicrolipomatosis
polypapilloma
prostatomyomectomy
psammoma
pseudinoma
pseudo-
glioma lipoma neuroma textoma tuberculoma xanthoma
psiloma
pteridoma *Bot.*
pyonoma
rhabdochondroma
rhabdomyo-
blastoma chondroma myxoma sarcoma
rhabdomyoma
rhacoma
rhinoscleroma
sarcoadenoma
sarcoenchondroma
scirrhoma
seminoma
siphonoma
solanoma
spiradenoma
splenadenoma
splenoma
staphyl(a)ematoma
steatadenoma
syncytioma
syndesmoma
syphiloma(tous
syringadenoma
syringocyst(aden)oma
syringoma
telangi(ect)oma
teratoblastoma
teratoma -atous
textoma
thymoma
trachel(h)ematoma
tricho(fibro)epithelioma
trichofibroacanthoma
tridermoma
trophoblastoma
tuberculoma
uratoma
urinoma
vill(i)oma
xeroma -atous
xyloma
ὠμάδιος eating raw flesh
Omadius *Ent.*
Ὦμέγα the letter ω
obomegoid
omega
omegoid
ὠμίας a person of broad shoulders
Omias *Ent.*
Piazomias *Ent.*
ὤμιον Dim. of ὦμος
Omiostola *Ent.*
ὠμο- Comb. of ὦμος
Epomophorus *Zool.*
omo-
clavicular *Anat.*
cyrius *Ent.*
hyoid(eus *Anat.*
ean eous
lite *Ich.*
phaena *Ent.*
ptilus *Pal.*
sarotes *Ent.*
scylon *Ent.*
soma *Pal.*
stegite *Zool.*
sternum -al *Anat.*
thyroid *Anat.*
typhus *Ent.*
ὠμοκοτύλη
omocotule *Anat.*
ὠμοκρατής Epith. of Ajax
Omocrates *Ent.*
ὠμοπλάτη shoulder-blade
Omoplata *Ich.*
ὠμοπλατοσκοπία (Psellus)
omo(*or* a)platoscopy
ὦμος shoulder
brachyome *Spong.*
Euryomia *Ent.*
haplome -i -ous *Ich.*
heterome -i -ous *Ich.*
iniome -i -ous *Ich.*
-oma *Ent.*
Hypsi Stere Taur
omium *Anat.*
Omoides *Ent.*
omoideum *Ornith.*
-omus *Ent.*
Chaet Cycl Eu Hypsel Lophi Otarion Oxy Palaeo Platy Pleomegal Proten Pseud Sten
Opisthomum *Herp.*
-id(ae -oid
Plectromus *Ich.*
thomid *Ent.*
-iid(ae -iinae
xenome -i -ous *Ich.*
ὠμόσιτος eating raw meat
Omosita *Ent.*
ὠμότης savageness
Omotes *Ent.*
ὠμοτοκία miscarriage
omotocia *Med.*
ὠμοφαγία (Plutarch)
omophagia
-ic -ist -ous -us
ὠμοφόριον bishop's scarf
omophorion *Gr. Ch.*
ὠμοφόρος Fr. ὦμος
omophore
Omophorus *Ent.*
ὠμόφρων savage
Omophron *Ent.*
ὤν being
aglycone *Org. Chem.*
amicron(e *Phys.*
amicronic *Bot. Phys. Chem.*
hydronal *Mat. Med.*
-ώνη Fem. patronymic suffix, used chiefly in *Org. Chem.* in analogy with *acetone*
aceanthrenequinone
acenaphthenequinone
aceto-
naphthone phenone phorone piperone thienone tolone vanillone veratrone
aceton-
ate -ation
azine
glycosuria *Tox.*
ization
uria *Path.*
urometer *Med. App.*
ylidene
acetone
acridone
acrosazone
acrylophenone
akinetone *Pharm.*
albuminone
anthra-
chrysone(s flavone fuchsone hydroquinone quinoneazine quinonyl phenone pyridone pyrimidone
anthracridone
anthranone
anthrone
antipepton(e *Biochem.*
arachidonic
atractylone
azelaone
azlactone
azonoid
baphinitone
benzanthrone -yl
benzo-
naphthone
phenone
pinacone
pyrone thioxanthone
xazone
benzpinacone
bianthraquinone
bianthrone
bi(i)ndone
bromacetone
bromketone
butanone
butyro-
lactone phenone thienone tolone
camphenilone -ic
camphenone -ic
camphone
-an(e -anic -ene -enic -olic -onic
camphorone -ic
caprolactone
caprophenone
carbothiolonic
carminoquinone
carvelone
carvomenthone
carvopinone
catechone
cedrone
cerot(in)one
ceroxone
chalc(*or* k)one
chloroacetone
chloroacetphenone
chlorsulf(*or* ph)onic
cholestanone *Biochem.*
cholestenone *Biochem.*
chrom(an)one
chrysarone
chrysoketone
chrysone
chrysoquinone
cibanone *Dyes* (*T.N.*)
cinchoninone
civetone
coccinone
codeinone
coeroxone
coerthione
coumar(an)one
cryptobrucinolone
cumoquinone
cyclammone
cyclo-
butan(*or* en)one heptadienone heptenone hexadienone hexa(*or* e)none pentan(*or* en)-one propenone
decenone
diacetonamin(e
diacetonuria *Path.*
dianthrone
dibenzanthrone -yl
dibromketone
dibutylacetone
diketone
dihydrazone
dihydroxy-
acetone phthalophenone
dimethyl-
ketone pyrone
dinaphthazone
dioxyacetone
diphenylketone
dipropylketone
dipterocarpone
dypnone
dypnopinacone
elaïdone
elaterone
ericone
fenchocamphorone
flavanone
fluorenone
fructos(az)one
galactosone
gallobenzophenone
glyoxalone
gyri(*or* o)lone
helianthrone
helindone *Dyes*
hemiquinonoid
heptenone
hexadienone
hexan(*or* en)one
hexinone
histone
holoquinonic -oid
homomenthone
homomesitone

homophorone
hydrazone -o-
hydrindanthraquinone
hydrindone
hydrone
hydrophlorone
hydrophlorone
hydrox(y)acetone
indanone
indol(in)one
iodacetone
ionone
irone
isatanthrone
isatinone
keton(a)emia *Med.*
ketonaldehydemutase
ketone
ketonize -ation
ketonuria *Med.*
kryptobrucinolone
lact-
 azone imone
 onization
lauro-
 lactone phenone
leucazone
levulosazone
lignone
maltos(az)one
margaron(e
melissone
menth(an)one
menthapinacone
meriquinone -ic -oid
merodipnopinacone
metacetone -ic
metaquinone
metoquinone *Photog.* (*T. N.*)
monoketone
morpholone
naphth-
 anthraquinone
naphtho-
 chromone coumarone dianthrone flavone fuchsone (thio)pyrone
nitrone
octadione
octanone
octhracenone
onoketone
orcacetophenone
orthoketonic
orthoquinone
os(az)one
osotetrazone
oxanthrone
oxazol(id)one
oxetone
oxidone *Biochem.*
oxindone
oxyacetone
oxyacetophenone
oxybenzophenone
oxydiketone
oxydone *Biochem.*
oxyketone
oxylactone
paracoumarone
parasaccharone -ic
pennone
penta(di)enone
pentanone
perimidone
phenanthr(id)one
phenolanthrone
phenyl-
 hydrazone methylacetone
phlor(acetophen)one
phorone
phthalazone
phthalo-
 perinone phenone
pino-
 camphone carvone
pivalone
prop-
 anone enone
propiophenone
protone *Biochem.*
pulegone
pyr-
 anthr(id)one azol(id)-one id(az)one imidone
pyrranthraquinone
pyrrindoquinone
pyrrol(id)one
quinazolone
quinone
 -azine -imide -imine -ization -oid -yl
quinotinone *Org. Chem.*
resacetophenone
resobenzophenone
rhabarbarone
roten(on)one
santenone
selen-
 onine ono- onyl
selenopyronine
semioxamazone
silicone
sitost- *Biochem.*
 anone enone
stalagmone *Biochem.*
stearone
stigmastanone
strychninolone
suberone -yl(ene
sulfazone
sulfocyanoacetone
sulfonamic -ido- -ine
sulfonazide
sulfone
 -al(ism -ate -ation -ic
sulfonyl
sulphocyanoacetone
sulphon-
 amid(e ethylmethane methan
sulphonephathalein
sultone
sulvecarvone
tanaceto(phor)one
tetralone
theb-
 ainone aizone enone
thi-
 inone enyl oxone
thio-
 chromone flav(an)one ketone pyrone -ine
thujaketone -ic
thujamenthone
thujone
thymo-
 mentone quin(hydr)-one
tolu-
 (hydro)quinone phenone quinhydrone thienone
toxigenone
triaceto(alk)amine
triazolone
triketone
trioxyanthraquinone
triphenoquinone
trop-
 anone enone
tryptone *Biochem.*
valero-
 phenone thienone
veratrophenone
violanthrone
violonimine
xanthenone
xanthione
xylenone
xylo(hydro)quinone
xylosone
zing(ib)erone
ὤνιος for sale
oniomany *Ps. Path.*
-ωνυμία Comb. of ὄνυμα as in πολυωνυμία
onymy
-onymy
 cac heter micr mon my ne neur organ ped poic(*or* k)il tec(*or* k)n top
-ωνυμος as in συνώνυμος
allonymous *Lit.*
cryptonymous
heteronymous(ly
tec(*or* k)nonymous
-ώνυχος as in πεντώνυχος, πλατυώνυχος
-onychous. See ὀνυχ-
ὠο- Comb. of ὠον
homoo- *Bot.*
 gonous plasy
hypoogamy *Bot.*
oo-
 angium *Embryol.*
 apogamous *Bot.*
 blast(ic *Embryol.*
 blastema *Algae Cytol.*
 capt
 carp *Bot.*
 caryon *Embryol.*
 chlorin
 chrotus *Ent.*
 cinesia *Embryol.*
 corys .ythid(ae -ythoid
 cyan(in *Chem.*
 cyesis
 cymba -ate *Spong.*
 cyst(ic *Biol. Helm.*
 cyte -ase -in *Chem.*
 demas *Ent.*
 gamete *Biol.*
 gamy -ous *Bot.*
 gemma *Biol.*
 genesis genetic geny
 gl(o)ea
 gone -ium *Bot.*
 gonial *Cytol.*
 graph
 kinesis *Embryol.*
 kinete -ic *Path. Zool.*
 lem *Ent.*
 lemma *Oology*
 lite -ic *Geol. Petrog.*
 lith *Pal.*
 litiferous
 logy -ic(al(ly -ist -ize
 lysis *Biol.*
 meter metry -ic
 mycetes -ous *Fungi*
 neion *Bot.*
 nucleus *Biol.*
 pelma *Ent.*
 phagy -ous
 phyte -a -ic *Bot.*
 plasm(a -ic *Oology*
 plasmic *Bot.*
 plast *Biol.*
 pod(a(l *Ent.*
 porphyrin *Biochem.*
 rhodein(e *Chem.*
 scope -ic -y
 some *Cytol.*
 sperm *Bot.*
 sphere -ic *Biol.*
 spiroides *Pal.*
 spora *Fungi*
 sporange -ium *Bot.*
 spore -eae -ic -ous *Bot.*
 sporiferous *Bot.*
 sporosis *Path.*
 stegite -ic *Crust.*
 stegopod *Crust.*
 theca -al *Bot. Ent. Pal.*
oo- Cont'd
 thecalgia *Gynec.*
 theca(*or* o)tomy *Surg.*
 thecocele *Gynec.*
 thectomy *Surg.*
 type *Trematoda*
 xanthin(e *Biochem.*
 zoa(n *Protozoa*
 zooid *Zool.*
-oothecectomy *Surg.*
 celiohystero celiosalpingo hystero(salpingo) salpingo
-oothecitis *Gynec.*
 pachysalpingo peri-(pye)salpingo sclero
Pseudoothrix *Crust.*
salpingooothecocele
ὠοειδής egg-shaped
Öides *Ent.*
ooid(al
Ooidius *Ent.*
ooidocephalic *Craniom.*
ᾠόν an egg
bronchooidiosis *Path.*
cephaloon *Zool.*
derma(*or* o)synovitis
Dioon *Bot.*
lecimicroonine *Chem.*
lecithoonic *Chem.*
meroistic *Embryol.*
oangium
oidio-
 mycetes -ic *Fungi*
 mycosis & -otic *Path.*
 spore(s *Fungi*
oidium -ioid *Fungi*
ooeciostome *Polyzoa*
ooecium -ial *Helm.*
oonachaetae *Min.*
oonangium *Biol.*
oonin *Chem.*
oonyle *Bot.*
Oops *Ent.*
ootid *Oology*
panoistic *Biol.*
pseudoidia *Bot.*
spermatoon *Biol.*
speroon *Embryol.*
Stenous *Ent.*
stephanoum *Bot.*
Synoum *Bot.*
Trichoon *Bot.*
ᾠοσκοπία (Suidas)
ooscopy
ᾠοτοκία a laying of eggs
dysootocia *Zool.*
ootocia *Zool.*
ᾠοτόκος oviparous
ootocoid(ea(n *Mam.*
ootocous *Zool.*
Pneum(o)otoca -ous
ὠοφόρος -ον bearing eggs
oophor-
 algia *Path.*
 auxe *Gynec.*
 ectomy -ist *Surg.*
 ic id *Bryozoa*
 idangia *Bot.*
 in *Chem.*
 itis *Path.*
oophore -idium *Bot.*
-oophorectomy *Surg.*
 ep hystero(salpingo) laparohystero (laparo)salpingo
-oophoritis *Path.*
 loch par peri (pyo)-salpingo sclero
oophoro-
 cystosis *Gynec.*
 epilepsy *Path.*
 hysterectomy *Surg.*
 malacia *Gynec.*
 mania *Path.*
oophoro- Cont'd
 oophoroma *Tumors*
 oophoron -um
 pathia *or* -y *Path.*
 (pelio)pexy *Surg.*
 rrhaphy *Surg.*
 salpingectomy *Surg.*
 stomy tomy *Surg.*
-oophoron *Anat.*
 ep par
-oophorotomy *Surg.*
 laparosalpingo
paroophoric *Anat.*
perioophoric *Med.*
salpingooophorocele
ὠπ- Stem of ωψ
acanthopous *Zool.*
Alciope *Helm.*
 -ea(n -id(ae -oid
Aulopea *Pal.*
bothropic *Chem. Phys.*
Cyrtopia *Zool.*
Dactylopius *Ent.*
Dasyopa *Ent.*
Dendrocinclopa *Ent.*
hemiopalgia *Med.*
Heteropia -idae *Spong.*
hydrophlogopite *Min.*
hysterope *Ps. Path.*
Megalopa *Crust.*
Megathopa *Ent.*
Megatylopus *Pal.*
mesopic *Craniom.*
Mesotopus *Ent.*
miopus *Terat.*
Notostylopidae *Mam.*
opalgia *Med.*
opeidoscope *Acoustics*
opo-
 cephalus *Terat.*
 (di)dymus *Terat.*
platopic *Craniom.*
Platopolichas *Pal.*
platyope -ic *Craniom.*
proopic *Anthrop.*
protanope *Path.*
proteranope *Path.*
Psyllopa *Ent.*
-ωπία as in αμβλυωπία
ametropic *Ophth.*
anisometrope -ic
(anti)bothropic
chromatodysopia
cyanopic
deuteranope -ic *Ps. Ph.*
-diplopia *Ophth.*
 amph(amphoter)o amphotero mono
diplopiometer
electropy -ic *Chem. Dyes*
emmetropy *Ophth.*
 -e -ic -ism
erythrochloropia
hemianopia -ic
hypermetropy -e -ic
hyperpresbyopia
-metropia *Ophth.*
 a allo aniso anti brachy em hetero hyper iso
-opia *Ophth.*
 ambi an anis anomal anorth arachn asthen bo copi(*or* y) cyan dipl dys erythr geront h(a)emal hapl hemi hyper hyster iris is kopi macr mer micr my nephel platy poly presby scier sen spinther tripl tritan xanth
-opic
 asthen dipl hemi hyper presby
-opy *Ophth.*
 dipl hemi poly presby tripl

protanomalopia *Ophth.*
protanopia *Path. Psych.*
pseudomyopia *Ophth.*
tetartanopia *Ophth.*
xanthocyanopia -y *Ophth.*
xanthokyanopy *Ophth.*
-ῶπις as in γλαυκῶπις
Calytopis *Crust.*
Hemopis *Annel.*
-opis *Ent.*
Acr Distich Megacerc Neoleuc
Rhod
Temn
Ὦπις Epith. of Artemis
Opis *Conch.*
Opisastarte *Pal.*
ὥρα season, time of day
horadimorphism
horal horary
hour
glass less ly
Lecanora *Lichens*
-aceae -aceous -in(e -oid
lecanoric -ate *Org. Chem.*
ωραριον deacon's scarf
orarion *East Ch.*
ὥρημα what is watched
phlysoremid *Mat. Med.*
Ὠριγένης Origen
Origenism -ize *Eccl. Hist.*
Ὠριγενιστής (Method.)
Origenist(ic *Eccl. Hist.*
ὥριμος ripe
Orimus *Ent.*
Ὠρίων one of the giants
Orion *Astron. Ent. Myth.*
orionid *Astron.*
ὥριος seasonable
Horia *Ent.*
ὡρο- Comb. of ὥρα
horo-
graph(er y
logy -ist
meter metry -ic
ὡρολογικός (Eust.)
horologic(al(ly
ὡρολόγιον sun dial, clock
horolog(u)e
er ial
horologiographer
-ian -ic -y
ὡροσκοπία (Schol. Il.)
horoscopy
-ic(al -ist
ὡροσκόπος (Sext. Emp.) or ὡροσκόπιον
horoscope
-al -ate -er
ὡσαννά (N.T.)
hosanna
-ωσία as in ἀκυρωσία
-osia, -osy
-ωσις Fr. -σι- added to verbs in -όω as in λίθωσις. Used chiefly in *Path.*
acanthichthyosis
acanthosis
acarinosis
aceratosis
achroacytosis
achromatosis
achymosis
acidosis
acladiosis
acoprosis
acroneurosis
acrotrophoneurosis
actino-
bacillosis mycosis phytosis
adeno-
fibrosis lipomatosis mycosis
adenomatosis
adenosis
adiposis
aerosis
aertryckosis
aesthesioneurosis
agomphosis
agranulocytosis
albuminosis
aleucocytosis
algosis
allopsychosis *Ps. Path.*
alphosis
aluminosis
amebiosis
amitosis *Cytol.*
amyloidosis
an(a)ematosis
anaphytosis *Bot.*
anaplasmosis
anemosis *Bot.*
angio-
crinosis gli(omat)osis hyalinosis keratosis neurosis rhigosis
angiomatosis
angiosis
anhidrosis
anhypnosis
aniso-
cytosis hypercytosis hypocytosis leucocytosis normocytosis
anostosis
anthracosis
aparathyr(e)osis
apneumatosis
apocolocyntosis
apodiabolosis
aporioneurosis *Ps. Path.*
archostegnosis
argyrosis
arterio-
fibrosis malacosis myomatosis
arteriostosis
ascariosis
asiderosis
aspergillomycosis
aspergillosis
asteatosis
atel(e)iosis
atherosis
athetosis -ic
athyreosis
atrichosis
atrophodermatosis
autoerythrophagocytosis
autohypnosis
autopsychosis *Ps. Path.*
autotoxicosis *Tox.*
auxosis *Bot.*
bacillosis
bacteriosis
bioc(o)enosis *Biol.*
blastomycosis
blepharelosis
blepharochromidrosis
botryomycosis
broncho-
mycosis oidiosis spirochetosis
byssinosis
calcicosis
carbunculosis
carcinomatosis
carcinosis
cardiacirrhosis
cardiomelanosis
cardiomyoliposis
careotrypanosis
ceratomycosis
cerebrosis
chalcosis
chalicosis
chemosmosis *Chem.*
chlorosis *Bot.*
cholosis
chondroporosis
chondrosis
chondrostosis
choreoathetosis
chorioblastosis
chromatosis
chromidiosis *Cytol.*
chromidrosis
chromodermatosis
chromophytosis
cillosis
cirrhosis
cladautoicosis *Bot.*
cladosporiosis
cladothricosis
clasmato(cyt)osis
clonorcihosis
coccidiosis
colpomycosis
coniosis
coxotuberculosis
craniocleidodysostosis
craniostosis
cryptococcosis
crystalluridosis
cyanhy(*or* i)drosis
cyanomycosis
cyanosis-osed
cyclothymosis *Ps. Path.*
cyphoscoliosis
cysticercosis
cystonephrosis
cystophagocytosis
dacrygelosis
derm(at)o-
mycosis neurosis phytosis
dermatoc(*or* k)elidosis
dermatoc(*or* k)oniosis
dermatosiophobia *Path.*
dermatosis
dermostosis
desmosis
desmotroposantonosis
dialyneurosis
dicytosis
dinormocytosis
diosmosis *Bot.*
dipsosis
discomycosis
distomatosis
dochmiosis
dolichosis *Bot.*
dys(h)idrosis
dysostosis *Path.*
dystrophoneurosis
eccephalosis
ecchondrosis
eccyliosis
echinococcosis
echinosis *Cytol.*
ecthymosis
ectostosis
eczematosis
electroendosmosis *Chem.*
electr(o)osmose -is *Chem.*
electrosis Bot.
enanitiothamnosis
encephalo-
malacosis narcosis psychosis
encephalosis
enchondrosis
endermosis
endosmose -is
endostosis
endotheliocytosis
endotoxicosis *Bact.*
engomphosis
enostosis
enteromycosis
entochondrostosis
entomosis
entostosis
enzymosis *Biochem.*
epharmosis *Ecol.*
epichondrosis *Zool.*
epiderm(id)osis
epidermomycosis
epidermophytosis
epileptosis *Ps. Path.*
epitheliosis *Path.*
equisitosis *Tox.*
erythro-
blast(omat)osis cytosis neocytosis
erythrosis
esophagomycosis
esthesioneurosis
eumitosis *Biol.*
exarthrosis
excrementosis
exoneurosis
exoserosis
exosmosis *Bot.*
exostosed
exostosis *Bot.*
fibrinosis
fibromatosis
fibrosis
fibrotuberculosis
ficosis
filovaricosis
flagellosis
folliculosis
furunculosis
galact(h)idrosis
gangrenosis
gastromycosis
gastrosis
gastrostomosis *Surg.*
genodermatosis
glenosporosis
gliomatosis
gliosis
gnathank (*or* c)ylosis
granulomosis
gregarinosis
gummosis *Bot.*
h(a)emachromatosis
hemangiomatosis
h(a)emarthrosis
hemasthenosis
h(a)emat(h)idrosis
h(a)ematochromatosis
hematohidrosis
h(a)ematonephrosis
h(a)ematosis
h(a)emochromatosis
h(a)emoconiosis
hemokoniosis
hemonephrosis
hemophagocytosis *Cytol.*
h(a)emosiderosis
halitosis
hallucinosis *Ps. Path.*
haplomitosis *Bot.*
hedrosis
helosis
hemiathetosis
hemicraniosis
hemidrosis
hemihidrosis
hemihyperidrosis
hemihypnosis
hemisporosis
hepatocirrhosis
heterocaryosis *Bot.*
histoplasmosis
homocaryosis
homotyposis *Biol.*
hyalinosis
hydatosis
hydrargyrosis
hydro-
(hemato)nephrosis neurosis perinephrosis
hydro- Cont'd
pyonephrosis ureterosis
hypalbuminosis
hyper-
acanthosis adenosis adiposis albuminosis blastosis cementosis chromatosis cytosis dermatosis hypercytosis hypocytosis inosis keratomycosis keratosis leucocytosis liposis neocytosis normocytosis orthocytosis ostosis proteosis sarcosis skeocytosis thyreosis thyroidosis
hyphomycosis
hypinosis
hypnosigenesis
hypnosis
hypo-
chromatosis cytosis dermosis leucocytosis leukomatosis liposis neocytosis orthocytosis parathyreosis phrenosis porosis skeocytosis thyr(e)osis vitaminosis
hysteroneurosis
hysteropsychosis
ichthyosis -ism
idiohypnosis
idioneurosis
ileocholosis
ileosis
indican(h)idrosis
inostosis
iridadenosis
iridovalosis
ischidrosis
ischiosis
isohypo(*or* er)cytosis
isonormocytosis
isosmosis *Chem.*
isthmocolosis
ithycyphosis
ithylordosis
kakidrosis
kaolinosis
karyomitosis *Biol.*
keratomycosis
keratonosis
keratosis
keraunoneurosis
ketosis
kinesioneurosis
kinetosis
kraurosis
labiomycosis
lagnosis
laloneurosis
leishmaniosis
lepidosis
leplothricosis
leucinosis
leucocytosis
leucokeratosis
leuko-
cytosis keratosis sarcomatosis
limosis
lipogastrosis
lipoidosis *Biochem.*
lipolipoidosis *Cytol.*
lipomatosis
liposis
lipostomotic
lithosis
logoneurosis
loimocholosis
lophophytosis
lumbricosis
lupinosis

lymphaden(omat)osis
lympho-
blastosis cytosis granulomatosis sporidiosis
lymphomatosis
lysinosis *Path.*
macrocytosis
macrosis
maduromycosis
malacosis
malariosis
marmarosis *Petrol.*
mastochondrosis
megalocytosis *Cytol.*
megalonychosis
melanedrosis
melanosarcomatosis
melitococcosis
men(h)idrosis
meningosis
menoxenosis
mesomitosis
metachromatosis
metacoelosis
metadermatosis
metanaphytosis *Bot.*
metasomatosis *Geol.*
metensarcosis
methogastrosis
methylosis *Geol.*
metonomatosis
metro-
cystosis cytosis malacosis neurosis
metrorthosis
micro-
biosis cytosis sporosis
mimosis
minithosis
mitamitosis
mitosis -ic *Cytol. Path.*
molybdosis
monathetosis
moniliosis
monoavitaminosis
monocytosis *Cytol.*
mononucleosis
mucormycosis
murmekiasmosis
mycosis *Path.*
mycteroxerosis
myelinosis *Histol.*
myeloidosis *Histol.*
myelomatosis
myelosis
myelosyphilosis
myelosyringosis
myo-
cerosis fibrosis kerosis neurosis psychosis
myomatosis
myosis *Anat.*
myringomycosis
myxoneurosis
nearthrosis
necrobacillosis
necrocytosis
neisserosis
neoarthrosis
neocytosis
nephro-
cystosis hydrosis pyosis sclerosis tuberculosis zymosis
nephrosis
nephydrosis
neurangiosis
neurinomatosis
neuro-
dermatosis fibromatosis psychosis varicosis
neuroinomatosis
neuromatosis
neuronophagocytosis
neurosis -al -ism
nocardiosis
normo-
(normo)cytosis orthocytosis skeocytosis
nosomycosis
nosotoxicosis *Tox.*
nuttalliosis
nymphosis *Ent.*
ochrodermatosis
oculomycosis
odontorthosis *Dent.*
odontosis *Dent.*
oesophagomycosis
oidiomycosis
oligocytosis
oligoleukocytosis
oligotrichosis
oncosis
onychocryptosis
onychomyc(*or* k)osis
onychosis
oophorocystosis
oosporosis
ophryosis
ophthalmomycosis
orthocytosis
ortholiposis
-osis Chiefly *Path.*
osmidrosis
osmosis
osteo-
chrondromatosis hemachromatosis malacosis porosis psathyrosis sclerosis
osteoncosis
osteosis *Histol.*
ostosis *Physiol.*
otiobiosis
oto(muco)mycosis
otosis
oxidosis
oxyosis
pachyblepharosis
pachydermatosis
pachylosis
pachynosis *Bot.*
pachyostosis
panhidrosis
papillomatosis
para-
aceratosis c(*or* k)eratosis chromatosis hypnosis steatosis syphilosis tuberculosis
paracanthosis
paramorphosis *Min.*
parhidrosis
parost(e)osis *Anat. Zool.*
parthenochlorosis
pasteurellosis
pediculosis
penicilliosis
peranosis *Bot.*
peribrosis
pericardosis
periost(e)osis
peronarthrosis
petechianosis
phagocytosis *Cytol.*
phagok(*or* c)aryosis
phagoyrosis
phalacrosis
phallankylosis
pharyngo-
k(*or* c)eratosis mycosis xerosis
phlebocholosis
phlebonnyomatosis
phlogocytosis
phlycten(ul)osis
pholidosis *Zool.*
phorocytosis
phosphor(h)idrosis
phosphoronecrosis
phrenosis *Psych.*
phymatiosis
phymatosis
phytoptosis *Phytopath.*
phytosis
pimelosis
pinocytosis *Cytol.*
piroplasmosis
pladarosis
plasmatosis *Cytol.*
plasmexhidrosis
plastocytosis *Cytol.*
pleiocytosis
pleonosteosis
pleurostosis
pneumo-
actinomycosis cholosis coniosis melanosis mycosis typosis
pneumono-
cirrhosis coniosis melanosis mycosis
podobromidrosis
podyperidrosis
poecilocytosis
poikilocytosis
polle(*or* i)nosis
posis
poly-
adenomatosis avitaminosis cytosis (h)idrosis microlipomatosis nucleosis orrhomenosis piosis plastocytosis posis sarcosis trichosis
polyzygosis *Bot.*
ponopalmosis
porocephalosis
porokeratosis
potocytosis *Cytol.*
premycosic
promitosis *Bot. Tumors*
prozygosis *Terat.*
pseud(o)actinomycosis
pseudo-
chromidrosis cirrhosis hydronephrosis melanosis mitosis morphosis mycosis myxosis ochronosis stomosis trichinosis tuberculosis
psittacosis *Ornith.*
psorospermosis
psychoneurosis *Ps. Path.*
psychopathosis
pterylosis *Ornith.*
pyelenephrosis
pyelocystostomosis
pyelonephrosis
pyodermatosis
pyonephrosis
pyreticosis
pyroplasmosis
resinosis *Phytopath.*
reticul(ocyt)osis
rh(a)ebosis
rheumarthrosis
rheumatosis
rhinosporidiosis
saccharomycosis
salmonellosis *Vet.*
sarcomatosis
sarcosporidiosis
satellitosis
sauriosis
scelocambosis
schistocytosis *Cytol.*
schizo-
cytosis mycosis phrenosis trypanosis
scrofulatuberculosis
scrofulosis
secretodermatosis
selfhypnosis
seminarcosis *Obstet.*
serodermatosis
siderosis
silicosis
sinistrosis
skeocytosis
sphrigosis *Bot.*
spirillosis
spiroch(a)etosis *Vet.*
splen(o)ceratosis
spondylopyosis
spondylosis
sporidiosis
sporotrichosis
staphylo(cocco)-
mycosis
staphylosis
stearosis
steatocryptosis
steatosis
stigmatomycosis
stigmatosis
stomatomycosis
stomatosis
streblosis
strepto-
coccicosis mycosis thricosis trichosis
strongyl(oid)osis
strumosis
stycosis
stymatosis
sudor(ri)keratosis
superalbuminosis
symblepharosis
synaphosis *Bot.*
syndesmosis
synidrosis
synost(e)osis
syntenosis
syphilosis
tabacosis
tak(*or* c)osis *Vet.*
tecosis
telangiosis
telemitosis *Bot.*
teleomitosis *Bot. Path.*
tenonostosis
tenontosteoma
teratosis
thermoneurosis
thermosis *Bot.*
thromballosis
thromobcytosis
thymiosis
thyr(e)osis
thyrotoxicosis
tophyperidrosis
toponeurosis
toxicodermatosis
toxicosis
toxinosis
toxonosis
tracheopyosis
traumatosaprosis
traumatosis
treponemosis
trichin(ell)osis
tricho-
cryptosis myc(et)osis nocardiosis phytosis ptilosis sporosis syphilosis
trichomatosis
trifoliosis *Vet.*
trombidiasis
trophoneurosis
trypanosomatosis
tuberculofibrosis
tuberculosis
tympanosomatosis
typhobacillosis
typholumbricosis
typhosis
tyromatosis
tyrosis
ulosis
uncinariosis
uranocyanosis
uratosis
ureterostomosis
ur(h)idrosis
uro(hemato)nephrosis
urosis
vaginomycosis
varicosis
vasoneurosis
verrucosis *Phytopath.*
volvulosis
xanthomatosis
xanthosis
zoosis
zoosmosis
zymonematosis

ὠσμός a thrusting
aposmotaxis *Bot. Chem.*
diosmose *Bot. Phys.*
electr(o)osmose *Chem.*
electrosmotically *Chem.*
endosm(od)ic *Physiol.*
endosmometer *Physiol.*
-metric
endosmose *Physiol.*
endosmotically *Physiol.*
exosmic
exosmose
osmo-
gene *Embryol.*
meter metry -ic
philic *Med.*
regulator *Med. App.*
spores *Bot.*
tactic *Phys.*
taxy -ic *Phys.*
tropic -ism *Physiol.*
osmos(e is *Phys.*
osmosable *Chem.*
-osmosis
chem di electr(oend) end ex iso
-osmotic
chem di electroend end ex hyper hypo iso thermo(electro)
osmotic(ally *Phys.*
prososmotaxis *Bot.*
zoosmosis *Histol.*

ὠτ- Stem of οὖς ear
angiotitis *Path.*
Anisota *Ent.*
ankylotia *Med.*
Anota *Zool.*
anotia -us *Terat.*
Archaeotolithus *Pal.*
basiotic *Embryol.*
Basterotidae *Pal.*
binotic *Anat.*
cephalotic *Biol.*
cetotolite *Anat.*
dichotic *Music*
Dolichotis *Mam.*
epiotic *Anat. Zool.*
Eupterotidae *Ent.*
Haliotis *Conch.*
-id(ae -oid
hapalote -is *Zool.*
Hedyotis *Bot.*
-(id)eae
hydrotis *Med.*
lagotic
Lepiota *Mycet.*
lymphangiotis *Med.*
Megalotis *Mam.*
-inae -in(e
microtia *Anthrop. Biol. Path.*
microtine *Min.*
Microtus *Zool.*
-inae -in(e
occipitootic
otectomy *Surg.*
oth(a)ematoma -atous
othelcosis *Path.*
othemorrhea *Med.*
othygroma *Otol.*

otiator *Med. App.*
otiatria *or* -y *Med.*
otiatric(s *Med.*
otiatrus *Med.*
Otidea *Fungi*
otidium -ial *Moll.*
Otina -id(ae -oid *Conch.*
-otis *Ent.*
Plusi Sten
-otis *Ich.*
Eupom Heter Pom Xen
-otis *Ornith.*
Chrys Cyan Eupop Lag Ptil
otitis -ic *Path.*
otodynia -ic *Path.*
Oophidium *Ich.*
ottor *Med.*
otosis *Path.*
otosteon -ela
oturia *Med.*
pachyote -us *Zool.*
pachyotia *Otol.*
panotitis *Path.*
parotic *Anat.*
periotic *Anat.*
Phacotus -idae *Prot.*
Pholiota *Bot.*
Plecotus *Mam.*
-inae -in(e
Pleurotus *Ich.*
polyotia -ical *Terat.*
presbyotic
prootic *Comp. Anat.*
Prooticum *Ich.*
pterotic *Anat. Zool.*
Ptychotis *Bot.*
Rhinotia *Ent.*
Rhizota *Helm.*
rhizote -ic
rhynchote *Ent.*
-a -al -ous
Rhynchotus -ous *Ornith.*
Schizotus *Ent.*
sphenotic *Zool.*
synotia -ic -us *Terat.*
Synotus *Mam.*
tetr(a)otus *Terat.*
tympanoperiotic *Anat.*
ὠτακουστής a listener
otacust
ὠτακουστικός
otacoustic(al
otacousticon
ὠταλγία (Diosc.)
otalgia -ic -y *Path.*
ὠτάριον Dim. of οὖς
Otarionomus *Ent.*
Palaeotaria *Pal.*
ὠταρός long-eared
Otaria *Mam.*
-ian -idea -iid(ae -iinae -(i)ine -ioid(ea -y
-ώτης as in Σικελιώτης
acanthosphenote *Echin.*
anamniote -a *Zool.*
Andriote
Capriote
cerepidote *Min.*
chromepidote *Min.*
Cypriot(e
Eczemotes *Ent.*
Lobotes *Ich.*
-id(ae -oid
mastigote *Prot.*
mixote *Bot.*
Octogonotes *Ent.*
-ot(e Chiefly *Geog.*
timariot
ὠτεγχύτης ear syringe
otenchyte
ὠτικός Fr. οὖς (Galen)
See also ὠτ-
entotic *Anat.*
ostotic *Anat.*
otic *Anat.*
oticodinia *Path.*
-ωτικός Fr. -ικός added to -ώτης or -ωτος; used for adjectives with nouns in -ωσις ὑπνωτικός
acladiotic *Path.*
actinomycotic *Path.*
actinomycotin *Bact.*
agrypnotic *Med.*
albinotic
amaurotic *Path.*
amitotic(ally *Cytol.*
anabiotic *Path.*
anamniotic *Zool.*
anangiotic *Anat.*
anaplerotic *Surg.*
anastomotic(a *Anat.*
angioneurotic *Path.*
angiosclerotic *Path.*
anhidrotic *Ther.*
anhydrotic *Med.*
ankylotic *Med. Zool.*
anthracotic *Path.*
anti-
causotic chlorotic mycotic pyrotic tuberculotic zymotic
aponeurotic *Path.*
arteriosclerotic *Path.*
ateleiotic *Bot.*
bathotic *Rhet.*
biomorphotic(a
botryomycotic *Vet.*
brachymeiotic *Cytol.*
catabiotic *Physiol.*
chemosmotic *Chem.*
chemotic *Path.*
cillotic *Path.*
cirrhotic *Path.*
cyanotic *Path.*
cyphotic *Med.*
diapnotic *Path.*
diasclerotic *Psych.*
diosmotic *Physiol.*
dulotic *Ent.*
ecchondrotic *Path.*
ecchymotic *Path.*
ectosphenotic *Anat.*
electroendosmotic *Chem.*
electrosmotically *Chem.*
embolomycotic *Path.*
embryotic
endosmotic(ally *Physiol.*
entarthrotic *Anat.*
enzymotic(ally *Biochem.*
epharmotic *Ecol.*
epichondrotic *Zool.*
epiphytotic *Bot.*
euangiotic *Physiol.*
eumitotic *Biol.*
exosmotic
exostotic *Path.*
geotic
h(a)ematozymotic
heterocaryotic *Bot.*
heterodesmotic *Anat.*
homoc(*or* k)aryotic *Bot.*
homodesmotic *Neurol.*
hydronephrotic *Path.*
hypercyanotic *Med.*
hyperinotic *Path.*
hypermetamorphotic
hyperosmotic *Chem.*
hyperostotic *Path.*
hypinotic *Path.*
hyposmotic *Phys. Chem.*
ichthyotic *Path.*
ilioaponeurotic *Anat.*
ischioaponeurotic *Anat.*
isosmotic *Phys. Chem.*
karyomitotic *Biol.*
karyostenotic *Cytol.*
kyphoscoliotic *Path.*
kyphotic *Path.*
leprotic *Med.*
leuc(*or* k)ocytotic *Path.*
lipogastrotic *Embryol.*
lipostomotic *Zool.*
lordotic *Path.*
madarotic *Path.*
melanotic *Path.*
metamorphotic
methylotic *Geol.*
microbiotic *Med.*
mitotic(ally *Cytol. Path.*
mycotic *Path.*
mycoticopeptic *Med.*
myosclerotic *Path.*
myotic *Anat.*
nebulochaotic
negrotic
nephydrotic *Med.*
neurotic
neurotica -ism *Neurol.*
ochlotic *Path.*
ochronotic *Path.*
oidiomycotic *Path.*
opisthotic *Anat.*
orotic *Biochem.*
orthotic *Med.*
osmotic(ally *Phys.*
osteonecrotic *Path.*
osteoporotic *Path.*
-otic Chiefly *Path.*
paraphimotic *Med.*
parost(e)otic *Anat. Zool.*
perio
phimotic *Path.*
phlebosclerotic *Path.*
phlogotic *Path.*
porotic *Med.*
postnecrotic *Med.*
postpycnotic *Cytol.*
presclerotic *Med.*
proamniotic *Embryol.*
pseudomitotic *Biol.*
pseudostomatic *Spong.*
psychoneurotic *Ps. Path.*
psychotic
ptotic *Path.*
pyonephrotic *Path.*
Rhodostaurotic *Occult*
scoliotic *Path.*
seismotic
sikyotic *Bot.*
spirochetotic *Med.*
stenotic *Med.*
subaponeurotic *Anat.*
syndesmotic *Anat.*
synostotic *Physiol.*
tapinotically *Rhet.*
thrombotic *Path.*
trichinotic *Path.*
trophoneurotic *Path.*
tylotic *Path.*
ulotic *Med.*
zoonotic *Path.*
zootic
ὠτίον Dim. of ους
otio-
biosis *Path.*
bius *Ent.*
cephala *Ent.*
rhynchus *Ent.*
-id(ae -inae -in(e -oid
Otion *Zool.*
ὠτίς (-ίδος) bustard
Otidiphaps *Ornith.*
Otidocephalus *Ent.*
Otis *Ornith.*
-idae -idid(ae -idiform -idoid
ὠτο- Comb. of οὖς
endotoscope *Med. App.*
Evotomys *Zool.*
lymphotorrhea *Path.*
neur(o)otology *Otol.*
oto-
antritis *Otol.*
blennorrhea *Otol.*
catarrh *Path.*
cephalus *Terat.*
cerebritis *Path.*
cleisis *Otol.*
conia(l -ite -ium *Zool.*
corys
crane -ial -ic -ium
cyon(inae -in(e *Mam.*
cyst(ic *Biol.*
encephalitis *Path.*
ganglion *Anat.*
genic -ous
graphy -ical
gyps *Ornith.*
hemineurasthenia *Otol.*
laryngology -ical
lite -ic lith(ic *Anat.*
logy -ical(ly -ist
massage *Ther.*
morphology
(muco)mycosis *Path.*
myasthenia *Otol.*
myces *Fungi*
mys
necr(on)ectomy *Surg.*
neuralgia *Med.*
neurasthenia *Med.*
pathy -ic *Path.*
pharyngeal *Anat.*
phone
piesis *Path.*
placosoma *Arach.*
plana -id(ae -oid *Helm.*
plasty -ic *Surg.*
polypus *Otol.*
poridae *Pal.*
porpa(l *Zooph.*
pyorrh(o)ea *Path.*
pyosis *Path.*
rhinolaryngology *Med.*
rrhagia *Path.*
rrh(o)ea(l -ic *Path.*
salpinx *Anat.*
scler(on)ectomy *Surg.*
sclerosis
scope -ic(al -y *Surg.*
sema *Ent.*
sphen(oid)al *Anat. Ich.*
tomy *Surg.*
triton *Pal.*
typhlonemertes -idae
zamites *Pal. Bot.*
zoum *Pal.*
Parotosaurus *Pal.*
Sphenotomorpha *Pal.*
spherotocephalus
-ωτος as in πολύωτος
-otous
micr pachy
ὠτός long-eared owl
Otus *Ornith.*
Stolidotus *Pal.*
Temnotaia *Pal.*
Thysanotus *Bot.*
ὠφέλιμος beneficial
ophelimity *Pol. Econ.*
ὤχρα (Arist.)
cobaltocher *Min.*
ocher -re
och(e)r(e)ous -y
ochraceous *Min. Zool.*
ochreish
Ochrus *Ent.*
ocrein *Biochem.*
ὠχρο- Comb. of ὤχρα
ochro-
carpous -us *Bot.*
dermatosis *Med.*
dermia *Med.*
ite *Min.*
lite *Min.*
meter *Med. App.*
ochro- Cont'd
myia *Ent.*
mys *Mam.*
nosis -us *Path.*
notic *Path.*
pyra *Path.*
typhus *Path.*
pseudochronosis *Path.*
ὠχροειδής pallid
ochroid
ὠχρόλευκος yellowish white
ochroleucous *Bot.*
ὠχρός pale, wan
lipochrin *Chem.*
Stenochrus *Arach.*
ὤχρωμα paleness
Ochroma *Bot.*
ὤψ the eye, face
Adamsiellops *Malac.*
Aetholops *Mam.*
Anelytrops *Herp.*
-opid(ae -opoid(ea(n
Anomalops *Ich.*
-opid(ae -opoid
Balanops *Bot.*
Byrsops *Ent.*
-opid(ae -opoid
Cabirops(idae *Zool.*
Ceratops *Herp. Pal.*
ia(n id(ae
Choerops *Mam.*
-opinae -opine
Clepsydrops *Herp. Pal.*
-opid(ae -opoid
Coelops *Helm.*
Cotylops -opidae *Mam.*
dacryops *Path.*
Dyobalanops *Bot.*
Echinops *Bot.*
Eryopsoides *Pal.*
erythropsin *Chem.*
Heteropsomys *Pal.*
Homopsomys *Pal.*
Hyopsodus *Pal.*
-ont(a -ontid(ae
iniops *Terat.*
Ipnops *Ich.*
-opid(ae -opoid
Jacamerops *Ornith.*
-opinae -opine
Lamprops(idae *Crust.*
-opid(ae -opoid
leucopsin *Ophth.*
Liparopsidae *Ich.*
Lobiopa *Ent.*
Mecistops *Zool.*
Microprotops *Crust.*
-opid(ae -opoid
Mimusops *Bot.*
monachops *Crust.*
Mormops *Mam.*
-opidae -opinae -opin(e
Mystacops *Mam.*
-opinae -opin(e
Nephrops(idae *Crust.*
Oops *Ent.*
-ops -ώψ as in δεινώψ, πολυώψ, χρυσώψ
-ops *Ent.*
Acentrin Anis Byrs Carcin Chamael Chlor Clin Cremn Cryt Delonur Didym Din Doli Ectat Entel Glyphid Gron Haplostheth Hel Hylor Hyper Lechri Lord Lox Lyperosi Lypr Metacin Migad Miny Mol Neochrys Noth Nothoperiss Notogron Oidemat Ophry Parapiez Phaner Physet Plastomicr Podion Promec Proter Pseudocremn Pseudoptil

-ops Cont'd
Pyrg Rhachit Stephan Styl Suzyg Tetr Thlib Triche Trigon Trimicr Trogl Tursi Zyg
-ops *Ich.*
Adini Anomal Atherin Bathymacr Carang Cathor Exogloss Hypsip Ipn Lept Lipar Microperc Pachyp Plectryp Plesi Promicr Sciaen Scombr Sphyraen Stelgistr Thriss Trachur Trigl
-ops *Ornith.*
Achaet Chaet Coturnic Drymodyt Gymn Jacamer Lichen Lox Ostin Pelt Prini Prion Rhynch Scythr Strig Tetragon Zen Zoster
-ops *Pal.*
Ancerat Anthrop Aphel Brachycerat Bront Cac Calam Cerat Clepsydr Dicerat Dolirhynch Emyd Eocerat Epiaphel Ery Esocel Gale Hol Hy-
-ops Cont'd
obo Leptocerat Leucichty Meryc Mosch Pachythriss Parict Phenac Pliomer Prosthen Pseudopholid Skylac Steg Tetracerat Trem Tricerat Varan
Opsanus *Ich.*
opsialgia *Med.*
Palemydops *Herp.*
Pantostylops -opidae
Phacops *Crust.*
-opid(ae -opinae -opoid
pleopsidic -ium *Chem.*
Plesiopidae *Ich.*
prionop- *Ornith.*
id(ae inae in(e oid
rhynchop- *Ornith.*
id(ae inae in(e oid
Solenopsidae *Pelec.*
Stoastomops *Malac.*
Strigops *Ornith.*
-opid(ae -opoid
Stringops *Zool.*
-opidae -opinae
stylopized -ation *Ent.*
Stylops *Ent.*
-opid(ae -opoid
Teredops *Malac.*
Tetraopes *Ent.*
Tragops *Mam.*
Tuphlops *Herp.*
id(ae oid(ea(n
typhlope(s *Helm.*
Zosterops *Ornith.*
-opinae -opin(e
ᾠώδης egg-shaped
oodeocele *Med.*
Oodeopus -odid(ae -odoid *Crust.*
Oodes *Ent.*

ADDENDA AND CORRIGENDA

ἀγκυλοβλέφαρον
ankyloblepharon
ἀγκυλομήλη (Galen)
ancylomele *Surg.*
-αγρα as in ποδάγρα, χειράγρα
-agra *Path.* ῥιζάγρα
-αγρα as in ὀδοντάγρα,
-agra *Surg. App.*
-άετος as in γρυπάετος (Ar.), ὑπάετος (Arist.)
-aetus *Ornith.*
ἄζωτος See ζωή
-ακανθος as in πολυάκανθος (Theophr.)
-acanthous *Bot.*
ἀλγεινός painful
algin- *Med.*
oid uresis
-αλγησία as in ἀναλγησία
-algesia *Med.*
-ανθεμον as in χρυσάνθεμον (Diosc.)
-anthemum *Bot.*
ἄοσμος (Hipp.)
aosmic
-άρχης as in ἀγωνάρχης
-arch
-ασπις as in χάλκασπις,
-aspis χρύσασπις
αὐτο-
auto- Cont'd
criticism
crotic -ism *Med.*
cycle *Vehicles*
cystoplasty *Surg.*
cytolysin
cytolysis *Cytol.*
cytotoxin *Chem.*
decomposition *Chem.*
heterolysis *Chem.*
historadiography
hydrolysis *Biochem.*
hypnosis
hypnotic
-ism -ization
immunity *Med.*
immunization *Med.*
-αυχην as in πολυαύχην
-auchen *Bot.* (Geop.)
βρυωνία (Diosc.)
bryo-
genin resin r(rh)etin
bryony
-ia -idin -in(e -ol
-γαμος as in πολύγαμος,
-gamous *Bot.*
-γενησις as in συγγένησις (Plato)
-genesis
-γενικός as in συγγενικός
-genic (Hipp.)
-γλωττος as in πολύγλωττος
-glot
-γναθος as in μαλακόγναθος, πλατύγναθος
-gnathous
-γνωμία as in φυσιογνωμία
-gnomy
-γνωσις as in ἀνάγνωσις (Herod.), αὐτόγνωσις
-gnosis
-γραμμον as in πεντάγραμμον
-gram
-γραφον as in χειρόγραφον
-graph (written record)
-δαφνη as in ῥοδοδάφνη, χαμαιδάφνη (Diosc.)
-daphne *Bot.*
δεικνύναι to show
chronodeik *Astron.*
-δενδρον as in ῥοδόδενδρον (Diosc.)
-dendron *Bot.*
-δυμος (-fold) as in ἀμφίδυμος, τετράδυμος, τρίδυμος
-dymus *Med.*
-δυναμος as in ἰσοδύναμος
-dynamous
-ελλα as in κύφελλα
-ella *Zool.*
ἐλάσσωμα lessening
Elassoma *Ich.*
-atidae -e -id(ae -oid
-ελλος as in φάκελλος
-ella -ellus *Zool.*
ἔνθλασις (Ael.)
enthlasis *Surg.*
ζωτικός azotic, etc.
-ηστής as in δερμηστής (Soph.)
-estes. *Zool*
-θήκη as in βιβλιοθήκη, πινακοθήκη
-theca
-θηρ as in ἡμίθηρ
-there *Zool.* (Apollod.)
καινο- Comb. form of καινός new
ceno-
genesis *Biol.*
genetic(ally *Biol.*
geny -ic *Biol.*
phytic *Bot.*
psychic *Psych.*
pythagorean *Phil.*
-κάκη as in στομακάκη
-cace *Path.*
-καρδία as in διπλοκαρδία, σκληροκαρδία
-cardia *Med.*
-καρπον as in πολύκαρπον (Hipp.) (Sept.)
-carp(um *Bot.*
-καρπος as in λευκόκαρπος, πλατύκαρπος
-carpous *Bot.*
-κερας as in αἰγοκέρας,
-ceras *Zool.* ὀδοντόκερας
κεφαλο- Cont'd
cephalo- Cont'd
dymia -us *Terat.*
facial *Anthrop.*
gaster *Embryol.*
genesis *Anat.*
genetic *Anat.*
gonia *Ent.*
gram *Anthrop.*
graph *Anthrop.*
oid *Morph.*
orbital *Anat.*
pagus *Terat.*
pathy *Path.*
peltis -ina *Zool.*
pharyngeal -eus *Anat.*
phore -a(n -ous *Conch.*
phorum *Fungi*
tractor *Obstet.*
tribe *Obstet.*
tripsy *Obstet.*
troch *Helm.*
a al ic ous
trypesis *Surg.*
-κεφαλος as in μακροκέφαλος (Arist.)
-cephalous *Anthrop. Zool.*
-κηλη as in Galen with ἐντερο-, ἐπιπλο-, κιρσο-, σαρκο-, ὑδρο-,
-cele *Path.* etc.
κηραχάτης (Pliny)
ceragate *Min.*
-κίνησις as in ἀντικίνησις, ἀποκίνησις
-kinesis
-κλαδος as in πολύκλαδος (Theophr.)
-cladous *Bot.*
-κλασμα as in ἀπόκλασμα (Hipp.), κατάκλασμα (Eust.)
-clasm
-κοκκος as in μονόκοκκος
-coccous *Bot.*
-κολλα as in σαρκοκόλλα (Diosc.) ταυρόκολλα (Polyb.)
-coll(a
-κοτυλος as in μονοκότυλος (Arist.)
-cotylous
-λιθον as in μονόλιθον
-lith (Herod.)
-μέρεια as in μεγαλομέρεια (Arist.), ὁμοιομέρεια (Lucret.)
-mery
μικρο- Cont'd
micro- Cont'd
gnath- *Anthrop.*
ic ic ism ous
gnathophora *Ent.*
gobius -ious *Ich.*
gonid(ium ial *Fungi*
gradus *Ich.*
gram(me *Phys.*
granite -ic -oid *Geol.*
granular -ite -itic
graph(er
. . . . . .
strongyle -on *Spong.*
structure -al
stylar *Arch.*
style *Spong.*
stylis -ous *Bot.*
stylospore
sublimation *Chem.*
symbiont *Bot.*
-μορφία as in πολυμορφία (Long.)
-morphy
-νευρωσις as in συννεύρωσις (Galen)
-neurosis *Path.*
-νοσος as in πολύνοσος
-nosos -us *Path.* (Strabo)
-ξυλον as in χρυσόξυλον
-xylon *Bot.*
-ογκος as in πολύογκος
-oncus *Path.*
-ομφαλος as in ὑδρόμφαλος (Galen)
-omphalos -us *Path.*
-ορνις as in φίλορνις
-ornis *Zool.* (Plut.)
-οστρακος as in μαλακόστρακος (Arist.)
-ostracous *Crust.*
οὖρον Cont'd
uracil *Chem.*
uracrasia *Med.*
uracratia *Med.*
ur(a)emia -ic *Path.*
uragog(ue *Med.*
ural(ium ine *Med.*
uram- *Org. Chem.*
ido il(ic in(o
uranalysis *Med.*
-οφαλμθία as in ψωροφθαλμία (Galen)
-ophthalmia
-πολις as in κοσμόπολις,
-polis πεντάπολις
-πόδιον as in πολυπόδιον
-podium *Bot.* (Theophr.)
-πορος as in πολύπορος
-porous (Plut.)
-πτερίς as in δρυοπτερίς
-pteris *Bot.* (Diosc.)
-πτωσις as in κατάπτωσις (Hipp.)
-ptosis *Path.*
πυο- Cont'd
pyo- Cont'd
derm(at)itis
dermatosis
dermia -ic
diathesis
edema fecia
genesis genetic
genia
genic -in -ous
-ῥηξις as in ἀνάρρηξις (Hipp.), ἀπόρρηξις (Aretae.)
-(r)rhexis *Biol. Med.*
-σαυρα as in χλωροσαῦρα (Schol. Theocr.)
-saura
-σπασμός as in ἐπισπασμός (Hipp.)
-spasm *Med.*
σύν Cont'd
syn- Cont'd
allaxis *Ornith.*
-inae in(e
amoeba *Biol. Prot.*
anastomosis *Med.*
ancia *Ich.*
-iid(ae -ioid
andrium -y *Bot.*
ange *Anat. Bot. Zool.*
-ial -ic -ium
-σχισις as in ἀπόσχισις (Arist.)
-schisis *Med.*
τρι- Cont'd
tri- Cont'd
labe *Surg.*
laurin *Org. Chem.*
lemma *Logic*
lignocerin *Org. Chem.*
linol(e)in -enin *Chem.*
lit *Expl.*
literalism
lithium *Chem.*
lobe(d
-ate(d -ation -ous
-χαιτα as in χρυσοχαῖτα (Pindar)

-chaeta *Zool.*
χαρακ- Stem of χάραξ
charac- *Ich.*
id(ae in(e oid
Characilepis *Ent. Pal.*
Characinus *Ich.*
-id(ae -oid(ae ei)

Characodon *Ich.*
χλωρο- Cont'd
chloro- Cont'd
quinone *Chem.*
rufin *Pigments*
salol *Mat. Med.*
san *Prop. Rem.*

chloro- Cont'd
sarcolymphadeny
sarcoma *Path.*
-χλωρος as in ἐρυθρόχλωρος (Hipp.)
-chlorous
-χυμία as in κακοχυμία

-chymia *Med.* (Galen)
-ωμα Cont'd
fibro- *Path.*
adenoma
angioma
blastoma
chondroma

fibro- Cont'd
cystoma
enchondroma
myomectomy *Surg.*
fibroma -atosis
fibromectomy

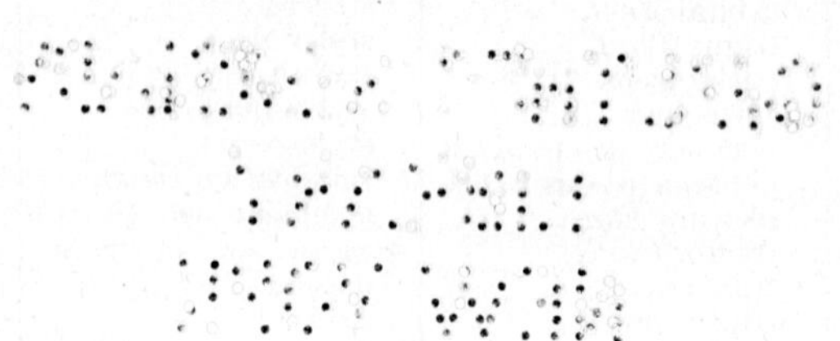